韓醫 方劑學

각론

Herbal Formula Science in Korean Medicine

한의방제학 공동교재
편찬위원회 편저

韓醫方劑學 각론

첫째판 1쇄 인쇄 | 2020년 3월 24일
첫째판 1쇄 발행 | 2020년 4월 3일
둘째판 1쇄 인쇄 | 2023년 2월 6일
둘째판 1쇄 발행 | 2023년 2월 28일

지 은 이 한의방제학 공동교재 편찬위원회 편저
발 행 인 장주연
출 판 기 획 김도성
출 판 편 집 이민지
편집디자인 양은정
표지디자인 김재욱
제 작 담 당 이순호
발 행 처 군자출판사
등록 제 4-139호(1991. 6. 24)
(10881) **파주출판단지** 경기도 파주시 회동길 338(서패동 474-1)
전화 (031) 943-1888 팩스 (031) 955-9545
www.koonja.co.kr

ISBN 979-11-5955-968-6
세트 ISBN 979-11-5955-966-2

정가 140,000원(세트)

편찬위원회 및 집필진

개정보완판 편찬위원 및 집필진(가나다순)

김상찬 대구한의대학교 한의과대학 방제학교실
김영우 동국대학교 한의과대학 방제학교실
김용주 상지대학교 한의과대학 방제학교실
김정훈 부산대학교 한의학전문대학원 약물의학부
김형우 부산대학교 한의학전문대학원 약물의학부
김홍준 우석대학교 한의과대학 방제학교실
노종성 대구한의대학교 한의과대학 방제학교실
박선동 동국대학교 한의과대학 방제학교실
박성규 경희대학교 한의과대학 처방제형학교실
변성희 대구한의대학교 한의과대학 방제학교실
신순식 동의대학교 한의과대학 방제학교실
오재근 대전대학교 한의과대학 방제학교실
이부균 부산대학교 한의학전문대학원 약물의학부
이숭인(편찬위원장) 동신대학교 한의과대학 방제학교실
이지혜 세명대학교 한의과대학 방제학교실
임규상 원광대학교 한의과대학 방제학교실
허유진 가천대학교 한의과대학 방제학교실

초판 편찬위원 및 집필진(가나다순)

국윤범 상지대학교 한의과대학 방제학교실
김상찬 대구한의대학교 한의과대학 방제학교실
김영우 동국대학교 한의과대학 방제학교실
김원남 세명대학교 한의과대학 방제학교실
김홍준 우석대학교 한의과대학 방제학교실
박선동 동국대학교 한의과대학 방제학교실
박성규 경희대학교 한의과대학 처방제형학교실
변성희 대구한의대학교 한의과대학 방제학교실
신순식(편찬위원장) 동의대학교 한의과대학 방제학교실
오재근 대전대학교 한의과대학 방제학교실
이부균 부산대학교 한의학전문대학원 약물의학부
이숭인 동신대학교 한의과대학 방제학교실
이장천 부산대학교 한의학전문대학원 약물의학부
이태희 가천대학교 한의과대학 방제학교실
임규상 원광대학교 한의과대학 방제학교실

개정보완판 서문

방제학은 본초, 한약을 다룬다. 한약은 일상적으로 인간이 먹는 음식과 유사하나, 질병 치료를 목적으로 사용되는 치료 도구인 만큼 그에 상응하는 약재를 선별하고 또 적절히 가공해야 한다. 건조, 보관, 자숙, 추출 등을 거쳐 인체에 투여되는 한약은 형태, 기미, 산지, 효능 등을 통해 규정된 과거의 정보뿐 아니라 식물 분류, 함유 성분, 유전자 감별 등 현대적인 지식까지도 포괄한다.

방제학의 내용은 크게 두 가지로 구분된다. 첫 번째, 의학적인 처치 목적에 따라 한약을 정량하고, 적절한 공정에 따라 추출하며, 활용 목적에 입각해 제형을 선택하고 제조하는 과정을 연구한다. 두 번째, 환자의 상황에 맞춰 어떻게 한약을 처방하고 조제할 것인가 하는 문제를 다룬다. 한마디로 방제학은 한약을 선택하고 가공해 환자에 맞춰 투여하는 과정을 보다 합리적으로 제안하기 위한 내용을 연구한다.

한약의 선별, 가공, 제조, 처방, 조제, 투여 등의 과정은 2천 년 이상 반복되어 왔으며 그동안 축적된 방대한 경험이 관련 고문헌 중에 축적되어 있다. 그러나 현대의 학문 체계는 '과학'을 기반으로 구축되어 있으며 한의학 역시 과학적인 연구 방법을 토대로 빠른 속도의 질적 및 양적 성장을 이루고 있다. 따라서 방제학 연구는 고문헌 중에 축적된 지식을 재해석하면서 동시에 최신의 연구 방법을 도입해 새로운 성과를 도출해 내는 방식으로 이뤄져야 한다.

2015년 발족한『한의방제학』공동교재 편찬위원회는 위의 두 가지 목표를 달성하기 위해 중국에서 출판된 중의약학 고급총서『방제학』(李飛 주편, 인민위생출판사, 2011)을 도입하기로 했다. 그리고 2020년 사상의학 방제, 한방건강보험요양급여 한약제제, 천연물신약, 건강기능보조제 등을 추가해 전국 한의과대학 공통 교재『한의방제학』을 출간했다. 출간 이후 수정 작업을 지속했으며 2023년 개정판에서는 다음 작업을 수행해 반영했다.

첫째, [임상응용]의 중국어 병증을 한국표준질병사인분류 용어에 맞게 수정하였다.

둘째, [조성]의 내용을 가독성 있게 편집하였다.

셋째, [의안], [발췌문헌]의 내용을 선별 정리해 전체 내용을 간소하였다.

위원회는 향후에도 추가적인 개정 작업을 통해 국내 실정에 맞는 방제를 수록하고, 학술 용어를 통일하며, 최신의 연구 성과를 보완할 예정이다. 모쪼록 『한의방제학』이 한의학, 방제학에 관심을 지니고 있는 분들에게 도움이 되길 기대하며, 방제학 교육과 연구에 탄탄한 디딤돌 역할을 할 수 있기를 희구한다.

2023년 2월

한의방제학 공동교재 편찬위원회 일동

초판 서문

한의학은 辨證論治 의학이다. 辨證이 아무리 정확해도 論治에서 辨證에 맞는 유용한 치료를 확보하지 못하면 소기의 치료목적에 차질을 빚는다. 論治에서 중요한 역할을 하는 것은 鍼灸와 약이다. 옛부터 一鍼二灸三藥이라고 하여 그 중요성을 강조하였다. 여기서 약이라고 하면 두 가지 이상의 약물을 배합하여 만든 韓藥製劑인 方劑가 주를 이룬다. 방제에 대한 깊고 정확한 이해는 바로 치료효과와 직결되는 중요한 문제이다. 국민들에게 양질의 한의 의료 시혜를 제공하는데, 방제가 차지하는 비중은 그만큼 높다고 할 것이다. 방제학 교육의 질을 높이는 데에는 교수방법, 교재, 학생수준, 교육시설, 평가시험 및 교육시간 등을 포함한 여러 가지 요인이 작용한다. 그중에서도 양질의 내용을 갖춘 교재개발은 무엇보다도 중요하다고 생각한다.

方劑學 공동교재 편찬의 출발은 2012년으로 거슬러 올라간다. 당시 12개 한의과대학(한의학전문대학원 포함)의 방제학교실에서 교육되고 있는 方劑學의 주교재는『東醫臨床方劑學』(尹吉榮),『바른 方劑學』(康舜洙),『方劑學』(韓醫科大學 方劑學教授),『處方劑型學』(朴性奎 外),『圖解增補 東醫方劑와 處方解說』(尹用甲)과『본초방제학』(부산대학교 한의학전문대학원 통합강의록)의 6종으로 파악되었다. 외관상 방제학이 다양하게 교육되고 있어 장점이 있는 것으로 보일 수 있으나 다른 한편으로는 방제학이 보편적인 학문으로 체계화되지 않은 채 교육되는 난립현상으로 비쳐질 수도 있다. 2012년 8월 드디어 대한한의학방제학회 하계학술대회에서 방제학의 古典 문헌과 한국의 방제학교재, 중국의 방제학교재와 서구 및 일본의 방제학교재를 종합적으로 검토함으로써 그들의 공통점과 차이점이 무엇인지를 분석하여 그들의 장단점을 파악하게 되었고, 방제학이 학문으로서 체계적이고 표준화된 교육을 통하여 수준높은 한의사 양성의 목표를 달성하려면 방제학교육의 중심인『韓醫方劑學』공동교재가 반드시 편찬되어야 한다는데 공감하게 되었다.

3년이 흘러 2015년 10월에 학회의 한의방제학 공동교재 특별편찬위원회가 정식으로 발족되었고, 2012년 학회에서 논의되었던 기존 교재의 장단점을 정리하여 공동교재의 편찬체제에 대한 중국식과 한국식의 두 안을 마련하고 교수님들의 의견을 모아 중국에서 발간된『方劑學』上·下冊(李飛 主編.『方劑學』. 第2版 第9次印刷. 北京: 人民衛生出版社, 2011)을 기본으로 하되 한의학의 특징을 반영한 四象體質醫學의 方劑, 임상의에게 필요한 한방건강보험요양급여 한약제제 그리고 현대적으로 개량된 천연물신약과 건강기능보조제를 더 넣어 발간하기로 의결하기에 이르렀다.

여러 회에 걸쳐 편찬체제를 수정하고 각론에 수재될 방제의 세부항목과 작성지침을 구체적으로 정하였다. 본 교재에는 主方 299方, 副方 204方, 四象體質方 35方, 천연물신약 및 건강기능보조제의 24方과 부록의 한방건강보험요양급여 한약제제 중 혼합엑스산제의 56方을 포함하여 모두 618方을 수재하였다.

방제학의 과제상황이 존재하고 이를 해결하지 않은채 집필을 진행하다보니 혼선을 빚기도 하였다. 용량을 예로 들면, 古典에서 사용한 度量衡을 현대적인 미터법으로 전환할 때의 기준이 다르다. 古方(『傷寒論』과 『金匱要略』에 수재된 方劑)과 後世方(古方 이외의 方劑)이 다르고, 중국식과 한국식이 다르며, 한국식 내에서도 1돈을 3.75 g과 4 g으로 다르다. 용량의 표준안에 대하여 집필진 간에 많은 학술논쟁을 진행하였으나 결론이 나지 않아 主方과 副方은 『方劑學』(李飛 主編)을 따르고, 四象體質方은 식품의약품안전처의 도량형 기준을 채택하였으며, 한방건강보험요양급여 한약제제는 대한민국약전과 한방건강보험요양급여비용(대한한의사협회 발간)을 채택하여 용량을 정하였다. 불합리한 부분은 향후 학회의 학술모임에서 충분히 논의를 거쳐 보다 완성된 표준안을 도출하여 개정판에서 반영하는 것으로 마무리를 지었다. 또한 수재된 방제에 대한 임상보고와 현대적인 약리작용도 담아내지 못한 아쉬움이 든다.

집필진 교수님들의 노고가 없었다면 이 책의 완성은 불가능하였을 것이다. 그럼에도 불구하고 책이 완성되고 나니 태산을 움직이려 울리고 나서 쥐 한 마리를 잡았다는 泰山鳴動 鼠一匹이라는 말이 생각난다. 편찬위원회에서 처음 의도한 바에는 크게 미치지 못하는 탓이다.

이 책은 원래 방제학에 입문하는 한의과대학 학부생을 위한 것으로 목표를 설정하여 집필하려 하였지만 집필과정에서 원래의 의도를 충분히 달성하였는지에 대하여는 자신하지 못한다. 또한 수없는 교열과정에서 매번 발견되는 오류들은 집필진들에게 큰 실망을 가져다주기도 하였다. 그러나 이러한 많은 실수들에도 불구하고 이 책이 독자들에게 작은 도움이 될 것은 틀림없다고 확신한다. 또한 독자들의 날카로운 비판과 지적은 물론이고, 집필과정에서 도출된 방제학의 과제상황을 학회에서 학술적으로 정리하여야 다음번 개정판에서 더 좋은 책으로 다시 태어날 것으로 생각한다.

아무쪼록 이 초판 책자를 도와 원고뭉치와 씨름한 집필진 교수님들, 또 출판을 맡아주신 군자출판사의 장주연 사장님과 편집부 여러분들께 깊은 감사를 드린다.

끝으로 이 책이 한의과대학생과 관심 있는 한의 의료인 여러분이 방제학을 이해하는 데 넓게 이용되기를 바라며, 방제학의 발전과 더불어 판을 거듭해 가며 보완되어 무궁한 발전이 있기를 바라는 바이다.

2020년 3월

편찬위원장 신순식

일러두기

1. 본서는 총론과 각론으로 구성하여 방제학의 이론과 임상응용을 체계적으로 소개하였고, 표준화된 방제학 교육을 효율적으로 실시함으로써 실제 임상목표를 달성하도록 하였으며, 방제학에 대한 과학적 연구의 참고자료 또는 교재로 사용할 수 있게 편찬되었다.

2. 본서는 『方劑學』上·下冊(李飛 主編. 『方劑學』. 第2版 第9次印刷. 北京: 人民衛生出版社, 2011)을 기본으로 하였다.

3. 본서의 총론은 서론, 方劑와 治法, 方劑의 분류, 方劑의 조성과 변화, 方劑 제형, 煎湯法과 복용법, 한방新藥의 기초 및 임상평가로 구성하여 방제학의 전반적인 이론을 개괄하였고, 부록으로 古今度量衡을 넣어 도량형의 변천과정을 이해할 수 있도록 하였다.

4. 본서의 각론은 解表劑·瀉下劑·和解劑·淸熱劑·祛暑劑·溫裏劑·表裏雙解劑·補益劑·固澁劑·安神劑·開竅劑·理氣劑·理血劑·治風劑·治燥劑·祛濕劑·祛痰劑·消食劑·驅蟲劑·涌吐劑·治癰瘍劑·四象體質方劑와 천연물신약 및 건강기능보조제의 23장으로 구성하였으며, 각 장마다 槪要와 主方 및 副方을 소개하였다. 기존 方劑書와는 달리 한의학은 四象體質醫學의 특징을 갖고 있으므로 이를 반영한 四象體質方劑와 韓醫藥과 현대 과학의 융합을 통해서 개발된 천연물신약과 건강기능보조제를 소개하였고, 한방건강보험요양급여 한약제제 중 혼합엑스산제 56개 품목은 부록으로 넣어 임상실제에서 응용할 수 있게 하였다.

5. 본서의 각론에 수재된 개별 方劑는 **【異名】**·**【出典】**·**【組成】**·**【用法】**·**【效能】**·**【主治】**·**【病機分析】**·**【配伍分析】**·**【類似方比較】**·**【臨床應用】**·**【注意事項】**·**【變遷史】**·**【難題解說】**·**【醫案】**·**【副方】**·**【參考文獻】**의 17개 항목으로 정리하였다.

【異名】은 해당 方劑에 대하여 달리 불리는 方劑名을 명기하였다.
【出典】은 해당 方劑의 原出典을 명기하였다.
【組成】은 해당 方劑의 組成藥物과 용량을 표기하였다.
【用法】은 해당 方劑의 煎湯 방법과 복용 방법을 제시하였다.
【效能】은 해당 方劑의 方劑學的인 作用을 제시하였다.
【主治】는 기존 문헌에 근거하여 해당 方劑의 치료 病證을 제시하였다.
【病機分析】은 해당 方劑의 적응증에 대한 病機를 분석하였다.

【配伍分析】은 원 출전의 해당 方劑를 기준으로 配伍分析 하였다. 조성약물의 配伍는 한약의 七情配伍와 氣味藥性論 그리고 方劑의 君臣佐使論으로 분석하였다.

【類似方比較】는 해당 方劑와 유사한 方劑를 비교하여 해당 方劑와 類似 方劑의 같은 점과 다른 점을 구분하였다.

【臨床應用】은 해당 方劑에 대한 證治要點, 加減法과 常用하는 현대의학의 病名을 제시함으로써 해당 方劑를 임상에서 효과적으로 응용할 수 있도록 하였다.

- 제2판부터 현대의학 병명은 중국과 한국의 방제학 분야 전문서적들에서 사용하는 병명들을 검토하여 제8차 한국표준질병사인분류(KCD)와 대응시켰다.
- 단, 진단명이 아니라 증상(symptom)에 가까운 표현이거나, 특정한 KCD와 호환이 곤란하다고 판단된 용어들에 대해서는 "질병명 특정곤란"으로 표기하고 다른 명시된 진단명을 사용하기 어려운 경우 선택할 만한 코드를 아래에 기록하였다.
- 또한 KOICD 질병분류 정보센터(https://www.koicd.kr/kcd/kcd.do)에 의하면 한의병명(U22-32)는 불확실한 병인의 신종질환의 잠정적 지정을 위해 사용하도록 부여되었으며, 한의병증(U50-79)과 사상체질병증(U95-98) 병증은 연구목적으로 사용하는 코드이므로, 본 교재에서는 별도로 특정하여 기술하지 않았다.

【注意事項】은 해당 方劑를 임상에서 응용할 때 주의해야 하는 사항을 제시하였다.

【變遷史】은 해당 方劑가 어느 문헌에서 시작되어 시대를 거쳐 오면서 어떻게 발전되어 왔는지를 소개하였다.

【難題解說】은 해당 方劑에서 쟁점이 된 難題에 대하여 의학자들의 異見을 소개하였고, 이를 해설하였다.

【醫案】은 해당 方劑에 대한 의학자들의 임상경험례를 소개하였다.

【副方】은 해당 方劑와 관련된 부수적인 方劑로 出典·組成·用法·作用과 적응증으로 정리하였다.

【参考文獻】은 해당 方劑에 대하여 인용된 연구논문, 연구문헌과 자료를 제시함으로써 학문적인 근거를 마련하였다. 書名은『 』, 篇名은「 」로 표기하였다.

6. 본서의 각론에 수재된 방제의 조성약물의 용량은『方劑學』(2版, 李飛 主編)을 따라 정하였고, 사상체질의학의 방제에 대한 조성약물의 용량은 식품의약품안전처에서 고시한「한약(생약)제제 등의 품목허가·신고에 관한 규정」의 [별표 1] 한약(생약)제제의 제출자료에 있는「도량형 등 환산 기준」을 따라 정하였으며, 한방건강보험요양급여 한약제제는『대한민국약전』(식품의약품안전처고시 제2018-16호(2018.03.08., 개정)과『한방건강보험요양급여비용』(대한한의사협회 발간, 2014년 1월판)에 의하여 정하였다.

7. 부록으로 방제색인을 넣었다.

목차

第四章 清熱劑

第五章 祛暑劑

第六章 溫裏劑

목차

목차

第十六章 祛濕劑

第十七章 祛痰劑

목차

第一章

解表劑

解表藥을 위주로 사용해서 조성된 것으로, 發汗·解肌·透疹 등의 작용을 갖추고 있으면서 주로 表證을 치료하는 方劑를 解表劑라고 부르는데, '八法' 중 汗法에 속한다.

解表劑의 응용은 마땅히 위로 岐黃까지 거슬러 올라가며 아래로는 百世에까지 이른다. 일찍이『內經』중에서 이미 명확하게 發汗法의 사용원칙을 제시하였다. 예를 들면 "因其輕而揚之"라고 하였고, "其有邪者, 漬形以爲汗, 其在皮者, 汗而發之"(『素問』「陰陽應象大論」)라고 하였으며, "汗者不以奇"(『素問』「至眞要大論」)라고 하였고, "發表不遠熱"(『素問』「六元正紀大論」)이라는 등의 논술이 있다. 이것으로부터 解表方劑의 이론을 세운 근거가 된다. 해표제에 대하여 巨大한 공헌을 만들어낸 것은 東漢末年에 張仲景이 지은『傷寒雜病論』으로 추론할 수 있다. 본서에 麻黃湯·桂枝湯·大青龍湯·小青龍湯·麻杏石甘湯 및 麻黃細辛附子湯 등 거의 30여 개의 解表와 관련된 方劑가 수재되어 있다. 수재된 방제는 방제의 조합이 간결하면서 약물의 配伍가 엄밀하고 치료효과가 탁월하기 때문에 지금까지 계속 사용하고 있다. 그것이 구현하고 있는 解表宣肺·調和營衛·解表淸裏·解表化飮·辛涼疏表 및 助陽解表 등의 治法은 이미 역대 의학자들이 규범으로 받들었으며, 또한 현대에 나온 여러 판의『방제학』교재도 표준으로 보고 있다. 解表劑가 漢代에 이미 비교적 높은 수준에 있었음을 충분히 알 수 있다. 魏·晉 이후로 의학계에서는 종래의 규칙이나 관례 따위를 묵수하는 것이 비록 이미 하나의 풍조가 되었지만, 아직도 일부 의학자들은 과감하게 구상하고 연구하고 經方을 활용하였으며, 적지 않게 실행하여 유효한 방제가 거듭해서 차례로 출현하게 되었다. 예를 들면 晉代 葛洪의『肘後備急方』에서 "傷寒有數種, 人不能別"를 감안하여 "葱豉湯"과 "하나의 약으로 모두 치료한다(一藥盡治)"(『肘後備急方』卷2)를 만들었다. 唐代 孫思邈의『備急千金要方』에서는 仲景法을 따르면서 仲景方을 고수하지 않은 것이 특징으로 그가 입안한 風溫을 치료하는 葳蕤湯은 滋陰解表劑의 효시가 되었으며 후세 陰虛外感을 치료하는 代表方이 되었다. 加減葳蕤湯은 곧 이것을 변화시켜 나온 것이다. 宋代『太平惠民和劑局方』중에 수록된 敗毒散·蔘蘇飮은 그 補氣의 人蔘과 解表의 羌活·防風 및 蘇葉 등을 配伍하여 약물을 구성하는 사고방식은 후세 益氣解表劑의 기원이 되었으며, 또한 羌活·防風類의 方劑가 세상에 알려지는 데 기초를 닦아 주었다. 金·元代 이후로 학술적 논쟁 을 하면서 여러 유파가 잇달아 드러나고 이름난 의학 자들이 배출되면서 解表方劑의 운용은 하나의 새로운 단계로 진입하게 되었다. 劉完素는 運氣學說의 가르침에 따라 '六氣皆從火化論'을 힘껏 제창하였다. 宋代『太平惠民和劑局方』중에 수록된 敗毒散·蔘蘇飮은 그 補氣의 人蔘과 解表의 羌活·防風 및 蘇葉 등을 配伍하는 약물조성의 사고방식은 후세 益氣解表劑의 기원이 되었으며, 또한 羌活·防風類의 方劑가 세상에 알려지는 데 기초를 닦아주었다. 金·元代 이후로 학술적 논쟁을 하면서 여러 유파가 잇달아 드러나고 이름난 의학자들이 배출되면서 解表劑의 응용은 하나의 새로운 단계로 진입하게 되었다. 劉完素는 運氣學說의 가르 침에 따라 '六氣皆從火化論'을 강하게 제창하였다. 따라서 表證 특히 陽熱이 表에서 鬱結하고 막혀 생긴 惡寒發熱에 대해서는 麻黃·桂枝 등 辛溫解表藥의 사용을 반대하고, 辛涼하거나 甘寒한 약물로 解表할 것을 주장하였다. 그러므로 "自制雙解·通聖辛涼之劑, 不遵仲景法桂枝·麻黃發表之藥."(『素問病機氣宜保命集』卷上)이라고 하였다. 劉完素는 寒涼藥을 사용하는 것에 주력하였고, 表證을 치료함에 있어 辛涼藥을 잘 사용하는 학술적인 사고방식은 후세 溫熱病의 치료에 매우 계발을 하였다. 溫病醫家인 吳瑭이 創方한 저명한 방제인 銀翹散은 그 근본을 거슬러 올라가보면 실제로 河間의 涼膈散을 모방하여 다시 만든 것이다. 易水學派의 元祖인 張元素는 舊說에 얽매이지 않고 과감하게 창의성을 발휘하였다. 風寒表證의 치료에서 "有汗不得服麻黃, 無汗不得服桂枝."(『此事難知』卷上)의 여러 가지 禁忌에 근거하여 그는 별도의 방책을 만들어 辛溫香燥를 위주로 하는 九味羌活湯을 創方하였다. 그 解表祛濕의 用藥 사고방식은 解表의 모든 방제 중에서 독자적으로 한 파를 형성한 것이다. '分經論治'하여 방제 조합 구조는 후세에 表證·痺證 및 痛證을 치료하는 데 모두 거대한 영향을 주었다. 明代 陶華는 舊論을 고치지 않고 또한 새로운 학설을 정립하였고 精粹를 잘 채집하였는데, 그는 仲景의 六經辨證의 취지를 따르면서 易老의 羌活·白芷로 解表하는 뜻을 취하여 柴葛解肌湯을 創方하였는데 후인들에게 經方을 활용하는 모범을 보여줬다고 할 만하다. 그는 仲景의 麻黃細辛附子湯의 助陽解表法을 본받고 易老의 九味羌活湯에서 羌活·防風 및 川芎의 解表祛濕하는 뜻을 본받아서 草案한 再造散도 지금의 사람들에게 널리 전수되어 사용하고 있다. 淸代 溫病學家인 吳瑭은 '溫病忌汗'을 강조하면서 "옛날부터 전해 내려오는 傷寒法을 사용하여 溫病을 치료하는 것은 크게 잘못된 것이다(古來用傷寒法治溫病, …… 大錯也.)"(『溫病條辨』卷1)고 지적하였다. 溫病의 初期를 치료함에 있어서 『內經』의 "風淫於內, 治以辛涼, 佐以苦甘; 熱淫於內, 治以鹹寒, 佐以甘苦"의 영향과 劉完素의 辛涼解表의 계발을 깊게 받았으며, '辛涼苦甘'(『溫病條辨』卷1)法을 주장하여 銀翹散과 桑菊飮 등 辛涼解表의 名方을 만들었다. 이는 表證 치료에 하나의 커다란 법문을 열었고 辛涼解表劑의 공백을 메꾸었으며 후세에 모범을 보인 것이다. 최근 50년 동안 한의학의 교육과 과학기술의 발전에 뒤이어 解表方劑의 임상 응용경험이 누적됨에 따라 解表劑가 이론상으로 더욱 계통적으로 심화되었으며, 方劑 조성의 配伍에서도 더욱 완전하게 되었다. 특별히 解表方劑에 대한 작용기전 연구를 통하여 解表方劑에는 發汗·解熱·鎭痛·抗炎·病原微生物 억제·鎭咳·平喘 및 祛痰 등의 약리작용이 있고, 또한 면역기능을 조절하고 胃腸기능을 조정하며 항알러지 反應 등의 면에도 적극적인 의의가 있다. 따라서 解表方劑의 응용범위를 진일보하게 확대하여 광활한 전망을 드러내 보였다.

解表劑는 表證을 치료하기 위하여 설정된 것이다. 表證은 六淫의 外邪가 인체의 肌表와 肺衛에 침습하여 생긴 病證이다. 衛氣는 "溫分肉, 充皮膚, 肥腠理, 司開闔"(『靈樞』「本臟」)라고 하였는데, 그 기능은 주로 外邪를 방어하고, 땀을 배설하며 체온을 조절하는 등에서 표현된다. 肺는 呼吸을 맡고 宣發과 肅降을 주로 하며 鼻에 開竅하고 外로는 皮毛와 合한다. 그러므로 六淫의 病邪가 혹은 皮毛를 따라 들어오고, 혹은 口鼻를 따라서 들어오면 반드시 肺衛에 침습하여 表衛의 調節 기능이 정상을 잃고 肺氣의 宣發 기전에 지장을 받으면 惡寒發熱, 頭身疼痛, 無汗或有汗, 苔薄白, 脈浮 등의 증상이 생겨 表證을 형성한다. 六淫의 病邪에는 風·寒·暑·濕·燥 및 火의 차이가 있고, 또한 麻疹·瘡瘍·水腫 및 痢疾 등의 初期에도 대부분 表證을 겸하기 때문에 表證이 미치는 범위 또한 비교적 광범위하다. 질병의 성질에는 寒熱의 차이가 있고 체질에는 强弱의 구별이 있다. 表證 중에서 질병의 성질이 寒에 해당하는 자는 반드시 辛溫解表해야 하고, 질병의 성질이 熱에 해당하는 자는 반드시 辛涼解表해야 하며, 여기에 겸하여 氣·血·陰·陽의 모든 부족한 증상이 나타나는 자는 또한 모름지기 補益法과 결합하여 扶正祛邪하여야 한다. 때문에 解表方劑는 여기에 상응하여 辛溫解表·辛涼解表 및 扶正解表의 세 종류로 나뉘게 된다. 또한 설명이 필요한 것은 解表劑는 六淫의 外邪가 表에 침습하여 생긴 病變을 조준하여 설정한 것이므로 本書에 있는 祛暑解表·疏散外風·祛風勝濕 및 輕宣外燥 등의 章節에 나오는 方劑 또한 解表劑의 범주에 해당되기 때문에 배우는 사람들은 위의 분류에 구애될 필요가 없이 앞뒤로 나오는 것들을 함께 참작하여야 그 전체적인 모습을 엿볼 수 있을 것이다.

辛溫解表劑는 風寒表證에 적용된다. 風寒表證은 風寒이 바깥에서 침습한 것과 연계된 것으로 肺氣의 宣發과 肅降이 조절되지 않고 津液이 펼쳐지지 못하고 營衛의 운행이 지장을 받아서 생긴 것이다. 임상에서는 대부분 惡寒發熱, 頭身疼痛, 無汗 혹은 有汗, 鼻塞流涕, 苔薄白, 脈浮緊 혹은 脈浮緩 등이 나타난다. 辛溫解表劑는 매번 辛溫解表藥을 위주로 조성되고, 麻黃·桂枝·羌活·蘇葉·防風·荊芥 및 葱白 등의 類를 常用한다. 配伍 면에서는 대략 다음의 몇 가지가 있다: ① 活血通脈藥과 配伍하는 것으로 桂枝와 川芎과 같은 類이다. 寒邪는 收引하고 凝斂으로 인해 매번 營陰의 鬱滯를 일으켜 頭身疼痛이 나타난다. 그러므로 辛溫解表劑에 항상 活血通脈藥을 配伍하여 氣血을 유통시킨다. ② 宣降肺氣藥과 配伍하는 것으로 杏仁·桔梗 및 枳殼과 같은 類이다. 肺는 宣發과 肅降을 주관하고 外로는 皮毛와 合하면서 表를 주관한다. 風寒의 邪氣가 皮毛로부터 들어오면 안으로 肺에 머물러 肺의 宣發과 肅降이 정상을 잃게 되고 肺系가 不利해지면서 咳喘과 鼻塞 등의 증상이 나타난다. 그러므로 辛溫解表劑에 반드시 소량의 宣降肺氣藥을 佐藥으로 配伍하여 肺臟의 기능을 調理한다. ③ 燥濕化痰藥을 配伍하는 것으로 半夏·蘇子 및 陳皮와 같은 類이다. 寒의 성질은 凝滯하는 것이기 때문에 쉽게 津液이 응집하여 펼쳐지지 못하고, 肺는 水의 上源으로 주로 津液을 輸布하고 水道를 通調하는데, 肺가 宣發과 肅降을 잃고 津液의 輸布에 장애가 생기면 쉽게 津液이 뭉쳐서 질환이 된다. 津이 모이면 濕이 되고 痰이 되는데, 濕痰이 肺를 막으면 咯痰의 色이 희고 胸悶 등을 볼 수 있다. 그러므로 본 方劑類는 또한 대부분 燥濕化痰藥과 配伍하여 痰 치료도 겸하면서 津液의 運行도 돕는다. 이 밖에 만약 裏熱을 겸한 자는 淸熱藥과 配伍한다. 예를 들면 大靑龍湯의 石膏와 九味羌活湯의 黃芩과 같은 것이다. 氣滯를 겸한 자는 理氣藥을 配伍한다. 예를 들면 香蘇散의 香附子와 陳皮와 같은 것이다. 辛溫解表劑의 代表方에는 麻黃湯·桂枝湯 및 九味羌活湯이 있다.

辛涼解表劑는 風熱表證에 적용된다. 風熱表證은 溫熱의 病邪와 연계된 것으로 口鼻 혹은 皮毛로부터 들어와서 肺衛를 침습하면 表衛기능은 조절되지 않고 肺氣의 宣發과 肅降은 정상을 잃고 津液이 약간의 손상을 받아서 형성된다. 임상에서는 대부분 發熱, 微惡風寒, 頭痛, 咽痛, 咳嗽, 口渴, 舌尖紅, 苔薄黃, 脈浮數 등이 나타난다. 辛涼解表劑는 매번 辛涼解表藥을 위주로 조성되고, 薄荷·牛蒡子·桑葉 및 菊花 등의 類를 常用한다. 配伍 면에서는 대략 다음의 몇 가지가 있다: ① 淸熱藥과 配伍하는 것으로 金銀花·連翹 및 竹葉과 같은 類이다. 대개 溫邪가 인체에 침습하면 발병이 급하고 傳變이 빨라서 쉽게 氣血을 치고 가슴에 맺혀 毒이 되고, 또한 대부분 穢濁의 氣가 끼어 있는 등의 특징을 가지고 있다. 그러므로 辛涼解表劑로 疏散風熱하는 동시에 반드시 溫邪가 병을 일으키는 특징을 함께 고려하여 淸熱解毒藥을 配伍하여 넣음으로써 傳變하여 裏로 들어가는 병세를 중단시킨다. ② 宣降肺氣藥과 配伍하는 것으로 桔梗 및 杏仁과 같은 類이다. "溫邪上受, 首先犯肺"(『溫熱論』)라고 하였다. 溫邪가 인체를 침입하면 가장 쉽게 肺臟에 누를 끼쳐 肺氣가 宣發을 잃고 肺系가 不利해져서 咳嗽와 咽痛 등이 나타난다. 그러므로 本 方劑類는 매번 宣降肺氣하는 桔梗 및 杏仁과 같은 것들을 配伍함으로써 肺氣의 宣

發과 肅降을 정상적으로 회복시킨다. ③ 甘寒生津藥과 配伍하는 것으로 蘆根 및 天花粉과 같은 類이다. 이들은 生津도 하고 또한 淸熱을 겸한다. 溫邪가 병을 일으키면 쉽게 津液을 손상시킨다. 溫病의 衛·氣·營·血의 4개 단계는 모두 津液의 손상을 받지만 病位의 깊이가 다르고 진액의 손상 정도에 차이가 난다. 溫病의 초기에는 邪熱이 심하지 않고 津液이 손상된 것도 가벼우므로 辛涼解表劑에 生津止渴藥을 조금 佐藥으로 하여 진액의 손상을 보살피는 것이 옳다. 辛涼解表劑의 대표방에는 銀翹散과 桑菊飮이 있다. 이 밖에 外邪가 다 풀리지 않았는데 裏熱이 이미 왕성하다면 또한 辛溫解表藥에 辛寒淸熱藥을 配伍하여 辛涼解表法을 구현해야 한다. 그 좋은 예가 麻杏石甘湯이다. 麻疹은 급성열병에 해당되고 초기에는 매번 肺衛의 證候가 나타나므로 本節에 넣어 논한다. 麻는 陽毒으로 初期에는 바깥으로 나가면 順證이 되고 안으로 빠져 들어가면 逆證이 된다. 그러므로 이런 方劑類는 반드시 輕淸透疹의 升麻·葛根·西河柳 및 牛蒡子 등을 淸熱解毒의 知母·石膏 및 竹葉 등과 배합하여 조성한다. 그 방제의 예로는 升麻葛根湯 및 竹葉柳蒡湯이 있다.

扶正解表劑는 表證에 正氣虛弱을 겸한 證에 적용된다. 正虛는 氣·血·陰 및 陽이 부족한 것을 가리킨다. 氣虛 혹은 陽虛에 外感風寒하면 身熱惡寒·頭痛無汗 등의 表證 이외에도 倦怠嗜臥, 面色蒼白이 있고, 심하면 惡寒이 극심하고 肢冷, 脈沉微 등 陽氣衰弱의 證候가 나타난다. 이 證은 자신의 陽氣虛弱에 外邪가 더해지는 두 가지 모순이 존재한다. 만약 단순히 發汗解表하면 이미 허약해진 陽氣가 땀의 배설에 따라서 더욱 虛해지고 또한 正氣의 虛로 인하여 邪氣에 저항해서 밖으로 내보낼 수 없어서 邪氣가 남아서 풀리지 않게 된다. 합당한 治法은 扶正祛邪라는 두 가지 방법을 병행하여 正氣는 왕성하게 하고 邪氣는 제거하는 것이다. 그러므로 이러한 方劑類는 매번 辛溫解表의 麻黃·羌活·防風 및 蘇葉 등과 益氣助陽의 人蔘·黃芪·附子 및 細辛 등으로 益氣解表劑와 助陽解表劑를 구성하여 한편으로는 正氣를 扶助하고 또 한편으로는 發汗祛邪함으로써 두 가지가 相輔相成하여 이것을 돌보다 저것을 놓치는 일에 이르지 않도록 한다. 대표방에는 敗毒散·蔘蘇飮·麻黃細辛附子湯 및 再造散이 있다. 평소 몸에 陰血이 부족한 데에 外邪를 感受하면 그 證은 쉽게 熱化하는 경향이 있어서, 頭痛身熱, 微惡風寒, 無汗 혹 有汗 등 일반적인 表證이 생기는 이외에 대부분 舌苔가 薄하면서 乾燥하고 혹은 舌光赤하고 脈細數하는 특징이 있다. 치료는 오로지 發表만 할 수 없는데 그 이유는 陰血의 부족으로 인하여 汗의 자원이 충분하지 않은데 外邪를 感受하더라도 汗法을 써서 邪氣를 내보낼 수 없기 때문이다. 만약 억지로 發汗시키면 더욱 陰血을 소모시키고 심하면 汗多亡陰이라는 좋지 않은 결과를 조성하게 된다. 그러므로 반드시 滋陰養血하여 汗의 자원을 충분히 한 다음에 發汗透邪하여 表證을 풀게 된다. 따라서 이러한 方劑類는 항상 性味가 辛而微溫하고 혹은 辛涼한 解表藥인 葱白·豆豉·薄荷 및 葛根 등과 滋陰養血藥인 玉竹·生地黃 및 麥門冬 등으로 滋陰解表劑와 養血解表劑를 조성한 것이다. 그 방제의 예는 加減葳蕤湯과 葱白七味飮이다.

解表劑를 응용하는 데는 반드시 다음의 몇 가지를 주의해야 한다: ① 解表劑를 사용할 때에는 반드시 마땅한지의 여부에 주의해야 한다. 우선은 이것이 사용 자체가 마땅한지의 여부이다. 解表劑는 表證을 위하여 설정된 것이다. 만약 表證에 해당되어 당연히 사용해야 하는데 사용하지 않는 자는 病邪를 깊이 들어가게 할 수 있고, 만약 당연히 사용하면 안 되는데 잘못 사용하는 자는 한갓 그 表를 虛하게 만들고 무익할 뿐만 아니라 도리어 일을 망치게 된다. 그 다음은 이것이 證에 서로 맞는지의 여부이다. 風寒表證에는 당연히 辛溫解表藥을 사용해야 하는데 寒涼藥을 잘못 사용하면 病邪가 얼음처럼 잠복하여 오래도록 낫기 어렵고, 風熱表證에는 당연히 辛涼藥을 사용해야 하는데 잘못 辛溫藥을 투여하면 장작을 안고 불을 끄려는 것과 같아서 熱로써 熱을 조장하는 폐단이 생긴다. 正氣가 虛하면서 外感이 있으면 당연히 扶正을 함께 고려해야 하는데 만약 一味로 表邪를 發散한다면 반드시 氣血陰陽을 더욱 손상시키게 된다. 程國彭이 『醫學心悟』의 머리말에서 "汗得其法, 何病不除! 汗法一差, 夭枉隨之矣. 吁! 汗豈易言哉!"라고 하였다. ② 解表劑는 대부분 辛散輕揚藥을 사용하므로 오래 煎湯해서는 안 된다. 그 이유는 오래 煎湯하면 藥性이 소실되고 작용이 감소하기 때문이다. ③ 대략 解表劑를 복용한 후에는 반드시 風寒을 피하고 혹은 의복과 이불을 두텁게 입고 덮으며, 혹은 죽을 먹어 보좌함으로써 땀이 나도록 도와야 한다. 땀을 내는 정도는 온몸에 약간의 땀이 나는 것이 좋은데, 만약 땀이 나는 것이 철저하지 못하면 病邪가 풀리지 않고, 땀이 나는 것이 지나치면 正氣가 소모되고 津液이 손상된다. 땀이 나면서 병이 나으면 곧 복용을 중지하여 나머지 모든 약제를 다 먹을 필요는 없다. 바로 『儒門事親』권2에서 "凡發汗欲周身漐漐然, 不欲如水淋漓, 欲令手足俱周, 遍汗出十二時爲佳. 若汗暴出, 邪氣多不出, 則當重發汗, 則使人亡陽. 凡發汗中病則止, 不必盡劑; 要在劑當, 不欲過也."라고 하였다. ④ 解表劑는 반드시 식사 후에 溫服하고, 복용한 후에는 날 것, 찬 것, 기름지고 느끼한 것(生冷油膩)의 음식물을 禁하는데, 그 이유는 이들 음식물이 약물의 흡수와 藥效의 발휘에 영향을 줄 수 있기 때문이다. ⑤ 남쪽 지방 혹은 여름철에는 氣候가 炎熱하기 때문에 인체의 腠理가 이완되어 쉽게 發汗되므로 약물을 선택함에 있어 너무 세고 용량이 지나치게 많은 것은 적절하지 않다. 북쪽 지방 혹은 겨울철에는 氣候가 寒冷하기 때문에 인체의 腠理가 치밀해져 쉽게 땀이 나지 않아 약물을 사용함에 세지 않으면 안 되고 용량도 약간 많은 것이 적당하다. ⑥ 만약 表邪가 다 풀리지 않은 상태에서 또한 裏證이 나타나는 자는 일반적인 원칙으로는 반드시 먼저 解表한 이후에 裏를 치료해야 한다. 表와 裏가 같이 심한 자는 마땅히 表와 裏를 동시에 풀어야 한다. 만약 外邪가 이미 裏로 들어가서 혹은 麻疹이 이미 삐져 나오고 혹은 瘡瘍이 이미 터져버리고 혹은 虛證의 水腫에는 모두 사용해서는 안 된다.

第一節 辛溫解表劑

麻黃湯
(『傷寒論』)

【異名】 麻黃解肌湯(『深師方』, 『外臺秘要』卷1

【組成】 麻黃 去節 三兩(9 g) 桂枝 二兩(6 g) 杏仁 去皮尖 七十個(6 g) 甘草 炙 一兩(3 g)

【用法】 위의 4가지 약재에 물 9되를 넣고 煎湯하는데, 먼저 麻黃을 煎湯하여 2되로 줄어들면 위에 뜬 거품을 없애고, 나머지 3가지 약재를 넣고 2되 반이 되도록 전탕하고 찌꺼기는 버리고 8홉을 따뜻하게 복용한다. 이불을 덮고 약간 땀이 나게 하며, 반드시 죽을 먹을 필요는 없다. 나머지는 桂枝湯의 복용법에 따라 몸을 조리한다.

【效能】 發汗解表, 宣肺平喘.

【主治】 風寒束表, 肺氣失宣證. 惡寒發熱, 頭疼身痛, 無汗而喘, 舌苔薄白, 脈浮緊.

【病機分析】 風寒의 邪氣가 肌表에 침습하면 營衛가 맨 먼저 공격을 받는다. 寒邪는 收引하고 凝滯하는데 衛分을 손상시키면 衛陽이 막혀서 그 '溫分肉'의 기능이 조절을 잃게 되고, 肌表는 정상적인 溫煦를 얻지 못하게 되므로 惡寒하고, 衛氣는 바깥을 향하여 邪氣에 대항하는데 正氣와 邪氣가 서로 싸우면 發熱하며, 正氣와 邪氣가 頭部에서 싸우고 經氣의 순행이 불리해지면 頭疼한다. 寒邪가 表部를 묶으면 腠理가 닫히고 막혀서 衛氣의 '司開闔'하는 기능이 조절되지 못하여 汗液이 밖으로 새 나가지 못하면 無汗하게 된다. 營

分을 손상시키면 營陰이 鬱滯하여 시원하게 뚫리지 못하고 經脈은 不通하게 되며 不通하면 痛하므로 身痛하게 된다. 肺는 氣를 주관하고 衛에 속하며, 밖으로는 皮毛와 合하고 또한 表를 주관한다. 寒邪가 밖으로 表를 묶어서 肺氣의 宣發과 肅降에 의한 下行에 영향을 주게 되면 上逆하여 喘이 된다. 나머지 舌苔薄白과 脈浮緊과 같은 것은 모두 風寒이 表에 침습한 것을 반영한 것이다. 그러므로 본 病證은 邪氣가 實하고 正氣는 虛하지 않은 風寒表實證에 해당된다.

【配伍分析】 본 方劑의 病證은 風寒이 表를 묶고 肺氣가 宣發을 상실하였기 때문이다. 『素問』「陰陽應象大論」에 수재된 "其在皮者, 汗而發之"의 치료원칙에 근거하여 治法은 반드시 發汗解表와 宣肺平喘해야 한다. 방제 중에 있는 麻黃은 性味가 苦辛溫하고 歸經은 肺經과 膀胱經이며 "乃肺經專藥"(『本草綱目』卷15)이라고 하였고, "善行肌表衛分, 爲發汗之主藥."(『成方便讀』卷1)이라고 하였다. 본 방제에서 이를 사용하여 開腠發汗하고 表에 있는 風寒을 몰아내어 발병의 원인을 없애고, 宣肺平喘하고 閉鬱의 肺氣를 發泄함으로써 肺氣의 宣發을 회복시키니 君藥으로 한 것이다. 본 方劑의 病證은 衛鬱營滯에 해당되어 麻黃만을 써서 發汗시키면 단지 衛氣의 閉鬱을 풀어줄 수 있을 뿐이다. 그렇기 때문에 또한 透營達衛의 桂枝를 써서 臣藥으로 하고 解肌發表하며 "引營分之邪, 達之肌表"(『醫方集解』「發表之劑」)라고 하여 麻黃의 解表逐邪를 도와 發汗작용을 더욱 드러나게 한 것이고, 溫通血脈하고 暢行營陰하여 疼痛證을 풀리게 하였다. 이것은 汪琥가 "今麻黃湯內用桂枝者, 以寒傷營, 桂枝亦營中藥, 能通血脈而發散寒邪, 兼佐麻黃而泄營衛之邪實."(『傷寒論辨證廣注』卷1)라고 지적한 것과 같다. 杏仁은 性味가 苦微溫하여 "主咳逆上氣"(『神農本草經』卷3)라고 하였고, "功專降氣, 氣降則痰消嗽止."(『本草便讀』卷3)라고 하였다. 이것을 써서 降利肺氣하고 麻黃과 配伍하면 一宣一降하여 肺氣의 宣發과 肅降을 회복하고 宣肺平喘의 작용을 강화시키기 때문에 佐藥으로 한 것이다. 炙甘草는 麻黃과 杏仁을 도와서 止咳平喘하고 또한 益氣和中하고 調和藥性하므로 使藥이 되고 佐藥의 쓰임도 兼한다. 네 가지 약물을 配伍하면 寒邪가 흩어지고 營衛가 통하게 되고 肺氣가 宣發되어 모든 증상은 낫게 된다.

본 방제의 配伍 특징은 다음과 같다. 麻黃과 桂枝가 配伍되면 한편으로는 衛氣의 鬱滯를 發散시켜 腠理를 열어주고, 또 한편으로는 營分의 鬱滯를 뚫어서 血滯를 行하게 한다. 이것은 相須를 쓰임으로 하여 發汗解表의 작용을 增强시키게 된다.

【臨床應用】

1. 證治要點: 본 方劑는 外感 風寒表實證을 치료하는 대표적인 방제로 임상에서는 惡寒發熱, 無汗而喘, 脈浮緊을 辨證論治의 요점으로 한다.

2. 加減法: 喘急胸悶, 咳嗽痰多하고 表證이 심하지 않은 자는 桂枝를 빼고 蘇子와 半夏를 넣어 化痰止咳平喘한다. 鼻塞流涕가 심한 자는 蒼耳子와 辛夷를 넣어 宣通鼻竅하고, 濕邪를 끼고 骨節酸痛이 兼하여 나타나면 蒼朮과 薏苡仁을 넣어 祛風除濕하고, 裏熱의 煩躁와 口乾을 兼하면 石膏와 黃芩을 넣어 淸瀉鬱熱하고, 風寒이 表에 침습하여 생긴 皮膚瘙痒에는 防風·荊芥 및 蟬蛻를 넣어 祛風止痒한다.

3. 麻黃湯은 다음 한국표준질병사인분류(KCD)에 해당하는 환자가 風寒束表, 肺氣失宣證으로 辨證되는 경우 본 처방의 사용을 고려해볼 수 있다.

처방 목표	한국표준질병사인분류(KCD)
感冒	J00 급성 비인두염[감기]
發熱	(질병명 특정곤란)
	A00~B99 I. 특정 감염성 및 기생충성 질환
	G00~G09 중추신경계통의 염증성 질환
	R50.9 상세불명의 열

처방 목표	한국표준질병사인분류(KCD)
咳喘	(질병명 특정곤란)
	J00~J99 X. 호흡계통의 질환
	R05 기침
水腫	(질병명 특정곤란)
	R60 달리 분류되지 않은 부종
痺證	U23.8 비증(痺證)
	M79.2 상세불명의 신경통 및 신경염
	M79.6 사지의 통증
鼻炎	J00 급성 비인두염[감기]
	J30 혈관운동성 및 알레르기성 비염
	J31 만성 비염, 비인두염 및 인두염
風疹	B06 풍진

【注意事項】 본 방제는 辛溫發汗의 峻劑이다. 그러므로 『傷寒論』에서는 '瘡家'·'淋家'·'衄家'·'亡血家' 및 外感表虛自汗이나 血虛하면서 脈이 '尺中遲'를 겸하는 경우, 그리고 잘못 下法을 써서 '身重心悸'가 나타나는 경우 등에 대해서는 비록 表寒證이 있더라도 모두 사용을 금하였다. 麻黃湯은 藥味가 비록 적을지라도 發汗力이 강하여 합당하게 사용하면 효과가 제법 신속하다. 사용할 때에 반드시 주의해야 할 것은 병에 적중하면 곧 복용을 그치고 지나치게 복용해서는 안 된다. 그렇지 않으면 發汗이 지나쳐 반드시 사람의 正氣를 손상시킨다. 柯琴은 "此乃純陽之劑, 過於發散, 如單刀直入之將, 投之恰當, 一戰成功. 不當則不戢而召禍. 故用之發表, 可一而不可再. 如汗後不解, 便當以桂枝湯代之; 若汗出不透, 邪氣留連於皮毛骨肉之間, 又有麻桂各半與桂枝二麻黃一之妙用."(『傷寒來蘇集』「傷寒附翼」卷上)라고 지적하였다. 이는 체험에서 터득한 말이라고 할 것이다.

【變遷史】 麻黃湯은 發汗解表의 主方이다. 吳謙 등은 "爲仲景開表逐邪發汗第一峻藥."(『醫宗金鑑』「訂正傷寒論注」卷2)이라고 하였다. 風寒束表의 病機 특징은 腠理가 닫혀 막히고 營陰이 鬱滯되고 肺의 宣發과 肅降이 상실된 것이다. 본 방제는 麻黃에 桂枝 및 杏仁을 配伍하여 開腠·暢營·宣肺함으로써 후세 사람들에게 發表散寒의 用藥 사고력 및 방제조합 구조의 기초를 놓았다. 역대 의학자들은 이 방제를 기초로하고 加減하여 재단함으로써 적응증의 범위를 확대하였다. 여기에 해당되는 방제는 주로 다음의 다섯 가지로 나눌 수 있다: ① 淸熱의 黃芩 및 知母 등을 配伍하여 解表淸裏의 방제를 구성하고 外感風寒에 裏熱을 兼한 자에게 사용한다. 예를 들면 『類證活人書』卷20의 麻黃黃芩湯은 본 방제에서 杏仁을 빼고 黃芩 및 赤芍藥을 넣은 것이고, 『醫學衷中參西錄』上冊의 麻黃加知母湯은 본 방제에서 知母를 넣은 것이다. ② 祛風除濕의 防風·羌活 및 白朮 등을 配伍하여 發汗祛濕의 방제를 조성하고 外感風寒에 濕을 낀 자에게 사용한다. 예를 들면 『三因極一病證方論』卷3의 麻黃左經湯은 본 방제에서 杏仁을 빼고 防風·防己·羌活·白朮·茯苓·乾葛·細辛·生薑 및 大棗를 넣은 것이고, 『症因脈治』卷3의 麻桂朮甘湯은 본 방제에서 杏仁을 빼고 白朮을 넣은 것이다. ③ 宣降肺氣하고 止咳化痰의 蘇子·半夏 및 桑白皮 등과 配伍하여 解表宣肺·祛痰止咳의 方劑를 조성하고 外感風寒에 喘咳有痰을 兼하여 나타나는 자에게 사용한다. 예를 들면 『博濟方』卷2의 華蓋散은 본 방제에서 桂枝를 빼고 蘇子·桑白皮·茯苓 및 陳皮를 넣은 것이고, 『張氏醫通』卷13의 麻黃定喘湯은 본 방제에서 桂枝를 빼고 厚朴·款冬花·桑皮·蘇子·半夏·黃芩 및 銀杏을 넣은 것이다. ④ 活血化瘀의 桃仁 및 紅花 등을 配伍하여 解表活血通絡의 방제를 조성하고 外傷에 風寒을 感受한 자에게 사용한다. 예를 들어 『傷科補要』卷3의 麻桂溫經湯은 본 방제에서 杏仁을 빼고 紅花·桃仁·細辛·白芷·赤芍藥·生薑 및 葱白을 넣은 것이다. ⑤ 益氣養血의 人蔘·黃芪·當歸 및 地黃 등을 配伍하여 扶正解表의 방제를 구성하고 正虛하면서 外感風寒한 자에게 사용한다. 예를 들어 『脾胃論』卷下의 麻黃人蔘芍藥湯은 본 방제에서 杏仁을 빼고 人蔘·黃芪·麥門冬·當歸·白芍藥 및 五味子를 넣은 것이고, 『雲岐子保命集』卷下의 麻黃加生地黃湯은 본 방제에 四物湯(當歸·熟地黃·白芍藥·川芎)을 合하고 生薑 및 大棗를 넣은 것이다.

【難題解說】

1. 麻黃의 炮製法에 관하여: 古方에서 麻黃을 쓴 목적은 發汗平喘에 있고, 節에는 막고 뭉치는 형상이 있기 때문에 옛 사람들은 取類比象의 뜻에 근거하여 대부분 節을 제거함으로써 發汗의 藥力이 비교적 강한 것을 취하였다. 예를 들면『醫學衷中参西錄』中冊에서 "麻黃帶節發汗之力稍弱, 去節則發汗之力較强."이라고 하였다. 근래에는 麻黃을 쓸 때 대부분 節을 제거하지 않는데, 節을 제거할 지의 여부에 의미가 있는가? 현대 한약의 藥理研究에 의하면 '節'과 '節 사이'에는 매우 큰 차이가 있고, 節 사이 부위의 알칼로이드 총 함량은 節의 3.2배라는 것이 입증되었고, 그밖에 麻黃 부위의 毒性연구에 의하면 節의 毒性은 最大라는 것이 증명되었다. 그러므로 炮製할 때에 節을 제거하여 알칼로이드 함량이 낮은 부분을 제거함으로써 藥材의 품질과 임상 치료효과를 향상시키고 毒副作用을 경감시킬 수 있다.[1)]

현대에는 본 방제를 사용함에 있어 麻黃의 發汗이 센 것이 두려워 麻黃絨을 常用한다. 한약의 현대연구에 의하면 麻黃絨의 제조법은 어떤 방법을 채택하든지 간에(예를 들어 수공으로 찧어서 絨을 만들고, 혹은 갈아서 부수어 체로 치고, 혹은 벗기고 물을 뿌려 분쇄하고 체로 치는 등) 모두 손실 부분의 유효성분이 다르다. 주요한 손실은 그 髓部에 있는 에페드린과 슈도에페드린이다. 즉, 止咳·平喘·祛痰·利尿작용은 낮아지게 된다. 皮部에 있는 揮發油 성분은 많은 손실을 입지 않았기 때문에 상대적으로 말하면 같은 용량인 상황에서는 함량이 높다. 즉, 發汗作用은 낮아지지 않는다. 그러므로 原藥材 및 有效成分의 손실을 줄이기 위하여 麻黃絨 및 炙麻黃絨을 보존시킬 필요가 없음을 건의하였다. 體虛한 환자를 만났을 때는 麻黃의 용량을 적당히 줄이고 혹은 炙麻黃으로 바꾸어 사용한다. 麻黃이 炮製를 거친 후에 揮發油의 함량은 현저히 낮아지고, 平喘·鎭咳·祛痰의 화학성분의 함량은 높아진다. 이로부터 麻黃을 蜜炙한 후에는 發汗作用이 낮아지고 平喘작용은 증강되는 것으로 나타났다. 그러므로 임상에서 응용할 때에는 體質이 虛弱한 자 혹은 咳喘이 심한 자는 炙麻黃을 선별하여 쓰는 것이 비교적 적당하다.[1)]

2. 본 방제의 임상응용에 관하여: 宋代 이후로 특히 明代와 清代의 溫病學派가 興起하면서 外感病은 風熱이 많고 傷寒이 적은 것으로 인식하였으며, 또한 麻黃의 發汗이 세고 강렬한 것을 꺼려서 응용이 적은 편이었다. 그러나 임상연구에 의하면 主症(惡寒·無汗·體痛·喘)을 잘 붙잡고, 類似한 證型(風濕在表·表寒裏熱·體虛外感)을 감별하고 用法이 합당하면, 양호한 치료효과를 거둘 수 있고 또한 傷津耗氣 등의 부작용이 나타나지 않는다는 것을 보여주었다.[2)] 外感病은 대부분 惡寒과 發熱이 함께 나타나며, 또한 外感高熱로 진찰받으러 온 환자 중에는 發熱이 重하고 惡寒이 輕한 자를 적지 않게 볼 수 있다. 麻黃湯의 證治 要點을 어떻게 파악하여 사용할 수 있단 말인가? 屈氏의 "外感發熱에 麻黃湯을 쓴 요점"은 확실히 체험하여 깨달은 바의 지식이기 때문에 특별히 기록하여 참고하고자 한다. ① '無汗'은 비록 麻黃湯을 응용하는 주요한 지표 증상이지만, 임상에서 발견하기로는 辛涼之劑 혹은 洋藥의 解熱鎭痛劑를 응용하여 熱이 물러나지 않고 혹은 다시 상승하는 자는 대부분 辛味를 얻어서 땀은 나지만 寒邪가 여전히 풀리지 않는 '汗出不徹'證에 해당된다. 이 경우에 麻黃湯을 응용하면 風邪와 寒邪가 제거되어 곧 熱이 풀린다. ② '惡寒'은 麻黃湯을 응용하는 지표 증상이고, 外感高熱로 진단을 받으러 온 환자는 비록 대부분 發熱이 重하고 惡寒이 輕하지만, 그 病歷에 있어서 시작할 때 惡寒이 重하고 혹은 惡寒의 시간이 비교적 긴 자는 대부분 風寒이 병이 된 것으로 또한 麻黃湯을 응용할 수 있다. ③ 모든 高熱은 陰을 다치지 않는 경우가 없어서 자연스럽게 口乾과 口渴이 생길 수 있지만 傷寒의 陰損傷은 가볍기 때문에 비록 口乾하고 심하면 口渴이 있더라도 물을 많이 마시지 않으면 여전히 麻黃湯을 사용하여 解表시키면 裏證은 스스로 조화롭게 된다. ④ 高熱한 자는 脈이 반드시 數하지만 傷寒의 맥박수의 빠르기는 溫病의 高熱과 비교하면 輕하여 이른바 小數의 脈이 나타난다. 따라서 반드시 脈과 證을 함께 참고하여 數脈을 볼 수 없

으면 辛溫法을 사용한다. ⑤ 실험실의 검사에 의하면 傷寒의 高熱이 있고 합병증이 없는 자는 혈액정기검사(blood routine examination)에서 대부분 正常 혹은 낮게 편중되어 있다. 이럴 때 麻黃湯을 응용하는 참고로 삼을 수 있다.3)

3. 甘草의 配伍 의의에 관하여: 방제 중에 甘草를 配伍한 의의는 歷代 의학자들의 관점에 차이가 있고, 귀납하자면 두 가지를 벗어나지 않는다: 첫째는 協同作用이다. 예를 들어 許宏은 "甘草能安中."(『金鏡內臺方議』卷2)이라고 하였고, 吳昆은 "入甘草者, 亦辛甘發散之謂."(『醫方考』卷1)라고 하였으며, 吳謙은 "甘草之甘平, 佐桂枝和內而拒外."(『醫宗金鑑』「刪補名醫方論」卷6)라고 하였다. 두 번째는 制約作用이다. 예를 들어 王子接은 "甘草內守麻黃之出汗, 不使其劫陰脫營."(『絳雪園古方選注』卷上)라고 하였고, 章楠은 "甘草和脾胃, 以緩麻·桂迅發之性."(『醫門棒喝』「傷寒論本旨」卷9)이라고 하였고, 張秉成과 張錫純 등도 또한 같은 견해를 가지고 있다. 藥物을 配伍하는 중요한 목적 중의 하나는 '揚長避短'이라고 생각한다. 甘草는 본 방제 중에서의 작용은 다양하다. 그 止咳平喘의 작용은 麻黃·杏仁과 서로 배합하면 두 약물의 平喘藥力을 강화시킬 수 있고, 益氣和中의 작용은 능히 正氣를 돕고 邪氣를 밖으로 보내어서 安內攘外의 뜻이다. 그러므로 甘草의 쓰임에는 相須·相使의 뜻을 갖고 있다.

【醫案】

1. 太陽傷寒『湖南中醫醫案選輯』: 陳某씨, 나이 60세, 소규모 무역업, 날마다 風霜雨雪 중에 다니면서, 겨울에 寒邪를 感受하였다. …… 환자는 머리에 뒤집어쓰고 누워있으면서 스스로 말하기를 頭痛이 심하여 돌아누울 수가 없고, 다리쪽 근육이 땅기면서 통증이 있어서 땅을 밟을 수가 없고 조금만 이동해도 통증이 심하여 죽을 것 같고, 發熱·無汗 및 脈緊有力한 것이 太陽傷寒證이다. 즉, 麻黃湯으로 땀을 내었더니 과연 약간 땀이 나면서 頭足의 통증이 줄고 조금 죽을 먹을 수 있게 되었다. 元氣가 평소에 부족하였기 때문에 계속해서 桂枝新加湯 4첩을 복용하였더니 통증이 줄고 식사량은 더욱 늘었다. 한 달 정도 조리한 후에 비로소 바깥 무역업을 할 수 있었다.

2. 寒閉失音『趙守眞治驗回憶錄』: 汪之常은 오리를 기르는 일을 한다. 늦겨울 차가운 바람이 매섭게 불고 진눈깨비가 내리는 중에 하루 종일 오리를 방목하여 분주하게 돌아다니면서 피로함을 견딜 수 없었다. 어느 날 저녁 집으로 돌아 올 때에 느낌이 좋지 않아 冷茶를 한 대접 마셨다. 한밤중에 惡寒發熱하고 咳嗽聲嘶하면서 이미 語言失音하였다. 일찍이 生薑湯에 삼나무 숯을 타서 여러 잔 마셨으나 목소리가 안 나오는 것은 여전하였다. 그의 어버지가 失音의 경위를 대신 말하는 것을 근거해 보니 寒이 肺金에 침습하여 空竅를 닫아 막았기 때문에 咳嗽聲啞한 것을 알게 되었다. 脈을 짚으니 浮緊하고 舌上無苔하며 身疼無汗한 것이 바로 太陽表實證이다. 목소리가 안 나오는 것(聲暗)은 形寒飮冷으로 傷肺한 것이고, 金實不鳴의 연고이다. 치료는 반드시 開毛竅하고 宣肺氣해야 하므로 麻黃湯으로 疏散시킨다. 麻黃 9 g, 桂枝·杏仁 各 6 g, 甘草 3 g. 복용한 후에 따뜻한 이불을 덮어서 땀을 내었고 옷을 두 번 갈아입었다. 다음날 外邪가 풀리고 聲音이 약간 나왔지만, 기침을 하면 여전히 痰이 있었고 흉부가 약간 脹滿하여 앞의 방제에서 桂枝를 빼고 麻黃을 4.5 g으로 줄인 뒤에 貝母·桔梗 各 6 g, 白蔻仁 3 g, 細辛 1.5 g을 넣어 溫肺化痰하였다. 연속해서 2첩을 복용한 뒤에 드디어 기침이 없어지고 聲音은 평상시로 회복되었다.

考察: 麻黃湯은 發汗解表와 宣肺平喘의 방제로 風寒束表와 肺氣失宣의 證을 치료한다. 醫案1은 그 직업·계절 및 脈證의 관찰로부터 순수하게 太陽傷寒에 해당되고 麻黃湯을 쓰는 것이 적당하다. 다만 그의 나이가 60세인 것을 고려하면 元氣가 이미 虧損되었을 것이므로 약을 복용한 뒤에는 약간의 땀을 내어 병을 풀어야 하는데, 만일 크게 땀을 내면 亡陽의 변고가 있을까 걱정된다. 좋은 후속 방제로 桂枝新加湯을 사용한 것은 解表와 함께 正氣까지 돌보는 방법이다. 醫

案2는 問診과 切脈을 통하여 그가 병을 얻은 경위를 알아내고, 또한 전형적인 太陽表實證을 나타내므로 麻黃湯을 투여하였다. 二診에서 桂枝를 빼고 麻黃의 양을 줄이면서 또한 桔梗·貝母·白蔻仁·細辛 등을 넣은 것은 辛味로 열어주는 중에 潤肺化痰利咽의 약물을 보좌하여 그 후속조치를 잘한 것이다.

3. 急性黃疸『國醫論壇』(1986, 2:24): 張某씨, 남자, 62세. 嚴冬雪寒에 水利 공사를 하다가 땀이 나고 바람을 맞고 다시 비를 맞았으며, 마침 그날 밤에 惡寒과 戰慄이 나고, 身痛, 때때로 마른기침이 나고, 小便이 방울방울 떨어지며 하룻밤 사이에 전신의 皮膚가 귤처럼 노랗게 염색되었고, 舌苔黃而薄膩하고 脈浮緊而弦하였다. 傷寒表實의 急性黃疸로 진단하였고, 風寒濕邪가 表를 속박하고 肺는 宣發과 肅降을 상실하고 水道는 不通하고 濕은 鬱하여 熱이 되고 肌膚를 졌기 때문에 생긴 것이다. 방제로는 麻黃湯을 써서 직접 玄府를 통하게 함으로써 發汗시키고, 利尿退黃의 茵陳蒿를 넣고 邪氣가 땀과 오줌으로부터 나가서 풀리게 한다. 麻黃 12 g, 桂枝 12 g, 杏仁 12 g, 炙甘草 6 g, 茵陳蒿 10 g. 2첩을 복용하였더니 表證이 풀리고 소변이 시원하게 나오면서 황달증상이 소실되었다.

4. 水腫『國醫論壇』(1986, 2:24): 劉某씨, 남자, 9세. 1984년 겨울 얼굴에 갑자기 水腫이 생겨서 某 병원에서 '急性腎炎'으로 진단을 받았다. 양약으로 보름 정도 치료를 받았으나 병세는 반복되었다. 최근 2일 동안 모든 증상이 심해지면서 面部水腫, 喘咳無痰, 心煩不寧, 小便不利, 陣陣惡寒, 舌淡胖苔白膩 및 脈浮緊하였다. 風水泛濫의 水腫으로 辨證하였고, 이것은 風寒이 表를 속박하고 肺는 宣發과 肅降을 상실하고 水道는 不通하고 水가 肌膚로 범람한 까닭이다. 약물은 麻黃 6 g, 桂枝 6 g, 杏仁 6 g, 炙甘草 3 g, 茅根 10 g, 蟬衣 5 g을 사용하였다. 2첩을 복용한 뒤에 小便이 잘 통하면서 모든 증상이 가벼워졌고, 연속으로 3첩을 복용하였더니 모든 증상이 소실되는 것 같았다. 이후에 四君子湯에 生黃芪를 넣고 1주일 정도 조리하였더니 효과가 있었다. 1년간 추적조사(follow-up) 결과 아직은 재발되지 않았다.

考察: 위에서 예로 든 黃疸과 水腫의 두 가지 의안은 비록 병명과 원인이 각기 다르지만, 모두 風寒이 表를 속박하고 肺는 宣發과 肅降을 상실하고 通調의 직책을 상실한 공통적인 病機가 존재한다. 麻黃湯의 주요한 작용이 곧 開皮毛하여 發汗解表하고 宣降肺氣하여 通調水道하는 것에 있기 때문에 方劑와 病證이 합치되기 때문에 異病同治의 효과를 거둘 수 있다.

【副方】

1. 麻黃加朮湯(『金匱要略』): 麻黃 去節 三兩(9 g) 桂枝 去皮 二兩(6 g) 甘草 炙 一兩(3 g) 杏仁 去皮尖 七十個(6 g) 白朮 四兩(12 g)

- 用法: 上五味, 以水九升, 先煮麻黃, 減二升, 去上沫, 煮取二升半, 去滓, 溫服八合, 覆取微似汗.
- 效能: 發汗解表, 散寒祛濕.
- 主治: 風寒濕痹, 身體煩疼, 無汗等證.

본 방제는 麻黃湯에 白朮을 넣어 만든 것으로, 寒濕이 表에 있는 證에 적용된다. 방제는 麻黃을 君藥으로 하여 發汗解表와 宣肺利尿하고, 桂枝는 君藥을 도와서 散寒解表에 溫通血脈겸하고, 肺는 一身의 氣를 주관하므로 杏仁에 麻黃을 합하여 宣利肺氣하고, 氣化하면 즉 濕도 이를 따라 없어진다. 白朮의 健脾燥濕을 配伍하고, 麻黃이 白朮을 얻으면 發汗을 하되 지나치지 않게 되고, 白朮이 麻黃을 얻으면 表裏의 濕을 모두 제거할 수 있어서 서로 보조하고 제어하여 配伍의 묘미를 깊게 얻을 것이며, 甘草는 藥性을 조화시킨다.

2. 麻黃杏仁薏苡甘草湯(『金匱要略』): 麻黃 去節, 湯泡 半兩(6 g) 杏仁 去皮尖, 炒 十個(6 g) 薏苡仁 半兩(12 g) 甘草炙 一兩(3 g)

- 用法: 上剉麻豆大, 每服四錢匕(12 g), 水盞半, 煮八分, 去滓, 溫服, 有微汗, 避風.
• 效能: 發汗解表, 祛風利濕.
• 主治: 風濕一身盡疼, 發熱, 日晡所劇者.

본 방제는 麻黃湯을 加減하여 만든 것으로 汗出當風 혹은 오랫동안 축축한 땅에 머물러 있으면서 생긴 風濕이 表에 있는 證에 적용된다. 방제는 麻黃의 發汗解表를 사용하여 濕을 表에서 제거하고, 杏仁과 합하면 宣降肺氣하고 通調水道하여 水濕을 아래로 수송하게 하며, 薏苡仁과 합하면 滲濕利尿하여 濕을 前陰에서 나가게 하고, 甘草는 藥性을 조화시킨다.

3. 三拗湯(『太平惠民和劑局方』卷2): 甘草 不炙 麻黃 不去根節 杏仁 不去皮尖 各等分(各 30 g)

• 用法: 上爲粗末, 每服五錢(15 g), 水一盞半, 薑五片, 同煎至一盞, 去滓, 通口服. 以衣被蓋覆睡, 取微汗爲度.
• 效能: 宣肺解表.
• 主治: 感冒風邪, 鼻塞聲重, 語音不出, 咳嗽胸悶.

본 방제는 麻黃湯에서 桂枝를 빼고 만든 것이다. 방제 중의 麻黃은 發汗解表하고 宣肺平喘하며, 杏仁은 降利肺氣하고 麻黃과 배합되면 一宣一降하여 이로써 肺의 宣發과 肅降 기능을 회복하게 되고, 甘草는 藥性을 조화시킨다.

위에 서술한 세 방제는 비록 적응증은 각기 다르지만, 모두 外感風寒의 所致이므로 모두 麻黃湯을 기초로 하고 加減하여 만든 것이다. 그중에 麻黃加朮湯과 麻杏苡甘湯은 모두 外感風寒에 濕을 끼고 있는 것을 치료하는 방제지만, 앞 방제의 病證에서 表寒 및 身疼은 뒤 방제의 病證보다 심하므로 麻黃·桂枝는 白朮과 配伍하고, 뒤 방제의 病證에서 表寒은 비교적 가볍고 日晡時의 發熱은 심해져 熱이 되는 경향이 있으므로 桂枝와 白朮을 사용하지 않고 滲濕의 薏苡仁으로 바꾸어 사용함으로써 輕清宣化하고 解表祛濕한다. 三拗湯은 肺中의 風寒을 宣散하여 風寒이 肺를 침습하여 생긴 咳喘輕證을 주로 치료한다.

【参考文獻】

1) 陰健, 郭力弓. 『中藥現代研究與臨床應用』. 北京: 學苑出版社, 1993;618-619.
2) 牛元起. 談談如何學習麻黃湯. 中醫雜誌. 1983;24(11): 854.
3) 屈德民. 辛溫解表法在外感高熱中的應用體會. 吉林中醫藥. 1986;(1):14.

大青龍湯

(『傷寒論』)

【異名】 甘草湯(『聖濟總錄 』卷13).

【組成】 麻黃 去節 六兩(18 g) 桂枝 二兩(6 g) 甘草 炙 二兩(6 g) 杏仁 去皮尖 四十粒(6 g) 石膏 如鷄子大, 碎(18 g) 生薑 三兩(9 g) 大棗 擘 十二枚(3 g)

【用法】 먼저 麻黃을 물 九升에 넣고 달여서, 二升이 감소하면 上沫을 去하고, 모든 약을 넣고 달여서, 三升을 取하여 去滓하고, 一升씩 溫服한다. 약간 땀을 내도록 한다. [嵌] 땀이 많이 나는 자는, 溫粉을 사용한다. [原] 1회 복용하고 땀이 나는 자는 다음 복용을 멈추도록 한다. [嵌] 만약 다시 복용하여 땀이 많아서 亡陽하여, 虛에 이르면, 惡風 煩躁 不得眠하게 된다.

【效能】 發汗解表 兼淸裏熱.

【主治】

1. 外感風寒, 裏有鬱熱證: 惡寒發熱, 頭身疼痛, 無汗, 煩躁, 口渴, 脈浮緊.

2. 溢飮: 身體疼重, 或四肢浮腫, 惡寒身熱, 無汗,煩躁, 脈浮緊.

【病機分析】惡寒發熱, 頭身疼痛, 無汗 및 脈浮緊은 風寒이 表를 속박하고 衛陽이 막히고 營陰이 鬱滯되며 毛竅가 閉塞되어 일어난 것으로 의심 없이 風寒表實證에 해당된다. 그러나 表實證에 어떻게 煩躁와 口渴이 나타난단 말인가? 表寒證과 煩躁·口渴이 함께 나타나는 것은 陽盛한 몸이 바깥으로 風寒의 邪氣를 받고 寒邪가 비교적 심하고 表邪의 閉鬱이 비교적 심해져 陽氣內鬱로 熱이 되고, 熱邪가 진액을 손상시키면 口渴하고, 熱이 宣泄의 길이 없으면 胸中을 요란시켜서 煩하게 되고, 煩이 심하면 躁動하는 것이다. 바로 張秉成이 "陽盛之人, 外爲風寒驟加, 則陽氣內鬱而不伸, 故見煩躁不寧之象."(『成方便讀』卷1)이라고 한 것과 같다. 그러므로 風寒束表와 裏有鬱熱은 본 方劑 病證의 病機가 된다.

『金匱要略』에서는 본 방제를 써서 外感風寒과 水飮內鬱化熱의 溢飮을 치료하였다. 溢飮은 "飮水流行, 歸於四肢, 當汗出而不汗出, 身體疼重"의 病證이다. 肺는 水의 上源이고 水液의 운행은 肺氣의 宣發과 肅降에 힘입어야 비로소 表로 敷布하고 아래로 膀胱에 수송되는 것이다. 風寒이 바깥에서 침습하여 肺가 宣發과 肅降을 상실하고 水津이 表에 분포하지 못하고 아래로 膀胱에 운행되지 못하면 모여서 飮이 되고, 水飮이 바깥의 四肢로 넘쳐나면 身體疼重 혹은 浮腫하게 되고, 飮邪가 鬱滯하여 熱이 되면 煩躁하게 되며, 惡寒·發熱·無汗 등의 증상은 모두 風寒束表로 생긴 것이다.

【配伍分析】外感風寒하고 裏에 鬱熱이 있는 證의 치료는 반드시 發汗解表를 위주로 하고 淸鬱熱을 兼해야 한다. 본 방제는 麻黃湯에서 麻黃과 甘草를 倍로 쓰고, 杏仁의 용량을 줄이고, 다시 石膏·生薑 및 大棗를 넣어 조성된 것이다. 본 방제의 藥物 配伍는 사람들이 의심들게 하는데, 病證은 表實에 裏熱을 겸하고 있어 麻黃湯에 石膏를 넣고 解表淸裏하면 될 텐데 어찌하여 麻黃을 倍로 썼는가? 이것이 그 첫 번째이다. 麻黃을 倍로 쓴 뜻이 發汗작용을 증강시키는 데 있는 것이라면 왜 甘草를 倍로하고 大棗를 더 넣었는가? 이것이 그 두 번째이다. 본 방제의 病證은 麻黃湯證과 비록 風寒束表로 같지만, 본 방제의 병증은 表閉가 비교적 심하여 風寒表實의 重證이 된다. 이 방제는 麻黃·桂枝 및 生薑으로 辛溫發汗하고 麻黃을 倍로 쓰면 發汗藥力이 더욱 세지고 開腠작용이 매우 드러난다. 세 약물을 합해서 쓰면 開表啟閉하여 風寒을 發散시키고 兼하여 內鬱의 熱을 땀으로 排泄하게 된다. 發汗을 세게 내면 津液의 손상이 걱정되므로 甘草를 倍로 쓰고, 동시에 大棗와 生薑을 서로 配伍하여 補脾胃하고 益陰血함으로써 汗의 근원을 돕는 것이다. 여기에 石膏를 넣어 淸解裏熱하고 동시에 透達鬱熱한다. 杏仁의 양을 줄인 것은 喘逆의 증이 없기 때문이고, 麻黃과 서로 배합하면 肺氣를 宣發하고 肅降시키게 된다. 肺氣가 宣暢되고 腠理가 疏通되면 表邪가 밖으로 나가는 데 유리하게 된다. 7味를 같이 쓰면 한 번 땀을 냄으로써 解表淸裏의 효과를 거두게 된다.

방제 중에 있는 石膏는 지극히 중요하게 되고, 麻黃 및 桂枝와 배합되면 또한 매우 주도면밀해진다. 石膏의 性味는 辛甘寒하고, "其辛散涼潤之性, 既能助麻·桂達表, 又善化胸中蘊蓄之熱爲汗, 隨麻·桂透表而出也."(『醫學衷中參西錄』中冊)라고 하였다. 麻黃 및 桂枝가 石膏를 얻으면 發表하되 熱을 助長하는 폐단이 없게 되고, 石膏가 麻黃 및 桂枝를 얻으면 淸熱하되 차가운 기운이 잠복하는 우려가 없게 된다. 또한 그 發表작용을 빌려서 바깥으로 肌表에 이르게 하고 서로 도와서 透散鬱熱한다.

본 방제는 溢飮을 치료하는데, 주로 그 發汗解表와 宣肺行水의 작용을 취한 것이다. 방제 중의 麻黃·桂枝 및 生薑은 辛溫發汗하여 表邪와 飮邪를 땀구멍을 통하여 바깥으로 몰아내고, 그중에 麻黃의 利尿消腫, 桂枝의 化氣行水와 生薑의 溫胃散水는 모두 水飮을 나누어 없애는 데 도움이 된다. 麻黃과 杏仁은 肺氣를 宣發과 肅降하게 하고 위쪽 水門을 열어서 通調水道

하여 水飮을 아래로 나가게 한다. 石膏는 淸泄鬱熱하고, 生薑·大棗 및 甘草는 益氣和中하여 脾胃가 水濕을 運化하도록 돕는다. 전체 방제에는 飮을 치료하는 약물이 없지만, 확실히 飮을 치료하는 작용은 있다. 그 오묘함은 通腠理하고 開鬼門하여 發越水氣(溢飮을 가리킴)하고, 肺氣를 宣發하고 水道를 조절하여 利濕化飮시키는 데 있는 것으로 飮을 치료하지 않았는데 飮이 저절로 낫는 것이다.

본 방제에는 두 가지의 配伍 특징이 있다: 하나는 寒藥과 溫藥을 병용하고 表裏를 같이 치료한 것이며, "寒者熱之"와 "汗而發之"에 치중한 것이다. 다른 하나는 發汗 중에 補法이 있는 것으로 땀을 내되 땀의 財源이 있어서 發汗으로 正氣가 손상되지 않게 된다.

【類似方比較】 본 방제는 麻黃湯을 加味하여 만들어진 것이다. 麻黃湯은 發汗解表하여 外感風寒의 表實證을 치료하는 대표 방제이다. 본 방제는 그러한 기초 위에서 麻黃을 重用하고, 동시에 石膏·生薑 및 大棗를 넣어서 發汗藥力이 麻黃湯보다 강하고 또한 內淸鬱熱의 작용을 兼하여 風寒表實의 重證에 겸하여 裏에 鬱熱이 있는 證에 적합하다.

【臨床應用】

1. 證治要點: 본 방제는 外感風寒에 裏有鬱熱을 兼한 證을 치료하는 대표적인 方劑이다. 임상에서는 惡寒發熱, 無汗, 煩躁 및 脈浮緊을 辨證論治의 요점으로 하였다.

2. 加減法: 表寒이 심하지 않으면 麻黃의 용량을 적당히 줄일 수 있고, 裏熱이 重하여 身熱甚, 煩躁 및 口渴이 분명한 자는 石膏의 용량을 증가시킬 수 있고, 喘咳와 咯痰淸稀를 兼하면 杏仁의 용량을 증가시키고, 동시에 半夏·蘇子 및 桑白皮 등의 化痰止咳平喘藥을 配伍하여 넣고, 浮腫과 小便不利를 兼하면 桑白皮·葶藶子·茯苓 및 猪苓 등의 瀉肺行水藥과 淡滲利濕藥을 넣는다.

3. 大靑龍湯은 다음 한국표준질병사인분류(KCD)에 해당하는 환자가 外感風寒, 裏有鬱熱證 및 溢飮으로 辨證되는 경우 본 처방의 사용을 고려해볼 수 있다.

처방 목표	한국표준질병사인분류(KCD)
感冒	J00 급성 비인두염[감기]
流行性感冒	J09 확인된 동물매개 또는 범유행 인플루엔자바이러스에 의한 인플루엔자
	J10 확인된 계절성 인플루엔자바이러스에 의한 인플루엔자
	J11 바이러스가 확인되지 않은 인플루엔자
	J14 인플루엔자균에 의한 폐렴
氣管支炎	J40 급성인지 만성인지 명시되지 않은 기관지염
哮喘	J45 천식
알레르기性 鼻炎	J30.1 화분에 의한 알레르기비염
	J30.2 기타 계절성 알레르기비염
	J30.3 기타 알레르기비염
	J30.4 상세불명의 알레르기비염
急性류마티스性 關節炎	M15 다발관절증
	M13.0 상세불명의 다발관절염
急性腎炎	N00 급성 신염증후군

【注意事項】 본 방제의 發汗藥力은 解表 方劑 중에서 으뜸이므로 한 번 복용하여 땀이 나는 자는 반드시 뒤에 복용하는 것을 중지하여 지나치지 않도록 하고, 少陰病의 陽虛와 中風表虛證 그리고 땀이 나면서 煩燥한 자는 모두 사용을 禁한다. 風寒이 表에 있으나 裏飮이 심한 자에게 사용하는 것도 마땅하지 않다.

【變遷史】 본 방제는 麻黃湯에 石膏·生薑 및 大棗를 넣어 조성된 것으로, 辛溫發汗의 방제를 한번 변화시켜 解表淸裏劑가 된 것이다. 大靑龍湯에서 麻黃에 石膏를 配伍한 辛溫藥과 寒凉藥을 서로 배합하는 用藥의 사고방향은 후세에 表寒裏熱證을 치료하고 解表淸裏法을 응용하는 데 비교적 큰 영향을 주었다. 仲景의 大靑龍湯은 表寒에 裏熱을 兼한 것을 위하여 설정

된 것으로, 歷代 의학자들이 구체적으로 응용할 때에는 매번 寒熱의 輕重과 兼證의 차이에 근거하고 證에 따라 변화를 주었다. 孫思邈은『備急千金要方』에서 唐 이전 의학자들의 변화와 경험을 기재하였다. 예를 들어 본서 卷9의 解肌升麻湯은 本方에서 桂枝·生薑 및 大棗를 빼고 升麻·芍藥과 貝齒를 넣어 조성된 것으로, "時氣三四日不解"를 치료하였다. 이것은 外寒은 重하지 않고 內熱은 비교적 왕성한 것에 해당되므로 桂枝를 빼고 升麻를 넣어 透散藥力을 도와주고, 芍藥과 貝齒를 넣어 淸熱存陰의 효과를 강화시킨 것이다. 또한 본서 9卷의 葛根龍膽湯은 本方에서 杏仁과 大棗를 빼고 葛根·龍膽草·大靑葉·升麻·葳蕤·芍藥 및 黃芩을 넣은 것으로, "傷寒三四日不差, 身體煩熱."을 주로 치료한다. 이것은 表寒이 비교적 重하고 內熱도 熾盛하므로 麻黃·桂枝 및 生薑으로 發汗시키고 대량의 寒涼藥을 증가시켜 石膏의 淸熱을 돕는다. 두 방제는 저절로 新方을 만든 것처럼 보이지만 실제로 이것은 大靑龍湯의 변화이고, 仲景法을 본받았지만 仲景方을 固守하지는 않은 것이다. 元代의 吳恕創이 만든 '麻黃知母石膏湯'(『傷寒圖歌活人指掌』卷4)은 곧 本方에서 生薑과 大棗를 빼고 知母를 넣어 만든 것으로, 太陽傷寒에 無汗하고 煩渴을 兼한 證을 치료한다. 淸代 張錫純은 "傷寒無汗"에 "餘熱未淸"을 兼한 자를 치료하는데 麻黃湯 중에 "佐以知母"로 조성된 麻黃加知母湯(『醫學衷中參西錄』上冊)은 본 방제의 사고방향에 따라 만들어진 것이다. 張元素가 草案한 九味羌活湯의 본원을 거슬러 올라가보면 역시 本 方劑를 본받아 창안한 것이다. 역대 의학자들의 방제 작성의 변화를 종합해보면 대체로 寒涼藥을 넣어 內外의 熱을 내리고, 表에는 升麻·葛根의 辛涼이 있고, 裏에는 黃芩·知母의 苦寒이 있어서 후세에 이른바 表裏雙解劑는 실제로는 모두 이것에서 방법을 취한 것이다.

【難題解說】

1. '溫粉'에 관하여: 溫粉은『傷寒論』에서 어느 방제와 어떤 약물이 관계되어 조성된 것인지 분명하게 하지 않았고, 후세의 기록 또한 완전히 일치하지 않는다.『傷寒論講義』(統編敎材 5版)에는 세 가지를 기록하고 있다: ① 葛洪의『肘後備急方』의 姚大夫辟溫病粉身方에는 "芎藭·白芷·藁本三物等份, 下篩內粉中, 以塗粉於身, 大良."이라고 되어 있다. ② 孫思邈의『備急千金要方』의 溫粉方에는 "煅牡蠣·生黃芪各三錢, 粳米粉一兩, 共研細末, 和勻, 以稀疏絹包, 緩緩撲於肌膚."라고 하였다. ③『孝慈備覽』의 撲身止汗法에는 "麩皮糯米粉二合, 牡蠣·龍骨各二兩, 共爲極細末, 以疏絹包裹, 周身撲之, 其汗自止."라고 하였다. 徐大椿은『傷寒論類方』에서 2가지를 언급하기를 "此外治之法, 論中無溫粉方,『明理論』載白朮·藁本·川芎·白芷各等份, 入米粉和勻撲之. 無藁本亦得. 後人用牡蠣·麻黃根·鉛粉·龍骨亦可."라고 하였다.『中醫方劑大辭典』을 조사해보면 歷代 醫書 중에서 溫粉方을 명확하게 제시한 것은 겨우『類證活人書』卷13에 보이는데, 방제는 白朮·藁本·川芎·白芷로 조성되어 있고 네 가지 약물은 각각 等分하여 細末하고 매일 一兩씩 米粉 三兩과 고르게 섞은 후 全身을 두드리면 傷寒으로 汗多不止한 것을 치료한다고 하였다.

이상을 종합하면 溫粉方을 조성하는 藥物은 止汗藥과 非止汗藥의 두 종류로 나눌 수 있다. 조성 방제의 구조가 완전히 구별되는 溫粉方을 臨床에서 경험해보면 효과가 어떻게 되겠는가? 필자가 수록한 臨床驗案들은 用法이 적당하였기 때문에 汗出過多로 인하여 撲粉으로 치료해야 할 것들을 한 가지도 보지 못하였다. 그러므로 그 止汗 효과에 대해서는 앞으로의 硏究를 기다린다.

2. 麻黃을 重用한 意義에 관하여: 본 방제는 麻黃湯에서 麻黃을 倍로 하고 石膏·生薑 및 大棗를 넣어 조성된 것이며, 麻黃을 六兩까지 사용하였다. 柯琴은 방제 중에 石膏의 성질이 沉降하면서 大寒하기 때문에 사용한 뒤에 內熱이 갑자기 없어지고 表邪도 풀리지 않고 변하여 寒中하고 協熱下利할 것을 걱정하여 반드시 麻黃을 倍로 하여 發表한 것이라고 인식하였다. 본 방제에서 麻黃을 倍로 쓴 것이 發汗작용을 증강시키기 위해서 쓴 것인가? 아니면 石膏의 寒涼한 성질을 制約

하기 위해서 설정한 것인가? 우리는 앞에서 말한 것이 비교적 타당하다고 생각되는데 그 이유는 3가지이다: ① 表證의 輕重에는 차이가 있다. 仲景이 麻黃에 石膏를 配伍한 方劑에는 大青龍湯·越婢湯·麻杏石甘湯·小青龍加石膏湯 및 桂枝二越婢一湯 등의 방제가 있다. 앞의 두 方劑의 麻黃은 六兩을 썼고, 나머지 세 방제는 麻黃의 용량이 차례대로 四兩·三兩 및 十八銖를 사용하였다. 이것으로 본다면 麻黃과 石膏를 병용한 方劑라고 하여 모두 麻黃을 重用한 것이 아님을 알 수 있다. 麻黃 용량의 많고 적음은 주로 表證의 輕重에 근거하는 것이다. 大青龍湯은 傷寒表實의 重證을 치료하므로 麻黃의 용량이 비교적 重한 것이고, 桂枝二越婢一湯 등의 방제는 表證이 비교적 가벼우므로 麻黃의 용량도 또한 가벼운 것이다. ② 藥物의 配伍에 구별이 있다: 大青龍湯과 越婢湯은 麻黃을 모두 六兩 사용하였는데, 두 방제의 發汗藥力은 균등한가? 그렇지 않다. 麻黃의 용량은 비록 같지만 藥物의 配伍가 다르다. 앞의 방제는 麻黃을 重用하고 동시에 桂枝를 配伍하였고, 石膏의 용량을 겨우 鷄子大(中醫學院試用教材1版『傷寒論講義』에 이르기를 "鷄子大折今一兩五錢"라고 하였음)로 하였으므로 發汗藥力이 비교적 세고, 뒤의 방제는 桂枝를 사용하지 않고 또한 石膏를 半斤 사용하였으므로 發汗藥力이 약한편이다. 바로 丹波元簡이 "此合麻黃·桂枝·越婢三方爲一方, 而無芍藥, 何以發汗如是之烈? 蓋麻黃湯麻黃用三兩, 而此用六兩. 越婢湯石膏用半斤, 此用鷄子大一塊, …… 則發汗之重劑矣, 雖少加石膏, 終不足以相制也."(『傷寒論輯義』卷2)라고 한 것과 같다. ③ 煎湯法과 服用法에 주목하다: 仲景이 用藥에는 配伍가 엄밀하고 煎湯法과 복용법에도 法度가 있었다. 위에서 서술한 모든 방제의 용법에 仲景은 모두 명확한 규정이 있었지만, 지나치게 복용하지 말 것을 간곡하게 타이른 것은 단지 本 方劑 하나뿐이다. 책 중에 서술한 것을 보면 "一服汗者, 停後服"이라는 약물을 복용한 뒤의 관찰방법 및 "汗出多者, 溫粉撲之"라는 처리방법과 "若復服, 汗多亡陽, 遂虛, 惡風煩躁, 不得眠也."라는 지나치게 땀을 흘리고 變證이 많이 발생하는 인식방법에 이르기까지 본 방제가 發汗의 重劑임을 충분히 나타내었다. 이미 發汗의 重劑가 되어 麻黃을 倍로 사용한 意義를 말하지 않아도 알 수 있는 것이다.

3. 본 방제의 方劑名에 관하여: 龍은『說文』「十一」에서 "龍, 鱗蟲之長, 能幽能明, 能細能巨, 能短能長, 春分而登天, 秋分而潛淵."이라고 하였다. 이것에 대하여 사람들은 龍을 神物로 보았다. '青龍'이라는 이름은 古代人들이 별자리를 숭배한 것에 근원한다. 考證에 의하면 일찍이 戰國時期에 中國에는 '二十八宿'와 '四象'의 견해가 있었다. '二十八宿'는 고대인들이 黃道와 赤道 부근의 밤하늘을 28개의 밤하늘 구역으로 나누어서 歲時와 季節를 측정한 것이다. 28宿는 東南西北의 四方에 분포하고 각 方마다 7宿가 있다. 東方의 7개 별자리를 상상의 선으로 연계하면 마치 한 무리의 龍과 같다. 이러한 7개의 별자리는 東方에 자리하고 陰陽五行에 따라 五方을 五色에 배속하여 말한다면, 東方의 色은 青色이므로 '青龍'이라고 일컫고 또한 東方의 本神이 된다. '四象'은 東南西北의 밤하늘에 있는 恒星 현상을 가리킨다. 고대인들은 상상의 선으로 일정한 수의 恒星을 연계하면 4종류의 禽獸의 形象이 만들어진다. 즉, 東方은 蒼龍이고 北方은 玄武이고 西方은 白虎이며 南方은 朱雀이 되는데, 이것이 바로 '四象'이 된다. 여기에서 蒼龍은 곧 青龍을 가리킨다.[1)]

본 방제를 '青龍'이라고 命名한 것은 그 효능과 관련된다. 大青龍湯의 작용은 發汗解表하고 清熱除煩하며 麻黃의 용량은 六兩까지 되고, 또한 生薑과 桂枝의 도움이 있음으로 發汗작용이 매우 뚜렷하다. 이러한 작용은 마치 龍이 비구름을 일으키는 것과 같으므로 青龍湯이라는 이름을 지은 것이다.『周易』「文言」에서 "雲從龍"이라고 하였고, 또한 "時乘六龍, 以御天也, 雲行雨施, 天下平也."라고 하였다. 말하자면 구름은 龍을 따라다니는 것으로 龍이 구름을 일으키면 구름이 생기고, 구름이 모이면 비가 내리는 것이다. 구름이 운행하고 비가 내리면 능히 만물을 이롭게하고 도와서 천하가 태평하게 된다. 사람이 바깥에서 風寒의 邪

氣를 받아 無汗하고 또한 煩躁를 兼하면, 역시 구름을 일으켜 비를 내리게 하고 땀을 내어 풀리게 한다. 張秉成은 일찍이 大·小青龍湯의 작용을 구체적으로 묘사하기를 "以龍爲水族, 大則可以興雲致雨, 飛騰於宇宙之間; 小則亦能治水驅邪, 潛隱於波濤之內耳."(『成方便讀』卷1)라고 하였다. '青龍'이라고 이름 붙인 것은 그 發汗작용을 비유한 것으로 '大'라고 말한 것은 그 發汗작용이 강한 것이고, '小'라고 말한 것은 그 發汗작용이 비교적 약한 것이다.

【醫案】

1. 傷寒『醫學衷中參西錄』上冊: 일찍이 한 사람이 겨울에 傷寒證에 걸려 가슴에 異常한 煩躁가 있어 치료하였다. 의사가 大青龍湯證임을 인지하지 못하고 마침내 麻黃湯을 투여하였고, 복용한 뒤에 조금도 땀이 나지 않았으며 가슴의 煩躁는 더욱 심해져 방안이 비좁아서 더 이상 아무것도 넣을 수 없는 것 같이 느껴졌다. 맥을 잡아보니 洪滑而浮하여 大青龍湯에 天花粉 八錢을 넣고 치료하였다. 복용한 뒤 5분쯤에 온몸에 땀이 흠뻑 나면서 질병이 사라지는 것 같았다.

2. 春溫『方氏醫案辨異』: 某 남자, 惡寒發熱, 이불을 둘둘 감고 눕고, 脊背盡疼, 鼻乾, 舌苔는 가장자리가 白膩하면서 중앙은 乾燥하고, 口渴引飮, 無汗氣急, 痰粘稠, 脈滑緊하였다. 의사는 春溫이 속에서 발생한 것이라고 말하였다. …… 大青龍湯을 주었다: 麻黃 一錢半, 桂枝 八分, 杏仁 三錢, 炙甘草 一錢, 生石膏 一兩, 生薑 二片, 紅棗 三錢, 薄荷 一錢. 1첩을 복용하였더니 크게 땀이 나면서 나았다.

3. 無汗症『北京中醫學院學報』(1991, 4:25): 某 여자, 35세, 농민. 18년 전에 홍역에 肺炎이 겹쳤었는데, 치료 후에 周身無汗, 沉重拘緊, 兩目腫如臥蠶의 후유증이 남았으며, 여름철 더위에 야외에서 일을 해도 肌膚는 여전히 땀이 나지 않고 심하면 戰栗까지 하였다. 최근 1년 동안 날마다 심해져서 때때로 팔을 뻗고 젖히려고 하면 우측 上肢가 당기면서 통증이 와서 비록 다방면으로 치료를 하였지만 여전히 나아지는 기미가 없었다. 진찰해 보니 솜털이 뒤집어져 있고 땀구멍이 드러나지 않았다. 舌淡暗, 苔白膩微黃하고 脈滑하였다. 환자의 脈과 症을 살펴보면 병이 비록 십여 년이 되었지만, 홍역 후에 다시 外邪에 감수되고 表氣가 鬱閉하여 땀이 나지 않는 것이 그 기본적인 病機이다. 大青龍湯加味를 사용하고자 하였다. 麻黃 12 g, 桂枝 9 g, 杏仁 9 g, 生石膏 24 g, 炙甘草 6 g, 生薑 6 g, 大棗 六枚, 白芍藥 9 g, 蒼朮 9 g. 매일 1첩을 물 900 mL에 달여 300 mL를 취한 후 3회로 나누어서 따뜻하게 복용한다. 2첩을 복용하였는데도 병에 변화가 없었다. 이후에 2첩을 合하여 달인 후 3회에 나누어 복용하였다. 약을 복용한 뒤에 胸背 및 上肢에 땀이 구슬처럼 나오고 上半身의 肢體가 갑자기 輕快해지면서 땀구멍이 노출되었다. 下肢에서는 비교적 땀이 적게 나왔기 때문에 위의 방제에서 대략 적절하게 맞추어 또한 6첩을 복용하였더니 下肢에서도 찔끔찔끔 땀이 나면서 모든 증상이 다 없어졌다.

考察: 醫案1은 傷寒에 煩躁를 동반한 것으로 風寒束表에 裏有蘊熱한 까닭이다. 이것은 風寒表實의 重證에 해당되고, 辛溫發汗의 麻黃湯을 투여하면 그것은 病이 重한데 藥은 輕하므로 복용한 후에 조금도 땀이 나지 않았다. 辛溫藥만을 사용하면 반드시 熱로써 熱을 助長하여 煩躁가 더욱 심해진다. 치료는 반드시 發汗을 重히 하고 兼하여 寒涼藥으로 淸熱해야 하므로 大青龍湯에 天花粉을 넣어 효과를 본 것이다. 醫案2는 春溫과 관계되어 있지만 惡寒發熱·無汗하고 兼하여 口渴이 나타나는 것이 특징이므로 大青龍湯에 薄荷를 넣고 1첩을 복용하여 크게 땀이 나면서 나은 것이다. 醫案는 모두 外寒裏熱에 水飮內停을 兼한 證이다. 前者는 飮邪가 肺를 압박하는 證에 해당되므로 大青龍湯에 桑白皮·蘇子 및 半夏 등을 넣고 解表淸熱·宣肺化飮 및 止咳平喘한 것으로 9첩에 證이 안정된 것이고, 後者는 飮이 肌膚에 넘친 證으로 『金匱要略』에서 말한 "飮水流行, 歸於四肢, 當汗出而不汗出, 身體疼重"에 해당된다. 치료는 大青龍湯을 쓰라는 가르침이 있어서 本 方劑 10첩을 복용하였더니 20년 가까이 된 痼疾이 전부 나았다. 이상에서 볼 수 있듯이 大靑龍湯은 비록 峻汗의 방제이지만, 脈과 證을 변별하고 '不汗出'의 핵심을 잘 붙들고, '表寒裏熱'의 病機 특징을 포착한다면, 이것이 外感痛, 雜病, 新病 및 久病을 막론하고 모두 땀이 나면서 병이 낫는 효과를 거둘 수 있게 된다.

【參考文獻】

1) 趙存義.『中醫古方方名考』. 北京: 中國中醫藥出版社, 1994:725.

華蓋散

(『博濟方』卷2)

【異名】 華蓋湯(『聖濟總錄』卷48).

【組成】 紫蘇子 炒 麻黃 去根節 杏仁 去皮尖 陳皮 去白 桑白皮 赤茯苓 去皮 各一兩(30 g) 甘草 半兩(15 g)

【用法】 위에 있는 약물을 분말로 만든다. 매번 二錢(6 g)을 복용하는데, 물 1잔이 六分이 되도록 달여서 食後에 따뜻하게 복용한다(현대용법: 湯劑로 만들어 달여서 복용하고, 原書의 용량 비율에 따라 상황에 맞추어 넣고 뺀다.).

【效能】 宣肺解表, 祛痰止咳.

【主治】 素體痰多, 肺感風寒證. 咳嗽上氣, 呀呷有聲, 吐痰色白, 胸膈痞滿, 鼻塞聲重, 惡寒發熱, 苔白潤, 脈浮緊.

【病機分析】 평소 痰濕이 있는데 風寒을 만나 서로 더해지면, 風寒이 肺를 침습하고 痰濕이 肺를 막아서 肺는 宣發과 肅降을 상실하고 氣機는 펼쳐지지 못하고 痰은 氣道를 막고 氣와 相搏하므로 咳嗽上氣, 呀呷有聲과 吐痰色白이 나타나고, 痰阻氣滯하므로 胸膈痞滿하며, 肺는 鼻에 開竅하고 鼻는 肺系에 속하며 肺氣가 宣發을 상실하고 肺系는 不利해지므로 鼻塞聲重이 나타난다. 惡寒發熱과 脈浮緊은 風寒이 表를 침습한 징후이고, 苔白潤은 痰濕질환의 현상이다. 이상을 종합하면 본 방제의 病證의 病機는 風寒襲肺와 痰壅氣逆이라는 것을 알 수 있다.

【配伍分析】 寒侵痰壅하고 肺가 宣發과 肅降을 상실한 것에 대한 治法은 宣肺降逆하고 解表祛痰해야 한다. 방제 중에 麻黃은 "肺經本藥"(『醫學啟源』卷下)이고, "蓋哮喘爲頑痰閉塞, 非麻黃不足以開其竅"(『幼幼集成』卷3)라고 하였고, "凡風寒鬱肺而見咳逆上氣, 痰嗽氣喘皆可加用"(『醫方十種滙編』「藥性摘錄」)이라고 하였다. 그러므로 본 방제에서 사용한 解表散寒과 宣肺平喘은 君藥이 된다. 蘇子는 "主降, 味辛氣香, 主散. 降而且散, 故專利鬱痰. 咳逆則氣升, 喘急則肺脹, 以此下氣定喘."(『藥品化義』卷8)이라고 하였고, 杏仁은 "辛苦甘溫, 入肺而疏肺降氣, 解邪化痰, 爲咳逆胸滿之專藥."(『徐大椿醫書全集』「藥性切用」卷4)이라고 하였다. 두 약물은 降利肺氣하고 祛痰止咳하여 臣藥이 된다. 君藥과 臣藥을 서로 配伍하면, 하나는 宣肺를 위주로 하고 다른 하나는 降肺를 위주로 하며 함께 사용하면 宣發과 肅降이 서로 원인이 되어 肺臟의 宣發과 肅降의 기능을 회복하는데 그 뜻이 있는 것이다. 陳皮는 性味가 辛苦而溫하여 燥濕化痰하고 理氣行滯하며, 그 氣機를 調理하는 작용은 氣滯의 胸膈痞滿을 치료할 수 있고 또한 痰濕의 질환을 제거하는 데에도 도움이 된다. 즉, "氣順則痰消"의 뜻이다. 桑白皮는 性味가 甘寒하여 일반적으로 肺熱咳喘에 대부분 사용하는데, 본 방제에서 사용한 것은 주로 瀉肺利水平喘의 작용을 취한 것으로 한편으로는 君臣藥物의 宣降肺氣와 止咳平喘의 藥力을 강화시키는 것이고, 다른 한편으로는 痰濕이 나가는 길을 찾도록 하는 것이다. 茯苓은 健脾滲濕하여 痰이 생성되는 근원을 끊는 것이다. 세 가지 약물

은 오로지 痰만을 치료하는 것이 아닌데도 확실히 濕을 제거하고 痰을 삭게 하는 작용이 있으므로 모두 佐藥이 된다. 炙甘草는 宣降과 寒溫의 사이에서 조화시켜주기 때문에 使藥이 된다. 모든 약물들이 配伍되어 함께 解表宣肺와 祛痰止咳의 작용이 이루어진다.

본 방제의 配伍 특징은 解表藥과 祛痰藥을 幷用하여 風寒痰濕의 발병 원인을 제거한 것이고, 宣肺藥과 降氣藥을 같이 시행함으로써 肺의 宣發과 肅降의 기능을 회복시키는 것이다.

【類似方比較】 본 방제는 麻黃湯의 기초 위에서 加減하고 재단하여 완성된 것이다. 두 방제는 모두 麻黃·杏仁과 甘草의 세 가지 약물을 써서 解表·宣肺·平喘의 작용이 있는 것으로 外感風寒하고 肺가 宣發과 肅降을 상실하여 생긴 咳喘을 치료한다. 그러나 麻黃湯에는 桂枝를 配伍하고 있어 發汗解表의 藥力이 현저하여 表閉가 비교적 심한 風寒表實證에 마땅하고, 華蓋散에는 蘇子·桑白皮·陳皮 및 茯苓의 祛痰除濕藥과 降氣平喘藥을 配伍하고 있어 化痰止咳平喘의 작용이 비교적 강하여 表寒은 심하지 않고 濕痰壅肺와 肺氣失宣의 證에 마땅하다.

【臨床應用】

1. 證治要點: 본 방제는 風寒이 肺를 침습하고 안으로 濕痰을 겸한 證을 치료하는 데 常用하는 방제이다. 임상에서 응용할 때에는 咳喘, 喉間痰鳴, 惡寒發熱, 苔白潤 및 脈浮緊이 사용의 要點이 된다.

2. 加減法: 表寒이 비교적 심한 자는 生薑·蘇葉 및 防風 등을 넣어 解表散寒하고, 鼻塞流涕가 분명한 자는 蒼耳子와 辛夷를 넣어 宣表通竅하고, 胸膈痞悶이 심한 자는 반드시 枳殼·桔梗 및 厚朴을 넣어 行氣寬胸消痞하며, 咳痰이 심하면 前胡·半夏 및 白芥子 등을 골라 넣어 化痰止咳한다.

3. 華蓋散은 다음 한국표준질병사인분류(KCD)에 해당하는 환자가 素體痰多, 肺感風寒證으로 辨證되는 경우 본 처방의 사용을 고려해볼 수 있다.

처방 목표	한국표준질병사인분류(KCD)
上氣道感染	J00~J06 급성 상기도감염
急慢性 氣管支炎	J20 급성 기관지염
	J41 단순성 및 점액화농성 만성 기관지염
	J42 상세불명의 만성 기관지염
氣管支哮喘	J45 천식

【注意事項】 본 방제에는 비록 性味가 甘寒한 桑白皮가 있지만, 방제 전체의 藥性이 溫에 편중되어 있으므로 痰熱로 咳喘하는 者는 사용을 忌한다.

【變遷史】 본 방제는 『傷寒論』의 麻黃湯에서 桂枝를 빼고, 蘇子·桑白皮·陳皮 및 茯苓을 넣고 변화 발전시켜 온 것이다. 원래는 "肺感寒氣, 有痰咳嗽, 久療不瘥."를 치료한다고 하였다. 『太平惠民和劑局方』에서는 또한 본 방제를 "肺感寒邪, 咳嗽上氣, 胸膈煩滿, 項背拘急, 聲重鼻塞, 頭昏目眩, 痰氣不利, 呀呷有聲."에 사용하였다. 본 방제는 新咳와 久咳를 막론하고 모두 응용할 수 있다는 것을 알 수 있다. 후세에서 運用할 때에는 혹은 『博濟方』의 久咳 치료를 宗으로 하고 益氣收斂藥을 넣어 肺氣의 耗散을 방지하였다. 예를 들면 『普濟方』卷368의 華蓋散은 즉, 본 방제에서 陳皮를 빼고 知母·人蔘·烏梅·五味子·葱白 및 葶藶子를 넣어 조성하였다. 혹은 『太平惠民和劑局方』의 新咳 치료를 따라 散寒宣肺化痰藥을 더 넣어 解表止咳平喘의 작용을 강화시켰다. 예를 들면 『醫學啟源』卷4의 華蓋散은 본 방제에서 甘草를 빼고 枳殼·生薑 및 半夏를 넣어 조성하였고, 『醫學集成』卷2의 華蓋散은 본 방제에서 前胡와 生薑을 넣어 조성한 것이다.

【難題解說】 본 방제의 出典에 관하여: 본 방제는 과거와 현재의 많은 文獻 및 各 版의 『方劑學』教材에서 모두 그 出典이 『太平惠民和劑局方』에서 나왔다고 하였다. 考證을 해보니, 宋代 王衮의 『博濟方』은 1047

년에 성립되어 『太平惠民和劑局方』(1078年)보다 31년이 빠르다. 그러므로 본 방제의 方源은 마땅히 『博濟方』으로 바꾸어야 한다.

桂枝湯

(『傷寒論』)

【異名】 陽旦湯(『金匱要略』).

【組成】 桂枝 去皮 三兩(9 g) 芍藥 三兩(9 g) 甘草 炙 二兩(6 g) 生薑 切 三兩(9 g) 大棗 擘 十二枚(3 g)

【用法】 위의 5味 중에서 3味를 잘게 썰고, 물 7되로 微火에 달여서 3升를 取하고 온도를 적당하게 하여 一升를 복용한다. 복용하고 나서 잠시 후에 따뜻한 묽은 죽을 一升가량 마셔서 藥力을 돕는다. 따뜻하게 이불을 덮고 1시간 남짓하게 있어 온몸에 축축하게 땀이 나도록 하는 것이 더욱 좋고, 물이 흐르듯이 땀을 내는 것은 좋지 않으니 병이 반드시 제거되지 않는다. 만약 한 번 복용하여 땀이 나면서 병이 나으면 다음의 복용은 중지하여 藥劑를 다 복용할 필요는 없다. 만약 땀이 나지 않으면 앞의 방법대로 다시 복용한다. 또 땀이 나지 않으면 뒤의 복용은 그 시간을 조금 단축하여 반나절 남짓해서 3회에 걸쳐 다 복용하도록 해야 한다. 病이 重한 자는 하루 밤낮 동안 복용하되 시간을 보아가면서 一劑를 다 복용한다. 病證이 여전히 남아 있는 자는 다시 지어서 복용하고, 만약 땀이 나지 않으면 바로 二~三劑까지 복용한다. 生冷·粘滑·肉·麵·五辛·酒酪 및 惡臭 등의 음식물은 금한다.

【效能】 解肌發表, 調和營衛.

【主治】 外感風寒, 營衛不和證. 頭痛發熱, 汗出惡風, 鼻鳴乾嘔, 苔白不渴, 脈浮緩或浮弱者.

【病機分析】 營은 陰이 되고 衛는 陽이 되니, 하나는 脈中에 있고 하나는 脈外에 있다. 營陰이 脈中을 순행하면서 脈外로 넘쳐나지 않는 것은 衛氣의 固攝에 의지하기 때문이다. 衛陽이 脈外를 운행하면서도 멋대로 의지할 곳이 없는 것에 이르지 않는 까닭은 또한 營血을 빌어서 붙어 있기 때문이다. 그러므로 『素問』「陰陽應象大論」에서 "陰在內, 陽之守也, 陽在外, 陰之使也."라고 하였다. 外感과 內傷을 막론하고 대부분의 營衛의 協調와 和諧 관계에 영향을 준 것은 모두 營衛不和證을 형성할 수 있다. 본 방제의 병증의 營衛不和는 바로 外感風寒으로 생긴 것이다. 外感風寒하면 衛陽이 奮起하고 바깥에서 邪氣에 對抗하므로 發熱하는 것이고, 風邪가 肌表에 침입하면 經脈이 不利하므로 頭痛하는 것이며, 風의 성질은 疏泄하여 매번 腠理를 開泄시키고, 여기에 衛陽과 邪氣가 바깥에서 抗爭하고, 衛外爲固의 기능이 상실하고 營陰이 안을 지키지 못하고 바깥으로 새 나가므로 汗出이 나타난다. 바로 周揚俊이 "風既傷衛, 則衛氣疏泄, 不能內護其營, 而汗因以自出矣."(『傷寒論三注』卷1)라고 한 것과 같다. 땀이 나면 肌肉이 성글어지고 風의 침습을 이기지 못하므로 惡風이 나타나는 것이고, 더욱이 땀이 남으로 인하여 營陰이 不足하게 됨으로 脈은 緩弱한 象이 나타나는 것이다. 본 方劑의 病證의 脈이 緩한 것은 麻黃湯證의 脈緊과 상대적으로 말한 것으로 28脈 중의 緩脈으로 이해해서는 안 된다. 이것의 病理變化는 즉 營衛不和인데, 『傷寒論』에서는 '營弱衛强'이라고 일컫는다. 이른바 '衛强'은 風邪가 침습하면 衛陽이 邪氣에 對抗하므로 邪氣實의 의미가 있는 것이고, 이른바 '營弱'은 營陰이 바깥으로 빠져나가면 陰液이 손상을 받으므로 正氣虛의 의미가 있는 것이다. '衛强'하면 頭痛發熱하고, '營弱'하면 汗出惡風하고 脈緩한다. 肺는 氣를 주관하고 밖으로 皮毛와 합하며 鼻에 開竅한다. 風寒이 表에 침습하면 肺氣가 宣發하지 못하고 氣道는 不利해지므로 鼻塞 혹은 淸涕가 흐르며 呼吸할 때 鼻鳴이 나타나는 것이다. 肺와 胃는 經脈이 상통하고 手太陰肺經은 胃口에 돌면서 순행하며 肺氣의 肅降은 胃氣의 下行에 도움이 되는데, 지금 肺氣가 不利해지

면 胃氣에 영향을 주어 조화를 잃어버리게 되고 胃氣는 上逆하므로 乾嘔가 나타나는 것이다. 본 方劑의 病證에 있는 汗出은 麻黃湯證의 表實無汗과 상대적이므로 또한 外感風寒 表虛證이라고 일컫는 것이다.

【配伍分析】 風寒이 表에 있으면 반드시 辛溫發散하여 解表한다. 그러나 본 방제의 病證은 外邪가 表에 침범한 邪實의 일면이 있고, 또한 營陰이 손상을 받아 營衛가 조화를 상실한 일면이 있으므로 치료는 반드시 解肌發表와 調和營衛를 해야 한다. 즉, 祛邪와 調正을 함께 돌보는 것을 치료로 삼아야 한다. 본 방제의 病證인 營衛不和의 病機는 風寒襲表에 중점이 있기 때문에 "衛氣不共營氣諧和故爾"(『傷寒論』)라고 한 것이다. 그러므로 본 방제는 性味가 辛溫한 桂枝를 君藥으로 하고 衛陽을 돕고 經絡을 통하게 하며 發汗解表하여 表에 있는 風寒을 제거하는 것이다. 芍藥은 酸味로 收斂하여 益陰斂營하는데, 外泄의 營陰을 굳게 수렴하고 또한 손상된 津液을 보충하며, 거기다가 桂枝의 發散을 감독하여 땀을 흘려 津液이 손상되지 못하게 하였다. 바로 喩昌이 "其最妙之處, 在用芍藥益陰以和陽. 太陽經之營衛, 得芍藥之酸收, 則不爲甘溫之發散所逼, 而安其位也."(『尙論後篇』卷1)라고 한 것과 같으므로 臣藥으로 사용한 것이다. 桂枝와 芍藥을 같은 양으로 함께 사용하면, 한편으로는 衛强을 치료하고 다른 한편으로는 營弱을 치료하여, 發散 중에 收斂이 있고 發汗 중에 補益이 있어서 表邪를 풀리게 하여 營衛는 조화롭게 되는 것이다. 生薑은 性味가 辛溫하여 능히 "止嘔, 出汗, 散風, 祛寒."(『本草經疏』卷8)하므로 桂枝의 辛散表邪를 돕고 겸하여 和胃止嘔하는 데 사용한다. 大棗는 性味가 甘溫하여 능히 "助陰補血"(『藥品化義』卷3)하고 "强健脾胃"(『醫學衷中參西錄』中冊)하므로 白芍藥의 養血益營을 협조하고 겸하여 益氣補中하는 데 사용한다. 生薑과 大棗를 서로 配伍하면 "專行脾之津液而和營衛"(『傷寒明理論』卷4)한다. 이것은 補脾和胃하고 調和營衛하는 常用 조합으로 바로 『本經疏證』卷4에서 "『傷寒論』·『金匱要略』兩書, 用棗者五十八方, 其不與薑同用者, 十一方而已. 大率薑與棗聯, 爲和營衛之主劑, 薑以主衛, 棗以主營."이라고 한 것과 같다. 그러므로 두 약물은 모두 佐藥이 된다. 炙甘草는 藥性을 조화시키는데, 桂枝와 배합하면 辛甘化陽하여 衛를 實하게 하고, 芍藥과 배합하면 酸甘化陰하여 營을 조화롭게 한다. 그 작용은 佐藥과 使藥의 쓰임을 겸하는 것이다. 본 방제를 종합하면 藥物은 비록 5味이지만, 구조가 엄밀하여 發汗 중에 補益이 있고 發散 중에 收斂이 있으며, 邪氣와 正氣를 함께 살피고 陰과 陽을 함께 조절하는 것이므로 柯琴이 『傷寒來蘇集』「傷寒附翼」卷上에서 桂枝湯을 "爲仲景群方之魁, 乃滋陰和陽, 調和營衛, 解肌發汗之總方也."라고 칭찬하였다.

본 방제의 配伍 특징은 두 가지가 있다: 하나는 發散藥과 酸收藥을 配伍하여 發散 중에 收斂이 있게 하여 發汗으로 正氣가 손상되지 않도록 한 것이다. 다른 하나는 助陽藥과 益陰藥을 같이 사용함으로써 陰과 陽을 겸하여 살피고 營과 衛를 병행하여 조절한 것이다.

【類似方比較】 麻黃湯과 桂枝湯은 같이 辛溫解表劑에 해당되어 모두 外感의 風寒表證을 치료할 수 있다. 그러나 麻黃湯은 麻黃과 桂枝를 병용하고 杏仁으로 보좌하여 發汗散寒의 藥力은 强하고, 또한 宣肺平喘에 能하게 하여 辛溫發汗의 重劑가 되므로 外感風寒으로 惡寒發熱하면서 無汗喘咳하는 表實證에 적용한다. 桂枝湯은 桂枝와 芍藥을 병용하고 生薑과 大棗로 보좌하여 發汗解表의 藥力은 弱하지만 調和營衛의 작용은 있어서 辛溫解表의 和劑가 되므로 外感風寒으로 發熱有汗하면서 惡風하는 表虛證에 적용한다.

【臨床應用】

1. 證治要點: 본 방제는 解肌發表와 調和營衛의 대표 방제이다. 惡風, 發熱, 汗出 및 脈浮緩이 辨證論治의 요점이다.

본 방제의 치료범위는 『傷寒論』과 『金匱要略』 및 후세 의학자들의 運用 상황에서 보면 外感 風寒 表虛證

에 사용하였고, 또한 病을 앓고 난 후·産後 및 신체허약 등 營衛不和로 인해 생기는 病證에도 運用하였다. 이것은 桂枝湯 자체에 調和營衛와 調和陰陽의 작용이 있고, 많은 질병들은 그 病變 과정에서 營衛와 陰陽이 失調한 病理狀態가 대부분 나타날 수 있기 때문이다. 바로 徐彬이 "桂枝湯, 表證得之, 爲解肌和營衛; 內證得之, 爲化氣調陰陽."(『金匱要略論注』卷20)이라고 한 것과 같은 것이다.

2. 加減法: 感冒에 사용하는데, 만약 惡風寒이 비교적 심한 자는 防風·荊芥 및 淡豆豉를 적당히 넣어 疏散風寒하고, 體質이 평소에 虛弱한 자는 黃芪를 넣어 益氣補虛하고 助正祛邪하며, 咳喘이 동시에 나타나는 자는 杏仁·蘇子 및 桔梗을 적당히 넣어 宣肺止咳平喘한다. 風寒濕痹에 사용할 때에는 薑黃·細辛 및 威靈仙을 적당히 넣어 祛風除濕하고 通絡止痛하며, 項背拘急强痛에는 葛根·防風 및 桑枝를 넣어 散寒通絡舒筋한다. 妊娠嘔吐에 사용할 때에는 生薑을 倍로 사용하고 다시 蘇梗·白朮 및 砂仁 등 和胃安胎藥을 참작하여 넣는다. 多形紅斑·蕁痲疹·凍瘡 등의 皮膚病이 매번 가을과 겨울 혹은 추워지면 즉시 발생하고, 혹은 비록 여름철이라도 찬물을 사용하면 역시 발생하는데 熱象이 없는 자는 當歸·荊芥·防風·蟬蛻 및 丹參 등 祛風活血藥을 선별하여 넣을 수 있다.

3. 桂枝湯은 다음 한국표준질병사인분류(KCD)에 해당하는 환자가 外感風寒, 營衛不和證으로 辨證되는 경우 본 처방의 사용을 고려해볼 수 있다.

처방 목표	한국표준질병사인분류(KCD)
感冒	J00 급성 비인두염[감기]
流行性感冒	J09 확인된 동물매개 또는 범유행 인플루엔자바이러스에 의한 인플루엔자
	J10 확인된 계절성 인플루엔자바이러스에 의한 인플루엔자
	J11 바이러스가 확인되지 않은 인플루엔자
	J14 인플루엔자균에 의한 폐렴
原因不明의 微熱	R50.9 상세불명의 열
産後 發熱	O85 산후기 패혈증
	O86 기타 산후기감염
病을 앓고 난 후의 發熱	(질병명 특정곤란)
	R50 기타 및 원인미상의 열
出汗異常	L74 에크린땀샘장애
	L74.4 무한증
	L75 아포크린땀샘장애
	R61 다한증
盜汗	(질병명 특정곤란)
	R61.9 즐겨찾기 상세불명의 다한증_야간발한
自汗	(질병명 특정곤란)
	R61 다한증
黃汗	L75.1 색한증
	L75.8 기타 아포크린땀샘장애
류마티스性 關節炎	M15 다발관절증
	M13.0 상세불명의 다발관절염
頸椎病·	M54.2 경추통
不整脈	I20 협심증
	I08 다발판막질환
	I49 기타 심장부정맥
妊娠嘔吐	O21 임신중 과다구토
遺精	U71.0 신기허증(腎氣虛證)
알레르기性 鼻炎	J30.1 화분에 의한 알레르기비염
	J30.2 기타 계절성 알레르기비염
	J30.3 기타 알레르기비염
	J30.4상세불명의 알레르기비염
多形紅斑	L51 다형홍반
凍瘡	T33~T35 동상
蕁痲疹	L50 두드러기

【注意事項】

1. 본 방제는 外感으로 風寒表虛證에 대하여 설계한 것으로 모든 外感風寒의 表實證자는 사용을 금한다.

2. 그 증상이 비록 汗出하더라도, 만약 發熱口渴·咽痛脈數 혹은 胸悶·苔黃膩·脈滑數을 동반하여 證이 溫病 初期에 해당되고 혹은 濕溫으로 된 환자는 본 방제의 사용을 禁한다.

3. 汗出惡風이 만약 倦怠乏力 및 氣短懶言 등의 증상과 함께 나타나면 肺衛氣虛·表衛不固證에 해당되므로 또한 사용해서는 안 된다.

4. 약물을 복용하는 기간에는 生冷黏膩·酒肉 및 臭惡 등을 먹는 것을 금한다.

【變遷史】 桂枝湯은 『傷寒論』의 第一方이다. 『傷寒論』과 『金匱要略』의 두 책 중에서 桂枝湯에 加減하여 桂枝湯類方에 해당되는 方劑는 대략 20개이고, 그것을 加減하여 처리하는 원칙에는 다음의 몇 가지가 있다: ① 辛溫解表의 麻黃을 配伍하여 發汗力을 증강시킨다. 여기에 해당되는 방제는 桂枝麻黃各半湯·桂枝二麻黃一湯 및 桂枝二越婢一湯이 있다. ② 止咳平喘의 杏仁 등을 配伍하여 降氣定喘시킨다. 본 방제의 病證에 咳喘이 兼하여 나타나는 자는 桂枝加厚朴杏子湯과 같은 방제를 사용한다. ③ 生津舒筋의 葛根·瓜蔞 등을 配伍하는데, 본 방제의 病證에 項背·身體强急을 兼한 자는 桂枝加葛根湯·瓜蔞桂枝湯과 같은 방제를 사용한다. ④ 祛風除濕·溫經散寒의 防風·白朮·附子 등을 配伍하여 風寒濕이 肌肉經絡에 침입한 痹證을 치료한다. 여기에 해당되는 방제는 桂枝芍藥知母湯과 桂枝附子湯이 있다. ⑤ 瀉下의 大黃을 配伍하는데, 太陽病을 잘못 瀉下하여 中氣가 손상을 받고 積滯가 안에서 막힌 腹滿痛에는 桂枝加大黃湯과 같은 방제를 사용한다. ⑥ 安神의 龍骨·牡蠣 등을 配伍하여 鎭驚安神시키는데, 心陽이 손상을 받고 心神이 편안하지 못하여 생긴 驚狂에는 桂枝去芍藥加蜀漆牡蠣救逆湯과 같은 방제를 사용한다. ⑦ 固澁의 龍骨·牡蠣를 配伍하여 潛鎭攝精하는데, 陰陽兩虛하고 精關不固하여 생긴 遺精에는 桂枝加龍骨牡蠣湯과 같은 방제를 사용한다. ⑧ 芍藥의 용량을 증가시켜 柔肝緩急止痛하는데, 太陽病을 잘못 瀉下하여 中氣를 다치고 肝木乘脾하여 생긴 腹滿時痛을 치료하는 데는 桂枝加芍藥湯과 같은 방제를 사용한다. ⑨ 桂枝의 용량을 증가시키고, 혹은 芍藥을 빼고, 혹은 溫裏의 附子를 配伍하여 溫助(溫通)陽氣하는데, 陽氣不足 혹은 陰陽俱虛하되 陽氣虧損에 치중한 자는 桂枝加桂湯·桂枝去芍藥湯·桂枝加附子湯·桂枝去芍藥加附子湯과 같은 방제를 사용한다. ⑩ 補氣의 人蔘·黃芪를 配伍하여 益氣扶正하는데, 營衛不和에 氣虛를 겸한 자는 桂枝加芍藥生薑各一兩人蔘三兩新加湯·黃芪桂枝五物湯·桂枝加黃芪湯과 같은 방제를 사용한다. 張仲景은 桂枝湯의 응용에서 이미 상당히 풍부한 경험을 쌓아 왔고, 적지 않은 유효한 방제를 변화 발전시켜 왔다. 淸代 柯琴은 "仲景群方之魁"라고 하였는데 실로 과찬이 아님을 알 수 있다.

역대 의학자들은 桂枝湯을 극진하게 추앙하고 원래의 桂枝湯類方의 기초 위에서 또한 加減 變化시켜 많은 방제를 내 놓았다. 후세에 발전 변화한 방제를 종합하여 보면 대다수는 변화가 있지만 그 宗旨를 벗어나지 않았으며, 仲景이 加減하여 처리한 것보다 나은 것이 없지만, 그 仲景이 미치지 못한 것을 보충하고 처리의 오묘함을 다한 것에는 다음의 여섯 가지가 있다: ① 石膏·黃芩 및 知母 등의 淸熱藥을 配伍하여 太陽中風에 裏熱을 겸한 證에 사용하였다. 예를 들면, 『三因極一病證方論』卷6의 桂枝黃芩湯은 본 방제에 黃芩을 넣은 것이고, 『傷寒圖歌活人指掌』卷4의 桂枝加知母石膏升麻湯은 본 방제에 知母·石膏 및 升麻를 넣은 것이다. ② 厚朴·枳殼 및 陳皮 등의 理氣藥을 配伍하여 外感風寒에 氣滯를 겸한 證에 사용하였다. 예를 들면, 『仁齋直指方論』卷6의 桂枝四七湯은 본 방제에 半夏·厚朴·枳實·茯苓·人蔘 및 蘇葉을 넣은 것이고, 『重訂通俗傷寒論』의 桂枝橘皮湯은 본 방제에 陳皮를 넣은 것이다. ③ 茯苓 및 澤瀉 등의 淡滲利濕藥을 配伍하여 風寒에 暑濕을 낀 腹瀉에 사용하였다. 예를 들면, 『儒門事親』卷12의 桂枝湯은 본 방제에 茯苓을 넣은 것이다. ④ 桃仁 및 紅花 등의 活血藥을 配伍하고, 혹은 赤芍藥을 白芍藥으로 바꾸어 첫째로는 婦人傷寒 혹은 痛

經에 사용하였다. 예를 들면, 『類證活人書』卷19의 桂枝紅花湯은 본 방제에 紅花를 넣은 것이고, 『鷄蜂普濟方』卷17의 桂枝桃仁湯은 본 방제에 赤芍藥·桃仁 및 熟地黃을 넣은 것이다. 둘째로는 癧疽·凍瘡 등의 皮膚病에 사용하였다. 예를 들면, 『四聖心源』卷9의 桂枝丹皮紫蘇湯은 즉 본 방제에서 大棗를 빼고 丹皮와 蘇葉을 넣은 것이고, 『中醫皮膚病學簡編』의 桂枝加當歸湯은 즉 본 방제에서 赤芍藥을 白芍藥으로 바꾸고 當歸를 넣은 것이다. ⑤ 黃土 등의 止血藥을 配伍하여 脾陽不足과 脾不統血로 생긴 出血에 사용하였다. 예를 들면, 『四聖懸樞』卷3의 桂枝芍藥黃土湯은 즉 본 방제에서 生薑과 大棗를 빼고 竈中黃土·阿膠·白朮 및 附子를 넣은 것이다. ⑥ 地黃과 阿膠 등의 滋陰補血藥을 配伍하여 陰陽兩虛하나 心肝陰血不足에 치중된 '肝燥舌卷'에 사용하였다. 예를 들면, 『四聖心源』卷3의 桂枝地黃湯은 즉 본 방제에서 生薑과 大棗를 빼고 生地黃·阿膠 및 當歸를 넣은 것이다. 위에서 서술한 桂枝湯의 변화 발전을 우리 學人들이 반드시 마음을 집중시켜 깊이 사색하고 탐구하면 그 加減 變化의 지극히 정밀하고 미세한 이치를 철저히 깨달을 것이다.

【難題解說】

1. 麻黃湯證과 桂枝湯證의 無汗과 有汗에 대한 인식: 麻黃湯證과 桂枝湯證은 모두 外感風寒의 所致에 해당되는데, 왜 前者는 無汗이 되고 後者는 有汗이 되는가? 成無己는 "蓋桂枝湯, 本專主太陽中風, 其於腠理致密, 榮衛邪實, 津液禁固, 寒邪所勝者, 則桂枝湯不能發散. 必也皮膚疏湊, 又自汗, 風邪干於衛氣者, 乃可投之也."(『傷寒明理論』卷4)라고 하였고, 張秉成 또한 "麻黃湯治寒多風少, 寒氣之重者也; 桂枝湯治風多寒小, 寒氣之輕者也."(『成方便讀』卷1)라고 하였다. 汗의 有無는 外感邪氣의 輕重 및 性質과 일정한 관계가 있는 것 외에도, 또한 人體의 체질적 요소와 관련이 있음을 알 수 있다. 만약 腠理가 치밀한 사람이 感受한 風寒의 邪氣가 비교적 重하고, 혹은 寒邪가 위주가 되며, 寒邪는 收引凝斂하여 衛陽이 막히면 毛竅가 닫혀 막히므로 發熱惡寒, 無汗 및 脈浮緊의 表實證을 나타낸다. 만약 腠理가 평소에 성긴 체질이 感受한 風寒의 邪氣가 비교적 가볍고 혹은 風邪가 위주가 되며, 腠理가 성글고 衛氣는 風의 성질이 疏泄하면서 바깥쪽으로 浮越하는 것을 이길 수 없기 때문에 營陰을 단단하게 보호하지 못하여 營陰이 바깥쪽으로 새 나가면 發熱, 汗出, 惡風 및 脈浮緩의 表虛證을 나타내게 된다.

2. 桂枝湯證에 이미 汗出이 있지만 방제 조합에 여전히 發汗法을 사용하는 것에 대한 인식: 본 證은 外感風寒의 表虛에 해당되고 이미 汗出이 있는데 왜 여전히 汗法을 사용하는가? 그 이유는 세 가지이다: 첫째, 桂枝湯證의 汗出은 風寒이 表에 침습하여 衛陽이 굳지 못하고 營陰이 지키지 못해서 그런 것이다. 치료의 핵심은 邪氣를 바깥으로 내보내는 것에 있으므로 桂枝와 生薑을 써서 解肌發汗하여 風寒의 邪를 땀을 따라서 풀리게 하면 衛氣는 固表의 職務를 회복하고 營陰은 바야흐로 裏에서 안을 지킬 수 있게 된다. 바로 楊時泰가 "夫四時之風, 因於四時之氣, 冬月寒風, 衛爲所拼, 不能爲營氣之固而爲之和, 故汗出. 惟桂枝辛甘, 能散肌表寒風, 又通血脈. 故合於白芍, 由衛之固以達營, 使其相合而肌解汗止也."(『本草述鉤元』卷22)라 한 것과 같다. 方廣 또한 "衛有風寒, 故病自汗, 以桂枝發其邪, 衛和則表密汗自止."(『丹溪心法附餘』卷首)라고 하였다. 둘째, 桂枝湯은 결코 단순한 發汗劑가 아니다. 방제에서는 桂枝를 써서 解肌發汗하는 동시에 白芍藥을 配伍하여 益陰和營하고 斂汗시켜서, 營陰을 수렴·저장하고 內守하여 땀을 그치게 하고, 發汗과 斂汗은 對立과 統一을 한다. 그 뜻은 유기체가 營衛의 平衡과 協調를 회복시키는 데 있다. 셋째, 桂枝湯은 峻汗劑가 아니다. 外邪가 더해지면 치료는 적당하게 發汗하여 祛邪해야 하는데 이미 汗出이 있다면 크게 發汗해서는 안 되는데 진액의 손상과 소모를 벗어나야 하기 때문이다. 그러므로 본 방제는 麻黃湯에서 麻黃·桂枝를 相須하여 사용하는 것을 본뜨지 않았고, 桂枝에 酸味로 수렴시키는 白芍藥을 配伍하여 發散 중에 收斂이 있게 하면 땀이 나더라도 세지 않고, 發散하더라도 正氣를 손상시키지 않는 것이다. 이

상을 종합하면 桂枝湯은 비록 '發汗'이라고 하였지만, 실제로는 解肌發表와 調和營衛의 두 가지 의도가 있어서 外邪를 제거하고 肌表를 견고하게 하며 營衛가 조화롭게 되면 땀은 저절로 그치게 된다. 진실로 陳嘉謨가 말한 "蓋桂善通血脈, 『本經』言桂止煩出汗者, 非桂能開腠理而發出汗也, 以之調其營衛, 則衛氣自和, 邪無容也, 遂自汗出而解矣. 仲景言汗多用桂枝者, 亦非桂枝能閉腠理而止住汗也. 以之調和營衛則邪從汗出, 邪去而汗自止矣."(『本草蒙筌』卷4)라고 한 것과 같다. 두 종류의 汗出의 다른 성질을 구별하기 위하여 근세의 賢人 曹穎甫(1866~1938)는 外感風寒表證의 汗出을 '病汗'이라고 하였고, 桂枝湯을 복용한 후의 汗出을 '藥汗'이라고 이르면서 동시에 다음과 같은 감별을 제시하였다: "病汗常帶涼意, 藥汗則帶熱意, 病汗雖久, 不足以去病, 藥汗瞬時, 而功乃大著, 此其分也."(『經方實驗錄』卷上) 실제로 臨證에서 터득한 바가 있는 말이다.

3. 桂枝와 白芍藥의 용량에 관하여: 桂枝湯은 風寒外襲으로 衛陽이 밖을 견고하게 하지 못하고 營陰이 안을 지키지 못하는 營衛不和證을 치료한다. 방제 중에 桂枝와 芍藥은 같은 용량을 배합하여 사용하여 調和營衛의 기본적인 약물 조합을 만들었다. 그 뜻은 發散과 收斂을 병용하고 邪氣와 正氣를 동시에 살핌으로써 體表의 營衛의 協調 및 和諧의 관계를 회복하는데 있다. 만약 두 약물의 용량 관계를 바꾼다면 약물작용의 발휘하는 방향이 달라지기 때문에 방제 전체의 작용과 적응증은 바뀌게 된다. 예를 들면 桂枝의 용량이 五兩까지 증가한 桂枝加桂湯은 桂枝를 重用하면 助陽氣와 平沖逆에 장기가 있게 되어 이 방제의 작용은 溫助心陽·平沖降逆이고, 發汗太過로 인해 心陽이 손상을 받아 下焦의 寒水의 氣가 虛를 틈타 上沖하는 奔豚病을 치료한다. 예를 들어 白芍藥을 倍로 사용한 桂枝加芍藥湯은 白芍藥을 重用하면 柔肝緩急止痛에 장점을 보이게 되어, 이 방제의 작용은 解表和中·緩急止痛이고, 太陽病을 잘못 瀉下하여 中氣를 다치고 肝木乘脾한 腹滿時痛을 치료한다. 이것으로 보건대 용량의 변화는 방제의 작용과 적응증에 대하여 비교적 큰 영향이 있기 때문에 임상에서 桂枝湯을 응용할 때는 절대로 '용량-효과 관계(dose-effect relationship)'를 무시해서는 안 된다. 일반적으로 논한다면 調和營衛에는 桂枝와 芍藥을 같은 양으로 하는 것이 적당하고, 調補陽氣者는 桂枝를 重用하는 것이 좋으며, 調補陰血 혹은 緩急止痛을 위주로 하는 자는 반드시 白芍藥을 重用하여야 한다.

4. "內證得之, 爲化氣調陰陽"에 대한 인식: 外感風寒으로 營衛不和하여 發熱, 汗出, 惡風 및 脈浮緩 등의 증상이 나타나고 여기에 桂枝湯을 투여하면 매번 효험이 있었다. 이것은 즉 徐彬의 "表證得之, 爲解肌和營衛"이다. 그렇다면 "內證得之, 爲化氣調陰陽"은 무슨 뜻인가? 이것에 대해서는 세 가지로 이해할 수 있다: 첫째, 桂枝湯 자체가 外邪가 더해지지 않은 營衛不和證을 치료할 수 있다. 『傷寒論』제53조에서 "病常自汗出者, 此爲榮氣和. 榮氣和者, 外不諧, 以衛氣不共榮氣諧和故爾, 以榮行脈中, 衛行脈外, 復發其汗, 榮衛和則愈, 宜桂枝湯."이라 하였고, 제54조에서 "病人臟無他病, 時發熱自汗出而不愈者, 此衛氣不和也, 先其時發汗則愈, 宜桂枝湯."이라고 하였다. 이 두 가지 조문에서 논한 '自汗出'은 모두 外邪와는 무관하고 바로 자체의 營衛失調의 所致이다. 前者는 營氣는 본래 병이 없는데 衛氣는 '衛外爲固'의 기능을 잃어버림으로써 營이 內守하지 못하여 생긴 것이고, 後者는 營氣가 不足하고 衛氣가 때로 虛를 틈타 그곳에 모이면서 陰에 陽을 더하는 病理를 형성한 것이다. 모두가 體表의 營衛失調로 유도된 病變에 해당하기 때문에 調和營衛의 桂枝湯을 사용하여 치료하면 약간의 땀을 나게 하면서 낫게 되는 것이다. 이 證에 桂枝湯을 사용하는 것은 결코 직접적으로 그 發汗 작용을 취한 것이 아니고, 桂枝와 芍藥의 相合, 生薑과 大棗의 相得 및 甘草의 調中을 거쳐 滋陰和陽과 調和營衛한 것이다. 약간의 땀을 내게 하여 體表의 營衛를 協調하고 和諧시킨 것이다. 이것이 바로 徐大椿이 말한 "自汗與發汗迥別, 自汗乃營衛相離, 發汗使營衛相合, 自汗傷

正, 發汗驅邪. 復發者, 因其自汗而復發之, 則營衛和而自汗反止矣."(『傷寒論類方』)와 같은 것이다. 둘째, 桂枝湯 자체에는 調和營衛·調和氣血 및 調和陰陽의 작용이 있고, 많은 질병이 그 병변과정에서 대부분 營衛失調·氣血失調 및 陰陽失調의 病理狀態가 나타날 수 있다. 그러므로 辨證論治의 전제하에서 각종 질병에서 서로 같은 病機 특징을 포착한다면 치료범위를 확대하여 많은 종류의 內傷雜病에 사용할 수 있다. 셋째, 적당한 加減 처리를 거쳐 五臟의 氣血陰陽을 調理할 수 있어서, 桂枝湯의 滋陰和陽法을 기타 臟腑 중의 응용에 확대할 수 있다. 예를 들면, 桂枝湯에서 芍藥을 倍로 하고 飴糖을 넣은 小建中湯은 肝脾의 氣血陰陽을 조화시키는 방제로 中焦虛寒하고 肝血不足하며 肝木乘脾하여 생긴 腹中急痛證을 치료하고, 桂枝湯에서 生薑을 빼고 當歸·木通 및 細辛을 넣어서 완성된 當歸四逆湯은 厥陰肝經의 氣血陰陽을 조절하는 방제로 肝血不足하고 陽氣 또한 虧損하고 經脈이 寒邪를 받아서 생긴 四逆과 疼痛 등의 證을 치료하고, 桂枝湯에서 白芍藥을 빼고 人蔘·生地黃·麥門冬·麻子仁 및 阿膠를 넣어서 조성된 炙甘草湯은 心의 氣血陰陽을 조절하는 방제로 心血不足하고 陽氣虛弱으로 생긴 心動悸와 脈結代를 치료한다. 小建中湯과 當歸四逆湯은 桂枝湯 중에 益氣溫陽藥을 넣었으므로 調陰陽하되 助陽散寒을 위주로 하였고, 炙甘草湯은 桂枝湯에서 芍藥을 빼고 대량의 滋陰養血藥을 配伍하여 넣었으니 즉 調陰陽하되 益陰補血을 위주로 하였다.

5. 用法에 관하여: 張仲景은 桂枝湯의 사용에 대하여 방제 뒤에 상세하게 설명하였다. 귀납하면 주요한 것은 다음과 같다: ① 본 방제는 적당히 微火를 사용하여 달여야 한다. 桂枝는 芳香性이 있고 氣味가 모두 薄하기 때문에, 만약 猛火를 사용하여 달이면 쉽게 치료효과를 잃어버릴 것이다. 그러므로 적당히 微火로 달여야 한다. 그 방법은 한차례 달여서 3회에 나누어서 복용하는 것이다. ② 복용 후에 뜨거운 묽은 죽을 마셔야 한다. 桂枝湯을 사용함에 있어 중요한 것은 땀을 내는 것에 있고, 복용할 때는 寒溫을 적당하게 해야 하고 복용한 후 잠시 뒤에 뜨거운 묽은 죽 한 사발을 마신다. 첫째로는 水穀의 精氣를 빌려서 中焦를 溫養하고 汗의 財源을 배양하여 쉽게 땀을 만들어 내게하고, 둘째로는 穀氣가 안에 채워지고 胃氣를 鼓舞시켜 衛陽을 돕고 邪氣를 몰아내는 것은 땀을 통하여 풀리게 된다. ③ 따뜻한 이불을 덮어 微汗이 나오는 것을 한도로 한다. 따뜻하게 덮으면 保溫이 되어 땀을 내기에 좋은 조건이 만들어지고, 동시에 땀을 낼 때에는 "遍身漐漐微似有汗者益佳, 不可令如水流漓."하는 것이 적당하다. '漐漐'은 땀 나는 것이 지극히 작아서 온몸이 촉촉해지는 것이고, '似'는 즉 지속되는 것이다. 이상을 종합하면 중요한 것은 '微汗'을 취하는 것인데, 온몸에 두루 나오고 지속되어야 바야흐로 正氣를 손상시키지 않고 또한 邪氣를 땀을 통하여 풀리게 할 수 있다. 그렇지 않고 땀이 물이 흘러내리듯이 하면, 쉽게 正氣를 손상시키고 병은 도리어 제거되지 않으며 다른 병변이 쉽게 발생한다. ④ 복용이 지나치거나 부족해서는 안된다. 桂枝湯을 복용하는 목적은 病邪를 땀을 내어 풀리게 하는 데 있으므로 原方의 一貼을 달인 후에 3회로 나누어 복용하고, 만약 1회 복용하여 바로 땀이 나는 자는 나중의 2회와 3회의 복용을 금해야 하고, 반대로 만약 1회 복용한 후에 땀을 나지 않는 자는 2회와 3회를 복용해도 된다. 동시에 3회 복용할 때는 또한 시간을 단축하여 미리 복용하는 것도 좋은데 대략 반나절 안에 방제 전체의 3회 복용을 마친다. 만약 病勢가 심하여 복용한 후에 여전히 땀이 나지 않는 자는 만약 病勢가 변하지 않았다면 심지어 二~三貼까지도 복용할 수 있다. 服用에 있어 중요한 것은 '병이 그치면 다음의 약물 복용을 중지한다(中病即止)'를 힘쓰는 데 있으니 지나쳐서도 안 되고 부족해서도 안 된다. ⑤ 약물의 복용 禁忌에 주의하라. 본 방제를 복용할 때에는 生冷·黏滑·肉麵·五辛·酒酪 및 臭惡 등을 禁해야 한다. 生冷은 中氣를 손상시키고, 黏滑과 肉麵은 胃를 滯하게 하며, 五辛은 지나치게 發散시키고, 酒酪은 기름지기 때문에 濕을 조장하고, 臭惡은 桂枝의 芳香辛散에 不利하게 작용하므로 모두 禁忌의 부류에 해당된다. 위에 서술한 다섯 가지는 桂枝湯을 복용할 때의 주의

사항이고 또한 解表劑를 복용할 때 반드시 주의해야 할 通則이다.

6. 桂枝湯의 분류: 桂枝湯의 分類와 歸屬 문제는 歷代로 논쟁이 있어왔다. 原 방제의 病證의 條文에 여러 차례 '發汗'작용을 언급하였고, 더하여 본 방제를 복용한 이후에 확실히 汗出현상이 있기 때문에 다수의 의학자들이 본 방제를 '解表劑' 중에 귀속시켰다. 그러나 일부 의학자들은 본 방제를 '和解劑' 중에 귀속시켰는데, 예를 들어 王子接은 桂枝湯을 '和方之祖'에 배열하였고, 그는 본 방제는 "一表一裏, 一陰一陽, 故謂之和."(『絳雪園古方選注』卷上)라고 하였다. 현재에도 이러한 설에 찬성하는 의학자가 있다. 예를 들어 上海中醫學院에서 編著한『中醫方劑臨床手冊』중에서 "桂枝湯, 解肌發汗, 調和營衛, 多用於發熱惡風, 自汗出, 脈浮弱的'表虛'證和病後或產後的營衛失調, 後者幷非外感疾病, 但應用桂枝湯的機會却較多, 我們把桂枝湯列入和劑, 理由也在這裏."라고 하였다. 두 종류의 관점은 완전히 다른 것 같지만, 곰곰이 생각해 보면 '汗劑'의 설을 지지하는 자는 대부분 解肌發表하여 祛外邪하는 데서 이론을 세운 것이고, '和劑'의 설을 지지하는 자는 또한 調和營衛와 調和陰陽에서 밝힌 것이다. 양자는 다른 각도에서 桂枝湯의 작용 특징을 반영하고 종합한 것이다. 전면적으로 종합해서 분석한다면 결코 모순되지 않는 것으로 현재 公認된 解肌發表와 調和營衛의 작용과 서로 일치한다. 우리들은 仲景이 原書에서 太陽病篇에 귀속시키고 治表를 위주로 한 것에 근거하고, 현재 방제학 분류에서 '和法'에 대한 개념의 內涵과 外延에 한정할 필요가 있으므로 桂枝湯을 解表劑에 두었다.

【醫案】

1. 太陽中風『傷寒九十論』: 뒷방의 張太醫 집안에 있는 한 부인이 傷寒으로 發熱, 惡風, 自汗 및 脈浮而弱하였다. 내가 桂枝湯을 복용해야 한다고 말했고, 당신은 가족에게 약이 잘 맞는다고 말했다. 내가 세 번 복용하라고 하였으나 病이 없어지지 않자 나는 그 藥속에 肉桂을 사용했느냐고 물었다. 나는 肉桂와 桂枝는 다르다고 말하였다. 내 스스로 桂枝湯으로 치료하였더니 한 번 복용하고 풀렸다.

考察: 桂枝湯은 解肌發表와 調和營衛의 방제이고, 風寒襲表와 營衛不和의 證을 치료한다. 본 醫案은 桂枝湯의 전형적인 증상을 갖추고 있는데도 본 방제를 사용하여 어떻게 효과를 보지 못하였는가? 자세히 물어봄으로써 비로소 방제 중에 있는 主藥인 桂枝 대신에 肉桂를 써서 세 번 복용해도 병이 없어지지 않은 것임을 알게 되었고, 나중에 桂枝로 바꾸어서 사용하니, 즉 한 번 복용하고 풀린 것이다. 이 醫案의 예는 藥物의 작용에는 각각 특성이 있고, 임상에서 응용할 때에는 반드시 자세하게 고려해야 함을 충분히 설명하고 있다.

2. 傷寒不大便『續名醫類案』卷1: 한 사람이 傷寒에 걸린 지 六日에 譫語狂笑, 頭痛有汗, 大便不通 및 小便自利하였다. 많은 사람들의 의견이 承氣湯으로 瀉下하라고 하였다. 脈을 잡아보니 洪浮而大하였고, 仲景이 "傷寒, 不大便六七日, 頭痛有熱, 小便淸, 知不在裏, 仍在表也."라고 한 말이 생각났고, 바야흐로 지금은 한겨울이라서 桂枝湯을 적당히 주었다. 모든 사람들이 혀를 내두르고 입을 가리며, 심하게 비방하길, 譫語狂笑는 陽盛에 의한 것으로, 桂枝湯을 먹으면 반드시 죽게 된다고 하였다. 李氏는 땀을 많이 흘리고 神昏하므로 譫妄이 발생하게 되고, 비록 大便을 못보지만 腹部는 고통이 없어서 그 營衛를 조화롭게 하면 반드시 저절로 낫는다고 하였다. 마침내 많은 사람들의 의견과 어긋나게 사용하였더니, 밤이 되어 譫語와 狂笑가 모두 그치고 다음날에는 大便이 저절로 통하였다. 그러므로 病의 變化는 다양하기 때문에 융통성 없이 고집해서는 안 된다. 만약 의심하여 瀉下藥을 사용하였다면 그가 살아날 수 있었겠는가?

考察: 傷寒六日에 大便不通은 表裏가 모두 병이 된 것이므로 결국 적절하게 汗해야 하고 下해야 하는데 辨證이 관건이다. 『傷寒論』제56조에서 “傷寒, 不大便六七日, 頭痛有熱者, 與承氣湯. 其人小便淸者, 知不在裏仍在表也, 當須發汗, 宜桂枝湯.”이라고 하였다. 환자는 脈浮而大하고, 비록 大便을 못 보지만 腹部는 脹滿의 고통이 없었으며, 頭痛發熱, 自汗 및 小便自利를 동반하여 表證이 여전이 남아 있음을 알 수 있어서, 반드시 桂枝湯으로 調和營衛하고 解肌發汗시켜야 한다. 그러므로 복용한 후에 밤이 되어 譫語와 狂笑가 모두 그치고, 다음날 大便이 저절로 통한 것이며 承氣湯證의 假象이 1첩으로 함께 나은 것이다.

3. 傷寒下利 『經方實驗錄』卷上: 謝 선생이 三伏의 날씨에 酷暑가 사람을 압박하여 보통 사람도 땀을 철철 흘리면서 자주 뜨거운 숨을 내쉬는데, 지금 先生은 솜옷을 두텁게 입고 이불을 겹겹이 덮었음에도 오히려 추위를 타면서 몸이 차갑다 하고, 吐하지는 않으나 下利는 하루에 10여 차례하고 腹痛과 後重이 있고 小便短赤하며 유독 그 脈은 不沉而浮하였다. 大論에 “太陰病, 脈浮者, 可發汗, 宜桂枝湯.”이라고 하였는데 본證과 유사하다. 川桂枝 一錢半, 大白芍藥 一錢半, 炙甘草 一錢半, 生薑 二片, 紅棗 四枚, 六神麯 穀麥芽炒 各三錢, 赤茯苓 三錢.(原按: 謝君이 먼저 친구의 잔치에 응하여 서양 요리를 누리고 찬 탄산음료를 마시고 마음껏 술을 마시고 잔뜩 먹고 집으로 돌아왔는데, 그날 밤에 下利를 하였고, 3일 동안 풀리지 않고 도리어 더 심해졌다.)

考察: 본 醫案은 마음껏 술을 마시고 잔뜩 먹고 밤에 돌아오면서 寒邪를 받은 것과 관계된 것으로 결국 風寒束表에 안으로 食滯를 兼한 證이다. 『傷寒論』의 “太陰病, 脈浮者, 可發汗, 宜桂枝湯.”과 유사하므로 桂枝湯을 사용하여 解表散寒하고 神麯과 穀麥芽를 넣어 消食和胃함으로써 食滯까지 고려한 것이고, 茯苓은 利水滲濕하여 小便을 잘 나가게 함으로써 大便을 단단하게 만든 것이다.

4. 自汗 『傷寒論譯釋』: 한 商人이 自汗證이 생긴지 半年이 되어 醫師를 불러서 龍骨·牡蠣類의 止澁收斂藥을 복용하였는데, 대략 수십 貼을 복용했는데도 조금도 진전이 없었다. 한의사 王子政을 청하여 치료하였는데, 환자에게 發熱惡風의 증상이 없고, 汗出不溫하고 精神이 疲倦하며 脈象弱而不振한데, 溫劑인 收澀藥을 이미 여러 번 복용했는데도 효과가 없었음을 물어 알았다. 바로 桂枝湯을 주었더니 5첩을 복용하고는 나았다.

考察: 위에서 서술한 病勢는 『傷寒論』제53조와 서로 부합하므로 본 방제를 사용하여 調和營衛하였고, 營衛가 조화되면 땀이 그치면서 낫는 것이다.

5. 半身無汗 『新中醫』(1992, 12:21): 某 남자, 24세, 전기 기술자. 몸의 왼쪽 편이 無汗한 지 1개월 되었다고 호소하였다. 때는 여름이었고, 1개월 동안 날씨가 무더울지라도 뜨거운 태양 아래에서 자주 전봇대를 오르면서 전선 가설과 보수 작업에 종사하였다. 왼쪽의 頭部와 軀幹 및 上·下肢는 모두 無汗하였지만 반대 측은 예전과 같이 땀이 났으며, 舌淡紅, 苔薄白, 脈緩하였다. 證이 營衛失調에 해당하기에 桂枝湯을 주었다. 처방: 白芍藥 15 g, 桂枝·生薑·炙甘草 各 6 g, 大棗 六枚. 하루에 1첩를 물에 달여 2회에 나누어 아침·저녁으로 따뜻하게 복용하였다. 4첩을 복용한 후에 患部에 이미 微汗이 나왔으나, 서늘한 기운을 받으면서 鼻流淸涕하여 위의 방제에 辛夷花 10 g, 葱白 三寸을 넣고 계속해서 4첩을 복용하였더니 병이 완전히 나았다. 추적 조사(follow up)하였는데 1년 반 동안 재발하지 않았다.

考察: 患側에는 無汗하고 健側에는 有汗하는 것은 營衛失調로 陰陽과 氣血이 서로 잘 접속하지 못하고 온몸에 순조롭게 흘러 알리지 못함으로써 이러한 排汗異常의 증상을 빚어낸 것이다. 桂枝湯은 본래 太陽病中風으로 表虛有汗의 證을 치료하지만, 본 醫案과 같이 偏側의 無汗에도 사용하면 효과가 있는 것은, 본 방제가 營衛失調로 생긴 汗腺기능의 상실에 대해서도 일정한 이중 調節작용이 있음을 설명하는 것이다.

6. 小便後畏寒『新中醫』(1994, 5:55): 某 여자, 41세, 농민. 환자는 1년 전에 '肺炎'으로 입원 치료를 받아 나았다. 퇴원한 지 수일 후에 곧 小便을 본 뒤에 畏寒이 보였고, 이후로 차차 괜찮아져 개의치 않았다. 최근 2달 동안 점점 심해져서 의사에게 가서 진단과 치료를 받게 되었다. 일찍이 益氣補中의 四君子湯과 補中益氣湯 등을 10餘貼 복용하였지만 효과가 매우 미약하였다. 진찰 소견: 小便을 본 뒤에 畏寒하고 전신에 戰栗感이 있어서 반드시 옷을 겹쳐서 입어야 편안했으며, 심할 때는 이불을 덮고 몇 분간 잠을 자야 畏寒이 풀리기 시작하였고, 三伏의 더위에서도 역시 그러하였다. 自汗, 神疲 및 小便淸長을 동반하여 나타나고, 舌淡, 苔薄白 및 脈浮細하였다. 血액과 소변의 통상적인 검사에서는 모두 이상이 없었다. 證은 氣虛失煦와 營衛不和에 해당된다. 치료는 益氣助陽과 調和營衛가 적절하고 방제는 桂枝湯加味로 설계한다. 처방: 桂枝·白芍藥 各 15 g, 黃芪 30 g, 熟附片 6 g, 甘草 3 g, 大棗 12 g, 生薑 三片을 물에 달여 복용한다. 5첩으로 결국 효과가 완전하였고, 추적 조사한 결과 재발하지 않았다.

考察: 小便을 본 뒤에 畏寒이 나타나는 것은『金匱要略』에서 처음으로 보이고, 陽氣가 일시적으로 虛餒해져서 생기는 것이다. 대개 汗과 小便은 異物이지만 그 근원은 같아서 그것은 '汗出惡寒'하는 것과 이치가 다르지 않다. 그러므로 桂枝湯을 써서 調和營衛하고, 黃芪를 倍로 넣어 益氣하고, 溫陽의 附子를 佐藥으로 조금 넣은 것은 '少火生氣'의 뜻을 취한 것이며, 陽氣가 회복되고 溫煦에 힘이 있게 되면 畏寒은 풀리게 된다.

7. 봄철 카타르성 結膜炎『陝西中醫』(1993:4:178): 某 여자, 35세, 간부. 양쪽 눈이 기이하게 가려운 것이 3년 되었고, 매년 봄과 여름의 교체기에 가중되고 혹은 재발하였다. 검사결과 양쪽 눈 遠視力은 1.0이었다. 위쪽 눈꺼풀 結膜이 暗灰色을 띠고 乳頭처럼 肥大해져 있고 형태가 자갈들이 깔린 노면과 유사하였고, 안구의 結膜은 充血되었으며 角膜은 透明하였다. 겸하여 惡風汗出, 舌質淡紅, 苔白滑 및 脈浮緩을 나타내었다. 봄철 카타르성 結膜炎(양쪽)으로 진단되었다. 치료는 疏風止痒과 調和營衛가 적당하고, 방제로는 桂枝湯에 防風·烏梢蛇를 넣어 사용하였다. 처방은 桂枝 9 g, 白芍藥 12 g, 生薑 三片, 炙甘草 3 g, 大棗 五枚, 防風 6 g, 烏梢蛇 9 g이다. 매일 1첩을 물에 달여서 먼저 훈증하고 나중에 복용하였다. 21첩을 복용한 후에 눈이 가려운 것이 소실되고 모든 증상이 다 없어졌다. 추적 조사한 결과 재발하지 않았다.

考察: 이 醫案은 目痒이 주요한 특징이 되고 대부분 風邪가 침습하여 생긴 것이다. 본 증례의 환자는 目痒이 3년 되었고, 매번 봄과 여름이 교체하는 시기에 가중되고 혹은 재발하였으며, 또한 惡風汗出 및 脈浮緩이 함께 나타났다. 바로 風邪가 침습하여 腠理가 堅固하지 못하고 營衛不和한 證이므로 桂枝湯에 防風·烏梢蛇를 넣은 것을 채택하여 內服과 外用을 병용하고 藥液이 직접 病所에 이르며 疏風止痒하고 營衛調和하면 곧 병이 낫는 것이다.

【副方】

1. 桂枝加桂湯(『傷寒論』): 桂枝 去皮 五兩(15 g) 芍藥 三兩(9 g) 生薑 切 三兩(9 g) 甘草 炙 二兩(6 g) 大棗 擘 十二枚(三枚)

- 用法: 上五味, 以水七升, 煮取三升, 去滓, 溫服一升.
- 效能: 溫通心陽, 平沖降逆.
- 主治: 太陽病誤用溫針或因發汗太過而發奔豚, 氣從少腹上沖心胸, 起臥不安, 有發作性者.

본 방제는 桂枝湯에서 桂枝의 용량을 加重하여 이루어진 것이다. 桂枝를 加重한다는 것은 平沖降逆에 그 뜻이 있는 것이다. 바로 方後에 "所以加桂者, 以泄奔豚氣也."라고 自注하였다. 桂枝가 甘草와 生薑을 보좌하여 辛味와 甘味가 합해지면 溫助心陽하고, 芍藥

이 甘草·大棗와 配伍하면 酸甘化陰한다. 모두 합쳐서 사용하면 溫心陽·益陰血·降沖逆하게 된다.

2. 桂枝加葛根湯(『傷寒論』): 桂枝 去皮 二兩(6 g) 芍藥 二兩(6 g) 生薑 切 三兩(9 g) 甘草 炙 二兩(6 g) 大棗 擘 十二枚(三枚) 葛根 四兩(12 g).

- 用法: 上六味, 以水一斗, 先煮葛根, 減二升, 內諸藥, 煮取三斗去滓. 溫服一升. 覆取微似汗, 不須啜粥, 餘如桂枝法將息及禁忌.
- 效能: 解肌發表, 升津舒經.
- 主治: 風寒客於太陽經輸, 營衛不和之惡風, 汗出, 項背强几几.

본 방제는 桂枝湯에 葛根을 넣어 이루어진 것이다(宋本『傷寒論』桂枝加葛根湯方中, 有麻黃三兩. 方後注 "臣億等謹按仲景本論, 太陽中風自汗用桂枝, 傷寒無汗用麻黃, 今證云汗出惡風, 而方中有麻黃, 恐非本意也. 第三卷有葛根證云, 無汗惡風, 正與此方同, 是合麻黃也. 此云桂枝加葛根湯, 恐是桂枝中但加葛根耳." 此說爲是, 當無麻黃). 방제는 桂枝湯으로 解肌發表·調和營衛하여 汗出惡風의 表虛를 치료하고, 葛根을 넣어 解肌發表·升津舒經한다.

3. 桂枝加芍藥湯(『傷寒論』): 桂枝 去皮 三兩(9 g) 芍藥 六兩(18 g) 甘草 炙 二兩(6 g) 大棗 擘 十二枚(3枚) 生薑 切 三兩(9 g).

- 用法: 上五味, 以水七升, 煮取三升, 去滓, 溫分三服.
- 效能: 溫脾和中, 緩急止痛.
- 主治: 太陽病誤下傷中, 土虛木乘之腹滿, 時腹自痛.

본 방제는 桂枝湯에서 芍藥을 倍로 하여 이루어진 것이다. 방제 중에 桂枝는 生薑을 배합하여 溫脾通陽하고, 生薑·大棗는 甘草를 배합하여 補脾和中하며, 芍藥을 倍로 하고 甘草와 配伍하여 柔肝緩急止痛한다.

4. 桂枝加大黃湯(『傷寒論』): 桂枝 去皮 三兩(9 g) 芍藥 六兩(12 g) 生薑 切 三兩(9 g) 大黃 二兩(6 g) 大棗 擘 十二枚(三枚) 甘草 炙 二兩(6 g).

- 用法: 上六味, 以水七升, 煮取三升, 去滓. 溫服一升, 日三服.
- 效能: 益脾和中, 緩急止痛, 佐以瀉實.
- 主治: 太陽病誤下傷中, 脾虛積滯之腹滿痛較甚且不緩解, 拒按, 或伴便秘或便滯不爽.

본 방제는 桂枝加芍藥湯에 다시 大黃을 넣어 이루어진 것이다. 방제는 桂枝加芍藥湯으로 益脾和中·緩急止痛하고, 소량의 大黃으로 腐穢의 積滯를 瀉下한다.

5. 桂枝加厚朴杏子湯(『傷寒論』): 桂枝 去皮 三兩(9 g) 芍藥 三兩(9 g) 生薑 切 三兩(9 g) 甘草 炙 二兩(6 g) 大棗 擘 十二枚(三枚) 厚朴 炙, 去皮 二兩(6 g) 杏仁 五十枚(6 g).

- 用法: 上七味, 以水七升, 微火煮取三升, 去滓. 溫服一升, 覆取微似汗.
- 效能: 解肌發表, 降氣平喘.
- 主治: 宿有喘病, 又感風寒而見桂枝湯證者; 或風寒表證誤用下劑後, 表證未解而微喘者.

방제는 桂枝湯에 厚朴·杏仁을 넣은 것이다. 방제는 桂枝湯으로 解肌發表·調和營衛하고, 厚朴·杏仁으로 降氣平喘·化痰止咳한다.

상술한 다섯 가지 방제는 모두 桂枝湯類의 方劑로 그 證의 病機는 공통적으로 營衛不和 혹은 氣血陰陽失調이다. 그러므로 桂枝湯으로 調營衛·調氣血·調陰陽한다. 그중 桂枝加桂湯은 太陽病에 發汗을 지나치게 하여 心陽이 손상되고, 心陽이 아래로 腎에 칩거하지 못하고 腎의 寒水之氣가 上犯淩心하여 생긴 奔豚病을 치료하므로 桂枝二兩을 넣어 溫通心陽·平沖降逆의 작용을 강화한 것이다. 桂枝加芍藥湯과 桂枝加大

黃湯은 비록 太陽病을 잘못 瀉下하여 中氣를 손상시키고 邪氣가 太陰에 빠져들어 가서 생긴 腹滿痛을 치료하는 것은 같지만, 그 환자의 체질적인 차이로 각각의 특징이 있게 된다. 脾胃가 평소에 약한 사람은 잘못하여 瀉下한 후에 대부분 腹滿과 時腹自痛이 나타난다. 즉 土虛木乘하므로 桂枝湯을 써서 通陽益脾하고 芍藥을 倍로 하여 柔肝緩急止痛한다. 胃腸이 평소에 實한 체질이라면 腐穢가 腸中을 壅滯하고 있어 잘못 瀉下한 후에 매번 脾虛夾滯의 虛中夾實證을 나타낸다. 그 證은 腹滿痛이 비교적 심하고 또한 緩解하지 않으며 拒按하고 혹은 便秘를 동반하는 것이 특징이므로 桂枝加芍藥湯을 써서 益脾止痛하는 동시에 소량의 大黃을 넣어 瀉下積滯한다. 이 세 가지 방제는 藥量 혹은 藥味의 변경으로 이미 表를 치료하는 방제가 裏를 치료하는 방제로 변한 것이니 학습할 때 반드시 전심전력하여 체득해야 한다. 桂枝加葛根湯은 外感風寒으로 太陽의 經氣가 불편하고 津液이 골고루 펼쳐지지 못하면 經脈이 濡養되지 못하여 생긴 項脊强几几를 치료한다. 그러나 汗出惡風이 있으면 表虛이기 때문에 桂枝湯에 葛根을 넣어 解肌發表·升津舒經한다. 桂枝加厚朴杏子湯은 風寒表虛證에 肺氣上逆의 微喘이 兼한 것을 치료하므로 厚朴·杏仁을 넣어 降氣平喘한다.

九味羌活湯

(張元素方, 『此事難知』卷上)

【異名】 大羌活湯(『經驗秘方』, 『醫方類聚』卷62에 수재됨)·羌活沖和湯(『傷寒全生集』卷2)·沖和湯(『古今醫統大全』卷14)·神解散(『壽世保元』卷2)·羌活散(『嵩崖尊生全書』卷15).

【組成】 羌活 一兩半(9 g) 防風 一兩半(9 g) 蒼朮 一兩半(9 g) 細辛 五分(3 g) 川芎 一兩(6 g) 白芷 一兩(6 g) 生地黃 一兩(6 g) 黃芩 一兩(6 g) 甘草 一兩(6 g)

【用法】 위의 9가지 약재를 잘게 썰어서 물에 달여 복용한다. 만약 급하게 땀을 내려면 뜨겁게 복용하고 국과 죽을 먹는다. 완만하게 땀을 내려면 따뜻하게 복용하고 湯은 주지 않는다.

【效能】 發汗祛濕, 兼淸裏熱.

【主治】 外感風寒濕邪, 內有蘊熱證. 惡寒發熱, 肌表無汗, 頭痛項强, 肢體酸楚疼痛, 口苦微渴, 舌苔白或微黃, 脈浮或浮緊.

【病機分析】 본 방제의 病證은 外感의 風寒濕邪에 內有蘊熱을 겸한 까닭이다. 風寒濕의 邪氣가 肌表를 침범하면 衛陽이 막히면서 正氣와 邪氣가 서로 다투므로 惡寒發熱한다. 寒은 陰邪이고 그 성질은 收引하며, 濕邪는 重濁하면서 黏滯하고, 太陽은 一身의 表를 주관하고 그 經絡은 頭頂으로 가고 項을 지나 脊을 끼며, 寒濕이 肌表와 肌肉에 침범하면 腠理가 閉塞하고 經絡이 막히며 氣血의 運行이 순조롭지 못하므로 肌表無汗, 頭痛項强 및 肢體酸楚疼痛한다. 裏에 蘊熱이 있으므로 口苦微渴한다. 舌苔는 白 혹은 微黃하고 脈浮는 表證에 裏熱을 겸한 증거이다. 본 病證은 대부분 陽盛한 체질이 風寒濕의 邪氣를 感受하고 濕이 鬱하여 熱로 바뀌면 外에는 表證이 있고 裏에는 蘊熱이 있는 表裏同病을 형성하되 그 證候 특징은 表證이 主가 된다.

【配伍分析】 본 방제는 解表祛濕法을 구현한 것이다. 방제 중의 羌活은 性味가 辛苦溫하고 太陽經으로 들어가서 散表寒·祛風濕·利關節 및 止痺痛하여 風寒濕邪가 表에 있는 것을 치료하는 要藥이다. 『本經逢原』卷1에서 "羌活治太陽風濕相搏, 一身盡痛·項痛·肢節痛 …… 乃却亂反正之主帥."라고 하였고, 『本草滙言』 卷2에서도 "羌活功能, 條達肢體, 通暢血脈, 攻徹邪氣, 發散風寒風濕."이라고 하였다. 그러므로 君藥으로 한 것이다. 防風은 性味가 辛甘溫하고 風藥 중의 潤劑로 "祛風燥濕"(『本草經疏』卷7)하고 "散風邪治一

身痛"(『景岳全書』「本草正」卷48)에 장점이 있으며, 蒼朮은 性味가 辛苦而溫하고 "味辛主散, 性溫而燥, 燥可去濕, 專入脾胃, 主治風寒濕痹"(『藥品化義』卷12)라고 하였다. 두 약물을 서로 배합하면 羌活의 祛風散寒·除濕止痛에 협조하기 되어 臣藥이 된다. 細辛은 "風藥也, 風能除濕, 溫能散寒, …… 故療如上諸風寒濕疾也"(『本草經疏』卷6)라고 하였고, 白芷는 "辛溫香燥, 行經發表, 散風泄濕"(『玉楸藥解』卷1)이라고 하였다. 본 방제는 두 약물의 辛溫芳香의 성질을 빌려서 祛風散寒止痛한다. 川芎은 性味가 辛溫하고 "血中氣藥也"(『本草綱目』卷14)라고 하였다. 또한 活血하고 行氣도 하여 君藥 및 臣藥과 배합해서 사용하면 散寒除濕하고 氣血通暢하게 되어 頭痛肢酸 등의 증상이 낫게 된다. 이것이 바로 "治風先治血, 血行風自滅"의 뜻이고, 『素問』「至眞要大論」의 "疏其血氣, 令其條達"의 취지와 부합되는 것이다. 生地黃과 黃芩은 清泄裏熱하고 동시에 모든 辛溫燥烈藥의 津液損傷을 방지한다. 이상의 다섯 가지 약물은 모두 佐藥이 된다. 甘草는 調和諸藥하여 使藥이 된다. 九味가 配伍되면 風寒濕邪를 統治하고 또한 表裏協助를 같이 고려할 수 있어서 모두 發汗祛濕에 清裏熱을 겸하는 방제가 된다.

본 방제의 配伍 특징은 두 가지이다: 첫째는 升散藥과 清熱藥을 결합하여 운용하였다. 예를 들어 『顧松園醫鏡』에서 "以升散諸藥而臣以寒涼, 則升者不峻; 以寒涼之藥而君以升散, 則寒者不滯."라고 한 것과 같다. 둘째는 分經論治의 기본 구조를 구현하였다. 原書의 복용법에서 "視其經絡前後左右之不同, 從其多少大小輕重不一, 增損用之"라고 강조하였다. 이것은 본 방제가 六經의 약물을 구비하였고 四時를 通治하고 運用할 때에는 적당히 靈活하게 그리고 변화를 저울질하며 하나만 집착해서는 안 된다는 것으로 후세에 매우 깨우치는 바가 크다는 것을 시사한다.

【臨床應用】

1. 證治要點: 본 방제는 四時에 感冒한 風寒濕邪를 치료하고, 表實로 無汗하면서 裏熱證을 겸하고 있을 때 常用하는 방제이다. 惡寒發熱, 頭痛無汗, 肢體酸楚疼痛 및 口苦微渴이 辨證論治의 요점이 된다.

2. 加減法: 濕邪가 비교적 가볍고 肢體酸楚가 심하지 않은 者는 蒼朮·細辛을 빼서 溫燥한 성질을 줄이고, 肢體關節痛이 극심한 者는 獨活·威靈仙 및 薑黃 등을 넣어서 宣痺止痛의 藥力을 강화하고, 濕重胸滿한 者는 滋膩한 生地黃을 빼고 枳殼을 넣어 行氣化濕寬胸하며, 口苦微渴이 없는 者는 生地黃·黃芩을 또한 상황을 참작하여 줄이고, 裏熱이 심하고 煩渴한 者는 石膏·知母를 넣어서 清熱除煩止渴한다.

3. 九味羌活湯은 다음 한국표준질병사인분류(KCD)에 해당하는 환자가 外感風寒濕邪, 內有蘊熱證으로 辨證되는 경우 본 처방의 사용을 고려해볼 수 있다.

처방 목표	한국표준질병사인분류(KCD)
感冒	J00 급성 비인두염[감기]
急性筋炎	M60 근염
류마티스性 節炎	M15 다발관절증
	M13.0 상세불명의 다발관절염
편두통	G43 편두통
허리근육염좌	S33.5 요추의 염좌 및 긴장
두드러기	L50 두드러기

【注意事項】

1. 임상에서 본 방제를 응용할 때에는 病勢의 輕重에 근거하여 국과 죽으로 보조한다. 만약 寒邪가 비교적 심하고 表證이 비교적 重하면 본 방제를 적절히 뜨겁게 복용하고 약물을 복용한 후에는 죽을 먹어 藥力을 도와서 發汗祛邪를 편하게 하고, 만약 寒邪가 심하지 않고 表證도 비교적 가볍다면 반드시 죽을 먹을 필요는 없고, 본 방제를 따뜻하게 복용하면 곧 약간의 發汗을 하게 된다.

2. 본 방제에 비록 生地黃과 黃芩의 寒性 약물이 있지만, 총괄해 보면 辛溫燥烈劑에 해당되므로 風熱表證 및 陰虛內熱한 사람에게 사용하는 것은 마땅치 않다.

【變遷史】 張元素는 臨床에서 總結을 잘하고 創新에 용감한 것으로 유명하였다. 風·寒·濕邪가 서로 합하여 인체의 肌表에 침습하면 惡寒發熱·無汗·頭身重痛 및 關節疼痛 등의 증상이 나타나고, 張氏는 宋 이전의 表證치료는 發汗에는 장점이 있고 祛濕에는 단점이 있는 制限性이 있고, "有汗不得服麻黃, 無汗不得服桂枝"(『此事難知』卷上)라는 禁忌를 감안하여 解表祛濕法을 세우고, 羌活·防風·蒼朮 및 白芷 등 辛溫香燥藥으로 방제를 조성하였고 "以代桂枝·麻黃·靑龍·各半等湯"(『傷寒六書』卷3)하고, "使不犯三陽禁忌"(『此事難知』卷上)하였다. 본 방제가 만들어짐으로써 麻黃湯과 桂枝湯의 方劑가 解表方으로 통일되는 局面을 타파하였고, 解表方의 또 다른 모델인 羌活·防風劑을 새롭게 열었다. 이때에 이르러 解表方은 '經方'과 '時方'으로 구별하게 되었다.

九味羌活湯의 기원을 거슬러 올라가 보면 仲景이 表寒裏熱證을 치료한 大靑龍湯 및 『太平惠民和劑局方』卷2에서 表證을 치료한 敗毒散과 神朮散의 啟發을 받았을 가능성이 있고, 神朮散을 加減하고 발전변화시킨 것이다. 神朮散은 蒼朮·藁本·白芷·細辛·羌活·川芎 및 炙甘草로 조성되어 있고, 四時溫疫, 頭痛項强, 發熱憎寒 및 身體疼痛 등의 증상을 치료한다. 九味羌活湯은 神朮散에서 藁本을 빼고 防風·生地黃 및 黃芩을 넣은 것으로 단순한 解表祛濕方을 변화시켜 表裏兼顧劑가 된 것이다.

본 방제의 創製는 表證·痺證 및 濕熱證의 치료에 모두 비교적 큰 영향을 주었다. 辛溫香燥藥으로 祛風散寒除濕하고, 活血宣痺止痛으로 輔佐하고, 동시에 '分經論治'와 결합하고 風寒夾濕의 表證을 치료하는 用藥 사고방식은 대부분 후세 사람들의 본받는 바가 되었다. 예를 들어 『羅氏會約醫鏡』卷6의 祛風立效散(羌活·防風·白芷·細辛·川芎·桂枝·生薑·蘇葉·陳皮·半夏·茯苓·蔓荊子·甘草)과 『雜病源流犀燭』卷12의 防風沖和湯(防風·羌活·白芷·細辛·川芎·生地黃·黃芩·白朮·生薑·葱白·甘草) 등은 모두 羌活·防風·細辛 및 白芷에 川芎을 配伍하여 散寒除濕止痛한 것이다. 痺證의 치료에서도 역대의 의학자들이 따르는 바가 되었다. 李杲의 『內外傷辨惑論』卷中에 수재된 風濕痺證을 치료하는 유명한 방제인 羌活勝濕湯은 바로 본 방제로부터 啟發을 받아서 만들어진 것이다. 이 밖에 방제 중 溫燥化濕의 蒼朮을 苦寒淸熱의 黃芩과 배합하여 濕從熱化證의 치료에 새로운 국면을 개척하였다. 溫病學者인 吳瑭은 四苓散에 芩芍湯을 合方하여 蒼朮과 黃芩을 같이 사용하였고, 王士雄이 連朴飮에서 黃連과 厚朴을 함께 한 방제 또한 이로부터 啟發을 받았을 가능성이 있다.

본 방제는 원래 劑型이 湯劑이지만 현대에는 또한 그것을 丸劑로 바꾼 것을 '九味羌活丸'이라고 하였다(『中華人民共和國藥典』「一部」).

【難題解說】

1. 본 방제의 기원에 관하여: 최근의 『方劑學』 教材와 일부 방제학 서적에는 모두 九味羌活湯을 王好古(1200~1264)의 『此事難知』에 수재되었으므로 王好古가 張元素(1131~1234)의 방제를 인용한 것으로 따르고 있다. 彭懷仁 교수의 考證에 의하면 본 방제는 반드시 『潔古家珍』에서 출전하고 그 이유로 주로 두 가지를 들고 있다: 하나는 '易老'는 바로 金代의 著名한 의학자인 張元素로 王好古의 스승이고 『潔古家珍』 등의 서적을 지었다고 생각하는 것이다. 『濟生拔粹』「潔古家珍」에 九味羌活湯의 명칭이 실려 있고, 그 명칭 아래에 "見『此事難知』"라고 注를 달고 있다. 다른 하나는 張介賓(1563~1640)의 『景岳全書』「古方八陣」卷56에 본 방제를 수재하고 '易老'라는 注가 나와 있다. 汪昂의 『醫方集解』「發表之劑」와 『王旭高醫書六種』「退思集類方歌注」 등에 본 방제를 수재하고 모두 '張元素'에서 출전한 것으로 注를 달고 있다. 우리는 『潔古家珍』에 비록 이 방제를 수재하고 있지만 方名은 있으되 그 內容

은 없으므로 방제의 기원은 반드시 『此事難知』로부터 기록되었다고 보는 것이 타당한 것 같다.

2. 黃芩·生地黃의 선별사용에 관하여: 본 방제의 病證의 특징은 外感風寒濕邪의 表證이 있고 또한 內熱의 裏證이 있으므로 解表의 羌活·防風·川芎·蒼朮·細辛 및 白芷 등의 약물에 淸熱의 黃芩·生地黃을 配伍한 것이다. 본 방제와 大靑龍湯은 같이 表寒裏熱證에 해당하는데, 어찌하여 石膏를 써서 淸泄裏熱하지 않았는가? 大靑龍湯證은 風寒이 表를 속박하고 毛竅가 閉塞되고 陽氣가 안에서 鬱滯되어 宣達하지 못하면 鬱滯하여 熱로 바뀌어 表寒裏熱證을 이루고, 증상은 煩躁를 특징으로 하므로 性味가 辛寒한 石膏를 써서 한편으로는 淸熱除煩하고, 다른 한편으로는 辛散透邪한다. 본 방제의 病證은 風寒濕이 蘊熱을 兼한 것으로 증상은 口苦而渴을 특징으로 하므로 性味가 苦寒한 黃芩을 써서 淸熱에 兼하여 燥濕하고, 性味가 甘寒한 生地黃으로 淸熱生津止渴한다. 이 밖에 張元素의 방제는 그 用藥이 溫燥에 치중되어 있어 生地黃을 써서 柔潤한 體로 溫燥한 성질을 制約함으로써 津液損傷의 우려에서 벗어날 수 있다. 趙羽皇은 "汗之發也, 其出自陽, 其源自陰, …… 陰氣弱, 則津液枯涸而汗不能滋"(『古今名醫方論』卷2에 수록)라고 인식하였다. 津液의 存亡은 表證이 낫는가의 여부와 관계가 있는 것으로, 津液이 손상을 받아서 陽氣가 藥力를 빌어 땀을 낼 수 없으면 表邪가 땀을 따라서 풀리는 데는 불리하다. 그러므로 趙羽皇은 "沖和湯(即本方)之生地黃, 人謂其補益之法, 我知其托裏之法"(『古今名醫方論』卷2에 수록)이라고 지적하였다. 陳念祖 또한 이로부터 "佐以生地者, 汗化於液, 補陰即托邪之法也"(『時方歌括』卷上)라고 하였다. 이러한 설은 참고할 만하다.

3. 分經論治에 관하여: 본 방제의 用藥法은 '分經論治'의 특징을 구현하였다. 宋代·金代 및 元代의 이전에는 表證은 모두 仲景의 太陽을 따라 論治하였다. 그러나 風寒濕邪를 外感하면 太陽이 비록 제일 먼저 그 충격을 받지만 六經에 모두 누를 끼칠 수 있다. 방제 중의 모든 약물은 內外를 兼治하고 또한 六經에 分屬하여, "羌活治太陽肢節痛, 君主之藥也, …… 蒼朮別有雄壯上行之氣, 能除濕, 下安太陰, 使邪氣不納, 傳之足太陰脾; 細辛治足少陰腎苦頭痛; 川芎治厥陰頭痛在腦; 香白芷治陽明頭痛在額; 生地黃治少陰心熱在內; 黃芩治太陰肺熱在胸"(『此事難知』卷上)이라고 하였다. 여기에서 原書는 "以上九味, 雖爲一方, 然亦不可執"이라고 강조하였다. 구체적으로 운용할 때에는 "當視經絡前後左右之不同, 從其多少·大小·輕重之不一, 增損用之"하면 바야흐로 "其效如神"할 수 있다고 하였다. 易老가 만든 九味羌活湯은 실제로 "分經論治"의 시작을 연 것이다. 현대적으로 응용할 때는 頭痛에서 後頭痛이 項部와 관련되는 것이 특징이라면 羌活을 倍로 사용하고, 前額部가 심하면 白芷를 倍로 사용하며, 頭頂痛 혹은 兩側頭痛이 뚜렷하다면 川芎을 倍로 사용하고, 頭痛이 齒痛을 끌어내는 者는 細辛을 매번 倍로 사용한다.

【醫案】

1. 傷寒誤遏 『全國名醫驗案類編』卷2: 俞金寶, 나이 30여 세, 政界, 汕頭에 거주함. 여행 중에 비를 맞았고, 感冒로 發熱하였다. 한의사가 白虎湯을 잘못 사용하여 表邪가 안으로 빠져 들어가서 寒熱如瘧하였다. 양의사가 잘못하여 퀴닌(quinine)으로 학질을 멈추려 하였으나 병이 곧 극심해졌다. 증상으로 嗇嗇惡寒, 淅淅惡風, 翕翕發熱, 鼻乾口渴, 頭痛骨節痛, 咳喘煩燥, 小便熱赤, 左寸浮緊, 右尺洪實이 나타났다. 脈과 症을 함께 참고해보면 太陽經이 風寒에 손상되고 邪氣가 熱로 바뀌고 안으로 肺經을 침범한 것이다. 張氏의 沖和湯에 加減하였다. 처방1: 羌活 二錢, 防風 一錢半, 蒼朮 一錢, 黃芩 一錢半, 白芷 一錢半, 川芎 一錢, 木通 一錢半, 赤苓 六錢. 처방2: 葶藶子 三錢, 牽牛子 二錢, 桑白皮 四錢, 桔梗 一錢, 紫菀 三錢, 蘇子 一錢半, 宋公夏 二錢, 赤苓 六錢, 天津紅 四枚. 다음날 汗出하면서 통증은 그쳤는데, 咳嗽가 여전히 없어지지 않아서 복용한 후에 治肺方 3첩으로 나았다.

考察: 九味羌活湯은 본래 風寒濕鬱에 內熱을 兼한 것을 치료하는 正方이다. 지금 表邪가 바로 왕성한데 도리어 涼藥으로 막히어 잘못하여 차단됐을 때 邪氣가 안으로 들어가서 熱로 바뀌면, 이 방제를 선택해서 加減하여 사용하는 게 합당한 것이다. 그러므로 1첩으로 땀을 내면 통증이 그친다. 뒤의 처방은 全氏葶藶丸과 瀉白散에 加味한 것으로 또한 病勢를 파악하는데 좋은 範例에 해당된다.

2. 纖維筋炎(fibromyositis)『江西中醫藥』(1984, 4:28): 某 여자, 44세, 교사. 어제 저녁 한밤중에 일이 있어 외출하고 마침 大風을 만났으며, 오늘 새벽에 右側 背部 및 肩胛 부위에 疼痛을 느끼고 右上肢를 위로 들거나 돌리고 그리고 일상생활의 활동에 제한을 받았다. 양의사는 背部 纖維筋炎으로 진단하였고, 한의사로 돌려 치료하였다. 환자의 좌측 어깨는 높이 올라있고 우측 어깨는 축쳐져 있으며 표정이 고통스러워 보였다. 검사: 우측 棘下筋群(infraspinatus muscle group)과 廣背筋群(latissimus dorsi group)에 뚜렷한 압통이 있고 局部에 경직감이 있으며, 脈弦細, 苔薄白膩하였다. 風寒濕의 邪氣가 經絡에 凝滯하여 氣血이 막힌 것으로 치료는 祛風散寒除濕法과 活血通絡止痛法을 사용하였다. 처방: 羌活 6 g, 防風 10 g, 川芎 6 g, 當歸 10 g, 白芷 6 g, 蒼朮 6 g, 細辛 3 g, 天仙藤 12 g, 五靈脂 10 g. 5월 6일에 재진하였고, 初湯을 복용한 지 반시간 후에 바로 우측 背部와 肩胛區가 가뿐하고 병이 반으로 줄어드는 것을 느꼈다. 5첩을 복용하니 양측 肩部는 정상으로 회복되었지만 背 및 肩胛部는 경미한 불편함을 느꼈고, 위의 처방을 계속하여 2첩을 복용하였더니 나았다.

考察: 본병은 風寒濕의 邪氣가 經絡에 凝滯하고 氣血의 運行이 순조롭지 않아서 생긴 것이다. 그러므로 九味羌活湯을 선택하여 苦寒한 性味가 凝滯를 유발시키는 黃芩·生地黃을 빼고, 當歸·五靈脂를 넣어 活血止痛하고, 天仙藤의 苦溫한 性味는 利氣活血·祛風化濕하고 동시에 太陽風藥인 羌活의 祛風散寒·除濕通痺止痛을 돕는다.

3. 두드러기『上海中醫藥雜誌』(1982, 4:21): 某 여자, 24세, 영업 사원. 惡寒發熱 4일, 체온 38℃. 온몸에 疹塊가 발하고 瘙痒이 있는데, 때로는 숨었다가 때로는 나타났으며 風을 만나면 더 심해졌다. 便溏 2~3회/일, 納差神疲, 舌苔薄白, 脈浮緊하였고 과거에 반복하여 발작한 병력이 있다. 한의학 辨證으로는 風濕이 肌膚에 鬱滯한 것에 해당되고, 양의사는 급성 두드러기로 진단하여 일찍이 클로르페니라민(chlorpheniramine)·글루콘산칼슘(calciu mgluconate) 등을 사용하였으나 효과가 없었다. 나의 병원에 와서 진찰을 받고 치료하였다. 처방: 羌活 10 g, 防風 6 g, 炒蒼朮 6 g, 白芷 6 g, 北細辛 1.5 g, 川芎 6 g, 生地黃 10 g, 炒黃芩 6 g, 甘草 6 g, 生薑 二片, 葱白頭 三枚. 매일 1첩씩 3첩을 물에 달여 복용하였다. 비린내 나는 음식(葷腥)·날것(生) 및 冷한 음식을 금하라고 당부하였다. 두 번째 진찰: 寒熱은 비록 풀리고 發疹은 줄었으나 아직은 깨끗하지 않았고 瘙痒도 안정되지 않았으며, 腹痛은 이미 그쳤고 大便은 정상이며 음식물 먹는 것은 조금 증가하였다. 위의 처방에서 生薑·葱白頭·北細辛을 줄이고, 地膚子·浮萍草·淨蟬衣를 넣어서 2첩을 복용하였다. 세 번째 진찰: 發疹이 모두 물러나고 모든 증상이 이미 풀렸지만 계속해서 原 處方 2첩을 복용하여 나머지 邪氣를 깨끗이 제거하였다. 완치한 뒤에 추적 조사해 보니 지금까지 재발하지 않았다.

考察: 본 예는 風寒濕의 邪氣가 肌腠에 鬱滯되어 血脈에 침범한 까닭이므로 九味羌活湯에 葱白·生薑을 넣어 疏風止痒·散寒祛濕·涼血活血한다. 재진 시에는 寒熱이 비록 풀렸지만 發疹과 瘙痒이 안정되지 않은 것에 맞추었으므로 散寒解表의 葱白·生薑·細辛을 빼고, 疏風除濕止痒의 地膚子·浮萍草·蟬蛻를 넣어 함께 고려한 것이다.

4. 落枕『江西中醫藥』(1884, 4:29): 某 남자, 30세, 노동자, 1980년 5월 13일에 初診을 받았다. 頭項部를 돌리는 것이 불편하고 좌측 頸項肩部가 당기는 듯한 통증이 이미 보름이 되었고, 침과 추나치료를 받았는데

도 효과가 뚜렷하지 않았다. 최근에는 疼痛이 더 심해지고 좌측 手臂의 활동에도 영향을 미쳤으며, 외관상으로는 기운목(torticollis)을 드러내고 좌측 頸項肩部에 按壓痛이 뚜렷하였다. 證은 風寒濕의 邪氣가 經絡을 막은 것으로 치료는 祛風勝濕通絡이 적당하고, 본 방제에서 生地黃·黃芩을 빼고 天仙藤·陳皮 및 葛根을 넣어 사용한 것이다. 5월 16일 再診하였고, 3첩을 복용하였더니 좌측 頸項肩部의 疼痛이 輕減하였고, 본 방제에 當歸를 넣어 活血止痛한 것이고 또한 3첩을 복용하였더니 병이 나았다.

考察: 환자는 頸部의 근육이 지나치게 疲勞하고 거기다가 睡眠 시에 머리의 자세가 부적당한 것이 더해지고, 頸部의 근육이 風寒濕의 邪氣의 침습을 받아서 氣血이 凝滯되고 筋脈이 영양 공급을 받지 못하여 落枕이 생긴 것이다. 九味羌活湯에 加減한 것으로 葛根을 倍로 사용하여 解肌祛邪·升津舒筋함으로써 頸項肩部의 拘急을 풀어주는 것이다.

【副方】

1. 大羌活湯(『此事難知』卷上): 羌活 獨活 防風 細辛 防己 黃芩 黃連 蒼朮 炙甘草 白朮 各三錢(各 9 g) 知母 川芎 生地黃 各一兩(各 30 g)

- 用法: 上㕮咀, 每服半兩(15 g), 水二盞, 煎至一盞半, 去渣, 得淸藥一大盞, 熱飮之; 不解, 再服三·四盞解之亦可, 病愈則止. 若有餘證, 幷依隨經法治之.
- 效能: 發散風寒, 祛濕淸熱.
- 主治: 外感風寒濕邪兼有裏熱證. 頭痛身重, 發熱惡寒, 口乾煩滿而渴, 舌苔白膩, 脈浮數.

大羌活湯은 李杲가 만든 것으로 『此事難知』에 보이고, 表裏兩感·外寒裏熱證을 치료한다. 방제 중에 羌活은 太陽風寒을 풀고, 獨活은 少陰風寒을 흩어버리기에 함께 君藥이 된다. 防風·川芎·蒼朮 및 細辛은 羌活과 獨活의 散風寒·祛濕邪·止頭痛을 돕기 때문에 臣藥이 된다. 黃芩·黃連·知母 및 生地黃은 淸熱하고, 防己는 利水祛濕하고 兼하여 裏熱를 당겨서 下行하게하며, 白朮은 健脾燥濕하기에 모두 佐藥이 된다. 表裏兩感證은 옛날에도 '難治'라고 일컬었으므로 東垣은 본 방제를 만들어서 몸은 實하면서 邪氣의 感受가 비교적 가벼운 자를 치료한 것이다. 방제 전체를 종합적으로 살펴보면 九味羌活湯에 비하여 白芷는 없고 黃連·知母·防己 및 白朮이 더 있어서 그 淸熱祛濕의 작용이 강한편이고 外感의 風寒濕邪에 裏熱이 비교적 重한 자에게 적당하다.

2. 羌活勝濕湯(『內外傷辨惑論』卷中): 羌活 獨活 各一錢(各 6 g) 藁本 防風 甘草炙 川芎 各五分(各 3 g) 蔓荊子 三分(2 g)

- 用法: 上㕮咀, 都作一服. 水二盞, 煎至一盞, 去渣, 大溫服, 空心食前. 如身重, 腰沈沈然, 經中有寒濕也, 加酒洗漢防己五分, 輕者附子五分, 重者川烏五分.
- 效能: 祛風勝濕.
- 主治: 外傷於濕, 鬱於太陽, 肩背痛, 脊痛項强, 或一身盡痛, 或身重不能轉側, 脈浮; 邪在少陽·厥陰, 臥而多驚.

방제 중에 羌活은 上部의 風濕을 잘 제거하고 獨活은 下部의 風濕을 잘 제거하는데, 두 약물을 서로 배합하면 전신의 風寒濕邪를 發散하고 舒利關節·止痺痛에 장점이 있으므로 모두 君藥이 된다. 防風·藁本은 祛風散寒·勝濕止痛하여 君藥의 祛風濕止痛의 작용을 도우므로 같이 臣藥이 된다. 川芎은 活血通絡하고 祛風止痛하며, 蔓荊子는 祛頭面風濕而止痛하여 佐藥으로 쓰이고, 甘草는 모든 약물을 調和하여 使藥이 된다.

본 방제와 九味羌活湯을 서로 비교하면 둘 다 羌活·川芎·防風 및 甘草를 갖추어 사용하여 모두 祛風濕과 止頭痛의 작용이 있다. 그러나 九味羌活湯은 蒼朮·細辛·白芷 및 生地黃·黃芩이 많아서 그 解表의 藥力이 본 방제와 비교해서 대략 강하고 겸하여 清內熱하므로 惡寒發熱을 위주로 하고 口苦微渴을 겸한 것을 치료하고, 본 방제는 獨活·藁本 및 蔓荊子가 더 많아서 祛風濕의 藥力이 대략 우세하면서 解表의 藥力은 약한 편이므로 頭身重痛을 위주로 하고 惡寒發熱의 表證이 두드러지지 않은 것을 치료한다.

葱豉湯

(『肘後備急方』卷2)

【異名】 葱白豉湯(『類證活人書』卷19).

【組成】 葱白 連鬚一虎口(五條) 淡豆豉 一升(30 g)

【用法】 이상을 물 3되로 달여 1되를 취하고 한번에 복용하여 땀을 낸다. 땀이 나지 않으면 또 다시 만들고 葛根 二兩, 升麻 三兩을 넣어 물 5되를 붓고 달여서 2되를 취하여 나누어 다시 복용하면 반드시 땀이 날 것이다. 그래도 땀이 나지 않으면 다시 麻黃 二兩을 넣는다. 또한 葱湯에 갈은 쌀(研米) 2홉을 넣고 물 1되를 부어 삶으며 잠시 후에 鹽豉를 넣고, 나중에 葱白 네 개를 넣고 불로 달여서 3되를 취하고 나누어서 복용하여 땀을 낸다.

【效能】 解表散寒.

【主治】 外感表寒輕證. 微惡風寒, 或微熱, 頭痛, 無汗, 鼻塞流涕, 噴嚏, 舌苔薄白, 脈浮.

【病機分析】 본 방제의 病證은 外感의 風寒表證이 가벼운 자에 해당된다. 風寒이 表를 속박하면 毛竅가 閉塞되고 衛陽이 막히고 感受한 邪氣가 비교적 가벼우므로 微惡風寒·或微發熱·頭痛無汗의 증상이 나타나고, 肺는 皮毛와 합하고 鼻에 開竅하며 風寒이 表를 침습하면 매번 肺氣가 宣發하지 못하고 肺系는 不利하므로 鼻塞流涕하고 噴嚏한다. 苔薄白·脈浮는 風寒表證의 징후이다.

【配伍分析】 外感風寒은 辛溫解表가 적합하다. 表寒輕證은 단지 輕疏肌表하고 약간의 땀을 내면 病邪가 스스로 바깥으로 빠져나가 辛溫의 重劑를 써서 공연히 그 表를 손상시킬 필요가 없다. 그러므로 방제에서 性味가 辛溫한 葱白으로 發汗解表하고, "散風寒表邪"(『丹溪手鏡』卷中)함으로써 "治傷寒頭痛身疼"(『羅氏會約醫鏡』卷17)하므로 君藥이 된다. 淡豆豉는 性味가 辛而微溫하여 "發汗解肌"(『羅氏會約醫鏡』卷17)하고 宣散表邪한다. 두 가지 약물을 함께 사용하면 解表散寒하여 輕宣發散劑가 되고, 感冒 및 時疫의 초기에 邪氣가 얕은 곳에 있고 證이 가벼운 자에게 제법 부합된다.

본 방제의 配伍 특징: 藥性이 和平하여 辛味가 있으되 猛烈하지 않고 溫하되 燥하지 않으므로 辛溫解表의 輕劑를 구성한다.

【臨床應用】

1. 證治要點: 본 방제의 藥性은 和平하여 溫하되 燥하지 않기에 外感의 風寒表證이 가벼운 것을 치료하는 常用 방제이다. 임상에서는 微惡寒, 鼻塞 및 噴嚏가 辨證論治의 요점이 된다.

2. 加減法: 表證 초기에 본 방제를 복용하여 땀이 나지 않는 자는 病은 重한데 藥은 輕한 것으로 辛散透表의 葛根과 升麻를 넣어 그 發汗을 도와야 하고, 복용한 후에도 여전히 땀이 나지 않는 자는 다시 麻黃을 넣어 開腠發汗하여 邪氣를 바깥으로 몰아낸다. 만약 환자가 惡寒無汗하고 頭痛이 비교적 심하면 荊芥·防風 및 羌活을 넣어 解表達邪하고, 兼하여 胸悶泛惡하고 舌苔白膩한 者는 紫蘇·蒼朮 및 藿香을 넣어 芳化濕濁하고, 咳嗽明顯하고 咯痰不爽하며 聲音嘶啞者는 牛蒡子·桔梗 및 浙貝母를 配伍하여 宣肺化痰과 止咳

利咽하고, 發熱·咽痛·口苦, 舌質偏紅 혹은 苔黃 등 裏熱의 증후가 분명한 자는 梔子·黃芩·金銀花 및 連翹를 넣어 淸熱解毒한다.

3. 葱豉湯은 다음 한국표준질병사인분류(KCD)에 해당하는 환자가 外感表寒輕證으로 辨證되는 경우 본 처방의 사용을 고려해볼 수 있다.

처방 목표	한국표준질병사인분류(KCD)
感冒	J00 급성 비인두염[감기]

【變遷史】 본 방제는 晋代 의학자인 葛洪(284~ 364)이 만든 것으로 그가 지은 『肘後備急方』이라는 책에 보인다. 葛洪의 用藥은 간단명료하고 쉽게 얻을 수 있도록 힘썼다. 그는 서문에서 "周流華夏九州之中, 收拾奇異, 據拾遺逸, 選而集之, 使種類殊分, 緩急易簡."이라고 하였고, 또한 "餘今采其要約, 以爲肘後救卒三卷, 率多易得之藥, 其不獲已須買之者, 亦皆賤價……"라 하였다. 葱豉湯의 조성은 그 조제 처방이 간단하고 편리하고 값이 싸며 효과적이라는 특징을 가장 구현한 것이다. 본 방제는 外感의 風寒表證을 위해 만든 것으로 溫하면서도 燥하지 않고 땀을 내면서도 세지 않다. 麻黃湯과 길은 다르지만 이르는 곳은 같은 묘함이 있고 또한 麻黃湯의 여러 가지 금기사항을 피할 수 있어서, 이것은 『傷寒論』의 風寒表證의 치료에 대한 보충과 발전이기 때문에 역대 의학자들의 많은 추앙을 받았다. 『外臺秘要』卷3에서 血虛 혹은 失血한 후에 外受風寒을 치료하는 것에 사용한 葱白七味飮은 바로 본 방제에 葛根·生薑·麥門冬 및 生地黃을 넣어서 조성한 것이다. 『類證活人書』卷18에서 傷寒으로 頭項腰背痛하고 惡寒·脈緊·無汗한 者를 치료하는데 사용한 活人葱豉湯은 본 방제에 麻黃·葛根을 넣어서 조성한 것이다. 『衛生家寶』에 수재된 "治療一切傷寒, 不論陰陽輕重, 老少男女孕婦, 皆可服用"의 神白散도 또한 본 방제에 白芷·生薑·大棗 및 甘草를 넣어서 이루어진 것이다. 본 방제는 그 藥性이 和平하기 때문에 溫病學이 아직 일어나기 전에 熱證에 대한 치료에 비교적 큰 영향을 끼쳤다. 火熱論의 提唱者인 劉完素(약 1110~1200)는 表證은 반드시 땀을 내서 풀어야 하지만, "怫熱鬱結於表, 絕非辛熱藥所宜, 用之則表雖解而熱不去, 惟有用辛涼或甘寒以解表, 則表解熱除, 斯爲正治. 故曰: 以甘草·滑石·葱·豉寒藥發散甚妙"(『素問玄機原病式』卷2)라고 인식하였다. 그의 表證에 兼하여 內熱을 치료하는 雙解散(『傷寒直格』卷下)은 약물로 防風·川芎·當歸·芍藥·薄荷葉·大黃·麻黃·連翹·芒硝·石膏·桔梗·滑石·白朮·山梔子·荊芥·甘草·黃芩·葱白·豉·生薑을 사용하였고, 이것은 역시 본 방제를 함유하고 있다. 淸代의 名醫인 俞根初(1734~1799)는 본 방제를 더욱 잘 처리하였고, 이미 본 방제로 傷寒을 치료하였다. 예를 들면, 본 방제에 薄荷·粳米를 넣은 葱豉荷米煎(『重訂通俗傷寒論』卷2)으로 小兒의 傷寒二三日을 치료하였고, 본 방제와 香蘇散을 合方한 香蘇葱豉湯(『重訂通俗傷寒論』卷2)으로 妊娠傷寒을 치료하였고, 본 방제와 白虎湯을 合方하고 細辛을 넣은 葱豉白虎湯(『重訂通俗傷寒論』卷11)으로 傷寒이 나은 후에 伏熱이 未盡하고 다시 새로운 邪氣를 감수하고 邪氣가 안에서 鬱滯하여 된 頭痛·發熱·惡寒·舌燥口渴 등 證을 치료하였다. 또한 본 방제를 사용하여 溫病을 치료하였다. 예를 들면 본 방제에 山梔子·桔梗·薄荷·連翹·甘草를 넣은 葱豉桔梗湯(『重訂通俗傷寒論』卷2)으로 風溫과 風熱의 초기를 치료하였고, 본 방제와 葳蕤湯을 合方하고 加減하여 만든 加減葳蕤湯은 陰虛한 者가 風溫에 感冒한 것을 치료하는데 사용하였다. 溫病學者는 비록 辛溫發汗을 주장하지는 않았지만, 본 방제에 대해서는 애정을 기울였다. 葉桂(1666~1745)는 "在內之溫邪欲發, 在外之風邪又加, 葱豉湯最爲捷徑"(『溫熱經緯』卷5에 수록됨)이라고 하였다. 『時病論』卷1에 있는 春溫 第一方인 辛溫解表法(葱白·豆豉·防風·桔梗·杏仁·廣皮)은 본 방제에서 확충된 것이다. 『痢瘧纂要』卷9의 葱豉益元散은 暑熱에 外邪를 兼한 痢疾을 치료하는 것으로 본 방제의 煎湯液에 益元散을 타서 복용한다. 본 방제는 비록 藥物이 간단하고 平淡하지만 平淡한 가운데 神奇함이 있어서 "勿以其淸淡而忽之"(『醫方論』卷1)라고 하였다.

【醫案】冬溫疫痧『全國名醫驗案類編』卷13: 孫姓子, 나이 7세, 本鎭에 거주함. 음력 섣달에 疫痧가 盛行하였기 때문에 마침 冬溫에 感受하면서 촉발되었다. 초기에는 發熱惡寒, 咳嗽體倦, 飮食減少하였고 아직은 痧點은 볼 수 없었다. 脈緩不數, 舌邊尖紅起刺, 苔薄白滑하였다. 이것은 겨울철에 寒邪가 바깥에서 들어오고 溫邪가 안에서 잠복하여 생긴 병변이다. 초기에는 葱豉湯加味를 써서 淸輕疏解하였다. 처방: 鮮葱白 三段, 淡豆豉 錢半, 蘇薄荷 八分, 桂枝 八分, 杏仁 錢半, 甘草 四分. 복용한 후에 頸項 및 胸背部 등의 곳에 痧點이 發現되었고, 아직은 피부 사이에 어렴풋하고 바깥으로 크게 나타나지 않았기 때문에 여전히 原처방으로 다시 1첩을 진행하였다. 3일째 되던 날 痧가 크게 나타나고 胸背頸項手臂 등에 모두 짙게 덮여 있고 선홍색이며, 夜間에 熱이 심하고 口渴이 있어서 결국은 桑葉·金銀花 各二錢, 光杏仁 二錢, 益母草 二錢, 天花粉 二錢, 川貝母 錢半, 生甘草 四分, 靑連翹 三錢으로 바꾸어 써서 淸熱解毒과 活血透痧하였다.

考察: 痧疹이 皮下에 잠복하고 나타나지 않으면 일반적으로 대부분 升麻葛根湯類를 조제하여 解肌透疹한다. 그러나 본 예는 痧疹이 음력 섣달에 발생하였고, 또한 惡寒發熱 등 風寒表證이 나타난 것으로 분명히 風寒外束과 痧毒內伏의 證과 관련이 있으므로 微溫辛散의 葱豉湯에 杏仁·桔梗 등을 넣어 輕疏肌表와 宣暢肺氣하면 風寒이 풀리고 痧毒이 모두 肌表에서 없어지게 된다. 가령 "痲爲陽毒"에 의거하여 제멋대로 寒涼藥을 쓰면 찬 기운이 熱毒을 잠복하게 하여 반드시 痧疹이 발출되지 못하고 變證이 많이 생기게 된다. 본 의안은 "病有千變, 法亦有千變, 若死於敎條, 則難應變"(『蒲輔周醫療經驗』)을 설명한 것이다. 본 방제를 복용한 후에 痧疹이 크게 나타나고 疹色이 선홍색이며 夜間에 熱이 심하고 口渴할 때에 淸熱解毒法과 活血透疹法으로 바꾸어 치료한 것은 痧疹 發疹期 치료의 正法이다.

【副方】

1. 葱豉湯(『類證活人書』卷18): 葱白 十五莖(三枚) 豆豉 二合(6 g) 麻黃 四分(3 g) 葛根 八分(6 g).

• 用法: 水煎服, 取汗.
• 效能: 通陽散寒, 發汗解表.
• 主治: 傷寒十二日, 頭項腰背痛, 惡寒, 脈緊, 無汗者.

본 방제는 葱豉湯에 加味하여 이루어진 것이다. 外感風寒으로 病證이 비교적 심하고 또한 頭項腰背痛이 있으므로 麻黃·葛根을 넣어 發汗解表의 藥力을 증강시킨 것인데, 葛根은 여전히 舒筋通絡하고 겸하여 頭項强痛을 능히 치료한다.

2. 葱豉桔梗湯(『重訂通俗傷寒論』卷2): 鮮葱白 三枚至五枚 苦桔梗 一錢至錢半(3~4.5 g) 焦山梔 二錢至三錢(6~9 g) 淡豆豉 三錢至五錢(9~15 g) 蘇薄荷 一錢至錢半(3~4.5 g) 靑連翹 一錢半至二錢(4.5~6 g) 生甘草 六分至八分(2~2.5 g) 鮮淡竹葉 三十片(3 g)

• 用法: 水煎服.
• 效能: 疏風淸熱, 淸肺泄熱.
• 主治: 風溫初起, 頭痛身熱, 微惡風寒, 咳嗽, 咽痛, 口渴, 舌尖紅, 苔薄白, 脈浮數.

방제 중의 葱白은 辛溫通陽하고 豆豉와 배합하면 發汗解表하고, 薄荷·連翹는 疏散風熱하고, 桔梗은 宣肺止咳利咽하고, 山梔子·竹葉은 淸心肺之熱하며 동시에 熱을 유도하여 小便으로 나가게 하고, 生甘草는 桔梗과 배합하여 淸利咽喉한다. 이와 같이 配伍하면 風溫의 邪氣는 辛散을 얻어 밖으로부터 풀리고 淸泄을 얻어 아래로부터 제거되므로 자연스럽게 모든 증상이 다 없어진다.

위에서 서술한 두 가지 방제는 모두 葱豉湯을 加味하여 이루어진 것이다. 活人葱豉湯에서 麻黃·葛根을 늘리면 解表發汗의 藥力이 강화되고 外感風寒이 비교적 심한 證에 적합하다. 葱豉桔梗湯은 薄荷·桔梗·連翹·山梔子·竹葉 등의 疏散清熱藥을 配伍하면 辛平之劑가 辛涼之方으로 바뀌게 되므로 風溫 初期의 表熱證에 적합하다.

香蘇散

(『太平惠民和劑局方』卷2)

【組成】 香附子 紫蘇葉 各三兩(90 g) 炙甘草 一兩(30 g) 陳皮 二兩(60 g)

【用法】 위의 약재를 거칠게 가루로 만든다. 매번 三錢(9 g)을 물 1잔으로 七分이 되도록 달여서 찌꺼기는 버리고 뜨겁게 복용하되, 시간에 구애받지 않고 하루에 3회 복용한다. 곱게 가루를 내었으면 三錢(9 g)에 소금을 넣고 조금씩 여러 번에 나누어 복용한다(현대적인 용법: 湯劑로 만들어 달여서 복용하는데, 용량은 原方의 비례에 따라 상황을 참작하여 增減시킨다.).

【效能】 疏散風寒, 理氣和中.

【主治】 外感風寒, 內有氣滯證. 形寒身熱, 頭痛無汗, 胸脘痞悶, 不思飮食, 舌苔薄白, 脈浮.

【病機分析】 惡寒發熱과 頭痛無汗은 일반 表證과 다르지 않고, 胸脘痞悶과 不思飮食은 氣鬱濕滯의 현상이다. 津氣의 升降出入은 모두 少陽三焦를 그 통로로 하고, 衛氣가 三焦에서 정상적으로 운행하기 위해서는 肺氣의 宣發과 肅降, 肝氣의 疏泄과 條達, 그리고 脾胃의 升降과 轉輸에 의지하게 된다. 평소에 氣鬱이 풀리지 못하고 한번 外感이 지나가면, 바로 肺氣는 宣發하지 못하고 脾氣는 運化하지 못하며 肝氣는 疏泄하지 못하는데 영향을 주어서, 氣는 그 津의 운행을 방해하고 津과 氣는 서로 막음으로써 外感風寒하고 內에는 氣滯가 있게 되는 기전을 이루게 된다. 胸脘痞悶은 비록 津氣阻滯의 공통된 징후가 있지만, 이 證에서 舌苔는 薄白하고 끈적끈적하지 않아 氣鬱에 치우친 것이 분명하다. 그러므로 '舌苔薄白'은 胸悶脘痞가 濕重에 치우쳐 있는지의 與否를 판단하는 辨證의 근거가 된다.

【配伍分析】 본 방제의 病證은 風寒이 밖에서 속박하고 氣鬱이 안에 있어서 된 것이다. 風寒이 밖에 있을 때 發散藥을 사용하지 않으면 表證이 풀리지 않고, 안에 氣鬱이 있을 때 理氣藥을 사용하지 않으면 氣滯가 제거되지 않는다. 따라서 본 방제는 疏散風寒藥과 理氣藥을 조합하여 이루어진 것이다. 방제 중의 蘇葉은 性味가 辛溫하고 歸經은 肺經과 脾經이고, "芳香氣烈, 外開皮毛, 泄肺氣而通腠理; 上則通鼻塞, 淸頭目, 爲風寒外感靈藥; 中則開胸膈, 醒脾胃, 宣化痰飮, 解鬱結而利氣滯"(『本草正義』)라고 하였다. 본 방제에서 이를 사용하면 發表散寒과 理氣寬中하여 하나의 藥이 두 가지 쓰임을 겸하고 病機에 들어맞아 君藥이 된다. 香附子는 性味가 辛苦甘平하고 行氣開鬱의 要藥이 된다. 바로『本草分經』에서 "香附, 通行十二經, 入脈氣分, 調一切氣, …… 解六鬱利三焦."라고 한 것과 같아서 臣藥이 된다. 君藥과 臣藥이 서로 배합하여 蘇葉이 香附子의 도움을 얻으면 調暢氣機의 작용이 더욱 드러나고, 香附子가 蘇葉의 升散을 빌리게 되면 上行外達하여 祛邪시킬 수 있다. 이것이 바로 李時珍이 말한 香附子를 生用하면 "則上行胸膈, 外達皮膚, …… 得紫蘇·葱白則能解散邪氣"(『本草綱目』卷14)이다. 胸脘痞悶은 비록 氣鬱 때문이지만 또한 濕과도 관련이 있으므로 理氣燥濕의 陳皮를 佐藥으로 사용한다. 하나는 君藥과 臣藥을 협조하여 氣滯를 行하게 함으로써 氣機를 暢達하는 것이고, 다른 하나는 濕濁을 변화시켜 津液을 돌게하는 것이다. 健脾和中의 甘草가 香附子 및 陳皮와 서로 配伍하면 行氣하되 氣 소모는 생기지 않고, 동시에 藥性을 調和시킨다. 佐藥과 使藥이 兼해서 쓰인 것이다. 이와 같이 配伍하여 表邪를 풀리게 하면 寒

熱이 없어지고 氣機를 暢達하게 하면 痞悶이 소멸된다.

본 방제의 配伍 특징은 두 가지이다: 하나는 解表藥과 理氣藥을 함께 사용한 것이고, 다른 하나는 行氣를 化濕과 결합하고 겸하여 약물 사용에서 肺·脾·肝의 세 臟을 고려한 것이다.

【臨床應用】

1. 證治要點: 본 방제는 表證에 氣滯를 겸한 것을 치료하는 대표적인 방제이다. 임상에서 惡寒發熱, 頭痛無汗, 胸脘痞悶, 舌苔薄白 및 脈浮는 辨證論治의 요점이 된다.

본 방제에서 蘇葉·香附子·陳皮는 모두 理氣解鬱調中할 수 있기 때문에 또한 肝胃氣滯의 脘腹疼痛에도 사용할 수 있다. 만약 蘇梗을 넣어서 理氣寬中하면 더욱 부합하게 된다. 이 밖에 蘇葉에는 더욱이 安胎 작용이 있어서 妊娠 感冒에 사용하는 것도 비교적 적합하다.

2. 加減法: 風寒表證이 비교적 심하면 葱白·生薑 및 荊芥 등을 넣어서 發汗解表의 작용을 강화하고, 氣鬱이 비교적 심하여 胸脇脹痛하고 脘腹脹滿한 者는 柴胡·厚朴 및 大腹皮 등을 넣어 行氣解鬱의 藥力을 강화하며, 濕濁이 비교적 심하여 胸悶, 不思飮食, 舌苔白膩한 者는 藿香·厚朴 및 半夏 등을 넣어 化濕運脾하고, 겸하여 咳嗽에 痰이 있는 者는 蘇子·桔梗 및 半夏 등을 넣어서 降氣化痰止咳한다.

3. 香蘇散은 다음 한국표준질병사인분류(KCD)에 해당하는 환자가 外感風寒, 內有氣滯證으로 辨證되는 경우 본 처방의 사용을 고려해볼 수 있다.

처방 목표	한국표준질병사인분류(KCD)
胃腸型 感冒	A08 바이러스성 및 기타 명시된 장감염
	A09 감염성 및 상세불명 기원의 기타 위장염 및 결장염

【變遷史】 본 방제는 宋代 『太平惠民和劑局方』에 수재되어 있는데, 본서에 있는 著名한 방제 중 하나이다. 宋 이전에는 風寒表證에 습관적으로 仲景의 麻黃湯과 桂枝湯의 方劑를 사용하였다. 麻黃湯과 桂枝湯類의 방제는 發汗力이 비교적 강하여 寒冷한 季節에 感寒이 비교적 심하여 表寒이 비교적 重한 證에 사용하여 땀을 많이 나게 해서 낫게 한다. 그러나 風寒의 邪氣는 四時에 모두 있다. 가령 病이 가볍고 邪氣가 얕이 있는데 麻黃湯과 桂枝湯을 투여하면 쉽게 지나치게 땀을 내어 正氣를 손상시키므로 麻黃湯과 桂枝湯의 두 방제를 대신하여 香蘇散을 만들어서 表寒의 輕證을 치료한 것이다. 본 방제는 藥性이 和平하고 溫하되 세지 않기 때문에 程國彭이 "藥穩而效, 亦醫門之良法也"(『醫學心悟』卷2)라고 하였다. 原方은 四時의 瘟疫과 傷寒을 치료하였지만, 후세에는 發展한 바가 있어 加減하고 변화발전시켜서 四時感冒에 사용하는 여러 종류의 방제를 만들었다. 예를 들어 『世醫得效方』卷1의 香蘇散은 본 방제에 蒼朮·生薑 및 葱白을 넣어 만들었는데, 그 解表化濕의 藥力을 증강시켰으므로 外感風寒과 氣阻濕滯의 證에 사용하였다. 『活幼心書』卷下의 七寶散은 본 방제에 生薑·白芷·川芎 및 桔梗을 넣은 것이다. 이 방제는 解表行氣하고 겸하여 宣暢肺氣할 수 있으므로 임상에서는 "時氣傷風·傷寒及頭昏體熱, 咳嗽"의 證에 사용하였다. 『幼科金針』卷上의 香蘇散은 본 방제에서 蘇葉과 陳皮가 行氣 중에 和胃降逆의 작용을 겸하고 있는 것을 취한 것이므로 본 방제에 生薑·桂枝·防風·羌活 및 柴胡를 넣어서 小兒가 外受風寒하고 內傷濕滯한 嘔吐證을 치료하는 데 사용하였다. 『女科指掌』卷3의 香蘇散은 방제 중 蘇葉이 安胎의 聖藥이 된다는 것에 근거하여 본 방제에 砂仁과 生薑을 넣어 婦人의 '妊娠傷寒'을 전문적으로 치료하였다. 현대의 名醫인 蒲輔周(1888~1975)의 感冒를 치료하는 常用 방제인 加味香蘇飮은 바로 본 방제에 防風·葛根·羌活·荊芥·白殭蠶·桔梗·枳殼·豆豉 및 葱白을 넣어 만든 것이다. 그 밖에 역대의 의학자들은 본 방제를 응용함에 있어서 感冒에만 국한하지 않고 적당하게 처리하여 內傷雜病도 치료하였다. 예를 들면 元代 『衛生寶鑒』卷14의 香蘇散은 본 방제에

香附와 甘草를 빼고 生薑·木通 및 防己를 넣어 "水氣虛腫, 小便赤澀"을 치료하였다. 淸代『醫方簡義』卷4의 香蘇飮은 羅天益(1220~ 1290)을 계승하여 본 방제에 防風과 杏仁을 넣어 "腫病初起, 兩目下如臥蠶狀, 身重微喘"을 치료하였다. 이 방제는 外寒氣滯의 水腫을 치료하는 데 發汗하여 祛濕하고 調氣하여 行津하는 것에 착안하여 利水하지 않고도 水腫이 저절로 사라지게 하였으므로 감히 證에 따라서 변통하는(因證變通) 모범이라고 할 만하다. 이밖에『證治要訣類方』卷3의 香蘇散은 본 방제에 檳榔·木瓜·生薑 및 葱白을 넣어 "將產腳赤腫"을 치료하고,『胎產心法』卷上의 香蘇散은 본 방제에 藿香과 砂仁을 넣어 "妊娠霍亂"을 치료하였는데 모두 古方을 활용한 실제 사례이다. 본 방제는 후세 의학자들에게 계발시켜 준 것이 깊고 영향이 컸기 때문에 족히 임상에서 사용할 때에 참고로 할 만하다.

【醫案】

1. 咳喘『吉林中醫藥』(1990, 1:31): 某 여자, 58세. 咳喘을 3년 앓았는데, 매번 外邪를 만나고 혹은 피로가 누적되고 화를 내면 발작하였으며, 오랫동안 치료했지만 뿌리를 뽑지는 못하였다. 이번에는 먼저 姑婦 간의 불화가 있었고 또한 마침 外感을 만났는데, 비록 여러 가지의 止咳定喘藥을 복용했지만 효과가 없었다. 진찰소견: 咯白黏痰, 咳甚則喘, 夜難平臥, 惡寒·自汗, 神疲納少, 腰背酸楚, 苔薄白, 脈細數. 證은 風寒이 肺를 침습하여 表虛에 肝鬱을 겸한 咳喘에 해당한다. 처방으로 香蘇散加味를 사용하였다. 처방: 蘇葉·蘇子·桂枝·炙紫菀 各 15 g, 杏仁·香附子·陳皮·前胡 各 10 g, 甘草 5 g을 물에 달여서 매일 2회 복용하였다. 재진: 5첩을 복용하니 질병이 절반 정도 물러났다. 앞의 처방에 前胡의 용량을 줄이고 淮小麥 30 g을 넣어 물에 달여서 14첩을 복용한 뒤에 완전 치유되었다. 추적 조사해보니 아직은 재발하지 않았다.

2. 痛經『吉林中醫藥』(1990, 1:31): 某 여자, 17세, 학생. 지난 번 생리가 아직 끝나지 않았는데 학우에게 강제로 이끌려 물에 뛰어들어 수영을 하였다. 이번 생리 전 3일에 자각증상으로 小腹墜脹, 痛引脇脹不適, 頭脹痛, 煩躁, 無食欲, 舌苔薄白, 脈浮弦이 있었다. 證은 衝·任脈에 風寒이 침습한 것에 해당되며, 평소에 또한 肝氣鬱滯로 疏泄이 잘 되지 않고, 風寒과 氣滯가 胞宮에 뭉쳐서 痛經이 되었다. 치료는 疏散風寒과 理氣通經이 적절하고, 처방으로 香蘇散加味를 사용하였다. 처방: 香附子 20 g, 紫蘇葉·陳皮·延胡索 各 15 g, 甘草 10 g을 물에 달여 매일 1첩씩 3회에 나누어 복용하였다. 재진: 2첩 복용 후에 통증은 그쳤지만 월경은 여전히 나오지 않았다. 앞의 처방에서 延胡索·蘇葉의 용량을 줄이고 當歸·川芎 各 15 g, 月季花 10 g을 넣어 물에 달여서 복용하였다. 3번째 진찰: 3첩 복용 후에 紫黑色의 血塊가 나왔다. 앞의 처방에 益母草 20 g을 넣어 2첩을 복용한 후에 완전 치유되었다.

考察: 醫案1은 咳喘이 外受風寒에 情志不舒로 일어난 것이므로 본 방제를 사용하여 解表行氣하고, 여기에 杏仁·蘇子·紫菀을 넣어 止咳平喘한 것이다. 醫案2의 痛經은 생리할 때 수영을 하여 寒滯胞宮과 氣鬱血瘀한 것으로 반드시 치료는 散寒疏肝과 活血調經해야 하므로 본 방제에 溫經活血止痛藥을 넣어 효과를 거둔 것이다.

【副方】

1. 加味香蘇散(『醫學心悟』卷2): 紫蘇葉 一錢五分(5 g) 陳皮 香附 各一錢二分(各 4 g) 炙甘草 七分(2.5 g) 荊芥 秦艽 防風 蔓荊子 各一錢(各 3 g) 川芎 五分(1.5 g) 生薑 三片

- 用法: 水煎溫服, 微覆似汗.
- 效能: 發汗解表, 理氣解鬱.
- 主治: 外感風寒, 兼有氣滯, 頭痛項强, 鼻塞流涕, 身體疼痛, 發熱惡寒或惡風, 無汗, 胸脘痞悶, 苔薄白, 脈浮.

본 방제는 香蘇散에 加味하여 이루어진 것으로, 蘇葉과 荊芥는 君藥이 되어 開腠理하면서 散風寒한다.

防風과 秦艽는 祛風散寒하면서 身痛을 그치게 하고, 蔓荊子는 祛風邪하면서 頭痛을 그치게 하는데, 모두 臣藥이 된다. 香附子는 行氣解鬱하고, 川芎은 調氣活血하고, 陳皮는 理氣燥濕하고, 生薑은 散寒하는데, 모두 佐藥이 된다. 甘草는 和中하여 使藥이 된다. 모든 약물을 함께 사용하면 理氣解表의 효과를 거두게 된다.

2. 香蘇葱豉湯(『重訂通俗傷寒論』卷2): 製香附 一錢半至二錢(4.5~6 g) 新會皮 一錢半至二錢(4.5~6 g) 鮮葱白 二至三枚(三枚) 紫蘇 一錢半至三錢(4.5~9 g) 炙甘草 六分至八分(2~2.5 g) 淡香豉 三錢至四錢(9~12 g).

- 效能: 發汗解表, 調氣安胎.
- 主治: 妊娠傷寒. 惡寒發熱, 無汗, 頭身痛, 胸脘痞悶, 苔薄白, 脈浮.

본 방제는 香蘇散에 葱豉湯을 合方하여 이루어진 것이다. 임신부가 風寒을 感受하면 峻劑로 땀을 내는 것은 옳지 않으니, 津과 血의 손상을 피하면서 또한 安胎하여 胎元을 보호하는 것이 필요하다. 그러므로 방제에서 藥이 가볍고 藥力이 약한 蘇葉을 사용하고, 여기에 香豆豉와 葱白을 배합하여 發散風寒하고, 香附子와 陳皮를 배합하여 行氣解鬱하는데, 蘇葉에는 또한 理氣解鬱安胎의 작용도 갖추고 있으며, 甘草는 健脾和中하고 調和藥性한다.

위에서 서술한 두 가지 방제는 모두 香蘇散에 加味하여 이루어진 것으로 表寒하면서 氣滯를 겸하는 證을 치료한다. 그중에 加味香蘇散은 防風·秦艽·川芎 및 蔓荊子 등의 약물의 양을 증가시키면 發汗解表와 宣痹止痛의 작용이 강화되어 表寒證이 비교적 심하고 頭身疼痛이 뚜렷한 자에게 적당하다. 香蘇葱豉湯은 香蘇散과 葱豉湯을 合方하여 하나의 방제를 만든 것으로 그 發汗解表의 藥力은 香蘇散보다 강하지만, 蘇葉에는 또한 安胎의 작용이 있으므로 妊娠婦의 風寒感冒에 비교적 적합하다.

小青龍湯

(『傷寒論』)

【組成】 麻黃 去節 三兩(9 g) 芍藥 三兩(9 g) 細辛 三兩(6 g) 乾薑 三兩(6 g) 甘草 炙 三兩(6 g) 桂枝 去皮 三兩(9 g) 半夏 洗 半升(9 g) 五味子 半升(6 g)

【用法】 이상 8가지 약물을 물 1말로 먼저 麻黃을 달여 2되가 줄어들면 거품을 제거하고, 나머지 약을 넣고 달여서 3되를 취한 후 찌꺼기를 버리고 1되를 따뜻하게 복용한다.

【效能】 解表散寒, 溫肺化飮.

【主治】 外寒內飮證. 惡寒, 發熱, 頭身疼痛, 無汗, 喘咳, 痰涎淸稀而量多, 胸痞, 或乾嘔, 或痰飮喘咳, 不得平臥, 或身體疼重, 頭面四肢浮腫, 舌苔白滑, 脈浮.

【病機分析】 寒熱無汗과 喘咳痰稀는 본 방제의 主症이고, 外感風寒과 內停水飮은 이 병증의 病機이며, 그 나머지 脈과 症狀은 辨證의 근거이다. 『素問』「咳論」에서 "皮毛者, 肺之合也. 皮毛先受邪氣, 邪氣以從其合也. 其寒飮食入胃, 從肺脈上至於肺則肺寒, 肺寒則外內合邪, 因而客之, 則爲肺咳."라고 하였다. 小青龍湯證은 咳論에서 서술한 것과 마침 잘 부합되고, 그 病機는 外感과 內傷의 두 방면에 관련된다. 肺는 肅降을 주관하고 通調水道하며 밖으로 皮毛와 合한다. 風寒이 表를 속박하면 皮毛가 閉塞되면서 衛陽이 막히고 營陰이 鬱滯되므로 惡寒發熱, 無汗 및 身體疼痛이 나타난다. 평소에 水飮이 있던 사람이 일단 外邪를 感受하면 매번 表寒이 內飮을 끌어 당긴다. 『難經』「四十九難」에서 "形寒飮冷則傷肺."라고 하여 水와 寒이 서로 치고 內와 外가 서로 당기면 끊임없이 飮이 움직이고 水寒이 肺를 쏘아 肺의 宣發과 肅降이 정상을 잃게 되므로 咳喘하면서 痰이 많고 묽으며, 肺가 肅降

을 잃고 通調가 정상을 상실하며 津液을 펼치는 것에 장애가 생기면 水飮의 정체가 가중될 수 있다. 水가 心下에 머물러 있고 氣機를 막으므로 胸痞하고, 水가 胃中에 머물러서 胃氣가 上逆하므로 乾嘔하며, 水飮이 肌膚에 넘치므로 浮腫·身重한다. 舌苔白滑과 脈浮는 外寒內飮의 증거이다.

【配伍分析】 본 방증은 外寒內飮證에 해당된다. 만약 表를 疏散하지 않고 한갓 그 飮만 치료하면 表邪가 잘 풀리지 않고, 化飮을 하지 않고 오로지 表邪만 發散하면 水飮은 제거되지 않으므로 치료는 解表散寒과 溫肺化飮을 配合하여 外邪를 풀고 內飮을 없애면 한 번에 表와 裏 둘 다를 풀 수가 있다. 방제 중의 麻黃은 發汗解表, 宣肺平喘 및 利尿行水의 3大 작용이 있고, 桂枝 또한 解肌發表, 溫通血脈 및 化氣行水의 3大 작용이 있으며 麻黃과 桂枝를 서로 配伍하면 發汗散寒하여 表邪를 푸는 것이 위주가 되고, 그 利尿行水의 功은 水飮질환까지 돌아볼 수 있고, 宣肺通脈의 效 또한 喘咳身痛 등의 증상을 겸하여 치료한다. 두 약물의 쓰임이 病因·病機 및 主症을 목표로 하기 때문에 방제 중에서 君藥이 된다. "飮伏於內, 而不用薑·夏, 寒與飮搏, 寧有能散之者乎"(『傷寒貫珠集』卷1)라고 하였으므로 臣藥으로 乾薑·細辛 및 半夏의 溫肺化飮과 燥濕祛痰을 사용하여 이미 형성된 水飮을 치료한다. 細辛는 또한 麻黃과 桂枝의 解表祛邪를 돕고, 半夏는 和胃降逆을 겸할 수 있다. 그러나 평소에 痰飮이 있는데 순전히 辛溫發散만을 사용하면 肺氣를 손상시킬까 두렵기 때문에 佐藥으로 五味子의 斂肺止咳와 芍藥의 和營養血을 사용하는 것이다. 두 가지 藥과 辛散藥을 서로 配伍하면 하나는 散하고 다른 하나는 收하여 止咳平喘의 功을 증강시키고 모든 약물의 辛散이 太過한 성질을 제약할 수 있으며, 또한 溫燥藥이 津液을 손상시키는 것을 방지할 수 있다. 이것이 바로 尤怡가 말한 "芍藥·五味, 不特收逆氣而安肺氣, 抑以制麻·桂·薑·辛之勢, 使不相驚而相就, 以成內外協濟之功耳"(『傷寒貫珠集』卷1)라고 한 것과 같다. 炙甘草는 佐藥과 使藥을 겸하고 있어서 益氣和中할 뿐만 아니라 辛散과 酸收의 사이를 조화시킨다. 藥物은 비록 八味이지만 配伍가 엄격하고 開 중에 合이 있고 宣 중에 降이 있어서, 風寒을 풀고 營衛를 조화시키며 水飮을 제거하고 宣發과 肅降에 권한을 갖게 되면 모든 증상이 스스로 평정된다.

본 방제의 配伍 특징에는 두 가지가 있다: 첫째는 麻黃과 桂枝로 表에 있는 風寒을 解散하고 白芍藥의 酸寒斂陰을 配伍하여 麻黃과 桂枝를 제어하여 散 중에 收가 있게 한다. 두 번째는 乾薑·細辛 및 半夏로 肺에 있는 痰飮을 溫化하고 五味子의 斂肺止咳를 配伍하여 開 중에 合이 있게 한다. 따라서 散하여도 正氣를 손상시키지 않고 收하여도 邪氣를 머무르지 않게 한다.

【臨床應用】

1. 證治要點: 본 방제는 外感風寒과 水飮內停을 치료하는 常用 방제이다. 惡寒發熱, 無汗, 喘咳, 痰多而稀, 舌苔白滑 및 脈浮는 辨證論治의 요점이 된다.

2. 加減法: 原書의 加減法에서 "若渴, 去半夏, 加栝蔞根三兩; 若微利, 去麻黃, 加蕘花, 如一雞子, 熬令赤色; 若噎者, 去麻黃, 加附子一枚, 炮; 若小便不利, 少腹滿者, 去麻黃, 若喘, 去麻黃, 加杏仁半升, 去皮尖."이라고 하였다. '渴'은 上焦에서 津液의 濡潤을 상실한 것으로 半夏의 燥를 빼고 天花粉을 넣어 生津潤燥한 것이다. '微利'는 水飮이 아래의 腸道로 쏠린 것으로 麻黃의 發散을 빼고 蕘花를 넣어 水道를 이롭게 한 것이다. 咽喉에 '噎塞感'이 있는 자는 少陰의 陽氣가 부족하고 水寒의 氣가 上逆하는 것이 비교적 심한 것으로 麻黃을 빼서 發汗으로 거듭 陽氣를 손상시키는 것에서 벗어나고, 炮附子를 넣어 溫助腎陽하여 水寒의 氣를 없앤 것이다. '小便不利, 少腹滿'한 자는 水飮이 下焦에 머물러 모인 것으로 宣上의 麻黃을 빼고 滲濕利水의 茯苓(注: 原書의 '去麻黃'은 실제 응용 중에는 또한 빼지 않는 것이 옳다. 만약 發汗으로 진액 손상이 염려되면 용량을 輕減시키거나 炙麻黃을 사용

한다)을 넣는다. 만약 '喘'이 심한 자는 杏仁을 넣어 降肺氣하고 平喘逆(注: 原書에는 '去麻黃'이라고 했지만, 麻黃에는 宣肺平喘의 功이 있어서 빼지 않는 것이 적당하다. 만약 表證이 뚜렷하지 않으면 뺄 수도 있다)한다. 그 밖에 만약 外寒證이 가벼운 자는 桂枝를 뺄 수 있으며 麻黃을 炙麻黃으로 바꾸어 사용하고, 겸하여 熱象이 있으면서 煩躁가 나타난 자는 生石膏와 黃芩을 넣어 淸鬱熱하고, 겸하여 喉中에 痰鳴이 있으면 杏仁·射干 및 款冬花을 넣어 化痰降氣平喘하고, 만약 鼻塞하고 淸涕多하면 辛夷와 蒼耳子를 넣어 宣通鼻竅하고, 水腫을 겸한 자는 茯苓과 猪苓을 넣어 利水消腫한다.

3. 小靑龍湯은 다음 한국표준질병사인분류(KCD)에 해당하는 환자가 外寒內飮證으로 辨證되는 경우 본 처방의 사용을 고려해볼 수 있다.

처방 목표	한국표준질병사인분류(KCD)
急性氣管支炎	J20 급성 기관지염
慢性氣管支炎	J41 단순성 및 점액화농성 만성 기관지염
	J42 상세불명의 만성 기관지염
氣管支哮喘	J45 천식
肺炎	J09~J18 인플루엔자 및 폐렴
	J20~J22 기타 급성 하기도감염
	J18.9 상세불명의 폐렴
百日咳	A37 백일해
肺心病	I27 기타 폐성 심장질환
	I27.9 상세불명의 폐성 심장병
過敏性鼻炎	J30.1 화분에 의한 알레르기비염
	J30.2 기타 계절성 알레르기비염
	J30.3 기타 알레르기비염
	J30.4 상세불명의 알레르기비염
카타르性 眼炎	H00~H59 Ⅶ. 눈 및 눈 부속기의 질환
카타르性 中耳炎	H65.9 상세불명의 비화농성 중이염

【注意事項】 본 방제는 辛散溫化의 藥力이 비교적 강하므로 확실히 水와 寒이 肺에서 서로 치는 것에 해당하는 자에게 사용하는 것이 마땅하고, 또한 환자의 體質의 强弱을 참작하여 용량을 정한다. 陰虛하여 乾咳無痰하거나 痰熱이 있는 자에게 사용하는 것은 적절하지 않다.

【變遷史】 본 방제는 『傷寒論』 및 『金匱要略』에 처음으로 보인다. 『傷寒論』에서는 "傷寒表不解, 心下有水氣"에 사용하였고, 『金匱要略』에서는 "溢飮", "咳逆倚息不得臥" 및 "吐涎沫" 등의 병증을 치료하는 데 사용하였다. 본 방제는 外寒裏飮 혹은 寒飮客肺의 喘咳에 대하여 치료 효과가 확실하기 때문에 역대의 의학자들이 끊임없이 常用하였다. 이 방제에서 채택한 麻黃과 桂枝에 乾薑·細辛·半夏 및 五味子를 配伍하여 방제를 조성한 사고의 방향은 後世의 解表化飮法 및 溫肺化飮法의 運用에 대하여 모두 거대한 영향을 주었다. 역대 外寒內飮證 혹은 寒飮射肺證을 치료한 방제는 대부분 본 방제에 加減하여 변화 발전시켜 만든 것이다. 그 변화 발전시킨 방제는 대략 세 종류로 구분된다: ① 祛痰하여 化飮할 것을 강조하여 蘇子·紫菀·款冬花 및 杏仁 등의 약물을 配伍하여 넣은 것이다. 예를 들면 『備急千金要方』卷17의 補肺湯은 본 방제에서 白芍藥을 빼고 蘇子·桑白皮·紫菀·杏仁·射干·款冬花 및 人蔘을 넣고 組成하여 咳逆上氣와 咳嗽喘息으로 편안하게 누울 수 없는 것을 치료하였고, 『聖濟總錄』卷19의 五味子湯은 본 방제에서 白芍藥과 半夏를 빼고 蘇子·紫菀·黃芩 및 人蔘을 넣고 組成하여 肺痹와 上氣發咳를 치료하였다. ② 理氣하여 行津하는 것을 중시하여 陳皮 및 木香 등의 약물을 참고하여 넣은 것이다. 예를 들면 『太平聖惠方』卷46의 五味子散은 본 방제에서 半夏와 白芍藥을 빼고 陳皮와 紫菀을 넣고 氣嗽, 胸滿短氣 및 不欲飮食을 치료하였고, 같은 책 같은 권에 있는 乾薑散은 본 방제에서 麻黃·半夏 및 白芍藥을 빼고 木香·款冬花·炮附子·白朮 및 大棗를 넣어 역시 咳嗽呼吸短氣 및 心胸不利를 치료하였다. ③ 溫補하여 培本할 것을 두드러지게 하여 人蔘과 附子 등의 약물을 넣은 것이다. 예를 들면 『太平惠民和劑局方』卷4의 杏子湯은 본 방제에서 麻黃을 빼고 人蔘과 茯苓을 넣

고 內傷·外感의 咳嗽, 虛勞咯血 및 痰飮停積을 치료하였고, 『普濟本事方』卷2의 五味子丸은 본 방제에서 麻黃·半夏·白芍藥 및 甘草를 빼고 人蔘·炮附子·杏仁·檳榔 및 青皮를 넣고 肺氣虛寒 및 痰飮咳喘을 치료하였으며, 위에서 서술한 『備急千金要方』의 補肺湯과 『太平聖惠方』의 乾薑散도 또한 이러한 配伍 법도를 구체화한 것이다.

【難題解說】

1. 五味子와 芍藥의 配伍에 관하여: 대체로 外感證은 대부분 酸收藥을 忌하며, 痰嗽를 겸한 사는 특히 忌하는데, "以其酸斂之力甚大, 能將外感之邪錮閉肺中永成勞嗽"(『醫學衷中參西錄』中冊)하기 때문이다. 본 방제는 어찌하여 酸收의 五味子와 白芍藥을 配伍하여 사용하였는가? 小青龍湯證은 평소에 內飮이 있는 상태에서 다시 風寒을 感受하고 外寒이 內飮을 끌어 당겨 생긴 것이다. 外感風寒하여 毛竅가 閉塞되면 본래 辛溫으로 發散시켜야 하지만, 평소에 寒飮이 있는 사람은 脾肺가 본래 虛한데 만약 峻劑로 發汗시키면 肺氣 손상이 있게 되고 陰津이 겁탈을 받는 폐단이 생기게 되어 반드시 發散과 酸收를 병용하여 氣와 陰을 함께 살피면 양쪽이 모두 원만하게 된다. 방제 중에 麻黃과 桂枝를 相須로 하여 사용하면 發汗祛邪하고, 乾薑·細辛 및 半夏의 溫肺化飮에 五味子의 斂肺止咳와 芍藥의 益陰和營을 配伍하는데, 두 약물을 앞의 다섯 약물과 서로 配伍하면 辛散으로 發汗시키되 氣의 소모와 津의 손상을 일으키지 않고, 酸斂하되 邪氣를 머무르게 하지 않아서 相反相成하고 상부상조로 서로의 장점을 더욱 잘 나타낸다. 하물며 五味子와 白芍藥의 配伍는 佐制藥의 용도뿐만 아니라 佐助藥의 능력도 있어서 본 방제가 止咳平喘의 功效를 발휘하는 것은 두 약물의 配伍와 관련된다. 五味子의 止咳平喘의 功은 古代의 本草書에 이미 定說이 있고, 현대 한약의 약리연구에서도 실증하고 있으며, 白芍藥은 氣管支의 痙攣를 완화시켜서 平喘의 效를 갖추게 된다. 小青龍湯의 방제 분해 실험에 의하면 본 방제의 平喘 작용은 주로 麻黃과 半夏에 의지하는 것이 결코 아니고, 白芍藥 등이 더욱 중요한 작용을 할 가능성이 있다.[1] 두 약물의 配伍는 본 방제의 平喘의 藥力을 더욱 증강시킴을 알 수 있다.

2. 본 방제가 水飮證을 치료하는 것에 관하여: 『傷寒論』은 본 방제를 사용하여 "傷寒表不解, 心下有水氣"를 치료하였는데, 그것이 發汗解表와 溫肺化飮을 할 수 있기 때문에 배우는 사람들이 대부분 의심하지 않았다. 그러나 『金匱要略』에서 사용한 세 조문인 ① 痰飮篇: "病溢飮者, 當發其汗, 大青龍湯主之, 小青龍湯亦主之." ② "咳逆倚息不得臥, 小青龍湯主之." ③ 婦人雜病篇: "婦人吐涎沫, 醫反下之, 心下即痞, 當先治其吐涎沫, 小青龍湯主之."에는 오히려 한 조문도 表證을 언급한 것이 없어서 仲景이 본 방제를 사용한 것은 外寒內飮證을 치료할 뿐만 아니라 단순한 水飮內停證도 치료하였음을 알 수 있다.

본 방제에는 결코 전문적으로 사용하는 利水藥이 없는데도 어찌하여 水飮內停을 치료할 수 있는 것인가? 대개 질병을 치료하는 要諦는 근본을 치료하는 것에 있는데, 만약 治本을 위주로 하면서 겸하여 그 標를 치료할 수 있으면 바로 비교적 양호한 치료 효과를 얻을 수 있다. 체내에서 水液의 代謝는 肺·脾 및 腎의 3臟과의 관계가 밀접하다. 肺氣가 宣發과 肅降을 하고 脾胃가 運輸하며 腎陽이 氣化하여 水道가 通調하면 津液이 전신으로 분포하면서 飮의 정체가 없을 것이다. 만약 肺가 肅降을 상실하고 脾가 健全한 運化를 상실하며 腎이 氣化를 상실하면 매번 津液이 전신에 분포되지 못하면서 안으로 水飮이 축적하게 된다. 이 방제는 麻黃으로 宣暢肺氣하고, 乾薑으로 溫運脾陽하며, 桂枝로 溫腎化氣하였는데, 그 뜻은 3臟의 기능을 회복시키고 水津을 전신 사방으로 분포하게 하여 비로소 水飮이 다시 몸안에 머무르게하는 우려를 없게 하는데 있다. 麻黃의 發汗利尿 작용은 이미 停滯된 水飮을 毛竅에서 밖으로 빠져 나가게 하고 三焦에서 下行하게 하여 標를 치료하는 法이 된다. 이것이 곧 仲景이 이른바 "腰以上腫者, 當發汗"과, "夫短氣有微

飮者, 當從小便去之"라고 한 것이다. 모든 약물을 배합하여 사용하고 標와 本을 함께 고려하면 水飮은 모두 없어지게 된다.

3. 原書의 "若微利加蕘花, 若喘去麻黃"에 관하여: 이것에 대하여 후세 사람들이 이해하지 못하였으며, 宋本『傷寒論』에서는 심지어 "蕘花不治利, 麻黃主喘, 今此語反之, 疑非仲景意"라고까지 말하였다. 어떻게 仲景의 加減法을 알 수 있겠는가? 蕘花로 말할 것 같으면 어떠한 약물인지 알지 못하겠다.『醫宗金鑒』「訂正傷寒論注」卷3에서는 "蕘花, 即芫花類也. 用之攻水, 其力甚峻, 五分可令人下行數十次, 豈有治停飮之微利, 而用鷄子大之蕘花者乎?"라고 여겼다. 그러므로 이것은 "傳寫之誤"로 의심하면서 "改加茯苓四兩"하여 健脾利水할 것을 주장하였다. 이 설명은 제법 理致가 있어서 참고할 만하다. "喘, 去麻黃"에 대해서 말하자면 湖北中醫學大學 방제학교실에서는 "麻黃具發汗解表, 宣肺平喘之功, 用於本證, 甚爲合拍, 若去之, 依誰奏功? 無怪乎有人明確指出: '既減去麻黃, 將恃何者以治外感之喘乎?'"[2)]라고 하였는데, 이 설명이 오히려 타당하다. 外寒內飮의 喘咳는 麻黃의 發汗·平喘 및 利尿의 功을 취하여 하나의 화살로 세 마리의 새를 잡는 격으로 證에 비로소 알맞은 것이다. 만약 證이 水飮에 치우친 자는 또한 별도로 논해야 한다. 만약 表邪가 이미 제거되고 正氣가 아직 손상되지 않은 자는 또한 麻黃의 3대 功效를 취하여 사용하는 것이고, 그 發散의 太過가 걱정되는 자는 桂枝를 빼도 되고 혹은 麻黃을 炙麻黃으로 바꾸어서 사용하고 혹은 그 用量을 輕減하여 사용한다. 만약 체질이 평소에 약하고 혹은 久咳不愈하고 혹은 이미 肺氣가 虛損된 징후가 있으면 麻黃을 빼는 것이 마땅한데, 이는 辛散한 성질이 다시 肺氣를 손상시키는 것을 벗어나고자 함이다. 후세에 寒飮이 壅肺하여 久咳가 낫지 않고 겸하여 肺氣가 虛損한 자에게 본 방제에서 麻黃을 빼는 것은 바로 이러한 뜻이다. 예를 들면『太平惠民和劑局方』卷4의 溫肺湯은 본 방제에서 麻黃과 桂枝를 빼고 陳皮와 杏仁을 넣어 조성된 것으로 "肺虛, 久咳寒飮, 發則喘咳"를 치료한다.

【醫案】

1. 表寒夾內飮『傷寒論滙要分析』「俞長榮醫案」: 某 남자, 45세. 咳嗽喘息으로 누울 수 없고 痰은 白色이고 質이 끈적끈적하고 질겨 잘 뱉기 어렵다. 頭眩痛, 때로 惡寒하고 오후에 微發熱하고 몸이 나른하고 四肢가 쑤신 지 보름이 지났다. 이전의 의사가 麻杏石甘湯加味方을 2첩을 주었는데 효과가 없었다. 舌苔微黃하고 脈象弦滑하였다. 이것은 風寒客肺 및 痰阻氣機와 관계가 있다. 치료는 散寒肅肺와 祛痰定喘이 적절하여 반드시 小靑龍湯을 주어야 한다. 다만 痰이 끈적끈적하고 질기며 舌苔黃한 것은 아마도 병이 오래되면서 鬱熱이 생긴 것이니 石膏 一味를 넣어 1첩을 복용하였다. 약을 복용한 후에 喘逆이 조금 감소하고 痰은 稀白해지면서 量도 많아지고 쉽게 뱉어졌다. 여전히 頭眩痛과 때때로 惡寒하였지만 午後 發熱은 이미 제거되었고 舌에는 灰色薄苔가 있고 脈細而緩하였다. …… 鬱熱이 이미 내렸으나 惡寒은 아직 풀리지 않았고, 痰稀, 舌灰 및 脈細은 陽氣가 아직 회복된 것이 아니니 반드시 앞의 방제에서 石膏를 빼고 附子를 넣어 1첩을 복용하여 모든 증상이 나았다고 알려 왔다.

2. 風寒喘嗽에 補法을 잘못 써서 생긴 肺脹『程杏軒醫案』續錄: 鮑宗海. 風寒을 感受하여 喘嗽를 여러 날 하였다. 梁老醫가 말하기를 그 證은 內虧에 해당되고 藥으로 地黃·當歸·人蔘 및 白朮을 주었더니, 그날 밤 喘嗽가 더욱 심해져서 다음날 다시 가서 加減을 하였다. 의사가 말하기를 앞의 약이 오히려 가벼워서 黃芪와 五味子를 더 증가시켰다. 복용한 후에 가슴이 높고 가스가 쌓여(胸高氣築) 누울 수가 없었으며 신음이 끊임없이 나오고 답답하여 죽을 것 같았다. 나는 "앞의 약에 酸味의 收斂藥을 넣어 邪氣가 더욱 단단하게 가두어진 것이다. 방제를 만들어 麻黃·桂枝·細辛·半夏·甘草·生薑·杏仁 및 葶藶子를 사용한다"고 말하였고, 동시에 "이것은 風寒客肺와 氣阻痰凝으로 인하여 喘嗽한 것인데, 의사가 구해주지 못하고 도리어 斂補藥을

투여하여 닫힌 것을 더욱 닫히게 하고 막힌 것을 더욱 막히게 하여 肺脹의 危證을 만든 것이다"라고 말하였다. 『金匱要略』「痰飮咳嗽病脈證病治」에서 "咳逆倚息不得臥, 小靑龍湯主之."라고 하였다. 방제 중에 五味子와 白芍藥의 酸收藥을 빼고 杏仁과 葶藶子의 苦瀉藥을 넣은 것은 益本한 것이다. 『素問』「臟氣法時論」에는 "肺苦氣上逆, 急食苦以瀉之."라고 하였다. 약을 달여 복용한 후에 조금 지나 嗽가 나면서 稠痰 2사발이 나오고 胸膈이 갑자기 넓어졌다. 다시 복용했더니 또 痰涎을 1잔 정도 나오고 喘이 진정되면서 누울 수 있었다. 다음의 첩약에는 麻黃과 桂枝 등의 분량을 줄이고, 桔梗·橘紅·茯苓 및 蘇子를 넣어 거듭 肺胃를 조화시켰더니 나았다.

考察: 醫案1은 初期에 水寒射肺하여 생긴 咳喘에 해당하고 小靑龍湯을 사용하여 證에 대응한 것이다. 다만 痰黏, 苔微黃 및 脈弦滑 등을 따르자면 그것이 鬱熱을 겸하고 있는 것을 고려하여 石膏를 넣었고, 약을 복용한 후에 痰이 稀白해지고 量이 많고 쉽게 뱉어졌으며, 舌灰 및 脈細한 것은 鬱熱이 이미 내려간 것으로 나타나지만 正氣는 아직 회복되지 않았음으로 石膏는 빼고 附子는 넣어 효과를 거둔 것이다. 단지 이것은 한 약물을 넣고 한 약물을 뺀 것에 불과하지만, 그 證을 살피는 것이 주도면밀하고 處方이 융통성이 있고 진실로 經方을 잘 응용한 좋은 醫案임을 충분히 알 수 있다. 醫案2는 風寒喘嗽를 잘못 補하여 肺脹이 생긴 것으로 小靑龍湯에서 五味子 및 芍藥을 빼고 杏仁과 葶藶子를 넣어 2첩을 복용했더니 喘이 편안해져 누울 수 있게 된 것으로 진실로 古人을 잘 본받되 古人에게 빠지지 않는 자이다. 風寒咳嗽 또한 하나의 大症으로 경시하면서 가볍게 여겨서는 안 된다. 古人에게는 傷風을 잘못 補하면 곧 癆를 형성한다는 학설이 있다. 이 醫案은 證을 인식한 것이 분명하지 못하고 치료한 것이 올바른 방법을 얻지 못하여 그 이후에 결과적으로 감당할 수 없게 된 것이다. 醫案 중에 『內經』과 『金匱』의 理論을 인용하여 病勢 및 약물 추가의 의미를 설명한 것으로 학문에 연원이 있음을 족히 알 수 있다.

3. 眩暈 『河南中醫』(1991, 2:12): 某 여자, 60세, 농민. 평소에 內耳眩暈症이 있었고, 재발할 때마다 정신이 아찔하고 머리가 빙빙 도는 것을 느꼈고, 침상에 누워 있으면 함부로 몸을 돌리지 못하였으며, 또한 惡心嘔吐, 耳鳴 및 心悸 등의 증상을 동반하여 여러 차례 치료하였고, 苓桂朮甘湯이 아니면 효과를 보지 못하였다. 이번에 또다시 재발하여 그녀가 저번처럼 약을 구하길래 바로 苓桂朮甘湯加減으로 처리하였다. 뜻밖에 어제와 같이 眩暈이 있고 조금도 움직일 수 없었고 움직이면 嘔噦가 그치지 않고, 또한 惡寒·頭痛·身困 및 咳嗽가 있고, 체온은 37.8℃였으며 舌苔薄白하고 脈浮數하였다. 이것은 지난날의 眩暈이 아니고 外感風寒이 舊疾을 일으켜서 야기된 證에 해당된다. 반드시 먼저 外感을 치료하고 다시 舊疾을 제거해야 하므로 小靑龍湯에 加減하였다. 處方: 麻黃·桂枝·白芍藥·細辛·五味子 各 9 g, 法半夏 20 g, 生薑 9 g, 陳皮 9 g, 炙甘草 9 g, 茯苓 15 g. 2첩을 복용한 후에 땀이 나고 熱은 물러갔으며 몸은 가볍고 정신은 상쾌하고 眩暈도 또한 점차로 그쳤다. 다시 苓桂朮甘湯加味를 사용하여 마무리를 잘 지었다.

考察: 본 예의 眩暈은 外感으로 유발되어 생긴 것이다. 風寒束肺하여 肺氣가 宣發하지 못하고 水飮이 안에서 막혀 淸陽이 오르지 못하고 濁陰이 내려가지 못하여 眩暈이 다시 발작한 것이다. 그러므로 小靑龍湯을 사용하여 宣肺散寒하고 解表邪하고 蠲濁飮한다. 일단 外邪가 깨끗하게 제거되고 氣機가 暢達하고 升降이 正常이면 眩暈도 따라서 그치게 된다. 初診의 잘못은 外感이 끼어 있는지 밝히지 못한 데 있고 다만 경험에 의존해서 약을 사용한 것이니 어찌 효과를 얻을 수 있겠는가? 의사가 된다는 것은 반드시 상세하게 묻고 밝게 살펴 여러 가지 변화에 靈活하게 대처하며 조금이라도 경솔함이 있어서는 안 된다.

4. 泄瀉 『河南中醫』(1991, 2:12): 某 남자, 3세. 아이의 엄마가 대신 이야기 해줌: 아이는 설사한 지 1주일 되었고, 1주일 전에 감기에 걸려 咳嗽와 發熱하였고,

현지에서 치료한 후에도 咳嗽가 여전히 낫지 않았고 또한 설사는 증가하여 다시 입원하여 輸液을 3일 동안 맞았으나 여전히 호전되지 않았다. 진찰 소견: 하루에 10여 차례 설사를 하였고 그 형상이 맑은 물 같았고 냄새도 없었으며 小便은 맑고 양이 적었으며, 여전히 咳嗽, 流涕하고 舌質淡 및 苔薄白하였다. 證은 寒邪가 肺에 침범하고 오랫동안 물러나지 않고 아래로 大腸을 압박하여 생긴 것이다. 치료는 반드시 溫肺散寒해야 하므로 小靑龍湯加味를 계획하였다. 處方: 麻黃·乾薑·五味子 各 5 g, 桂枝·法半夏 各 6 g, 白芍藥 8 g, 細辛 3 g, 炙甘草 5 g, 茯苓 9 g, 車前子 6 g. 재진: 2첩 복용한 후에 조금 땀이 나고 風寒이 물러나고 小便은 잘 나오고 泄瀉는 그쳤다.

考察: 『傷寒論』에서 "傷寒表不解, 心下有水氣, 乾嘔發熱而咳, 或渴, 或利 …… 小靑龍湯主之."라고 하였다. 대개 肺는 水의 上源인데, 風寒을 感受하면 宣發과 肅降이 정상을 상실하고 通調水道를 할 수 없어서 水液이 膀胱으로 내려가지 못하고 大腸으로 下注하면 泄瀉가 된다. 치료는 小靑龍湯을 써서 溫肺散寒에 중점을 두어 風寒이 풀리고 肺氣가 宣暢하면 大腸의 傳導 기능이 곧 정상으로 회복되어 泄瀉를 치료하지 않아도 泄瀉가 저절로 그치게 된다.

5. 老年自汗『新中醫』(1993, 9:46): 某 여자, 62세. 自汗이 있은 지 5년이 되었고, 春夏秋冬을 가릴 것 없이 조금만 움직여도 땀이 나서 옷을 적신다. 여기에 일찍이 益氣固表藥과 溫補腎陽劑를 복용했으나 效과가 없었다. 진찰 소견: 汗出淸冷하고, 背心部에 항상 惡寒感이 있으며 頭暈乏力하고 舌淡, 苔白滑 및 脈沉弦하였다. 證은 飮邪가 肺를 막고 開와 闔의 기능이 상실한 것이다. 치료는 반드시 溫肺化飮하여야 하고 小靑龍湯加減을 설계하였다. 處方: 麻黃·細辛 各 3 g, 白芍藥 15 g, 乾薑·五味子·甘草 各 5 g, 法半夏·浮小麥 各 10 g, 물에 煎湯하여 복용한다. 먼저 8첩을 복용하니 땀이 그치고, 나중에 玉屛風散으로 뒷마무리를 잘 하였다. 추적조사를 수개월 동안 했지만 재발하지 않았다.

考察: 自汗은 대부분 肌表의 衛陽不足에 해당한다. 다만 본 예는 오랫동안 益氣固表·溫補腎陽方을 복용했는데도 효과가 없다는 것은 表虛가 아니다. 바로 飮邪가 안으로 肺를 막아 宣發의 기능을 상실하고 땀구멍의 開闔이 정상을 잃은 까닭이다. 小靑龍湯에 桂枝를 빼서 溫肺化飮하여 그 本을 치료하고, 浮小麥을 넣어 收斂止汗하여 그 標를 치료하며, 다시 麻黃과 서로 配伍하여 一開一闔하고 腠理의 開闔이 정상으로 회복되면서 自汗이 그친 것이다.

6. 閉經『新中醫』(1987, 12:1): 某 여자, 30세. 앓아누운 지 2일째에 惡寒發熱하고 無汗하였다. 병력을 물었더니 1년 동안 항상 咳吐痰涎하고 咳引胸痛하며 또한 閉經이 1년 되었다. 환자의 앞이마 肌膚가 灼熱한데 몸은 솜이불로 덮었으며 脈緊而滑하였다. 급선무로 解表散寒과 溫肺化飮이 大法이라 小靑龍湯을 투여하였다. 處方: 麻黃·桂枝·法半夏·乾薑·白芍藥·五味子 各 10 g, 細辛 4.5 g, 甘草 5 g, 1첩을 바로 煎湯하여 복용하였다. 재진: 다음날 추적조사차 환자의 집을 방문하였더니 병든 부인이 대청에서 청소하면서 맞이해주었는데, 앓아누워 있으면서 진찰받을 때와는 전혀 딴사람 같았다. 그녀가 말하기를 약을 복용한 후에 땀이 나고 열이 물러나고 천식이 진정되고 밥 생각이 나서 묽은 죽을 2회 마셨더니 당일 저녁에 月經이 나왔으며 월경량은 중간 정도였다.

考察: 閉經은 虛한 자의 경우 대부분 氣血肝腎의 不足으로 생기고, 實한 자의 경우 氣滯·血瘀 및 痰阻로 생긴다. 『金匱要略』「婦人雜病篇」에서 "婦人之病, 因虛積冷結氣, 爲經水斷絕."이라고 하였고, 『婦科大全』에서도 "軀脂痞塞, 痰涎壅滯而經不行者"라는 묘사가 있다. 본 예의 閉經은 痰飮의 병력과 脈症이 있는데, 이것은 질병 초기에 반드시 外寒을 感受하고 寒濕이 없어지지 않고 모여서 痰을 이루어 飮이 된 것이고, 痰濕이 衝脈과 任脈을 막고 胞絡이 막혀서 月經不通이 발생한 것을 설명해준다. 小靑龍湯은 본래 表裏雙解하는 방제이고, 동시에 溫化痰飮·辛開通閉의 功이 있으므로 飮이 물러나고 表가 풀릴 때에 1년 된 閉經도 이를 따라서 낫게 된 것이다.

【副方】

1. 射干麻黃湯(『金匱要略』): 射干 三兩(9 g) 麻黃 四兩(9 g) 生薑 四兩(6 g) 細辛 三兩(6 g) 紫菀 三兩(6 g) 款冬花 三兩(6 g) 大棗 七枚(三枚) 半夏 半升(9 g) 五味子 半升(3 g).

- 用法: 上九味, 以水一斗二升, 先煮麻黃兩沸, 去上沫, 內諸藥, 煮取三升, 分溫三服.
- 效能: 宣肺祛痰, 下氣止咳.
- 主治: 咳而上氣, 喉中有水鷄聲音.

본 방제는 小靑龍湯에서 桂枝·芍藥·甘草를 빼고, 乾薑을 生薑으로 바꾸었으며, 射干·款冬花·紫菀 및 大棗를 넣어 만든 것이다. 방제 중의 麻黃·細辛은 散寒解表하고, 款冬花·紫菀은 利肺止咳하고, 射干은 消痰利咽하며, 半夏·生薑은 開痰散結한다. 이것은 네 法을 하나의 방제에 합하여 그 邪氣를 分解한 것이며, 다시 大棗를 넣어 安中和藥한 것이다.

2. 小靑龍加石膏湯(『金匱要略』): 즉, 小靑龍湯에 石膏 二兩(9 g)을 넣은 것이다.

- 效能: 解表蠲飮, 兼淸熱除煩.
- 主治: 肺脹. 心下有水氣, 咳而上氣, 煩躁而喘, 脈浮者.

小靑龍加石膏湯證은 外邪와 內飮이 相搏하고 兼하여 鬱熱이 있어서 생긴 것이기 때문에 小靑龍湯으로 解表化飮하고 소량의 石膏를 넣어 淸熱하면서 除煩躁한 것이다.

射干麻黃湯과 小靑龍湯은 함께 解表化飮의 방제에 해당되지만, 전자는 風寒表證이 비교적 가벼운 것을 치료하고, 證은 痰飮鬱結하고 肺氣上逆에 해당하는 자이다. 그러므로 小靑龍湯의 기초 위에서 桂枝·芍藥 및 甘草를 줄이고, 消痰利肺·止咳平喘의 射干·款冬花 및 紫菀 등의 약물을 넣은 것이다. 小靑龍湯은 表를 치료하는 것이 위주가 되고 解表散寒의 藥力이 크며, 射干麻黃湯은 裏를 치료하는 것이 위주가 되고 下氣平喘의 藥力이 강하다는 것을 알 수 있다. 小靑龍加石膏湯은 淸熱除煩의 石膏를 넣었으므로 外寒裏飮하면서 鬱熱을 兼한 喘咳에 적당하다.

【參考文獻】

1) 王均默. 小靑龍湯及其主要組成藥的平喘作用. 藥學通訊. 1982;17(5):54-55.
2) 湖北中醫學院方劑教硏室. 『古今名方發微』. 武漢: 湖北科學技術出版社, 1986:34-35.

第二節 辛凉解表劑

銀翹散

(『溫病條辨』卷1)

【異名】銀翹解毒散(『全國中藥成藥處方集』西安方).

【組成】連翹 一兩(30 g) 銀花 一兩(30 g) 苦桔梗 六錢(18 g) 薄荷 六錢(18 g) 竹葉 四錢(12 g) 生甘草 五錢(15 g) 荊芥穗 四錢(12 g) 淡豆豉 五錢(15 g) 牛蒡子 六錢(18 g)

【用法】함께 찧어 가루로 만들어 매번 六錢(18 g)을, 신선한 蘆根을 달여서 향기가 진하게 나면 곧 이것을 취하여 복용한다. 지나치게 끓여서는 안 된다. 肺藥은 輕淸한 것을 취하는 것으로 지나치게 끓이면 味가

厚해져서 中焦로 들어가기 때문이다. 병이 심한 자는 약 2시간에 한 번 복용하는데 낮에는 3회 복용하고 밤에는 1회 복용한다. 병이 가벼운 자는 3시간에 한 번 복용하는데 낮에는 2회 복용하고 밤에는 1회 복용한다. 병이 풀리지 않는 자는 다시 복용한다(현대적인 용법: 湯劑로 만들어 달이고, 原書의 용량에 비례하여 상황을 참작하여 增減한다).

【效能】 辛涼透表, 清熱解毒.

【主治】 溫病初起表熱證. 發熱, 微惡風寒, 無汗或有汗不暢, 頭痛口渴, 咳嗽咽痛, 舌尖紅, 苔薄白或薄黃, 脈浮數.

【病機分析】 "溫邪上受, 首先犯肺."(『溫熱論』)라고 하였다. 肺는 皮毛와 合하고 衛氣와 서로 通하며, 肺는 表中之裏가 되고 衛는 表中之表가 되어 본 방제의 병증의 病位는 肺·衛에 있다. 邪氣가 衛分에 있으면, 衛氣가 鬱滯되고 開闔의 기능을 하지 못하므로 '發熱, 微惡風寒, 無汗或有汗不暢'하는 것이다. 風溫表證의 發熱惡寒은 風寒表證과 어떻게 구별하는가? 溫은 陽邪이고 邪熱이 衛陽과 서로 다투면 두 개의 陽이 서로 더해져서 '陽勝'의 병리학적인 변화를 드러내므로 發熱이 重하고 惡寒이 輕하며 혹은 惡風寒 증상의 지속 시간이 짧은 것이 특징이다. 汗의 有無는 邪氣가 表에 있는지 혹은 裏로 들어가기 시작하는 것과 관련이 있다. 溫病 초기에는 邪氣가 肌表에 침범하고 衛氣가 鬱滯되고 開闔의 기능을 하지 못하고 毛竅가 閉塞되므로 無汗하게 된다. 만약 風熱이 裏로 들어가서 熱邪가 점점 심해지고 熱의 성질은 升散하고 津을 압박하여 밖으로 새 나가게 하면 有汗을 볼 수 있다. 그러나 六淫의 邪氣가 皮毛 혹은 口鼻로부터 들어오면 매번 衛陽이 鬱滯되고 막혀서 開闔의 기능을 하지 못하므로 설사 有汗하더라도 또한 순조롭지 못하게 된다. 肺는 위치가 가장 높고 鼻에 開竅하며 邪氣가 口鼻로부터 들어오면 위로 肺를 침범하고 肺氣가 宣發 기능을 하지 못하면 '咳嗽'가 나타난다. 咽은 肺의 門戶이고 喉는 肺系가 되며, 風熱이 氣血을 후려치면 蘊結하여 毒이 되고, 熱毒이 肺系를 침습하여 肺系가 不利해지면 '咽喉紅腫疼痛'이 나타난다. 溫熱의 邪氣는 쉽게 津液을 손상시키므로 일반적인 溫病의 과정에서 대부분 '口渴'의 증상이 나타나지만, 邪熱이 陰을 손상시키는 정도는 다르므로 口渴이 심한지 덜한지도 구별되며, 溫邪가 衛分에 있는 口渴 症狀은 비교적 가볍다. '舌尖紅, 苔薄白或微黃, 脈浮數'은 모두 溫病 초기의 증거가 된다. 이상을 종합하면 이 證은 惡寒發熱과 咳嗽가 있기 때문에 病이 肺衛에 있는 것을 알 수 있고, 그 熱은 重하고 寒은 輕하기 때문에 病의 성질이 熱에 해당된다는 것을 알 수 있으며, 口渴이 있기 때문에 津液이 가볍게 손상을 받았음을 알 수 있다. 證을 살펴 원인을 찾아보면, 이것은 溫病 초기와 관계가 있고 邪氣가 肺衛에 있으면서 衛表에 편중되어 있다.

【配伍分析】 본 방제의 病證은 風熱이 表에 있는 衛分證이고 또한 熱毒이 肺를 침습한 肺熱證이기도 하여 治法에서 衛分의 風熱을 疏散해야 하고 肺의 熱毒도 清解해야 한다. 溫病은 發病이 급하고, 傳變이 빠르며, 쉽게 氣血을 후려치고 蘊結하여 毒이 되고, 대부분 穢濁의 氣를 끼는 등의 특징을 갖추고 있기 때문에 立法함에 모름지기 未然에 재해를 방지하고 病勢의 발전을 단절해야 하며 또한 반드시 清熱解毒해야 한다. 그러므로 辛涼透表와 清熱解毒의 治法을 설계해야 한다. 방제 중의 金銀花는 性味가 甘寒하여 능히 "散熱解表"(『本草綱目』卷18)하고, "清絡中風火實熱, 解溫疫穢惡濁邪"(『重慶堂隨筆』卷下)라고 하였다. 連翹는 性味가 苦微寒하여 "能透肌解表, 清熱逐風, 爲治風熱要藥"(『醫學衷中參西錄』中冊)라고 하였다. 두 가지 약물의 氣味는 芳香이 있어 輕宣透表와 疏散風熱의 작용이 있고 또한 清熱解表과 辟穢化濁의 작용이 있으며 衛分의 表邪를 透散하는 동시에 溫熱病邪가 쉽게 蘊蓄하여 毒을 조성하는 것 및 대부분 穢濁의 氣를 끼고 있는 특징을 兼하여 돌아보아야 하므로 重用하여 君藥이 된다. 薄荷는 性味가 辛涼하여 "散風熱, 清利頭目"(『醫略六書』「藥性切用」卷1)하고, 牛蒡

子는 性味가 辛苦而寒하여 “入肺而疏風散熱, 瀉熱淸咽”(『醫略六書』「藥性切用」卷1)한다. 두 가지 약물은 疏散風熱하고 淸利頭目하며 또한 解毒利咽할 수 있다. 荊芥·淡豆豉는 性味가 辛而微溫하여 解表散邪한다. 이 두 가지는 비록 性味가 辛溫에 해당되지만, 辛하면서도 맹렬하지 않고 溫하면서도 燥하지 않아서 많은 辛凉藥과 配合하면 辛散透表의 藥力을 늘릴 수 있다. 네 가지 약물을 함께 사용하면, 君藥을 도와 發散表邪하고 透邪外出하여 모두 臣藥이 된다. 熱이 이미 진액을 손상하였으므로 반드시 生津해서 扶正해야 한다. 蘆根은 “性凉能淸肺熱, …… 味甘多液, 更善滋養肺陰”(『醫學衷中參西錄』中冊)이라고 하였고, 竹葉은 “止渴, 除上焦煩熱”(『本草分經』)이라고 하였다. 두 가지 약물을 함께 사용하면 淸熱生津하여 淸熱의 작용을 증강시킬 수 있고 또한 손상받은 津液을 보충할 수 있다. 肺氣가 宣發기능을 하지 못하면 肺系가 不利해지므로 桔梗을 배합하여 開宣肺氣하고 止咳利咽한다. 위에 서술한 세 가지의 약물은 모두 佐藥이 된다. 甘草는 調和藥性하고 護胃安中하며 桔梗과 배합하면 利咽止咳하여 佐藥과 使藥으로 쓰인다. 모든 약물을 配伍하면 공동으로 疏散風熱과 淸熱解毒의 작용을 거두게 된다. 본 방제는 辛凉과 辛苦甘寒을 함께 사용한 것으로 바로 『素問』「至眞要大論」에서 말한 “風淫於內, 治以辛凉, 佐以苦甘”의 治法에 부합한다. 본 방제에 쓰인 약물은 모두 淸輕藥과 관계된 것으로 용법에 “香氣大出, 即取服, 勿過煮”라고 강조한 것은 吳氏의 “治上焦如羽, 非輕莫擧”하라는 용약 원칙을 구현한 것이다.

본 방제의 配伍 특징은 두 가지가 있다: 하나는 辛凉藥에 소량의 辛溫藥을 配伍한 것으로, 透邪에도 유리하고 辛凉의 취지에도 어긋나지 않는다. 다른 하나는 疏散風邪와 淸熱解毒을 서로 배합하면 外散風熱과 內淸熱毒의 작용이 있어서, 疏散과 淸熱을 兼하여 돌아보는 것으로 구성되어 있지만 疏散을 위주로 하는 방제이다.

【臨床應用】

1. 證治要點: 『溫病條辨』에서는 본 방제를 ‘辛凉平劑’라고 일컬었고 風溫 초기의 風熱表證에 적용하였다. 發熱, 微惡寒, 咽痛, 口渴 및 脈浮數이 辨證論治의 요점이 된다.

2. 加減法: 胸膈悶者는 바로 濕邪穢濁의 氣를 낀 것으로 藿香과 鬱金을 넣어 芳香化濕과 辟穢祛濁하고 邪氣를 바깥으로 내보내고 그것이 속으로 들어가서 膻中을 침습하는 것을 방지한다. 渴症이 심한 자는 津液의 손상이 비교적 심한 것으로 天花粉을 넣어 生津止渴한다. 項腫·咽痛者는 熱毒이 비교적 심한 것으로 馬勃·玄參을 넣어 淸熱解毒과 利咽消腫한다. 衄血者는 熱이 血絡을 손상한 것으로 荊芥穗·淡豆豉의 辛溫藥을 빼고, 白茅根·側柏炭·梔子炭을 넣어 凉血止血한다. 咳嗽者는 肺氣가 不利한 것으로 杏仁을 넣어 苦降肅肺하여 止咳의 작용을 강화시킨다. 2~3일이 지나도 병이 풀리지 않으면 熱이 점점 裏로 들어간다. 그러나, 이때에 邪氣는 여전히 肺에 있으므로 거듭해서 본 방제를 사용해야 하지만 반드시 生地黃과 麥門冬을 넣어 裏로 들어간 熱을 내리고 兼하여 養陰生津하여 邪熱이 진액을 손상시키는 것을 방지해야 한다. 만약 여전히 풀리지 않으면 邪가 重하고 熱이 심한 것이며, 혹시 小便短이 나타나는 者는 熱이 이미 진액을 손상시킨 것이므로 또한 반드시 知母·黃芩·梔子·麥門冬 및 生地黃을 넣어 淸熱生津해야 한다. 麻疹의 초기에 사용하여 發疹이 되지 않고 본 방제의 病證이 나타나는 자는 葛根·蟬蛻를 넣어 麻疹의 發疹을 돕는 것이 적절하고, 瘡瘍 초기에 外感風熱證이 나타나는 자는 紫花地丁·野菊花를 적당히 넣어서 解毒消癰한다.

3. 銀翹散은 다음 한국표준질병사인분류(KCD)에 해당하는 환자가 溫病初起表熱證으로 辨證되는 경우 본 처방의 사용을 고려해볼 수 있다.

처방 목표	한국표준질병사인분류(KCD)
急性發熱性疾病	(질병명 특정곤란)
	R50 기타 및 원인미상의 열
感冒	J00 급성 비인두염[감기]
流行性感冒	J09 확인된 동물매개 또는 범유행 인플루엔자바이러스에 의한 인플루엔자
	J10 확인된 계절성 인플루엔자바이러스에 의한 인플루엔자
	J11 바이러스가 확인되지 않은 인플루엔자
	J14 인플루엔자균에 의한 폐렴
急性扁桃腺炎·	J03 급성 편도염
上氣道感染	J00~J06 급성 상기도감염
肺炎	J09~J18 인플루엔자 및 폐렴
	J20~J22 기타 급성 하기도감염
	J18.9 상세불명의 폐렴
麻疹	B05 홍역
流行性腦膜炎	A87 바이러스수막염
	A87.9 상세불명의 바이러스수막염
B型 腦炎	A83.0 일본뇌염
耳下腺炎	B26 볼거리
風熱證	U50.1 풍열증(風熱證)
濕疹	L20~L30 피부염 및 습진
風疹	B06 풍진
蕁痲疹	L50 두드러기
瘡癰癤腫	L00~L08 피부 및 피하조직의 감염

【注意事項】 임상에서 사용할 때에는 반드시 煎湯法과 복용법에 주의해야 한다. 방제에는 芳香輕宣藥이 많기 때문에 반드시 오래 달여서는 안 되고, 外感風寒 및 濕熱病의 초기에는 마땅히 사용을 금해야 한다.

【變遷史】 본 방제는 淸代의 名醫인 吳瑭이 立案한 것이다. 溫病學이 아직 형성되기 전 오랜 역사 시기 동안 外感病의 치료는 기본적으로 『傷寒論』의 理法方藥을 근거로 하였다. 溫病의 초기에 邪氣가 肌表에 있으면 치료는 疏散이 적합하다. 그러나 溫病은 陽邪로 쉽게 陰液을 손상시키기 때문에 만약 순수한 辛溫藥과 辛溫劑로 發汗시키면 "未始不傷陰也"(『溫病條辨』卷1)이다. 그러므로 吳瑭은 "溫病最善傷陰, 用藥又復傷陰, 豈非爲賊立幟乎? 此古來用傷寒法治溫病之大錯也."(『溫病條辨』卷1)라고 지적하였다. 金·元 시기에 寒涼派의 始祖인 劉完素는 熱性病의 치료에 있어서 治法은 『傷寒論』을 벗어나지 않고 반드시 仲景의 전통적인 방식을 따라야 한다는 것을 돌파하였고, 寒涼藥으로 溫病을 치료할 것을 주장하여 溫病學의 시작을 열었다. 明代 吳又可의 『溫疫論』에 수재된 '達原飮'·'三消飮' 등 많은 溫疫을 치료하는 방제는 溫病의 치료에 비교적 큰 영향을 주었다. 그러나 『溫疫論』의 제일 처음에 열거되어 있는 達原飮은 性味가 辛溫한 檳榔·草果·厚朴 및 性味가 苦燥한 知母·黃芩 등을 配伍하였기 때문에 모두 中焦藥과 下焦藥이 되므로 吳瑭은 "豈有上焦溫病, 首用中·下焦苦溫雄烈劫奪之品, 先劫少陰津液之理."(『溫病條辨』卷1)라고 인식하였다. 이와 같은 점을 고려하여 吳瑭은 『素問』「至眞要大論」의 "風淫於內, 治以辛涼, 佐以苦甘."과 "熱淫於內, 治以鹹寒, 佐以甘苦."라는 가르침을 따랐고, 葉桂의 "蓋傷寒之邪, 留戀在表, 然後化熱入裏, 溫邪則熱變最速. 未傳心包, 邪尚在肺, 肺主氣, 其合皮毛, 故云在表, 在表初用辛涼輕劑. 挾風則加入薄荷·牛蒡之屬; 挾濕加蘆根·滑石之流. 或透風於熱外, 或滲濕於熱下, 不與熱相搏, 熱必孤也."(『溫熱論』)라는 취지를 따랐으며, 喩嘉言의 芳香逐穢의 설을 본받고 李杲의 淸心涼膈散(黃芩·連翹·薄荷·桔梗·竹葉·甘草·梔子)에서 苦寒入裏의 黃芩·梔子를 빼고, 辛散淸熱의 金銀花·荊芥穗·牛蒡子·淡豆豉·蘆根을 넣어 본 방제를 조성한 것이다. 바로 吳瑭이 "用東垣淸心涼膈散, 辛涼苦甘, 病初起, 且去入裏之黃芩, 勿犯中焦, 加銀花辛涼, 芥穗芳香, 散熱解毒, 牛蒡子辛平潤肺, 解熱散結, 除風利咽, 皆手太陰藥也."(『溫病條辨』卷1)라고 한 대로다. 여기에서 吳瑭이 방제를 만드는 데 궁리를 한 고민을 엿볼 수 있다. 본 방제는 辛涼平劑이고 溫病을 치료하는 제1방제이다. 吳瑭은 "此方之妙, 予護其虛, 純然淸肅上焦, 不犯中·下, 無開門揖盜之弊, 有輕以去實之能, 用之得法, 自然奏效."(『溫病條辨』卷1)라고 하였는데 지나친 말이 아니다.

현대의 임상 응용을 보면 이 방제를 기초로 하여 3개의 방향으로 발전하였다: ① 清熱의 藥力을 강화하여 外感風熱로 인한 發熱頭痛 등의 치료 효과를 더욱 좋게 하였다. 예를 들면『中國常用中成藥大全』의 羚翹感冒丸은 바로 본 방제에서 蘆根을 빼고 羚羊角을 넣어, 感冒와 流行性感冒로 나타난 發熱, 發冷, 四肢酸懶, 頭痛咳嗽 및 咽喉腫痛 등을 치료하였다. ② 解毒利咽의 작용을 강화하여 咽喉腫痛을 치료하는 常用방제가 되었다. 예를 들면『古今名方』의 清咽解毒湯은 바로 본 방제에서 薄荷·荊芥·淡豆豉·竹葉 및 蘆根을 빼고 玄參·殭蠶·黃芩·山梔子 및 山豆根을 넣어서 이루어진 것으로 風熱乳蛾와 喉痺를 치료하는 데 사용하였고,『中醫耳鼻喉科學』의 疏風清熱湯은 또한 본 방제에서 薄荷·淡豆豉·竹葉 및 蘆根을 빼고 防風·桑白皮·赤芍藥·黃芩·天花粉·玄參 및 浙貝母를 넣어 조성된 것으로 咽喉腫痛이 風熱에 해당되는 것을 치료하였다. ③ 透疹藥을 배합하여 넣음으로써 風熱에 의한 麻疹의 초기에 發疹이 순조롭게 나오지 않고 혹은 風疹 등의 병을 치료하는 데 사용하였다. 예를 들면『實用兒科學』의 辛凉解毒湯은 바로 본 방제에서 荊芥·淡豆豉·蘆根 및 甘草를 빼고 桑葉·杏仁 및 蟬蛻를 넣어 조성한 것으로 麻疹에서 發疹이 시원하게 나오지 않는 것을 치료한다.

본 방제의 劑型을 丸劑로 바꾼 것을 '銀翹解毒丸'(『北京市中藥成方選集』)이라고 하고, 片劑로 바꾼 것을 '銀翹解毒片'(『中國藥典』一部)이라고 하며, 膏劑로 바꾼 것을 '銀翹解毒膏'(『全國中藥成藥處方集』天津方)라고 한다. 최근에는 또한 '銀翹解毒水'·'銀翹沖劑'·'銀翹散袋泡劑' 등이 있는데 病勢에 근거하여 선별하여 사용할 수 있다.

【難題解說】

1. 방제의 君藥에 관하여: 본 방제의 君藥은 현재 여전히 쟁론이 되고 있다. 教材 및 다수의 전문서에는 모두 金銀花·連翹를 君藥으로 인식하였지만, 어떤 의학자는 반드시 薄荷·荊芥 등 解表藥을 위주로 해야 한다고 인식하고 있다. 秦伯未는『謙齋醫學講稿』에서 "一般用銀翹散, 多把銀花·連翹寫在前面. 在溫病上采用銀翹散, 當然可將銀·翹領先, 但銀·翹是否是君藥, 值得考慮, 如果銀·翹是君, 那麽臣藥又是什麽呢? 銀翹散的主病是風溫, 風溫是一個外感病, 外邪初期都應解表, 所以銀翹散的根據是'風淫於內, 治以辛涼, 佐以苦甘', 稱爲辛涼解表法. 這樣, 它的組成就應該以豆豉·荊芥·薄荷的疏風解表爲君; 因系溫邪, 用銀·翹·竹葉爲臣; 又因邪在於肺, 再用牛蒡·桔梗開宣上焦; 最後加生甘草清熱解毒, 以鮮蘆根清熱止渴煎湯. 處方時依此排列, 似乎比較愜當."이라고 하였다. 이것에 대하여 金銀花와 連翹를 君藥으로 하는 것이 더욱 합리적이라고 보는데 그 이유는 세 가지이다: 첫째, 본 방제는 外感의 溫熱病邪를 위하여 설계한 것이다. 溫邪로 병을 앓으면 發病이 급하고 傳變이 빨라서 쉽게 熱이 쌓여서 毒이 되고, 또한 대부분 穢濁한 氣를 끼는 등의 특징이 있다. 이러한 특징에 대하여 治法을 세우고 치료할 때에는 밖으로는 衛表의 邪를 풀어야 하고, 또한 안으로는 熱毒을 내려서 裏로 들어가 傳變하려는 질환을 끊어내야 한다. 銀翹散證은 비록 邪氣가 衛表에 있지만, 邪熱이 비교적 심하고 또한 이미 熱이 쌓여서 毒이 되고 이것이 안에 전해지는 추세(咽痛)가 있기 때문에, 치료 또한 반드시 疏表와 清熱解毒을 병행해야 한다. 방제 중의 金銀花·連翹는 性味가 辛寒하고 그 성질이 輕清하여 透邪解表·清熱解毒 및 芳香辟穢의 작용이 있어서, 이것은 본 방제의 病證의 病機 특징에 부합되고 또한 溫病의 기본적인 특징을 겸해서 고려한 것이다. 둘째, 金銀花·連翹는 疏散風熱하고 또한 清熱解毒하여 많은 효과가 있는 藥物에 해당되고, 많은 효과가 있는 약물의 작용이 발휘하는 데는 다른 藥物과의 配伍, 煎湯法 및 복용법과 밀접하게 관련되어 있다. 본 방제는 薄荷·牛蒡子·荊芥 및 淡豆豉 등 解表藥과 서로 配伍하고 게다가 전탕법과 복용법에 있어서 독특한 격식을 갖추고 있기 때문에, 그 작용의 발휘는 疏散을 위주로 하고 清熱을 겸하며, 또한 上焦를 치료하되 中焦와 下焦를 침범하게 해서는 안 된다. 만약 清熱藥과 서로 配伍하고 혹은 "過煮則味厚而入中焦矣"

하게 되면, 그 작용은 淸熱解毒이 위주가 된다. 셋째, 임상에서 성공한 病例로 보면 대부분 金銀花와 連翹를 重用하여 효과를 얻었다. 이상을 종합해보면 溫病 및 본 방제의 病證의 특징, 藥物 配伍 및 전탕법과 복용법의 특징, 임상에서 응용한 개괄적인 상황에 근거하면 본 방제는 반드시 金銀花와 連翹를 君藥으로 해야 한다.

2. 荊芥와 淡豆豉의 配伍에 관하여: 風熱이 表에 있으면『內經』의 취지에 따라 반드시 "治以辛涼, 佐以苦甘"해야 하는데 어떻게 性味가 辛溫한 荊芥와 淡豆豉를 사용하였는가? 銀翹散이 치료하는 風熱表證은 邪氣가 衛表를 鬱滯하고 邪熱이 비교적 심한 것이 특징이며, 그 증상은 表氣閉鬱에 의한 微惡風寒·無汗과 熱邪疾患에 의한 發熱甚과 口渴·咽痛이 나타난다. 그러므로 金銀花·連翹·薄荷 및 牛蒡子로 辛涼淸解하고 辛溫解表의 荊芥와 淡豆豉를 넣어 침투한 邪氣를 밖으로 내보내는 데 유리하게 하고 解表逐邪의 藥力을 증강시키는 것이 그 첫 번째이다. 둘째는 溫病의 초기에 邪氣가 肌表를 鬱滯하면 치료는 반드시 辛涼疏散하고 用藥에서 辛涼藥을 위주로 해야 하지만, 본 방제에는 金銀花·連翹·竹葉 및 蘆根이 配伍되어 있고, 네 가지 약물은 그 性이 모두 寒하고, 또한 金銀花와 連翹의 용량이 유독 많아서 초기에 用藥이 지나치게 涼하다. 寒涼이 지나치면 찬 성질이 氣血을 항복시켜 祛邪에 불리할 것이므로 性味가 辛溫한 荊芥와 淡豆豉를 配伍하여 寒涼藥의 찬 성질이 氣血을 항복시키는 것을 방지하고, 본 방제를 涼하게하지만 막히지 않게 한다. 荊芥와 淡豆豉는 辛溫藥이지만, 그 용량이 비교적 가볍고 溫하되 燥하지 않기 때문에 전체 방제의 辛涼한 성질을 바꾸지는 못하고, 본 방제를 輕淸疏透하게 하고 性質이 和平하여 '辛涼平劑'가 된다. 두 가지 약물의 사용량은 '汗의 有無'에 따라 짐작해야 하고, 만약 無汗에 兼하여 惡風寒이 나타나면 邪氣가 衛表에 鬱滯된 것이 비교적 심함을 설명하는 것으로 적당히 사용해야 하고 또한 적당하게 증량하여 發汗解表祛邪의 藥力을 강화시켜야 한다. 無汗과 發熱이 함께 나타나면, 가령 惡寒이 아직 보이지 않아도 또한 사용하여 침투한 邪氣를 밖으로 내보내고 病邪를 땀을 따라 풀리게 한다. 만약 發熱이 有汗 혹은 비교적 많은 汗出과 병행하여 나타나면, 이것은 邪氣가 점점 裏로 들어가서 熱性이 升散했기 때문이다. 그러므로 두 가지 약물을 적당하게 감량하고 심지어 쓰지 말아야 한다.

아직도 설명이 필요한 것은 방제 중의 豆豉는 製法의 차이에 따라 辛涼과 辛溫의 차이가 있다는 것이다. 淡豆豉를 발효시킬 때 주로 桑葉·鮮靑蒿를 輔料로 쓰는 경우가 있고, 또한 蘇葉·麻黃을 輔料로 쓰는 경우도 있다. 性味가 前者는 辛涼하고, 後者는 辛微溫한다. 吳瑭은 본 방제의 뒤에 "衄者, 去荊芥·豆豉"라는 明文을 두었으며, 銀翹散에 細生地·牡丹皮 및 大靑葉을 넣고 元參을 倍로 한 湯의 方論 중에도 "去豆豉, 畏其溫也."라고 명확하게 지적하였다. 그러므로 본 방제의 豆豉는 반드시 辛溫이라고 하는 것이 옳다.

3. 본 방제에 玄參의 有無에 관한 문제: 본 방제에서 玄參의 有無에 관해서는 제법 많은 쟁논이 있다. 銀翹散은『溫病條辨』原方에는 元參(즉 玄參)이 없으나, 本書「上焦篇」제16조·제38조 및 제40조에는 本 방제에 "倍元參"하고 "去元參"이라는 논술이 있다. 原書의 앞뒤로 모순이 있기 때문에 후세 사람들 중 혹자는 原書 중 玄參이 없는 것은 吳瑭의 '기재 누락(漏筆)'이라고 말하고, 혹자는 原書 중의 "倍元參"과 "去元參"도 吳瑭의 '잘못 쓴 글자(誤筆)'라고 말한다. 이것을 漏筆이라고 인식하는 자는 張秉成이 대표적인데 그 이유에는 다섯 가지가 있다: ①『溫病條辨』「上焦篇」제16조에는 銀翹散에 玄參을 倍로 하라는 서술이 있고, 방제 중에 또한 玄參을 一兩까지 넣으라는 말이 있다. ②「上焦篇」제38조와 제40조에서 서술한 風熱夾溫의 證治에서 玄參을 빼라고 한 것은 그 柔潤한 성질이 濕에 장애를 주기 때문이다. ③ 同篇 제39조에 보이는 舌赤口渴은 邪氣가 血分에 있는 것인데도 도리어 玄參을 增減하라는 문장이 없는데, 이때가 바로 玄參을 적용해야 할 시기이다. ④ 吳瑭은 方論 중에서 스스로『內

經』에 있는 "風淫於內, 治以辛涼, 佐以苦甘. 熱淫於內, 治以鹹寒, 佐以甘苦"의 가르침을 따른다고 했는데, 방제 중에 있는 모든 약 중에서 오직 玄參만이 性味가 鹹微寒하므로 방제 중에 玄參이 있는 것은『內經』의 취지와 부합되는 것이다. ⑤ 吳瑭은 精·氣 및 津液에 대하여 매우 중요시하였고, 玄參은 壯水制火하고 增津養液하므로 銀翹散 方論 중에 있는 "予護其虛"를 실제로 가리키는 것이다.[1)]

이것을 誤筆이라고 인식하는 자는 湖北中醫學院의 方劑學教室이 대표적인데 그 이유는 吳鞠通이 "이 방제의 묘미는 '純然清肅上焦, 不犯中·下'라고 하였다. 때문에 輕清上浮藥을 선별하여 조합한 방제는 吳鞠通의 '治上焦如羽, 非輕不擧'의 학술 사상을 구현한 것이다. 그러나 玄參의 鹹寒滋膩는 바로 下焦의 肝腎藥이라서 溫病 초기에 邪氣가 肺衛에 있는 자에게 사용하기에는 邪氣를 머무르게 하는 폐단이 있을 것 같다. 어떤 사람은 溫邪가 쉽게 陰液을 소모시키기 때문에 玄參을 쓰는 것은 바로 養陰增液하기 위해서 설계하였다고 인식하는데 이 설 또한 합당하지 않다. 방제 중에 이미 甘涼輕淸하고 質潤多液의 蘆根이 있어서 淸熱生津하면서 邪氣를 남기지 않고 配伍가 이미 지극히 적당한데 다시 玄參을 넣는 것은 蛇足을 벗어날 수 없다."[2)]

이상의 두 가지 설 중에서 後者가 타당한 것 같다. 溫病의 초기를 치료할 때에는 총체적으로 辛涼宣散하고 清輕透達함으로써 '輕以去實'의 목적에 도달하는 것이 적절하다. 津液耗損은 비록 溫病의 중요한 病機 중 하나이지만, 津液의 손상은 輕重으로 구분되어 用藥도 자연스럽게 구별하게 된다. 초기에는 津液의 손상이 비교적 가볍고 또한 肺胃가 위주가 되기 때문에 치료는 반드시 甘寒氣薄藥을 선별하여 肺胃의 진액을 滋養해야 한다. 蘆根·竹葉·天花粉 및 知母의 類가 여기에 해당된다. 후기에는 진액의 손상이 비교적 심하고 또한 肝腎이 위주가 되기 때문에 치료는 甘寒厚味 혹은 鹹寒藥을 선별하여 肝腎의 陰을 보충하는 것이 적절하다. 地黃·玄參·鷄子黃 및 阿膠의 類가 여기에 해당된다. 玄參은 味가 厚하고 下焦에 가서 작용하는 것이 장점이므로 본 방제에서 이를 사용하면 吳鞠通의 "治上焦如羽"의 用藥 원칙과는 서로 어긋난다. 그 밖에 임상에서 입증된 사례와 보고에 의하면 모든 溫病 초기에 만약 病證에서 咽痛甚과 口渴甚 등이 없으면 본 방제를 응용함에 있어 대부분 玄參을 사용하지 않고도 효과를 거두었으므로 본 방제에는 玄參이 없는 것이 타당하다.

4. 清心涼膈散의 출처에 관하여: 吳瑭은『溫病條辨』卷1에서 본 방제는 東垣의 清心涼膈散에 加減하여 완성한 것이라고 하였다. 그러나 李杲의 醫書를 두루 조사해 보아도 清心涼膈散이라는 방제를 볼 수 없었다.『景岳全書』「古方八陣」卷63에는 "東垣涼膈散, 解痘疹囊熱良方"이라고 수재되어 있다. 이 방제는 黃芩·連翹·薄荷·桔梗·竹葉·梔子 및 甘草로 조성되어 있다.『景岳全書』에 수재된 涼膈散은 어디에서 온 것인가? 여기에 대하여 우리들은 易水學派 및 河間學派와 관련 있는 의학자들의 대표적인 저작을 考證하였다.『東垣十書』「此事難知」卷上에는 "易老法, 涼膈散減大黃·芒硝, 加桔梗, 同爲舟楫之劑, 浮而上之, 治胸膈中與六經熱."이 있다. 그러나 易老 張元素의 저작을 조사해 보았지만 오히려 涼膈散이라는 방제가 보이지 않는다.『濟生拔粹』「此事難知」卷9의 涼膈散은 "治上焦熱甚, 陽明·少陽氣中之血藥也."라고 하였고, 이 방제는 山梔子·連翹·黃芩·薄荷·大黃·芒硝로 조성되어 있고, 방제의 뒷부분에는 "去六經中熱, 減大黃·芒硝, 加桔梗·甘草. 右爲粗末, 每服一兩, 水二盞, 同竹葉七片煎至一盞, 去滓, 入蜜少許, 食後服."이라고 하였다. 다시『濟生拔粹』에 수재된 涼膈散을 살펴보면, 劉完素의 涼膈散(連翹·山梔子·大黃·薄荷葉·黃芩·甘草·芒硝)을 모방하여 다시 만든 것으로, 그것은 "傷寒表不解, 半入於裏, 下證未全, 下後燥熱怫結於內, 煩心, 懊憹, 不得眠 ……, 煩渴頭昏, 唇焦咽燥, 喉閉目赤, 口舌生瘡, 咳唾稠粘, 譫語狂妄"(『黃帝素問宣明論方』卷6)을 치료한다고 하였다. 후대 의학자인 盛心如는『實用方劑學』에서 "本方根據河間涼膈散而加減復方之制也"라고 말한 것과

같은데 이는 臆測한 이론이 아님을 알 수 있다.

이상을 종합하면 銀翹散은 당연히 河間學派와 易水學派가 공동으로 협력하여 만든 산물이고 學派間의 학술이 서로 스며들고 종횡으로 교차한 결과이다. 그런데 王好古가 수록한 涼膈散이 吳瑭이 창안한 銀翹散의 뜻에 제일 접근하고 있는데, 하나는 病機가 서로 비슷하여 "上焦熱甚"의 치료를 제시하였고, 두 번째는 방제의 조성 및 방제 뒤에 加減한 약물이 吳瑭의 방제와 서로 비슷하다. 本書는 吳瑭이 방제를 만든 원 취지를 존중하고, 또한『景岳全書』를 감안하여 "東垣涼膈散"을 표명하였으므로 源流發展 속에서 언급한 淸心涼膈散의 藥物은『景岳全書』에 수재된 방제를 계승하였다.

【醫案】

1. 風溫火逆『全國名醫驗案類編』卷1: 榮錫九, 나이 48세. 그해 3월, 봄인데도 여름 기후가 펼쳐지면서 온도가 지나치게 높았으며, 계속해서 공무로 縣으로 왕래하면서 熱邪를 받아 이 질병에 걸리게 되었다. 4월 1일 집으로 돌아오는데 잠에 빠지고 정신이 昏迷하며 人事不省하였다. 손윗사람을 불러서 진찰하였더니, 錫九가 평소에 吐血을 하고 身體가 극히 허약하여 陰寒으로 誤認하고는 補中湯을 주었다. 身灼如火는 火逆으로 인한 것이다. 病勢가 한번 변하였고 다행히 다음날 衄血을 하였고, 衄血 이후에는 조금 깨어났다. 脈浮數에서 浮脈은 風이고 數脈은 熱이다. 몸이 灼熱하고 焦痛하고 乾燥한 것은 風溫症이다. 銀翹散에 加減하여 사용하였다. 風溫으로 몸에 작열감이 있고, 불로 훈증하는 것 같이 焦燥한 것은 發汗시키지 않으면 풀리지 않을 것이고, 焦燥하고 陰의 손상은 發汗을 하면 도리어 거스를 것이므로 養陰을 얻으면 스스로 풀리게 된다. 蜜銀花 三錢, 靑連翹 三錢, 大力子 三錢, 苦桔梗 二錢, 薄荷 三錢, 淡竹葉 三錢, 生白芍 三錢, 生甘草 八分. 이 처방을 일주일간 편안하게 복용시키면 胸腹頭面에서 조금씩 땀이 나면서 풀리고, 땀이 나는 곳의 肌肉은 곧 살아났지만 이 외의 焦灼은 여전하였다. 앞의 처방에서 大力子를 빼고 眞川柴胡 三錢을 넣어 전환하도록 하였다. 또 일주일이 지난 후에 腰 이상에는 땀이 나는데 이하로는 땀이 나지 않았다. 다시 일주일이 지나면서 땀이 足脛에 까지 났다. 양쪽 발에는 땀이 나지 않았고 焦痛하여 땅을 밟을 수가 없었고, 줄곧 복용한 지 4주일에 이르러 온몸에서 땀이 나면서 풀리고 평안하여 병이 없어졌다.

考察: 熱邪를 받아서 人事不省하면 치료는 涼藥으로 除熱하는 것이 적절하다. 의사가 脈症이 어떠한지 묻지도 않고 겨우 평소에 吐血을 앓고 身體가 虛弱한 것에 근거하여 補中湯을 주었는데, 이것은 熱證인데 溫藥을 투여한 것으로 마치 장작더미를 안고 불을 끄려는 것과 같아서 반드시 熱이 쌓여서 火가 되고 火熱이 上沖하고 血을 압박하여 妄行하면 吐血하게 된다. 血이 곧 밖으로 흘러나가면 熱도 출로가 생기는 것이므로 病勢가 조금 감소하면서 人事도 깨어나는 것이다. 본 醫案에서 身灼熱과 脈浮數이 함께 나타나는 것은 바로 風溫의 초기에 熱이 肌表에 있고 밖으로 흩어지지 못한 것이므로 銀翹散에서 性味가 辛溫한 荊芥·淡豆豉를 빼고 白芍藥 및 柴胡(재진 시에 넣음)를 넣어서 밖으로는 風熱을 疏散시키고 안으로는 火熱을 식히는 것이다. 이러한 證을 誤治하여 病勢를 점점 끌면서 낫기 어렵게 만들었기 때문에, 마침내 본 처방을 四周까지 복용하고서야 온몸에서 땀이 나면서 병이 나은 것이다.

2. 感冒『中醫方劑選講』: 某 여자, 14세. 진찰을 받으러 왔을 때 오후부터 약간의 惡寒이 느껴지고, 頭痛과 온몸이 불편하고 저녁을 먹을 수 없었고, 계속해서 發熱과 頭痛이 심해지고 온몸의 뼈가 아프며 無汗과 鼻塞을 호소하였다. 舌診에서는 舌尖紅하고 苔薄白하였고, 脈診에서는 脈象이 浮數하였다. 辨證하면 外感의 風熱表證에 해당되고 치료는 疏風淸熱解表하는 것이 적절하다. 銀翹散에 加減하여 사용하였다: 金銀花 9 g, 連翹 9 g, 竹葉 6 g, 荊芥 6 g, 淡豆豉 9 g, 蘆根 30 g, 薄荷 9 g, 牛蒡子 9 g, 甘草 4.5 g, 神麯 6 g. 저

녁 8시에 약을 복용하고 대략 10시경에 온몸에서 땀이 나고, 땀을 흘린 후에 가족에게 밥을 먹겠다고 하여 묽은 죽을 먹도록 하였고, 다음날 증상이 소실되고 정신이 평상시와 같아서 등교할 수 있었다.

3. 流行性 耳下腺炎『中醫方劑選講』: 某 남자, 7세. 우측 귀 아래쪽이 부어오른 지 2일이 되었고, 다시 하루가 지나면서 좌측으로 파급되었다. 發熱, 微惡寒, 口渴, 頭痛하였다. 검사 결과는 양측 귀 아래쪽 가장자리가 뚜렷하게 腫大하였고, 腫脹한 곳을 누르면 통증이 있고 감각이 過敏하고 彈性이 있으며, 表面이 灼熱하면서 體溫은 38.5℃였고, 舌紅苔薄, 脈數(이하선염 환자와 접촉한 일이 있음)하였다. 유행성 이하선염으로 진단하였다. 銀翹散에서 荊芥·淡豆豉를 빼고, 馬勃·白殭蠶·板藍根·大靑葉을 넣어 복용하고, 紫金錠을 식초에 녹인 후에 환부에 발랐더니 3일 만에 나았다.

考察: 銀翹散은 작용이 辛涼透表하고 淸熱解毒하여 溫病 초기에 邪氣가 肺衛에 있는 證을 치료한다. 醫案2는 溫病 초기에 邪氣가 衛表에 치우친 전형적인 예로 邪氣가 衛陽을 鬱滯하여 毛竅가 閉塞된 것이므로 방제 중에 荊芥·淡豆豉를 모두 사용하고 또한 淡豆豉의 용량을 증가시켜 그 發表祛邪의 藥力을 증강시킨 것이다. 따라서 약을 복용한 지 2시간 후에 患兒가 땀이 나면서 병증이 輕減된 것으로 "用之得法, 自然奏效"함을 충분히 알 수 있다. 醫案3의 유행성 이하선염은 韓醫의 '痄腮'라는 것과 유사하고 溫病의 범주에 해당한다. 溫病 초기에 邪氣가 衛表를 침범하면 邪熱이 비교적 심하므로 性味가 辛溫한 荊芥·淡豆豉를 빼고 淸熱解毒利咽의 馬勃·板藍根 등을 넣은 것이다. 이상의 두 가지 醫案은 모두 溫病의 초기가 되고, 전자는 邪氣가 衛表에 치우쳐 있어서 荊·淡豆豉를 사용하고 또한 증량한 것이며, 후자는 熱邪가 비교적 심하여 荊·淡豆豉를 버리고 아울러서 淸熱藥을 넣은 것이다. 古方을 운용함에 있어서는 융통성 있게 變通을 잘하여야만 치료 효과가 자연스럽게 확실히 믿을 만하다는 것을 나타낸 것이다.

4. 麻毒內閉[發疹性 肺炎(postrash pneumonia)]『蒲輔周醫療經驗』: 某 여자, 1세. 1961년 6월 27일에 對診하였다. 麻疹 10일, 高熱不退, 無汗, 面紅, 氣粗, 咳不爽, 腹滿, 足冷, 大便稀하고 하루에 3회 봄, 小便短黃하였다. 舌紅하고 舌中心은 苔黃하고, 脈浮數有力하였다. 병은 麻疹의 發疹이 완전하지 않은 데다가 感風으로 麻毒內閉가 생긴 것으로 치료는 宣透가 적절하다. 處方: 金銀花連葉 二錢, 連翹 一錢半, 桔梗 一錢, 荊芥 一錢, 炒牛蒡子 一錢半, 淡豆豉 三錢, 鮮蘆根 四錢, 竹葉 一錢半, 白殭蠶 一錢半, 粉葛根 一錢, 升麻 八分, 葱白(後下) 二寸. 주의하여 바람쐬는 것을 피해야 한다. 재진: 약물 복용 후 매일 오후에 高熱, 四肢冷, 腹滿하였다. 알코올 묻힌 수건으로 몸을 닦은 후에 麻疹이 환히 나타나고 오늘 戰慄(먼저 寒戰한 뒤에 發熱함)이 있고, 戰汗이 일어날 것 같으면서도 아직 나오지 않았고, 喉間有痰, 답답함, 胸腹部 및 下肢에 모두 麻疹이 있고 脈沉數, 舌紅無苔하였다. 이것에 근거하면 麻毒의 內陷이 비록 이미 조금씩 나왔지만 氣液이 모두 손상을 받아서 치료는 益氣養陰과 淸熱解毒이 적절하다. 처방: 玉竹 三錢, 麥門冬 一錢, 粉葛根 一錢, 升麻 五分, 連皮茯苓 二錢, 白扁豆皮 二錢, 金銀花藤 二錢, 荷葉 二錢.

考察: 麻疹에 肺炎을 합병한 것이 항상 나타난다. 만약 제때에 치료하지 않고 혹은 처리가 마땅함을 잃어버리면 종종 나쁜 결과를 초래한다. 본 의안은 麻疹이 發疹하되 완전히 나타나지 않고 여기에 風邪를 감수하여 麻毒內陷이 생긴 것이므로 銀翹散에 葛根·升麻를 넣어 解肌透疹과 淸熱解毒하고, 白殭蠶·葱白을 넣어 宣肺祛風한 것이다. 약을 복용한 후에는 疹形이 곧 드러나고 邪毒이 밖으로 완전히 빠져 나갔다. 그러나 氣液이 모두 손상되었으므로 玉竹·麥門冬 등의 益氣養陰藥을 투여하여 正氣가 점차 회복되면서 낫게 된다.

5. 단순 疱疹(herpes simplex)『黑龍江中醫雜誌』(1990, 3:28): 某 남자, 16세. 5일 전에 感冒를 앓았다. 3일째 되는 날 아래턱 부위에 땅콩 알맹이만 한 紅斑

하나가 나타났고, 계속해서 紅斑 위쪽으로 밀집된 丘疹과 水疱가 나타났으며 약간의 滲出液과 黃痂가 있었다. 舌質紅, 苔薄黃, 脈細數하였다. 證은 風熱이 肺를 침습하고 餘熱이 아직 내리지 않아 피부 밖으로 發疹한 것이다. 치료는 清透法이 적당하다. 처방: 金銀花·連翹·荊芥·生地黃·赤小豆·炒牛蒡子 各 12 g, 桔梗·大青葉·紅花 各 6 g, 焦山梔子 3 g을 물에 달여서 1일 1첩을 복용한다. 재진: 4일 후에 紅斑이 이미 물러나고 丘疱疹의 딱지가 떨어지고 輕度의 색소침착이 남았다. 原方의 기초 위에서 沙蔘 15 g, 石斛 12 g을 넣어 3첩을 복용한 후에 清解護陰함으로써 효과가 현저하였다.

考察: 感冒 후에 나타나는 紅斑·血疹·水疱는 바로 餘熱이 아직 다하지 않고 肌腠에 鬱滯하고 血脈에 浸淫한 것이므로 치료는 疏表清裏와 涼血除濕이 적절하다. 방제로는 銀翹散을 써서 清熱解毒과 輕宣疏散하여 邪氣를 밖으로 몰아내고, 여기에 生地黃·大青葉·山梔子 및 紅花를 넣어 清熱涼血消斑하며, 梔子와 赤小豆를 배합하여 清利濕熱한다. 모든 약물들을 같이 배합하여 熱이 내리고 濕이 없어지면 疱疹이 완전히 낫는다.

6. 猩紅熱(scarlet fever) 『浙江中醫學院學報』(1983, 2:28): 某 남자, 3세. 금일 오후에 發熱하고 직장온도는 38.8℃이고, 惡寒無汗, 鼻衄, 咽紅腫痛, 小便短黃, 舌尖紅, 苔根膩, 脈浮數하였다. 이것은 風熱이 밖에서 침습하고 肺衛가 속박을 받고 熱이 咽喉를 뜨겁게 지진 것이다. 치료는 辛涼透表와 解毒利咽을 하였다. 처방: 金銀花 6 g, 連翹 6 g, 淡豆豉 4.5 g, 淡竹葉 6 g, 鮮蘆根 15 g, 薄荷(後下) 3 g, 牛蒡子 4.5 g, 川貝母 6 g, 製天蟲 4.5 g, 蟬蛻 4.5 g, 射干 6 g, 山豆根 4.5 g을 萬氏牛黃清心丸 1顆와 함께 복용하였다. 재진: 1첩을 복용한 후에 熱이 물러나고 鼻衄이 그쳤으며, 오후에는 耳後·頸·胸·背 및 四肢의 皮膚에 앞뒤로 붉은색 작은 반점들이 나타났으며 만져보니 거칠고 皮膚가 높이 솟아있고 瘙痒하여 편하지 않으며 咽紅腫痛하였다. 舌質鮮紅, 苔根稍膩하여 앞의 처방에서 淡豆豉를 빼고 生甘草를 넣어 치료하였다. 두 번째 재진: 3첩을 복용한 후에 皮膚의 반점들이 이미 숨어버렸고 아울러 소량의 落屑이 있었으며, 咽部가 조금 붉고 苔膩한 것이 이미 없어졌기에 原方 3첩을 계속해서 복용하였다.

考察: 이 의안은 猩紅熱의 輕證과 관계되고, 매번 熱毒이 밖에서 침습하고 肺胃가 邪氣를 받은 까닭이다. 초기에는 대부분 肺衛의 症狀이 보이고, 가벼운 자는 咽痛을 참을 수 없고, 심하면 糜爛滲血하고 熱毒이 肺胃로부터 밖으로 肌膚에 스며들므로 온몸에 모두 痧子가 퍼진다. 심하면 錦紋과 같은 조각이 생긴다. 치료는 解表透邪를 위주로 하는 것이 적절하고, 처방은 銀翹散으로 辛涼透表하되 性味가 辛溫한 荊芥를 빼고 射干·山豆根·川貝母 및 萬氏牛黃清心丸을 넣어 清熱涼血·解毒利咽하고, 白殭蠶·蟬蛻를 넣어 疏風清熱透邪한 것이다.

【副方】 銀翹湯(『溫病條辨』卷2): 銀花 五錢(15 g) 連翹 三錢(9 g) 竹葉 二錢(6 g) 生甘草 一錢(3 g) 麥冬 四錢(12 g) 細生地 四錢(12 g)

- 用法: 水煎服.
- 效能: 透表清熱.
- 主治: 陽明溫病, 下後無汗脈浮者.

銀翹湯은 透表清熱의 輕劑이다. 下法을 쓴 이후에 쌓인 찌꺼기가 제거되고 腑氣가 통하며 남아 있는 邪氣가 表로 돌아간다. 그러나 陰液이 이미 손상되었으므로 外透法을 써서는 안 된다. 증상은 無汗하고 脈浮가 나타나므로 銀翹散의 취지에 의하여 "仍以銀花·連翹, 解表而輕宣表氣"한다. 竹葉을 配伍하여 清心利尿하고, 生甘草로 清熱解毒하며, 麥門冬·生地黃을 增量하여 滋陰清熱하면, 表로 돌아간 邪氣는 땀이 나면서 풀리게 된다. 만약 下法을 쓴 이후에 비록 無汗하더라도, 다만 脈浮而洪하고 혹은 不浮而數한 者는 이 방제를 사용할 수 없다.

【參考文獻】

1) 張仲信, 包源英. 銀翹散有無元參問題的商討. 浙江中醫雜誌. 1965;(2):12.

2) 湖北中醫學院方劑教研室.『古今名方發微』. 湖北: 湖北科學技朮出版社, 1986:57.

桑菊飮

(『溫病條辨』卷1)

【組成】 桑葉 二錢五分(7.5 g) 菊花 一錢(3 g) 杏仁 二錢(6 g) 連翹 一錢五分(5 g) 薄荷 八分(2.5 g) 桔梗 二錢(6 g) 生甘草 八分(2.5 g) 葦根 二錢(6 g)

【用法】 물 2잔을 달여서 1잔이 되면 취하여 하루 두 번 복용한다.

【效能】 疏風淸熱, 宣肺止咳.

【主治】 風溫初起, 表熱輕證. 但咳, 身熱不甚, 口微渴, 脈浮數.

【病機分析】 肺는 가장 높이 자리하고 있고 또한 嬌臟이며 寒熱을 잘 견디지 못하기 때문에 溫熱의 病邪가 口鼻로부터 몸안으로 들어오면 肺가 반드시 먼저 그 病邪를 받고 그것이 肺絡에 머무르게 되면 肺는 淸肅을 잃어버리므로 咳嗽를 主症으로 하게 된다. 받은 邪氣가 輕淺하고 몸에 熱은 심하지 않는다. 溫邪는 津液을 가장 쉽게 손상시키지만 邪熱이 輕微하기 때문에 口渴 또한 微弱한 것이다.

이미 본 방제의 病證이 咳嗽가 위주가 된다고 말하였는데, 그것이 風熱의 所致라는 것을 어떻게 알겠는가? 發熱과 口渴 두 가지 증상이 함께 나타나기 때문에, 비록 두 가지 증상이 輕微하다고 하지만 惡寒이 없으므로 그것은 風熱咳嗽이지 風寒咳嗽가 아님을 알 수 있다. 본 방제의 病證은 肌表의 증상이 뚜렷하지 않기 때문에 그 病變의 중심이 肺에 있음을 알 수 있다. 바로 吳氏가 "咳, 熱傷肺絡也. 身不甚熱, 病不重也. 渴而微, 熱不甚也."라고 말한 것과 같다. 이상에서 서술한 것들을 종합해 보면 본 방제의 病證의 病機는 溫病 초기에 肺가 宣發·肅降을 잃어서 생긴 表熱輕證이 된다.

【配伍分析】 風熱의 病邪가 肺衛에 있으면 主症은 咳嗽가 되고 치료는 內淸肺熱과 宣肺止咳를 해야 하고, 衛氣는 肺에 통하기 때문에 또한 外散風熱해야 하므로 疏風淸熱과 宣肺止咳를 治法으로 세워야 한다. 방제 중의 桑葉은 性味가 甘苦涼하여 上焦의 風熱을 疏散하고 또한 肺絡으로 잘 가기 때문에 淸宣肺熱하고 咳嗽를 그치게 할 수 있다.『重慶堂隨筆』卷下에서 "風溫暑熱服之, 肺氣淸肅, 即能汗解."라고 하였다. 菊花는 性味가 辛甘寒하여 疏散風熱, 淸利頭目하고 肅肺한다. 그것을『本草經疏』卷6에서 "去風之要藥"이라고 하였고,『藥品化義』卷6에서 "淸香氣散, 主淸肺火"라고 하였다. 두 가지 약물은 가볍고 맑고 재빨라서 직접 上焦로 가서 肺 중의 風熱을 잘 疏散시켜 病因을 제거하므로 함께 君藥이 된다. 薄荷는 性味가 辛涼하여 "辛能發散, 涼能淸利, 專於消風散熱."(『本草綱目』卷14)이라고 하였다. 이를 사용하면 君藥을 도와서 上焦의 風熱을 疏散시키고 解表의 藥力을 강화시키므로 臣藥이 된다. 杏仁은 肅降肺氣하고, 桔梗은 開宣肺氣하므로 두 가지 약물은 一宣一降함으로써 肺의 宣發과 肅降의 기능을 회복시켜 咳嗽를 그치게 한다. 連翹는 透邪解毒하고, 蘆根은 淸熱生津止渴하여 함께 佐藥이 된다. 甘草는 調和諸藥하여 使藥이 되며, 또한 桔梗과 서로 배합하면 咽喉를 이롭게 한다. 모든 약물을 서로 配伍하여 上焦의 風熱이 疏散되고 肺氣가 宣暢하게 되면 表證이 풀리고 咳嗽는 그치게 된다.

본 방제는 '辛涼微苦'에 의하여 治法을 세운 것으로, 그 配伍의 특징은 輕淸宣散藥으로 疏散風熱하여

淸頭目하고, 苦平宣降藥으로 理氣肅肺하여 咳嗽를 그치게 한 것이다.

【類似方比較】 銀翹散은 桑菊飮과 함께 溫病 초기를 치료하는 辛涼解表劑이고, 공통으로 조성된 약물은 連翹·桔梗·甘草·薄荷 및 蘆根의 다섯 가지이다. 그러나 銀翹散은 金銀花에 荊芥·淡豆豉·牛蒡子 및 竹葉을 配伍하고 있고 解表淸熱의 藥力이 강하여 '辛涼平劑'가 되고 溫病 초기에 邪氣가 衛表에 鬱滯되고 熱毒이 肺에 침습하여 생긴 發熱, 微惡寒, 咽痛 및 口渴 등의 證에 적절하다. 桑菊飮은 桑葉·菊花에 杏仁을 配伍하고 있고 肅肺止咳의 藥力은 강하지만 解表와 淸熱의 작용은 모두 銀翹散에 비하여 약하므로 '辛涼輕劑'가 되고 溫病 초기에 風熱이 肺에 침범하여 생긴 咳嗽, 發熱不甚 및 微渴 등의 證에 적합하다.

【臨床應用】

1. 證治要點: 본 방제는 '辛涼輕劑'로 風熱咳嗽輕證을 치료하는 常用 방제이고, 咳嗽, 發熱不甚, 微渴 및 脈浮數을 辨證論治의 要點으로 한다.

2. 加減法: 만약 2~3일 후에 喘息처럼 숨이 거친 것은 氣分에 熱의 氣勢가 점점 盛해지는 것으로 石膏·知母를 넣어 氣分의 熱을 淸解해야 하고, 舌絳·暮熱은 邪氣가 처음 營分으로 들어가는 형상으로 水牛角·玄參을 넣어 淸營涼血해야 하는데, 여전히 原方을 사용하여 淸宣肺衛하고 透熱轉氣한다. 만약 熱이 血分에 들어가서 舌質深絳하고 躁擾 혹은 神昏譫語하면 아마도 耗血動血할 수 있어 바로 涼血散血해야 한다. 薄荷·葦根을 빼고 生地黃·牡丹皮·麥門冬과 玉竹을 넣어 涼血和血養陰하는 것이 적합하다. 만약 肺熱이 심하면 黃芩을 넣어 淸肺熱하는 것이 좋고, 만약 口渴이 심한 者는 天花粉을 넣어 生津止渴한다. 咽喉紅腫疼痛을 兼하면 玄參·板藍根을 넣어 淸熱利咽하고, 만약 咳痰黃稠하고 咯吐해도 시원하지 않으면 瓜蔞仁·黃芩·桑白皮 및 貝母를 넣어 淸熱化痰하며, 咳嗽咯血하는 者는 白茅根·茜草根·牡丹皮를 넣어 涼血止血하는 것이 좋다. 目赤腫痛을 치료할 때에는 刺蒺藜·蟬蛻·木賊 및 決明子를 넣어 祛風淸熱明目하는 것이 적절하다.

3. 桑菊飮은 다음 한국표준질병사인분류(KCD)에 해당하는 환자가 風溫初起, 表熱輕證으로 辨證되는 경우 본 처방의 사용을 고려해볼 수 있다.

처방 목표	한국표준질병사인분류(KCD)
感冒	J00 급성 비인두염[감기]
急性氣管支炎	J20 급성 기관지염
上氣道感染	J00~J06 급성 상기도감염
肺炎	J09~J18 인플루엔자 및 폐렴
	J20~J22 기타 급성 하기도감염
	J18.9 상세불명의 폐렴
急性結膜炎	H10.2 기타 급성 결막염
	H10.3 상세불명의 급성 결막염
角膜炎	H16 각막염

【注意事項】 본 방제는 '辛涼輕劑'로 만약 肺熱이 심한 자는 응당 加味한 후에 운용해야 하고, 그렇지 않으면 病은 重한데 藥이 輕하여 藥이 病을 이기지 못한다. 風寒咳嗽에는 사용을 금한다. 본 방제의 藥物은 모두 輕淸藥과 관계되므로 오래 달이는 것은 마땅하지 않다.

【變遷史】 본 방제는 吳瑭의 『溫病條辨』 上焦篇으로부터 나왔다. 吳瑭은 "風溫咳嗽, 雖系小病, 常見誤用辛溫重劑, 消爍肺液, 致久咳成勞者, 不一而足."이라는 것을 고려하였다. 또한 당시에 "僉用杏蘇散通治四時咳嗽, 不知杏蘇散辛溫, 只宜風寒, 不宜風溫, 且有不分表裏之弊."라는 것을 감안하고 여기에서 "肺爲淸虛之臟, 微苦則降, 辛涼則平."(『溫病條辨』卷1)이라는 특징을 결합하여 '辛涼微苦'의 桑菊飮을 만들어 "以避辛溫也"한 것이다.

吳瑭이 이 방제를 만든 것은 실제로 葉桂의 風溫治療 醫案의 啟發을 받은 것이다. 葉桂의 『臨證指南

醫案』卷5에는 "秦某, 體質血虛, 風溫上受, 滋淸不應, 氣分燥也, 議淸其上. 石膏·生甘草·薄荷·桑葉·杏仁·連翹."라는 것이 실려 있다. 葉桂의 醫案은 氣分의 熱을 내리는 데 치중되어 있고, 吳瑭은 葉桂의 醫案에 있는 辛寒淸降의 기초 위에서 '肺爲淸虛之臟'이라는 것을 고려하여 藥性이 大寒한 石膏를 淸潤한 菊花로 바꾸고, 다시 桔梗과 蘆根을 넣고, 바로 이 風熱이 肺絡을 침범한 것을 치료하는 방제를 만든 것이다.

吳瑭은 본 방제를 사용하여 "太陰風溫, 但咳, 身不甚熱, 微渴者."를 치료하였고, 또한 秋燥之證도 치료하였다. 예를 들면『溫病條辨』卷1에 "感燥而咳者, 桑菊飮主之."라고 하였다. 溫을 上에서 받고 燥도 上에서 感受하면 모두 肺金이 病邪를 받은 것이다. 본 방제는 辛涼宣透하여 疏風淸熱과 生津潤肺할 수 있으므로 이 방제를 사용하는 것 역시 매우 적절한 것이다. 現代에는 방제 중의 桑葉과 菊花에는 淸肝明目의 작용이 있다는 것에 근거하여 본 방제에 夏枯草·決明子 및 刺蒺藜 등을 넣어 肝經의 風熱에 의한 目赤腫痛을 치료하였는데, 이것은 본 방제의 응용에 대한 발전이다.

최근에는 桑菊散·桑菊感冒錠·桑菊感冒丸·桑菊感冒合劑·桑菊感冒顆粒劑·桑菊感冒시럽 등의 製劑가 있어서 임상에서 病勢에 근거하여 선별하여 사용할 수 있다.

【難題解說】 본 방제를 '桑菊'으로 命名한 意義에 관하여: 본 방제는 辛涼解表의 輕劑이고, 吳瑭은 왜 桑葉·菊花의 작용을 강조하고 동시에 두 가지 약물로 方劑名을 붙인 것인가? 대개 본 방제는 辛涼解表法에 해당되지만 病變은 주로 風熱이 肺絡에 있는 것이므로 그 약물은 응당 肺 중의 風熱을 제거하는 약물이 위주가 되어야 한다. 두 가지 약물은 그 歸經이 肺經이고 輕淸涼散하고 그 작용은 肺 중의 風熱을 淸疏시키는데 장점을 보이고, 더욱이 "桑葉芳香有細毛, 橫紋最多"하고 "走肺絡"하므로 君藥으로 쓰이는데, 이것이 그 첫째이다. 두 번째는 疏風淸熱藥이 매우 많은데, 이것을 선택한 것은 그들의 歸經이 肝經 및 肺經의 두 經과 관련이 있다. 肝은 升을 주관하고 肺는 降을 주관한다. 肝의 升發은 肺가 肅降을 잃어서 太過에 이르지 않도록 하고, 肺의 淸肅은 肝을 升發하여 過亢에 이르지 않게 한다. 두 臟의 升降이 相因하고 相制하여 작용하는 것이다. 지금 風熱이 肺를 침범하고 肺가 淸肅을 잃으면 肝을 제어할 수 없어서 극도로 흥분하여 熱로 바뀌고 肝經에는 熱이 있으며 木火刑金하면 肺의 病變이 加重되므로 치료는 마땅히 肝과 肺를 함께 치료해야 한다. 두 가지 약물은 그 歸經이 肝經과 肺經이라 이미 肺 중의 風熱을 疏散시킬 수 있고 또한 肝經의 熱邪를 淸解할 수 있으며, 肝과 肺가 모두 淸해지고 相制가 정상으로 회복되면 病證은 낫게 된다. 이것이 바로 淸肝해서 寧肺시킨다는 뜻이다. 셋째는 溫熱의 邪氣는 매번 쉽게 津液을 손상시키고 "肺爲淸虛之臟"이므로 肺藥은 潤해야지 燥해서는 안 된다. 桑葉과 菊花는 모두 甘潤藥이고, 특히 菊花는 吳瑭은 "能補金水二臟"이라고 하였고, 李時珍 또한 "菊花, 昔人謂其能除風熱, 益肝補陰. 蓋不知其尤多能益金·水二臟也, 補水所以制火, 益金所以平木, 木平則風熄, 火降則熱除, 用治諸風頭目, 其旨深微."(『本草綱目』卷15)라고 강조하였다. 이 두 가지 약물을 운영하면 淸疏하는 중에 또한 扶正의 뜻이 있다.

【醫案】

1. 咳嗽『吳鞠通醫案』卷4: 乙酉年 5월 24일, 劉, 17세. 3월 사이에 春溫으로 기침이 나고 피가 보이며, 현재 六脈이 弦細하였다. 五更인 丑寅卯時에 單聲의 咳嗽가 심하였고, 그것을 木扣金鳴이라고 하고 風은 본래 木에서 생긴다. 辛甘化風과 甘涼柔木의 의견을 내었다. 連翹 三錢, 細生地 三錢, 薄荷 一錢, 苦桔梗 三錢, 桑葉 三錢, 天門冬 一錢, 茶菊花 三錢, 甘草 二錢, 麥門冬 三錢, 鮮蘆根 三錢. 28일에 再診: 咳嗽가 줄고 음식량이 늘었으며 脈은 여전히 洪數하고 왼쪽이 오른쪽보다 크다. 효과가 있어서 처방을 바꾸지 않고 다시 4~5첩을 복용하였다. 6월 초에 두 번째, 세 번째 진찰을 받음: 木扣金鳴에 柔肝淸肺하여 이미 효과가

있었고 左脈의 洪數은 이전보다 감소하였다. 처방에서 氣分에 작용하는 辛藥을 빼고 甘潤藥을 넣었다.

考察: 嗆咳見血, 五更咳甚 및 脈弦細는 肝經風熱과 木火刑金에 肝陰不足을 兼한 證이다. 그러므로 桑菊飮으로 疏散風熱과 清肝寧肺하며, 生地黃·麥門冬 및 天門冬을 넣어 滋陰柔肝한 것이다. 藥과 證이 부합하므로 약제를 투여하면 바로 효과가 있는 것이다.

2. 感冒『蒲輔周醫療經驗』: 某 남자, 74세, 1960년 3월 28일 初診. 어제 저녁 熱이 나고 體溫은 37.9℃였으며, 小便黃, 脈浮數 및 舌赤無苔하였다. 風熱感冒에 해당되어 치료는 辛涼이 적절하다. 처방: 桑葉 二錢, 菊花 二錢, 牛蒡子 二錢, 連翹 二錢, 桔梗 一錢半, 蘆根 五錢, 白殭蠶 二錢, 竹葉 二錢, 生甘草 一錢, 香豆豉 三錢, 薄荷(後下) 八分, 葱白(後下) 三寸. 2회 물에 달여서 200 mL를 취하고, 아침 저녁으로 2회에 나누어 복용하며 연속해서 2첩을 복용한다. 3월 30일 再診: 약물을 복용한 후에 熱이 내려가고 체온은 36.4℃였으며, 咳嗽는 輕減하였지만 痰이 黏滯하여 不利하였다. 舌正無苔하고 脈緩和하였다. 感冒는 기본적으로 이미 나았기 때문에 치료는 調和肺胃에 化痰濕을 兼하는 것이 적절하여 蔞貝二陳湯加減을 사용하였다.

3. 아데노바이러스 폐렴(adenovirus pneumonia)『蒲輔周醫療經驗』: 某 여자, 8개월 된 영아, 1961년 4월 10일 協診하였다. 아데노바이러스 폐렴으로 高熱이 일간 지속되었고 현재 체온은 39.8℃이며, 咳喘, 周身發有皮疹, 驚惕, 口腔潰爛, 唇乾裂, 腹脹滿, 大便稀하여 하루에 5번 보고, 脈浮有力 및 舌紅少津無苔하였다. 風熱閉肺에 해당되어 치료는 宣肺祛風과 辛涼透表의 治法이 적절하다. 처방: 桑葉 一錢, 菊花 一錢, 杏仁 一錢, 薄荷(後下) 七分, 桔梗 七分, 蘆根 三錢, 甘草 八分, 連翹 一錢, 白殭蠶 一錢半, 蟬衣(全) 七個, 葛根 一錢, 黃芩 七分, 葱白(後下) 二寸. 2회 물에 달여서 120 mL를 취하고 여러 번 나누어서 따뜻하게 복용하였다. 4월 11일 再診: 熱勢가 조금 줄고 체온이 39℃이고, 舌紅苔微黃少津, 面紅, 腹微滿, 四肢不涼하였고 나머지는 이전과 같았다. 原方에서 葛根을 빼고 淡豆豉 三錢을 넣어 다시 1첩을 복용하였다. 4월 12일 三診: 身熱은 이미 물러났고, 咳嗽痰은 줄었고 皮疹은 점점 물러났으며, 잠을 자려고 눈을 뜨려 하지 않았고, 大便稀는 호전되어 대변 보는 횟수도 줄었으며, 腹部는 조금 후에 脹滿하지 않았다. 脈浮數, 舌紅苔薄白하고 舌唇은 여전히 潰爛하였다. 原方에서 葱白과 淡豆豉를 빼고 炙枇杷葉 一錢과 前胡 七分을 넣은 다음, 달이고 복용법은 이전과 같이 하여 연속해서 2첩을 복용하였더니 점점 나았다.

考察: 肺는 嬌臟이고 清虛하면서 높은 자리에 있어서 방제를 선별할 때는 대부분 輕清해야지 重濁해서는 안 된다. 이것은 바로 "治上焦如羽, 非輕不擧"라는 이치이다. 醫案2는 風熱感冒에 해당되고 證이 衛表에 편중되었기 때문에 桑菊飮에 葱豉湯을 合方하여 辛涼透表하고 宣肺化痰하며 2첩을 복용하면 感冒는 기본적으로 얼마 후에 낫는다. 醫案 3은 비록 이미 高熱한 지 7일이지만 脈浮는 風熱閉肺의 징후이고 치료는 마땅히 辛涼透表하고 宣肺祛風하며 清熱을 兼해야 하므로 桑菊飮에 白殭蠶·蟬蛻·葛根 및 黃芩을 넣어 사용한 것이고, 약물을 쓴 후에 熱勢가 輕減해도 여전히 原方에 加減하면 병이 낫게 된다.

麻黃杏仁甘草石膏湯

(『傷寒論』)

【異名】 麻黃杏仁湯(『普濟方』卷39)·麻黃杏子草膏湯(『赤水玄珠』卷29)·麻杏甘石湯(『張氏醫通』卷16)·四物甘草湯(『千金方衍義』卷9)·麻杏石甘湯(『醫宗金鑒』卷59).

【組成】 麻黃 去節 四兩(9 g) 杏仁 去皮尖 五十個(9 g) 甘草 炙 二兩(6 g) 石膏 碎, 綿裹 半斤(18 g)

【用法】 물 7되로 麻黃을 달여서 위에 뜨는 거품을 제거한 후, 나머지 세 가지 약물을 넣고 달여서 2되를 취하고 찌꺼기는 버린 후 1되를 따뜻하게 복용한다.

【效能】 辛涼疏表, 淸肺平喘.

【主治】 外感風邪, 肺熱咳喘證. 身熱不解, 咳逆氣急, 甚則鼻煽, 口渴, 有汗或無汗, 舌苔薄白或黃, 脈浮而數者.

【病機分析】 본 방제의 병증은 外感의 風邪가 裏로 들어가서 熱로 바뀌고 肺를 막아서 肺가 宣發과 肅降을 상실하여 생긴 것이다. 風熱이 表에 침습하고 表邪가 풀리지 않고 裏로 들어가고, 혹은 風寒의 邪氣가 鬱滯되어 熱로 바뀌고 裏로 들어가면, 邪熱이 內外에 충만하므로 身熱이 풀리지 않고 苔黃하고 脈浮數하는 것이고, 熱이 肺를 막으면 肺가 宣發과 肅降을 잃어버리게 되므로 咳逆氣急하고 심하면 鼻煽하는 것이며, 熱邪가 津液을 손상시키므로 口渴하는 것이다. 熱의 성질은 升散하고 津液을 핍박하여 밖으로 빠져나가게 하므로 有汗이 나타난다. 熱邪는 風邪가 裏로 들어가서 熱로 바뀐 까닭이고, 表邪가 다 풀리지 않았을 때에는 衛氣가 鬱滯되어 毛竅가 닫히면서 無汗하는 것이며, 苔薄白하고 脈浮한 것도 역시 表證이 아직 다 풀리지 않은 징후이다.

【配伍分析】 본 방제의 병증의 病變 특징은 熱邪가 肺를 壅閉하고 肺가 宣發과 肅降을 잃어버린 것으로 치료는 淸泄肺熱과 宣降肺氣를 위주로 해야 한다. 또한 邪氣가 밖으로부터 들어오고 또한 表證이 아직 다 풀리지 않았으므로 치료는 반드시 밖에 辛散透邪하여 邪氣의 出路를 찾게 되고, 다른 한편으로 肺는 皮毛를 주관하므로 肺熱이 透散을 통하여 밖으로 충분히 나갈 수 있다. 그러므로 辛涼疏表와 淸熱平喘을 治法으로 설계하였다. 방제 중의 麻黃은 性味가 辛甘溫하여 宣肺平喘하고 解表散邪하며, 그 辛散 작용은 表邪가 아직 다 풀리지 않은 것을 兼하여 치료하고 또한 肺 중의 熱邪가 밖에 이르도록 이롭게 한다. 바로『本草正義』에서 "麻黃, 輕淸上浮, 專疏肺鬱, 宣泄氣機, 是爲治外感第一要藥. 雖曰解表, 實爲開肺, 雖曰散寒, 實爲泄邪, 風寒固得之而外散, 即溫熱亦無不賴之以宣通."이라고 한 것과 같다. 石膏는 性味가 辛甘大寒하여 肺胃의 熱을 淸泄시킴으로써 津液을 생성시키고 辛散解肌하여 透邪시킨다.『長沙藥解』卷3에서 그것을 일컬어 "淸金而止燥渴, 泄熱而除煩躁."라고 하였고,『經證證藥錄』卷5에서 "寒重, 能淸燥土之熱, 辛涼能散風淫之疾."이라고 하였다. 두 가지 약물 중에서 그 性味가 하나는 辛溫하고 하나는 辛寒하며, 하나는 宣肺를 위주로 하고 다른 하나는 淸肺를 위주로 하며, 또한 모두 밖에서 透邪시킬 수 있기 때문에 배합하여 사용하면 相反하는 중에 相輔의 뜻이 숨어 있기 때문에 발병의 원인을 제거하고 또한 肺의 宣發 기능을 調理하므로 모두 君藥으로 하였다. 石膏가 麻黃보다 倍로 들어가 본 방제는 辛涼劑를 잃지 않게 된 것이다. 麻黃이 石膏를 얻으면 宣肺平喘하면서도 熱을 조장하지 않고, 石膏가 麻黃을 얻으면 淸解肺熱하면서도 涼의 막음이 없고, 또한 이것은 相制하기에 쓰이는 것이다. 杏仁은 味가 苦하여 잘 降利肺氣하면서 平喘咳한다. 麻黃은 開宣肺氣하여 平喘止咳하고, 石膏는 質重하여 下降하고 淸熱하는 동시에 肺氣의 下行을 돕는 작용이 있다. 그러므로 杏仁과 麻黃을 서로 配伍하여 하나는 宣發하고 하나는 肅降하면 宣發과 肅降이 서로 의지하고, 石膏와 서로 配伍하여 하나는 淸熱하고 하나는 肅降하면 淸熱과 肅降을 협력하여 臣藥이 된다. 炙甘草는 益氣和中하고 石膏와 서로 배합하여 生津止渴하고, 麻黃과 서로 배합하여 止咳平喘하며, 또한 寒溫宣降의 사이를 調和시킬 수 있어서 佐使藥이 된다. 네 가지 약물이 配伍되어 함께 辛涼疏表와 淸肺平喘의 작용이 이루어진다. 본 방제의 配伍는 엄격하고 用量 또한 숙고해야 하며, 배울 때에는 반드시 심혈을 기울여서 체득해야 한다.

본 방제의 配伍 특징은 解表와 淸肺를 병용하되 '淸'을 위주로 하고, 宣肺와 降氣를 결합하되 '宣'을 위주로 하였다.

【類似方比較】 麻杏石甘湯과 麻黃湯이 치료하는 것은 모두 喘咳가 있어서 麻黃·杏仁·甘草를 사용하여 解表散邪·宣降肺氣 및 止咳平喘하였다. 그러나 麻杏石甘湯이 치료하는 喘咳는 表邪가 裏로 들어가서 熱로 바뀌고 肺를 막아서 생긴 熱喘이며, 證候의 특징은 發熱, 喘咳, 無汗或有汗, 苔薄白或黃, 脈浮數으로 表裏同病에 해당되고 肺熱이 위주가 되므로 치료는 辛涼疏表와 淸肺平喘한다. 방제에서 麻黃에 石膏를 配伍하여 사용한 것은 淸熱宣肺를 위주로 하고 兼하여 解表祛邪함으로써 肺熱을 내리고 表邪를 물러나게 하여 肺氣는 宣發하면서 喘咳는 저절로 그치게 된다. 麻黃湯이 치료하는 喘咳는 風寒이 表를 속박하고 肺氣가 宣發을 잃은 까닭이며, 證候의 특징은 惡寒發熱, 無汗而喘, 苔薄白, 脈浮緊으로 그것은 風寒表實證에 해당되므로 치료는 반드시 辛溫發汗과 宣肺平喘해야 한다. 방제에서 麻黃에 桂枝를 配伍하여 相須로 사용한 것은 發汗解表를 위주로 하고 兼하여 宣肺平喘함으로써 風寒을 풀리게 하여 肺氣가 宣發하면서 喘咳가 저절로 평정하게 된다. 두 가지 방제는 겨우 한 약물의 차이가 있지만 作用 및 적응증의 病機는 큰 차이가 있어서, 仲景의 약물 선별의 정밀함을 여기에서 일부 엿볼 수 있다.

【臨床應用】

1. 證治要點: 본 방제는 外感의 風邪가 裏로 들어가서 熱로 바뀌어 생긴 肺熱의 喘咳를 치료하는 常用方劑이다. 石膏는 그 용량이 麻黃보다 倍로 들어가 있어서 그 작용의 무게는 淸宣肺熱에 있는 것이지 發汗에 있는 것이 아니므로 임상에서 運用할 때에는 發熱, 喘咳, 苔薄黃 및 脈數을 辨證論治의 요점으로 삼고 表證을 다 갖출 필요는 없다.

『傷寒論』에서는 원래 본 방제를 사용하여 太陽病에 發汗시켰으나 낫지 않고 風寒의 邪氣가 裏로 들어가서 熱로 바뀌어 '汗出而喘'하는 자를 치료하였다. 후대에는 風寒化熱 혹은 風熱犯肺 및 內熱外寒에 사용하였지만, 熱邪壅肺를 보이고 身熱喘咳·口渴·脈數이 보이며 땀의 有無를 막론하고 모두 본 방제에 加減하여 효과를 얻었다.

麻疹이 이미 發疹하였고 혹은 아직 發疹하지 않았는데 身熱煩渴하고 咳嗽로 호흡이 거칠고 숨이 찬 증상이 나타난 것이 疹毒內陷하고 肺熱熾盛한 者에 해당되면 또한 加味하여 사용한다.

2. 加減法: 肺熱이 심하고 壯熱汗出한 者는 石膏의 용량을 늘리고 동시에 桑白皮·黃芩·知母를 참작하여 넣고 淸泄肺熱한다. 表邪가 偏重되고 無汗과 惡寒이 있으면 石膏의 용량은 줄이는 것이 적절하고 薄荷·蘇葉·桑葉 등을 참작하여 넣음으로써 解表宣肺의 藥力을 돕는다. 痰多氣急하면 葶藶子·枇杷葉을 넣어 降氣化痰하고, 痰黃稠·胸痛한 자는 瓜蔞仁·貝母·黃芩·桔梗을 넣어 淸熱化痰과 寬胸利膈한다. 麻疹에 쓸 때에 만약 麻疹內陷에 해당되어 高熱, 咳嗽, 呼吸急促, 鼻煽, 煩躁, 舌質紅, 苔黃 및 脈數이 나타나면 連翹·金銀花·黃芩·赤芍藥 등을 참작하여 넣고 淸熱解毒하고, 麻疹이 아직 發疹하지 않았고 혹은 發疹했다가 숨어버릴 때는 薄荷·荊芥·牛蒡子를 넣어 疏表透疹하고, 麻疹의 색이 暗紅하면 牡丹皮·紫草를 넣어 涼血活血시킨다.

3. 麻黃杏仁甘草石膏湯은 다음 한국표준질병사인분류(KCD)에 해당하는 환자가 外感風邪, 肺熱證으로 辨證되는 경우 본 처방의 사용을 고려해볼 수 있다.

처방 목표	한국표준질병사인분류(KCD)
感冒	J00 급성 비인두염[감기]
上氣道感染	J00~J06 급성 상기도감염
急性氣管支炎	J20 급성 기관지염
氣管支炎	J40 급성인지 만성인지 명시되지 않은 기관지염

처방 목표	한국표준질병사인분류(KCD)
肺炎	J09~J18 인플루엔자 및 폐렴
	J20~J22 기타 급성 하기도감염
	J18.9 상세불명의 폐렴
麻疹	B05 홍역
百日咳	A37 백일해
夏季熱	T67 열 및 빛의 영향
皮膚科	(질병명 특정곤란)
	L00~L99 XII. 피부 및 피하조직의 질환
肛門疾患	K62 항문 및 직장의 기타 질환_항문질환
五官科	J00~J99 X. 호흡계통의 질환
	H00~H59 VII. 눈 및 눈 부속기의 질환
	H60~H95 VIII. 귀 및 유돌의 질환

【注意事項】 風寒咳喘과 痰熱壅盛한 者는 본 방제가 모두 마땅하지 않다.

【變遷史】 본 방제는 『傷寒論』에서 처음으로 보인다. 原書에는 "汗出而喘"과 "無大熱者"를 치료하였다. 역대 의학자들은 임상의 실천 과정에서 본 방제의 병증이 임상에서는 '汗出而喘者'도 있고 '無汗而喘者'도 있음을 발견하였다. 여기에서 응용할 때에는 有汗 혹은 無汗을 막론하고 모두 투여할 수 있다고 주장하였다. 예를 들어 『醫宗金鑑』「刪補名醫方論」卷6에서는 "治溫熱內發, 表裏俱熱, 頭痛身疼, 不惡寒反惡熱, 無汗而喘, 大煩大渴, 脈陰陽俱浮者, 用此發汗而清火."라고 하였고, 淸代 의학자인 翁藻와 朱丹山 등은 본 방제의 淸宣透散의 작용을 취하여 麻疹의 "初出不透, 無汗喘急."(『醫鈔類編』)을 치료하는 데 사용하였다. 당시의 의학자들은 '肺合皮毛', '開竅於鼻', 그리고 '喉爲肺系' 및 '肺與大腸相表裏' 등의 이론에 의거하여 본 방제를 皮膚病·鼻病·咽喉疾患 및 痔瘡 등에 사용하여 본 방제의 응용범위를 확대하였다. 이것들은 모두 古方을 잘 사용한 범례에 해당된다.

麻杏石甘湯은 "汗出而喘"을 치료하고, 淸·疏·宣·降의 네 가지 治法을 幷用함으로써 後世의 解表·淸熱·宣肺法에 대한 응용 및 方劑의 변화 발전과 새것 창조에 대하여 일정한 영향을 주었다. 그 方劑의 加減 變化에는 다음과 같은 특징이 있다: ① 淸熱의 黃芩·桑白皮 등을 配伍함으로써 淸泄肺熱의 작용을 강화시켰다. 방제로는 『聖濟總錄』卷48에 수재된 麻黃湯으로, 본 방제에 桑白皮·半夏·茯苓 및 紫菀을 넣어 "肺實熱, 喘逆胸滿, 仰息氣喘."을 치료하였고, 『治疹全書』의 麻黃石膏湯은 본 방제에 黃芩·前胡 및 枳殼을 넣어 "凡疹見標, 腮紅隱隱不起, 旋出旋沒, 發熱煩渴, 喘急神昏."을 치료하였다. ② 疏表透邪의 荊芥·防風·牛蒡子 등을 配伍함으로써 解表의 작용을 증강시켰다. 방제로는 『麻症集成』卷4의 麻黃湯으로 본 방제에 荊芥·防風·大力子·前胡·乾葛·川芎 및 連翹를 넣어 "熱邪在表, 頭痛, 骨節痛."을 치료하였고, 『臨證醫案醫方』의 麻石加味湯은 본 방제에 牛蒡子·化橘紅·川貝母을 넣어 그 작용은 "淸熱解表, 化痰平喘"이고 "小兒細菌性肺炎"을 치료하였다. ③ 祛痰止咳平喘藥을 더하여 넣었다. 예를 들면 瓜蔞仁·川貝母·前胡·半夏 및 紫菀 등이다. 본 방제는 喘咳의 질병에 常用하였다. 喘咳는 대부분 痰을 끼고 있으나 본 방제는 祛痰의 藥力이 조금 부족하다. 그러므로 후대 사람들이 본 방제로 咳喘을 치료할 때에는 病證이 表에 치중되어 있는지 裏에 치중되어 있는지를 따지지 않고 매번 祛痰止咳平喘藥을 넣어 효과를 증진시켰으며, 위에서 敍述한 모든 방제들은 대부분 이러한 뜻을 가지고 있다. 그 밖에 『麻症集成』卷4에 수재된 麻杏甘石湯은 본 방제에 瓜蔞仁·大力子·前胡·川貝母 및 竹葉을 넣어 조성한 것으로 "麻症發熱脹痛, 咳嗽連聲"을 치료하였다.

근래에는 麻杏止咳糖丸·麻杏止咳시럽·麻杏甘石合劑·麻杏石甘注射液·止嗽定喘丸·止嗽定喘片 등의 여러 가지가 있어 임상에서 病勢에 근거하고 선별하여 사용할 수 있다.

【難題解說】

1. 본 방제의 분류에 관하여: 본 방제의 歸屬은 대체로 세 가지 상황이 있다: ① 解表劑에 귀속시키다.

본 방제는『傷寒論』太陽篇에 나열되어 있고 麻黃은 방제 속에서 解表作用을 갖추고 있다는 것에 근거하여 다수의 方書에서 그것을 解表劑로 귀속시켰다. 예를 들면『醫方集解』에서는 본 방제를 麻黃湯의 附方이 되어 發表劑에 포함시켰고,『絳雪園古方選注』에서는 汗劑에 포함시켰다. 역대로 출판된『方劑學』의 공통 교재에서도 解表劑로 포함시켰다. ② 淸肺降逆劑에 포함시키다. 방제 중 石膏의 용량이 麻黃보다 많은 것에 근거하여, 그 작용은 淸宣肺熱의 장점을 가지고 있고, 肺熱喘咳를 치료하므로 그것을 淸肺降逆劑에 집어넣었다. 대표적인 저작은 成都中醫學院의 中藥方劑學敎室이 主編한『中醫治法與方劑』이다. ③ 化痰止咳平喘劑에 포함시키다. 방제 중의 麻黃과 杏仁이 서로 配伍되면 宣降肺氣하여 비교적 양호한 止咳平喘의 작용을 갖추게 되는 것에 근거하여 肺熱喘咳證을 치료하는 데 사용하면 더욱 효험이 있기 때문에 그것을 止咳平喘劑에 귀속시켰다. 예를 들면 上海中醫學院의 中醫基礎理論 교육연구팀이 主編한『中醫方劑臨床手冊』과 周鳳梧가 主編한『實用方劑學』이 있다. 본 책에서는 仲景 및 다수의 方書의 歸類를 계승하고 동시에 현재『方劑學』敎材의 체제를 참조하여 본 방제를 解表劑에 포함시켰다.

2. 본 방제의 적응증과 作用에 관하여:『傷寒論』原書에는 본 방제로 汗法과 下法을 사용한 뒤에 생긴 "汗出而喘"과 "無大熱者"를 치료하였다. 仲景이 서술한 증상은 지나치게 간단하기 때문에 후세 사람들이 본 방제의 病證의 病機 및 證候를 파악하는 데는 견해의 차이가 있다. 한 견해는 表邪는 이미 풀리고 邪熱壅肺한 것으로 그 증후는 發熱, 喘咳, 汗出, 口渴, 苔黃 및 脈數을 특징으로 한다. 이러한 관점을 지지하는 의학자에는 程郊倩·尤在涇 등이 있다. 예를 들어『傷寒貫珠集』卷1에서 "發汗後, 汗出而喘, 無大熱者, 其邪不在肌腠, 而入肺中. 緣邪氣外閉之時, 肺中已自蘊熱, 發汗之後, 其邪不從汗出之表者, 必從內而并於肺耳." 라고 하였고, 공통 교재인『傷寒論講義』5版도 이 학설을 따랐으며 "本方證則是表邪已解, 熱壅迫肺, 肺失淸肅而作喘."이라고 하였다. 다른 견해는 表證이 아직 풀리지 않고 熱邪壅肺한 것으로, 그 증후는 發熱, 喘咳, 口渴, 有汗或無汗, 苔薄白或黃 및 脈浮數을 특징으로 한다. 이러한 관점을 지지하는 의학자에는 方有執·程扶生 등이 있다. 예를 들어 方有執은 "蓋傷寒當發汗, 不當用桂枝. 桂枝固衛, 寒不得泄而氣轉上逆, 所以喘益甚也. …… 以傷寒之表猶在."(『傷寒論條辨』卷2)라고 하였다. 현대『方劑學』의 역대 교재 및 적지 않은 方劑學書, 예를 들면『實用方劑學』·『中醫方劑臨床手冊』및『中醫方劑通釋』등이 모두 이러한 이론을 따랐다. 두 관점은 表證이 이미 풀렸는지와 아직 풀리지 않았는지에 따라서 본방에는 解表작용이 있는지와 없는지의 차이가 난다. 우리들은 麻杏石甘湯에는 解表작용의 有無에 따라서 表證을 치료할 수 있는지의 與否를 생각해야 한다. 관건은 麻黃과 石膏의 용량 비율에 달려있다. 일반적으로 말해서 石膏의 용량이 麻黃의 1倍 혹은 1倍 이하이면, 곧 麻黃과 石膏의 용량 비율은 2:1 혹은 5:3 혹은 4:3 등이면 본방은 대개 發汗解表의 작용이 있게 된다. 仲景은 비록『傷寒論』에서 명확하게 지적하지는 않았지만 후세 의학자들의 임상 운용에 따라 참고로 제공될 만하다. 예를 들어『景岳全書』「古方八陣」卷54의 五虎湯은 麻黃 七分, 石膏 一錢半, 杏仁 一錢, 細茶 八分, 甘草 四分으로 조성되었고, 적응증은 "風寒所感, 痰熱喘急"이다. 그리고『經方實驗錄』에는 麻黃 三錢, 杏仁 五錢, 石膏 四錢, 靑黛 四分, 甘草 三錢, 浮萍 三錢으로 感寒化熱證(자세한 것은 醫案을 보세요)을 치료하였다. 근대의 名醫인 吳佩衡(1888~1971, 名鍾權)은 麻黃 12 g, 石膏 24 g, 杏仁 10 g, 甘草 10 g으로 "暑病屬表寒裏熱"證(자세한 것은 醫案을 보세요)을 치료하여 모두 땀을 내서 병을 낫게 하는 효과를 거두었다. 이것으로 본다면 仲景이 방제 조합에서 확정한 용량의 비율로 근거하면 본 방제의 작용은 당연히 淸熱宣肺를 위주로 하고 解表를 兼해야 하고 肺熱에 兼하여 表證이 아직 다 풀리지 않은 者를 치료할 수 있다. 만약 石膏의 용량이 麻黃보다 1倍 이상 초과하거나 심지어 麻黃보다 數倍에 이른다면, 즉 石膏와 麻黃의 용량 비율이 3:1 혹은 5:1 등이면 본방의 작용은

清泄肺熱과 止咳平喘하여 熱邪壅肺하면서 表證이 이미 풀린 證을 치료한다. 본 방제의 醫案에서 醫案 4와 5 등이 모두 이러한 류에 해당된다. 현대에는 본 방제를 응용하여 石膏의 용량이 매번 麻黃보다 3倍 많고, 일부 方劑書에는 이 방제를 淸熱劑에 포함시켜 혹은 肺熱喘咳證을 치료하는데 사용하였다. 바로 옛것을 본받되 옛것에 빠지지 않은 것으로 方劑의 組成과 變化에 대한 요지와 참뜻을 깊이 깨달은 것이다. 麻黃과 石膏의 용량 비율에 관하여 위에서 서술한 것은 단지 概要만 제시한 것이고, 임상에서 사용할 때에는 반드시 병세에 따라 참작하여 정하면 되고 무엇에 얽매일 필요는 없다.

3. 방제 중에 麻黃의 配伍 意義에 관하여: 본 방제에서 麻黃을 配伍한 의의에는 서로 다른 견해가 있다. 첫째, 그것의 解表를 말한다. 예를 들어 程扶生은 "麻黃散邪"(『古今名醫方論』卷3에 수록됨)라고 하였고, 方有執은 "以傷寒之表猶在, 故用麻黃以發之."(『傷寒論條辨』卷2)라고 말하였다. 둘째, 그것의 宣肺平喘을 말한다. 예를 들어 王泰林은 "用麻黃是開達肺氣, 不是發汗之謂."(『王旭高醫書六種』「退思集類方歌注」)라고 하였고, 『方劑學講義』(공통교재 2판)에서는 "麻黃辛溫, 宣肺平喘."이라고 하였으며, 『方劑學』(공통교재 5판)에서는 "取其宣肺而泄邪熱, 是'火鬱發之'之義."라고 하였고, 『中醫治法與方劑』에서는 "麻黃開泄肺氣以疏其壅滯."라고 하였다. 셋째, 그것의 宣肺解表를 말한다. 예를 들면 『方劑學』(공통교재 6판)에서는 "方中麻黃辛甘溫, 宣肺解表平喘."이라고 하였다. 우리들이 생각하기에 방제 중에서 麻黃의 작용은 당연히 分類와 적응 病證 및 麻黃과 石膏의 용량 비율 등의 내용을 결합하여 분석해야 한다. 麻杏石甘湯을 解表劑에 집어넣는다면, 表證이 아직 다 풀리지 아니하고 熱邪壅肺한 證을 치료하며, 또한 방제의 조성은 仲景이 방제 조합에서 확정한 용량 비율을 그대로 따르게 된다. 즉 石膏의 용량이 麻黃의 1倍가 되면 방제에서 麻黃의 작용은 그 宣肺平喘의 작용을 취하고 또한 그 解表散邪의 작용도 사용하는 것이다. 만약 본 방제를 淸熱劑와 止咳平喘劑에 포함시키면, 肺熱咳喘證을 치료하고, 또한 방제의 조성 중에 石膏의 용량은 麻黃의 1倍 이상이 되고 麻黃이 방제 중에서 大劑인 石膏의 寒涼한 制約을 받으므로 곧 그 작용은 宣暢肺氣하여 止咳平喘하게 된다.

4. 본 방제의 君藥에 관하여: 본 방제에서 어떤 약물이 君藥이 되는가? 역대로 출판된 『方劑學』 교재 및 기타 方劑學書에서도 의견이 갈라진다. 본 방제를 解表劑에 집어 넣은 교재 및 著作物에서 본다면 세 가지 관점이 있다: ① 麻黃과 石膏를 모두 君藥으로 한다. 이 說을 지지하는 것에는 공통교재 4版과 6版이 있고, 廣州中醫學院이 主編한 『方劑學』 역시 같은 견해이다. ② 麻黃을 君藥으로 한다. 이 說을 지지하는 것은 공통교재 5版이 대표적이다. ③ 石膏를 君藥으로 한다. 이 說을 지지하는 것은 『醫方發揮』가 대표적이다. 우리들은 본 방제의 病證의 형성은 風寒의 邪氣가 鬱滯하여 熱로 변하고 혹은 風熱이 表에 침습하여 表邪가 풀리지 않고 裏로 들어가며 熱邪壅肺를 일으켜 肺가 宣發과 肅降을 잃어버리고 그 病機는 表證이 아직 다 풀리지 않고 熱邪가 肺를 壅閉하게 되며, 치료는 淸泄肺熱과 宣降肺氣를 위주로 하고 兼하여 解表散邪하는 것이 적절하다고 생각한다. 麻黃은 宣肺하고 解表를 兼하며, 石膏는 淸熱하고 生津을 兼한다. 이 두 가지 약물을 함께 사용하면 肺熱이 壅盛하여 肺가 宣發과 肅降을 잃어버린 것을 목표로 하고 또한 表邪가 아직 다 풀리지 않은 것도 함께 고려할 수 있으므로 두 가지 약물을 함께 君藥으로 하는 것이 비교적 적절하다. 만약 麻黃을 君藥으로 한다면, 그것의 辛溫發散의 성질이 본 방제의 病證의 邪熱壅肺한 病機와는 서로 어긋나게 되어 타당하지 않은 것 같다. 만약 石膏를 君藥으로 한다면, 그것의 大寒한 성질은 淸透裏熱의 작용을 하게 된다. 즉 解表劑가 解表藥을 위주로 方劑를 組成하는 개념과 서로 어긋나게 되어 또한 적당하지 않다. 이것은 銀翹散에서 金銀花와 連翹를 君藥으로 한 意義와 완전히 다르다. 金銀花와 連翹는 비록 같은 淸熱藥이지만 그것들의 맑은 향기로 輕宣疏散의 작용

이 있기 때문에 "煮散"의 劑型 및 "勿過煮, 香氣大出, 卽取服"의 용법을 더하여 보조하였다. 그러므로 방제에서 두 약물의 작용은 淸熱解毒하고 疏散風熱하여 溫病 초기의 病變 특징을 함께 고려하였으며 또한 解表劑의 含意도 위배하지 않게 된다.

5. 본 방제와 麻黃湯에서 서로 용량을 비교한 변화에 관하여: 본 방제는 麻黃湯에서 桂枝를 빼고 石膏를 넣어 이루어진 것이다. 그러나 『傷寒論』 原方의 용량에 있어서 麻黃湯과는 차이가 비교적 크다. 본 방제에서 麻黃의 용량은 麻黃湯과 비하여 一兩을 더 늘렸고, 杏仁은 麻黃湯에 비하여 20개가 적으며, 炙甘草는 麻黃湯에 비하여 一兩이 많고, 石膏의 용량은 麻黃의 1倍이다. 그 이유는 어디에 있는가? 麻黃湯은 風寒이 表를 속박하고 肺가 宣發과 肅降을 상실한 것에 대하여 설계를 한 것이고, 그 주요한 矛盾은 表閉이므로 麻黃과 桂枝를 相須로 하여 사용하고 發汗解表의 藥力을 倍로 늘렸으며, 麻黃과 桂枝는 輕揚升散하므로 杏仁 七十枚를 사용하여 肅降肺氣하고 麻黃과 배합하면 宣發과 肅降이 相因하게 된다. 본 방제의 病證은 表證이 아직 풀리지 않고 熱邪壅肺한 것에 해당되며, 그 주요한 모순은 熱이 肺를 壅閉하여 肺氣가 宣發을 잃어버리게 되므로 石膏를 麻黃의 2배로 취하여 淸泄肺熱하고 宣肺平喘하며 兼하여 表證을 풀어주는 것이다. 表證이 重하지 않기 때문에 桂枝를 뺀 것이다. 麻黃의 開宣肺氣의 작용은 그것의 辛散溫通의 성질을 통하여 실현되는 것이기 때문에 방제에서 性味가 辛溫한 桂枝가 서로 돕지 않게 한 것이고, 또한 石膏의 寒涼한 凝結이 있어서 麻黃의 宣肺平喘 작용의 형세는 반드시 영향을 받으므로 여기에 상응하여 麻黃의 용량을 늘려 그 宣肺작용을 충분히 발휘하게 한 것이다. 杏仁의 용량을 줄인 것은 石膏는 質重하여 하강하기 때문에 杏仁과 서로 配伍하면 淸肅의 藥力은 강화되므로 참작하여 줄인 것이다. 甘草의 용량을 늘인 것은, 첫째로는 脾胃를 보살펴서 石膏의 寒涼이 위장을 상하지 않게 한 것이고, 둘째는 石膏와 서로 配伍하면 甘寒生津하여 熱邪가 진액을 손상하여 생긴 口渴을 兼하여 돌보게 되고, 셋째는 麻黃 및 杏仁과 서로 配伍하면 止咳平喘하게 된다.

6. 본 방제의 病證의 有汗 혹은 無汗에 관하여: 『傷寒論』에서는 본 방제로 "汗出而喘"을 치료하였고, 현대에는 有汗·無汗을 막론하고 모두 이 방제를 加減하여 사용하였는데 무슨 까닭인가? "汗出而喘"은 바로 熱邪가 肺를 壅閉하고, 肺熱이 안에서 盛하며 熱邪가 津液을 압박하여 밖으로 새나와 汗出하는 것이다. 방제에서 石膏는 淸熱하고 熱이 내리면 땀이 그치고 喘이 평정되므로 有汗喘咳에 사용할 수 있는 것이다. "無汗而喘"은 邪氣가 衛氣를 鬱滯하고 肌表가 閉塞되며 毛竅가 열리지 않으므로 汗不出하는 것이고, 熱이 肺를 壅閉하여 肺가 宣發과 肅降을 상실하면 喘咳하는 것이다. 방제에서 麻黃은 宣散하여 宣肺平喘하고 또한 發表祛邪하며, 石膏는 淸泄肺熱하여 表가 풀리고 熱이 내리면 "無汗而喘"도 치유할 수 있으므로 無汗에도 사용할 수 있는 것이다. 임상에서 응용할 때 無汗表閉者는 항상 微惡寒과 身疼痛이 함께 나타나고 이를 치료할 때는 石膏의 용량은 가볍게 하는 것이 적절하고, 麻黃과 石膏의 용량 비율은 3:5로 조절하고 혹은 發散藥을 넣어서 解表를 도와야 한다. 有汗熱重者는 石膏의 용량을 무겁게 하는 것이 적절하고 麻黃과 石膏의 용량 비율은 1:4 혹은 1:5로 하고, 동시에 淸肺藥을 넣어서 효과를 증진시켜야 한다. 또한 설명이 필요한 것은 "無汗而喘"이 임상에서 또한 熱이 肺를 壅閉하고 皮毛가 閉塞한 사람에게 볼 수 있고, 본 방제로 이를 치료하여 매번 특효가 있었다는 것이다. 방제에서 石膏로 淸泄肺熱하고, 麻黃으로 宣肺平喘하는 동시에 또한 麻黃의 宣通毛竅의 작용을 빌려서 熱을 밖으로 완전히 내보낸다. 이것이 바로 "火鬱發之"의 뜻이다. 이 無汗이 熱閉於肺에 해당하는 者는 매번 高熱, 煩躁, 舌紅苔黃, 脈數이 함께 나타나고, 치료 또한 반드시 石膏를 重用하여 麻黃과 石膏의 용량 비율은 1:3이 되고, 참작하여 金銀花·連翹·竹葉 등 淸熱疏散藥을 넣을 수 있다. 이상을 종합하면 臨證에서 본 방제를 사용할 때에는 반드시 "汗出而喘"에 구애될 필요는 없다. 다만 有汗 혹은 無汗의 원인을 세밀하게 살펴야

하고, 혹은 麻黃과 石膏의 용량 비율을 조정하며, 혹은 證에 따라 상응하는 약물을 넣어서 藥과 證이 서로 부합하면 자연스럽게 뜻대로 효과를 거두게 된다.

【醫案】

1. 表寒裏熱『經方實驗錄』卷上: 鍾氏, 젊은 부인, 임신하였고 聖母院路에 거주하였다. 初診: 傷寒 7일째에 發熱無汗, 微惡寒, 一身盡疼, 咯痰不暢하였고, 이것은 肺氣가 閉塞되어 그런 것이다. 痰은 黃色이고 몸속은 이미 熱로 바뀌어 麻黃杏仁甘草石膏湯에 浮萍草를 넣는 것이 적절하다. 麻黃 三錢, 杏仁 五錢, 石膏 四錢, 青黛 四分, 生甘草 三錢, 浮萍草 三錢. 再診: 어제 麻杏甘石湯에 浮萍草를 넣어 汗泄하면서 熱은 조금 제거되었고, 오직 咳嗽咯痰이 순조롭게 풀리지 않고 胸腹을 당기면서 모두 통증이 있었고 脈은 여전히 浮緊하여 여전히 이전의 治法으로 汗泄하는 것이 적당하다. 麻黃 三錢五分, 甘草 二錢, 石膏 六錢, 薄荷 一錢, 杏仁 四錢, 苦桔梗 五錢, 薏苡仁 一兩, 川朴 二錢, 蘇葉 五錢. 두 번째 처방을 복용한 후에 또한 微汗이 나왔고 身熱이 전부 없어졌지만, 胸背腹部는 여전히 미약한 통증이 있었고 여기 저기 돌아다녔다. 또 하루가 지나면서 병이 바로 완전히 나았고 정상인과 같이 병상에서 일어났다.

2. 春溫病 表寒裏熱證『吳佩衡醫案』: 某 남자, 나이 20세. 1924년 2월에 春溫病을 3일 앓았고, 脈浮數, 發熱微惡寒, 頭疼體痛, 面垢, 唇赤而焦, 舌苔白而燥, 尖絳, 渴喜冷飮, 小便短赤하였다. 이것은 春溫病과 관계가 있어 邪熱內壅하고 外에는 表邪閉束하여 表寒裏熱證이 이루어진 것이며, 麻黃杏仁甘草石膏湯으로 이를 치료한다. 麻黃 12 g, 生石膏 30 g(부수고 베로 쌈), 杏仁 10 g, 甘草 6 g. 1첩을 복용한 후에 汗出淋漓하고 脈靜하고 身凉하며 깨끗하게 나았다.

3. 暑病『吳佩衡醫案』: 某 남자, 나이 30세, 四川省 會理縣 사람. 1928년 5월 16일 교외에 놀러 나갔다가 酷暑로 炎熱을 만나 뜨거운 것을 싫어하고 차가운 것들을 탐하였으며, 집으로 돌아올 때에는 바람을 쐬고 옷을 벗었다. 그날 저녁에 무더워 마실 것이 생각났고 全身이 권태롭고 병이 생겼으며, 다음날에는 微惡寒하면서 發熱하고 頭昏痛하고 肢體도 酸困疼痛하였다. 평소에 체질이 건강한편이고 여태까지 병에 걸린 적이 적었기 때문에 이러한 작은 병에 대해서는 대수롭지 않게 생각하였다. 머지않아 熱의 세력이 갑자기 늘어나고 壯熱·煩渴·飮冷의 證이 발현되었고, 小便短赤하고 밥생각이 나지 않으며 서양식과 針藥으로 치료하였으나 효과가 없어서 나를 불러서 진찰하도록 하였다. 이때 병은 이미 3일이 되었고, 脈이 오는 것이 浮弦而數하고, 面赤唇紅而焦하며 舌紅苔燥하고 肌膚가 모두 熱하였으며, 다만 有汗은 보이지 않았고 氣息이 喘促하고 呻吟이 그치지 않았다. 확실히 暑邪가 陰을 손상시키고 邪熱內壅하고, 다시 風寒의 閉束을 받아 腠理가 通하지 않아 表寒裏熱證이 이루어진 것이다. 治法은 당연히 表裏兩解해야 하고 仲景의 麻黃杏仁甘草石膏湯의 辛凉解表를 설계하여 치료해야 한다. 生麻黃 12 g, 生石膏 24 g(부수고 베에 쌈), 杏仁 10 g, 甘草 10 g. 1첩을 복용하니 바로 땀이 세수한 것처럼 나오고 熱의 형세가 갑자기 사라지고, 脈靜하고 身凉하며 頭疼體痛이 이미 나았다. 그러나 表邪는 비록 풀렸지만 裏熱은 아직 내리지 않아서 여전히 갈증이 나고 冷飮을 좋아하여 다시 人蔘白虎湯에 生脈散을 合方하여 培養眞陰하고 清解餘熱하였다.

考察: 위에서 서술한 세 가지의 醫案은 모두 表寒裏熱證에 해당되고, 본 방제로 땀을 내어 병이 낫는 효과를 거둔 것으로 麻杏石甘湯에는 解表清裏의 작용이 있음을 보여준 것이다. 세 가지 의안에서 본 방제를 사용하여 성공하게 된 관건은, 첫째가 정확한 辨證이다. 즉, 微惡寒, 無汗, 頭身痛, 發熱, 咳喘, 痰色黃, 面赤, 口渴, 舌紅 등의 증상이 함께 보이면 風寒束表하고 邪熱內盛한 것에 해당된다 것을 의심하지 않을 것이다. 둘째는 적절한 용량이다. 세 가지 의안은 麻黃과 石膏의 용량 비율을 조정하고 혹은 3:4, 혹은 1:2.5, 혹은 1:2로 하여 麻黃으로 하여금 大劑의 寒凉한 石膏

의 제약을 받아서 發汗解表를 잃지 않도록 한 것이다. 醫案3은 본 방제로 表寒裏熱證에 해당하는 暑病을 치료한 것으로 제법 창의성이 있다. 옛 사람들은 暑에는 麻黃과 桂枝를 꺼린다고 말하였지만, 실제로는 또한 다 그렇지는 않다. 이 證의 裏熱은 表寒의 속박에 의한 것인데 麻黃이 아니면 어떻게 解表할 수 있겠는가? 이 방제를 사용함에 있어서 오묘함은 곧 白虎湯과 生脈散으로 轉用하여 養陰清熱한 것에 있으므로 효과를 매우 빨리 거둔 것이다.

4. 咳喘『傷寒滙要分析』「俞長榮醫案」: 邱果는 高熱不退, 咳嗽頻劇, 呼吸喘促 및 胸膈疼痛하였고, 痰에는 淡褐色의 血液이 끼어있었고, 간혹 귀신을 본 듯이 譫妄하였고, 환자의 체온이 40℃였으며 脈象洪大하였다. 이 證의 高熱喘促은 熱邪가 肺를 압박한 것이고, 痰에 血이 끼고, 血色은 褐色을 띠고, 胸膈疼痛은 모두 內熱이 壅盛하고 肺氣가 閉塞된 까닭이다. 치료는 麻黃과 杏仁으로 宣肺氣와 疏肺邪하고, 石膏로 清裏熱하며, 甘草로 和中緩急하는 것이 적절하다. 처방: 石膏 75 g, 麻黃·杏仁 各 9 g, 甘草 6 g. 물에 달여서 3회에 나누어 복용하고, 매번 1시간 간격을 두고 한 번 복용하였다. 1첩을 다 복용한 후에 증상이 대략 10분의 7~8이 감소하였다. 이후에 蔞貝溫膽湯과 生脈散에 瀉白散을 合方한 두 가지 방제를 각각 사용하여 건강을 회복하였다.

5. 麻閉急證『程杏軒醫案』初集: 肖翁의 셋째 아들 心成은 어릴 때 麻疹이 생기고 冒風隱閉, 喘促煩躁, 鼻煽目合, 肌膚枯澀, 不啼不食하여 약물을 투여해도 반응이 없었고 병세가 이미 위험에 처하였다. 말하기를 "이것은 麻閉急證으로 藥이 精銳롭지 않으면 구제할 수 없다."고 하면서 방제로는 麻杏石甘湯을 적용하여 주었다. 한 번 복용하니 피부가 촉촉해지고 麻疹이 점점 發疹하였고, 다시 복용하니 麻疹이 마치 땀띠가 나는 것처럼 發疹하고 정신이 상쾌하고 煩躁가 진정되고 눈이 뜨이고 喘이 진정되었다. 계속해서 瀉白散을 사용하여 清肺解毒하고, 다시 養陰退熱劑를 사용하여 나았다.

考察: 醫案4의 痰에 血이 있는 것은 만약 발병의 原因을 자세하게 묻지 않고, 일반적인 清熱涼血止血의 상투적인 약들을 널리 투여하면 매우 효과를 보기 힘들다. 痰血은 熱邪가 內壅하고 肺氣가 막혀서 생긴 것과 관계 있기 때문에 반드시 宣肺清肺하고 降逆和中의 方劑라야 비로소 효과를 거둘 수 있다. 뒤에 쓴 두 개의 방제에서 하나는 清化痰熱하고, 하나는 滋養肺陰하여 나머지 熱을 肅清한 것이어서 治法이 井然하다. 醫案5는 麻閉急證이고, 본 의안의 뒤에 程文囿(1761~1833, 字觀泉, 號杏軒)가 스스로 "予治麻閉危候, 每用此方獲效, 蓋麻出於肺, 閉則火毒內攻, 多致喘悶而殆. 此方麻黃發肺邪, 杏仁下肺氣, 甘草緩肺急, 石膏清肺熱, 藥得功專, 所以效速."라고 注를 하였다. 진실로 이것은 체험하여 얻은 말이다.

6. 脫肛『黑龍江中醫藥』(1993, 5:28): 某 여자, 24세. 환자는 분만한 후에 이어서 脫肛이 생긴 지 1년 남짓 되었고, 또한 합병증으로 內痔가 생겨서 항상 脫肛과 痔疾이 밖으로 내밀고 肛門이 腫痛하였다. 진단 소견: 口渴, 微熱, 胸悶不舒, 舌質紅, 苔薄白, 脈浮滑而數. 麻杏石甘湯加味로 치료하였다. 처방: 麻黃 6 g, 杏仁 10 g, 石膏 30 g(先煎), 甘草 10 g, 升麻·黃芩·黃柏 各 10 g을 물에 달인 후에 절반의 藥液은 內服하고, 절반의 藥液은 뜨겁게 하여 熏洗하는데 坐浴은 15분 정도로 하루에 2회 하였다. 위의 처방 3첩을 복용했더니 紅腫이 사라지고 肛門도 아직은 脫垂하지 않았다. 1년 후에 추적조사를 해보니 아직은 재발하지 않았다.

考察: 麻杏石甘湯은 肺衛疾患을 치료한다. "肺와 大腸은 서로 表裏관계에" 있으므로 兩者 간에 기능은 서로 쓰임이 되고 서로 영향을 주고 받는다. 肺는 宣發과 肅降을 주관하고 大腸의 傳導기능을 推動한다. 당연히 肺가 宣發과 肅降의 정상을 잃으면 便秘 혹은 脫肛 등의 증상이 생길 수 있다. 때문에 "下病取上"이나 "肛疾治肺"의 방법으로 清宣肺衛鬱熱하고 宣通肺氣한 것이다. 黃芩과 黃柏을 넣고 그 清肺熱과 泄腸熱의 작용을 취한 것이다. 升麻를 配伍하면 그것의 升發清

陽의 작용을 취하여 肛門과 腸의 升提를 돕는 것이다.

7. 癃閉『新中醫』(1990, 7:20): 某 남자, 52세. 전립선비대 3년. 2일 전 양고기를 먹은 후에 다시 外邪를 感受하고 發熱咳喘하고, 전날 밤에 갑자기 小便不通하였다. 진찰 소견: 小便灼痛하고 방울방울 떨어져 오줌을 참기 어렵고, 小腹이 拘急하여 참기 어려웠으며, 咳喘胸悶, 痰黃不爽, 舌苔黃 및 脈滑數하였다. 이것은 바로 肺熱이 壅遏하고 水道도 막힌 것이다. 麻杏石甘湯加味로 宣肺泄熱利水시킨다. 처방: 麻黃 8 g, 生石膏(先煎)·滑石 各 30 g, 杏仁·葶藶子 各 12 g, 桑白皮·車前子·瓜蔞仁·夏枯草 各 15 g, 甘草 3 g. 1첩을 복용한 뒤에 病勢가 완만하게 풀렸고, 연속해서 4첩을 복용하였더니 모든 증상이 나았다고 알려 왔다.

考察: 癃閉의 病位는 膀胱에 있고, 病機는 三焦의 氣化와 서로 밀접히 관련되어 있다. 肺는 水의 上源이 되고 肺氣의 宣發과 肅降이 정상이면 "通調水道, 下輸膀胱"하는 것이다. 그렇지 못하면 癃閉가 된다. 본 병례는 熱이 肺를 壅塞하여 喘咳가 本이 되고, 上病이 下部에 영향을 주어 癃閉는 標가 된다. 上源이 막혀서 下流도 막히게 된다. 병을 치료할 때에는 반드시 그 근본을 찾아야 하므로 下病은 上에서 取하여 麻杏石甘湯으로 "단지를 들고 뚜껑을 열어서 내용물을 따르어(提壺揭蓋)" 上을 치료하여 下에 이르게하며, 肺熱이 빠져나가고 肅降이 정상으로 회복되면 小便自利하게 된다. 葶藶子·桑白皮·瓜蔞仁과 配伍하여 그 宣肅肺氣를 도와서 行水하고, 滑石·車前草·夏枯草를 넣어 清熱利尿와 疏通水道하여 標를 치료한 것이다(夏枯草는 『現代實用中藥』 增訂本에 의하면 利尿作用이 있다).

【副方】 越婢湯(『金匱要略』): 麻黃 六兩(18 g) 石膏 半斤(24 g) 生薑 三兩(9 g) 甘草 二兩(6 g) 大棗 十五枚(五枚)

- 用法: 上五味, 以水六升, 先煮麻黃, 去上沫, 內諸藥, 煮取三升, 分溫三服.
- 效能: 發汗利水.
- 主治: 風水惡風, 一身悉腫, 脈浮不渴, 續自汗出, 無大熱者.

본 방제의 病證은 水邪가 熱을 끼고 있어서 생긴 것으로 치료는 發汗利水에 兼하여 清熱邪가 적절하다. 방제에서 麻黃의 용량이 많은 것은 그 發汗·利水의 작용을 취하여 肌表의 水濕을 發汗시켜 없애고 內停의 水濕을 소변으로 내보낸 것이며, 또한 그 開宣肺氣의 작용을 취하여 肺의 宣發과 肅降의 기능을 정상화하고 水道는 通調되어 水濕을 제거하는 데 유리하도록 한 것이다. 生薑은 宣散水濕하고, 石膏는 清解鬱熱하며, 甘草·大棗는 補益中氣하여 培土勝濕하는 것이다.

越婢湯과 麻杏甘石湯이 치료하는 證은 모두 有汗한데, 모두 麻黃에 石膏를 配伍하여 清泄肺熱한 것이다. 越婢湯은 '一身悉腫'을 위주로 하였고, 水는 肌表에 있는 징후이므로 麻黃의 용량을 크게 하고 동시에 生薑을 配伍하여 肌表의 水濕을 發泄하고, 大棗와 甘草로 益氣健脾하였는데, 그 뜻은 培土制水에 있다. 麻杏石甘湯은 '咳喘'을 위주로 하였고, 肺가 宣發과 肅降을 상실한 징후이므로 麻黃에 杏仁과 甘草를 配伍하여 宣降肺氣하고 止咳平喘한 것이다.

柴葛解肌湯(葛根湯)

(『傷寒六書』卷3)

【異名】 葛根解肌湯(『古今醫鑑』卷3)·柴胡解肌湯(『萬病回春』卷2).

【組成】 柴胡(6 g) 乾葛(9 g) 甘草(3 g) 黃芩(6 g) 羌活(3 g) 白芷(3 g) 芍藥(6 g) 桔梗(3 g)

【用法】 물 2잔에 生薑 3쪽, 大棗 2개와 石膏 一錢

(3 g)을 넣어 달여서 따뜻하게 복용한다.

【效能】 解肌淸熱.

【主治】 外感風寒, 鬱而化熱證. 惡寒漸輕, 身熱增盛, 無汗頭痛, 目疼鼻乾, 心煩不眠, 咽乾耳聾, 眼眶痛, 舌苔薄黃, 脈浮微洪者.

【病機分析】 본 방제가 치료하는 證候는 바로 表寒證이 풀리지 않고 熱로 바뀌어 裏로 들어간 것이다. 外感風寒하면 본래 惡寒이 비교적 심한데, 여기에서 惡寒은 점점 가벼워지고 身熱이 증가하는 것은 寒이 肌腠를 鬱滯하여 熱로 바뀐 소치이다. 表寒이 아직 풀리지 않았기 때문에 惡寒이 여전히 있고 동시에 頭痛과 無汗 등의 증상이 나타난다. 陽明經脈은 鼻의 兩側에서 시작하여 위로는 가서 鼻根部에 이르고 眼眶을 지나 아래로 가며, 少陽經脈은 耳後로 가고 耳中으로 들어가서 耳前으로 나오며 동시에 面頰部에 이르며 眼眶의 下部에 도달한다. 裏로 들어간 熱이 처음에는 陽明·少陽經을 침범하므로 目疼鼻乾하고 眼眶痛하며 嗌乾耳聾한다. 熱이 心神을 요란시키면 心煩不眠이 나타나고, 脈이 浮하면서 微洪한 것은 밖에는 表邪가 있고 속에는 熱邪가 있다는 증거이다. 이 證은 太陽經의 風寒이 아직 풀리지 않고 鬱滯되면서 熱로 바뀌고, 熱邪는 이미 점차로 陽明·少陽으로 傳入하므로 三陽合病에 해당하는 것이다.

【配伍分析】 본 방제의 病證은 바로 表寒證이 아직 풀리지 않고 熱로 바뀌어 裏로 들어간 것으로 치료는 辛涼解肌에 兼하여 淸裏熱하는 것이 적절하다. 위에서 서술한 분석에서 알 수 있듯이 본 방제의 病證은 비록 三陽合病에 해당되지만, 惡寒이 점점 가벼워지고 身熱이 증가하며 동시에 鼻乾과 眼眶痛 등을 특징으로 하기 때문에, 太陽表證 및 邪鬱少陽證은 본 방제의 病證에서 주요한 지위를 차지하지 못하고 熱鬱陽明이 주가 된다는 것을 드러낸 것이다. 그러므로 방제에서 葛根·柴胡를 君藥으로 한 것이다. 葛根은 陽明經으로 들어가서 "解散陽明溫病熱邪之要藥也"(『本草經疏』卷8)라고 하였다. 그 性味는 辛涼하여 辛味는 능히 肌熱을 外散하고, 涼性은 능히 熱邪를 內淸하므로 太陽의 邪氣가 裏로 들어가 熱로 바뀌고 陽明의 肌腠를 鬱滯한 자에게 매번 대부분 사용한다. 『經證證藥錄』卷3에서 또한 "太陽之氣主肌膚, 陽明之氣主肌肉, 太陽經邪留而不去, 傳舍於輸, 則由皮膚而肌肉, 非葛根淸涼發散, 不能泄陽明熱氣."라고 하였다. 柴胡는 性味가 辛寒하고 비교적 강한 透表退熱의 작용이 있으므로 『明醫指掌』卷1에서 "解肌要藥"이라고 하였고, 또한 그 疏暢氣機의 작용은 또한 邪氣가 바깥으로 나가는 데 도움을 주는 것이다. 『本草正義』卷2에서 "柴胡味苦, 而專主邪熱, 故『名醫別錄』稱其微寒. 然春初即生, 香氣馥鬱, 而體質輕淸, 氣味俱薄, 故稟受春升發之性, 與其他之苦寒泄降者, 性情作用, 大是不同. …… 邪氣已漸入於裏, 不在肌表, 非僅散表諸藥所能透達, 則以柴胡之氣味輕淸芳香疏泄者, 引而擧之以祛邪, 仍自表分而解, 故柴胡亦爲解表之藥, 而與麻·桂·荊·防等專主肌表者有別."이라 하였다. 이 밖에 柴胡는 "少陽經表藥"(『本草經疏』卷6)이 되어 또한 少陽 半表의 邪를 疏透할 수 있다. 두 가지 약물을 함께 사용하면 陽明肌腠의 鬱熱을 透散함으로써 解肌淸熱하고, 아울러 兼해서 少陽의 熱邪에 파급되는 것을 고려하는 것이다. 羌活·白芷는 君藥을 도와서 解肌發表한다. 羌活은 太陽經藥으로 解表散寒하고 祛風止痛하며, 이것은 太陽의 惡寒·無汗·頭痛 등 表證을 위하여 설정된 것이고, 白芷는 陽明으로 잘 가고 眉棱骨痛·額骨痛을 치료하는데 常用하며, 또한 通鼻竅를 잘하여 『本草求眞』卷3에서 "氣溫力厚, 通竅行表, 爲足陽明經祛風散濕主藥. 故能治陽明一切頭面諸疾, 如頭目昏痛, 眉棱骨痛, 暨牙齦骨痛, 面黑瘢疵者是也."라고 하였다. 이것은 陽明을 위하여 사용한 것이다. 이미 白芷가 陽明으로 잘 간다고 말하였는데 어떻게 그것을 君藥으로 사용하지 않는가? 대개 白芷는 그 性味가 辛溫하고, 본 방제의 病證은 바로 熱鬱陽明이므로, 만약 君藥으로 사용한다면 病機와 서로 어긋나서 性味가 辛涼한 葛根이 적합한 것만 못하다. 黃芩·石膏는 淸泄裏熱한다.

본 방제의 病證은 裏로 들어간 熱이 처음에 陽明·少陽을 침범하고, 邪熱이 점점 왕성해지면 반드시 안으로 傳해져 裏로 들어간다. 그러므로 방제에서 葛根에 石膏를 配伍하여 한편으로는 陽明의 表에 있는 邪熱을 풀고 또 한편으로는 陽明의 裏에 있는 邪熱을 내리게 하며, 柴胡에 黃芩을 配伍하여 한편으로는 少陽의 表에 있는 邪氣를 透解하고 또 한편으로는 少陽의 裏에 있는 熱邪를 내리게 하는 것이다. 이와 같이 배합하면 이미 裏로 들어간 熱邪를 兼하여 치료하고 또한 裏로 들어가는 傳變을 杜絶시키는 것이다. 위에서 서술한 네 가지 약물은 모두 臣藥이 된다. 桔梗은 宣利肺氣함으로써 疏泄外邪를 돕고, 白芍藥은 斂陰和營함으로써 疏散太過하여 陰이 손상되는 것을 방지하며, 生薑·大棗는 調和營衛한다. 이상의 모두는 佐藥이 된다. 甘草는 능히 藥性을 조절하므로 使藥이 된다. 모든 약물들이 서로 배합되면 함께 辛涼解肌하고 兼하여 淸裏熱의 方劑가 만들어지는 것이다.

본 방제의 配伍 특징은 溫淸幷用이지만 辛涼淸熱에 치중하였고, 表裏同治이지만 疏泄透散에 치중하였다. 그것은 일반적인 辛涼解表로써 風熱表證을 치료하는 방제와 구별되는 점이다.

【臨床應用】

1. 證治要點: 본 방제는 表寒證이 아직 풀리지 않고 裏로 들어가 熱로 바뀐 것을 치료하는 常用 方劑이다. 發熱重, 惡寒輕, 頭痛, 眼眶痛, 鼻乾, 脈浮微洪이 辨證論治의 要點이다.

2. 加減法: 만약 無汗하면서 惡寒이 심한 자는 黃芩을 빼고 麻黃을 넣어 發散表寒의 藥力을 증강시키는데, 여름철과 가을철에는 蘇葉으로 대신할 수 있다. 熱邪가 진액을 손상시켜서 口渴이 나타나는 자는 天花粉·知母를 적절히 넣어서 淸熱生津하고, 惡寒이 분명하지 않고 裏熱이 비교적 심하여 發熱重, 煩躁 및 舌質偏紅하면 金銀花·連翹를 넣고 아울러 石膏를 重用하여 淸熱의 작용을 강화시키는 것이 적절하다.

3. 柴葛解肌湯은 다음 한국표준질병사인분류(KCD)에 해당하는 환자가 外感風寒, 鬱而化熱證으로 辨證되는 경우 본 처방의 사용을 고려해볼 수 있다.

처방 목표	한국표준질병사인분류(KCD)
感冒	J00 급성 비인두염[감기]
流行性 感冒	J09 확인된 동물매개 또는 범유행 인플루엔자바이러스에 의한 인플루엔자
	J10 확인된 계절성 인플루엔자바이러스에 의한 인플루엔자
	J11 바이러스가 확인되지 않은 인플루엔자
	J14 인플루엔자균에 의한 폐렴
齒齦炎	K05.0 급성 치은염
	K05.1 만성 치은염
急性 結膜炎	H10.2 기타 급성 결막염
	H10.3 상세불명의 급성 결막염

【注意事項】 만약 太陽의 表證이 아직 裏로 들어가지 않은 자는 본 방제를 사용하는 것이 마땅하지 않다. 그것이 邪氣를 끌어당겨 裏로 들어갈 것이 두렵기 때문이다. 만약 裏熱하더라도 腑實證(大便秘結不通)이 나타나는 자도 또한 사용하는 것은 마땅하지 않다.

【變遷史】 본 방제는 明代 陶華(1369~1463, 字尚文, 號節庵·節庵道人)가 만든 것이다. 원래는 "目疼, 鼻乾, 不眠, 頭痛, 眼眶痛, 脈來微洪"을 치료하는 것으로 陽明經病을 위하여 설계한 것이다. 陶華의 학술사상은 朱肱(1050~1125, 字翼中, 號無求子, 晩號大隱翁)의 『類證活人書』에서 받은 영향이 비교적 크기 때문에, 그가 제시한 陽明經病에 나타나는 증상은 朱肱의 학설을 따르고 있다. 『類證活人書』卷1에 "問: 傷寒二·三日, 身熱, 目疼鼻乾, 不得臥, 尺寸俱長. 答曰: 此是陽明胃經受病也. 仲景云: '陽明病欲解時, 從申至戌上.'. 傷寒二·三日, 陽明經受病, 可發其汗, 非正陽明也. 正陽明者, 身熱汗出不惡寒, 反惡熱, 故可下也. 今言十二日傳陽明經, 身熱, 目疼鼻乾, 不得臥, 其脈俱長者, 是太陽陽明, 可表而已. 若無汗尚惡寒, 宜升

麻湯; 有汗微惡寒者, 表未解也, 宜桂枝湯; 無汗脈浮, 其人喘者, 與麻黃湯."이라고 수재되어 있다. 朱肱은 下法을 쓸 수 있는 陽明經病을 '正陽明'이라고 하였고, 身熱, 目疼鼻乾, 不得臥 등의 증상을 '太陽陽明'이라 고 일컬었으며 그 치법은 發表가 옳으니 升麻湯·桂枝湯·麻黃湯으로 구분하여 치료하는 것이 적절하다. 여기에서 陶華의 陽明經病은 실제로는 太陽陽明合病이라는 것을 알 수 있다. 太陽의 邪氣가 처음 陽明으로 전해지면, 한편으로는 太陽의 表寒이 다 풀리지 않은 病機가 존재하고, 다른 한편으로는 또한 熱로 바뀐 邪氣가 비로서 陽明으로 들어가고, 熱勢는 盛하지 않고 熱이 肌腠를 鬱滯하면 經脈의 病機에 여러 차례 영향을 주므로 目疼, 鼻乾, 眼眶痛, 身熱 등의 증상이 나타나는 것이다. 여기서 邪氣가 陽明에 전해진 것은 이미 熱結裏實의 陽明腑證(陶華는 正陽明腑證이라고 일컬음)과 구별되고, 또한 太陽寒邪가 이미 다하여 熱邪가 완전히 陽明으로 들어가서 裏熱이 비교적 심한 陽明經證(白虎湯證)과도 구별된다. 확실히 말하건데, 陶華의 陽明經病은 二陽合病으로 邪氣가 陽明의 表에 치우친 것이고, 仲景의 陽明經證은 陽明이 主病으로 邪氣가 陽明의 裏에 치우친 것이다. 그러므로 어떤 의학자는 前者를 陽明經의 表證이라고 하였고, 後者를 陽明經의 裏證이라고 하였다. 치료는 당연히 性味의 辛溫으로써 太陽의 風寒을 外散하고 특히 性味의 辛涼으로써 陽明의 熱邪를 淸透해야 하므로 陶華가 만든 柴葛解肌湯은 朱肱의 미비점을 보충한 것이고 특히 仲景의 六經辨證을 완벽하게 발전시킨 것이다.

근원을 탐구해 보면 陶華는 본 방제를 세워서 陽明經病을 치료한 것은 바로 仲景의 葛根湯의 뜻을 본받은 것이다. 葛根湯은 惡寒, 發熱, 無汗, 頭身疼痛 및 下利의 太陽陽明合病을 치료한다. 그 證은 風寒이 太陽을 침습하고 表邪가 陽明에 內陷하면 大腸의 傳導가 상실하여 생긴 것이다. 방제로는 桂枝湯에 麻黃을 배합하고 辛溫解表하여 太陽風寒을 치료하고, 葛根을 배합하고 解肌하며 아울러서 능히 升陽止瀉함으로써 陽明下利를 치료하는 것이다. 이 방제는 太陽을 치료하는 것이 주가 되고 兼하여 陽明을 치료하는 것이다. 陶華는 仲景이 二陽合病을 치료하는 用藥의 사고방식을 따라, 陽明經病의 특징과 결합시키고 解肌淸熱에 치중하여, 陽明을 치료하는 것을 주로 하고 兼하여 太陽을 치료하는 柴葛解肌湯을 만든 것이다.

淸代 의학자인 吳謙(1689~1748年, 字六吉) 등은 본 방제에 少陽病을 치료하는 柴胡가 있어서 "三陽合病, 頭痛發熱, 心煩不眠, 嗌乾耳聾, 惡寒無汗, 三陽證同見者."(『醫宗金鑑』「刪補名醫方論」卷3)를 치료하는 것은 적절하다고 생각하였다. 이것은 본 방제의 응용 범위를 발전시킨 것이다. 후대 사람들은 柴葛解肌湯의 溫淸幷用과 表裏同治의 방제조합의 특징에 근거하여 매번 病證이 表에 편중되는 것과 裏에 편중되는 것에 맞추어 增減하였다. 비교적 영향력이 있는 예를 들어 程國彭(1662~1735, 字鐘齡, 號恒陽子及天都普明子)은 表寒이 이미 풀리고 裏熱이 비교적 심한 "春溫夏熱之熱病"을 치료한 柴葛解肌湯은, 즉 본 방제에서 羌活·白芷·桔梗·石膏를 빼고 牡丹皮·知母·生地黃·貝母를 넣어 조성한 것이다(『醫學心悟』卷2). 陳實功(1555~1636, 字毓仁, 號若虛)은 "頤毒表散未盡, 身熱不解, 紅腫堅硬作痛"을 치료하는 데 사용한 柴胡葛根湯은, 즉 본 방제에서 溫燥한 羌活·白芷와 酸收의 芍藥을 빼고 疏散解毒消癰의 連翹·升麻·牛蒡子·天花粉을 넣어 조성한 것이다(『外科正宗』卷4). 또한 沈金鰲(1717~1776, 字芊綠, 號汲門·再平·尊生老人)는 表寒이 비교적 가볍고, 裏熱 또한 심하지 않으며, 兼하여 肺系가 不利하고 濕痰이 阻滯하여 생긴 "春溫感冒, 頭痛身熱, 鼻塞流涕, 惡風惡寒, 聲重聲啞, …… 氣喘, 咳嗽咽乾, 自汗, 脈浮"를 치료한 柴胡升麻湯은 본 방제에서 羌活·白芷·桔梗을 빼고 荊芥·升麻·前胡·桑白皮를 넣어 조성한 것이다(『雜病源流犀燭』卷12).

【難題解說】

1. 본 방제의 적응증에 관하여: 『傷寒六書』卷3에 본 방제를 수재하고 "治陽明胃經受邪, 目疼, 鼻乾, 不得眠, 頭疼, 眼眶痛, 脈來微洪, 宜解肌, 屬陽明經病."이

라고 하였다. 陽明經病은 무슨 證인가? 역대의 의학자들은 仲景의 六經辨證에 근거하여 陽明病을 '經證'과 '腑證'의 두 종류로 나누었다. 邪氣가 裏로 傳入되어 邪熱이 비록 熾盛하지만 腸에 燥屎의 積滯가 없는 자는 陽明經證이고, 그 證은 身熱汗出, 口渴引飮, 苔黃, 脈洪大를 특징으로 한다. 즉 이른바 大熱·大汗·大渴·脈洪大를 '四大證'이다. 邪氣가 裏로 傳入되어 熱邪가 熾盛하고 腸中의 積滯(燥屎)와 서로 맺힌 자는 陽明腑實證이다. 그 證은 便秘, 腹部脹滿疼痛, 發熱, 苔黃燥起刺, 脈沉實을 특징으로 한다. 陶華는『傷寒六書』卷4의「陽明經見證法」에서 "先起目疼, 惡寒, 身熱者, 陽明經本病; 已後潮熱自汗, 譫語發渴, 大便實者, 正陽明胃腑標病."이라고 하였다. 분명하게 陶華가 제시한 陽明經病은 이미 陽明腑實證이 아니고, '四大證'의 표현을 갖추고 있지 않으므로 또한 陽明經證에도 해당되지 않는다. 그러므로 어떤 의학자들은 "目痛, 鼻乾, 不眠, 微惡寒, 是陽明胃經受病."(『傷寒六書』卷4) 및 "脈微洪而長, 陽明脈也. 外證則目痛, 鼻乾, 不得眠, 用葛根以解肌."(『傷寒六書』卷2) 등의 논술에 근거하여 그것을 '陽明經表證'이라고 하였고, 아울러 太陽表證과 陽明表證은 "太陽表病初起則惡寒甚, 且發熱而仍畏寒; 陽明表證初起則微惡寒, 及至壯熱則寒不復惡矣. 又太陽則頭項痛, 陽明則頭額眉棱骨痛, 此爲辨也."(『王高旭醫書六種』「退思集類方歌注」)에서 구별된다고 보았다. 陶華는 陽明經病을 두 종류로 나누었고, 그중 하나는 微惡寒, 身熱, 目痛, 鼻乾, 不得眠, 頭痛, 眼眶痛, 脈微洪한 자로 柴葛解肌湯을 사용하였고, 다른 하나는 渴而汗不解者로 如神白虎湯을 사용하였다. 陶華는 비록 陽明病을 表裏로 나눈다는 말은 없었지만, 확실히 表裏로 나누려는 의도는 있었다. 여기에 대하여 어떤 사람은 "陽明病有經證和腑證的不同, 經證又有表裏之分. 柴葛解肌湯是治陽明表證的方劑."라고 제시하였다.[1] 이상을 종합하면 陶華가 본 방제를 사용하여 치료한 陽明經病은 바로 陽明表證이다. 그것이 치료하는 證은『素問』「熱論」의 "二日陽明受之, 陽明主肌肉, 其脈挾鼻, 絡於目, 故身熱, 目痛而鼻乾, 不得臥也."라는 것에 근원한다. 太陽의 邪氣가 裏로 들어가서 熱로 바뀌고 陽明에 鬱滯하므로 身熱, 惡寒漸輕, 目疼, 鼻乾, 眼眶痛이 나타나고, 陽明의 邪氣가 太陽으로부터 傳經해서 왔기 때문에 그 증상에 여전히 頭痛과 惡寒의 太陽表邪가 다하지 않은 징후가 나타나며, 陽明에도 또한 表裏가 있어서 邪氣가 陽明의 表로 들어가면 또한 안으로 裏에 전해질 수 있기 때문에 그 증상에 또한 發熱이 비교적 왕성하고 脈洪한 陽明裏熱의 표현이 나타나는 것이다. 이것에 근거하자면 陽明表證의 病變 특징은 다음과 같다: 이미 陽明經의 表證이 있고, 또한 陽明經의 裏證이 있으며, 다시 太陽經의 表證이 있지만, 邪氣가 陽明의 表에 鬱滯된 것이 主가 된다. 치료는 陽明의 表를 치료하는 것을 主로 하고 兼하여 太陽의 表寒 및 陽明의 裏熱도 치료하는 것이 적합하다. 방제에서 주요 약물의 선별 사용은 바로 이러한 病證 및 治法의 특징에 맞추는 것이 좋다. 방제에서 陽明經의 表藥은 葛根이고, 여기에 柴胡와 배합하면 辛凉解肌함으로써 陽明鬱熱을 透解하고, 白芷와 배합하면 辛溫解表함으로써 陽明表邪를 발산하는 것이다. 이것은 陽明表證을 위하여 설정한 것이다. 羌活은 太陽으로 잘 가서 解表散寒하는데, 이것은 太陽經表寒을 위하여 사용한 것이다. 石膏·黃芩은 淸泄裏熱하는데, 이것은 陽明의 裏證을 위하여 配伍한 것이다. 배합하여 사용하면 太陽之表, 陽明之表와 陽明之裏를 모두 돌볼 수 있다.

후세 사람들이 본 방제를 운용할 때에는 방제 속의 柴胡는 少陽經의 表藥이 되고, 黃芩은 少陽膽腑의 熱을 내리게 한다는 것에 근거하므로 藥으로써 證을 추측한 것이다. 본 방제는 三陽合病을 치료하는 것이 적절하다고 제시한 것이다. 예를 들어 張秉成은 "治三陽合病, 風邪外客, 表不解而時有熱者. 故以柴胡解少陽之表, 葛根·白芷解陽明之表, 羌活解太陽之表."(『成方便讀』卷1)라고 하였고, 吳謙·王泰林(1798~ 1862, 字旭高, 晩號退思居士) 등도 또한 견해가 서로 같았다. 柴葛解肌湯이 三陽合病을 치료하는 데 藥과 證이 서로 부합되고 확실히 합당하여 임상에서 경험해 봐도 대부분 빠른 효과가 있으므로 본 방제의 치료는 후세 사람들의 說

을 본받으면서 三陽合病에서 논해야 한다.

2. 방제 중의 羌活·白芷에 관하여: 陶華는 仲景의 葛根湯의 뜻을 본받아서 본 방제를 만들었다. 방제에서 解表散寒藥으로 어떻게 麻黃·桂枝를 쓰지 않고 羌活·白芷를 선별하여 사용하였는가? 陶華는 비록 傷寒派의 제자이지만, 그가 明代에 태어났기 때문에 金元시기 各 流派에 있었던 名家들의 학술적 관점이 반드시 그의 학술 사상에 스며들어갈 수밖에 없었다. 그러므로 仲景學說에 대하여 이미 '변절하지 않는(從一而終)' 태도를 堅持하지 못하고 "讀仲景書, 用仲景法, 然未嘗守仲景之方, 乃爲得仲景之心也."(『格致餘論』)하는 융통성 있고 구체적으로 사업 수행에 힘쓰는 태도를 따르게 된 것이다. 陶華는 傷寒을 치료하는 데 仲景을 계승하였을 뿐만 아니라 易老를 숭상하였다. 그가 지은 『傷寒六書』卷1에서 "蓋冬時爲正傷寒, …… 必宜用辛溫散之. 其非冬時亦有惡寒頭疼之證, 皆宜辛涼之劑通表裏, 和之則愈矣. …… 辛涼者何? 羌活沖和湯是也. 兼能代大靑龍湯爲至穩."이라고 하였고, 本書 卷2에서도 "爲正傷寒, 乃有惡寒頭疼·發熱之證, 故用麻黃·桂枝, 發散表中寒邪, 自然熱退身涼."과 "春夏秋之時, 雖有惡寒·身熱·頭痛, 亦微, 即爲感冒, 雖曰傷寒, 所發之時既異, 治之不可混也, …… 皆辛涼之劑以解之. …… 辛涼者, 羌活沖和湯是也."라고 지적하였다. 여기에서 본 방제에서 辛溫解表의 羌活과 白芷를 선별하여 사용한 의미에는 다음의 세 가지가 있음을 알 수 있다: 첫째는 太陽의 邪氣가 처음 陽明에 전해지면 비록 太陽의 表邪가 여전히 다 없어지지 않았더라도 正傷寒과는 다르며, 辛溫의 正法을 헷갈리게 할 수는 없으므로 解表散寒에는 羌活·白芷가 적절하고 麻黃·桂枝를 사용하는 것은 마땅하지 않다. 둘째, 본 방제의 病證은 太陽의 寒邪가 熱로 바뀌고 裏로 들어가기 시작하며 陽明의 表에 鬱滯된 것이 主이고 그 寒은 이미 熱로 바뀌었고 病은 陽明에 편중하게 된다. 만약 麻黃과 桂枝로 치료하면 그 發汗力이 强하여 汗出하고 진액의 손상이 발생한다. 이것이 곧 "若將冬時, 正傷寒之藥通治之, 定殺人矣."(『傷寒六書』卷3)라고 한 의미이다. 만약 羌活·白芷를 사용하여 미미하게 發汗시키면 邪氣가 땀을 따라서 나가고, 邪氣를 제거하여 津液이 손상되지 않을 것이다. 셋째는 易老의 "羌活, 治太陽肢節痛. …… 香白芷, 治陽明頭痛在額."(『此事難知』卷上에 수록됨)한다는 '分經論治' 학설을 따랐다. 본 방제의 病證의 證候 특징은 太陽風寒이 다 풀리지 않아서 생긴 惡寒·頭痛이 있고, 또한 邪氣가 陽明經脈에 鬱滯하여 생긴 目疼·眼眶痛·鼻乾 등도 있으므로 "羌活解太陽不盡之邪"(『醫宗金鑑』「刪補名醫方論」卷3)와 白芷의 "芳香通竅發表, 逐陽明經風寒邪熱, 止頭痛 …… 目痛·眉棱骨痛, 除鼻淵."(『羅氏會約醫鏡』卷16)을 사용하는 것이다. 두 가지 약물은 風寒의 邪氣를 疏散하고 아울러서 太陽經과 陽明經으로 잘 가서 頭痛·目痛·額痛·鼻乾 등을 치료하며, 發散을 위주로 하는 麻黃 및 桂枝와 비교하면 더욱 病機에 的確한 것이다. 이상을 종합하면 본 방제에서 用藥의 사고 방향은 바로 仲景에게서 본받았지만, 羌活과 白芷를 선별하여 사용한 것은 실제로 易老에게서 배운 것이라, "師其意, 變而通之 …… 如是則法不終窮矣."(『先醒齋醫學廣筆記』卷1)이라고 말할 수 있다.

3. 柴胡를 선별하여 사용한 것에 관하여: 본 방제에서 柴胡를 선별하여 사용한 것에 대하여 역대 의학자들의 논쟁이 비교적 많았다. 어떤 학자는 陶華의 方劑配伍가 엄격하지 못하다고 생각하였다. 예를 들어 汪昂은 『醫方集解』「發表之劑」에서 "此邪未入少陽, 而節庵加用之."라고 하였고, 王泰林도 "若謂太陽·陽明合病, 則柴胡尙不宜用, 而節庵用之, 何也?"(『王旭高醫書六種』「退思集類方歌注」)라고 하였으며, 費伯雄은 더욱 명확하게 "此證無脇痛·耳聾之象, 與少陽無涉, 乃首用柴胡, 開門揖盜, 一忌也."(『醫方論』卷1)라고 하였다. 또한 어떤 학자는 만약 三陽合病을 치료하려면 用藥 配伍가 주도면밀해야 한다고 생각하였다. 예를 들면 王泰林은 또한 "此湯以羌·葛·柴胡幷用, 而石膏·黃芩等爲佐, 乃統治三陽經表證, 寒將化熱之法."(『王旭高醫書六種』「退思集類方歌注」)이라고 하였고, 吳謙도 "若用之以治三陽合病, 表裏邪輕者, 無不效也."(『醫

宗金鑑』「刪補名醫方論」卷3)라고 하였다. 우리들은 二陽合病이거나 三陽合病을 막론하고 柴胡를 선별하여 사용하는 것은 합당하다고 생각되고 그 이유는 다음의 세 가지이다: 첫째, 二陽合病이면 이것을 써서 透邪清熱하는 것이다. 柴胡는 비록 肝經·膽經·三焦經으로 들어가서 少陽病과 厥陰病의 專門藥이지만, 그 體質이 輕淸하고 氣味가 모두 薄하기 때문에 用量을 조금 많이 사용해도 또한 하나의 비교적 좋은 發散藥物이다. 바로 예를 들면 『藥品化義』卷11에서 "柴胡, 性輕淸, 主升散, 味微苦, 主疏肝, 若多用二·三錢, 能袪散肌表."라고 한 것과 같다. 그러므로 二陽合病에 사용하면 그 發散하는 성질을 빌려서 밖에서 透邪할 수 있고, 그 寒涼한 성질을 빌려서 안에서 淸熱할 수 있다. 둘째, 二陽合病에 사용하여 병이 아직 경미할 때 더 이상 확대되지 않게 방지(防微杜漸)한다. 太陽·陽明의 合病은 바로 傷寒의 邪氣가 裏로 들어가서 熱로 바뀌어 이미 太陽으로부터 陽明으로 비로소 전해진 것이다. 邪氣가 陽明으로 전해지는 경로는 두 가지 밖에 없다. 하나는 太陽으로부터 직접 안으로 傳해진 것이고, 다른 하나는 少陽을 거쳐 轉換하여 傳해진 것이다. 그러므로 柴胡·葛根의 配伍는 바로 邪氣가 전해지는 경로의 차이를 목표로 하여 사용된 것이다. 太陽에서 陽明으로 비로소 전해진 것은 葛根으로 淸透시킨다. 葛根은 陽明經의 主藥으로 陽明의 表에 있는 邪氣를 밖으로 透達(옛 사람들은 解肌退熱이라고 하였음)시키는 데 장점이 있다. 少陽을 거쳐 전환하여 陽明으로 전해진 것은 柴胡가 이를 중단시킨다. 柴胡는 "爲少陽經表藥"(『本草經疏』卷6)으로 少陽 半表의 邪氣를 透出시키는 데 장점을 보이고, 이것을 사용하여 轉換하여 傳해진 邪氣를 陽明에 침입하지 못하게 한다. 두 가지 약물을 配合하면 邪氣가 어디로 들어왔는지를 막론하고 모두 보살필 수 있다. 셋째, 三陽合病에 이것을 사용하여 少陽을 兼하여 치료한다. 太陽病·少陽病 및 陽明病이 合病할 때에 柴胡는 오로지 少陽의 邪熱을 淸透시키는데 사용되고, 羌活은 太陽으로 가고, 柴胡는 少陽으로 가며, 葛根은 陽明으로 가기 때문에 나누어서 치료하면 각각이 그 직분을 맡게 되는 것이다.

【醫案】

1. 陽明伏暑『徐渡魚醫案』: 陽明伏暑로 經과 府가 교대로 병들어 表熱하고 裏泄하여 脈弦細數한 지 五日에 柴葛解肌湯을 주었다.

考察: 表熱裏泄은 바로 太陽·陽明의 合病으로 즉 表邪가 아직 풀리지 않고 邪氣가 이미 熱로 바뀌어 안으로 陽明에 빠져 들어가 傳導 기능을 잃어서 생긴 것이다. 치료는 바깥에는 肌表의 邪氣를 풀어주고, 안에는 腸胃의 熱을 식히는 것이 적절하다. 처방은 柴葛解肌湯을 써서 解肌透邪하고 祛暑清熱의 작용을 취하며, 다시 葛根을 써서 淸陽을 升發하여 下利를 치료하고, 白芷는 燥濕運脾하여 "止瀉痢"(『景岳全書·本草正』卷49)하게 한다. 이렇게 하면 表解裏和하여 身熱下利는 자연스럽게 완전히 낫게 된다.

2. 氣管支 哮喘『湖南中醫雜誌』(1989, 2:93): 某 남자, 16세, 학생. 환자는 幼兒 때부터 哮喘을 앓았는데 매번 氣候의 變化에 따라서 발생하였다. 2일 전에 氣候가 갑자기 차가워져 寒邪를 받았고 그날 저녁에 哮喘이 크게 발작하였고, 숨이 가쁘면서 가래 끓는 소리가 났고, 입을 벌리면서 어깨를 들썩거렸으며, 입술이 紺色으로 변하고 바로 누울 수가 없었다. 우연히 기침을 할 때 소량의 白色 粘稠痰이 나오고 發熱口乾하고 頭痛身痛하는데 某 의사가 처방한 定喘湯加減을 2첩 복용하였지만 병세는 줄어들지 않았다. 모든 증상이 이전과 같았다. 양쪽 肺에 哮鳴音이 가득 퍼져있고 舌質暗紅, 苔薄黃, 脈浮滑數하였다. '氣管支 哮喘'으로 진단되었다. 證은 寒邪가 外束하여 鬱滯하면서 熱로 바뀌고 肺熱이 內蘊한 것에 해당된다. 치료는 解肌淸熱해야 하고, 처방으로는 柴葛解肌湯을 사용하였다. 처방: 柴胡 10 g, 葛根 12 g, 黃芩 10 g, 羌活 6 g, 白芷 6 g, 白芍藥 12 g, 桔梗 6 g, 生石膏 18 g(先煎), 甘草 6 g. 재진: 2첩을 복용하고 發熱·頭痛 등의 表證이 제거되었으며, 대량의 黃稠痰을 기침으로 내뱉으면서 哮喘도 이에 따라 크게 줄어들었다. 이후에 化痰止咳와 納氣平喘法으로 몸 조리하여 보름 만에 편안해졌다.

考察: 柴葛解肌湯은 感冒를 치료하는 常用方이다. 氣管支 哮喘의 發作期에는 寒이 熱을 싸고 있는 것을 많이 볼 수 있어서, 이 방제로 치료하면 그 치료 효과가 定喘湯보다 우수하다. 이 방제는 柴胡·葛根으로 解肌清熱하고, 羌活·白芷로 解表散寒하며, 黃芩·石膏로 淸泄肺熱하고, 桔梗으로 理肺氣하여 止咳化痰하고 또한 疏泄外邪를 돕고, 白芍藥으로 斂陰和營하고 兼하여 定喘(현대 약리학적인 연구에 의하면 白芍藥이 氣管支 平滑筋의 痙攣을 緩解하여 平喘의 효과가 있는 것으로 밝혀졌다)할 수 있으며, 甘草는 化痰止咳하고 兼하여 藥性을 고르게 한다. 모든 약들을 같이 배합하면 능히 散表寒하고 淸肺熱하며 止咳喘 할 수 있다. 藥과 證이 부합되면 投藥하는 즉시 효과를 보게 된다.

3. 三叉神經痛『四川中醫』(1992, 12:21): 某 여자, 22세. 5년 전에 三叉神經痛에 걸렸고 때로는 가벼워졌다가 때로는 심해지면서 오랫동안 낫지 않았다. 진단 소견: 왼쪽 頭部 및 面頰部에 疼痛으로 견디기 힘들고 燒灼感이 있었고, 頭痛이 때로는 왼쪽, 때로는 오른쪽에 있었고 齒牙·目眶 및 太陽穴까지 당겼으며, 항상 飮食物을 먹고 대화를 하며 세수를 하면 얼굴에 痙攣이 있었고, 통증이 그친 뒤에는 頭部가 昏沈하였다. 최근에는 發作이 자주 있으면서 극심하였고, 目眩·鼻乾·耳鳴·口苦而渴·煩躁易怒를 동반하였다. 舌質乾, 苔正常 및 脈弦緊數하였다. 證은 風毒이 陽明經筋에 침입하고 鬱熱이 太陽과 少陽에 파급된 것에 해당된다. 방제로는 柴葛解肌湯加減을 사용하였다. 처방: 柴胡·葛根·黃芩·白芍藥 各 15 g, 石膏 30 g, 羌活·白芷·桔梗 各 12 g, 甘草·大棗 各 10 g, 蜈蚣 2條, 地龍 20 g, 全蝎 6 g. 물에 달여서 복용한다. 재진: 3첩을 복용한 후에 통증과 熱이 크게 감소하였고, 面部에는 여전히 輕微한 熱感이 있었으며 脈弦遲하였다. 위의 처방에서 石膏를 빼고 黃芪 30 g을 넣어 다시 5첩을 복용하였다. 三診: 疼痛이 消失되었고, 오직 얼굴의 근육에 때때로 酸脹한 감각이 남아 있었다. 원 처방을 하루건너 1첩씩 보름 동안 사용하고는 약 복용을 중지하였다. 1년 동안의 추적조사에서는 재발하지 않았다.

考察: 三叉神經痛은 韓醫의 '偏頭風'에 해당된다. 전통적으로는 대부분 風邪가 少陽經에 침습한 까닭이라고 생각하였지만, 面頰은 陽明經이 분포하는 구역이므로 실제로는 陽明經과 관련이 있다. 본 증례는 風毒에 感觸되고 손상되어 陽明經絡에 머문 뒤에 오랫동안 鬱滯되어 熱로 바뀌고 太陽經과 少陽經의 두 經에 미친 것이다. 방제로는 柴葛解肌湯을 투여하여 辛涼淸泄·解肌舒攣하고, 全蝎·蜈蚣·地龍 등 蟲類藥을 넣어 搜風通絡·解毒逐痺하면 여러 해 동안 앓은 頑疾을 낫게 한 것이다.

【副方】 柴葛解肌湯(『醫學心悟』卷2): 柴胡 一錢二分(6 g) 葛根 一錢五分(6 g) 黃芩 一錢五分(6 g) 知母 一錢(5 g) 生地 二錢(9 g) 丹皮 一錢五分(6 g) 貝母 一錢(6 g)

- 用法: 水煎服. 心煩加淡竹葉十片; 譫語加石膏三錢.
- 效能: 解肌淸熱.
- 主治: 外感風熱, 裏熱亦盛證. 不惡寒而口渴, 舌苔黃, 脈浮散.

이 방제는 陶華의 柴葛解肌湯보다 羌活·白芷·桔梗이 적다. 이것은 '不惡寒'하여 升散發表藥을 많이 사용할 필요가 없고, 또한 羌活과 白芷는 모두 性味가 辛溫香燥하기 때문에 나타나는 증상에 口渴이 이미 있으므로 뺀 것이다. 또한 비록 石膏를 뺐지만, 知母·貝母·牡丹皮·生地黃을 배합하여 淸熱뿐만 아니라 능히 滋陰할 수 있다. 만약 譫語가 보이면 그 藥力이 미치지 못하므로 다시 石膏를 넣는다. 程國彭의 방제는 淸裏에 중점을 두었고, 陶華의 방제는 解肌에 중점을 두었으므로 두 방제는 같음 속에서도 다름이 있음을 알 수 있다.

【參考文獻】

1) 李繼澤. 試談柴葛解肌湯與陽明表證. 遼寧中醫雜誌. 1980:7(8):31.

升麻葛根湯

(『太平惠民和劑局方』卷2)

【異名】 升麻散(『小兒斑疹備急方論』)·升麻湯(『類證活人書』卷16)·四味升麻葛根湯(『小兒痘疹方論』)·平血飮(『澹寮方』, 『觀聚方要補』卷8에 수재됨)·解肌湯(『普濟方』卷369)·葛根升麻湯(『玉機微義』卷50)·葛根湯(『萬氏家傳片玉痘疹』卷6)·升麻飮(『赤水玄珠全集』卷7)·乾葛湯(『症因脈治』卷3)·四味升麻湯(『瘍醫大全』卷33).

【組成】 升麻 十兩(300 g) 芍藥 十兩(300 g) 炙甘草 十兩(300 g) 葛根 十五兩(450 g)

【用法】 위의 약물을 粗末한다. 매번 三錢(9 g)을 복용하는데, 물 一盞半을 사용하여 달여서 1中盞을 취하고, 찌꺼기를 버리고 약간 뜨겁게 복용하며, 시간에 구애받지 않고 하루에 2~3회 복용한다. 病氣가 제거되고 몸이 淸凉해지는 것을 한도로 한다(현대적인 用法: 湯劑로 만들고 물에 달여서 복용하며, 原書의 用量은 병세를 참작하여 增減한다).

【效能】 解肌透疹.

【主治】 痲疹初期. 疹發不出, 身熱頭痛, 咳嗽, 目赤流淚, 口渴, 舌紅, 脈數.

【病機分析】 麻疹의 발병 원인에 대한 역대의 인식은 일치하지 않았다. 主要한 관점에는 "胎毒蘊於肺脾, 因受感冒而引動外發者", "肺胃蘊熱於內, 發爲痧"와 "天行時毒, 兒受感染, 發爲本病."(『近代中醫珍本集·兒科分冊』)이 있다. 확실하게 말하자면 麻疹의 질환은 응당 小兒의 肺胃蘊熱이고 또한 麻毒 時疫의 邪氣에 감촉되어 發病하는 것이다. 만약 麻疹 初期에 또한 外邪가 表에 침습하면 疹毒이 外達되는 機轉이 막히면서 쉽게 透發되지 않아서 發疹이 나오지 않고 혹은 發疹이 나와도 시원하게 나오지 않는 것이다. 麻毒은 口鼻로부터 들어와서 매번 肺에 손상을 미치고, 六淫의 病邪도 또한 口鼻 혹은 皮毛로부터 들어와서 肺에 누를 끼치는 것과 관련된다. 肺는 皮毛를 주관하고 鼻에 開竅하고 呼吸의 직책을 맡고 있다. 麻毒과 外邪가 肺를 침범하면 邪氣와 正氣가 서로 다투고 淸肅이 절도를 상실하게 되므로 初期에는 肺衛의 症狀을 볼 수 있다. 예를 들면 身熱頭痛과 咳嗽 등이다. 風邪 疹毒이 위로 頭面을 공격하므로 目赤流淚하게 되고, 熱이 불살라 津液이 손상을 입으면 口渴하고 舌紅苔乾하게 된다. 이상을 종합해 보면 본 방제의 病證의 病機는 邪鬱肌表와 肺胃熱毒이 된다.

【配伍分析】 疹毒의 發泄은 肌腠에서 肌表에 도달하고, 內에서 外로 향하는 것이다. 따라서 麻疹의 치료 원칙은 처음에는 透發을 귀하게 하고, 마지막에는 存陰을 귀하게 해야 한다. 본 방제의 病證은 바로 麻疹 初期에 發疹이 나오지 않았을 때 반드시 급히 그 肌腠를 열고 그 皮毛를 소통시켜 疹毒의 外透를 도우면 邪氣의 出路가 생겨 자연스럽게 熱이 물러나고 병이 제거되므로 辛凉解肌와 透疹解毒을 설계하여 治法으로 하는 것이다. 방제 중의 升麻·葛根은 모두 解表透疹의 要藥이다. 升麻는 歸經이 肺經·胃經이고, 性味는 辛甘寒하여 解肌·透疹·解毒을 잘하며, 『增廣和劑局方藥性總論』에서 "主解百毒, …… 辟溫疫瘴氣邪氣."라고 하였고, 『現代實用中藥』에서 "解熱, 解毒, 解麻疹·痘瘡及諸瘡瘍之毒."이라고 하였다. 葛根은 歸經이 胃經이고, 性味는 辛甘涼하여 解肌透疹과 生津除熱을 잘하며, 『醫學啟源』卷下에서 "發散小兒瘡疹難出"이라고 하였고, 『景岳全書·本草正』卷48에서 "解溫熱時行疫疾, 凡熱而兼渴者, 此爲最良. …… 尤散鬱火療頭痛, 治溫瘧往來, 瘡疹未透."라고 하였다. 두 가지 약물을 配伍하면 이미 主病과 主證을 조준하고 兼하여 熱邪가 津液에 손상을 입히는 살필 수 있으므로 君藥으로 한 것이다. 芍藥은 마땅히 赤芍藥을 사용해야 하고, 性味는 苦寒하여 血分으로 들어가며 淸熱涼血중에 活血도 兼하고 있고, 이를 사용해서 血絡의 熱毒을 풀어주므

로 臣藥이 된다. 使藥은 炙甘草로써 藥性을 調和시킨다. 네 가지 약물이 配伍되면 함께 解肌透疹의 방제가 완성된다.

【臨床應用】

1. 證治要點: 본 방제는 麻疹이 아직 發하지 않았고 혹은 發하여도 透出하지 않은 것을 치료하는 基礎方이다. 發疹이 나오지 않고 혹은 發疹이 나왔더라도 시원하게 나오지 않고 舌紅과 脈數이 辨證論治의 要點이 된다.

2. 加減法: 麻疹은 그 邪氣가 熱에 해당되어 초기의 치료는 透邪外出을 위주로 하고 淸熱解毒을 輔助로 하는 것이 적절하고, 본 방제는 淸疏의 藥力이 강하지 않아 臨證 할 때에는 薄荷·荊芥·蟬蛻·牛蒡子·金銀花 등을 선별하여 넣음으로써 透疹淸熱의 작용을 증강시킨다. 만약 風寒이 表에 침습하여 透發시킬 수 없어서 惡寒·無汗·鼻塞·流淸涕·苔薄白 등의 증상이 兼하여 나타나면 防風·荊芥·檉柳를 넣어 發表透疹하는 것이 적절하고, 麻疹이 아직 透出되지 않아서 色深紅한 者는 紫草·牡丹皮·大靑葉을 넣어 涼血解毒하는 것이 적합하다.

3. 升麻葛根湯은 다음 한국표준질병사인분류(KCD)에 해당하는 환자가 麻疹初期, 疹發不出證으로 辨證되는 경우 본 처방의 사용을 고려해볼 수 있다.

처방 목표	한국표준질병사인분류(KCD)
麻疹	B05 홍역
帶狀疱疹	B02 대상포진
單純性疱疹	B00 헤르페스바이러스[단순헤르페스] 감염
水痘	B01 수두
泄瀉	(질병명 특정곤란)
	K59.1 기능성 설사
	K52.9 상세불명의 비감염성 위장염 및 결장염
急性 細菌性 痢疾	A03 시겔라증
	A06.0 급성 아메바이질
副鼻腔炎	J01 급성 부비동염
	J32 만성 부비동염

【注意事項】

1. 麻疹의 初期에 疹毒을 內로부터 表에 이르게 하는 데는 涼散이 적절하고, 만약 麻疹이 이미 透出되었으면 마땅히 사용을 금한다.

2. 疹毒이 內陷하여 호흡이 급하고 거칠며, 심하면 혹은 喘息하면서 어깨를 들썩거리고 코방울이 벌렁벌렁 움직이는 자는 본 방제를 사용하는 것은 마땅하지 않다.

【變遷史】 본 방제는 처음으로 『太平惠民和劑局方』에 수재되었고, 원래는 "大人·小兒時氣溫疫, 頭痛發熱, 肢體煩疼, 及瘡疹已發及未發."을 치료하였다. 역대의 의학자들은 장기간에 걸친 임상 실천 속에서 본 방제의 적응증의 범위를 진일보하게 확대하였다. 예를 들어 柯琴은 升麻·葛根이 升發脾陽하고 또한 散邪透疹할 수 있다는 것에 근거하여 "主治陽明表熱下利, 兼治痘疹初發."(『古今名醫方論』卷2에 수록됨)이라고 하였고, 升麻·葛根이 陽明으로 잘 가고 동시에 淸熱解毒의 작용이 있으므로 『瘍科心得集』卷上에서는 齒痛·托腮 등의 질병을 치료하는 데 사용하였고, 『異授眼科』에서는 "目上下皮腫而硬"을 치료하였으며, 『外科集腋』에서는 解毒透疹의 藥力을 이용하여 爛喉·丹痧의 初期에 몸에 斑疹이 隱隱하게 발생하는 것을 치료하였다.

근대의 의학자들은 본 방제의 辛涼解肌와 透疹解毒의 작용에 근거하고, 原書에서는 "瘡疹已發及未發"을 치료한다고 하였고, 더욱 확실하게 麻疹의 透發이 나오지 않은 것을 정하였고, 동시에 그것을 麻疹 초기를 치료하는 기초방으로 보았고 대개 麻疹 초기를 치료하는 방제는 대부분 升麻葛根湯의 뜻을 본받고 혹은 이것에서 처리하여 나온 것이다. 그 처방의 加減 요점은 대략 다섯 가지가 있다: ① 發表疏散의 牛蒡子·荊芥·蟬蛻 등을 配伍하여 疹毒이 밖으로 나가는 것을 돕는다. 예를 들어『痘疹全集』卷14의 升麻葛根湯은 본 방제에 牛蒡子·山楂肉·筍尖을 넣은 것이고,『痧喉證治滙言』의 升麻葛根湯은 본 방제에 荊芥·牛蒡子·桔梗·蟬蛻·櫻桃核·浮萍草를 넣은 것이다. ② 清熱解毒의 連翹·金銀花·菊花 등을 配伍하여 清肺胃熱毒의 藥力을 강화하였다. 예를 들어『麻症集成』卷4의 升麻葛根湯은 본 방제에 牛蒡子·連翹·木通을 넣은 것이다. ③ 宣降肺氣의 桔梗·枳殼·杏仁·前胡 등을 配伍하여 麻疹初期에 發熱咳嗽 등의 증상을 동반하는 것을 겸하여 치료하고, 또한 宣利肺氣를 통하여 腠理를 疏通시킴으로써 疹毒이 쉽게 밖으로 透發하도록 하였다. 예를 들어『治疹全書』卷上의 升麻葛根湯은 본 방제에 芍藥·甘草를 빼고, 枳殼·桔梗·前胡·蘇葉·杏仁·防風을 넣은 것이다. ④ 養陰生津의 麥門冬·沙蔘 등을 配伍하여 熱毒傷津을 고려하였다. 예를 들어『種痘新書』卷11의 升麻葛根湯은 본 방제에 麥門冬을 넣어 조성한 것이다. 이 외에도 아직 적지 않은 方劑에서 疏散·清解·宣肺의 많은 약물들을 본 방제에 모아 놓았다. 이러한 전방위적으로 用藥에 대한 생각의 갈래는 본 방제의 透疹解毒과 調理肺系의 藥力을 제법 두드러지게 하였고, 麻疹 初期에 發疹이 나오지 않으면서 發熱하고 咳嗽가 심한 자에게 더욱 적당하다. 예를 들어『麻科活人全書』卷2의 宣毒發表湯(升麻·葛根·薄荷葉·防風·荊芥·連翹·牛蒡子·木通·枳殼·淡竹葉·桔梗·甘草·燈心草) 및『麻疹全書』卷4의 宣毒發表湯(升麻·葛根·甘草·焦梔子·連翹·金銀花·薄荷·牛蒡子·防風·蘇葉·桔梗·杏仁·前胡)이 있다.

【難題解說】

1. 본 방제의 起源에 관하여: 各版의 教材에서는 모두 본 방제가『閻氏小兒方論』에 輯錄되어 있다고 하였지만, 王丹莉의 考證에 의하면 宋·董汲(字及之, 生卒年不詳, 北宋東平人)의『小兒斑疹備急方論』에 마땅히 起源한다고 하였다.[1)]『閻氏小兒方論』은 1119년에 출간되었고,『小兒斑疹備急方論』은 1093년에 출간되었으며, 그리고『太平惠民和劑局方』은 1078년에 출간되었는데 앞의 醫書와 각각 비교하면 41년 및 14년이 빠르다. 그러므로 본 방제의 기원은『太平惠民和劑局方』으로 바꾸는 것이 적절하다.

2. 방제에서 芍藥의 선택에 관하여: 방제 중의 芍藥은 原書에서는 赤芍藥인지 白芍藥인지를 표명하지 않았는데, 그 이유는 宋代에서 芍藥을 여전히 赤白으로 구분하지 않았기 때문이다. 많은 의학자들이 본 방제를 注解할 때에 비록 芍藥이라고 말하였지만, 대부분 白芍藥의 뜻으로 분석하였다. 예를 들면 汪昂·王泰林·費伯雄 등이다. 또한 芍藥을 말할 때 赤芍藥의 뜻으로 분석한 학자도 있는데 吳昆 등이 그 예이다. 본 방제의 芍藥은 도대체 赤芍藥을 사용하는 것이 적절한가 아니면 白芍藥을 사용하는 것이 타당한가? 李飛 등은 赤芍藥을 사용하는 것이 적절하다고 생각하였고, "因赤芍性味苦寒入血, 淸熱涼血而又活血, 可淸解血絡熱毒, 有利於透疹解毒. 而白芍的酸收, 不利於麻疹的透發."(『中醫歷代方論選』)이라고 하였다. 湖北中醫學院 방제학교실에서도 같은 견해를 갖고 "若用治麻疹透發不暢者, 則當用赤芍"(『古今名方發微』)을 제시하였다. 우리들은 이상에서 서술한 관점을 편들어 麻疹 및 기타 發疹性 疾病을 치료할 때에는 赤芍藥이 적절하고, 痢疾를 치료할 때에는 赤芍藥·白芍藥을 같이 쓸 수 있고, 또한 白芍藥 혹은 赤芍藥을 단독으로 쓸 수 있으며, 白芍藥으로는 緩急止痛의 작용을 취하는 것이고, 赤芍藥으로는 涼血活血의 작용을 취하는 것이다.

【醫案】

1. 傷風『續名醫類案』卷4: 張三錫은 한 사람이 傷風으로 自汗하고 發熱이 그치지 않는 것을 스스로 虛한 것으로 보고 補中益氣湯을 복용하여 熱이 더욱 심해졌고, 진찰해 보니 脈弦하면서 長實有力하기에 升麻葛根湯에 白芍藥을 倍로 하고 桂枝를 조금 넣어 치료하였는데, 1첩으로 땀이 그치고 熱이 물러났다.

考察: 自汗·發熱은 당연히 外感風熱과 관계된 것으로 氣虛로 생긴 것이 아닌데 補中益氣湯을 복용하여 熱이 더욱 심해진 것은 스스로 잘못한 것이다. 升麻葛根湯의 辛涼解表는 證에 비로소 만족스럽다. 藥性이 微寒한 白芍藥을 倍로 하여 養血斂陰하고, 桂枝를 조금 넣어 解表透邪의 藥力을 강화시킨 것이다.

2. 陽明熱毒『慎柔五書』: 丁會成은 나이가 40여 세이다. 봄철에 우측 大腿 정면으로 갑자기 급성 통증이 생겼다. 진찰해 보니 우측 三部脈이 洪數하여 5~6至였으며 口渴하였다. 升麻葛根湯 2첩으로 나았다.

考察: 이것은 熱鬱陽明證이다. 陽明은 肌肉을 주관하고, 熱이 陽明의 肌腠를 鬱滯하고 氣血을 막아 通하지 않으면 통증이 생기는 것이다. 치료는 解肌清熱이 적절하다. 방제에서 葛根은 解肌清熱하고 兼하여 生津하며, 升麻는 解肌透邪와 清熱解毒하고, 芍藥은 養陰和血과 暢行血脈하고, 甘草는 調和藥性한다. 네 가지 약물이 배합되면 熱毒이 식혀지고, 血行이 通暢하며 津液이 생성되므로 2첩으로 腿痛·口渴이 모두 나은 것이다.

3. 濕疹『甘肅中醫』(1992, 4:15): 某 남자, 23세, 근로자, 1986년 7월 25일 初診. 환자는 1개월 전에 兩股 내측 및 陰囊部에 瘙痒感이 있고 散在性 米粒樣 丘疹이 생겨서 치료해도 낫지 않았고, 최근 2일 동안 심해져서 진찰을 받았다. 兩股 내측과 陰囊 및 양쪽 鼠蹊部가 몹씨 가렵다고 自述하였으며, 아울러 밀집된 丘疹과 손톱으로 긁은 흔적 및 糜爛으로 인한 약간의 삼출액이 있었고, 경계가 분명하지 않았다. 證은 濕熱의 邪와 血分의 風熱이 서로 肌膚에 침입한 것으로, 치료는 清熱化濕과 涼血疏風이 적절하다. 방제로는 加味升麻葛根湯을 사용하였다: 升麻 10 g, 葛根 10 g, 白芍藥 10 g, 甘草 6 g, 荊芥 15 g, 防風 10 g, 蟬蛻 12 g, 赤芍藥 10 g, 玄參 15 g, 紫草 10 g, 生地黃 35 g, 地膚子 15 g. 10첩을 매일 1첩씩 달여서 복용하였다. 20일 후에 다시 진찰하였더니 모든 증상이 사라졌다. 추적조사에서 1년 동안 재발하지 않았다.

考察: 濕疹은 주로 風濕熱邪가 肌膚에 鬱滯되어 血脈을 침습하여 생긴다. 본 방제에서 升麻는 歸經이 肺經과 胃經이고 解肌透表하며 또한 地膚子와 배합하여 清熱利濕하며, 葛根·荊芥·防風·蟬蛻와 配伍하여 疏風解肌하여 邪氣를 表에서 나가게 하고, 赤芍藥·玄參·紫草·生地黃으로 涼血養血하고 아울러서 疏風藥과 서로 배합하여 血分의 風熱을 清瀉시키고, 白芍藥으로 和營하고 甘草로 解毒하는 것이다. 모든 약물을 함께 사용하면 清熱化濕과 涼血疏風의 작용을 얻게 되는 것이다.

4. 急性 細菌性 痢疾『四川中醫』(1987, 7:19): 某 남자, 41세, 1985년 7월 15일 진찰. 이틀간 온몸에 冷感이 있고 腹痛, 설사를 하였으며 처음에는 묽은 물처럼 변하고 나중에는 膿血같이 변하면서 黏液이 섞여 있었고, 매일 10여 차례에 量은 적었고 여기에 肛門墜脹, 食後脹悶, 口渴不欲飮과 尿少를 동반하였다. 검사: 체온 37.6℃, 舌紅, 苔白膩에 黃色으로 덮여 있고, 脈濡數하였고, 下腹壓痛은 左側이 심하였고, 腸鳴音은 亢進되었다. 병리 검사: 혈액검사: 백혈구는 12,000/mm3, 호중구(neutrophil)는 76%, 淋巴球는 24%. 대변검사: 黏液 ++, 적혈구 ++, 고름 세포(pus cell) +++. 韓醫로는 濕熱痢(濕이 熱보다 重한 型)에 해당된다. 방제로는 葛根 12 g, 升麻·赤芍藥 各 9 g, 甘草 5 g, 金銀花 20 g, 黃連 9 g, 廣藿香 15 g, 蒼朮·木香 各 9 g, 焦山楂肉 30 g을 사용하였다. 生冷油膩한 음식물은 금하였다. 1첩을 복용한 후에 大便의 횟수가 뚜렷하게 감소되었고, 체온이 정상으로 회복되었으며, 脈證이 호전되었다. 原方을 계속해서 3첩을 복용하였더니 모든 병들이 다 제거되었다. 혈액검사와 화학검사는 정상이었으며, 대변검사는 2회 모두 陰性이었다.

考察: 急性 細菌性 痢疾은 한의학에서는 '腸澼'·'下利'·'時疫痢' 등의 범주에 해당된다. 그 病因·病機는 外感한 濕熱疫毒의 邪氣와 內傷의 不潔한 飮食物이 脾

胃와 腸腑에 손상을 주어 이루어진 것이다. 본 방제에서 葛根·升麻는 解肌熱하고 脾胃淸陽之氣가 上行하는 것을 鼓舞하여 下利를 그치게 하는 것이고, 赤芍藥은 涼血活血하고 木香은 行氣化滯하여 行血하면 便膿이 저절로 낫고 調氣하면 後重이 스스로 제거되는 것이다. 黃連·金銀花는 淸熱解毒燥濕하고, 藿香·蒼朮은 芳香化濕하고, 山楂肉은 消食止瀉하고, 甘草는 和中緩急한다. 모든 약물을 함께 사용하면 表邪가 풀리고, 濕熱이 제거되며, 氣血이 고르게 되므로 痢疾이 그치면서 낫는 것이다.

【参考文獻】

1) 王丹莉. 升麻葛根湯的來源及臨床應用. 浙江中醫學院學報. 1986;(5):10.

竹葉柳蒡湯

(『先醒齋醫學廣筆記』卷3)

【異名】 竹葉石膏湯(『絳雪園古方選注』 卷下).

【組成】 西河柳 五錢(15 g) 荊芥穗 一錢(3 g) 乾葛 一錢五分(4.5 g) 蟬蛻 一錢(3 g) 薄荷 一錢(3 g) 鼠黏子 一錢五分(4.5 g) 知母 蜜炙 一錢(3 g) 玄參 二錢(6 g) 甘草 一錢(3 g) 麥冬 去心 三錢(9 g) 淡竹葉 三十片(3 g) (甚者加石膏五錢 冬米一撮)

【用法】 물에 달여서 복용한다.

【效能】 透疹解表, 淸熱生津.

【主治】 痧疹初起, 透發不出. 喘嗽, 鼻塞流涕, 惡寒輕, 發熱重, 煩悶躁亂, 咽喉腫痛, 唇乾口渴, 苔薄黃而乾, 脈浮數.

【病機分析】 麻疹은 소아과에서 가장 자주 보이는 發疹性 傳染病이다. 肺胃蘊熱에 의하고 또한 麻毒의 時邪를 感受하여 발생하는 것이다. 바로 예컨대 『麻疹拾遺』에서 "麻疹之發, 多系天行癘氣傳染."이라고 하였고, 『麻疹會通』에서도 "麻非胎毒, 皆屬時行, 氣候煊熱, 傳染而成."이라고 하였다. 麻疹은 밖으로 나가는 것이 順證이 되고, 안에 빠지는 것은 逆證이 되는 것이다. 初期에 간호를 소홀히 하여 外邪를 感受하고 肌表가 鬱閉되면 麻疹의 透發이 일어나지 못하는 것이다. 邪氣가 衛表를 침범하면 衛陽이 막히므로 惡寒發熱이 나타나고, "麻爲陽毒"이기 때문에 惡寒이 가볍고 發熱이 重한 것이다. 肌表가 거듭 막히고 熱이 빠져나가지 못하며 안에서 肺를 막고 肺系가 不利해지며 肺가 宣發과 肅降을 하지 못하므로 鼻塞流涕, 咽喉腫痛 및 喘嗽가 나타난다. 裏熱이 비교적 盛하기 때문에 煩悶躁亂하고, 熱邪가 津液에 손상을 입히면 唇乾口渴이 나타난다. 苔薄黃而乾하고 脈浮數한 것은 邪毒이 表를 침습하고 津液이 이미 손상된 증거이다.

【配伍分析】 麻疹의 초기에 透發이 일어나지 않으면 급히 輕淸宣達하여 그 透發을 돕는 것이 적절하고, 兼하여 裏熱이 이미 盛하고 津液이 이미 이지러지면 또한 淸熱生津하여 두 가지를 함께 고려해야 한다. 방제에서 西河柳는 性味가 辛平하여 "近世治痧疹熱毒不能出, 用爲發散之神藥."(『本草經疏』卷11)이라고 하였다. 그것은 "獨入陽明"하고 "功專發麻疹"(『本經逢原』卷3)하기 때문에 麻疹의 透發不出을 치료하는 要藥이 된다. 葛根·牛蒡子·蟬蛻·荊芥·薄荷는 輕淸疏散하고 開肺達表하며 西河柳의 透疹을 돕고 또한 宣肺할 수 있어서 肺氣가 開宣되면 喘嗽 등의 증상은 평정하게 된다. 竹葉·知母·玄參·麥門冬은 淸泄肺胃하고 生津止渴하며, 그중 竹葉은 여전히 淸心利尿하고 導熱下行할 수 있어 淸上導下의 작용을 갖추게 된다. 네 가지 약물을 합쳐서 사용하면 熱을 제거하면 煩悶躁亂의 증상이 없어지고, 陰이 보충되면 唇乾口渴의 증상이 낫게 된다. 甘草는 解毒하고 모든 약물을 調和시킨다. 이와 같이 配伍하면 發散하면서도 熱을 조장하여 津

液이 손상 입을 걱정이 없고, 淸裏하면서도 凉한 것이 氣血을 잠복시킬 우려가 없다. 서로 도와서 일이 잘 되어 나가도록 하고 상부상조로 장점을 더욱 잘 나타내기 때문에 透疹의 良方이 되는 것이다.

繆希雍은 "痧疹乃肺胃熱邪所致."라고 하였고, 또한 "痧疹不宜依證施治, 惟當治本. 本者, 手太陰·足陽明二經之邪熱也."(『先醒齋醫學廣筆記』卷3)라고 하였다. 裏熱이 熾盛한 者는 石膏·冬米(即粳米)를 넣은 것은 白虎湯을 合方하는 의미로, 그것의 淸肺胃의 작용은 더욱 우수하다. 또한 즉 繆希雍의 疹을 치료하는데는 本을 구하라는 뜻이다.

본 방제의 配伍 특징은 發散 중에 淸泄肺胃를 兼하고, 淸疏 중에 生津이 있는 것이다. 이것은 熱毒內蘊에 津液已傷을 兼한 麻疹透發不出을 치료하는 常用 方劑이다.

【類似方比較】 升麻葛根湯과 竹葉柳蒡湯은 모두 透疹淸熱의 작용이 있어서 麻疹의 초기에 透發不出을 치료한다. 그러나 前方은 오로지 解肌透疹하고 그 透散淸熱의 藥力은 강하지 않아서 麻疹 初期의 未發을 치료하는 기초방이고, 後方은 透疹과 淸泄의 藥力이 크고 또한 生津止渴의 작용을 兼하고 있어 麻疹의 透發不出, 熱毒內蘊에 津液 손상을 兼한 것을 치료하는 常用方이다.

【臨床應用】

1. 證治要點: 본 방제는 熱邪가 비교적 심하고 津液 손상을 兼한 麻疹의 透發不出을 치료하는 常用 방제이다. 임상에서는 麻疹의 透發不出과 함께 喘嗽, 發熱, 煩躁, 苔薄黃而乾, 脈數이 나타나는 것이 사용 요점이 된다.

2. 加減法: 喘咳가 심한 者는 枇杷葉·前胡·白前을 넣어 宣肅肺氣와 止咳平喘하고, 咽喉가 紅腫疼痛한 者는 板藍根·大靑葉을 넣어 淸熱解毒利咽하고, 疹色이 暗紅한 者는 牡丹皮·赤芍藥을 넣어 涼血活血하고, 熱이 심한 者는 石膏·連翹를 넣어 淸熱解毒하고, 만약 麻疹이 아직 透出되지 않았고 裏熱이 심하지 않은 者는 마땅히 透疹을 위주로 해야 하고, 知母·玄參·麥門冬 등의 淸滋藥을 빼서 寒涼의 藥性이 中氣를 손상시키는 폐단을 없애야 한다.

3. 竹葉柳蒡湯은 다음 한국표준질병사인분류(KCD)에 해당하는 환자가 痧疹初起, 透發不出證으로 辨證되는 경우 본 처방의 사용을 고려해볼 수 있다.

처방 목표	한국표준질병사인분류(KCD)
麻疹	B05 홍역
疱疹	(질병명 특정곤란)
	B02 대상포진
	B00 헤르페스바이러스[단순헤르페스] 감염
	L10~L14 수포성 장애
水痘	B01 수두

【注意事項】

1. 본 방제는 淸熱의 작용이 비교적 강하여 만약 熱勢가 盛하지 않으면 銀翹散에 蟬蛻·大靑葉을 넣어 사용하는 것이 적절하다.

2. 방제에서 知母·玄參·麥門冬 등 甘寒滋膩藥은 지나치게 일찍 사용하면 邪毒內遏의 폐단이 있을 수 있으므로 麻疹의 熱이 심하지 않고 陰津이 아직 손상되지 않은 者는 이 방제를 사용하는 것이 마땅하지 않다.

【變遷史】 본 방제는 繆希雍(약 1546~1627年, 字仲淳, 明嘉靖·天啓間人)이 痧疹 초기를 치료하던 常用方이다. 그것은 透散淸熱으로 治法을 세운 것으로 繆希雍이 방제를 조성한 원래 뜻이다. 즉, "痧疹者, 手太陰肺·足陽明胃, 二經之火熱發而爲病也."(『先醒齋醫學廣筆記』卷3)라고 하였다. 竹葉柳蒡湯이라는 방제 조성의 구조는 繆希雍이 "辛寒甘寒苦寒以升發之"의 학술사상으로 麻疹을 치료하는 데 충분히 구현하였고, 후세

에 麻疹 初期에 透發不出하고 熱毒內蘊하고 津液이 이미 손상된 證을 치료하는 대표적인 방제가 되었다. 후세의 의학자인 池田瑞仙은 본 방제를 본받아 '竹葉石膏湯'(『痘科辨要』卷9)을 創方하였다. 방제에서 西河柳·薄荷로 解表透疹하고, 竹葉·石膏·知母로 肺胃의 熱을 淸瀉하고, 玄參·麥門冬으로 淸熱生津하고, 粳米로 護胃和中하여 麻疹의 火鬱毒이 깊고 邪熱이 胃에 壅滯하고 肺를 틈탄 者를 치료하는 데 사용하였다. 현대적인 韓醫의 소아과 전문서인 『中醫兒科學』에서 麻疹 출현기에 疹出稀疏하고 色이 비교적 鮮紅한 것은 熱毒熾盛에 해당되는 것을 치료하는 데 사용한 淸解透表湯도 竹葉柳蒡湯의 사유를 따른 것으로, 본 방제에 滋膩한 麥門冬·玄參·知母와 疏散의 荊芥·薄荷·竹葉을 빼고, 淸熱解毒涼血의 升麻·桑葉·菊花·金銀花·連翹·紫草를 넣어 조성한 것이다.

繆希雍의 竹葉柳蒡湯의 근원을 거슬러 올라가면 또한 당연히 仲景의 竹葉石膏湯에 해당한다. 繆希雍의 原著에서는 "多喘, 喘者熱邪壅於肺故也, 慎勿用定喘藥, 惟應大劑竹葉石膏湯, 加西河柳兩許, 玄參·薄荷各二錢."(『先醒齋醫學廣筆記』卷3)이라고 강조한 후에, 본 방제를 사용하여 "痧疹發不出, 喘嗽煩悶躁亂"의 證을 치료할 것을 제시하였다. 繆希雍은 본 방제로 痧疹을 치료하는데, 그에는 仲景의 '竹葉石膏湯'의 뜻이 들어 있음을 알 수 있다. 王子接(1658~?年, 淸代 의학자, 字晋三, 長洲人)은 그 뜻을 헤아려서 '竹葉石膏湯'이라는 이름을 덧붙이고 『絳雪園古方選注』에 수재하였다. 현대적인 方劑學教材인 『中醫方劑學講義』에서는 방제 중의 주요한 약물이 西河柳·竹葉·牛蒡子와 연계되어 있다는 것에 근거하여 지금의 이름을 더하였고, 드디어 계속해서 사용하면서 익숙하게 되었다.

【醫案】 痧疹 『先醒齋醫學廣筆記』卷3: 賀知忍의 어린 아들이 痧疹에 걸렸으나 집안사람들이 모르고서 여전히 고기밥을 주었다. 仲淳이 방금 이르고 놀라서 "이것은 痧疹이 지극히 심한 것인데 어찌 가볍게 보는 것이오?"라고 말하고는 西河柳 兩許, 玄參 三錢, 知母 五錢, 貝母 三錢, 麥門冬 兩許, 石膏 兩半, 竹葉 七十片을 주었다. 2첩에 痧疹이 다 나았고 온몸이 붉어졌으며, 연속해서 4첩을 복용하였더니 저녁 무렵이 되었다. 知忍이 "아이가 지금 병이 없어진 것인가?"라고 물었다. 仲淳이 "痧疹은 비록 다 나왔지만 煩躁가 그치지 않고 아직은 보장할 수 없다"고 대답하고는 다시 石膏 三兩, 知母 一兩, 麥門冬 三兩, 黃芩·黃柏·黃連 各五錢, 西河柳 一兩, 竹葉 二百片을 진하게 달여서 마시게 하였더니 煩躁가 드디어 안정되면서 병이 나았다.

考察: 發疹이 되지 않고 또한 煩躁를 동반한 것은 熱毒이 이미 熾盛한 것을 드러낸 것이므로 "痧疹之極重"이라고 말한 것이다. 이 醫案은 竹葉柳蒡湯에서 荊芥·乾葛 등의 疏散藥을 빼고, 石膏 등의 淸熱藥을 넣은 것으로, 여기에는 '竹葉石膏湯'의 의미가 들어 있다. 즉, 淸疏를 병용하지만 淸熱에 중점을 둔 것이다. 醫案에서 麻疹 말기에는 熱毒이 未盡하여 原方에서 貝母를 빼고, 黃芩·黃連·黃柏을 넣어 뒤처리를 잘 한 것은 여전히 여러모로 생각을 해야지 억지로 흉내내서는 안 된다. 麻는 陽毒이다. 麻疹 말기에는 이미 熱毒이 未盡한 邪實의 일면도 있고 또한 陰液이 손상을 입은 正虛의 일면도 있어서 黃芩·黃連·黃柏이 비록 淸熱解毒할 수 있지만, 결국은 苦寒藥이기 때문에 쉽게 燥로 바뀌어 陰에 손상을 입혀서 性味가 辛寒·甘寒한 金銀花·連翹·天花粉 등의 흡족한 것만 못하므로 이것들을 사용함에 신중해야 한다.

第三節 扶正解表劑

敗毒散
(『太平惠民和劑局方』卷2)

【異名】敗毒散(『類證活人書』卷17)·羌活湯(『聖濟總錄』卷21)·十時湯(『聖濟總錄』卷144)·人蔘前胡散(『鷄峰普濟方』卷5).

【組成】柴胡 去苗 前胡 去苗, 洗 川芎 枳殼 去瓤, 麩炒 羌活 去苗 獨活 去苗 茯苓 去皮 桔梗 人蔘 去蘆 甘草 各 三十兩(各 900 g)

【用法】이상을 거칠게 가루로 만들어 매번 二錢(6 g)을 복용하는데, 물 一盞에 生薑·薄荷를 약간 넣고 함께 달여서 七分이 되면 찌꺼기는 버리고 시간에 구애받지 말고 복용한다. 寒이 많으면 뜨겁게 복용하고, 熱이 많으면 따뜻하게 복용한다(현대 用法: 湯劑로 만들고 달여서 복용하며, 용량은 참작하여 줄인다).

【效能】散寒祛濕, 益氣解表.

【主治】氣虛, 外感風寒濕表證. 憎寒壯熱, 頭項强痛, 肢體酸痛, 無汗, 鼻塞聲重, 咳嗽有痰, 胸膈痞滿, 舌淡苔白, 脈浮而按之無力.

【病機分析】본 방제가 치료하는 證候는 正氣가 평소에 虛하고, 또한 風寒濕邪를 感受하여 생긴 氣虛外感表證과 연계되어 있다. 風寒濕邪가 肌表에 침입하여 衛陽이 막히면 正氣와 邪氣가 서로 싸우므로 憎寒壯熱과 無汗이 나타나고, 寒濕이 肌肉과 經絡을 鬱滯하면 氣血의 運行이 순조롭지 못하므로 頭項强痛과 肢體酸痛하며, 肺는 皮毛와 合하고 表는 寒邪에 닫혀 肺氣가 鬱滯되고 宣發하지 못하며 津液은 뭉쳐서 퍼지지 못하므로 咳嗽有痰하고 鼻塞聲重하며, 濕滯로 氣가 막히므로 胸膈痞悶한 것이다. 舌苔白膩에 脈浮하고 누르면 힘이 없는 것은 바로 虛人이 外感風寒에 濕을 겸할 때의 징후이다.

【配伍分析】風寒濕邪를 外感한 表證의 治法은 마땅히 解表散寒祛濕해야 하고, 氣虛한 者는 또한 반드시 益氣扶正해야 한다. 방제 중의 羌活은 性味가 辛苦而溫하여 "發汗散表, 透關利節, 非時感冒之仙藥也."(『本經逢原』卷1)라고 하였고, "治風寒濕邪, 頭痛項强, 遍身百節骨疼."(『羅氏會約醫鏡』卷16)이라고 하였다. 獨活은 性味가 辛苦而微溫하여 "爲祛風通絡之主藥, …… 能宣通百脈, 調和經絡, 通筋骨而利機關, 凡寒濕邪之痺於肌肉, 着於關節者, 非利用此氣雄味烈之性, 不能直達於經脈骨節之間, 故爲風痺痿軟諸大證必不可少之藥."(『本草正義』卷2)라고 하였다. 두 가지 약물은 모두 風濕痺痛의 要藥이 되고 본 방제에서 이들을 사용하여 發散風寒하고 除濕止痛한다. 羌活은 上部의 風寒濕證에 常用하고 獨活은 下部의 風寒濕邪를 전적으로 주관하며, 이들을 합하여 사용하면 上下가 結合하여 온몸의 風寒濕證을 通治하므로 함께 君藥이 된다. 川芎은 行氣活血하고 아울러서 祛風할 수 있고, 柴胡는 疏散解肌하고 아울러서 行氣할 수 있다. 두 약물은 君藥을 도와서 解表逐邪할 수 있고 氣血을 순조롭게 運行하면서 宣痺止痛의 藥力을 강화할 수 있어서 함께 臣藥이 된다. 桔梗은 開宣肺氣하여 止咳하고, 枳殼은 理氣寬胸하여 利膈하며, 두 약물에서 하나는 升하고 다른 하나는 降하여 肺의 宣發과 肅降을 회복시키고 또한 胸膈痞悶을 치료하는 것이다. 前胡은 降氣化痰을 잘 하고, 枳殼·桔梗과 같이 사용하면 宣肺化痰의 작용이 더욱 드러난다. 肺는 痰을 저장하는 그릇(貯痰之器)이고, 脾는 痰을 생산하는 발원지(生痰之源)이므로 枳殼·桔梗·前胡를 사용하여 肺系의 기능을 調理하면 肺氣가 정상적으로 宣發과 肅降을 할 수 있고, 津液이 정상적으로 충분히 퍼질 수 있도록 하는 동시에 茯苓을 配伍하여 滲濕健脾함으로써 痰

을 생산하는 발원지를 끊어버린다. 네 가지 약물을 배합하여 氣機를 순조롭게 通하게 하여 濕痰이 제거되면 胸悶咳痰 등의 증상이 나을 수 있다. 모두 佐藥이 된다. 生薑·薄荷를 引經藥으로 하여 解表의 藥力을 돕는다. 위에서 서술한 약물들은 발병 원인을 충분히 제거할 수 있고, 氣血津液을 通하게 하고 조절하여 모두 祛邪藥이다. 이 證은 비록 外感邪實에 해당되지만, 환자의 평소 체질이 虛弱하기 때문에 만약 祛邪만 하고 扶正을 하지 않으면 邪氣를 밖으로 나가게 고무시킬 힘이 없고 表邪가 잠시 풀어져도 또한 正氣가 부족하여 邪氣가 다시 침입할 것이다. 이것이 그 첫 번째이다. 두 번째는 正氣가 虛弱한 사람이 外邪를 感受했을 때, 단순히 解表藥으로 발한시키면 약물이 비록 밖으로 가서 작용할지라도 中氣가 부족하여 가벼우면 땀이 반밖에 안 나오고 外邪는 여전히 풀리지 않으며, 重하면 外邪가 도리어 元氣의 虛한 틈을 타고 裏로 들어와서 發熱이 그치지 않고 病勢가 오래 끌면서 잘 낫지 않는다. 이것이 『寓意草』에서 "人受外感之邪, 必先汗以驅之. 惟元氣大旺者, 外邪始乘藥勢而去. 若元氣素弱之人, 藥雖外行, 氣從中餒, 輕者半出不出, 留連爲困, 重者隨元氣縮入, 發熱無休 …….”라고 한 것과 같다. 그러므로 소량의 人蔘을 佐藥으로 補氣함으로써 그 正氣를 바로잡고, 첫째는 正氣를 도와줌으로써 邪氣를 몰아 밖으로 나가게 하고 동시에 邪氣가 裏로 들어가는 것을 방지하는 뜻이 들어 있고, 두 번째는 發散 중에 補가 있어서 眞元을 손상시키지 않게 한다. 甘草는 佐使藥으로 쓰이고, 그 甘溫益氣를 取하여 人蔘과 배합하면 扶正하여 祛邪하고, 동시에 능히 藥性을 조화시킨다. 방제 전체를 종합해서 보면 羌活·獨活·川芎·柴胡·枳殼·桔梗·前胡 등이 人蔘·茯苓·甘草가 서로 配伍하고 있어서 正氣와 邪氣를 같이 고려하는 것으로 구성되어 있지만, 祛邪를 爲主로 하는 配伍 형식이다. 扶正藥이 祛邪藥을 얻으면 補하되 邪氣가 滯留하지 않고 문을 닫고 도둑을 머무르게 하는 폐단이 없으며, 祛邪藥이 扶正藥을 얻으면 藥力이 더욱 커지고 解表하되 正氣가 손상되지 않고 뒤를 돌아볼 걱정이 없어져 서로 도와서 일이 잘 되어 나가도록 하고 상부상조로 장점을 더욱 잘 나타내게 된다. 虛人의 外感에 대하여 확실히 적합한 방제가 된다.

본 방제의 配伍 특징: 解表藥에 補氣藥을 配伍하여 같이 사용함으로써 扶正하여 祛邪한 것이며 邪氣와 正氣를 함께 돌보는 것이다.

喩嘉言은 이 방제로 外邪가 裏로 빠져 들어가서 생긴 痢疾을 치료하였다. 그 證은 外邪가 表에서 裏로 빠진 것이고, 이 방제로 疏散表邪하면 表氣가 疏通되고 裏滯 또한 제거되어 그 痢疾이 저절로 그치게 된다. 이와 같은 治法을 '逆流挽舟'法이라고 부른다.

【臨床應用】

1. 證治要點: 본 방제는 益氣解表의 常用方으로 憎寒壯熱, 肢體酸痛, 無汗 및 脈浮按之無力은 辨證論治의 요점이 된다.

2. 加減法: 만약 正氣가 아직 虛하지 않고 表寒이 비교적 심한 者는 人蔘을 빼고 荊芥·防風을 넣어서 祛風散寒시키고, 氣虛가 뚜렷한 者는 人蔘을 倍로 넣고 혹은 黃芪를 넣어 益氣補虛하며, 濕이 肌表經絡을 막아서 肢體酸楚疼痛이 심한 者는 威靈仙·桑枝·秦艽·防己 등의 祛風除濕·通絡止痛藥을 참작하여 넣을 수 있고, 咳嗽가 重한 者는 杏仁·白前을 넣어 止咳化痰한다. 痢疾로 腹痛·便膿血·裏急後重이 심한 者는 白芍藥·木香을 넣어 行氣和血止痛시킬 수 있다. 만약 風毒癮疹에 사용하려면 蟬蛻·苦蔘을 넣어 疏風除濕止癢시킬 수 있고, 瘡瘍 初期에 사용하려면 人蔘을 빼고 金銀花·連翹를 넣어 淸熱解毒·消腫散結시킬 수 있다.

3. 敗毒散은 다음 한국표준질병사인분류(KCD)에 해당하는 환자가 氣虛, 外感風寒濕表證으로 辨證되는 경우 본 처방의 사용을 고려해볼 수 있다.

처방 목표	한국표준질병사인분류(KCD)
感冒	J00 급성 비인두염[감기]
流行性 感冒	J09 확인된 동물매개 또는 범유행 인플루엔자바이러스에 의한 인플루엔자
	J10 확인된 계절성 인플루엔자바이러스에 의한 인플루엔자
	J11 바이러스가 확인되지 않은 인플루엔자
	J14 인플루엔자균에 의한 폐렴
류마티스性 關節炎	M15 다발관절증
	M13.0 상세불명의 다발관절염
泄瀉	(질병명 특정곤란)
	K59.1 기능성 설사
	K52.9 상세불명의 비감염성 위장염 및 결장염
痢疾	A03 시겔라증
	A00~A09 장감염질환
皮膚瘙痒症	(질병명 특정곤란)
	L00~L99 XII. 피부 및 피하조직의 질환
	F45.8 기타 신체형장애
瘡瘍	L20~L30 피부염 및 습진
	L00~L08 피부 및 피하조직의 감염

【注意事項】 본 방제는 辛溫香燥藥을 많이 사용하였기 때문에 外感風熱 및 陰虛外感한 사람에게는 모두 사용을 금한다. 만약 時疫·濕溫·濕熱이 腸中에 蘊結하여 생긴 痢疾에는 절대로 사용해서는 안 된다.

【變遷史】 본 방제는 처음으로 『太平惠民和劑局方』에 수재되어 있고, 原書에는 "傷寒時氣, 頭項强痛, 壯熱惡寒, 身體煩疼, 及寒壅咳嗽, 鼻塞聲重, 風痰頭痛, 嘔噦寒熱."을 치료한다고 하였다. 그 방제는 羌活·獨活·川芎 등에 人蔘을 配伍하여 조성하였기 때문에 益氣解表와 疏風祛濕의 治法을 구현한 것으로 후세에 영향이 매우 컸다. 제일 먼저 그 邪氣와 正氣를 함께 고려하는 配伍 특징을 늘 사용하여 體虛外感證을 치료하였다. 예를 들면 『三因極一病證方論』卷3의 加味敗毒散은 본 방제에 蒼朮·大黃을 넣어 瀉熱燥濕함으로써 正虛外感風寒에 兼하여 濕熱下注로 인한 "腳踝上焮熱赤腫, 寒熱如瘧, 自汗惡風, 或無汗惡寒."의 證을 치료하였고, 『異授眼科』의 人蔘敗毒散은 본 방제에 獨活·生薑·柴胡·甘草를 빼고, 黃連·黃芩·梔子·生地黃·當歸·陳皮 등의 淸熱燥濕·涼血活血藥을 넣어서 體虛脾弱과 酒色過度에 의한 兩目暴發赤腫과 沙澁難開를 치료하였다. 그 다음으로 人蔘을 빼고 다시 疏散藥을 넣어서 오로지 祛邪만 하게하여 外感의 風寒濕邪에 正氣가 虛하지 않은 者를 치료하였다. 예를 들면 『症因脈治』卷1의 羌活敗毒散은 즉 본 방제에서 人蔘·茯苓·桔梗·枳殼를 빼고, 荊芥·防風·蒼朮·白芷를 넣어 만든 것으로 寒濕腰痛으로 통증과 함께 목덜미·등·궁둥이(項背尻背)가 당기는 것을 치료하였고, 『攝生衆妙方』卷8의 荊防敗毒散은 본 방제에 人蔘을 빼고 荊芥·防風을 넣어 風寒에 의한 瘡瘍 초기를 치료하였다. 連翹敗毒散(『醫方集解』에 수재됨)은 본 방제에 人蔘을 빼고 金銀花·連翹를 넣어 熱毒에 의한 瘡瘍 초기를 치료하였는데, 辛溫解表劑를 한번 變化시켜 辛涼疏散方으로 만든 것이다. 이것은 옛것을 본받으면서도 옛것에 빠지지 않은 성공적인 범례이다. 그 다음으로 방제에서 祛風散寒除濕의 羌活·獨活을 선별하고 活血의 川芎 등을 配伍한 것은 후세 사람들이 風寒夾濕의 表證·痺證을 치료하는 데 비교적 큰 깨우침이 있었다. 金元 시기의 著名한 方劑인 九味羌活湯은 그 組成과 적응증을 헤아려 보면, 마땅히 본 방제에서 傳授받은 것이다.

【難題解說】

1. 方劑의 이름에 관하여: '毒'字의 대한 인식은 적지 않은 사람들이 대부분 '熱盛成毒'·'火盛成毒'으로 이해하였다. 그러므로 『方劑學』 답안에서 매번 敗毒散의 작용을 '淸熱解毒'으로 이해하는 잘못이 있다. 『簡明中醫辭典』에 '毒'의 해석에 세 가지가 있다: ① 病因. 예를 들면 毒氣로서 즉, 疫癘之氣이다. ② 病證. 대부분 焮熱腫脹 혹은 水濕浸淫의 證을 가리킨다. 예를 들면 熱毒·濕毒 등이다. ③ 藥物의 毒性을 가리킨다. 그렇다면 敗毒散의 '毒'은 당연히 무엇으로 논해야 하는가? 原書에서 본 방제로 '傷寒時氣'·'寒壅咳嗽'·'風痰頭痛'을

치료한다는 점에서 보면 그 '毒'은 당연히 病因을 가리킨다. 즉, 邪氣와 邪毒이다. 여기에서의 '邪毒'은 밖에서 들어 온 風寒의 邪氣를 포괄하고, 또한 안에서 생긴 濕痰의 邪氣도 포함한다. 본 방제는 羌活과 獨活의 發汗解表와 川芎 및 柴胡의 調暢氣血을 거쳐 밖에서 받은 風寒을 풀어줄 수 있고, 枳殼·桔梗의 宣降肺氣와 前胡·茯苓의 化痰滲濕을 통하여 안에서 생긴 濕痰을 없애줄 수 있다. 그러므로 본 방제의 '敗毒'은 發散邪毒과 祛除邪毒의 뜻이다. 人蔘은 방제에서 扶正祛邪하여 매우 중요한 작용을 한다. 그러므로 본 방제를 또한 人蔘敗毒散이라고 부르는 것이다. 바로 陳素中이 "培其正氣, 敗其邪毒, 故曰敗毒."(『傷寒辨證』)이라고 한 것과 같다.

2. 본 방제의 君藥에 관하여: 본 방제는 어떤 약물을 君藥으로 할 것인지 평소에 논쟁이 있었다. 대다수의 의학자 및 현행『方劑學』教材에는 모두 風寒濕의 邪氣를 解散하는 羌活·獨活을 반드시 君藥으로 해야 한다고 생각하였고, 또한 어떤 학자들은 補正祛邪의 人蔘을 반드시 君藥으로 해야 한다고 인식하였다. 예를 들면 吳瑭은『溫病條辨』卷2에서 "此證乃內傷水穀之釀濕, 外受時令風濕, 中氣本自不足之人; 又氣爲濕傷, 內外俱急. 立方之法, 以人蔘爲君, 坐鎭中州, 爲督戰之帥 …….."라고 하였다. 이것에 대하여 우리들은 前者에 기울어지는데 그 이유는 세 가지이다: 첫째, 原書에서 보면 본 방제는 '傷寒時氣'에 대하여 설계하였고, 여기의 '時疫之發'(『張氏醫通』卷16)은 病證이 비교적 重하기 때문에 原書에서는 "頭項强痛, 壯熱惡寒, 身體煩疼."이라고 서술하였다. 時疫의 邪氣를 感受하여 邪毒이 비교적 盛하기 때문에 正氣가 지탱하지 못하고 邪氣가 안으로 빠져든다. 그러므로 소량의 人蔘을 사용하여 "實其中氣, 使疫毒不能深入也."(『傷寒辨證』)라고 한 것이다. 바로 張璐가 "蓋時疫之發, 或値歲氣幷臨, 或當水土疏豁, 種種不侔, 然必人傷中土, 土主百骸, 無分經絡, 毒氣流行, 隨虛輒陷, 最難叵測, 亟乘邪氣未陷時, 盡力峻攻, 庶克有濟. 其立方之妙, 全在人蔘一味, 力致開闔, 始則鼓舞羌·獨·柴·前各走其經, 而與熱毒分解之門; 繼而調禦津精血氣各守其鄕, 以斷邪氣復入之路."(『張氏醫通』卷16)라고 한 것과 같다. 原書에서 人蔘을 사용한 의도는 扶正祛邪에 있으며, 만약 君藥으로 하면 立方의 本意와는 서로 어긋난다는 것을 알 수 있다. 둘째, 후세의 응용에서 보면 본 방제의 益氣解表의 작용 특징에 따라 그 응용 범위를 확대하였다. 病後·産後·노화·體弱 등과 같은 각종 원인에 의한 正氣虧虛에 다시 風寒濕의 邪氣를 感受한 자는 모두 정황을 참작하여 운용할 수 있다. 體虛外感은 邪實正虛證에 해당되고, 그중에 邪實이 비교적 急하고 이것이 주요한 모순이므로 역대로 펴낸『方劑學』教材에서는 敗毒散證을 묘사할 때에 모두 風寒濕의 邪氣가 表를 침습한 증상을 위주로 강조하였고, 正虛의 표현은 분명하지 않았으며 겨우 脈浮無力을 증거로 하였다.『內經』의 "急則治標, 緩則治本."의 원칙에 따라서 治法을 세우고 약물 선별을 할 때는 반드시 解表祛邪를 위주로 하고, 益氣扶正을 輔助로 하였다. 만약 人蔘을 君藥으로 하면 病證 및 治法과 부합되지 않는다. 셋째, 敗毒散의 類似方에서 보면, 예를 들어 荊防敗毒散(『攝生衆妙方』)·羌活敗毒散(『症因脈治』)·連翹敗毒散(『醫方集解』)은 모두 敗毒散에서 人蔘을 빼고 加減하고 變化하여 나온 것이다. 후세 사람들이 본 방제를 응용하고 발전시키는데 또한 그 發散邪毒의 작용에 근거를 두었으므로 그 羌活과 獨活을 君藥으로 하여 더욱 방제의 組成 변화의 요구와도 부합된다.

3. '逆流挽舟'에 관하여: 喩嘉言은 본 방제를 常用하여 外邪가 裏에 빠져서 痢疾이 된 자를 치료하였고, 후세 사람들이 이것을 '逆流挽舟'法이라고 불렀다. 痢疾의 형성은 대부분 濕熱疫毒으로 인하여 腸道가 壅滯하면 그 病勢는 內와 下로 향한다. 치료는 정세에 따라 유리하게 이끄는 것이 적절하므로 당연히 淸熱化濕解毒하고 兼하여 調氣和血導滯한다. 이것이 바로 痢疾을 치료하는 常法이고, '逆流挽舟'法은 痢疾을 치료하는 變法이다. 본 治法으로 치료하는 痢疾은 表邪가 裏로 빠져 들어가서 腸道가 壅滯하고 氣血이 조화를 잃어서 이루어진 것이다. 이때 病勢는 비록 內와 下

로 향하지만 腸道의 壅滯를 유발한 근본 원인이 表邪의 內陷이기 때문에 그 병세를 순종하여 常法을 사용하는 것은 마땅하지 않고, 그 병세를 거스르는 解表法을 채택하여 치료하는 것이 적절하다. 그러므로 '逆'이라는 것은 그 病勢를 거스르는 것이고 그 常法을 거스르는 것이다. 解表藥을 응용하여 內陷한 外邪를 表에서부터 풀어주는 것은 마치 물의 흐름을 거슬러 배를 당겨 위로 가게 하는 것과 같다. 그러므로 '逆流挽舟'法이라고 부르는 것이다. 病勢에서 보면 실제로 '거슬러 당긴다(逆挽)'에 해당되지만, 病因·病機에서 분석하면 '순조롭게 민다(順推)'에 해당된다. 양자는 本質과 現象의 관계를 반영하는 것이다. 그렇다면 본 방제의 痢疾을 치료하는 작용기전은 어디에 있는 것인가? 肺는 外로는 皮毛와 合하고 表를 주관하며, 內로는 大腸과 合하여 서로 表裏가 된다. 대개 外感에 의한 痢疾은 바로 風寒이 外에서 속박하고 衛氣는 閉鬱되고 肺는 宣發과 肅降을 잃어버리고 腸道는 壅滯되고 氣血은 고르지 못하여 생긴 것이다. 그 證은 下痢赤白과 裏急後重을 보이고, 또한 惡寒發熱과 身痛鼻塞 등이 나타날 수 있다. 病因의 제거와 調氣和血은 痢疾을 치료하는 중요한 원칙인데, 본 방제가 이것을 兼備하고 있다. 방제에서 羌活·獨活·生薑·薄荷는 辛溫發散하고 開泄皮毛하며 表에 있는 風寒을 밖에서 풀어주어 안으로 빠진 邪氣를 밖으로 나가게 하고, 桔梗·枳殼·前胡는 宣降肺氣하여 肺氣의 鬱閉를 內疏하고, 柴胡·枳殼은 行氣導滯하며, 川芎은 活血止痛한다. 이것은 즉, "行血則便膿自愈, 調氣則後重自除."의 이치가 되는 것이다. 外感으로 생긴 痢疾은 또한 평소 체질이 脾虛胃弱한 것과 관계가 있다. 脾胃가 평소에 弱하면 脾가 濕을 運化시키지 못하고 濕이 中焦를 막으며 氣機는 순조롭지 못하게 되는데, 만약 外邪가 더해지고 肺氣가 鬱閉되며 表邪가 內陷하면 쉽게 腸道를 壅滯하여 痢疾이 되는 것이다. 그러므로 방제에서 人蔘·茯苓·甘草는 健脾滲濕하고 扶正祛邪하며 津液을 流通시키고, 그 人蔘이 "주재하며 中州를 지키는(坐鎭中州)" 것은 더욱 작용이 없을 수가 없는 것이다. 이것은 즉, "昌所爲逆挽之法, 推重此方, 蓋借人蔘之大力, 而後能逆挽之耳."(『醫門法律』卷5)라고 한 뜻이다. 이와 같이 配伍하면 解表散寒하여 발병의 원인을 제거하고, 調氣和血하여 腸道의 壅滯를 소통시키고, 益氣健脾하여 그 正氣를 바로잡아서 外邪로 발병한 痢疾의 각 방면을 고려한 것이며, 痢疾에 風寒表證을 兼한 자는 대부분 뜻대로 항상 효과를 보았다. 敗毒散의 痢疾 치료는 제법 溫病學者들의 특별한 주목을 받았다. 吳瑭은 "痢之初起, 憎寒壯熱者, 非此不可也."(『溫病條辨』卷2)라고 하였고, 雷豊(1833~1888年, 字松存, 號少逸·侶菊) 또한 "若有寒熱外感之見證者, 便推人蔘敗毒散爲第一, 歷嘗試之, 屢治屢驗."(『時病論』卷3)이라고 하였다. 喩昌이 痢疾을 치료하는 데 表藥을 쓴 것은 실제로는『傷寒論』의 葛根湯에 근본한 것이다. 이 방제는 太陽陽明의 合病으로 인한 下利를 치료하는 것인데, 外感風寒과 연계되어 있기 때문에, "表衛閉鬱, 津氣不能正常輸於皮毛, 即從三焦內歸腸胃, 以致淸陽下陷, 濁陰下流, 呈爲下利. …… 是用葛根升擧淸陽, 使下陷的淸陽得以上升; 麻黃·桂枝·生薑發散風寒, 宣通毛竅, 使內陷之津氣仍然出表; 白芍·甘草·大棗調理脾胃, 緩解腸道蠕動."(『中醫治法與病機』)이라고 하였다. 葛根湯이 下利를 치료하는 것은 "不僅是表裏同治的先驅, 也是逆流挽舟法的先河."(『中醫治法與病機』)임을 알 수 있다.

【醫案】

1. 傷風『名醫類案』卷1: 한 사람이 飮酒하고 傷風에 걸려 頭疼身疼, 火熱이 있는 것 같고, 骨痛이 몹시 심하고, 밥을 먹지 못하여 人蔘敗毒散에 乾葛을 넣어 복용하였다.

考察: 飮酒하면 대부분 脾胃를 손상시킨다. 飮酒하고 나서 傷風에 걸리고 頭疼身疼, 發熱, 骨痛 등의 表證에 不思飮食이 같이 나타난 것은 外感風寒에 脾失健運을 兼한 證이다. 그러므로 人蔘敗毒散을 써서 解表散寒하고 健脾助運을 겸(兼)한 것이다. 乾葛을 넣어 첫째는 그 解表의 작용을 취하고, 두 번째는 그 '消酒毒'(『食療本草』卷上)의 기능을 사용한 것이다.

2. 瘧疾과 痢疾의 발작『時病論』卷3: 雲岫에 사는 錢某씨가 갑자기 비를 맞아 그날 밤 寒熱을 일으키고 頭身이 모두 아팠다. 우리들이 사는 거리가 土俗적이기 때문에 더러운 것에 감염될까 봐 두려워서, 곧 마땅히 揪刮[1]을 먼저 시행하고 3일째 되는 아침에 의사를 불러 치료하기 시작하였다. 의사가 惡寒과 發熱이 교대로 나타나는 것을 보고는 小柴胡湯에 消食藥을 넣었지만, 효과가 없었고 面浮와 痛痢가 더욱 증가하였다. 전 가족들이 놀라서 훌륭한 의사를 초청하였다. 脈形이 浮緩에 弦을 겸하고 舌苔가 白澤하였는데, 이것은 風濕이 表에서 裏로 들어가서 瘧疾과 痢疾을 겸하는 증후이다. 마땅히 嘉言 선생의 逆流挽舟法을 써야 하고 木香·荷葉을 넣어 치료하였다. 2첩을 복용하였더니 寒熱이 갑자기 없어지고 痛과 痢도 같이 감소하였다.

3. 帶下『江蘇中醫雜誌』(1985, 11:31): 某 여자, 36세, 上環[2]을 한 지 2개월 정도 지났는데, 白帶下의 양이 많아서 물이 흐르는 것과 같았으며, 兼하여 頭暈腰酸, 肢體困重乏力, 舌淡, 苔薄白, 脈細滑이 나타났다. 證은 脾氣虛弱하고 濕濁下注한 것에 해당되므로 치료는 益氣·化濕·止帶가 적절하다. 敗毒散에서 桔梗·前胡·甘草를 빼고, 荊芥·樗根皮·白果을 넣어 2첩에 帶下가 그쳤으며, 계속해서 補中益氣湯 3첩을 복용하고 나았다.

考察: 雷豊의 瘧疾과 痢疾의 발작은 바로 外邪가 表에서 裏로 빠져 들어간 까닭이므로 敗毒散을 써서 '逆流挽舟'하는 것이 매우 적합하다. 帶下의 형성은 바로 脾虛濕盛과 濕濁下注에 의한 것이다. 본 방제를 써서 帶下를 치료하는 데는 이미 羌活·獨活·生薑·薄荷의 祛風勝濕과 茯苓의 淡滲利濕이 있고, 또한 柴胡·枳殼의 行氣가 있어서 "氣化則濕亦化"하게 하고, 다시 여기에 人蔘·茯苓·甘草의 培土勝濕이 있고, 樗根皮·白果를 넣어 收澁止帶하는 것이다. 함께 사용하면 標와 本을 같이 고려하게 되므로 방제를 투여하면 바로 효험을 얻게 되는 것이다.

4. 瘡癤『岳美中醫案集』: 某 남자, 39세, 黨 干部이다. 皮膚病에 걸려 온몸에 瘡癤이 생기고 일년 내내 이쪽이 나으면 저쪽에 일어났으며 아울러 頑癬을 앓았다. 1970년 봄에 진찰하였다. 그 瘡癤을 보면 項部에 많고, 頑癬은 腰·腹部 및 大腿部에 동시에 생기며, 착 들어붙어 손바닥 크기의 조각을 이루고, 때로는 누런 물이 나오고 느닷없이 가려워 견딜 수가 없고, 오래 치료해도 낫지 않았다. 일찍이 內服과 外用하는 여러 종류의 方藥을 사용하였지만 끝내 효과가 없었다. 그 脈을 짚으면 비록 약간은 數하였으나 중간에 虛象을 드러냈고, 舌邊에 齒痕이 있어서 人蔘敗毒散을 湯으로 지어서 사용하였다. 黨参 9 g, 茯苓 9 g, 甘草 6 g, 枳殼 6 g, 桔梗 4.5 g, 柴胡 6 g, 前胡 6 g, 羌活 9 g, 獨活 6 g, 川芎 6 g, 薄荷 1.5 g, 生薑 6 g을 여러 첩을 복용하도록 부탁하였고, 보름 후 다시 진찰하여 頑癬을 살피보니 收斂하는 현상이 있었다. 다시 보름 동안 복용하기를 부탁한 뒤에 大腿部의 頑癬을 살피니 痂皮가 脫落하였고 鮮紅色의 새살이 드러났으며, 腰腹部의 膿汁도 감소하였다. 따라서 그에게 長期간 복용하도록 하고, 3개월 뒤에 단지 腰部의 癬疾은 아직 낫지 않았으나, 해마다 일상적으로 생기는 瘡癤은 아직 발생하지 않았다. 1972년 겨울에 다그쳐 물으니 腰部의 頑癬은 여전히 존재하였지만 瘡癤은 끝내 재발하지 않았다.

【副方】

1. 荊防敗毒散(『攝生衆妙方』卷8): 羌活 柴胡 前胡 獨活 枳殼 茯苓 荊芥 防風 桔梗 川芎 各一錢五分(各 5 g) 甘草 五分(3 g)

•用法: 水煎服.

[1] 揪刮(揪痧): 더위를 먹거나 목병이 났을 때 목·이마·팔꿈치 등을 꼬집어서 피하 출혈을 일으켜 속의 염증을 경감시키는 민간요법.
[2] 上環: 일종의 장기적으로 피임하는 방식이다.

• 效能: 發汗解表, 消瘡止痛.
• 主治: 瘡腫初起, 紅腫疼痛, 惡寒發熱, 無汗不渴, 舌苔薄白, 脈浮數.

본 방제는 敗毒散에서 人蔘·生薑·薄荷를 빼고, 荊芥·防風을 넣어 만든 것이다. 이 瘡癰의 형성은 바로 風寒이 表를 속박하고 寒이 經絡을 鬱滯하여 氣血과 津液의 運行이 순조롭지 않아서 생긴 것이다. 그러므로 局部의 紅腫疼痛에 表寒證이 함께 나타나는 것이다. 방제에서 荊芥·防風·羌活·獨活은 發汗解表하고 開泄皮毛하여 風寒의 邪氣를 땀을 내어 풀리게 하고, 柴胡·枳殼·桔梗은 調暢氣機하고 川芎은 行血和營하며, 前胡·茯苓은 化痰滲濕한다. 세 가지의 조합을 함께 사용하는 것은 解表祛邪와 氣血津液을 소통하는 데 그 뜻이 있고, 甘草는 藥性을 조화시킨다. 현대에는 본 방제를 外感의 風寒濕에 의한 表證을 치료하는 데 대부분 사용한다.

2. 倉廩散(『普濟方』卷213): 人蔘 茯苓 甘草 前胡 川芎 羌活 獨活 桔梗 枳殼 柴胡 陳倉米 各等分(各 9 g)

• 用法: 加生薑·薄荷煎, 熱服.
• 效能: 益氣解表, 祛濕和胃.
• 主治: 噤口痢, 下痢, 嘔逆不食, 食入則吐, 惡寒發熱, 無汗, 肢體酸痛, 苔白膩, 脈浮濡.

본 방제는 敗毒散에 陳倉米를 넣어 조성한 것이다. 이 噤口痢의 형성은 바로 脾胃가 평소에 약한데 밖에서 寒濕을 感受하면 表邪가 虛한 틈을 타고 裏로 들어가서 脾胃의 受納과 運化 및 升降이 정상을 잃고 腸道의 氣血이 壅滯하여 된 것이다. 그러므로 下痢하면서 음식을 먹지 못하고, 음식을 먹으면 嘔吐하고 表寒證이 같이 나타나는 것이다. 치료는 마땅히 解表祛濕하고 和胃健脾해야 한다. 방제에서 羌活·獨活·生薑·薄荷·柴胡·前胡는 解表散寒除濕하여 이미 表寒證을 치료하고 또한 內陷한 表邪를 당겨서 밖으로 내보내고, 枳殼·桔梗·柴胡·川芎은 行氣活血하고 腸道의 氣血을 調暢시키며, 人蔘·茯苓·甘草·陳倉米는 益氣健脾하여 脾胃의 運化기능을 돕고, 生薑·陳倉米는 兼하여 和胃降逆할 수 있다. 모든 약물을 配伍하면 外感의 表邪는 풀리고, 脾胃의 受納과 運化 및 升降이 정상으로 회복되면 痢疾은 그치고 嘔吐는 안정되는 것이다.

荊防敗毒散은 敗毒散에서 人蔘·生薑·薄荷을 빼고, 다시 荊芥·防風을 넣은 것이므로 解表發散의 藥力이 增强되었지만 益氣扶正의 효과는 없어서 外感의 風寒濕邪는 있으나 正氣는 虛하지 않은 表證 및 瘡瘍·癮疹이 風寒濕의 邪氣로 생긴 사람에게 적절하다. 倉廩散은 敗毒散에서 陳倉米를 넣은 것으로 健脾和胃의 작용이 있어서 脾胃가 평소에 약하면서 外感의 風寒濕邪에 의한 噤口痢에 적용된다.

蔘蘇飮

(『太平惠民和劑局方』 卷2 淳祐新添方)

【組成】 人蔘 紫蘇葉 葛根 半夏 湯洗, 薑汁炒 前胡 茯苓 各三分(各 6 g) 木香 枳殼 麩炒 桔梗 炙甘草 各半兩(各 4 g)

【用法】 잘게 부수어서 매번 四錢(12 g)을 물 一盞半에 生薑 7쪽과 大棗 1개를 넣고 달여서 六分이 되면 찌꺼기를 버리고 약간 뜨겁게 복용하는데, 시간에 구애받지 않는다(現代用法: 湯劑로 만들어 달여서 복용하는데, 용량은 原方의 비율에 따라 상황을 참작하여 增減시킨다).

【效能】 益氣解表, 理氣化痰.

【主治】 虛人外感風寒, 內有濕痰證. 惡寒發熱, 無汗, 頭痛, 鼻塞, 咳嗽痰白, 胸脘滿悶, 倦怠無力, 氣短懶言, 舌苔白, 脈弱.

【病機分析】 본 방제의 病證은 평소 몸이 脾肺氣虛하고 안에는 濕痰이 있는데 여기에 다시 風寒을 感受하여 생긴 것이다. 風寒이 肌表에 침입하고 表陽이 막히면 正氣와 邪氣가 서로 다투므로 惡寒發熱과 無汗頭痛이 나타나고, 外邪가 表를 속박하고 肺氣가 鬱閉되며 肺系가 不利해지면 鼻塞하고, 脾肺가 본래 虛하고 안에 濕痰이 있는데 다시 外邪를 만나 서로 더해지면 肺氣가 宣發하지 못하고 脾虛하여 運化가 안 되며 津液이 펴지지 못하면서 濕痰의 질환이 加重되어 痰이 肺를 壅塞하므로 咳嗽痰白하고, 濕阻氣滯하므로 胸脘滿悶하는 것이다. 表證은 마땅히 脈浮해야 하는데, 지금은 脈이 도리어 弱하고 또한 倦怠無力과 氣短懶言을 보이는 것은 氣虛外感의 징조이다.

【配伍分析】 表證은 당연히 發汗解表해야 하지만, 表證에 正氣虛가 나타나는 者는 당연히 益氣하여 解表를 도와야 한다. 이 證에 만약 解表만 하고 그 虛를 고려하지 않으면, 正氣가 支持할 수 없고 또한 邪氣를 鼓舞시켜 밖으로 내보내는 힘이 없게 된다. 오직 祛邪와 扶正, 두 가지 방법을 병행해야 비로소 양쪽이 모두 원만한 계책이 되는 것이므로 본 방제는 益氣解表와 理氣化痰을 治法으로 한 것이다. 방제에서 蘇葉은 性味가 辛溫하고 歸經은 肺經·脾經이며 작용은 發散表邪에 장점이 있고, 또한 능히 宣肺止咳하고 行氣寬中하므로 表寒에 咳嗽·胸悶을 兼한 것을 치료하는 常用藥이므로 본 방제에서 君藥으로 사용하였다. 葛根은 解肌發汗하여 "療傷寒中風頭痛"(『名醫別錄』)하며 蘇葉과 서로 配伍하면 發散風寒하고 解肌透邪의 작용이 增强되고, 人蔘은 益氣健脾하여 兼하여 氣虛를 고려하고 또한 扶正托邪하며, 蘇葉·葛根이 人蔘의 큰 힘으로 서로 돕는 것을 얻으면 發散으로 인한 正氣의 손상 우려가 없고 크게 대문을 열어 도적을 몰아내는 세력이 생기므로 두 약물은 모두 臣藥이 된다. 肺 속에 濁한 것을 쌓으면서 痰嗽가 생기고, 氣鬱하여 펴지지 못하면서 滿悶이 생기므로 半夏·前胡·桔梗을 써서 止咳化痰하고 宣降肺氣하며, 木香·枳殼은 理氣寬胸하고 醒脾暢中한다. 이와 같이 化痰과 理氣를 같이 고려하면 治痰에는 먼저 治氣하라는 뜻이 숨어 있고 또한 升降을 정상으로 회복시키며 表邪의 宣散과 肺氣의 開闔에 도움이 되는 것이다. 茯苓은 健脾滲濕하며 人蔘과 합하면 첫째는 益氣扶正하고, 둘째는 健脾助運하는 것이고, 氣가 채워지면 저절로 邪氣를 鼓舞시켜 밖으로 나가게 할 수 있고, 脾健하면 저절로 濕을 運化할 수 있으며 濕이 運化하면 痰이 어디서부터 생기겠는가? 위에서 서술한 약물들은 모두 佐藥이 된다. 甘草는 人蔘·茯苓과 배합하면 補氣安中하고 兼하여 모든 약물을 조화시켜 佐使藥이 된다. 달여서 복용할 때에 生薑·大棗를 조금 넣는데, 이는 蘇葉·葛根과 협력하여 解表할 수 있고, 人蔘·茯苓·甘草와 합하여 益脾할 수 있다. 모든 약물을 配伍하면 함께 益氣解表와 理氣化痰의 작용을 이루게 된다.

본 방제의 配伍 특징에는 두 가지가 있다: 첫째, 發散風寒藥에 益氣健脾藥을 配伍하여 發散과 補益을 병행하면 發散을 해도 正氣를 손상시키지 않고 補益을 해도 邪氣를 머무르게 하지 않는다. 둘째, 化痰藥과 理氣藥을 함께 사용하면 氣와 津이 함께 고르게 되어 行氣와 消痰하고 津은 가고 氣는 순조롭게 된다.

【類似方比較】 본 방제와 敗毒散은 그 적응증이 대략 같고 모두 虛人의 外感風寒을 치료하며, 둘 다 人蔘·甘草로 益氣健脾하고, 前胡·桔梗·枳殼·茯苓으로 化痰止咳하고 理氣滲濕한다. 그것들의 차이점은 敗毒散은 風寒濕의 表證을 치료하고 아울러서 表證이 위주이고 氣虛의 정도는 重하지 않으므로 羌活·獨活·川芎·柴胡를 사용하여 祛邪를 위주로 한 것이고, 蔘蘇飮이 適應證은 風寒의 表證이고 아울러서 氣虛의 정도가 비교적 重하므로 益氣와 解表를 병행하고, 또한 濕痰과 氣滯도 역시 심하기 때문에 半夏·木香 등 化痰行氣藥을 늘린 것이다. 적응증의 重點이 서로 다르므로 응용할 때에는 주의해야 한다.

【臨床應用】

1. 證治要點: 본 방제는 氣虛에 外感風寒이 있고 안에 濕痰이 있는 것을 치료하기 위해서 설계된 것이다. 임상에서 응용할 때에는 惡寒發熱, 無汗頭痛, 咳痰色白, 胸脘滿悶, 倦怠乏力, 苔白, 脈弱을 辨證論治의 요점으로 한다.

2. 加減法: 만약 惡寒發熱, 無汗 등 表寒證이 重한 者는 葛根을 荊芥·防風으로 바꾸는 것이 적절하고, 頭痛이 심한 者는 川芎·白芷·藁本을 넣어 解表止痛을 증강시킬 수 있고, 氣滯가 가벼운 者는 木香을 빼서 그 行氣 藥力을 줄일 수 있다.

3. 蔘蘇飮은 다음 한국표준질병사인분류(KCD)에 해당하는 환자가 虛人外感風寒, 內有濕痰證으로 辨證되는 경우 본 처방의 사용을 고려해볼 수 있다.

처방 목표	한국표준질병사인분류(KCD)
感冒	J00 급성 비인두염[감기]
上氣道 感染	J00~J06 급성 상기도감염

【變遷史】 본 방제는 宋代『太平惠民和劑局方』의 「淳祐新添方」에 수재되어 있고, "感冒發熱頭痛, 或因痰飮凝結, 兼以爲熱, 中脘痞悶, 嘔逆惡心."을 치료하였다. 본 방제는 解表藥과 益氣藥을 위주로 하고 化痰滲濕理氣藥을 配伍하는 방제 조성의 사유방식은 후세에 영향이 매우 컸다. 『三因極一病證方論』卷13의 蔘蘇飮은 본 방제에서 葛根을 빼고 陳皮를 넣으면 燥濕化痰과 理氣和中의 작용이 더욱 두드러져 痰飮이 胸中에 쌓여서 생긴 中脘痞悶, 嘔吐痰涎, 噦逆 및 濕痰이 肌肉關節에 留注해서 생긴 半身不遂와 口眼喎斜 등의 證을 치료하였다. 明代『攝生衆妙方』卷6에 수재된 蔘蘇飮은 본 방제에서 葛根·木香·枳殼·茯苓·大棗를 빼고, 三拗湯(麻黃·杏仁·甘草)·桑白皮·烏梅·荊芥·防風을 넣고 宣肺化痰과 止咳平喘의 작용을 더욱 두드러지게 하여 "諸般咳嗽"을 치료하는 데 사용하였고, 『醫便』卷2의 蔘蘇飮은 본 방제에서 木香·大棗를 빼고, 羌活·蒼朮·葱白을 넣고 解表散邪의 藥力을 강화시켜 "重傷風"에 사용하였으며, 『萬氏家傳片玉痘疹』卷3의 蔘蘇飮은 본 방제에서 木香·枳殼·大棗를 빼고, 香附子·柴胡·山楂肉을 넣어 "小兒痘疹發熱, 惡寒咳嗽者"를 치료하였다. 淸代에 이르러 본 방제의 응용에 비교적 큰 새로운 진전을 이루었다. 첫째는 汪紱(1692~1759年, 初名烜, 字灿人, 號雙池, 又號重生)은 『醫林纂要探源』에서 본 방제를 수재할 때에 "中氣虛弱而感冒者"를 치료한다고 하였고, 이 이후의 의학자들은 대부분 汪紱의 이론을 좇아 虛人感冒를 치료하는 데 사용하였고, 오늘날까지 계속해서 사용하고 있다. 둘째는 龔信(生卒不詳, 字瑞芝, 號西園, 江西金溪人)의 『古今醫鑑』卷14에 수재된 蔘蘇飮은 본 방제에서 人蔘·茯苓·大棗·木香을 빼고 邪氣와 正氣를 함께 고려하던 방제를 한번 변화시켜 祛邪위주의 방제로 만들어 "傷風·傷寒, 發熱咳嗽, 痰證喘急."을 치료하였다. 吳本立은 『古今醫鑑』의 뜻을 전수받아 그 방제에 活血止痛의 川芎을 配伍하여 芎蘇飮(川芎·蘇葉·枳殼·前胡·葛根·木香·桔梗·甘草·陳皮·半夏)이라고 이름 짓고 "着寒着風者"에 해당하는 "產後頭痛"을 치료하는 데 사용하였다(『女科切要』卷7).

【難題解說】 敗毒散과 蔘蘇飮 속의 人蔘에 관한 인식: 敗毒散에서 人蔘은 佐藥이고 방제에서의 작용은 扶正祛邪를 위주로 하고, 蔘蘇飮에서 人蔘은 臣藥이고 방제에서의 작용은 益氣함으로써 補虛하고 또한 扶正함으로써 祛邪한다. 두 방제는 모두 『太平惠民和劑局方』에 처음으로 수재되어 있는데, 어떻게 人蔘에 대한 논술이 오히려 다르단 말인가? 여기에 대해서는 마땅히 原書의 적응증 및 命名을 모두 고려하여 인식해야 한다. 敗毒散은 原書에 수재하기를 "傷寒時氣, 頭項强痛, 壯熱惡寒, 身體煩疼, 及寒壅咳嗽, 鼻塞聲重, 風痰頭痛, 嘔噦寒熱"를 치료한다고 하였다. "傷寒時氣"를 感受한 것은 바로 "時疫之發"(『張氏醫通』卷16)이며 邪氣가 비교적 盛하면 正氣는 지탱하지 못할 것이고 "疫毒"이 깊이 들어가므로 人蔘을 佐藥으로 하여 "輔正以匡邪."(『醫方集解』「發表之劑」)한 것이다. 이 방제는 祛邪가 위주이기 때문에 "敗毒"이라고 命名한 것

이다. 蔘蘇飮은 原書에 表證 및 痰飮證을 치료한다고 수재하였다. 평소에 痰飮이 있는 사람은 脾肺가 본래 虛한 것이다. 脾는 水濕의 運化를 주관하고, 脾虛하면 水濕을 運化할 수 없어서 濕이 모여 痰이 되고 飮이 되면 痰飮證이 생긴다. 그러므로 臣藥으로 人蔘을 사용하여 益氣健脾하고 脾肺의 虛를 함께 고려하며 正氣를 扶助하여 邪氣를 물리치는 것이다. 본 방제는 邪氣와 正氣를 함께 고려하므로 "蔘蘇"라고 命名한 것이다.

【醫案】

1. 傷寒『臨證醫案筆記』卷1: 재상 戴蓮士는 發熱, 頭痛, 乾嘔하고 煩躁하였다. 많은 사람들이 겨울철에 傷寒에 걸린 것이니 마땅히 麻黃湯으로 發汗해야 한다고 하였다. 나는 "脈이 浮大而滑한데 이것은 外感風邪에 內로는 痰飮이 정체되어 있는 것이고, 또한 脈이 浮而不緊한 것은 邪氣가 아직은 輕淺하기 때문에 傷寒과 같이 邪氣가 심하고 깊이 있는 것은 아니다. 蔘蘇飮에서 大棗를 빼고 杏仁·葱白을 넣는 것이 적절하며 解表和中하면 邪氣는 흩어지고 痰은 소멸할 것이다."고 하였다. 다음날 침입한 邪氣가 모두 물러나고 脈은 안정되고 몸은 식었지만, 오직 心部만이 虛澁한 것은 바로 思慮하고 勞心해서 그런 것이다. 그러므로 虛煩不寐하여 歸脾湯으로 바꾸어 수첩을 복용하고 나았다.

考察: 본 醫案은 問診과 切診을 통하여 그 병은 外感風寒과 內停痰飮證에 해당될 것이다. 蔘蘇飮을 사용한 뜻을 헤아려 보면 환자는 당연히 體質이 비교적 약하고 心脾不足한 몸에 해당될 것이다. 본 방제를 복용한 후에 邪氣가 흩어지고 痰은 소멸하는데, 오직 心部가 虛澁하고 虛煩不眠을 보이는 것은 바로 확실한 증거이다. 본 방제에서 大棗를 뺀 것은 그 滋膩한 것이 濕을 거치적거리게 하는 것을 싫어해서이고, 葱白·杏仁을 넣어 解表宣肺하면 이미 散邪에 유리하고 또한 化痰에도 유익하기에 더욱 정확하고 적절한 것이다. 나중에 歸脾湯으로 調治한 것은 正氣까지 고려한 처사이다.

2. 관상동맥 죽상 경화증성 심장질환, 관상동맥질환(coronary atherosclerotic heart disease)『陝西中醫』(1991, 7:315): 某 남자, 68세. 과로로 피곤해지자 心悸·氣短·左胸痞悶不舒를 느끼기 시작하였고, 흰색의 끈적끈적한 痰을 조금씩 吐하기 시작하였으나, 조금 휴식을 취하면 저절로 풀렸다. 최근에는 心悸·心痛이 때때로 생기고, 움직이면 短氣하면서 胸悶脹滿, 痰多, 納差, 舌質黯, 苔白膩, 脈細略滑하였다. 心電圖에서는 冠狀動脈의 혈액 공급이 부족한 것을 보여주었다. 心悸·心痛으로 진단되었고, 證은 氣虛痰滯와 血瘀絡阻에 해당된다. 치료는 益氣豁痰하고 化瘀通絡하였다. 처방: 高麗蔘(별도로 달이고 섞어서 복용함)·葛根·川芎·玉竹·紫蘇梗·陳皮·法半夏·桔梗·石菖蒲·枳實·瓜蔞仁·丹參·炙甘草. 재진: 3첩을 복용한 후에 위의 증상이 크게 감소하였고, 이후에 증상에 따라 대략적으로 增減하여 모두 25첩을 복용하였더니 모든 증상이 소실되고 心電圖도 정상이 되었다.

考察: 본 예는 氣虛氣滯와 痰瘀互結에 의한 心悸·心痛이다. 過勞하면 氣가 소모되고, 氣虛하면 쉽게 氣滯가 되며, 氣滯하면 痰이 모이고, 氣虛와 氣滯는 또한 쉽게 血瘀하게 한다. 그러므로 치료는 한 가지 방법만을 고집해서는 안 되고 益氣·行氣·化痰·祛瘀를 병용해야 한다. 蔘蘇飮에 前胡·木香·生薑·大棗를 빼고, 蘇葉을 蘇梗으로 바꾸며 枳殼을 枳實로 바꾸어 益氣化滯하고, 瓜蔞仁·石菖蒲를 넣어 寬胸化痰하고, 丹參·川芎을 넣어 祛瘀活血하며, 玉竹으로 高麗蔘을 도와 氣를 채우고 津液을 생기게 한다. 방제와 證이 일치하기 때문에 양호한 효과를 거두는 것이다.

再造散

(『傷寒六書』卷3)

【異名】再造飮(『赤水玄珠全集』卷18).

【組成】黃芪(6 g) 人蔘(3 g) 桂枝(3 g) 甘草(1.5 g) 熟附子(3 g) 細辛(2 g) 羌活(3 g) 防風(3 g) 川芎(3 g) 煨生薑(3 g)

【用法】물 二盅에 大棗 二枚를 넣고 一盅이 되도록 달이고, 다시 炒白芍 一撮을 넣어 3회 달이고 따뜻하게 복용한다.

【效能】助陽益氣, 解表散寒.

【主治】陽氣虛弱, 外感風寒表證. 惡寒發熱, 熱輕寒重, 無汗肢冷, 倦怠嗜臥, 面色蒼白, 語聲低微, 舌淡苔白, 脈沉無力或浮大無力.

【病機分析】惡寒發熱과 無汗은 外感風寒으로 邪氣가 肌表에 있는 것이다. 發熱은 輕하고 惡寒은 重한 것이 肢冷嗜臥, 神疲懶言, 面色蒼白과 함께 보이면 평소 신체가 陽氣虛弱한데 다시 風寒의 邪氣를 받은 징후이다. 衛陽은 腎陽에 뿌리를 두며, 평소 신체의 腎陽이 虛衰하면 衛陽도 또한 반드시 부족하여 四肢가 陽氣의 溫煦를 받지 못하므로 肢冷嗜臥한다. 氣血津精은 陽氣에 의지해서 化生하고, 五臟六腑는 陽氣에 의지해서 動力을 얻는데, 陽氣가 이미 쇠약해져 臟腑가 怯弱해지고 氣血은 부족해지므로 神疲懶言과 面色蒼白이 나타난다. 陽氣가 虛弱하므로 脈沈細無力하다. 따라서 평소 신체의 陽氣가 虛弱한데 外感 風寒의 邪氣를 感受하여 邪氣와 正氣가 肌表에서 抗爭하는 것이 본 방제의 病證의 기본적인 病機가 된다.

【配伍分析】原書에서 眞陽이 虛한데 外寒을 感受하여 解表發汗劑를 복용해도 땀이 나오지 않는 자를 치료한다고 하였다. 대개 "陽加於陰謂之汗"이라고 하여 땀은 陽氣가 動力이 되고 陰津은 材料가 되는데, 만약 陽氣가 虛弱하여 땀을 내는 동력이 없으면 麻黃湯 등의 峻汗劑를 사용하더라도 또한 汗出로 表가 풀리게 하기는 어렵고, 만약 억지로 發汗시키면 陽氣가 땀을 따라 빠져나가게 될 것이다. 치료는 당연히 助陽益氣와 解表散寒을 함께 돌보아야 한다. 본 방제는 桂枝湯과 麻黃細辛附子湯에서 麻黃을 뺀 것과 合方하고, 다시 羌活·防風·川芎·人蔘·黃芪를 넣어 이루어진 것이다. 본 방제의 病證은 陽氣가 虛損하여 '無陽'에 이른 것으로, 麻黃은 비록 發汗解表의 要藥이지만, 陽氣를 發越시키는 藥力이 세기 때문에 本 방제의 病證에 사용하면, 다만 陽氣가 땀을 따라 새 나가 亡陽에 이를까 걱정이다. 그러므로 麻黃을 빼고 桂枝·羌活·防風·川芎을 써서 疏風散寒하여 解表逐邪하는 것이다. 그중에 桂枝는 兼하여 능히 溫通血脈하고, 川芎은 또한 능히 行氣活血하여 氣血이 순조롭게 通하면 또한 解表散寒에 도움이 된다. 『素問』「生氣通天論」에서 "陰者, 藏精而起亟也. 陽者, 衛外而爲固也."라고 하였다. 陽虛氣弱한 사람은 그 元氣가 튼튼하지 못하여 腠理가 촘촘하지 못하다는 것을 알 수 있다. 일단 邪氣를 받으면 邪氣가 반드시 거침없이 쳐들어가서 사람을 손상시키는 것이 심할 것이다. 그러므로 방제에서 細辛에 桂枝·羌活·防風 등을 배합하여 바깥의 風寒을 풀고 또한 少陰腎經에 들어가서 腎 속의 眞陽之氣를 鼓動시킴으로써 邪氣를 제거하여 밖으로 나가게 하는 것이다. 陽氣가 안에서 虛하면 그 안을 튼튼하게 하지 못하여 正氣가 邪氣에 대적할 수 없어서 마침내 구제하지 못하는 것이다. 그러므로 熟附子를 써서 溫腎壯陽하고, 다시 黃芪·人蔘을 써서 大補元氣하면 藥의 勢力을 도와 邪氣를 鼓動시켜 밖으로 나가게 하고 陽氣가 땀을 따라 빠져나가는 것도 예방할 수 있다. 白芍藥을 넣으면 桂枝와 合하여 調和營衛의 뜻이 담겨 있고, 아울러 附子·桂枝·羌活·細辛의 辛熱溫燥를 制約할 수 있으며, 그 微寒한 藥性이 解表를 방해할 것을 걱정하여

炒를 함으로써 그 藥性을 제어한 것이다. 煨生薑은 溫胃하고, 大棗는 滋脾하며, 함께 배합하면 脾胃의 生發之氣를 올리고 營衛를 조화시켜 汗의 財源을 돕는다. 甘草는 甘緩하여 安中調藥의 작용이 있다. 모든 약물을 함께 사용하면 扶正하면서도 邪氣를 머무르게 하지 않고, 發汗시키면서도 正氣를 손상시키지 않고 서로 도와서 일이 잘 되어 나가도록 하고 지극히 적당한 것이다.

본 방제의 配伍 특징은 두 가지이다: 첫째, 解表藥과 益氣助陽藥을 함께 사용하면 發汗 속에 補益이 있어서 標와 本을 함께 돌아보는 것이다. 둘째, 發散藥과 收斂藥을 配伍하면 發散 속에 收斂이 있기 때문에 發散을 해도 正氣를 손상시키지 않는다.

방제의 명칭인 '再造'라는 두 글자에 관하여 趙氏는 "系取『新唐書』「郭子儀傳」中 '國家再造, 卿之力也'之句. '再造'即重行創造之謂, 有重新給予生命之意, 多表示對重大恩惠的感激.[1)]"이라고 하였다. 再造散은 陽氣虛弱에 外感의 風寒表證이 있는 데 사용하는데, 그것이 發汗해도 正氣를 손상시키지 않고, 補益해도 邪氣를 남기지 않고, 위험에 처한 몸이 生機를 얻는 것이 마치 再造의 恩惠를 받는 것과 같으므로 방제의 명칭을 '再造'라고 한 것이다.

【類似方比較】 麻黃細辛附子湯과 再造散은 모두 助陽解表의 작용이 있어 陽虛外感風寒表證를 치료하는 데 사용한다. 그러나 전자는 辛溫發汗의 麻黃과 溫陽散寒의 附子·細辛이 서로 配伍하여 전문적인 助陽發汗劑이므로 평소 신체가 陽虛한데 다시 寒邪를 感受하여 그 증상이 惡寒發熱, 寒重熱輕, 頭痛無汗, 四肢不溫, 舌淡, 苔薄白, 脈沈細가 나타나는 사람에게 적절하다. 후자는 辛溫解表의 桂枝·羌活·防風 및 溫陽散寒의 細辛·附子를 사용하고 다시 大補元氣의 人蔘·黃芪를 配伍하고, 斂陰和營의 白芍藥을 配伍하였으므로 助陽解表에 兼하여 益氣健脾와 調和營衛의 작용이 있어서 陽虛氣弱하고 外感風寒하여 그 증상이 惡寒重, 發熱輕, 無汗肢冷, 面色蒼白, 語聲低微, 舌淡苔白, 脈沈無力이 나타나는 사람에게 적합하다.

【臨床應用】

1. 證治要點: 본 방제는 益氣助陽解表의 常用 방제이다. 임상에서 惡寒重, 發熱輕, 無汗肢冷, 舌淡苔白, 脈沈無力 혹은 浮大無力을 辨證論治의 요점으로 한다.

2. 加減法: 表寒證이 심하지 않은 者는 羌活·防風을 荊芥·葱白·淡豆豉로 바꾸어서 發汗解表의 藥力을 輕減시키고, 周身肌肉關節이 酸痛한 者는 獨活·威靈仙·桑寄生 등을 넣어 祛風除濕止痛하고, 鼻塞流涕와 咳嗽有痰을 兼한 者는 前胡·桔梗·枳殼·蘇葉·白前 등을 넣어 宣肺化痰止咳한다.

3. 再造散은 다음 한국표준질병사인분류(KCD)에 해당하는 환자가 陽氣虛弱, 外感風寒表證으로 辨證되는 경우 본 처방의 사용을 고려해볼 수 있다.

처방 목표	한국표준질병사인분류(KCD)
感冒	J00 급성 비인두염[감기]
류마티스性 關節炎	M15 다발관절증
	M13.0 상세불명의 다발관절염

【注意事項】 본 방제는 藥性이 비교적 溫燥하여 血虛에 寒邪를 感受하고 혹은 溫病 初期인 者는 사용할 수 없다.

【變遷史】 본 방제는 陶華가 "少陰病, 始得之, 反發熱, 脈沉者."를 치료하는 仲景의 麻黃細辛附子湯의 방제 조성의 사유방식을 본받아 創方한 것이다. "少陰病, 始得之 ……"는 邪氣가 들어간 것이 깊지 않고 正氣가 비록 虛하더라도 심하지 않은 것이다. 방제에서 麻黃에 附子·細辛을 배합하여 助陽發汗시켜 表裏의 邪氣를 풀리게 한 것이다. 만약 陽虛氣弱人이 外感風寒하면, 특히 이미 解表發汗劑를 복용해도 汗이 나오지 않는

者는 바로 "陽虛不能作汗"의 證이 되고, 만약 여전히 麻黃細辛附子湯에 매여 있다면 안을 補하기에는 不足하고 밖을 發散하기에는 有餘하여 陽이 땀을 따라 빠져나가는 변화가 생길 것이다. 이에 대하여 陶華는 麻黃細辛附子湯에서 麻黃을 빼고, 調和營衛의 桂枝湯과 配合하였으며, 다시 人蔘·黃芪·羌活·防風·川芎 등을 넣어 본 방제를 구성하였다. 이와 같이 하면 發散 중에 收斂이 들어 있고 發汗 중에 補益이 있어서, 標와 本을 함께 돌아본 것이고, 세밀하고 깊은 경지에 이르며 독창성이 있다고 이를 만하다. 이는 仲景의 助陽解表法을 보충하고 발전시킨 것이다. 陶華의 이 방제는 後人인 龔廷賢의 『魯府禁方』에서 전수받았고, 이 책 卷6의 再造湯은 즉 본 방제에서 防風을 빼고, 散劑를 湯劑로 바꾼 것이다. 현대에 사용되고 있는 再造膏(『全國中藥成藥處方集』天津方)는 본 방제에서 附子·桂枝·生薑·大棗를 빼고, 杜仲·懷牛膝·茯苓을 넣어 조성한 것으로, 助陽發汗의 방제를 補氣固精·養血散寒의 방제로 변화시켜 "男子遺精, 婦女血寒, 赤白帶下, 腰酸腳疼, 身體瘦弱"의 證을 치료하는 데 사용하였다. 이것은 요즘의 사람들이 본 방제를 처리하여 운용한 범례이다.

【醫案】鼻鼽 『山西中醫』(1994, 2:13): 某 남자, 24세, 1976년 9월 16일 진료. 환자는 1972년 여름에 나이가 젊고 몸이 튼튼한 것을 믿고, 항상 노동을 하여 땀을 낸 이후에 溫·冷水에 沐浴을 하였고, 매번 목욕 후에는 鼻塞·噴嚏 등의 感冒와 유사한 증후가 나타났는데도 개의치 않았다. 1974년 이래로 가을철·겨울철과 봄철에는 비록 삼가 조심해서 攝生을 해도 상술한 症候의 발생을 피하기 어려웠고, 심하면 옷을 벗고 잠을 자고 冷水로 양치질을 하는 등의 상황에서도 噴嚏가 자주 일어나고 鼻痒流淸涕, 流淚, 喉痒乾咳, 頭昏頭痛, 耳鳴 및 倦怠乏力하는 것이 이미 2년이 되었다. 1976년 8월 27일에 遠行으로 피로가 쌓인 데다 땀이 나고 바람을 맞아 鼻鼽가 발작하고 證候는 또한 상술한 것과 같이 나타났으며 클로르페니라민(chlorpheniramine) 등을 10여 일 복용했는데도 효과가 없어서 나에게 치료를 구하였다. 진료 소견: 面白少華, 精神欠佳, 苔薄白, 舌質淡, 脈緩弱하였다. 脈과 症을 함께 참고하면, 이것은 바로 肺氣虛損과 衛外不固의 證이다. 益氣助陽과 解表散寒이 적절하여 再造散에 加減하였다: 黨參·黃芪 各 15 g, 附片·桂枝·甘草 各 5 g, 細辛 3 g, 羌活·防風·川芎·白芍藥·山茱萸肉·破故紙·五味子 各 10 g을 연속적으로 30첩을 복용한 후에 나았다. 지금까지 추적 조사하여 아직까지 재발하지 않았다.

【參考文獻】

1) 趙存義. 『中醫古方方名考』. 北京: 中國中醫藥出版社, 1994:190.

麻黃細辛附子湯

(『傷寒論』)

【異名】麻黃附子細辛湯(『注解傷寒論』卷6)·附子細辛湯(『三因極一病證方論』卷4).

【組成】麻黃 去節 二兩(6 g) 附子 炮, 去皮 一枚 破八片 (9 g) 細辛 二兩(3 g)

【用法】이상의 세 가지의 약물을 물 1말로 먼저 麻黃을 달여서 2되가 줄어들면 위의 거품을 제거하고, 나머지 약물들을 넣고 달여서 3되를 取하고 찌꺼기를 버린 후 1되를 따뜻하게 복용하되, 매일 3회 복용한다.

【效能】助陽解表.

【主治】평소 身體 陽虛, 外感風寒表證. 發熱, 惡寒甚劇, 두꺼운 옷을 껴 입어도 그 惡寒이 풀리지 않고, 神疲欲寐, 脈沈微.

【病機分析】 본 방제는 평소 신체가 陽虛한데, 다시 風寒을 感受한 表證을 위하여 설계된 것이다. 평소 신체가 陽虛하면 本은 虛寒陰證이므로 發熱이 없어야 하는데 지금은 도리어 發熱하고, 아울러서 惡寒이 극심하여 비록 두꺼운 옷으로 겹겹이 입더라도 그 惡寒이 풀리지 않는다. 이것은 밖으로 風寒의 邪氣를 받아서 正氣와 邪氣가 서로 싸우는 까닭임을 설명하는 것이다. 다만 表證이면 脈浮할 텐데 지금은 도리어 沈微하고 兼하여 神疲欲寐가 나타나는 것은 裏虛에 해당된다는 것을 알 수 있다.

【配伍分析】 外感 表證의 치료는 반드시 發汗하여 풀어주어야 한다. 그러나 陽虛하여 邪氣를 鼓動시켜 밖으로 내보낼 수 없고, 또한 이미 虛한 陽이 땀을 따라서 새 나갈 것을 염려하고 亡陽의 변화가 있을 것이기 때문에 반드시 助陽과 解表를 결합하여 운용해야 한다. 바야흐로 祛邪하되 正氣를 손상시키지 않고 扶正하되 邪氣를 가로막지 않게 된다. 방제에서 麻黃은 發汗解表散寒하여 君藥이 된다. 附子는 性味가 辛熱하여 "溫腎經散寒"(『醫說』卷6)하라고 하였고, "補助陽氣不足"(『醫學啟源』卷下)하라고 하였으며, 이를 써서 溫腎助陽하여 臣藥이 된다. 附子는 裏에서 陽氣를 분발시키고 邪氣를 鼓舞하여 밖으로 내보내며, 麻黃은 皮毛를 開泄하여 表에서 邪氣를 發散시키고 두 가지 약물이 配合되면 서로 도와서 일이 잘 되어 나가도록 하는 것이다. 麻黃은 發汗力이 센 약물이기 때문에 모든 陽虛한 사람에게 이를 사용하면 더욱 氣와 陽이 손상되고, 附子와 같이 사용하면 傷陽의 폐단이 없어지고 능히 助陽하여 邪氣를 鼓舞시켜서 밖으로 내보내며 또한 "追復散失之元陽"(『蒼生司命』「藥性」)하여 튼튼하게 陽氣를 보호할 수 있으므로 發汗過多로 인한 亡陽의 우려가 없어진다. 바로 柯琴이 "麻黃開腠理 ……, 無附子以固元氣, 則少陰之津液越出, 太陽之微陽外亡, 去生遠矣. 惟附子與麻黃幷用, 內外咸調, 則風寒散而陽自歸, 精得藏而陰不擾."(『傷寒來蘇集』「傷寒附翼」卷下)라고 한 것과 같다. 細辛은 歸經이 肺經과 腎經이고, 芳香性과 냄새가 진하고 藥性이 잘 달아나고 表와 裏를 환하게 꿰뚫어서, 이미 능히 祛風散寒하여 麻黃의 解表를 돕고, 또한 腎 속의 眞陽의 氣를 鼓動시켜 附子의 溫裏를 돕기 때문에 佐藥이 된다. 세 가지 약물을 병용하면 發散 중에 補益이 있고 補益 중에 發散이 있어서 外感風寒의 邪氣를 表에서 發散하고, 裏의 陽氣를 지킬 수 있으면 陽虛外感은 치유되어 表裏俱寒을 치료하는 전형적인 방제가 된다.

본 방제의 配伍 특징은 辛溫解表藥과 溫裏助陽藥을 배합하여 助陽解表의 방제가 된다.

【臨床應用】

1. 證治要點: 본 방제는 助陽解表劑이다. 본 방제를 사용할 때에 惡寒甚, 發熱輕, 神疲欲寐 및 脈沈은 辨證論治의 요점이 된다.

2. 加減法: 만약 證은 陽氣虛弱하여 面色蒼白, 語聲低微, 肢冷 등이 나타나면 人蔘·黃芪를 넣고 附子를 배합하여 助陽益氣하는 것이 적절하고, 咳喘吐痰을 兼한 者는 半夏·杏仁·蘇子·白芥子를 넣어 化痰止咳平喘하는 것이 적절하고, 濕이 經絡에 凝滯하여 생긴 肢體酸痛을 兼한 者는 蒼朮·獨活을 넣어 祛濕通絡止痛시킨다.

3. 麻黃細辛附子湯은 다음 한국표준질병사인분류(KCD)에 해당하는 환자가 平素身體陽虛, 外感風寒表證으로 辨證되는 경우 본 처방의 사용을 고려해볼 수 있다.

처방 목표	한국표준질병사인분류(KCD)
感冒	J00 급성 비인두염[감기]
流行性 感冒	J09 확인된 동물매개 또는 범유행 인플루엔자바이러스에 의한 인플루엔자
	J10 확인된 계절성 인플루엔자바이러스에 의한 인플루엔자
	J11 바이러스가 확인되지 않은 인플루엔자
	J14 인플루엔자균에 의한 폐렴

처방 목표	한국표준질병사인분류(KCD)
氣管支炎	J40 급성인지 만성인지 명시되지 않은 기관지염
急性 腎臟炎	N00 급성 신염증후군
血管 神經性 水腫	T78.3 혈관신경성 부종
腎臟炎 水腫	N00~N08 사구체질환
	N10~N16 신세뇨관~간질질환
	N17~N19 신부전
류마티스性 關節炎	M15 다발관절증
	M13.0 상세불명의 다발관절염
神經痛	G50~G59 신경, 신경근 및 신경총 장애
腰痛	(질병명 특정곤란)
	M54.5 요통
	M51.2 기타 명시된 추간판전위
	M54.9 상세불명의 등통증
過敏性 鼻炎	J30.1 화분에 의한 알레르기비염
	J30.2 기타 계절성 알레르기비염
	J30.3 기타 알레르기비염
	J30.4 상세불명의 알레르기비염
暴盲	H46 시신경염
	H47 시[제2]신경 및 시각경로의 기타 장애
喉痹	J02 급성 인두염
	J04.0 급성 후두염
皮膚瘙痒	(질병명 특정곤란)
	L00~L99 XII. 피부 및 피하조직의 질환
	F45.8 기타 신체형장애

【注意事項】 만약 少陰陽虛하여 下利淸穀, 四肢厥逆, 脈微欲絶 등의 症이 나타나면 반드시 仲景의 "先溫其裏, 乃攻其表"의 원칙을 따라야 하는데, 그렇지 않고 잘못 發汗시키면 반드시 亡陽의 위험한 증후가 생길 수 있어 신중하지 않으면 안 된다.

【變遷史】 본 방제는 『傷寒論』에서 처음으로 나타나고, 原書에서는 太陽風寒과 少陰陽虛의 惡寒發熱, 肢冷嗜臥 및 脈沈無力의 證을 치료하는 데 사용하였다. 後세에는 본 방제로 太陽·少陰의 兩感證을 치료하는 기초 위에서 임상에서 실천하는 속에서 또한 發展시킨 것이다. 예를 들면 『內科摘要』卷下에서는 이것을 사용하여 腎臟發咳 및 寒邪犯齒의 齒痛을 치료하였고, 『張氏醫通』卷16에서는 이것을 사용하여 水腫喘咳를 치료하는 이외에도, 이 책의 卷4에서는 또한 暴啞不能出·咽痛異常 등의 병증까지도 치료하였다. 역대의 의학자들은 麻黃細辛附子湯을 응용하여 그 적응증의 범위를 확대하는 것을 중시하였고, 또한 加減 처리를 잘하여 새로운 방제를 만들었다. 그 방제의 增減 요점은 대부분 虛와 實의 어느 것이 많고 어느 것이 적은지에 근거하여 歸納하였는데, 대략 세 가지가 된다: ① 陽氣虛弱에 치중된 者는 益氣扶正의 人蔘·黃芪 등을 넣었다. 예를 들면 『備急千金要方』卷8의 大棗湯은 본 방제에서 細辛을 빼고, 大棗·黃芪·甘草·生薑을 넣었으며, 『醫宗必讀』卷6의 附子麻黃湯은 본 방제에 理中丸을 合方하고 細辛을 뺀 것이다. ② 邪氣가 비교적 盛한 것에 치중된 者는 證의 表에 편중 혹은 兼한 것에 맞추어 상응하는 약물을 配伍하였다. 예를 들면 寒邪가 비교적 심하고 寒凝血滯하여 頭身·肢體疼痛이 비교적 극렬한 者는 祛風散寒과 活血止痛의 약물을 넣었다. 『醫略六書』「雜病證治」卷20의 倉公當歸湯은 즉 본 방제에서 當歸·獨活·防風을 넣은 것이고, 『杏苑生春』卷5의 附子細辛湯은 즉 본 방제에 川芎을 넣은 것이다. 濕痰을 끼고 있는 者는 매번 半夏·茯苓 등의 化痰滲濕藥을 配伍하였고, 『重訂通俗傷寒論』의 麻附細辛湯은 본 방제에 半夏·茯苓을 넣어 조성된 것이다. 氣滯를 兼한 者는 香附子·陳皮 등 理氣行滯藥을 配伍하였다. 『三因極一病證方論』卷9의 麻黃桂枝湯은 즉 본 방제에서 附子를 炮薑으로 바꾸고, 桂心·白芍藥·甘草·香附子·半夏를 넣어 구성된 것이다. ③ 寒邪客表와 陽氣不足이 모두 비교적 重한 者는 解表散寒의 防風·獨活·生薑 및 益氣助陽의 人蔘·白朮·乾薑 등을 配伍하여 邪氣와 正氣를 함께 돌보는 것이다. 예를 들면 『備急千金要方』卷9의 赤散은 본 방제에 人蔘·白朮·乾薑·沙蔘·茯苓·防風·川椒·黃芩·代赭石·桔梗·吳茱萸을 넣은 것이고, 『太平聖惠方』卷10의 附子散은 본 방제에서 細辛을 빼고, 人蔘·白朮·茯苓·前胡·桂心·半夏·獨活·當歸·石膏·炮

薑·生薑을 넣은 것이다. 『傷寒六書』卷3의 再造散도 또한 여기에 해당된다. 현대에는 본 방제를 응용함에 이미 兩感證에 국한하지 않고, 모든 陽虛寒凝에 의한 痛證·痺證·水腫·瘰癧·眼病·耳疾 및 서맥성 부정맥(bradyarrhythmia)·洞機能不全症候群(sick sinus syndrome, SSS) 등에 투여하여 모두 효과를 얻었다.

【難題解說】

1. 본 방제의 辨證論治의 要點에 관하여: 仲景은 본 방제를 만들어 太陽少陰 兩感證을 치료하였고, 역대의 의학자들도 대부분 그것을 본받았다. 仲景의 論述이 간단명료하기 때문에 그 辨證論治의 요점을 정확하게 파악하기에는 난이도가 있는 것 같다. 王意以는 운용한 경험을 종합하여 본 방제의 주요한 脈과 證을 여섯 가지로 귀납하였다: ① 腰背酸楚, 冷痛. ② 畏寒怕冷, 四肢不溫. ③ 惡寒發熱, 寒多熱少. ④ 환부의 冷感. ⑤ 舌淡胖嫩, 多有齒痕, 苔白或水滑. ⑥ 脈沈, 或沈遲而弱. 아울러서 여섯 개 조항의 脈과 症을 다 갖출 필요는 없지만 그중에 2~3개의 증상만 있어도 본 방제를 운용하는 기본 조건을 구성할 수 있다고 생각하였으니[1] 참고할 만하다. 반드시 지적해야 할 것은 본 방제의 病證의 發熱은 대부분 微熱에 無汗, 惡寒蜷臥와 精神委靡를 동반하는 것을 특징으로 하고, 본 방제가 치료하는 疼痛은 매번 痛症이 일정한 곳에 없고 밤과 저녁에 더욱 심하고, 따뜻한 것과 만져주는 것을 좋아하며, 기후의 변화 및 冷한 것을 만나면 심해지고, 面色의 靑黃이 특징이다.

2. 細辛의 용량에 관한 연구와 토론: 『重修政和經史證類備用本草』卷6에서 南宋 陳承의 『本草別說』에 있는 "細辛單用末, 不可過半錢匕, 多則氣悶而死."라는 이론을 가장 빠르게 인용하였고, 후세에는 대부분이 학설의 영향을 받아서 '辛不過錢'이라고 하였다. 『中華人民共和國藥典』에는 1953년의 제1판에서부터 2010년판에 이르기까지 모두 細辛의 용량을 內服은 1~3 g이고, 外用은 적당량을 쓰라고 수재되어 있다. 仲景이 細辛을 사용한 것을 보면 항상 二~三兩 사이였고, 근대에 細辛을 12~15 g을 사용하는 者도 드물지 않게 본다. 細辛의 용량을 一錢을 넘길 것인가의 여부는 韓醫界에서 역대로 매우 많은 쟁론이 있어 왔다. 현대의 藥理研究에 의하면, 細辛의 全草와 細辛의 뿌리는 복용법이 달라서 그 작용의 强弱 및 毒性의 부작용 반응도 비교적 큰 차이가 있다. 만약 揮發油를 유효성분으로 고려한다면, 실험 결과에 의하면 細辛 혹은 細辛根의 가루를 직접 삼켜서 복용하는 것을 全草를 湯劑로 만들어서 달여서 복용하는 것과 서로 비교하면, 같은 용량의 상황에서 根의 揮發油 함량이 거의 全草를 10분간 달인 것의 3倍이다. 서로 같은 치료 효과에 도달하기 위해서는 湯劑의 용량을 적어도 散劑의 3倍까지 증가시켜야 한다. 만약 揮發油 중 有毒 成分인 사프롤(safrol)을 기준점으로 삼는다면, 실험 결과에 의하면 같은 용량의 상황에서 根 속의 사프롤 함량은 각각 全草를 10분·20분·30분 달인 것의 4倍·12倍·50倍였다. 즉, 湯劑의 용량이 가령 散劑의 4倍·12倍에 이르더라도 불량한 반응을 일으키지 않는다. 湯劑 중 細辛의 용량을 15 g까지 쓰고 단지 20분만 달이면, 그 毒性도 또한 根末 散劑의 3 g을 초과할 수 없다.[2] 陳氏가 細辛을 가루로 한 가지 사용할 때는 一錢을 넘을 수 없다는 설명은 매우 이치에 닿음을 알 수 있다. 그러므로 임상에서 細辛 根末로 만든 散劑의 용량은 一錢을 넘어서는 안 되지만, 湯劑의 용량은 상황을 참작하여 증가시킬 수 있다. 이것이 즉 "用末不可大劑量, 大量必須入湯藥."이라고 한 것이다. 본 방제에서 細辛의 용량은 3~10 g이 적당하고, 용량은 상황을 참작하여 결정하는데 반드시 外寒과 陽虛의 정도에 근거해야 한다. 細辛은 방향성이 잘 달아나고 發散力이 비교적 강하기 때문에 外寒이 심하면 양을 크게 할 수 있고, 반대이면 양을 적게 하는 것이 적절하다.

3. 細辛을 湯에 넣을 때는 일반적으로 다른 약물과 함께 달인다고 기록되어 있을 뿐, 별다른 특별한 용법은 알려져 있지 않다. 그러나 細辛의 揮發油는 기타 식물의 揮發油와 마찬가지로 지극히 쉽게 水蒸氣를 따라 揮發하는 특징이 있다. 그러므로 湯에 넣어 달일 때에

는 細辛의 揮發油는 반드시 거의 다 손실된다. 따라서 어떤 학자는 細辛을 湯에 넣을 때는 後下해야 한다고 주장하는데, 細辛을 湯에 넣을 때 後下해야 그 달이는 시간을 절반 이상 단축시킬 수 있으며, 細辛이 가진 揮發油의 손실을 대폭 낮출 수 있다고 생각하였다. 그리고 細辛은 草本類의 藥物이지만 木質化의 정도가 낮아서 後下하더라도 기타 非揮發性 成分의 浸出에 영향을 끼치지 않는다.[3] 그러므로 細辛을 湯에 넣을 때 後下해야 각종 성분의 작용이 충분히 발휘될 수 있게 할 수 있으며, 치료 효과를 높이는 데도 유리하다.

【醫案】

1. 少陰傷寒『全國名醫驗案類編』卷2: 蔣尚賓의 부인, 나이 62세. 몹시 추운 겨울에 腎陽이 衰弱하여 寒을 막을 수 없고 寒이 骨髓에까지 깊이 들어가서 頭痛腰疼, 身發熱, 惡寒이 극심하여 비록 두꺼운 옷을 겹겹이 입어도 그 寒이 가시지 않았고, 舌苔黑潤하고 脈沈細而緊하여, 麻黃附子細辛湯으로 溫陽散寒하였다. 처방: 生麻黃 一錢, 淡附片 一錢, 北細辛 七分. 1첩으로 땀이 발끝까지 나면서 모든 증상이 곧 나았다.

2. 兩感傷寒『古今醫案按』卷2: 喩嘉言이 金鑒을 치료하였다. 봄철에 溫病에 걸려 誤治로 20일이 지나 지극히 위중한 死症이 만들어져 壯熱不退, 譫語無倫, 皮膚枯燥, 胸膛板結(가슴이 굳어짐), 舌卷唇焦, 身蜷足冷, 二便略通, 半渴不渴, 面上一團黑滯하여 이전의 汗下和溫의 治法을 따라 여러 번 시도하였으나 효과가 없었다. 喩嘉言이 "이 證은 兩感傷寒과 다르지 않다.『內經』에서는 원래 '六日死'라고 하였는데, 春溫證은 傳經을 하지 않기 때문에 비록 邪氣가 머물러서 물러나지 않더라도 오히려 며칠을 더 연장할 수 있고 元氣가 竭絶하기를 기다려서 죽는 것이다."라고 하였다. 그 陰證과 陽證을 살펴보면, 두 가지가 한 구역에 혼재되어 있어 陽을 치료하면 陰이 방해가 되고, 陰을 치료하면 陽이 방해가 되어 兩感의 病勢와 부합하는데, 仲景은 원래 治法이 없었고, 오직 序論에 發表攻裏가 있었지만 본래 다른 說이다. 곧 그 뜻을 본받아서 麻黃附子細辛湯으로 表에 있는 陰邪와 陽邪를 둘 다 풀어주었더니 과연 皮膚 사이에 땀이 흠뻑 나면서 熱이 완전히 식었고, 다시 附子瀉心湯으로 裏에 있는 陰邪와 陽邪를 둘 다 풀어주었더니 과연 胸前이 柔和하고 人事가 명료해지고 모든 證이 다 물러났다. 다음날에는 곧 粥을 찾으면서 이후에는 마침내 藥을 필요로 하지 않았으며, 단지 이 두 첩으로 九死一生한 것으로 쾌재로다.

考察: 醫案1은 少陰傷寒으로 처음 병을 얻으면 바로 脈沈·發熱하였고, 한 번 치료시기를 놓치면 형세가 반드시 吐利·厥逆에 이르게 된다. 그러므로 그것을 틈타 밖에는 發熱이 있어 한편으로는 麻黃으로 그 밖을 치료하고, 다른 한편으로는 附子로 그 裏를 치료하며, 그러나 반드시 細辛으로 보좌하여 寒이 骨髓에 있는 것을 직접적으로 밖으로부터 풀리게 한 것이다. 본 의안의 辨證 要點은 舌과 脈에 있다. 寒邪가 表에 있으면 舌이 반드시 白潤하고 脈은 반드시 浮緊할텐데, 이것은 寒邪가 裏에 있으므로 舌이 黑潤하고, 脈은 沈細而緊한 것이다. 이것은 少陰의 邪氣가 寒化하고 表證을 兼한 것이다. 醫案2는 少陰兩感證이다. 환자는 壯熱譫語하여 陽明裏熱과 유사하지만, 二便이 대략 통하고 口渴이 심하지 않으므로 陽明經腑證은 아니다. 그리고 身蜷足冷과 脈沈細而緊은 少陰兩感이고, 壯熱은 無汗과 연관된 까닭이다. 그러므로 麻附細辛湯으로 皮膚 사이에 땀이 흠뻑 나면서 熱이 물러난다. 胸膛板結(가슴이 굳어짐)은 寒熱이 心下에 서로 맺힌 것이므로 附子瀉心湯을 써서 寒熱이 풀리면서 胸痞가 낫게 된다. 이것은 先表後裏의 治法이다.

3. 急性 腎臟炎『山東中醫雜誌』(1986, 3:48): 某 여자, 40세. 환자는 3개월 전에 과로로 지쳐 腰部가 은은하게 아프고 힘이 없으며 眼瞼에 浮腫이 생기고 계속해서 全身으로 번지고 小便이 不利하였다. 某 병원에서는 急性 腎臟炎으로 진단하고 韓藥 數十貼을 복용하고, 여러 번 소변검사를 하였다: 尿蛋白 +~++, 백혈구 0~+, 적혈구 +~++, 水腫은 줄어들었다. 최근

2일 동안 感冒 증상이 加重되어 頭痛惡寒, 無汗, 神疲乏力肢冷, 腰膝酸痛, 兩下肢凹陷性水腫이 있었으며, 小便不利, 舌淡苔白, 脈沈細하였고, 尿蛋白 ++, 적혈구 +, 백혈구 + 이었다. 辨證은 腎陽虛衰와 風寒外襲이었고, 溫陽利水와 解表散寒으로 치료하였다. 처방: 麻黃 9 g, 附子 20 g, 細辛 6 g, 茯苓 20 g, 白朮 15 g, 生薑 12 g을 3첩 복용했더니 表證이 이미 풀리고 水腫은 줄어들었다. 위의 처방에 麻黃을 6 g으로 바꾸고, 黃芪 60 g, 車前子 15 g을 넣어 24첩을 복용하였더니 尿蛋白이 陰性으로 바뀌었고, 나중에는 腎氣丸으로 鞏固히 하였다.

考察: 본 병례의 水腫은 腎陽虛衰와 風寒外襲으로 생긴 것이다. 그러므로 本 방제에 眞武湯을 合方하고 白芍藥을 빼서 解表散寒하고 溫陽利水시킨다. 방제에서 麻黃·生薑은 開腠理, 宣肺氣와 利小便하기 때문에 寒邪와 水濕을 表에서 제거하고 水濕이 소변을 따라 나가게 돕는다. 附子는 暖命門하고 壯元陽하여 陽氣가 회복되면 邪氣를 鼓動시켜서 밖으로 나가게 할 수 있으며, 氣化가 회복되면 水津을 輸布하게 한다. 細辛은 散寒溫陽하고 양쪽에서 그 작용을 뛰어나게하여, 附子가 細辛을 얻으면 命門火가 健壯해지고, 麻黃이 細辛을 얻으면 毛竅가 한번에 열린다. 白朮은 健脾燥濕하고 兼하여 脾胃의 運化를 돕고, 茯苓은 滲濕利水하고 水濕의 下行을 힘껏 誘導한다. 여섯 가지 약물을 配伍하면 發汗과 利水가 같이 시행되고, 扶正과 祛邪가 함께 돌아보게 되며, 肺·脾·腎의 三臟이 함께 조절되기 때문에 감히 전면적이라고 할 수 있고, 따라서 3첩을 복용하면 表症이 풀리고 浮腫이 줄어드는 것이다. 재진시에 黃芪·車前子를 넣은 것은 健脾利水의 작용을 강화시키려는 뜻이고, 지극히 훌륭하게 후속 처방으로 腎氣丸을 채택한 것은 扶正固本의 治法이다.

4. 哮喘『國醫論壇』(1995, 2:10): 某 남자, 46세, 農民, 1991년 2월 6일 진단. 환자는 哮喘을 4년여 동안 앓았고, 오래 치료해도 조금도 효과가 없었으며 가을철과 겨울철에는 加重되었고, 최근에는 寒邪를 받으면서 극심해졌다. 증상으로는 咳逆과 喘息으로 편안하게 눕지 못하고, 또한 抽搐, 口吐痰涎, 色白量多, 胸膈滿悶, 形弱怯寒, 神疲乏力, 胃不思納, 舌淡, 苔白厚膩, 脈沈細而滑을 동반하였다. 證은 脾腎陽虛하고 寒邪襲肺하고 濕痰停滯하여 肺道를 막은 것에 해당된다. 치료는 溫陽蠲飮이 적절하다. 급하게 麻黃附子細辛湯加味를 투여하였다: 麻黃 9 g, 炮附子 12 g, 細辛 6 g, 乾薑 10 g, 炒蘇子 9 g. 물에 달여서 소량씩 자주 복용하였다. 위의 처방을 7첩까지 복용하였더니 痰이 적어지고 抽搐도 그쳤다. 계속해서 위의 처방에 乾薑을 15 g 넣고, 13첩을 복용하였더니 모든 증상이 다 제거되었다.

考察: 환자는 脾腎陽虛하여 溫化의 기능을 잃고 痰飮이 안에 停滯한 데다가, 다시 寒邪에 感受하여 外寒裏飮이 肺에 壅滯하여 咳喘이 발생한 것이고, 痰이 經絡을 막아서 經隧가 不利하면 筋肉에 영양을 공급하지 못하여 抽搐하는 것이다. 치료는 당연히 散寒邪, 溫腎陽 및 化痰濁해야 하므로 麻黃附子細辛湯에 乾薑·蘇子를 넣어 溫化痰濕시켜야 한다. 寒邪가 제거되고 陽氣가 회복되며 濕痰이 사라지면 喘咳와 抽搐도 저절로 그치게 된다. 방제에서 細辛은 助陽散寒의 작용이 있고 아래로 腎氣와 통하며 溫化水飮의 작용도 있으므로 寒痰咳喘에 사용하면 매번 藥이 병을 제거하는데 이르게 하는 작용을 거두게 한다.

5. 暴盲『臨證解惑』: 某 남자, 52세, 韓醫師. 1957년 겨울에 양쪽 눈의 시력이 갑자기 떨어져 수일 내에 진찰을 받았다. 환자가 스스로 말하기를 "數日 전에 冷水로 발을 씻은 후에 그날 밤 遺精하였고, 다음날 目盲하여 사물을 볼 수 없었다."고 하였다. 스스로 생각하기에 遺精을 한 뒤에 병이 생겼고, 또 男子는 "七八肝氣衰"하기에 精虧血少의 證과 유사하면 바로 駐景丸에 一貫煎을 合方하여 치료하라고 구두로 傳授받았으나 脘悶이 더욱 증가하였다. 또한 肝開竅於目이라는 것을 생각하였고, 평상시에 항상 情志를 펼치지 못하는 일이 있어서 혹시 肝氣鬱結한 까닭인가 하고 丹梔逍遙散에 靑皮·鬱金·香附子를 넣어 치료하였더니 脘悶

이 극심해지면서 메스껍고 吐하고자 하여 비로소 陳達夫님에게 도움을 요청하였다. 그 顏色을 살피니 蒼黯하고 舌淡, 苔灰滑하였고, 그 양쪽 손을 만져보니 얼음처럼 차고 六脈이 모두 弱하였으며, 그 視力를 측정해보니 겨우 손가락을 헤아릴 정도였다. 暴盲으로 진단하였고, 陽虛寒凝으로 辨證하였다. 治法은 溫陽散寒해야 한다. 처방: 麻黃細辛附子湯加味. 麻黃 15 g, 細辛 5 g, 乾薑 10 g, 茯苓 20 g, 製附片 30 g(별도로 싸서 먼저 1시간 달인다). 위의 처방을 연속해서 4첩을 복용했더니 땀이 나고 소변이 시원하게 나왔고, 胃和하고 目明하면서 나았다.

考察: 본 방제가 치료하는 暴盲은 寒邪가 虛한 틈을 타고 침습하여 少陰腎氣와 目系經腧를 막아서 생긴 證을 특별히 가르킨다. 腎은 五臟六腑의 精을 저장하고, 五臟六腑의 精은 모두 위로 目에 注入하여 睛(눈동자)이 되고, 눈이 지극히 미세한 것까지도 똑똑히 알아낼 수 있는 것은 전적으로 腎精의 充足과 腎氣의 막힘이 없는 것(通暢)에 의존한다. 陽虛하고 寒凝하면 腎精이 막혀서 暴盲이 발생하는 것이다. 이러한 暴盲은 升散과 淸利를 모두 엄격히 금하는 사례이고, 이를 犯하면 혹은 陽氣가 위로 散亡하고 혹은 精氣가 아래로 脫竭한다. 오직 溫陽散寒通竅가 비로소 正法이 되고, 麻黃細辛附子湯이 곧 본 治法을 구현하는 가장 대표성을 갖춘 醫方이다. 본 의안의 患者는 나이가 '七八'에 가까워서 元陰元陽이 衰弱에 치중되어 있고, 다시 嚴冬에 冷水로 양쪽 발을 씻어서 寒邪가 湧泉에서 직접 少陰으로 침투하여 腎陽을 손상시키고 腎氣를 폐쇄시킨다. 腎은 元氣의 뿌리이고 또한 五臟六腑의 精을 모아서 저장하고 있으며, 腎氣가 막히면 元氣가 通行하지 못하고 五臟六腑의 精도 위로 눈에 모여서 눈동자가 될 수 없으므로 視力에 엄중한 장애가 생기고 양쪽 눈이 昏暗하여 볼 수 없게 된다. 환자가 寒冷에 손상된 후에 遺精을 한 것은 腎陽이 損傷되고 封藏이 단단하지 못하여 本臟의 직분을 잃은 것이다. 寒이 뭉쳐 구멍이 막히고 經隧의 원활한 흐름을 잃는다는 하나의 중심적인 病機와 서로 모순되지 않는다. 그러므로 치료의 요점은 溫通에 있지, 결단코 精虧血少하여 淸竅가 영양 공급을 받지 못하는 것과 서로 혼동하여 함부로 滋膩填塞을 투여하여 그 막힌 것을 더 증가시키는 것은 옳지 않다. 만약 老人性 精虧血少에 해당되면 반드시 점차적으로 발전하는 점진적 과정이 있는 것이지, 결단코 이와 같이 신속하고 급하게 이르지는 않았을 것이다. 본 환자는 寒冷에 손상되기 전에 大失血이나 여러 번의 亡精의 병력이 없었고, 또한 나이가 매우 많지도 않았기 때문이다.

6. 咽痛『江西中醫藥』(1988, 6:27): 某 남자, 39세, 農民. 咽部疼痛을 1년 남짓 주로 호소하였고, 일찍이 다른 병원에 가서 진찰을 받았으며 모두 '慢性咽炎'이라고 진단하고 페니실린(penicillin)·스트렙토마이신(streptomycin) 등의 양약을 쓰고, 일찍이 淸熱瀉火劑·養陰利咽劑의 한약 처방을 복용하였음을 내보였다. 자세하게 물어보니 畏寒, 時時頭痛·齒痛 및 身痛, 그 통증은 遊走性을 띄었고, 身痒, 輕咳, 口乾渴少飮, 뜨거운 끓인 물을 마시기를 좋아하고, 乏力嗜睡, 大小便正常, 舌苔薄白多津 및 脈緩을 동반하였다. 證은 陽虛外感과 寒襲少陰에 해당되고, 治法은 마땅히 溫經散寒·扶陽解表해야 한다. 처방은 麻黃附子細辛湯을 선별하였다: 麻黃 5 g, 熟附子 10 g, 細辛 3 g을 3첩 복용하였다. 위의 처방을 복용하였더니 齒痛이 소실되고, 畏寒 및 頭身痛이 감소하였으며, 咽痛은 持續性에서 偶發性으로 바뀌었다. 그때의 證에 겸하여 脘脹이 있고 左脇痛이 같은 쪽 背部를 당기면, 위의 처방에 香附子·蘇梗·杏仁 各 10 g을 넣고 3첩을 복용하였다. 齒痛이 발생하지 않았고, 頭痛이 소실되었으며, 咽痛 및 嗜睡가 모두 제거되었고 精神이 뚜렷하게 호전되었고, 脘脹이 감소하고 가려움이 그쳤다. 계속해서 위의 처방을 늘렸다 줄였다 하여 12첩을 주었더니 건강이 예전처럼 회복되었고 이후에는 재발하지 않았다.

考察: 喉는 肺系로 足三陰經이 모두 喉中을 지난다. 이것은 바로 평소 신체가 陽虛한데 寒邪가 太陰經·少陰經에 침범하여 肺氣가 閉鬱되고 宣發과 肅降이 정상을 잃고 氣化가 不利하여 氣血津液이 咽喉에 壅滯하므로 咽痛이 생긴 것이다. 처방에서 麻黃으로 表에 있는 風寒을 發散하고 鬱閉된 肺氣를 宣發하는 것이고, 附子는 溫腎陽하여 氣化를 돕고 心陽을 振作시켜 血行을 원활하게 하는 것이며, 細辛은 少陰經脈을 전적으로 통하게 하고 麻黃과 附子의 上下開通에 협조하여, 肺氣를 宣發하고 血液의 운행을 원활하게 하고 津液의 운행도 장애가 없으며 咽喉가 막히는 바가 없게 되면 咽痛은 낫게 된다. 본 의안을 만약에 상세하게 변별하여 분석하지 못한다면 여전히 '炎症'이라는 문구에 얽매여 苦寒만 여러 번 진행시킬 뿐 어찌 효과를 얻을 수 있겠는가!

【副方】 麻黃附子甘草湯(『傷寒論』): 麻黃 去節 二兩(6 g) 甘草 炙 二兩(6 g) 附子 炮 一枚 去皮, 破八片(9 g).

- 用法: 上三味, 以水七升, 先煮麻黃一兩沸, 去上沫, 內諸藥, 煮取三升, 去滓. 溫服一升, 日三服.
- 效能: 助陽解表.
- 主治: 少陰病. 惡寒身疼, 無汗, 微發熱, 脈沈微者. 或水病, 身面浮腫, 氣短, 小便不利, 脈沈而小.

본 방제의 病證 또한 陽虛에 外寒을 感受한 것이고 치료는 당연히 助陽解表해야 하고, 방제에서 麻黃은 發汗解表하고, 附子는 溫裏助陽하며, 甘草는 益氣하며 아울러서 모든 약물을 조화시킨다. 麻黃附子細辛湯과 비교하면 비록 陽虛外感 表寒證이라는 것은 동일하지만, 저 방제의 病證은 病이 重하고 勢가 急하여 外寒과 裏寒이 모두 비교적 重하므로 麻黃·附子에 細辛을 配伍하여 助陽發汗함으로써 表裏의 邪氣를 신속하게 풀리게 한 것이고, 이 방제의 病證은 病이 輕하고 勢가 완만하므로 麻黃·附子에 甘草를 配伍하여 助陽益氣하되 微發汗시킴으로써 表裏의 邪氣를 緩解하도록 한 것이다. 이것이 바로 "病有輕重, 治有緩急"의 뜻이다. 본 방제가 치료하는 水腫은 바로 肺氣가 宣發을 잃고 腎이 氣化를 잃어버려 생긴 것이므로 麻黃으로 宣肺·發汗·利水하여 宣肺는 肺氣의 宣發·肅降을 정상적으로 회복시킬 수 있고, 發汗은 水邪를 毛竅에서 밖으로 새 나가게 하며, 利尿는 水邪를 前陰에서 나가게 한다. 附子는 溫腎陽하여 氣化를 돕고, 甘草는 藥性을 조화롭게 한다. 세 가지 약물이 配合되면 肺腎의 기능을 調理하고 또한 체내의 積水를 배출할 수 있어서 水腫에 腎陽不足을 兼한 사람에게 투여하면 매번 효험이 있게 된다.

【參考文獻】

1) 王意以. 麻黃附子細辛湯的臨床應用體會. 陝西中醫函授. 1983;(6):33.
2) 王智華, 洪筱坤. 從細辛根末與全草煎劑所含揮發油及黃樟醚的測定分析論細辛用量與劑型的關系. 上海中醫藥雜誌. 1987;21(9):2.
3) 陰健, 郭力弓. 『中藥現代研究與臨床應用』. 北京: 學苑出版社, 1993:467.

加減葳蕤湯

(『重訂通俗傷寒論』)

【組成】 生葳蕤 二錢至三錢(9 g) 生葱白 二枚至三枚(6 g) 桔梗 一錢至錢半(5 g) 東白薇 五分至一錢(3 g) 淡豆豉 三錢至四錢(12 g) 蘇薄荷 一錢至錢半(5 g) 炙甘草 五分(1.5 g) 紅棗 二枚

【用法】 물에 달여서 2회 나누어 따뜻하게 복용한다.

【效能】 滋陰解表.

【主治】 陰虛外感風熱表證. 頭痛身熱, 微惡風寒, 無汗或有汗不多, 咳嗽, 心煩, 口渴, 舌紅, 脈數.

【病機分析】 外感 風熱의 邪氣가 肌表에 침습하므로 頭痛身熱, 微惡風寒, 無汗或有汗不暢, 咳嗽, 口渴

등의 증상이 나타난다. 陰虛한 체질이 外邪를 感受하면 쉽게 熱化하고, 또한 陰虛한 者는 역시 대부분 內熱이 생기므로 위에서 서술한 邪氣가 肺衛에 침습하여 나타나는 증상 이외에도 여전히 咽乾, 心煩, 舌赤, 脈數의 증상이 있게 된다. 陰虛로 津液이 손상되고, 熱이 津液을 불사르므로 그 口渴 또한 단순한 溫病初期와 비교해서 비교적 심하다.

【配伍分析】 表邪가 아직 풀리지 않았을 때에는 일반적으로 滋陰藥을 지나치게 일찍 사용하는 것은 마땅하지 않다. 왜냐하면 滋膩藥이 邪氣를 머무르게 하여 解表에 방해가 되는 것에서 벗어나야 하기 때문이다. 그러나 陰虛한 사람이 다시 外邪를 感受한 證에 대하여 그 사람은 汗의 財源이 충분하지 못하여 전적으로 解表만을 할 수가 없다. 만약 단순히 發汗만 도모한다면 表邪가 汗解하지 않을 뿐만 아니라, 도리어 陰液을 涸竭할 우려가 생긴다. 두 가지를 온전하게 하는 방법은 오직 滋陰과 解表를 함께 사용하는 것으로, 이것이 본 방제 配伍의 宗旨인 것이다. 이것이 바로 『溫病條辨』卷4에서 "汗之爲物, 以陽氣爲運用, 以陰精爲材料. …… 其有陽氣有餘, 陰津不足, 又爲溫熱升發之氣所爍, 而自汗出, 或不出者, 必用辛凉以止其自出之汗, 用甘凉甘潤培養其陰津爲材料, 以爲正汗之地."라고 한 것과 같다. 방제에서 葳蕤(즉, 玉竹)는 性味가 甘寒하고 歸經이 肺經과 胃經이며 滋陰潤燥의 主藥이 되고, 이를 써서 潤肺養胃와 淸熱生津하는 것이다. 대체로 養陰藥은 대부분 陰柔滋膩를 兼하고, 본 방제는 지나치게 陰柔한 약물이 表邪를 가로막는 것을 모면하기 위하여 地黃 등 陰柔藥을 피하여 사용하지 않고 玉竹의 滋養하되 느끼하지 않은 것을 선별하여 사용한 것이며, 陰虛하되 表熱證이 있는 사람에게 매우 합당한 것이다. 진실로 『本草便讀』에서 "葳蕤, 氣平質潤之品, 培養脾肺之陰, 是其所長, 而搜風散熱諸治, 似非質潤味甘之物可取效也. 如風熱風溫之屬虛者, 可用之. …… 以風溫風熱之證, 最易傷陰. 而養陰之藥, 又易礙邪, 唯玉竹甘平滋潤, 雖補而不礙邪, 故古人立方有取乎此也."라고 한 것과 같다. 薄荷는 藥性이 辛凉하여 "爲溫病宜汗解者之要藥"(『醫學衷中參西錄』中冊)이라고 하였고, 이것을 사용하여 疏散風熱하므로 두 가지 약물은 모두 君藥이 된다. 葱白·淡豆豉는 解表散邪하고, 薄荷를 도와 表邪를 풀기 때문에 臣藥이 된다. 白薇는 性味가 苦寒하고 그 성질이 降泄하며 淸熱을 잘 하되 陰을 손상시키지 않아 陰虛有熱한 사람에게 매우 적당하다. 만약 性味가 苦寒한 黃芩·黃連 등 淸熱瀉火藥을 사용하면 그것이 燥로 바뀌어 陰을 다치게 할 것이며, 또한 解表에도 不利하다. 桔梗은 宣肺止咳하고, 大棗는 甘潤養血하여 玉竹을 도와 滋陰液하기 때문에 모두 佐藥이 된다. 使藥은 甘草로써 藥性을 조화시킨다. 모든 약물을 配伍하면 함께 滋陰解表의 작용을 거두게 된다.

본 방제의 配伍 특징은 解表藥과 養陰藥을 서로 배합하여 發汗하되 陰液을 손상시키지 않고 滋陰하되 邪氣를 머무르게 하지 않는 것이다.

【臨床應用】

1. 證治要點: 본 방제는 오로지 평소 신체가 陰虛한데, 風熱을 感受한 證을 위하여 설정한 것으로, 임상에서 응용할 때에는 身熱微寒, 咽乾口燥, 舌紅, 苔薄白, 脈數을 辨證論治의 요점으로 한다.

2. 加減法: 만약 表證이 비교적 重하면 참작하여 防風·葛根을 넣어 祛風解表하고, 咳嗽咽乾하고 咯痰不爽에는 牛蒡子·瓜蔞皮를 넣어 利咽化痰하며, 心煩口渴이 비교적 심하면 竹葉·天花粉을 넣어 淸熱生津除煩한다.

3. 加減葳蕤湯은 다음 한국표준질병사인분류(KCD)에 해당하는 환자가 風陰虛外感風熱表證으로 辨證되는 경우 본 처방의 사용을 고려해볼 수 있다.

처방 목표	한국표준질병사인분류(KCD)
感冒	J00 급성 비인두염[감기]
急性 扁桃腺炎	J03 급성 편도염

처방 목표	한국표준질병사인분류(KCD)
咽炎	J02 급성 인두염
	J31.2 만성 인두염
	J04.0 급성 후두염
	J37.0 만성 후두염

【注意事項】 본 처방은 滋陰解表劑로 外感 初期에 陰虛가 兼하여 나타나는 사람에게 사용하는 것이 적절하고, 만약 陰虛證候가 없으면 사용해서는 안 된다. 그렇지 않으면 表邪가 계속 머물러서 제거하기 어렵다.

【變遷史】 본 방제는 『備急千金要方』卷9의 葳蕤湯을 加減 처리한 것이므로 그 方劑의 源流에서 발전시켜 命名한 것이다. 『備急千金要方』(652년)의 葳蕤湯은 麻杏石甘湯의 기초 위에서 獨活·川芎·青木香·葳蕤·白薇를 넣어 조성된 것으로 發表清裏와 氣血幷治의 방제이다. 그러나 방제에는 性味가 辛溫한 약물이 매우 많아서 溫熱病證에는 아무래도 적당하지 않다. 그러므로 張璐가 "多有熱傷津液, 無大熱而渴者, 不妨裁去麻·杏, 易入葱·豉以通陽鬱; 栝蔞以滋津液; 喘息氣上, 芎·獨亦勿輕試. 虛不勝寒, 石膏難以概施, 或以竹葉清心, 茯苓守中, 則補救備至, 於以補『千金』之未逮."(『千金方衍義』卷9)라고 하였다. 俞根初는 張璐의 이론의 계발을 이어받아 『備急千金要方』의 葳蕤·白薇·甘草를 보존하고, 따로 葱白·淡豆豉·薄荷·桔梗·大棗를 배합하여 發表清裏劑를 解表滋陰劑로 바꾸었다. 이는 『備急千金要方』葳蕤湯의 미비한 점을 보충한 것이고, 또한 陰虛外感風熱證에 대한 一大法門을 開創한 것으로, 이것은 『備急千金要方』葳蕤湯의 製方運用을 풍부히 하면서 발전시킨 것이다.

【副方】 葱白七味飮(『外臺秘要』卷3): 葱白連鬚, 切 一升(9 g) 葛根 切 三合(9 g) 新豉 一合(6 g) 生薑 切 二合(6 g) 生麥門冬去心 六合(9 g) 乾地黃 六合(9 g) 勞水八升, 此水以杓揚之一千過

- 用法: 上藥用勞水煎之三分減二, 去渣, 分溫三服. 相去行八九里, 如覺欲汗, 漸漸覆之. 忌蕪荑.
- 效能: 養血解表.
- 主治: 病後陰血虧虛, 調攝不慎, 感受外邪. 或失血(吐血·便血·咳血·衄血)之後, 感冒風寒, 頭痛身熱, 微寒無汗.

血虛外感은 치료할 때 마땅히 養血解表해야 한다. 방제에서 葱白으로 發表하고, 生地黃으로 滋陰養血하며 모두 君藥이 된다. 葛根·豆豉·生薑을 配伍하고 葱白을 도와 表邪를 풀어주니 臣藥이 된다. 佐藥으로는 麥門冬을 사용하여 生地黃을 도와 養血益陰함으로써 汗의 財源을 滋養한다. 모든 약물을 함께 사용하여 邪氣와 正氣를 같이 살피면 表邪를 풀리게 해도 正氣가 손상되지 않아, 養血解表의 著名한 방제가 이루어지게 된다.

葱白七味飮과 加減葳蕤湯은 모두 滋陰養血藥과 解表藥이 서로 배합된 滋養解表劑와 관계가 있다. 葱白七味飮은 補血藥과 辛溫解表藥을 함께 사용한 것이므로 血虛에 밖에서 風寒을 感受한 것을 치료하는 대표 방제이고, 임상에서 응용할 때에는 頭痛身熱과 惡寒無汗에 血虛 혹은 失血의 病歷이 함께 나타나는 것이 주요한 근거가 된다. 그러나 加減葳蕤湯은 補陰藥과 辛凉解表藥을 함께 사용한 것으로 陰虛에 風熱을 外感한 것을 치료하는 대표 방제이고, 임상에서 응용할 때에는 身熱, 微惡寒, 有汗或汗出不多, 口渴, 心煩, 咽乾, 舌紅, 脈數이 방제를 사용하는 적응증이 된다.

第二章

瀉下劑

瀉下藥의 주된 구성은 通便·瀉熱·逐水·攻積 등의 작용을 갖추고 있는 것들로 裏實證을 主治하는 方劑라서 瀉下劑라고 부르는 것이니, '八法' 중에 下法을 구체적으로 드러낸 것이다.

瀉下하는 方劑의 운용은 역사적으로 매우 오래 되었다. 일찍이『內經』중에서 이미 下法의 사용원칙을 명확하게 제시하였으니, 예를 들면 "因其重而減之, …… 其下者引而竭之. 中滿者, 瀉之於內. …… 其實者, 散而瀉之."(『素問』「陰陽應象大論」)라고 하였고, "其滿三日者, 可泄而已."(『素問』「熱論」)라는 것과 "下者不以偶."(『素問』「至眞要大論」)하라는 등의 논술을 따라 瀉下하는 方劑의 立論 근거가 만들어졌다.

秦·漢시대에 쓰였던 中藥學 서적인『神農本草經』에 수록된 藥物 중, 大黃·火麻仁·郁李仁·甘遂·大戟·芫花·商陸·巴豆 등의 瀉下藥이 있는데, 이러한 藥物들은 지금까지 계속 추가되면서 瀉下劑의 발생과 발전에 藥物학적인 기초를 닦았다. 東漢 末年의 醫聖인 張仲景이 지은『傷寒雜病論』이라는 책 중에 실려 있는 瀉下方劑는 30여 개인데, 예를 들면 三承氣湯·麻子仁丸·十棗湯 등과 같은 것으로, 그가 方劑를 만들면서 약으로 남긴 것은 歷代 瀉下方劑의 處方을 조성하는 配伍 및 응용에 심원한 영향을 끼쳤다. 唐代의『備急千金要方』은 下法의 이론 및 응용에 발휘한 것이 있으니, 책 속에서 말하기를 "凡臟腑有積聚, 無問少長, 濡瀉."라고 하여 瀉下方劑의 기초 이론을 진일보 충실하게 하였다. 책 중에 실려 있는 大黃瀉熱湯·梔子湯·溫脾湯의 모든 方劑는 실제로『傷寒雜病論』의 三承氣湯·大黃附子湯으로부터 化裁하여 만들어진 것으로, 응용 범위를 확대하면서 瀉下劑의 발전을 촉진시켰다. 宋代의 醫方에 대한 名著인『太平聖惠方』은 仲景의 理論을 이어 받았으니, 임상 실제에서 필요로 하는 것에 근거하여 仲景方을 加減發展시켜서 새로운 瀉下方劑인 調氣丸을 만들었는데, 그가 方劑를 만들면서 약으로 남긴 것은 더욱 적당하여서 脾胃燥熱로 大便不通하는 것을 治療하는데 사용하면 治療 效果가 현저하였다. 이것은 宋代의 의학자들이 實踐을 중시하면서 옛것을 배워서 변화시키는 정신이 있음을 반영하는 것으로 瀉下劑의 처방을 구성하고 配伍하는 방면에 있어서 새로운 수준에 도달한 것이다.

宋·金시대의 劉完素는 下法을 잘 운용하여『傷寒論』의 기초상에서 옛날 이론에 얽매이지 않고, 새로운 학설을 창조하면서 裏證에는 下法을 사용해야 한다고 명확하게 지적하였는데, 아래에서 서술하는 세 가지 상황에 근거하여 융통성 있게 운용하였다: 첫째, 表證이 이미 풀렸으나 裏熱이 鬱結되어 汗出해도 熱이 물러나지 않는 자는 모두 下法을 쓸 수 있다. 下法을 쓸 수 있는 症狀의 임상에 있어서의 표현은 目睛不了了·腹滿

實痛·煩躁譫妄·脈來沉實이 주요 症狀인데, 이것은 곧 邪熱이 裏에 鬱結되어 있는 症狀이니 반드시 大承氣湯 혹은 三一承氣湯으로 裏熱을 내려보내야 한다. 둘째, 熱毒이 극심하여 그 病變이 이미 血分에까지 영향을 미치면서 遍身清冷疼痛·咽乾或痛·腹滿實痛·悶亂喘息·脈來沉細하는 것인데, 이 때에는 반드시 大承氣湯과 黃連解毒湯을 배합하여 사용한다. 셋째, 크게 下法을 쓴 이후에 熱勢가 여전히 왕성하거나 혹은 下法을 쓴 후에 濕熱이 더욱 심해지면서 下利가 그치지 않는 자는 黃連解毒湯을 사용하여 그 餘熱을 식힐 수 있으며 필요하다면 養陰藥物을 配伍할 수 있고, 만약 下法을 쓴 이후에 熱이 비록 未盡하더라도 熱이 왕성하지 않는 자는 마땅히 小劑의 黃連解毒湯 혹은 涼膈散으로 조절할 것을 강조하였으니, 이것으로 劉完素는 下法의 운용에 대하여 명확히 밝힌 것이 있음을 알 수 있다. 그가 새롭게 만든 三一承氣湯·雙解散·涼膈散 등은 瀉下方劑의 내용을 대단히 풍부하게 하였으니, 이전 사람들이 미치지 못한 것을 보충한 것이다. 張從正은 完素의 학문을 私淑하면서 "病由邪生, 攻邪病已." 라고 제창하면서 攻邪學派를 창립하였다. 그는 '下法'의 이론과 응용에 대하여 지극히 날카로우면서 지극히 숙련되었다. 그가 인식하기를: "傷寒에 大汗之後, 重復勞發, 熱氣不盡者, 可下; 雜病腹中滿痛不止者, 此爲內實, 可下; 傷寒發熱大汗之後, 脈沉實, 寒熱往來, 時時有涎嗽者, 可下; 目黃酒疸食勞, 可下; 落馬墜井, 打仆損傷, 腫發焮痛, 日夜號泣不止者, 可下; 杖瘡發作, 腫痛焮及上下, 語言錯亂, 時時嘔吐者, 可下."하라고 하였다. 정리하면 張氏가 응용한 瀉下法은 脾胃의 積滯에 국한되지 않았고, 총체적으로 辨證이 혹은 熱實이 되고, 혹은 水實이 되고, 혹은 痰實이 되고, 혹은 濕積이 되고, 혹은 血瘀가 되는 등등 같지 않은 것을 분별하여 사용한 것이다. 예를 들어 胃腸에 實熱이 積滯된 것을 瀉下할 때에는 大小承氣湯·三一承氣湯·大柴胡湯 등을 사용하고, 逐瘀에는 桃仁承氣湯·抵當湯·三和湯 등을 사용하고, 逐水에는 導水丸·禹功散·十棗湯·神祐丸 등을 사용하였다. 구체적으로 사용할 때에는 또한 "急則用湯, 緩則用丸, 或以湯送丸, 量病之微甚, 中病即止, 不必盡劑, 過而生愆."이라고 제시하였다. 이 외에 張氏는 또한 大承氣湯에 薑·棗를 넣어 煎服하는 것을 이름하여 調中湯이라고 하였는데, 宿食을 내려보내면서 調中을 겸하기 때문에 中滿痞氣과 大便不通 등의 症狀을 전문적으로 治療한 것이니, 張仲景의 『傷寒論』 중에 있는 下法을 응용한 범위를 확충한 것으로 瀉下劑의 발전에 공헌을 하였다.

明代 말기에 창조적 정신을 갖추고 있는 溫病學家인 吳有性은 溫病을 治療하는 중에 下法을 사용하는 것에 장점이 있었는데, 그는 溫疫病의 傳變하는 과정 중에 疫邪가 胃로 전해지는 것이 가장 흔하다고 알고 있었다. 이렇게 疫病에 胃家實이 많이 보이는 것은, 대개 疫邪가 胃로 전해지는 경우가 항상 八九割은 되고, 이미 胃로 전입되었다면 반드시 下解가 타당한 것이다. 예를 들어 邪氣가 膜原에 잠복되어 있다가 表裏를 향하여 分傳할 때에는 三陽經證이 있을 뿐만 아니라, 또한 裏證도 있으니, 곧 達原飮에다가 三陽經證에 더하는 방법의 기초상에서 다시 大黃을 넣은 것을 三消飮이라고 하였다. 邪氣가 胃에 머물러 있어서 裏氣가 結滯되면서 表氣가 이것으로 인해서 통하지 않게 되면 治療는 下法이 더 중요하니 이른바 "下後裏氣一通, 表氣亦順, 鬱於肌肉之邪, 方能盡發於肌表, 或斑或汗, 然後脫然而愈"(『溫疫論』「辨明傷寒時疫」)라고 하였다. 만약 "煩躁發熱, 通舌變黑生刺, 鼻如煙煤"가 출현하면 "此邪毒最重, 復瘀到胃, 急投大承氣湯."(『溫疫論』「急證急攻」)이라고 하였다. 吳氏는 下法을 운용함에 있어서 임상 경험이 풍부하였는데, "勿拘於下不嫌遲"라고 제시하면서 반드시 "拘泥於結糞症"할 필요는 없다는 훈계를 주었다. 瀉下劑를 구성하는 데 있어서 특별히 大黃의 작용을 중시하였는데, "三承氣功效俱在大黃."(『溫疫論』「注意逐邪勿拘結糞」)이라고 인식하였고, "大黃本非破氣藥, 以其潤而最降, 故能逐邪拔毒."(『溫疫論』「妄投破氣藥論」)이라고 하였다. 大黃을 운용하는 劑量에 있어서 대량의 응용을 요구할 때가 있는데, 『因證數攻』篇 중에 있는 하나의 病案에서는 大黃의 매번 劑量을 최대 一兩五錢에 달하도록 사용하였

고, 보름 동안에 모두 十二兩을 사용하였다. 吳氏의 이러한 瀉下法을 응용한 논술은 자못 식견이 높은 것으로 후세의 의학자들이 瀉下劑를 연구하고 응용하는 데 귀중한 경험을 제공하는 것이다.

淸代의 著名한 溫病學家인 吳瑭은 溫病의 "勿拘於下不嫌遲"의 기초상에서 심층적인 연구를 진행하면서 창조적으로 '急下存陰'과 '增水行舟' 등의 溫病을 治療하는 大法을 내세웠는데, 瀉下劑를 溫病 중에서 응용하는 것에 대하여 진일보 확대한 것이니, 예를 들어 吳瑭이 『溫病條辨』「中焦篇」에서 지적하기를 "在溫疫爲內發伏邪, 肢厥體厥, 乃陽鬱熱極, 氣道壅閉之危候, 自宜大承氣湯急下存陰."이라고 하였다. 동시에 吳氏는 承氣湯을 잘 변화시켜서 각종 溫病을 治療하였는데, 예를 들어 "陽明溫病, 下之不通, 其證有五: 應下失下, 正虛不能運藥, 不運藥者死, 新加黃龍湯主之; 喘促不寧, 痰涎壅滯, 右寸實大, 肺氣不能降者, 宣白承氣湯主之; 右尺牢堅, 小便赤痛, 時煩渴甚, 導赤承氣湯主之; 邪閉心包, 神昏舌短, 內竅不通, 飮不解渴者, 牛黃承氣湯主之; 津液不足, 無水舟停者, 間服增液, 再不下者, 增液承氣湯主之."라고 하였다.

新中國이 성립된 이래로 中醫 藥學術의 수준이 나날이 새롭게 발전함에 따라 瀉下劑의 임상 및 실험연구도 모두 비교적 큰 발전이 있었다. 특별히 瀉下方劑의 작용 기전의 연구를 통하여 瀉下方劑가 능히 腸管의 蠕動과 推進 운동을 촉진하고, 毛細血管의 투과성을 낮추며, 腸胃의 吸收分泌 기능을 調整한다고 실증하였다. 淸熱解毒하는 藥物과 配伍함으로써 細菌의 生長을 억제할 수 있고, 免疫 기능을 개선하며, 毒素를 분해하고, 血毒症을 예방 혹은 완화시킨다. 活血化瘀하는 藥物과 配伍함으로써 국소의 혈액 순환을 개선시키고, 혈액 순환 상태를 바꾸며, 炎症 반응을 경감시킨다. 따라서 瀉下하는 방제의 임상 및 실험연구를 보여줌으로써 새로운 단계로 발전하였다.

瀉下劑는 裏實病證을 治療하기 위해서 설정된 것인데, 이른바 裏實證이란 裏證과 實證이 함께 있는 병증이기에 또한 '內實'證이라고도 부른다. 『景岳全書』「傳忠錄」卷上에서 말하기를 "裏證者, 病之在內在臟也."라고 하였고, 『醫學心悟』卷首에서 말하기를 "假如病中無汗, 腹脹不減, 痛而拒按, 病新得, 人稟厚, 脈實有力, 此實也."라고 하였다. 그러므로 裏實證은 한편으로는 外邪가 裏로 들어가면서 熱로 변한 것이 腸胃에 뭉쳐서 壯熱·煩渴·腹痛·便秘 등이 출현하는 腑實證候를 가리키고, 한편으로는 인체 내부의 氣血이 鬱結되는 停痰, 食積, 蟲積 등의 症狀을 광범위하게 가리킨다. 裏實證의 형성은 주로 인체의 正氣가 왕성하고 感受한 邪氣도 역시 왕성해서, 邪實正盛하여 正邪가 交爭하기에 생긴다. 裏證이 존재하는 부위가 다르므로 臟·腑實證의 구별이 있는 것이고, 병을 일으키는 邪氣의 종류가 다르기 때문에 또한 寒熱·氣滯·血瘀·水飮·痰積·食積·蟲積의 차이가 있는 것이다. 그러므로 裏實證이 관련된 범위는 비교적 광범위한데, 腸胃實積과 腑氣不通한 자 외에도 예컨대 裏熱實證·瘀血·水飮內停·結石·蟲積 등도 역시 裏實證의 범주에 속한다. 본 章은 단지 實邪가 裏에 鬱結되어 있거나, 腑氣가 통하지 않으면서 생기는 腹脹腹痛과 大便秘結 및 水飮이 裏에 停聚하여 생기는 胸腹水腫 등의 裏實證을 治療하는 方劑에 대하여 토론하고 있는데, 나머지 症狀을 治療하는 方劑는 별도로 관련있는 章節에서 볼 수 있다. 便秘腹痛·水腫 등 裏實證의 형성 원인은 비교적 많은데, 裏熱이 積滯되어 안으로 陽明에 뭉치거나, 濕熱이 鬱蒸하면서 氣血이 腸腑에 凝聚하는 것은 熱結不散해서 생기는 것이고, 또한 寒實內結이나 陽虛로 冷積이 腸間을 막는 것 및 腸胃燥熱로 脾津이 不足하거나 水飮이 壅盛하여 氣機가 막혀서 만들어진다. 그러므로 임상적인 표현에는 熱結·寒結·燥結과 水結의 구별이 있다. 동시에 인체의 體質에는 强弱의 차이가 있으니, 이것으로 인하여 立法用方에도 또한 다름이 있다. 熱結在裏에는 마땅히 寒下를 사용하고, 冷積內結에는 마땅히 溫下를 사용하며, 腸燥便秘에는 마땅히 潤下를 사용하고, 水飮內聚에는 마땅히 逐水를 사용하고,

裏實하면서 正氣가 虛弱한 자는 마땅히 攻補兼施함으로써 邪氣와 正氣를 함께 돌아봐야 한다. 그러므로 본 章의 方劑는 그 작용이 다른 것에 근거하면서 상응하여 寒下·溫下·潤下·攻補兼施 및 逐水의 다섯 종류로 분류하였다.

寒下劑: 裏熱積滯實證에 적용하는데, 다시 말하자면 熱實의 症狀이다. 그 病機는 裏熱과 燥屎·水飮·氣滯·瘀血·宿食 등이 搏結하여 腸胃의 傳化 기능이 失常되면서 氣機가 막힌 까닭이다. 임상적인 표현으로는 대부분 大便秘結, 腹部或脹或滿或痛, 甚或潮熱, 舌苔黃厚, 脈象沉實 등이 나타난다. 寒下方劑의 구성은 매번 寒性 瀉下藥物을 위주로 하는데, 大黃·芒硝의 종류를 상용한다. 寒은 熱을 이길 수 있고 下는 積을 없앨 수 있기 때문에 寒下의 藥劑는 瀉熱과 攻積의 효능을 겸하고 있다. 柯琴이 지적하기를 "裏證皆因鬱熱, 下藥不用苦寒, 則瘀熱不除, 而邪無出路, 所以攻劑必用大黃, 攻裏不遠寒也."(『傷寒來蘇集』「傷寒附翼」卷下)라고 하였다. 配伍 방면에 있어서 대략 아래의 몇 가지 종류가 있다: ① 行氣藥과 배합하는데, 예를 들면 枳實·厚朴·木香·檳榔과 같은 종류이다. 燥屎 등 裏實이 內結하면 왕왕 氣機의 升降通順에 영향을 미치기 때문에 氣機가 막히면서 또한 燥屎의 症狀이 진일보 가중될 수 있다. 그러므로 柯琴이 말하기를 "夫諸病皆因於氣, 穢物之不去, 由於氣之不順, 故攻積之劑必用行氣之藥以主之."(『傷寒來蘇集』「傷寒附翼」卷下)라고 하여 瀉下方劑에 行氣藥을 配伍하는 중요성을 강조하였다. 예를 들면 大承氣湯·小承氣湯 중에 枳實·厚朴 등을 配伍하는 것이다. ② 淸熱藥과 배합하는데, 예를 들면 敗醬草·黃芩·梔子·金銀花·連翹와 같은 종류이다. 일반적으로 말해서 苦寒한 瀉下藥物은 釜底抽薪을 통하여 모두 비교적 양호한 淸熱 효과를 갖추고 있다. 다만 裏實而熱하여 裏熱이 널리 퍼져있어서 病變 부위가 비교적 광범위한 자는 응당 淸熱藥과 配伍하여 淸法과 下法을 함께 사용한다면 淸熱의 효과를 강화시킬 수 있다. 예를 들면 薏苡附子敗醬散의 敗醬草나, 闌尾淸化湯·闌尾淸解湯의 金銀花·蒲公英과 같은 것이다. ③ 逐水藥과 배합하는데, 예를 들어 甘遂·大戟·芫花·牽牛子와 같은 종류이다. 邪熱과 水飮이 胸腹에 互結하여 病勢가 熱證·實證에 속하는 자에 대하여 마땅히 攻逐水飮하는 藥物과 配伍하여 水熱의 邪氣로 하여금 泄下시키면 快利하면서 낫는 것이다. 바로 尤怡가 말한 "邪氣內結, 既熱且實, 脈復沉緊, 有似大承氣證, 然結在心下, 而不在腹中, 雖按之不而痛, 亦是水實互結, 與陽明之燥糞不同, 故宜甘遂之破飮, 而不宜枳·朴之散氣."(『傷寒貫珠集』卷1)과 같은 것이니, 大陷胸湯의 甘遂와 같다. ④ 活血化瘀藥과 배합하는데, 예를 들면 牡丹皮·赤芍·桃仁과 같은 종류이다. 腸胃에 實熱이 積滯하면 氣血의 유통에 쉽게 영향을 미쳐서 瘀血이 안에서 막히는 것을 초래하기에, 治療는 瀉下積熱하는 것 외에 活血化瘀하는 藥物을 配伍하여 瘀血을 제거해야 한다. 다만 涼血活血藥을 선택하여 사용하는 것이 좋으니, 예를 들어 大黃牡丹湯의 牡丹皮·桃仁과 같은 藥物이다. ⑤ 溫陽散寒藥과 배합하는데, 예를 들어 附子·乾薑과 같은 종류이다. 裏熱實證이 오랫동안 사라지지 않으면 손상이 陽氣에 미치기 때문에 陽虛로 寒證이 생기므로 溫陽散寒藥과 配伍하는 것이 필요하다. 예를 들어 薏苡附子敗醬散의 附子와 같은 藥物이다. ⑥ 和中養胃藥과 배합하는데, 예를 들면 甘草·大棗·白蜜과 같은 종류이다. 裏實證에 瀉下劑를 쓰는 病位가 주로 中焦脾胃에 있으며, 瀉下하는 方劑는 더욱이 寒下하는 藥劑이기 때문에 쉽게 胃氣를 손상시킨다. 이것 때문에 寒下하는 方劑는 和中養胃하는 藥物과 配伍하여 中焦를 손상시키는 것을 방지해야 할 때도 있다. 예를 들어 柯琴이 調胃承氣湯에 甘草를 配伍하면서 말하기를 "同甘草以生胃家之津液, 推陳之中, 便寓致新之義."(『傷寒來蘇集』「傷寒附翼」卷下)라고 논술한 것과 같다. 寒下劑의 代表方에는 大承氣湯·大陷胸湯 등이 있다.

溫下劑: 裏寒積滯實證에 적용하는데, 다시 말하자면 裏實證이 寒性에 속하는 자이다. 그 病機는 寒邪와 積滯가 胃腸에 互結하면서 생기는 것으로, 임상적인 표현으로는 腹痛·便秘가 위주가 된다. 溫下方劑의 구성은 瀉下藥物, 예를 들어 大黃·巴豆와 같은 종류를 위주로 상용하는데, 그 配伍하는 방법은 아래의 몇가지 종류가 있다: ① 溫裏祛寒藥과 배합하는데, 예를 들어 附子·細辛·乾薑과 같은 종류이다. 寒實의 症狀은 寒邪와 積滯가 互結한 까닭이니, 實積은 下法이 아니면 제거할 수 없고, 寒邪는 溫藥이 아니면 변화시킬 수 없는 상황하에서 반드시 瀉下藥과 溫裏祛寒藥을 配伍하여 응용하여야 합당한 것이다. 예를 들어 大黃附子湯의 附子·細辛이나, 三物備急丸의 乾薑, 溫脾湯의 附子·乾薑 등과 같은 것이다. ② 補氣助陽藥과 배합하는데, 예를 들어 人蔘·黨参·附子와 같은 종류이다. 만약 寒積이 脾陽不足으로 말미암아서 陽(氣)虛寒凝함으로써 腹痛便秘하는 자나, 혹은 瀉痢日久하여 脾陽이 손상을 받은 자는 단순하게 溫補脾陽만 한다면 積滯가 제거되지 않을 것이고, 다만 通導만 한다면 또한 더욱 中陽을 손상시킬 것이다. 따라서 반드시 導下寒積하는 것과 溫補脾陽하는 것을 함께 사용해야 하는 것이니, 이로써 瀉下藥과 補氣助陽藥을 配伍하는 處方이 구성되는 것이다. 예를 들면 大黃附子湯의 附子와 溫脾湯의 人蔘·甘草·附子 및 三物備急丸의 乾薑과 같은 것이니, 溫下劑의 대표적인 方劑에는 大黃附子湯·溫脾湯·三物備急丸 등이 있다.

潤下劑: 腸燥津虧하여 생긴 大便秘結證에 적용한다. 그 病機는 邪熱이 津液을 손상하거나, 혹은 평소 體質이 火盛하여 胃腸이 乾燥해지면서 熱結陰虧하거나, 혹은 腎虛氣弱하여 關門이 不利하거나, 혹은 病後에 虛損하여 精과 津液이 不足해지면서 腸道의 傳化가 無力해지면 大便燥結하는 것이다. 임상적인 표현으로는 大便乾結, 口臭唇瘡, 面赤身熱, 小便短赤, 舌苔黃燥, 脈滑實이 보이거나, 혹은 大便秘結, 小便淸長, 面色靑白, 腰膝酸軟, 手足不溫, 舌淡苔白, 脈遲를 볼 수 있다. 前者는 실제로 腸胃가 燥熱한 '熱秘'에 속하는데, 潤下藥을 상용하는데, 예를 들면 麻子仁·杏仁·郁李仁과 같은 종류이고, 寒性 瀉下藥 예를 들어 大黃·芒硝와 같은 藥物과 配伍하여 한편으로는 淸熱하면서 한편으로는 瀉下作用을 증강시키고, 滋陰養血藥 예를 들어 白芍·當歸 등과 配伍하면 潤腸할 뿐만 아니라 滋補할 수 있기 때문에 正氣를 强盛하게 하면서 傳導하는 효능을 증강시킬 수 있는 것이다. 예를 들면 麻子仁丸의 麻子仁·杏仁을 大黃·芍藥과 配伍한다거나, 五仁丸의 杏仁·郁李仁을 柏子仁·松子仁과 配伍하는 것 등과 같은 것이다. 後者는 腎氣虛弱의 '虛秘'에 속하는데, 溫腎益精하면서 養血潤腸藥을 상용한다. 예를 들어 肉蓯蓉·牛膝·當歸와 같은 종류를 위주로 하여 升淸降濁하는 藥物인 升麻·澤瀉·枳殼과 같은 종류를 配伍하여 處方을 構成하는 것이다. 이것은 腎虛로 인하여 氣化가 이루어지지 못하면서 水液代謝가 정상적으로 이루어지지 못하니 濁陰不降하고 大便不通하는 것이다. 그러므로 澤瀉·枳殼과 配伍하여 入腎泄濁하고 降氣寬腸함으로써 濁氣가 下降하고 腑가 通하게 하여 大便이 나가는 것이니, 이로써 그 潤下하는 효능을 증가시키는 것이다. 그러나 濁陰不降에는 또한 淸陽不升으로 인한 것도 있으므로 升麻와 配伍하여 升淸함으로써 降濁하는 것이니, 예를 들면 濟川煎의 升麻·枳殼에 澤瀉를 配伍하는 것과 같다. 이 외에 '熱秘'에는 오히려 肝火偏旺하여 胃腸이 燥結하고 津液이 虧乏하여 생기는 것도 있으니, 응당 苦寒하고 陰柔한 蘆薈를 淸火除煩하고 重墜下達하는 朱砂와 配伍하여 處方을 構成하여 潤燥結하면서 瀉火通便하는 것도 있으니, 예를 들면 更衣丸의 蘆薈·朱砂와 같은 것이다. 潤下劑의 대표적인 方劑에는 五仁丸·更衣丸·濟川煎·麻子仁丸 등이 있다.

攻補兼施劑: 이것은 瀉下와 補益을 結合하여 함께 사용한 方劑로 裏實積滯하면서 正氣內虛한 症狀에 적용된다. 裏實積滯는 대부분 陽明腑實 혹은 '熱結旁流'이고, 正氣內虛는 대부분 氣血不足하거나 혹은 陰液虧損한 것이다. 그 病機를 분석해 보면, 體質적으로 氣血이 虛한 자가 陽明腑實의 症狀을 얻었거나, 혹은 疾病을 誤治함으로 인하여 氣血虛弱해지며서 燥屎가 제거되지 아니하거나, 혹은 陽明溫病으로 熱結陰虧하여 燥屎가 움직이지 않고 下法을 사용해도 不通하는 것이니 이른바 '無水舟停'하는 자이다. 陽明腑實하면서 氣血虛弱한 자는 임상에서 便秘腹滿, 或自利淸水, 色純淸, 神倦少氣, 脈虛 등의 症狀을 볼 수 있고; 陽明溫病하여 熱結陰虧한 자는 臨床에서 燥屎不行, 下之不通, 潮熱煩渴, 舌紅苔少, 脈細而數 등의 症狀을 볼 수 있다. 攻補兼施劑의 構成은 마땅히 瀉下藥과 補益藥을 함께 사용하는 것인데, 다만 瀉下를 위주로 하면서 補益과 결합하는 것이다. 常用藥物로는 大黃·芒硝와 人蔘·當歸·生地黃·麥冬 등이 있다. 配伍하는 方法은 아래의 두 종류가 있다: ① 補養氣血藥과 配合하는데, 예를 들어 人蔘·黨參·甘草·當歸와 같은 종류이다. 裏實의 症狀에 氣血兩虛가 있는 자에 대하여 邪氣를 공격하면 正氣가 지탱하지 못하고, 正氣를 도와주면 實邪가 더욱 막히게 된다. 동시에 正虛한 몸에 만약 순수하게 瀉下劑를 사용하여 攻逐한다면, 正氣가 더욱 虛해지면서 燥屎가 끝내 나가지 못하면서 도리어 氣血을 耗傷하게 되거나, 혹은 비록 實邪를 攻逐할 수 있다고 하더라도 正虛邪脫의 위험한 징후를 조성하게 될 것이다. 따라서 마땅히 苦寒瀉下藥에 補養氣血藥을 配伍하여 처방을 구성해야 양쪽이 모두 원만할 수 있을 것이니, 예를 들면 黃龍湯의 人蔘·甘草·當歸와 같은 藥物이다. ② 滋陰增液藥과 配合하는데, 예를 들어 生地黃·玄參·麥冬과 같은 종류이다. 陽明溫病으로 熱邪傷陰하면 熱結陰虧하여 下之不通한 자는 곧 '無水舟停'의 症狀이라고 말하는데, 만약 단순히 苦寒한 藥物을 사용하여 攻下하면 燥結이 제거되지 않을 뿐만 아니라 도리어 津液이 더욱 손상될 것이고, 단순하게 養陰한다면 溫邪가 제거되지 않으면서 實結하여 難下할 것이다. 이러한 종류의 병증에 대하여 "若欲通之, 必先充之."라는 것을 '增水行舟'하는 방법으로 응용하여 滋陰과 瀉下의 두 가지 방법을 동시에 진행한다면, 陰液은 회복되고 熱結은 내려가게 할 수 있어서, 胃腸通降하면 邪氣가 제거되고 正氣가 회복되면서 病이 낫는 것이니, 예를 들면 增液承氣湯의 生地黃·玄參·麥冬과 같은 것이다. 攻補兼施劑의 대표적인 方劑에는 黃龍湯·增液承氣湯 등이 있다.

逐水劑: 水飮이 裏에 壅盛한 實證에 적용된다. 그 病機는 水飮이 胸脇 혹은 胸腹이나 肢體에 積聚되어서 생긴다. 臨床的인 표현으로는 胸脇痛, 二便不利, 脈見沈實 등의 症狀이 常見한다. 逐水劑의 구성은 大隊적인 攻逐水飮하는 藥物을 상용하는데, 예를 들면 大戟·芫花·甘遂·牽牛子·商陸 등을 위주로 峻下逐水한다. 그 配伍하는 방법에는 주로 아래의 몇 가지 종류가 있다: ① 行氣藥과 配合하는데, 예를 들어 靑皮·陳皮·木香·檳榔·大腹皮와 같은 종류이다. 水飮이 內停하게 되면 쉽게 氣機를 阻滯하기 때문에 水停과 氣阻가 서로 원인이 되어 질병을 일으킨다. 그러므로 行氣하는 藥物과 配伍함으로써 氣機를 宣暢시키면, 氣行하면 水行하게 되어 逐水하는 효능을 강화시키는 것에 도움이 된다. 동시에 木香·陳皮와 같은 종류는 또한 健脾和胃할 수 있어서 逐水하는 모든 藥物이 脾胃의 運化에 영향을 미치는 것을 예방할 수 있다. 예를 들면 舟車丸의 靑皮·陳皮·木香·檳榔 등과, 禹功散의 小茴香, 疏鑿飮子의 大腹皮·檳榔과 같다. ② 益氣養胃藥과 配合하는데, 예를 들어 大棗와 같은 종류이다. 逐水藥은 峻猛하면서 有毒하여 쉽게 正氣를 손상시키기 때문에 만약 오로지 攻逐水飮에만 힘쓰면 왕왕 邪氣는 제거되지만 正氣가 손상받게 된다. 그러므로 益氣養胃藥과 配伍하여 培土함으로써 制水하고, 또한 諸藥의 峻烈한 성질을 완화시키면 藥後의 反應을 감소시키면서 邪氣를 제거하면서도 正氣가 손상되지 않게 할 수 있다. 예를 들면 十棗湯의 大棗와 같은 것이다. ③ 瀉下藥 혹은 滲濕利水藥과 配合하는데, 예를 들면 大黃·澤瀉·木通·赤小豆 등과 같다. 水濕飮邪가 內停하여 鬱久하면 熱로 변하기 때문에 水와 熱이 脘腹經隧에 內壅하여 胃腸의 氣機가 막히게 되면 濕熱濁水의 邪氣가 下行하지 못하여 腹脹而堅과 二便俱閉가 나타난다. 그러므로 苦寒瀉下하는 藥物과 配伍하여 직접적으로 下焦에 도달하여 積液積滯를 蕩滌하게 하는 것이고, 滲濕利水하는 藥物과 配伍하여 利水祛濕消腫하려는 것이다. 예를 들면 舟車丸의 大黃·黑牽牛와 己椒藶黃丸의 大黃·防己, 疏鑿飮子의 赤小豆·澤瀉·木通 등과 같은 藥物이다. 逐水劑의 대표적인 方劑에는 十棗湯·舟車

丸·禹功散·己椒藶黃丸·疏鑿飮子 등이 있다.

瀉下劑를 응용할 때에는 반드시 아래의 몇 가지 점에 주의해야 한다: ① 瀉下劑를 사용할 때에는 너무 일찍 해도 안 될 뿐만 아니라 너무 늦게 해도 안 되니 언제나 때에 맞게 하는 것이 중요하다. 邪氣가 장차 裏로 들어가려고 하더라도, 아직까지 완전하게 實證을 이루지 않은 자에게는 갑자기 下法을 써서는 안 된다. 갑자기 下法을 쓰면 邪氣와 正氣가 서로 擾亂하면서 혹은 熱迫으로 변하고 혹은 虛寒으로 변한다. 邪氣가 이미 완전히 實한 자는 瀉下劑를 사용함에 있어서 한 시도 늦출 수 없다. 그러나 사용한 후에 일반적으로 通便이 2~3차 되면 곧바로 복용을 정지한다. 만약 계속해서 사용한다면 왕왕 胃氣를 손상하여 모든 變症이 발생한다. ② 만약 表證이 아직 풀리지 않았다면, 裏實이 이미 만들어졌다 하더라도 절대로 단순하게 瀉下劑를 사용하는 것은 옳지 않으니, 表裏의 輕重을 보고서 혹은 先表後裏하거나 혹은 表裏雙解해야 한다. 『景岳全書』卷50에서 말하기를 "攻方之制, 攻其實也. …… 凡病在陽, 不可攻陰. …… 病在陰者, 勿攻其陽. 病在裏者, 勿攻其表."라고 하였고, 『醫學心悟』卷首에서 또한 말하기를 "下者, 攻也, 攻其邪也, 病在表則汗之; 在半表半裏, 則和之; 病在裏, 則下之而已. …… 然又有不當下而下者, 何也? 如傷寒表證未罷, 病在陽也, 下之則成結胸."이라고 하였다. 따라서 表證이 아직 풀리지 않았는데 裏實이 이미 만들어진 症狀에 대하여 단순하게 瀉下劑를 응용하는 것은 옳지 않으니, 그렇지 않으면 쉽게 表邪가 內陷하면서 內外合邪하여 病이 빨리 낫기 어려워진다. ③ 만약 裏實이 비교적 심하면서 病勢가 비교적 급한 자는 마땅히 峻攻急下해야 한다. 그러므로 『傷寒論』에 많은 急下之證이 있는 것이다. 『醫學心悟』卷首에서 지적하기를 "此皆當下之例, 若失時不下, 則津液枯竭, 身如槁木, 勢難挽回矣."라고 하였다. 반대로 病勢가 비교적 완만한 자는 마땅히 輕下·緩下해야 한다. ④ 瀉下하는 方劑 중 부분적인 潤下劑가 비교적 緩和한다는 것을 제외한다면, 그 나머지는 모두 峻烈한 藥劑에 속한다. 그러므로 孕婦·產後·月經期 및 年老體弱·病後傷津 혹은 亡血자는 비록 大便秘結이 있다 하더라도 또한 攻下로 바로 돌리는 것은 옳지 않고, 필요시에는 病情을 참작하여 先攻後補나 혹은 攻補兼施, 虛實兼顧를 채용해야 한다. ⑤ 瀉下劑는 쉽게 正氣를 손상시키므로 효과를 보면 곧바로 멈추어서 지나치게 사용하지 말아야 한다. 동시에 服藥 기간에는 음식 조절하는 것에 주의하여 기름지거나 소화가 잘 되지 않는 음식물을 禁함으로써 거듭 胃氣를 손상시키는 것을 방지해야 한다.

第一節 寒下劑

大承氣湯

(『傷寒論』)

【組成】 大黃 酒洗 四兩(12 g) 厚朴 去皮, 炙 八兩(24 g) 枳實 炙 五枚(12 g) 芒硝 三合(9 g)

【用法】 이상 네 가지 藥物은 물 一斗로 먼저 二物을 달여서 五升을 취한 후 찌꺼기를 제거하고, 大黃을 넣어 다시 달여서 二升을 취한 후 찌꺼기를 제거하며, 芒硝를 넣어 다시 微火에 1~2회 끓인 다음에 나누어서 따뜻하게 두 번 服用한다. 대변을 보면 나머지는 服用하지 않는다(現代用法: 水煎하는데, 大黃은 나중에 넣고, 芒硝는 녹여서 服用한다).

【效能】 峻下熱結.

【主治】

1. 陽明腑實證: 大便秘結, 頻轉矢氣, 脘腹痞滿, 腹痛拒按, 按之則硬, 甚或潮熱譫語, 手足濈然汗出,舌苔黃燥起刺, 或焦黑燥裂, 脈象沉實.

2. 熱結旁流證: 下利清水, 色純靑, 臍腹疼痛, 按之堅硬有塊, 口舌乾燥, 脈象滑數.

3. 裏熱實證의 熱厥·痙病 혹은 發狂.

【病機分析】 陽明은 裏를 주관하면서 胃腸에 統屬되어 있는데, 胃腸의 주요 기능은 水穀을 受納하고 消化하여 精華를 흡수하고 糟粕을 배설하는 것이다. 바로 『素問』「六節藏象論」에서 말한 "脾·胃·大腸·小腸·三焦·膀胱者, 倉廩之本, 營之居也, 名曰器, 能化糟粕, 轉味而入出者也."라고 한 것과 『素問』「五臟別論」에서 또 말하기를 "夫胃·大腸·小腸·三焦·膀胱, 此五者天氣之所生也, 其氣象天. 故瀉而不藏, 此受五臟濁氣, 名曰傳化之府, 此不能久留, 輸瀉者也."라고 하였고, 또 말하기를 "六腑者, 傳化物而不藏, 故實而不能滿也."라고 하였으므로 '六腑以通爲用'이라는 이론이 생기게 되었다. 일단 外邪가 안으로 陽明의 腑에 전해지면, 裏로 들어가면서 熱로 변하여 腸中에 있는 宿食과 서로 결합하면 糟粕이 秘結하게 되고 막혀서 實하게 되면 陽明腑實의 症狀이 만들어진다. 邪熱과 宿食이 서로 결합하면 濁氣가 가득 메워지면서 糟粕이 結聚하고 腑氣가 통하지 않으므로 大便秘結, 頻轉矢氣, 脘腹拒按, 按之則硬하게 된다. 陽明의 邪熱이 內外에 충만하면, 장차 陽明은 申·酉의 시기에 왕성해지므로 發熱하는 것이 마치 潮汛의 일정함이 있는 것과 같아서 潮熱이 되는 것이고, 腑熱이 熏蒸하여 위로 神明을 擾亂하므로 神昏譫語하는 것이다. 『素問』「太陰陽明論」에서 말하기를 "四肢, 皆稟氣於胃."라고 하였는데, 지금 陽明인 胃熱이 熾盛하여 津液을 압박하여 밖으로 빠져나가게 하므로 手足濈然汗出하는 것이고, 陽明의 燥實이 안에서 뭉치면 裏熱이 津液을 消爍하므로 舌苔黃燥起刺하거나 혹은 焦黑燥裂하면서 脈沉實한 것이다. '熱結旁流'라는 하나의 症狀은 腑熱이 熾盛한 것이 원인이 되어 燥屎가 內結하여 나오지 않으면서 腸中에 있는 津液을 압박하여 곁으로 빠져나오게 한 것과 관계된다. 그러므로 비록 自利淸水하지만 色靑하면서 穢臭가 나고, 아울러 臍腹疼痛하여 누르면 堅硬有塊의 症狀이 나타나는 것이니, 結한 것은 結하고 있지만 나올 것이 나오는 것이다. 熱結旁流는 최고로 쉽게 津液을 손상시키는데, 津液이 손상되면 燥熱이 더욱 심해지므로 口燥咽乾이 나타나고, '旁流'는 現象이고 '熱結'은 本質이므로 脈象이 滑而數한 것이다. 만약 實熱이 積滯하여 안을 막고 있으면 陽氣가 막히면서 四肢에 도달할 수 없기 때문에 熱厥이 나타나는데, 이때의 '厥'은 現象이고 '熱'은 本質이다. 만약 陽明腑實하여 熱이 왕성하여 津液을 손상시키면 筋脈이 영양을 받지 못하여 또한 痙病이 발생할 수 있다. 陽明의 裏熱이 熾盛하여 위로 神明을 擾亂하면 淸竅를 가리기 때문에 發狂하게 되는데, 『難經』「二十難」에서 말한 "重陽者狂也."라고 한 것과 같다. 위에서 서술한 모든 症狀은 症狀이 비록 다르지만 病機는 같은 것으로 邪熱이 積滯하여 腸腑를 막은 것이 그 특징이다.

【配伍分析】 본 方劑의 治證는 비록 많지만 모두 邪熱이 積滯하여 腸腑를 막아서 생기는 것이다. 『素問』「陰陽應象大論」의 "其下者, 引而竭之; 中滿者, 瀉之於內; …… 其實者, 散而瀉之."의 治療 원칙에 근거한다면, 治療는 마땅히 峻下熱結하여 陰液을 救援해야 하는 것이니, 다시 말하자면 "釜底抽薪, 急下存陰"하는 방법이다. 方劑 중 大黃은 苦寒하면서 脾·胃·大腸에 歸經하는데, "破癥瘕積聚, 留飮宿食, 蕩滌腸胃, 推陳致新, 通利水穀, 調中化食, 安合五臟."(『神農本草經』卷4)한다고 하였다. 본 方劑에서 사용한 것은 瀉熱通便하고 蕩滌腸胃하며 活血化瘀하는 것을 취하여, 이로써 胃腸의 宿食과 燥屎로 腹部脹滿하고 大便秘結하는 등의 裏熱積滯證을 治療하는 것이니 君藥으로 삼는다. 芒硝는 鹹苦而寒하면서 주로 胃·大腸經으로 들어가서 瀉熱通便하고 潤燥軟堅하는 뛰어난 藥物인데 大黃과 협조하여 熱結을 峻下하는 힘이 더욱 증대되므로 臣藥으로 삼았다. 『名醫別錄』卷1에서 일찍이 말하기를 芒硝는 "主五臟積聚, 久熱胃閉, …… 利大小便."이라고 하였고, 『醫學啟源』卷下에 실려 있는 芒硝는

"治熱淫於內, 去腸內宿垢, 破堅積熱塊."이라고 하였으니, 軟堅潤燥하여 腸中의 熱結을 緩解하는 것에 芒硝를 사용하는 것은 由來가 이미 오래된 것이다. 芒硝와 大黃을 함께 사용하면 苦寒瀉下할 수 있을 뿐만 아니라 軟堅潤燥할 수 있어서 瀉熱하고 推蕩하는 힘이 꽤 맹렬하다. 積滯가 안에서 막히면 腑氣가 不通하면서 內結된 實熱의 積滯가 더욱 下瀉하기 어려워진다. 그러므로 본 方劑는 厚朴·枳實의 行氣散結하고 消痞除滿하는 것으로 佐藥을 삼은 것이다. 厚朴는 苦辛而溫하면서 脾·胃·大腸으로 歸經하는데, 『名醫別錄』卷2에서 말하기를 "去留熱心煩滿, 厚腸胃."한다고 하였고, 枳實은 苦寒하면서 脾·胃經으로 歸經하는데, 『名醫別錄』卷2에 실려있기로 "破結實, 消脹滿."한다고 하였다. 그러므로 枳·朴을 相須하여 사용하면 行氣散結하고 消痞除滿하여 糟粕이 塡塞하여 막힌 것을 내보내고, 아울러 硝·黃의 推蕩積滯를 도와서 熱結排泄을 가속화시키는 것이니, 진실로 方有執이 말한 "枳實, 泄滿也; 厚朴, 導滯也; 芒硝, 軟堅也; 大黃, 蕩熱也, 陳之推新之所以致也."(『傷寒論條辨』卷4)라고 한 것과 같다. 煎藥할 때에 大黃을 나중에 넣는 것은 瀉下하는 효능을 증가시키려는 의도가 있는 것이다. 네 가지 藥物을 함께 사용하면 막힌 것은 통하게 하고 닫힌 것은 열리게 하여 陽明腑實의 症狀을 낫게 한다.

본 方劑의 配伍 특징은 寒性 瀉下藥인 大黃·芒硝와 대량의 行氣消積藥인 枳·朴을 서로 배합하여 胃·腸의 氣機를 暢通하게 함으로써 瀉下通便의 힘을 증강시킨 것이다.

본 方劑는 峻下熱結하여 胃氣下行을 承順하게 함으로써 막힌 것을 통하게 하고 닫힌 것을 열리게 하는 효과를 갖추고 있기 때문에 方名을 '承氣'라고 한 것이고, 본 方劑의 '大'는 小承氣湯과 상대적으로 말한 것이니, 바로 柯琴이 말한 "夫諸病皆因於氣, 穢物之不去, 由於氣之不順, 故攻積之劑必用行氣之藥以主之. 亢則害, 承乃制, 此承氣之所由; 又病去而元氣不傷, 此承氣之義也."(『傷寒來蘇集』「傷寒附翼」卷下)라고 하였고, 吳瑭도 또한 말하기를 "承氣者, 承胃氣也. …… 曰大承氣者, 合四藥而觀之, 可謂無堅不破, 無微不入, 故曰大也."(『溫病條辨』卷2)라고 한 것과 같다.

【臨床應用】

1. 證治要點: 본 方劑의 主治 證候를 이전 사람들은 '痞·滿·燥·實'의 네 글자에 귀납시켰다. '痞'는 胸脘부위에 悶塞重壓感을 자각하는 것이고, '滿'은 脘腹脹滿하여 누르면 저항감이 있는 것이고, '燥'는 腸中에 燥糞이 있어 乾結하여 나가지 않는 것을 가리키고, '實'을 腹痛拒按하면서 大便不通하거나 혹은 下利淸水하면서도 腹痛이 감소하지 않는 것이다. 다만 臨床에서 응용할 때에는 네 가지가 전부 갖추어지는 것에 구애받지 말고 大便秘結, 腹脹滿硬痛拒按, 苔黃, 脈實을 證治의 요점으로 삼으니, 바로 『溫病條辨』卷2에서 말한 "承氣非可輕嘗之品, …… 舌苔老黃, 甚則黑有芒刺, 脈體沉實, 的確系燥結痞滿, 方可用之."라고 한 것과 같다.

2. 加減法: 腑實에 겸하여 口唇乾燥, 舌苔焦黃而乾, 脈細數이 나타나는 자는 腑實兼陰津不足의 症狀이니 玄參·麥冬·生地黃 등을 넣어 滋陰生津潤燥하고, 만약 腑實에 겸하여 至夜發熱, 舌質紫, 脈沉澀 등의 瘀血證이 있으면 桃仁·赤芍·當歸 등을 넣어 活血化瘀함으로써 氣血의 流通을 촉진시키고 積滯와 瘀血을 없앤다.

3. 大承氣湯은 다음 한국표준질병사인분류(KCD)에 해당하는 환자가 陽明腑實證, 熱結旁流證, 裏熱實證으로 辨證되는 경우 본 처방의 사용을 고려해볼 수 있다.

처방 목표	한국표준질병사인분류(KCD)
急性單純型腸閉塞	
粘連性腸閉塞	K56.5 폐색을 동반한 장유착[띠]
蛔蟲性腸閉塞	B77.0 장합병증을 동반한 회충증
急性膽囊炎	K81.0 급성 담낭염
急性膵臟炎	K85 급성 췌장염

처방 목표	한국표준질병사인분류(KCD)
急性蟲垂炎	K35 급성 충수염
便秘	K59.0 변비
高熱	(질병명 특정곤란)
	R50 기타 및 원인미상의 열
神昏譫語	(질병명 특정곤란)
	F05.9 상세불명의 섬망
驚厥	(질병명 특정곤란)
	R56.8 기타 및 상세불명의 경련
發狂	(질병명 특정곤란)
	R45.4 자극과민성 및 분노

【注意事項】 본 方劑는 瀉下의 峻劑이기 때문에 氣虛陰虧하고 六脈沉微하거나, 혹은 胃腸에 熱結이 없는 자는 모두 응용하는 것이 마땅하지 않다.

【變遷史】 본 方劑는 漢代 張仲景의 『傷寒論』 및 『金匱要略』에 처음 보이는데, 陽明腑實證과 少陰病 津傷裏實證 및 陽明剛痙 등의 病證을 治療하는 데 사용되었다. 역대 의학자들은 대부분 각종 熱性病 과정 중에 출현하는 大便秘結, 腹部脹滿 등의 陽明腑實證을 治療하는 데 계속 사용하였으며, 아울러 그 적응범위에 대하여 '痞·滿·燥·實'의 네 글자로 귀납하였다. 본 方劑는 瀉下劑의 代表 方으로 古今에 걸쳐 瀉下劑 중에 적지 않은 것이 이 方劑를 변화 발전시켜서 만든 것이다. 晉代『肘後備急方』卷2의 承氣丸은 大承氣湯에 厚朴을 빼고 杏仁을 넣어 만든 것이다. 이 方劑는 비록 厚朴을 뺐지만, 여전히 瀉下와 行氣를 함께 사용한 配伍의 특징을 잃지 않았기 때문에 傷寒·時氣·溫病으로 10餘日 동안 大便을 보지 못하는 자를 治療한다. 唐代『備急千金要方』卷9 중의 承氣湯은 실제로 大承氣湯에 厚朴을 빼고 甘草를 넣어 구성한 것인데, 다시 말하자면 調胃承氣湯에 枳實을 넣은 것이다. 方劑 중에 甘草를 넣은 것은 오로지 그 通調하는 힘을 취하여 硝·黃의 급함을 완화한 것으로, 枳實과 厚朴을 서로 비교한다면 비록 辛溫·辛苦의 차이는 있지만 泄滿하는 효능은 곧 한 가지이기 때문이다. 宋代『聖濟總錄』卷97의 承氣瀉胃厚朴湯은 大承氣湯에 芒硝를 빼고, 枳實을 枳殼으로 바꾸면서, 甘草를 넣어 구성한 것이니, 大承氣湯을 小承氣湯(方中枳實改爲枳殼)으로 변화시키고 甘草를 넣은 것으로, 胃實腹脹, 水穀不淸, 溺黃體熱, 鼻塞衄血, 口喎脣緊, 關格不通, 大便苦難을 治療하는 데 사용한다. 元代『脈因症治』卷上의 三黃丸은 大承氣湯에서 厚朴·枳實을 빼고, 淸熱養陰·瀉火解毒하는 生地黃·黃連·黃芩·梔子를 넣어 구성된 것으로, 衄血不止하고 大便秘結하는 자를 治療한다. 明代『攝生衆妙方』卷4의 承氣湯은 大承氣湯에 豆豉를 넣어 만들면서 用量을 서로 같게 한 것이다. 方劑 중 大承氣湯은 苦寒瀉下하고, 豆豉는 透表發汗하기 때문에, 합하면 發汗과 瀉下의 효능을 가지고 있지만, 瀉下하는 것이 위주이기 때문에 臟毒을 主治한다. 『傷寒六書』卷3의 黃龍湯은 大承氣湯에 人蔘·當歸·甘草·生薑·大棗를 넣어 攻補를 함께 시행하여 邪氣를 제거하면서도 正氣가 손상되지 않게 한 것으로, 주로 陽明腑實證이 있으면서 氣血이 虛弱한 자에게 사용하는데, 大承氣湯의 응용 범위를 진일보 확대한 것이다. 淸代의 의학자들은 漢·唐·金·元·明 등 이전 사람들의 경험을 이어받아 大承氣湯을 變通하면서 臨床에 응용하여 적지 않은 새로운 方劑를 創製하였다. 예를 들어『石室秘錄』卷2의 大承氣湯은『傷寒論』의 大承氣湯에 行氣하는 枳實을 빼고, 柴胡·黃芩·甘草를 넣어 구성한 것이다. 이 方劑의 묘미는 전적으로 大黃·芒硝 두 가지 藥味를 사용한 것에 있다. 대개 大黃은 性涼而散하여 走而不守하고, 芒硝는 성질이 大黃보다 更緊하기에 黃芩으로 보조하면 相濟하여 효능이 있으며, 더욱 오묘한 것은 柴胡를 사용하여 肝經의 邪氣를 疏散한 것인데 또한 厚朴의 祛蕩을 보좌해 준다. 만약 邪氣가 심한 자는 혹시 다시 枳實을 넣는다면 더욱 쉽게 성공할 수 있을 것이니, 이것은 下法의 또 다른 방법이다. 『傷寒瘟疫條辨』卷5의 解毒承氣湯은 大承氣湯에 黃連解毒湯을 합하고 殭蠶·蟬蛻를 넣어 構成한 것이다. 그러므로 通腑瀉熱하고 辟穢解毒하는 효능이 있어서 溫病으로 三焦가 大熱하고, 痞滿燥實, 譫語狂亂不識人, 熱結旁流, 循衣摸床, 舌卷囊縮한 것 및 瓜瓤瘟, 疙

瘖溫, 위로는 癰膿이 되고, 豚肝 같은 下血을 하며, 厥逆, 脈沉浮한 자를 主治한다. 『溫病條辨』卷2에 있는 增液承氣湯(滋陰攻下)·宣白承氣湯(宣肺攻下)·導赤承氣湯(清利濕熱攻下) 및 補陰扶正攻下하는 新加黃龍湯 등은 모두 著名한 의학자인 吳瑭이 三承氣湯의 範例를 영활하게 응용한 것이다. 별도로 『重訂通俗傷寒論』의 白虎承氣湯은 白虎湯에 調胃承氣湯을 합하고 陳倉米를 넣어 만든 것으로, 한편으로는 胃經의 燥熱을 식히고 한편으로는 胃腑의 實火를 瀉하여 胃腑結熱을 淸下시키는 효능이 있으니, 이것이 胃火熾盛으로 津燥便秘하는 것을 治療하는 좋은 方劑이다. 최근에는 中國 각지에서 大承氣湯을 기초 方劑로 삼아 加減化裁하여 많은 새로운 瀉下方劑를 구성하여 急腹症·流行性B형腦炎·感染性休克 등을 治療하였는데, 모두 양호한 효과를 얻었다. 예를 들어 『中西醫結合治療急腹症』의 復方大承氣湯은 大承氣湯(枳殼易枳實)을 위주로 通裏攻下하면서, 萊菔子·赤芍·桃仁의 活血化瘀하는 것과 配伍하여 行氣消滯하였으니, 그 蕩滌積滯하는 것을 도울 뿐만 아니라, 閉塞에서 초래된 局部의 血瘀가 일으키는 組織의 壞死를 방지할 수 있어서, 急性腸閉塞이 陽明腑實로 氣脹이 비교적 뚜렷한 것에 속하는 자를 治療하는 데 사용하였다.

【難題解說】

1. 본 方劑의 君藥에 관한 것: 이것에 대하여 歷代의 醫學者들은 서로 다른 견해를 가지고 있었다. 하나는 枳實을 君藥으로 삼았으니, 예를 들어 『傷寒明理論』卷4에서 인식하기를 "枳實苦寒, 潰堅破結, 則以苦寒爲之主, 是以枳實爲君."이라 하였고, 하나는 厚朴을 君藥으로 삼았으니, 예를 들어 『傷寒來蘇集』「傷寒附翼」卷下에서 인식하기를 "夫諸病皆因於氣, 穢物之不去, 由於氣之不順, 故攻積之劑必用行氣之藥以主之. …… 厚朴倍大黃, 是氣藥爲君."라고 하였다. 이상 두 종류의 인식은 糟粕이 秘結한 것에 근거한 것으로, 막혀서 實이 되는 것은 모두 氣가 순조롭지 못해서 생기는 까닭이다. 그러나 錢潢·鄒澍·張秉成의 많은 의학자들이 모두 大黃을 君藥이라고 말하였는데, 예를 들어 『傷寒溯源集』卷6에 실려있기를 "熱邪歸胃, 邪氣依附於宿食粕滓而鬱蒸煎迫, 致胃中之津液枯竭, 故發潮熱而大便硬也. …… 故必鹹寒苦泄之藥, 逐使下出, …… 其制以苦寒下泄之大黃爲君."이라 하였고, 『本經疏證』卷11에 실려있기를 "三承氣湯中, 有用枳·朴者, 有不用枳·朴者; 有用芒硝者, 有不用芒硝者; 有用甘草者, 有不用甘草者; 惟大黃則無不用, 是承氣之名, 故當屬之大黃. …… 此時惟大黃能直搗其巢, 傾其窟穴, 氣之結於血者散, 則枳·朴遂能效其通氣之職, 此大黃所以爲承氣也."라고 하였으며, 『成方便讀』卷1에 실려있기를 "以大黃之走下焦血分, 蕩滌邪熱者爲君."이라고 되어 있다. 현대 『方劑學』 통합편집교재 2版에서는 君·臣·佐·使를 나누지 않았지만, 통합편집교재 4版·5版 및 中醫類 기획교재에서는 모두 大黃을 君藥으로 삼았다.

필자가 인식하기를 方劑 중의 君藥은 반드시 主病主證에 맞추어서 설정되는 것인데, 大承氣湯은 陽明腑實證을 治療하는 峻下方劑로 본 方劑가 治療하는 證狀과 原因으로 분석한다면, 痞·滿·燥·實은 모두 陽明病의 熱邪가 裏로 들어가면서 胃腸熱結하여 津液을 손상시키면 燥屎가 腸道를 막아서, 이로써 氣機不行하여 大便秘結하거나 혹은 下利하면서 腹滿不減 등에 이르는 것이다. 따라서 腸中의 氣機가 不行하는 것은 腸胃熱結에서 오는 것임을 명백히 알 수 있다. 그러므로 方劑에서는 大黃으로써 君藥으로 삼아 瀉熱攻積과 祛瘀通便을 하고, 芒硝를 臣藥으로 삼아 瀉熱通便과 軟堅潤燥를 하면서 大黃과 합하여 胃腸의 熱結을 蕩滌하고, 枳實·厚朴을 佐藥으로 삼아 行氣導滯와 消痞除滿을 하여 硝·黃의 奏效를 더욱 빠르게 하는 것이다. 만약 枳·朴으로써 君藥을 삼는다면 病機 상으로 氣滯가 위주가 되어야 하고, 胃腸의 熱結이 氣滯로 말미암아 생긴 것이어야 하는데, 이것은 원인을 결과로 잘못 안 것이다. 症狀에 있어서도 痞·滿이 위주가 되고, 實과 燥는 겸하여 나타나는 症狀이 된다는 것도 또한 主次가 바뀐 것이다. 이상의 분석에 근거하자면 大黃을 方劑 중에서 君藥으로 삼는 것이 方義에 적합하다. 厚朴의 用量은 비록 크지만, 性味가 苦溫하면서 목적이 行

氣除滿하는 것에 있기 때문에 瀉下通便하는 힘을 증강시키는 것이므로 君藥으로 삼는 것은 옳지 않다.

2. 본 方劑의 煎法에 관한 것: 現代에 大承氣湯을 응용하는 많은 醫師들은 환자에게 이 方劑의 정확한 煎服法을 명백히 말하지 않아서, 환자는 方劑 중 모든 藥物을 同煮하는데 이것은 틀린 것이다. 『傷寒論』에 기록된 大承氣湯을 煎服하는 정확한 방법은 다음과 같다: 물 一斗로 먼저 두 가지 藥物을 달여서 五升을 취하여 찌거기를 제거하고, 大黃을 넣어 다시 달여서 二升을 취하여 찌거기를 제거하며, 芒硝를 넣어서 다시 微火 위에서 1~2번 끓여서 나누어 따뜻하게 두 번 服用한다. 곧 먼저 枳·朴을 달이고, 나중에 大黃을 넣으며, 芒硝는 녹여서 복용하는 것이다. 이것은 硝·黃의 달이는 시간이 지나치게 길면 瀉下作用을 떨어뜨리기 때문이다. 바로 『傷寒來蘇集』「傷寒附翼」卷下에서 말하기를 "生者氣銳而先行, 熟者氣鈍而和緩."과 같은 것으로, 현대의 藥理研究에서도 또한 표명하기를 大黃의 瀉下成分인 anthraquinone glycoside는 復方 혹은 單味藥을 논할 것 없이 後下法을 썼을 때의 煎出量이 모두 先煎法보다 높게 나왔으니(『哈爾濱中醫』1964, 6:27), 본 方劑에서 먼저 枳·朴을 달이고, 나중에 大黃을 넣으며, 다시 芒硝를 넣어 용해해서 복용하는 것이 정확함을 설명하는 것이다.

【醫案】

1. 陽明熱實證 『經方實驗錄』: 江陰街에 사는 吳씨 姓을 가진 婦人, 병이 발생한지 이미 6~7일이 되었는데, 壯熱, 頭汗出, 脈大, 便閉七日未行, 滿頭劇痛, 不言語, 眼脹, 瞳神不能瞬하여 사람이 그 앞을 지나가더라도 분별하지 못하여 症狀이 자못 위중하였다. 내가 말하기를: "目中不了了, 睛不和, 燥熱上沖하는 것은 陽明의 세 가지 急下症 중 제일 첫 번째 症狀이다. 빨리 治療하지 않으면 病을 어떻게 할 수가 없다."고 하면서 大承氣湯方을 써서 주었다: 大黃 四錢, 枳實 三錢, 川朴 一錢, 芒硝 三錢. 아울러 그의 가족에게 부탁하여 빨리 달여서 복용하도록 하였는데, 一劑를 다 먹자마자 나았다.

2. 熱厥 『續名醫類案』卷1: 李士材가 어떤 傷寒 환자를 治療하였는데, 八九日以來로 口不能言, 目不能視, 體不能動하면서 四肢俱冷하여 모두 陰證이라고 말하였다. 진단해보니 六脈이 모두 없었지만, 손으로 배를 누르려고 하니 두 손으로 보호하면서 눈썹을 찌푸리며 고초를 호소하였으며, 趺陽脈을 잡아 보니 大하게 나타나서 腹部에 燥屎가 있음을 알게 되었다. 大承氣湯을 주려고 하였더니 가족들이 두렵고 무서워하면서 감히 어찌하지 못하였다. 李士材가 말하기를 "그대가 사는 郡에서 이 症狀을 변증할 수 있는 사람은 오직 施笠澤일 뿐이다."고 하였고, 초빙하여 진단하게 하였더니 마치 符節과 같이 일치하였다. 즉시 下法을 쓰니 燥屎 六~七枚가 나오면서 口能言하고 體能動하였다. 그러므로 손에 있는 脈만 잡고 足部에 있는 脈을 잡지 않는다면 어찌 거의 인사불성이 된 症狀을 구할 수 있겠는가?

3. 大葉性肺炎 『河南中醫』(2008, 1:68): 남자, 31세, 高熱, 咳嗽, 胸痛, 口唇皰疹, 大便3일未解, 체온 40℃

檢查 結果: 우측 肺呼吸音이 감소하였고, 音聲이 증강되면서 미세한 습성마찰음이 생겼다. 舌紅, 苔薄黃·乾燥, 脈沉實數. WBC 73.5×10^9/L, N 0.90, L 0.10이었다. 흉부 X-선 검사 시에 우측 肺 하부에 큰 조각 모양의 밀도가 균일하게 증가하는 陰影이 있었다. 西醫가 診斷하기를 大葉性肺炎이라고 하였다.

處方과 治療 結果: 일상적인 抗炎治療의 기초상태에서 大承氣湯에 魚腥草 20 g, 金銀花 15 g, 杏仁 10 g, 黃芩 10 g, 瓜蔞 10 g을 넣은 것을 水煎服하였다. 藥을 먹은 후에 大便通하고 高熱退하여 위 방제에서 大黃·芒硝를 빼고 北沙蔘 15 g을 넣어 연속해서 9일을 복용했더니 나았다.

考察: 肺와 大腸은 서로 表裏가 되니, 肺氣의 肅降이 大腸의 傳導기능의 정상적인 발휘에 도움이 되고, 大腸의 傳導기능이 정상적이면 肺의 肅降에 도움이 된다. 만약 大腸實하여 腑氣가 통하지 않으면 쉽게 肺病에 이르게 되므로 大承氣湯에 加減하여 治療하면 治療 효과가 확실하다.

4. 膽絞痛『新中醫』(2003, 2:66): 某 여자, 35세, 膽結石을 앓은 지 6개월 되었는데, 때때로 右脇下에 隱痛을 느꼈고, 현재는 右上腹部에 發作性 劇痛이 2일 되었는데, 疼痛이 右肩背部로 放射되었다. 惡心嘔吐, 納差, 口乾口苦, 大便을 3일 동안 보지 못하고, 小便短黃하였다.

檢査 結果: 체온 37.6℃, Murphy's sign이 陽性이였고, 舌尖紅, 苔黃燥, 脈弦數하였다. 西醫가 診斷하기를 慢性 膽囊炎을 겸한 多發性結石으로 인한 膽絞痛이라고 하였다. 中醫가 診斷하기를 脇痛, 陽明腑實證이였다.

處方과 治療 結果: 급히 大承氣湯에 加味(大承氣湯에 白芍·鬱金·雞內金·柴胡·黃芩·敗醬草·金錢草를 넣은 것)한 것을 투여하였다. 처음 복용했을 때에는 脇痛이 감소하지 않으면서 도리어 嘔吐를 했으나, 다시 복용했을 때 腸鳴矢氣하고 便下燥屎하면서 脇痛이 조금씩 풀렸다. 다음날 方劑를 고수하면서 계속해서 一劑를 복용했더니 稀便을 3차례 배설하고는 飮食을 먹을 수 있었고, 右脇下에 陣痛發作이 사라졌다. 나중에 柴平湯으로 조리를 잘 하였다.

考察: 膽은 '中精之腑'로 通降下行하는 것이 順證이 되고, 六腑는 通하는 것으로써 쓰임을 삼기 때문에 不通하면 곧 痛症이 생긴다. 肝膽의 氣가 滯하여 疏泄기능을 잃어버리면 濕熱과 瘀血이 中焦에 蘊結하여 腑氣가 통하지 않게 되니, 治療는 通裏泄熱하는 것이 중요하다. 方劑 중의 雞內金·金錢草는 運脾排石하고, 黃芩·敗醬草·柴胡는 淸熱解毒하며, 木香·鬱金은 行氣利膽하고, 白芍은 緩急止痛한다. 諸藥을 함께 사용하면 標本을 함께 돌보기 때문에 거두어들이는 효과가 양호한 것이다.

5. 季節性黃疸『上海中醫藥雜誌』(2003, 3:56): 某 남자, 38세. 2년 전부터 여름철만 되면 뚜렷한 이유 없이 鞏膜에 황달 症狀이 나타났고, 나중에는 全身에 퍼지면서 惡心·納差·便秘를 동반하였고, 3개월 정도 지속되더니 左右의 黃疸이 스스로 완화되면서 풀렸다. 입원할 때 총 빌리루빈 수치가 43 mmol/L이고 尿膽汁原이 陽性이였으며, 脈弦, 舌紅體胖, 苔黃厚膩하였다. 辨證이 陽明 濕熱鬱蒸으로 인한 發黃에 속하여 大承氣湯에 茵陳을 넣은 것을 사용하여 二劑 후에 大便이 통하면서 모든 症狀이 감소하였다. 방법을 고수한 상태로 治療하여 2주 동안 하니 모두 나았고, 환자를 방문하여 물어 보았지만 지금까지는 아직 재발하지 않았다.

考察: 이것은 陽明腑實에 해당되는데, 實熱이 積滯하여 痞·滿·燥·熱이 구비되어 있으면서 腑氣가 통하지 않는 것이다. 治療는 峻下熱結, 行氣導滯, 破結除滿하는 것이니 大承氣湯이 마땅하다.

6. 喉痹『中國中醫急症』(2003, 3:238): 某 남자, 17세. 3일 전 차가운 기운을 받은 후에 發熱, 流涕, 咽喉가 乾燥하면서 편하지 않은 症狀이 나타났다. 銀柴沖劑·感冒淸 등의 약을 복용한 후에 위의 症狀은 조금씩 경감되었지만, 咽喉部의 疼痛은 극렬하면서 聲音嘶啞, 口乾苦, 大便乾燥, 小便黃, 舌苔薄黃, 脈滑數하였다.

檢査 結果: 懸雍垂를 조사해보니 腫脹하였고, 咽頭 뒤쪽 벽이 紅腫하면서 淋巴濾泡가 생겼으며, 체온 38.5℃, WBC 7.4×10^9/L, N 0.60, L 0.40이었다. 中醫가 진단하기를 風熱이 속으로 전해지면서 肺胃熱甚하여 咽喉의 門戶에 쌓여서 생긴 風熱喉痹라고 하였다.

治療 原則: 마땅히 通腑瀉火, 淸熱利喉를 해야 한다.

處方과 治療 結果: 大承氣湯 加味方을 주었다: 大黃(後下), 芒硝(沖服) 各 10 g, 厚朴·枳實·連翹·桔梗 各 12 g, 玄參 30 g, 牛蒡子 20 g, 甘草 3 g. 물에 달여서 服用했는데, 服藥 후 2시간이 되니 先乾後稀한 大便이 건조한 상태로 나오면서 咽喉部의 疼痛이 뚜렷하게 완화되었고, 發熱·口乾 등의 症狀도 역시 따라서 풀렸다. 계속해서 養陰利咽하는 玄參·麥冬·桔梗·靑果·訶子·牛蒡子·蟬蛻 등을 주었더니 2일 후에 병이 나았다.

考察: 본 예는 邪熱이 속으로 들어가면서 肺胃와 관련된 門戶에 쌓인 까닭이다. 大承氣湯을 사용하여 瀉火解毒하고, 玄參·麥冬·射干·牛蒡子 등으로 養陰淸熱利咽하여 熱勢를 上下로 分消시키는 것이니, 그 藥物은 간단하지만 효력은 굉장해서 喉痹가 완전히 낫는 것이다.

【副方】

1. 小承氣湯(『傷寒論』): 大黃 酒洗 四兩(12 g) 厚朴 去皮, 炙 二兩(6 g) 枳實 三枚 炙 大者(9 g)

- 用法: 以水四升, 煮取一升二合, 去滓, 分溫二服. 初服當更衣, 不爾者, 盡飮之. 若更衣者, 勿服之.
- 作用: 輕下熱結.
- 適應症: 陽明腑實輕證. 大便秘結, 潮熱譫語, 脘腹痞滿, 舌苔老黃, 脈滑而疾. 以及痢疾初期, 腹中脹痛, 裏急後重.

본 方劑는 大承氣湯에서 芒硝를 빼고, 枳·朴의 양을 감소시켜서 만든 것으로 陽明腑實證을 治療하는 輕劑이다. 腸胃에 積滯物이 생기면서 熱邪와 相搏하므로 津液이 손상되어 腸이 건조해지면서 腑氣가 통하지 않으므로 脘腹痞滿·大便秘結하는 것이고, 濁氣가 上攻하면 心神이 擾亂되면서 譫語가 발생하는 것이다. 그러므로 徐大椿이 말하기를 "譫語由便秘, 便秘由胃燥, 胃燥由汗出, 汗出由津液少, 層層相因, 病勢顯著."(『傷寒論類方』卷2)라고 하였다. 潮熱은 裏熱이 熾盛한 것과 관계 있다. 腑實證은 비록 갖추어졌지만 證勢가 비교적 완만하다. 그러므로 大黃을 사용하여 瀉下實熱한 것이고, 비록 腑實하지만 腸中에 燥結이 심하지 않으므로 潤燥軟堅하는 芒硝를 사용하지 않은 것이다. 痞滿의 정도도 비교적 가볍기 때문에 枳實·厚朴의 用量도 또한 大承氣湯에 비교해서 감소시킨 것이다. 세 가지 藥物을 함께 사용하면 瀉熱通便·消脹除滿하는 효능을 얻을 수 있기 때문에 가볍게 熱結을 내려보내는 方劑가 된다.

2. 調胃承氣湯(『傷寒論』): 大黃 去皮, 淸酒洗 四兩(12 g) 甘草 炙 二兩(6 g), 芒硝 半升(9 g).

- 用法: 以水三升, 煮取一升, 去滓, 內芒硝, 更上微火一二沸, 溫頓服之, 以調胃氣.
- 作用: 緩下熱結.
- 適應症: 陽明腑實證. 大便秘結, 蒸蒸發熱, 濈然汗出, 口渴心煩, 腹痛脹滿, 舌苔正黃, 脈滑數.

본 方劑는 大承氣湯에 枳·朴을 빼고 甘草를 넣어 만든 것으로 陽明腑實證을 治療하는 緩下劑이다. 熱蒸於裏하여 氣蒸於外하므로 蒸蒸發熱·濈然汗出하고, 胃家實로 熱이 上部를 擾亂하므로 口渴心煩하며, 燥熱內結하여 氣滯不暢하면 腹痛脹滿·大便秘結한다. 그 病機가 주로 燥熱이 內結하기 때문에 脹滿의 症狀도 또한 內結로 생겼으므로 단지 大黃·芒硝를 사용하여 熱結을 瀉하며, 痞滿을 없애는 枳實·厚朴을 사용하지 않았으니, 內結을 없애면 脹滿은 제거된다. 甘草와 配伍한 까닭은 緩中調胃하여 瀉下함으로써 正氣가 손상되지 않게 하기 위해서이다. 함께 사용하면 瀉下燥實·調和胃氣하는 효능을 얻게 되니, 이로써 緩下熱結하는 方劑가 된다. 또 지적할 내용은 "본 方劑에 이미 硝·黃이 있고, 또한 原方의 芒硝 用量이 大承氣湯보다 많은데 어찌하여 峻下劑라고 말하지 않고 緩下劑라고 말하는 것인가?"이다. 硝·黃이 枳實·厚朴과 配伍되어야 그 攻下하는 힘이 비로소 증가하는데, 본 方劑는 비록 大黃·芒硝를 사용하였지만 枳實·厚朴의 行氣破滯 하지 않기 때문에 瀉下시키는 힘이 비교적 약하고, 또한

甘草와 配伍하여 더욱 硝·黃의 瀉下하는 성질이 완화되고, 그것이 胃腸에 머물면서 瀉熱潤燥하는 작용을 서서히 발휘하게 되니, 王子接이 말하기를 "以甘草緩大黃·芒硝, 留中泄熱, 故曰調胃."(『絳雪園古方選注』卷上)라고 하였다.

3. 三化湯(『素問病機氣宜保命集』卷中): 大黃 厚朴 枳實 羌活 各等分

- 用法: 上銼, 如麻豆大. 每服三兩(9 g), 水三升, 煎至一升半, 終日服之, 不拘時候, 以微利爲度.
- 作用: 通便祛風.
- 適應症: 中風入腑, 邪氣內實, 熱勢極盛, 二便不通, 及陽明發狂譫語.

본 方劑는 小承氣湯에 羌活을 넣어 만든 것이다. 그 方義를 분석해 보면, 바로 『醫方考』卷1에서 말한 "大黃·厚朴·枳實, 小承氣湯也. 上焦滿, 治以厚朴; 中焦滿, 破以枳實; 下焦實, 奪以大黃; 用羌活者, 不忘乎風也. 服後二便微利, 則三焦之氣無所阻塞, 而復其傳化之職矣, 故曰三化."라고 한 것과 같다. 『增補內經拾遺方論』卷1에서 또한 말하기를 "三者, 風·滯·痰也. 化, 變化以淸散之也. 方用羌活以化風, 厚朴·大黃以化滯, 枳實以化痰, 故曰三化."라고 하였으니, 이것에 근거하여 현대에는 본 方劑를 眞中風으로 外感六經의 形證이 풀리지 않으면서 안으로는 燥屎가 있어서 大便不通, 脘腹痞滿한 症狀에 많이 사용한다.

4. 宣白承氣湯(『溫病條辨』卷2): 生石膏 五錢(15 g) 生大黃 三錢(9 g) 杏仁粉 二錢(6 g) 栝蔞皮 一錢五分(5 g).

- 用法: 水五杯, 煮取二杯, 先服一杯, 不知再服.
- 作用: 瀉下熱結, 宣肺化痰.
- 適應症: 陽明溫病, 熱結腸腑, 痰熱壅肺. 潮熱便秘, 喘急胸悶, 痰涎壅盛, 舌苔黃厚而膩, 脈沉滑數, 右寸實大.

肺는 五行에 있어서 金에 속하고, 五色에 있어서 白과 상응하므로 '宣白'은 곧 宣肺의 뜻이다. 본 方劑에서 石膏는 辛甘大寒하여 淸熱瀉火하고, 杏仁은 肅降肺氣하여 平喘促하면서 또한 潤腸의 효능이 있으며, 瓜蔞皮는 淸熱化痰하여 寬胸散結한다. 세 가지 藥物을 서로 배합하면 宣降肺氣하여 肺氣의 逆上을 안정시킨다. 大黃은 苦寒하여 瀉下하니 熱結을 攻下시킨다. 네 가지 藥物을 함께 사용하면 '宣肺'와 '通腸'이 서로 쓰임이 되어 肺實을 瀉하는 것이 大腸을 통하게 하는 것에 도움이 되고, 熱結을 攻下하는 것이 肺氣를 下降시키는 것에 도움이 된다. 전체 方劑를 종합해서 관찰해 보면 실제로 臟腑를 함께 治療하는 方劑에 속한다.

5. 導赤承氣湯(『溫病條辨』卷2): 赤芍 三錢(9 g) 細生地 五錢(15 g) 生大黃 三錢(9 g) 黃連 二錢(6 g) 黃柏 二錢(6 g) 芒硝 一錢(3 g).

- 用法: 水五杯, 煮取二杯, 先服一杯, 不下再服.
- 作用: 攻下熱結, 淸泄膀胱.
- 適應症: 陽明溫病, 下之不通, 身熱煩渴, 腹滿便秘, 小便短赤, 澀滯熱痛, 舌苔黃燥, 脈沉數, 左尺弦勁.

본 方劑는 大黃·芒硝를 사용하여 大腸의 熱結을 攻下함으로써 陽明을 통하게 한다. 黃連은 苦寒하니 上·中焦의 熱을 식히고, 黃柏은 苦寒하여 下焦의 熱을 식히니, 두 가지 藥物을 配伍하면 三焦의 熱을 식히면서 膀胱의 熱을 제거할 수 있다. 生地黃은 甘寒하여 淸熱涼血하면서 겸하여 滋陰한다. 赤芍藥은 淸熱涼血, 活血止痛하면서 겸하여 利水할 수 있다. 黃連·黃柏·生地黃·赤芍의 네 가지 藥物을 함께 사용하면 공통적으로 膀胱의 水熱互結을 治療한다. 黃連·黃柏은 熱을 식히는데 熱이 제거되면 津液이 소모되지 않고, 生地黃은 滋陰增液하기에 津液이 충만해지면서 黏滯하지 않는다. 세 가지 藥物을 동시에 시행하면 邪熱이 물러나면서 津液이 충만해지고, 다시 赤芍藥과 配伍하여 淸熱利水하면 膀胱의 水熱互結이 스스로 풀리는 것이다. 전체 方劑의 여섯 가지 藥物을 함께 사용하면 이미 通泄大便할 뿐만 아니라 通利小便할 수 있기 때문에 大腸과 膀胱의 邪氣를 둘 다 해결하는 것이다.

6. 復方大承氣湯(『中西醫結合治療急腹症』): 炒萊菔子 30 g 桃仁 9 g 赤芍 15 g 厚朴 15 g 枳實 9 g 生大黃(後下) 9 g 芒硝(沖服) 9~15 g.

- 用法: 水煎 200 mL, 口服或胃管注入, 每日 一~二劑.
- 作用: 通裏攻下, 行氣活血.
- 適應症: 單純性腸閉塞, 證屬陽明腑實而氣脹明顯者.

본 方劑는 大承氣湯에 炒萊菔子·桃仁·赤芍藥을 넣어 완성된 것이다. 方劑 중 大承氣湯은 峻下熱結하고, 萊菔子와 配伍하여 行氣開鬱하며, 桃仁·赤芍藥과 配伍하여 活血祛瘀하는 것이니, 합하면 通裏攻下, 行氣活血의 효능을 갖추고 있다. 일반적으로 早期 單純型 腸閉塞에 사용하는데, 腹部의 脹氣가 엄중한 자에 대하여 더욱 적당하며, 아울러 수술 후에 腹腔이 癒着하는 것을 예방할 수 있다.

大承氣湯·小承氣湯·調胃承氣湯을 합하여 三承氣湯이라고 부르는데, 이것은 寒下法 중 代表方劑이다. 세 가지 方劑는 모두 大黃으로써 瀉熱通便하기에 陽明腑實證을 主治한다. 다만 各 方劑를 구성하는 藥味와 分量이 같지 않으므로 작용이 같으면서도 차이가 있는 것이다. 개괄해서 말한다면 大承氣湯은 먼저 枳·朴을 달이고 아울러 重用함으로써 行氣除滿하여 그 攻逐시키는 힘을 증가시키고, 나중에 硝·黃을 넣으면서 또한 大黃을 生用하였으므로 瀉下熱結시키는 힘을 비교적 峻烈하게 하여 痞·滿·燥·實을 모두 갖춘 陽明熱結의 重證을 主治한다. 小承氣湯은 藥物에 있어 芒硝의 一味가 적고, 또한 厚朴의 用量이 大承氣湯과 비교해서 3/4으로 적으며, 枳實도 또한 二枚로 적고, 또한 세 가지 藥物을 함께 달이므로 瀉下시키는 힘이 비교적 가벼워서, 痞·滿·實하면서 燥하지는 않는 陽明熱結의 輕證을 治療한다. 調胃承氣湯은 大黃·芒硝를 사용하지만 枳·朴을 사용하지 않았고, 나중에 芒硝를 넣었으며, 甘草와 配伍하는데, 장차 大黃과 甘草를 함께 달이는 것은 그 和中調胃하는 효능을 취하면서 공하 때문에 정기가 손상되는 것을 방지한 것이므로 方劑의 명칭을 '調胃承氣湯'이라고 했다. 그 작용 면에서 설명하자면 大·小承氣湯과 비교해서 緩和하므로 熱結을 瀉下하는 힘이 비교적 완만하니, 燥實하면서 痞滿하지는 않는 陽明熱結證을 主治하는 것이다. 이것 외에 腸胃燥熱이 일으키는 發斑·口齒喉痛 및 消中·瘡瘍의 症狀도 또한 治療할 수 있다. 지적할 만한 가치가 있는 것은 본 方劑의 복용 방법에 더욱 그 오묘한 뜻이 있는 것인데, 胃熱이 偏盛하지만 燥實이 심하지 않은 자는 "少與調胃承氣湯"하는데 緩下瀉熱하면서 調胃和中하려는 의도이고, 胃中에 燥實이 偏重하여 腑氣가 통하지 않는 자는 一劑를 頓服하는데 淸泄燥熱하여 承順胃氣하려는 취지이니, 동일한 方劑라도 복용 방법이 다르면 作用·主治 또한 구별됨을 볼 수 있다. 이상의 三承氣湯은 藥物이 겨우 五味이지만, 매 단락마다 方劑의 構成·劑量 및 煎服法이 각각 다르기 때문에 그것들의 작용 또한 大小緩急의 구분이 생기는 것이니 응용할 때에는 모름지기 자세하게 판별하여 분석해야 한다.

仲景의 三承氣湯은 후세의 사람들이 攻下法을 운용함에 있어서 모범을 수립하였다. 『素問病機氣宜保命集』卷中의 三化湯은 小承氣湯에 羌活을 넣어 만든 것으로 通便祛風시키는 方劑이다. 그러므로 眞中風으로 外感六經의 形證이 풀리지 않으면서 안에 燥實로 大便不通하고 脘腹痞滿하는 症狀에 사용할 수 있다. 『溫病條辨』의 宣白承氣湯·導赤承氣湯 등은 모두 仲景 三承氣湯의 기초상에서 발전되어 온 것이다. 宣白承氣湯은 宣肺藥과 攻下藥을 함께 사용하여 효능이 宣肺와 通腸하는 것에 있으니 실제로 臟腑를 함께 治療하는 方劑에 속한다. 導赤承氣湯은 瀉熱通便藥과 利水

清熱藥을 함께 사용하여 효능이 通大便과 利小便하는 것에 있으니 大腸과 膀胱을 함께 해결하는 方劑이다. 前者는 陽明裏實로 痰涎壅肺한 症狀에 사용하고, 後者는 陽明裏實로 膀胱熱盛한 症狀에 사용한다. 復方大承氣湯은 현시대의 名方으로 『中西醫結合治療急腹症』에 실려 있는 것으로 大承氣湯에 萊菔子·桃仁·赤芍藥을 넣은 것으로 구성되어 있다. 본 方劑의 配伍 특징은 通裏攻下시키는 藥物과 行氣活血시키는 藥物을 配伍하여 通裏攻下하면서 行氣活血하는 方劑를 만든 것이다. 그러므로 單純型 腸閉塞에 적용하되, 症狀이 陽明腑實로 氣脹이 비교적 심한 것에 속하는 자이고, 아울러 수술 후에 복강 癒着되는 것을 예방할 수 있다.

7. 厚朴三物湯(『金匱要略』): 厚朴 八兩(24 g) 大黃 四兩(12 g) 枳實 五枚(15 g).

- 用法: 上藥以水一斗二升, 先煮二味, 取五升, 納大黃, 煮取三升, 溫服一升. 以利爲度.
- 作用: 行氣通便.
- 適應症: 氣滯便秘證. 脘腹滿痛, 大便秘結.

본 方劑는 또한 '厚朴湯'(『千金翼方』卷18)·'三物湯'(『血證論』卷8)이라고도 불리는데, 小承氣湯의 藥物 構成과 비록 같지만, 厚朴·枳實을 重用하였기 때문에 효능은 行氣가 위주가 되는 것이다. 본 方劑는 原書 중에 관련있는 主治證候의 記載로 단지 '痛而閉'라는 세 글자만 있는데, 후세의 의학자들이 논하여 말하기를 "閉者, 氣已滯也, 塞也. 『經』曰: 通因通用, 此之謂也. 於是以小承氣通之. 乃易其名爲三物湯者, 蓋小承氣君大黃以一倍, 三物湯君厚朴以一倍者, 知承氣之行, 行在中下也; 三物之行, 因其閉在中上也. 繹此, 可啟悟於無窮矣."(『金匱玉函經二注』卷10)라고 하였고, "痛而閉, 六腑之氣不行矣. 厚朴三物湯與小承氣同, 但承氣意在蕩實, 故君大黃; 三物意在行氣, 故君厚朴."(『金匱要略心典』卷中)라고 하였다. 위에서 말한 論述은 厚朴三物湯의 配伍 및 그 적응 증후를 이해하는 것에 대하여 비교적 커다란 意義가 있다.

大陷胸湯

(『傷寒論』)

【異名】 陷胸湯(『儒門事親』卷12).

【組成】 大黃 去皮 六兩(10 g) 芒硝 一升(10 g) 甘遂 一錢匕(1 g)

【用法】 이상 세 가지 藥物을 물 六升에 먼저 大黃을 달이고, 二升이 되면 취하여 찌거기를 버리고 芒硝를 넣어 1~2번 끓인 다음에, 甘遂末을 넣어 따뜻하게 一升을 복용한다. 下利가 상쾌하게 되면 나머지는 복용을 금지한다(現代用法: 水煎, 溶芒硝, 沖甘遂末服).

【效能】 瀉熱逐水.

【主治】 結胸證. 從心下至少腹硬滿而痛不可近, 大便秘結, 日晡潮熱, 或短氣煩躁, 舌上燥而渴, 脈沉緊按之有力.

【病機分析】 본 方劑가 다스리는 結胸證은 太陽病을 誤下하여 邪熱이 內陷하면서 痰水와 互結하여 생긴 것이다. 이른바 "病發於陽, 熱入因作結胸."이라는 것이 곧 이것을 가리킨다. 水熱이 互結하여 壅塞不通하면 질병이 心下로부터 少腹까지 硬滿痛하면서 손을 대지 못하게 하고, 誤下하여 거듭 陰液을 손상시킴으로써 熱熾氣壅하여 津液을 펼치지 못하므로 위로는 舌燥而渴하고 아래로는 腸燥便秘하는 것이며, 陽明의 經氣가 申酉時에 왕성하여 正氣와 邪氣가 交爭하므로 日晡潮熱커나 혹은 短氣煩躁하는 것이다. 바로 柯琴이 말한 "夫胸中者, 太陽之都會, 宗氣之所主, 故名氣海. 太陽爲諸陽主氣, 氣爲水母, 氣淸則水精四布, 氣

熱則水濁而壅瘀矣. …… 水結於胸, 上焦不通, 則津液不下, 無以潤腸胃, 故五六日不大便, 因而舌乾口渴, 日晡潮熱."(『傷寒來蘇集』「傷寒附翼」卷上)이라고 한 것과 같다. 脈沉緊한데 按之有力한 것 또한 證狀이 급하고 邪氣가 왕성한 것으로 水熱이 結實의 모양이다.

【配伍分析】 본 方劑가 治療하는 症狀은 水熱이 結實한 結胸證으로 『素問』「至眞要大論」의 "熱者寒之"라고 한 것과 『金匱要略』의 "諸有水者可下之"라고 한 원칙에 근거하여 治療는 急瀉其熱하고 破結逐水하는 것이 마땅하다. 方劑 중 甘遂는 苦寒하면서 효능이 瀉水逐飮·泄熱散結을 잘하는데, 또한 生藥을 가루로 갈아서 湯에 넣어 沖服하면 그 힘이 더욱 峻烈하다. 『傷寒尋源』下集에서 본 方劑를 말하기를 "關鍵全在甘遂一味, 使下陷陽明之邪, 上格之水邪, 從膈間分解, 而硝·黃始得成其下奪之功."이라고 하였으므로 方劑 중에서 君藥이 된다. 大黃을 先煮하는데 익히게 되면 작용이 느려지므로 그 뜻은 速下하는 데 있지 않고 胸腹의 邪熱을 蕩滌하는 데 있는 것이고, 芒硝는 鹹苦하여 瀉熱하고 軟堅潤燥하는데 大黃과 함께 사용하여 공통적으로 臣藥이 되어 君藥의 瀉熱逐水를 돕는 것이다. 본 方劑의 藥物은 비록 세 가지뿐이지만, 힘이 강하고 효과가 뛰어나서 水熱이 互結된 邪氣로 하여금 신속하게 大便을 통하여 내보내는 것이므로 瀉下逐水의 峻劑가 된다.

【類似方比較】 大陷胸湯과 大承氣湯은 모두 寒下의 峻劑에 속하고, 모두 大黃·芒硝를 사용함으로써 瀉熱攻下한다. 다만 두 方劑가 主治하는 證狀의 病因·病位가 다르고, 方劑를 구성한 配伍 및 用量·用法에 모두 차이가 있다. 大承氣湯은 大黃을 君藥으로 삼아 瀉熱軟堅潤燥하는 芒硝와 行氣導滯하는 枳實·厚朴을 配伍하였으므로 '峻下熱結'을 위주로 하기에 胃腸에 實熱이 積滯하여 大便燥結하고 腹痛拒按하는 것을 治療하는 주요 方劑이고, 大陷胸湯은 甘遂를 君藥으로 삼아 泄熱攻下하는 大黃·芒硝와 配伍하였으니 그 효능은 '瀉熱逐水'하는 것이 위주가 되기에 水熱이 互結한 結胸證으로 心下로부터 少腹까지 硬滿而痛한 것을 治療하는 주요 方劑가 된다. 바로 尤怡가 말한 "大陷胸與大承氣, 其用有心下與胃中之分. 以愚觀之, 仲景所云心下者, 正胃之謂; 所云胃中者, 正大小腸之謂也. 胃爲都會, 水穀並居, 淸濁未分, 邪氣入之, 夾痰雜食, 相結不解, 則成結胸; 大小腸者, 精華已去, 糟粕獨居, 邪氣入之, 但與穢物結成燥糞而已. 大承氣專主腸中燥糞, 大陷胸並主心下水食. 燥糞在腸, 必藉推逐之力, 故須枳·朴; 水飮在胃, 必兼破飮之長, 故用甘遂. 且大承氣先煮枳·朴而後納大黃; 大陷胸先煎大黃而納諸藥. 夫治上者制宜緩, 治下者制以急, 而大黃生則行速, 熟則行遲, 蓋即一物, 而其用又有不同如此."(『傷寒貫珠集』卷2)라고 한 것과 같다. 尤氏의 이러한 종류의 실제와 부합하는 비교·분석은 임상에서 운용할 때 상당히 많은 계발이 된다.

【臨床應用】

1. 證治要點: 본 方劑는 瀉熱逐水의 峻劑로 邪熱과 水飮이 胸膈과 胃脘에 互結한 結胸證에 적용한다. 임상에서는 心下에서 少腹까지 硬滿而痛하고, 便秘, 發熱, 脈沉緊有力한 것을 증치의 요점으로 삼는다.

2. 본 方劑는 또한 膈間의 留飮證이 正盛邪實에 속하는 자에게 사용할 수 있다.

3. 大陷胸湯은 다음 한국표준질병사인분류(KCD)에 해당하는 환자가 結胸證으로 辨證되는 경우 본 처방의 사용을 고려해볼 수 있다.

처방 목표	한국표준질병사인분류(KCD)
胸腔積液	J90 달리 분류되지 않은 흉막삼출액
	J91 달리 분류된 병태에서의 흉막삼출액
急性膽囊炎	K81.0 급성 담낭염
膽石症	K80 담석증
急性膵臟炎	K85 급성 췌장염

처방 목표	한국표준질병사인분류(KCD)
急性腸閉塞	K56.0 마비성 장폐색증
	K56.6 기타 및 상세불명의 장폐색
	K56.7 상세불명의 장폐색증
急性闌尾炎	K35 급성 충수염
流行性出血熱	A92~A99 절지동물매개의 바이러스열 및 바이러스출혈열

【注意事項】

1. 본 方劑는 힘이 세고 효과가 뛰어나서 寒下의 峻劑에 속하기 때문에 마땅히 病에 적중하면 바로 그쳐야 한다. 그러므로 原書의 用法에서 지적하기를 "得快利, 止後服."이라고 하여 지나치게 藥劑를 사용하여 正氣를 손상시키는 것을 피하라고 하였다. 『黃帝素問宣明論方』卷6에서 또한 말하기를 "未快利, 再服. 勢惡不能利, 以意加服."이라고 하였으니, 이것으로 본 方劑가 治療하는 證情이 急하고 重하기 때문에 攻伐이 過度하여 正氣를 損傷시키는 것을 방지해야 할 뿐만 아니라, 때에 맞게 峻下法으로 祛邪하여 邪氣가 남아있어서 생기는 근심에서 벗어나야 하는 것이니, 총괄하면 '快利'로써 程道를 삼는 것으로, 攻下를 계속해야 할까의 여부는 복약 후에 利下의 程度를 보고 정해야 함을 볼 수 있다.

2. 瀉下 후에는 調理脾胃하는 것에 주의해야 하는데, 그 원칙은 補中緩急·健脾益氣하는 것이고, 방법은 糜粥을 먹여서 胃氣를 기르거나 혹은 理中丸·六君子湯 등 調養脾胃하는 藥劑를 복용하는 것을 포괄한다. 별도로 飮食에 주의해야 하는데, 油膩 및 쉽게 소화되지 않는 음식물을 너무 일찍 먹는 것은 옳지 않으니, 이로써 거듭 胃氣를 손상시키는 것을 방지해야 한다.

3. 만약 평소에 체력이 약하거나, 혹은 질병 후에 攻伐을 감당하지 못하는 자 및 孕婦는 본 방제를 禁用해야 한다.

【變遷史】 본 方劑는 『傷寒論』「辨太陽病脈證並治」下篇에 처음으로 보이는데, '結胸熱實'을 위하여 설계한 것이다. 方劑는 甘遂·大黃·芒硝를 서로 配合하여 瀉熱逐水의 峻劑를 만든 것이다. 同書에서 本方 중에 杏仁·葶藶子·白蜜을 넣어 丸으로 만든 것을 大陷胸丸이라고 하였는데, 結胸證의 部位가 上部로 치우쳐서 "項亦强, 如柔痓"한 자에게 사용하였다. 따라서 峻逐하는 方劑로 하여금 緩攻하는 方劑로 변화시켜서 藥力를 緩行하게 한 것이니, 이것이 仲景이 본 方劑를 응용해서 變通한 것이다. 후세의 의학자들은 본 方劑를 응용해서 많이 발휘하여 수많은 변화 발전된 方劑를 창제하였으니, 예를 들면 『備急千金要方』卷11의 陷胸湯은 곧 大陷胸湯에 芒硝를 빼고 瓜蔞實·黃連을 넣어 만든 것으로, 食積으로 倉廩이 蘊熱하여 胸中과 心下에 結積하여 飮食을 소화시키지 못하는 자에게 사용하고, 또한 『傷寒類證活人書』卷13의 大陷胸湯은 方名은 비록 같지만 구성에 차이가 있으니, 藥物로는 甘遂·桂枝·人蔘·大棗·瓜蔞實을 사용하여 痰飮이 胸膈에 搏結하면서 正氣가 부족한 結胸證을 治療하는 데 사용한다. 大陷胸湯이 主治하는 病證에 대하여 역대의 의학자들이 또한 발전시킨 것이 있으니, 예를 들어 『柯氏方論』에는 水腫과 痢疾의 초기를 治療하는 것으로 실려있으며, 『類聚方廣義』에는 "治脚氣沖心"이나 "眞心痛, 心下硬滿, 苦悶欲死者"한다고 실려있으니, 이로부터 본 方劑의 응용 범위가 부단히 확대된 것이다. 현대 임상에서는 더욱 그 쓰임을 넓혀서 大陷胸湯을 散劑로 바꾸어서 急腹症을 治療하는 데 사용하였으니, 『新急腹症學』에서는 각종 急腹症이 발전하여 엄중한 단계에 도달하면 출현하는 腸麻痹·腸閉塞·膽系感染과 膽石症·急性出血·壞死型 췌장염 합병 麻痹性腸閉塞 등을 治療하는 데 사용하였고, 『急腹症方藥新解』에서는 單純型 腸閉塞으로 腸腔積液이 비교적 많은 자 및 幽門閉塞·急性胃擴張·급성췌장염 등이 體壯裏實한 자를 治療하는 데 사용하여 모두 양호한 효과를 얻었다.

【難題解說】

1. 方劑 중 君藥에 관한 것: 이전 사람들은 본 方劑 중 어떤 藥物을 君藥으로 삼을지에 대하여 견해가 일치하지 않았다. 甘遂를 君藥으로 삼은 자가 있었으니, 예를 들어 成無己가 인식하기를 "甘遂味苦寒, 苦性泄, 寒勝熱, …… 陷胸破結, 非直達者不能透, 是以甘遂爲君."(『傷寒明理論』卷4)라고 하였고, 汪琥 또한 인식하기를 "甘遂乃通水之要藥, 陷胸湯以之爲君."(『傷寒論辨證廣注』)라고 하였다. 大黃을 君藥으로 삼은 자가 있었으니, 예를 들어 許宏이 인식하기를 "心下結者, 邪氣上結也, 此爲大結胸之症. 若非大下泄之, 其病不去也. 故用大黃爲君, 而蕩滌邪結, 苦以散之."(『金鏡內台方議』卷5)라고 하였다. 본 方證이 형성된 원인으로 말하자면 表證을 誤下하여 水飮과 邪熱가 胸腹 사이에 互結하여 水遏熱伏해서 생긴 것이니, 治療는 마땅히 逐水를 위주로 하면서 瀉熱로 보조해야 한다. 李時珍이 『本草綱目』 甘遂의 '發明' 중에서 인용하기를 "元素曰:(甘遂)直達水氣所結之處, 乃泄水之聖藥, 故仲景大陷胸湯用之."라고 하였고, 呂搽村이 해당되는 方劑를 설명하면서 말하기를 "本方雖用硝·黃, 而關鍵全在甘遂末一味, 使下陷陽明之邪, 上格之水邪, 從膈間分解, 而硝·黃始得成其下奪之功. 若不用甘遂, 便屬承氣法, 不成陷胸湯矣."(『傷寒尋源』下集)라고 하였다. 이상에서 말한 것들을 종합해 보면 甘遂가 마땅히 方劑 중의 君藥이 되어야 하고, 大黃의 蕩滌邪熱과 芒硝의 瀉熱軟堅이 配伍된 것이다. 세 가지 藥物을 함께 사용하면 逐水할 수 있을 뿐만 아니라 瀉熱할 수 있어서 水去熱除하면 胸腹의 積結이 스스로 풀리는 것이다(引自『中醫歷代方論選』).

2. 본 方劑의 劑型에 관한 것: 大實大積의 症狀은 반드시 瀉下逐水하는 方劑를 사용하여 攻伐해야 하는데, 仲景은 湯劑를 선택하여 그 猛峻攻逐하는 능력을 발휘하였다. 그러나 方劑 중의 甘遂는 함께 달일 때 넣지 않고, 研末로 만들어서 湯液 중에 넣어 溫服한 것이 복용법으로 비교적 합리적이다. 최근의 한 연구에서 甘遂의 유효 성분은 물에 잘 녹지 않으므로, 水煎하여 湯劑로 사용하면 원래 용법과 같은 효과를 얻기가 힘들다. 현재 응용하고 있는 大陷胸湯의 劑型에는 세 가지 종류가 있으니, 湯劑·散劑 그리고 캡슐劑이다. 湯劑는 작용이 비교적 맹렬하므로 體質이 壯實한 자에게 적당하고, 散劑는 用量을 정확하게 하여서 복용하면 형편에 딱 알맞으며, 캡슐劑는 藥物이 上部 消化道에 있으키는 자극 작용을 피하게 하여 惡心嘔吐를 동반하는 자에게 더욱 적당하다.

【醫案】

1. 結胸證『經方實驗錄』: 陳씨 姓을 가진 아이, 나이 14세. 어느 날 갑자기 병을 얻었는데, 脈洪大, 大熱, 口乾, 自汗하면서 우측 다리를 屈伸하지 못하였다. 病證은 陽明에 속하였지만, 비록 渴症이 있어도 하루 종일 물을 마시려고 하지 않았고, 胸部는 막힌 것 같으면서 손을 대면 痛症이 있는 것 같고 不脹不硬하여 또한 懸飮內痛과 유사하였다. 大便이 5일 동안 통하지 않았으니 上濕下燥한 것을 볼 수 있다. 장차 太陽의 濕이 안으로 胸膈에 침입하여 陽明의 內熱과 함께 병이 된 것이니, 그 濕痰을 攻伐하지 않는다면 燥熱을 어찌 제거할 수 있겠는가? 그래서 즉시 大陷胸湯을 적어서 주었다. 制甘遂 一錢五分, 大黃 三錢, 芒硝 二錢. 복용 후에 大便이 通暢하면서 燥屎와 痰涎이 前後로 모두 나오면서 그 나머지 많은 질병이 신속하고 깨끗하게 나았고, 이에 다시 하나의 淸熱하는 방제를 적어 주면서 나머지 邪氣를 정리하였다.

考察: 본 湯證은 陽明에 속하는데, 그 이유는 太陽에서 傳來된 것이 많으니 반드시 誤下로 말미암아 생긴 것이라고 하지 않을 수 없다. 曹穎甫가 말하기를 "太陽之傳陽明也, 上濕而下燥. 燥熱上熏, 上膈津液悉化黏痰."이라고 하였다. 承氣湯은 下燥를 밀어낼 수는 있지만 上膈의 痰을 없앨 수는 없다. 그러므로 按之不硬한 結胸이 있을 때에는 오직 大陷胸湯만이 능히 上下를 뚫어서 제거할 수 있다. 그러므로 반드시 甘遂를 사용하여야 膈間의 濁痰을 제거할 수 있고, 반드시 硝·黃을 사용하여야 上炎하는 陽熱을 제거할 수 있다. 만약 단순하게 硝·黃을 사용하면서 甘遂를 사용하지 않는다면, 濕濁이 上部에 웅크리고 앉아 있어서 下部에 있는 熱이 그 엄호를 받을 것이기 때문에 제거되려고 하지 않을 것이다. 그렇지 않고 한갓 白虎湯으로 淸하게만 한다면 釜底의 薪火가 제거되지 않았기 때문에 熱이 감소할 까닭이 없다.

2. 膽囊炎·膽石症『浙江中醫學院學報』(1985, 5: 22): 張 모씨, 남자, 44세, 노동자. 1977년 12월 17일 초진. 主訴: 心窩部의 疼痛이 반복해서 발작한 것이 이미 7년여 되었다. 이번에는 風寒을 感受하면서 초기에 惡寒 發熱하다가 계속해서 但熱不寒, 嘔吐惡心, 2일 동안 음식을 먹지 못하고, 4일 동안 大便을 보지 못하였다.

檢查 結果: 精神不振, 目黃, 肢不溫, 舌赤苔黃, 脈沉緊, 右上腹部拒按하였다. 체온 38.6℃, 혈압 96/64 mmHg, 백혈구 15,000/mm^3, 호중구 78%, 임파구 22%.

治療 原則: 淸熱瀉下.

處方과 治療 結果: 大陷胸湯에 加味한 것: 玄明粉 10 g, 川軍 10 g, 甘遂 6 g, 枳實 10 g, 厚朴 10 g, 茵陳 20 g. 복약 6시간 후에 大便이 무르면서 3차례 나왔는데, 땅콩 크기의 結石이 4粒 나왔고, 다음날 症狀이 개선되었다. 나중에 逍遙散에 鬱金·茵陳을 넣은 것으로 효과를 거두었다.

考察: 본 예의 膽石症은 濕熱이 서로 뭉쳐서 결석이 만들어진 것으로 통로를 막아서 통하지 않게 한 것이다. 그러므로 甘遂를 君藥으로 삼아 消腫散結·瀉利濕熱하는 것이니, 『醫方集解』에서 말하기를 "濕熱相生, 隧道阻塞"을 治療할 수 있다고 하였다. 大黃·芒硝는 淸熱通下하여 推蕩結石하는 것이고, 다시 枳·朴·茵陳으로 보좌하여 理氣寬腸하니, 이로써 結石을 排出하게 만든 것이다.

3. 胸腔積液『邢錫波醫案』: 某 남자, 52세, 노동자. 환자는 體質이 평소에 健壯하였는데, 發熱惡寒하고 頭痛身倦하기에 일찍이 疏表發汗劑를 복용하였지만, 汗不出하면서 寒熱이 풀리지 않았다. 5일 후에 胸部가 硬滿疼痛하여 重按하지 못하게 하고, 食少自汗하면서 兩脈沉滑하였다. 胸部 X-선 透視: 胸腔에 積液이 있음을 제시해 주었다. 症狀이 邪熱과 水가 胸部에 서로 뭉친 것이니 治療는 大陷胸湯에 加味하는 것이 마땅하다.

處方과 治療 結果: 大黃·芒硝·鬱金 各 9 g, 瓜蔞仁 24 g, 甘遂末(沖服) 1.5 g. 새벽에 일어나서 空腹일 때 服藥하였는데, 복약 후에 水瀉를 7차례 하면서 胸滿이 크게 감소하였고, 呼吸도 역시 잘 통하면서 食欲이 호전되었으며, 간간이 疏胸和胃하는 方藥 二劑(前方의 藥性이 峻烈하기 때문에 연속해서 복용하면 中氣를 손상시킬까봐 염려됨)를 투여하였다. 여전히 原方을 순환적으로 3차례 복용하였더니 胸中의 硬滿이 소실되면서 痛症도 역시 경감되었고, 呼吸이 자유자재하였다. 나중에는 疏胸通絡淸熱하는 方劑로 調理한 후에 완전히 나았는데, 胸部를 X-선으로 透視해 보니 胸水가 전부 소실되었다.

考察: 外邪를 誤治함으로써 胸中으로 들어가면서 水와 相結하면 結胸이 된다. 그러므로 用藥할 때에는 排水蕩積 위주로 하는 것이니, 水가 제거되면 胸中의 硬滿疼痛도 또한 사라진다.

4. 胃黏膜脫垂『中國民間療法』(2004, 1:54): 某 남자, 32세. 3일 전 일할 때에 갑자기 上腹部에 疼痛이 생기면서 때로 惡心하였다. 일찍이 페니실린을 정맥주사 하였지만 효과가 없었고, 上腹痛이 進行性으로 加重되면서 嘔吐하였다.

檢查 結果: 脘腹脹滿, 不欲飮食, 食入即吐, 大便을 여러 날 동안 보지 못하였다. 查體: 체온 38.5℃, 心肺正常, 肝脾未及, 上腹部壓痛, 無反跳痛, Murphy's sign(−), Mai's point tenderness(−), 上腹部의 胃區에 振水

音이 있음. 舌質紅, 苔黃膩, 脈沉弦하였다. E kg 및 肝膽胰脾腎의 B형 초음파검사에서 모두 이상을 볼 수 없었다. Barium으로 X-선 透視를 했더니 惡心嘔吐로 인해서 胃內에 대량의 저류액이 어떻게 할 방법도 없이 진행되었다.

處方과 治療 結果: 모든 症狀을 함께 참고하면 水熱이 胃脘에 서로 뭉쳐 있는 것에 속한다. 곧 飮食을 금식시키고 胃管引流術 등을 하면서 아울러 大陷胸湯에 加味한 것을 주었다: 大黃 10 g, 芒硝 15 g, 薑半夏 10 g, 枳實 15 g, 甘遂(研末沖服) 3 g. 급하게 一劑를 달여서 콧구멍으로 먹였더니, 1시간 후에 연속해서 大便을 4차례 보았는데 水樣便을 보면서 腹痛·腹脹이 뚜렷하게 輕減하였다. 3시간 후에 胃管에 바륨을 사용하여 透視하던 것을 제거하였더니, 胃黏膜脫垂와 幽門이 완전히 막히는 것을 보여주었다. 다음날 계속해서 一劑를 服用하되, 甘遂를 2 g으로 바꾸면서 아침 저녁으로 2차례 服用하였다. 服用 후에 大便을 2차례 보면서 腹脹·腹痛이 더욱 감소하였으며, 아직 다시 嘔吐를 하지는 않았기에 소량의 유동식을 먹도록 당부하였다. 나중까지 연속해서 十劑를 服用하고 완전히 나았다.

【副方】 大陷胸丸(『傷寒論』): 大黃 半斤(250 g) 葶藶子 半升(175 g) 熟芒硝 半升(175 g) 杏仁 去皮尖, 熬黑 半升(175 g).

- 用法: 上四味, 搗篩二味, 內杏仁·芒硝合研如脂, 和散, 取如彈丸一枚, 別搗甘遂末一錢匕, 白蜜二合, 水二升, 煮取一升, 溫頓服之, 一宿乃下. 如25 第二章 瀉下劑 | 第二節 溫下 不下, 更服, 取下爲效(現代用法: 上藥爲末, 再入甘遂 30 g, 白蜜 250 g, 爲丸·每服 5~10 g, 溫開水送服).
- 作用: 瀉熱逐水.
- 適應症: 結胸證, 胸中硬滿而痛, 項强如柔痓狀者.

본 方劑는 大陷胸湯에 葶藶子·杏仁·白蜜을 넣어 만든 것이다. 비록 大陷胸湯과 같이 瀉熱逐水하는 方劑에 속하여 水熱이 互結한 結胸實證을 治療하지만, 大陷胸湯證은 主治가 心下로부터 少腹에 이르기까지 硬滿而痛하여 손을 가까이 닿지 못하게 하면서 大便秘結하기에 그 實을 급하게 瀉할 때 사용하는 것이고, 大陷胸丸은 "變湯爲丸, 加葶藶子·杏仁以瀉肺氣, 是專爲上焦喘滿而設."(『醫方論』)한 것으로, 그 病證의 水飮과 熱邪의 業이 이미 肺에 병리적 충격을 가하면서 項背의 筋脈에 영향을 미쳐서 項强 혹은 喘滿 등의 症狀을 보이는 것이다. 湯劑를 丸劑로 변환시켜 煮服하는 것은 "以蕩滌之體, 爲緩和之用"하는 것이고, "乃峻藥緩用之法"(『傷寒貫珠集』卷2)이라고 하였다. 본 方劑는 結胸證을 治療하는 것 외에 王海藏은 또한 陽熱로 인한 喘症을 治療하였고, 柯琴은 水腫·痢疾의 초기인 자를 治療하였으니, 모두 빠른 효과가 있었다. 다만 이 方劑는 결국 利水攻積하는 藥劑이니 임상에서 응용할 때에는 脈과 證이 모두 實한 자에게 마땅하다.

第二節 溫下劑

大黃附子湯

(『金匱要略』)

【異名】 大黃附子細辛湯(『漫遊雜記』, 錄自『金匱要略今釋』卷3).

【組成】 大黃 三兩(9 g) 附子 炮 三枚(12 g) 細辛 二兩(6 g)

【用法】 물 5升으로 달여서 2升을 취하고, 나누어서 따뜻하게 세 번 복용한다. 만약 튼튼한 사람이라면 달

여서 2.5升을 취하여 나누어서 따뜻하게 세 번 복용한다. 복용한 후에 사람이 4~5里를 걸어갈 시간이 지나면 다시 복용한다(現代用法: 水煎服).

【效能】 溫裏散寒, 通便止痛.

【主治】 寒積裏實證. 腹痛便秘, 脇下偏痛, 發熱, 手足厥冷, 舌苔白膩, 脈弦緊.

【病機分析】 본 方劑가 治療하는 症狀은 寒邪와 積滯가 腸道에 서로 뭉쳐서 생기는 것이다. 寒은 陰邪라서 그 성질이 收引하는데, 寒邪가 속으로 들어가면서 陽氣가 통하지 않으면 氣血이 막히므로 腹痛 혹은 脇下偏痛을 보이는 것이니, 바로 『素問』「擧痛論」에서 말한 "寒氣客於腸胃之間, 膜原之下, 血不得散, 小絡急引, 故痛."이라 한 것과 같다. 寒實한 것이 腸間을 막아서 傳化 기능을 잃어버리기 때문에 大便不通에 이르게 된 것이고, 積滯가 留阻하여 氣機가 울체되므로 發熱하는 것이며, 陽氣가 內鬱하면 四肢로 펼쳐주지 못하므로 手足厥冷하는 것이고, 舌苔白膩, 脈弦緊은 모두 寒實의 징후이다.

【配伍分析】 본 方劑가 主治하는 證狀의 病機는 寒實內結이다. 『素問』「至眞要大論」에 나오는 "寒者熱之"·"治寒以熱"·"結者散之"·"留者攻之"라는 원칙에 근거하면 治療는 마땅히 寒凝한 것을 溫通하여 閉結된 것을 열고, 大便을 통하게 하여 積滯를 없애며, 溫裏散寒함으로써 止痛해야 한다. 方劑 중에서 附子의 辛溫大熱을 重用하였는데, 心·脾·腎經으로 歸經하여 溫裏散寒하고 腹脇冷痛을 그치게 하니, 『名醫別錄』卷3에서는 그 治療를 "心腹冷痛"이라고 하였고, 『本草從新』卷4에서 말하기를 "大熱純陽, …… 治一切沉寒痼冷之證."이라고 하였고, 寒實內結로 인한 것이므로 溫藥을 사용하여 그 寒을 제거하는 것이다. 동시에 瀉下하는 藥物을 구하여 그 막혀 있는 것을 통하여야 하는데, 大黃은 性味가 苦寒하면서 脾胃·大腸經으로 歸經하고, 效能이 瀉下通便하여 裏實積滯를 蕩滌하기 때문에 附子와 서로 配伍하면 寒溫을 함께 사용하여 溫下하는 效能을 발생시키므로 함께 君藥이 된다. 細辛은 性味가 辛溫하면서 주로 肺·腎의 두 經으로 歸經하고 겸하여 肝·脾의 諸經에 귀입하여 "利九竅"(『神農本草經』卷2), "溫中下氣 …… 安五臟."(『名醫別錄』卷1)이라고 하였고, 方劑 중에서 사용되기로는 辛溫으로 宣通하면서 散寒止痛하기 때문에 附子를 도와서 臟腑의 積冷을 溫散하기에 佐藥으로 사용하였다. 方劑 중의 大黃은 性味가 비록 苦寒한 것에 속하지만, 附子·細辛의 辛熱을 만나게 되면 苦寒한 성질이 억제되면서 瀉下하는 效能만 남아 있게 되는 것이니, 세 가지 藥物을 함께 사용하면 寒溫을 함께 사용하는 것이 구비되어, 相反하는 것이 相成하는 配伍의 특징이 만들어지면서 溫通寒積의 方劑가 만들어지는 것이다.

仲景은 寒邪가 陰分에 깊이 잠복하고 있을 때에 항상 附子와 細辛을 서로 배합하였으니, 예를 들어 麻黃細辛附子湯은 "少陰病, 始得之, 反發熱, 脈沉"한 자를 治療하였는데, 方劑는 附子·細辛과 麻黃을 함께 사용하여 助陽解表하는 효과가 있고, 본 方劑의 主治는 寒積裏實의 症狀이므로 附子·細辛과 大黃을 서로 배합하여 중점이 溫下寒積하는 데 있다. 두 가지 方劑는 겨우 한 가지 藥物을 바꾸었을 뿐인데 곧 '解表'가 '溫下'로 바뀌었으니, 仲景이 藥物을 사용하고 方劑를 제작하는 데 있어 미묘한 곳이 여기서 한 부분을 볼 수 있다. 별도로 麻黃細辛附子湯 중의 附子는 겨우 一枚만 사용하였지만, 이 方劑의 附子는 三枚를 사용하였는데, 그러한 까닭은 麻·附·細辛은 세 가지 藥物이 溫藥이기 때문에 단지 相助하면서 서로 制約하지 않으므로 附子 一枚면 곧 가능하지만, 이 方劑는 大黃이 苦寒하면서 또한 三兩이니 만약 단지 附子 一枚만 사용한다면 어찌 大黃을 牽制하지도 못할 뿐만 아니라, 그 逐寒興陽하는 효능을 방해하지 않겠는가? 두 가지 方劑는 겨우 한 가지 藥物과 用量상의 차이가 있을 뿐인데 主治가 각각 달랐으니, 古人들의 用藥制方은 法度가 엄격하고 근엄하여 광범위하게 응용하면서도 딱 맞아떨어지게 하였음을 여기에서 알 수 있다.

【臨床應用】

1. 證治要點: 본 處方은 溫下法의 대표적인 方劑이다. 臨床에서는 腹痛, 便秘, 手足厥冷, 苔白膩, 脈弦緊한 것이 證治의 요점이 된다.

2. 加減法: 만약 腹痛이 심한 자는 肉桂를 넣어 溫裏止痛하고, 腹部脹滿하면서 舌苔垢膩하여 積滯가 비교적 심한 자는 厚朴·木香을 넣어 行氣導滯하며, 體質이 허약한 자는 黨參·當歸 등을 넣어 益氣養血補虛한다.

3. 大黃附子湯은 다음 한국표준질병사인분류(KCD)에 해당하는 환자가 寒積裏實證으로 辨證되는 경우 본 처방의 사용을 고려해볼 수 있다.

처방 목표	한국표준질병사인분류(KCD)
肋間神經痛	G58.0 늑간신경병증
坐骨神經痛	M54.3 좌골신경통
腎結石	N20.0 신장의 결석
膽結石	K80 담석증
慢性蟲垂炎	K36 기타 충수염
膵臟炎	K85 급성 췌장염
	K86.1 기타 만성 췌장염
急性單純型腸閉塞	K56.0 마비성 장폐색증
	K56.6 기타 및 상세불명의 장폐색
	K56.7 상세불명의 장폐색증
接着性腸閉塞	K56.5 폐색을 동반한 장유착[띠]
서혜부 탈장	K40 사타구니탈장

【注意事項】 본 方劑의 효능은 오로지 溫下하는 것이니, 만약 實熱이 內結하여 正盛邪實한 것이라면 전혀 옳지 않다. 이 외에 본 方劑를 복용한 후에 만약 大便이 通利한다면 위험한 상태를 벗어나 안전하게 되는데, 만약 복용한 후에 大便이 통하지 않고 도리어 嘔吐, 肢冷, 脈細를 보인다면 病勢가 惡化되는 모양이니 마땅히 주의해야 한다.

【變遷史】 본 方劑는 『金匱要略』「腹滿寒疝宿食病脈證治」에 처음으로 보이는데, 후세 溫下劑의 시초가 되는 方劑이다. 原書에는 이것을 사용하여 "脇下偏痛, 發熱, 其脈緊弦" 등의 症狀을 治療한다고 하였다. 『張氏醫通』卷9에서는 "色疸, 身黃, 額上微汗, 小便利, 大便黑, 少腹連腰下痛" 등을 治療한다고 하였고, 『金匱要略今釋』이 인용한 『類聚方廣義』에서는 "寒疝, 胸腹絞痛延及心胸腰部, 陰囊焮腫, 腹中時有水聲, 惡寒甚"한 자를 治療한다고 하였다. 현대에는 이 方劑에 加減하여 腸閉塞·만성충수염 및 尿毒症 등을 治療하는 데 상용하였다. 후세 의학자들은 본 方劑의 기초상에서 加減 變化하여 많은 方劑를 만들었는데, 비교적 유명한 것으로는 『備急千金要方』의 三首溫脾湯과 『普濟本事方』의 溫脾湯과 같은 것이다. 이상 네 가지의 方劑는 모두 본 方劑를 기초로 하여 증감하여 만든 것으로 方劑의 명칭은 서로 같지만 主治에 차이가 있다. 혹은 積久寒熱과 赤白痢疾을 治療하는 데 사용하였고, 혹은 오랫동안 赤白痢疾이 나오면서 여러 해 동안 그치지 않는 것 및 霍亂으로 脾胃가 차가운 음식물을 소화시키지 못하는 것을 治療하는 데 사용하였으며, 혹은 寒實이 中焦를 막아서 脾陽이 손상을 받음으로써 腰痛, 臍下絞結, 繞臍不止하는 것을 治療하는 데 사용하였고, 혹은 痼冷이 腸胃間에 있으면서 여러 해 동안 腹痛, 泄瀉, 休作無時하는 것을 治療하는 데 사용하였다. 淸代『溫病條辨』卷3에 실려 있는 大黃附子湯은 大黃과 附子를 같은 양으로 한 것으로, 大黃의 苦味와 附子·細辛의 辛味를 사용하여 苦辛으로 溫下하여 能降能通할 수 있게 만든 것인데, 邪氣가 厥陰에 머물러서 表裏俱急한 寒疝으로 脈弦緊, 脇下偏痛, 發熱하는 자를 主治한다. 현대에 尿毒症을 治療하는 많은 新方들은 모두 본 方劑의 기초상에서 변화 발전시켜 만든 것으로, 예를 들어 『上海中醫藥雜志』(1987, 3:19)에 실려 있는 降氮湯은 大黃 20 g, 炙附子 15 g, 黃芩·生牡蠣 各 50 g을 물에 달여서 잠들기 전에 항문 속에 150 mL 떨어뜨렸는데, 심한 자는 2~3次/日하였다. 이 方劑는 瀉下·排毒·祛濁하는데, 尿毒症을 主治한다. 『陝西中醫』(1988, 6:247)의 灌腸消毒湯은 大黃(後下)

10~20 g, 附子 5~10 g, 黃芪 12~20 g, 牡蠣 15~30 g을 물에 달여서 灌腸을 매일 1차례 하였는데, 效能은 泄下祛穢·排濁解毒하는 것이고, 또한 尿毒症을 治療하되, urea nitrogen이 뚜렷하게 증가하는 자에게 사용하여 治療할 수 있다.

【難題解說】

1. 본 方劑가 治療하는 脇下偏痛의 인식에 관한 것: 이 方劑는 원래 '脇下偏痛'을 治療하는 것이지만, 『醫宗金鑒』卷25에서 인식하기로는 "脇下偏痛之偏字, 當是滿字, 當改之."라고 하여 傳寫의 오류라고 보았다. 腹滿而痛은 脾의 實邪이고, 脇下滿痛은 肝의 實邪이다. 發熱하면서 만약 脈數大하다면 胃熱의 實邪인데, 지금 脈弦緊한 것은 脾의 寒實이고, 마땅히 溫藥으로 下法을 써야 하므로 大黃附子湯으로 寒實을 瀉下한 것이다. 이 方劑 중에서는 細辛으로 보좌하여 肝邪를 疏散한 것이니, 이것은 肝脾의 寒實를 瀉下시키는 방법이라고 보는 것이 옳다. 저자의 경험상으로는 脇下의 '滿痛'과 '偏痛'은 임상적으로 모두 중요한 진단 요건 중 하나이며, 이 둘이 동시에 나타나는 경우도 있다. 그 病機를 분석해 보면 寒實이 陽明에 응결되면서 腹部脹滿이 脇下에 영향을 미쳤기 때문이다. 脇下는 少陽膽腑가 머무는 곳이고, 陽明은 胃에 속하는데, 膽과 胃는 서로 연결되어 있기 때문에 膽病은 胃로 전해질 수 있고, 胃病도 또한 膽으로 전해질 수 있다. 寒實이 陽明胃腸에 응결되어서 腑氣가 통하지 않으면 腹部脹滿해지면서 세력이 반드시 上逆하여 膽을 壅遏하면서 少陽經氣가 통하지 않기 때문에 脇下偏痛하는 것이다. 脇下偏痛이 寒實內結과 腑氣不通으로 생기는 것이므로 大黃附子湯을 사용하여 胃腸의 寒結을 溫下시키면 腑氣가 한번 통하면서 胃氣가 下降하고, 膽도 胃氣가 下降하는 것을 따라가므로 膽氣가 자연스럽게 通利되면서 脇下痛이 스스로 풀리는 것이다. 그러므로 主治 중에 있는 '脇下偏痛'은 마땅히 '脇腹滿痛'이 되어야 한다.

2. 發熱에 대한 인식: 原書의 證治 중에 있는 '發熱'은 『脈經』卷6에서 이 문장을 인용할 때에는 곧 '發熱'의 두 글자가 없었기 때문에 많은 의학자들이 '發熱'은 진단에 꼭 필요한 症狀이 아니라고 주장하였다. 그러나 임상적으로 표현되는 것과 결합시켜 보면 寒實內結로 생기는 腹痛便秘證에는 '發熱'의 症狀을 볼 수 있을 때가 있는데, 이것은 寒實內結하여 陽氣가 鬱滯되어서 생기는 것이다. 그러나 發熱이 꼭 全身적인 것이 아니고 어떤 국부에 출현하므로 "脇下偏痛發熱"이라고 한 것이다. 그 治療는 外感發熱이나 陽明實熱과는 완전히 다르니 응당 감별하여야 한다.

【醫案】

1. 腹痛『治驗回憶錄』: 鍾大滿이 腹痛이 몇 년 있었는데, 理中·四逆湯의 종류를 모두 이미 복용했지만 간혹 그치게 할 수 있었다. 다만 통증이 발생이 일정하지 않았는데, 혹은 한 달에 여러 번 발생하거나 혹은 두 달에 한 번 발생하면서, 매번 통증이 발생하는 것은 대부분 寒冷한 음식물을 먹었을 때 유발되었다. 스스로 胡椒 가루를 薑湯을 사용하여 沖服하였더니 통증이 잠시 풀렸다. 어느 날 그가 나의 친척 집안 사람을 만나서 그 痼疾의 기이함을 얘기 나누면서 진단해주기를 부탁하였다. 脈沉而弦緊하고 舌白潤無苔하였는데, 그 복부를 눌렀더니 微痛이 있으면서 통증이 있을 때에는 腰脇까지 당겼고, 大便은 2일에 1차례씩 적게 나오면서 시원하지 않았고 小便은 평상시와 같았다. 내가 말하기를 "그대의 병은 陰寒이 積聚한 것이니 溫法을 쓰지 않으면 그 寒을 그치게 할 수 없고, 下法이 아니면 그 積聚를 蕩滌할 수 없다. 그러므로 '溫''下'를 병행해야 하는데, 이전에 理中湯 종류를 복용했을 때 효과가 없었던 것은 겨우 寒한 제거하면서 積을 내쫓지 못해서 그런 것이다. 나의 방법에 의지한다면 二劑면 나을 수 있다." 그가 말하기를 "나는 先生을 알게 됨으로써 나의 질병을 잘 治療할 수 있을 것 같습니다. 혹시 낫는다면 감사하고 또한 잊지 않겠습니다."고 하였다. 곧 大黃附子湯을 써 주었다: 大黃 12 g, 烏附 9 g, 細辛 4.5 g. 아울러 말하기를 "이것은 『金匱要略』에서 만

든 方劑로 여러 번 사용하여 효과가 있었으니, 다른 사람들의 말에 현혹되지는 마시오."라고 하였다. 6개월이 지난 후에 서로 만났는데, 듣건대 과연 二劑에 나았다고 한다.

2. 急性腸閉塞『浙江中醫雜誌』(1983, 4:171): 某 남자, 58세. 작년에 胃切除 후에 소화기능이 비교적 약해졌다. 3일 전에 점심을 먹은 후에 차가운 음식을 지나치게 많이 먹으면서 胃脘이 불편함을 느꼈고 점점 腹部脹滿이 출현하였고, 저녁 무렵에는 嘔吐가 출현하였으며, 大便을 3일 동안 보지 못하였다. 檢查를 거쳐 '急性腸閉塞'으로 진단하였다. 진단하여 보니 面色蒼白, 手足厥冷, 舌淡胖, 苔膩, 脈沉緊弦이 나타났으며, 症狀은 寒實內結·腑實不通에 속하였다.

處方과 治療 結果: 生大黃 12 g, 炮附子·乾薑·薑半夏 各 10 g, 水煎服. 服用 후에 大便이 통하면서 痛症과 嘔吐가 그쳤다.

考察: 腸閉塞을 中醫의 辨證으로 살펴보면 實熱阻滯에 속하는 것과 寒實內結에 속하는 것이 있다. 본 예의 辨證은 寒食內結하여 腑實不通에 속하는 것으로 그 辨證의 요점은 面色蒼白, 手足逆冷, 苔膩, 脈沉弦緊에 있다. 차가운 음식을 먹음으로써 생겼고 또한 嘔吐가 있으므로 大黃附子湯에 細辛을 빼고 乾薑·半夏를 넣어 溫中降逆함으로써 효험을 얻었다.

3. 脇痛『浙江中醫學院學報』(1988, 1:29): 某 여자, 50세. 우측 脇下痛을 앓은 지 거의 10년이 되었는데, 疼痛이 극렬하면서 반복해서 발작하였고 여러 번 治療해도 효과가 없었다. 脈證에 따르면 寒實에 속하므로 大黃附子湯에 金錢草 30 g을 넣어주었다. 연속해서 여러 劑를 복용하였더니 疼痛이 소실되었다.

考察: 본 方劑는 原書에서 지적한 징후에 "脇下偏痛·發熱" 등의 문구가 있기 때문에 臨床에서 응용할 때에는 항상 일정한 制限을 받게 된다. 실제로는 痛症이 脇下에 있는지 혹은 腹部에 있는지, 또한 偏痛인지 不痛인지, 發熱인지 혹은 不發熱인지를 논할 것 없이, 중요한 것은 脈象이 沉弦 혹은 沉緊하면서 눌렀을 때 有力하고, 大便秘結하여 확실하게 寒實證과 연계된 것은 곧 대담하게 본 方劑를 사용할 수 있다. 方劑 중 大黃·附子는 일반적인 用量이면 곧 옳다. 다만 細辛은 반드시 적게는 6 g에서 많게는 9 g까지 사용할 것이지, '細辛 不過 錢'이라는 학설에 집착할 필요는 없다. 이것은 그 病機가 寒結한 것이기 때문에 寒이 제거되지 않으면 結한 것이 열리지 않고, 結한 것이 열리지 않으면 大黃이 武勇을 발휘한 곳이 없게 된다. 附子는 走而不守하면서 回陽散寒하고, 細辛는 通陽散寒하면서 또한 '辛以潤之'하는 효능이 있다. 두 가지 藥物을 함께 사용하여 寒散하고 結開하게 해야 大黃이 비로소 능히 腸道를 通暢시키면서 推陳致新할 수 있는 것이다.

4. 腎結石絞痛『遼寧中醫雜誌』(2004, 5:355): 某 남자, 50세. 腎結石을 5년 동안 앓았는데, 中西醫로 2년 동안 治療하였지만 효과가 없었고, 최근에는 항상 腰腹絞痛하면서 腎區叩痛하였고, 絞痛時에 四肢冰冷하면서 大汗淋漓하였다. 2일 전에 生冷한 음식물을 먹으면서 腎絞痛이 갑작스럽게 발작하여 급하게 醫院으로 가서 輸液·解痙鎮痛 등으로 2일 동안 治療했는데 효과가 없었다. 수술을 건의하였지만 환자가 결단코 하려고 하지 않아서 中醫科로 전과하여 治療하도록 하였으며, 또한 通腑排石通淋하는 中藥을 服用하면서 阿托品·安痛定·度冷丁 등 解痙止痛하는 藥物을 배합하였지만 역시 완화되지 않았고, 스스로 말하기를 우측 腰腎絞痛時에 우측 서혜부를 향해서 放散痛이 있는데 按壓해주면 조금 완화되었다고 한다. 診斷하여 보니 舌淡紅, 苔白薄, 脈弦緊하였다. 현재: 神疲·納呆, 大便3일 未解, 腰腹均絞痛의 症狀이 나타난다. 生冷한 음식물을 먹고서 발작하였다고 호소하였으므로 脾胃虛寒으로 冷積寒閉하면서 宿疾이 유발된 것으로 고려해야 하니, 寒閉는 溫法이 아니면 통하여 풀리지 않고, 陰結은 陽이 아니면 융합하여 풀 수 없으므로 먼저 仲景의 '大黃附子湯'을 투여하고, 다음으로 東垣의 '補中益氣

湯'에 加減한 것을 투여한다.

處方과 治療 結果: ① 制附子 15 g, 北細辛·生大黃 各 5 g을 물에 1차례 달여서(20분) 오전에 완전히 복용한다. 處方 ② 炙黃芪 20 g, 炒白朮 12 g, 陳皮 6 g, 升麻·柴胡·炙甘草 各 5 g, 黨參·當歸 各 15 g, 鹿角霜 30 g, 炒小茴香·炒川楝子 各 10 g, 물에 2차례 달여서 오후에 복용한다. 약을 완전히 복용하지 않았는데도 絞痛이 완전히 제거되었고, 다음날 補中益氣湯加味 一劑를 계속해서 복용하여 뒷마무리를 잘 할 것을 부탁하였다. 계속해서 또한 승세를 타서 추격하여 排石法을 보조적으로 운용하였는데, 方劑로는 蔘苓白朮散에 加減하여 化裁한 것을 사용하여 六十劑를 服用시켰더니 腎結石 三枚를 배출하면서 나았다.

5. 痢疾『經方應用』: 某 남자, 48세. 평소 體質이 陽虛한데 여름과 가을 사이에 飮食을 節度 있게 먹지 못하면서 積滯가 內停하여 下痢色白, 腹痛肛墜, 滯下不暢, 窘迫異常, 腹脹滿拒按, 畏寒, 舌苔白濁膩, 脈弦緊하였다. 辨證은 寒濕滯下이다. 『內經』의 "通因通用"법을 따라 溫下로써 治療하였다.

處方과 治療 結果: 大黃附子湯에 加味한 것을 사용함: 大黃(酒炒)·熟附子 各 9 g, 乾薑 6 g, 細辛 1.5 g, 川朴 6 g, 枳實 9 g. 二劑를 服用하였더니 下利가 비교적 通暢하면서 腹痛과 肛墜가 輕減되었고, 처음에는 白凍物을 상당히 많이 瀉下하는 것을 보았는데, 계속 服用했더니 大便이 점차 정상적으로 되었다. 곧 原方에 加減하면서 아울러 그 제약하는 것을 감소시켜 연속해서 三劑를 服用했더니 마음먹은 대로 되면서 완쾌됨을 고하였다.

考察: 痢疾의 고대 명칭은 '滯下'인데, 그 病機에는 寒熱虛實의 차이가 있고, 傷氣·傷血이 각각 다르다. 본 醫案은 평소 體質이 陽虛한데 積滯가 內停하면서 氣分을 손상시켜 寒實滯下가 만들어진 것이다. 그러므로 症狀으로 下痢色白不暢, 裏急後重, 腹脹滿拒按, 舌苔白濁膩, 脈弦緊 등 한 집단의 寒實 징후가 나타나는 것이다. 寒實滯下는 下法이 아니면 그 적취를 제거할 수 없고, 溫法이 아니면 그 寒邪를 제거할 수 없다. 따라서 溫下積滯法을 채용한 것인데, 『金匱要略』에서 寒實內結에 대하여 '以溫藥下之'하라는 가르침에 부합되는 것이다. 吳氏의 『溫病條辨』에서 滯下의 治法에 대하여 일찍이 말하기를 "白積, 加附子·乾薑·細辛溫經祛寒, 厚朴·枳實消脹泄滿."이라고 하였는데, 본 醫案은 方劑와 證狀의 박자가 맞기 때문에 奏效가 매우 빠르게 나타난 것이다.

6. 메니에르병『浙江中醫雜誌』(1985, 8:352): 某 여자, 40세. 평소에 메니에르 병을 앓고 있었는데, 자주 발작하였다. 일주일 전에 感冒와 過勞로 인하여 眩暈이 또 발작하면서 視物旋轉하여 臥床不起하였고, 머리와 몸을 움직이면 더 심해졌으며, 嘔吐痰涎, 臍下二寸處脹痛, 瀉下淸稀, 納呆, 口乾而欲飮, 舌淡, 苔白厚黏膩, 脈滑緩하였다. 痰飮이 眩暈을 일으킨 것이라고 헤아려서 『金匱』의 澤瀉湯에 二陳湯 加味한 것을 합방하였지만, 治療해도 효과가 없었다. 다시 舌象과 臍下痛證을 참고로 하여 진료하고는, 이것은 陽虛寒實로 裏에 積聚가 있어 脹痛한 것이니 三焦痞塞하면 淸陽이 不升하고 濁陰이 不降하여 眩暈한 것임을 깨닫게 되었다. 바꾸어 大黃附子湯에 加味한 것을 투여하였다: 附子 8 g, 大黃 10 g, 細辛·人蔘 各 6 g. 二劑를 服用하였는데, 服藥한 후에 가벼운 泄瀉가 1차례 있으면서 眩暈과 脹痛이 이미 절반 이상 감소하였고, 다시 二劑를 복용했더니 모든 症狀이 다 제거되었다.

考察: 메니에르병은 中醫에서는 眩暈의 範疇에 속하는데, 임상에서는 지극히 많이 보는 것으로 辨證할 때에 모름지기 標本의 虛實에 주의해야 한다. 本虛는 氣血虛弱 및 肝腎不足이 위주이고, 標實은 風·痰·濕·火가 대부분이다. 본 醫案의 病機는 陽虛로 寒實하면서 裏에 積聚가 생겨 淸陽不升과 濁陰不降에 이르게 된 것이다. 그러므로 大黃附子湯으로 溫陽散寒하고 人蔘을 넣어 益氣하는 것이다. 方劑 중에는 蔘附湯이 깃들어 있어서 이로써 益氣助陽하고, 人蔘大黃湯이 깃들어 있어서 이로써 益氣降濁하는 것이니, 전체 方劑에는 溫陽散寒·益氣降濁하는 효능이 갖추어져 있다. 본 方劑는 비록 간단하지만 藥力이 집중되어 있고, 藥味는 비록 적지만 法度가 완비되어 있어서 症狀에 맞게 사용하면 治療 효과가 만족스러울 것이다.

7. 急性膽囊炎『雲南中醫中藥雜誌』(2004, 5:15): 某 여자, 57세. 밥을 먹은 후에 胃脘 및 右上腹部에 疼痛이 2시간 동안 나타났는데, 지속적인 脹痛과 간헐적인 絞痛을 나타내었다. 疼痛은 肩背部로 방산통이 있었고, 惡心嘔吐와 冷汗淋漓를 동반하였는데, 온찜질을 해도 효과가 없었다. 우측 膽囊結石의 병력이 2년 되었다.

一般 檢查: 체온 37.8℃, 맥박 114회/분, 호흡수 25회/분, 혈압 105/65 mmHg, 급성으로 고통스러운 병색이 있으면서 鞏膜 및 皮膚가 황색으로 물들었으며, 목을 가누지 못하면서 저항감이 없었다. 우측 상복부에 壓痛이 있으면서 輕度의 反跳痛이 있었고, Murphy's sign 陽性, 腫大된 膽囊을 만질 수 있었다.

2) 臨床 病理 檢查: 가) 血球 細胞 檢查: WBC 18.6×10^9/L, N 88%; L 12%. 나) 血液 生化學 檢查: ALT 224 U/L, TBIL 108 μmol/L, DBIL 58 μmol/L, G~GT 307 U/L, AST 212 U/L, 血尿 amylase는 정상이였다. 다) B형 초음파: 膽囊에 多發性結石과 함께 急性膽囊炎이 있었다.

3) 處方과 治療 結果: Ampicillin 6 g을 정맥주사하면서, 中藥은 大黃附子湯에 加味하였다: 大黃 12 g, 附子 9 g, 細辛 6 g, 金錢草 15 g, 雞內金 15 g, 鬱金 15 g, 枳實 9 g, 延胡索 15 g, 厚朴 9 g, 甘草 9 g 등을 급히 一劑를 달여서 차례로 여러 차례 복용한다. 복약한 후에 大便을 2차례 보면서 腹痛이 輕減하였는데, 蘇梗 12 g, 竹茹 9 g을 넣어 또 二劑를 복용하였더니 嘔吐가 그치면서 疼痛이 크게 감소하였다. 前方에 茵陳 18 g, 澤瀉 15 g을 넣어 다시 보름 동안 복용하였더니 완전히 나았으며, 지금까지 재발하지 않았다.

溫脾湯

(『備急千金要方』卷15)

【組成】 大黃 四兩(12 g) 附子 大者一枚(9 g) 乾薑 二兩(6 g) 人蔘 二兩(6 g) 甘草 二兩(6 g)

【用法】 이상 五味를 부수어서 물 八升에 달여서 二升半을 취하고 세 번에 나누어 복용한다. 물이 끓으면 大黃을 넣는다(現代用法: 水煎服, 大黃後下).

【效能】 瀉下冷積, 溫補脾陽.

【主治】 陽虛冷積證. 大便秘結, 或久痢赤白, 腹痛, 手足不溫, 苔白, 脈沉弦.

【病機分析】 본 方劑가 治療하는 症狀은 脾陽이 부족하여 寒氣가 안에서부터 생겼는데 生冷한 음식물을 먹으면, 冷積이 阻留하고 脾陽을 손상시켜서 運化失常하기 때문에 생긴 것이다. 脾陽이 부족하여 陽虛로 운화를 하지 못하면 寒積이 腸間에 阻留하므로 腹痛과 大便秘結하는 것이고, 冷積이 오랫동안 머물면서 운화되지 않으면 脾氣가 虛해지면서 陷하기 때문에 久痢赤白하는 것이며, 脾主四肢하는 데 脾陽이 부족하면 四肢로 布達하지 못하므로 手足不溫하는 것이고, 苔白한 것은 寒象이고, 脈沉弦한 것은 沉은 裏를 주관하고 弦은 寒과 痛을 주관하는 것이다. 따라서 脾陽不足으로 冷積이 內停하는 것이 그 기본 病機이다.

【配伍分析】 본 方劑는 脾陽不足으로 冷積이 內停하는 症狀을 위하여 설계한 것이다. 이때의 治療로 만약 단순하게 溫補法을 사용한다면 積滯가 제거되지 않을 것이고, 만약 攻下法을 쓴다면 또한 다시 中陽을

손상시킬까 봐 두렵다. 그러므로 반드시 瀉下冷積과 溫補脾陽을 병용하여야 한다. 方劑 중의 大黃은 苦寒으로 沉降하면서 脾·胃·大腸經으로 歸經하여 蕩滌瀉下하면서 積滯를 제거하는데, 『神農本草經』卷4에서 말하기를 "蕩滌腸胃, 通利水穀."이라고 하였고, 附子는 辛溫大熱하면서 心·腎·脾經으로 歸經하여 脾陽을 튼튼하게 하면서 寒凝을 흩어버리기에 공통적으로 君藥이 된다. 乾薑은 辛熱하면서 脾·胃經으로 歸經하여 脾胃의 陽氣를 도와주면서 脾胃의 寒邪를 제거하는데, 『神農本草經』卷3에서 말하기를 "主溫中 …… 腸澼下痢."라고 하여 臣藥이 된다. 脾陽이 虛弱하면 脾氣도 또한 작용을 제대로 하지 못하므로 人蔘이 甘溫하면서 脾·肺經으로 歸經하여 補益脾氣하는 것을 이용하고, 甘草는 甘平하면서 心·肺·脾·胃經으로 귀경하여 健脾益氣하므로 人蔘과 配伍하여 補脾益氣를 도우며, 乾薑·附子와 配伍하여 溫補脾陽하는 것을 도우니, 곧 助陽하려면 모름지기 먼저 益氣해야 하는 이치이다. 그러므로 人蔘·甘草를 함께 佐藥으로 삼는다. 甘草는 더욱이 調藥和中할 수 있으므로 또한 使藥으로 사용한다. 모든 藥物들을 서로 합하면 함께 溫脾攻下시키는 方劑를 완성하므로 積滯가 운행하고 寒邪가 제거되며 脾陽이 회복되면 모든 症狀이 나을 수 있는 것이다.

【類似方比較】 본 方劑는 大黃附子湯과 함께 溫陽散寒·瀉下冷積하여 冷積裏實로 생기는 腹痛과 便秘를 治療한다. 두 方劑는 모두 瀉下藥인 大黃과 溫陽去寒藥인 附子를 配伍하여 處方 중의 주요한 구성 부분으로 만들었기 때문에 같은 瀉下劑에 속하지만, 大黃附子湯은 細辛의 辛溫宣散하는 것과 配伍하여 附子의 寒凝을 溫散함으로써 止痛하는 것을 돕도록 하였으니, 中氣未虛하고 寒實積滯가 비교적 심한 腹痛便秘와 寒實이 肝經에 응체하여 생기는 脇下偏痛을 主治하였다. 본 方劑는 辛熱한 乾薑과 配伍하여 附子의 溫補脾陽하는 것을 돕게 하고, 또한 人蔘·甘草를 사용하여 補脾益氣하였으니, 冷積阻滯에 脾陽(氣)虛弱을 함께 가지고 있는 것으로 虛中夾實의 便秘 혹은 久痢赤白을 主治하는 것이다. 이것이 두 가지 方劑의 주요한 구별점이다.

【臨床應用】

1. 證治要點: 본 方劑는 脾陽不足으로 冷積이 內停하여 생긴 便秘 및 久痢赤白을 위하여 설계된 것으로 임상에서 운용할 때에는 腹痛, 手足不溫, 苔白, 脈沉弦을 證治의 요점으로 삼는다.

2. 加減法: 만약 腹痛이 비교적 심하면 肉桂·厚朴·木香을 넣어 溫陽行氣止痛하는 효능을 증강시킬 수 있고, 嘔吐의 症狀이 겸하여 나타나면 半夏·砂仁을 넣어 和胃降逆할 수 있으며, 만약 久痢不止하면서 寒中夾熱한다면 오히려 黃連·黃芩·金銀花炭 등을 넣어 泄邪去濁의 효능을 증강시킬 수 있고, 만약 積滯가 비교적 가벼우면 大黃의 用量을 감소시킬 수 있다.

3. 溫脾湯은 다음 한국표준질병사인분류(KCD)에 해당하는 환자가 陽虛冷積證으로 辨證되는 경우 본 처방의 사용을 고려해볼 수 있다.

처방 목표	한국표준질병사인분류(KCD)
慢性結腸炎	K52 기타 비감염성 위장염 및 결장염
	A09 감염성 및 상세불명 기원의 기타 위장염 및 결장염
慢性細菌性痢疾	A03 시겔라증
	A06.1 만성 장아메바증
幽門閉塞	K31.1 성인 비대성 유문협착
	K31.2 위의 모래시계협착
慢性腎炎	N03 만성 신염증후군
尿毒症	(질병명 특정곤란)
	N18.5 만성 신장병(5기)
	N19 상세불명의 신부전_요독증 NOS

【注意事項】 본 方劑는 溫下之劑에 속한다. 만약 裏實熱結로 津液이 손상되어 便秘가 된 자는 마땅히 寒下之劑를 써야지 이 方劑가 마땅하지 않다.

【變遷史】 본 方劑는 『備急千金要方』卷15에 제일 처음 보이는데, 그 근원을 추격하여 거슬러 올라가면 실제로는 『金匱要略』大黃附子湯을 변화 발전시켜서 온 것이니, 곧 原方에서 細辛을 빼고 乾薑·人蔘·甘草를 넣어 완성한 것이다. 藥物의 구성으로 분석해 보자면 또한 본 方劑는 四逆湯에 人蔘·大黃을 넣어 변화 발전하여 만든 것으로, 실제로는 祛邪와 扶正을 함께 고려한 方劑로 陽虛로 冷積하여 생긴 便秘나 혹은 久痢赤白을 治療하는 常用 方이다. 同書에서는 본 方劑를 基礎 方으로 삼아 藥味를 增損하여 확장한 方劑로 卷13 '心腹痛門'의 溫脾湯이 있는데, 본 方劑와 비교했을 때 當歸·芒硝가 더 많아서 腹痛, 臍下絞結, 繞臍不止를 治療하는 데 사용하였고, 卷15 '冷痢門'의 溫脾湯은 본 方劑와 비교했을 때 桂心이 많으면서 甘草가 없어서 積久冷熱, 赤白痢하는 자를 治療하는 데 사용하였다. 『普濟本事方』卷4에 기재된 溫脾湯은 본 方劑와 비교했을 때 人蔘을 줄이면서 桂心·厚朴을 증가시켰고, 그중 大黃의 用量은 四錢(12 g)인데 단지 본 方劑의 1/10만 사용하여 溫中暖腸하는 힘을 증강시켰다. 그러므로 痼冷이 腸胃間에 있으면서 여러 해 동안 腹痛泄瀉하면서 休作에 일정한 때가 없으며, 모든 熱藥을 복용해도 효과가 없는 자를 治療하는 데 사용하였다. 심지어 『普濟方』卷211에서 인용한 『肘後備急方』의 溫脾湯은 본 方劑와 서로 비교했을 때 甘草를 빼고, 大黃을 三兩으로 바꾸어 사용하였으며, 人蔘·乾薑·附子를 각각 二兩으로 구성하여 溫下하는 중에 溫을 위주로 한 것으로, 脾胃 중에 冷結이 實하여 頭痛壯熱, 但苦下痢, 或冷滯赤白한 것이 마치 魚腦와 같은 자를 治療하는 데 사용하였으니, 이상 네 가지 方劑들은 임상 운용의 발전을 충분히 체현한 것이다.

【難題解說】 方劑 중 君藥에 관한 것: 본 方劑는 어찌하여 附子·大黃을 君藥으로 삼는 것인가? 이것은 질병이 脾陽不足·冷積阻留에 속하기 때문이다. 이때의 治療는 본래 '溫補'가 필요하지만 '溫運'도 필요한 것이다. 곧 葉桂가 말한 "脾爲柔臟, 惟剛藥可以宣揚驅濁."한다는 이치이다(『臨證指南醫案』卷3). 附子는 大辛大熱하여 氣雄力猛하니 溫補脾陽할 뿐만 아니라 溫散寒凝하고 宣通冷積하기에 乾薑과 서로 비교한다면 走而不守하여 君藥으로 선택되어 사용되는데, 扶正하는 것이 또한 祛邪할 수도 있어서 一擧兩得의 묘미가 있다. 大黃은 苦寒으로 瀉下하니 熱結便秘에 사용하는 것이 자연스럽고 적당한데, 脾陽의 虛寒으로 冷積이 內停한 것에 君藥으로 사용한 것은 大黃이 腸胃를 蕩滌하여 積滯를 瀉下하는 要藥이고, 또한 辛熱한 附子·乾薑과 함께 사용하면 寒性은 사라지고 瀉下作用만 여전히 남아 있게 되는 것이니, 곧 '去性存用'의 의미인 것이다. 지적해야 할 것은 임상에서 본 方劑를 운용할 때에는 마땅히 寒涼藥과 辛熱藥 사이의 藥量의 比例關系에 주의해야 할 것이니, 단지 辛熱藥의 用量이 寒涼藥의 用量보다 커야 비로소 溫下의 목적에 도달할 수 있는 것이다.

【醫案】

1. 위장신경증 『江蘇中醫』(1984, 3:43): 某 여자, 49세. 1965년 4월 15일 初診. 瀉痢가 있은지 3년이 넘었는데, 최근 2개월 동안 가중되었다. 매번 15일쯤이면 1차례 발작을 했는데 5~6일 정도 지속되었고, 매일 7~8次 白色의 찐득찐득한 아교 모양의 물체를 瀉下하였다. 頭暈·畏寒을 동반하면서 비록 초여름 계절인데도 여전히 솜옷을 입었으며, 精神이 피로하면서 심하게 苦惱하였다. 大便化驗: 黏液(++++), 나머지는 이상한 점을 볼 수 없었다. 診斷은 위장 신경증으로 인한 消化不良이다. 症狀은 脈沉實而滑, 舌質淡嫩, 苔厚膩而不燥, 面色灰暗, 語言低微, 肌體消瘦, 腹脹痛拒按, 胸腹滿悶不饑, 乾噫食臭, 口乾不欲飮이 나타났다. 症狀은 虛中夾實에 속하는데, 脾土虛寒한데 다시 積滯를 끼고 있어서 溫脾湯 20제를 투여했더니 완전히 나았다.

考察: 본 醫案에서 서술하는 症狀은 비록 간단하지만, 腹痛拒按, 形瘦不饑, 面灰, 舌淡, 脈沉實로 분석해 보면 脾土虛寒에 積滯를 끼고 있어서 생기는 것이다. 그러므로 溫脾湯을 취하여 溫補·攻下하여 효과를 얻었다.

2. 腸癰(급성충수염)『浙江中醫雜誌』(1986, 9:425): 某 남자, 58세. 초기에는 惡寒發熱하였으나 계속해서 上腹部가 隱痛했으며, 다음날 오후에 우측 상복부에 急痛이 생기면서 참기 어려웠으며 우측 대퇴부를 굴신할 수 없었는데, 진단하기를 '급성 충수염'이라고 하기에 받아들이고 入院하였다. 가족들이 수술을 원하지 않았는데, 症狀을 보니 寒熱往來, 汗出肢冷, 捫之右少腹隆起, 疼痛灼熱, 苔白, 脈沉緊하였다. 症狀이 瘀熱이 闌門을 阻滯한 것에 속하였다. 治療는 涼血逐瘀·排膿消腫하는 것이 마땅하여 溫脾湯에 加味한 것을 투여하였다. 二劑를 服用하니 腹痛이 크게 감소하였고, 다시 二劑를 服用하니 腹痛이 완화되면서 少腹의 腫塊도 역시 사라졌다.

考察: 『金匱要略』에서 말하기를 "腸癰者, 少腹腫痞, 按之即痛如淋, 小便自調, 膿未成, 可下之. …… 大黃牡丹湯主之."라고 하였다. 본 예에서 脈沉緊, 苔淡白, 寒多熱少, 汗出肢厥한 것은 寒邪가 裏에 있어서 冷積이 闌門을 瘀阻한 것을 설명하는 것으로, 膿이 아직 생성되지 않았기 때문에 본 方劑를 사용하여 溫補攻下하면서 扶正祛邪한 것이다. 大黃을 重用하여 腸中의 瘀積과 邪毒을 蕩滌한 것이 지극히 病勢와 적절하였다. 만약 辨證이 정확하지 않아서 腸癰이라는 것을 한 번 듣고는 곧바로 清熱解毒하는 藥物을 자주 투여하였다면, 이와 같은 症狀의 정황으로 봤을 때에는 抱薪救火하려는 것과 같을 것이다.

3. 腸管 癒着 症『四川中醫』(1987, 1:42): 某 여자, 48세. 1982년 10월 5일 진단. 2년 전에 '급성충수염'으로 맹장 절제술을 행하였고, 수술 후에 늘 脘腹絞痛하고 消化道가 攝片하여 腸管 癒着 症으로 진단받았다. Chymotrypsin·胎盤組織液을 注射하였지만 모두 효과가 없었으며, 中藥으로 活血理氣止痛하는 것을 주었지만 효과는 역시 미미하였다. 現症: 腹脹痛陣作, 伴惡心嘔吐, 大便秘結, 面色白, 食少神萎, 形寒, 四肢厥冷, 腹部稍膨脹, 苔薄舌淡, 邊有瘀點瘀斑으로 추가, 이것은 脾陽이 안에서 결핍되면서 運化를 하지 못하게 되고, 寒瘀가 서로 뭉쳐서 邪氣가 腸腑에 침입한 것이다. 溫陽益氣·扶正祛邪·通腑攻下를 적용해야 하는데, 방제로는 溫脾湯에 加味한 것을 투여하였다. 十劑를 복용하니 나았다.

考察: 이 의안은 수술 후에 傷氣한 것으로, 氣가 손상되면 陽에까지 영향을 미치고, 脾陽이 안에서 결핍되면서 運化를 하지 못하게 되고, 寒瘀가 서로 뭉쳐서 邪氣가 腸腑에 침입한 까닭으로 생긴 질병에 대한 것이다. 그러므로 溫脾湯을 위주로 하면서 溫陽益氣·扶正祛邪·通腑攻下하면 腸腑에 있는 寒瘀의 邪氣로 하여금 溫下의 기전이 생기게끔 하는 것이니 빠른 치유를 얻은 것이다.

4. 腿痛『實用中醫藥雜誌』(2004, 12:703): 某 남자, 44세. 腿痛이 27년 되었다. 수일 전에 身熱汗出하여 선풍기에 바람을 쐬면서 잠이 들었는데, 깨어나서 보니 온몸이 뻣뻣하면서 땅을 디뎠는데 통증이 심하였으며, 여러 가지로 治療하였는데 효과가 없었다. 체구가 매우 뚱뚱하여 다른 사람들이 겨우 부축하여 비틀거리며 걸어서 도착하였다. 面白, 動作遲緩, 言語低鈍, 音聲不揚, 表情呆滯. 우측 종아리가 당기면서 아픈데, 무겁기가 마치 납을 부어놓은 것 같다고 말하였다. 아픈 다리를 살펴보니 色淡하면서 따뜻하지 않았고, 無汗·無腫하였으며, 筋肉關節은 정상적이였고, 病理적인 반사도 陰性이였다. 舌淡胖紫, 苔滑膩, 脈沉弦하였다. 痛痹로 진단하였는데, 症狀은 寒中陰經·血瘀絡阻에 속하였다.

治療는 溫經散寒·化瘀除濕通脈하는 것이 마땅하다.

方劑로는 溫脾湯에 加味한 것을 적용하였다. 附子 18 g, 白朮·大黃(後入) 各 12 g, 桂枝 10 g, 人蔘 9 g, 甘草 3 g, 乾薑 15 g, 三劑. 복약 후에 清冷한 맑은 大便이 잇달아 나오면서 양이 많았고, 통증과 重感이 모두 감소하였지만, 힘은 없었다. 原方에서 大黃을 6 g으로 줄이고, 白芍 12 g, 牛膝·杜仲 各 15 g, 骨碎補 30 g

을 넣어 계속해서 六劑를 복용하였더니 모든 症狀이 다 제거되었다.

考察: 濕痰이 壅盛한 體質이 잠자는 중에 涼風이 침습하면 筋脈이 收引澀滯하여 營衛가 環流周身하지 못하면 氣滯血瘀痰阻하여 많은 병이 생기는 것이다. 附子·乾薑은 大辛大熱하여 十二經을 通行하기에 散寒止痛하고, 白朮·桂枝는 燥濕化氣行水하며, 人蔘·甘草는 益氣補中하고, 大黃은 胃腸의 積滯를 蕩滌하여 活血行瘀·引邪外出한다. 질병이 過半 이상 나으면 原方에서 大黃을 줄이고 白芍의 活血斂陰과 牛膝·杜仲·骨碎補의 補肝腎·壯筋骨하는 것을 넣어서 그 이후를 잘 조리하는 것이다.

三物備急丸

(『金匱要略』)

【異名】 備急丸(『千金翼方』卷20)·抵聖備急丸(『千金月令』, 錄自『醫方類聚』卷107)·巴豆三味丸(許仁則方, 錄自『外臺秘要』卷6)·備急三物丸(『聖濟總錄』卷180)·返魂丹(『雞峰普濟方』卷9)·獨行丸(易老方, 錄自『景岳全書』卷55)·備急大黃丸(『內外傷辨惑論』卷11)·備急丹(『衛生寶鑒』卷4)·大黃備急丸(『醫學入門』卷7)·三仙串(『串雅補』卷2)·三聖丹(『仙拈集』卷1).

【組成】 大黃 一兩(30 g) 乾薑 一兩(30 g) 巴豆 去皮心, 熬, 外研如脂 一兩(30 g)

【用法】 이상의 藥物을 각각 정성스럽게 신선한 것으로 준비하여 먼저 大黃·乾薑을 찧어 분말로 만들고, 巴豆를 硏末하여 속에 넣어서 합하여 천 번 절구질한 다음에 煉蜜로 丸을 만들어 밀폐된 용기 중에 저장하여 새어나가지 않게 한다. 만약 中惡 客忤로 心腹滿, 卒痛如錐刺, 氣急口噤, 停尸卒死하는 자는 暖水·苦酒로 大豆 크기의 三~四丸을 복용하는데, 혹시 삼키지 못한다면 머리를 받쳐서 일으켜 앉힌 다음에 목구멍으로 부어 넣어 삼키게 하면 잠시 후에 낫는다. 만약 차도가 없으면 다시 三丸을 주는데, 腹中鳴하면서 곧 吐下하면 즉시 낫는다. 만약 口噤이 있으면 또한 이빨을 열어서 灌服시킨다(現代用法: 丸劑로 만들어서 成人은 매번 0.6~1.5 g을 米湯 혹은 溫開水에 삼킨다. 만약 口噤하여 입을 열지 못하는 자는 鼻飼法으로 약을 공급한다).

【效能】 攻逐寒積.

【主治】 寒積急證. 卒然心腹脹痛, 痛如錐刺, 氣急口噤, 大便不通, 甚或暴厥, 苔白, 脈沉而緊.

【病機分析】 본 方證은 飮食不節로 冷食이 積滯하여 腸胃에 막히거나 혹은 暴飮暴食한 후에 또한 다시 寒邪를 感受하여 氣機가 막히면서 운행되지 못해서 생긴다. 冷食이 積滯하여 胃腸을 막으면 氣機가 막혀서 上焦不行하고 下脘不通하게 되면 갑자기 心腹脹痛하고, 심하면 痛症이 마치 송곳으로 찌르는 것과 같으며, 大便不通한다. 寒은 陰邪이고 그 성질이 收引하기 때문에 寒邪가 속으로 들어가면 寒積이 안을 막아서 氣機가 운행되지 않게 되고 陰陽의 氣가 순조롭게 접속되지 못하므로 氣急口噤하는 것이고, 심하면 간혹 暴厥하게 되는 것이다. 苔白과 脈沉緊은 寒積으로 裏實한 症狀이다.

【配伍分析】 본 方劑는 寒凝氣滯로 裏實寒積하여 發病이 暴急한 症狀을 위하여 설계한 것이다. 『素問』「至眞要大論」의 "寒者熱之"와 『素問』「陰陽應象大論」의 "其實者, 散而瀉之."하라는 治療 原則에 근거하여 寒積을 攻逐하는 것으로 법칙을 세웠다. 症狀이 寒積에 속하고 發病이 暴急하기 때문에 이때에는 大辛大熱한 藥物을 사용하지 않는다면 開結散寒할 수 없고, 急攻峻下하는 藥物을 사용하지 않는다면 그 積滯를 제거할 수 없다. 方劑 중의 巴豆는 辛熱하면서 峻下하는

데, 胃·大腸經으로 歸經하여 “開竅宣滯, 去臟腑沉寒.”(『本草從新』卷8)하므로 君藥으로 삼았다. 乾薑은 辛熱하면서 溫中하는데, 脾·胃經으로 歸經하여 “溫經逐寒”(『本草從新』卷11)하므로 巴豆를 도와 腸胃의 寒積을 攻逐하니 臣藥이 된다. 大黃은 苦寒하면서 脾·胃·大腸經으로 歸經하는데, 본 方劑에서 사용할 때에는 積滯를 攻下하면서 또한 巴豆의 辛熱한 毒을 감독하고 제어할 수 있으므로 佐藥이 된다. 세 가지 藥物을 함께 사용하면 힘이 날래고 효과가 빨라서 寒積을 急下시키는 峻劑가 된다. 그러므로 原方의 方後에서 말하기를 “當腹中鳴, 即吐下便差.”이라고 하였다. 본 方劑의 세 가지 藥物은 과격하기에 暴急寒實의 症狀에 대비하여 사용하는 것이다. 그러므로 方劑의 명칭을 三物備急丸이라고 불렀다.

【臨床應用】

1. 證治要點: 본 方劑는 오로지 裏實寒積으로 暴急하게 發病하는 것을 위해서 설계한 것으로, 임상에서는 卒然心腹脹痛, 大便不通, 暴厥하면서 熱證이 없는 자가 證治의 요점이 된다.

2. 본 方劑는 현대에 食物 中毒·急性 單純型 腸閉塞 등의 辨證이 裏實寒積에 속하고, 體質이 壯實하면서 病勢가 危急한 자에게 상용한다.

3. 三物備急丸은 다음 한국표준질병사인분류(KCD)에 해당하는 환자가 寒積急證으로 辨證되는 경우 본 처방의 사용을 고려해볼 수 있다.

처방 목표	한국표준질병사인분류(KCD)
食物 中毒	A04 기타 세균성 장감염
	A05 달리 분류되지 않은 기타 세균성 음식 매개중독
急性 單純型 腸閉塞	K56.0 마비성 장폐색증
	K56.6 기타 및 상세불명의 장폐색
	K56.7 상세불명의 장폐색증

【注意事項】

1. 方劑 중 巴豆의 毒性이 비교적 劇烈하여 胃腸에 대한 刺激性이 비교적 강하므로 모름지기 病勢의 輕重에 근거하여 적당하게 用量를 장악하고, 嚴密하게 觀察하여 慎重하게 사용해야 한다.

2. 孕婦나 年老하여 체력이 약한 자 및 溫暑의 熱邪로 생긴 暴急腹痛의 症狀에는 모두 사용을 禁忌한다.

3. 본 方劑를 복용한 후에 瀉下가 그치지 않는 자는 冷粥을 먹이면 그치는 경우도 있다.

【變遷史】 본 方劑는 『金匱要略』의 雜療方 중에 처음으로 실려 있는데, 書中에는 “用爲散, 蜜和丸亦佳”라고 실려있다. 그러므로 劑型을 丸으로 만든 것은 三物備急丸이고, 散으로 만든 것은 三物備急散이라고 부른다. 原方에서는 “心腹諸卒暴百病, 若中惡, 客忤, 心腹脹滿, 卒痛如錐刺, 氣急口噤, 停尸卒死者.”를 治療한다고 하였다. 역대의 의학자들이 응용하여 또한 발전시켰으니, 예를 들어 『醫方類聚』卷107에서 인용한 『千金月令』에서는 이것을 사용하여 “乾霍亂, 心腹百病, 疰痛.”를 治療하였고, 『外臺秘要』卷6에서 인용한 『許仁則方』에서는 이것을 사용하여 “乾霍亂, 心腹脹滿, 攪刺疼痛, 手足厥冷, 甚者流汗如水, 大小便不通, 求吐不出, 求利不下, 須臾不救, 便有性命之慮, 卒死及感忤口噤不開”하는 자를 治療하였으며, 『聖濟總錄』卷180에서는 이것을 사용하여 “喉痹水漿不下, 小兒木舌, 腫脹滿口中.”한 것을 治療하였다. 이 외에 『肘後備急方』卷8의 三物備急散은 『外臺秘要』卷10에서 인용한 『宮泰方』의 三物備急散과 대불어 실제로는 『金匱要略』의 三物備急散인데 主治에 대략의 변화가 있다. 前者는 “心腹諸疾, 卒暴百病.”을 治療한다고 하였고, 後者는 “卒死客忤, 卒上氣, 呼吸不得下.”를 주관한다고 하였으니, 이것이 三物備急丸을 임상에서 응용하면서 발전시킨 것이다. 현대에는 食物 中毒·急性 單純型 腸閉塞 등 寒積實證에 속하면서 體質이 壯實하고 病

勢가 비교적 급한 자에게 일정한 治療 효과가 있다. 본 방제에 加減하여 변화 발전시킨 것으로는『備急千金要方』卷17의 雷氏千金丸이 있는데,『金匱要略』의 三物備急丸의 기초상에서 硝石·桂心을 넣어 만든 것이다. 消石은 苦寒性溫하여 破堅消積하고 瀉下利尿하는데,『神農本草經』卷2에는 "主胃中脹閉, 滌蓄結飮食."라고 하였으며, 巴豆·大黃과 함께 사용하면 瀉下시키는 힘이 더욱 맹렬해진다. 桂心은 乾薑과 配伍하면 溫中祛寒시키는 힘이 더욱 좋다. 그 方劑를 구성한 묘미를 분석해보면 조금도 손색이 없으니, 原書에서 記載하기로는 "主行諸氣, 宿食不消, 中惡, 心腹痛如刺及瘧."이라고 하였다.『普濟方』卷365의 三物備急丸은 구성 藥物에 있어서 大黃을 빼고 木香을 넣은 것으로, 小兒의 心脾經에 邪氣가 침범하여 重舌腫脹, 語聲不出, 水飮不下하거나 喉痹로 水漿不下하는 데 사용한다. 현대에는 天津中西醫結合 急腹症 硏究所에서 創製한 新方인 巴黃丸은, 본 方諸에서 乾薑을 빼고 만든 것으로, 藥理實驗에서 표명하기를 巴黃丸은 腸蠕動을 增强시켜 瀉下作用을 일으키는 것을 갖추고 있어서 급성충수염 등 急腹症을 治療하는 데 양호한 治療 효과가 있다고 하였다.

【難題解說】 方劑 중의 大黃과 巴豆의 配伍 意義에 관한 것: 이것에 대하여 古今 醫學者들의 소견이 일치하지 않는다. 王子接이 인식하기를 두 가지는 "性味相畏, 若同用之, 瀉人反緩."(『絳雪園古方選注』卷中)이라고 하였고, 최근의 賢者인 冉雪峰이 말하기를 "本方取乾薑以益其溫, 大黃以益其瀉."(『八法效方擧隅』)이라고 하였다. 巴豆의 작용으로 말할 것 같으면 본래 斬關奪門의 藥物로 攻下시키는 힘이 매우 맹렬하므로 大黃과 配伍하지 않고 홀로 사용하더라도 그 효력은 역시 峻烈하다. 그러므로 본 方劑에서 大黃을 응용한 것은 巴豆의 瀉를 制約하는 데 뜻이 있는 것이다.『本草經集注』에서 명확하게 巴豆는 "畏大黃"한다고 말하였으며, 李時珍이 지적하기를 巴豆는 "與大黃同用, 瀉人反緩, 爲其性相畏也."(『本草綱目』卷35)라고 하였다. 實驗研究의 表明: 三物備急丸은 뚜렷하게 腸管收縮을 강화시키는 작용을 갖추고 있는데, 그 구성 성분인 巴豆는 腸管을 興奮시킬 수 있고, 大黃과 乾薑은 腸管의 緊張性을 낮추는 효능이 나타나는데, 이러한 藥物의 작용은 또한 濃度가 달라지면서 차이가 생긴다(新醫藥學雜志, 1975, 11:41). 이외에 汪昂이 인식하기를 본 方劑의 症狀이 음식물이 腸胃에 정체하여 冷熱이 不調한 것에 있으므로 "大黃苦寒以下熱結, 巴霜辛熱以下寒結."(『醫方集解』「攻裏之劑」)한다고 보았다. 본 方劑가 사용하는 藥物로 분석할 것 같으면 辛熱한 藥物이 많이 차지하므로 溫下之劑에 속하니 治療하는 症狀은 응당 寒에 속하고 實에 속하는 積에 마땅하다. 만약 寒熱夾雜한데 寒邪가 偏重한 자에게는 본 方劑를 또한 사용할 수 있으나, 熱實에 속하는 症狀에는 망령되게 투여해서는 안 된다.

【醫案】

1. 水腫『金匱今釋』引『建殊錄』: 某 禪者가 浮腫을 앓으면서 二便不通하여 겨우 呼吸만 하였는데, 곧 備急丸을 꺼내오게 하여 복용시키니 下利를 수십 번 하면서 浮腫이 감소하였고, 10일이 되지 않았는데 완전히 나았다.

2. 卒中『金匱今釋』引『建殊錄』: 病人이 어느 날 卒倒하여 呼吸이 促迫하고 角弓反張하면서 轉側하지 못하기에 급히 備急丸을 먹게 하였다. 下利를 마치 물이 쏟아지는 것 같이 하더니 곧 예전처럼 회복되었다.

3. 수술 후 腸癒着『浙江中醫學院學報』(1986, 2:19): 某 남자, 30세. 환자는 3년 전에 작업 도중에 상처를 입으면서 脾臟이 파열되어 脾臟 절제술을 받았다. 수술 후에 때때로 腹痛을 느끼면서 食欲이 減退하였다. 1개월 전에 腹痛이 급격하여 입원하여 한달여 동안 治療를 받았지만 腹痛이 감소하지 않아 스스로 퇴원하였는데, 퇴원 시에 진단이 '수술 후 腸癒着'이었다. 症狀으로는 腹痛如錐刺, 腹脹欲破, 大便難行, 畏寒納呆, 舌淡而胖, 邊有齒痕, 苔白厚膩, 脈來細弦가 나타났다. 辨證은 冷積으로 氣滯瘀阻하여 생긴 腹痛이다.

處方과 治療 結果: 三物備急丸을 사용하여 저녁에 0.25 g을 복용하고, 泄瀉를 3차례 이상 하면 곧 冷粥을 一碗 먹여서 설사를 그치게 하라고 당부하였다. 藥物을 먹은 30분 후에 환자는 견디기 힘들어 했으며, 泄瀉를 3차례 한 후에 의사가 부탁한 것에 따라 冷粥 一碗을 마시고 약 20분이 지나니 泄瀉가 그치면서 腹痛腹脹이 전부 제거되었다. 이후에 旋覆代赭湯에 加減한 것을 다시 사용하여 치유하였다. 나중에 방문해서 물어보니 大便이 잘 통하였고 腹痛腹脹도 다시 나타나지 않았다고 하였다.

考察: 수술 후 腸癒着은 冷積으로 腸 계통에 氣滯瘀阻한 것이므로 마땅히 溫下해야 한다. 三物備急丸으로 직접적으로 그 寒積으로 氣結瘀滯한 것을 공격하게 하였더니, 이 症狀처럼 위험한 상태로 하여금 평온하게 만든 것이다.

半硫丸

(『太平惠民和劑局方』卷6)

【異名】 半桃丸(『三因極一病證方論』卷12)·硫半丸(『良朋彙集』卷2).

【組成】 半夏 湯浸七次, 焙乾, 爲細末 硫黃 明淨好者, 研令極細, 用柳木槌子殺過 各等分

【用法】 生薑 自然汁으로 함께 삶아서, 마르면 떡가루와 함께 고르게 뒤섞으면서 빻은 다음, 절구 내에 넣어서 수백 번 절구공이로 찧어서 梧桐子 크기의 丸을 만든다. 매번 15~20丸을 복용하는데, 공복에 溫酒 혹은 生薑湯으로 내려보내고, 婦人은 醋湯으로 내려보낸다.

【效能】 溫腎祛寒, 通陽泄濁.

【主治】 老年虛冷便秘, 或陽虛寒濕久泄. 小便淸長, 面色靑白, 手足不溫, 腹中冷痛, 或腰脊冷重, 舌淡苔白, 脈沉遲.

【病機分析】 본 方劑의 證治는 便秘와 泄瀉로 證候가 相反되는데, 病因·病機는 곧 하나이니 모두 腎陽虛寒로 말미암아 생기는 것이다. 腎陽이 不足하면 陰寒이 內生하여 胃腸에 뭉쳐서 濁陰이 凝聚하는데, 陽氣가 운행되지 않으면 腸道의 傳送을 無力하게 만들고 排便을 困難하게 만듦으로써 便秘가 되는 것이다. 腎은 胃의 關門이 되고 二陰에 開竅하기에 二便의 開閉는 모두 腎이 주관하는데, 지금 腎陽이 虛寒하여 關閉가 주도면밀하지 못하면 泄瀉가 되는 것이고, 腎陽이 不足하여 水가 氣로 변화하지 못하므로 小便淸長한 것이다. 面色靑白, 舌淡苔白, 脈沉遲 등은 모두 陽虛內寒의 징후이다.

【配伍分析】 본 方劑는 腎陽이 虛寒하여 濁陰이 凝聚함으로써 便秘 혹은 泄瀉의 症狀에 이르게 되는 것을 위하여 설계한 것이다. 그러므로 溫腎祛寒·通陽泄濁으로 법칙을 세웠다. 方劑 중에 硫黃은 酸溫 有毒하며 腎·大腸經으로 歸經 하고, 補火壯陽함으로써 陽氣를 推動시키는데, 『本草從新』卷13에 실려있기를 "補命門眞火不足, …… 治老人虛秘."라고 하였으니 君藥이 된다. 半夏는 辛溫 有毒하고 脾·腎經으로 歸經하며, 苦溫으로 燥濕하고 降逆泄濁하며 消痞散結하는데, 『本草綱目』卷17에서 말하기를 "辛溫能散亦能潤, 故行濕而通大便."이라고 하였으니 臣藥이 된다. 두 가지 藥物을 함께 사용하면 脾氣를 升하게 하고 胃氣를 降하게 함으로써 升降에 균형이 생기게 되면 便秘 혹은 泄瀉가 모두 낫는 것이다. 用法中에 生薑 自然汁으로 함께 삶는 것은 溫中散寒降逆하면서 半夏의 毒을 풀고 또한 硫黃의 祛寒通陽을 돕기에 佐藥이 된다. 전체 方劑는 藥物은 간단하지만 힘은 專力하여 함께 溫腎祛寒·通陽泄濁의 效能을 발생한다. 이 方劑가 가지고 있는 配伍의 묘미는 瀉下하는 藥物을 사용하지 않으면서도 泄濁通便의 효능을 거두어들이는 것으로, 便秘證

을 治療하는 또 하나의 法門을 별도로 열었으니, 陽虛冷秘를 治療할 뿐만 아니라 寒濕泄瀉를 治療하는 대표적인 方劑가 되었다.

【臨床應用】

1. 證治要點: 본 方劑를 臨床에서 운용할 때에는 老年의 虛冷便秘와 寒濕久瀉를 논할 것 없이, 응당 面色靑白, 手足不溫, 舌淡苔白, 脈沉遲를 證治의 요점으로 삼는다.

2. 본 方劑는 현대에 老年人의 虛冷便秘, 慢性泄瀉, 神經性衰弱으로 이른 陽痿가 陰寒이 內生하여 濁陰이 凝聚한 症狀인 자에게 상용한다.

3. 半硫丸은 다음 한국표준질병사인분류(KCD)에 해당하는 환자가 老年虛冷, 陽虛寒濕證으로 辨證되는 경우 본 처방의 사용을 고려해볼 수 있다.

처방 목표	한국표준질병사인분류(KCD)
虛冷便秘	K59.0 변비
慢性泄瀉	(질병명 특정곤란)
	K59.1 기능성 설사
	K52.9 상세불명의 비감염성 위장염 및 결장염
神經性衰弱	F52.2 생식기반응의 부전
	N48.4 기질적 원인에 의한 발기부전

【注意事項】 老年氣虛 혹은 產後血虛 및 燥熱便秘 등은 본 方劑에 마땅하지 않다.

【變遷史】 본 方劑는 宋代『太平惠民和劑局方』卷6에 처음으로 나타나는데, "除積冷, 暖元臟, 溫脾胃, 進飮食."하는 效能을 갖추고 있으니, 사용하여 "心腹一切痃癖冷氣, 及年高風秘冷秘, 或泄瀉."를 治療한다. 淸代『溫病條辨』卷3에서 말하기를 본 方劑는 "濕凝氣阻, 三焦俱閉, 二便不通."을 治療한다고 하였는데, 이것은 본 方劑의 臨床的인 응용을 발전시킨 것이다. 現代의『中國中醫秘方大全』의 巴硫散은 본 方劑에서 半夏를 制巴豆霜으로 바꾼 것으로 溫陽逐寒·消積助運의 效能을 가지고 있어서 沉寒凝滯型 慢性泄瀉를 治療하는데, 실제로 半硫丸을 변화 발전시킨 方劑와 연계되어 있다.

【難題解說】 본 方劑가 便秘를 治療할 뿐만 아니라 泄瀉를 治療하는 機制에 관한 것: 이것에 대하여 醫學者들의 인식에 차이가 있다. 첫 번째는 한 方劑가 證候가 相反되는 두 가지 병을 主治하는 관건은 '病機'의 일치 여부에 있다고 인식하는 것이니, 곧 두 가지는 모두 腎陽의 虛寒으로 濁陰이 凝聚한 까닭이다. 두 번째는 본 方劑가 便秘를 治療하는 것은 病機가 陽氣虛寒으로 運化無力한 것이고, 泄瀉를 治療하는 것은 病機가 寒濕이 內聚하여 생긴 것인데, 半夏·硫黃은 모두 '溫熱性燥한 藥物'에 속하기 때문에 治療할 수 있다고 인식하는 것이다. 그 效果가 나는 機制는 바로 吳瑭이 말한 "若久久便溏, 服半硫丸亦能成條, 皆其補腎燥濕之功也."(『溫病條辨』卷3)라고 한 것과 같다. 다만 臨床 실제에서 볼 것 같으면 본 方劑가 治療하는 症狀의 病機는 당연히 腎陽의 虛寒으로 濁陰이 凝聚하여 근심이 된 것에 속하고, 半硫丸은 溫補腎陽·祛寒泄濁하므로 老年의 虛冷便秘나 혹은 陽虛로 寒濕久瀉하는 것에 사용할 수 있다.

【醫案】 虛風便秘『臨證指南醫案』卷4: 吳氏, 陰陽의 氣가 虛해지고, 長夏에 大氣發泄하면서 肝風이 邸張하여 나타나는 症狀이 類中風과 같았는데, 藥劑를 투여한 이후에 모든 근심이 다 감소하였다. 불만스럽게 생각하는 것은 10일 동안 아직 대변을 보지 못한 것이니, 이것은 老人의 風秘이다. 半硫丸 一錢을 開水로 送下하기를 세 번 복용하였다.

考察:『太平惠民和劑局方』卷6에는 半硫丸이 "年高風秘冷秘, 或泄瀉."를 治療한다고 실려있다. 본 의안은 老人風秘로 진단하였기 때문에 半硫丸을 사용하여 효험을 얻은 것이다.

第三節 潤下劑

五仁丸(滋腸五仁丸)

(『楊氏家藏方』卷4)

【組成】桃仁 杏仁 麩炒, 去皮尖 各一兩(各 30 g) 柏子仁 半兩(15 g) 松子仁 一錢二分半(3 g) 郁李仁 麩炒 一錢(3 g) 陳皮 另研末 四兩(120 g)

【用法】五仁을 별도로 硏末하여 膏로 만든 후 陳皮 분말을 넣어 함께 고루 섞어 煉蜜로 梧桐子 크기의 丸을 만든다. 매번 30~50丸을 食前에 米飮으로 복용한다(現代用法: 五仁을 갈아서 膏로 만들고 陳皮를 가루로 만들어 煉蜜로 丸을 만든다. 매번 9 g을 매일 1~2차례 미지근한 물에 복용한다).

【效能】潤腸通便.

【主治】津枯腸燥, 大便艱難, 以及年老或產後血虛便秘. 舌燥少津, 脈細澀.

【病機分析】『素問』「靈蘭秘典論」에서 말하기를 "大腸者, 傳導之官, 變化出焉."이라고 하였다. 평소 體質이 陰虛하거나, 혹은 病에 걸린 것을 治療할 때 汗·利·燥熱의 藥劑를 過用하여 陰津을 손상시켰거나, 혹은 年老하여 陰氣가 半으로 줄고 津液이 날마다 휴손되거나, 혹은 產後에 失血하여 血虛津少하면 모두 津液이 마르면서 腸燥를 초래할 수 있기 때문에 大腸의 傳導가 無力해지면서 大便艱難하게 되는 것이다.

【配伍分析】본 方劑가 治療하는 것은 津液이 말라서 생기는 腸燥便秘證이다. 이때에는 峻藥을 사용하여 攻逐하는 것은 옳지 않으니 津液을 거듭 손상시킬까 두렵기 때문이고, 아울러 사용하여 잠시 통하게 할 수는 있어도 또한 매번 반복해서 변비가 생기고, 심하면 변화하여 다른 證狀이 생길 수도 있다. 그러므로 단지 潤腸通便시키는 것이 옳다. 方劑에서 사용한 杏仁은 味苦하면서 性微溫하고, 滋腸燥·降肺氣하는 효능이 있어서 大腸의 傳導하는 직책을 유리하게 하니, 『本草從新』卷10에서 말하기를 "潤燥 …… 通大腸氣秘."라고 하였고, 桃仁은 味苦 性平하면서 潤燥滑腸하는 效能이 있으니, 『本草從新』卷10에 실려있기를 "潤燥 …… 通大腸血秘."라고 하였는데, 두 가지 藥物을 함께 사용하여 君藥이 된다. 柏子仁은 性味가 甘平하며 質潤多脂하여 潤腸通便하니, 『本草綱目』卷34에 실려 있기를 "潤腎燥 …… 治老人虛秘."라고 하였고, 郁李仁은 味辛苦하면서 性平하며 質潤性降하고 潤滑腸道하여 효능이 麻子仁과 유사하면서도 비교적 강하니, 『本草從新』卷9에서 말하기를 "潤燥, 治大腸氣滯."라고 하였으며, 松子仁은 五臟을 潤澤하게 하는데, 『本草從新』卷10에서 말하기를 "潤燥 …… 治大腸虛秘."라고 하였으니, 세 가지 藥物이 함께 臣藥이 된다. 佐藥은 陳皮로써 理氣行滯하는데, 氣行하게 하면 大腸도 運化되는 것이니, 『本草綱目』卷30에서 그 治療를 말하면서 "大腸閉塞"이라고 하였다. 使藥은 煉蜜로써 丸을 만드는 것인데, 調和諸藥하면서 더욱 그 潤下하는 效能을 도와줄 수 있다. 五仁을 함께 사용하면 潤腸通便하는 효능을 취하면서도 津液을 손상시키지 않으니 津枯로 인한 腸燥便秘에 사용하면 奏效가 매우 빠른 것이다.

【臨床應用】

1. 證治要點: 본 方劑는 潤腸通便하는 藥劑로, 大便艱難, 舌燥少津, 脈細澀한 것을 證治의 요점으로 삼는다.

2. 加減法: 만약 津液이 휴손된 것이 비교적 심한 자는 瓜蔞仁·麻子仁·生地黃·玄參·麥冬 등을 넣어 滋潤通便할 수 있고, 產後의 血虛便秘에 사용할 때에는 當歸·何首烏 等을 넣어 養血潤腸할 수 있으며, 老年의 體虛便秘에는 肉蓯蓉·黑芝麻를 넣어 補虛潤腸하고,

腹脹을 겸하는 자는 枳殼·萊菔子를 넣어 理氣寬腸할 수 있다.

3. 五仁丸은 다음 한국표준질병사인분류(KCD)에 해당하는 환자가 津枯腸燥證, 年老或產後血虛證으로 辨證되는 경우 본 처방의 사용을 고려해볼 수 있다.

처방 목표	한국표준질병사인분류(KCD)
痔瘡	K64 치핵 및 항문주위정맥혈전증
便秘	K59.0 변비
習慣性便秘	K59.0 변비

【注意事項】 方劑 중 桃仁은 祛瘀通經할 수도 있고, 郁李仁은 通便하는 작용이 비교적 강하므로 孕婦의 便秘에는 마땅히 신중하게 사용해야 한다.

【變遷史】 본 方劑는 宋代『楊氏家藏方』卷4에 제일 처음 보이는데, 이름을 '滋腸五仁丸'이라고 하였고, 主治는 "老人及氣血不足之人, 大腸閉滯, 傳導艱難."이라고 하였으며, 元代『世醫得效方』卷6에서부터 '五仁丸'이라고 부르기 시작하였다. 이후에 많은 의학자들이 본 方劑의 기초상에서 藥味를 增損하여 변화 발전시켜서 많은 新方이 만들어졌다. 예를 들면『雜病源流犀燭』卷10에서는 본 方劑에 陳皮를 빼고 湯劑로 고쳐서 '五仁湯'이라고 불렀는데, 治療하는 症狀의 종류는 같지만 湯劑는 효과가 빠르고 丸劑는 효과가 완만하다는 차이가 있는 것에 불과하므로 각각 마땅한 바가 있다.『醫級』卷7의 五仁丸은 본 方劑에서 桃仁·杏仁·陳皮를 빼고, 瓜子仁·麻仁을 넣어 구성한 것으로, 腸胃熱結로 燥閉不便하는 것을 主治한다.『增訂喉科家訓』卷4의 五仁丸은 본 方劑에서 桃仁·陳皮·松子仁을 빼고, 火麻仁·瓜蔞仁을 넣어 구성한 것으로 痧病 후에 大便이 燥結한 것을 主治한다.『重訂通俗傷寒論』에서는 丸劑인 본 方劑를 湯劑로 변환시키고 아울러 藥量을 調整하여 五仁橘皮湯으로 이름을 바꾸었는데, 方劑로는 甜杏仁 三錢, 松子仁 三錢, 鬱李仁 四錢, 原桃仁 二錢, 柏子仁 二錢, 廣橘皮 錢半으로 구성하였으며, 方後에 말하기를 "若用急下, 加元明粉二錢, 提淨白蜜一兩, 煎湯代水可也. 挾滯, 加枳實導滯丸三錢. 挾痰, 加礞石滾痰丸三錢. 挾飮, 加控涎丹一錢. 挾瘀, 加抵當丸三錢. 挾火, 加當歸龍薈丸三錢. 挾蟲, 加椒梅丸錢半, 或呑服, 或包煎."이라고 하여, 作用과 主治는 五仁丸과 서로 같지만 임상에서 症狀에 따라 加減한 것은 크게 發揮한 것이 있으니, 이것이 본 方劑를 응용하면서 발전된 것이다. 現代의『全國中藥成藥處方集』에 있는 五仁潤腸丸(天津方)은 生地黃·廣陳皮 各 120 g, 桃仁(去皮)·火麻仁 各 30 g, 郁李仁 9 g, 柏子仁 15 g, 菝蓉(酒蒸) 30 g, 熟軍·當歸 各 30 g, 松子仁 9 g을 사용하여 煉蜜로 丸을 만들고, 매번 一丸(9 g)을 끓인 물로 내려보내서 服用하는데, 潤腸通便하는 작용이 있어 大腸燥熱로 便秘腹脹, 食少, 消化不良하는 것을 主治한다. 處方의 構成이나 配伍를 분석해 보면 역시 五仁丸으로부터 변화 발전되어 온 것이다.

【醫案】

1. 氣血兩虛便秘『雲南中醫雜誌』(1990, 5:27): 某 여자, 37세. 1978년 10월 17일 初診. 12년 전에 產後(第3胎) 오래지 않아 涉水勞動을 하면서 나중에 痢疾을 앓았고 오랜 시일을 끌면서 낫지 않았는데, 이후에 大便이 時乾時稀하였다. 여러 해 동안 慢性結腸炎 治療를 받았으며, barium 結腸鏡 및 barium 灌腸 검사를 거쳤지만 消化道·結腸·直腸에 病變을 발견할 수 없었다. 婦人科 檢查:子宮後屈, 우측 子宮附屬器 增厚性癒着, 子宮頸部 Ⅱ度 糜爛. 現證: 大便艱難·乾硬, 常便秘 6~7일, 화장실에 가면 힘써 노력한지 1~2시간 후에 볼 수 있었으며 다만 大便을 보더라도 시원하지 않았다. 힘써 노력한 후에는 전신에서 땀이 나면서 頭暈目眩하였다. 평상시에 肛門이 急脹重墜하여 참기 힘들었고 자주 화장실에 가지만 시원하게 나오지 않았다. 이것 때문에 坐臥不安, 食欲不振, 心悸失眠, 時腹脹痛, 形體消瘦, 面色萎黃, 憔悴하여 마치 50여 세의 老婦같이 보였다. 때로는 頭昏氣短, 耳鳴, 惡寒, 尿頻, 夜尿가 많았고, 苔薄白, 舌體瘦而尖略紅, 脈沉細하였다. 證狀은 久病으로 體虛하고 氣血虛弱해지면서 腸津乾

枯한 것에 속한다.

處方과 治療 結果: 炙黃芪 30 g, 白朮 15 g, 陳皮 10 g, 潞黨参 20 g, 柏子仁 15 g, 杏仁 9 g, 桃仁 9 g, 火麻仁 15 g, 當歸 30 g, 熟地 30 g, 炙首烏 15 g, 肉蓯蓉 15 g, 砂仁 10 g, 炙草 6 g. 一劑 후에 大便이 이미 풀리면서 또한 부드럽게 매일 1번 보았다. 墜脹感이 크게 감소하고 全身症狀 및 精神적인 面貌가 뚜렷하게 호전되었다. 연속해서 10여 劑를 복용해서 나았다.

考察: 본 醫案은 產後에 氣血이 不足한데 또한 다시 外邪를 感受하면서 瀉痢不止하여 더욱 虛하게 만들었고, 오랫동안 氣血虛弱이 過度하면서 便秘에 이르게 된 것이 오랫동안 治療해도 낫지 않은 것이다. 그러므로 五仁으로 潤腸通便하고, 八珍湯에 加減한 것으로 補益氣血潤燥하며, 肉蓯蓉의 작용은 補腎益精·潤腸通便하는 것에 있고, 砂仁을 넣어 理氣한 것이다. 본 醫案의 환자에게는 肛門이 急脹重墜한 감각이 있었는데, 이전에는 子宮後屈로 S狀結腸을 압박한 까닭이라고 의심을 했었다. 婦人科 檢査를 거치면서 子宮後屈이 뒤쪽으로 S狀結腸을 압박하여 急脹感을 조성할 만큼에 이르지도 않았을 뿐만 아니라, 또한 大便도 乾澀艱難해지지는 않았을 것이다. 그러므로 본 醫案은 분명히 氣血虛弱으로 말미암아 津枯腸燥해서 생긴 것이다.

2. 熱病 후의 陰虛便秘『雲南中醫雜誌』(1990, 5:27): 某 남자, 8세. 1977년 11월 3일 高熱이 3일 동안 물러나지 않아서 '高熱待查'로 입원 治療하였다. 입원 시의 體溫은 39.7℃였고, 咽部는 중등도로 充血되었으며, 心肺는 正常이고, 體徵은 缺乏되었으며, 神志는 분명하였다. 당시에 백혈구 총수가 약간 높아서 西醫가 항생제 治療를 3일 동안 하였지만, 體溫이 물러나지 않고 도리어 계속 높아지면서 한 차례 40.7℃에 도달한 적도 있었다. 患兒는 肌膚灼手, 面色潮紅, 舌紅絳無苔, 口乾思飮不多, 脈細數하였다. 한의사가 溫病의 熱入營分과 관련있다고 인식하여 淸營湯을 복용한 후에 熱이 물러났다. 오직 大便을 5일 동안 보지 못하면서 腹部硬痛, 食少神倦, 口舌咽乾燥, 舌紅少苔, 脈沉弱하였다. 이것은 熱病으로 陰液이 손상되어 생긴 便秘이다. 增液湯 一劑(生地黃 15 g, 玄参 9 g, 麥冬 15 g)를 복용했는데 효과가 없었다. 五仁橘皮湯에 增液湯을 합한 것으로 바꾸어 사용하였다: 甜杏仁 9 g, 桃仁 5 g, 郁李仁 6 g, 柏子仁 9 g, 火麻仁 12 g, 橘皮 6 g, 生地黃 12 g, 玄参 6 g, 麥冬 9 g. 一劑 후에 大便을 1차례 보았는데, 양이 적고 약간 乾黑하였으며, 津液이 회복되었는지 입은 이미 심하게 건조하지는 않았다. 다시 二劑를 복용하고는 大便이 通暢하였다.

考察: 본 예는 비록 增液湯을 복용하였지만 大便이 나오지 않았으며, 다만 陽明邪熱의 見證이 없으므로 硝·黃으로 攻下할 필요가 없으니, 正氣가 손상되는 것을 벗어나야 한다. 직접적으로 增水行舟함으로써 潤腸通便시켜야 한다.

3. 溫燥病 후의 肺燥腸閉便秘『雲南中醫雜誌』(1990, 5:28): 某 남자, 35세. 1971년 9월 21일 진료받으러 옴. 처음에는 外感으로 發熱頭痛, 咳嗽少痰, 氣逆胸痛, 咽喉乾痛, 口渴思飮, 口唇乾裂, 舌紅苔白而乾, 脈浮細數하여 '溫燥'로 진단하였다. 疏表潤燥劑로 治療를 거친 후에 熱이 물러나면서 몸이 시원해졌다. 현재는 咳嗽痰黏難咯, 大便燥結, 五日未行, 腹滿似脹, 口乾咽燥, 小便短澀, 脈細數沉滯하여 五仁橘皮湯에 沙蔘麥冬湯을 합하여 二劑를 복용한 후에 大便通暢하면서 나머지 症狀들이 모두 감소하였다.

考察: 이 예는 溫燥 후기의 肺燥腸閉證으로 五仁橘皮湯이 이미 症狀에 딱 알맞은 방제이다. 다만 患者를 보면 燥氣가 肺의 津液을 손상한 것이 비교적 심하기 때문에 乾咳口渴하므로 沙蔘麥冬湯을 주어 함께 사용한 것이다.

【副方】 潤腸丸(『脾胃論』卷下): 大黃 去皮 當歸 梢 羌活 各五錢(各 15 g) 桃仁 湯浸去皮尖 一兩(30 g) 麻子仁 去皮, 取仁 一兩二錢五分(37.5 g).

- 用法: 위에서 麻仁만 빼서 따로 갈아서 진흙처럼 만들고, 나머지는 細末로 만들어서 煉蜜로 梧桐子 크기의 丸을 만든다. 매번 50丸을 空心에 白湯을 사용하여 복용한다.
- 作用: 潤腸通便, 活血祛風.
- 適應症: 飮食勞倦, 風結血結, 大便秘澀, 或乾燥閉塞不通, 全不思食.

潤腸丸과 五仁丸은 모두 潤腸通便시키는 方劑이다. 다만 潤腸丸은 當歸·桃仁·麻子仁 등 養血潤腸通便藥을 위주로 하면서 大黃·羌活 등의 瀉下活血祛風藥과 配伍하여 方劑를 構成한 것으로 風熱이 大腸으로 들어가거나 血燥로 뭉쳐서 생긴 風結·血結의 症狀을 主治하고, 五仁丸은 油脂를 함유하고 있는 果仁을 응용하여 潤燥滑腸을 위주로 하면서 소량의 行氣導滯하는 陳皮로 方劑를 조직하여 津虧腸燥의 便秘證을 잘 다스린다.

更衣丸

(『先醒齋醫學廣筆記』卷1)

【異名】 朱砂蘆薈丸(『證治彙補』卷1).

【組成】 朱砂 研如飛面 五錢(15 g)·眞蘆薈 研細 七錢(21 g)

【用法】 好酒를 조금씩 떨어뜨려 丸을 만든다. 매번 一錢二分(5 g)을 好酒로 삼켜서 服用하는데, 아침에 服用하면 저녁에 통하고 저녁에 服用하면 아침에 통하며, 날씨가 맑은 날을 기다려 몸을 닦은 다음에 받아들이면 오묘하다(現代用法: 白酒 적당량을 떨어뜨려 곱게 간 朱砂·蘆薈와 조화롭게 하여 丸을 만드는데, 매번 3~6 g을 黃酒 혹은 米湯으로 복용한다).

【效能】 瀉火通便.

【主治】 腸胃燥熱, 大便不通. 心煩易怒, 睡眠不安, 舌紅苔黃, 脈弦數.

【病機分析】 大腸은 傳導之官인데, 만약 肝火가 偏旺하면 腸胃가 燥熱해지면서 津液을 耗傷하게 되고 腸道가 乾澀해지면 大便이 乾結하여 不通하는 것이고, 肝火가 心을 擾亂하여 心肝의 火가 旺盛해지면 心煩易怒, 睡眠不安, 舌紅苔黃, 脈弦數하는 것이다.

【配伍分析】 본 方劑는 腸胃의 燥熱로 인한 便秘證에 心神不安이 함께 나타나는 자를 主治하므로 瀉火通便으로 법칙을 세운 것이다. 方劑 중에 蘆薈를 重用하였는데, 苦寒하면서 肝·心·胃·大腸經으로 歸經하고, 淸熱涼肝·瀉火通便하므로 君藥이 되고, 朱砂는 性寒하며 心經으로 歸經하고, 心經의 邪熱을 瀉하여 重墜下達하므로 臣藥이 된다. 蘆薈의 氣味가 穢惡하기 때문에 好酒를 조금 사용하여 辟穢和胃하는 것이다. 함께 사용하면 瀉火通便의 효능이 나타난다.

方劑의 명칭을 '更衣'라고 한 것은 그 通便하는 효능을 말하는 것으로 고대인들은 화장실에 가면 반드시 옷을 갈아입은 것에서 유래하였다.

【臨床應用】

1. 證治要點: 본 處方은 瀉火通便시키는 方劑로 大便不通, 心煩易怒, 舌紅, 脈弦數을 證治의 요점으로 삼는다.

2. 본 方劑는 현대에 習慣性便秘나 高血壓便秘 등이 肝火偏旺하여 腸胃燥熱한 것에 속하는 자에게 상용한다.

3. 更衣丸은 다음 한국표준질병사인분류(KCD)에 해당하는 환자가 腸胃燥熱證으로 辨證되는 경우 본 처방의 사용을 고려해볼 수 있다.

처방 목표	한국표준질병사인분류(KCD)
習慣性便秘	K59.0 변비
高血壓	I10 본태성(원발성) 고혈압
	I15 이차성 고혈압
便秘	K59.0 변비

【注意事項】 脾胃虛弱하여 胃呆納少하거나 孕婦의 便秘에는 모두 사용하는 게 마땅치 않다.

【變遷史】 본 方劑는 『先醒齋醫學廣筆記』卷1에서 나왔으며, 명칭은 『古今名醫方論』卷4에서 보인다. 原書에 記載되어 있기로는 "治大便不通, 張選卿屢驗."이라고 되어 있다. 柯琴이 말하기를 "兩陽合明而胃家實, 仲景制三承氣下之. 水火不交而津液亡, 前賢又制更衣丸以潤之. 古人入廁必更衣, 故爲此丸立名. 用藥之義, 以重墜下達而奏功."(錄自『古今名醫方論』卷4)이라고 하였다. 『成方便讀』卷1에 記載된 更衣丸은 方劑로 蘆薈 二兩과 麥冬 一兩을 찧어서 丸을 만들고, 朱砂 一兩으로 옷을 입혀서 만든 것으로 燥火가 有餘하여 津枯便閉한 症狀을 治療하였는데, 그 構成을 분석해 보면 본 方劑에 麥冬을 넣어 만든 것이다. 현대에는 蘆薈·朱砂로 캡슐劑를 만들어서 이름을 '更衣膠囊'이라고 불렀으며, 潤腸泄熱通便하는 효능이 있어서 病後에 津液이 不足하거나 혹은 肝火가 內熾하여 생기는 便秘腹脹에 사용하는데, 본 方劑의 治療 효과를 유지할 뿐만 아니라 服用하는데 편리하게 하였으니 본 方劑를 발전시킨 것이다.

【醫案】

便秘 『歷代名方精編』: 1970년 5월, 農民인 沈金發, 남성, 40세. 面赤口苦하고 心煩不安하여 나에게 治療받고자 왔다. 按其脈來 弦數有力, 望其舌邊尖紅, 苔黃하였는데, 이것은 心肝의 두 經에 實火가 있는 것에 속한다. 大便을 물어보니 이미 3일 동안 보지 못하였다고 하니, 更衣丸을 주면서 매번 4.5 g씩 하루에 2차례 복용하도록 부탁하였다. 연속해서 4일을 복용하니 大便이 通暢하면서 모든 병이 다 나았다.

濟川煎

(『景岳全書』卷51)

【組成】 當歸 三至五錢(9~15 g) 牛膝 二錢(6 g) 肉蓯蓉 酒洗去鹹 二至三錢(6~9 g) 澤瀉 一錢半(4.5 g) 升麻 五分至七分 或一錢(1.5~3 g) 枳殼 一錢(3 g)

【用法】 물 한 그릇 반으로 7~8分이 되도록 달여서 食前에 복용한다.

【效能】 溫腎益精, 潤腸通便.

【主治】 腎陽虛衰, 精津不足. 大便秘結, 小便淸長, 腰膝酸軟, 舌淡苔白, 脈沉遲.

【病機分析】 본 方劑의 證治는 그 病機가 腎陽이 虛衰하여 精津이 부족함으로써 開闔을 하지 못하는 것에 있다. 腎은 五液을 주관하면서 二便을 맡고 있다. 지금 腎陽이 虛衰하여 陽氣가 운행되지 못하면 津液이 통하지 않으면서 大腸에 津液을 펼치지 못하고, 精津이 부족하면서 腸道가 濡潤받지 못하면 모두가 大便의 秘結不下를 초래하는 것이다. 腎陽이 虛衰하여 溫化하지 못하면 膀胱의 氣化가 不利해지므로 小便淸長하는 것인데, 동시에 小便淸長한 것이 또한 腸의 津液不足을 초래하여 大便秘結해지는 것이니, 바로 『諸病源候論』卷14에서 말한 "腎臟受邪, 虛而不能制小便, 則小便利, 津液枯燥, 腸胃乾澀, 故大便難."이라고 한 것과 같다. 腰는 腎의 府이면서 腎은 骨髓를 주관하는데, 腎陽이 虛衰하면 精津이 부족해지면서 骨髓를 充養하지 못하므로 腰膝酸軟이 나타나는 것이고, 舌淡苔白하고 脈沉遲한 것은 모두 陽虛의 징후이다.

【配伍分析】 본 方劑는 腎陽虛衰로 精津이 부족해지면서 大便秘結, 小便淸長, 腰膝酸軟하는 자를 위하여 설계된 것이다. 『素問』「三部九候論」에 나오는 "虛者

補之"의 治療 原則에 근거하여 治療는 溫腎益精·潤腸通便하는 것이 마땅하다. 그 配伍 意義는 肉蓯蓉을 君藥으로 삼는데, 本品은 性味가 甘鹹而溫하면서 腎·大腸經으로 歸經하므로, 『本草從新』卷1에서 말하기를 "補命門相火, 滋潤五臟, …… 峻補精血, 滑大便."한다고 하였으니, 方劑 중에서 사용하여 溫腎益精·暖腰潤腸한다. 當歸는 性味가 甘辛而溫하면서 肝·心·脾經으로 歸經하고, 『本草綱目』卷1에서 말하기를 "潤腸胃"한다고 하였으므로 當歸를 사용하여 養血潤腸하고, 牛膝은 性味가 苦酸平하며 『本草從新』卷3에 실려있기를 "能引諸藥下行 …… 益肝腎."한다고 하였으니, 두 가지 藥物을 配伍하여 臣藥으로 삼는다. 枳殼은 寬腸下氣하여 通便을 돕는데, 李時珍이 『本草綱目』卷36 중에서 말하기를 "利腸胃, …… 大便秘塞, 裏急後重, 又以枳殼爲通用."이라고 하였고, 升麻는 효능이 輕宣升陽하는 데 뛰어난데, 『本草綱目』卷13에서 말하기를 "升麻引陽明清氣上升."이라 하여 清陽이 升하면 濁陰이 저절로 降하는 것이니, 枳殼가 서로 配伍하여 清升濁降하게 하면 便秘가 저절로 통하는 것이며, 다시 澤瀉의 甘淡潤降하는 것을 사용하여 腎濁을 分泄하면 濁降하게 함으로써 腑通하면 便秘가 풀리는 것이니, 이상의 藥物을 모두 佐藥으로 삼는다. 모든 藥物을 함께 사용하면 전부 溫潤通便하는 方劑가 만들어진다.

지적 사항: 配伍 意義에 있어서 가장 깊이 깨우침을 받은 것은 肉蓯蓉·當歸·牛膝로 溫腎益精·養血潤腸을 위주로 하였지만, 溫潤으로 근본을 治療해야 한다는 전제하에서 腎虛로 氣化가 되지 않으면 水液代謝가 失常되면서 濁陰不降에 이르게 된다는 것까지 고려한 것이다. 그러므로 澤瀉로 入腎泄濁하고 枳殼으로 降氣寬腸하여, 濁降腑通하여 大便을 나가게 함으로써 潤下시키는 효능을 증가시켰으며, 또한 濁陰이 내려가지 못하면 清陽이 올라가지 못하므로 조금 升麻로 輔佐하여 升清함으로써 降濁하게 한 것에 중요한 配伍 의의가 있는 것이다. 전제 方劑는 溫腎益精·養血潤腸을 위주로 하되, 升清과 降濁을 서로 배합한 것에는 降시키기 위하여 먼저 升하게 하고, 通하는 가운데 補가 깃들어 있는 配伍 특징을 갖추고 있는 것이니, 바로 『景岳全書』卷51에서 말한 "凡病涉虛損而大便秘結不通, 則硝·黃攻擊等劑必不可用. 若勢有不得不通者, 宜此主之, 此用通於補之劑也."라고 한 것과 같다.

方劑의 명칭을 '濟川'이라고 한 것은 河川을 資助함으로써 舟車를 운행시키려는 뜻이 있는 것이니, 본 方劑는 溫潤하는 중에 通便의 효능이 깃들어 있어서 服用하면 腎復精充으로 五液이 並行하여 開闔에 질서가 생기면 腸이 濡潤을 얻으면서 大便이 自調하게 할 수 있으므로 方劑의 명칭을 '濟川'이라고 한 것이다.

【臨床應用】

1. 證治要點: 본 方劑에 加減하여 腎陽이 부족하여 精津이 虧虛해서 생긴 便秘證을 治療하는데, 臨床에서 운용할 때에는 大便秘結, 小便清長, 腰膝酸軟을 證治의 요점으로 삼는다.

2. 加減法: 『景岳全書』의 方後 加減法에서 지적하기를 "如氣虛者, 但加人蔘無礙. 如有火加黃芩. 若腎虛加熟地."라고 하였고, "虛甚者, 枳殼不必用."이라고 하였으니 모두 임상에서 참고하도록 제공할 수 있다.

3. 濟川煎은 다음 한국표준질병사인분류(KCD)에 해당하는 환자가 腎陽虛衰, 精津不足證으로 辨證되는 경우 본 처방의 사용을 고려해볼 수 있다.

처방 목표	한국표준질병사인분류(KCD)
老年便秘	K59.0 변비
習慣性便秘	K59.0 변비

【變遷史】 본 方劑는 明代 張景岳의 方劑로 溫腎益精·潤腸通便하는 유명한 方劑이다. 『辨證錄』卷4에 나오는 濟心丹의 來源을 추구해 보면 『景岳全書』의 濟川煎으로부터 발전해서 온 것인데, 構成에 구별이 있으면서 主治에도 또한 발전한 것이 있다. 方劑 중에 熟地黃을 二兩까지 重用하여 大補陰水하였고, 아울러 玄

參·麥冬·生棗仁·牡丹皮·地骨皮·柏子仁을 넣어 滋陰增液·除煩寧心하였으며, 菟絲子·巴戟天을 넣어 陽中求陰함으로써 滋陰通便·除煩寧心하는 方劑를 만든 것으로, 腎水大虧로 大便不通하고 虛煩不眠하는데, 다만 熱氣가 臍下에서부터 직접적으로 心을 沖하는 감각을 느끼면서 갑자기 昏亂欲絶하는 자에게 적용되니, 腎虛津虧로 생기는 便秘의 治療 방법을 대단히 풍부하게 한 것이다. 현재는 濟心丹에 肉蓯蓉을 넣은 것을 상용하는데, 老年高血壓이나 腦動脈硬化에 자율신경 기능장애를 동반해서 나타나는 習慣性便秘를 治療하는데 많은 좋은 효과가 있다.

【難題解說】 方劑 중 澤瀉를 응용하는 意義에 관한 것: 본 方劑는 腎陽虛衰로 精津이 不足해서 생기는 便秘證을 治療하는 代表 方으로 古今의 의학자들이 모두 의심하지 않았으나, 오직 澤瀉를 응용하는 것에 대해서는 역대로 인식이 일치하지 않았다. 첫째는 瀉濁論으로 예를 들어 何秀山이 말하기를 "妙在升麻升淸氣以輸脾, 澤瀉降濁氣以輸膀胱, 佐蓉·膝以成潤利之功."(『重訂通俗傷寒論』)이라고 하였고, 현대의 『方劑學』전문서적 및 教材는 본 方劑에서 澤瀉를 응용한 意義에 대하여 대부분 이 설명을 따랐다. 예를 들어 李飛가 인식하기를 "本方在溫潤治本的前提下, 考慮到腎虛氣化失職, 水液代謝失常, 以致濁陰不降, 故以澤瀉入腎泄濁."(『中醫歷代方論選』)라고 하였고, 周鳳梧 역시 인식하기를 "澤瀉甘淡, 氣味甚厚, 性善下降, 以瀉腎濁."(『實用方劑學』)이라고 하였으며, 『方劑學』 통합편찬교재 二版에서 논술하기를 "澤瀉氣味頗厚, 性降而潤, 配合牛膝, 俱能引藥下行."이라고 하면서 升麻·枳殼과 서로 합히면 "有升淸降濁之效."라고 하였으며, 『方劑學』 통합편찬교재 五版에서 澤瀉를 서술하기를 "滲小便而瀉腎濁"이라고 하였다. 둘째는 入腎補虛論으로 이러한 설명은 古代本草에서 澤瀉의 작용에 대한 인식에서 근원한 것인데, 『神農本草經』卷2에 실려 있기를 "養五臟, 益氣力."한다고 하였다. 그러므로 기획된 교재인 『方劑學』에서는 方劑 중 澤瀉를 응용하는 것을 "甘淡泄濁, 又入腎補虛."라고 인식하였으니, 作者는 澤瀉가 補虛한다는 이론을 직접적으로 補益하는 것이 아니라 通함으로써 補하는 것이라고 인식한 것이다. 李時珍은 이것에 대하여 일찍이 분명하게 가르쳐준 것이 있는데, 그가 말하기를 "澤瀉, 氣平, 味甘而淡, 淡能滲濕, 氣味俱薄, 所以利水而泄下. 脾胃有濕熱, 則頭重而目昏耳鳴, 澤瀉滲去其濕, 則熱亦隨去, 而土氣得令, 淸氣上行, 天氣明爽, 故澤瀉有養五臟·益氣力·治頭眩·聰明耳之功. 若久服則降令太過, 淸氣不升, 眞陰潛耗, 安得不目昏耶? 仲景地黃丸, 用茯苓·澤瀉者, 乃取其瀉膀胱之邪氣, 非引接也, 古人用補藥, 必兼瀉邪, 邪去則補藥得力, 一一闔, 此乃玄妙, 後世不知此理, 專一於補, 所以久服必至偏勝之害也."라고 하였고, 또 말하기를 "神農書列澤瀉於上品, 復云久服輕身, 面生光, 陶·蘇皆以爲信然, 愚竊疑之. 澤瀉行水瀉腎, 久服且不可, 又安有此神功耶? 其謬可知."(『本草綱目』卷19)라고 하였다.

【醫案】

1. 偏頭痛『新中醫』(2002, 10:67): 某 남자, 57세. 좌측 偏頭痛이 반복해서 발작한지 3개월이 되었다. 腦電圖 검사에서는 이상이 없었고, 西醫는 血管神經性頭痛으로 診斷하였고, 顱痛定 等을 服用하여 일시적으로 진정시키고 있었다. 診見: 精神委靡, 面色白, 大便秘結, 小便淸長, 腰膝痠軟, 舌淡·苔白滑, 脈沉細. 中醫診斷: 頭痛인데 症狀이 腎虛精少로 腑氣가 不通한 것에 속한다.

治療 原則: 溫腎益精·潤腸通便해야 한다.

處方과 治療 結果: 濟川煎에 加減한 것을 사용한다. 處方: 當歸·肉蓯蓉·熟地黃 各 15 g, 懷牛膝·澤瀉 各 9 g, 升麻·枳殼 各 6 g. 三劑 복용한 후에 大便이 通暢하면서 偏頭痛이 뚜렷하게 완화되었고 기타 증상도 모두 好轉되었다. 계속해서 六劑를 복용하고는 나았다.

2. 耳鳴『新中醫』(2002, 10:67): 某 여자, 58세. 高血壓의 병력이 있었고, 耳鳴이 반복해서 발작한 것이 半年인데 五官科 檢査를 거쳐보았지만 이상을 발견할 수 없었다.

診斷 所見: 耳鳴이 時輕時重하면서 겸하여 眩暈이 나타났으며, 腰膝痿軟, 大便秘結로 3~5일에 1차례 보았고, 小便淸長, 手足怕冷, 舌淡, 脈沉細하였다. 症狀이 腎精虧虛로 腑氣가 不通하는 것에 속하였다.

治療 原則: 溫腎益精·潤腸通便하는 것이 마땅하다.

處方과 治療 結果: 濟川煎에 加減한 것을 사용하였다.

當歸·肉蓯蓉·熟地黃·山藥 各 15 g, 懷牛膝·澤瀉·山茱萸 各 9 g, 杜仲·升麻 各 6 g. 매일 一劑씩 三劑를 복용하였다. 服藥한 후에 大便이 通暢하면서 眩暈·腰膝痿軟이 이전과 비교해서 호전되었지만, 오직 耳鳴은 줄어들지 않았다. 계속해서 六劑를 服用한 후에 耳鳴이 점점 줄어들고 大便이 正常으로 가면서 1~2일에 1차례 보았다. 方劑를 고수한 채로 연속해서 2달을 복용했더니 모든 증상이 소실되면서 나았다. 방문하여 물어보니 1년 동안 재발하지 않았다.

考察: 위의 두 가지 病例에서 主症은 다르지만 腎虛便結의 症狀은 모두 가지고 있으니, 景岳의 "凡病涉虛損而大便秘結不通 …… 宜此主之, 此用通於補之劑也."라고 한 것을 따라 濟川煎에 加減한 것으로 治療하여 모두 비교적 양호한 治療 효과를 얻었다. 예1의 偏頭痛은 患者가 비록 神情委靡하고 頭暈腰痠하지만 虛證이 심하지는 않으니 濟川煎 原方에 熟地黃만 넣어 溫腎益精·潤腸通便만 오로지 한 것이고, 예2의 耳鳴은 腎精虧虛를 겸하고 있으면서 3~5일에 大便을 1차례 보기 때문에 山藥·山茱萸·杜仲을 넣어 溫腎益精·潤腸通便한 것이다.

3. 癃閉(전립선비대로 인한 것)『實用中醫內科雜誌』(2004, 3:217): 某 남자, 78세. 반복적으로 尿頻·排尿困難을 겪은 지가 3년이 되었고, 腰酸背痛·頭昏, 小腹脹痛이 있었는데, B형 초음파검사를 거쳐 전립선비대로 진단받았다. 최근 2일 동안 小便이 點滴不出하면서 腰骶 및 小腹脹痛을 동반하였으며, 西醫의 진단과 治療를 거쳐 導尿 및 洋藥을 복용한 후에도 症狀에 뚜렷한 輕減을 보지 못하였다.

診斷: 환자는 고통스러워하는 용모를 볼 수 있었고, 面色白, 舌暗苔白, 脈沉細하였다. 진단은 癃閉로 하였고, 症狀은 腎陽虛로 眞陽이 不足하여 氣化가 州都之官인 膀胱에까지 미치지 못하고 겸하여 瘀血이 內阻한 것에 속하였다.

治療 原則: 溫陽益氣·消瘀利水하는 것이 마땅하다.

處方과 治療 結果: 藥物로는 肉蓯蓉 15 g, 當歸 12 g, 牛膝 15 g, 澤瀉 12 g, 升麻 6 g, 枳殼 6 g, 山甲珠 15 g, 桃仁 15 g, 木通 10 g, 車前子 20 g, 滑石 20 g을 사용하였는데, 二劑를 다 먹으니 이미 스스로 排尿할 수 있었다.

4. 產後尿閉『實用中醫內科雜誌』(2004, 3:217): 某 產婦, 29세. 產婦는 10월 13일 産月에 會陰 차단마취하에 한쪽 가를 절개하여 한 남자아기를 분만하였다. 10월 14일 일어났는데 스스로 小便을 볼 수가 없어서 방광 부위에 물리요법을 하고, neostigmine 근육 주사를 놓았으며, 요도에 catheter를 꽂아 정기적으로 개방하였지만 여전히 스스로 소변을 보지 못하였다. 17일 來診: 자각적으로 腰酸乏力·背寒을 느꼈으며, 舌淡紅·苔薄白·脈細弦하였다.

診斷: 症狀은 腎陽虛로 中氣不足에 속한다.

治療 原則: 溫腎陽·補氣通下하였다.

處方과 治療 結果: 藥物로는 肉蓯蓉 15 g, 牛膝 15 g, 當歸 15 g, 升麻 6 g, 枳殼 10 g, 澤瀉 12 g, 桔梗 15 g, 黃芪 20 g, 白朮 10 g, 車前子 15 g, 陳皮 10 g, 通草 15 g을 사용하였다. 一劑를 服藥하고는 스스로 소변을 볼 수 있었으며, 二劑를 먹고는 排尿하는 것이 보통 사람과 같아졌다.

考察: 小便의 通暢은 三焦氣化의 正常 여부에 의지하는데, 三焦氣化는 주로 肺·脾·腎 三臟에 의지하여 유지된다. 腎은 水를 주관하고, 膀胱과 더불어 서로 表裏가 되는데, 膀胱의 직책은 氣化를 맡고 있으며 命門 眞火의 蒸騰에 의지하고 있으니, 命門의 火가 왕성하다면 膀胱의 水가 잘 통하는데, 그렇지 못하다면 膀胱의 水가 막히는 것이다. 이상 두 개의 病案은 모두 腎陽虛로 氣化가 不利해서 생기는 것인데, 하나는 腎陽虛로 氣化가 州都之官인 膀胱에 미치지 못하면서 瘀血內阻를 겸하고 있는 것이고, 하나는 腎陽虛로 中氣가 不足한 것이므로 모두 溫脾湯에 加減하여 효과를 취한 것이다.

麻子仁丸

(『傷寒論』)

【異名】 麻仁丸(『外臺秘要』卷18)·脾約麻仁丸(『太平惠民和劑局方』卷6)·脾約丸(『仁齋直指方論』卷4)·麻仁脾約丸(『治痘全書』卷14)·麻仁滋脾丸(『全國中藥成藥處方集』).

【組成】 麻子仁 二升(500 g) 芍藥 半斤(250 g) 枳實 炙 半斤(250 g) 大黃 去皮 一斤(500 g) 厚朴 炙, 去皮 一尺(250 g) 杏仁 去皮尖, 熬, 別作脂 一升(250 g)

【用法】 이상 6味를 蜜과 함께 梧桐子 크기로 丸을 만든다. 十丸을 飮服하되 매일 3번 복용하는데, 점차 증가시켜서 大便이 통하는 것으로 한도를 삼는다(現代用法: 함께 細末로 만들어서 煉蜜로 丸을 만든다. 매번 9 g을 1일 1~2차례 미지근한 물에 복용한다. 또한 湯劑로도 만들 수 있는데, 用量은 原方에 비례하도록 참작하여 감소시킨다).

【效能】 潤腸泄熱, 行氣通便.

【主治】 脾約證. 腸胃燥熱, 津液不足, 大便乾結, 小便頻數.

【病機分析】 본 方劑의 主治는 脾約으로 인한 便秘證이다. 『素問』「經脈別論」에서 말하기를 "飮入於胃, 遊溢精氣, 上輸於脾, 脾氣散精, 上歸於肺, 通調水道, 下輸膀胱, 水精四布, 五經並行."이라 하였고, 『傷寒論』에서 설명하기를 "趺陽脈浮而澀, 浮則胃氣强, 澀則小便數. 浮澀相搏, 大便則硬, 其脾爲約, 麻子仁丸主之."라고 하였는데, 이것에서 알 수 있는 것은 脾는 胃를 대신하여 그 津液을 운행하는 것을 주관하는데, 지금 趺陽脈이 浮而澀한 것은 胃에 燥熱이 있어서 脾가 約束된 것을 표명하는 것으로 胃를 대신하여 그 津液을 운행하도록 할 수 없어서 燥熱이 津液을 손상시켜 腸이 濡潤을 받지 못하므로 大便이 硬해지는 것이다. 이러한 종류의 大便硬은 脾가 胃熱의 制約을 받아서 津液을 輸布할 수 없어서 생기는 것이므로 '脾約'이라고 부르는 것이다.

【配伍分析】 본 方劑가 治療하는 것은 腸胃의 燥熱로 인한 大便秘結과 小便頻數이다. 『素問』「至眞要大論」의 "燥者濡之"와 『素問』「陰陽應象大論」의 "其實者, 散而瀉之."라는 治療 원칙에 근거하면 마땅히 潤腸藥과 瀉下藥을 配伍하여 方劑를 구성해야 한다. 方劑 중에는 麻子仁을 重用하여 君藥으로 삼았는데, 本品은 性味가 甘平하면서 質潤多脂하고, 脾·胃·大腸經으로 歸經하여 潤腸通便하니, 『湯液本草』卷3에서 말하기를 "入足太陰·手陽明, …… 故仲景以麻仁潤足太陰之燥及通腸也."라고 하였다. 大黃은 苦寒으로 沉降하

며 脾·胃·大腸經으로 歸經하여 瀉熱通便하고, 肺는 大腸과 서로 表裏가 되어 肺氣를 宣降하면 腸腑를 通暢하는데 도움이 되므로 杏仁을 配伍하여 降氣潤腸하는 것이니, 『本草從新』卷10에서 말하기를 "潤燥 …… 通大腸氣秘."라고 하였으며, 芍藥은 苦酸 微寒하며 肝·脾經으로 歸經하여 養陰和裏하니, 이상 세 가지 藥物은 모두 臣藥이 된다. 枳實은 苦辛 微寒하며 脾·胃·大腸經으로 歸經하여 行氣破結하고, 厚朴은 苦辛而溫하며 脾·胃·肺·大腸經으로 歸經하여 行氣除滿하니, 枳·朴을 함께 사용하면 破結除滿하여 降泄通便시키는 效能을 증강시키므로 佐藥으로 사용한다. 蜂蜜이 使藥이 되는데, 性味는 甘平하며 脾·肺·大腸經으로 歸經하여 潤腸通便·調和諸藥하는데, 『神農本草經』卷2에서 말하기를 "除衆病, 和百藥."이라고 하였다. 모든 藥物을 함께 사용하면 합하여 潤腸泄熱·行氣通便의 효능을 나타낸다.

본 方劑는 小承氣湯에 麻子仁·杏仁·芍藥을 합하여 만든 것이다. 方劑에서는 小承氣湯을 사용하여 消痞除滿·泄熱通便함으로써 胃腸의 燥熱積滯를 蕩滌하고, 다시 質潤多脂한 麻子仁·杏仁과 滋陰潤腸하는 芍藥과 益陰潤腸하는 蜂蜜을 사용하여 腑氣를 통하게 하고 津液이 사방으로 퍼지도록 하면 便秘가 저절로 제거되는 것이다. 전체적인 方劑를 종합하여 관찰한다면 潤腸藥과 瀉下藥을 함께 사용하면 潤하면서도 膩滯되지 않고 瀉하면서도 峻烈하지 않아서 下法으로 인하여 正氣가 손상되지 않는 配伍 특징을 갖추고 있는 것이다. 原方의 용법 중에 요구하기를 단지 十丸을 服用하고 차례로 조금씩 증가시키라고 하였으니, 본 方劑의 의도가 '緩下'함에 있음을 표명하는 것으로 이것이 첫째가는 潤腸通便시키는 緩下劑이다.

【類似方比較】 본 方劑와 五仁丸·更衣丸의 세 가지 處方은 함께 潤腸緩下하는 方劑에 속하여 津液의 휴손으로 인한 便秘證을 治療하는 데 사용한다. 그러나 麻子仁丸은 潤下劑 중에 상용하는 대표적인 方劑로 麻仁·杏仁·芍藥 등 潤腸通便藥을 大黃·枳實·厚朴(小承氣湯)과 配伍하여 處方을 構成한 것으로, 瀉下通便·行氣導滯함으로써 潤腸泄熱·瀉下通便하는 效能을 증가시켜서 腸胃의 燥熱로 인한 津液이 부족한 便秘를 主治하는 것이고, 五仁丸은 기름기가 많은 果仁을 모아서 處方을 構成한 것으로 腸燥를 潤하게 하여 大便을 통하게 하면서 津液을 손상시키지 않게 한 것이며, 陳皮의 理氣와 配伍하고 煉蜜로 丸을 만들어서 滋潤滑利大腸하는 效能을 도운 것이니, 津枯腸燥하거나 혹은 老年·產後에 血虛로 생기는 便秘에 大黃·枳·朴 등의 藥物을 사용하기에 마땅하지 않은 자에게 아주 적합한 것이며, 更衣丸은 苦寒한 蘆薈로 清熱涼肝·瀉火通便하고, 性寒하여 重墜下達시키는 朱砂와 配伍하여 處方을 構成한 것으로, 두 가지를 相須하여 사용하면 瀉火通便하니 肝火偏旺하여 腸胃의 燥結로 생기는 便秘로 仁類의 潤藥을 사용하는 것이 마땅하지 않은 자에게 사용한다.

【臨床應用】

1. 證治要點: 본 處方은 潤腸緩下하는 方劑로 腸胃燥熱로 인한 脾約便秘證을 主治하는데, 大便秘結, 小便頻數을 證治의 요점으로 삼는다. 이외에 어떤 사람은 본 方劑의 證治에는 마땅히 腹微滿, 苔微黃少津, 脈澀이 있어야 한다고 제기하였는데 함께 참고할 만하다.

2. 加減法: 大便乾結하면서 堅硬한 자는 芒硝를 넣어 軟堅散結·瀉熱通便할 수 있고, 口乾舌燥하면서 津液耗傷한 자는 生地黃·玄參·石斛과 같은 종류를 넣어서 增液通便할 수 있으며, 痔瘡便血을 겸하는 자는 槐花·地榆를 넣어 清腸止血하는 것이 마땅하다.

3. 麻子仁丸은 다음 한국표준질병사인분류(KCD)에 해당하는 환자가 脾約證으로 辨證되는 경우 본 처방의 사용을 고려해볼 수 있다.

처방 목표	한국표준질병사인분류(KCD)
腸燥便秘	K59.0 변비
習慣性便秘	K59.0 변비
痔瘡便秘	K64 치핵 및 항문주위정맥혈전증
蛔蟲性腸閉塞	B77.0 장합병증을 동반한 회충증
肛門疾患	K62 항문 및 직장의 기타 질환_항문질환
手術 後 大便燥結	K91.3 수술 후 장폐색

【注意事項】 본 方劑는 비록 緩下劑이지만, 그 藥物의 構成 중에는 大黃·枳實·厚朴 등 攻下하는 藥物이 있기 때문에 孕婦 및 便秘가 순수하게 血少津虧·脾虛氣弱으로 말미암아 생긴 자에게는 사용하는 것이 마땅하지 않다.

【變遷史】 본 方劑는 『傷寒論』에 제일 처음 보이는데, 그 藥物의 分析에 따르면 이것은 小承氣湯에 麻子仁·杏仁·芍藥을 넣어 만든 것으로 실제로는 承氣湯類의 方劑에 속한다. 唐代 『備急千金要方』卷15에는 大五柔丸이 있는데, 藥物로는 大黃·芍藥·枳實·蓯蓉·葶藶·甘草·黃芩·牛膝 各二兩, 桃仁 一百枚, 杏仁 四十枚를 사용하였고, 原書에 실려있기를 "主臟氣不調, 大便難. 通榮衛, 利九竅, 消穀, 益氣力."한다고 되어 있다. 大五柔丸과 麻子仁丸을 서로 비교하면 配伍가 서로 비슷한데, 오직 大五柔丸에는 肉蓯蓉의 溫潤을 넣어서 通下를 돕고 葶藶子를 넣어 瀉肺通便한 것이니 실로 조합의 묘미이다. 宋代 『太平聖惠方』卷58의 麻仁丸은 곧 麻子仁丸에서 枳實을 枳殼으로 바꾸고, 芍藥을 赤芍藥으로 하였으며, 杏仁·厚朴을 빼고 郁李仁·檳榔·芒硝를 넣어 만든 것인데, 이 方劑는 潤腸泄熱·行氣通便의 效能을 증강시킨 것이므로 臨床에서는 大便難이 五臟氣壅으로 三焦不和하여 熱結秘澀한 것에 사용한다. 『産育寶慶集』卷上의 麻仁丸은 方藥으로 麻仁·枳殼·大黃·人蔘 各半兩을 사용하였는데, 이 方劑는 潤下藥에 行氣導滯藥과 補氣藥을 配伍하여 만든 것으로, 攻補를 함께 시행하면서도 攻下를 위주로 하여 産後에 血水를 모두 下하여 腸胃가 虛竭하고 津液이 不足하여 大便秘澀하고 腹中悶脹한 자에게 사용한다. 金代 『潔古家珍』 중의 方藥들은 獨創性이 뛰어나서 스스로 一家를 이루었는데, 그 책 중에 있는 麻仁丸은 단지 麻子仁·枳殼·川芎의 세 가지 藥味를 취하였으니, 이 方劑는 潤下藥에 行氣導滯藥·活血祛風藥을 配伍하여 만든 것으로 風秘로 인한 大便不通에 사용한다. 淸代 『醫略六書』卷25에 실려 있는 麻仁丸은 麻子仁丸의 기초상에서 潤腸活血하는 桃仁과 養血榮腸胃하는 當歸와 潤腸散結하는 郁李仁을 넣어 만든 것이므로 氣滯血燥하여 생긴 大便不通과 小腹脹滿한 자에게 사용하여 治療한다. 현대 『中國基本中成藥』의 麻仁潤腸丸도 또한 仲景의 麻子仁丸에서 枳·朴을 빼고 陳皮·木香을 넣어 만든 것으로, 비록 行氣導滯하는 힘은 減弱되었지만, 潤腸泄熱하는 힘은 아직 남아 있어서 虛人의 便秘 및 老人의 腸燥便秘, 習慣性便秘, 痔瘡便秘가 腸胃燥熱에 속하는 자에게 더욱 적절하다.

【難題解說】 본 方劑의 主治인 脾約에 관한 것: 脾約에 대한 인식에 있어 역대 의학자들의 견해가 일치하지 않는데, 成無己가 '胃强脾弱'을 脾約의 病機로 제기한 이후에 대부분이 그의 설명을 본받았다. 비록 '脾陰虛', '燥熱傷陰'으로 해석하는 자가 있었지만, 모두 '脾弱'의 範疇에 속한다고 보았기에 현재에 이르기까지 '胃强脾弱'의 설명은 여전히 다수의 의학자들에 의해서 채용되고 있다. 그러나 麻子仁丸의 方劑의 구성으로 볼 것 같으면, 이 方劑에는 麻子仁·杏仁·白芍·白蜜을 사용하여 益陰潤燥滑腸하면서 大黃에 枳·朴을 配伍하여 緩下之劑를 만든 것이니, 治療하는 症狀은 腸中에 반드시 燥結이 있지만 承氣之證의 急迫함과는 같지 않으므로 이 方劑로 緩攻하는 것이다. 만약 脾約을 '脾弱'으로 해석한다면 大黃·枳實·厚朴을 사용하지는 않았을 것이다. 본 方劑의 복용 방법상으로 보더라도 "飮服十丸, 日三服, 漸加, 以知爲度."라고 하였으니, 곧 燥屎를 내려보내는 것으로 한도를 삼은 것은 麻子仁丸을 사용한 목적이 腸胃의 燥結을 내려보내어서 通腑泄熱하는 것에 있는 것이지 補脾하려는 의도가 없음을 볼 수 있다. 藥物로써 證狀을 헤아려 보면 '脾弱'이라는 해석은 서로 符合하기가 어렵다. 麻子仁丸의

응용에 관하여 '脾弱'이라는 학설의 영향을 받으면서 현대 臨床을 하는 많은 醫學者들이 年老하여 體弱하면서 津虧血枯하거나 혹은 脾虛氣弱으로 생기는 便秘를 '脾約'證으로 삼아서 麻子仁丸을 사용하여 治療하였는데, 이것은 仲景 麻子仁丸의 方劑의 構成과 응용 원칙에 위배되는 것이다. 이상에서 알 수 있듯이 麻子仁丸은 결코 脾虛 便秘를 治療하는 方劑가 아니라 腸胃燥熱의 便秘를 治療하는데 사용된다. 그런 까닭에 腸胃의 燥熱로 津液이 不足하여 大便秘結한데, 더하여 承氣湯이 마땅한 자가 아니라면 모두 麻子仁丸을 사용하여 治療할 수 있다. 만약 年老하여 體弱하면서 津虧血枯하거나 혹은 脾虛氣弱으로 생긴 便秘에게는 모두 마땅하지가 않으니, 바로 惲鐵樵가 말한 "麻仁丸之用, 自較承氣爲善, 然必用之陽證. 若陰證誤施, 爲害亦烈."(『傷寒論輯義按』)이라고 한 것과 같다.

【醫案】

1. 脾約證『經方實驗錄』: 徐左. 能食하면서 夜臥하면 汗出하면서 不寐하였고, 脈大, 大便難하였다. 이것은 脾約이니 火麻仁丸 一兩을 세 번에 나누어서 끓인 물에 복용한다.

考察: 본 醫案은 脾約證이다. 病者가 能食하면서 脈大한 것은 胃中有熱한 것이고, 熱이 津液을 손상시키면 陰津이 虧損하여 潤腸할 수 없으므로 大便硬하면서 보기 힘든 것이다. 邪熱이 陰을 擾亂하면 밤에 자려고 누웠을 때 多汗하면서 不寐하는 것이다. 본 醫案은『傷寒論』脾約證의 病機와 일치하므로 潤腸通便하는 麻子仁丸으로 治療하면 藥物과 證狀이 서로 符合하면서 탁월한 효과를 얻는 것이다.

2. 老年性便秘『經方應用』: 某 여자, 70세. 大便이 秘結하여, 5~6일에 한 번 보았는데, 그 때는 腹部가 微痛作脹하면서, 便澀하였고, 糞色이 검으면서, 딱딱하여 환자가 매우 고통스러워 하였다. 西醫의 檢査를 거치면서 老年性 便秘로 진단받았는데, 기타 器質性 病變은 발견하지 못하였다. 內服·外治의 모든 방법을 쫓지만 효과는 좋지 않아서 中藥으로 고쳐서 治療하였다. 환자는 年老하여 津液이 평소에 부족하였지만 飮食은 오히려 가능하였으며, 진단하여 보니 舌苔微黃하면서 脈象은 和勻有力하였다. 脾約에 쓰는 麻仁丸의 뜻을 모방하여 治療하였다.

處方과 治療 結果: 麻仁 12 g, 白芍 6 g, 川朴 3 g, 枳殼 9 g, 當歸 9 g, 制軍 4.5 g, 杏仁 6 g, 肉蓯蓉 12 g, 郁李仁 9 g. 연속해서 三劑를 복용하니 大便이 暢行하면서 腹部의 痛脹이 제거되었다. 이후에 위의 方劑에서 制軍을 감소시켜 계속해서 數劑를 사용하여 치료 효과를 견고하게 하였다.

考察: 이 醫案은 비록 年老하여 津液이 평소에 虛한 것에 속하지만, 腹部가 脹滿微痛하면서 便澀하기에 腸中에 이미 燥結이 있으므로 麻子仁丸에 當歸·肉蓯蓉·郁李仁을 넣고, 枳殼을 枳實로 바꾸었으며, 아울러 丸을 湯으로 바꾸어 滋潤緩下의 방법을 취하여 효과를 얻은 것이다.

3. 慢性前立腺炎『山東中醫雜誌』(1985, 6:44): 某 남자, 65세. 小便이 點滴不暢하여 하루에 20여 차례 간 것이 한 달가량 되었는데, 慢性 前立腺炎으로 진단받았다. diethylstilbestrol·furadantin 등을 사용하여 治療하였으나 효과가 없었다. 나는 癃淋으로 보고 처음에는 淸熱通淋·活血化瘀法으로 治療하였으며, 나중에는 또한 補中益氣湯·濟生腎氣丸을 사용하여 한 달 정도 治療하였지만 모두 효과를 얻지 못했다. 여전히 尿頻하여 小便이 點滴不暢하면서 하루에 20여 차례 보았고, 동반하여 神識恍惚, 口乾口苦, 心煩少寐, 腹滿, 大便乾結하여 4일 동안 보지 못하고, 舌紅, 苔黃, 脈滑大하였다. 仲景의 麻仁丸 加味方을 투여하였다.

處方과 治療 結果: 火麻仁 30 g, 枳實·厚朴·大黃 各 10 g, 杏仁 12 g, 白芍 15 g, 丹參 30 g, 節菖蒲 6 g, 炒遠志 6 g, 水煎服, 日一劑. 四劑를 복용한 후에 小便의 次數가 감소하였으며, 尿量이 증가하여 매일 10

차 내외를 보았고, 大便은 이미 풀렸다. 또한 四劑를 복용하니 小便을 매일 겨우 7~8차례 보았으며, 모든 증상이 기본적으로 소실되면서 병이 완쾌되었다.考察: 본 醫案은 小便頻數하면서 大便乾結하다. 초기에는 小便에 착안하여 淸熱通淋·活血化瘀法 및 補中益氣湯·濟生腎氣丸으로 治療하였지만 모두 효과를 얻지 못하였고, 이후에 脾約으로 論治하여 麻子仁丸에 丹參·石菖蒲·炒遠志를 넣어 투여하였다. 藥과 證이 박자가 맞으니까 바야흐로 효과를 얻은 것이다.

4. 噎膈『浙江中醫雜誌』(1985, 4:174): 某 남자, 48세. 1980년 8월 31일 입원하여 治療받았다. 환자는 오랫동안 便秘를 앓았으며, 최근에는 정신적인 스트레스와 함께 흉부의 외상이 더해지면서, 식도가 哽噎不順하면서 연하곤란을 호소하게 되었다. 先後로 barium 透視·食管拉網檢查를 하여 占據性病變(腫瘤, 癌 등)을 排除하였고, 입원한 후에 先後로 行氣化痰·疏肝寬胸하는 方劑를 복용하였으나 효과는 없었다. 症狀으로 形體消瘦, 面色晦黯, 精神抑鬱, 唇燥咽乾, 吞咽困難, 胸脘痞悶, 饑不欲食, 大便秘結, 小便黃赤, 舌質紅, 苔黃燥, 脈弦數이 나타났다. 환자가 스스로 말하기를 매번 排便을 본 후에는 비로소 症狀이 輕減됨을 느낀다고 하였다. 仲景의 "知何部不利, 利之則愈."라는 精神과, 中醫의 "二便通利, 噎膈自除."한다는 經驗에 근거하여 潤燥通便하는 方劑를 투여하여 시험하였다.

處方과 治療 結果: 方劑로는 白芍·蜂蜜(沖服) 各 30 g, 火麻仁 20 g, 厚朴·枳實 各 15 g, 杏仁 12 g, 大黃(後下) 10 g, 旋覆花 3 g을 사용하였다. 先後로 十二劑를 복용했더니 大便이 通利되면서 咽部의 哽噎이 소실되었고, 나머지 症狀들도 모두 제거되어 임상적으로 治癒되면서 退院하였다.

考察: 이 方劑가 治療하는 噎膈은 濁陰이 下降하지 못하고 津液이 輸布되지 않으면서 大便艱澀해서 생기는 것이다. 病機는 '脾約'證과 일치하는데, 臨床에서는 吞咽困難, 唇燥咽乾, 大便乾, 小便頻數或黃赤, 舌紅苔黃燥, 脈弦數을 응용의 요점으로 삼고, 아울러 旋覆花·代赭石을 참작하여 넣음으로써 降逆하는 것이다. 그러므로 非占據性病變이 일으키는 噎膈에 사용하여 많은 효과를 얻을 수 있었다.

5. 胃炎『新中醫』(2009, 1:90): 某 여자, 65세. 胃脘部가 隱痛한 것이 6년여 되었으며, 神疲乏力, 納差, 腹脹, 大便乾, 舌紅·苔少, 脈滑을 동반하였다. 위내시경 검사에서는 慢性 淺表性 胃炎이 나타났다. 일찍이 여러 차례 입원하여 中西結合의 治療를 받았지만 效果가 좋지 않았다. 胃腸의 燥結로 胃氣가 조화를 잃어서 腑氣가 不暢한 것에 속하니, 治療는 潤腸通腑理氣法으로 하였다.

處方과 治療 結果: 麻子仁 15 g, 大黃(後下) 6 g, 苦杏仁·白芍·枳殼·厚朴 各 10 g. 四劑를 복용한 후에 疼痛이 기본적으로 그쳤고, 大便이 通暢 되면서 食欲이 好轉되었다. 方劑를 고수하여 다시 四劑를 服用하였더니 疼痛이 소실되면서 얼굴에 화색이 돌았다.

考察: 胃脘痛證은 臨床에서 治療할 때 대부분 理氣止痛을 위주로 하는데, 그러나 理氣가 太過하면 쉽게 胃陰을 손상시키기 때문에 津液이 손상되어 腸枯에 이르게 된다. 本 例의 患者는 비록 胃脘隱痛이 있지만, 腹脹·大便乾과 같이 胃腸燥結로 胃氣失和하면서 腑氣不暢하는 것이 뚜렷하게 나타난다. 方劑 중에 麻子仁·苦杏仁으로 潤腸肅肺하면 肺와 大腸이 서로 表裏가 되기 때문에 肺氣가 降하면 大便이 통하는 것에 유리하게 되고, 白芍은 滋養脾陰하며, 大黃으로 보좌하여 理氣通便하고, 枳殼·厚朴으로 理氣止痛한다. 津液이 회복되면서 潤滑한 것이 예전과 같아지면 氣機가 通暢되면서 胃痛이 저절로 그치는 것이다.

6. 老年性 精神病『浙江中醫雜誌』(1985, 4:174):某 남자, 66세. 1974년 10월 25일 診治. 오랫동안 心煩失眠의 症狀이 있으면서 항상 頭暈目眩이 있었다. 최근

1년 동안에는 大便乾結, 小便頻數, 時見神志失常, 罵詈不休하였다. 某 醫院을 갔더니 老年性 精神病으로 진단하고는 淸熱瀉火安神하는 藥劑를 주었는데, 病勢가 조금은 호전이 있었지만 돌아서면 곧 예전과 같아졌다. 지금 大便乾結한 지가 이미 5일이 되었고, 口苦心煩, 急躁易怒, 胸脇痞悶, 舌紅少津, 邊有瘀斑, 苔薄黃, 脈弦細하였다. 이것은 津液이 不足하여 大腸이 乾燥하고, 肝膽이 調達되지 못하면서 肺가 宣降하지 못하여 瘀熱이 위쪽을 침범하면서 淸竅를 가려서 생긴 것이니, 治療는 瀉火逐瘀·潤燥滑腸하는 것이 마땅하다.

治療 原則: 瀉火逐瘀·潤燥滑腸하는 것이 마땅하다.

處方과 治療 結果: 大黃(後下) 9 g, 杏仁·白芍·火麻仁·枳實·厚朴 各 15 g, 蜂蜜 60 g 沖服을 사용하였다. 三劑를 복용하니 堅硬하면서 黑晦하여 마치 석탄과 같은 대변을 瀉下하였고, 煩躁가 경감하면서 神識이 淸楚해졌다. 계속해서 二劑를 복용하고는 또 3차례 설사하면서 모든 症狀이 호전되었다. 위의 方劑에서 湯劑를 丸劑로 바꾸어서 조리하여 治療하였더니 나았다.

考察: 본 方劑의 治證는 腸胃燥熱로 陰津이 不足해서 생긴 것이다. '異病同治'의 정신에 근거하여 본 方劑를 老年性 精神病에 옮겨서 治療한 것인데, 이는 大黃을 취하여 瀉火逐瘀하고, 麻子仁·白芍·蜂蜜을 重用하여 潤燥滑腸한 것이니, 病은 臟에 있지만 腑를 治療함으로써 현저한 效果를 얻은 것이다.

第四節 攻補兼施劑

黃龍湯

(『傷寒六書』卷3)

【組成】 大黃(12 g) 芒硝(9 g) 枳實(9 g) 厚朴(12 g) 甘草(3 g) 人蔘(6 g) 當歸(9 g)(原書未著用量)

【用法】 물 두 그릇에 薑 三片과 棗子 二枚를 넣어 달인 후에 다시 桔梗 1撮을 넣어 달여서 부글부글 끓는 것을 한도로 삼는다(現代用法: 上藥에 桔梗 3 g, 生薑 三片, 大棗 二枚를 넣어 물에 달이고, 芒硝는 溶解해서 복용한다).

【效能】 瀉熱通便, 補氣養血.

【主治】 裏熱腑實而又氣血不足證. 自利淸水, 色純靑, 或大便秘結, 脘腹脹滿, 硬痛拒按, 身熱口渴, 神倦少氣, 譫語甚或循衣撮空, 神昏肢厥, 舌苔焦黃或焦黑, 脈虛.

【病機分析】 본 方劑는 원래 熱結旁流를 治療하였지만, 후세에서는 溫疫病을 마땅히 下法을 사용해야 하는데 下法을 쓰지 못하여 邪實하면서 또한 氣血이 兩虛해진 것, 혹은 평소 體質이 氣血虧損한데 裏熱腑實의 症狀을 앓는 것을 治療하는 데 사용하였다. 『素問』「五臟別論」에서 말하기를 "六腑者, 傳化物而不藏." 이라고 하였으니 通하는 것으로써 쓰임을 삼는다. 傷寒의 邪氣가 熱로 변하면서 裏로 전해지거나 혹은 溫熱의 病邪로 邪熱이 裏로 전해지면 裏熱이 熾盛해지면서 燥로 변하여 津液을 손상시키고, 邪熱과 腸中의 糟粕이 서로 뭉치면 氣機가 不利해지면서 腑氣가 통하지 않게 되므로 大便秘結·脘腹脹滿·硬痛拒按이 나타

나는 것이고, 裏熱이 熾盛하므로 身熱하는 것이며, 熱이 旺盛하여 津液을 損傷시키므로 口渴하는 것이고, 舌苔焦黃或焦黑한 것은 裏熱로 腑實해진 징후이다. 下利淸水·色純靑은 胃腸이 燥屎를 배출하기 위한 일종의 假象으로, 그런 까닭에 반드시 臭穢難聞과 함께 腹部脹滿과 硬痛拒按 등의 현상을 동반하는 것이니, 곧 '熱結旁流'의 症狀이라고 말하는 것이다. 평소 體質이 氣血兩虛한데 또한 裏熱腑實의 症狀을 앓게 되거나, 혹은 裏熱腑實한 것은 下法을 통해 치료해야 하는데 하지 못하여 氣血이 兩傷하므로 神倦少氣·脈虛가 나타나는 것이고, 나머지 神昏譫語·肢厥·循衣撮空 등은 熱結於裏한 것이 위로 神明을 擾亂시켜서 正氣가 脫하려고 하는 위중한 증후이다.

【配伍分析】 본 方劑가 治療하는 症狀을 종합적으로 관찰해 보면, 그 病機가 裏熱腑實에 氣血兩虛를 겸하는 것이니 症狀은 邪實正虛에 속한다. 이때에 攻下하지 않으면 그 實함을 제거할 수 없고, 補하지 않으면 그 虛함을 구제할 수 없다. 그러므로 治療는 瀉熱通便·補氣養血하여 攻補兼施하는 것이 마땅하다. 方劑로는 大黃·芒硝·枳實·厚朴(卽大承氣湯)을 사용하여 瀉熱通便함으로써 胃腸에 實熱이 積滯된 것을 蕩滌하여 攻邪하고, 人蔘·當歸로 補氣養血함으로써 扶正하여 祛邪에 이롭게 하면서 下法으로 正氣가 손상되지 않게 하는 것이니 方劑 중 주요한 부분이 된다. 肺와 大腸은 서로 表裏가 되는데, 胃腸에 熱結하여 막혀서 통하지 않으면 肺氣도 또한 순조롭게 宣降할 수 없으니 胃腸을 통하게 하려면 上焦의 肺氣를 열어주어야 한다. 그러므로 용법 중에 桔梗을 넣어 開宣肺氣·宣通腸腑하여 裏實한 것을 下行하도록 돕는 것이다. 게다가 大承氣湯은 性降하여 下瀉하고 桔梗은 性宣하여 上行하니, 두 가지를 서로 配伍하면 一升一降하여 氣機의 升降을 정상으로 회복시키기 때문에 '欲降先升'의 묘미가 숨어있는 것이다. 生薑·大棗는 和胃調中하여 胃氣를 돕고, 甘草는 調和諸藥하니 모두 輔助하는 부분이 있다. 합하여 方劑를 만들면 함께 瀉熱通便·補氣養血를 나타내는 扶正攻下의 方劑가 되니, 진실로 邪正合治의 良方이 된다. 邪氣가 제거되지 않으면 正氣가 안정되기 어렵기 때문에, 扶正하는 것은 攻邪의 작용을 더욱 잘 발휘하기 위한 것이다. 그러므로 비록 扶正攻下의 方劑이지만 중점은 여전히 攻下에 있다.

方劑의 명칭을 '黃龍'이라고 한 것은 본 方劑의 효능을 비유한 것으로, 龍이 구름을 일으키고 비를 이르게 하여 燥土를 潤하게 하는 뜻에서 취하여 命名한 것이다.

【臨床應用】

1. 證治要點: 본 方劑는 裏熱腑實에 氣血不足의 症狀이 더해진 것을 위하여 설계된 것으로, 임상에서 운용할 때에는 大便秘結, 或自利淸水, 脘腹脹滿, 神倦少氣, 舌苔焦黃, 脈虛한 것을 證治의 요점으로 삼는다.

2. 加減法: 原書의 注에서 말하기를 "老年氣血虛者, 去芒硝."라고 한 것은 正氣를 보호하기 위하여 瀉下시키는 힘을 減緩해야 함을 보여주는 것이다.

3. 黃龍湯은 다음 한국표준질병사인분류(KCD)에 해당하는 환자가 裏熱腑實, 氣血不足證으로 辨證되는 경우 본 처방의 사용을 고려해볼 수 있다.

처방 목표	한국표준질병사인분류(KCD)
장티푸스	A01.0 장티푸스
파라티푸스	A01 장티푸스 및 파라티푸스
流行性腦脊髓膜炎	G02.0 달리 분류된 바이러스질환에서의 수막염
	G01 달리 분류된 세균성 질환에서의 수막염
	G00 달리 분류되지 않은 세균성 수막염
B型腦炎	A83.0 일본뇌염
老年性腸閉塞	K56.0 마비성 장폐색증
	K56.6 기타 및 상세불명의 장폐색
	K56.7 상세불명의 장폐색증

【變遷史】 본 方劑는 明代 陶華의『傷寒六書』에 나오는 方劑인데, 그 근원을 미루어 보면『傷寒論』大承氣湯을 변화 발전시켜서 온 것으로, 大承氣湯에 人蔘·當歸·甘草·生薑·大棗·桔梗 등을 넣어서 구성한 것이다. 이 方劑는 원래 "心下硬痛, 下利純清水, 譫語, 發渴, 身熱."을 治療하는 것이니, 곧 熱結旁流證으로 急下시킴으로써 陰液을 보존하기 위한 계책을 세운 것인데, 후세의 의학자들이 溫疫을 攻下해야 하는데 攻下하지 못하여 正虛邪實이 된 症狀을 治療하는데 사용한 것은, 본 方劑의 臨床的인 운용을 발전시킨 것이다. 陰液耗傷이 심한 자에 대하여 吳瑭은 별도로 新加黃龍湯이라는 것을 만들었는데, 곧 본 方劑 중에서 枳·朴의 苦溫한 것을 뺌으로써 津液을 말리는 폐단을 방지시키고, 麥冬·玄參·生地黃·海蔘 등 滋陰生津하는 藥物을 넣어 增液通便함으로써 장차 다하려고 하는 陰液을 급하게 구하려는 의도가 있는 것으로, 陽明 溫病에 熱結한 것을 攻下하지 못하여 氣陰이 크게 손상되고, 正氣가 虛하여 藥物을 운용하여 아래쪽의 不通에 도달하게 하지 못함으로써 大便秘結, 腹中脹滿而硬, 神疲少氣, 口乾咽燥, 唇裂舌焦, 苔焦黃或焦黑燥裂 등 熱結이 비교적 가벼우면서 陰液의 虧損이 비교적 심한 자를 治療하는 데 사용하였다.

【醫案】

1. 燥結腸胃『時病論』: 옛 貴州省에 사는 吳 모씨, 저녁밥을 먹은 후에 찬 것을 많이 먹고 잠이 들었는데, 잠이 들면서 頭痛畏寒, 壯熱無汗, 氣口脈緊, 舌苔邊白中黃하였다. 豐曰: 이것은 陰暑에 食積을 겸한 症狀이다. 곧 藿香正氣散에 白朮을 빼고 香薷를 넣어서 治療하라고 하였지만, 1제를 服用해도 변화가 없었다. 다시 다른 韓醫師로 바꾸었는데, 陰暑의 잘못됨을 반박하면서 暑는 본래 陽에 속하는데 어찌 陰이라고 말한단 것인가? 病人이 身熱如火한 것을 보고는 즉시 白虎湯에 蘆根·連翹 등의 藥物을 넣은 것을 사용하였다. 처음 一帖을 服用했을 때에는 조금 효과가 있는 것 같았지만, 계속해서 1帖을 복용하니 譫語神昏, 頻欲作嘔, 舌苔灰黑하였다. 韓醫師가 邪入心包라고 말하면서 前方에다가 다시 犀角·黃連·紫雪 등의 藥物을 넣어 服用하였지만 전혀 효험이 없어서 거듭 豐에게 진단해줄 것을 요청하였다. 그 脈을 보니 右盛於左하면서 形力並强하였는데, 이것은 邪氣가 여전히 氣分에 있으면서 오히려 逆傳心包가 되어 視其舌苔하니 灰黑而厚하였고 여전히 身熱과 神昏譫語·嘔逆 등의 症狀이 있었다. 가만히 생각해보니 그 邪氣가 반드시 寒涼한 藥物로 막힌 것으로 溫宣透法이 아니면 그 상태의 변화를 바랄 수 없다. 마땅히 杏仁·薤白·豆卷·藿香·神曲·蔻仁·香薷·枳殼에 益元散을 넣어 합하여 一劑를 만들어 初湯한 것을 服用하였더니 熱勢가 더욱 심하였지만, 다음에 달인 것을 服用하였더니 온몸에 땀이 나면서 壯熱이 점차로 다 물러났다. 요청이 와서 다시 診斷해 보니 神未清明, 譫語仍有, 舌苔未退, 更覺焦乾하였고, 右脈은 여전히 强한데 누르면 누를수록 더욱 實하였다. 豐曰: 汗出하면서 熱이 물러나면 이치가 마땅히 脈靜津回하고 神氣清爽해야 하는데, 지금 그렇지 않은 것은 燥結이 腸胃에 머물러 있기 때문에 그런 것이다. 생각해 보니 表邪가 모두 물러났으니 攻下하는 것도 無妨하였다. 黃龍湯에서 芒硝를 元明粉으로 바꾸고, 人蔘을 西洋蔘으로 교환하여 服用하였더니 반나절에 大便을 보면서 모든 병이 갑자기 물러났으며, 계속해서 蘇土養陰하는 방법을 사용하였더니 나날이 편안해졌다.

2. 癒着性 腸閉塞『江西中醫藥』(1985, 1:13): 某 남자, 42세, 농민. 환자는 1970년에 이미 '전체 위 절제술'을 시행하였고, 지금은 고구마 잎을 먹은 후에 腹痛腹脹하면서 肛門에서는 排氣排便을 2일 동안 정지하여서 1983년 9월 18일에 입원하였다. X-선 腹部 撮影을 하였더니 癒着性 腸閉塞으로 진단이 나와서 大承氣湯으로 治療하였는데도 이후에 病勢가 여전하였고, 다음날 환자는 精神委靡, 面色不華, 眼窩下陷, 臥床呻吟不已, 舌淡微胖, 苔黃白相兼而厚膩, 脈象細弦, 重按無力하였다. 黃龍湯으로 바꾸어 투여하였다: 大黃(後下) 10 g, 芒硝(另沖) 10 g, 厚朴 15 g, 枳實 15 g, 黨参 25 g, 當歸 10 g, 桔梗 10 g, 甘草 5 g, 白芍 15 g, 초탕과 재탕을 혼합하여 500 mL의 汁을 취하였다. 服用 후

에 모든 症狀이 한꺼번에 소실되었고, 方劑를 고수한 채 조금씩 넣고 빼서 2일 동안 조리하면서 治療하고는 退院하였다.

考察: 본 醫案은 이미 大承氣湯을 사용한 후에 病勢가 여전하였고, 게다가 환자에게는 精神委靡, 面色不華, 眼窩下陷, 舌淡胖, 脈細弦無力 등의 氣血耗傷의 虛候가 출현하였다. 이러한 虛實이 함께 존재하는 상황 하에서 攻補를 함께 시행하는 黃龍湯을 투여하는 것은 『素問』「三部九候論」의 "實則瀉之, 虛則補之."의 뜻에 부합하는 것이고, 白芍藥을 넣은 것은 補血斂陰·緩急止痛하는 힘을 증가시킨 것이다.

【副方】 新加黃龍湯(『溫病條辨』卷2): 細生地 五錢(15 g) 生甘草 二錢(6 g) 人蔘 另煎 一錢五分(4.5 g) 生大黃 三錢(9 g) 芒硝 一錢(3 g) 玄參 五錢(15 g) 麥冬 連心 五錢(15 g) 當歸 一錢五分(4.5 g) 海蔘 兩條(2條) 薑汁 六匙(6匙).

- 用法: 물 8잔을 달여서 3잔을 취한다. 먼저 1잔을 사용하여 蔘汁 五分과 薑汁 二匙를 한번에 沖服하는데, 만약 腹中에 울리는 소리가 있거나 혹은 矢氣가 나오면 大便을 보려고 하는 것이다. 12시간을 기다려도 大便을 보지 못하면 다시 이전의 방법으로 1잔을 服用하고, 24시간을 기다려도 大便을 보지 못하면 다시 세 번째 잔을 服用한다. 만약 1잔을 服用했는데 이미 大便을 보았다면 나머지를 服用하는 것은 그만둔다. 참작하여 益胃湯(沙蔘·麥冬·細生地·玉竹·冰糖) 一劑를 服用하며, 나머지는 참고하여 더 넣을 수 있다.
- 作用: 泄熱通便, 滋陰益氣.
- 適應症: 熱結裏實, 氣陰不足證. 大便秘結, 腹中脹滿而硬, 神疲少氣, 口乾咽燥, 唇裂舌焦, 苔焦黃或焦黑燥裂.

본 處方은 黃龍湯과 함께 모두 攻補兼施하는 方劑로 熱結裏實하면서 正氣內虛한 자를 治療한다. 黃龍湯은 大承氣湯으로 攻下熱結하면서 人蔘·甘草·當歸 등 益氣養血하는 藥物과 配伍하여 攻下하는 힘이 비교적 峻烈하여 熱結이 비교적 심하면서 氣血이 부족한 자를 主治하고, 본 方劑는 調胃承氣湯으로 緩下熱結하면서 玄參·麥冬·生地黃·海蔘으로 滋陰增液하고, 人蔘·當歸로 益氣養血하는 것을 配伍하여 攻下시키는 힘은 비교적 완만하면서 滋陰增液시키는 힘이 비교적 강하니 熱結裏實하면서 正氣不足한데 더욱이 陰液虧損이 비교적 심한 자를 主治한다. 바로 吳瑭이 말한 "此處方(指新加黃龍湯)以無可處之地, 勉盡人力, 不肯稍有遺憾之法也. 舊方(指黃龍湯)用大承氣加蔘·草·當歸, 須知正氣久耗, 而大便不下者, 陰陽俱憊, 尤重陰液消亡, 不得再用枳·朴傷氣而耗液. 故改用調胃承氣, 取甘草之緩急, 合人蔘補正; 微點薑汁, 宣通胃氣, 代枳·朴之用, 合人蔘最宣胃氣; 加麥·地·玄參保津液之難保, 而又去血結之積聚. 薑汁爲宣氣分之用, 當歸爲宣血中氣分之用. 再加海蔘者, 海蔘鹹能化堅, 甘能補正. 按海蔘之液, 數倍於其身, 其能補液可知, 且蠕動之物, 能走絡中血分, 病久者必入絡, 故以之爲使也."(『溫病條辨』卷2)라고 한 것과 같다.

增液承氣湯

(『溫病條辨』卷2)

【組成】 玄參 一兩(30 g) 麥冬 連心 八錢(24 g) 細生地 八錢(24 g) 大黃 三錢(9 g) 芒硝 一錢五分(4.5 g)

【用法】 물 8잔을 달여 3잔을 취하고, 먼저 1잔을 복용하여 반응이 없으면 다시 복용한다(現代用法: 水煎하고, 芒硝는 溶解해서 복용한다).

【效能】 滋陰增液, 瀉熱通便.

【主治】 陽明溫病, 熱結陰虧證. 燥屎不行, 下之不通,脘腹脹滿, 口乾唇燥, 舌苔薄黃或焦黃而乾, 脈細數.

【病機分析】 본 方劑가 證治하는 것은 陽明溫病으로 熱結胃腸하여 津液이 灼傷되거나, 혹은 평소 體質이 陰液虧損한데 다시 溫病을 앓으면서 더욱 津液을 손상시킨 것과 관련되어 있다. 熱結陰虧하면 腸腑가 윤기를 잃으면서 傳導를 하지 못하기 때문에 燥屎不行·脘腹脹滿에 이르는 것이고, 燥屎가 內停하면 邪熱이 더욱 왕성해지고 陰津도 점점 마르면서 大腸이 陰津의 濡潤을 받지 못하므로 腸中의 燥屎가 비록 下法을 쓰더라도 통하지 못하는 것이니, 이것이 곧 吳瑭이 말한 "津液不足, 無水舟停."의 의미이다. 口乾唇燥·舌苔薄黃或焦黃而乾·脈細數 등은 熱傷津虧의 징후이다.

【配伍分析】 본 方劑가 治療하는 것은 熱結陰虧의 症狀이므로 滋陰增液·泄熱通便으로 법칙을 세운 것이다. 方劑 중에 玄參을 重用하였는데 苦甘鹹寒하면서 肺·胃·腎經으로 歸經하여 淸熱養陰하니, 『神農本草經』卷3에서 말하기를 "主腹中寒熱積聚."라고 하였고, 麥冬은 甘微苦微寒하면서 肺·心·胃經으로 歸經하여 養陰生津하니, 『本草綱目』卷16에서 말하기를 "主心腹結氣, 傷中傷飽, …… 消穀調中."이라고 하였으며, 生地黃은 甘寒하면서 心·肝·腎經으로 歸經하여 滋陰生津潤燥하니, 『名醫別錄』卷1에서 말하기를 "主男子五勞七傷 …… 利大小腸, 去胃中宿食, 補五臟, 內傷不足."이라고 하였다. 세 가지 藥物을 서로 配合하면 補하면서도 膩滯되지 않아서 滋陰潤燥·增液通便하는 效能이 있으며, 大黃·芒硝는 軟堅潤燥·泄熱通便한다. 모든 藥物을 함께 사용하면 甘寒濡潤함으로써 滋陰淸熱하고, 鹹苦潤降함으로써 軟堅降泄하는데, 陰液이 회복되면서 燥屎가 나감으로써 熱結을 제거할 수 있는 것이니, 이것이 '增水行舟'하는 것으로 攻補兼施하는 方劑이다. 바로 吳瑭이 말한 "妙在寓瀉於補, 以補藥之體, 作瀉藥之用, 既可攻實, 又可防虛."(『溫病條辨』卷2)라고 한 것과 같다.

본 方劑의 配伍 특징은 滋陰藥과 瀉下藥을 함께 사용하는 것이다. 이 方劑는 增液湯(玄參·生地黃·麥冬)에 調胃承氣湯을 합방하고 甘草를 빼서 構成된 것이므로 이름을 '增液承氣湯'이라고 불렀다.

【臨床應用】

1. 證治要點: 본 方劑는 오로지 溫熱病으로 熱結陰虧하여 생긴 便秘를 위해서 설계된 것인데, 임상에서 운용할 때에는 大便秘結, 口乾唇燥, 舌苔黃, 脈細數을 證治의 요점으로 삼는다.

2. 본 方劑는 현대에 急性傳染病으로 高熱便秘에 津液의 耗傷이 비교적 심하거나 痔瘡이 오래되면서 大便이 乾燥하여 不通하는 등의 症狀이 熱結陰虧에 속하는 자에게 상용한다.

3. 增液承氣湯은 다음 한국표준질병사인분류(KCD)에 해당하는 환자가 陽明溫病, 熱結陰虧證으로 辨證되는 경우 본 처방의 사용을 고려해볼 수 있다.

처방 목표	한국표준질병사인분류(KCD)
急性傳染病	A00~B99 I. 특정 감염성 및 기생충성 질환
便秘	K59.0 변비
高熱	(질병명 특정곤란)
	R50 기타 및 원인미상의 열
痔疾	K64 치핵 및 항문주위정맥혈전증

【注意事項】 본 方劑는 寒下之劑와 비교해서 藥力이 和緩하지만 경솔하게 사용해서는 안 된다. 吳瑭이 지적하기를 "陽明溫病, 無上焦證, 數日不大便, 當下之. 若其人陰素虛, 不可行承氣者, 增液湯主之. 服增液湯已, 周十二時觀之, 若大便不下者, 合調胃承氣湯微和之."라고 하였고, 또 말하기를 "陽明溫病, 下之不通, …… 津液不足, 無水舟停者, 間服增液, 再不下者, 增液承氣湯主之."(『溫病條辨』卷2)라고 하였으니, 熱結陰虧로 燥屎가 나가지 않는 症狀에 下劑를 응용할 때에는 또한 세밀하고 신중하게 함으로써 燥屎가 나가지 않으면서 陰液에 더욱 손상을 받아 藥을 복용한 이후

에 便結이 더욱 심해지는 것에서 벗어나야 한다.

【變遷史】 본 方劑는 清代 吳瑭의 『溫病條辨』卷2에 처음으로 보이는데, 構成된 것으로 볼 것 같으면 『備急千金要方』卷9의 生地黃湯에서 변화 발전되어 온 것 같다. 이 方劑는 生地黃 三斤, 大黃 四兩, 大棗 二枚, 甘草 一兩, 芒硝 二合을 사용하여 이상 5가지 藥物을 함께 찧어서 서로 섞이게 한 다음에 五斗米와 함께 찐 후 汁을 취하여 두 번에 나누어 服用한다. 方劑 중에 生地黃을 重用하여 滋陰撤熱하고, 다시 大黃·芒硝로 蕩滌熱結하며, 甘草·大棗로 조금 보좌하여 甘潤益氣하고, 적당하게 米湯을 사용하여 胃氣를 보호하면서 함께 滋陰通便하는 方劑가 만들어진 것이다. 그러므로 이 方劑는 실제로 後世의 '增水行舟'法의 선도자이다. 原書에 실려있기를 "治傷寒有熱, 虛羸少氣, 心下滿, 胃中有宿食, 大便不利."라고 하였는데, 後世에서는 傷寒·溫病으로 熱邪가 오랫동안 머물러서 陰液이 耗傷되고 虛弱羸瘦하여 神疲乏力, 口乾舌燥, 渴欲引飮, 腹滿腹痛, 大便不通, 苔黃厚, 脈沉實한 자에게 사용하였다. 吳瑭은 이러한 기초상에서 增液承氣湯을 처음 만들었는데, 生地黃·玄參·麥冬으로 滋陰增液하고 大黃·芒硝의 通便瀉熱하는 것과 서로 합하여 標本을 함께 돌아보면서 攻補를 함께 시행하여 陰液이 회복되면서 津液으로 大便을 내보낸 것이니, 진실로 '增水行舟'하는 方法의 代表的인 方劑가 된다. 『鎬京直指』의 增液承氣湯은 본 方劑에 加味하여 만들어진 것으로, 본 方劑와 비교하면 知母·連翹·鼠粘子·鮮石斛·人中黃·枳實을 증가시켜 溫邪가 胃에 침범하여 咳嗽便閉, 唇焦鼻乾, 舌黑黃燥, 譫語口渴하는 것에 적용하였다.

【醫案】

1. 便秘(腸間膜 淋巴結核, 不完全性 腸閉塞) 『張伯臾醫案』

1) 某 여자, 16세. 初診: 1974년 2월 23일. 4개월 동안 低熱로 顴紅하였고, 形肉이 消瘦하였으며, 평상시에 腹痛腹脹, 惡心嘔吐, 大便秘結하였다. 10일 전부터 大便을 보지 못하면서 밥을 먹거나 물을 마시면 吐 하고, 脘腹陣痛, 右下腹部를 만지면 계란 크기의 塊物이 있으면서 壓痛이 있었고, 口渴, 脈細數, 舌紅裂紋少津하였다. 陰液이 耗傷되어 腸液이 枯燥하면서 傳導를 하지 못하여 便秘가 되었으며, 胃는 喜潤惡燥하고 降하는 것으로써 順證으로 삼는데 아래로 通하지 못하니까 上逆하여 嘔吐가 된 것이다.

治療 原則: 滋陰潤腸하는 것이 마땅한데, 아래로 통하면 嘔吐는 그칠 것이다.

處方(1): 生地 12 g, 玄參 9 g, 麥冬 9 g, 生川軍(後下) 4.5 g, 元明粉(分沖) 6 g, 枳實 9 g, 鬱金 9 g. 三劑, 水煎服.

2) 二診: 1974년 2월 25일. 전날 大便을 1차례 보았는데 乾結하면서 양은 적었고, 腹痛과 嘔吐는 모두 감소하였으며, 低熱은 이미 물러났지만, 脈細數, 舌紅乏液하였다. 胃腸의 陰液이 아직 회복되지 않았으니 여전히 이전의 방법을 고수하면서 조금 넣고 뺐다.

處方(2): 生地 12 g, 玄參 9 g, 麥冬 9 g, 生川軍(後下) 6 g, 元明粉(分沖) 6 g, 枳實 9 g, 鬱金 9 g, 炒赤白芍 各 12 g, 生甘草 4.5 g. 二劑, 水煎服.

3) 三診: 1974년 2월 27일. 오늘 새벽에 大便을 1차례 보았는데 양이 많으면서 무르면서 냄새가 났고, 脘腹痛은 모두 감소하였으며, 嘔吐도 또한 그치면서 음식 먹고 싶은 생각이 났는데, 오직 口渴顴紅, 脈細, 舌紅未潤하였다. 다시 增液通腑하였는데 그 方劑를 가볍게 하였다.

處方(3): 前方 生川軍 改 4.5 g. 三劑, 水煎服.

考察: 『素問』「靈蘭秘典論」에서 말하기를 "大腸者, 傳導之官, 變化出焉."이라고 하였다. 胃腸이 병이 생기는 것은 혹은 燥熱內結로 말미암거나, 혹은 氣滯不行

하거나, 혹은 氣虛하여 傳導無力하거나, 혹은 血虛하여 腸道乾澀하거나, 혹은 陰寒凝結 등으로 온다. 본 예는 西醫에서 腸間膜 淋巴結 結核과 不完全性 腸閉塞으로 진단하였다. 低熱形瘦·舌紅裂紋少津·脈細數 등의 症狀에 근거한다면 病을 오래 끌면서 陰液을 耗傷하여 아래의 腸道쪽으로 부드럽게 輸布하지 못해서 생긴 것이다. 治療는 당연히 한 가지라도 峻下熱結시키는 것은 옳지 않으니, 그렇지 않으면 반드시 더욱 그 津液을 손상시킬 것이다. 그러므로 方劑로 滋陰潤腸하여 增水行舟시키는 것은 通腑의 효과를 얻을 수 있을 뿐만 아니라 傷陰의 우려도 없어지는 것이니, 이것이 이른바 '邪正兼顧'라고 말하는 것이다.

2. 黏膜乾燥症『新中醫』(1987, 5:46): 某 여자, 44세, 1985년 10월 30일 初診. 환자는 최근 한 달 동안 口乾渴, 唇燥裂, 鼻腔乾痛, 口腔의 黏膜이 乾燥하면서 열은 紅色을 띄었는데 만지면 麻痹感과 함께 疼痛이 있었고 최근에는 痛症이 甚하여 음식을 먹지 못하였으며, 大便乾結하여 2~3일에 한 번 보았는데 고통은 말로 표현하기 어려웠으며, 舌質紅絳, 無苔乏津, 脈沉數有力하였다. 이것은 燥熱이 胃陰을 손상시키고 津液이 손상되면서 黏膜이 乾燥해진 것으로, 上竅가 윤기를 잃으면 痛症이 오고, 腸腑가 燥結해지면 便祕가 된다.

治療 原則: 增液承氣湯에 加味하여 津液을 증가시켜 胃陰을 기르면, 滋潤孔竅하고 增水行舟할 것이다.

處方과 治療 結果: 生地·玄參 各 30 g, 麥冬 25 g, 大黃 8 g, 芒硝 5 g, 石斛·玉竹·沙蔘 各 15 g, 甘草 6 g. 二劑, 水煎服. 11월 5일 二診: 藥을 복용한 후에 大便이 通暢하고, 唇乾裂과 口腔黏膜이 紅嫩하여 麻痛이 있던 것들이 모두 감소하였으나, 鼻는 아직까지 건조하였고 口渴도 약간 있었다. 藥物이 이미 효과를 거두었으니 上方에서 沙蔘을 빼고 天花粉 15 g을 넣어 다시 二劑를 먹었더니 모든 症狀이 다 제거되었다.

考察: 이번 예의 환자가 鼻黏膜乾燥하고 大便燥結한 것은 燥熱이 傷陰耗液하여 黏膜이 윤기를 잃어서 생긴 것이다. 陽明燥結한 것을 만약 단지 通便하는 것에만 힘쓰면 반드시 더욱 陰液을 손상시키게 된다. 그러므로 增液承氣湯으로 增水行舟潤下하고, 石斛·玉竹·沙蔘·甘草로 보좌하여 胃陰을 기르면서 諸竅를 적셔주는 것이다. 四劑를 복약하니 津液이 더해지면서 大便이 통하고 黏膜이 滋潤되면서 麻痛이 스스로 나은 것이다.

3. 癃閉『江蘇中醫』(1988, 6:30): 某 남자, 28세. 發熱한 지 5일 되었는데, 초기에는 惡寒, 壯熱, 頭痛目赤, 腋下에 出血點이 산재해 있었다. 治療 후에 體溫은 이미 내려갔으나, 小便이 물방울처럼 떨어지고 量少하면서 熱澀色赤하였고, 倦怠乏力, 口燥咽乾, 心煩不安, 大便四日未行, 下腹脹滿不適, 舌紅赤, 苔黃燥, 脈細數하였다. 症狀이 實熱이 下部에 壅結한 것에 속하는데, 腑實하여 膀胱의 氣化가 되지 않으면서 津液이 이미 손상된 것이다.

治療 原則: 增液으로 通便導下하여 小便을 이롭게 하는 것이 마땅하다.

處方과 治療 結果: 方劑로는 增液承氣湯에 加味한 것을 취하였다: 生地 15 g, 麥冬·玄參·知母 各 12 g, 大黃(後下) 10 g, 芒硝(化服) 12 g, 白茅根 30 g. 服藥 후에 大便을 4차례 보았는데, 처음에는 硬結糞塊였지만 나중에는 醬처럼 黑色인 溏糞이 나왔으며, 小便도 또한 뚜렷하게 증가하였고, 계속해서 涼營·養陰·解毒하는 方劑로 조리하고 治療하여 나았다.

4. 齒痛『四川中醫』(1990, 2:31): 1986년에 한 여성 중년 환자를 治療하였는데, 양측에 齒痛이 생긴 病歷이 1년여 되면서 음식 먹는 것이 곤란하였고, 이빨 주위가 紅腫하였으며, 痛症이 심하면서 流涎하였고, 頭暈, 咽乾, 小便黃赤, 大便乾結難下, 舌質紅少苔, 脈洪數을 동반하였다. 中醫가 辨證하기로는 腎水不足에 陽

明胃火가 上炎하여 생긴 齒痛이라고 하였다.

治療 原則: 滋陰增液·泄熱通便하는 방법을 채택하였다.

處方과 治療 結果: 增液承氣湯 加減: 生地 30 g, 玄參 15 g, 麥冬 10 g, 石膏 30 g, 銀花 15 g, 牛膝 10 g, 知母·白芷·丹皮 各 9 g, 大黃·芒硝 各 6 g. 三劑를 복용하였더니 疼痛이 즉시 그쳤으며 아직 재발하지 않았다.

5. 癮疹『四川中醫』(1990, 2:31): 某 여자. 癮疹을 앓은 지 4년 되었는데, 매번 夜間에 發作하였고, 大便燥結하여 2~3일에 1차례 보았으며, 舌乾紅苔薄黃하였다. 中醫가 인식하기로 이것은 津液이 燥竭함으로 말미암아 물이 배를 띄우기에는 부족하여 胃腸의 蘊熱이 肌腠를 熏蒸해서 생긴 것이다.

治療 原則: 潤燥通腑·養陰增液하고 涼血로 보좌하는 방법으로 하였다.

處方과 治療 結果: 增液承氣湯 加減: 生地 20 g, 火麻仁·瓜蔞仁·地膚子 各 12 g, 玄參·麥冬 各 10 g, 當歸·赤芍·丹皮·蒺藜 各 9 g, 大黃·芒硝 各 6 g. 前後로 모두 30여 劑를 복용했더니 癮疹이 기본적으로 사라졌다.

考察: 增液承氣湯은 津液枯竭로 물이 배를 띄우지 못하여 腑中의 燥結이 나가지 못하는 것과 같은 종류의 病證에 대한 方劑이다. 그 主要한 臨床 表現은 燥屎가 나가지 않으면서 下法을 써도 통하지 않는 것이다. 그 기본적인 病機는 '熱結陰虧'한 것이므로 무릇 이러한 病機에 符合하는 病證들, 예를 들어 癃閉·齒痛·皮膚癮疹 등은 모두 이 方劑에 加減하여 응용할 수 있으니, 곧 '異病同治'의 의미를 말하는 것이다.

6. 腦震蕩(瘀血性 劇烈頭痛)『河南中醫藥學刊』(2002, 3:26): 某 남자, 33세. 10일 전에 왼쪽 관자놀이에 손상을 받으면서 30분 정도 혼수 상태에 빠졌는데, 급하게 가까운 醫院에 도착하여 진단과 治療를 받았다. 症見: 神志恍惚, 嘔吐, 頭痛, 좌측 顳部에 青紫色의 腫脹이 있었지만 裂傷은 없었고, 좌측 耳 및 口鼻에 流血이 있었다. CT로는 두개골 골절 및 두개골 내측의 出血을 볼 수 없었고, 좌측 귀의 고막이 천공된 것을 발견하였다.

診斷: ① 腦震蕩, ② 左耳鼓膜穿孔. 止血을 시키거나 脫水로 두개골 내의 압력을 낮추는 등의 대증 治療를 거치면서 出血은 정지하였지만, 좌측 顳部의 持續性 疼痛이 있으면서 통증이 마치 針刺와 같았고, 陣發性으로 심해졌으며, 痛症이 있을 때 血壓이 올라가면서 周身汗出이 동반되었고, 동시에 감정이 냉담해지면서 좌측 귀의 청력이 감퇴되었다. 腦電圖 검사를 하였지만 이상을 볼 수는 없었고, carbamazepine·心痛定·西比靈 等도 效果가 좋지 않았다. 금일 진단하여 본 症狀도 이전과 같았으며, 便秘·口乾·舌質暗紅, 舌苔黃膩略燥, 脈弦數을 동반하였다. 이러한 症狀은 外傷 후에 瘀血性 頭痛과 겸하여 氣鬱化熱의 표현이 있는 것이다.

處方과 治療 結果: 즉시 增液承氣湯 加味한 것을 주었다: 生大黃(後下) 15 g, 生地黃 20 g, 麥冬 20 g, 玄參 15 g, 芒硝(沖服) 10 g, 三棱 10 g, 莪朮 10 g. 二劑를 복용했더니 大便이 시원하게 나가면서 頭痛이 輕減하였고 발작 횟수가 감소하였다. 이후에 上方에 當歸 15 g, 龍膽草 10 g을 넣고 芒硝를 빼서 계속해서 十劑를 복용했더니 頭痛이 소실되면서 精神이 정상으로 회복되었다.

【副方】 承氣養榮湯(『溫疫論』卷上, 異名: 養榮承氣湯(『重訂通俗傷寒論』)): 知母 9 g, 當歸 6 g, 生地黃 12 g, 大黃 12 g, 枳實 9 g, 厚朴 9 g, 白芍 15 g(原書未著用量).

- 用法: 加生薑, 水煎服.
- 作用: 瀉熱通便, 滋陰潤燥.

• 適應症: 溫病數下亡陰, 唇燥口裂, 咽乾渴飮, 身熱不解, 腹硬滿而痛, 大便不通者.

본 方劑는 增液承氣湯과 함께 모두 滋陰潤燥·通便瀉熱할 수 있다. 다만 본 方劑는 小承氣湯에 四物湯을 합하고 川芎의 辛燥를 빼면서 苦寒鹹潤한 知母를 넣어 만든 것이다. 方劑는 小承氣湯으로 그 熱結을 瀉하고, 四物湯에 川芎을 빼고 知母를 넣은 것으로써 滋陰養血淸熱하는 것이니, 攻下熱結에 滋陰養血을 겸하는 方劑로 火盛燥血하여 液이 마른 便秘를 治療하는 좋은 方劑이다. 增液承氣湯은 增液湯에 調胃承氣湯을 합하고 甘草를 빼서 만든 것으로 滋陰增液하는 힘이 전자와 비교해서 강하다. 두 가지 方劑는 각각 특징이 있으니 마땅히 구별해서 운용해야 한다.

第五節 逐水劑

十棗湯

(『傷寒論』)

【異名】 三星散(『傳氏活嬰方』, 錄自『普濟方』卷380)·大棗湯(『傷寒大白』卷3).

【組成】 芫花 甘遂 大戟 熬 各等分

【用法】 이상 세 가지 藥物을 等分하여 각각 별도로 찧어서 散을 만들고, 물 一升半으로 먼저 大棗 肥者 十枚를 달여서 8合을 취하여 찌꺼기를 버리고 藥末을 넣는다. 강한 사람은 一錢匕를 복용하고, 허약한 사람은 半錢을 服用하는데, 平旦에 따뜻하게 복용한다. 만약 下利한 후에 病이 제거되지 않는 자는 다음날 다시 半錢을 더하여 服用한다. 시원하게 下利한 후에는 糜粥으로 補養한다(現代用法: 이상 세 가지 藥物을 等分하여 분말로 만들고, 혹은 캡슐 안에 넣기도 하는데, 매번 0.5~1 g을 매일 1차례 服用하되, 大棗 十枚를 煎湯한 것으로 이른 아침 空腹에 服用한다. 시원하게 下利한 후에는 糜粥으로 補養한다).

【效能】 攻逐水飮.

【主治】

1. 懸飮: 脇下有水氣, 以致咳唾胸脇引痛, 心下痞硬, 乾嘔短氣, 頭痛目眩, 甚或胸背掣痛不得息, 舌苔白滑, 脈弦滑.

2. 水腫: 一身悉腫, 尤以身半以下腫甚, 腹脹喘滿, 二便秘澀, 脈沉實.

【病機分析】 『素問』「經脈別論」에서 말하기를 "飮入於胃, 遊溢精氣, 上輸於脾, 脾氣散精, 上歸於肺, 通調水道, 下輸膀胱, 水精四布, 五經並行."이라고 하였는데, 이것은 人體가 津液을 吸收·輸布·排泄하는 법칙을 말하는 것이다. 『聖濟總錄』卷63에서 말하기를 "三焦者, 水穀之道路, 氣之所終始也. 三焦調適, 氣脈平勻, 則能宣通水液, 行入於經, 化而爲血, 漑灌周身. 三焦氣澀, 脈道閉塞, 則水飮停滯, 不得宣行, 聚成痰飮."이라고 하였다. 그러므로 外感 혹은 內傷 등의 원인으로 肺·脾·腎 세 장기의 機能失調로 三焦의 水道가 不利하면 津液이 內停하여 변화하면 痰飮이 되는 것이다. 懸飮은 水飮이 脇下에 停聚해서 생기는 것이니, 곧 『金匱要略』「痰飮咳嗽病脈證並治」에서 말하기를 "飮後水流在脇下, 咳唾引痛, 謂之懸飮."이라고 하였다. 胸脇은 氣機가 升降하는 道路인데, 水飮의 邪氣가 脇下에 停聚하면 脈絡이 막히면서 氣機가 不利해지므로 胸脇作痛하는 것이고, 咳唾時에 胸脇의 經脈을 牽引하므로 咳唾胸脇引痛하고 심하면 胸背掣痛 不得息하며, 肺는 胸中에 거처하면서 肺氣는 宣發肅降을 좋아하는데 水飮이 위로 肺를 압박하면 肺氣가 不利해지

면서 宣降을 정상적으로 하지 못하므로 短氣·咳嗽하는 것이고, 飮은 陰邪이면서 氣를 따라서 流行하는데 水飮이 胃를 침범하면 胃가 조화롭게 下降하지 못하므로 乾嘔하는 것이고, 頭는 諸陽之會인데 水飮이 막히면 淸陽이 상승하지 못하므로 頭痛目眩하는 것이다. 水飮의 邪氣가 肌膚에 넘치면 一身悉腫하는 것이고, 水의 勢力은 下趨하므로 腰以下腫甚한 것이며, 飮이 脘腹에 정체되면 氣機가 막히므로 腹脹喘滿하는 것이고, 飮이 水道를 막으므로 小便短澀하고, 飮이 腸道를 막아서 傳導기능을 하지 못하므로 大便秘結하는 것이다. 舌苔白滑한 것은 水飮의 징후이고, 脈沉弦한 것은 沉은 裏를 주관하고 弦은 水飮과 痛症을 주관하는 것이다. 이상에서 서술한 것들을 종합하면 본 方劑가 主治하는 모든 症狀들이 비록 臨床的인 표현이 각기 다르지만, 모두 水飮이 裏에 壅盛하여 飮邪가 凝聚되어서 생기는 것들이다.

【配伍分析】 본 方劑가 治療하는 症狀은 水飮이 裏에 壅盛하여 上下로 泛溢하면서 생기는 것이다. 이때에는 일반적인 化飮·滲濕하는 방법으로는 능히 감당할 수가 없다. 治療해야 할 時期에 그 水邪를 引導하여 勢力을 누그러뜨리지 못한다면 장차 泛溢하여 正氣를 손상시키는 우려에서 벗어날 수 없을 것이니, 반드시 攻之逐之하여 水飮의 邪氣로 하여금 宣泄되게끔 해야 한다.『素問』「至眞要大論」의 "留者攻之"라는 治療 原則에 根據하고,『金匱要略』「水氣病脈證並治」에서 지적하기를 "病人腹大, 小便不利, 其脈沉絕者, 有水, 可下之."라고 하였으므로 峻劑의 攻逐하는 藥物을 투여하여 瀉水逐飮해야 한다. 攻逐水飮하는 대표적인 藥物로 甘遂·大戟·芫花를 꼽을 수 있다.『神農本草經』卷3에서 甘遂에 대하여 말하기를 "主大腹疝瘕, 腹滿, 面目浮腫, 留飮 …… 利水穀道."라고 하였고,『景岳全書』「本草正」卷48에서 말하기를 "專於行水, 能直達水結之處, 如水結胸者, 非此不能除."라고 하였다. 大戟은 "性峻烈, 善逐水邪痰涎, 瀉濕熱腫滿."(『景岳全書』「本草正」卷48)이라고 하였는데 甘遂와 비교해서 攻泄하는 힘이 더욱 강하고, 芫花는 "消胸中痰水, 喜唾, 水腫."(『名醫別錄』)이라고 하였고, "治水飮痰癖, 脇下痛."(『本草綱目』卷17)이라고 하였다. 이로부터 方劑 중 甘遂는 苦寒有毒, 善行經隧絡脈之水濕하고, 大戟은 苦寒有毒, 善瀉臟腑之水邪하며, 芫花는 辛溫有毒, 善消胸脇伏飮痰癖한다는 것을 알 수 있다. 세 가지 藥物은 藥性이 峻烈하면서 二便을 通利시키고 水飮을 攻逐하며 積聚를 제거하고 腫滿을 줄어들게 하는 效能은 비록 같지만, 各 藥物이 목표로 하여 집중적으로 공격하는 것도 있어서 합하여 사용하면 相濟相須하면서 온몸의 上下·內外의 水飮을 瀉下하기에 그 效能이 매우 두드러지는 것이다. 바로 柯琴이 말한 "甘遂·芫花·大戟, 皆辛苦氣寒而稟性最毒, 並擧而任之, 氣同味合, 相須相濟, 決瀆而大下, 一擧而水患可平矣."(『傷寒來蘇集』「傷寒附翼」卷上)과 같다. 세 가지 藥物이 峻猛有毒하여 쉽게 正氣를 손상시킬 수 있으므로 方劑 중 大棗 十枚를 配伍하여 湯을 달여서 복용하게 한 것이니, 脾胃를 보살펴서 培土制水할 수 있을 뿐만 아니라 甘緩으로 諸藥의 峻烈한 性質 및 毒性을 緩和시킬 수 있어서, 服藥 후의 반응을 감소시켜서 邪氣를 제거하면서도 正氣가 손상되지 않게 한 것이니, 합하여 사용하면 함께 峻逐水飮의 良方이 만들어지는 것이다.

본 方劑에 大棗를 配伍한 것에는 숨어 있는 뜻이 매우 깊은데, '攻邪勿忘扶正'이라는 方劑를 구성하는 配伍의 특징을 몸소 실현한 것이다.

본 方劑는 攻逐시키는 힘이 매우 猛烈하고, 또 方劑 중에 甘遂 등 세 가지 逐水藥은 毒性이 비교적 강하므로 仲景은 그 服藥하는 劑量에 대한 요구를 매우 엄격하게 하였다. "强人服一錢匕, 羸人服半錢"하라고 하면서 만약 瀉下한 후에 水飮이 완전히 제거되지 않은 자는 다음날 조금 더하여 다시 服用하게 하고, 총괄적으로 快利한 것으로써 한도를 삼되 지나치게 많은 藥劑를 사용하지 않도록 하였다. 만약 服藥한 후에 水飮이 모두 제거되면 마땅히 調補脾胃하는 藥物로 治療 효과를 鞏固하게 해야 한다.『本草綱目』卷17에서 역시 지적하기를 "芫花·甘遂·大戟之性, 逐水泄濕, 能直

達水飮窠囊隱僻之處, 但可徐徐用之, 取效甚捷. 不可過劑, 泄人眞元也."라고 하였다.

原書의 方劑 후에서 注釋하여 말하기를 "得快下利後, 糜粥自養."하라고 한 것은 내포된 뜻이 깊고 심오하다. 甘遂 等 세 가지 藥物은 攻下逐水하면서 또한 모두 毒性이 있어서 峻下한 후에는 반드시 胃氣를 손상시킨다. 그러므로 糜粥을 사용하여 調養한 것인데, 첫 번째는 穀氣로 胃氣를 充養시키는 것이고, 두 번째는 胃氣가 보충되면서 水飮이 다시 만들어지지 않도록 하는 것이다. 또한 瀉下한 후에는 마땅히 음식을 잘 調攝해야 하는데, 油膩 등 소화가 잘 되지 않는 음식물을 갑자기 먹어서는 안 되니, 이로써 거듭 胃氣를 손상시키는 것에서 벗어나라고 사람들에게 보여주는 것이다.

【臨床應用】

1. 證治要點: 본 處方은 攻逐水飮시키는 대표적인 方劑이다. 임상에서는 咳唾胸脇引痛, 或水腫腹脹, 二便不利, 舌苔白滑, 脈沉弦한 것을 證治의 요점으로 삼는다.

2. 본 方劑는 또한 支飮을 治療하는 常用 方劑인데, 『金匱要略』「痰飮咳嗽病脈證並治」에서 말하기를 "夫有支飮家, 咳煩胸中痛者, 不卒死 …… 宜十棗湯."이라고 하여, 水飮을 오랫동안 治療했는데도 낫지 않아서 胸膈에 停聚되면 肺氣의 宣肅에 영향을 미치고 心氣不寧하게 되면서 곧 咳嗽와 함께 胸痛·心煩이 발생하는 支飮證이 된다. 비록 病證이 오래 끌면서 낫지 않더라도 만약 正氣가 아직까지 왕성하다면 여전히 본 方劑를 사용하여 攻下할 수 있다.

3. 十棗湯은 다음 한국표준질병사인분류(KCD)에 해당하는 환자가 懸飮, 水飮壅實證으로 辨證되는 경우 본 처방의 사용을 고려해볼 수 있다.

처방 목표	한국표준질병사인분류(KCD)
胸腔積液	J90 달리 분류되지 않은 흉막삼출액
	J91 달리 분류된 병태에서의 흉막삼출액
心包積液	I30 급성 심장막염
	I31.3 심낭삼출액(비염증성)
肺炎	J09~J18 인플루엔자 및 폐렴
	J20~J22 기타 급성 하기도감염
	J18.9 상세불명의 폐렴
肝硬化腹水	K74.1 간경화증
腎炎水腫	N00~N08 사구체질환
	N10~N16 신세뇨관~간질질환
	N17~N19 신부전
胃酸過多	(질병명 특정곤란)
	K29 위염 및 십이지장염
	K21 위~식도역류병
神經性 食欲減退	F50.0 신경성 식욕부진
頭蓋內壓增加症	G93.2 양성 두개내압상승
	I67.4 고혈압성 뇌병증
精神分裂症	F20 조현병
流行性出血	A92~A99 절지동물매개의 바이러스열 및 바이러스출혈열

【注意事項】

1. 水飮이 外邪로 생기거나 혹은 外邪가 內飮을 유발해서 발생한 자는 모름지기 "表解者, 乃可攻之."(『傷寒論』)하도록 기다려야 한다. 病證의 초기에 寒熱表證이 있는 자는 먼저 小靑龍湯을 사용하여 解表와 함께 化飮해야 하고, 表解한 후에 본 方劑를 주어 攻下逐水할 수 있다. 만약 寒熱往來 혹은 朝輕暮重의 半表半裏證이 보이는 자는 먼저 小柴胡湯 혹은 柴胡桂枝湯 등의 方劑를 준다. 위에서 서술한 각각의 症狀들은 임상에서 항상 先後로 함께 보이면서 쉽게 헛갈리기 때문에 반드시 세밀하고 신중하게 감별해야 한다.

2. 이 方劑에 있는 藥物은 大毒하면서 성질이 猛烈하므로 體弱·慢性胃腸病患者 및 孕婦들은 마땅히

신중하게 사용하거나 혹은 사용을 禁忌해야 한다. 만약 환자가 體虛邪實한데 攻下法이 아니면 질병을 물리칠 수 없는 자라면 본 方劑와 健脾補益劑를 교대로 사용할 수 있는데, 혹은 先攻後補하거나 혹은 先補後攻한다.

3. 본 方劑는 반드시 空腹時에 服用하는데, 매일 1차례 일반적으로 적은 藥劑량(1.5 g)으로 개시한다. 水飮이 다 제거되지 않은 자는 다음날 再服하는데, 用量은 참작하여 3 g까지 증량할 수 있다. 총괄적으로 快利한 것을 한도로 삼는데, 효과를 얻으면 바로 그치고 신중하게 사용하여 지나치지 않도록 한다.

4. 만약 瀉下한 후에 精神疲乏, 瞑眩, 惡心, 厥冷, 食欲減退하는 자는 잠시 攻逐을 멈추고, 만약 복약한 후에 水飮이 이미 다 제거되었다면 糜粥을 먹어 調養胃氣하거나 혹은 健脾和胃시키는 方劑로 조리한다. 갑자기 油膩·厚味 등 쉽게 소화되지 않는 음식물은 절대로 禁忌하는데, 이로써 거듭 胃氣를 손상시키는 것에서 벗어날 수 있다.

5. 본 方劑를 服用한 후에 冷稀粥 혹은 冷開水를 복용하면 瀉下가 멈추는 경우도 있다.

6. 본 方劑는 水煎하여 湯劑로 사용하지 않는다. 甘遂·大戟·芫花는 마땅히 研末로 만들거나 혹은 캡슐 속에 넣어서 大棗煎湯으로 복용하는데, 甘遂의 유효성분은 물에 녹지 않기 때문에 만약 水煎服한다면 治療 效果에 영향을 미칠 것이다.

7. 甘遂·大戟·芫花을 醋로 法製함으로써 그 毒性副作用을 경감시킬 수 있다.

8. 본 方劑의 禁忌는 甘草와 함께 服用하는 것이다.

【變遷史】 본 方劑는 張仲景의 『傷寒雜病論』에서 근원하는데, 攻逐水飮하는 良方이다. 『傷寒論』에 실려 있는 이 方劑는 "太陽中風, 下利嘔逆, 表解者, 乃可攻之. 其人汗出, 發作有時, 頭痛, 心下痞硬滿, 引脇下痛, 乾嘔短氣, 汗出不惡寒者, 此表解裏未和也, 十棗湯主之."라고 하였다. 『金匱要略』에서 水病을 논할 때, 이미 風水·皮水·正水·石水의 구분이 있었고, 또한 心水·肺水·肝水·脾水·腎水의 구별도 있었으며, 痰飮病을 논할 때에는 懸飮·溢飮·支飮·痰飮의 다름이 있었다. 그 治法은 대부분 『內經』의 "去宛陳莝 …… 開鬼門, 潔淨府."하는 방법을 따르는데, 實水·懸飮·支飮 등의 重證은 일반적인 淡滲·化飮하는 藥物로는 奏效하지 못하고, 매번 逐水攻下하는 藥物을 사용하여 험난한 관문을 돌파해야 한다. 예를 들어 『金匱要略』「水氣病脈證並治」에서 말하기를 "飮後水流脇下, 咳唾引痛, 謂之懸飮."이라고 하였고, "病懸飮者, 十棗湯主之."라고 하였으며, "咳家其脈弦, 爲有水, 十棗湯主之."라고 하였고, "咳逆倚息, 短氣不得臥, 謂之支飮."이라고 하였으며, "夫有支飮家, 咳煩, 胸中痛, 不卒死, 至一百日或一歲, 宜十棗湯."라고 하였다. 그러므로 무릇 水飮이 壅實하면서 正氣가 虛하지 않은 자는 仲景이 모두 본 方劑로써 攻逐한 것이다.

十棗湯은 후세에 攻下逐水法의 運用·發展 및 瀉下逐水方劑의 衍化·創造하는 것에 대하여 모두 광범위한 영향을 끼쳤다. 仲景 이후로 대체로 水飮壅實病證을 治療하는 方劑는 대부분 十棗湯 혹은 이것으로 말미암아 化裁하여 만든 것이다. 예를 들어 『外臺秘要』卷8에서 인용한 『深師方』의 朱雀湯은 곧 본 方劑에서 甘遂·芫花 各一分, 大戟 三分, 大棗 十二枚로 用量을 조정한 것인데, 大棗의 用量을 加重한 것은 胃氣를 보호하는 效能을 증강시키려는 의도가 있으니, "久病癖飮停痰不消, 在胸膈上液, 時頭眩痛, 苦攣, 眼睛·身體·手足·十指甲盡黃. 亦療脇下支滿飮, 輒引脇下痛."을 治療하였다. 『三因極一病證方論』卷13의 控涎丹은 十棗湯에서 芫花·大棗를 빼고 白芥子를 넣어, 用量은 세 藥物을 各等分하여 분말로 만든 후 桐子大로 糊丸을 만들어 食後 臨臥에 淡薑湯으로 5~七丸에서 十丸까지 服用하였다. 方劑로 白芥子를 사용한 것은 辛散開泄·

溫通滑利한 것을 취한 것으로 皮裏膜外·胸膈經絡의 痰涎을 잘 제거하기에 甘遂·大戟과 配伍하여 응용하면 祛痰逐飮에 長技를 가지게 된다. 湯劑를 丸劑로 바꾼 것은 峻藥을 완만하게 투여하려는 의도로, 生薑湯으로 내려보내면 溫胃和中하여 攻下로 正氣가 손상되지 않도록 한다. 主治는 痰涎과 水飮이 胸膈에 정체하여 脇肋引痛하면서 舌苔黏膩하고 脈弦滑하거나 혹은 水腫으로 形氣가 모두 實한 자이다. 다만 본 方劑가 다스리는 것은 여전히 중점이 痰涎이 胸膈에 停滯하고 있다는 것에 있다. 『黃帝素問宣明論方』卷8에서는 본 方劑에 大棗를 빼고 大黃·牽牛子·輕粉을 넣은 것으로 가루를 만들고 滴水로 丸을 만들어 이름을 三花神祐丸이라고 하였다. 張璐評이 말하기를 "此方守眞本仲景十棗湯加牽牛·大黃·輕粉三味. 較十棗倍峻, 然作丸緩進, 則威而不猛."(『張氏醫通』卷16)이라고 하였으며, 그 적용 범위 또한 확장하였는데 機能이 宣通氣血·消酒進食하기에 이것을 사용하여 "水濕停留, 腫滿腹脹, 喘嗽淋泌; 痰飮入絡, 肢體麻痹, 走注疼痛; 痰飮停胃, 嘔逆不止; 風痰涎嗽, 頭目眩暈; 瘧疾不已, 癥瘕積聚, 堅滿痞悶; 酒積食積; 婦人濕痰侵入胞宮, 經行不暢, 帶下淋瀝; 傷寒濕熱, 腹滿實痛."을 治療하였다. 『張氏醫通』卷16에서 神祐丸이라고 부르는 것은 陽水腫脹으로 大小便이 막히는 자를 治療하는 것이다. 『丹溪心法』卷3에서는 본 方劑 構成 藥物인 삶은 大棗肉을 찧어서 藥末과 함께 丸으로 만들면서 冠名을 十棗丸이라고 하였는데, 水氣로 四肢浮腫, 上氣喘急, 大小便不利한 자를 治療하였다. 湯劑를 丸劑로 바꾼 것은 "治之以峻, 行之以緩."하는 방법이면서 복용할 때에도 또한 더욱 편리하다. 『古今醫統大全』卷43에서 인용한 『三因方』의 小胃丹은 본 方劑에 大棗를 빼고 大黃·炒黃柏을 넣어 분말이 되도록 갈아서 粥으로 丸을 만들어 淸熱攻下하는 힘을 증강시킨 것인데, "上可去胸膈之痰, 下可利腸胃之痰."이라고 하였으며, 膈上熱痰, 風痰, 濕痰으로 肩膊諸痛과 食積痰實 및 哮喘을 主治하였다. 『袖珍方』卷3에서 인용한 『太平聖惠方』의 舟車丸은 十棗湯 중에서 大棗의 甘緩을 빼고, 黑丑·大黃·檳榔·靑皮·陳皮·輕粉 등 攻逐破滯하는 藥物을 넣어서 硏末하여 水糊로 丸을 만든 것이니, 逐水하는 중에 아울러 行氣할 수 있어서 그 攻逐하는 힘은 十棗湯과 비교해서 더욱 峻烈하다. 그러나 모든 藥을 丸劑로 만드는 것은 峻藥을 완만하게 투여하고, 威嚴은 있지만 猛烈하지는 않게 하려는 의도이다. 이것을 사용하여 水熱內壅으로 인하여 氣機가 막히면서 水腫水脹하고 大腹脹滿과 二便不利한 자를 治療한다. '肺與大腸相表裏'·'上病治下'의 이론에 근거하여 현대 臨床에서는 본 方劑로 散劑를 만들어서 肺炎散이라고 부르며, 사용할 때에는 大棗 十枚로 煎湯한 것으로 복용하여 小兒肺炎를 治療하는데, 通腑瀉熱·祛痰止咳하는 양호한 효과가 있다.

【難題解說】

1. 方劑 중 君藥에 관한 것: 古今의 文獻 및 各版 『方劑學』教材 중에서 十棗湯의 君藥에 대하여 대체로 네 가지 종류의 의견이 있다: ① 芫花로 君藥을 삼아야 한다. 예를 들면 許宏의 『金鏡內台方義』卷5에서 말하기를 "用芫花爲君, 破飮逐水."라고 하였다. ② 大戟을 主藥으로 삼아야 한다. 예를 들면 徐彬이 말하기를 "大戟性苦辛寒, 能瀉臟腑之水濕, 而爲控涎之主."(『金匱要略論注』卷12)이라고 하였다. ③ 大棗로 君藥을 삼아야 한다. 柯琴·左季云 등은 모두 이 학설을 支持하였다. 예를 들면 柯琴이 말하기를 "然邪之所湊, 其氣已虛, 而毒藥攻邪, 脾胃必弱, 使無健脾調胃之品主宰其間, 邪氣盡而元氣亦隨之盡, 故選棗之大肥者爲君, 預培脾土之虛, 且制水勢之橫, 又和諸藥之毒. 既不使邪氣之盛而不制, 又不使元氣之虛而不支, 此仲景立法之盡善也."(『傷寒來蘇集』「傷寒附翼」卷上)라고 하였다. ④ 甘遂·大戟·芫花를 모두 主藥으로 삼아야 하는데, 相濟相須함으로써 水飮을 峻烈하게 瀉下하는 것이고, 大棗로 보좌함으로써 그 峻烈함을 緩和시키면서 毒을 制御하는 것이다. 이러한 관점을 支持하는 자가 매우 많은데, 예를 들면 汪昂 (『醫方集解』「攻裏劑」)·錢潢 (『傷寒溯源集』卷3)·王子接 (『絳雪園古方選注』卷上) 등이 있다. 方劑를 구성하는 원칙의 涵義에 근거하면 峻下逐水하는 方劑는 마땅히 瀉水逐飮하는

藥物로 君藥을 삼아야 한다. 柯氏와 左氏가 大棗로써 君藥을 삼은 것은 瀉下劑의 입법 근거 및 方劑를 구성하는 원칙과 서로 어긋난다. 仲景이 '十棗'라고 方名을 지은 것은 主藥들이 편중되어서 監制하는 용도로 사용하기 위한 것이고, 祛邪할 때에는 扶正할 것을 잊지 말아야 함을 더욱 중시한 것이다. 甘遂·大戟·芫花는 모두 峻下攻逐하는 藥物이지만, 또한 각기 한쪽으로 치우친 면도 있기 때문에 水飮이 裏에 壅盛하여 泛溢上下하는 實證·重證에 대하여 오직 함께 사용해야 그 효능이 오로지 한쪽 방향으로 가면서 비로소 한결같이 瀉下하여 水飮을 모두 제거할 수 있으므로 方劑의 君藥은 甘遂·芫花·大戟의 세 가지 藥物로 하는 것이 타당하다.

2. 본 方劑의 劑型에 관한 것: 본 方劑는 비록 '十棗湯'이라고 이름붙였으나, 甘遂·大戟·芫花는 모두 大棗와 함께 물에 달이지 않고, 研末하여 散으로 만들어서 棗湯으로 복용한다. 임상과 藥理實驗에서 이미 증명하였듯이 실제로 이러한 종류의 用法이 최고로 합리적이면서 과학적이다. 甘遂의 유효 성분은 물에 녹지 않기 때문에 물에 달여서 汁을 취하면 효과를 거두기 어렵다. 動物實驗에서 표명하기를 甘遂制劑의 利尿와 瀉下 작용은 粉劑로 만든 混懸液의 작용이 비교적 강하고[1], 만약 甘遂·大戟·芫花를 大棗와 함께 달여서 복용하면 쉽게 腹痛·吐瀉 등 부작용을 일으킨다.[2] 임상적인 자료가 또한 표명하기를 세 가지 藥物은 研末로 해서 呑服하는 것이 효과가 제일 좋다.[3] 朱丹溪는 湯劑를 丸劑로 바꾸었는데, 十棗湯과 비교해서 작용은 緩和되면서 사용은 편리해졌다. 현재 사용되는 十棗湯의 劑型에는 세 종류가 있다: 散劑(캡슐劑)와 丸劑와 湯劑이다. 관찰한 바에 근거한다면 散劑로 呑服하는 자가 효과가 비교적 양호하고, 캡슐劑는 藥物이 상부 소화관에 일으키는 자극 작용을 피할 수 있으며, 丸劑는 그 다음이고, 湯劑는 비교적 적게 사용한다.

3. 方名에 대한 闡釋: 본 方劑는 峻下逐水之劑인데 도리어 甘緩補脾하는 大棗로 대표하는 명칭을 삼은 것은 깊이 새겨 보아야 한다. 개괄적으로 말해서 그 뜻에는 세 가지가 있다: 첫 번째는 祛邪할 때에는 正氣를 보살피는 것을 잊지 말라고 강조한 것이다. 甘遂·芫花·大戟은 攻逐하는 것이 猛峻하고 또 有毒한데, 만약 오로지 攻邪한다면 쉽게 正氣를 손상시키므로 大棗로써 培補脾胃하여 胃氣를 보살핀 것이다. 진실로 『醫方論』卷1에서 말한 "仲景以十棗命名, 全賴大棗之甘緩, 以救脾胃, 方成節制之師也."라고 한 것과 같다. 毒을 制約함으로써 偏向된 것을 바로 잡는 것을 중시한 것이 그 두 번째이다. 甘遂 등 세 가지 藥物은 峻烈有毒하므로 大棗로써 그 峻烈함을 완화시키고 그 毒을 制御한 것이다. 『傷寒溯源集』卷3에서 말하기를 "蓋因三者性未訓良, 氣質峻悍, 用之可泄眞氣, 故以大棗之甘和滯緩, 以柔其性氣, 裹其鋒芒."라고 하였다. 세 번째는 甘草와 配伍함이 옳지 않음을 제시한 것이다. 大戟·甘遂·芫花는 甘草와 相反되는데, 함께 사용하면 그 毒性을 증가시킨다. 實驗表明: 세 가지 藥物을 분별하여 甘草와 더불어 함께 사용하였는데, 甘草의 用量을 비례하여 증가시킴에 따라 그 毒性도 또한 상응하여 증가하였다.[4] 柯琴이 말하기를 "以毒藥攻邪, 必傷及脾胃, 使無沖和甘緩之品爲主宰, 則邪氣盡而大命亦隨之矣. 然此藥最毒, 蔘·朮所不能君, 甘草又與之相反, 故選十棗之大而肥者以君之."(錄自『醫宗金鑒』「刪補名醫方論」卷6)이라 하였다.

4. '平旦溫服'에 관한 것: 平旦은 곧 새벽으로 동틀 무렵 3~5시 무렵이다. 이때 服藥하는 것은 그 뜻이 네 가지가 있다: ① 이때는 空腹으로 服藥한 후에 藥物이 신속하게 布散하는데 유리하니, 따라서 藥物의 체내에서의 유효 농도를 높여서 그 효능을 증강시키기 위한 것이다. 동시에 胃가 비어 있을 때 藥液이 쉽게 통과하여 직접 腸으로 흘러 들어갈 것이니 胃가 받는 刺戟을 면제하거나 감소시킴으로써 嘔吐 등의 부작용을 방지하거나 경감시키는 것이다. ② 懸飮은 水飮이 肺의 아래쪽과 橫膈膜의 위쪽 그리고 脇의 아래쪽에 停聚하여 생기는 병증이다. 이곳은 肝膽經絡이 순행하는 부위이다. 그러므로 懸飮證은 대부분 肝膽經絡이 막히

고 잘 통하지 않아서 脇肋內痛의 症狀이 출현한다. '平旦'의 전후는 때마침 厥陰·少陽의 두 經絡의 經氣가 旺盛한 시간에 해당한다(『傷寒論』에 따르면 "少陽病, 欲解時, 從寅至辰上"이라 하였고, "厥陰病, 欲解時, 從丑至卯上"이라 하였으니, 두 經絡의 經氣가 平旦 전후에 왕성해짐을 알 수 있다), 이때 服藥하면 그 유효성분이 經脈의 氣를 따라서 病所에 도달할 것이고, 아울러 正氣의 힘을 빌려서 충분히 그 약효를 발휘할 것이다. ③ 飮은 陰邪이니 陽을 얻어야 비로소 化生한다. 인체 전체의 陽氣로 말할 것 같으면 平旦은 비로소 陽氣가 싹트기 시작하는 때이다. 그러므로 이때 十棗湯을 복용하면 체내에 점차 왕성해지는 陽氣가 藥物의 효능과 협동하여 停聚된 水飮으로 하여금 한번에 瀉下하게 할 수 있다. ④ 水飮의 邪氣는 따뜻하면 운행하고 차가우면 응축된다. 棗湯으로 溫服하면 부분적인 水飮이 체내에서 吸收·轉輸되도록 할 수 있을 뿐만 아니라, 寒涼之品 혹은 藥物을 冷服함으로써 이미 停滯되어 있는 水飮과 함께 結聚不散하지 않도록 할 수 있다. 최근에 관련된 '生物鍾'의 연구에서 표명하기를 藥物의 吸收·代謝와 排泄 속도는 모두 晝夜의 조절과 관련있다. 따라서 十棗湯을 '平旦溫服'하는 것에는 일정한 과학적인 涵義가 있는 것이니 마땅히 더욱 더 연구하여야 한다.5)

【醫案】

1. 懸飮『嘉定縣志』: 唐杲는 字가 德明이고, 훌륭한 醫師이다. 太倉武를 指揮하는 자의 妻가 起立하면 평상시와 같은데, 누우면 氣絶하면서 죽은 사람 같았다. 杲가 말하기를: "이것은 懸飮으로 飮이 喉間에 있는데, 앉아 있으면 떨어뜨려지므로 손상됨이 없으나, 누우면 구멍을 막아서 出入할 수 없기 때문에 죽을 것만 같은 것이다."고 하였다. 十棗湯을 투여하여 평안해졌다.

『經方實驗錄』: 張任夫 선생, 水氣가 淩心하면 '悸'하고, 脇下에 쌓이면 '脇下痛'하며, 上膈을 덮으면 '胸中脹'하는데, 脈이 雙弦하므로 症狀은 飮家에 속하고, 겸하여 乾嘔短氣하니 十棗湯證임을 의심할 여지가 없다. 炙芫花 五分, 制甘遂 五分, 大戟 五分. 細末로 갈아서 두 번에 나누어 服用하였는데, 먼저 黑棗 十枚를 문드러질 때까지 달여서 찌꺼기는 제거하고 藥末을 넣어 살짝 달여서 복용하였다.

2. 胸腔積液『中醫雜誌』(1959, 3:45): 某 남자, 7일 전에 感冒를 앓았는데, 形寒發熱(體溫: 39℃), 流涕, 稍咳, 痰少, 咽喉不適, 聲音嘶啞, 呼吸時에 胸痛이 있었으며, 해열제를 복용했는데도 체온이 떨어지지 않았다. 體檢: 우측 胸部 앞쪽 제4늑골 이하 語顫音이 약해지거나 혹은 소실되었고, 두드려서 진단해보니 濁音이 나타났으며, 聽診한 呼吸音이 약해지거나 혹은 소실되었다. X-선 診斷 結果: 우측 제3늑골 이하 胸腔에 積液이 있음. 滲出性胸膜炎으로 진단하였다.

治療 原則: 逐水祛飮하는 것이 마땅하다.

處方과 治療 結果: 甘遂·大戟·芫花 各等分을 研末하여 첫째 날에는 1.5 g을 服用하고, 이후에는 매일 0.3 g씩 증가시켰으며, 3 g에 이르러서 그쳤다. 캡슐에 담아서 大棗 十枚를 煎湯한 것으로 매일 새벽 空腹에 服用하였다. 연속해서 6일을 服用한 후에 모든 症狀이 소실되었고 X-선 透視에서 積液이 제거되었다.

『經方應用』: 某 남자, 13세. 처음에는 發熱과 咳引脇痛이 나타났는데, 계속해서 脇間脹滿하면서 좌측이 약간 솟아 올랐고, 呼吸할 때 숨이 차면서 短促하였으며, 轉側하면 疼痛이 加重되었고, 한쪽으로만 눕기를 좋아하였고, 口乾하지만 물을 마시려고는 하지 않았다. 胸部 X-선 透視: 좌측 滲出性胸膜炎으로 積液이 형성되어 있었다. 舌苔薄淺黃, 脈沉弦하였다. 飮邪가 脇下에 머물러 있으면서 '懸飮'을 만들었으니 十棗湯에 加味한 것을 사용하여 攻逐水飮하였다. 大戟 3 g, 芫花 3 g, 甘遂 0.6 g, 葶藶子 3 g, 白芥子 9 g, 大棗 十枚. 이상의 藥을 四劑 服用하고 X-선 透視를 하니 積液이 뚜렷하게 흡수되었다. 나중에 四逆散에 旋覆花·白

芥子·鬱金 등을 넣은 것으로 調理해서 나았다.

3. 心包積液『湖南中醫雜誌』(1991, 1:38): 某 남자, 45세. 20일 전에 물가를 건넌 후에 畏寒·發熱·頭痛·乏力하기 시작하였고, 일찍이 感冒로 洋藥 및 中藥을 數劑 服用한 후에 畏寒은 제거되었으나, 여전히 매일 오후가 되면 低熱하였고, 최근 3일 동안 乾咳·胸痛·心悸·氣促·倚息不得臥, 午後低熱, 手足心熱, 納小, 口苦, 頭暈, 全身乏力, 二便正常이었다. 神淸, 精神疲乏, 面色潮紅, 胸廓飽滿對稱, 舌淡紅, 苔薄黃, 脈細促하였으며, 좌측 乳頭 안쪽으로 압통이 있었고, 背部 제4·5 胸椎 左旁으로 척추 중앙에서 4 cm되는 곳에 압통이 있었다. X-선 胸部 透視 필름 X-선 胸部 撮影 結果: "心臟의 영상이 球形에 가까웠으며, 左右의 心臟 가장자리가 양측으로 확대되었고, 좌측 肋骨과 橫膈膜의 각도가 둔하게 변했으며, 아래쪽 肺가 있는 분야에서 條索狀의 陰影을 볼 수 있었다." ECG 提示: 心室性 心臟搏動이 지나치게 빨랐으며, 心筋이 손상을 받았고, S~T段이 높이 들려 있었다. 血液 檢査 結果: Hb 10.8 g%, WBC 10,500/mm^3, 中性 70%, 淋巴 21%. 血沉 34 mm/h. 急性 非特異性 心包炎과 心包積液으로 診斷하였다. 症狀이 水飮이 胸部에 정체되면서 氣機가 不暢하고 瘀血이 心肺를 막아서 생긴 것에 속한다.

治療 原則: 瀉下逐飮·理氣寬胸·化瘀止痛

處方과 治療 結果: 大戟·甘遂 各 10 g을 함께 細末로 갈아서 캡슐에 넣고, 별도로 葶藶子·法半夏·桑白皮·杏仁 各 10 g, 大棗·茯苓 各 30 g, 黃芩·鬱金 各 10 g, 瓜蔞殼 15 g, 丹參 30 g을 달인 것에 2차에 나누어서 매일 一劑씩 함께 服用한다. 二劑를 服用한 후에 모든 증상이 경감되면서 平臥하여 잠들 수 있었지만, 여전히 汗出하면서 活動한 후에 心悸가 加重되었으며, 脈弦數하면서 때때로 쉴 때가 있었다. 다시 六劑를 服用한 후에 X-선 胸部 사진을 다시 검사해 보니 心影이 뚜렷하게 축소되면서 정상 범위에 이르렀으며, 心包積液은 이미 전부 흡수되었다. 모든 症狀이 균등하게 이미 개선되었으니 胸中의 飮邪가 이미 제거된 것으로 생각된다. 그러므로 原方에서 逐水藥의 劑量을 감소하여 甘遂·大戟 各 6 g으로 하여 攻伐이 太過한 것을 벗어나면서, 枳實 10 g을 넣어 寬中理氣하는 效能을 강화시켰다. 四劑를 복용한 후에 모든 症狀이 다 제거되었고, 나중에는 四君子湯에 炙甘草湯을 합한 것으로 바꾸어서 조리해서 나았다.

考察: 본 예는 急性 非特異性 心包炎과 心包積液으로 中醫의 '懸飮'의 범주에 속한다. 治療는 瀉下逐飮·理氣寬胸·化瘀止痛으로 법칙을 세워서 十棗湯에 葶藶大棗瀉肺湯을 합하여 化裁함으로써 祛邪를 위주로 하여 心水를 消散하게 하였고, 나중에는 健脾益氣·補血養心하는 藥物로 이후를 잘 調理하여 효과를 거둔 것이다.

4. 良性 頭蓋內壓增加症『陝西中醫』(1991, 1:29): 某 여자, 42세. 1986년 4월 5일 初診. 환자는 3개월 전부터 늘상 頭痛이 있으면서 惡心嘔吐하여 某醫院에 가서 檢査하였다: 眼底에 조각 모양의 出血이 있으며, 視神經乳頭의 水腫, 腦室 造影術로 '頭蓋內壓增加症(良性)"으로 진단하였다. 환자는 스스로 호소하기를 頭痛眩暈한데 前額이 심하였고, 視物不淸, 頰木唇麻, 惡心嘔吐, 胃納欠佳, 嗜臥肢沉, 小便短赤, 大便正常이라고 하였다. 體形은 肥胖하였고 BP 120/80 mmHg, 舌質淡, 苔微黃, 脈弦滑하였다. 症狀은 風痰에 속한다.

治療 原則: 逐痰利水·通絡息風하는 방법으로 하였다.

處方과 治療 結果: 方劑로는 十棗湯에 加味한 것을 사용하였다: 芫花·甘遂·大戟 各 6 g, 大棗 十枚, 鉤藤 10 g, 全蝎 2 g, 水煎服, 十劑. 服藥한 후에 모든 症狀이 호전되었으며, 尿量이 증가하여 매일 저녁에 3~5차례 보았다. 攻邪하더라도 正氣를 손상시키지 않기 위하여 간간이 香砂六君子湯을 복용하였다. 모두 十棗湯 4九劑와 香砂六君子湯 十四劑를 복용하였더니, 頭蓋內壓이 정상으로 회복되면서 모든 症狀이 완전히 나았다.

5. 乾嘔『新中醫』(2002, 7:69): 某 남자, 29세. 乾嘔가 빈번하게 발작하였는데, 간혹 嘔吐하면서 조금씩 맑은 침도 나왔고, 앉으나 누우나 편안하지 않으면서 감히 마음대로 俯仰할 수 없었다. 때때로 胸中의 心臟이 있는 쪽으로 水溢하는 것을 느끼면서 惡心欲嘔하였는데, 오직 숨을 깊게 들이마시면서 짧게 歎息을 해야 氣가 순조로워지면서 嘔吐하지 않는 것을 느꼈고, 하루 종일 心情이 煩悶하면서 閉口咬牙하여 강제로 嘔吐하려는 것을 억제하였다. 胸悶, 形寒肢冷, 渴不欲飮, 小便淸, 大便調를 동반하였다. 일찍이 여러 번 治療했는데도 효과가 없었는데, 旋覆代赭湯·丁香柿蒂湯·半夏厚朴湯 등을 服用해도 治療 효과가 매우 미약하였고, 發病한 지 이미 2개월 정도 되었는데 모든 症狀이 그대로여서 환자가 煩躁不安하였다. 診斷 所見: 症狀은 이전에 호소한 것과 같고, 舌淡·苔薄白而滑潤, 脈弦滑하였다. 脈證을 함께 참고해서 진단을 乾嘔라고 하였고, 症狀이 水結於裏한 飮證에 속하기에 시험 삼아 十棗湯을 사용하였다. 2차례 服用하니 곧 胃脘이 편안하지 않으면서 腹中이 鳴響하면서 疼痛하였는데, 맑은 물 같은 대변을 5~6차례 瀉下한 후에 갑자기 神淸氣爽한 것을 느끼면서 四肢가 따뜻해지고 嘔逆이 점점 그쳤다. 나중에 香砂養胃丸으로 조정하여 나았다.

考察: 張景岳이 말하기를 "蓋飮爲水液之屬, 凡嘔吐淸水及胸腹膨滿 …… 是即所謂飮也."라고 하였다. 본 예는 水飮이 胸腹에 축적된 伏飮證이다. 일반적인 溫利시키는 藥物은 직접적으로 病所에 도달하여 그 水飮을 蕩滌하는 것이 힘들다. 『金匱要略』의 "有水可下之"하라는 학설을 근본으로 하여 十棗湯으로 그 水飮을 몰아내면서 氣를 순조롭게 하였더니, 胸中에서 飮과 氣가 서로 막힌 형세가 평안해진 것이다.

6. 癲狂『陝西中醫』(1991, 1:30): 某 여자, 20세, 1988년 12월 15일 初診. 말다툼한 후에 발병하였는데, 狂亂無知, 叫罵不休, 不食不寐, 赤身裸體, 口吐涎沫, 時或四肢抽搐, 牙關緊閉하였다. 冬眠療法을 사용하면 잠시 완화시킬 수 있었다. 평소에 頭痛眩暈, 心慌膽怯, 食少 等의 症狀이 있었다. 腦電圖에서는 多棘波 및 棘慢綜合波가 보였다. 현재는 面色蒼白, 腹脹滿, 漉漉有聲, 經常瀉水, 咳吐脇痛, 舌質淡, 苔白滑, 脈沉弦하였다.

處方과 治療 結果: 大戟·甘遂·芫花

各 5 g을 함께 갈아서 細末로 만들어 5包에 나누고, 아침 저녁으로 각각 1包씩 服用하였는데, 大棗 十枚를 煎湯한 것이나 혹은 稀粥으로 함께 服用하였다. 5차 복약한 후에 腹痛이 劇烈하면서 吐瀉가 교대로 일어났지만, 다만 神志가 조금씩 맑게 깨어나면서 症狀이 경감하였고, 癲狂이 발작하는 횟수도 감소하였다. 이후에 본 方劑에 疏肝理氣·健脾養心하는 方劑를 배합하여 한 달 정도 조리하면서 治療하였더니 癲狂 발작이 제압되면서 2년 내에 재발하지 않았다.

考察: 『金匱要略』에서 말하기를 "吐涎沫而癲眩, 此水也."라고 하였다. 이 병증은 비록 癲狂에 속하지만, 실제로는 痰飮이 中州를 막아 氣機의 升降이 되지 않으면서, 淸陽이 상승하지 못하고 濁陰이 하강하지 못해서 神明을 擾亂한 까닭이다. 그러므로 十棗湯을 사용하여 攻逐水飮하여 濁降淸升하게 함으로써 온전한 效果를 얻을 수 있었다.

7. 腎炎水腫『經方實驗錄』: 南宗景 先生이 말하기를: 저의 누이동생이 腹脹病을 앓았는데, 초기에는 面目과 兩足이 모두 浮腫하였고, 계속해서 腹大如鼓, 漉漉有聲, 咳喜熱飮, 小溲不利, 呼吸迫促, 夜不成寐하였다. 나는 『內經』의 "開鬼門·潔淨府"하라는 뜻에 근본하여 麻黃附子細辛湯과 胃苓散에 加減한 것을 투여하였는데, 服用한 후에 비록 약간 땀이 났지만 효과를 보지는 못하였다. 西醫는 腎炎으로 진단하고는 他藥 등으로 下利시켜서 泄瀉를 수차례 하였지만 腹脹는

여전하였다. 다음날 갑자기 頭痛如劈하였지만 嘔吐痰水하고는 통증이 조금 완화되었다. 내가 말하기를: 이것은 水毒이 上攻한 頭痛이니 곧 西醫가 말하는 自家中毒症이다. 十棗湯이 아니면 효과를 볼 수 없다. 이에 甘遂 三分(이 약은 煨透하여야 하고, 복용한 후에 처음에는 嘔吐하지 않아야 한다. 그렇지 않으면 吐瀉가 함께 일어난다), 大戟·芫花炒 各一錢半을 적용하여 사용하였다. 體質이 평소에 壯盛하지 못하기 때문에 棗膏로 丸을 만들어서 緩下하게 하였고, 아울러 시중드는 사람으로 하여금 먼저 紅米粥을 삶아서 갑작스러운 필요에 대비하게 하였다. 服藥한 후 4~5시간에 腹中雷鳴하면서 연속적으로 10여 차례 糞水를 瀉下하였고, 腹皮가 이완되면서 頭痛도 역시 제거되었지만, 오직 神昏하여 기절한 것 같으면서 불러도 호응하지 않았는데, 이미 식은 紅米粥을 한 그릇 먹였더니 泄瀉가 그치면서 精神이 맑아졌다. 다음날 腹中에 미약하게 水氣가 있어서 다시 十棗湯 一錢半을 투여하여 남아 있는 水飮을 내려보냈는데, 역시 疾病을 제거함에 있어 다하지 않았기 때문이다. 계속해서 六君子湯으로 補助脾元하면서 10일 정도 조리하였더니 완전히 나았다.

8. 肝硬化腹水『經方發揮』: 某 남자, 58세. 肝硬化로 인한 腹水로 入院하였다. 이뇨제를 사용해야 소변을 볼 수 있으나, 양은 적었으며, 이뇨제를 1일 사용하지 않으면 소변은 겨우 묻어나는 정도일 뿐 통하지 않았다. 환자는 腹部가 솥처럼 부어오르면서 단지 앉거나 서 있을 수는 있었지만 누울 수는 없었고, 밤낮으로 소변을 보지 못하여 脹滿하면서 견디기 힘들었고 극도로 고통스러웠다. 그 脈을 진단하니 弦大而數하여 邪實의 모양이였으며, 舌質紫紅하면서 兩側이 絳藍色으로 瘀滯의 형상이였고, 舌苔厚膩하였다. 脈證을 결합해 보니 비록 正虛邪實한 것이지만, 陰陽이 지나치게 虛衰한 단계에는 아직 이르지 않았으므로 아직은 한 번 攻下할 수 있다. 十棗湯 二劑를 매일 一劑씩 투여하였다. 服用한 후에 惡心·腹痛이 있으면서 아울러 조금의 嘔吐 반응이 있었지만, 水液을 여러 차례 瀉下하고는 腹部가 輕軟해짐을 自覺하였다. 비록 여러 차례 瀉下를 하였지만 精神은 오히려 좋았다. 간간이 培補脾腎하는 藥物을 二劑 服用한 후에 또 十棗湯을 주었더니 服用한 후에 瀉下하는 것은 여전하였지만 嘔吐는 없었고, 단지 惡心이 조금 있었지만 腹脹이 갑자기 사라지면서 보드랍고 평탄해졌다. 이때에 계속해서 補脾腎을 위주로 하면서 消導하는 藥物로 보조하였는데, 짧은 시간이지만 腹水가 발생하지 않았고 일반적인 상황이 양호하여서 퇴원해서 調養받았다.

【副方】 控涎丹(『三因極一病證方論』卷13): 甘遂 去心 紫大戟 白芥子 各等分.

- 用法: 上爲末, 煮糊丸如梧子大, 曬乾. 食後臨臥, 淡薑湯或熟水下五七丸至十丸. 如痰猛氣實, 加丸數不妨, 其效如神(現代用法: 共爲細末, 水泛爲丸, 如綠豆大. 每服 1~3 g, 晨起以溫開水送服).
- 作用: 祛痰逐飮.
- 適應症: 痰飮伏在胸膈上下, 忽然胸背·頸項·股胯隱痛不可忍, 筋骨牽引灼痛, 走易不定, 手足冷痹, 或令頭痛不可忍, 或神志昏倦多睡, 或飮食無味, 痰唾稠黏, 夜間喉中痰鳴, 多流涎唾等. 現常用於治療頸淋巴結核·淋巴腺炎·胸腔積液·腹水·精神病·關節痛及慢性氣管支炎·哮喘等.

控涎丹은 十棗湯과 함께 모두 攻逐水飮하는 方劑로 水飮內停하되 形氣俱實한 症狀을 主治한다. 方劑의 構成을 분석해 보면 前方은 十棗湯에 芫花·大棗을 빼고 白芥子를 넣어 만들면서 아울러 丸劑로 만들었다. 白芥子는 味辛性溫하여 胸膈痰濁 및 皮裏膜外의 痰飮을 잘 治療하는데, 大戟·甘遂와 配伍하여 응용하면 祛痰逐飮에 長技를 가지고 있다. 丸劑로 바꾼 것은 攻逐하는 힘을 비교적 완만하게 만든 것으로 痰涎水飮이 胸膈에 停留하면서 胸背·手足·頭頸·腰胯가 隱痛하는 등의 症狀을 治療하는데, 歷代 醫學者들은 서로 연장하여 懸飮을 治療하는 主方으로 삼았다. 十棗湯은 逐水作用이 신속하고 맹렬한 甘遂·大戟·芫花와 함께 甘緩補中하고 培土制水하는 大棗를 서로 배합하여

峻下逐水하면서도 正氣가 손상되지 않게 한 것이니, 그 效能이 專逐水飮하면서 그 힘이 峻猛하니 懸飮으로 咳唾胸痛하거나 水腫으로 腹脹하면서 二便秘澀한 자에게 사용한다.

舟車丸

(『太平聖惠方』, 錄自『袖珍方』卷3)

【異名】神祐舟車丸(劉河間方, 錄自『醫學綱目』卷4)·淨府丸(『醫宗金鑒』卷30)·神祐丸(『女科切要』卷2).

【組成】黑丑 頭末 四兩(120 g) 甘遂 麵裹, 煮 芫花 醋炒 大戟 醋炒 各一兩(各 30 g) 大黃 二兩(60 g) 靑皮 去白 陳皮 去白 木香 檳榔 各五錢(各 15 g) 輕粉 一錢(3 g)

【用法】위에 있는 것들을 분말로 만들어서 물과 함께 梧桐子 크기의 丸을 만든다. 매번 30~50丸씩 잠들기 전에 따뜻한 물로 服用하고 下利하는 것으로 한도를 삼는다. 처음에는 五丸을 매일 3번 服用하고 시원하게 下利하는 것으로 한도를 삼는데, 服用 法은 앞에 나온 三花神祐丸과 같다(現代用法: 硏末로 하여 물에 띄워 丸으로 만든다. 매번 3~6 g을 매일 1차례 새벽 空腹에 미지근한 물로 服用하고, 下利하는 것으로 한도를 삼는다).

【效能】行氣破滯, 逐水消腫.

【主治】水熱內壅, 氣機阻滯, 水腫水脹病. 腫脹, 口渴, 氣粗, 腹堅, 二便秘澀, 脈沉數有力.

【病機分析】본 方劑가 治療하는 것은 水熱이 內壅하면서 氣機가 막히고 宣通하지 못해서 생기는 것이다. 『丹溪心法』卷3에서 말하기를 "心肺陽也, 居上. 腎肝陰也, 居下. 脾居中, 亦陰也, 屬土. 『經』曰: 飮食入胃, 遊溢精氣, 上輸於脾, 脾氣散精, 上歸於肺, 通調水道, 下輸膀胱, 水精四布, 五經並行, 是脾具坤靜之德, 而有乾健之運, 故能使心肺之陽降, 腎肝之陰升, 而成天交地之泰, 是爲無病. 今也七情內傷, 六淫外侵, 飮食不節, 房勞致虛, 脾土之陰受傷, 運轉之官失職, 胃雖受穀, 不能運化, 故陽自升, 陰自降, 而成天地不交之否, 淸濁相混, 隧道壅塞, 鬱而爲熱, 熱留爲濕, 濕熱相生, 遂成脹滿."이라고 하였고, 『張氏醫通』卷3에서 역시 말하기를 "飮食不節, 不能調養, 則淸氣下降, 濁氣塡滿胸腹, 濕熱相蒸, 遂成此證. 小便短澀, 其病膠固, 難以治療."라고 하였다. 그러므로 飮食不節하고 勞倦內傷하여 臟腑의 機能이 조화롭지 못하면 升降이 제대로 일어나지 못하면서 淸濁이 不分하여 水濕이 內停하니 肌膚로 泛溢하여 水脹水腫이 되는 것이고, 三焦는 決瀆之官으로 水穀의 道路가 되는데, 水가 三焦에 정체하면 決瀆이 不利해지면서 小便短澀하는 것이며, 水濕이 鬱滯하면 熱로 변하고 脘腹經隧를 막아서 腸胃의 氣機가 막히면 腑氣가 통하지 않으면서 大便秘結하는 것이다. 前後가 不利하면 水熱濕濁이 빠져나가지 못하면서 內壅이 더욱 심해지고 氣機도 막혀서 통하지 않으므로 腹堅脹滿·氣粗하는 것이고, 邪氣가 막히면서 氣滯하면 氣가 水를 蒸化하지 못하여 津液이 펼쳐지지 못하므로 口渴하는 것이다. 水熱이 壅滯하면 病勢가 지극히 심해지면서 形氣가 모두 實해지므로 脈沉數有力한 것이다.

【配伍分析】본 方劑는 十棗湯에서 大棗를 빼고 大黃·牽牛子·靑皮·陳皮·木香·檳榔을 넣어 만든 것으로, 水熱이 內壅하여 氣機가 막히면서 일어나는 水腫水脹으로 形氣俱實한 症狀을 主治하는데, 病의 위치는 脘腹에 있다. 이때에는 邪氣가 왕성하면서 形勢가 급하기 때문에 『素問』「陰陽應象大論」에서 "其下者, 引而竭之. 中滿者, 瀉之於內. …… 其實者, 散而瀉之."하라고 한 것과 『金匱要略』에서 "諸有水者, 可下之."하라는 뜻을 遵守하여 급하게 攻逐시키는 峻劑를 주어 二便을 通利함으로써 推陳致新해야 熱淸水消할 수 있을 것이다. 方劑 중에 甘遂·大戟·芫花는 곧 十棗湯 중 峻

下逐水하는 藥物로 脘腹 經隧에 있는 水邪를 攻逐하니 君藥이 되는데, 바로 柯琴이 말한 "甘遂·芫花·大戟三味, 皆辛苦氣寒而稟性最毒, 並擧而用之, 氣味合, 相濟相須, 故可交相去邪之巢穴, 決其瀆而大下之, 一擧而水患可平也."(錄自『古今名醫方論』卷3)라고 한 것과 같다. 大黃은 苦寒沉降하면서 性猛善走하므로 효능은 瀉下함으로써 "留飮宿食, 蕩滌腸胃, 推陳致新, 通利水穀, 調中化食, 安和五臟."(『神農本草經』卷3)할 수 있으며, 牽牛子는 苦寒하면서 瀉水할 뿐만 아니라 利尿도 할 수 있으니 水濕의 邪氣로 하여금 二便으로 排出하게 만드는데, 두 가지 藥物을 서로 配伍하면 蕩滌腸胃하여 水熱과 濕濁을 瀉下하기에 臣藥이 된다. 君藥과 臣藥을 서로 配伍하면 相助하여 水熱濕濁의 邪氣로 하여금 二便을 따라 分消시켜 제거시키는 것이다. 水濕이 안에 정체되면 최고로 쉽게 氣機를 阻遏하기에 水停과 氣阻가 서로 원인이 되어 疾病을 일으킨다. 그러므로 靑皮로 破氣散結하고, 陳皮로 理氣燥濕하며, 木香으로 調氣導滯하고, 檳榔은 下氣利水시켜 함께 사용하여 氣暢水行하게 하므로 함께 佐藥이 된다. 다시 輕粉 一味를 사용한 것은 더욱 교묘한 構成을 갖추고 있는 것으로, 그 氣味가 辛寒하면서 走而不守하니 無微不達·無竅不入·無堅不摧한 것을 취하였고, 效能은 二便을 通利하여 逐水退腫할 수 있으므로『本草綱目』卷9에서 말하기를 "治痰涎積滯, 水腫臌脹."라고 하였으니, 方劑 중에 들어가면 모든 逐水藥과 협조하여 水熱의 邪氣로 하여금 모두 小便으로 제거할 수 있는 것이다. 그러나 그 성질이 極毒하므로 단지 소량만 사용하여 역시 佐藥으로 삼은 것이다. 전체 方劑를 종합해서 관찰하면 祛邪를 위주로 하려는 의도이니, 한 번의 북소리로 掃蕩하여 平定함으로써 邪氣를 제거하고 正氣를 편하게 하려는 것이다.

본 方劑의 配伍 특징은 큰 部隊의 逐水藥 중에 行氣導滯하는 藥物을 配伍하여 行氣逐水시키는 方劑를 만든 것이다.

方劑의 명칭을 '舟車'라고 한 것은 본 方劑가 治療하는 症狀의 病勢가 지극히 엄중하고 形氣가 모두 實하므로 마땅히 急攻해야 하기 때문이다. 본 方劑를 服用하여 水熱이 壅實한 邪氣로 하여금 비유하자면 順流를 흐르는 배나 내리막을 내려가는 수레와 같이 形勢를 따라 瀉下하게 하므로 '舟車'라고 이름붙인 것이다.

【臨床應用】

1. 證治要點: 본 方劑는 水熱內壅하고 形氣俱實한 水腫水脹에 상용하는 方劑로 逐水의 峻劑인데, 臨床에서는 水腫水脹, 二便秘澀, 腹堅, 脈沉數有力한 것을 證治의 요점으로 삼는다.

2. 肝硬化腹水·胸腔積液 등의 症狀이 水熱內壅으로 形氣俱實한 자에게 본 方劑에 加減한 것을 주어 사용할 수 있다.

3. 舟車丸은 다음 한국표준질병사인분류(KCD)에 해당하는 환자가 水熱內壅, 氣機阻滯證으로 辨證되는 경우 본 처방의 사용을 고려해볼 수 있다.

처방 목표	한국표준질병사인분류(KCD)
肝硬化腹水	K74.1 간경화증
胸腔積液	J90 달리 분류되지 않은 흉막삼출액
	J91 달리 분류된 병태에서의 흉막삼출액

【注意事項】

1. 본 方劑의 攻逐시키는 힘이 매우 猛烈하므로 腫脹이 비록 盛大하더라도 形氣가 實하지 않은 자는 가볍게 투여해서는 안 된다. 孕婦와 產後에는 복용을 禁忌한다.

2. 服藥 후에 水腫脹滿이 未盡하다면, 病者의 體質이 强壯하여 아직 支持할 수 있는 자는 다음날 혹은 隔日에 原量을 따르거나 혹은 조금 減量하여 再服한다. 病이 甚한 자는 鹽·醬을 백일 동안 禁忌시킨다.

3. 服藥 후에 水去하면서 腫脹이 기본적으로 消退된 자는 마땅히 調補脾腎시키는 方劑를 사용하여 견고하게 한다.

【變遷史】 본 方劑는 仲景 十棗湯의 기초상에서 加減하여 만든 것이다. 十棗湯 중에 甘遂·大戟·芫花의 세 가지 藥物은 모두 攻逐水飮시키는 峻藥이다. 본 方劑에서는 牽牛子·大黃·輕粉 등의 蕩滌瀉下시키는 藥物을 더욱 증가시키고, 木香·靑皮·陳皮·檳榔 등의 行氣導滯하는 藥物과 配伍시킨 것이다. 그러므로 그 逐水시키는 힘은 十棗湯과 비교해서 더욱 峻烈하지만, 丸劑으로 제작함으로써 峻藥을 완만하게 투여하여 威而不猛하게 하려는 의도가 있는 것이니, 그러므로 "賈同知稱爲神仙之奇藥也."(『證治准繩』「類方」卷2)라고 한 것이다.

宋代 이후로 臨床에서 治療하는 症狀이 누적되면서 擴充되었으니, 예를 들어 『袖珍方』卷3에서는 그것이 水濕痰飮熱毒이 內鬱하여 氣機가 壅滯되면서 생기는 積聚를 治療하였고, 『證治准繩』「類方」卷2에서는 그것이 일체의 水濕으로 병이 되는 것이 실려 있으니, 예를 들어 中滿腹脹으로 喘嗽淋閉하고 水氣蠱脹하고 留飮癖積하는 것과 氣血이 壅滯하여 宣通하지 못하여 風熱燥鬱함으로써 肢體麻痹하고 走注疼痛하고 久新瘧痢하는 등의 질환 및 婦人의 經病帶下와 같은 것으로 모두 법칙에 따라 治療하면 병이 깨끗이 제거되었다.

河間이 만든 '三花神祐丸'은 곧 이 方劑에 陳皮·靑皮·木香·檳榔을 줄여서 破滯攻逐시키는 힘을 조금 못하게 한 것으로, 水濕의 停留로 腫滿腹脹하는 喘嗽와, 痰飮이 入絡하여 肢體麻痹하고 走注疼痛하는 것, 痰飮이 停胃하여 嘔逆不止하는 것, 風痰涎嗽하여 頭目眩暈하는 것, 瘧疾이 낫지 않으면서 癥瘕積聚가 堅滿痞悶하는 것, 酒積과 食積, 婦人에게 濕痰이 胞宮에 침입하여 經行不暢하고 帶下淋瀝하는 것, 傷寒濕熱로 腹滿實痛하는 等의 症狀에 사용하여 治療하였다. 『丹溪心法』卷3에서는 본 方劑에 輕粉·檳榔를 빼고는 같은 이름의 舟車丸이라고 하였는데, 다만 攻逐시키는 힘은 그 方劑와 비교했을 때 조금 완만하지만 水腫·水脹이 實에 속하는 것을 治療하였고, 『杏苑生春』卷3에서는 이 方劑의 기초상에서 또 靑皮를 감소시키고, 갈아서 散劑로 만들어서 水煎溫服하여 일체 水濕으로 인한 腫滿과 腹大脹硬을 治療하였는데, 비록 같은 舟車丸이라고 명칭하였지만 실제로는 '舟車散'이 되는 것이다. 이상의 모든 方劑들은 현대에 肝硬化腹水 혹은 기타 질병으로 생기는 腹水로 上述한 症狀들이 보이는 자들에게 상용한다.

【難題解說】

1. 본 方劑의 方源에 관한 것: 『醫學綱目』『證治准繩』『景岳全書』『醫方集解』『蘭台軌範』 및 『方劑學』教材 등에는 모두 본 方劑가 劉河間이 創方한 것이라고 말하고 있으나, 『黃帝素問宣明論方』 중에는 단지 '三花神祐丸'이 있지 '舟車丸'이 없으며, 藥物에 있어서도 甘遂·大戟·芫花·大黃·牽牛子·輕粉을 사용하였지 靑皮·陳皮·木香·檳榔 等 行氣破滯하는 藥物은 없다. 『徐洄溪古方新解』와 『中國醫學大辭典』에서 말하기를 '舟車丸'은 河間의 '舟車神祐丸'의 簡稱으로 藥味도 본 方劑와 서로 같다고 하였지만, 현존하는 劉河間의 의학 저작 중에는 역시 '舟車神祐丸'이 없고, 오직 『醫學綱目』卷4의 舟車神祐丸이 河間方과 관계있다고 실려있다. 『簡明中醫辭典』에서 말하기를 '舟車丸'은 『丹溪心法』의 方이라고 하였지만, 『丹溪心法』卷2 중에 있는 舟車丸도 역시 본 方劑와 비교했을 때 檳榔·輕粉의 두 가지 藥物이 적다. 지금 현재 있는 文獻 資料에 근거한다면 본 方劑는 『袖珍方』卷3에서 인용한 『太平聖惠方』이라고 보는 것이 옳다.

2. 方劑 중 行氣藥과 配伍한 問題: 이 方劑 중의 靑皮·陳皮·木香·檳榔의 네 가지 藥物은 張璐가 인식하기를 "蛇足"(『張氏醫通』卷16)에 속한다고 하면서 응용할 필요가 없다고 하였다. 다만 氣와 水의 關系는 지극히 밀접하므로 氣와 水의 관계는 氣는 水를 변화시킬 수 있고,

水는 氣를 막을 수 있으며, 氣行하면 水行하고, 氣滯하면 水停하며, 水聚하면 氣가 더욱 막혀서 항상 서로 因果가 된다. 바로 唐宗海가 말한 "氣與水本屬一家, 治氣即是治水, 治水即是治氣."(『血證論』卷1)라고 한 것과 같다. 그러므로 方劑 중 큰 部隊의 攻逐水濕藥 중에 木香·青皮·陳皮·檳榔 등 行氣破滯하는 藥物을 配伍하는 것은 氣行하여 水行하게 함으로써 攻逐하는 藥物이 行氣破滯하는 藥物의 도움을 얻게 되므로 그 힘이 더욱 峻烈해지는 것이고, 동시에 木香·陳皮는 또한 運脾和胃할 수 있어서 逐水시키는 많은 藥物이 脾胃의 運化에 영향을 미치는 것을 방지할 수 있으니 配伍가 매우 효과가 있는 것이다.

【醫案】

1. 蟲積經閉『浙江中醫雜誌』(1964, 11:17): 某 여자, 23세, 既婚. 1962년 5월 23일 入院. 환자는 月經이 지난 한때는 정상이었는데, 1960년대 초에 浮腫을 앓았으며 계속해서 上腹脹과 經閉가 있어서 妊娠한 것으로 알았다. 다만 腹脹善饑, 便溏尿少, 喜食鹽粒, 時吐涎沫, 四肢沉重, 周身乏力하였다. 診斷할 때에는 閉經이 된 지 2년이 되었는데, 面虛胖少華, 舌淡胖而大, 苔白膩, 脈弦滑, 唇色白하면서 입안에 丘疹이 보였고, 온몸에 浮腫이 있었는데 下肢를 눌러보면 大棗 크기의 함몰되는 것이 있었으며, 腹大而滿한데 눌러보면 단단하면서 壓痛은 없었고, 배꼽 주위를 만져보면 條狀·索狀의 結塊가 있었으며, 肝脾가 모두 腫大하면서 壓痛은 없었고, 泄瀉는 하루 2~3차례 했는데 대부분이 소화되지 않은 묽은 변이였다.

蟲積經閉로 診斷하였다. 病勢의 辨證이 大實有羸狀에 속하는 것에 근거하여 舟車丸 1.5 g 峻劑로 攻逐하여 標實을 治療하였다. 3시간 후 배출되는 蛔蟲이 334條가 되면서 腹部가 반으로 감소하였다. 隔日에 다시 1.5 g을 服用하였더니 다시 배출되는 蛔蟲이 269條나 되었고, 함께 3차례 服藥하니 腹脹과 浮腫이 모두 소실되었다. 月經은 입원한 지 18일째 되는 날 來潮하였다. 계속해서 健脾益氣시키는 藥物을 數劑 복용하면서 調養하였더니 완전히 나았다.

考察: 閉經의 症狀은 혹은 氣血阻滯하거나, 혹은 氣血虛弱하거나, 혹은 腎虛不足하여 沖任이 조화를 잃으면 생긴다. 蟲積하여 생기는 것은 비교적 적게 볼 수 있다. 본 예는 攻逐하는 方劑인 舟車丸을 빌려서 蟲積을 瀉下한 것이니 역시 매우 교묘한 구상을 한 것이다.

2. 擴張型 心筋病『中國中醫急症』(2006, 4:434): 某 남자, 34세. 水腫으로 心慌·喘息不能平臥한 것이 1개월 되었다고 호소하였다. 體檢: BP 110/90 mmHg. 半臥位하였고 面色이 浮腫하면서 蒼白하였는데 紺色을 띄었다. HR 110회/분이며 搏動律은 가지런하였고, 心界가 양측으로 확대되었으며, 二尖瓣 및 三尖瓣 구역에서 3~6級 收縮期 雜音을 들을 수 있었다. 腹部는 平軟하면서 壓痛이 없었고, 腹部를 叩診하였더니 소량의 이동성 濁音이 들렸다. 양쪽 下肢에 중등도의 水腫이 있었다. 舌淡邊有齒痕, 苔白滑, 脈沉細하였다. 胸部 X-선 사진에서 보통보다 큰 心臟을 보여주었고, 우측 胸腔에 소량의 積液이 있었다. B형 초음파 사진에는 우측 胸水가 肩胛角線 제9~11肋間에 있었는데 최고로 깊은 것은 약 3 cm였다. 초음파 심장검진도 사진에는 擴張型 心筋病이였는데, 左室의 擴大가 뚜렷하였고, 二尖瓣은 중등도로 반대로 유입되는 신호가 있었고, 三尖瓣은 輕度로 반대로 유입되는 신호가 있었다.

입원 후에 곧바로 cedinalid~D·furosemide를 주어 强心利尿시켰으며, 病勢가 호전된 후에 digoxin 0.25 mg·furosemide tablets 40 mg을 매일 3차례 口服하는 것으로 바꾸어 주었다. 이후에 心率이 90회/분 좌우로 억제되었고, 尿量은 1,500 mL 좌우였으며, 다만 水腫이 아직 輕減되지 않아서 furosemide 사용을 정지하고 舟車丸 加味한 것을 주었다.

處方과 治療 結果: 大黃 60 g, 甘遂·大戟·芫花·青

皮·陳皮·桂枝·紅蔘·麥冬·制附片·檳榔 各 30 g, 牽牛子 120 g, 木香 15 g. 이와 같은 비율로 水丸을 만들어서 매번 6粒을 매일 3차례 복용하였다. 3일 후에 HR 85회/분, 尿量이 조금 증가하고, 大便은 하루에 1차례 보았다. 中藥丸을 매번 八粒씩 매일 3차례 바꾸어 服用하였더니 小便量이 더욱 증가하였고, 大便은 하루에 2차례 보았으며, digoxin을 매일 0.125 mg으로 줄였다. 다시 1개월 후에 水腫이 조금씩 물러나면서 HR 80회/분이여서 digoxin 복용을 정지하였다. 1개월 후에 水腫이 기본적으로 소실하였으며, B형 초음파는 胸腹水를 볼 수 없었고, HR 88회/분으로 박동률이 일정하였지만, 雜音은 기본적으로 이전과 같았다. 6개월 동안 방문하면서 물어보았더니 水腫은 다시 재발하지 않았으며 病勢가 안정 되어서 계속 위의 方劑를 服用하여 治療 效果를 견고하게 할 것을 부탁드렸다.

考察: 본 예의 擴張型 心筋病證은 心氣陽衰·水飮內停에 속한다. 그러므로 舟車丸과 蔘附湯을 응용하여 補益心氣·溫養心陽·瀉下逐水하여 標本을 함께 治療한 것이니, 현재에는 비록 본 병증을 근본적으로 治療할 수 없었지만 病勢를 억제하는 적극적인 작용을 일으킬 수 있었으니, 장기적인 治療 效果는 아직 관찰해 보아야 한다.

3. 高血壓性 心臟病『中國中醫急症』(2006, 4:434): 某 남자, 65세. 心慌·頭暈·水腫이 있은지 2개월 되었음을 호소하였다. 體檢: BP 170/100 mmHg, HR 75회/분, 搏動律은 가지런하고, 心臟의 경계가 대략 좌측을 향해서 확대되었고, 二尖瓣 구역에서 3~6級 收縮期 雜音을 들을 수 있었다. 面部 및 四肢에 凹陷性 水腫이 있었고, 또한 下肢의 水腫이 腰部에 까지 이르렀다. 舌淡邊有齒痕, 苔白厚, 脈沉弦하였다. 혈액 생화학 변화: ALB 28 g/L, CREA 156 μmol/L. 尿常規: 尿蛋白(++). B형 초음파에서 양쪽 胸腹腔에 積水가 보였다. 心電圖에서 竇性心律과 心電軸이 좌측으로 기울어졌으며, 좌측 心室이 肥厚하면서 勞損이 보였다. 초음파 심장 검진도에서 좌측 心室 확대와 二尖瓣 關閉가 완전하지 않았다.

입원 후에 혈압을 낮추는 외에 아울러 spironolactone 40 mg을 매일 3차례, furosemide 40mg을 매일 3차례 口服시켰다. 3일 후 尿量이 조금 증가하였지만 水腫에는 뚜렷한 輕減이 없어서 口服하는 藥物을 멈추고 利尿시키는 複合劑로 바꾸어 정맥 주사하였는데, 尿量이 매일 2,000 mL 좌우가 되었지만, 15일 동안 治療하여도 전신의 水腫은 조금의 개선도 없었다. 환자가 경제적인 여건에 한계를 느끼면서 albumin을 구입하지 못하였고, 아울러 스스로 퇴원하여 집에서 調養하기를 요구하므로 舟車丸에 加味한 것으로 바꾸어 口服하게 하였다: 車前子·大黃 各 60 g, 懷牛膝·甘遂·大戟·芫花·靑皮·陳皮·桂枝·制附片·檳榔 各 30 g, 牽牛子 120 g, 木香 15 g. 이러한 비율로 水丸을 만들어서 매번 6粒을 매일 3차례 복용하였다. 다음날 尿量이 곧바로 증가하였으며, 3일 후에는 매번 10粒씩 매일 3차례 복용하도록 고쳐주었다. 小便量이 더욱 증가하여 매일 2,500~3,000 mL에 도달하였고, 水腫이 점차 사라지면서 大便을 매일 2차례 보았는데 약간 무르게 보았다. 계속해서 舟車丸을 服用할 것을 부탁하였는데, 1개월 후에는 매번 8粒씩 매일 3차례로 낮추도록 하였다. 견고하게 지금까지 治療하고 있는데, 病勢가 안정되었으며 水腫은 재발하지 않았다.

考察: 본 환자는 高血壓性心臟病·高血壓腎病·低蛋白血症으로 표적 기관에 이미 慢性 器質性 손상이 발생하였다. 中醫는 心腎陽衰·水飮內停으로 辨證하고 舟車丸에 加味한 것으로 溫腎通陽·行氣逐水하였다. 비록 正氣가 虧虛한 것이 있지만, 邪氣가 체내에 왕성하므로 邪氣가 제거되지 않으면 正氣는 회복되기 어렵기 때문에 攻伐을 위주로 하여 마침내 뚜렷한 效果를 얻은 것이다.

禹功散

(『儒門事親』卷12)

【組成】黑牽牛 頭末 四兩(120 g) 茴香 一兩(30 g) 炒 或加 木香 一兩(30 g)

【用法】위의 藥物을 細末로 만들어 生薑自然汁으로 一~二錢(3~6 g)씩 잠들기 전에 服用한다(現代用法: 매번 3 g씩 食後 잠들기 전에 生薑汁 혹은 미지근한 물로 함께 服用한다).

【效能】逐水通便, 行氣消腫.

【主治】陽水. 遍身浮腫, 腹脹喘滿, 大便秘結, 小便不利, 脈沉有力.

水疝. 陰囊腫脹, 墜重而痛, 囊濕汗出, 小便短少.

【病機分析】『丹溪治法心要』卷3에서 말하기를 水腫은 "小便澀少而赤, 大腑(大便)多閉, 此陽水也."라고 하였는데, 대부분 風邪外襲, 雨濕浸淫, 飮食不節 等의 原因으로 생기는 것이다. 본 方劑가 다스리는 것은 水濕의 邪氣가 肌膚로 넘치면서 氣機가 不利해지고 水氣가 聚結하여 된 것이다. 水濕의 邪氣가 肌膚를 浸漬하면 막혀서 운행되지 않으므로 遍身浮腫하는 것이고, 水氣가 안으로 臟腑에 聚結하면 大便秘結·小便不利하는 것이며, 經脈을 막기 때문에 脈沉有力한 것이다. 만약 水氣가 안에서 聚結하여 아래로 陰囊으로 주입하기 때문에 陰囊腫脹하는 것이고, 氣가 流暢하지 못하면 脈道가 不通하기 때문에 墜重而痛한 것이며, 水濕이 밖으로 스며나오면 囊濕汗出하는 것이고, 水濕이 下焦에 停聚하면 氣化가 일어나지 않으므로 小便短少하면서 水疝이 되는 것이다.

【配伍分析】본 方劑가 治療하는 陽水·水疝은 비록 두 가지의 病症이지만 病機는 곧 하나이니, 水氣가 內聚한 것이 병증을 일으킨 것이다. 治療는 逐水行氣를 법칙으로 삼는 것이 마땅하다. 方劑 중 黑牽牛는 苦寒하면서 肺·腎·大腸經으로 歸經하는데, 그 性質이 降泄하여 『本草從新』卷4에서 말하기를 "利大小便, 逐水消腫."이라고 하였으니 君藥이 된다. 佐藥은 茴香으로써 하는데 辛溫하면서 肝·腎·脾·胃經으로 歸經하여 行氣止痛하니, 牽牛와 함께 사용하면 그 逐水시키는 效能을 증가시켜서 寒凝礙水의 폐단이 없어질 것이다. 두 가지 藥物을 配伍하면 藥은 簡單하지만 뜻은 深長하고, 製藥은 적지만 效能은 宏壯하여, 함께 逐水通便·行氣消腫의 效能을 나타낼 것이다. 服用法 중에 薑汁을 넣어 調服함으로써 行水하면서 和胃하는 것이다.

'禹功'은 원래 우임금의 治水의 功績을 가리키는 것으로, 후대에서는 '禹功'으로 帝王이 이룬 업적의 美稱을 상징적으로 표현하였다. 본 方劑의 逐水消腫 하는 것이 그 作用을 비유하자면 마치 우임금이 治水한 것과 같이 效能이 탁월하기 때문에 그러므로 이름을 '禹功散'이라고 지은 것이다.

【類似方比較】禹功散과 十棗湯의 두 가지 方劑는 모두 瀉下逐水할 수 있지만, 臨床에서 運用할 때에는 마땅히 구별하여야 한다. 前方은 牽牛와 茴香이 配伍되어서 逐水하는 중에 겸하여 行氣할 수 있어서 逐水行氣·通便消腫의 效能을 갖추고 있어서 陽水로 二便不利하고 脈沉有力하면서 實證에 속하는 자에게 적용되고, 後方은 大戟·芫花·甘遂와 大棗를 함께 사용하여 逐水하는 중에 겸하여 培土扶正할 수 있어서 懸飮으로 咳唾胸脇引痛하거나 혹은 水腫으로 腹脹喘滿하고 二便不利하며 脈沉弦한 자에게 적용할 수 있다.

【臨床應用】

1. 證治要點: 본 方劑는 逐水行氣消腫하는 方劑이다. 遍身浮腫하거나 혹은 陰囊腫脹하면서 二便不利하고 脈沉有力한 것이 證治의 요점이다.

2. 현대에는 肝硬化腹水, 腎炎水腫, 睾丸鞘膜積液 等이 水氣가 內聚한 것에 속하면서 水腫, 二便不利, 脈沉有力이 나타나는 자에게 상용한다.

3. 禹功散은 다음 한국표준질병사인분류(KCD)에 해당하는 환자가 陽水, 水氣 內聚證으로 辨證되는 경우 본 처방의 사용을 고려해볼 수 있다.

처방 목표	한국표준질병사인분류(KCD)
肝硬化腹水	K74.1 간경화증
腎炎水腫	N00~N08 사구체질환
	N10~N16 신세뇨관~간질질환
	N17~N19 신부전
睾丸鞘膜積液	N43 음낭수종 및 정액류

【注意事項】 孕婦 및 年老하여 體弱한 사람은 愼用한다.

【變遷史】 본 方劑는 원래『儒門事親』卷12에 실려 있었는데, 婦人이 大產後에 敗血惡物이 일으키는 臍腹腰痛과 赤白帶下 혹은 기름 같은 白物이 나오는 것을 治療하는데 사용하였다. 후세에 본 方劑의 운용에 대하여 變革이 있었으니,『世醫得效方』卷6에서는 卒暴昏憒, 不知人事, 牙關緊硬, 藥下不咽을 治療하는데 사용하였고,『丹溪心法』卷3에서는 陽水로 만약 攻下할 수 있으면서 氣實한 자를 治療하는데 사용하였으며,『古今醫鑒』卷10에서는 寒濕外襲, 使內過勞, 寒疝囊冷, 結硬如石, 陰莖不擧, 或控引睾丸而痛을 治療한다고 말하였다. 그 후에 많은 의학자들이 본 方劑가 疝氣·水腫을 治療할 수 있다는 것에 대한 인식이 더욱 깊어졌는데, 예를 들어『張氏醫通』卷13에서 말하기를 그것이 陽水便秘로 脈實하여 초기에 元氣가 아직 손상되지 않은 자를 治療한다고 하였고,『醫方集解』「利濕之劑」에서 인식하기를 본 方劑가 治療하는 寒濕水疝의 臨床的인 표현은 陰囊腫脹이 있다는 것을 제외하고도 大小便不利 역시 중요한 見症이라고 하였다. 構成하고 있는 藥物 방면에서 보면『李氏醫鑒』卷3에서는 荔枝核을 넣어 또한 禹功散이라고 불렀는데, 寒濕水疝으로 陰囊腫脹하면서 大小便不利한 것에 사용하였다. 현대의 문헌 보고에 의하면 본 方劑는 여전히 水疝에 많이 사용한다(睾丸鞘膜積液).

【副方】 導水丸(『黃帝素問宣明論方』卷4): 黑牽牛 四兩(120 g), 另取頭末 滑石 四兩(120 g) 大黃 二兩(60 g) 黃芩 二兩(60 g).

- 用法: 上爲細末, 滴水爲丸, 如梧桐子大. 每服五十丸(6 g), 或加至百丸(12 g), 臨臥溫水送下.
- 作用: 瀉熱逐水.
- 適應症: 水腫. 遍身浮腫, 二便不利, 口渴, 溲赤, 脈數. 或濕熱腰痛, 濕痰流注身痛.

導水丸과 禹功散은 모두 牽牛子를 方劑 중 君藥으로 삼아서 水濕이 壅盛한 水腫에 二便不利가 보이는 자를 主治한다. 導水丸은 滑石·大黃을 配伍하여 二便을 通利시키는 효력을 비교적 증강시키면서, 또한 黃芩의 淸熱하는 效能이 있어서 水腫濕熱의 症狀을 主治하고, 禹功散은 소량의 茴香과 配伍하여 逐水시키는 힘을 오로지 하면서 또한 行氣止痛할 수 있기 때문에 水腫의 實證이 水氣의 內聚에 속하는 자를 主治한다.

防己椒目葶藶大黃丸

(『金匱要略』)

【異名】 己椒藶黃丸(『金匱要略』)·椒目丸(『備急千金要方』卷18)·防己丸(『聖濟總錄』卷79)·防己椒藶丸(『證治准繩』「類方」卷2).

【組成】 防己 椒目 葶藶 熬 大黃 各一兩(各 30 g)

【用法】 이상 네 가지 藥物을 가루로 만들어서 蜜과 함께 梧桐子 크기로 丸을 만든다. 飮食을 먹기에 앞서 一丸(6 g)을 服用하고, 매일 3번 服用하면서 조금씩 증가시키는데, 口中에서 津液이 나온다(現代用法: 이상의 藥物은 함께 갈아서 細末로 만들어 煉蜜로 丸을 만드는데, 各 丸은 중량이 6 g이다. 매번 一丸을 食前에 溫水와 함께 服用하는데, 매일 3차례 服用한다. 정황을 참작하여 점점 증가시킨다).

【效能】 攻逐水飮, 行氣消脹.

【主治】 腸間水氣證. 腸鳴, 腹脹滿, 口舌乾燥, 二便不利, 舌苔黃膩, 脈弦滑或沉實微數.

【病機分析】 『金匱要略』에서 말하기를 "腹滿, 口舌乾燥, 此腸間有水氣, 己椒藶黃丸主之."라고 하였는데, '腸間有水氣'는 水飮이 腸道 혹은 腹腔에 머무는 것을 가리킨다. 水飮이 腸道 혹은 腹腔에 머무르면 氣機가 不利하므로 腹脹滿·腸鳴이 나타나고, 水飮이 腸間에 있으면 氣機가 阻滯되면서 鬱하여 熱이 되고 腸에 蘊結하면서 腑氣를 壅塞하게 하므로 大便秘澀·舌苔黃膩·脈弦滑或沉實微數을 나타내고, 氣가 津液을 펼쳐주지 못하면 津液이 上承할 수 없으므로 口舌乾燥가 나타나며, 膀胱의 氣化가 不利해지니 小便不利가 나타난다.

【配伍分析】 본 方劑는 水飮이 腸間에 滯留하여 鬱하면 熱이 되고 腑氣가 壅塞不通하면서 생긴 것들을 治療하니, 治療는 攻逐水飮·行氣消脹하는 것이 마땅하다. 方劑에서 防己는 苦辛而寒하면서 利水消腫하는데, 『神農本草經』卷2에서 말하기를 "祛邪, 利大小便."이라고 하였고, 椒目은 苦辛寒하면서 行水消脹할 수 있는데, 『新修本草』卷14에서 말하기를 "主水, 腹脹滿, 利小便."이라고 하였다. 두 가지 藥物을 함께 사용하면 水飮을 下行하도록 인도하여 小便으로 나가게 만든다. 肺는 水의 上源으로 肺氣가 통하면 水道도 운행되는 것이니, 葶藶子는 苦辛大寒하면서 肺氣가 閉塞된 것을 瀉할 수 있으므로 下氣行水利尿하면서 겸하여 大便을 통하게 할 수 있는데, 『神農本草經』卷3에서 말하기를 "破堅逐邪, 通利水道."라고 하였고, 大黃은 苦寒沉降하면서 力猛善走하여 腸胃의 積滯를 攻逐하는데 長技를 가지고 있으므로 方劑 중에서는 蕩滌腸胃하는 效能을 빌려서 瀉下水飮하는 것이다. 두 가지 藥物을 서로 합하면 逐水通下하여 飮邪로 하여금 魄門을 따라 제거되도록 만든다. 네 가지 藥物은 모두 攻下시키는 藥物이라서 쉽게 胃氣를 손상시키므로 蜜로써 丸을 만들어 甘以緩之하여 瀉下逐飮시키면서도 正氣를 손상시킬 우려를 없앤 것이다. 모든 藥物들이 서로 配伍되면 辛宣苦泄하고 前後分消하여 함께 攻逐水飮·行氣消脹의 效能을 나타내는 것이다. 水飮을 내려보내서 升降이 正常을 회복하면 氣가 津液을 펼쳐줄 수 있기 때문에 腹滿이 감소하고 口乾舌燥의 症狀도 역시 제거되는 것이다.

【臨床應用】

1. 證治要點: 본 處方은 攻逐水飮·行氣消脹하는 方劑로 臨床에서는 腹脹腸鳴, 口舌乾燥, 舌苔黃膩, 脈弦滑한 것을 證治의 요점으로 삼는다.

2. 加減法: 만약 口渴하는 자는 飮熱이 互結하여 腑氣가 不通하면서 津液이 上承하지 못해서 생기는 것이니 마땅히 破堅하는 효력을 강화시켜야 한다. 方劑 뒤의 注釋에서 말하기를 "渴者, 加芒硝半兩."이라고 하였는데, 『內經』의 "熱淫於內, 治以鹹寒."이라는 의미에 근본한 것으로 芒硝의 瀉熱潤燥軟堅하는 效能을 취한 것이다.

3. 防己椒目葶藶大黃丸은 다음 한국표준질병사인분류(KCD)에 해당하는 환자가 腸間水氣證으로 辨證되는 경우 본 처방의 사용을 고려해볼 수 있다.

처방 목표	한국표준질병사인분류(KCD)
胸腔積液	J90 달리 분류되지 않은 흉막삼출액
	J91 달리 분류된 병태에서의 흉막삼출액

처방 목표	한국표준질병사인분류(KCD)
氣管支哮喘	J45 천식
肺心病水腫	I27 기타 폐성 심장질환
	I27.9 상세불명의 폐성 심장병
腹水	(질병명 특정곤란)
	R18 복수
幽門閉塞	K31.3 달리 분류되지 않은 유문연축
風濕性心臟病	I01.8 기타 급성 류마티스심장병
	I01.9 상세불명의 급성 류마티스심장병
腸道機能紊亂	K58 과민대장증후군
	K59 기타 기능성 장장애

【注意事項】 脾胃虛弱으로 水飮이 內停한 자는 신중하게 사용하여야 하니 '虛'의 警戒를 범해서는 안 된다. 攻下逐水의 방법을 사용하는 것은 잠시 사용하는 것이 옳지 오래 사용해서는 안 되는 것이니, 이로써 攻逐을 太過하게 하여 正氣를 손상시키는 것을 피해야 한다.

【變遷史】 본 方劑는 仲景이 『內經』의 治水하는 방법인 "潔淨府"나 "去宛陳莝"를 본받아서 創製한 것이다. 『金匱要略』「水氣病脈證並治」에서 말하기를 "夫水病人 …… 其人消渴. 病水腹大, 小便不利, 其脈沉絕者, 有水, 可下之."라고 하였는데, 본 方劑는 防己·椒目을 사용하여 水飮을 인도하여 小便으로 나가게 하였고, 葶藶·大黃로 水飮을 몰아서 大便으로 나가게 한 것이니, 水飮의 邪氣로 하여금 二便으로 分消하게 하여 腸間에 水氣가 있는 症狀을 治療하는데 사용하면 확실히 양호한 효과가 있는 것이다. 그리고 이 方劑를 응용한 것으로 水飮이 腸道에 축적된 것 외에 또한 水飮이 腹腔에 축적한 臌脹에도 매번 사용한다. 현대 임상에서는 肝硬化腹水 및 기타 원인으로 발생하는 腹水·胸膜炎·心包積液·肺心病·哮喘 등이 水飮蓄結에 속하는 자에게 상용한다.

【醫案】

1. 痰飮 水走腸間 『治驗回憶錄』: 某 남자, 25세. 봄에 風寒咳嗽를 앓았는데, 잠자리에 들 즈음에 全身浮腫하였다. 한의사가 開鬼門法을 써서 浮腫이 전부 소멸되었지만, 咳嗽가 여전히 팽팽하게 있으면서 腹部에 脹滿感을 느꼈다. 다시 六君子湯에 薑·辛·味을 넣은 것을 사용하여 溫肺健脾했더니 咳嗽는 감소하였지만 腹部는 더욱 脹大하여 행동하면 숨이 찼다. 의사를 바꾸었는데 역시 虛證으로 인식하여 實脾飮을 주었는데, 服用한 후에 脹滿이 줄어들지 않으면서 胸部 역시 痞滿感을 느꼈다. 계속해서 10여 일을 治療해도 효과가 없었으며, 6개월이나 시간을 끌었지만 腹部가 북처럼 팽창하였다. 나는 여름에 그의 이웃에 있는 某氏의 병을 治療하러 갔다가 와서 진료해 줄 것을 부탁받았다. 按脈沉實, 面目浮腫, 口舌乾燥, 卻不渴, 腹大如甕, 有時鳴聲脹滿, 延及膻中, 小便黃短, 大便燥結, 數日一行, 起居飮食尚好, 殊無羸狀. 만약 虛證에 속한다면 이전의 藥物을 服用했을 때 당연히 效果가 있어야 하는데 도리어 심해진 것은 實證임이 분명하다. 病의 起源을 살펴보면 風寒인데, 太陽의 表邪가 未盡하였을 때 水氣가 留滯하여 肺로 하여금 外散하게 하지 못하고 도리어 점점 中焦로 깊이 들어가서 太陰의 濕과 합하여 하나가 되었으며, 아울러 腸間으로 들어가서 漉漉有聲하게 되었는데, 三焦가 決瀆을 하지 못하고 膀胱의 氣化로 外溢하게도 하지 못하여 胃腸에 축적되어 臌脹이 된 것이다. 당연히 그 體質이 아직 虛하지 않은 것을 좇아 때를 봐서 攻下해야 한다. 『金匱』의 방법에 의거하여 防己葶藶椒目大黃丸(改湯)을 處方하였는데, 이것은 防己·椒目으로 行水하고, 葶藶은 瀉肺하며, 大黃으로 淸腸胃積熱하여 快利시키는 효과를 얻을 수 있었다. 服藥한 후에 水瀉를 여러 차례 하면서 腹脹이 감소하였다. 다시 二劑를 썼더니 下利가 더욱 심해지면서 腹部도 또한 점점 감소하였다. 小便이 아직 시원하게 안 나와서 扶脾利水滋陰하는 방법을 사용하였는데, 茯苓으로 導水하도록 바꾸어 服用하면서 六味地黃丸을 삼켰더니 10여 일 만에 나았다.

考察: 본 예는 水飮이 腸胃에 蓄積되어 臌脹이 된 것이다. 『金匱要略』에서 말하기를 "腹滿, 口乾舌燥, 此

腸間有水氣, 己椒藶黃丸主之."라고 하였으므로 『金匱』의 방법을 사용하여 己椒藶黃丸을 湯으로 바꾸어 前後로 分消하고 利水逐飮하여 效果를 거둔 것이다. 그러나 이 方劑는 攻逐시키는 힘이 매우 猛烈하므로 마땅히 病에 적중하면 곧 그쳐야 한다. 『內經』에 나오는 "衰其大半而止."하라는 뜻을 본받는 것으로, 나중에는 扶脾利水滋陰하는 방법을 사용하여 마무리를 잘 하였다.

2. 肺源性心臟病 『中醫雜誌』(1964, 6:13): 某 여자, 55세. 1962년 2월 18일 入院. 喘咳의 病歷이 이미 3년이였고, 이번에 喘咳가 발작한 것은 한달 가량 되었다. 體檢·X-선 胸透(X-선 胸部 撮影) 및 心電圖 檢査를 거쳐서 診斷하기를: ① 慢性氣管支炎 合並 肺氣腫, 肺源性 心臟病이고, ② 高血壓病이다.

처음에는 西醫 治療를 하였으나 效果가 뚜렷하지 않았다. 3월 23일 우리 科로 轉科하여 治療받았다. 환자는 動則喘甚, 不能平臥, 悸眩納呆, 喉中痰鳴, 口乾而苦, 喜得熱飮, 小便黃熱, 大便秘結, 面腳微腫, 胸脘痞痛拒按, 舌苔厚白黃膩, 脈象濡數結代.

辨證하여 分析해보니 診斷은 痰飮이 위에서 막히고, 腎氣가 아래쪽에서 本虛하였다. 治療는 化飮降逆을 먼저하는 것이 마땅하니 己椒藶黃丸에 加味한 것을 사용하였다. 處方: 防己·葶藶子·大腹皮·枳實 各 9 g, 大黃·枇杷葉·薑半夏 各 6 g, 茯苓·桑皮·石決明 各 12 g, 椒目·柴胡·甘草 各 3 g 服藥한 후에 大便이 곧바로 통하였으며 小便도 역시 증가하였다. 原方에서 大黃을 3 g으로 줄여서 계속해서 四劑를 服用하였더니, 喘咳와 脘痛諸症이 크게 감소하였고, 浮腫도 감소하면서 食欲이 증가하였으나, 오직 動則微喘하면서 苔轉薄膩하고 脈轉細弦하였다. 계속해서 原方(改大黃 0.9 g, 葶藶子 3 g, 枳實 6 g)을 주면서 아울러 濟生腎氣丸을 配合하여 服用함으로써 調理하도록 하였다. 모두 31일을 入院하였는데, 退院하면서 다시 검사해보니 心筋에 손상받은 것이 아직 회복되지 않은 것을 제외하면 기타 검사는 모두 정상이었다. 3개월 후에 방문해서 물어보니 아직 재발하지 않았다.

考察: 본 의안의 예는 비록 병증이 이미 3개나 되면서 動則喘甚한 것은 腎氣下虛의 형상이 있은 것이지만, 지금 당장의 表現이 停痰伏飮의 實證이 급하므로 己椒藶黃丸에 加味한 것을 사용하여 開達通降한 것이다. 이것은 肺와 大腸이 서로 表裏가 되는 것이며, 六腑는 通하는 것으로써 용도로 삼으니 곧 張子和가 말한 '貴流不貴滯'의 의미이다. 본 方劑는 降氣平喘·化飮寬胸·通便止痛·利尿消腫하는 효능을 사용하였는데, 이 병증처럼 上實下虛하면서 實證이 많이 차지하는 자에 대해서는 확실히 짧은 시간 동안 사용하기에는 양호한 효과가 있는 것이니, 이른바 '急則治標'하라 하였고, '祛邪以安正'한다고 한 것이다. 일단 標證이 완만하게 풀리기를 기다린 후에 다시 補虛培本하는 方劑를 주는 것이니, 예를 들어 본 예에서는 濟生腎氣丸을 配合하여 服用함으로써 그 마무리를 잘 한 것이다. 辨證을 應用하여 攻補하는 방법을 설명한 것으로, 이것이 본 예에서 효과를 얻은 관건에 해당된다.

『湖北中醫雜誌』(1984, 2:18): 某 남자, 50세. 肺源性心臟病을 앓은 지 10여 년이 되었는데, 오랜 기간 咳喘과 心悸를 하였으며, 겨울이 된 이후에 病勢가 가중되어 三度의 心衰라고 하여 입원하였다. 진단하여 보니 面色青黑, 周身浮腫, 腹滿而喘, 心悸, 不能平臥, 四肢厥冷, 二便不利, 舌紫, 苔薄黃, 脈細促하였다. 脈率 110회/분, BP 86/50 mmHg. 處方은 防己·炮附子 各 15 g, 椒目·葶藶子·大黃 各 5 g, 乾薑·紅蔘 各 10 g, 茯苓 30 g을 진하게 달여서 자주 服用하였다. 三劑를 服用한 후에 大便으로 膿같이 생긴 끈적끈적하고 더러운 糞便이 나왔으며, 小便通利하였고, 下肢가 따뜻해지면서 心悸喘促이 輕減하였다. 十劑를 服用한 후에 浮腫이 사라졌고, 2四劑를 服用한 후에 가벼운 육체적인 노동을 할 수 있었다. 1년 동안 방문하면서 물어보니 아직 재발하지 않았다.

考察: 본 의안의 예는 虛實이 함께 보이는데, 症狀은 陽氣虛衰·水飮壅實에 속하여 治療는 益氣回陽·瀉水逐飮으로 하였다. 그러므로 方劑로는 己椒藶黃丸에 茯苓을 넣어 通便化飮하고, 蔘附湯에 乾薑을 넣어 大補元氣·回陽救逆하여 효과를 얻었다.

3. 肺性腦病『湖北中醫雜誌』(1984, 2:18): 某 남자, 44세. 肺源性 心臟病이 있은 역사가 10여 년 되었다. 최근 6개월 동안 咳逆喘促하면서 때때로 昏迷狀態를 나타내었는데, 西醫가 診斷하기로는 '呼吸性酸中毒'이라고 하면서 포도당·중탄산나트륨 등을 정맥주사하였지만 症狀이 잠시 완화될 뿐이였다. 診斷하여 보니 面色青黑, 呼吸喘促, 喉中痰鳴, 呈陣發性神志模糊, 心悸, 四肢厥冷, 二便閉結, 舌質紫, 苔黃膩, 脈細數, 動而中止하였다. 이것은 痰熱이 結聚하여 正虛陽衰함으로써 肺失宣降하여 淸濁이 易位한 症狀에 속한다.

治療 原則: 逐飮降逆·扶正回陽하는 것이 마땅하다.

處方과 治療 結果: 防己·炙甘草 各 15 g, 葶藶子·椒目 各 4.5 g, 大黃(後入) 9 g, 茯苓 30 g, 黨參 21 g, 炮附子·乾薑 各 12 g. 水煎服. 복약한 후에 大便으로 黑色의 膿처럼 생긴 糞便을 보면서 神志가 약간 맑아졌으며 四肢가 따뜻해졌다. 계속해서 위의 方劑에 加減하여 연속해서 1주일 동안 복용했더니 神志가 맑게 깨어났고 咳喘이 輕減하였다. 나중에는 溫腎納氣하는 方劑로 조리하여 호전되었다.

考察: 痰飮이 병증이 되는 것은 대부분 中焦虛寒·脾運失健한 까닭이다. 그러나 飮邪가 鬱久하면 또한 熱로 변화할 수 있기 때문에 飮盛邪實하면 氣虛陽衰하게 되는데, 이때에는 반드시 먼저 苦寒한 藥物로써 前後를 分消하여 二便을 通利시키고, 그러한 이후에 다시 溫藥으로 조화롭게 해야 쉽게 效果를 얻을 수 있는 것이다.

4. 慢性腎炎『河南中醫』(1994, 6:372): 某 남자, 45세. 慢性腎炎을 앓은 지 2년이 되었는데, 여러 번 中·洋藥을 服用하여 治療하였지만 效果가 뚜렷하지는 않았다. 1988년 7월 9일 來診하였다. 症見: 顔面及四肢明顯浮腫, 發熱, 腰痛, 胸腹脹滿, 煩熱咽痛, 尿少色黃赤. 檢査: 體溫 38.5℃, 血壓 120/80 mmHg, 脈細數, 舌質紅苔黃. 實驗室檢査: 血常規: 적혈구 12.9 g%, 백혈구 10.5×10^9/L, 尿常規: 단백 뇨(+++), 紅細胞(+++), 白細胞(+), 透明管型(+), 尿蛋白定量 3 g/24h. 生化學 檢査: 血淸 albumin 3.5 g%, urea nitrogen 25 mg%, creatinine 2.6 mg%, cholesterol 240 mg%. 慢性腎炎 普通型(濕熱內蘊)으로 진단하였다.

治療 原則: 益氣淸熱·利水消腫하는 것이 마땅하다.

處方과 治療 結果: 方劑로는 己椒藶黃丸에 五苓散을 합한 것에 加減하였다. 黃芪 15 g, 防己 15 g, 椒目 8 g, 葶藶子 12 g, 大黃 10 g, 白朮 15 g, 茯苓 12 g, 澤瀉 12 g, 桂枝 10 g, 金銀花 20 g, 山藥 15 g, 旱蓮草 15 g, 甘草 6 g. 十劑를 달여서 服用한 후에 熱退腫消하면서 血尿·蛋白尿가 뚜렷하게 감소하였다. 위의 方劑에 加減하여 모두 30劑를 服用하였더니 症狀이 완전히 완화되었고, 體徵이 소실되었으며 血尿에 대한 화학적인 검사도 이미 正常으로 회복되었다. 이후에 六味地黃丸으로 바꾸어 服用하여 治療 效果를 견고하게 하였다. 1년 후에 방문하여 물어보았더니 아직 재발하지 않았다.

考察: 己椒藶黃丸은 본래 辛苦寒凉·逐水滌飮하는 方劑인데, 본 方劑 중에는 甘溫益氣하는 藥物을 넣어서 慢性腎炎을 治療하는데 사용하였으니, 寒溫相調하고 攻補相適하게 하여 逐邪하면서도 正氣를 손상시키지 않고 扶正하면서도 邪氣가 머무르지 않게 하여 攻補兼施의 목적을 달성하려고 한 것이다.

5. 幽門閉塞『浙江中醫雜誌』(1985, 4:152): 某 남자, 40세. 上腹部에 반복적으로 疼痛한 지가 5년여 되었

다. 여러 차례 바륨 검사를 했는데 모두 胃小彎 및 十二指腸潰瘍과 慢性萎縮性胃炎을 제시하였다. 6일 전에 貪食으로 인하여 胃脘이 脹痛拒按하면서 胃型이 뚜렷하게 나타났고, 有振水聲, 噯氣呑酸, 惡心, 嘔吐大量黏液和酸臭味宿食, 大便7일未行, 小便短少色黃, 形體消瘦, 口乾舌苔黃燥, 脈弦數하였다. 上部 消化管 Barium 검사: 胃에 輕度의 擴張이 나타났고, 대량의 滯留液이 있었으며, 2시간 후에 여전히 小腸으로 진입하지 않아서 幽門閉塞을 提起하였다. 飮食不節로 말미암아 脾胃를 손상시키면 腑濁이 下降하지 못하고 胃氣가 上逆하여, 嘔吐失液하면서 傷陰化熱하는 것이다. 治療는 逐飮化積·降逆止嘔·潤燥通便하는 것이 마땅하다. 方劑로는 己椒藶黃丸에 玄明粉·炒枳實·元參·旋覆花·代赭石·生甘草를 넣은 것을 취하여 二劑를 복용하였더니 燥糞 7~八枚를 아래로 내려 보냈다. 또 一劑를 복용하니 腸鳴漉漉하면서 頻轉矢氣하였는데, 惡臭가 나는 溏便을 매우 많이 내보내면서 嘔吐와 腹脹이 마치 없어진 것 같았다. 6개월 후 Barium으로 다시 검사하였더니 胃는 鉤形을 나타내었고, 張力이 중등도 정도였으며, 안에 소량의 滯留液이 있었고, 蠕動波가 전체 胃를 통과할 수 있으면서 胃小彎側에 하나의 突出된 腔外의 X-선 조영법에 의해 만들어진 映像이 있었는데, 깊이는 약 0.3 cm 정도였고 輕度의 壓痛이 있었다. 이후에 계속해서 辨證하여 한달 정도 조리하였는데 지금까지 脘痛은 아직 재발하지 않았다.

考察: 幽門閉塞은 中醫의 '反胃'의 범주에 속한다. 본 醫案은 飮食不節로 인하여 이후에 脾胃損傷이 오고, 痰飮食積이 中州를 막아서 熱로 변하면서 생긴 것이다. 胃中에 대량의 滯留液이 있으며, 振水聲이 있고, 吐하는 물건 중에는 비교적 많은 黏液痰이 있으므로 痰飮의 징후임을 알 수 있다. 胃脘이 飽滿하여 拒按하고, 오래된 酸臭를 嘔吐하며, 便秘尿赤하고 口乾舌燥한 것은 積滯가 熱로 변화한 징조이다. 그러므로 化痰逐飮·降逆止嘔·導滯通腑하는 방법을 적용하여 己椒藶黃丸을 선택하여 효과를 얻은 것이다. 다만 모름지기 주의해야 할 것은 본 方劑의 苦寒한 藥物들은 순수하게 攻逐하는 方劑에 속하므로 久服하는 것이 옳지 않고, 일단 飮消積去하면 곧 方劑를 바꾸어서 조리해야 한다.

6. 小兒咳喘『湖北中醫雜誌』(1991, 5:15): 某 남자, 7세. 1989년 11월 2일 입원함. 咳喘을 5일 동안하면서 發熱, 喉間痰聲漉漉, 痰咳不出, 咳伴嘔惡, 入夜伴喘吼, 喘甚張口抬肩, 搖身擷肚, 不能平臥, 口乾喜飮, 大便乾結, 小便黃하였다. 일찍이 항생제·호르몬 治療를 하였다. 이전부터 哮喘(氣管支哮喘)의 病歷을 가지고 있었다. 查體: 體溫 39℃, 呼吸淺促, 58회/분, 鼻煽, 唇周發紺, 三凹征(++), 咽紅, 扁桃體 Ⅰ~Ⅱ度腫大, 充血明顯, 心率 150회/분, 양쪽 肺布에 哮鳴音이 가득했고, 양쪽 肺底部에서 조금의 細濕囉音을 들을 수 있었으며, 腹微脹, 舌質紅, 苔黃稍膩, 脈滑數하였다. 實驗室檢查: 血象: 白細胞總數 5.4×10^9/L, 中性粒細胞 0.48, 淋巴細胞 0.52. 病毒檢測: 腺病毒 1:16 陽性. 中醫診斷은 哮喘(熱性哮喘)이고, 西醫診斷은 氣管支哮喘 합병증 감염이다. 方劑로는 己椒藶黃丸에 加味한 것을 사용하였다. 防己·椒目·葶藶子·蘇子·杏仁·瓜蔞仁 各 10 g, 生大黃(後下)·麻黃 各 6 g, 魚腥草 30 g. 매일 1회 복용하는데, 濃煎해서 300 mL의 汁을 취하여 4차에 나누어서 服用한다. 一劑를 服用하니 熱退(體溫 37℃)하면서 咳喘이 조금 감소하면서 편안하게 누울 수 있었고, 大便이 稀糊狀으로 바뀌면서 매일 1차례 보았고, 三凹征(+), 鼻煽과 唇紺이 소실되었다. 다시 四劑를 복용하였더니 喘이 안정되면서 三凹征이 소실되었다. 계속해서 二劑를 服用하였더니 咳嗽가 그치면서 양쪽 肺의 乾濕囉音이 들리지 않았으며 완전히 나아서 퇴원하였다.

考察: 小兒咳喘의 病機는 外邪가 熱로 변하여 熱盛灼津하면 煉津成痰하여 痰阻氣道하면 肺氣鬱閉하여 된 것이다. 治療는 淸熱宣肺化痰·止咳平喘을 常法으로 하는 것이 마땅하다. 痰은 咳喘의 病理的인 산물인데, 痰이 제거되면 氣道가 통하고, 肺氣가 宣發되면서 咳喘이 평정되므로 痰을 治療하는 것은 실제로 咳

喘을 治療하는 關鍵이 된다. 痰·飮·水는 異物同類로 病理的으로 서로 轉化할 수 있으니, 水飮이 제거되면 痰도 또한 제거된다. 그러므로 己椒藶黃丸을 선택하여 湯劑로 바꾸고 加味하여 治療하면 宣肺化痰平喘할 뿐만 아니라 前後로 水邪를 分消하여 거두어 들이는 효과가 매우 훌륭할 것이다.

7. 肝硬化腹水『經方應用』: 某 여자, 35세. 환자는 1965년 3월 출산 후에 食欲이 減退하면서 乏力하였다. 2주 전부터 尿量이 減少하면서 腹脹과 下肢浮腫이 생겼다. 7년 전에 4번째 아이를 낳은 이후에도 유사한 발작이 있었다. 體檢: 腹圍 103 cm, 體重 69 kg. 發育은 일반적이었고 鞏膜이 黃色으로 물들었으며 皮膚의 黃染은 뚜렷하지 않았다. 蜘蛛膜狀 반점은 보이지 않았으며, 心肺正常, 腹膨隆, 肝脾部位를 촉진하면 마땅치 않았고, 移動性濁音 및 下肢에 凹陷性 水腫(+)이 있었다. 초음파 검사: 脾(+), 肝波: 비교적 빽빽한 2級 微小波가 腹과 수평인 段에 4등급이 있었고, 우측 胸腔과 수평인 段에 2등급이 있었다. 診斷: 臌脹(肝硬化腹水). 이것은 產後에 氣血兩虧하고 脾胃虛弱한데 水濕이 停留하여 腹脹如鼓하고 下肢浮腫하며 胃弱不佳한 것이다. 濕鬱이 熱로 변하여 熏蒸하여 풀리지 않으므로 面目發黃·尿短而赤한것이다. 益氣·淸熱利濕시키는 方劑를 갈마들면서 주었지만 症狀은 감소하지 않았다. 이것은 水邪가 위세를 부리고 방자하여 正氣가 邪氣를 이기지 못해서 그런 것이다. 지금은 利水에 치중하면서 보조적으로 益氣하는 것을 적용해야 한다. 木防己 9 g, 川椒目 9 g, 甜葶藶(研) 9 g, 生川軍(後下) 6 g, 桑白皮 12 g, 赤·猪苓 各 9 g, 車前子 30 g, 黃芪 15 g, 陳皮 6 g, 紅花 4.5 g. 복약한 지 2주 후에 尿量은 뚜렷하게 증가하지 않았지만, 腹脹은 輕減하였고 음식물을 받아들이는 것도 역시 증가하였으니, 脾胃의 運化之機가 이미 조금씩 회복하려는 추세에 있는 것이다. 다만 水邪가 아직 물러나지 않았으니 利水시키는 藥劑를 가중시킬 필요가 있다. 따라서 葶藶子를 30 g으로 바꾸었더니, 당일에 尿量이 증가하여 排尿量과 飮水量이 거의 같았으며, 이때 이후로 매일 尿量이 조금씩 증가하여 腹脹이 改善되고 腹圍도 점점 축소되었으며 음식물을 받아들이는 것도 이미 뚜렷하게 호전되었다. 이 方劑를 연속해서 1개월 동안 服用하고 신체검사를 하였더니, 腹圍는 87 cm였고 體重은 61 kg였으며 腹部의 이동성 濁音은 이미 뚜렷하지 않았다. 다시 초음파 검사를 했더니 이미 腹水의 平段 出現이 없어졌다. 肝機能을 다시 검사했는데 아직 완전한 正常은 아니였다. 모두 53일을 入院하였고, 退院 할 때에는 일반적인 상황이 양호하였으며, 退院 후에 계속해서 2차례 외래 진찰을 하였다. 5개월 후에 방문해서 물어보니 身體의 건강 상황이 양호하였다.

考察: 본 醫案의 臌脹은 邪勝正虛하면서 虛實이 함께 나타나고 있다. 그러므로 본 方劑를 사용하면서 黃芪와 합하고 利水하는 藥物을 넣어서 益氣扶正·分消水邪한 것이다. 古方을 운용할 때에는 역시 구체적인 病勢에 근거하여 症狀에 따라 化裁해야 함을 충분히 알 수 있다.

8. 腸機能紊亂『遼寧中醫雜誌』(1987, 2:34): 某 여자, 41세. 한여름 勞動 후에 단번에 冷飮을 비교적 많이 마셨는데, 그 이후로 胃脘疼痛이 출현하면서 계속해서 腹部脹大하고 身體消瘦하면서 노동을 계속 할 수가 없었다. 先後로 2차례 腸機能紊亂으로 入院 治療를 받았으며, 疏肝健脾시키는 方藥을 數百劑 服用하였지만 效果가 뚜렷하지 않아서 나를 불러서 診斷하고 治療해 달라고 하였다. 진단하여 보니 腹大如鼓, 腹脹, 口渴而不欲飮, 每日進食 200 g 左右, 食後腸鳴, 瀝瀝有聲하였다. 大便은 매일 2~3차례 가면서 細條狀을 나타내었고 어렵게 나왔다. 6개월에 月經을 1차례 했는데 양이 적고 색이 맑았다. 舌質淡, 苔白滑, 兩脈弦緩하였다. 症狀이 飮邪內結하여 中陽이 막히면서 水飮이 腸間에 머무른 것에 속하였다.

處方과 治療 結果: 己椒藶黃湯을 사용하여 苦辛宣降·前後分消하였다. 處方: 防己·椒目 各 10 g, 葶藶子 9 g, 大黃 6 g. 달여서 三劑를 服用한 후에 矢氣가

자주 나왔으며, 大便이 通暢하면서 양이 많았고 腹脹이 조금 감소하였다. 原方을 고수하면서 다시 三劑를 服用했더니 腹脹이 크게 감소하면서 腸鳴이 들리지 않았는데, 한 달 정도 조리를 하면서 病이 점점 나았다.

考察: 이 醫案은 冷飮을 지나치게 많이 마시면서 寒邪가 침입하고 水飮이 정체된 것이고, 오래되면서 中焦의 氣機가 不利해지면서 冷積이 변화하지 않게 된 것이다. 이 方劑를 사용하여 前後分消·導滯下行시키면 飮邪를 제거할 수 있으니, 邪氣가 제거되고 正氣가 안정되면 그 병증은 스스로 낫는 것이다.

9. 閉經『山東中醫學院學報』(1980, 1:54): 某 여자, 35세. 經閉를 앓으면서 여러 명의 한의사를 불렀는데, 瘀血로 보고 論治하는 자가 있었고, 血虧로 論治하는 자가 있었으며, 氣血雙虧로 논치하는 자도 있었는데, 의사들이 治療하기를 1년여 동안 하였지만 月經은 나오지 않으면서 身體는 날로 쇠약해져갔다. 환자는 평소에 체격이 健壯하였는데, 일찍이 怒氣로 인하여 점점 음식물을 적게 먹으면서 形瘦腹大하고 經閉하였으며, 腹部 속에 물 흘러가는 소리가 들렸는데 반대편에 앉아있으면 능히 들을 수 있는 정도였다. 스스로 말하기를 腹滿이 심하다고 하였고, 口乾舌燥, 舌淡苔薄白, 雙手脈均沉細而弦하였다. 脈과 證狀을 함께 참고하니 症狀은 痰飮阻經에 속하였다. 己椒藶黃丸方을 주었다: 防己 10 g, 川椒目 15 g, 炒葶藶子 10 g, 大黃(後入) 10 g. 물에 달여 二劑를 服用하였다. 복약한 후 그날 저녁에 痰液水를 한 세숫대야 정도 瀉下하였고, 泄瀉한 후에 기력이 없는 것이 제거되면서 반복적으로 腹中이 편안해지면서 배고픈 감각이 생겼으며, 脈弦象도 역시 감소하였다. 내가 말하기를: 藥物이 이미 疾病에 적중했으니 隔日에 다시 一劑를 服用하라고 하였다. 二診: 환자는 두 차례 瀉下한 후(두 번째 瀉下한 痰水는 이전의 반이었다)에 몸이 쾌적해짐을 느끼면서 飮食 먹는 것이 증가하였다. "衰其大半而止"하라는 뜻을 본받아서 服藥을 정지한 후에 飮食으로 調養하게 하였다. 한 달 후에 방문해서 물어보니 經血은 이미 소통되었고 健康은 예전처럼 회복되었다고 하였다.

考察: 血과 津液은 同源而異類이다. 瘀血이 經脈을 막으면 濕痰으로 변하여 생길 수 있고, 水飮이 壅滯해도 역시 血行瘀滯하게 할 수 있다. 본 예의 閉經은 곧 痰飮이 운화되지 못하면서 血行을 막음으로써 經脈이 瘀阻되어서 생긴 것이다. 『金匱要略』에서 말하기를 "其人素盛今瘦, 水走腸間, 漉漉有聲, 謂之痰飮."이라 하였고, "腹滿, 口乾舌燥, 此腸間有水氣, 己椒藶黃丸主之."라고 하였다. 그러므로 己椒藶黃丸을 사용하여 前後를 分消시켜주면 飮去血行하게 함으로써 月經이 通調되는 것이다.

疏鑿飮子

(『濟生方』卷5)

【異名】 疏鑿散(『杏苑生春』卷6).

【組成】 澤瀉(12 g) 赤小豆炒(15 g) 商陸(6 g) 羌活 去蘆(9 g) 大腹皮(15 g) 椒目(9 g) 木通(12 g) 秦艽 去蘆(9 g) 檳榔(9 g) 茯苓皮(30 g) 各等分

【用法】 위의 것을 잘게 부수어 매번 四錢(12 g)을 복용하는데, 물 1잔 반에 生薑 五片을 넣어 七分이 될 때까지 달여서 찌꺼기를 제거하고 수시로 溫服한다.

【效能】 瀉下逐水, 疏風發表.

【主治】 水氣. 遍身水腫, 喘呼氣急, 煩躁口渴, 二便不利.

【病機分析】 본 方劑가 治療하는 證候는 水濕이 壅盛하여 上下·內外로 泛溢하는 陽水의 實證이다. 水濕이 壅盛하여 肌膚에 泛溢하므로 全身浮腫하고, 水가

肺를 압박하여 肺氣가 上逆하므로 呼吸氣急하며, 水가 裏에 옹체되어 三焦의 氣機가 막히면 肺氣不降하고 腑氣不通하기에 二便不利하고, 水壅하면 氣結하여 津液이 펼쳐지지 못하므로 口渴한다.

【配伍分析】 본 方劑가 主治하는 것은 水邪가 上下·表裏로 泛溢하여 邪盛氣實한 症狀이다. 『素問』「湯液醪醴論」의 "平治於權衡, 去宛陳莝, …… 開鬼門, 潔淨府."와 『金匱要略』「水氣病脈證並治」의 "諸有水者, 腰以下腫, 當利小便. 腰以上腫, 當發汗乃愈." 및 "病水腹大, 小便不利, 其脈沉絶者, 有水, 可下之" 등의 법칙에 근거하여 治療는 上下·表裏로 分消시키는 것이 옳다. 方劑 중 商陸은 苦寒有毒하면서 主로 水飮을 瀉하여, "水腫, …… 疏五臟, 散水氣."(『名醫別錄』卷3)를 治療하는데, 대개 "其性下行, 專於行水."(『本草綱目』卷17)하기 때문에 效能이 大戟·甘遂와 같아서 通利二便할 수 있으므로 方劑 중 君藥이 된다. 茯苓皮·木通·澤瀉·椒目·赤小豆는 裏에 있는 水濕을 滲利시키므로 臣藥이 된다. 그중에 茯苓皮는 오로지 利水祛濕하는 要藥이 되고, 木通은 "利小便, …… 主水腫浮大."(『藥性論』)하며, 椒目은 "主水, 腹脹滿, 利小便."(『新修本草』卷14)하고, 赤小豆는 "其性下行, 通乎小腸, 能入陰分, 治有形之病. 故行津液, 利小便, 消脹除腫."(『本草綱目』卷24)하면서 "凡水腫·脹滿·泄瀉, 皆濕氣傷脾所致, 小豆健脾燥濕, 故主下水腫脹滿, 止泄, 利小便也."(『神農本草經疏』卷25)하고, 澤瀉는 氣寒味甘而淡하여 최고로 滲泄水道를 잘하여 오로지 通行小便한다. 이상 모든 藥物을 함께 사용하면 裏에 있는 水濕을 인도하여 二便으로 나가게 한다. 羌活·秦艽·生薑과 配伍하여 疏泄發表·開泄腠理하면 表에 있는 水邪로 하여금 肌膚로 빠져나가게 하고, 濕은 陰邪라서 최고 쉽게 氣機를 막으므로 大腹皮·檳榔의 行氣利水하는 것과 配伍하여 氣化하게 하면 濕도 역시 변화하니 함께 佐藥으로 삼는다. 모든 藥物을 함께 사용하면 上下內外로 그 세력을 分消시켜서 그 水濕을 없앤다.

본 方劑의 명칭이 '疏鑿飮子'인 것은 夏나라 禹王의 疏鑿三峽에서 나온 것으로 水勢를 이롭게 한다는 뜻을 취한 것이다. 晉代 郭璞의 『江賦』에서 말하기를 "若巴東之峽, 夏後疏鑿."이라고 하였다. 본 方證은 水濕이 上下·表裏로 泛溢하여 遍身水腫을 볼 수 있으므로 疏表攻裏·外散內消하는 방법이 역시 夏나라 禹王이 江河를 疏鑿한 뜻과 같으므로 이름 붙인 것이다.

【臨床應用】

1. 證治要點: 본 方劑는 水濕을 攻逐하여 上下表裏로 分消시키는 效能을 갖추고 있어서 水濕이 壅盛하여 表裏가 모두 병든 陽水實證에 사용하여 治療한다. 遍身水腫, 氣喘, 口渴, 二便不利, 脈沉實을 證治의 요점으로 삼는다.

2. 본 方劑는 急性腎炎水腫·頭蓋骨內壓增高 등이 水濕壅盛으로 表裏俱實에 속하는 자에게 상용한다.

3. 疏鑿飮子는 다음 한국표준질병사인분류(KCD)에 해당하는 환자가 水濕壅盛, 陽水實證으로 辨證되는 경우 處方한다.

처방 목표	한국표준질병사인분류(KCD)
急性腎炎水腫	N00 급성 신염증후군
頭蓋骨內壓增高	G93.2 양성 두개내압상승
	I67.4 고혈압성 뇌병증

【注意事項】 본 方劑는 攻逐하는 方劑로 水腫의 形氣가 俱實하면서 뚜렷한 寒熱見證이 없는 자에게 사용하여 治療하는데, 陰水證 및 孕婦에 대해서는 사용을 禁忌한다.

【變遷史】 본 方劑는 水濕이 表裏에 泛溢하여 생기는 遍身水腫의 症狀을 主治하는데, 發表·瀉下·利水의 세 가지 방법을 하나의 方劑 속에 융합한 것으로, 비유하자면 夏나라 禹王이 疏江鑿河하여 壅盛한 水濕으로 하여금 上下·內外로 分消하였으므로 '疏鑿'이라는

명칭이 생긴 것이다. 이 方劑 이전에는 古人들이 水腫을 治療할 때 혹은 宣肺利水하거나, 혹은 健脾利水하거나, 혹은 溫陽利水하거나, 혹은 攻下逐水 등을 하여 각각 특색을 갖추고 있었다. 그러나 表裏上下에 水濕이 壅盛한 자에 대하여 이상의 한 종류의 治法으로는 능히 구석구석까지 미칠 수가 없다. 疏鑿飮子의 創製는 그 부족한 것을 보충한 것이니, 이것은 水腫의 治法에 대하여 豐富하게 하면서 發展시킨 것으로 매우 큰 臨床에서의 사용 가치가 있다.

【醫案】

1. 上大靜脈 증후군『中國中醫急症』(2003, 6:576): 某 남자, 53세. 스스로 말하기를 頭面·上肢에 浮腫이 있은 지 2주일이 되었고, 加重되면서 喘促氣緊을 동반한 것이 3일 되었다. CT에서 보니 右上中央型肺癌인데 肺의 縱隔 및 上大靜脈에 침범하였다. 症狀으로는 頭面·雙上肢浮腫, 微咳少痰, 喘促氣緊, 臥則加重, 雙上肢及頸部脈絡怒張, 大便乾結, 小便少, 舌質黯紅苔白, 脈滑하였다.

먼저 中藥 湯劑를 주어서 瀉下逐飮·疏風解表하여 그 급한 것에 대응하였는데, 方劑로는 疏鑿飮子에 加味한 것을 선택하였다: 羌活·秦艽·澤瀉·赤小豆·大腹皮·茯苓皮·川芎 各 15 g, 木通·椒目·檳榔 各 10 g, 商陸 6 g, 丹參 30 g, 每日一劑. 二劑 服用한 후에 二便이 모두 잘 나오면서 浮腫·氣緊이 輕減하였다. 병리적인 檢査에서 小細胞肺癌으로 제시하였다. 화학요법을 거친 후에 壓迫이 解除되고 症狀이 소실되어 퇴원하였다.

考察: 上大靜脈 증후군은 上大靜脈이 阻塞하면서 생기는 한 조합의 症狀으로 急症의 範疇에 속하여 제때에 처리해야 한다. 阻塞은 대부분 惡性腫瘤로 생기는데, 氣管支肺癌으로 생기는 것이 흔하며 다음이 淋巴瘤이다.『內經』에서 말하기를 "上盛爲風"이고, "下盛爲濕"이라 하였다. 그러므로 上部의 腫瘤는 반드시 治風을 겸해야 하는데, 대개 風이 없으면 濕이 높은 꼭대기에 있는 淸陽에 올라갈 수 없기 때문이다. 羌活·秦艽로 疏風勝濕하여 表에 있는 水邪로 하여금 肌膚로 빠져나가게 하고, 澤瀉·商陸으로 水邪가 二便으로 제거되게 한다. 急하면 標를 治療하면서 勢力에 따라 引導해야 하는데, 表裏를 雙解함으로써 邪實을 蕩滌한 것은 더 나은 治療를 할 수 있는 조건을 만들었다.

2. 腫瘤性 心包積液『中國中醫急症』(2003, 6:576): 某 여자, 49세. 1개월 전에 心悸·氣緊이 있어서 纖維氣管支鏡으로 보니 좌측 肺低部에 차별화된 扁平上皮癌이 있었고, B형 초음파로 보니 心包에 중간 정도의 積液이 있어서 心包穿刺를 시행하여 血性 液體 100 mL를 抽出하였으며, 아울러 NP方案의 화학요법을 하였다. 1주일 후에 心悸·氣緊이 다시 발작하여 다시 穿刺를 시행하여 液體 350 mL를 추출한 후에 症狀은 완화되었는데, 積液 중에 검사해보니 扁平上皮癌 細胞가 있었다. 5일 전에 再次 다시 발작하여 날마다 加重되었으며, 症狀으로는 心累, 氣緊, 左胸背隱痛, 口乾口淡, 腹脹納差, 小便短少, 大便5일未解, 舌質淡紅苔白膩, 脈沉이 나타났다. B형 초음파로 보니 心包積液이 35 mm로 좌측 胸腔에 소량의 積液이 있었다.

治療 原則: 瀉下逐飮·化氣行水를 위주로 한다.

處方과 治療 結果: 方劑로는 疏鑿飮子에 加減한 것을 선택하였다: 澤瀉·大腹皮·茯苓·白朮·赤芍·葶藶子 各 15 g, 羌活·秦艽·木通·椒目·檳榔·桂枝 各 10 g, 商陸 6 g. 매일 一劑씩 복용하면서 아울러 生脈注射液 60 mL에 5%葡萄糖注射液을 정맥주사하기를 매일 1차례 하였다. 연속해서 四劑를 복용한 후에 二便利하면서 氣緊·心悸·腹脹이 輕減하였다. 前方에 羌活·木通·檳榔·商陸을 빼고, 黃芪·丹參 各 20 g, 益母草 15 g을 넣어서 연속해서 十劑를 복용한 후에 다시 B형 초음파로 검사해보니 胸腔 및 心包에 積液을 볼 수 없었고, 계속해서 NP方案의 화학요법을 하였다.

考察: 腫瘤性 心包積液이 뚜렷할 때에는 心包填塞이 출현하면서 生命이 위급하다. 현재의 治療는 주로

心包 穿刺排液·心包腔內 화학요법을 포함하고 있는데, 前者는 積液이 쉽게 반복되고, 後者는 狹窄性 心包癒着에 이르게 될 가능성이 있다. 해당되는 환자는 水飮의 邪氣가 왕성하여 중간으로는 氣機를 막고, 위로는 心을 凌蔑하여 너무 늦으면 급한 데 도움이 안 될까 두렵다. 그러므로 發汗·利水·瀉下의 세 가지 방법을 함께 사용하여 疏導水濕해야 氣化가 되면서 陽이 通하게 될 것이다. 邪實正虛한 것을 걱정하여 生脈注射液으로 그 正氣를 도움으로써 水飮의 근원을 단절시킨 것이니, 標本을 함께 돌보면 완고한 질병도 저절로 낫는 것이다.

第三章

和解劑

무릇 和解少陽·調和肝脾·調和腸胃·截瘧 등의 작용을 갖추고 있으면서 傷寒의 邪在少陽·肝脾不和·腸胃不和 등의 증상 및 瘧疾을 치료하는 方劑를 和解劑라고 부르고, '八法' 중에 和法에 속한다.

『內經』 중에는 비록 和法과 和解劑에 관한 명확한 記載가 없지만, '和'라는 것은 곧 調和라는 뜻을 가리키므로 도리어 많은 곳에서 볼 수 있다. 예를 들어『素問』「上古天眞論」에서 말하기를 "上古之人, 其知道者, 法於陰陽, 和於術數, 食飮有節, 起居有常, 不妄作勞, 故能形與神俱, 而盡終其天年, 度百歲乃去."라고 하였고, 『素問』「生氣通天論」에서 또한 말하기를 "凡陰陽之要, 陽密乃固, 兩者不和, 若春無秋, 若冬無夏, 因而和之, 是謂聖度."라고 하여 和法 및 和法에 의해 구성된 和解劑의 기본적인 含義가 이것으로부터 確定된 것이다. 역대 본초학 전문서적을 살펴보면 모두 전문적으로 '和解'類의 藥物로 나열한 것이 없으며, 이것은 和解劑가 기타 方劑와 비교했을 때 뚜렷하게 차이나는 점이다. 그러므로 和解劑의 구성과 발휘하는 작용은 藥物의 配伍에 의지하여 실현되는 것이며, 이러한 종류의 配伍 방법과 원칙의 확립은 漢代의 張仲景이 구체적으로 완성하였다. 仲景이『傷寒論』에서 創製한 和解劑의 代表方인 小柴胡湯은『內經』에 나오는 '調和'의 思想에 대한 활용성을 가진 물질적인 기초가 되고, 和解劑의 방제 구성과 약재 운용에 範例를 제공하였다. 다만『傷寒論』에서는 오히려 그것이 和解劑의 主方이 된다고 명확하게 지적하지 않았기 때문에, 도리어 小承氣湯·桂枝湯 등에 '和'의 작용이 있다고 인식하게 되었다. 예를 들어『傷寒論』第250條: "太陽病, 若吐若下若發汗後, 微煩, 小便數, 大便因硬者, 與小承氣湯, 和之愈."라고 하였고, 『傷寒論』第387條: "吐利止而身痛不休者, 當消息和解其外, 宜桂枝湯小和之."라고 하였으니, 張仲景의 원래 의도는 大發汗 大攻下를 사용하지 않으면서 단지 用量이 가볍고·作用이 平和한 方藥으로 病勢를 輕減시킬 수 있는 것을 가리키거나, 혹은 調和營衛를 갖추고 있는 方藥을 사용하여 有機體의 氣血不調로 생기는 各種 病證을 변화시키는 방법을 곧 '和'라고 불렀음을 볼 수 있다. 이것이 후세 사람들이 和解劑의 理解와 應用에 대하여 다른 뜻을 가지게 되는데 多少 영향을 제공하였고, 淸代 王子接에 이르러서는 桂枝湯마저도 和劑의 例에 넣게 된 것이다.

현대 和解劑 개념의 진정한 起源은 金代 成無己가 발단이 된다. 그가『傷寒明理論』 중에서 설명하기를 "傷寒邪在表者, 必漬形以爲汗. 邪氣在裏者, 必蕩滌以爲利. 其於不外不內, 半表半裏, 既非發汗之所宜, 又非吐下之所對, 是當和解則可矣. 小柴胡湯爲和解表裏之劑也."라고 하여 명확하게 半表半裏證은 마땅히 小柴胡湯으로 和解를 위주로 해야 한다고 제시하였다.

후세 사람들은 成氏를 『傷寒論』을 注解한 제일인자로 보았기 때문에 모두 그의 학설을 따르면서 小柴胡湯이 和解劑의 定法이 된다는 것을 인정하게 되었으며, 무릇 和解劑라고 말하는 것은 총체적으로 小柴胡湯을 위주로 하게 된 것이다.

明代 張介賓은 和解劑의 인식에 대하여 發展시킨 것이 있는데, 말하기를 "和方之制, 和其不和者也. 凡病兼虛者, 補而和之. 兼滯者, 行而和之. 兼寒者, 溫而和之. 兼熱者, 涼而和之. 和之爲義廣矣, 亦猶土兼四氣, 其於補瀉溫涼之用, 無所不及, 務在調平元氣, 不失中和之爲貴也."(『景岳全書』「新方八略」卷50)라고 하여 和解劑의 응용 범위를 더욱 확대시켰다.

清代 程國彭은 和法과 和解劑의 논술에 대하여 더욱 철저하고 전면적으로 하였는데, 말하기를 "傷寒在表者可汗, 在裏者可下, 其在半表半裏者, 唯有和之一法焉. 張仲景用小柴胡湯加減是已. 然有當和不和誤人者, 有不當和而和以誤人者. 有當和而和, 而不知寒熱之多寡, 稟質之虛實, 臟腑之燥濕, 邪氣之兼並以誤人者. … 由是推之, 有清而和者, 有溫而和者, 有消而和者, 有補而和者, 有燥而和者, 有潤而和者, 有兼表而和者, 有兼攻而和者. 和之義則一, 而和之法變化無窮焉."(『醫學心悟』「論和法」卷首)라고 하여 이미 '和法'을 醫門八法으로 만들어서 固定되게 전해 내려오도록 하였을 뿐만 아니라, 또한 장차 和解劑의 運用 중 주의사항 및 변화 규율을 남김없이 개괄함으로써 후세에 끼친 영향이 至大하였다. 柴胡劑를 운용함에 있어서 후세의 의학자들은 이상의 기초상에서 각자가 파생시킨 뜻이 있었는데, 다만 모두가 小柴胡湯을 위주로 清·溫·補·潤, 兼表, 兼攻 등과 연루시켰으며, 原意와 비교했을 때 이미 확대 발전시킨 것이 많았으며 和解劑의 내용을 풍부하게 하였다.

近代 이후로 和解劑와 和法의 인식에 진일보 깊이 파고들어 간 것이 있는데, 예를 들면 이미 오래된 名醫인 蒲輔周가 지적하기를 "和法: 和而勿泛. 和解之法, 具有緩和疏解之意. 使表裏寒熱虛實的復雜證候, 臟腑陰陽氣血的偏盛偏衰, 歸於平復. 寒熱並用, 補瀉合劑, 表裏雙解, 苦辛分消, 調和氣血, 皆謂和解."라 하였고, 진일보하여 지적하기를 "和法範圍雖廣, 亦當和而有據, 勿使之過泛, 避免當攻邪而用和解之法, 貽誤病機."(『蒲輔周醫療經驗』)라고 하였다. 南京中醫學院이 主編한 『中醫方劑學講義』에서 지적하기를 "和法的適應範圍很廣, 凡傷寒邪在少陽, 瘟疫邪伏募原, 溫熱病邪留三焦, 以及瘧疾, 肝脾不和, 肝胃不和, 氣血不和等等, 都可使用和法."이라 하였고, 成都中醫學院은 現代의 醫學知識을 운용하여 '和法'을 인식하였는데, "和解少陽臨床上應用於感染性疾病, 其功效可能是通過以下兩方面來實現: 一是興奮強壯和解毒·增強人體抵抗疾病的能力; 二是部分藥物如柴胡·黃芩有抗菌作用. 調和膽胃, 調和肝脾, 應用於治療慢性肝炎, 胸脇疼痛, 月經不調, 痛經等症. 其作用原理可能是: 對中樞神經系統有鎮靜作用, 用以調整大腦皮層·自律神經機能, 解除平滑筋痙攣, 制止疼痛, 有健胃作用. 調和腸胃, 用於治療胃腸機能失調的病證, 具有調整胃腸機能, 解除平滑筋痙攣, 消除腹脹·嘔惡的作用."(『中醫治法與方劑』)이라고 인식하였다.

20세기 1980년대 이후로 現代의 制劑·藥化·藥理·數學 및 計算機 기술 등이 한의학 方劑學 분야에 도입됨에 따라, 和解劑의 研究도 다양한 분야에서 발전이 촉진되었다. 예를 들면 和解에 대한 구체적인 方劑와 관련된 藥理學적인 研究는 이미 상당히 광범위해졌으며, 불완전하지만 統計에 의하면 國家가 기획한 教材인 『方劑學』에 수록된 和解劑와 관련된 모든 방제는, 그 중 대부분의 方劑가 많든 적든 各種 實驗研究 숫자에 근거한 資料와 보고가 있으며, 그중 研究된 약간의 古方은 藥理 등의 實驗研究에서 상당한 깊이에 도달하였다. 現代 측정기구의 분석 수단이 진보함과 동시에 韓藥을 化學的으로 應用하면서, 또한 和解劑의 復方에 대한 研究 또한 차츰차츰 展開되었는데, 물질 기초 방면에 있어서의 和解劑 復方이 독특한 치료 효과가 있다는 인식의 시작을 預示하였다. 이외에 和解劑에 해당되는 모든 방제의 方源·方證病機·效能治法·配伍方義·使用禁忌 등의 방면에 대한 대량의 文獻研究를 통하여, 和解劑의 理法方藥에 대한 정리와 연구 또한 研究의 넓이와 깊이에 있어서 진일보 추진되었다. 和解劑의 임상 운용은 그 明確한 치료 효과를 검증할 뿐만 아니라, 서양의학의 病證과 교차하는 부분까지 고려한다면, 辨證과 辨病이 상호 결합된 選方과 組方 및 用藥을 통하여 和解劑의 운용을 現代의 難治病證의 범위까지 확장하여 운용할 수 있다.

和解劑의 適應證은 비록 매우 광범위하지만, 그 주요한 것으로 논하자면 '少陽證'과 '臟腑不和'(肝脾不和·腸胃不和 등)의 두 가지 큰 질병에서 벗어나지 않는다. 그러므로 和解劑는 和解少陽·調和肝脾와 調和腸胃의 세 가지 종류로 상응하여 분류한다. 이외에 瘧疾이라는 하나의 병증은 往來寒熱 등의 증상이 있으며, 동시에 '瘧屬少陽'이라는 이론이 있으니 이것 때문에 연이어 언급한다.

和解少陽劑는 傷寒의 邪氣가 少陽에 있는 증상에 적용된다.『傷寒論』제263조에서 지적하기를 "少陽之爲病, 口苦, 咽乾, 目眩也."라고 하였는데, 그 病因은 주로 外邪를 感受한 것이다. 傳變하는 경로에는 두 가지가 있다: 하나는 太陽病으로부터 轉入되어 오는 것이니, "本太陽病不解, 轉入少陽者, 脇下硬滿, 乾嘔不能食, 往來寒熱, 尚未吐下, 脈沉緊者, 與小柴胡湯."(『傷寒論』제266조)이라고 하였다. 하나는 外邪가 직접 少陽에 침입하여 脇下에 凝結하여 생긴 것이니, "血弱氣盡, 腠理開, 邪氣因入, 與正氣相搏, 結於脇下. 正邪分爭, 往來寒熱, 休作有時, 默默不欲飲食, 臟腑相連, 其痛必下, 邪高痛下, 故使嘔也."(『傷寒論』제97조)라고 하였다. 邪氣와 正氣가 相爭하여 正氣가 邪氣를 이기지 못하면 惡寒하는 것이고, 正氣가 邪氣를 이기면 發熱하는 것이다. 邪氣가 少陽에 있으면 半表半裏에 속하는데, 正氣가 능히 邪氣를 이기면 邪氣에 저항하여 表로 나가고, 正氣가 邪氣를 이기지 못하면 邪氣가 裏로 들어가려고 하는 것이니, 正氣와 邪氣가 相爭하여 서로 進退하므로 寒熱往來가 나타난다. 足少陽膽經은 膽에 속하면서 肝에 絡하며, 脇肋에 펼쳐지면서 몸의 측면을 순행하고, 위로 目을 지나 巔으로 들어가므로, 膽熱이 上攻하면 口苦咽乾目眩하는 것이다. 少陽經脈은 脇肋에 펼쳐지는데 少陽經氣가 疏通되지 않으므로 胸脇苦滿이 보이는 것이다. 三焦는 手少陽經이고 氣와 水의 통로가 되는데, 만약 足少陽膽經과 手少陽三焦經의 氣化機能이 막히면 膽熱이 胃를 침범하여 胃失和降하게 되면 心煩喜嘔하는 것이고, 中焦의 受納이 튼튼하지 못하면 默默不欲飲食하는 것이며, 下焦가 不利하면 二便失常하는 것이다. 肝은 疏泄을 주관하면서 柔和한 것을 귀하게 여기는데, 만약 寒熱의 邪氣가 肝膽에 壅滯하여 肝膽의 氣가 疏泄되지 못하면서 柔和를 잃어버리게 되면, 經脈이 곧 勁急有力하게 변하게 되면서 '寸口'가 곧 弦脈으로 표현되므로 弦脈은 少陽證의 主脈이 된다. 그러나 '少陽證'의 임상에서 표현되는 증상은 비교적 많지만,『傷寒論』제101조에서 말한 "傷寒中風, 有柴胡證, 但見一證便是, 不必悉俱."라는 精神에 근거한다면, 단지 상술한 전형적인 증상이 한 두 개만 있다 하더라도 곧 '少陽證'으로 삼아서 論治할 수 있다.

和解少陽劑의 구성은 매번 柴胡 혹은 靑蒿와 黃芩을 서로 배합하여 주로 방제를 구성하며, 겸하여 氣虛가 있는 자는 益氣扶正하는 약재로 보좌하여 邪氣가 裏로 下陷하는 것을 방지하고, 겸하여 濕邪가 있는 자는 通利濕濁하는 약재로 보좌하여 邪氣를 인도하여 下泄하게 한다. 예를 들어 小柴胡湯과 蒿芩淸膽湯 등은 그 配伍의 공통적인 특징에 두 가지가 있는데, 하나는 祛邪藥과 扶正藥을 함께 시행한다는 것이다. 祛邪藥에는 解表하는 柴胡·生薑과 淸熱하는 黃連·黃芩과 化痰하는 半夏·陳皮와 理氣하는 厚朴·枳殼 등과 같다. 의도는 病邪를 解除하고 病因을 消除하면 病邪가 有機體에 미치는 損害를 輕減시키거나 혹은 停止시킬 수 있다. 扶正藥에는 補氣하는 人蔘·白朮·甘草·大棗가 있고, 補血하는 當歸·白芍藥 등이 있다. 취지가 有機體의 저하된 機能을 恢復하고 有機體의 抗病 능력을 증강시키는데 있다. "현대 의학적 관점에서 볼 것 같으면 扶正의 기본적인 작용은 환자의 유기체적인 神經體液의 調節을 개선 혹은 회복시키고, 유기체의 免疫機能을 개선 혹은 강화시키며, 유기체의 질병과 싸우는 生理反應을 지지 혹은 강화시키고, 질병을 앓고 있는 器官의 機能·代謝와 形態 構造의 개선 혹은 복구의 촉진을 가능하게 한다. 祛邪의 기본적인 작용은 發病 原因을 억제 혹은 없애고, 抑制或消除 病源因子의 유기체에 대한 유해한 영향을 억제 혹은 없애며, 각종 損傷·障礙 現象을 輕減 혹은 없애면서, 毒物의 排泄을 가속화시키는 것 등에 있다."[1] 두 번째는 解表藥과 淸裏藥을 함께 사용하는 것이다. 病位가 이미 半表半裏에 있으니 치료는 마땅히 解表藥을 사용하여 半表에 있는 邪氣를 제거하여 外出하게 하고, 淸裏藥을 사용하여 半裏에 있는 邪氣를 제거하여 맑게 제거하는 것이다. 表裏의 邪氣를 함께 풀어주기 때문에 半表半裏의 病證이 나을 수 있는 것이다.

調和肝脾劑는 肝脾不和의 病證에 적용된다. 정상적인 상황 하에서는 肝主疏泄하고 脾主運化하여 상호 협조하면 氣機가 通暢하면서 運化가 자연스럽다. 만약 抑鬱로 謀慮傷肝하거나 혹은 飮食勞倦으로 傷脾하면 이로써 肝鬱脾虛에 이르게 되면서 肝脾不和하여 질병이 발생하는 것이다. 肝이 疏泄을 하지 못하면 經氣가 阻滯되므로 胸脇脹滿疼痛하고, 肝이 條達을 하지 못하면 肝氣鬱結하여 氣機가 不暢하므로 精神抑鬱하여 길게 숨을 내쉼으로써 시원함을 느끼게 되고, 氣鬱不舒하므로 情緖가 躁急하거나 易怒하게 되며, 脾가 健運을 하지 못하므로 納食減少하면서 腹脹便溏하고, 肝鬱脾虛하면 氣機不暢하므로 항상 腸鳴矢氣 혹은 腹痛泄瀉하게 된다. 일반적으로 疏肝理氣藥인 柴胡·枳殼·陳皮 등과 健脾藥인 白朮·茯苓·甘草 등과 같은 것을 配伍하여 방제를 구성한다. 대표방은 四逆散·逍遙散·痛瀉要方 등과 같은 것이다.

調和腸胃劑는 邪氣가 腸胃에 있으면서 升降失常·寒熱互見·虛實夾雜하는 腸胃不和證에 적용된다. 腸胃는 腑에 속하는데, 胃는 受納과 腐熟水穀을 주관하고, 小腸은 分別淸濁을 하며, 大腸은 傳化糟粕을 한다. 『素問』「五臟別論」에서 말하기를 "六腑者, 傳化物而不藏, 故實而不能滿也. 所以然者, 水穀入口, 則胃實而腸虛; 食下, 則腸實而胃虛. 故曰實而不滿, 滿而不實也."라고 하여 腸胃가 調和로우면 飮食의 消化·吸收·排泄이 비로소 정상적으로 진행되는 것이다. 만약 飮食不潔 혹은 不節 혹은 寒熱失調로 腸胃가 조화를 잃게 되면서 胃氣가 上逆하면 惡心·嘔吐·噯氣·呃逆하는 것이고, 胃氣가 不和하면 脘脹·納呆·胃痛하는 것이며, 腸道가 不和하면 腸鳴下利·腹痛欲嘔 등을 일으키는 것이다. 일반적으로 辛溫藥과 苦寒藥, 예를 들어 乾薑·生薑·桂枝·半夏·黃連·黃芩 등을 사용하여 寒熱을 幷用하는 방제를 구성한다. 대표방은 半夏瀉心湯·甘草瀉心湯·生薑瀉心湯·黃連湯 등과 같다. 그 配伍의 현저한 특징은 구성상 寒·熱 두 종류의 성질이 相反된 약재를 공통으로 組合하여 방제를 만든 것이다. 腸胃不和는 腸胃의 寒熱이 不和한 것이다. 따라서 방제를 구성하는 주요한 원칙은 寒·熱이 相反된 두 종류의 약재를 배합하여 방제를 만드는 것으로, 寒藥으로 熱을 다스리고 熱藥으로 寒을 흩어서 藥物 性味의 치우침으로 腸胃의 寒熱不和를 치료하여 평안함을 기약하는 것이다.

治瘧劑는 瘟疫·瘧疾에 적용되는데, 임상적인 표현으로는 往來寒熱, 胸悶欲嘔 등 少陽病과 유사한 증상이 나타난다. 治瘧劑는 대부분 截瘧藥인 常山·靑蒿 등과 燥濕行氣化痰하는 종류의 약재인 草果·陳皮·靑皮·檳榔·厚朴 같은 것을 함께 사용하여 濕痰瘧疾인 자에 대하여 질병을 일으키는 원인을 제거한다. 만약 濕痰이 熱로 변화한 자는 柴胡·黃芩·知母를 넣어 淸熱祛邪한다. 대표방은 截瘧七寶飮·淸脾飮·柴胡達原飮과 같은 것이다.

앞에서 서술한 것들을 종합적으로 관찰해보면 和解劑의 방제를 구성하는 配伍는 비교적 독특하여, 방제 중에 大寒大熱한 약재가 없을 뿐만 아니라 大瀉大

補하는 약재도 없어서, 종종 祛邪할 뿐만 아니라 扶正하고, 透表할 뿐만 아니라 淸裏하며, 疏肝할 뿐만 아니라 治脾하여, 뚜렷한 寒熱의 치우침이 없으면서 性質이 和平하고 作用이 和緩하여 전면적인 것들을 顧慮하면서 內包된 의미가 풍부하다. 이것이 本類의 방제가 가진 優勢함이 있는 것이며, 또한 이것이 운용 범위가 비교적 넓으면서 適應證이 비교적 복잡한 주요 원인이다.

그러나 和解劑는 결국 祛邪를 위주로 하기에 '純虛'에는 사용하는 것이 마땅하지 않으니 이로써 正氣가 손상되는 것을 방지해야 하고, 또한 正氣를 함께 돌보고 있으므로 '純實'한 자도 역시 선택해서는 안 되니 이로써 病勢에 잘못을 끼치는 것에서 벗어나야 한다. 蒲輔周가 일찍이 경계하기를 마땅히 "和而有據", "和而勿泛"(『蒲輔周醫療經驗』)하라고 하였다.

【參考文獻】

1) 孟如. 對扶正祛邪的初步探討[J]. 新醫藥學雜誌, 1978;(3):10.

第一節 和解少陽劑

小柴胡湯
(『傷寒論』)

【異名】 柴胡湯(『金匱要略』)·黃龍湯(『備急千金要方』卷10)·三禁湯(『此事難知』卷上)·人蔘湯(『世醫得效方』卷11)·和解散(『傷寒六書』卷1).

【組成】 柴胡 半斤(24 g) 黃芩 三兩(9 g) 人蔘 三兩(9 g) 甘草 炙 三兩(9 g) 半夏 洗 半升(9 g) 生薑 切 三兩(9 g) 大棗 擘 十二枚(四枚)

【用法】 이상 일곱 가지의 약재를 물 一斗二升으로 달여서 六升을 취한 후 찌꺼기를 제거하며, 다시 달여서 三升을 취하여 一升을 따뜻하게 복용하는데, 하루 세 번 복용한다.

【效能】 和解少陽.

【主治】

1. 傷寒少陽證: 往來寒熱, 胸脇苦滿, 默默不欲飮食, 心煩喜嘔, 口苦, 咽乾, 目眩, 舌苔薄白, 脈弦.

2. 熱入血室證: 婦人中風, 經水適斷, 寒熱發作有時.

3. 瘧疾·黃疸 등의 질병에서 少陽證이 보이는 자.

【病機分析】 본 방제는 和解少陽의 대표방이다. 足少陽膽經은 循胸布脇하면서 太陽과 陽明의 表裏之間에 위치하고 있다. 傷寒의 邪氣가 少陽에 침범하면 病邪가 半表半裏에 있으면서 邪氣와 正氣가 相爭하기에 正勝하면 拒邪하여 表로 나가려고 하고, 邪勝하면 裏

로 들어가서 陰과 합하려고 하므로 '往來寒熱'이 본 方證의 發熱 특징이 되는 것이다. 『靈樞』「經脈」편에서 말하기를 "足少陽之脈, 起於目銳眥, …… 其支者, …… 下胸中, 貫膈, 絡肝, 屬膽, 循脇裏."라고 하여 邪氣가 少陽에 있으면 經氣가 不利하면서 鬱하면 熱로 변화하고, 膽火가 上炎하면 胸脇苦滿·心煩·口苦·咽乾·目眩하게 된다. 膽熱이 胃를 침범하면 胃가 和降하지 못하여 氣가 逆上하므로 默默不欲飮食·喜嘔하게 된다. 邪氣가 아직 裏에 들어간 것은 아니므로 舌苔薄白하고, 脈弦은 少陽病의 主脈이다. 婦人中風은 초기에 응당 發熱惡寒 등의 증상이 있는데, 數日 후까지 계속해서 寒熱의 發作에 일정한 시간이 있는 것은 太陽中風의 寒熱의 發作에 일정한 시간이 없는 것과 다르다. 그것은 질병을 얻은 초기에 月經이 이미 와서 血海가 공허한데, 발병한 후에 邪熱이 虛한 틈을 타고 안으로 들어와서 熱과 血이 뭉친 것이다. 그러므로 月經이 단절되지 않아야 하는데 단절된 것으로 이것이 '熱入血室'이 된다. 寒熱의 發作에 일정한 때가 있는 것은 역시 邪氣가 少陽에 있는 징후이다. 瘧疾病에 증상으로 往來寒熱이 나타나고, 黃疸病이 발병하는 부위가 주로 肝膽에 있으면서 증상으로 胸脇脹滿·食欲不振·心煩嘔惡가 보이는 것은 모두 少陽病證에 속한다.

【配伍分析】 傷寒에 邪氣가 表에 있는 것은 마땅히 汗解해야 하고, 邪氣가 裏에 있는 것은 마땅히 攻下해야 한다. 지금은 邪氣가 이미 表에 있지 않을 뿐만 아니라 또한 裏에도 있지 않으면서 表裏의 사이에 있으니 汗下가 마땅하지 않다. 그러므로 和解하는 하나의 방법을 사용하는 것이다. 방제 중 柴胡를 重用한 것은 그 性味가 苦辛微寒하면서 肝膽經으로 들어가는데, 輕淸升散·宣透疏解의 특징을 가지고 있어서 少陽의 邪氣로 하여금 外散하도록 透達할 수 있을 뿐만 아니라, 또한 氣機의 鬱滯를 疏泄시킬 수 있다. 『神農本草經』卷2에서 그 主治를 말하기를 "寒熱邪氣"라고 하였고, 『本草綱目』卷13에서 그 主治를 말하기를 "婦人熱入血室, 經水不調."라고 하였으며, 『本草正義』卷2에서 지적하기를 "外邪之在半表半裏者, 引而出之, 使還於表而外邪自散."이라 하였고, 『本草經疏』卷6에서는 칭하기를 "少陽解表藥"이라고 하였으므로 君藥이 된다. 黃芩은 苦寒하면서 解肌熱하는데 장점을 가지고 있는데, 『本草正』卷上에서 인식하기를 "善退往來寒熱"이라고 하였으니 이것으로 少陽의 熱을 淸泄하여 臣藥이 된다. 柴胡의 升散이 黃芩의 降泄을 만나서 두 가지가 配伍되면 함께 邪熱을 外透內淸하게 하므로 和解少陽의 목적에 도달할 수 있는 것이니, 바로 『本草綱目』卷13에 실려 있기를 "黃芩, 得柴胡退寒熱."이라고 한 것과 같다. 膽氣가 胃를 침범하면 胃가 和降하지 못하므로 半夏·生薑을 佐藥으로 하여 和胃降逆止嘔하는 것이다. 그중 半夏는 辛溫有毒하면서 降逆시키는 효능이 아주 두드러지므로 『神農本草經』卷3에서 말하기를 "主傷寒寒熱 …… 胸脹."이라고 하였고, 『名醫別錄』卷3에서 이 약재의 主治를 기재하기로 "堅痞, 時氣嘔逆"이라고 하였다. 生薑은 辛微溫하여 半夏의 毒을 풀 수 있을 뿐만 아니라 半夏를 도와서 和胃止嘔하는 것이니, 『名醫別錄』卷2에서 이 약재의 기능을 지적하기를 "止嘔吐"한다고 하였고, 『本草從新』卷11에 실려 있기를 "暢胃口而開痰下食."한다고 하였으니 확실히 양호한 효과가 있는 것이다. 邪氣가 太陽으로부터 少陽으로 轉入된 것이기에 正氣가 본래 虛한 것과 인연이 있으므로 또한 人蔘·大棗로 보좌하여 益氣健脾함으로써, 한편으로는 扶正함으로써 祛邪하는 것을 취한 것이고, 다른 한편으로는 益氣함으로써 邪氣가 內傳하는 것을 防禦하는 것이니, 正氣를 旺盛하게 함으로써 邪氣가 內傳하려는 機轉을 없애는 것이다. 炙甘草는 人蔘大棗를 도와 扶正하면서 또한 諸藥을 調和시킬 수 있으므로 使藥이 된다. 본 방제의 配伍 특징은 祛邪를 위주로 하면서 正氣를 함께 돌아보는 것이고, 和解少陽을 위주로 하면서 겸하여 胃氣를 조화롭게 하는 것이니, 邪氣가 풀리고 樞機가 원활하면 膽胃가 調和되면서 모든 증상이 저절로 제거되는 것이다. 이것이 바로 柯琴이 『傷寒來蘇集』「傷寒附翼」卷下에서 말한 "少陽樞機之劑, 和解表裏之總方也."라고 한 것과 같다. 그러므로 和解劑의 제일 첫머리에 나열하는 것이다.

【臨床應用】

1. 證治要點: 본 방제가 主治하는 少陽病證은 往來寒熱, 胸脇苦滿, 默默不欲飮食, 心煩喜嘔, 口苦, 咽乾, 目眩, 舌苔薄白, 脈弦을 證治의 요점으로 삼는다. 임상 상 붙잡아야 할 것은 앞에 나오는 네 가지 중에 1~2개의 主症이 있으면 곧 본 방제를 사용하여 치료할 수 있으며, 그 증후가 모두 갖추어지기를 기다릴 필요는 없으니, 바로『傷寒論』에서 말한 "傷寒中風, 有柴胡證, 但見一症便是, 不必悉具."와 같다.

2. 加減法: 原書에서 말하기를 "若胸中煩而不嘔, 去半夏·人蔘, 加栝蔞實一枚. 若渴者, 去半夏, 加人蔘合前成四兩半, 栝蔞根四兩. 若腹中痛者, 去黃芩, 加芍藥三兩. 若脇下痞硬, 去大棗, 加牡蠣四兩. 若心下悸, 小便不利者, 去黃芩, 加茯苓四兩. 若不渴, 外有微熱者, 去人蔘, 加桂三兩, 溫覆取微汗愈. 若咳者, 去人蔘·大棗·生薑, 加五味子半升, 乾薑三兩."이라고 하였다. 胸中煩而不嘔한 것은 上焦에 痰熱이 있지만 胃氣가 上逆하지는 않는 것이다. 그러므로 降逆시키는 半夏와 益氣시키는 人蔘을 빼고, 瓜蔞實을 넣어 寬胸理氣·化痰淸熱하는 것이다. 渴症은 津氣가 不足한 것이므로 辛燥하여 津液을 소모시키는 半夏를 빼고, 養陰生津하는 人蔘·瓜蔞根을 넣은 것이다. 腹中痛은 木旺土虛한 것이므로 苦寒한 黃芩을 빼서 脾胃를 손상시키지 않게 하고, 芍藥을 넣어서 柔肝益脾·緩急止痛하는 것이다. 脇下痞硬하므로 甘味로 壅塞하게 하는 大棗를 빼고 牡蠣를 넣어 軟堅散結하는 것이다. 心下悸·小便不利한 것은 水氣가 淩心하여 水道가 不利한 것이니 黃芩의 苦寒은 通陽利水하는 것을 방해하므로 빼고 茯苓를 넣어 寧心安神하면서 利小便하는 것이다. 不渴하면서 外有微熱한 것은 外感風寒으로 表邪가 아직 풀리지 않았으므로 補氣시키는 人蔘을 빼고 桂枝를 넣어 解表散寒하는 것이다. 咳는 水寒한 氣가 淩肺한 것이므로 人蔘·大棗·生薑의 補脾和胃하는 것을 빼고 乾薑으로 溫散水氣하고 五味子로 止咳하는 것이다.

3. 小柴胡湯은 다음 한국표준질병사인분류(KCD)에 해당하는 환자가 傷寒少陽證, 熱入血室證으로 辨證되는 경우 본 처방의 사용을 고려해볼 수 있다.

처방 목표	한국표준질병사인분류(KCD)
感冒	J00 급성 비인두염[감기]
流行性感冒	J09 확인된 동물매개 또는 범유행 인플루엔자바이러스에 의한 인플루엔자
	J10 확인된 계절성 인플루엔자바이러스에 의한 인플루엔자
	J11 바이러스가 확인되지 않은 인플루엔자
	J14 인플루엔자균에 의한 폐렴
耳下腺炎	B26 볼거리
瘧疾	B50~B64 원충질환_말라리아
氣管支炎	J40 급성인지 만성인지 명시되지 않은 기관지염
急性胸膜炎	J90 달리 분류되지 않은 흉막삼출액
	J91 달리 분류된 병태에서의 흉막삼출액
	R09.1 흉막염
慢性肝炎	K73 달리 분류되지 않은 만성 간염
	B18 만성 바이러스간염
肝硬化	K74.1 간경화증
肝癌	C22.0 간세포암종
急慢性膽囊炎	K81.0 급성 담낭염
膽結石	K80 담석증
逆流性食道炎	K21.0 식도염을 동반한 위~식도역류병
慢性胃炎	K29.3 만성 표재성 위염
	K29.4 만성 위축성 위염
	K29.5 상세불명의 만성 위염
消化性潰瘍	K25 위궤양
	K26 십이지장궤양
	K27 상세불명 부위의 소화성 궤양
	K28 위공장궤양
厭食症	F50.0 신경성 식욕부진
機能性消化不良	K30 기능성 소화불량

처방 목표	한국표준질병사인분류(KCD)
急性膵臟	K85 급성 췌장염
糖尿病	E10~E14 당뇨병
慢性疲勞症候群	(질병명 특정곤란)
	F48.0 신경무력증
	R53 병감 및 피로
慢性淋巴球性甲狀腺炎	E06.3 자가면역성 갑상선염
憂鬱症	F30~F39 기분[정동] 장애
急性腎盂腎炎	N10 급성 세뇨관~간질신장염
膀胱炎	N30 방광염
尿道炎	N34.1 비특이성 요도염
	N34.2 기타 요도염
中耳炎	H65 비화농성 중이염
	H66 화농성 및 상세불명의 중이염
	H67 달리 분류된 질환에서의 중이염
副鼻腔炎	J01 급성 부비동염
	J32 만성 부비동염
產褥熱	O85 산후기 패혈증
	O86 기타 산후기감염
妊娠嘔吐	O21 임신중 과다구토
急性乳腺炎	O91 출산과 관련된 유방의 감염
	N61 유방의 염증성 장애
乳腺增殖症	N60 양성 유방형성이상
睾丸炎	N45.01 고환염, 농양을 동반한
	N45.91 고환염, 농양을 동반하지 않은
蕁麻疹	L50 두드러기

【注意事項】 陰虛血少한 자는 본 방제의 사용을 禁忌하는데, 방제 중 柴胡는 升散하고 黃芩·半夏는 성질이 燥하기 때문에 쉽게 陰血을 손상시키기 때문이다.

【變遷史】 小柴胡湯은 仲景이 創製한 名方 중의 하나로 少陽病을 잘 치료한다. 이 방제는 選藥이 精當하고 配伍가 嚴謹하며 療效가 確實하기 때문에 후세 의학자들의 찬양을 매우 많이 받으면서 널리 보급되었다. 그 적응증과 치료 범위에 관하여 仲景이 『傷寒論』과 『金匱要略』 중에 기재한 것이 20조문에 달하는데, 귀납하면 다음과 같다: ① 發熱: "往來寒熱, 發作有時." 혹은 "身熱惡風, 日晡發熱." 등으로 표현되는데, 그중에 '往來寒熱'이 주요한 특징이다. ② 少陽經氣不利: 胸脇苦滿이나 胸脇脹痛, 혹은 脇下痞硬이나 脇下硬滿, 目眩, 咽乾 등의 증상을 볼 수 있는데, 胸脇苦滿·目眩이 주요한 증상이다. ③ 膽氣犯胃: 口苦, 默默不欲飮食, 心煩喜嘔하거나 혹은 胸中煩而不嘔, 혹은 胸脇滿而嘔, 혹은 嘔而發熱, 혹은 諸黃, 腹痛而嘔 등으로 표현되는데, 不欲飮食하면서 心煩喜嘔하는 것이 주요한 증상이다. ④ 熱入血室: 婦人中風으로 續得寒熱하면서 發作有時하고 經水適斷하거나 혹은 產婦鬱冒로 大便堅하고 嘔不能食하는 것이다. ⑤ 脈象: 脈沉緊, 혹은 脈浮, 혹은 脈微弱이다. ⑥ 或然症: 或咳, 或渴或不渴, 或心下悸, 小便不利 등으로 小柴胡湯이 치료하는 것이 광범위함을 족히 볼 수 있다.

이것뿐만이 아니라 후세의 의학자들은 그 응용 범위를 더욱 확장하였으니, 唐代 『備急千金要方』卷3에 기재된 본 방제의 주치는 "婦人在蓐得風, 蓋四肢苦煩熱, 皆自發露所爲, 頭痛."라고 하였고, 宋代 『太平惠民和劑局方』卷2에서 서술된 것은 더욱 전면적인데 "傷寒·溫熱病, 身熱惡風, 頸項强急, 脇滿脇痛, 嘔噦煩渴, 寒熱往來, 身面皆黃, 小便不利, 大便秘硬, 或過經未解, 或潮熱不除; 及瘥後勞復, 發熱疼痛; 婦人傷風, 頭痛煩熱; 經血適斷, 寒熱如瘧, 發作有時; 及產後傷風, 頭痛煩熱."이라고 하였다. 『醫方類聚』卷78에서 인용한 『簡易方』에서는 본 방제의 치료를 "發熱, 耳暴聾, 頰腫脇痛, 胻不可以運."이라고 하였고, 元代 『世醫得效方』卷2에서는 장차 그것을 확대하여 瘧疾 등에 사용하였다. 明代에 이르러서는 일부의 의학자들이 본 방제로 外科 諸疾을 치료하였는데, 예를 들면 『外科理例』卷3과 『證治准繩』「瘍醫」卷6과 『景岳全書』「外科鈐古方」卷64에서는 각각 "瘰鬁·乳癰·便毒·下疳, 以及肝經分一切瘡瘍."하고, "一切撲傷等證, 因肝膽經火盛作痛, 出血."하며, "肝膽經風熱, 瘰鬁結核或腫痛色赤." 한다고 분별해서 말하였다.

構成 방면에 있어서 病勢의 變化에 근거하여 『傷寒論』 중에 小柴胡湯의 加減方에 관한 것이 몇 가지 있다. 예를 들어 柴胡加芒硝湯은 곧 본 방제에 芒硝를 넣어 본 方證에 裏實潮熱을 겸하고 있는 자를 치료하고, 大柴胡湯은 곧 본 방제에서 人蔘·甘草를 빼고 枳實·大黃·芍藥을 넣어 만든 것으로 少陽陽明並病을 치료하고, 柴胡桂枝湯은 곧 본 방제와 桂枝湯을 합하여 "傷寒, 發熱微惡寒, 肢節煩痛, 微嘔, 心下支結, 外證未解."한 자를 치료하고, 柴胡桂枝乾薑湯은 곧 본 방제에서 人蔘·半夏·生薑·大棗를 빼고 桂枝·乾薑·瓜蔞根·牡蠣를 넣어 "傷寒, 胸脇滿, 微結, 小便不利, 渴而不嘔, 但頭汗出, 往來寒熱, 心煩."하는 자를 치료하며, 柴胡加龍骨牡蠣湯은 곧 小柴胡湯에서 甘草를 빼고 龍骨·牡蠣·鉛丹·桂枝·茯苓·大黃을 넣어 "傷寒, 胸滿煩驚, 小便不利, 譫語, 一身盡重, 不可轉側."하는 자를 치료한다.

그리고 후세의 의학자들이 본 방제의 기초상에서 加減하여 변화 발전시켜서 만든 방제도 더욱 많으며, 적응증도 더욱 광범위해졌다. 『中醫方劑大辭典』에 실려 있는 것에 근거하면 小柴胡湯·小柴胡加減方·加減小柴胡湯·加減柴胡湯 등 본 방제에 근원한 것과 小柴胡湯과 다른 방제가 서로 합한 것이 모두 100여 개가 있으며, 그중에 常用하는 효과적인 방제도 또한 38首에 달한다. 예를 들어 『口齒類要』의 小柴胡湯은 본 방제에 黃芩을 빼고 黃連을 넣으면서 또한 용량을 유독 많이 사용하여 淸瀉胃火에 치우친 것으로, 肝膽經의 風熱이 脾土를 업신여겨서 唇口腫痛, 或往來寒熱, 或日晡發熱, 或潮熱身熱, 或怒而發熱脇痛, 甚至轉側不便, 兩脇痞滿, 或瀉利咳嗽, 或吐酸苦水하는 것에 사용한다. 『保嬰撮要』卷13에 있는 加味小柴胡湯은 본 방제에 梔子·牡丹皮를 넣어 淸熱瀉火·涼血散瘀하는 효능을 증강시켜서 肝膽風熱, 發爲瘡瘍, 耳前後腫, 或結核焮痛, 發熱惡寒, 或寒熱往來, 或潮熱晡熱, 口苦耳聾, 或胸脇作痛, 或月經不調를 치료한다. 『幼科金針』卷上에 있는 加味小柴胡湯은 본 방제에 人蔘을 빼고 靑蒿·牡丹皮를 넣어 淸透熱邪한 것으로 오로지 小兒潮熱을 치료한다. 『袖珍小兒方論』卷2에 있는 柴胡加大黃湯은 곧 본 방제에 大黃을 넣어 瀉火通便한 것으로 小兒驚風·痰熱에 대하여 釜底抽薪의 효능을 거둘 수 있다. 『傷寒廣要』卷8에 있는 柴胡加山梔子湯은 본 방제에 梔子·茵陳蒿를 넣어 淸熱利濕退黃한 것으로 發黃, 口苦胸滿, 心煩發熱, 或往來寒熱, 日晡小有潮熱, 或耳鳴脇痛에 적용한다. 『扶壽精方』에 있는 柴胡梔子豉湯은 곧 본 방제에 大棗를 빼고 梔子豉湯과 합하여 淸心除煩한 것으로 傷寒 熱退身涼, 因過食復發熱, 煩躁口乾, 胸脇滿悶, 夜臥不寧한 것을 잘 다스린다. 이상에서 서술한 小柴胡湯 加減方들은 주로 증상이 熱重偏實에 속하는 것들을 치료하는 것이다.

이하의 여러 방제는 본 방제의 기초상에서 滋陰養血淸熱하는 약재를 넣어서 대부분 虛熱에 속하는 것들을 치료하는 것이다. 그중에 『雲岐子脈訣』卷3에 있는 加減小柴胡湯은 본 방제에 大棗를 줄이고 知母·地骨皮·白芍藥·茯苓을 넣어 心中恍惚, 多驚悸, 血虛煩熱을 잘 치료한 것이다. 『魯府禁方』卷1에 있는 柴胡百合湯과 『萬病回春』卷3에 있는 加味柴胡湯의 두 가지 방제는 모두 知母·百合을 넣은 것인데, 前方에서는 半夏를 빼고 또한 芍藥·鱉甲·茯苓을 증가시켰고, 後方에서는 다시 竹茹·粳米·食鹽을 넣은 것이니, 傷寒愈後에 昏沉發熱, 渴而譫語, 失神 및 百合病·勞復·食復하는 것과 百合病, 百無是處, 又非寒又非熱, 欲食不食, 欲行不行, 欲坐不坐, 服藥即吐, 小便赤하는 것을 분별해서 사용한 것이다. 또한 『扶壽精方』에 있는 柴胡六君子湯은 본 방제에서 大棗를 빼고 枳殼을 넣은 다음 六君子湯과 합한 것으로 益氣健脾의 작용을 강화시킨 것이니, 傷寒의 熱이 풀리면서 평상시로 회복된 후에 악착같이 일하거나 過食해서 다시 大熱을 일으키는 것에 사용한다.

小柴胡湯에 相應하는 藥物을 넣어서 많은 종류의 出血證에 사용할 수 있는데, 그중 『普濟方』卷134에서 인용한 『經驗良方』의 加減柴胡湯은 곧 본 방제에 生·熟地黃을 넣어서 養血涼血한 것으로 傷寒鼻衄에 사용한다.『葉氏女科』卷2에 있는 加味柴胡湯은 본 방제에 炒山梔·生地黃을 넣어서 妊娠했을 때 肝經怒火로 吐血衄血에 이른 자에 대하여 瀉火涼血하는 효능이 있다.

만약 小柴胡湯에 和胃止嘔하는 약재를 넣으면 嘔吐가 뚜렷한 자에게 사용할 수 있는데, 예를 들어『丹溪心法附餘』卷9에 나오는 小柴胡湯에 竹茹湯을 더한 것과『醫學探驪集』卷3에 나오는 加減小柴胡湯은 모두 大棗를 빼고 竹茹·陳皮를 넣었으며, 後方에서는 또한 半夏를 빼고 伏龍肝을 넣은 것으로, 嘔而發熱하는 것과 傷寒二三日에 胃府가 寒熱에 막히면서 飮食을 먹으면 조금 지나 바로 吐하는 것을 분별하여 치료하였다.

어떤 小柴胡湯 加減方은 또한 胸脇滿痛을 위주로 응용할 수도 있는데, 그중에『醫略六書』卷23에 나오는 加減柴胡湯은 곧 본 방제에 益氣시키는 人蔘을 줄이고 行氣消痞시키는 枳殼과 軟堅散結하는 牡蠣를 넣어 傷寒少陽證, 脇痛痞硬, 脈弦數하는 것을 전문적으로 치료하였다.『重訂通俗傷寒論』卷2에 나오는 柴胡枳桔湯과 柴胡陷胸湯은 모두 본 방제에 益氣시키는 人蔘·大棗·甘草를 빼고 桔梗을 넣은 것으로, 차이점은 前方에는 또한 枳殼·陳皮·雨前茶를 증가시켜서 行氣消痞한 것이고, 後方에는 小陷胸湯(黃連·瓜蔞·半夏)을 포함한 상태에서 다시 枳實를 넣어 淸熱化痰·破氣消痞한 것인데, 공통적으로 少陽結胸하였고, 증상으로는 少陽證具, 胸膈痞滿, 按之痛한 자를 치료하며, 臨證時에는 먼저 柴胡枳桔湯을 사용하고 효과가 없으면 다시 柴胡陷胸湯을 선택하는 것이다.

후세의 의학자들은 小柴胡湯에 加減化裁하여 婦科病의 운용 방면에서도 역시 매우 광범위하였는데,『雲岐子保命集』卷下에 있는 小柴胡加葛根湯은 본 방제에 葛根을 넣어 解表升淸한 것으로 婦人傷寒, 太陽經傳陽明, 表證仍在而自利하는 자에게 적용하였다.『女科指掌』卷1에 있는 加味柴胡湯과『產孕集』에 있는 小柴胡加桃仁五靈脂湯의 두 가지 방제는 모두 活血祛瘀하는 약재를 넣었는데, 前者에는 紅花·牡丹皮를 넣고 後者에는 桃仁·五靈脂를 넣어서, 經水將行著寒에 適來適斷하여 觸經感冒한 것과 傷寒時疾로 熱入血室하는 것에 분별하여 사용하였다.『重訂通俗傷寒論』卷2에 있는 柴胡四物湯은 곧 본 방제에 人蔘·生薑·大棗를 빼고 四物湯과 합하여 補血活血한 것으로 妊婦인데 邪氣가 足厥陰之肝絡에 들어가서 寒熱如瘧, 胸脇竄痛, 至夜尤甚한 것을 치료한다.『女科切要』卷7에 나오는 小柴胡湯은 본 방제에 溫燥한 半夏·生薑을 줄이고 天花粉의 淸熱生津하는 것을 넣어 產後陰虛發熱을 전문적으로 치료한다.『雞峰普濟方』卷5에 있는 柴胡地黃湯은 본 방제에 地黃을 넣어 養陰淸熱한 것으로 產後에 惡露方下, 忽然一斷, 熱入血室, 寒熱往來, 妄言譫語, 如見鬼神한 것에 적합하다.

더군다나 小柴胡湯에 상응하는 약재를 넣어서 많은 종류의 瘧疾에 확충하여 치료한 것들이 있는데, 예를 들어『時方歌訣』卷上에 있는 小柴胡加常山湯은 곧 小柴胡湯에 截瘧시키는 常山을 넣어서 瘧疾을 전문적으로 치료한 것이다.『痎瘧論疏』에 있는 柴胡加細辛湯은 본 방제에 少陰의 전문적인 약재인 細辛을 넣어 少陰痎瘧에 사용하였다.『增補內經拾遺方論』卷3에서 인용한『官邸便方』의 柴平湯은 곧 본 방제에 平胃散을 합하여 燥濕行氣한 것이니, 夏暑에 생긴 痎瘧을 잘 치료하였고, 그 후에『醫方考』·『醫宗金鑒』에서는 장차 柴平湯과 분별하여 濕瘧에 사용하였으며,『醫方集解』에서는 이것으로 春嗽를 치료하였다.『醫學入門』卷4에 나오는 柴陳湯은 본 방제와 二陳湯을 합하여 燥濕化痰한 것으로 痰氣로 胸脇不利하거나 痰瘧을 치료하였다.『慈航集』卷下에 나오는 小柴胡加香薷湯은 본 방제에 薑·棗를 빼고 香薷·藿香·靑蒿를 넣어 淸暑透熱한 것으로 暑瘧初病, 先伏熱於內, 寒暑伏於外, 但熱不寒, 裏實不瀉, 必無汗, 煩渴而嘔, 筋肉消爍한 것에 사용하였다.『明醫指掌』卷4에 나오는 柴胡白虎湯은 곧 본 방제에 石膏·知母를 넣어 淸熱瀉火生津한 것으로 暑瘧으로 自汗煩渴하거나 혹은 傷暑發瘧으로 但熱不寒한 것에 비교적 적당하다.『萬氏女科』卷2에 나오는

柴胡知母湯은 본 방제에 溫燥한 半夏를 줄이고 知母·當歸·白芍藥을 넣어 養血潤燥·健脾益氣한 것으로 孕婦病瘧을 전문적으로 치료하였다. 『醫學衷中參西錄』上冊에 나오는 加味小柴胡湯은 본 방제에 常山·鱉甲·草果·酒曲를 넣어 截瘧養陰한 것으로 久瘧不愈, 脈弦而無力한 것을 잘 치료하였다.

小柴胡湯에 加減한 것을 통하여 아직까지 기타 많은 종류의 질환을 치료할 수 있는데, 그중 『傷寒大白』卷2에 나오는 小柴胡湯은 본 방제에 益氣和胃하는 人蔘·大棗·生薑을 빼고 平肝疏肝止眩하는 天麻·川芎·陳皮를 넣어 少陽眩暈症, 寒熱, 嘔而口苦, 頭眩, 脈弦數한 것을 主治하였다. 『成方切用』卷5에 나오는 柴胡桔梗湯은 본 방제에 宣肺止咳化痰하는 桔梗을 넣어 春嗽를 전문적으로 치료하였다. 『此事難知』에 나오는 小柴胡加防風湯은 곧 본 방제에 祛風止痙하는 防風을 넣어 少陽風痙, 汗下後不解, 乍靜乍躁, 目直視, 口噤, 往來寒熱, 脈弦한 자에게 사용하였다. 『丹溪心法附餘』卷1에 나오는 柴苓湯에 이르러서는, 본 방제에 大棗를 빼고 五苓湯과 합하여 利水滲濕한 것으로 그 운용 범위가 후세 의학자들의 부단한 확충을 경과하면서 비교적 광범위하게 사용되었는데, 예를 들면 傷寒·溫熱病·傷暑·瘧疾·痢疾 등으로 邪氣가 半表半裏에 있으면서 증상으로 發熱, 或寒熱往來, 或泄瀉, 小便不利가 나타나는 자 및 小兒痲疹·痘瘡·疝氣로 상술한 증상이 보이는 자와 같다. 상술한 것들을 제외하고도 『吳鞠通醫案』에 나오는 柴胡二桂枝一湯은 본 방제에 人蔘을 빼고 桂枝·白芍藥·橘皮·藿香·青蒿를 넣어 和解溫裏·化濕理氣한 것으로 中焦虛寒泄瀉, 六脈俱弦한 것을 주치하는데, 이것은 小柴胡湯을 加減하여 寒證에 사용한 처방 예에 속한다.

환자를 편리하게 하기 위하여 현시대에 小柴胡湯의 劑型에 대하여 口服液과 沖劑로 바꾸어서 만들었는데, 다른 한편으로 본 방제의 발전을 반영하는 것이다. 아울러 臨床과 實驗觀察을 통하여 張氏는 상술한 劑型이 原方 고유의 효능을 유지하고 있으면서 치료 효과도 신뢰할 수 있다고 인식하였다(中國中藥雜誌, 1989, 5:311). 더욱이 그것이 感冒로 高熱不退하는 자에 대해서는 그 유효율이 90% 이상에 달하였다. 戴氏는 두 종류의 制劑에는 모두 抗炎·保肝 및 免疫作用을 증강시키는 것을 갖추고 있다는 것이, 장차 기본적으로 일치한다고 보도하였다(中草藥, 1993, 3:14). 日本의 학자인 小罔文志도 역시 小柴胡湯을 沖劑로 제형을 바꾸어서 시험 삼아 肝炎을 치료하였는데 효과가 만족스러웠다(國外醫學·中醫中藥分冊, 1989, 1:46).

【難題解說】

1. "但見一症便是, 不必悉具."의 인식에 관한 것: 『傷寒論』제101조에서 이미 지적하기를 "傷寒中風, 有柴胡證, 但見一症便是, 不必悉具."라고 하였는데, '柴胡證'을 小柴胡湯의 적응증으로 이해한다면 『傷寒論』『金匱要略』의 기재 중에 많게는 20조문에 달하고 있으니 內包된 것이 비교적 풍부하다. 仲景은 『傷寒論』제96조 중에서 집중적으로 서술하였는데, 4大 主症인 "往來寒熱, 胸脇苦滿, 默默不欲飮食, 心煩喜嘔."를 포함해서, 7개 或然症인 "或胸中煩而不嘔, 或渴, 或腹中痛, 或脇下痞硬, 或心下悸·小便不利, 或不渴·身有微熱, 或咳."이 있다. 별도로 제263조에는 少陽病의 提綱으로 "口苦, 咽乾, 目眩."이 있는데, 후세에서는 또한 이것을 본 방제의 主症으로 보았으며 특별히 目眩이 그러하였다. 그렇다면 임상에서 小柴胡湯을 운용할 때에는 도대체 어떻게 파악해야 하는가? 仲景이 말한 "但見一症便是"이 중요한 근거이다. 이때의 '一症'은 곧 '主症'을 가리켜서 말하는 것이며, '或然症'은 일정하게 출현하는 病狀이 아니기 때문에 겨우 참고로 제공할 뿐이다. 따라서 '主症'과 '或然症'을 동일시할 수는 없는 것이니 臨證時에 만약 어떤 하나의 '或然症'을 보고는 곧 小柴胡湯을 사용하는 것은 분명히 근거가 부족하다. 前賢들은 저 방면에 있어서 논술한 것이 적지 않은데, 그중 尤怡는 『傷寒貫珠集』卷5에서 말하기를 "少陽之病, 但見有寒熱往來, 胸脇苦滿之證, 便當以小柴胡湯和解表裏爲主, 所謂傷寒中風, 有柴胡證, 但見一症便是, 不必悉具也."라고 하였고, 『醫宗金鑒』「訂正傷寒論注」

卷5에서 鄭重光을 인용하여 말하기를 "有柴胡證, 但見一證便是, 不必悉具者, 言往來寒熱是柴胡證, 此外兼見胸脇滿硬, 心煩喜嘔, 及諸證中凡有一證者, 即是半表半裏, 故曰'嘔而發熱者, 小柴胡湯主之'. 因柴胡爲樞機之劑, 風寒不全在表未全入裏者, 皆可用. 故證不必悉具, 而方有加減法也."라고 하였다. 日本의 湯本求眞은 『皇漢醫學叢書』卷2에서 劉棟을 인용하여 말하기를 "凡柴胡湯證中之往來寒熱一症, 胸脇苦滿一症, 默默不欲飮食一症, 心煩喜嘔一症之四症中, 但見一症, 即當服柴胡湯, 其他各症, 不必悉具也."라고 하였는데, 劉氏의 보는 방법이 대다수 의학자들의 관점과 부합한다. 실제로 仲景은 어떤 방면으로 이미 설명을 하였는데, 예를 들어 제379조·제149조에서 분별하여 말하기를 "嘔而發熱者, 小柴胡湯主之."라고 하였고, "傷寒五·六日, 嘔而發熱者, 柴胡湯證具."라고 하였으니 모두 '嘔而發熱'을 제시하였다. 제37조에는 "設胸滿脇痛者, 與小柴胡湯."이라 하였고, 제229조에는 "陽明病, 發潮熱, 大便溏, 小便自可, 胸脇滿不去者, 與小柴胡湯."이라 하였으며, 제230조에는 "陽明病, 脇下硬滿, 不大便而嘔, 舌上白苔者, 可與小柴胡湯."이라 하였는데, 세 조문에서는 차례대로 '胸滿脇痛', '胸脇滿不去者', '脇下硬滿'의 胸脇 症狀을 지적하였다. 제294조에는 "傷寒差以後, 更發熱, 小柴胡湯主之."라고 하여 '發熱'을 지적한 것이다. 위에서 서술한 몇 가지 조문으로 보면 언급된 證狀들이 모두 小柴胡湯의 '主症'의 예에 있으면서 다만 모두 '不必悉具'하고 있음을 볼 수 있다.

설명이 필요한 것은 "但見一症便是"의 理解에 대하여 조금 더 융통성 있게 해야지, 간단하게 수량 개념을 사용하여 단지 한 개의 症狀으로 간주해서는 안 된다. 따라서 '一'은 '悉具'와 상대적으로 말한 것으로 이것은 1개일 뿐만 아니라 2개도 될 수 있는 것이다. 예를 들어 앞에서 서술한 "嘔而發熱"과 "發潮熱 …… 胸脇滿"은 모두 2개의 증상이다. 成無己가 말한 "柴胡證是邪氣在表裏之間也, 或胸中煩而不嘔, 或渴, 或腹中痛, 或脇下痞硬, 或心下悸·小便不利, 或不渴·身有微熱, 或咳, 但見一症, 便宜與柴胡湯治之, 不必待其證候全具也."(『注解傷寒論』卷3)라고 한 것은 분명히 증거로 삼기에는 부족하다.

2. '熱入血室'의 인식에 관한 것: 이른바 '血室'에 대하여 역대 의학자들이 몇 가지 종류로 해석한 것이 있다. 成無己는 이것을 '沖脈'으로 인식하면서 "人身之血室者, 即沖脈是也."(『傷寒明理論』卷3)라고 하였는데, 이유는 "沖爲血海"가 되기에 血海와 血室이 통하기 때문이다. 柯琴의 관점은 '肝'으로 보았는데, "血室者, 肝也. 肝是藏血之臟, 故稱血室."(『傷寒來蘇集』「傷寒論注」卷3)이라고 말하였다. 張介賓은 이것을 '子宮'이라고 인식하였는데, "子宮者, 醫家以沖任之脈盛於此, 則月事以時下, 故名血室."(『類經附翼』卷3)이라고 말하였다. 최근의 사람들은 대부분 이 학설을 따르는데, 經血이 子宮으로부터 나오는 까닭이며, 또한 임상에서 실제로 보더라도 역시 '子宮'이라고 보는 것이 타당한데, '熱入血室'이라는 하나의 증상이 婦人이 風寒을 感受한 이후에 邪氣가 熱로 변하여 血室로 內陷한 것이기 때문이다. 『傷寒論』 중에는 4개의 條文이 描寫하고 있으며, 또한 『金匱要略』 중에도 중복해서 출현하고 있다. 그중 『傷寒論』제143조와 제144조에서 그 임상적인 표현을 기본적으로 개괄하고 있는데, "婦人中風, 發熱惡寒, 經水適來, 得之七八日, 熱除而脈遲身涼, 胸脇下滿如結胸狀, 譫語者, 爲熱入血室也. 當刺期門, 隨其實而取之."라고 하였고, "婦人中風, 七八日續得寒熱, 發作有時, 經水適斷者, 此爲熱入血室, 其血必結, 故使如瘧狀, 發作有時, 小柴胡湯主之."라고 하였다. 小柴胡湯은 血室로 陷入한 熱邪를 外透內清할 수 있기 때문에 婦女가 經期에 體質이 虛弱한 구체적인 상황을 겨兩한 것이며, 또한 扶正하는 효능도 있으므로 그것을 仲景은 熱入血室證을 치료하는 주된 방제로 예를 든 것이다. 흡사 『劉奉五婦科經驗』에서 설명한 "給邪找出路, 使之能以透達外出是當務之急. 足厥陰肝經繞陰器, 在血室的外圍, 從厥陰肝經入手, 可透達血室的邪熱. 又因肝膽互爲表裏, 所以治厥陰必須治少陽, 從少陽以解厥陰之邪熱. 一方面清透內陷之邪, 清解內陷之熱, 清透兼施; 另一方面, 也要照顧到正氣, 使之能夠鼓邪外出."라고 한 것

과 같으니, 후세의 의학자들은 항상 桃仁·紅花·生地黃·牡丹皮 등의 活血涼血하는 약재를 넣어 그 치료 효과를 증진시킨 것이다.

3. 본 방제를 복용한 후에 發汗의 與否에 관한 문제: 少陽證에 小柴胡湯을 복용한 후에 일반적으로 汗出을 거치지 않으면서 병증이 풀리는데, 다만 복약 후에 汗出해야 풀리는 경우도 또한 있다. 본 방제는 결코 發汗之劑가 아닌데, 단지 "與小柴胡湯, 上焦得通, 津液得下, 胃氣內和, 身濈然汗出而解."(『傷寒論』)라고 한 것 때문이다. 만약 少陽證에 攻下之劑를 誤用하여 正氣를 손상시켰더라도, 혹시 환자의 평소 체질이 正氣가 不足하여 柴胡證이 풀리지 않은 자에게 다시 본 방제를 주면, 먼저 惡寒하다가 이후에 發熱한 然後에 汗出하는 '戰汗'의 현상을 볼 수 있으니, 이른바 "必蒸蒸而振, 卻發熱汗出而解."(『傷寒論』)하는 것도 또한 정상적인 현상에 속한다.

4. 복용법 중에 "去滓, 再煎"의 인식에 대한 것: 小柴胡湯의 配伍 특징은 和裏解表·祛邪扶正하는 것이고, 主治는 少陽의 半表半裏證이다. 찌꺼기를 버리고 다시 달이는 목적은 그 藥性을 調和시켜서 작용을 緩和시키고 오래 지속되도록 하려는 것이다. 또한 찌꺼기를 버리고 다시 달이는 것은 藥液을 濃縮시켜서 藥量을 감소시킬 수 있으니, 藥液의 胃에 대한 자극을 輕減시켜서 嘔吐 환자에 대하여 말할 것 같으면 '去滓再煎法'이 더욱 적당하다.

5. 본 방제의 藥物 用量에 관한 것: 小柴胡湯의 原方에는 柴胡를 半斤 사용하여 君藥으로 삼고, 黃芩을 三兩 사용하여 臣藥으로 삼아서, 두 가지를 서로 비교하면 黃芩의 用量이 柴胡의 절반에도 미치지 못한다. 본 방제를 운용할 때에는 일반적으로 小柴胡湯 原方의 柴·芩 用量의 비율에 따라서 하지만, 아울러 구체적인 證情에 근거하여 적당하게 증감시킨다. 특별히 往來寒熱를 치료할 때에는 일정정도 柴胡를 重用하여야 그 寒熱을 물러나게 할 수 있지만, 만약 寒熱往來의 증상이 없고 겨우 '胸脇苦滿' 혹은 '口苦咽乾'만 있다면 柴胡의 용량을 적당하게 감소시킬 수 있다. 다만 黃芩의 용량은 총괄적으로 柴胡를 超過하는 것은 옳지 않다. 또한 原方에서 半夏의 용량은 半升인데, 환자가 '喜嘔'한다면 半夏가 능히 降逆止嘔하므로 重用할 수 있다. 『金匱要略』에서 말하기를 "嘔而發熱者, 小柴胡湯主之."라고 한 것도 역시 증상으로 '嘔而發熱'이 보이므로 반드시 半夏와 柴胡를 重用해야 한다.

【醫案】

1. 熱入血室『三湘醫粹』「醫話」: 劉誼라는 자가 있었는데, 그의 부인이 감기 증상을 열흘 정도 앓았다. 午後에는 寒熱如瘧하였고, 晝日에는 정신이 맑다가 밤이 되면 譫語하였는데, 번갈아가며 여러 명의 醫師를 불러서 方藥을 여러 가지 투여하였지만 조금도 효과가 없어서 집안사람들이 놀라고 불안해하였다. 계속해서 劉穀人을 불러서 진단하게 하였다. 劉公이 그 증상을 듣고는 곧 말하기를 이 증상은 반드시 經水가 마침 올 때 얻었을 것이라고 하였는데, 물어보니 과연 그러하였다. 즉시 熱入血室로 보고 치료하였는데, 小柴胡湯 原方을 사용하여 3첩을 복용하였더니 그 증상이 깨끗이 나았다.

2. 產後鬱冒『桐山濟生錄』: 某 여자, 28세. 產後 13일이 지났는데, 달을 다 채우면서 順產하였다. 產後 며칠에 洗浴한 후에 단지 頭暈을 느끼면서 頭部에 汗出이 매우 많이 나왔고, 嘔逆感으로 吐하려고 하면서 음식을 먹어도 소화시키지 못하여 급하게 醫師를 불러 진료를 받았는데, 生化湯·生脈散·浮小麥·麻黃根·煅牡蠣 등을 사용했지만 효과가 없었다. 진단하여 보니 面色無華, 頭昏, 頭汗甚多, 齊頸而止, 嘔逆欲吐, 納呆, 大便5일未行, 腹微脹, 小便短少, 口乾微飮, 心煩不安, 寐差, 乳汁減少, 惡露未淨, 臥床忌起, 初則汗出淋漓, 頭昏冒及嘔逆加劇, 腹不疼痛, 舌質淡紅, 苔白微燥, 脈象微弱하였다. 이것은 產後 鬱冒의 증상에 속한다. 外閉內鬱로 말미암아 下虛上冒하여 생긴 것이다. 치료는 小柴胡湯에 益母草를 넣는다. 1첩을 복용

했더니 汗出이 微微하면서 脈象이 더욱 弱해졌다. 産後에 氣血이 虧虛해서 그런 것을 알아차리고 즉시 原方에 大黨參을 30 g까지 더 넣었다. 다시 1첩을 복용했더니 頭汗이 전부 사라지고 頭暈도 역시 거두어졌으며, 不嘔能食하고 二便이 通하며 惡露가 맑아졌다.

3. 頸部結核『金匱方百家醫案評議』: 某 여자, 64세, 퇴직하여 쉬고 있는 노동자. 1987년 8월 10일 진단. 환자는 우측 頸部에 結核이 생긴지 15일이 지났는데 마치 二分짜리 화폐의 크기 같았으며, 左關脈弦, 舌苔黃膩하였다. 이것은 少陽氣鬱로 痰火가 凝聚한 것에 속한다. 치료는 小柴胡湯에 加減하여 淸少陽·化痰火·散鬱結하는 것이 마땅하다. 小柴胡湯에 蔘·草·薑·棗의 溫補하는 것을 빼고, 天花粉·牛蒡子·大貝母·牡蠣·赤芍藥·丹皮·連翹·夏枯草·小靑皮를 넣어서 연속해서 14첩을 복용하였더니 頸部의 結核이 완전히 소실되었다.

4. 發熱『方劑心得十講』: 某 여자, 成年. 2개월 전에 感冒 發熱로 인해서 服藥하였는데, 熱이 물러난 이후에 곧바로 출근하였으며, 2~3일 후 오후에 거듭 發熱이 나면서 장차 症狀이 더욱 많아졌고, 진료를 받았지만 효과가 없었다. 진료를 받을 때의 主訴症이 胸脇脹滿, 胃脘堵悶, 食欲不振, 口苦耳鳴, 下午微熱, 有時惡心, 二便正常, 月經正常, 苔薄白, 脈右滑弦, 左弦하였다. 양의사가 진단하기를 微熱을 조사할 필요가 있다고 하였다. 作者는 少陽證에 속하는 것으로 인식하여 和解少陽法으로 다스리면서 小柴胡湯 加減을 사용하였다: 柴胡 12 g, 黃芩 10 g, 半夏 10 g, 生薑 三片, 炙甘草 3 g, 枳殼 10 g, 枳實 10 g, 栝蔞 30 g, 川連 5 g, 桔梗 6 g, 물에 달여 복용. 5첩을 제공하였더니 병증이 반은 제거되었다. 다시 上方에서 枳實을 빼고 陳皮 10 g, 生麥芽 10 g, 香稻芽 10 g을 넣어 다시 4첩을 제공하였더니 완전하게 나았다.

某 남자, 中年. 主訴症은 반복적으로 高熱이 있은지 거의 2년이 되었다. 매번 먼저 發冷하고 이어서 發熱하는 것이 반복해서 발작하였고, 아울러 咳吐血痰하였으며, 體溫은 높게는 39℃ 이상에 달하였고 3~4일 혹은 1주일 지속되었는데, 항생제 치료를 2~3일 하면 곧 熱이 물러나게 할 수는 있었지만, 7~10일이 경과하였는데도 發作이 여전하였다. 여러 차례 心肺와 관련된 많은 종류의 검사를 했지만 이상을 볼 수 없었으며 치유도 되지 않았다. 이번 차수의 진찰은 이미 發作 후 6~7일이 지났는데, 自覺하기를 또 發作하려고 하였으며, 腹部에는 積聚가 없었고, 舌診으로는 모두 異常이 없었으며, 脈弦하였다. 少陽鬱熱證으로 진단하고 和解少陽·淸熱凉血法을 채용하였으며, 小柴胡湯 加減을 선택하였다: 柴胡 22 g, 黃芩 12 g, 半夏 9 g, 黨參 12 g, 地骨皮 12 g, 靑蒿 12 g, 白薇 12 g, 生地 12 g, 白及 9 g, 물에 달여 복용. 初診時에 3첩을 투여하였더니, 二診時에는 상황이 호전되어 지난번 發作을 일으킨 지 10여 일이 지났지만, 줄곧 發作을 일으키지 않았고 脈弦한 것은 이미 물러났다. 여전히 上方을 투여하되, 柴胡를 12 g으로 감소시켜 다시 3첩을 복용하였더니, 病勢가 이미 호전되어 다시는 發作하지 않았으며, 이미 정상적으로 출근하면서 精神도 健旺하였다.

考察: 醫案1은 熱入血室로 外感의 熱邪가 月經하는 虛한 틈을 타서 血室로 들어간 것을 말한다. 血室 안쪽은 肝에 속하고, 肝膽은 서로 表裏가 되므로 熱入血室하면 寒熱如瘧하는 少陽證이 출현한다. 熱은 血分을 요란 시키는데, 血은 陰에 속하고 夜暮도 역시 陰에 속하므로 낮에는 精神이 맑다가 밤이 되면 譫語하는 것이다. 小柴胡湯은 熱邪가 血室에 빠져있는 것을 升發시켜 나가게 할 수 있다. 熱邪가 일단 풀리면 血結한 것이 저절로 通行하면서 그 병증이 스스로 낫는 것이다. 또한 外感으로 인해 經水가 마침 단절된 자는 단지 外感을 치료하면 月經도 역시 스스로 정상으로 회복됨을 설명한 것이다.

醫案2는 産後 鬱冒인데, 『金匱要略』 新産에 보면 "亡血復汗, 寒多, 故令鬱冒."라는 記載와 부합하는 것으로, 비록 外邪를 함께 받았지만 그 근본은 裏虛이므로 脈象이 微弱한 것이다. 이때 小柴胡湯을 사용하여

解散客邪·調和陰陽시키면 外邪가 흩어지지 않을 수 없고 裏虛가 돌보지 않을 수 없는 것이다. 또한 産後에는 惡露가 깨끗하지 않으니 益母草를 넣어 行血祛瘀시킨다. 다시 진찰하여 黨參을 30 g까지 重用한 것은 汗出微微하고 脈象更弱했기 때문인데, 黨參은 益氣生血·補充津液할 수 있으므로 重用한 것이다.

醫案3은 結核이 頸部에 생긴 것으로, 頸部는 少陽經脈이 순행하는 곳이고, 다시 左關脈弦하고 舌苔黃膩한 것에 근거하면 少陽에 氣鬱痰凝한 것이 근심을 일으킨 것이다. 그것이 實熱에 속하므로 小柴胡湯에 蔘·草·薑·棗를 빼고, 淸熱涼血·化痰散結하는 약재를 사용한 것이다. 藥物은 비록 平淡하지만 병에 적중하여 물러나게 한 것이므로 복용한 후에 頸部의 結核이 완전히 소실된 것이다. 臟腑와 經絡을 분리하여 밝게 하는 것이 辨證論治의 중요한 관건임을 설명하는 것이다

醫案4는 두 가지 예의 發熱인데, 비록 高·低의 구별이 있지만 모두 小柴胡湯을 사용하여 효과를 거두었다. 다른 것은 前者는 感冒가 낫지 않아 少陽으로 傳入한 것인데, 또한 氣滯가 더해지면서 본 방제에서 補益하는 약재를 줄이고 理氣散結하는 약재를 넣은 것을 선택하여 先後로 9첩을 복약하고는 나은 것이다. 後者는 질병을 앓은 지 비록 오래되었지만, 매번 반복해서 發作할 때에 대부분 先冷後熱하다는 표현이 있어서 小柴胡證의 특징으로 인식하였고, 少陽鬱熱에 속한 것이니 역시 본 방제에 柴胡를 重用한 것을 취하고 淸透養陰하는 약재를 증가시켜서 약재를 겨우 6첩 썼는데 邪氣가 제거되면서 正氣가 안정된 것이다.

【副方】 柴胡枳桔湯(『重訂通俗傷寒論』): 川柴胡 一錢至一錢半(3~4.5 g) 枳殼 錢半(4.5 g) 薑半夏 錢半(4.5 g) 鮮生薑 一錢(3 g) 靑子芩 一錢至錢半(3~4.5 g) 桔梗 一錢(3 g) 新會皮 錢半(4.5 g) 雨前茶 一錢(3 g).

- 作用: 和解透表, 暢利胸膈.
- 適應症: 少陽經證, 偏於半表者. 往來寒熱, 兩頭角痛, 耳聾目眩, 胸脇滿痛, 舌苔白滑, 脈右弦滑, 左弦而浮大.

본 방제는 小柴胡湯에서 人蔘·甘草·大棗를 빼고, 枳殼·桔梗·雨前茶·陳皮를 넣어 구성한 것이다. 小柴胡湯의 原方에 약간의 加減法이 있는데, 후세에서는 이것을 근거로 加減하여 化裁한 것들이 더욱 많다. 지금 柴胡枳桔湯을 선택하여 例로 든 것은, 人蔘·甘草·大棗 등 益氣扶正하는 약재는 결코 和解少陽하는데 반드시 사용해야 할 약재는 아니라는 것을 설명하려는 의도이다. 原書에서는 本證이 "邪鬱腠理, 逆於上焦, 少陽經病偏於半表證也, 法當和解兼表, 柴胡枳桔湯主之."하는 것과 관계있다고 말하였다. 증상이 이미 表에 치우쳤으니, 치료는 邪氣로 하여금 外透하게 하는 것이 마땅하므로 枳殼·桔梗·陳皮를 넣어 胸膈之氣를 通暢시켜 上焦를 開發하는 것이고, 大棗를 빼고 生薑을 남겨놓은 것 또한 그 辛散하는 효능을 사용하여 柴胡의 透邪를 돕도록 한 것이다. 雨前茶(綠茶)는 淸熱降火·利水去痰하여 黃芩의 淸泄邪熱을 돕는다. 이와 같이 배합하면 少陽經證으로 半表에 치우친 자로 하여금 外透하여 풀리게 함으로써 升降이 회복되면서 三焦가 通暢하면 자연스럽게 모든 증상이 다 제거되는 것이다. 그러므로 본 방제는 '和解表裏法輕劑'가 되는 것이니, 이것은 俞根初의 經驗方이다.

蒿芩淸膽湯
(『重訂通俗傷寒論』)

【組成】 靑蒿腦 錢半至二錢(4.5~6 g) 淡竹茹 三錢(9 g) 仙半夏 錢半(4.5 g) 赤茯苓 三錢(9 g) 靑子芩 錢半至三錢(4.5~9 g) 生枳殼 錢半(4.5 g) 陳廣皮 錢半(4.5 g) 碧玉散(包) 三錢(9 g)

【用法】 水煎服.

【效能】清膽利濕, 和胃化痰.

【主治】少陽濕熱痰濁證. 寒熱如瘧, 寒輕熱重, 口苦胸悶, 吐酸苦水 或 嘔黃涎而黏, 甚則 乾嘔呃逆, 胸脇脹痛, 舌紅苔白膩, 脈數而右滑左弦.

【病機分析】濕熱의 邪氣가 少陽膽經에 鬱滯하면, 正氣와 邪氣가 分爭하면서 少陽의 氣機가 不暢하게 되고, 膽中의 相火가 熾盛하면서 寒熱如瘧·寒輕熱重·胸脇脹痛하게 된다. 膽熱이 胃를 침범하면 津液을 灼傷하여 痰이 되고, 濕熱과 痰濁이 中焦를 막으면 胃가 和降하지 못하므로 乾嘔呃逆이 나타난다. 病症이 少陽에 있으면서 濕熱과 痰濁이 근심이 되므로 舌紅苔白膩한데 간혹 雜色이 보이고, 脈數而右滑左弦한 것이다.

【配伍分析】방제 중 青蒿腦(곧 青蒿가 처음 자랄 때 나오는 새싹)는 苦寒芳香한데, 少陽의 邪熱을 清透할 뿐만 아니라 辟穢化濕할 수도 있으니, 바로『重慶堂隨筆』卷下에서 말하기를 "青蒿, 專解濕熱, 而氣芳香, 故爲濕溫疫病要藥. 又清肝·膽血分伏熱."라고 한 것과 같고, 黃芩은 苦寒하여 膽腑의 濕熱을 清泄하므로 함께 君藥이 되어 透邪外出하면서 또한 內清濕熱한다. 竹茹는 膽胃의 熱을 식히면서 化痰止嘔하고, 半夏는 燥濕化痰·和胃降逆하니 두 가지 약재를 配伍하면 化痰止嘔하는 효능을 강화시킬 수 있다. 碧玉散(滑石·青黛·甘草)·赤茯苓은 清熱利濕하여 濕熱을 인도하여 下泄하게 하니 모두 臣藥이 된다. 枳殼은 下氣寬中·消痰除痞하고, 陳皮는 理氣化痰·寬暢胸膈하니 佐藥이 된다. 모든 약재들을 함께 사용하면 濕去熱清하게 하여 氣機를 通利시킴으로써, 少陽의 樞機가 운행되고 脾胃의 氣機가 조화를 이루면서, 자연스럽게 寒熱이 풀리고 嘔吐가 안정되면서 모든 증상이 다 제거되는 것이다. 바로 何秀山이 말한 "此爲和解膽經之良方也, 凡胸痞作嘔, 寒熱如瘧者, 投無不效."(『重訂通俗傷寒論』)라고 한 것과 같다.

【類似方比較】본 방제는 小柴胡湯과 함께 和解少陽의 작용이 있어서 邪氣가 少陽에 있어서 往來寒熱·胸脇不適한 자에게 사용한다. 다만 두 방제의 主治·病機·配伍 상에 있어서 모두 차이가 있다. 본 방제의 主治는 少陽의 裏熱이 偏盛하면서 濕熱과 痰濁이 中焦를 막은 증상인데, 임상에서는 往來寒熱·胸脇脹痛을 제외하고도, 다시 熱重寒輕, 口苦胸悶, 吐酸苦水 或 嘔吐黃涎黏液, 甚或 乾嘔, 舌紅苔白膩이 나타난다. 小柴胡湯은 傷寒의 邪氣가 少陽으로 들어와서 膽胃不和하고 胃氣虛한 자를 主治하고, 증상으로는 往來寒熱, 胸脇苦滿, 不欲飮食, 心煩喜嘔, 苔薄白, 脈弦 등이 나타난다. 配伍 상으로 볼 것 같으면 본 방제는 青蒿를 취하여 黃芩과 배합하면서 君藥으로 삼았는데, 青蒿는 性味가 苦寒하면서 氣味에 芳香性이 있어서, 少陽의 邪熱을 清透시켜 少陽의 邪氣로 하여금 外出하게 할 뿐만 아니라 化濕辟穢하는데 長技가 있으며, 少陽膽熱을 식히는 黃芩과 配伍하면 더욱 病勢에 적합해진다. 다시 竹茹·半夏·陳皮·枳殼을 사용하여 行氣化痰·降逆止嘔하고, 碧玉散·赤茯苓을 사용하여 清利濕熱하여 邪氣로 하여금 나가는 길을 열어주는 것이다. 전체 방제가 함께 清膽利濕·和胃化痰하는 효능을 발생하는 것이니, 祛邪시키는 방제에 속하면서 아울러 補益하는 작용은 없다. 小柴胡湯은 柴胡를 사용하여 黃芩과 配伍한 것을 위주로 한다. 柴胡의 性味는 苦平微寒한데, 그 성질이 木에 속하면서 升發을 좋아하여 효능이 少陽의 邪氣를 清透시키는 것에 뛰어나면서 겸하여 少陽의 氣機가 鬱滯된 것을 疏暢시킬 수 있으며, 黃芩과 配伍하여 少陽 半表半裏의 膽熱을 清泄하는데, 두 가지를 함께 사용하면 '透其表'하면서 '清其裏'하여 半表半裏의 邪氣를 和解시킬 수 있다. 半夏·生薑의 和胃降逆으로 輔佐하고, 다시 人蔘·大棗·甘草를 사용하여 扶正益氣하면 正氣를 도와 邪氣를 밀어냄으로써 祛邪外出을 희망할 수 있는 것이다. 小柴胡湯의 配伍를 종합해서 관찰하면 邪氣와 正氣를 함께 고려하는 것으로 藥性이 和平하면서도 작용은 전면적이다.

【臨床應用】

1. 證治要點: 본 방제는 膽熱이 胃를 침범하여 濕熱과 痰濁이 中焦를 막아서 생기는 證候로 熱重於濕에 속하는 자에게 적용하는데, 寒熱如瘧, 寒輕熱重, 胸脇脹悶, 吐酸苦水, 舌紅苔膩, 脈弦滑한 것을 證治의 요점으로 삼는다.

2. 加減法: 만약 嘔가 많으면 黃連·蘇葉을 넣어 淸熱止嘔할 수 있으며, 濕重하면 藿香·薏苡仁·白蔻仁·厚朴을 넣어 化濕濁할 수 있고, 小便不利에는 車前子·澤瀉·通草를 넣어 淸利濕熱할 수 있다.

3. 蒿芩淸膽湯은 다음 한국표준질병사인분류(KCD)에 해당하는 환자가 少陽濕熱痰濁證으로 辨證되는 경우 본 처방의 사용을 고려해볼 수 있다.

처방 목표	한국표준질병사인분류(KCD)
장티푸스	A01.0 장티푸스
上氣道感染	J00~J06 급성 상기도감염
急性膽囊炎	K81.0 급성 담낭염
急性黃疸型肝炎	B15 급성 A형간염
	B16 급성 B형간염
	B17 기타 급성 바이러스간염
膽汁逆流性胃炎	K29.9 상세불명의 위십이지장염
機能性消化不良	K30 기능성 소화불량
慢性膵臟炎	K86.1 기타 만성 췌장염
急性胃炎	K29.1 기타 급성 위염
慢性胃炎	K29.3 만성 표재성 위염
	K29.4 만성 위축성 위염
	K29.5 상세불명의 만성 위염
腎盂腎炎	N10 급성 세뇨관~간질신장염
	N11 만성 세뇨관~간질신장염
	N12 급성 또는 만성으로 명시되지 않은 세뇨관~간질신장염
瘧疾	B50~B64 원충질환_말라리아

처방 목표	한국표준질병사인분류(KCD)
骨盤腔炎	(질병명 특정곤란)
	N73 기타 여성골반염증질환
	R10 복부 및 골반 통증
렙토스피라病	A27 렙토스피라병

【注意事項】본 방제는 藥性이 寒涼하기 때문에 평소 체질이 陽虛한 자는 신중하게 사용해야 한다.

【變遷史】본 방제는 『重訂通俗傷寒論』에서 기원하는데, 作者는 淸代 浙江省 紹興의 名醫인 俞根初이다. 俞根初는 傷寒 치료에 뛰어나면서 의학계에서 명성을 날렸는데, 이것이 著名한 傷寒學家가 된 까닭이다. 다만 그의 학술 사상은 또한 溫病學派의 영향을 받았으므로 淸代 傷寒學派 중에서 독자적으로 한 派를 형성하였으며, 특별히 傷寒論의 方藥을 응용하는데 있어서 옛것과 융합하면서 지금의 것들을 모았으며, 항상된 것을 알면서 변화에 통달하였고, 많은 것들의 장점을 널리 모아서 자기의 의견을 참가시켰으니 蒿芩淸膽湯이 곧 그중의 하나이다. 蒿芩淸膽湯은 『傷寒論』의 小柴胡湯과 같이 邪氣가 少陽에 있는 증상을 치료한다. 다만 본 방제는 少陽熱重과 관계된 것으로 濕熱과 痰濁이 中焦를 막아서 생긴 것을 겨눈 것이다. 그러므로 구성에 있어서 겨우 小柴胡湯 중의 黃芩·半夏·甘草를 보유하면서, 靑蒿를 黃芩과 配伍하게 하여 함께 少陽膽熱을 淸解하는 것을 위주로 하고, 다시 溫膽湯(枳殼으로 枳實과 바꾸고, 赤茯苓으로 茯苓과 바꾼 것)을 사용하여 淸熱化痰·和胃降逆하였으며, 碧玉散으로 淸利濕熱·導邪下行하게 하였으니, 蒿芩淸膽湯은 실제로 小柴胡湯·溫膽湯·碧玉散을 서로 합하여 化裁하여 만든 것이다.

【疑難闡述】본 방제의 君藥을 어찌 靑蒿로 선택하면서 柴胡를 사용하지 않는 것인가? 이것은 두 가지 약재의 性能으로 얘기할 필요가 있는데, 柴胡·靑蒿는 비록 모두 苦辛而寒하면서 少陽肝膽經의 要藥이지만 같은 중에도 차이가 있다. 그중에 柴胡는 성질이 微寒

하여 少陽 半表半裏의 邪熱을 잘 疏散하지만 化濕하는 작용은 없는데, 青蒿는 寒涼한 성질이 柴胡보다 뛰어나고, 清透시키는 힘이 柴胡와 비교해서 더욱 심하며, 게다가 또한 芳香性으로 化濕하기 때문에 少陽 濕熱痰濁證에는 더욱 적합한 것이다.

【醫案】

1. 濕溫發熱『天津中醫』(1995, 5:20): 某 남자, 35세, 노동자. 초진 날짜: 1994년 9월 16일. 질병이 생긴 지 보름쯤 되었는데, 처음에 惡寒하다가 나중에는 이어서 發熱하였고, 體溫이 파동을 치면서 38~39.2℃ 사이에 있었으며, 某 醫院의 診斷을 받았는데 '上氣道感染'이라고 하였다. 우리 병원에 와서 진찰을 받았을 때 환자는 여전히 高熱(T: 39℃)이었고, 少汗而熱不退, 精神疲憊, 頭沉且重, 肢倦乏力, 口渴不欲飮, 脘悶納呆, 嘔酸苦水, 小便黃赤, 大便黏滯不爽, 舌質紅, 苔黃膩하였다. 辨證: 환자는 여름과 가을의 기후가 처음 사귀는 때에 발병하여 濕熱이 氣分을 鬱遏하고 中焦를 阻滯하여 上下로 널리 퍼진 증상이니 '濕溫發熱'에 속하였다. 치료는 清熱利濕·化濁降逆하는 방법으로 하였으며, 방제로는 蒿芩清膽湯 加味한 것으로 하였다. 青蒿 30 g, 黃芩 12 g, 枳殼 10 g, 竹茹 15 g, 半夏 10 g, 赤茯苓 15 g, 陳皮 10 g, 連翹 20 g, 荷梗 10 g, 黃連 9 g, 吳茱萸 3 g, 碧玉散 10 g, 연속해서 3첩을 복용함.

二診: 1첩을 복약한 후에 熱이 물러나기 시작했으며, 3첩 후에 체온이 정상이 되었다. 현재는 자각적으로 身倦乏力, 四肢酸楚, 納少不思飮食하였으며, 苔已漸化, 脈滑有力하였다. 그 脈과 證狀을 관찰하니 濕熱의 邪氣가 아직 완전히 제거되지 않았기에, 原方에서 黃連·吳茱萸를 빼고, 化濕消導시키는 白蔻 12 g·六神曲 10 g을 넣어 4첩을 복용한 후에 모든 증상이 다 제거되면서 나았다. 飮食에 주의하면서 調理하라고 부탁하였다.

考察: 蒿芩清膽湯은 원래 少陽 濕熱痰濁證을 치료한다. 作者가 본 방제를 化裁한 것은 夏秋의 기후가 만나는 때에 暑濕이 交蒸하여 中焦를 阻滯하면서 上下로 널리 퍼진 濕溫證에 사용하여 치료한 것인데, 좋은 효과를 획득한 것은 이 방제의 응용 범위를 넓힌 것으로 방제를 사용하는 생각의 갈피를 변화시킨 것이다.

2. 瘧疾『江西中醫藥』(1983, 6:30): 某 여자, 26세, 旣婚, 노동자. 1979년 5월 18일 오전 8시 입원, 입원실 9057호. 환자는 5월 15일 發病을 시작하였는데, 매번 怕冷寒戰을 10분 정도 한 후에 이어서 高熱이 나는 것이 2~3시간 지속되었고, 微汗出하면 熱이 조금 물러났다가 계속해서 또 반복적으로 발작하였는데, 하루에도 여러 차례 발작하였다. 17일에 省에 있는 某醫院에서 피검사를 받았는데 瘧疾의 病原蟲을 찾아내었다. 45일간 머무르기에 quinine를 사용할 수 없어서 우리 병원으로 옮겨서 韓藥 치료를 받았다. 물어보았더니 口乾渴하면서 喜熱飮하였고, 온몸이 시큰거리고 통증이 있으면서 무거웠으며, 胸悶嘔惡, 大便稀薄, 小便清長하였다. 體溫을 조사하니 38℃였고, 舌體는 胖한데 舌質이 暗紅하면서 苔는 黃厚膩하였고, 脈은 寸關弦數하면서 兩尺滑하였다. 혈액검사: 백혈구 12,800/mm^3, 중성구 78%, 임파구 22%, 瘧疾 病原蟲을 찾았다. 소변검사: 백혈구(+++), 화농성 세포(++), 妊娠 免疫試驗 陽性.

현대의학 診斷: 瘧疾·尿路感染·妊娠. 한의학 辨證: 濕熱이 三焦에 널리 퍼졌는데, 熱이 濕보다 심하였다. 治則: 清宣鬱熱하면서 겸하여 利濕하였다. 處方: 青蒿·條芩 各 15 g, 生石膏 30 g, 竹茹·法半夏·陳皮·枳殼·草果 各 9 g, 碧玉散 10 g. 당일 寒熱이 여전히 발작하였고, 저녁 8시에 體溫이 40℃에 달하였는데, 12시에 이르러 38.2℃까지 내려갔다. 다음날 寒熱이 발작하지 않았으며, 體溫은 37.1~37.7℃였다. 입원한 지 3일째 되는 아침에 體溫이 줄곧 정상적으로 되었다. 上方을 4첩 복용한 후에 竹葉石膏湯·益胃湯으로 바꾸어 사용하면서 益氣和胃에 清熱生津을 겸하였다. 환자는 원래 下肢筋肉에 萎縮이 있었기 때문에 계속해서 입원하면서 치료받다가 7월 2일에 퇴원하였다. 입원한 기간 동안 다시 發熱하지는 않았고, 화학 검사를 여러 차례 하였지만 모두 瘧疾을 일으키는 病原蟲을 찾아내지 못하였다.

考察: 瘧疾의 病位는 少陽을 벗어나지 못한다. 그러나 王士雄이 말하기를 "風寒之瘧可以升散, 暑濕之瘧必須清解."라고 한 것과 같이 中國 江南지역에서 瘧疾을 앓으면 대부분 濕熱로 생기면서 夏秋에 볼 수 있다. 그러므로 매번 蒿芩清膽湯에 草果를 넣어 清膽利濕截瘧하는데, 熱이 심한 자는 石膏를 넣는다.

3. 膽囊炎『浙江中醫學院學報』(1987, 1:34): 某 남자, 46세, 노동자. 1978년 5월 9일 진단. 우측 上腹部에 疼痛이 반복적으로 발작하면서 畏寒發熱을 동반한 것이 이미 3년 정도 되었다. 이번에는 發作한 지 이미 2일이 되었는데, 우측 上腹部에 劇烈한 疼痛이 있으면서 畏寒發熱과 惡心嘔吐를 하고, 體溫을 조사하니 38.9℃였다. 鞏膜黃染, 腹軟, 肝脇下의 2 cm 부위가 質軟하면서 壓痛을 동반하였고, 脾臟에는 어루만질 수 없었으며, 우측 上腹部 膽囊區에 뚜렷한 壓痛이 있으면서 Murphy's sign이 陽性이었다. 화학검사: 백혈구 14,600/mm^3, 중성구 86%. 肝기능: 黃疸指數 36單位, GPT 160單位, AP 16.6單位. 초음파: 膽囊에 3.5 cm 정도 액체가 채워져 있었다. 內科診斷: 膽囊炎. 일찍이 chloramphenicol·sodium cholate 등을 복용하였지만 뚜렷한 효과가 없어서 한의학으로 전환하여 치료하였다.

진단하여 보니 面目俱黃, 色鮮明, 右上腹部疼痛, 拒按, 形寒, 身熱, 口苦, 納差, 便結, 尿黃, 脈弦滑而數, 舌紅苔黃膩根濁하였는데, 증상이 肝膽氣滯로 濕熱이 壅遏한 것에 속하였다. 치료는 清熱利膽·化濕和胃를 적용하였다. 青蒿·黃芩·茯苓 各 12 g, 鬱金·枳實·法夏·竹茹·金鈴子·雞內金(研細)·玄胡 各 10 g, 陳皮 6 g, 茵陳·碧玉散(包煎) 各 20 g. 4첩을 복용하고는 腹痛이 이미 감소하였고, 體溫이 38℃까지 하강하였으나, 面目黃染如前, 腹脹便結未減, 脈弦滑, 苔薄黃膩하였다. 血象 재검사: 백혈구 1,160/mm3, 중성구 76%. 질병이 전환되는 기전이 있어서 다시 原方을 4첩 복용하되 元明粉(沖服) 12 g을 더하였다. 복약한 후에 냄새나는 大便을 많이 瀉下하였는데, 腹脹痛이 이미 제거되었고 鞏膜·皮膚에 황색으로 염색되었던 것이 뚜렷하게 사라졌다. 다만 오후에도 여전히 微熱이 있으면서 體溫이 37.5℃ 左右였으며, 胃脘不適, 欲嘔, 兩脈弦滑不數, 舌苔薄膩하였다. 原方에 碧玉散·元明粉을 줄이고, 半夏 12 g이 되도록 넣어서 다시 4첩을 복용하였다. 病勢가 계속해서 완화되어서 青蒿 10 g, 黃芩 10 g으로 바꾸어서 原方을 계속해서 7첩 복용하면서 아울러 肝機能檢查를 하도록 하였다. 5월 24일 肝機能 報告: 黃疸指數 6單位, GPT·AP는 모두 正常範圍. 방문하여 물어보았는데 6개월 동안 아직 재발하지 않았다.

考察: 본 醫案이 치료한 膽囊炎은 증상이 濕熱이 肝膽을 蘊蒸하면서 氣鬱化火하여 胃失通降한 것에 속한다. 만약 原方을 그대로 답습한다면 박자에 맞지 않는다. 作者는 蒿芩清膽湯을 취하여 清膽利濕和胃의 효능을 이용하면서, 鬱金·延胡索·川楝子·茵陳 등 疏肝利膽시키는 약재와 配伍하였으며, 다시 元明粉을 넣어 通腑泄濁함으로써 만족스러운 치료 효과를 얻은 것이니, 방제를 사용함에는 隨機應變하는 것이 귀한 것임을 설명하는 것이다.

4. 유행성감기『四川中醫』(1988, 11:20): 某 남자, 18세. 1976년 8월 3일 진단. 환자는 6일 전에 우연히 風寒에 감촉되면서 發熱惡寒, 體溫 38.7℃, 頭痛·身痛·納差, 惡心嘔吐하였는데, 某 醫院이 진단하기를 病毒性感冒라고 하였다. 病毒靈片이나 板藍根 注射液 등을 주었지만 효과가 없었다. 진찰 소견: 發熱惡寒, 體溫 39.1℃, 頭脹痛, 胸脇滿悶, 納差乾嘔, 口乾苦但飲水不多, 尿黃少, 大便乾, 舌尖邊紅, 苔薄黃而膩, 脈弦數. 邪氣가 少陽에 울체된 것으로 변증하고, 치료는 和解少陽·兼清裏熱하였다. 방제는 蒿芩清膽湯에 加味한 것을 선택하여 사용하였다. 青蒿 12 g, 黃芩·枳殼·清半夏 各 10 g, 竹茹 15 g, 茯苓 9 g, 陳皮·青黛(包煎)·甘草

各 6 g, 滑石 20 g, 板藍根 30 g. 2첩을 복용한 후에 熱이 물러나면서 몸이 편안해졌다. 다시 진단하고는 竹葉石膏湯으로 바꾸어 사용하여 2첩을 먹고는 나았다.

考察: 作者는 본 방제에 板藍根을 넣어 病毒性感冒를 主治하였는데, 辨證이 濕熱이 少陽을 鬱遏하여 熱邪가 偏盛한 것에 속하므로 蒿芩淸膽湯으로 淸膽利濕하고, 다시 板藍根을 넣어 淸熱解毒하여 만족스러운 치료 효과를 얻은 것이다. 현대적인 연구에 근거한다면 蒿芩淸膽湯에는 抗菌消炎·抗病毒感染의 작용이 비교적 강하기 때문에 細菌·病毒이 일으키는 高熱을 치료하는데 사용한다면 退熱이 빠르면서 作用이 오래가는 등의 특징을 가지고 있다고 하였다.

柴胡加龍骨牡蠣湯

(『傷寒論』)

【異名】 柴胡龍骨牡蠣湯(『傷寒雜病論』卷3).

【組成】 柴胡 四兩(12 g) 龍骨 生薑 切 人蔘 去皮 人蔘 去皮 桂枝 茯苓 各一兩半(各 4.5 g) 半夏 洗 二合半(10 g) 黃芩 一兩(3 g) 鉛丹 一兩半(1 g) 大黃 二兩(6 g) 牡蠣 熬 一兩半(4.5 g) 大棗 擘 六枚

【用法】 이상 鍊丹을 제외한 11개의 약제를(鍊丹 즉 Pb_3O_4는 현재 사용하지 않음) 물 八升으로 달여서 四升을 취하고, 大黃을 넣되 바둑알 크기로 잘라서 넣으며, 다시 달여서 一兩 정도를 끓인 다음 찌꺼기를 버리고 一升을 따뜻하게 복용한다(現代用法: 먼저 앞에 나온 11개 약재를 달이고, 다시 大黃을 넣어 약하게 달인 다음 4차례에 나누어서 복용한다).

【效能】 和解少陽, 通陽泄熱, 重鎭安神.

【主治】 傷寒下後, 邪陷正傷證. 胸滿煩驚, 小便不利, 譫語, 一身盡重, 不可轉側.

【病機分析】 본 方證은 傷寒 8~9일에 마땅히 胸脇脹滿, 納呆嘔惡하거나, 혹은 口苦, 咽乾, 目眩 등의 少陽證이 있었을 것이라고 추론하여 짐작할 수 있다. 당연히 小柴胡湯으로 和解해야 하는데, 醫者가 도리어 下法을 잘못 사용하여 邪熱이 內陷하면서 또한 正氣도 손상시킨 것이다. 胸滿이 아직 풀리지 않은 것은 邪氣가 여전히 少陽에 있는 것이고, 邪熱이 心神을 요란시키면 煩驚譫語가 보이는 것이며, 下法을 사용한 후에 膀胱의 氣化가 일어나지 않으니 곧 小便不利가 나타나는 것이며, 一身盡重·不可轉側하는 것은 下法을 사용한 후에 氣虛해지면서 氣機가 通暢하지 못한 까닭이다. 병증은 虛實夾雜證에 속한다.

【配伍分析】 본 방제는 실제로 小柴胡湯의 원래 量을 半으로 줄이고 甘草를 뺀 다음 龍骨·牡蠣·鉛丹·大黃·桂枝·茯苓을 넣어 구성한 것으로, 病邪가 여전히 少陽에 있으므로 小柴胡湯의 의미를 취하여 內解外淸·扶正祛邪한 것이다. 그중에 柴胡·黃芩을 配伍하여 少陽의 邪氣를 和解하고, 半夏·生薑을 서로 합하여 和胃降逆하며, 人蔘은 大棗와 함께 益氣扶正한다. 별도로 龍骨·牡蠣·鉛丹을 넣어 鎭驚安神하는데, 이 세 가지 약재는 모두 重鎭安神하는 효능이 있다. 『名醫別錄』卷1과 『藥性論』卷3에서 分別하여 말하기를 龍骨은 "養精神, 定魂魄, 安五臟."한다고 하고, "逐邪氣, 安心神."한다고 하였다. 『神農本草經』卷1에 기재된 牡蠣는 "主驚恚怒氣."한다고 하였고, 『神農本草經』卷3에서는 鉛丹을 말하기를 "驚癎癲疾."을 치료한다고 하였으니, 세 가지 약재를 配伍하면 상부상조로 서로의 능력을 더욱 잘 나타낸다. 大黃은 氣味가 重濁하면서 瀉熱通腑하는데, 『本草綱目』「草部」卷17에서 말하기를 "實熱燥結, 潮熱譫語."를 잘 치료한다고 하였으니, 熱을 식힘으로써 精神이 저절로 안정되는 것이다. 桂枝·茯苓은 通陽化氣하면서 利小便하는데, 『本經疏證』卷4에서 桂枝를 分析하기를 "其用之道有六: 曰和營, 曰通陽, 曰利水,

曰下氣, ……"라 하였고, 『神農本草經』卷1과 『本草衍義』卷13에서 分別하여 말하기를 茯苓은 "利小便."하고, "此物利水之功多."라고 하였고, 게다가 大黃·茯苓은 또한 邪氣를 二便으로 分消할 수 있다고 하였다. 모든 약재를 함께 사용하면 和少陽·瀉邪熱할 뿐만 아니라, 扶正氣·鎭正神·利小便할 수 있으니 실제로 表裏並治·虛實兼顧의 묘미가 있는 것이다.

【臨床應用】

1. 證治要點: 본 방제가 主治하는 것은 傷寒으로 邪氣가 少陽으로 들어가서 樞機不利·表裏俱病·虛實夾雜한 것으로 임상적으로 胸滿·煩驚·身重이 證治의 요점이 된다.

2. 加減法: 胸脇刺痛하면서 便秘色黑하고 舌紫暗한 자는 氣鬱血滯한 것이니 桃仁·紅花·赤芍藥·川芎·香附子·靑皮를 넣고, 心煩易怒하면서 面紅目赤하면 肝經火旺한 것이니 人蔘·桂枝·生薑·大棗를 빼고 龍膽·梔子·車前子·澤瀉·木通·生地黃을 넣으며, 癲狂逆亂하여 語無倫次하고 眩暈, 喉中痰鳴, 便秘, 舌苔厚膩한 것은 痰濁蒙蔽淸竅한 것이니 桂枝·人蔘·生薑을 빼고 礞石·沉香·鐵落·石菖蒲를 넣고, 急躁易怒, 面色嫩紅, 日暮潮熱, 虛煩不得眠, 舌絳尖赤하면 桂枝·大黃을 빼고 黃連·阿膠·雞子黃·芍藥·百合·生地黃을 넣는다.

3. 柴胡加龍骨牡蠣湯은 다음 한국표준질병사인분류(KCD)에 해당하는 환자가 傷寒下後, 邪陷正傷證으로 辨證되는 경우 본 처방의 사용을 고려해볼 수 있다.

처방 목표	한국표준질병사인분류(KCD)
精神分裂症	F20 조현병
癲癎	G40 뇌전증
不寐	G47.0 수면 개시 및 유지 장애[불면증]
	F51.0 비기질성 불면증
憂鬱症	F30~F39 기분[정동] 장애
不安障礙	F40 공포성 불안장애
	F41 기타 불안장애

처방 목표	한국표준질병사인분류(KCD)
神經症	F00~F99 V. 정신 및 행동 장애
不整脈	I20 협심증
	I08 다발판막질환
	I49 기타 심장부정맥
甲狀腺機能亢進	E05 갑상선독증[갑상선기능항진증]
更年期症候群	N95.1 폐경 및 여성의 갱년기상태
筋肉痙攣	(질병명 특정곤란)
	G24 근긴장이상
	R25.2 경련 및 연축
糖尿病	E10~E14 당뇨병
高血壓·	I10 본태성(원발성) 고혈압
	I15 이차성 고혈압
耳源性眩暈	H81 전정기능의 장애
陽痿	F52.2 생식기반응의 부전
	N48.4 기질적 원인에 의한 발기부전
脫毛	L63 원형 탈모증
	L64 안드로젠탈모증
	L65 기타 비흉터성 모발손실

【注意事項】 본 방제 중에는 鉛丹을 함유하고 있는데, 그 成分이 Pb_3O_4로 되어 있어서 오래 사용하면 쉽게 蓄積되어 中毒되면서 hemoglobin 합성 장애를 조성하므로 신중하게 사용해야 하고, 또한 오래 복용하는 것은 옳지 않다.

【變遷史】 柴胡加龍骨牡蠣湯은 『傷寒論』「辨太陽病脈證並治」제107조에 실려 있는데, 小柴胡湯에 加減하여 유래한 것이다. 主治證 방면으로 후세의 사람들이 확대하였는데, 『雜病廣要』卷20에서는 장차 본 방제를 '癲癎'에 사용하였고, 지금 사람인 王琦는 『傷寒論講解』중에서 總結하기를 "已被國內外廣泛用於治療癲癎·高血壓·甲亢·眩暈·圓形脫髮·不寐·梅尼埃病等."이라고 하였다. 본 방제의 구성에 관하여 『太平聖惠方』卷9에 있는 赤茯苓湯은 곧 柴胡加龍骨牡蠣湯에서 有毒한 鉛丹을 빼고, 橘皮·甘草를 넣어 理氣和胃補益하는 효능을 증가시켰는데, 그 主治證은 본 방제와 서로 같다.

【難題解說】방제 중 鉛丹·牡蠣에 관한 것: 鉛丹은 有毒하여 그 주요 성분이 Pb_3O_4인데, 『本草發揮』에 本品이 실려 있기를 "味辛, 微寒, 有毒."이라고 하면서 處方할 때에 반드시 布(삼베)에 넣어서 달이라고 하였다. 임상에서도 일찍부터 本品을 복용하여 鉛中毒에 이르게 되었다는 보고가 있어왔기에 장기적으로 복용해서는 안 된다. 鉛丹의 用量에 대해서 『中藥學』教材(제6판)에서 規定하기를 "丸劑나 散劑에 넣어서 복용할 때에는 매번 0.3～0.6 g하라."고 하였으므로 용량을 마땅히 적게 해야 한다. 鉛丹은 비록 體內에 蓄積되면서 中毒을 일으키면서 hemoglobin 합성 장애를 조성할 수 있지만, 만약 사용하는 양이 적고 또한 大黃과 配伍하여 通下함으로써 鉛毒을 排泄하게 한다면 中毒에 이르지 않을 수 있으며, 동시에 用藥하는 것이 1주일을 초과하지 않도록 주의하면 된다. 최근에 이 방제를 사용하는 자들은 대부분 磁石·生鐵落·代赭石 혹은 朱砂로 대신하였다. 본 방제에 사용하는 牡蠣를 또한 生用하는 자가 있는데, 다만 최근에 生牡蠣를 복용하면 中毒을 일으킬 수 있다는 보고가 있다. 이것은 굴의 껍질을 벗길 때 깨끗하게 하지 않으면서, 간혹 껍질 위에 病原體 및 神經毒素가 붙어있어서 생겼을 가능성이 있다(安徽中醫學院學報, 1988, 2:22). 따라서 마땅히 淸洗乾淨한 후에 다시 약재에 넣으면 된다.

【醫案】

1. 驚悸怔忡『安徽中醫臨床雜誌』(1996, 6:284): 某 남자, 36세. 平素에 少寐多夢하고 善驚하였는데, 6개월 전에 노동을 지나치게 번거롭고 바쁘게 하면서 症狀이 加重되어 心中大動하면서 自覺하기에 양쪽 下肢가 연약무력하면서 양손이 强直하였으며, 계속해서 스스로 서서 걸을 수 없으면서 다만 침상에 누워 있을 때에만 下肢를 들어 올릴 수 있었는데, 일찍이 많은 醫院들이 診斷하기에 '癔病(Hysteria)'이라고 하면서 다방면으로 치료하여도 모두 효과가 없었다. 친척들이 함께 운반하여 왔기에 진찰하였다. 증상을 보니 神疲無力, 面色無華, 雙手强直, 屈伸不利, 自訴頭痛不眠, 心中惕惕然躁動不寧, 舌質淡紅, 脈象細弱하였다. 이것은 少陽이 邪氣를 받아서 氣血이 不足하고 臟腑經脈이 失養한 증상에 속한다. 處方: 柴胡 9 g, 桂枝·黨參·茯神·白朮·阿膠·酸棗仁 各 12 g, 龍骨·牡蠣 各 15 g, 生薑 三片, 紅棗 四枚. 5첩을 복약한 후에 心慌·頭痛·不眠 등의 증상이 크게 호전되면서 다른 사람이 부축해주면 걸을 수 있었으며, 계속해서 30첩을 복약한 후에 모든 증상이 다 제거되면서 걷는 게 예전과 같아지고 일을 할 수 있게 되었다.

考察: 환자는 平素에 心虛膽怯했는데, 다시 노동을 지나치게 하면서 正氣를 耗傷하여 氣血이 不足해지면서 臟腑失養하여 經脈拘急하게 된 것이다. 作者는 柴胡加龍骨牡蠣湯에 加減한 것으로 치료하였는데, 攻邪하는 半夏·黃芩·大黃 및 有毒한 鉛丹을 빼고, 白朮·阿膠·酸棗仁을 넣었다. 이와 같이하면 본 방제를 溫養安神을 위주로 하면서 疏肝利膽을 보조하는 것으로 변화시켜서 證狀과 상황이 박자가 맞기 때문에 치료효과가 만족스러운 것이다.

2. 癲癇『新中醫』(1974, 1:24): 某 여자 아이. 難産으로 損傷을 받으면서 癲癎이 발생하였는데, 매일 10차례 전후로 발병하였으며, 매번 발작할 때에는 길게는 30분에 달하였고 가장 짧은 것은 약 10분쯤 이었다. 본 방제를 투여하되 有毒한 鉛丹을 빼고 芍藥을 넣어 調和肝膽하였으며, 4～5제를 복용하고는 진단하여 甘麥大棗湯에 百合地黃湯을 합한 것에 加味하여 치료 효과를 견고하게 하였다. 환자는 癲癎의 發作 횟수가 점점 감소하여 이후로 다시 발병하지 않았다.

考察: 본 醫案은 傷寒의 病歷이 없고 難產으로 생긴 것인데, 이 질병의 발작에 驚搐이 있으므로 柴胡加龍骨牡蠣湯을 선택하여 和之·鎭之한 것이니 매우 딱 들어맞는다.

3. 癲狂『浙江中醫雜誌』(1964, 7:19): 某 여자, 35세. 평소에 善愁易怒하면서 우울하여 즐겁지 않았다. 1960년 겨울에 自覺적으로 微惡風寒하면서 渾身不適하였

고, 이어서 不眠魘夢하면서 계속해서 精神失常하였는데, 4~5일 후에 狂躁가 크게 일어나면서 다른 사람을 구타하거나 욕을 하였고 옷을 찢어서 裸體가 되었다. 1961년 3월 후에 점차 정상적인 모습으로 회복되었는데, 겨울에 접어들면서 원래의 병이 발작하면서 4개월 정도가 지나면 이전의 증상들이 또 점차 소실되었다. 1962년 11월 중순에 또한 재발하였는데, 당시에 마침 내가 고향에 내려가 있어서 초청하기에 진찰하였다. 환자는 이미 3일 동안 不眠하였는데 洋藥 수면제를 복용해도 효과가 없었으며, 言語와 행동거지가 보통 사람과 달랐고, 面赤, 畏風, 便秘, 溲赤, 脈弦細, 舌苔薄하였다. 處方: 龍骨·茯苓 各 9 g, 牡蠣·夏枯草 各 12 g, 黃芩·炒山梔 各 6 g, 柴胡 3 g, 半夏·龍膽草·當歸龍薈丸 各 4.5 g, 桂枝·甘草 各 2.4 g, 珍珠母 30 g, 鉛丹 1.5 g. 복약한 후에 곧 잠을 잘 수 있었으며, 연속해서 3일을 복용했더니 語言가 不亂하면서 모든 증상이 이미 정상이 되었다. 이후에 柴胡加龍骨牡蠣湯에서 生薑·大棗·大黃·廣丹을 빼고, 生地黃·生鐵落·龍膽草·夏枯草를 넣어서 5~6첩을 복용하였고, 한 달 정도 지나서 來院했을 때 진단하였더니 일체 정상인과 같았다. 오직 쉽게 煩躁하기에 계속해서 甘麥大棗湯에 五味子·棗仁·龍齒·珍珠母 등을 넣은 것을 주어 常服하게 하였더니 지금까지 1년 동안 재발하지 않았다.

考察: 柴胡加龍骨牡蠣湯은 원래 傷寒誤下로 表邪가 熱로 변하여 虛한 틈을 타서 內陷하면 胸滿煩驚·譫語 등을 위주로 하는 少陽證을 치료하는데, 作者는 본 방제를 확대하여 肝鬱化火한 癲狂證에 사용하였다. 證狀은 비록 다르지만 病機는 유사하다. 作者는 原方의 甘壅하는 약재인 人蔘·大棗·生薑을 빼고, 龍膽·炒山梔·夏枯草를 配伍하여 苦寒으로 직접적으로 肝火를 꺾었으며, 珍珠母로 平肝安神하고, 當歸龍薈丸으로 通便瀉熱하여 釜底抽薪하였다. 이와 같이 泄熱平肝·鎭驚安神하니 證情과 서로 부합하므로 훌륭한 효과를 얻은 것이다. 다시 진찰하였을 때 藥味에 비록 조금 차이가 있지만 여전히 原旨를 근본으로 하였다. 心主神明하는데 질병이 오래되면 반드시 虛해지므로 최후에는 甘麥大棗湯에 養心安神하는 약재를 합하여 이후를 잘 調理하였다.

4. 更年期症候群『傷寒論方運用法』: 某 여자, 44세. 初診: 1966년 10월 25일. 6개월 동안 月經이 紊亂하여 두 달에 한 번 하였다. 며칠 동안 雙目怒視하면서 말이 많아 수다스러웠다가도 때로는 침묵하여 다른 사람들이 이해하지 못하였고, 厭食, 不眠, 睡中驚惕多惡夢, 有時驚叫, 시끄러운 소리를 듣는 것을 싫어하였고, 厭光과 厭外人하면서 혼자 작은방에 머무는 것을 좋아하였으며, 大便硬하여 2~3일에 한 번 보았고, 愛人과 때때로 말다툼을 하였다. 胸脇滿悶을 호소하면서 口苦, 舌苔薄黃濁膩, 脈沉弦하였다. 更年期症候群에 속한다. 方用: 北柴胡 24 g, 黃芩 10 g, 法半夏 9 g, 黨參 10 g, 生薑 9 g, 紅棗 12 g, 朱茯苓 9 g, 生大黃 6 g(後下), 生龍牡 各 30 g(先煎). 3첩을 복용함.

二診: 10월 29일. 복약한 후에 睡中不驚惕, 雙目不怒視, 胸滿較舒, 各證好轉, 舌脈同前하였다. 계속해서 上方을 10첩 복용하였더니 각 증상이 계속해서 감소하였다. 이후에 上方을 모두 50여 劑를 복용하였더니 각각의 증상이 기본적으로 소실되었다. 오직 感冒 및 노여움을 느낄 때 가볍게 발작을 하였는데, 매월 上方 5첩을 복용하여 약 2년을 복용했더니 다시 발작하지 않았다.

考察: 更年期症候群은 婦女가 月經이 단절되기 전후에 일상적으로 볼 수 있는 일종의 病證으로 대부분 肝腎不足하여 臟腑의 陰陽平衡이 失調되어 생기는 것이다. 본 醫案은 환자가 肝鬱化火한 것이 여러 번 膽腑에 영향을 미쳤으며, 겸하여 肝腎不足도 보인다. 방제 중 柴胡와 黃芩을 합하여 君藥으로 삼아서 和解少陽·淸肝利膽하고, 臣藥은 生龍牡로 平肝潛陽·鎭驚安神하며, 生大黃으로는 通腑瀉熱하여 上炎하는 火를 淸降하고, 佐藥은 半夏·生薑으로 和胃化痰·散結除滿하며, 黨參·茯苓·大棗로 健脾和中·固守中州하는 것이다. 原方에서 桂枝·鉛丹을 뺐는데, 桂枝를 뺀 것은 그 성질이 溫하여 熱을 조장할까 싫어하면서 증상에 도움이 되지 않기 때문이고, 鉛丹을 뺀 것은 지나치게 사용하면 有毒할까봐 걱정되어서 이다.

第二節 調和肝脾劑

四逆散

(『傷寒論』)

【組成】 甘草 炙 枳實 破 水漬, 炙乾 柴胡 芍藥 各十分(各 6 g)

【用法】 이상 네 가지 약재를 찧어서 체로 거른 다음, 白飮과 함께 方寸匕를 매일 3번 복용한다(現代用法: 水煎服).

【效能】 透邪解鬱, 疏肝理氣.

【主治】

1. 陽鬱厥逆證. 手足不溫, 或 身微熱, 或 咳, 或 悸, 或 小便不利, 或 腹痛, 或 泄利下重, 脈弦.

2. 肝脾不和證. 脇肋脹悶, 脘腹疼痛, 脈弦 等.

【病機分析】 본 방제가 치료하는 '四逆'은 外邪가 傳經入裏하여 氣機가 막혀서 疏泄하지 못함으로 인하여 陽氣內鬱을 초래하면서 四末에 도달하지 못하여 手足不溫이 나타나는 것이다. 이러한 종류의 '四逆'은 陽衰陰盛한 四肢厥逆과는 본질적으로 구별해야 하는데, 바로 李中梓가 말한 "此證雖云四逆, 必不甚冷, 或指頭微溫, 或脈不沉微, 乃陰中涵陽之證, 唯氣不宣通, 是爲逆冷."(錄自『醫宗金鑒』「訂正仲景全書」卷7)라고 한 것과 같다. 張錫駒 역시 말하기를 "凡少陰四逆, 俱屬陽氣虛寒, 然亦有陽氣內鬱, 不得外達而四逆者, 又宜四逆散主之."(『傷寒論直解』卷5)라고 하였다. 한편 肝은 剛臟이면서 藏血을 주관하고 성질이 條達하는 것을 좋아하면서 憂鬱한 것을 싫어하는데, 本證의 四逆은 또한 肝氣鬱結로 陽氣가 裏에서 鬱滯되면 四肢로 通達되지 못하기 때문에 생길 수도 있다. 별도로 肝病은 가장 쉽게 脾로 전해지는데, 脾主四肢하기에 脾土가 壅滯하여 운행되지 못하면 또한 陽氣를 敷布하지 못하게 하여 厥逆이 된다. 본 방제가 치료하는 것으로 '四逆'이라는 하나의 主症을 제외하면 그 나머지는 모두 或然症에 속한다. 氣機鬱滯하여 升降失調하면 病邪가 속에서 逆亂하기 때문에 많은 종류의 일정하지 않은 증상을 볼 수 있는 것이다. 氣滯하여 陽鬱化熱하면 곧 身微熱한 것이고, 心胸의 陽氣가 宣通을 하지 못하면 或咳或悸하는 것이며, 水道가 通調되지 못하면 小便不利한 것이고, 氣鬱不暢하여 木橫乘土하면 腹痛하는 것이며, 胃腸의 氣機가 不利하면 泄利下重하는 것이다. 이상의 或然症 중에서는 腹痛·泄利下重을 비교적 자주 볼 수 있다. 그리고 肝氣鬱結로 疏泄을 하지 못하면 脾氣도 壅滯되므로 肝脾不和의 증상이 형성된다. 그러므로 脇肋脹悶, 脘腹疼痛, 或泄利下重이 나타나는 것이다. 脈弦한 것은 肝鬱을 주관하고 또한 疼痛을 주관한다. 따라서 陽鬱氣滯가 본 方證이 발병하는 관건이 된다.

【配伍分析】 본 方證은 陽鬱氣滯로 말미암아 생기는 것이다. 그러므로 치료는 宣暢氣機·透達鬱陽·疏肝理脾하는 방법이 마땅하다. 방제 중 柴胡는 肝膽經으로 歸經하는데, 그 성질이 輕淸升散하기에 疏肝解鬱할 뿐만 아니라 透邪升陽도 한다. 『本草經解』卷2에 기재되어 있기를 "柴胡淸輕, 升達膽氣, 膽氣條達, 則十一藏從之宣化, 故心腹胃腸中, 凡有結氣, 皆能散之."라고 하였는데, 肝氣를 條達하게 하여 陽鬱을 펼치는 것이 病因病機와 꼭 맞으므로 君藥으로 삼은 것이다. 白芍藥의 기능은 斂陰養血하는데, 『本草備要』에서

는 "補血"하고 "斂肝陰"한다고 말하였는데, 이로써 肝體를 기르고 肝用을 돕는 것이다. 肝은 體陰而用陽하니 肝體가 영양을 공급받으면 肝用이 쉽게 회복되고, 별도로 柴胡의 '劫肝陰'하는 것을 방지할 수 있으며, 게다가 白芍藥은 또한 緩急止痛하는 좋은 약재인데 甘草와 함께 配伍하면 치료 효과가 더욱 증대되니 이것을 臣藥으로 삼는 것이다. 佐藥은 枳實로서 하는데, 이 약재는 苦降辛行寒淸하기에 下氣破結泄熱하는 효능을 갖추고 있다. 『神農本草經』卷2에서 말하기를 "除寒結熱"하고 "利五臟"한다고 하였고, 『名醫別錄』卷2에서 인식하기를 "破結實, 消脹滿."한다고 하였으니, 柴胡를 도와 調暢氣機할 뿐만 아니라 白芍藥과 합하여 調理氣血한다. 甘草는 使藥이 되는데, 첫째 調和諸藥하고, 둘째 益脾和中하여 扶土抑木하며, 셋째 緩急시킴으로써 白芍藥의 止痛을 돕는다. 전체 방제를 종합해서 관찰하면 柴胡와 芍藥을 配伍한 것은 一散一收·一疏一養하는 것이고, 枳實과 配伍한 것은 一升一降하는 것이며, 柴胡·芍藥은 枳實·甘草와 함께 亦肝亦脾·亦氣亦血하는 것이니, 네 가지 약재를 함께 사용하면 散而不過·疏而無傷하여 肝脾同治·氣血兼顧하는 것이니, 이것이 본 방제의 配伍 특징으로 邪祛鬱解하게 함으로써 陽氣가 펼쳐지면서 四肢가 따뜻해지면 모든 증상이 저절로 낫는 것이다. 본 방제가 主治하는 것이 '四逆'症이고, 原書에서 劑型을 散劑로 하였기 때문에 명칭을 '四逆散'이라고 부르는 것이다.

【類似方比較】 본 방제는 小柴胡湯과 더불어 和解之劑가 되면서 모두 柴胡로써 君藥을 삼고 있다. 다만 小柴胡湯 중의 柴胡는 黃芩과 配伍하여 外解內淸하는 작용이 비교적 강하고, 四逆散은 柴胡와 枳實을 서로 배합하여 중점이 調暢氣機·疏肝理脾하는데 있다. 그 밖에 小柴胡湯은 人蔘·甘草·大棗를 사용하여 益氣扶正하고 半夏·生薑으로 降逆止嘔하는데, 四逆散은 芍藥·甘草를 사용하여 養血健脾·緩急止痛한다. 따라서 小柴胡湯은 和解少陽의 대표방이고, 四逆散은 調和肝脾의 상용방이다.

【臨床應用】

1. 證治要點: 본 방제는 원래 陽鬱厥逆證을 치료하였는데, 임상 표현이 非虛非寒하기 때문에 후세 사람들이 熱厥 혹은 氣厥을 치료하는 대표방으로 보게 되었다. 또한 疏肝理脾하는 通劑로도 사용하였는데, 肝膽氣鬱로 생기는 四逆이나 혹은 肝脾不和로 생기는 脘腹疼痛에 상용하였다. 手足不溫하거나 혹은 脇肋疼痛, 脈弦을 證治의 요점으로 삼는다.

2. 加減法: 만약 咳하는 者는 五味子·乾薑을 넣어 溫肺散寒止咳하고, 悸하는 者는 桂枝를 넣어 溫心陽하며, 小便不利 者는 茯苓을 넣어 利小便하고, 腹中痛하는 者는 炮附子를 넣어 散裏寒하고, 泄利下重 者는 薤白을 넣어 通陽散結하고, 氣鬱이 심한 者는 香附子·鬱金을 넣어 理氣解鬱하며, 熱이 있는 者는 梔子·川楝子를 넣어 淸內熱한다.

3. 四逆散은 다음 한국표준질병사인분류(KCD)에 해당하는 환자가 陽鬱厥逆證으로 辨證되는 경우 본 처방의 사용을 고려해볼 수 있다.

처방 목표	한국표준질병사인분류(KCD)
慢性肝炎	K73 달리 분류되지 않은 만성 간염
	B18 만성 바이러스간염
膽囊炎	K81 담낭염
膽石症	K80 담석증
膽道蛔蟲症	B77.8 기타 합병증을 동반한 회충증
肋間神經痛	G58.0 늑간신경병증
胃潰瘍	K25 위궤양
逆流性食道炎	K21.0 식도염을 동반한 위~식도역류병
慢性胃炎	K29.3 만성 표재성 위염
	K29.4 만성 위축성 위염
	K29.5 상세불명의 만성 위염
胃腸神經症	F45.3 신체형자율신경기능장애
機能性消化不良	K30 기능성 소화불량
慢性腸炎	K52 기타 비감염성 위장염 및 결장염
過敏性大腸症候群	K58 과민대장증후군

처방 목표	한국표준질병사인분류(KCD)
子宮附屬器炎	N70 난관염 및 난소염
輸卵管閉塞	N83.8 난소, 난관 및 넓은인대의 기타 비염증성 장애
乳腺增生	N60 양성 유방형성이상
急性乳腺炎	O91 출산과 관련된 유방의 감염
	N61 유방의 염증성 장애

【注意事項】 陰虛氣鬱하여 생긴 脘腹·脇肋疼痛에는 본 방제의 사용을 禁忌한다.

【變遷史】 四逆散은 『傷寒論』에서 기원하는데, 방제를 구성하면서 선택한 약재에 숨어 있는 뜻이 深奧하므로 오랫동안 사용해도 의미가 쇠퇴하지 않았으며, 줄곧 調和肝脾시키는 기본방으로 나열되어 왔다. 후대 사람들은 그 응용 범위나 구성 방면을 논할 것 없이 모두 補充과 發揮한 것들이 있다. 본 방제의 主治證과 관련된 것으로 原書에서 記載되어 있기로는 "少陰病, 四逆, 其人或咳, 或悸, 或小便不利, 或腹中痛, 或泄利下重."이라고 하였고, 『玉機微義』卷32에서 말하기를 "寒邪變熱傳裏, 小便不利, 腹中痛或泄利."라고 하였으며, 『明醫指掌』卷6에서는 한 발 더 나아가 지적하기를 "陽邪傳裏腹痛, 陽厥輕者."라고 하였고, 『景岳全書』「古方八陣」卷56에서 인식하기를 "陽氣亢極, 血脈不通, 四肢厥逆, 在臂脛之下者."라고 하였으며, 『證治彙補』卷6에서 말하기를 "熱鬱腹痛."이라 하였고, 『類聚方廣義』에서 말하기를 "痢疾累日, 下利不止, 胸脇苦滿, 心下痞塞, 腹中結實而痛, 裏急後重."이라고 하였으니, 前賢들은 『傷寒論』의 기초상에서 그 임상적인 표현에 대하여 더욱 구체적으로 묘사하였음을 볼 수 있다.

현재는 四逆散의 응용 범위가 확대되면서 경험에 대한 보고가 더욱 많은데, 『傷寒論講解』에서는 네 가지 방면으로 귀납시켰으니, '肝膽系統疾病', '消化系統疾病', '婦科疾病', '精神系統疾病'이다. 아울러 설명하기를 "近年來, 我們對陽痿患者, 運用四逆散加蜈蚣爲主方, 從肝論治, 取得較好療效."라고 하였다. 四逆散의 변화 발전된 방제로는, 예를 들어 『太平聖惠方』卷13에 있는 柴胡湯이 있는데, 곧 본 방제에 白芍藥을 赤芍藥으로 바꾸고, 半夏·黃芩·桔梗을 넣어서 傷寒十餘日, 熱氣結於胸中, 往來寒熱不定한 것을 치료하였다. 『太平惠民和劑局方』卷9에 있는 逍遙散은 곧 본 방제에 枳實을 빼고, 當歸·茯苓·白朮·薄荷·煨薑을 넣어 肝鬱血虛하면서 脾失健運하는 자에게 적용하는데, 증상으로는 兩脇疼痛, 頭痛目眩, 口燥咽乾, 神疲食少, 或寒熱往來, 月經不調, 乳房作脹, 舌淡紅, 脈弦虛가 나타나는 자이다. 『證治准繩』「類方」卷4에서 인용한 『統指』에는 柴胡疏肝散이 있는데, 곧 본 방제에 枳實을 빼고, 枳殼·香附子·川芎을 넣은 것으로, 怒氣로 인하여 鬱하면서 脇痛이 있고, 往來寒熱, 痛而脹悶, 不得俯仰, 喜太息, 脈弦 등을 치료한다. 『張氏醫通』卷14에 있는 柴胡疏肝散은 前方의 기초상에서 炒山梔·煨薑을 넣어 怒火가 肝을 손상시켜서 血菀於上한 脇痛과 嘔吐에 사용한다. 『重訂通俗傷寒論』에 나오는 加味四逆散은 곧 본 방제에 乾薑·桂枝·茯苓·薤白·附子片을 넣은 것으로, 傷寒의 邪氣가 少陰으로 전해지면서 少陰의 火에 水가 넘쳐나면 陽氣가 內鬱하여 外達하지 못하고 水氣가 上沖下注하면서 四肢厥逆에 이르게 되며, 乾咳心悸, 便泄溺澀, 腹痛下重, 舌苔白而質絳, 脈左沉弦而滑, 右弦急하는 등 증상이 비교적 복잡한 자에게 적용한다. 최근에 山西醫學院에서 만든 甘柴合劑는 본 방제에 甘草·柴胡 두 가지 약재를 보유한 것으로, 기능은 疏肝淸熱·和中解毒하는데, 急性傳染性肝炎에서 GPT가 높은 자에게 비교적 양호한 치료 효과가 있다.

【難題解說】

1. 본 방제가 치료하는 '四逆'에 관한 것: 이른바 四逆이라는 것은 곧 四肢厥冷의 簡稱이며, '厥'이나 '厥逆'은 含義가 서로 비슷하다. 方有執이 해석해서 말하기를 "四肢, 溫和爲順, 故以厥冷爲逆."(『傷寒論條辨』卷5)이라 하였고, 成無己가 말하기를 "四逆者, 四肢逆而不溫也."(『注解傷寒論』卷6)라고 하였다. 이 증상에는 寒熱의 차이점이 있는데. 본 방제가 치료하는 것은 陽衰陰盛한 寒厥도 아닐 뿐만 아니라 "熱深厥亦

深”한 熱厥도 아니다. 前者는 증상으로 四肢厥冷, 惡寒踡臥, 神衰欲寐, 腹痛吐利, 苔白, 脈微 등이 나타나는데, 치료는 溫法이 마땅하고, 당연히 四逆湯 종류를 선택해야 한다. 後者는 비록 같은 四肢厥冷이지만, 증상으로 胸腹灼熱, 煩躁口渴, 便秘, 尿赤 등이 나타나니, 치료는 淸法·下法이 마땅하고, 방제로는 白虎·承氣湯 종류를 사용해야 한다. 그러나 본 방제는 肝鬱氣滯하여 陽氣가 外達하지 못해서 생기는 것에 적용되는데, 後世에서는 비록 같은 熱厥이라고 불렀으나, 다만 그 病因·病機에 근거한다면, 그러므로 또한 陽厥·氣厥의 명칭도 있는 것이다. 엄격하게 설명한다면 나중에 나오는 두 가지의 제기한 방법이 더욱 확실하며 적절한 것 같다. 일반적으로 四肢厥冷의 정도가 비교적 가벼우면서 대부분 四肢不溫을 나타내며, 간혹 身微熱을 동반하면서 脈弦 등이 나타나는데, 치료는 和法이 마땅하고, 당연히 본 방제를 선택하는 것이니, 바로 『醫宗金鑒』「訂正仲景全書」卷7에서 말한 “今但四逆而無諸寒熱證, 既無可溫之寒, 又無可下之熱, 惟宜舒暢其陽, 故用四逆散主之.”라고 한 것과 같다.

2. 본 방제의 主治證 중의 ‘少陰病’을 어떻게 인식할 것인가?: 『傷寒論』제318조에서 본 방제의 主治를 말하기를 “少陰病, 四逆”이라고 하였다. 그중 ‘少陰病’이라는 세 글자에 관하여 역대의 의학자들이 상당히 다른 의견들이 있었는데, 前賢들은 여전히 少陰病으로 해석하고 있는 사람들도 있어서 설명하는 방법이 일치하지 않는다. 成無己가 말하기를 “至少陰則邪熱漸深, 故四肢不溫也.”(『注解傷寒論』卷6)라고 하였고, 徐大椿이 말하기를 “此乃少陰傳經之熱邪.”(『傷寒論類方』卷3)라고 하였으며, 成·徐의 두 사람은 말하기를 ‘少陰熱化證’의 대표적인 것이라고 하였다. 지금 사람인 李心機는 이것을 少陰의 寒熱從化가 완전하지 못한 증상(『傷寒論疑難解讀』)이라고 인식하였으며, 그 근거로는 “固非熱證, 亦非深寒.”(『傷寒論後條辨』卷11)이라는 것이다.

총괄하면 上述한 觀點은 모두 본 방제를 少陰病의 一個證型이라고 간주하고 파악한 것이다. 별도로 또한 어떤 의학자들은 본 방제의 少陰病을 기타 經으로 나열하여 파악하였다. 예를 들면 ‘厥陰’에 속한다고 주장하는 것인데, 程門雪이 지적하기를 “本方雖能治四逆, 而非少陰病之四逆也.”라고 하면서 “少陰病三字必誤”라고 하였으며, 마땅히 “歸之厥陰門”해야 한다(『書種室歌訣二種』)고 하면서 錯簡說을 支持하였다. 1979년 全國高等醫藥院 校試用教材『傷寒論選讀』 역시 厥陰病篇에 나열하였다. 陸淵雷는 ‘少陽’이라고 인식하였는데, 말하기를 “其病蓋少陽之類證, 決非少陰.”(『傷寒論今釋』)이라고 하였다. 아래에 서술하는 것은 장차 그것을 여러 經에 귀속시키는 例證이다. 그중 汪琥가 말하기를 “此條少陰病乃傷寒邪在少陽, 傳入少陰之證.”이라 하였고, 또 말하기를 四逆散方은 “雖云少陰, 實陽明·少陽藥也.”(『傷寒論辨證廣注』卷上)라고 하였다. 沈明宗이 말하기를 “此少陰邪氣夾木乘胃.”(『傷寒六經辨證治法』卷6)라고 하였고, 張玉剛이 말하기를 “此證雖屬少陰, 而實脾胃不和, 故而淸陽之氣, 不能通於四末.”(『傷寒纘論』卷上)이라고 하였다. 汪·張의 두 사람은 두 가지로 분별하여 인정하였는데, 前者는 少陽·厥陰·陽明에 서로 관련된 같은 병이며, 後者는 病機 상으로 脾胃와 관련되어 있다고 하였다. 吳謙이 명확하게 지적하기를 “此則少陽·厥陰.”(『醫宗金鑒』「訂正仲景全書」卷7)이라고 하였다.

비록 많은 설명이 분분하지만, 지금까지 아직 定論이 없다. 한 가지 提案할 만한 것은 지금 사람인 姜建國이 만든 것으로, 장차 본 방제를 少陰病이나 少陰寒化證과 서로 鑒別하기 위하여 “當屬少陰類似證”이라는 견해를 제기하면서, 마침내 어떤 하나의 經에 귀속되는지는 탐구하지 않는 것이다. 이것이 講義를 하거나 理解하는 방면에 있어서 번잡한 것을 삭제하여 간단하게 만드는 효과를 거둘 수 있을 것이다.

위에서 서술한 것들을 종합하면, 이상에서 탐구한 것들도 진실로 매우 필요하지만, 다만 방제학적인 각도에서 研究한다면 方劑와 證狀으로 서로 대응하여 선택하는 것이 필요하다. 1964年 中醫學院 試驗 教材인

『傷寒論講義』(二版)에서 인식하기를 "少陰四逆, 皆由陽虛不能敷布四末之證. 而本證所重在陽鬱於裏, 不能達於四肢, 其或咳或悸或小便不利, 是氣機不宣. 或腹中痛或泄利下重, 是氣血鬱滯, 故用四逆散宣散氣血之鬱滯. 本方爲宣達鬱滯之劑, 方中用柴胡宣陽解鬱, 使陽氣外達."이라고 하였는데, 이러한 견해가 임상에서 실용하기에 비교적 적합한 것이고, 그래서 方劑學敎材의 대부분은 이것을 따랐으며, 本書 또한 이러한 관점을 堅持하고 있다.

3. 본 방제의 藥量에 관한 것: 본 방제는 散劑로 만들어서 매번 方寸匕를 복용하는데, 『傷寒論』에 나오는 방제 중 그 용량이 가볍고 적은 것으로 극히 두드러진다. 仲景이 四逆의 증상을 치료할 때 대부분 湯劑를 사용하였으며, 또한 용량도 비교적 컸는데, 예를 들면 四逆湯은 附子 一枚와 乾薑 一兩半을 사용하였고, 通脈四逆湯은 附子 큰 것 一枚와 乾薑 三兩을 사용하였으며, 白虎湯 중 石膏의 용량은 一斤에 달하였고, 三承氣湯의 大黃도 모두 四兩을 사용하는 등 그 주요한 작용이 이와 같이 湯方의 重劑를 사용하여 溫裏回陽하거나 혹은 裏熱結實을 淸下하지 않는 경우가 없었다. 그러나 본 방제는 藥量도 적고 散劑로 만들어서 원래 淸熱시키는 것이 아니고 목적이 疏解升陽시키는데 있는 것이다. 程知가 평가하여 말하기를 "此證當用和解, 不當用寒下, 故經中用劑之輕少者, 無如此方, 則其輕緩·解散之義可見矣."(錄自『醫宗金鑒』「訂正傷寒論注」卷7)라고 하였다.

4. 본 방제에서 사용하는 枳實에 관한 것: 후세에는 枳實과 枳殼을 대부분 구별해서 응용하는데, 그 主治 작용에 약간의 차이가 있다. 그러나 본 방제 중에 있는 枳實은 오히려 지금의 枳實이 아니고 이것은 枳殼이다. 이 점을 명확하게 하는 것이 본 방제의 原意에 대한 理解와 靈活한 運用을 심화시키는데 도움이 될 것이다. 沈括은 『夢溪筆談』 중에서 지적하기를 "六朝以前醫方, 唯有枳實, 無枳殼, 故『本草』(指『神農本草經』, 下同)亦只有枳實. 後人用枳之小嫩者爲枳實, 大者爲枳殼, 主療各有所宜, 遂別出枳殼一條, 以附枳實之後. 然兩條主療, 亦相出入. 古人言枳實者, 便是枳殼, 『本草』中枳實主療, 便是枳殼主療. 後人既別出枳殼條, 便合於枳實條內摘出枳殼主療, 別出一條. 舊條內只合留枳實主療. 後人以『神農本經』不敢摘破, 不免兩條相犯, 互有出入. 予按『神農本經』枳實條內稱: '主大風在皮膚中如麻豆苦癢, 除寒熱結, 止痢, 長筋肉, 利五臟, 益氣輕身, 安胃氣, 止溏泄, 明目', 盡是枳殼之功, 皆當摘入枳殼條. 後來別見主療, 如通利關節, 勞氣, 咳嗽, 背膊悶倦, 散瘤結·胸脇痰滯, 逐水, 消脹滿·大腸風, 止痛之類, 皆附益之, 只爲枳殼條. 舊枳實條內稱: '除胸脇痰癖, 逐停水, 破結實, 消脹滿·心下急·痞痛·逆氣', 皆是枳實之功, 宜存於本條, 別有主療亦附益之可也. 如此, 二條始分, 各見所主, 不至甚相亂."라고 하였는데, 이러한 설명이 진일보 實證되기를 기다린다.

【醫案】

1. 泄利下重 『範文甫專集』: 腹痛下利, 裏急後重, 利下赤白하는 것은 濕熱痢疾이다. 淸濁이 淆亂하여 升降失常한 까닭이다. 柴胡 6 g, 白芍藥 6 g, 甘草 6 g, 枳殼 6 g, 薤白 30 g.

二診: 利下가 차도를 보였다. 四逆散에 薤白 30 g을 넣은 것이다.

考察: 範氏는 본 방제를 常用하여 泄利下重을 치료하였는데 꽤 치료 효과를 보았다. 아울러 말하기를 "此方系傷寒少陰方, …… 方後有泄利下重加薤白等記載. 本方四味已具升降通調之妙用, 再加薤白通陽, 俾中焦氣機宣通, 陽氣外達, 則泄利下重自愈. 『傷寒來蘇集』云: '今以泄利下重四字, 移至四逆下, 則本方乃有綱目.' 此言實得經旨."라고 하였다.

2. 脇痛 『中國現代名中醫醫案精華』: 某 남자, 63세. 初診: 1985년 11월 19일. 主訴: 최근 6개월 동안 胸脇肩背에 통증이 있었는데 走竄不定하면서 時作時休

하였고, 胃脘脹滿하면서 噯氣頻多하였고 자각적으로 氣上沖感이 있었다. 1985년 7월에 이미 解放軍 某醫院에서 上部 消化道를 X-선 사진으로 造影하였지만 異常한 점을 볼 수 없었지만, B형 超音波檢査를 거쳐서 '慢性膽囊炎'·'膽結石'을 발견하였다. 일찍이 耳針治療를 거쳤지만 症狀은 예전과 같았다. 진찰하였더니 舌苔黃하고 脈沉小하였다.

辨證: 증상은 肝氣橫逆·木土不和에 속한다. 治法: 舒肝理氣·行氣消脹. 處方: 柴胡 10 g, 枳殼 10 g, 鬱金 10 g, 白芍藥 12 g, 甘草 10 g, 青陳皮 各 8 g, 香櫞皮 8 g, 厚朴 10 g, 炒山梔 10 g, 旋覆花 10 g, 生赭石 10 g, 法夏 10 g, 全瓜蔞 15 g, 荷梗 3 g, 片薑黃 10 g.

二診: 12월 3일. 上方을 12첩 복약하고는 모든 증상이 편안해졌고, 舌黃은 이미 물러났지만 脈은 여전히 이전과 같았다. 계속해서 上方藥을 주어서 치료 효과를 견고하게 하였다.

考察: 이번 例의 胃脘脹滿과 噯氣 및 기타 모든 증상은 비록 病位는 胃에 있지만, 走竄不定하고 氣逆上沖하는 것은 風木의 象으니, 바로 肝이 起病의 근원이 되고 胃는 受邪의 장소가 됨을 말하는 것이므로 치료는 마땅히 疏肝을 위주로 해야 한다. 대개 肝은 疏泄을 주관하여 성질이 條達을 좋아하면서 憂鬱을 싫어한다. 비록 橫逆하는 것이 있다 하더라도, 근본 원인이 鬱滯에 의한 것이므로 방제는 四逆散에 青陳皮·香櫞皮·片薑黃을 넣어 疏其氣血·令其條達하는 것이며, 다시 旋覆花·生赭石으로 沖逆하는 것을 안정시키면 鬱滯가 풀리면서 氣가 常道로 순환하여 다시 橫逆하지 않는 것이다. 다시 瓜蔞·山梔를 사용하여 그 鬱熱을 풀어주고, 厚朴·荷梗을 넣어 氣機를 升降시키므로 모든 증상이 평안해지는 것이다.

3. 肝胃不和『蒲輔周醫療經驗』: 某 여자, 54세, 1965년 9월 28일 初診. 消化가 잘 안되었는데 자각적으로 上下의 氣가 통하지 않는 것처럼 느꼈고, 大便이 乾燥하여 球狀과 같았는데 이따금 隔日에 한 차례씩 보았으며, 矢氣少, 口乾, 小便正常, 脈沉細澀, 舌紅無苔少津하였다. 肝胃不和로 氣鬱해서 생긴 것에 속한다. 치료는 疏肝和胃·宣散鬱結하는 것이 마땅하다. 四逆散에 加味한 것을 사용하였다. 處方: 柴胡 3 g, 白芍藥 6 g, 炒枳實 3 g, 炙甘草 1.5 g, 青陳皮 各 3 g, 三棱 4.5 g, 莪朮 4.5 g, 大腹皮 4.5 g, 木香 2.4 g, 白通草 3 g, 郁李仁 4.5 g, 決明子 4.5 g. 7첩.

10월 5일 二診: 복약한 후에 腹脹이 현저하게 輕減하였고, 上下의 氣가 이미 통하면서 矢氣가 있었고, 大便이 이미 乾燥하지 않았다. 脈沉弦細, 舌正紅無苔하면서 津液이 점차 회복되고 있다. 前方에서 決明子를 빼고 雞內金 4.5 g을 넣어 3첩을 복용하였다.

10월 8일 三診: 腹脹이 다시 감소하였지만 大便이 또한 한쪽 편으로 乾燥하였다. 舌正紅無苔, 脈緩和. 前方에서 甘草를 빼고 決明子 4.5 g을 넣어 3첩을 복용하였다.

10월 11일 四診: 腹脹은 이미 미약해졌는데, 食後에 조금 창만하였고 소화가 되면 좋아졌다. 자각하기에 腹內에 水氣가 있었는데, 大便 볼 때 無力하게 推動하는 것으로 느껴졌다. 脈沉弦細, 舌正無苔. 病勢가 好轉되었기에 理氣藥을 넣어서 中氣를 함께 돌보면서 攻補並進하였고, 小劑로 완만하게 작용하도록 도모하였다. 處方: 竹柴胡 15 g, 白芍藥 30 g, 炒枳實 15 g, 炙甘草 4.5 g, 青陳皮 各 15 g, 三棱 22.5 g, 莪朮 22.5 g, 檳榔 15 g, 木香 12 g, 郁李仁 22.5 g, 肉蓯蓉 30 g, 白朮 15 g, 太子蔘 15 g, 焦楂 15 g, 雞內金(炮) 30 g, 路路通 15 g, 炒麥芽 30 g, 茯苓 30 g. 이상의 약재들을 함께 갈아서 粗末로 만들어서 섞은 다음에 30개 小包로 나누어 담고, 매일 무명베로 싼 것을 一包씩 달이는데, 물 300 mL로 慢火에 달여서 100 mL를 취하여 아침저녁으로 2차에 나누어서 따뜻하게 복용함으로써 견고하게 하는데 도움이 되도록 하였다.

考察: 본 예는 肝氣鬱滯하여 脾胃機能이 失調한 것에 속한다. 치료는 疏肝和胃하는 것이 마땅하니, 四逆散에 加味한 것을 사용한다. 肝氣鬱結로 腸胃積滯한 경우에는 三棱·莪朮을 配伍하여 사용하는 것이 매우 효과가 좋다.

4. 脘脇脹痛『施今墨臨床經驗集』: 某 남자, 38세. 진료기록 번호: 522305. 胸脘脇肋이 脹滿한 것이 이미 10여 일 되었고, 심하면 뒤쪽 背部까지 당겼다. 食欲不振, 噯氣, 泛酸, 有時欲嘔, 大便較乾, 易發煩躁, 夜寐欠安, 周身倦怠乏力. 舌苔薄黃, 脈沉澀微弦. 辨證立法: 脈과 證狀을 종합해서 관찰해 보면 血虛로 肝을 길러주지 못해서 肝氣가 橫逆함으로써 胃失和降하고 氣機鬱滯해서 생긴 것이다. 疏肝和胃를 적용하여 치료한다. 處方: 柴胡 5 g, 杭白芍藥 10 g, 炒枳殼 6 g, 炙草 3 g, 薤白 10 g, 酒川芎 5 g, 醋香附子 10 g, 廣皮炭 6 g, 丹參 25 g, 瓜蔞 20 g, 砂仁 5 g, 檀香 3 g, 半夏曲 6 g, 沉香曲 6 g, 旋覆花(代赭石 12 g을 같은 무명베에 싼다) 6 g.

考察:『素問』「玉機眞臟論」에서 말하기를 "春脈不及, 則令人胸痛引背, 下則兩脇脹滿."이라고 하였다. '肝胃不和'라는 하나의 증상은 대부분 七情이 속에 鬱結됨으로 말미암아 淸陽不升하고 濁陰不降하여 발병한다. 방제는 四逆散 및 柴胡疏肝散을 사용하여 疏肝理氣하고, 丹參飮으로 活血調氣하며, 瓜蔞薤白半夏湯으로 通陽하여 和胃하고, 旋覆花·代赭石·沉香曲을 넣어서 降逆함으로써 止嘔하는 것이다. 6개월 후에 환자는 感冒 때문에 진찰받으러 왔는데, 이전에 치료했던 脇痛藥을 3첩 복용한 후에 모든 증상이 한꺼번에 제거되었으며 지금까지 재발하지 않았다고 말하였다.

5. 膽石症『中國現代名中醫醫案精華』: 某 남자, 43세. 初診: 1985년 8월 2일. 主訴: 膽囊炎·膽石症의 病歷이 있다. 최근에 脘脇疼痛하면서 納食하면 腹脹하였는데, 油膩한 음식물을 먹은 후에 더욱 뚜렷하였으며, 倦怠乏力하였다. 診查: 鞏膜黃染, 苔根黃膩, 脈細弦. B형 超音波檢查에서 膽囊 내에 직경 3 cm가 되는 강한 빛의 echo 群이 있었다. 辨證: 증상은 肝膽氣滯로 濕熱蘊積하여 結石이 생긴 것에 속한다. 治法: 疏肝利膽化濕을 우선 적용하였다. 處方: 柴胡 10 g, 炒赤白芍藥 各 10 g, 炒枳殼 10 g, 炙草 5 g, 鬱金 10 g, 廣金錢草 20 g, 茵陳 15 g, 對坐草 15 g, 炙雞金 6 g, 馬鞭草 15 g, 焦山梔 10 g, 制軍 6 g.

二診: 藥을 7첩 준 후에 脇痛은 여전히 뚜렷하였고, 目黃은 물러났지만 완전하진 않았으며, 苔根淡黃하였다. 前方에서 馬鞭草·焦山梔를 빼고 廣木香 6 g, 制香附子 10 g을 넣어 계속해서 7첩을 복용하였다.

三診: 脇痛이 이미 감소하고, 目黃이 이미 물러났다. 脈細弦, 苔根淡黃하였다. 上方에 赤芍藥·香附子를 빼고 黨參·黃芩을 넣어 7첩 복용하였다.

四診: 肝膽의 濕熱이 점점 맑아지면서 氣機가 날로 조절되었고, 目黃脇痛은 모두 발생하지 않았으며, 大便通暢, 胃納欠佳, 脈細弦, 苔根淡黃하였다. 疏肝利膽排石을 적용하였다. 處方: 柴胡 10 g, 杭白芍藥 10 g, 炒枳殼 10 g, 炙草 6 g, 鬱金 10 g, 廣金錢草 20 g, 炙雞金 6 g, 焦山楂 10 g, 炒川楝子 10 g, 制香附子 10 g, 靑陳皮 各 6 g, 制軍 6 g.

五診: 연속해서 14첩을 복용하였다. 肩背 및 右脇이 微脹하였고, 음식물을 수납하거나 대변보는 것이 모두 정상이 되었다. 上方을 계속해서 7첩 복용하였다.

六診: 1985년 9월 22일 B형 超音波를 재검사하였다: 膽 내부에 있던 結石이 이미 排出되었고, 脘脇이 脹滯하던 것이 이미 없어졌지만 倦怠乏力하였다. 四逆散에 太子蔘·鬱金·雞金을 넣어 調理하는 것을 다시 주었다.

考察: 환자 濕熱이 오래되어 膽이 疏泄기능을 잃게 되고, 氣滯하여 濕熱이 膠結함으로써 膽石症이 생긴 것이다. 四逆散으로 疏肝理氣化滯하고, 茵陳으로 化

濕淸熱退黃하며, 아울러 金錢草·對坐草·鬱金·雞內金을 사용하여 結石을 碎粒으로 만든다. 환자가 服藥 과정 중에 일찍이 大便을 수차례 씻어 내리면서 모두 綠豆大의 작은 砂石들이 排出되었는데, 이것으로 추측해 보건대 藥物이 結石을 蕩滌하는 작용을 하여 結石으로 하여금 碎粒으로 변하게 하여 차츰차츰 排出된 것이다.

6. 陽痿『傷寒論講解』: 某 남자, 24세. 1984년 10월 5일 진단. 소년 시절에 일찍이 手淫을 하였고, 올해는 新婚 3개월이 되었는데 陽痿가 출현하여 陰囊濕冷, 有時滑精, 面容消瘦, 頗爲自卑, 苔薄白, 脈細弦하였다. 思想은 無窮한데 宗筋이 弛縱하면서 滑精이 있는 것은 肝腎이 同病인 것이다. 치료는 疏肝暢鬱·補腎封髓·佐以通絡하는 것이 마땅하다. 四逆散과 三才封髓丹을 함께 사용하였다. 處方: 柴胡 12 g, 枳實 12 g, 甘草 6 g, 天門冬 10 g, 熟地 15 g, 太子蔘 15 g, 蜈蚣 2條, 砂仁 3 g, 黃柏 6 g. 7첩 복약한 후에 陰囊의 濕冷이 이미 감소하였고 陽事가 능히 興盛하였다. 다만 시간이 잠시뿐이면서 함부로 움직일 수가 없었는데, 原方에 車前子·王不留行 各 10 g을 넣었더니 나중에 나았다.

考察: 陽痿라는 하나의 증상은 대부분 腎으로 論治하면서 또한 補를 위주로 한다. 醫案 6은 靑年의 新婚과 관련된 것으로 증상이 肝腎同病에 속하니, 치법은 당연히 疏肝補腎해야 한다. 방제와 증상이 대응하므로 효과를 얻은 것이다.

【副方】

1. 枳實芍藥散(『金匱要略』): 枳實燒令黑, 勿太過 芍藥 各 等分

- 用法: 上二味, 杵爲散. 每服方寸匕, 日三服, 以麥粥下之.
- 作用: 行氣和血, 緩急止痛.
- 適應症: 產後腹痛, 煩滿不得臥者. 並主癰膿.

枳實芍藥散이 치료하는 것은 產後腹痛으로 煩滿不得臥하는 것인데, 이것은 氣滯血凝하여 鬱而生熱한 까닭이다. 氣血이 鬱滯되어 實證이 되면 치법은 마땅히 行氣和血해야 하는데, 그러나 產後에는 正氣가 虛하기 때문에 破泄하는 것이 지나치게 맹렬한 것을 옳지 않다. 그러므로 枳實을 燒令黑해서 사용하여 破氣가 太過하지 않도록 하고, 다시 芍藥과 합하여 補血養陰·緩急止痛하는 것이니, 곧 氣滯가 흩어지면서 血도 역시 운행하고, 鬱이 이미 풀리면서 熱도 또한 사라지는 것이니 腹痛煩滿이 자연스럽게 제거되는 것이다. 그것이 또한 癰膿을 주관하는 것은 역시 그것의 行氣破滯·和血止痛하는 효능을 취한 것이다. 다시 麥粥으로 送服하는 것은 益氣和胃安中하는 것을 취하면서 겸하여 涼血할 수 있기 때문에, 產後의 虛를 보호할 수 있을 뿐만 아니라 枳實·芍藥의 消散癰腫하는 것에도 도움이 된다.

2. 芍藥甘草湯(『傷寒論』): 芍藥 甘草 炙 各四兩(各 12 g)

- 用法: 以水三升, 煎取一升, 去滓, 分二次溫服.
- 作用: 養血益陰, 緩急止痛.
- 適應症: 陰血不足, 血行不暢, 腿腳攣急 或 腹中疼痛.

본 방제는 芍藥을 선택하여 養血益陰할 뿐만 아니라 緩急止痛할 수 있으니 一擧兩得이다. 病因과 主症을 조준한 것이므로 君藥이 된다. 臣藥은 炙甘草로 補中益氣함으로써 氣血生化의 근원을 돕고, 별로도 緩急止痛할 수 있기 때문에 芍藥의 緩攣急·止腹痛하는 것을 보조한다. 게다가 兩味를 配伍한 것은 酸甘化陰하는 중요한 藥對 관계로, 補陰血하는 힘이 相得함으로써 더욱 뚜렷해진다.

四逆散·枳實芍藥散·芍藥甘草湯의 세 가지 방제의 구성 중에 모두 芍藥 一味가 있는데, 모두 緩急止痛하는 효능이 있어서 腹痛을 치료한다. 다만 각각 특징이 있는데, 그중 四逆散의 구성은 나중에 나오는 두 방제를 합한 후 별도로 柴胡를 넣은 것으로, 중요함이 疏肝理脾하는 것에 있어서 다스리는 腹痛은 대부분 後重泄利를 동반하고 있으며, 또한 陽鬱不伸해서 생기는 四肢厥逆을 치료하는 대표방이다. 枳實芍藥散은 散中有收하고 行中寓緩하여 產後腹痛 혹은 癰膿을 잘 다스린다. 芍藥甘草湯은 곧 酸甘化陰하는 방제로 緩急止痛시키는 힘이 강하여 많은 종류의 痙攣性疼痛에 대한 치료 효과가 꽤 우수하다.

逍遙散

(『太平惠民和劑局方』卷9)

【異名】逍遙湯(『聖濟總錄』卷163).

【組成】甘草 微炙赤 半兩(15 g) 當歸 去苗, 銼, 微炒 茯苓 去皮白者 白芍藥 白朮 柴胡 去苗 各一兩(各 30 g).

【用法】위의 약재를 粗末로 만들어서 매번 二錢(6 g)씩을 복용하는데, 물 1大盞에 燒生薑 一塊를 切破하고 薄荷를 少許하여 함께 七分이 되도록 달여서 찌꺼기를 제거한 것에 熱服한다. 시간에는 구애받지 않는다(現代用法: 함께 散으로 만들어서 매번 6~9 g을 복용하는데, 煨薑·薄荷 少許를 함께 煎湯하여 매일 3차례 따뜻하게 복용한다. 또한 湯劑로도 만들 수 있는데, 물에 달여 복용하되 용량은 原方의 비율을 참작하여 증감시킨다. 또한 丸劑도 있는데, 매번 6~9 g을 매일 2차례 복용한다).

【效能】疏肝解鬱, 養血健脾.

【主治】肝鬱血虛脾弱證. 兩脇作痛, 頭痛目眩, 口燥咽乾, 神疲食少·或 往來寒熱, 或 月經不調, 乳房脹痛, 舌質淡紅, 脈弦而虛者.

【病機分析】肝은 疏泄을 주관하는데 성질이 條達舒暢하는 것을 좋아하면서 憂鬱한 것을 싫어하기에 그 用은 陽이고, 또한 藏血하는 臟器로 그 體는 陰이다. 이것이 곧 이른바 '肝體陰而用陽'이라는 것이다. 만약 情志가 不暢하면 肝氣가 鬱滯되면서 肝陽이 易亢하므로 항상 陰血을 손상시켜서 血虛에 이르게 된다. 肝이 疏泄하지 못하면 木鬱克土하여 脾가 健運하지 못하므로 血의 化源이 不足하게 되니 血虛가 더욱 심해진다. 그리고 血虛로 養肝하지 못하면 肝鬱이 더욱 심해진다. 이로부터 알 수 있는 것은 본 方證가 가진 肝鬱血虛脾弱 사이의 상호 영향은 서로 因果가 된다는 것이다. 足厥陰肝經은 "布脇肋, 循喉嚨之後, 上入頏顙, 連目系, 上出額, 與督脈會於巔."한다. 血虛하여 길러주지 못하면 口燥咽乾·月經不調하고, 脾弱하여 운화하지 못하면 神疲食少하면서 舌淡·脈弦而虛한 것에 이르는 것이니 모두 肝鬱血虛의 징후이다.

【配伍分析】본 방제는 肝鬱血虛脾弱의 증상을 주치하는데, 다만 중점이 肝氣鬱滯에 있으므로 치료는 疏肝解鬱을 위주로 하면서 養血健脾하는 방법을 배합한다. 방제 중 제일 먼저 柴胡를 선택하여 君藥으로 삼았는데, 목적은 疏肝解鬱하여 肝氣로 하여금 條達시킴으로써 肝의 作用을 회복시키는 것이다. 본 약재의 疏肝시키는 효능은 歷代로 前賢들로부터 推崇을 받았는데, 『滇南本草』卷1과 『藥品化義』에는 "行肝經逆結之氣, 止左脇肝氣疼痛."이라 하였고, "柴胡性輕清, 主升散, 味微苦, 主疏肝."이라고 하여 각각 기록되어 있다. 臣藥은 當歸·白芍藥인데, 두 약재는 모두 肝經으로 들어가서 補血할 수 있어서 함께 사용하면 相得益彰하기에 공통적으로 血虛를 다스리니, 肝體를 길러서 肝用을 도울 뿐만 아니라 柴胡가 肝陰을 빼앗는 것을 방어한다. 별도로 白芍藥은 또한 養陰하여 緩急함으로써 柔肝하고, 當歸는 또한 活血함으로써 柴胡가 肝鬱을 疏泄하는 것을 돕는다. 木鬱하면 土衰하듯이 肝病은 쉽게 脾로 전해지는데, 진실로 仲景이 말한 "見肝之病, 知肝傳脾, 當先實脾."(『金匱要略』)라고 한 것과 같다. 그러므로 白朮·茯苓·甘草로 健脾益氣함

으로써 비단 扶土함으로써 抑木할 뿐만 아니라, 營血 生化의 근원이 됨으로써 當歸·白芍藥의 養血하는 효능을 증가시키므로 함께 佐藥이 된다. 복용법 중에 薄荷를 조금 넣어 肝經의 鬱滯를 疏散透達하고, 燒生薑으로 降逆和中하면서 게다가 辛散達鬱할 수 있기에 역시 佐藥이 된다. 柴胡는 肝經의 引經藥이 되고, 甘草는 調和藥性하므로 또한 使藥의 용도를 겸하는데, 합하여 방제를 만들면『素問』「臟氣法時論」에 나오는 "肝苦急, 急食甘以緩之."라고 하였고, "脾欲緩, 急食甘以緩之."라고 하였으며, "肝欲散, 急食辛以散之."라고 한 뜻에 매우 합당하게 되어, 肝鬱이 疎泄되면서 血虛가 길러지며 脾弱이 회복하게 된다. 본 방제의 配伍 특징은 疏泄시키는 중에 養血이 숨어있어서, 氣血을 함께 돌아보고 肝脾를 함께 조절하는 것에 있다. 본 방제의 方名에 관하여『絳雪園古方選注』卷下에서 일찍이 말하기를 "『莊子』「逍遙遊」注云: '如陽動冰消, 雖耗不竭其本, 舟行水搖, 雖動不傷其內'. 譬之於醫, 消散其氣鬱, 搖動其血鬱, 皆無傷乎正氣也."라고 하였는데, 이 방제를 복용한 후에 肝氣가 條達되면서 鬱結이 解消되고 氣血이 조화로워지면 神情이 기뻐지므로 이렇게 이름 지은 것이다.

【類似方比較】 본 방제는 四逆散과 함께 肝脾失調를 치료한다. 그러나 본 방제는 養血疏肝·健脾和營하여 肝鬱로 血虛하고 脾不健運하여 생긴 兩脇作痛, 寒熱往來, 頭痛目眩, 口燥咽乾 및 月經不調, 乳房脹痛 등 虛實夾雜證을 主治하고, 四逆散은 透邪解鬱·疏肝理脾하는 효능이 있어서 陽氣內鬱로 생긴 四肢厥逆, 或脘腹疼痛, 或泄利下重 등 증상이 實에 편중된 자를 치료한다. 방제를 구성하는 用藥으로 分析해보면 본 방제는 四逆散에서 枳實을 빼고 白朮·茯苓·當歸·薄荷·生薑 등을 넣어 구성한 것으로, 肝鬱血虛脾弱으로 인한 것이기에 만약 여전히 枳實의 下氣를 사용한다면 耗氣의 폐단이 있을까봐 두려워서 제거한 것이다. 또한 目眩頭痛하거나 혹은 月經不調하고 脈弦虛 등 血虛의 증상이 있으므로 當歸의 補血活血·調經止痛하는 약재를 넣었고, 芍藥의 柔肝補血하는 것으로 보조하면서, 薄荷·燒生薑을 넣어 柴胡가 肝氣를 條達하는 것을 돕도록 하고, 白朮·茯苓을 넣어 燒生薑·甘草와 배합함으로써 和中補土시키는 힘을 더욱 증가시킨 것이다. 이와 같이하면 養血健脾하는 힘은 四逆散과 비교한다면 강하지만, 疏肝理脾시키는 기능은 四逆散이 본 방제보다 우수하다.

【臨床應用】

1. 證治要點: 본 방제는 調肝養血하는 대표방이면서 또한 婦人科에서 調經하는 상용방이다. 임상에서 응용할 때에는 兩脇作痛, 神疲食少, 月經不調, 脈弦而虛를 證治의 요점으로 삼는다.

2. 加減法: 肝鬱氣滯가 비교적 심하면 香附子·陳皮를 넣어서 疏肝解鬱하고, 血虛가 심한 자는 熟地黃을 넣어서 養血하고, 肝鬱化火한 자는 牡丹皮·梔子를 넣어 淸熱涼血한다.

3. 逍遙散은 다음 한국표준질병사인분류(KCD)에 해당하는 환자가 肝鬱血虛脾弱證으로 辨證되는 경우 본 처방의 사용을 고려해볼 수 있다.

처방 목표	한국표준질병사인분류(KCD)
慢性肝炎	K73 달리 분류되지 않은 만성 간염
	B18 만성 바이러스간염
肝硬化	K74.1 간경화증
膽石症	K80 담석증
胃及十二指腸潰瘍	K25 위궤양
	K26 십이지장궤양
慢性胃炎	K29.3 만성 표재성 위염
	K29.4 만성 위축성 위염
	K29.5 상세불명의 만성 위염
過敏性大腸症候群	K58 과민대장증후군
胃腸神經症	F45.3 신체형자율신경기능장애
心臟神經症	F45.3 신체형자율신경기능장애
憂鬱症	F30~F39 기분[정동] 장애
經前期緊張症	N94.3 월경전긴장증후군

처방 목표	한국표준질병사인분류(KCD)
乳腺小葉增生	D24 유방의 양성 신생물
更年期症候群	N95.1 폐경 및 여성의 갱년기상태
骨盤腔炎	(질병명 특정곤란)
	N73 기타 여성골반염증질환
	R10 복부 및 골반 통증

【注意事項】 肝鬱은 대부분 情志不遂로 생기는 것이니, 치료할 때에는 모름지기 환자에게 心情을 達觀할 것을 부탁해야 효과를 얻을 수 있을 것이다. 그렇지 않다면 약재는 '逍遙'시켜 주더라도 사람이 逍遙하지 못하는 것이니 마침내 구제할 수 없을 것이다.

【變遷史】 逍遙散은 처음에 『太平惠民和劑局方』에서 나타나는데, 이 방제가 한 번 세상에 알려지면서 곧 調和肝脾하는 세상에 알려진 名方이 되면서 古今 의 학자들의 推崇을 꽤 많이 받았다. 본 방제의 主治에 관하여 原書에는 아래와 같이 기재되어 있으니, "血虛勞倦, 五心煩熱, 肢體疼痛, 頭目昏重, 心忪頰赤, 口燥咽乾, 發熱盜汗, 減食嗜臥. 血熱相搏, 月水不調, 臍腹脹痛, 寒熱如瘧. 及室女血弱陰虛, 榮衛不和, 痰嗽潮熱, 肌體羸瘦, 漸成骨蒸."이라고 하였으며, 이후로 많은 醫書에서 그 적응증에 대하여 다방면으로 보충하였다. 『聖濟總錄』卷150에는 "産後亡陰血虛, 心煩自汗, 精神昏冒, 頭痛."한다고 하였고, 『世醫得效方』卷14에서는 "産後血虛發熱, 感冒潮熱."한다고 하였으며, 『口齒類要』卷1에서는 "血虛有熱, 口舌生瘡."한다고 하였고, 『女科撮要』卷上에서는 "或因勞疫所傷, 或食煎炒, 血得熱而流於脬中, 小便帶血."한다고 하였다. 『保嬰撮要』卷3에서는 "乳母肝脾有熱, 致小兒痘瘡欲靨不靨, 欲落不落."한다고 하였고, 『杏苑生春』卷5에서는 "女子月經來少色淡, 或閉不行."한다고 하였고, 『醫宗必讀』卷6에서는 "血虛小便不禁."한다고 하였고, 『醫家心法』에서는 "肝膽二經鬱火, 以致脇痛頭眩, 或胃脘當心而痛, 或肩背痛, 或時眼赤痛, 連及太陽. 六經傷寒陽證. 或婦人鬱怒傷肝, 致血妄行, 赤白淫·砂淋·崩濁."한다고 하였고, 『醫林纂要探源』卷10에서는 "心肝鬱而致肝癰, 左脇痛, 手不可按, 左脇見紫色而舌靑."한다고 하였고, 『蘭台軌範』卷1에서는 "肝家血虛火旺, 頭痛目眩, 口苦, 倦怠煩渴, 憂鬱不樂, 兩脇作痛, 小便重墜."한다고 하였고, 『羅氏會約醫鏡』卷7에서는 "傷寒火鬱於中, 乾咳連聲而痰不來, 或全無痰."한다고 하였다.

逍遙散의 구성 방면에서 後世 사람들은 이것의 기초상에서 加減하여 化裁한 方劑들이 있는데, 『中醫方劑大辭典』에 근거하면 통계를 내었을 때 80여 개가 있으며, 각과 질환에 확대 발전시켜서 사용하였다. 그중에 영향력이 비교적 큰 것은 당연히 『內科摘要』卷1에 나오는 加味逍遙散을 추천할 수 있는데, 달리 八味逍遙散·丹梔逍遙散 이라고도 불렀으며, 곧 이 방제에 牡丹皮·梔子를 넣어서 淸熱凉血한 것으로 肝脾血虛로 內有鬱熱하여 潮熱晡熱, 自汗盜汗, 腹脇作痛, 頭昏目暗, 怔忡不寧, 頰赤口乾하거나, 婦人이 月經不調하면서 發熱咳嗽하거나 혹은 陰中作痛 혹은 陰門腫脹하거나, 小兒가 口舌生瘡, 遍身瘙癢, 或虛熱生瘡하는 것에 적용하였다.

별도로 上方의 기초상에서 약재를 넣어서 만든 10개의 方劑가 있는데, 이것으로 많은 종류의 병증을 치료하였다. 『慈幼心傳』卷下의 加味逍遙散은 거듭 漏蘆를 넣어 熱毒을 맑게 하였는데, 물에 달여서 子母가 함께 복용하면 乳母의 鬱火나 혹은 厚味로 積熱이 嬰兒에게 전해지면서 小兒가 大便不通 하는 것을 잘 치료하였다. 『治痘全書』卷13의 加味逍遙散은 大棗를 증가시켜 補氣健脾한 것으로 痘瘡으로 氣血이 虛해지면 조금씩 火가 생기면서 氣血을 고르게 조정하지 못하는 자를 전문적으로 치료한다. 『濟陽綱目』卷45의 加味逍遙散은 별도로 鉤藤을 넣어 淸肝息風함으로써 肝火亡血로 手足瘈瘲하거나 血虛有熱로 遍身瘙癢하는 자에게 사용한다. 『辨證錄』卷3의 加味逍遙散은 陳皮·枳殼·天花粉을 증가시켜 理氣淸熱 작용을 강화시킨 것으로, 婦人들의 怒로 인한 發熱로 肝氣橫逆하여 火盛血虧하면서 經來之時에 兩耳出膿, 兩太陽穴作痛, 乳房

脹悶, 寒熱往來, 小便不利, 臍下滿築하는데 대하여 비교적 적당하다. 『胎産秘書』卷上의 加味逍遙散은 燈心草를 증가시켜서 利尿淸心한 것으로 妊娠 중에 小便中帶血하는 것을 주치한다. 『女科指掌』卷1의 加味逍遙散은 香附子를 증가시켜서 疏肝시키는 힘을 강화시킨 것으로 鬱怒傷肝으로 생긴 白濁白淫, 往來寒熱, 脇痛心煩, 面帶靑, 口苦, 脈弦, 小便數에 사용한다. 『醫略六書』卷18·26에는 두 개의 加味逍遙散이 실려 있는데, 前者는 鉤藤·忍冬藤을 증가시켜 淸熱平肝한 것이고, 後者는 蛤殼·白雷丸을 넣어 淸熱殺蟲한 것으로, 女子의 血虛火旺으로 經閉潮熱하는 것과 男子의 陰虛木旺으로 脈弦虛數한 자 및 陰癢으로 脈弦虛數한 것에 분별하여 사용한다. 『雜病源流犀燭』卷1의 逍遙散은 麥門冬·牛膝을 넣어 養陰生津하면서 乾咳를 전문적으로 치료한 것이다. 『韋文貴眼科臨床經驗選』의 逍遙散은 또한 白菊·枸杞子·石菖蒲를 증가시켜 養肝明目한 것으로 目疾에 사용한다.

七情內傷으로 생긴 肝鬱氣滯型이나 혹은 溫熱病 후에 玄府가 鬱閉하여 생긴 양쪽 눈 失明, 예를 들면 眼球後 視神經炎·視神經萎縮·皮質盲(한의학의 靑盲과 가까움)이나, 혹은 갑작스러운 失明, 예를 들어 急性球後視神經炎·視網膜中央動脈阻塞(1일 이내)·視網膜中央靜脈阻塞·視網膜靜脈周圍炎으로 생긴 硝子體出血(한의학의 暴盲과 가까움)이 있다. 게다가 『重訂通俗傷寒論』의 淸肝達鬱湯은 丹梔逍遙散에서 健脾益氣하는 白朮·茯苓를 줄이고, 廣橘白·滁菊花·鮮靑菊葉을 넣어 淸疏肝鬱한 것으로 肝鬱不伸으로 胸滿脇痛하거나 腹滿而痛하고, 심하면 欲泄하되 不得泄하거나 即泄하되 不暢하는 것에 비교적 적당하다.

이외에 逍遙散을 변화 발전시킨 방제로 아직 비교적 상용하는 20여 개가 있다. 예컨대 『聖濟總錄』卷150의 逍遙飮은 장차 본 방제의 白芍藥을 赤芍藥으로 바꾸어 涼血散瘀함으로써 婦人血風血氣, 煩躁口乾, 咳嗽, 四肢無力, 多臥少起, 肌骨蒸熱, 百節疼痛, 心熱, 恍惚憂懼, 頭目昏重, 夜多虛汗 등의 증상에 사용한 것이다. 『醫宗己任篇』卷1의 黑逍遙散은 본 방제에 熟地黃을 넣어 養血益陰시키는 효능을 증가시킨 것으로 肝膽 두 經의 鬱火로 생긴 脇痛頭眩, 或胃脘當心而痛, 或肩胛絆痛, 或時眼赤痛連太陽, 無論六經傷寒, 但見陽症하는 것과 婦人의 鬱怒傷肝으로 血이 妄行하여 생긴 赤白淫閉과 沙淋崩濁의 많은 증상을 주치한다. 『種痘新書』卷10의 逍遙散은 곧 본 방제에 生地黃을 넣어 滋陰淸熱한 것으로써 女子가 줄곧 經閉하여 血海가 이미 말랐는데, 때마침 痘疹을 만나 出痘함으로써 毒氣가 沖任의 사이에 鬱滯되어 二陽並發하면서 熱甚한 자에 대하여 비교적 양호한 치료 효과가 있다. 『外科正宗』卷2의 逍遙散은 본 방제에 香附子·牡丹皮·黃芩(有熱加)을 넣어 疏肝시키는 효능을 강화시킨 것이며, 또한 淸熱散瘀할 수 있어서 婦人血虛, 五心煩熱, 肢體疼痛, 頭目昏重, 心忡頰赤, 口燥咽乾, 發熱盜汗, 食少嗜臥하는데 적당하고, 血熱相搏, 月水不調, 臍腹作痛, 寒熱如瘧하거나 室女血弱, 榮衛不調, 痰嗽潮熱, 肌體羸瘦, 漸成骨蒸하는 것에 사용한다. 『醫方一盤珠』卷5의 加味逍遙散은 곧 본 방제에 香附子·牡丹皮·黃芩·夏枯草·天葵子를 넣어서 淸疏肝氣·祛瘀散結한 것으로써 女子의 月經不調하여 瘰鬁가 생긴 것을 전문적으로 다스린다. 『仙拈集』卷3의 加味逍遙散은 본 방제에 麥門冬·砂仁·大棗를 넣어 養陰健脾한 것으로 婦女의 月水不調로 發熱體倦, 頭痛口乾, 臍疼痛한 것에 사용한다. 『雜病源流犀燭』卷27의 加味逍遙散은 본 방제에 桂皮·山梔를 넣어 淸熱通脈한 것으로 乳岩初期를 주치한다. 『婦科玉尺』卷2의 加味逍遙散은 본 방제에 山梔·生地黃·白茅根을 넣어 淸熱涼血利尿한 것으로 첫 번째 아기를 낳는 產婦가 產門腫脹하면서 혹은 焮痛不閉한 것에 사용한다. 『治疹全書』卷下의 加味逍遙散은 본 방제에 連翹·牡丹皮·生地黃을 넣어 淸熱涼血養陰한 것으로 婦人의 先經後疹 등을 전문적으로 다스린다. 『傅靑主女科』卷上의 加味逍遙散은 곧 본 방제에서 當歸·白朮을 빼고 茵陳·梔子·陳皮를 넣어서 養血健脾의 효능은 약화시키면서 淸熱利濕退黃의 힘을 증가시킨 것으로 婦人의 靑色 帶下로 심한 자는 綠豆汁 같은 것이 黏稠不斷하면서 그 氣

味가 腥臭한 것에 대하여 효과가 비교적 양호하다. 『外科醫鏡』의 逍遙八物湯은 본 방제에 海螵蛸·山藥·肉桂(隨宜加用)를 넣어 健脾益氣·收濕斂瘡한 것으로 婦人의 陰蝕을 전문적으로 다스린다.

『幼科直言』 중에 逍遙散을 변화 발전시킨 방제가 곧 10개가 있으며, 小兒科 病證 중에서 작용을 발휘한 것을 지금 몇 개 선택하여, 약재의 구성으로 접근하여 소개하고자 한다. 書中 卷2에 있는 加味逍遙散은 본 방제에 牡丹皮·石斛·陳皮를 넣어 理氣活血·養陰淸熱한 것으로 痘疹의 前後로 不可補하고 不可涼하며 非虛한 증상에 적합하다. 卷4의 加味逍遙散에는 모두 5개가 있는데, 첫 번째는 본 방제에 陳皮·全蝎·殭蠶을 넣어 息風止痙한 것으로 小兒에게 일종의 慢驚風과 유사하지만 慢驚風이 아닌 증상을 전문적으로 다스리고, 두 번째는 본 방제에 陳皮·白扁豆·神曲·麥芽를 넣어 健脾消食한 것으로 小兒의 脾疳을 主治하며, 세 번째는 곧 본 방제에 白扁豆·砂仁·木香·黃芩을 넣어 健脾理氣·淸熱燥濕한 것으로 小兒의 痢疾體虛로 大便을 보지 못하면서 傳導가 막힌 자를 主治하고, 네 번째는 본 방제에 陳皮·芡實·牡丹皮·白蓬須를 넣어 健脾益腎한 것으로 小兒의 淋證으로 不痛하거나 혹은 久淋不愈한 자를 主治하고, 다섯 번째는 본 방제에 陳皮·黃芩·殭蠶을 넣어 淸熱燥濕·祛風止痛한 것으로 白虎歷節風에 사용한다.

『證因方論集要』卷4의 加減逍遙散은 곧 본 방제에서 白朮을 빼고 荷葉·木耳·貝母·香附子·石菖蒲를 넣은 것으로 疏肝시키는 효능을 증강시킬 뿐만 아니라 化痰開竅할 수 있어서 厥陰의 肝經風熱이 변하여 聤豆抵耳[1]가 된 것을 主治하는데, 이것은 五官科에서 사용한 實例이다.

현대에는 환자를 편리하게 하기 위하여 『全國中藥成藥處方集』(撫順方)에서 본 방제를 逍遙丸으로 바꾸어 제작하였는데, 白芍藥을 赤芍藥으로 바꾸면서 또한 牡丹皮·山梔·香附子를 넣어 疏肝作用을 강화시키면서 별도로 淸熱涼血活血할 수 있게 함으로써 증상은 逍遙散과 유사하지만, 肝鬱이 비교적 심하면서 血熱을 겸하고 있는 자를 主治하고 있다.

【難題解說】

1. 본 方證의 病機와 用藥의 討論에 관한 것: 본 방제는 調和肝脾의 名方이면서 또한 婦人科 調經의 常用方이다. 그 主治證과 病機는 肝鬱·血虛·脾虛의 세 가지가 다 있으면서 또한 相互 因果가 되는 것이다. 肝藏血하기 때문에 條達하는 것을 좋아하면서 疏泄을 주관하는데, 만약 木鬱하여 條達하지 못하면 鬱久하여 火로 변하고 반드시 陰血을 耗傷하게 된다. 이와는 반대로 血虛하면 養肝할 수 없어서 肝氣도 또한 柔和調暢할 수 없는 것이니, 肝鬱하면 血虛를 惹起할 수 있으며, 血虛해도 역시 肝鬱을 야기할 수 있는 것이다. 脾는 生化의 根源으로 升淸을 주관하면서 運化를 담당하고 있다. 肝鬱하면 脾에 영향을 미치면서 脾虛失運에 이르게 되는데 이것이 '木鬱乘土'이고, 脾虛하면 化源이 부족해지면서 血이 養肝할 수 없어서 또한 肝血虛衰를 야기할 수 있으며, 肝木이 柔和條達의 성질을 잃어버리게 되면서 肝鬱에 이르게 되는데 이것이 '土虛木鬱'인 것이다. 그러므로 본 병증을 치료할 때에는 疏肝解鬱·健脾助運이 필요할 뿐만 아니라 養血柔肝도 필요한 것이다. 만약 疏肝理氣하는 것만 알아서 苦辛溫燥한 약재를 대량으로 사용하게 되면 반드시 더욱 陰血을 耗傷하게 되고, 肝은 더욱 燥急해져서 鬱症이 마침내 풀리지 않을 것이다. 총괄하면 본 方證은 正虛에 치우친 것이며 결코 邪實이 아니니, 바로 秦伯未이 『謙齋醫學講稿』에서 설명한 "肝脾兩虛, 木不疏土, 肝既不能疏泄條暢, 脾又不能健運生化, 因而形成鬱象. …… 不可簡單地把它當作疏肝主方."이라고 한 것과 같으니, 秦氏의 설명은 『局方』의 逍遙散 본뜻에 부합하면서 또한 임상 실제와도 서로 꼭 들어맞는다. 다시 본 방제의 用藥을 살펴보면 또한 주로 疏肝·健脾·養血의 세 가지 방면을 포함하고 있는데, 본 방제가 肝鬱血虛하고 脾失健運하는 것을 위하여 설계된 것임을 설명하는 것으로 단순한 疏肝解鬱하는 방제가 아닌 것이다.

2. 柴胡·薄荷의 용량에 관한 것: 본 방제는 疏·養·柔의 세 가지 방법을 하나의 방제 속에 집약시켜 놓은 것으로, 調肝治鬱의 오묘함을 갖추고 있으면서 辛散으로 耗血하는 폐단을 물리친 것이다. 그 이유로는 대개 『醫貫』卷2에서 말한 "方中唯柴胡·薄荷二味最妙, …… 木之所喜."라고 한 것과 같은 것이니, 말 한마디로 그 속에 있는 玄機를 說破하였으니 진실로 名家의 말씀과 같다. 다만 방제 중 柴胡·薄荷 두 가지 약재의 용량은 적은 것이 옳지 큰 것은 옳지 않으니, 柴胡를 重用하면 發散表邪하지만 輕用하면 疏肝解鬱하며, 薄荷를 重用하면 解表發汗하지만 輕用하면 淸肝達鬱하기 때문이다. 그러므로 逍遙散을 응용할 때에는 방제 중에 있는 柴胡·薄荷의 용량을 일반적으로 비교적 가볍게 하여 常用量은 4.5~6 g 정도로 파악하는 것이 마땅하다. 柴胡를 薄荷와 配伍하면 鬱熱을 升散透達시키는 효능을 갖추고 있는데, 만약 芩·連·柏의 종류를 잘못 투여하면 抱薪救火하려는 것과 다를 바가 없어서 燥하게 하여 陰液을 빼앗아 간다.

【醫案】

1. 嘔吐『南雅堂醫案』卷3: 嘔吐가 時作時止하였는데, 매번 嘔吐할 때마다 반드시 다 쏟아내었다. 증상은 肝鬱과 관계있으며, 치법은 開鬱平肝하는 것이 마땅하고, 대체로 木氣가 條達되면 그 질환은 저절로 평안해진다. 逍遙散 사용법을 모방하였다: 柴胡 一錢, 白芍藥 三錢, 白朮 三錢, 當歸身 二錢, 白茯苓 三錢, 陳皮 八分, 甘草 五分, 生薑 兩片.

2. 月經不調『南雅堂醫案』卷8: 經水不調, 咳嗽, 潮熱往來, 骨蒸勞熱, 口乾, 大小便不爽한 것은 血虛로 乾燥하여 그런 것이니 逍遙散을 적용한다.

3. 血風瘡『外科發揮』卷8: 한 부인이 이와 같이 가려워하면서 五心煩熱하였는데 逍遙散을 數劑 복용했더니 그쳤다.

4. 齒痛『校注婦人良方』卷24: 한 부인이 發熱과 함께 齒痛하면서 日晡에 더욱 심하였고 月水가 不調하였는데, 이것은 脾經의 血虛이니 逍遙散에 升麻를 넣은 것을 사용하여 치유하였다. 나중에 怒함으로 인하여 다시 통증이 생겼는데, 여전히 이전의 약재에 川芎을 넣어 완전히 나았다.

考察: 이상 4가지 例는 前賢들이 치료한 것과 관계된 것으로 서술한 것은 비록 간단하지만 숨어 있는 뜻은 명료하다. 醫案1은 肝氣犯胃하여 氣逆作嘔한 것이니 본 방제에 陳皮를 넣어 理氣健脾한 것으로 柴胡의 疏肝을 도울 뿐만 아니라 生薑의 和中도 증가시켜서 肝氣를 調達시키면 胃氣가 自降하면서 증상이 완화되는 것이다. 醫案2의 月經不調는 血虛有熱로 야기되는 것으로 원래 逍遙散의 主治 범위에 속한다. 醫案3과 醫案4는 본 방제의 原意를 확대하여 應用한 것과 관계된 것으로 모두 婦人이 앓는 것이다. 婦女의 질병은 대부분 肝鬱과 관련있는데, 특별히 醫案4에는 月經不調를 동반하고 있으며, 나은 후에 또한 怒함으로 인하여 再發하므로 모두 逍遙散으로 化裁하여 효과를 얻었다.

5. 鬱證『歷代名方精編』: 某 여자, 60세, 농민. 1977년 6월 25일 初診: 지난달에 조카를 잃으면서 슬피 통곡하여 병을 얻었는데, 우측 脇部 및 中脘이 脹滿하면서 음식물을 먹으려는 생각이 적었고, 좌측 關脈이 弦하면서 나머지는 모두 緩하였으며 舌苔糙膩하였다. 이것은 鬱證에 속하니 치료는 逍遙散의 방법이 마땅하다. 方用: 柴胡 4.5 g, 炒當歸 9 g, 炒白芍藥 9 g, 炒白朮 9 g, 茯苓 12 g, 甘草 3 g, 丹皮 6 g, 黑山梔 9 g, 香附子 9 g, 鬱金 9 g, 靑陳皮 各 6 g, 生大麥芽 30 g. 4첩.

6월 30일 復診: 脘脇이 脹滿한 것은 뚜렷하게 호전되었고, 음식물 먹는 것이 증가하였으며, 脈緩, 苔薄白하였다. 다시 이전의 방법을 사용하여 조리를 잘 하였다. 前方에 丹皮·黑山梔를 빼고 佛手 4.5 g을 넣어 다시 5첩을 복용한 후에 안정되었다.

考察: 高齡인데 조카를 잃으면서 슬피 통곡하여 肝木이 條達하지 못하면서 肝體가 柔和를 잃어버려 肝氣鬱滯에 이르게 되고, 또한 肝病은 脾로 傳해지면서 肝脾不和의 증상을 나타내므로 우측 脇部 및 中脘에 脹滿이 나타나면서 음식물을 먹으려는 생각이 적어지는 것이고, 좌측 關脈이 弦하면서 나머지는 모두 緩하고 舌苔糙膩한 것도 역시 肝脾不和의 징후이다. 치료는 당연히 疏肝解鬱·養血健脾해야 한다. 방제로는 逍遙散을 사용하여 化裁하였는데, 牡丹皮·山梔子를 넣어 熱로 변화하려고 潛伏되어 있는 것을 막았고, 香附子·鬱金·靑陳皮·生大麥芽를 넣어 疏肝理氣化滯시키는 효능을 증가시켰다. 방제와 증상이 맞아 떨어지기에 저절로 調理 하면서 안정된 것이다.

6. 黑色症『中國現代名中醫醫案精華』: 某 여자, 36세. 初診: 1979년 10월 13일. 主訴: 2년 전에 顔面이 黑色으로 변하더니 점차 加重되어 顔面·口唇·齒齦에 모두 흑색이 나타났다. 肢體疲倦, 食欲不振, 양쪽 肋部 및 양측 太陽穴이 때때로 아프다. 某 醫院에서 內科診斷을 하였더니 애디슨씨병이라고 하였는데, 치료해도 효과가 없어서 한의학으로 轉科하여 진료하였다. 診査: 최근에 검사한 尿17~羥은 3.5 mg/24h였다. 面部의 顔色에 黑色이 발생하면서 乾燥하였고, 口唇·齒齦이 모두 黑色이 나타났으며, 더욱이 額部 및 眼周圍가 심하면서 耳廓도 또한 黑色이 나타났다. 形體消瘦, 神情疲憊, 舌苔白薄하였으며, 舌에도 많은 黑斑이 있었다. 語言淸利, 氣息不足, 腹部柔軟, 無壓痛, 肝脾未捫及하였고, 脈沉緩無力하였다. 辨證: 黑色症이다. 증상은 肝鬱脾虛로 水反侮土하는 것에 속한다. 治法: 疏肝健脾하여 實土制水하면 色素가 消退한다. 逍遙散에 保元湯을 합하여 加味하였다. 處方: 當歸 10 g, 白芍藥 10 g, 茯苓 10 g, 白朮 9 g, 甘草 9 g, 柴胡 9 g, 黃芪 10 g, 黨參 10 g, 白芷 10 g, 川芎 12 g, 白殭蠶 9 g, 白鮮皮 10 g. 매일 1첩씩 물에 달여 복용하였다. 上方藥을 3첩 복용하였더니 頭痛이 그치고 手足心熱이 출현하였다. 原方에 胡黃連 9 g을 넣어 3첩을 복용하였더니 兩脇痛 및 手足心熱은 消失하였지만, 胃中嘈雜이 출현하였고 午後에 疲倦가 심하였으며 頭痛, 脈沉細하였다.

10월 20일 原方에서 殭蠶·胡黃連·白芍藥을 빼고, 蒼朮 10 g·升麻 6 g(補中益氣湯)을 넣어 연속해서 15첩을 복약하였다.

11월 3일 다시 진찰했을 때 肢體疲倦이 뚜렷하게 호전되면서 頭疼도 소실되었고, 顔面·口唇·齒齦의 黑色이 모두 뚜렷하게 옅어졌으며, 舌上의 黑斑이 消退하였고, 脈象도 沉細에서 緩而有力으로 전환되었는데, 다만 項部의 긴장감을 느꼈고 尿17~羥은 4.9 mg/24h였다. 효과가 있었기에 방제를 바꾸지 않고 上方에 葛根 15 g을 넣어 3첩을 복용한 후에 項部의 긴장감이 소실되었으며, 다시 또한 腹脹하여 原方에 大腹皮 9 g을 넣어 다시 9첩을 복용하였더니 腹脹이 消失되고 顔面·口唇·齒齦의 黑色이 대체로 사라졌기에 계속해서 原方藥을 16첩 복용하였다.

1979년 12월 11일 다시 진찰했을 때 精神적인 疲倦이 消失되었고, 食欲胃納이 좋아지면서 形體가 풍성하고 기름졌으며, 脈沉緩한 것이 有力으로 전환되었고, 顔面·口唇·齒齦의 黑色이 완전히 사라졌고 面色이 紅潤해졌다. 여기에까지 이르러 治愈하였으니 原方藥을 다시 6첩 복용하여 치료 효과를 鞏固하게 하였다. 그 후에 5년 동안 방문하여 물어보았는데 재발하지 않았다.

考察: 본 예의 黑色症은 현대의학에서는 에디슨병으로 진단하는데, 이것은 부신피질기능저하로 말미암아 생기는 皮膚의 色素沉著이다. 한의학의 辨證으로 본다면 前期에는 肝鬱脾虛가 위주가 되면서 後期에는 脾胃氣虛가 위주가 된다. 逍遙散·補中益氣湯 등의 方藥에 加味하여 치료하면 효과를 거둘 수 있다. 肝鬱脾虛를 辨證하는 요점은 兩脇時痛, 精神疲倦, 食欲不振, 形體消瘦, 氣息不足, 脈沉緩無力한 것이다. 水反侮土하면 面色이 검게 변하는데, 이것은 五行學說의 이론을 운용하여 分析과 辨證을 진행한 것이다. 치료

효과로 볼 것 같으면 확실히 補土制水함으로써 色素를 퇴색시키는 효과를 거두어들일 수 있다. 逍遙散·補中益氣湯의 두 방제에 모두 白芷·川芎·白鮮皮의 세 가지 약재를 넣은 것은 散風活血除濕하여 實土制水하는 효능을 도움으로써 顏面의 黑色 色素沉著의 사라짐을 촉진시키는 것이다.

7. 乳癖(乳房小葉增生症)『醫話醫論薈要』: 南京에 있는 한 여성 환자, 나이 40여 세. 양쪽 乳房 중에 모두 杏仁 크기의 結塊가 거듭 쌓여있었고, 매번 月經이 오기 전에 乳房이 脹痛하면서 참기 힘들어서 南京으로 치료받으러 왔는데, 各 醫院의 의견이 일치하면서 '乳房小葉增生'으로 진단하였으며, 장차 惡性으로 변화할 우려가 있다고 하면서 수술 치료를 동원하려고 하였다. 환자가 수술을 두려워하면서 나에게 치료받으러 왔다. 그 脈證을 관찰해보니 肝脾不和에 속함을 알 수 있었고, 痰氣가 鬱結해서 생긴 것이다. 따라서 逍遙散에 丹皮·夏枯草를 넣은 것에 小金丹을 배합하여 치료하였다. 30여 劑와 小金丹 300粒을 복약한 후에 乳中의 結核이 대부분 소실하였으며, 오직 월경 전에 乳房이 조금 脹痛한 것을 느꼈다. 그러므로 여전히 前方을 經前에 3~5첩 복용할 것을 부탁하였고, 평상시에는 계속 小金丹을 복용하도록 하였는데 지금까지 5년이 지나는 동안 惡性으로 변하지 않았다.

8. 痢疾並發尿閉『中國現代名中醫醫案精華』: 某 여자, 30세. 初診: 1962년 8월 6일. 主訴: 스스로 말하기를 痢疾로 某 醫院에 입원하였는데, 치료를 거치면서 病勢는 점점 輕減하면서 粘液性 血便의 횟수는 減少하였는데, 다만 小便이 點滴不通하다가 점점 閉塞에 이르러서 매번 카테타에 의지하여 배출시켰다. 환자는 精神이 憂鬱해지면서 계속해서 슬퍼서 울었다. 마침내 노련한 의사에게 진단하게 요청하여 韓藥을 복용하여 치료하였다. 診査: 현재의 증상은 이전과 같다. 表情이 고통스러웠고 양쪽 顴部가 微紅하였으며, 脈弦數, 苔黃邊白而膩하였다. 辨證: 이것은 濕熱이 蘊積하여 肝鬱氣滯한 것인데, 鬱하면 下陷하여 膀胱에 熱이 축적되면서 下焦를 約束한 것으로, 熱이 심하면 結澀하므로 小便閉塞하게 한 것이다. 증상은 痢疾에 尿閉가 합병증으로 발생한 것이다. 治法: 疏肝燥脾滋腎하고 利濕淸熱한다. 방제로는 丹梔逍遙散에 滋腎丸을 합한 復方으로 주관한다. 處方: 柴胡 6 g, 當歸 9 g, 白芍藥 9 g, 白朮 9 g, 茯苓 12 g, 丹皮 6 g, 梔子 9 g, 黃柏 9 g, 知母 9 g, 上桂 6 g, 滑石 9 g, 甘草 3 g, 升麻 6 g, 車前子 12 g.

二診: 위의 약제를 2첩 복용한 후에 카테타를 뽑아도 능히 스스로 排尿할 수 있었고, 大便의 횟수가 매일 2차로 감소하였으며 黏液은 보이지 않았다. 上方을 고수한 상태에서 上桂·滑石을 빼고 계속 복용하였다.

三診: 고친 方藥을 2첩 복용한 후에 大便은 正常이고 小便은 頻數하였다. 이것은 濕熱이 완전히 제거되지 않으면서 下元腎虛한 것이다. 縮泉丸·導赤散으로 방제를 바꾸어 通澀을 함께 사용하여 치료하였다.

四診: 바꾼 方藥을 연속해서 2첩 복용한 후에 모든 증상이 소실되면서 완전히 나아서 퇴원하였다.

考察: 본 醫案은 濕熱痢疾인데 痢下로 陰液이 손상되면서 陽亢熱盛에 이르게 되고, 겸하여 肝鬱下陷하여 膀胱으로 熱이 옮겨지면서 水熱結聚하여 氣化不行하므로 小尿 閉塞에 이르게 된 것이다. 그러므로 丹梔逍遙散·滋腎通關丸을 사용하여 疏肝理氣·淸熱滋腎·通利膀胱하면 小便을 능히 스스로 배출할 수 있는 것이다.

【副方】

1. 加味逍遙散(『內科摘要』卷下): 當歸 芍藥 茯苓 白朮 炒 柴胡 各一錢(各 3 g) 牡丹皮 山梔 炒 甘草 炙 各五分(各 1.5 g)

• 用法: 水煎服.
• 作用: 疏肝解鬱, 養血健脾, 淸熱涼血.

- 適應症: 肝脾血虛, 內有鬱熱. 潮熱晡熱, 自汗盜汗, 腹脇作痛, 頭昏目暗, 怔忡不寧, 頰赤口乾. 婦人月經不調, 發熱咳嗽. 或 陰中作痛, 或 陰門腫脹. 小兒口舌生瘡, 胸乳膨脹. 外證遍身瘙癢, 或 虛熱生瘡.

이 방제는 逍遙散에 牡丹皮·梔子를 넣어 구성한 것으로 後世에서는 또한 丹梔逍遙散이라고도 부른다. 牡丹皮·梔子의 두 가지 약재는 모두 淸熱涼血할 수 있는데, 그중에 梔子는 더하여 瀉火除煩할 수 있고, 牡丹皮도 또한 活血散瘀할 수 있다. 主治가 비록 逍遙散證과 유사하지만 鬱火를 겸하여 가지고 있는 자에게 더욱 적당하다.

2. 黑逍遙散(『醫宗己任篇』卷1): 逍遙散에 熟地黃을 넣은 방제.

- 用法: 물에 달여 찌꺼기를 제거하고 조금 따뜻하게 복용한다.
- 作用: 疏肝健脾, 養血調經.
- 適應症: 肝膽兩經鬱火, 以致脇痛頭眩, 或 胃脘當心而痛, 或 肩胛痛, 或 時眼赤痛, 連太陽, 無論六經傷寒, 但見陽證. 婦人鬱怒, 致血妄行, 赤白淫閉, 沙淋崩濁等症.

본 방제는 逍遙散에 熟地黃을 넣어 補血作用을 강화한 것이다. 逍遙散證이면서 血虛가 비교적 심한 자에게 사용한다. 만약 血虛有熱한 자는 熟地黃을 마땅히 生地黃으로 바꾸어야 한다.

痛瀉要方

(『丹溪心法』卷2)

【異名】 白朮芍藥散(『古今醫統大全』卷35)·白朮防風湯(『葉氏女科』卷2)·防風芍藥湯(『不知醫必要』卷3).

【組成】 白朮 炒 三兩(90 g) 芍藥 炒 二兩(60 g) 陳皮 炒 一兩五錢(45 g) 防風 一兩(30 g)

【用法】 이상의 약재를 細切하여 8번에 나누어 복용하는데, 물에 달이거나 혹은 丸으로 만들어 복용한다(現代用法: 湯劑로 만들어서 물에 달여 복용하는데, 용량은 原方에 比例하여 적당하게 줄인다).

【效能】 補脾柔肝, 祛濕止瀉.

【主治】 脾虛肝鬱之痛瀉. 腸鳴腹痛, 大便泄瀉, 瀉必腹痛, 舌苔薄白, 脈兩關不調, 左弦而右緩者.

【病機分析】 腹痛泄瀉가 형성되는 원인은 상당히 많지만, 본 方證은 土虛木乘으로 肝脾不和하여 脾가 肝의 制約을 받음으로써 運化를 하지 못하여 생기는 것이다. 바로 『素問』「氣交變大論」에서 말한 "歲木太過, 風氣流行, 脾土受邪. 民病飧泄·食減·體重·煩冤·腸鳴·腹支滿."한다는 것이나 『素問』「擧痛論」에서 말한 "怒則氣逆, 甚則飧泄."한다는 것과 같은 것으로, 그 특징은 泄瀉하면서 반드시 腹痛하고, 泄瀉한 후에는 痛症이 감소한다는 것이다. 대부분 脾虛肝鬱하여 性情이 躁急한 환자에게 많이 보이는데, 매번 情緖적인 영향으로 발작을 일으킨다. 肝은 疏泄을 주관하고 脾는 運化를 주관하여 상호 협조하면 氣機가 通暢하여 運化가 자유자재하다. 만약 脾氣가 虛弱하면 肝鬱하여 도달하지 못하기에 肝脾가 반드시 화해하지 못하면서 脾의 升降·運化와 小腸의 受盛과 大腸의 傳導가 모두 정상적인 기능을 잃어버리게 된다. 脾虛하므로 泄

瀉하고 肝鬱하므로 痛症이 있는 것이니, 곧 『醫方考』卷2에서 말한 "瀉責之脾, 痛責之肝. 肝責之實, 脾責之虛. 脾虛肝實, 故令痛瀉."라고 한 것과 같은 것으로, 肝脾의 按脈은 兩關에 있으니 肝脾不和한 까닭으로 그 脈이 兩關이 不調하면서 弦은 肝實이 주관하고 緩은 脾虛가 주관하는 것이며, 舌苔薄白 또한 脾虛의 징후인 것이다. 腹痛泄瀉 이외에 때때로 食欲不振이나 脘腹微脹과 함께 大便 중에 완전히 소화되지 않은 음식물이 끼여 있는 것을 보일 때가 있는데 모두 脾虛肝實로 말미암아 생기는 것이다.

【配伍分析】 痛瀉는 肝旺脾虛에서 생기는 것이므로 방제 중에 白朮의 苦甘而溫을 重用하여 補脾燥濕함으로써 土虛를 치료하는 것이니 이것이 君藥이 된다. 白芍藥은 酸寒하면서 柔肝緩急止痛하기에 白朮과 서로 配伍하면 土中瀉木하는데, 陳士鐸이 말하기를 "夫平肝之藥, 舍白芍實無第二味可代."(『辨證錄』卷2)라고 하였으므로 臣藥이 된다. 陳皮는 辛苦而溫하면서 理氣燥濕하고 健脾和胃하기에 佐藥이 된다. 더욱 오묘한 것은 防風에 있으니 오로지 肝脾 두 개의 臟으로 귀경하는데, 辛味는 능히 肝鬱을 疏散시킬 수 있으니 바로 『素問』「臟氣法時論」에서 말한 "肝欲散, 急食辛以散之."라고 한 것과 같고, 香은 능히 脾氣를 舒暢시키면서 또한 脾經의 引經藥이 되기에 그 성질이 升浮하여 勝濕止瀉할 수 있으므로 佐使의 용도를 겸하여 갖추고 있다. 네 가지 약재가 서로 합해지면 脾健肝舒하게 만들어서 氣機가 調暢되면서 痛瀉가 저절로 그치는 것이다. 전체 방제는 補緩하는 중에 疏散하는 것이 깃들어 있는 配伍 특징을 갖추고 있다. 방제는 주로 '痛瀉'를 치료하므로 '痛瀉要方'이라고 이름 붙인 것이고, 또한 방제 중에 白朮·白芍藥이 있어 君臣으로 서로 배합하였으므로 '白朮芍藥散'이라고도 칭하는 것이다.

【臨床應用】

1. 證治要點: 본 방제는 腹痛泄瀉를 치료하는 要方으로, 腸鳴腹痛, 大便泄瀉, 瀉必腹痛, 脈左弦而右緩을 證治의 요점으로 삼는다.

2. 加減法: 久瀉인 자는 脾氣虛餒하여 淸陽下陷한 것이니 炒升麻를 넣어 升陽止瀉하고, 舌苔黃膩한 자는 濕久鬱熱한 것이니 黃連을 넣어 淸熱시킨다.

3. 痛瀉要方은 다음 한국표준질병사인분류(KCD)에 해당하는 환자가 脾虛肝鬱證으로 辨證되는 경우 본 처방의 사용을 고려해볼 수 있다.

처방 목표	한국표준질병사인분류(KCD)
急性腸炎	K52 기타 비감염성 위장염 및 결장염
	A09 감염성 및 상세불명 기원의 기타 위장염 및 결장염
慢性結腸炎	K52 기타 비감염성 위장염 및 결장염
	A09 감염성 및 상세불명 기원의 기타 위장염 및 결장염
潰瘍性結腸炎	K51 궤양성 대장염
過敏性大腸症候群	K58 과민대장증후군
神經性泄瀉	F45.3 신체형자율신경기능장애

【注意事項】 마땅히 傷食으로 인한 痛瀉와 서로 鑒別해야 하는데, 만약 傷食으로 腹痛이 있는 자라면 본 방제를 사용하는 것이 마땅하지 않다.

【變遷史】 본 방제는 『丹溪心法』卷2에 최초로 보이는데, 다만 방제의 명칭은 아직 나타나지 않았었다. 『醫學正傳』卷2에 본 방제가 수록될 때에는 그것을 '痛泄要方'이라고 불렀으며, 아울러 이것은 劉草窗이 사용한 것이라고 말하였는데, 吳昆의 『醫方考』卷2에서 비로소 '痛瀉要方'으로 改名하게 된 것이다. 『古今醫統大全』卷35에서 본 방제를 인용할 때 그 명칭을 '白朮芍藥散'으로 바꾸었는데, 의도는 두 가지 약재가 방제 중에서 補脾瀉肝하는 주요한 작용이 있음을 강조하기 위한 것이었지만, 후대 사람들은 여전히 '痛瀉要方'이라는 이름을 습관적으로 사용하면서, 무릇 痛瀉의 증상을 치료할 때에는 모두 본 방제의 制劑를 따랐던 것이다.

본 방제의 主治에 관하여 『丹溪心法』卷2에서는 겨

우 '痛泄'만 지적하였는데, 『醫林纂要探源』卷6에서는 그 病因·病機를 더 나아가 분명하게 하면서 "肝木乘脾, 痛瀉不止."라고 하였다. 지금의 사람인 李克紹는 痛瀉要方을 平肝止瀉法의 代表方으로 인식하여 "治痙攣性泄瀉, 痛一陣, 瀉一陣, 脈弦."을 잘 다스린다고 하였고, 또 말하기를 "不論是新病或常年久病, 也不論是不是瀉在五更, 只要見有脈弦, 或兼痙攣性腹痛, 或其他能說明是肝氣太强的症狀, 就可以采用平肝法來止瀉."(『腸胃病漫話』)라고 하였다. 焦樹德의 經驗으로는 "我常用此方合四神丸·附子理中湯, 治療老年人年久泄瀉, 每到淸晨腹中雷鳴·脹痛, 赶緊上廁, 瀉後腹痛即覺舒適, 白天或再小瀉十二次. 如遇生氣則病勢加重, 腹中陣陣作痛, 每痛必瀉, 瀉後痛減, 食欲不振, 飯後遲消, 四肢乏力, 舌苔較白, 脈象弦細或弦滑, 重按無力. 大便化驗陰性, 結腸檢查無器質性改變."(『方劑心得十講』)라고 하였는데, 이상의 論述들은 임상에서 의의가 있다.

【難題解說】

1. 痛瀉와 傷食瀉의 구별에 관한 것: 본 방제가 치료하는 痛瀉의 증상은 泄瀉 후에 痛症이 비록 조금 완만해지지만, 잠깐 있으면 또 腹痛하면서 泄瀉하는 것으로 症狀이 감소하지 않고 반복해서 발작하는 것이다. 肝旺하면서 躁急한 환자에게서 많이 볼 수 있는데, 매번 情緖적인 영향으로 인해서 반복 발작하는 것이다. 痛瀉를 제외하고도 食欲不振이나 脘腹作脹과 함께 大便 중에 불완전하게 소화된 음식물이 섞여 있는 것을 볼 수 있기에 매우 쉽게 傷食瀉로 誤診할 수 있다. 다만 傷食으로 인한 腹痛은 泄瀉를 하면 곧바로 痛症이 사라지는 것으로 변별할 수 있다. 吳昆은『醫方考』중에서 또한 일찍이 감별법을 제시하였는데, "傷食腹痛, 得瀉便減, 今瀉而痛不減, 故責之土敗木賊也." 라고 하였고, 李克紹는 痛瀉와 傷食瀉를 묘사하는데 있어서 더욱 구체적으로 하였는데, 이른바 痛瀉는 "痙攣性腹痛泄瀉, 痛一陣, 瀉一陣, 脈弦."이라고 하였고, 傷食瀉는 곧 "常噯出腐敗難聞的傷食氣味, 腹中鳴響, 連連放屁, 瀉出的稀糞之中, 尚兼有未消化好的硬塊."(『腸胃病漫話』)이라고 하였으니 경험담이라고 말할 수 있을 것이다.

2. 본 方證은 이미 脾虛木乘에 속하는데 어찌하여 柴胡를 사용하지 않고 防風을 사용하는 것인가? 이것의 이유는 ① 防風은 辛味로 散肝하는데,『素問』「臟氣法時論」에서 말하기를 "肝欲散, 急食辛以散之."라고 하였으니, 肝風을 수색하여 風邪를 제거하며, 白芍藥을 도와 調肝함으로써 肝으로 하여금 乘脾하지 못하게 한다. ② 防風은 脾胃로 引經하는 약재이니, 예를 들어 李杲가 말하기를 "若補脾胃, 非此引用不能行."이라고 하였다. ③ 風은 勝濕할 수 있기에 防風에는 祛風勝濕하는 효능이 있으며, 다시 그 성질이 升浮하기에 升陽함으로써 止瀉시킬 수 있다. 본 方證은 肝鬱脾虛한 것인데, 柴胡는 疏肝하면서 性燥하여 止瀉시키는 효능은 없지만, 防風은 散肝하면서 性潤하여 능히 肝脾不和로 인한 痛瀉를 치료할 수 있으므로 방제 중에서 柴胡를 사용하지 않고 防風을 사용한 것이다.

【醫案】

1. 五更瀉『腸胃病漫話』: 某 남자, 청년 職工. 매일 五更 날이 밝지 않았을 때 반드시 腹痛하면서 痛症이 있으면 곧바로 泄瀉하였는데, 泄瀉한 후에는 痛症이 잠깐 감소하였으며, 곧 다시 痛증이 있으면서 다시 泄瀉하였다. 脈弦, 舌淡紅, 苔薄黃하였다. 질병의 경과는 4개월 되었는데, 많은 四神丸·健脾藥·固澀藥을 복용하였지만 전부 효과가 없었다. 나는 그것을 위하여 痛瀉要方을 처방하였다: 白朮 15 g, 白芍藥 15 g, 防風 9 g, 陳皮 9 g, 生薑 二片, 睡前服下.

첫 번째 藥劑를 복용하였더니 泄瀉가 다음날 11시로 미루어졌으며, 大便이 이전에 비해서 조금 건조하였지만 泄瀉할 때 여전히 腹痛은 있었다. 계속해서 두 번째 藥劑를 복용하였더니 泄瀉가 오후 5시쯤으로 미루어졌는데, 泄瀉의 양이 적었고 痛症이 크게 감소하였으며 大便도 이미 형태를 갖추었다. 이후에 토마토를 많이 먹음으로써 또 泄瀉를 5更에 하게 되었는데, 前方

에 木香·吳茱萸를 넣어 완전히 나았다.

2. 泄瀉『歷代名方精編』: 某 남자, 40세, 보조 기사, 1984년 11월 5일 初診. 泄瀉한 지 1개월 남짓 되었는데, 泄瀉 전에 少腹脹痛하였지만 泄瀉 후에는 腹痛이 완화되었고, 脈虛弦, 苔略膩하였다. 脾虛肝旺한 것이니 치료는 痛瀉要方이 마땅하다. 方用: 炒白朮 10 g, 炒白芍藥 10 g, 炒陳皮 6 g, 炒防風 6 g, 淡吳萸 2 g, 川連 3 g, 焦六曲 12 g, 茯苓 12 g, 車前子 12 g.

11월 20일 復診: 前方을 14첩 복용하고 腹痛泄瀉는 이미 나았으나, 다만 大便이 先乾後溏하였으며 脘腹不舒하였고, 脈緩, 苔略黃膩하였다. 脾虛가 아직 회복되지 않은 것이니 치료는 健脾和中하는 것이 마땅하다. 蔘苓白朮散에서 蓮肉·桔梗을 빼고 川連·煨木香·焦六曲·炒穀麥芽를 넣은 것으로 바꾸어 사용하였다.

11월 28일 三診: 이 방제를 7첩 복용했는데도 효과가 없으면서 여전히 痛瀉, 脘腹不舒, 左關脈弦, 舌苔略膩하였다. 肝鬱脾虛한 것이니 다시 痛瀉要方에 逍遙散을 합방하여 調和肝脾하였다. 方用: 炒白朮 10 g, 炒白芍藥 10 g, 炒陳皮 6 g, 防風 6 g, 柴胡 4.5 g, 炒當歸 6 g, 茯苓 12 g, 炙甘草 3 g, 薄荷 3 g, 煨薑 三片. 환자가 연속해서 7첩을 복용하고 나서 기쁘게 와서 알려주기를 痛瀉가 이미 나았고 脘腹도 쾌적해졌다고 하였다.

考察: 醫案1은 泄瀉가 비록 매번 五更時에 발생하였지만, 前醫들이 일찍이 四神丸 등을 사용하여도 효과를 보지 못하였는데, 作者가 辨證하기를 痛症이 있으면서 바로 泄瀉하고 泄瀉한 후에는 痛症이 잠시 감소하며 脈弦한 것을 要點으로 하여 痛瀉要方을 응용하였더니 2첩 후에 大便이 형태를 갖추게 되었다. 醫案2는 泄瀉한 지 1개월 남짓 되었는데, 脾虛肝旺으로 진단하여 본 방제에 가미하여 사용하여 대략 호전된 후에 蔘苓白朮散에 加減한 것으로 바꾸어 사용하여 효과를 보지 못하였는데, 이후에 다시 痛瀉要方에 逍遙散을 합방한 것으로 치유된 것으로, 慢性疾病을 치료할 때에는 쉽게 방제를 바꾸어서는 안 됨을 설명하는 것이다.

第三節 調和脾胃劑

半夏瀉心湯

(『傷寒論』)

【異名】 瀉心湯(『備急千金要方』 卷10).

【組成】 半夏 洗 半升(12 g) 黃芩 乾薑 人蔘 各三兩(各 9 g) 黃連 一兩(3 g) 大棗 擘 十二枚(四枚) 甘草 炙 三兩(9 g)

【用法】 이상 7개 약재를 물 一斗에 달여서 六升을 취하고, 찌꺼기를 버리고 다시 달여서 三升을 취하여 매일 세 번 복용한다.

【效能】 寒熱平調, 消痞散結.

【主治】 胃氣不和之痞證. 心下痞, 但滿而不痛, 或嘔吐, 腸鳴下利, 舌苔膩而微黃.

【病機分析】 본 방제가 다스리는 痞證은 원래 小柴胡湯證을 誤下한 것과 관계되는데, 손상이 中陽에 미치면서 陽虛則寒하게 되고, 邪熱이 虛한 틈을 타고 침입하면서 寒熱錯雜·虛實相兼하게 되며, 邪氣가 中焦에 모이면서 드디어 局部가 堵塞不舒한 감각을 느끼면서 痞硬을 형성하는 것이다. 邪氣가 無形에 속하기 때문에 滿而不痛한 것이고, 脾胃失和하여 升降失常하면

嘔吐와 腸鳴下利가 나타나는 것이며, 苔膩而微黃은 胃氣不和의 징후에 속한다.

【配伍分析】 본 방제의 適應證의 病機는 매우 복잡하여 이미 寒熱錯雜이 있을 뿐만 아니라 또한 虛實相兼하면서 中焦不和와 升降失常에까지 이르고 있다. 그럼에도 불구하고 실제로 邪熱이 內陷한 것이 위주가 되므로 방제에서는 黃連을 君藥으로 선택하였으니, 이 약재는 苦降寒淸하여 이로써 內陷한 熱邪를 瀉下하므로 病因이 제거되면 胃氣는 저절로 조화로워지는 것이다. 흡사 『本草正義』卷2에서 말한 "黃連大苦大寒, 苦燥濕, 寒勝熱, 能泄降一切有餘之濕火, 而心·脾·肝·腎之熱, 膽·胃·大小腸之火, 無不治之. 上以淸風火之目病, 中以平肝胃之嘔吐, 下以通腹痛之滯下, 皆燥濕淸熱之效也."라고 한 것과 같다. 黃芩은 性能이 黃連과 가까우니 寒淸苦降하는 효능을 증강시킨다. 『本草圖經』卷6에서 일찍이 말하기를 "張仲景治傷寒心下痞滿, 瀉心湯四方皆用黃芩, 以其主淸熱, 利小腸故也."라고 하였으니 이것이 臣藥이 된다. 半夏·乾薑은 모두 辛開하는 약재로 함께 사용하면 능히 散結消痞할 수 있는데, 그중에 半夏는 味苦하면서 또한 降逆止嘔하기에 黃連과 서로 配伍하면 和胃의 효능이 더욱 좋아진다. 『醫學啟源』卷下에서 말하기를 "大和胃氣, 除胃寒, 進飮食."이라고 하였고, 張壽頤도 역시 말하기를 "半夏味辛, 辛能泄散, …… 辛以開泄其堅滿, 而滑能降達逆氣也."(『本草正義』卷7)라고 하였다. 半夏·乾薑은 성질이 모두 溫熱하기에 또한 散寒할 수도 있다. 『傷寒來蘇集』「傷寒附翼」卷上에서 말하기를 "生薑能散水氣, 乾薑善散寒氣, 凡嘔後痞硬, 是上焦津液已乾, 寒氣留滯可知, 故去生薑而倍乾薑."이라고 하였으니, 두 가지 약재도 역시 臣藥이 된다. 다시 人蔘·大棗·甘草를 사용하여 補中益氣하였으니, 이로써 下後에 損傷된 胃氣를 調養하는 것이며, 별도로 黃芩·黃連의 苦寒한 약재가 傷陽하는 것을 방지할 뿐만 아니라 半夏·乾薑의 辛熱한 약재가 傷陰하는 것도 방지하기에 함께 佐藥이 된다. 그리고 甘草는 더욱이 調和諸藥할 수 있으므로 使藥의 용도로도 겸하고 있다. 전체 방제를 종합해서 관찰해보면 黃連·黃芩은 苦寒하여 降泄淸熱하고, 半夏·乾薑은 辛溫하여 開結散寒하며, 人蔘·大棗·甘草는 甘溫하여 益氣補虛한다. 모든 약재를 함께 사용하면 장차 心下에 모여 있는 邪氣가 橫疏縱暢하면서 중초에서 운행되기에 곧 痞滿易消하고 淸升濁降하면 吐瀉는 저절로 그치는 것이다. 별도로 黃連·黃芩·半夏는 味苦하여 또한 燥濕할 수 있으니, 만약 胃에 濕熱 혹은 濕痰이 있는 자에게 매우 적합하다. 총괄하면 寒熱並用하고 苦降辛開하며 補瀉兼施하는 것이 본 방제의 配伍 특징인 것이다.

【臨床應用】

1. 證治要點: 본 방제는 中氣虛弱, 寒熱錯雜, 升降失常하여 腸胃不和에 이른 자에게 사용하여 치료하는데, 心下痞滿, 嘔吐瀉利, 苔膩微黃한 것을 證治의 요점으로 삼는다.

2. 加減法: 熱多寒少할 때에는 黃芩·黃連을 위주로 하고, 寒多熱少할 때에는 乾薑을 重用하며, 濁飮이 上泛하면 半夏를 重用하고, 寒熱이 서로 대등할 때에는 辛苦를 並行하는 것이 마땅하다. 만약 痞證으로 嘔吐가 심하더라도 中氣가 不虛하거나 혹은 舌苔厚膩한 자는 人蔘·大棗를 빼고 枳實·生薑을 넣음으로써 理氣止嘔할 수 있다.

3. 半夏瀉心湯은 다음 한국표준질병사인분류(KCD)에 해당하는 환자가 胃氣不和之痞證으로 辨證되는 경우 본 처방의 사용을 고려해볼 수 있다.

처방 목표	한국표준질병사인분류(KCD)
急性胃炎	K29.1 기타 급성 위염
慢性胃炎	K29.3 만성 표재성 위염
	K29.4 만성 위축성 위염
	K29.5 상세불명의 만성 위염
逆流性食道炎	K21.0 식도염을 동반한 위~식도역류병
胃及十二指腸潰瘍	K25 위궤양
	K26 십이지장궤양

처방 목표	한국표준질병사인분류(KCD)
慢性腸炎	K52 기타 비감염성 위장염 및 결장염
神經性嘔吐	F50.2 신경성 폭식증
	F50.0 신경성 식욕부진
	F50.5 기타 심리적 장애와 연관된 구토
消化不良	(질병명 특정곤란)
	K30 기능성 소화불량_소화불량
	F45.3 신체형자율신경기능장애_소화불량
	R10.19 상세불명의 상복부통증_소화불량 NOS
慢性肝炎	K73 달리 분류되지 않은 만성 간염
	B18 만성 바이러스간염
慢性膽囊炎	K81.1 만성 담낭염
早期肝硬化	K74 간의 섬유증 및 경변증
口腔黏膜潰瘍	K12 구내염 및 관련 병변
不寐	G47.0 수면 개시 및 유지 장애[불면증]
	F51.0 비기질성 불면증

【注意事項】 본 방제는 寒熱錯雜한 痞證에 적용되는데, 만약 痞證이 氣滯 혹은 食積 등의 원인으로 생긴 자에게는 본 방제를 사용하는 것이 마땅하지 않다.

【變遷史】 본 방제는 『傷寒論』第149條에 제일 처음 실려 있는데, 실제로 小柴胡湯에서 柴胡·生薑을 빼고 黃連·乾薑을 넣어 만든 것이다. 君藥이 이미 바뀌었기 때문에 方名과 主治도 또한 따라 변한 것이기에 그 起源은 小柴胡湯이라고 볼 수 있다. 主治 방면에서 보면 『傷寒論』에서 말하기를 "傷寒五·六日, 嘔而發熱, 柴胡湯證具, 而以他藥下之, 心下但滿而不痛者, 此爲痞."라고 하였고, 『金匱要略』에서 또한 보충하여 말하기를 "嘔而腸鳴, 心下痞者."라고 하였다. 後世 의학자들의 記載는 더욱 상세하면서 구체적인데, 예를 들어 『外臺秘要』卷2에서 『刪繁方』을 인용하기를 "上焦虛寒, 腸鳴下利, 心下痞堅."이라고 하였고, 『備急千金要方』卷40에서는 "老小下利, 水穀不化, 腸中雷鳴, 心下痞滿, 乾嘔不安."이라고 하였으며, 『三因極一病證方論』卷8에서는 "心實熱, 心下痞滿, 身黃發熱, 乾嘔不安, 溺溲不利, 水穀不消, 欲吐不吐, 煩悶喘息."이라고 하였고, 『類聚方廣義』에서는 "痢疾腹痛, 嘔而心下痞硬, 或便膿血, 及飮湯藥後, 下腹部每漉漉有聲而泄者. 癥瘕積聚, 痛浸心胸, 心下痞硬, 惡心嘔吐, 腸鳴下利者."라고 하였다.

본 방제의 약재 구성이 변화한 것에 관하여 『傷寒論』 중에 곧 여러 개의 변화 발전된 방제가 있으며, 適應證 또한 확장된 것이 있다. 그중 第157條의 生薑瀉心湯은 이 방제에서 乾薑의 용량을 줄이면서 生薑을 넣어 水氣를 散하려고 한 것으로, "傷寒汗出解之後, 胃中不和, 心下痞硬, 乾噫食臭, 脇下有水氣, 腹中雷鳴下利者."에게 사용하고, 第158條의 甘草瀉心湯은 본 방제에서 甘草의 용량을 중용하여 益氣시키는 힘을 증강하면서 또한 緩中하게 한 것으로, "傷寒中風, 醫反下之, 其人下利日數十行, 穀不化, 腹中雷鳴, 心下痞硬而滿, 乾嘔, 心煩不得安."을 주치한다. 第173條의 黃連湯은 곧 본 방제에서 黃芩을 빼고 桂枝를 넣어 淸熱하는 효능을 줄이면서 溫散시키는 작용을 증가시킨 것으로, "傷寒, 胸中有熱, 胃中有邪氣, 腹中痛, 欲嘔吐者."를 주치한다. 그 이후에 『蘭室秘藏』卷上에 있는 枳實消痞丸은 본 방제에서 黃芩·大棗를 빼고, 枳實·厚朴·白朮·茯苓·麥芽曲을 넣어 開胃進食하는 효능과 관계된 것으로 心下虛痞, 惡食懶倦, 右關脈弦 등을 주치하니, 약재의 구성이 변화함과 동시에 適應證 또한 확장됨을 볼 수 있다.

【難題解說】

1. 半夏瀉心湯의 '瀉心'과 그것이 다스리는 心下痞滿의 '心下'에 관한 것: 이곳의 '心'은 脾胃를 가리켜서 말한 것이지 이른바 해부학적인 心을 말하는 것은 아니다. '瀉心'을 이해하는 것에 대하여 李時珍이 일찍이 말하기를 "瀉心湯也, 亦瀉脾胃之濕盛, 非瀉心也."라고 하였고, "胃之上脘在於心, 故曰瀉心, 實瀉脾也."(『本草綱目』卷17)라고 하였으며, 李疇人도 또한 말하기를 "名曰瀉心, 實瀉胃中寒熱不和之邪耳."(『醫方概要』)라고 하였다. '心下'의 해석에 대하여 錢天來가 인식하

기를 "心下者, 心之下, 中脘之上, 胃之上脘也. 胃居心之下, 或曰心下也."(『傷寒溯源集』卷3)라고 하였으며, 현대 사람인 李克紹 또한 말하기를 "心下……單指的胃, 或胃周圍."(『傷寒解惑論』)라고 하였다.

2. '痞'證의 이해에 관한 것: 이른바 '痞'라는 것은 곧 阻塞不通의 뜻이다. 吳昆이 해석하여 말하기를 "以旣傷之中氣而邪乘之, 則不能升淸降濁, 痞塞於中, 如天地不交而成痞, 故曰痞."(『醫方考』卷1)라고 하였고, 陳蔚 또한 명확하게 지적하기를 "但滿而不痛者爲痞, 痞者, 否也. 天氣不降, 地氣不升之義也."(『傷寒論淺注補正』卷1)라고 하였으니, 곧 上下가 交泰하지 못함을 말하는 것이다. 그 病因이 無形의 邪氣가 일으키는 것이기 때문에 "但滿而不痛"한 것이고, 또한 虛痞라고도 칭하는 것이다.

3. 본 방제의 病機인 '寒熱互結'의 설명에 관한 것: 半夏瀉心湯의 病機를 分析한 것과 관련된 『方劑學』 教材 2版·5版·6版에서는 모두 '寒熱互結'을 그 발병 원인 중 하나로 언급하였지만, 현재 어떤 의학자들은 이것에 대해 의문을 제기하였다. 그중 王琦 등이 인식하기를 "半夏瀉心湯所治的心下痞硬, 其病理是寒熱互結嗎? 因爲乾薑辛熱, 黃連苦寒, 半夏瀉心湯中薑·連合用主治心下痞硬, 因此有的注家就把半夏瀉心湯證心下痞硬的病理說成是寒熱互結. 其實, '寒熱互結'這個詞, 並不妥當. 因爲凡稱'結', 都必須有物質基礎, 如大結胸是熱與水結, 小結胸是熱與痰結, 寒實結胸是痰與寒結, 熱入血室是熱與血結."이라고 하면서, "或因熱而結, 或因寒而結, 可就是沒有寒熱互結者. 因爲撇開物質而言寒熱, 則寒熱只是兩種不同的屬性. 寒和熱的屬性, 如冰炭之相反, 只能互相抵消, 不能相結. 所以說'寒熱互結'這個詞, 至少是含義不夠明確."(『傷寒論講解』)라고 하였다. 董建國 등은 분석하기를 "傳統觀點認爲半夏瀉心湯中的乾薑與芩·連的配伍, 屬寒熱並用, 並由此推測痞證的病機爲寒熱互結. 這種認識存在問題. 其一, 不符合仲師原義. 第157條指出痞證的病機是'胃中不和'. 第158條更明確指出: '此非結熱, 但以胃中虛, 客氣上逆, 故使硬也.' 可知痞證的病機當是胃虛失運, 氣機呆滯, 濕痰中阻, 即'胃氣不和'也. 其二, '寒熱互結'的概念於理難通. '寒'與'熱'勢同水火, 何能'互結'? '寒'與'熱'只有格拒, 諸如黃連湯·乾薑黃連黃芩人蔘湯證均是, 仲師叫做'寒格'. 其三, 淡化了半夏瀉心湯的組方旨義. 由於人們的思維執著於'寒以治熱'·'熱以治寒'的用藥常規, 只要見到寒性藥與熱性藥並用, 就一定著眼於寒與熱的藥性方面, 故而難免簡單化地理解中醫某些方劑的組成法則與意義, 半夏瀉心湯就是如此. 此方主治'痞'證, 何謂'痞'? 邪結使然也. 邪結當瀉, 故方名爲'瀉心'. 可知半夏瀉心湯一定要體現出'瀉'的機能特征. 綜觀此方, 除半夏辛燥開結外, 就只有乾薑與芩·連了. 所以乾薑與芩·連的眞正用意不在寒與熱, 而是取乾薑之'辛'與芩·連之'苦', 辛開苦降以瀉心消痞. 這就是中醫組方中'舍性取用(味)'的用藥思維特點."(『傷寒析疑』)라고 하였다. 상술한 관점은 이유도 있고 근거도 있으니 참고할 만한 가치가 있다.

4. 방제 중 君藥의 인식에 관한 것: 하나는 成無己 등이 주장하기를 黃連으로써 君藥으로 삼은 것이다 . 그가 말하기를 "痞者, 留邪在心下, 故治痞曰瀉心湯. 黃連味苦寒, 黃芩味苦寒, 『內經』曰: 苦先入心, 以苦泄之. 瀉心者, 必以苦爲主, 是以黃連爲君."(『傷寒明理論』卷4)이라고 하였다. 두 번째는 柯琴 등이 인식하기를 半夏로써 君藥으로 삼은 것이다. 그가 말하기를 "此痞本於嘔, 故君以半夏."(『傷寒來蘇集』「傷寒附翼」卷上)라고 하였는데, 간혹 이것 때문에 半夏로써 命名한 것이 있으니 『方劑學』6版 教材에서도 또한 이러한 종류의 관점을 견지하고 있으며, 회피하는 태도를 취하는 것도 있으니 예를 들면 『方劑學』 2·5版 教材이다.

지금 두 종류의 의견으로 논할 것 같으면, 우리들은 마땅히 먼저 原文으로부터 그 病因·病機를 분석해야 할 것이다. "傷寒五·六日, 嘔而發熱者, 柴胡湯證俱, 而以他藥下之, 若心下滿而硬痛者, 此爲結胸也, 大陷胸湯主之. 但滿而不痛者, 此爲痞, 柴胡不中與之, 宜半夏瀉心湯."이라고 하였는데, 이것으로부터 痞證은

邪氣가 半表半裏에 있을 때에 잘못 下法을 사용하여 그 中氣를 虛하게 함으로써 外邪가 虛를 틈타 內陷해서 생긴 것임을 알 수 있다. 『醫宗金鑒』「訂正傷寒論注」卷2에서 말하기를 "如系虛熱而嘔之痞, 則宜半夏瀉心湯."이라고 하였는데, 이곳의 '虛熱'은 結胸證과 서로 對比하여 말한 것이다. 痞證은 無形의 熱이 心下에 痞結한 것으로, 아울러 痰水의 互結이 없으므로 大陷胸湯의 峻攻을 사용하는 것은 불가하고, '熱者寒之'의 원칙을 따라 苦寒한 黃連을 君藥으로 選用하여 泄熱消痞하는 것이니 苦降하는 것이 방제 중에서의 주요한 방면임을 설명하는 것이다. 그 다음으로 다섯 개의 瀉心湯으로 종합적으로 분석해보면 모든 방제에 다 黃連·黃芩을 사용하여 泄熱除痞하고 있으며, 그 나머지는 病勢의 변화에 근거하여 혹은 大黃(大黃黃連瀉心湯)과 합하여 實熱의 痞證을 淸泄하고 있으며, 혹은 다시 附子(附子瀉心湯)를 넣어 表陽虛에 痞證을 겸하여 가지고 있는 것을 치료하고 있으며, 또한 半夏·生薑·乾薑·人蔘·甘草·大棗(半夏·生薑·甘草瀉心湯)와 配伍하여 寒熱錯雜·虛實相兼의 痞證에 공통적으로 사용하여 치료하고 있으니, 이것에 따라 드디어 다섯 가지 방제의 차이가 생긴 것이다. 그중에 芩·連의 苦寒으로 泄熱하는 것은 공통된 성질로써 이른바 柯琴이 말한 "瀉心者, 必以芩連."(『傷寒來蘇集』「傷寒附翼」卷上)이라고 한 것과 같다. 별도로 方劑가 변화 발전한 것으로 볼 것 같으면 半夏瀉心湯은 실제로 小柴胡湯에서 柴胡·生薑을 빼고 黃連·乾薑을 넣어 만들어진 것으로, 加減의 차이는 비록 크지 않지만 君藥에 변동이 있기 때문에 그 效能이나 主治도 따라서 차이가 생긴 것이며, 방제의 名稱도 또한 변경된 것이다. 이상에서 서술한 것들을 종합하면 半夏瀉心湯은 黃連의 苦降하는 것으로써 君藥으로 삼는 것이 적당하다.

5. 본 방제가 이왕 痞滿을 치료한 바에는, 방제 중에 무엇 때문에 甘溫으로 壅滯시키는 人蔘·大棗·甘草를 選用한단 말인가? 이것은 응당 半夏瀉心湯의 病機를 따라 이야기를 꺼내야 한다. 이 방제가 치료하는 心下痞滿은 寒熱錯雜·虛實相兼해서 생긴 것으로 中虛不運도 또한 痞證을 일으킨 원인 중 하나로 볼 수 있다. 蔘·棗·草의 세 가지 약재의 기능은 補中益氣하는데, 脾氣가 健旺하면 運化시키는 힘이 스스로 회복되면서 痞滿을 증가시킬 우려가 없을 뿐만 아니라 오히려 痞滿을 消除하는데 도움이 되기에 '塞因塞用'의 反治法을 체현한 것으로 仲景이 질병을 치료할 때 약재를 사용하면서 辨證한 사고의 방향을 충분히 반영하고 있다.

【醫案】

1. 嚴重한 不眠症『傷寒解惑論』: 某 여자, 나이는 대략 60세이고, 山東大學 간부 가족이다. 1970년 봄에 不眠症이 재발하였는데, 여러 번 치료하였는데도 낫지 않으면서 날로 엄중해졌으며, 마침내 煩躁不食하면서 晝夜로 不眠하여 매일 수면제를 복용해야만 겨우 강제로 한 때를 좀 잘 수 있었다. 그 脈을 잡았더니 澀하면서 流利하지 않았으며, 舌苔黃厚黏膩하여 분명하게 內蘊濕熱한 것과 관계있었다. 따라서 胃脘의 滿悶 여부를 물었더니 답하여 말하기를 매우 滿悶하다고 하였다. 아울러 大便을 數日 동안 보지 못하였다고 말하였지만 腹部에는 脹痛은 없었는데, 나는 이것을 "胃不和則臥不安"하는 것이니 安眠하려면 먼저 和胃하는 것이 필요하다고 인식하였다. 處方: 半夏瀉心湯의 原方에 枳實을 넣었다. 저녁 무렵에 복용하였는데 그날 저녁에 하룻밤 내내 깊은 수면을 취하였고 滿悶과 煩躁도 모두 크게 호전되었다. 이어서 또한 몇 첩을 복용했더니 마침내 食欲이 회복되고 大便이 通暢하면서 모든 증상이 기본적으로 정상이 되었다.

2. 梅核氣『金匱方百家醫案評議』: 某 여자, 40세: 初診: 1972년 5월 8일. 올해 봄 이래로 咽嗌間에 마치 어떤 물건이 閉塞하는 상태를 느꼈으며, 心下痞滿, 不思飲食, 甚則思泛, 形體消瘦, 面色蒼黃(某 醫院에서 檢查를 했는데 消化道의 實質性 病變을 볼 수 없었다), 寐臥不安, 苔膩, 脈澀하였다. 濕熱이 積滯하여 胃失和降한 것이니 和胃散結淸濕熱하는 것이 마땅하다. 方用: 太子蔘 9 g, 薑半夏 9 g, 黃芩 6 g, 川連 4.5 g, 乾薑 4.5 g, 茯苓 12 g, 炙甘草 9 g, 薑竹茹 12 g, 川朴 6 g. 5첩.

二診: 5월 14일. 약재를 복용한 후에 噫噯가 잦으면서 心脘 부위가 펴졌으며 神情이 상쾌하였다. 原方의 의미에 加減하였는데, 原方에서 川連을 1.5 g으로 바꾸고, 아울러 薑竹茹를 빼고 北秫米 12 g을 넣어 7첩을 복용하였다.

3. 瘧後痞嘔『傷寒論彙要分析』: 某 남자, 30세. 瘧疾을 앓은 지 3일 되었는데, quinine tablets를 복용한 후에 瘧疾은 비록 그쳤지만 胸中痞悶한 감각을 느꼈고, 食後에 嘔하려고 하였지만 또한 嘔하지는 않았으며, 특히 油膩한 食物을 만나면 곧 惡心感이 생겼다. 甲醫는 瘧疾 후에 남아있는 邪氣가 풀리지 않은 것으로 인식하여 小柴胡湯 2첩을 주었지만 輕減되지 않았고, 乙醫는 瘧疾 후에 脾虛로 인식하여 六君子湯 2첩을 주었지만 痞悶이 더욱 심해졌다. 환자는 脈弦하고 舌苔白하였으며, 胸痞·惡心欲嘔를 제외하고는 기타 苦痛은 없다고 스스로 말하였다. 이 증상을 瘧疾 후에 남아있는 邪氣가 풀리지 않은 것으로 진단한 것은 옳은데, 다만 바깥으로 往來寒熱하는 것이 없으니 小柴胡湯이 주관하는 바가 아니며, 脾虛로 인식하여 六君子湯을 사용한 것은 지나치게 빠른 것처럼 의심된다. 본 病症은 비록 바깥으로 往來寒熱하는 것은 없지만 속으로 寒熱互結한 것이 있어서 이른바 胸中痞悶한 것이니, 치료는 半夏瀉心湯을 적용하여 주었는데, 약재는 寒熱과 消補를 함께 시행하는 것을 취하였으니 여전히 少陽和解의 뜻에서 벗어나지 않는다. 處方: 半夏 9 g, 黃芩 6 g, 潞黨參 9 g, 乾薑 4.5 g, 黃連 4.5 g, 甘草 3 g, 大棗 三枚. 1첩을 복용한 후에 惡心이 완전히 제거되었으며 胸痞가 크게 감소하면서 食欲이 조금 진작되었다. 다음날 原方에 따라 다시 1첩을 복용하였더니 나았다.

4. 脘痞『金匱方百家醫案評議』: 某 남자, 60세, 퇴직한 職工. 1984년 6월 6일 初診: 평소에 膏粱厚味를 먹으면서 濕熱을 조장하여 쌓였다. 최근 열흘간 中脘痞滿을 自覺하였고, 小溲微黃, 脈緩, 苔略黃膩하였는데, 이것은 酒家의 濕熱中阻에 속한다. 치료는 寒熱을 並用하면서 苦辛으로 通降하는 것이 마땅하니 半夏瀉心湯에 加味한 것을 사용하였다. 方用: 制半夏 9 g, 黃芩 6 g, 乾薑 3 g, 黃連 2.4 g, 黨參 9 g, 炙甘草 3 g, 大棗 五枚, 炒枳實 6 g, 炮雞金 6 g, 焦六曲 12 g, 茯苓 12 g, 車前子 12 g. 5첩. 아울러 가능한 한 酒類와 葷膩한 식품을 적게 먹도록 부탁하였다.

復診: 6월 23일. 前方을 함께 10첩을 복용하였더니 中脘痞滿에 차도가 보였고 小溲가 맑게 변했다. 그 脈을 진단하니 實有力하면서 右關尤甚하였고, 苔略黃膩하였다. 여전히 前法을 적용하되 補虛하는 약재를 빼고 消導하는 종류를 넣었다.

復診: 방제에서 黨參·炙甘草·大棗의 補中과 車前子의 淸利를 빼고, 焦山楂 12 g, 炒穀麥芽 各 12 g, 黑山梔 9 g, 淡豆豉 9 g을 넣어 消導積滯·淸熱和胃하였는데, 다시 7첩을 복용하고는 나았다.

考察: 醫案1은 老婦가 不眠不食하여 胃脘滿悶하면서 舌苔黃厚黏膩하니 뚜렷하게 "胃不和則臥不安"하는 것과 관계있다. 『靈樞』「邪客」의 "補其不足, 瀉其有餘, 調其虛實, 以通其道, 而去其邪."의 뜻을 따라서 半夏瀉心湯에 枳實을 넣은 것을 투여하여 苦辛으로 通降하면서 補瀉를 兼施하여 마침내 壅塞된 것을 決瀆하게 하면서 經絡을 크게 소통시키니 陰陽이 調和되면서 잠이 곧바로 이르게 된 것이다.

醫案2는 梅核氣에 心下痞滿, 不思飮食, 寐臥不安, 苔膩脈澀 등의 증상을 동반하고 있는 것인데, 半夏厚朴湯에 半夏瀉心湯 加減을 합방한 것을 투여하여 調氣散結하고 和胃治痞하였더니 결과적으로 양호한 효과를 얻었다.

醫案3은 胸中痞悶하고 食後欲嘔하는 것이 비록 瘧疾의 후에 발생했지만, 밖으로 寒熱往來가 없으니 小柴胡湯이 주관하는 바가 아니고, 또한 脾虛한 脈證이 없기에 六君子湯이 마땅한 것도 아니므로 投藥해도 효과가 없었다. 俞老는 간신히 '胸中痞悶'이라는 하나의 主症을 붙잡고, 여전히 和解하는 치법을 벗어나지 않으면서 半夏瀉心湯을 투여하여 나았으니, 방제를 골라서 약재를 사용하는 것은 마땅히 證狀에 따라서 전환해야지 舊疾에 사로잡히거나 新病을 소홀히 여기는 것은 절대 불가하다.

醫案4는 환자의 성격이 膏粱한 음식물을 좋아하여 濕熱이 內生하면서 脘痞와 溲黃에 이르게 된 것이니, 그러므로 半夏瀉心湯을 사용하여 淸熱燥濕·苦辛通降하면서 겸하여 中氣의 虛도 돌본 것이며, 아울러 枳實을 넣어 消痞散結하고, 六曲·雞金으로 酒肉의 積을 소화시키며, 茯苓·車前으로 通利小便한 것이다. 다시 진찰했을 때 脈實有力하면서 右關尤甚하였으므로 蔘·甘·大棗를 빼고, 小便淸利하므로 車前을 뺀 것이며, 환자가 肉食에 손상되어 積熱이 아직 깨끗해지지 않으면서 舌苔가 약간 黃膩하기에 또한 山楂·穀麥芽를 넣어 消導積滯하고, 山梔·豆豉를 넣어 淸熱和胃한 것이다. 山梔·豆豉를 枳實과 합하면 『傷寒論』의 枳實梔子豉湯이 되는데, 食積의 輕證을 치료하는데 사용할 수 있으며, 浙江省의 名醫인 魏長春氏가 일찍이 사용한 것으로 이것 또한 魏氏에게서 마음으로 가르침을 받은 것이다.

5. 傷食吐瀉 『治驗回憶錄』: 某 남자, 5세. 傷食으로 吐瀉함으로써 口渴 尿少하였다. 醫者가 질병의 근원을 묻지 않고 경솔하게 溫補藥을 주어 그치게 하려고 하였으나 병증이 도리어 극심해졌다. 後醫가 또한 水濕를 분리하지 못한 것으로 여기고 五苓散으로 치료하였지만 渴症이 감소되지 않으면서 吐利는 여전하기에 나를 불러 치료하도록 하였다. 진단하여 보니 指紋이 淡紅한 것이 隱隱하였으며, 心煩欲飮하였으나 水入則吐하면서 음식도 또한 조금씩만 먹었고, 舌苔黃白而膩, 腹鳴下利, 時嘔, 大便稀, 淡黃有腥氣, 嗜睡不少動하면서 疾病이 한 달 정도 되었다. 종합적으로 판단하건대 腸熱胃寒과 관계된 것으로 食積濕困한 모양이니, 溫하는 것이 불가할 뿐만 아니라 涼하는 것도 옳지 않다. 치료는 寒溫並用하는 것이 마땅하며 半夏瀉心湯을 처방하였다. 半夏는 降逆止嘔하고, 蔘·薑·草는 益氣溫中하며, 芩·連은 淸理腸熱하고, 棗·草는 甘溫和胃하는데, 茯苓를 증가시켜 健脾利水하고 天花粉으로 生津止渴함으로써 효과를 확대시켰다. 복용한 후에 吐瀉가 모두 감소하였으며 2첩으로 병이 나았다. 다만 病이 오래되면서 虛가 극심하기에 蔘苓白朮散을 주어 平調脾胃하였는데, 10첩을 진행하면서 또한 보름만에 건강해졌다.

考察: 본 醫案은 비록 傷食으로 생긴 것이지만, 吐瀉를 거치면서 津液이 소모되었으며, 또한 病이 이미 한 달이 지났다. 그 心煩欲飮하고 水入則吐하는 것은 자못 五苓散證과 유사하지만, 五苓散을 사용해도 효과가 없는 것은 이 방제가 다만 水濕을 分利할 수는 있지만 辛開苦降하는 효능은 없기 때문이다. 指紋과 症狀에 근거하여 종합적으로 판단한다면 이것은 腸熱胃寒, 食積濕困의 증상이므로 본 방제에 利水生津하는 약재를 넣은 것을 사용하여 나은 것이다.

6. 脘痞吐瀉 『傷寒論通俗講話』: 某 남자, 36세. 평소 酒癖이 있으며, 病으로 心下痞悶하고 때때로 嘔吐를 하였으며, 大便은 형체가 없으면서 하루에 3~4번 갔는데, 다방면으로 치료해도 효과를 볼 수 없었다. 脈弦滑, 舌苔白하였다. 이 증상은 酒濕으로 傷脾하여 升降失調함으로써 痰이 속에서부터 생긴 것이다. 痰飮이 胃로 逆上하면 嘔吐하는 것이고, 脾虛氣陷하면 大便不調하면서 中氣不和하고 氣機不利하므로 心下痞를 일으키는 것이다. 擬方: 半夏 12 g, 乾薑 6 g, 黃芩 6 g, 黃連 6 g, 黨參 9 g, 炙甘草 9 g, 大棗 七枚. 1첩을 복용하였더니 大便으로 白色黏涎을 매우 많이 瀉出하였고, 嘔吐도 따라서 7할이 감소하였다. 다시 1첩을 복용하였더니 心下痞와 大便利가 모두 감소하였으며 또 2첩을 복용하고는 병이 완전히 나았다.

7. 脘腹脹痛 『當代醫家經驗方』: 某 남자, 42세, 軍人. 평소에 脘腹隱痛하였는데 食後에 비교적 심하였으며, 時有肚脹, 呃氣呑酸, 燒心嘈雜, 二便正常이었다. 檢査: 形體는 消瘦하였으며, 慢性病의 기색이 있었고,

脈緩하고 苔白微黃하였다. 내시경검사를 하였더니 逆流性胃炎으로 진단하였다. 降逆止痛·健胃抑酸하는 방법을 적용하였고, 방제로는 半夏瀉心湯으로 化裁한 것을 선택하였다. 處方: 半夏 9 g, 黃芩 6 g, 人蔘 3 g, 甘草 3 g, 黃連 9 g, 木香 9 g, 烏賊骨 15 g, 吳茱萸 6 g. 5첩의 藥物을 취하여 兩汁이 되도록 달인 다음 隔日에 1첩씩 복용하도록 하였다. 전후로 20첩을 복용하고는 치유되었다.

【副方】

1. 生薑瀉心湯(『傷寒論』): 生薑 切四兩(12 g) 甘草炙 三兩(9 g) 人蔘 三兩(9 g) 乾薑 一兩(3 g) 黃芩 三兩(9 g) 半夏洗 半升(9 g) 黃連 一兩(3 g) 大棗擘 十二枚(四枚)

- 用法: 上八味, 以水一升, 煮取六升, 去渣, 再煎, 取三升, 溫服一升, 日三服.
- 作用: 和胃降逆, 散水消痞.
- 適應症: 傷寒汗出解之後, 胃中不和, 心下痞硬, 乾噫食臭, 脇下有水氣, 腹中雷鳴, 下利者.

2. 甘草瀉心湯(『傷寒論』): 甘草炙 四兩(12 g) 黃芩 三兩(9 g) 半夏洗 半升(9 g) 大棗擘 十二枚(四枚) 黃連 一兩(3 g) 乾薑 三兩(9 g)(注: 『傷寒論』의 原方에는 人蔘이 없고, 『金匱要略』에 실려 있는 본 방제에는 人蔘이 있다. 方證과 결합하여 분석해보면 본 방제에는 마땅히 人蔘이 있어야 한다)

- 用法: 上七味, 以水一升, 煮取六升, 去渣, 再煎, 取三升, 溫服一升, 日三服.
- 作用: 益氣和胃, 消痞止利.
- 適應症: 傷寒中風, 醫反下之, 其人下利日數十行, 穀不化, 腹中雷鳴, 心下痞硬而滿, 乾嘔, 心煩不得安.

半夏·生薑·甘草의 세 가지 瀉心湯은 구성 중에는 모두 半夏·乾薑·黃連·黃芩·人蔘·大棗·甘草의 七味가 있어서 함께 散結消痞·和胃益氣할 수 있으니, 胃氣不和의 心下痞硬과 嘔逆下利 등의 증상에 사용한다. 다만 같은 것 중에 차이가 있는데, 그중에 半夏瀉心湯은 辛開시키는 힘이 비교적 강하여 心下痞滿이 비교적 심한 자를 주치하고, 生薑瀉心湯은 半夏瀉心湯에서 乾薑을 二兩으로 줄이고 生薑 四兩을 넣은 것으로 취지가 散水氣·和胃止嘔하는 것에 있어서 水氣偏重하여 嘔逆이 비교적 突出하면서 아울러 乾噫食臭를 동반하는 자에게 자못 적당하니, 『醫宗金鑒』「訂正傷寒論注」卷2에서 말하기를 "名生薑瀉心湯者, 其義重在散水氣之痞也."라고 하였다. 甘草瀉心湯은 半夏瀉心湯에 甘草 一兩을 넣어 補中益氣시키는 힘을 더욱 증가시킨 것으로 胃虛益甚하여 下利를 하루에 수십 번을 하면서 完穀不化하는 등을 주치한다.

黃連湯

(『傷寒論』)

【組成】 黃連 三兩(9 g) 半夏 半升(9 g) 甘草 炙 乾薑 桂枝 各三兩(各 9 g) 人蔘 二兩(6 g) 大棗 擘 十枚(四枚)

【用法】 물 一斗로 달여서 六升을 취하여 찌꺼기를 버리고 一升을 따뜻하게 복용하는데, 낮에 3번 복용하고 밤에 2번 복용한다.

【效能】 平調寒熱, 和胃降逆.

【主治】 上熱下寒證. 胸脘痞悶, 煩熱, 氣逆欲嘔, 腹中痛, 或 腸鳴泄瀉, 舌苔白滑, 脈弦者.

【病機分析】 본 병증은 上熱下寒·升降失常의 증상에 속한다. 원래는 表邪가 裏로 전해지면서 脾胃에 손상이 미쳐서 생기는 것이다. 胸中에 熱이 있으면서 胃가 和降하지 못하므로 胸痞煩熱하여 氣逆欲嘔하는 것

이고, 中陽이 손상을 받으면서 寒邪가 아래쪽에 막히므로 腹痛하면서 혹은 腸鳴泄瀉하는 것이다.

【配伍分析】 본 방제는 半夏瀉心湯에 黃芩을 빼고 桂枝를 넣어 만든 것으로 上熱下寒으로 생기는 모든 증상을 잘 치료한다. 방제 중 黃連은 苦寒하여 心·肝·胃·大腸經으로 歸經하는데, 주로 胸中의 熱을 맑게 하면서 겸하여 胃氣를 조화롭게 하기에 君藥이 된다. 臣藥은 乾薑·桂枝인데 辛散溫通하기에 함께 아래쪽에 있는 寒을 제거함으로써 腹痛을 그치게 한다. 桂枝에 관하여 張壽頤는 일찍이 말하기를 "立中州之陽氣, 療脾胃虛餒而腹疼."(『本草正義』卷7)이라 하였다. 佐藥은 半夏로써 和胃降逆止嘔할 뿐만 아니라 寬胸散結消痞할 수 있는데, 黃連·乾薑·桂枝와 더불어 配伍하면 溫淸並用·苦瀉辛散하기에 寒熱이 平調되면서 嘔吐가 그치고 痛症이 낫는 것이다. 다시 人蔘·大棗·甘草로 보좌하여 益氣健脾함으로써 中州를 회복시키는데, 甘草는 또한 調和諸藥·緩急止痛함으로써 使藥이 된다. 이것으로 볼 것 같으면 이 방제의 配伍 특징은 淸上溫下하고 辛開苦降하며 補瀉同施하는 것에 있지만, 辛開溫通을 위주로 한다는 것이다. 黃連이 君藥이 되는 까닭으로 명칭을 黃連湯이라고 하였다.

【類似方比較】 본 방제는 半夏瀉心湯과 함께 辛開苦降하는 방제에 속하기에 調和腸胃·散結消痞하는 효능을 가지고 있어서, 모두 寒熱錯雜·胃氣不和로 생기는 痞滿吐利의 증상을 치료한다. 두 방제는 비록 겨우 한 가지 약재의 차이지만, 半夏瀉心湯에는 黃芩이 있으므로 苦降하는 것에 치우쳐서 중점이 瀉熱除痞하는 것에 있고, 黃連湯은 桂枝로 바뀌면서 辛開하는 것에 치우쳐서 중점이 平調寒熱하는 것에 있다. 두 방제는 치료 법칙을 세우는 것에 차이가 있기에 主治와 服法에도 또한 같지 않은 것이 있는 것이다. 前者는 증상으로 心下痞滿을 위주로 하기에 모름지기 찌꺼기를 제거한 다음에 다시 달여서 그 重濁苦辛한 藥味를 취하여 開瀉痞滿하는 것이고, 後者는 또한 腹中痛이라는 하나의 증상이 증가되면서 단지 1차례만 달이는데, 이것은 輕淸寒熱하는 氣를 취함으로써 上下로 분리되어 달려가게 하는 것이며, 동시에 '日三夜二服'하는 것은 곧 少量를 자주 복용함으로써 약재를 먹은 후에 嘔吐하는 것을 방지하면서 치료 효과를 높이려고 한 것이다.

【臨床應用】

1. 證治要點: 본 方證은 表邪가 裏로 전변되면서 脾胃를 손상시킴으로 말미암아 升降을 하지 못하기에 上熱下寒證에 이르게 된 것으로, 嘔吐·腹痛을 證治의 요점으로 삼는다.

2. 加減法: 만약 嘔吐酸苦하면 吳茱萸를 넣고, 泄瀉가 비교적 극심한 자는 茯苓을 넣는다.

3. 黃連湯은 다음 한국표준질병사인분류(KCD)에 해당하는 환자가 上熱下寒證으로 辨證되는 경우 본 처방의 사용을 고려해볼 수 있다.

처방 목표	한국표준질병사인분류(KCD)
淺表性胃炎	K29.3 만성 표재성 위염
膽汁逆流性胃炎	K29.9 상세불명의 위십이지장염
慢性腸炎	K52 기타 비감염성 위장염 및 결장염
消化不良	(질병명 특정곤란)
	K30 기능성 소화불량_소화불량
	F45.3 신체형자율신경기능장애_소화불량
	R10.19 상세불명의 상복부통증_소화불량 NOS

【注意事項】 본 방제는 다만 上熱下寒의 嘔吐腹痛을 치료한다. 만약 氣滯 혹은 食積 등의 원인으로 생긴 자는 본 방제를 사용하는 것이 마땅하지 않다.

【變遷史】 본 방제는 제일 처음 『傷寒論』第173條에서 보이는데, 半夏瀉心湯을 변화 발전시켜서 만든 것과 관계되므로 이것에 근원하고 있다. 主治 방면에 있어서 原書에 記載되어 있기로는 "傷寒, 胸中有熱, 胃中有邪氣, 腹中痛, 欲嘔吐."라고 되어 있는데, 후세에

서는 서로 다른 각도에서 보충하고 있다. 예를 들면 『張氏醫通』卷16에서는 "胃中寒熱不和, 心中痞滿."이라고 하였고, 『王旭高醫書六種』「退思集類方歌注」에서는 "濕家下之, 丹田有熱, 胸中有寒, 舌上如苔."라고 하였으며, 『傷寒論臨床經驗錄』에서는 "上部有熱邪壅閉, 脾陽虛弱不任苦寒者."라고 한 것과 같다.

본 방제의 구성의 변화와 관련해서 『雲岐子保命集』卷上의 黃連湯은 곧 본 방제에서 桂枝·半夏를 뺌으로써 溫散하는 힘을 輕減시켰으니, 主治證은 본 방제와 같지만 비교적 가벼운 것이다. 『醫門法律』卷5에 나오는 進退黃連湯의 進法은 본 방제의 7味와 같으면서 함께 法制하지 않고 물에 달여 따뜻하게 복용하는 것이고, 退法은 桂枝를 사용하지 않고 黃連을 半으로 줄이면서 혹은 肉桂 五分을 넣어 약재마다 制熟한 것인데, 煎服法은 같지만 空腹時에 아침으로 崔氏八味丸 三錢을 복용하고 반쯤 배고플 때 煎劑를 복용하는 것이다. 退法 중에는 苦降寒淸하는 효능은 조금 못하면서 補益하는 효능을 增加시켰기에 오로지 關格을 치료한다. 進退黃連湯이 비록 구성에 있어 黃連湯과의 차이가 많지 않다고 하더라도, 用法에 별도로 하나의 格式을 갖춤으로써 適應證 또한 發揮한 바가 생긴 것이다. 『絳雪園古方選注』卷中에서 曾評價가 말하기를 "黃連湯, 仲景治胃有邪, 胸有熱, 腹有寒. 喩嘉言, 旁通其旨, 加進退之法, 以治關格, 獨超千古, 借其沖和王道之方, 從中調治, 使胃氣自爲敷布, 以漸通於上下. 如格則吐逆, 則進桂枝和胃通陽, 俾陰氣由中漸透於上, 藥以生用而升; 如關則不得小便, 則退桂枝, 減黃連, 俾陽氣由中漸透於下, 藥以熟用而降; 如關且格者, 陰陽由中而漸透於上下, 衛氣先通則加意通衛, 營氣先通則加意通營, 不以才通而變法, 斯得治關格之旨矣."라고 하였는데, 본 방제의 創意적인 影響이 深遠함을 충분히 볼 수 있다.

【難題解說】

1. 본 방제의 구성은 어떠한 이유로 半夏瀉心湯에 黃芩을 빼고 桂枝를 넣은 것인가?: 본 방제의 適應證은 비록 半夏瀉心湯과 지극히 서로 비슷하지만, 下寒이 비교적 심하면서 또한 腹痛이라는 하나의 증상이 첨가되었기 때문이다. 黃芩을 뺀 것은 下寒의 腹痛에는 불리하기 때문이니, 小柴胡湯의 加減法에서 말하기를 "若腹中痛者, 去黃芩, 加芍藥."이라고 한 것이 증거이다. 桂枝를 넣은 것은 취지가 溫通上下하여 散寒降逆하는 것에 있다.

2. 본 방제의 條文 중에 仲景은 舌苔와 脈을 언급하지 않았는데 어떻게 파악해야 하는가?: 그 發病 機制와 관련된 臨床報道經驗을 總結한 것에 근거한다면, 이 방제의 主治證의 舌苔는 마땅히 白膩 혹은 黃膩 혹은 薄黃할 것이고, 脈은 弦數 혹은 弦緊 혹은 濡滑할 것이라고 추측할 수 있다. 하지만 당연히 이것으로 黃連湯을 選用하는 것은 아니고, 마땅히 病勢를 보거나 혹은 기타 臨床表現과 결합하여 정해야 한다.

【醫案】

1. 泄瀉 『傷寒論臨床實驗錄』: 某 남자, 26세. 下利證을 앓으면서 心中煩熱, 惡心不欲食, 頭眩, 大便水泄, 日十數次, 兩手厥冷, 脈象沉細하였다. 이것은 평소에 胃腸이 虛弱한데 熱邪가 虛한 틈을 타고 胃中으로 陷入한 것이므로 心中煩熱惡心, 厭食, 胃脘拒按의 熱證을 나타내는 것이다. 胃熱症狀에 근거하여 마땅히 苦寒泄熱하는 약재를 사용해야 하지만, 大便泄瀉·脈象沉細·舌質淡而微黃한 것은 脾陽이 不足한 것이다. 古方 중에 淸胃熱할 뿐만 아니라 健脾扶陽할 수 있는 것은 단지 『傷寒論』의 黃連湯이 있어 對證의 방제로 삼을 수 있으니 이 방제를 주었다. 복약 후에 便泄이 갑작스럽게 줄어들면서 煩熱도 또한 가벼워졌으며 食欲도 이전과 비교해서 호전되었다. 이 방제에 따라 연속해서 3첩을 복용하였더니 泄瀉가 그치면서 嘔吐의 증상도 역시 보이지 않았다. 나중에는 健脾和胃法으로 조리해서 나았다.

『實用中西醫結合雜誌』(1992, 11:687): 某 남자, 10세. 上腹이 痞滿하면서 泄瀉가 반복해서 發作한 것이

1개월 정도 되었는데, 최근 며칠 동안은 腹脹泄瀉가 加重되면서 매일 2~3차례 갔으며, 腹痛口渴을 동반하면서 惡心, 納食少, 舌質紅, 苔薄黃, 脈弦緊하였다. 증상은 上熱下寒에 속하였다. 用藥: 半夏 6 g, 桂枝 6 g, 黨參 10 g, 乾薑 6 g, 黃連 6 g, 炙甘草 3 g, 生薑 三片, 大棗 三枚. 3첩을 매일 1첩씩 물에 달여 복용하였는데, 복약 후에 泄瀉·腹痛이 輕減하였다. 原方을 계속해서 6첩 복용하였더니 모든 증상이 소실되면서 질병이 나았다.

考察: 이 두 가지 例는 모두 上熱下寒으로 升降失常하여 運化失職하고 淸濁不分함으로써 泄瀉에 이른 것이다. 그러므로 본 방제를 투여하여 寒熱을 조화롭게 만들면 泄瀉가 낫는 것이다.

2. 嘔吐 『江蘇中醫』(1966, 6:26): 某 남자, 45세. 1965년 8월 30일 初診. 환자는 1965년 8월 29일 저녁에 갑자기 胃脘疼痛하면서 嘔吐不已하였는데, 嘔吐物은 처음에는 음식물이었지만 나중에는 痰沫이 나왔으며 다음날 새벽에는 綠色膽液을 嘔吐하였고, 飮水하여도 곧바로 嘔하여 我院에 와서 진단을 문의하였다. 그 痛處를 살펴보니 확실히 臍上部에 있었고, 脈象弦數, 舌尖邊赤, 苔黃薄하였다. 증상은 胸中有熱하고 胃中有寒하여 寒熱이 不調하면서 陰陽의 升降이 失常한 것에 속하였으니 치법은 마땅히 和解시켜야 한다. 處方: 黃連 3 g, 淡乾薑 2.4 g, 法半夏 9 g, 川桂枝 3 g, 甘草 2.4 g, 大棗 三枚. 1첩을 복용하되 서서히 마셔서 장차 약재를 嘔吐하는 것을 방지할 것을 부탁하였다.

8월 31일 復診: 복약 후에 嘔吐는 이미 그쳤지만 오직 胃脘部에는 아직 微痛이 있다고 하였다. 여전히 原方에 기본하면서 치료 효과를 鞏固하게 하였다. 5개월 후에 방문하여 물어보니 아직 재발하지 않았다고 한다.

『傷寒論方運用法』: 某 남자, 17세. 1956년 10월 16일 初診. 어제 저녁에 농구를 할 때 찬바람이 몰려오면서 風寒의 邪氣가 침습하였다. 저녁밥을 반쯤 먹었는데 모두 嘔吐하면서 나왔다. 腹痛이 있어 大便을 보면서 풀려고 했는데 풀리는 것이 많이 않았다. 胸中疼熱, 微發熱惡寒, 夜睡不安하였다. 때때로 嘔吐하려고 하였으며, 飮水해도 역시 嘔吐하였다. 面微有熱色, 體溫 37.8℃, 自汗惡寒, 胸腹煩疼, 欲嘔而嘔不出, 不渴, 不欲食, 不知饑. 舌尖紅, 苔黃白相兼, 脈弦數하였다. 증상은 風寒外感으로 胃熱腸寒한 것에 속하였다. 방제로는 桂枝 9 g, 黃連 9 g, 法半夏 9 g, 黨參 9 g, 炙甘草 9 g, 生薑 9 g, 紅棗 9 g. 2첩을 복용하였는데, 복약한 후에 각 증상이 모두 제거되었다.

『趙守眞治驗回憶錄』: 某 남자, 25세. 오랜 泄瀉가 나은 후에 또 嘔吐가 생겼다. 醫師가 蔘·朮·砂·半을 주거나, 다시 竹茹·麥門冬·蘆根을 주는 등 여러 가지 약재를 잡다하게 투여하였지만 효과가 없었다. 그 증상은 身微熱, 嘔吐淸水, 水入則不納, 時有沖氣上逆, 胸略痞悶, 口不知味, 舌光紅燥, 苔膩不渴, 脈陰沉遲而陽浮數하였다. 上熱中虛의 증상이니 黃連湯을 응용하였는데, 복약하였더니 嘔吐가 점점 그쳤고, 2첩을 복용하였더니 증상이 전부 제거되면서 稀粥을 먹을 수 있게 되었다. 나중에 五味異功散에 生薑을 넣은 것을 사용하여 溫胃益氣하여 안정되었다.

『實用中西醫雜誌』(1992, 11:687): 某 여자, 7세. 患兒는 진단받으러 오기 하루 전 오후에 雞·魚·瓜果를 먹고는 다음날 새벽에 上腹部에 脹滿을 하소연하면서 음식물 찌꺼기를 嘔吐하였는데, 냄새가 시큼하면서 트림이 자주 났으며, 울면서 복부에 동통을 호소하였고, 口乾하여 물을 마시려고 하였으나 물을 마시면 곧 吐하였으며, 舌質紅, 苔薄黃, 脈弦滑하였다. 증상은 食滯하여 中焦가 막힌 것에 속한다. 치료 원칙은 降逆和胃·消食化滯하는 것이다. 處方: 黃連 6 g, 桂枝 6 g, 乾薑 3 g, 薑半夏 6 g, 枳實 6 g, 黨參 10 g, 焦山楂 6 g, 炒麥芽 6 g, 生薑 三片, 大棗 三枚. 3첩을 매일 1첩씩 물에 달여 복용하였다. 복약한 후에 嘔吐가 이미 그쳤고, 상복부의 脹滿이 소실되었으며 腹痛이 輕減하였다. 原方을 계속해서 5첩 복용하였더니 모든 증상이 소실되었다.

考察: 상술한 여러 例는 혹은 泄瀉하고 혹은 嘔吐하는데, 病因이 완전히 같지는 않아서 혹은 脾胃虛弱하거나 혹은 風寒侵襲하거나 혹은 傷食으로 생긴 것이다. 다만 病機가 寒熱不調라는 것은 한결같으므로 모두 黃連湯을 투여하여 나았다.

第四節 治瘧劑

截瘧七寶飮(七寶飮)

(『太平惠民和劑局方』, 錄自『醫方類聚』卷122)

【異名】 七寶散(『楊氏家藏方』卷3)·七寶湯(『易簡方』)·七物湯(『仁齋直指方論』卷 10).

【組成】 常山(9 g) 陳橘皮 不去皮 靑橘皮 不去皮 檳榔 草果子仁 甘草 炙 厚朴 去粗皮, 生薑 汁制 各等分(各 6 g)

【用法】 위의 약재를 잘게 부수어서 매번 半兩을 복용하는데, 물 一碗에 술 一盞을 함께 달여서 크게 한 잔이 되면, 찌꺼기를 버리고 하룻밤을 묵힌 다음에 다음날 다시 끓여서 따뜻하게 복용한다(現代用法: 물에 적당하게 술을 넣어 달여서 瘧疾이 발생하기 2시간 전에 따뜻하게 복용한다).

【效能】 燥濕祛痰, 理氣截瘧.

【主治】 濕痰瘧疾. 寒熱往來, 數發不止, 舌苔白膩, 寸口脈弦滑浮大. 食瘧, 不服水土, 山嵐瘴氣, 寒熱如瘧, 並皆治之.

【病機分析】 대개 瘧疾이라는 하나의 질병은 주로 '瘧邪'를 감수한 것이다. 瘧邪가 병을 일으키면 太陰에 잠복하여 脾胃의 升降機能을 방해하면서 水濕이 內停하게 되고 氣化가 不利해지면서 濕痰의 釀成을 초래한다. 그러므로 瘧疾의 형성 원인은 매번 濕痰과 관계가 있는데, 이전 사람들이 일찍이 말하기를 "無濕不成痰, 無痰不成瘧."이라고 하였다. 본 方證은 外感 瘧邪가 원인이지만 안으로는 濕痰이 있어서 內外의 邪氣가 서로 엉켜서 병이 되어 營衛之間을 출입하는 것으로, 瘧邪가 人身의 營衛之氣와 함께 交爭하기에 寒熱이 반복해서 발작하는 것이다. 發作할 때에 邪氣가 營陰으로 들어가서 相爭하여 衛陽이 外達하지 못하면 '惡寒'하는 것이고, 그 후에 邪氣가 나오면서 衛陽과 相搏하면 肌表에 熱이 왕성해지므로 또한 '高熱'로 전환되는 것이다. 濕痰이 제거되지 않으면 邪氣도 제거되지 않을 것이니 瘧疾의 발작도 그치지 않는다. 舌苔白膩·脈滑한 것은 濕痰이 안에서 왕성한 징후이고, 脈弦한 것은 瘧疾의 主脈이 되는데 脈浮大한 것은 氣壯하여 正氣가 아직 완전히 약해지지 않은 것이다. 기타 食瘧·水土不服과 山嵐瘴氣 등도 또한 濕痰과 관계되지 않은 것이 없으므로 모두 치료할 수 있다.

【配伍分析】 瘧疾이 자주 발생하면서 그치지 않는 것을 치료할 때에는 당연히 截之해야 하므로 燥濕祛痰·行氣散結하는 방법을 채용하는 것이 마땅하다. 常山은 瘧疾에 대하여 특효를 가지고 있는데, 오랫동안 줄곧 瘧疾을 치료하는 전문적인 약제로 여겨져 왔으며, 또한 능히 祛痰하므로 君藥으로 삼았다. 『神農本草經』卷3에 記載된 常山은 "主傷寒寒熱, 熱發溫瘧, …… 胸中痰結吐逆."이라고 하였고, 『藥性論』卷2에도 또한 말하기를 "治諸瘧, 吐痰涎, 去寒熱."한다고 하였으며, 李時珍은 본 약재의 '劫痰截瘧'하는 효능을 강조했을 뿐만 아니라, 用藥하는 시간에 대해서도 구체적으로 규정하였으니, "須在發散表邪及提出陽分之後, 用之得宜, 神效立現."(『本草綱目』卷17)라고 하였고, 현대의 藥理學적인 硏究에서도 이미 常山의 抗瘧作用을 실증하였다. 臣藥은 檳榔으로써 行氣散結하고 草果로

燥濕祛痰하는데, 두 가지 약재는 모두 截瘧할 수 있기에 常山과 配伍하면 서로 보완하여 더욱 잘 드러난다. 이 두 가지 약재의 상술한 기능에 대하여 前賢들이 일찍이 논술한 것이 있는데, 그중 檳榔은 『名醫別錄』卷2에서 말하기를 "主消穀逐水, 除痰癖."이라 하였고, 『本草綱目』卷31에서는 보충해서 말하기를 "療諸瘧, 禦瘴癘."라고 하였다. 草果에 관하여 『本草求眞』卷3과 『本草正義』卷5에 分別하여 記載해 놓았는데, "氣味浮散, 凡冒巔霧不正瘴瘧, 服之直入病所皆有效."라고 하였고, "辛溫燥烈, 善除寒濕而溫燥中宮, 故爲脾胃寒濕主藥."이라고 하였으며, "按嵐瘴皆霧露陰濕之邪, 最傷淸陽之氣, 故辟瘴多用溫燥芳香, 以勝陰霾濕濁之蘊祟. 草果之治瘴瘧, 意亦猶是."라고 하였다. 다시 佐藥으로는 溫中燥濕하는 厚朴과 疏肝破氣하는 靑皮와 理脾行氣하는 陳皮인데, 세 가지 약재는 모두 燥濕理脾·行氣化痰하는 효능을 나타내기 때문에 함께 君臣을 도와서 標本을 함께 돌아보는 것이다. 甘草는 益氣和中하면서 諸藥의 辛溫燥烈한 성질을 制約하므로 使藥이 된다. 이상의 7가지 약재를 함께 사용하면 瘧邪를 截除할 뿐만 아니라, 濕痰을 消除할 수도 있으므로 '截瘧七寶飮'이라고 부르는 것이다. 본 방제의 配伍 특징은 截瘧祛痰行氣하는 약재를 하나의 방제 속에 모아 놓았다는 것으로 순수하게 祛邪하는 방제에 속하지만 邪氣가 제거되면 正氣는 저절로 안정된다는 것이다.

【臨床應用】

1. 證治要點: 본 방제는 截瘧의 代表方으로 응용할 때에는 寒熱往來·舌苔白膩·脈弦滑浮大가 나타나는 것을 제외하고도, 또한 모름지기 體質이 壯實한 사람이어야 한다.

2. 加減法: 瘧疾이 자주 발작하면서 그치지 않는 것은 반드시 氣로부터 말미암아 血에 영향을 미친 것이니 본 방제 중에 五靈脂·桃仁 등 活血하는 약재를 넣어야 하고, 癥積伏癖을 형성한 것에는 活血祛瘀藥을 넣으면 血證을 兼治할 수 있을 뿐만 아니라 瘧母의 형성을 방지할 수 있고, 만약 惡寒이 심하면 桂枝를 넣어 散寒할 수 있고, 만약 嘔吐하면 半夏·生薑을 넣어 燥濕祛痰止嘔할 수 있다.

3. 截瘧七寶飮은 다음 한국표준질병사인분류(KCD)에 해당하는 환자가 濕痰瘧疾證으로 辨證되는 경우 본 처방의 사용을 고려해볼 수 있다.

처방 목표	한국표준질병사인분류(KCD)
瘧疾	B50~B64 원충질환_말라리아

【注意事項】 무릇 瘧疾은 痰으로 인하여 발생하므로 자주 發作한 후라도 正氣가 아직 虛하지 않은 자에게는 마땅히 이 방제로 截之함으로써 久發하여 正氣를 損傷시키는 것에서 벗어나야 한다. 그러나 본 방제는 溫燥之劑에 속하므로 中氣가 虛弱하거나 혹은 속에 鬱火가 있는 자에 대해서는 모두 마땅하지 않다.

【變遷史】 본 방제의 원래 명칭은 '七寶飮'으로 『醫方類聚』卷122에 실려 있는데, 이 책에서 주석하기로는 본 방제가 『太平惠民和劑局方』에서 나왔다고 밝혀놓았으나, 현존하는 『局方』의 모든 版本에서는 모두 이 방제를 볼 수 없었다. 『楊氏家藏方』에서 본 방제를 실을 때에는 '七寶散'이라고 불렀고, 『易簡方』 및 『仁齋直指方論』에서 본 방제를 실을 때에는 '七寶湯'·'七物湯'이라고 분별해서 불렀으며, 明代 『醫學正傳』에서 본 방제를 인용할 때에는 그 治瘧하는 효능을 강조하기 위하여 '截瘧七寶飮'으로 이름을 바꾸었는데 마침내 지금까지 사용되고 있다.

본 방제의 立法과 처방을 구성하면서 약재를 선택한 構想은 후세 의학자들에게 상당히 깨우치는 바가 있다. 예를 들어 『丹溪心法』卷2의 截瘧常山飮은 곧 截瘧七寶飮에서 厚朴·靑皮·陳皮를 빼고 穿山甲·知母·烏梅를 넣어 만든 것으로 行氣시키는 힘은 줄이면서 活血通絡·潤燥淸熱시키는 작용을 증가시킨 것이다. 穿山甲과 관련해서 李時珍이 일찍이 지적하기를 "除痰瘧寒熱"이라고 하였고, 知母와 함께 방제 중 草果와 같이 사용하면 치료 효과를 더욱 증가시킬 수 있으니, 李氏가 말하기를 "治瘴瘧寒熱, 取其一陰一陽, 無偏勝之害, 蓋草果治太陰獨勝之寒, 知母治陽明獨勝之火也."(『本草綱目』卷14)라고 하였다. 본 章에 실려 있는 治瘧하는 방제를 관찰해보면 본 방제에서 채용하고 있는 厚朴·青皮·檳榔·草果 등 溫燥破結化痰하는 약재를 언제나 빼놓을 수 없다. 예를 들어 『濟生方』卷1의 清脾湯·『溫疫論』卷上의 達原飮·『重訂通俗傷寒論』의 柴胡達原飮은 모두 상술한 여러 가지 약재들과 配伍하고 있으니, 截瘧七寶飮이 後世 治瘧方에 끼친 영향을 일부분 볼 수 있다.

【難題解說】

1. 瘧疾에 관한 것: 이것은 間歇性으로 寒戰·高熱·出汗하는 것을 특징으로 하는 일종의 傳染病이다. 『內經』에서는 瘧이나 痎瘧이라고 불렀고, 『金匱要略』에서는 瘧病이라고 불렀다. 瘧疾을 病名으로 삼은 것은 『太平聖惠方』卷74에 보이는데, 病因은 風寒暑濕의 邪氣가 營衛에 침범하여 생기는 것이다. 體質의 强弱에 구별이 있고 感受한 病邪와 유행하는 특징 및 表現하는 證候의 不同으로 대체적으로 분류하면 아래와 같다. ① 臨床 證候에 따라 분류하면, 風瘧·暑瘧·濕瘧·痰瘧·食瘧·寒瘧·溫瘧·風熱瘧 등이 있다. ② 發病하는 時間에 따라 분류하면, 間日瘧·三日瘧·正瘧·子母瘧·夜瘧·鬼瘧·暴瘧·遊瘧·老瘧·久瘧·陰瘧·陽瘧 등이 있다. ③ 誘發한 구성 요소 및 유행하는 특징으로 분류하면, 勞瘧·虛瘧·瘴瘧·疫瘧 등이 있다. ④ 臟腑·經絡에 따라 분류하면, 五臟瘧·三陽經瘧·三陰經瘧 등이 있다.

2. "本方治一切瘧疾"에 관한 문제: 原書에서 말하기를 "本方治一切瘧疾"이라고 하였는데, 대개 病機 상으로 볼 것 같으면 瘧疾이라는 하나의 증상은 원인이 비록 번잡하지만 매번 濕痰과 관계있으므로 前人들에게는 "無痰不成瘧"한다는 학설이 있었다. 그리고 濕痰이 생기는 것은 脾胃와 관계가 있으므로 治瘧하려면 또한 반드시 理脾祛濕化痰과 결합시켜야 하는데, 본 방제의 治法이 바로 燥濕化痰·理氣運脾하는 것이라서 이미 생긴 濕痰을 변화시킬 뿐만 아니라 아직 생기지 않은 濕痰을 예방하므로 治瘧의 源流가 되는 것이다. 본 방제의 구성으로 볼 것 같으면 본 방제에는 이미 燥濕健脾·理氣化濕하는 厚朴·青皮·陳皮 등이 있을 뿐만 아니라, 또한 治瘧하는 要藥인 常山·草果·檳榔이 있으며, 더욱이 常山으로써 君藥을 삼았으니 截瘧하는 게 매우 빠르다. 전체 방제를 종합해보면 燥濕除痰截瘧하는 효능이 있으므로 각종 類型의 瘧疾에 대하여 단지 中氣不虛·內無鬱火하다면 모두 본 방제를 隨證加減하여 截之할 수 있다.

3. 본 방제의 煎法에 어찌하여 물과 술을 사용하여 함께 달이는가?: 原方을 水·酒로 함께 달이는 것은 깊은 뜻이 숨어 있다. 대개 술의 성질은 辛溫하여 능히 寒濕을 제거하고, 氣血을 통하게 하며, 藥勢를 움직이게 하여 藥物이 體內에서 신속하게 작용이 발휘되도록 하는 것이며, 특별한 것은 常山이 酒煮한 후에 截瘧시키는 효능이 더욱 두드러진다는 것이다. 李士材가 말하기를 常山은 "若酒浸炒透, 但用錢許, 余每用必建奇功."(『本草通玄』)이라고 하였다. 약리적인 실험에 근거하자면 술은 매우 좋은 溶媒로써, 常山 등 截瘧하는 약재의 유효 성분은 술을 만나야 물 속에 溶解된다. 또한 常山은 "生用則上行必吐, 酒蒸·炒熟則氣稍緩."(『本草綱目』卷17)이라고 하였으니, 嘔吐에 이르지 않을 수 있는 것이다.

【醫案】

1. 妊娠瘧疾 『瘧疾專輯』: 世嫂인 呂顏氏가 1934년 秋仲에 懷妊한지 6~7개월 되었는데, 秋暑가 지나치게 혹독함으로 인하여 목욕한 후에 風邪를 만남으로써 한 해 전에 있었던 寒瘧의 宿患을 야기하면서 반복 발작하는 게 매우 심하였다. 先寒後熱, 寒多熱少, 栗栗戰掉, 頭痛如破, 心煩作惡, 六脈浮緊하였는데, 瘧疾이 輕淺하지가 않아서 損胎流產으로 위험에 이를 우려가 있었다. 진단해달라고 불렀을 때에는 이미 1주일이 되었으며, 또한 여러 醫師를 거치면서 柴胡加桂 등을 주었지만 조금도 효과가 없었다. 내가 말하기를 이 질

병은 常山이 아니면 효과가 없다고 하였으나, 많은 의사들이 불가하다고 하였다. 꾸물거리면서 다시 3일이 지났지만 많은 의사들이 계획을 세울 수가 없었다. 내가 마침내 다시 앞에서 의논한 뜻을 펼치면서, 또한 『內經』에 실려 있는 "婦人重身, 毒之奈何?"라는 물음과 岐伯의 대답인 "有故無殞"이라는 설명을 인용하였고, 『楊氏家藏方』의 '七寶散'을 위주로 하여 加減 치료하였다. 방제로는 常山 錢半, 青皮 一錢, 炙陳皮 一錢, 甘草 七分, 草果 二錢, 銀柴胡·鮮藿香·香青蒿·淡子芩·當歸身·炒白芍藥 各錢半. 물과 술을 각각 반씩 사용하여 七分이 되도록 달였으며, 여과된 즙을 별도의 그릇에 저장하였다. 찌꺼기를 다시 물과 술을 각각 반으로 하여 달여서 찌꺼기를 제거하고 별도의 그릇을 사용하여 담아두었다. 첫 번째와 두 번째 달인 것을 취하여 각각 가늘게 짠 직물로 덮어서 하룻밤을 묵힌다. 다음날 새벽에 약간 따뜻하게 끓여서 먼저 첫 번째 달인 것을 복용하는데, 내가 친히 그 약 먹는 것을 감독하였다. 2시간 정도를 지켜보았지만 吐하지도 않고 瘧疾도 또한 다시 이르지 않아서 이후에 복용하는 것은 그쳤다. 방제를 바꾸어 人蔘 一錢, 白朮 三錢, 炒白芍藥 二錢, 炒歸身 三錢, 紋秦艽 錢半, 醋制鱉甲 三錢, 淡子芩 錢半, 煅牡蠣 三錢, 炙甘草 七分에 大棗 三枚(去核)를 넣어 함께 달인 후 연속해서 2첩을 복용하고는 안정되었다.

내가 毅然하게 截瘧을 주도할 수 있었던 까닭은, 첫째 瘧疾의 발작이 이미 6~7度를 넘으면서 바로 截瘧할 수 있는 알맞은 때에 놓였기 때문이고, 다음으로는 이와 같이 꾸물거리다가는 마침내 殞胎하게 될 것인데, 어찌 기회를 타서 즉시 결단함으로써 逆而取之하는 것만 못하겠는가? 라는 것이었으며, 결국 꼼짝 않고 앉아서 지켜보다가 후회하는 것 보다는 나았다. 處方은 곧 七寶飮에서 厚朴·檳榔을 빼고 藿香·青蒿·歸·芍·子芩 등을 넣음으로써 더욱 조심조심하여 후환을 남기지 않았으며, 끝까지 經訓인 "衰其大半而止"하라는 警戒를 두려워하였으므로 친히 湯藥 먹는 것을 보면서 一擊하여 적중하면 곧 再服하지 말고 그치게 하였다. 아울러 방법을 바꾸어 먼저 토벌하고 뒤로는 어루만짐으로써 평온함을 기대할 수 있었으니 이것이 주효할 수 있었던 것이다.

2. 産後瘧疾 『中國現代名中醫醫案精華』: 某 여자, 22세, 已婚. 初診時에 호소하기를 오랫동안 隔日瘧을 앓았다고 한다. 지금은 産後 27일이 되었는데 惡露는 이미 깨끗해졌다. 3일 전에 寒戰高熱을 개시하면서 隔日에 한 번 발작했는데(體溫 40.5℃), 頭痛汗出, 渾身酸楚, 惡心하였다. 檢查: 面色白, 肌瘦神疲, 唇舌不榮, 苔濁灰膩, 脈象浮滑數하였다. 辨證: 평소 체질이 虛寒한데 産後에 더욱 여위면서 膜原에 잠복되어 있던 邪氣가 虛한 틈을 타고 일어난 것이다. 治法: 마땅히 扶正截邪·溫下清上하는 것이 옳다. 방제로는 截瘧七寶飮·四獸飮에 加減한 것을 취하였다. 處方: 潞黨參 12 g, 淡竹葉 9 g, 煮半夏 6 g, 枯黃芩 6 g, 煨草果 5 g, 常山苗 6 g, 炙甘草 5 g, 楊桃花 9 g, 肉桂末 1 g(分沖), 鹽陳皮 5 g, 花檳榔 5 g, 結茯苓 9 g, 大烏梅 9 g.

2첩을 복용한 후에 寒熱과 頭痛이 모두 감소하였으며, 體溫은 37.5℃까지 내려갔지만, 여전히 惡心, 神疲, 自汗出, 舌質暗淡, 苔濁略退, 脈滑하였다. 病勢가 비록 감소하였지만 남아 있는 邪氣가 未盡한 것은 脾虛挾濕으로 納運失調한 것이니 여전히 健脾燥濕截瘧으로 치료해야 한다. 處方: 潞黨參 12 g, 淡竹葉 9 g, 煮半夏 6 g, 甘草梢 5 g, 鹽陳皮 5 g, 楊桃花 9 g, 炒常山 6 g, 大烏梅 9 g, 草蔻仁 5 g, 肉桂末 1 g(分沖).

2첩을 복용한 후에 寒熱이 이미 물러났고 精神도 또한 好轉되었는데, 오직 納差·惡心欲嘔가 제거되지 않았으며, 舌狀과 脈象은 이전과 같았다. 瘧疾은 이미 물러났지만 體虛한 것이 아직 회복되지 않으면서 脾胃失和한 것이다. 치료는 溫中補虛·燥濕和胃해야 한다. 번갈아가며 4첩을 먹였더니 모든 病이 다 안정되었으며, 한 달 동안 방문하면서 물어봤는데 재발하는 걸 볼 수 없었다.

考察: 본 例는 瘧疾의 病史가 있는데, 産後에 피로하면서 다시 발작한 것으로, 즉각 截瘧藥을 투여하여 효과를 본 것이다. 納呆와 嘔吐는 病勢가 비록 심하지만 溫中固下와 燥濕化痰을 사용하면 "脾惡濕, 痰生濕也."의 機轉에 的確하다. 産後에 失血하면 下元이 대부분 虛하기 때문에 面色白, 口唇不榮, 舌苔暗濁한 것은 下元虛寒의 眞象이 되고, 肌膚壯熱하고 脈象浮數한 것은 陽氣가 外泄하는 假象이다. 上熱下寒하므로 肉桂의 辛熱을 사용하여 引火歸原함으로써 外泄하려는 陽氣를 수렴하고, 淡竹葉의 淸肺하는 것과 配伍함으로써 華蓋가 煎熬되는 것을 하지 못하게 하는 것이다. 一溫一涼을 並用하는 것은 既濟法을 모방한 것으로 溫下淸上하는 효능을 취한 것이다. 네 번째 진단 중에 肉桂를 附子로 바꾸어도 뜻은 역시 서로 같다.

淸脾飮(淸脾湯)

(『濟生方』卷1)

【異名】 淸脾飮子(『保嬰撮要』卷7)·淸脾飮(『濟陰綱目』卷9)·九味淸脾湯(『瘟疫新論』卷下).

【組成】 靑皮 去白 厚朴 薑製 白朮 炒 草果仁 柴胡 去蘆 茯苓 去皮 半夏 湯泡七次 黃芩 甘草 炙 各等分

【用法】 이상을 잘게 부수어서 매번 四錢을 복용하는데, 물 一盞半에 生薑 五片을 넣고 七分이 되도록 달인 다음에 찌꺼기를 제거하고 따뜻하게 복용하며, 時候에 얽매이지 않는다(現代用法: 물에 달여서 瘧疾이 발작하기 2~3시간 전에 복용한다).

【效能】 和解淸熱, 燥濕化痰, 行氣運脾.

【主治】 瘧疾濕痰化熱證. 寒熱往來, 熱多寒少, 膈滿心煩, 不思飮食, 口苦舌乾, 小便黃赤, 大便不利, 舌苔黃膩, 脈弦數.

【病機分析】 본 방제가 치료하는 瘧疾은 비록 脾失健運하여 停濕生痰하여 만들어진 것이지만, 벌써 熱로 변화하면서 "瘧不離少陽"한다는 것이 더해졌으니 少陽不和해서 생기는 것이다. 濕痰이 熱로 변화하면 熱多寒少·小便黃赤하는 것이고, 胃納과 脾運이 失常하면 不思飮食·大便不利하는 것이며, 少陽이 조화를 잃으면 心煩·口苦하는 것이고, 苔黃膩·脈弦數은 모두 濕痰化熱의 징후이다.

【配伍分析】 본 방제의 適應證과 部位는 少陽·脾胃에 있으며, 病의 성질은 痰·濕·熱에 속하고, 病證은 熱多寒少를 특징으로 삼기 때문에 치료는 和解淸熱·燥濕化痰·行氣運脾하는 방법으로 한다. 方藥으로는 柴胡·黃芩을 선택하여 和解少陽·透邪淸熱하였다. 柴胡가 瘧疾을 치료한다는 것은 일찍부터 記載된 것이 있는데, 『本經逢原』卷1에서 말하기를 "諸瘧寒熱"이라고 하였고, 黃芩으로 보조하여 相輔함으로써 相成하는 것이니, "淸肌退熱, 柴胡最佳, 然無黃芩不能涼肌達表."(『本草彙言』卷1)라고 하였다. 게다가 두 가지 약재는 和解少陽하는 데 반드시 사용하는 약재이므로 함께 君藥이 된다. 臣藥은 草果로 截瘧하고 半夏로 散結消痞하는 것인데, 두 가지 약재는 모두 燥濕化痰할 수 있어서 이로써 濕痰을 제거하는 것이다. 靑皮·厚朴은 行氣除滿燥濕하는데 "氣化濕亦化"와 "氣順則痰消"라고 하였고, 草果·半夏와 함께 사용하면 치료 효과가 더욱 증가한다. 다시 佐藥인 白朮·茯苓·甘草로 健脾益氣祛濕하는데, 濕을 생성하는 근원을 막을 뿐만 아니라 이미 생성된 濕도 제거할 수 있다. 甘草는 調和藥性할 수 있기에 이로써 使藥으로 삼는다. 전체 방제를 종합해서 관찰해보았을 때 그 配伍 특징은 扶正과 祛邪를 함께 거행하면서도 祛邪를 위주로 하였고, 少陽과 脾胃를 함께 치료하였지만 중점은 治脾에 있는 것이니, 이것이 또한 淸脾湯이라고 命名한 근거가 된다.

【臨床應用】

1. 證治要點: 본 방제는 원래 痺瘧으로 濕痰化熱한 증상을 치료하는 것이며, 寒熱往來, 熱多寒少, 心煩口苦, 脈弦數을 증치의 요점으로 삼는다.

2. 加減法: 邪氣가 왕성한 자는 常山·檳榔을 증가시켜 截瘧行氣하는 힘을 강화시키고, 熱이 심하면 石膏를 넣어 淸熱作用을 증가시킬 수 있으며, 濕痰이 뚜렷한 자는 陳皮·蒼朮를 넣어 化痰燥濕하는 효능을 더하고, 體質이 약한 자는 人蔘을 넣음으로써 益氣扶正한다.

3. 淸脾飮은 다음 한국표준질병사인분류(KCD)에 해당하는 환자가 瘧疾濕痰化熱證으로 辨證되는 경우 본 처방의 사용을 고려해볼 수 있다.

처방 목표	한국표준질병사인분류(KCD)
瘧疾	B50~B64 원충질환_말라리아

【注意事項】 瘧疾이 痰濕偏寒에 속하는 자는 본 방제를 응용하는 것이 마땅치 않다.

【變遷史】 본 방제의 원래 명칭은 淸脾湯이며, 제일 처음으로는 『濟生方』卷1에 실려 있는데, 다만 根源을 거슬러 올라가보면 실제적으로 『傷寒論』의 小柴胡湯에서 人蔘·大棗를 빼고, 『太平惠民和劑局方』卷4의 二陳湯에서 陳皮를 빼며, 『三因極一病證方論』卷6의 淸脾湯에서 烏梅·高良薑을 뺀 세 가지 방제를 相合한 것에, 또한 白朮을 넣어 만든 것이다. 淸脾飮은 원래 "癉瘧, 脈來弦數, 但熱不寒, 或熱多寒少, 膈滿能食, 口苦舌乾, 心煩, 小便黃赤, 大便不利."를 치료하는 것이었는데, 그 이후에 『濟陰綱目』卷9에서는 그것을 확대하여 妊娠瘧疾에 사용하였다.

구성 방면에 있어서 『中醫方劑大辭典』의 統計에 근거한다면, 본 방제의 뒤를 이어서 淸脾湯 혹은 淸脾飮이라고 부르는 것은 모두 6개가 있는데, 그중에 본 방제로 말미암아 化裁한 것에 4개가 있으며 主治證 역시 발전된 바가 있다. 예를 들어 『世醫得效方』卷14의 淸脾湯은 본 방제에 人蔘·常山·地骨皮를 넣어 補氣健脾·截瘧祛痰의 효능을 증강시킨 것으로 妊娠했을 때 瘧疾이 발작하면서 熱多한 자에게 사용한다. 『胎產秘書』卷上의 淸脾飮은 본 방제에서 柴胡·草果·半夏를 빼고 知母를 넣어 燥濕시키는 힘을 줄인 것으로 치료는 前方과 같다. 상술한 두 가지 방제는 주로 婦科에 사용하며 이하의 두 가지 방제는 小兒科에 적합하다. 『痘疹金鏡錄』卷上의 淸脾飮은 본 방제에 蒼朮·陳皮·枳殼·川芎·香附子를 넣어 消導宿滯함으로써 小兒瘧疾을 전문적으로 치료한다. 『幼科金針』卷上의 淸脾飮은 본 방제에 白朮을 빼고 蒼朮·陳皮·枳殼·桑葉을 넣은 것으로 효능은 前方과 유사하며 小兒食厥에 비교적 적합하다. 만약 瘧疾에 사용하는데 안으로 瘧母가 있다면 香附子를 넣는다.

【難題解說】

1. 본 방제의 命名을 어떻게 이해해야 하는가?: 이것에 대하여 의학자들의 견해가 일치하지 않는다. 吳昆은 淸脾飮의 '淸'을 "非淸涼之謂, 乃攻去其邪而脾部爲之一淸也."(『醫方考』卷2)라고 인식하였고, 張璐 등이 인식하기로는 "淸理, 脾家痰氣宿滯及蘊積少陽經中風熱之邪."(『張氏醫通』卷3)라고 하거나 혹은 "淸少陽所勝之邪"(『絳雪園古方選注』卷中)라고 하였고, 柯琴·王泰林이 淸脾를 인식한 것은 "究其因而治其本"(錄自『古今名醫方論』卷2)이라고 하거나, "是明從脾胃論治"(『王旭高醫書六種』「退思集類方歌注」) 등이다. 결국 누구의 학설이 옳은 것인가? 대개 본 方證은 濕痰化熱하여 少陽失和로 생긴 것이므로 "瘧不離少陽"이라는 학설이 있는 것이다. 그렇지만 濕痰의 邪氣는 脾胃에 근본하며, 濕痰이 제거되지 않으면서 蘊熱不淸하면 瘧疾의 발작이 그치지 않는다. 그러므로 본 방제에는 대부분 健脾化濕하는 약재로 되어 있으며 和解少陽하는 것은 겨우 柴胡·黃芩 뿐이니, 본 방제는 脾의 근본을 치료하는 것이 위주임을 볼 수 있다.

2. 본 방제는 원래 '癉瘧'을 치료하는 것이라는 해석에 관한 것: 癉은 熱氣가 왕성하다는 뜻이므로 癉瘧에는 곧 溫瘧이라는 설명이 있다. 임상적인 표현으로는 瘧疾이 발작할 때에는 但熱不寒하거나 혹은 熱多寒少한 것이 특징이다. 『素問』「瘧論」에서 일찍이 記載하기를 "但熱不寒者, 陰氣先絕, 陽氣獨發, 則少氣煩冤, 手足熱而欲嘔, 名曰癉瘧."이라 하거나, "癉瘧者, 肺素有熱, 氣盛於身, 厥逆上沖, 中氣實而不外泄, 因有所用力, 腠理開, 風寒舍於皮膚之內, 分肉之間而發. 發則陽氣盛, 陽氣勝而不衰, 則病矣. 其氣不及於陰, 故但熱而不寒."라고 하였다.

【醫案】

1. 瘧疾『瘧疾專輯』: 某 남자, 17세. 날마다 瘧疾이 때에 맞게 발작하는데, 先寒後熱하되 熱勢가 매우 장성하며 頭痛胸悶한 것이 이미 열흘이나 끌었다. 이것은 여름철에 暑邪에 손상되었던 것이 가을철에 風涼를 감수하여 邪氣가 少陽에 잠복하면서 濕痰이 膜原을 막고 있는 것이다. 脈象은 滑數하고 舌苔는 薄白하였다. 淸脾飮에 加減한 것을 적용하였다. 處方: 柴胡 一錢, 制川朴 一錢, 黃芩 一錢, 草果(打) 一錢, 薑半夏 三錢, 生甘草 一錢, 炒白朮 錢半, 陳皮 一錢, 靑皮 錢半, 茯苓 三錢, 紅棗 三枚, 生薑 二片. 이 방제를 3첩 복용하고는 寒熱이 물러나면서 瘧疾이 나았다.

考察: 夏暑와 秋涼으로 邪氣가 少陽에 잠복하면서 濕痰이 內阻하여 瘧疾이 발작한다. 脾는 喜燥惡濕하기에 濕痰이 內困하면 脾가 健運하지 못하고 濕痰을 더욱 왕성하게 만드는 까닭으로 瘧疾의 발작이 날마다 그치지 않는 것이다. 치료는 마땅히 運脾化濕·和解行氣해야 하며, 방제로는 淸脾飮에 陳皮를 넣어 行氣化痰하는 효능을 증가시키고, 生薑·大棗를 넣어 中焦의 脾胃를 調理한다.

2. 『現代名中醫醫案選』「葉熙春醫案」: 某 남자, 30세. 濕痰이 內伏하여 樞機가 不和하면서 瘧疾의 발작이 間日而來하며, 先寒後熱, 頭痛胸滿欲嘔, 腹部作脹, 舌苔厚膩, 脈象弦滑하였다. 치료는 淸脾飮에 加味하였다: 制厚朴 4.5 g, 煨草果 4.5 g, 制茅朮 4.5 g, 柴胡 4.5 g, 炒黃芩 6 g, 薑半夏 7.5 g, 威靈仙 9 g, 白蒺藜 9 g, 小靑皮 4.5 g, 茯苓 12 g, 烏藥 9 g, 生薑 三片, 竹茹 9 g.

二診: 前方을 복용한 후에 瘧疾의 발작이 이미 가벼워지면서 嘔吐가 그쳤고, 頭痛·胸悶·腹脹이 모두 차도가 있었으며, 苔膩轉薄, 脈仍弦滑하였다. 다시 原法을 따른다: 柴胡 2.4 g, 黃芩 4.5 g, 茯苓 12 g, 制川朴 2.4 g, 小靑皮 4.5 g, 白蒺藜 9 g, 薑半夏 7.5 g, 生穀芽 9 g, 威靈仙 9 g, 煨草果 2.4 g, 制茅朮 4.5 g, 台烏藥 6 g.

考察: 間日瘧이면서 頭痛腹脹·胸滿欲嘔·舌苔厚膩·脈象弦滑을 동반한 자는 濕痰이 內伏하여 脾가 健運하지 못하는 것이다. 치료는 마땅히 和解行氣·運脾化濕해야 한다. 淸脾飮에 威靈仙·白蒺藜·烏藥 등을 넣어 燥濕行氣하는 효능을 증가시켜 痰을 제거하면서 根源을 맑게 하면, 脾의 健運하는 기능이 회복되면서 瘧邪가 투출되어 풀리는 것이다.

柴胡達原飮

(『重訂通俗傷寒論』 卷2)

【組成】 柴胡 一錢半(4.5 g) 生枳殼 一錢半(4.5 g) 川朴 一錢半(4.5 g) 靑皮 一錢半(4.5 g) 炙甘草 七分(2.1 g) 黃芩 一錢半(4.5 g) 苦桔梗 一錢(3 g) 草果 六分(1.8 g) 檳榔 二錢(6 g) 荷葉梗 五寸(10~15 g)

【用法】 水煎服.

【效能】 透達膜原, 祛濕化痰.

【主治】 溫疫濕痰阻於膜原證. 間日發瘧, 胸膈痞滿, 心煩懊儂, 頭眩口膩, 咯痰不爽, 苔白粗如積粉, 捫之糙澀, 脈弦而滑者.

【病機分析】 膜原은 밖으로 肌腠와 통하며 안으로 胃腑와 가까운데, 三焦의 門戶가 되면서 一身의 半表半裏에 위치하고 있다. 溫疫의 邪氣는 口鼻를 따라 들어온다. 邪氣가 半表半裏에 있으면 營衛之間을 출입하면서 正邪가 相爭하는 시간에 瘧疾이 發作하는 것이며, 발작하는 것에 일정한 시간이 있는 것이다. 邪氣가 膜原을 막으면 三焦의 氣機가 通暢하지 못하면서 積濕釀痰하므로 胸膈痞滿이 나타나는 것이며, 氣機가 울체되면 熱로 변화하면서 裏에 濕鬱熱伏하게 되는데, 안으로 心神을 요란시키면 心煩懊儂하는 것이고, 안으로 淸陽을 막으면 頭眩하는 것이며, 濕痰이 안으로 肺에 울체되면 咯痰不爽하는 것이다. 苔白粗如積粉, 捫之糙澀, 脈弦而滑한 것은 모두 濕痰이 膜原을 막고 있는 징후이다.

【配伍分析】 본 방제가 主治하는 間日瘧은 瘟疫이 濕痰으로 생긴 것과 관계되는데, 다만 濕이 熱보다 심하다. 이때에는 邪氣가 表에 있지 않으므로 發汗시키는 것을 꺼리고, 胃腑가 충실하지 않으므로 攻下하는 것도 마땅하지 않다. 바로 葉桂가 말한 "溫疫病, 初入膜原, 未歸胃腑, 急急透解."(『外感溫熱篇』)라고 한 것과 같다. 따라서 治療 상으로는 마땅히 開達膜原·祛濕化痰하여야 한다. 본 방제는 柴胡·黃芩을 君藥으로 삼아서 透表解熱함으로써 膜原의 氣機를 疏達시키는데, "爲外邪之在半表半裏者, 引而出之, 使達於表而外邪自散."(『本草正義』 卷2)이라고 하였고, 또한 黃芩은 淸熱瀉火함으로써 膜原의 鬱熱을 降泄시키는데, "得柴胡退寒熱"(『本草綱目』卷13)이라고 하였으니, 두 가지는 半表半裏의 邪氣를 和解시키는데 있어 중요한 藥對가 된다. 枳殼·厚朴·草果와 配伍하여 行氣燥濕·消痞除滿하는데, 草果는 더욱이 截瘧祛痰함으로써 寬暢中焦하기에 모두 臣藥이 된다. 佐藥은 靑皮·檳榔으로 下氣散結함으로써 疏利上焦한다. 桔梗은 宣肺化痰하기에 『重慶堂隨筆』卷下에서 말하기를 "開肺氣之結, 宣心氣之鬱, 上焦藥也."라고 하였고, 荷梗은 升淸透邪하는데, 두 가지 약재를 함께 사용하면 開宣上焦하기에 역시 佐藥이 된다. 甘草는 調藥補中하기에 使藥이 된다. 총괄하면 이 방제의 配伍 특징은 透表淸裏하면서 宣上·暢中·疏下하는 것으로, 膜原이 開達되게 만들면 表裏가 和解하면서 三焦가 通利되어 邪祛熱淸·濕化痰消하기에 瘧疾이 저절로 완화되는 것이다.

【類似方比較】 본 방제는 截瘧七寶飮·淸脾飮과 함께 모두 瘧疾을 치료하는 名方으로, 세 가지 방제에는 모두 厚朴·靑皮·草果·甘草 등 理氣化痰燥濕하는 약재가 있지만 특징에는 각각 차이가 있다. 그중 柴胡達原飮은 또한 柴胡·黃芩·枳殼·桔梗·檳榔·荷梗의 몇 가지 약재를 증가시켜 透解開達疏利시키는 효능이 비교적 강하기에 溫疫으로 濕痰이 膜原에 잠복하고 있는 間日瘧을 잘 치료하는데, 다만 濕이 熱보다 심한 것이다. 截瘧七寶飮은 常山·陳皮·檳榔의 세 가지 약재와 配伍하여 截瘧力이 뛰어나면서 아울러 淸熱作用은 없으니, 濕痰瘧疾이면서 體質이 壯實한 자를 치료한다. 淸脾飮은 柴胡·黃芩·半夏·白朮·茯苓의 여러 약재를 배합하여 和解淸熱·邪正兼顧에 뛰어나므로 濕痰化熱의 瘧疾에 대하여 상당히 적당하며, 體質이 비교적 약한 자도 역시 選用할 수 있다.

【臨床應用】

1. 證治要點: 본 방제는 邪伏膜原·濕遏熱伏하면서 濕重於熱한 것을 치료하는 常用 方劑로 寒熱往來·胸膈痞滿·苔白粗如積粉·脈弦滑을 辨證의 요점으로 삼는다.

2. 현대에는 瘧疾·流行性感冒 및 不明原因의 發熱·慢性肝炎이면서 증상으로 寒熱往來·胸膈痞滿·苔白粗如積粉·脈弦滑 등이 나타나는 자에게 응용한다.

3. 柴胡達原飮은 다음 한국표준질병사인분류(KCD)에 해당하는 환자가 溫疫濕痰阻於膜原證으로 辨證되는 경우 본 처방의 사용을 고려해볼 수 있다.

처방 목표	한국표준질병사인분류(KCD)
瘧疾	B50~B64 원충질환_말라리아
流行性感冒	J09 확인된 동물매개 또는 범유행 인플루엔자바이러스에 의한 인플루엔자
	J10 확인된 계절성 인플루엔자바이러스에 의한 인플루엔자
	J11 바이러스가 확인되지 않은 인플루엔자
	J14 인플루엔자균에 의한 폐렴
不明原因 發熱	R50.9 상세불명의 열
慢性肝炎	K73 달리 분류되지 않은 만성 간염
	B18 만성 바이러스간염

【注意事項】 濕鬱熱伏·熱重於濕한 자는 본 방제를 사용하는 것이 마땅하지 않다. 原書에서 말하기를 "若濕已開, 熱已透, 相火熾盛, 再投此劑, 反助相火愈熾, 適劫膽汁而爍肝陰, 醞成火旺生風, 痙厥兼臻之變矣."라고 하였으니 이 방제를 사용하는 자는 마땅히 신중해야 한다.

【變遷史】 본 방제는 『重訂通俗傷寒論』에서부터 출현하는데, 吳又可의 『溫疫論』卷上에 있는 達原飮을 化裁하여 유래한 것이다. 吳氏는 당시에 유행하던 溫疫病의 初期 證候를 관찰하였는데, 일반적인 外感表證과 같지 않을 뿐만 아니라 裏證도 없으면서 憎寒壯熱·脈不浮不沉而數 등으로 표현되었으며, 이러한 종류의 證候의 病變 部位를 설명하기 위하여 제시하기를 "內不在臟腑, 外不在經絡, 舍於伏脊之內, 去表不遠, 附近於胃, 乃表裏之分界, 是爲半表半裏, 卽『內經』「瘧論」所謂'橫連募原'者也."(『溫疫論』卷上)라고 하였다. 그 初期에는 邪氣가 深伏하여 膜原에 둥지를 틀고 들어앉아서 表裏의 形證이 나타나지 않기에 '汗下'시키는 방법이 모두 마땅하지 않고 오직 '宣疏'하는 한 가지 방법으로 그 伏邪를 변화시키는 것이 적당하다. 達原飮은 檳榔·厚朴·草果로 疏利宣泄·破結逐邪하기에 그 巢穴에 직접적으로 도달함으로써 邪氣를 潰敗하게 하여 빠르게 膜原을 떠나도록 한다. 다시 黃芩과 배합하여 淸泄裏熱하고, 甘草로 和中解毒하며, 知母를 넣어 滋陰하고 芍藥으로 和血하면, 淸熱시키는 힘을 도울 뿐만 아니라 辛燥한 약재로 津液을 손상시키는 것을 방어할 수 있다. 모든 약재를 합해서 사용하면 達原潰邪하는 효능을 함께 이룰 수 있다. 그러나 達原飮은 檳·朴·果를 위주로 하여 약재가 대부분 溫燥하기에 透邪하기에는 부족하며, 또한 知·芍의 滋膩한 약재가 있기 때문에 濕遏熱伏하면서 濕이 위주가 되는 자에게는 마땅하지 않은 것 같다.

이후에 兪根初는 이 방제의 기초상에서 柴·荷의 透泄을 증가시키면서, 知·芍의 陰柔한 것을 빼고, 다시 靑·桔·枳의 理氣시키는 것을 첨가시켰으니, "以柴·芩爲君, 以柴胡疏達膜原之氣機, 黃芩苦泄膜原之鬱火也. 臣以枳·桔開上, 朴·果疏中, 靑·檳達下, 以開達三焦之氣機, 使膜原之邪, 從三焦而外達肌腠也. 佐以荷·梗透之, 使以甘草和之. 雖云達原, 實爲和解三焦之良方. 較之吳氏原方, 奏功尤捷."(『重訂通俗傷寒論』)이라고 하였다.

위에서 볼 수 있듯이 兪氏는 吳氏의 瘧伏膜原한다는 概念을 차용하여 達原飮을 기초로 하여 발전된 柴胡達原飮을 創製하였는데, 變化된 것은 이하의 몇 가지 방면이다: ① 君藥의 改變. 達原飮은 檳榔·厚朴·草果를 君藥으로 삼아 중점이 理氣化濁破結하는데 있었고, 柴胡達原飮은 柴胡·黃芩을 君藥으로 삼아 透邪外達·淸解瘧邪하기에 더욱 좋다. ② 配伍 상의 改變. 吳氏方은 淸熱滋陰하는 黃芩·白芍藥이 있어 辛燥한 약재가 津液을 손상시키는 것을 막는 것이 가능하고, 兪氏方은 配伍 상에 三焦氣機를 開達하는 것을 더욱 강조하였는데, 원래 있던 檳榔·厚朴·草果의 기초상에서 知母·白芍藥의 滋膩한 약재를 빼고, 枳殼·桔梗·靑皮의 開達하는 것에 다시 荷梗 一味를 더하여 淸透하는 것을 더욱 왕성하게 하였다.

【難題解說】 膜原의 概念에 관한 것: 膜原과 관계된 제일 빠른 論述은 『內經』에 보인다. 『素問』「擧痛論」에서 말하기를 "寒氣客於小腸膜原之間, 絡血之中, 血泣

不得注於大經, 血氣稽留不得行, 故宿昔而成積矣."이라고 하였고, 楊上善이 설명하기를 "腸胃皆有募有原 …… 大腸募在天樞齊左右各二寸, 原在手大指之間. 小腸募在齊下三寸關元, 原在手外側腕骨之前完骨."(『黃帝內經太素』卷27)이라고 하였다. 吳又可는 膜原의 部位와 形質에 근거하여 膜原의 病理變化를 제출하여 말하였는데 "病疫之由 …… 邪自口鼻入, 則其所客, 內不在臟腑, 外不在經絡, 舍於伏脊之內, 去表不遠, 附近於胃, 乃表裏之分界, 是爲半表半裏, 即『針經』所謂橫連膜原是也."(『溫疫論』卷上)라고 하였다. 이상에서 논술한 것들을 종합해서 관찰해보면 膜原의 解釋과 說法이 일치하지 않는다. 후세의 의학자들은 대부분 吳氏의 학설을 따라 膜原學說은 吳又可가 『內經』의 관련된 論述을 인용하여 創造적으로 溫疫病의 診治에 응용한 產物이라고 인식하였다. 膜原의 部位는 半表半裏에 있는데 이곳은 溫疫病이 상대적으로 안정되는 病變 部位이다.[1)]

【醫案】

1. 瘧疾『王旭高醫案』: 張 某氏. 間瘧으로 寒熱하였으며 舌苔滿白하였다. 柴胡達原飮을 사용하였다. 柴胡·黃芩·半夏·靑皮·花檳榔·草果·川朴·茯苓·生薑. 舌苔滿白한 것은 邪氣가 膜原에 잠복한 것으로 반드시 檳榔·草果를 사용해야 한다. 만약 舌苔白하면서 乾燥한 자는 사용을 금한다.

考察: 間日瘧이면서 舌苔滿白이 보이는 자는 濕痰이 膜原을 막고 있는 것이다. 방제는 柴胡達原飮에 枳殼·桔梗·荷葉梗·甘草를 빼고 半夏·茯苓과 生薑을 넣어 祛濕化痰시키는 효능을 강화시킨다.

2. 不規則發熱『江蘇中醫雜誌』(1985, 11:12): 某 남자, 24세. 1978년 3월 上旬. 臀部의 癤腫이 潰破되면서 發熱하였고, 瘡口가 愈合된 후에도 發熱이 물러가지 않으면서 體溫은 38.5~40℃ 사이에 있었다. 진단은 '發熱待査'·'敗血症可疑'로 받았다. 입원 후에 消炎·退熱藥으로 6일 동안 치료받았지만 發熱이 물러나지 않았고, 三仁·梔豉湯 등 8첩을 복용하였지만 역시 효과를 거두지 못하였다. 熱高形寒, 得汗熱減, 一日數發, 並伴頭痛咳嗽, 口乾而不需飮, 尿黃而無 熱感, 脈象滑而帶數, 舌苔白如堆粉하였다. 俞根初의 柴胡達原飮으로 疏達膜原하는 방법이 생각나서 약재로는 柴胡 6 g, 法半夏 10 g, 淡黃芩·炒枳殼·小 靑皮·白桔梗·川厚朴各 6 g, 花檳榔 10 g, 草果仁 5 g, 肥知母 10 g, 乾荷葉 半張을 사용하여 煎服하였다. 하루에 2첩을 복용하였더니 2일째에 熱이 물러나면서 舌苔도 변화되었다. 이후에 調理脾胃하면서 化濕和中하니 나았다.

考察: 發熱惡寒이 1일 동안 자주 발작하면서 또한 頭痛咳嗽·脈象滑數·舌苔白如堆粉하는 자는 濕痰蘊熱이 안으로 膜原에 잠복한 것이다. 이러한 까닭으로 단순히 淸熱化濕하는 三仁·梔豉湯 등을 사용하면 효과를 거둘 수 없으니, 치료는 마땅히 化痰利濕·透達膜原하여 濕化熱淸하게 하면 痰去氣暢하면서 膜原에 잠복된 邪氣가 저절로 풀리는 것이다. 柴胡達原飮에 半夏를 넣어 化痰하는 효능을 증가시키고, 또한 口乾而不需飮·尿黃而無熱感한 것은 陰分의 손상을 겸하고 있는 것이므로 다시 知母를 넣어 滋陰淸熱함으로써 양호한 효과를 거둔 것이다.

【副方】 達原飮(『溫疫論』): 檳榔 二錢(6 g) 厚朴 一錢(3 g) 草果仁 五分(1.5 g) 知母 一錢(3 g) 芍藥 一錢(3 g) 黃芩 一錢(3 g) 甘草 五分(1.5 g)

- 用法: 上用水二盅, 煎八分, 午後溫服.
- 作用: 開達膜原, 辟穢化濁.
- 適應症: 溫疫初期, 邪伏膜原. 憎寒壯熱, 或 一日三次, 或 一日一次, 發無定時, 胸悶嘔惡, 頭痛煩躁, 脈弦數, 舌邊深紅, 舌苔垢膩.

達原飮 중에 檳榔은 能消能磨하여 伏邪를 제거하니 疏利하는 약재면서 또한 嶺南瘴氣를 제거하고, 厚朴은 戾氣所結한 것을 깨뜨리며, 草果는 辛烈氣雄하여 伏邪盤踞한 것을 제거한다. 세 가지 약재가 협력하

면 직접적으로 그 巢穴에 도달하여 邪氣潰敗하여 速離膜原할 수 있기에 達原이라고 한 것이다. 熱傷津液하면 知母를 넣어 滋陰하고, 熱傷營氣하면 白芍藥을 넣어 和營하며, 黃芩은 燥熱이 지나친 것을 식히고, 甘草는 和中을 위하여 사용한 것이다.

柴胡達原飮과 達原飮의 두 방제는 구성 상 모두 黃芩·厚朴·草果·檳榔·甘草가 있지만, 前者는 다시 疏達氣機하는 柴胡와 理氣行滯하는 枳殼·桔梗·靑皮 및 荷梗가 있고, 後者는 오히려 滋陰和血하는 知母와 芍藥이 있다. 두 방제는 모두 辟穢化濁·透達膜原하는 효능이 있지만, 前者는 化痰濁하는 중에 透邪行氣·通暢三焦하는 효능이 더욱 빠르고, 後者는 祛濕痰하는 중에 또한 淸熱滋陰防燥하는 효능을 겸하고 있다. 두 방제는 모두 溫瘧으로 邪伏膜原한 증상을 치료하지만, 前者는 濕痰氣滯가 비교적 심한 자에게 비교적 적당하므로 胸膈痞滿·苔白粗如積粉 등의 증상이 나타나고, 後者는 溫疫 初期 혹은 瘧疾로 邪伏膜原한 자에게 적용된다.

【參考文獻】

1) 袁寶庭. 淺談膜原學說及其意義[J]. 湖北中醫雜誌. 1990;(2):26-27.

第四章

清熱劑

清熱藥을 위주로 구성되어 있으며, 清熱·瀉火·涼血·解毒 등의 작용을 갖추고 있어서 裏熱證을 치료하는 方劑를 清熱劑라고 부르는데, 八法 중에 '清法'에 속한다.

清熱劑의 歷史는 매우 오래되었다. 『素問』「至眞要大論」에서 말하기를 "熱者寒之"하고 "溫者淸之"하라고 하였으니, 이것을 청열제의 치료원칙으로 확립하였다. 『靈樞』「癰疽」편에 실려 있는 蔆翹飮은 清熱解毒·消癰散結하는 효능이 있어서 敗疵를 主治하는데, 최초의 清熱劑라고 볼 수 있다.

東漢 末年에 張機의 『傷寒論』과 『金匱要略』 두 서적에 기재된 清熱과 관련된 方劑는 配伍가 嚴謹하고 효능이 탁월하여 오랜 세월동안 모범을 보여 왔다. 예를 들면 清泄陽明·生津止渴하는 白虎湯, 清宣鬱熱·除煩止躁하는 梔子豉湯, 清熱生津·益氣和胃하는 竹葉石膏湯, 苦寒清熱·降火止血하는 瀉心湯, 清熱止利·和中止痛하는 黃芩湯, 清熱解毒·涼血止痢하는 白頭翁湯과 같은 것으로 이것이 지금까지 임상에서 광범위하게 계속 사용하고 있는 清熱하는 좋은 방제이다.

晉·唐 시기에 清熱劑에 또한 새로운 발전이 있었는데, 예를 들어 『小品方』의 芍藥地黃湯에는 清熱涼血·解毒消瘀하는 효능이 있어서 清熱의 層次를 氣分에서부터 깊은 곳에 있는 血分에 이르기까지 확장하였으니 意義가 매우 크다. 『外臺秘要』卷1에서 인용한 崔氏方의 黃連解毒湯은 瀉火解毒·苦寒直折하기에 清熱解毒의 基礎方이 되고, 『古今錄驗』의 葦莖湯은 熱壅於肺하여 肺癰을 앓는 것을 치료하는 전문적인 방제가 된다.

宋代 『太平惠民和劑局方』에 실려 있는 涼膈散은 連翹를 重用하여 君藥으로 삼는 동시에 硝·黃의 通便泄熱과 配伍하여 '以下爲清'한 것으로 上·中 二焦의 熱毒이 熾盛한 것을 치료한 것이 상당히 독특하다. 宋代 錢乙의 『小兒藥證直訣』은 臟腑의 辨證 및 治療를 제창하였으므로 臟腑熱을 맑게 하는 방제에 대한 공헌이 진실로 많았는데, 예를 들어 錢氏가 만든 清心熱하는 導赤散과 清肝熱하는 瀉青丸과 清肺熱하는 瀉白散과 清脾胃熱하는 瀉黃散 등의 방제가 후세에 전해지고 있다.

그 후 金·元四大家의 劉完素·李杲·朱震亨 또한 清熱劑에 대하여 각자 공헌한 것이 있는데, 예를 들어 劉完素는 『素問病機氣宜保命集』에서 仲景의 黃芩湯·瀉心湯의 기초 위에서 독창적으로 濕熱痢를 치료하는 芍藥湯을 制訂하였으니, 이 방제는 清熱解毒과 더불어 調氣和血하여 서로의 능력을 더욱 잘 나타내었다. 李杲가 만든 처방은 升陽散火하는 것에 장점을 가지고 있었으므로 그가 만든 普濟消毒飮(『東垣試效方』)과

清胃散(『脾胃論』)의 두 가지 방제는 비록 清熱劑에 속하지만 清熱과 升散을 병행해도 어긋나지 않았다. 朱震亨의 左金丸(『丹溪心法』)에 이르러서는 肝火犯胃를 主治하는데, 방제로는 黃連을 사용하여 清熱을 위주로 하면서 소량의 辛溫한 吳茱萸를 配伍하여 反佐함으로써 탁월하면서 매우 독특하였다.

明·淸 시기에 溫病學說이 점차적으로 發展하고 成熟하면서 清熱劑의 發展에 참신한 내용이 注入되었는데, 예를 들어 吳瑭의 『溫病條辨』이라는 하나의 책에서 清營湯·化斑湯·青蒿鱉甲湯 등의 방제가 후세에 전해졌으며, 이외에 余霖의 『疫疹一得』에 있는 清瘟敗毒飮은 氣血兩清하는 대표적인 방제이다. 溫病學家가 만든 모든 방제는 清營涼血劑·氣血兩清劑와 清虛熱劑에 대한 공헌이 더욱 중대하였다. 清熱劑를 전문적으로 一門에 나열한 것은 明代 張介賓의 『景岳全書』에서 시작하는데, 이 책 卷50에서 卷60까지 있는 '新方八陣'과 '古方八陣' 중의 '寒陣'이 관련된 清熱方劑를 한데 모아서 篇章을 만든 최초이다. 張氏가 말하기를 "寒方之制, 爲清火也, 爲除熱也."라고 하였고, "陽亢傷陰, 陰竭則死. 或去其火, 或壯其水, 故方有寒陣."이라고 하였다. 그중에 '新方八陣'의 '寒陣'에 수록된 張氏가 스스로 만든 清熱新方으로는 保陰煎 등 20首가 있고, '古方八陣' 중의 '寒陣'에 망라된 역대 저명한 清熱方劑는 모두 184首이다.

清熱劑는 裏熱證에 적용된다. 溫·熱·火의 세 가지는 동일한 속성이다. 溫은 熱의 조짐이고 火는 熱이 지극한 것이니, 그 구별은 단지 정도가 다른 것뿐이므로 총괄해서 熱이라고 부르는 것이다. 『素問』「至眞要大論」에 실려 있는 病機十九條에는 그중에 '火'를 말한 것이 5개이고 '熱'을 말한 것이 4개이니, 火熱로 病이 되는 것이 비교적 자주 보이는 것을 알 수 있다. 그러나 그 病因을 연구해보면 外感과 內傷의 두 종류를 벗어나지 않는다. 外感六淫이 裏로 들어가면 熱로 변화하고, 五志가 過極하여 臟腑가 偏勝해도 역시 火로 변화하며, 炙烤溫熱한 食品을 과식하고 煙酒를 過度하게 하거나 溫補하는 약을 誤用 혹은 過用해도 역시 모두 化熱生火할 수 있다.

裏熱證에는 많은 종류가 있는데, 그 임상적인 표현에 근거하여 氣分과 血分에 있는 것의 차이점과 實熱과 虛熱의 구분 및 구체적으로 어떤 臟과 어떤 腑의 나눔으로 구별할 수 있다. 무릇 이러한 것들은 모두 마땅히 법칙에 맞게 清熱해야 한다. 그러므로 本章의 方劑는 相應하여 清氣分熱·清營涼血·清熱解毒·氣血兩清·清臟腑熱과 清虛熱의 여섯 종류로 나누었다. 清熱開竅·清熱息風·清熱祛濕·清熱解表·攻下實熱 등의 방제는 開竅·治風·祛濕·解表·瀉下 등의 관련된 章節에 나누어서 서술하였으니 서로 참고하는 것이 옳다.

清氣分熱劑는 熱在氣分하여 熱盛津傷한 것에 적용되는데, 증상으로는 壯熱·煩渴·大汗·脈洪大有力이 나타나거나, 혹은 熱病의 後期에 氣分에 있던 餘熱이 식혀지지 않으면서 氣津兩傷하여 증상으로는 身熱多汗·心胸煩悶·口乾舌紅이 나타나거나, 혹은 氣分의 邪熱이 胸膈에 鬱結하여 증상으로는 身熱·虛煩不眠·心中懊憹·舌苔薄黃膩 등이 나타나는 것이다. 清熱瀉火하되 다만 식히면서 막히게 하지 않는 약물을 상용하는데, 예를 들면 石膏·竹葉·梔子와 같은 종류를 위주로 방제를 구성한다. 配伍 방면에 있어서는 항상 이하의 몇 가지 종류의 상황이 있다. ① 養胃和中藥과 配伍하는데, 粳米·甘草와 같은 종류이다. 外感溫熱病 중에는 胃氣의 存亡이 지극히 중요하므로, 이른바 "有胃氣則生, 無胃氣則亡."이라고 말하는 것이니, 상술한 약재를 배합하여 사용하면 和中養胃할 뿐만 아니라 石膏 등 大寒한 약재가 위기를 손상시킬 우려를 없앨 수 있는 것이다. 예를 들면 白虎湯과 竹葉石膏湯 두 방제 중에는 모두 粳米·甘草와 배합되어 있다. ② 益氣生津藥과 配伍하는데, 人蔘·麥門冬과 같은 종류이다. 知母는 苦寒質潤하기에 清熱瀉火할 뿐만 아니라 潤燥生津할 수 있어서 또한 자주 選用한다. 氣分에 熱이 왕성하면 發熱汗多하여 매우 쉽게 耗氣傷津하므로 상술한 약재와 配伍하여 益氣生津하는 것을 필요로 한다. 예를 들면

竹葉石膏湯 중의 人蔘·麥門冬과 白虎湯 중의 知母와 같은 것이다. 이외에 熱鬱胸膈證에는 梔子를 사용하여 淸泄하는 것 외에도 또한 매번 豆豉를 많이 配伍하여 사용함으로써 宣散하는 것인데 梔子豉湯과 같은 것이다. 淸氣分熱劑의 대표방에는 白虎湯·竹葉石膏湯·梔子豉湯 등이 있다.

淸營涼血劑는 邪熱傳營하여 熱入血分한 증상에 적용된다. 營分으로 들어간 증상에는 身熱夜甚·時有譫語하거나 혹은 斑疹隱隱·舌絳而乾 등이 보이고, 血分으로 들어간 증상으로는 吐血·衄血·便血·尿血이나 斑疹紫黑·神昏譫語 혹은 蓄血發狂·舌絳起刺 등이 보인다. 淸營涼血劑는 항상 淸營涼血藥을 사용하는데, 예를 들면 犀角(현재는 水牛角을 대신 사용한다)·生地黃 등을 위주로 방제를 구성한다. 配伍 방면에 있어서는 항상 아래와 같은 몇 가지 방면이 있다. ① 淸氣藥과 配伍하는데, 金銀花·連翹·竹葉과 같은 종류이다. 營分으로 들어가는 邪熱은 대부분 氣分으로부터 傳來되는 것이기에 "入營猶可透熱轉氣"(『外感溫熱篇』)라고 하였으며, 상술한 약재들을 配伍하여 사용하면 邪熱을 영분으로부터 기분으로 전환시켜 풀어줄 수 있는 것이니 淸營湯 중의 金銀花·連翹·竹葉 등과 같은 것이다. ② 涼血散瘀藥과 配伍하는데, 牡丹皮·芍藥과 같은 종류이다. 血分으로 들어가는 邪熱은 매번 血結하여 瘀血을 형성하므로 상술한 약재들과 配伍하면 涼血할 뿐만 아니라 散瘀할 수 있어서, 血熱이 搏結하여 瘀血을 형성하는 것을 저지할 수 있으니, 이른바 "入血就恐耗血動血, 直須涼血散血."(『外感溫熱篇』)라고 말하였으며, 방제로는 犀角地黃湯 중의 牡丹皮·芍藥과 같은 것이다. 淸營涼血劑의 대표방에는 淸營湯·犀角地黃湯 등이 있다.

淸熱解毒劑는 三焦에 火毒이 內熾하거나, 上·中二焦에 邪熱이 熾盛하여 熱이 胸膈에 모이거나, 上焦頭面에 생긴 風熱疫毒의 大頭瘟이나, 瘡瘍腫毒이나, 疔瘡 및 脫疽 등 熱深毒重한 증상에 적용된다. 임상적으로 주요한 표현은 壯熱煩渴, 躁擾狂亂, 或頭面焮腫, 或口糜咽痛, 或疔瘡癰腫, 局部紅腫熱痛, 舌紅苔黃, 脈數 등이다. 본 종류의 方劑의 구성에는 淸熱解毒藥을 위주로 하는데, 상용하는 약재는 黃連·黃芩·黃柏·梔子·金銀花·連翹·蒲公英과 같은 종류이다. 配伍 방면에 있어서 대략 아래와 같은 몇 가지 방면이 있다. ① 疏風散藥과 配伍하는데, 薄升荷·牛蒡子·殭蠶·防風·白芷와 같은 종류이다. 熱毒이 인체의 上部 혹은 體表에 鬱結되어 있기 때문에 반드시 상술한 약재를 얻어야 解散할 수 있는데, 그렇지 않고 苦寒한 약재로만 解毒하려고 한다면 도리어 熱毒이 잘 풀리지 않게 될 것이다. 예를 들면 涼膈散 중의 薄荷나, 普濟消毒飮 중의 牛蒡子·殭蠶이나, 仙方活命飮 중의 防風·白芷 등과 같은 것이다. ② 瀉熱通便藥과 配伍하는데, 大黃·芒硝와 같은 종류이다. 熱毒이 中焦에 內結하여 便秘의 증상이 나타나는 자는 硝·黃과 配伍하여 사용하는데, 한편으로는 通便할 수 있으면서 다른 한편으로는 瀉熱할 수 있어서, 이른바 "以下爲淸"한다는 것이 이것이니 涼膈散이 곧 이러한 방법을 사용하고 있다. ③ 化痰散結藥을 配伍하는데, 橘紅(陳皮)·貝母와 같은 종류이며, 殭蠶은 疏風할 수 있을 뿐만 아니라 化痰할 수 있기에 역시 자주 選用한다. 熱毒이 壅聚하면 癰疽 혹은 大頭瘟이 발생되면서 局部가 腫硬하는데, 상술한 약재를 配伍하면 알맞은 때에 消散시키는 것에 도움이 된다. 방제로는 普濟消毒飮 중의 橘紅·殭蠶이나, 仙方活命飮 중의 陳皮·貝母와 같은 것이다. ④ 活血止痛藥과 配伍하는데, 當歸·乳香·沒藥과 같은 종류이다. 癰疽의 병을 앓게 되면 매번 腫痛으로 참기 힘들어지는데 상술한 약재들과 配伍하면 活血함으로써 消腫할 뿐만 아니라 止痛함으로써 治標할 수 있다. 방제로는 仙方活命飮 중의 當歸尾·乳香·沒藥이나, 四妙勇安湯 중의 當歸와 같은 것이다. 淸熱解毒劑의 대표방에는 黃連解毒湯·涼膈散·普濟消毒飮·仙方活命飮·五味消毒飮·四妙勇安湯 등이 있다.

氣血兩淸劑는 瘟疫의 熱毒이 내외에 넘쳐서 氣血兩燔하는 증상에 적용된다. 그 임상적인 표현으로는 大熱煩渴을 위주로 하는 氣分熱盛뿐만 아니라 吐衄·

發斑을 위주로 하는 血熱妄行도 있으며, 또한 神昏譫語하는 熱毒內陷도 있다. 治法 및 방제 구성에 있어서 반드시 여러 가지 방법을 함께 하고 여러 가지 방제로 組合해야 이러한 위중한 증상을 치료할 수 있다. 淸氣分熱藥인 石膏·知母와, 淸營涼血藥인 犀角(현재는 水牛角을 대신 사용한다)·生地黃과, 淸熱解毒藥인 黃連·黃芩 등을 종합적으로 配伍하고 共同으로 방제를 구성한 것을 상용하는데, 대표방으로는 淸瘟敗毒飮과 같은 것이다.

淸臟腑熱劑는 熱邪가 어떤 한 臟腑에 偏盛하여 형성되는 火熱之證에 적용된다. 그 임상 표현은 邪熱이 어떤 臟腑에 偏盛하는가에 따라 차이가 있다. 예를 들어 心經에 熱이 있으면 心胸煩熱·口渴面赤·口舌生瘡하고, 肝膽에 實火가 있으면 脇肋脹痛·頭痛目赤·急躁易怒하고, 肺中에 熱이 있으면 咳嗽氣喘·咯痰色黃·舌紅苔黃하고, 熱이 脾胃에 있으면 齒痛齦腫·口瘡口臭·煩熱易饑하고, 熱이 腸腑에 있으면 下痢赤白·瀉下臭穢·肛門灼熱 등이 있는 것과 같다. 따라서 본 종류의 方劑는 소속된 臟腑의 火熱證候가 다른 것에 따라 분별하여 상응하는 淸熱藥을 위주로 방제를 구성해야 하는데, 配伍 방면에 있어서: ① 心經에 熱이 왕성하면 淸心瀉火藥으로써 하는 것이니, 예를 들면 竹葉·黃連·梔子·蓮子心 등을 위주로 한다. 心과 小腸은 서로 表裏가 되므로 心火를 당겨서 小便으로 배출되게 하는 木通·車前子 등도 역시 자주 選用되며, 아울러 生地黃·麥門冬·地骨皮 등과 같은 養陰涼血藥과도 자주 배오하는데, 대개 心主血脈하기에 心臟에 熱이 있으면 항상 血分에 파급되어 陰液을 쉽게 손상시키기 때문이다. 방제로는 導赤散 중의 木通·生地黃과 같은 것이 있다. ② 肝膽의 實火에는 항상 淸肝瀉火藥으로써 하는데, 예를 들면 龍膽·山梔子·夏枯草 등을 위주로 한다. 淸熱利濕藥과 配伍하는데 예를 들면 木通·澤瀉·車前子와 같은 종류로, 肝經에 熱이 있으면 매번 夾濕하여 下注하는 것이 많기 때문에 이상의 약재를 配伍하여 사용함으로써 肝膽濕熱을 小便을 통하여 나가게 할 수 있는 것이니 龍膽瀉肝湯 중의 木通·澤瀉·車前子 등과 같은 것이다. 發散鬱熱藥과 配伍하는데 예를 들면 羌活·防風과 같은 종류로, 이 방법은 肝經鬱火의 증상에 적용되며, 대개 肝經에 鬱火가 있으면 淸瀉가 필요할 뿐만 아니라 發散도 해야 하는데, 두 가지가 配伍되면 相反相成하는 것으로 瀉靑丸 중의 羌活·防風과 같은 것이다. 滋養陰血藥과 配伍하는데 예를 들면 當歸·生地黃과 같은 종류로, 肝膽實火는 쉽게 陰血을 耗傷하며 淸肝瀉火藥도 또한 성질이 대부분 苦燥하므로 역시 쉽게 陰血을 손상시키기 때문이며, 방제로는 龍膽瀉肝湯 중의 當歸·生地黃이나, 瀉靑丸 중의 當歸와 같은 것이다. ③ 肺中의 火熱에는 항상 淸肺泄熱藥을 사용하는데, 예를 들면 桑白皮·葦莖·黃芩 등을 위주로 방제를 구성한다. 만약 肺에 伏火가 있으면 마땅히 淸伏火藥과 配伍해야 하는데 瀉白散 중의 地骨皮 등과 같은 것이고, 만약 肺에 痰熱瘀結하여 癰이 생성되면 마땅히 逐瘀化痰排膿藥과 配伍하는데 葦莖湯 중의 桃仁·冬瓜仁·薏苡仁 등과 같은 것이다. ④ 脾胃의 火熱에는 항상 淸脾胃火熱藥을 사용하는데, 예를 들면 石膏·知母·黃連을 위주로 한다. 升散鬱熱藥과 배오하는데 예를 들면 升麻·藿香·防風과 같은 종류로, 脾胃에 熱이 있으면 쉽게 上沖하므로 치료는 淸熱涼遏하는 약재만으로는 옳지 않고, 이상의 약재를 配伍하여 사용하는 것으로 바로 "火鬱發之"에 속하는 것이니, 淸胃散 중의 升麻나, 瀉黃散 중의 藿香·防風 등과 같다. 涼血養陰藥과 配伍하는데, 예를 들면 生地黃·熟地黃·麥門冬과 같은 종류로, 胃는 多氣多血한 腑로서 氣分에 熱이 왕성하면 血分에 파급할 수 있어서 血熱을 일으키거나 혹은 胃熱로 陰傷을 겸하게 된다. 그러므로 항상 이상의 약재를 配伍하여 사용함으로써 함께 고려하는 것으로, 예를 들면 淸胃散 중의 生地黃이나, 玉女煎 중의 熟地黃·麥門冬 등과 같은 것이다. ⑤ 熱이 腸腑에 있으면 항상 淸腸解毒藥으로써 하는데, 예를 들면 黃連·黃芩·黃柏·白頭翁 등을 위주로 방제를 구성하고, 熱이 腸腑에 있으므로 쉽게 氣血失和에 이르면서 下痢赤白·裏急後重 등이 발생하기 때문에 항상 行血調氣藥과 配伍하여 사용하는데, 예를 들면 當歸·芍藥·木香·檳榔과 같은 종류로, 이른바 "行血則便膿自愈,

調氣則後重自除."(『素問病機氣宜保命集』卷中)를 말하는 것이니 芍藥湯 중의 芍藥·當歸·木香·檳榔이나, 黃芩湯 중의 芍藥 등과 같은 것이다. 清臟腑熱劑의 대표방에는 導赤散·清心蓮子飮·龍膽瀉肝湯·瀉靑丸·左金丸·瀉白散·葦莖湯·清胃散·瀉黃散·玉女煎·芍藥湯·黃芩湯·白頭翁湯 등이 있다.

清虛熱劑는 熱病의 後期에 邪熱이 未盡하여 陰液이 이미 손상되었는데 熱이 陰分에 남아 있으므로써 暮熱朝涼에 이르면서 舌紅少苔하거나, 혹은 肝腎陰虛로 骨蒸潮熱하거나, 혹은 陰虛火擾로 發熱盜汗하는 등에 적용하는 것이다. 常用하는 清虛熱藥인 靑蒿·地骨皮·秦艽·銀柴胡·胡黃連과 같은 종류를 위주로 방제를 구성하며, 아울러 항상 滋陰清熱藥과 배오하는데 生地黃·鱉甲·知母 등과 같은 것이다. 虛熱이 생기는 것은 매번 陰虛로 인한 것이기에 상술한 약재들을 배오하여 사용함으로써 滋陰補虛할 뿐만 아니라 清退虛熱할 수 있기에 標本을 함께 돌아보는 것이니, 靑蒿鱉甲湯 중의 鱉甲·生地黃·知母나, 秦艽鱉甲散 중의 鱉甲·知母, 清骨散 중의 鱉甲·知母, 當歸六黃湯의 生地黃 등과 같은 것이다. 만약 表虛하면서 盜汗이 심한 자는 역시 固表止汗藥을 配伍할 수 있는데, 예를 들면 當歸六黃湯 중의 黃芪 등과 같은 것이다. 清虛熱劑의 대표방에는 靑蒿鱉甲湯·清骨散·秦艽鱉甲散 등이 있다.

清熱劑를 운용할 때에는 마땅히 아래의 몇 가지 점을 注意해야 한다. 먼저 清熱劑는 表證이 이미 풀린 상태에서 熱이 이미 裏로 들어가거나, 혹은 裏熱이 熾盛하지만 아직까지는 結實하지는 않은 상황에서 사용하는 것이 합당하다. 예를 들어 邪熱이 表에 있으면 마땅히 解表해야 하고, 裏熱이 實證을 갖추었으면 마땅히 攻下해야 하며, 表邪가 아직 풀리지 않으면서 熱邪가 裏로 들어갔으면 또한 表裏를 雙解하는 것이 마땅하다. 둘째는 熱證의 虛實을 辨別해야 하는데 이것이 實熱이냐 아니면 虛熱이냐 하는 것이고, 邪熱이 있는 部位로 이것이 臟에 있느냐 아니면 腑에 있느냐 하는 것이며, 熱證의 단계로 氣分에 있느냐 아니면 營血에 있느냐 하는 것이다. 구체적인 정황에 근거하여 상응하는 방제를 운용하여 치료를 진행한다. 셋째, 마땅히 熱證의 眞僞를 분명하게 변별해야 하는데 假象에 迷惑되어서는 안 된다. 眞熱假寒은 마땅히 清熱劑를 사용해야지 잘못 熱藥을 투여하는 것을 절대로 옳지 않으며, 반대로 眞寒假熱은 마땅히 溫해야지 寒涼한 것을 잘못 사용하는 것을 옳지 않다. 여러 번 清熱瀉火하는 방제를 사용하였으나 熱이 여전히 물러나지 않는 眞陰不足證은, 곧 王冰이 말한 "寒之不寒, 是無水也."와 같은 것이니 마땅히 滋陰壯水하여 陰을 회복시키면 그 熱은 저절로 물러나는 것이다. 넷째, 마땅히 熱證의 輕重을 저울질해 봐야 하는데, 大熱의 증상에 만약 輕劑를 사용하면 계란으로 바위치기하는 격으로 병이 반드시 감소하지 않을 것이고, 微熱의 증상에 만약 重劑를 사용한다면 誅伐이 太過하여 陽氣가 손상을 받을 것이니 熱이 물러나면서 寒이 생길 것이다. 이것은 적당한 정도나 범위에 맞게 하여 반드시 적당하게 장악해야 거의 太過不及의 폐단이 없을 것이다. 다섯째, 寒涼한 약제는 쉽게 中土를 손상시키기 때문에 지나치게 많이 사용한다면 사람의 陽氣를 손상시킬 수 있으므로 필요하다면 醒脾·和胃·溫中하는 약재를 配伍하여 清熱하면서도 敗胃傷陽하지 않도록 해야 한다. 여섯째, 熱邪가 熾盛한 것에 대하여 清熱劑를 복용할 때 입으로 들어가면 바로 嘔吐하는 자가 있는데, 清熱劑 중에 辛溫한 薑汁을 조금 보좌하거나 혹은 涼藥을 熱服한다. 이것이 곧『素問』「五常政大論」에 나오는 "治熱以寒, 溫而行之."의 뜻이다. 그러나 反佐의 藥物을 사용할 때에는 용량을 가볍게 해야 하는데, 그렇지 않으면 '反佐'의 원래 의미를 잃게 된다. 일곱째, 환자의 체질에 주의해야 하는데, 만약 陰虛한 사람이라면 평소 체질에 熱이 많으니 만약 熱證을 앓더라도 치료는 清中護陰하여 清補하는 방법을 사용해야 하고, 陽虛한 사람이라면 평소 체질에 寒이 많으니 만약 熱證을 앓더라도 清熱이 태과하면 안 될 것이다.

第一節 清氣分熱劑

白虎湯

(『傷寒論』)

【組成】知母 六兩(18 g) 石膏 碎 一斤(50 g) 甘草 炙 二兩(6 g) 粳米 六合(9 g)

【用法】이상 네 가지 약재를 물 一斗로 쌀이 익을 때까지 끓여서 찌꺼기를 버리고 一升씩 따뜻하게 복용하는데, 하루 세 번 복용한다.

【效能】清熱生津.

【主治】氣分熱盛證. 壯熱面赤, 煩渴引飮, 汗出惡熱, 脈洪有力.

【病機分析】본 方證의 病機는 傷寒의 熱邪가 안으로 陽明經에 전해진 것으로, 혹은 外感寒邪가 裏로 들어가면서 熱로 변화한 것이거나, 혹은 溫熱病으로 邪熱이 氣分으로 傳入한 것이다. 陽明은 胃에 속하기에 多氣多血한 腑가 되고, 外로는 筋肉을 주관하면서 그 經脈은 위로 頭面으로 순환하는데, 正盛邪實하면 熱邪가 熾盛하므로 壯熱面赤하면서 惡寒하지 않는 것이고, 熱이 燒灼하여 津液을 손상시키면 飮水하여 스스로를 구제하고자 하기에 煩渴引飮이 나타나는 것이며, 熱邪가 津液을 압박하여 밖으로 빠져나가게 하므로 大汗이 출현하는 것이고, 大熱이 傷陰하면서 汗出耗津하는 것이 더하여지기에 大渴이 출현하는 것이고, 大熱의 邪氣가 經脈을 가득 차게 하기에 脈이 洪大而數하게 나타나는 것이다. 이것이 곧 이른바 大熱·大渴·大汗出·脈洪大의 4大症이다. 이외에 舌質紅, 苔白而乾, 氣粗如喘 등 일련의 裏熱의 모습을 겸하여 볼 수 있다. 그 發病은 모두 裏熱이 熾盛함으로써 생긴 것이지만, 그 裏熱이 無形의 熱邪가 彌漫한 것에 속하여 아직 有形의 積과 서로 결합된 것은 아니므로 便秘·腹痛 등의 實熱內積의 형상은 출현하지 않는 것이다.

【配伍分析】본 方證은 邪氣가 이미 表를 떠나 裏로 들어갔으므로 發汗하는 것은 옳지 않고, 비록 裏熱이 熾盛하지만 아직 腑實便秘에는 이르지 않았으므로 攻下하는 것도 옳지 않다. 『素問』「至眞要大論」의 "熱者寒之" 하라는 治療 原則에 근거하여 제일 먼저 裏熱을 강하게 식히는 약재를 선택해야 한다. 그러나 熱이 왕성하여 津液을 손상시켰는데, 만약 苦寒한 약재로 직접적으로 熱을 꺾어버린다면 津液이 손상되면서 燥로 변화하여 더욱 그 陰을 손상시킬 것이 걱정 된다. 곧 柯琴이 말하기를 "土燥火炎, 非苦寒之味所能治矣. 經曰: 甘先入脾. 又曰: 以甘瀉之. …… 以是知甘寒之品, 乃瀉胃火·生津液之上劑也."(『傷寒來蘇集』「傷寒論注」卷3)이라고 하였다. 따라서 甘寒한 약재로 滋潤하면서 清熱生津하는 방법으로 치료해야 한다. 방제 중에 石膏의 辛甘大寒한 것을 重用하였는데, 辛味는 透熱할 수 있고 寒性은 勝熱할 수 있으므로 바깥으로는 肌膚의 熱을 풀고 안으로는 肺胃의 火를 식히는 것이며, 甘寒이 相合하면 또한 生津함으로써 止渴할 수 있으니 一擧三得이라고 말할 수 있으므로 방제 중 君藥으로 삼는다. 張錫純이 인식하기를 石膏는 "其寒涼之力遠遜於黃連·龍膽草·知母·黃柏等藥, 而其退熱之功效則遠過於諸藥 …… 諸藥之退熱, 以寒勝熱也. 而石膏之退熱, 逐熱外出也. 是以將石膏煎服之後, 能使內蘊之熱息息自毛孔透出."(『醫學衷中參西錄』上冊) 한다고 하였으니, 石膏가 透熱除煩에 長技를 가지고 있으면서 生津止渴하기에, 退大熱·復津液하는데 있어 평온하면서 믿을 만한 약재임을 설명하는 것이다. 知母는 苦寒하면서 質潤한데, 苦寒으로는 瀉火하고 潤함으로써 滋燥하여, "能益陰清熱止渴, 人所共知."(『本經疏證』卷7)라고 하였다. 본 방제에서 사용한 것은 "清肺胃氣分之熱, 則津液不耗而陰自潛滋暗長矣."(『重慶堂隨筆』卷下)하려는 것이다. 石膏를 도와서 清熱할 뿐만

아니라 熱邪로 이미 손상된 陰을 滋潤하는 것이니, 바로『本草正義』卷1에서 말한 "知母寒潤, 止治實火, 瀉肺以泄壅熱 …… 清胃以生津液 …… 熱病之在陽明, 煩渴大汗, 脈洪裏熱, 佐石膏以掃炎."이라고 한 것과 같으니 방제 중에서 臣藥이 된다. 粳米·甘草는 和胃護津하면서 石膏·知母의 苦寒重降의 성질을 완화시킴으로써 寒涼한 약재가 中氣를 손상시키는 폐단을 방지하며, 아울러 藥氣가 胃에 계속 머무르게 함으로써 더욱 작용을 잘 발휘하게끔 하니 함께 佐使가 된다. 이상의 모든 약재를 配伍하면 함께 清熱生津·止渴除煩의 방제가 만들어지는데, 열이 식어 煩燥가 없어지고, 津液이 생겨 갈증이 멈추면 大熱·大渴·大汗·脈洪大 등의 모든 증상이 저절로 풀리는 것이다.

본 방제의 配伍 특징은 주로 두 가지가 있다. 첫째, 辛甘寒한 石膏와 苦寒潤한 知母를 서로 배합하여 君臣이 相須함으로써 清熱生津의 효력을 2배로 증가시킨 것이다. 둘째, 寒涼한 石膏·知母에 補中護胃하는 甘草·粳米를 配伍하여 이로써 寒涼한 약재가 胃를 손상시키는 것을 방지하여 祛邪하면서도 正氣를 손상시키지 않게 한 것이다. 약재는 비록 4개이지만 清熱生津시키는 효능이 매우 현저하니 진실로 氣分의 大熱을 치료하는 良劑인 것이다.

【臨床應用】

1. 證治要點: 본 방제는 清法의 代表方·基礎方·常用方이다. 清熱力이 강하므로 身大熱·汗大出·口大渴·脈洪大한 것을 證治의 요점으로 삼는다.

2. 加減法: 熱이 심하여 津氣가 耗損되어 背微惡寒·脈洪大而芤한 자는 人蔘를 넣어 清熱益氣生津한다. 溫熱病으로 氣血이 兩燔하여 高熱煩渴·神昏譫語·抽搐 등의 증상이 나타나면 羚羊角·水牛角을 넣어 清熱涼血·息風止痙한다. 氣分의 熱이 심하면서 다시 風寒外束이 있는 자는 葱白·豆豉·細辛을 넣어 發散風寒하는 작용을 증가시킨다. 胃火가 熾盛하여 高熱煩躁하면서 大汗出·口渴多飮·大便燥結·小便短赤하고, 심하면 譫語狂躁하거나 혹은 昏不識人하며, 舌苔老黃起刺·脈弦數有力한 자는 生大黃·玄明粉을 넣어 瀉熱攻積·軟堅潤燥한다. 寒熱往來하는데 寒輕熱重하며 心煩汗出·口渴引飮·脈弦數有力하면 柴胡·黃芩·天花粉·鮮荷葉을 넣어 和解少陽한다. 傷寒·溫病으로 邪傳胃腑하여 燥渴身熱하는 白虎湯證이 갖추어지고, 그 사람이 胃氣上逆으로 心下滿悶한 자는 甘草·粳米를 빼고 清半夏·竹茹를 넣어 和胃止嘔한다. 不惡寒但發熱하고 自汗不解하면서 心煩口渴하고 脈滑數有力하며 尿短紅赤하고, 심하면 煩熱昏狂하고 皮膚隱現斑疹하면 甘草를 빼고 薄荷·荷葉·益元散·鮮竹葉·桑枝를 넣는다. 消渴證으로 煩渴引飮이 나타나는 것이 胃熱에 속한 자는 天花粉·蘆根·麥門冬 등을 넣는다.

3. 白虎湯은 다음 한국표준질병사인분류(KCD)에 해당하는 환자가 氣分熱盛證으로 辨證되는 경우 본 처방의 사용을 고려해볼 수 있다.

처방 목표	한국표준질병사인분류(KCD)
大葉性肺炎	J18.1 상세불명의 대엽성 폐렴
流行性B型腦炎	A83.0 일본뇌염
流行性出血熱	A92~A99 절지동물매개의 바이러스열 및 바이러스출혈열
痲疹	B05 홍역
齒齦炎	K05.0 급성 치은염
	K05.1 만성 치은염
糖尿病	E10~E14 당뇨병
老年口腔乾燥症	K11.7 침분비의 장애
急性虹彩炎	H20.0 급성 및 아급성 홍채섬모체염
急性毛樣體炎	H20.0 급성 및 아급성 홍채섬모체염
腦卒中	I61 뇌내출혈
	I63 뇌경색증
	I64 출혈 또는 경색증으로 명시되지 않은 뇌졸중
알러지성 亞敗血症	A41.9 상세불명의 패혈증
風濕性心筋炎	I01.2 급성 류마티스심근염
	I41.8 달리 분류된 기타 질환에서의 심근염

처방 목표	한국표준질병사인분류(KCD)
小兒疱疹性口腔炎	B00.2 헤르페스바이러스 치은구내염 및 인두편도염
뎅기熱 (dengue fever)	A97 뎅기
류마티스性 關節炎	M15 다발관절증
	M13.0 상세불명의 다발관절염
不明原因高熱	R50.9 상세불명의 열

【注意事項】『傷寒論』에서 지적하기를 "傷寒脈浮, 發熱無汗, 其表不解者, 不可與白虎湯."이라고 하였다. 이는 곧 病邪가 表에 있는 것이니, 風寒所困으로 말미암아 表證이 아직 풀리지 않으면서 邪氣가 아직 裏로 전해지지 않아서 身熱·汗出·煩渴·脈洪大有力 등 陽明經 症狀이 아직 출현하지 않았을 때 사용하는 것은 옳지 않다. 『溫病條辨』卷1에서는 白虎湯에 4禁이 있다고 제시하였는데, "白虎本爲達熱出表, 若其人脈浮弦而細者不可與也. 脈沉者不可與也. 不渴者不可與也. 汗不出者不可與也."라고 하였다. 陽虛로 發熱하는 자는 脾胃虛弱으로 陽氣가 外越하면서 身熱自汗하고 倦怠懶言으로 표현되는 것인데, 다만 惡風이나 脈浮無力 등이 있으면 본 방제를 사용해서는 안 되며, 이로써 陽氣를 손상시키는 것에서 벗어나야 한다. 陰盛格陽은 眞寒假熱로 표현되는 자이니 본 방제를 사용하는 것을 禁한다.

【變遷史】 白虎湯은『傷寒論』에서부터 나왔다. 原文의 第176條에서 말하기를 "傷寒, 脈浮滑, 此表有熱, 裏有熱(原文에는 '寒'자로 되어 있으나, 다수의 주석가들이 '熱'자가 되어야 한다고 인식하였다), 白虎湯主之."라고 하였고, 原文 第350條에서 말하기를 "傷寒, 脈滑而厥者, 裏有熱, 白虎湯主之."라고 하였으니, 白虎湯은 곧 陽明經證과 胃熱證을 主治하는 主方이다.[1)]

宋代『太平惠民和劑局方』卷2에서는 "傷寒大汗出後, 表證已解, 心中大煩, 渴欲飮水及吐或下後七八日, 邪毒不解, 熱結在裏, 表裏俱熱, 時時惡風, 大渴, 舌上乾燥而煩, 欲飮水數升者"을 치료하는 것을 제외하고도, 또한 "夏月中暑毒, 汗出惡寒, 身熱而渴."을 추가시켰고, 明代『醫學入門』卷4에서는 "一切時氣, 瘟疫雜病, 胃熱咳嗽, 發斑, 小兒瘡皰隱疹伏熱."하는 것에 사용하여 치료하였고, 『痧證治要』卷4에서는 "溫病身熱, 自汗口乾, 脈來洪大, 霍亂, 傷暑發痧"하는 것에 사용하여 치료하였다.

白虎湯을 기초로 삼아 加減 變化시켜서 만든 方劑가 매우 많다. 『傷寒論』에서는 白虎湯에 人蔘을 넣어 益氣生津하였으니, 곧 白虎加人蔘湯으로 陽明經證으로 熱盛하면서 陰傷氣耗를 겸한 자를 치료하였다. 『傷寒論』에는 또한 白虎湯에 知母를 빼고 竹葉을 넣어 淸熱除煩하고, 人蔘·麥門冬으로 益氣養陰하면서 半夏로 和胃降逆하였는데, 곧 竹葉石膏湯으로 熱病의 後期에 餘熱이 아직 식혀지지 않으면서 氣津兩傷·胃失和降한 증상을 치료하였다. 『金匱要略』에서는 白虎湯에 桂枝를 넣어 和營衛·通絡止痛하였으니, 곧 白虎加桂枝湯으로 溫瘧으로 身熱과 骨節疼煩하는 것을 치료하였고, 후세에 또한 風濕熱痹를 치료하는데 사용하였다. 이상은 모두 張仲景 자신이 白虎湯에 가감하여 변화발전시킨 방제이다.

후세 사람들이 白虎湯에 가감하여 변화 발전시킨 방제도 비교적 많다. 예를 들면 宋代『太平聖惠方』卷10에는 白虎湯에 粳米를 빼고 葛根·麻黃을 넣어 發汗解表하게 하여 白虎加葛根湯이라고 불렀는데, 傷寒으로 頭痛하고 骨節煩疼하고 口乾煩渴하는 자를 치료하였다. 『類證活人書』卷18에는 白虎湯에 蒼朮을 넣어 燥濕和中하게 하여 白虎加蒼朮湯이라고 하였는데, 濕熱病으로 熱盛夾濕證을 치료하였다. 金代『素問病機氣宜保命集』卷中에는 白虎湯에서 粳米를 빼고 小續命湯과 합하여 祛風通絡하게 하여 白虎續命湯이라고 하였는데, 中風으로 無汗하면서 身熱不惡寒하는 자를 치료하였다. 元代『此事難知』에서는 白虎湯에 梔子를 넣어 淸心除煩하게 하여 白虎加梔子湯이라고 하였는데 老·幼·虛人의 傷寒五六日에 昏冒譫語하거나 혹은 煩

不得眠하는 자를 치료하였다. 明代『丹台玉案』卷2에는 白虎加人蔘湯에 다시 麥門冬·五味子·天花粉·山梔子·黃連·生薑·大棗를 넣어 清熱生津하는 효력을 강화시키면서 白虎加蔘湯이라고 하였는데, 熱病으로 發汗後에 煩渴하고 脈洪大하며 背惡寒하는 자를 치료하였다. 『壽世保元』卷8에는 白虎湯에 粳米를 빼고 黃連解毒湯을 합하여 清熱解毒하게 하여 白虎解毒湯이라고 하였는데, 痲疹已出한 후에 譫語煩躁하면서 作渴하는 자를 치료하였다. 清代『四聖懸樞』卷2에는 白虎湯에 元參·麥門冬을 넣어 養陰解毒하면서 白虎加元麥湯이라고 불렀는데, 寒疫으로 太陽經罷하면서 煩躁發渴하는 자를 치료하였고, 같은 책 卷3에는 다시 紫蘇를 넣어 解表透痘하게 하여 白虎加元麥紫蘇湯이라고 불렀는데, 痘病으로 太陽經證이 아직 풀리지 않으면서 煩渴이 나타나는 자를 치료하였으며, 같은 책 卷4에는 白虎加元麥湯에 浮萍을 넣어 發表透疹하게 하여 白虎加元麥青萍湯이라고 하였는데, 小兒疫疹의 初期에 陽明이 素旺하여 發熱煩渴하는 자를 치료하였다. 『雜病源流犀燭』卷15에는 白虎湯에 人蔘·竹葉을 넣어 益氣生津·清熱除煩하게 하여 白虎加人蔘竹葉湯이라고 불렀는데, 中暑로 平素에 陰虛多火한 자를 치료하였다. 『治痢南針』에는 白虎湯에 六一散을 합하여 清暑利濕하면서 白虎合六一散이라고 하였는데, 傷暑霍亂으로 身熱肢寒하고 自汗口渴하며 小便短赤한 자를 치료하였다. 『溫病條辨』卷1에는 白虎湯에 犀角(水牛角을 대신 사용)·玄參을 넣어 涼血解毒透疹하면서 陽明氣熱을 강하게 식히는 방제로 하여금 氣營兩清시키는 방제로 변화 시켜 化斑湯이라고 하였는데, 溫病을 誤汗하여 熱入氣營함으로써 神昏譫語하고 發斑하는 자를 치료하였다. 『重訂通俗傷寒論』에는 白虎湯에 調胃承氣湯을 합하여 한편으로는 清胃熱하면서 한편으로는 瀉胃實하게 하여, 白虎承氣湯이라고 불렀고, 胃火熾盛하면서 液燥便閉하는 증상을 치료하였다. 이외에 張錫純은 山藥으로 白虎湯 중의 粳米를 대신할 것을 주장하면서 인식하기를 "以生山藥代粳米, 則其方愈穩妥, 見效亦愈速. 蓋粳米不過調和胃氣, 而山藥兼能固攝下焦之氣, 使元氣素虛者不至因服石膏·知母而作滑瀉."(『醫學衷中參西錄』上冊)라고 하였다. 이상의 내용들은 모두 白虎湯의 內涵와 外延을 극도로 발전시키면서 풍부하게 한 것이다.

【難題解說】

1. 본 방제의 適應證의 인식에 관한 것: 白虎湯은 『傷寒論』에 있는 著名한 방제 중 하나이며, 太陽·陽明·厥陰의 各 편에 나오는데, 후세에 『傷寒論』을 연구하는 자들은 대부분 白虎湯을 陽明經의 主方으로 열거하면서 陽明腑證의 三承氣湯과 더불어 서로 並列하여 파악하였다. 예를 들면 陳念祖가 『傷寒醫訣串解』중에서 말하기를 "何爲陽明經證? 身熱目痛·鼻乾·不得眠·反惡熱是也. …… 若無頭痛·惡寒, 但見壯熱, 口渴, 是已罷太陽, 爲陽明經之本證, 宜用白虎湯主之."라고 하였고, "何爲陽明腑證? 曰: 潮熱·譫語·手足濈然汗出·腹滿·大便硬是也."라고 하였다. 陳念祖는 陽明 一經 중에 또한 經證·腑證으로 나누었는데, 그 의미는 곧 一經의 속에 그 脈證의 다름에 근거하여 表裏를 分辨하였다. 陳氏의 이런 硏究 方法 자체는 나무랄 수 없지만, 白虎湯 및 그 適應證이 陽明經의 典型적인 方證이 아니라고 인식하는 의학자들도 생겨났다. 예를 들어 清代에 陶華의 『傷寒全生集』에서 지적하기를 "陽明病家, 如言身熱·微惡寒·帶額目痛·鼻乾不得眠, 則是陽明經表證."이라고 하였고, 清代에 程鍾齡의 『醫學心悟』에서는 陶氏의 이론에 근본하면서 더욱 상세하게 말하였는데, "陽明經病, 目疼鼻乾, 漱水不欲咽而無便閉·譫語·燥渴之症, 是爲表病裏和, 則用葛根湯散之. 假如邪已入腑, 發熱轉爲潮熱, 致有譫語·燥渴·便閉·腹脹等症, 是爲邪氣結聚, 則用承氣湯下之. 假如陽明經病初傳於腑, 蒸熱自汗燥渴譫語而無便秘腹脹之症, 是爲散漫之熱邪未結實, 則用白虎湯清中達表而和解之, 此治陽明三法也, 倘經腑不明, 臨證差忒, 誤人匪淺."이라고 하였다. 陶·程 두 사람은 臨床 實際에 근거하여 承氣湯은 陽明腑證의 有結實者를 치료하는 것과 관계되고, 白虎湯은 陽明腑證의 無結實하면서 散漫한 熱邪를 치료하는 것이라고 인식하였는데, 두 방제의 적응증에 비록 有形結實과 無形熱盛의 구별이 있지만,

모두 腑證에 속하기 때문에 陽明의 表證(即經證)과 서로 헛갈려서는 안 된다. 동시에 陽明經證에 葛根湯을 사용하여 치료하는 것을 제시하여 『傷寒論』이 미치지 못한 부분을 보충한 것도 있으니 임상에서 참고할 만하다.

2. 白虎湯의 君藥에 관한 것: 白虎湯의 君藥에 관하여 歷代의 의학자들이 보는 방법은 일치하지 않았다. 知母를 君藥으로 말하는 자가 있었으니, 예를 들면 成無己·許宏 등인데, 기본적인 관점이 『內經』 "熱淫所勝, 佐以甘苦."하라는 것과 "熱淫於內, 以苦發之."하라는 것을 이론적인 근거로 삼았다. 또한 石膏를 君藥으로 삼은 자가 있었으니, 예를 들면 柯琴·張錫純 등이다. 대개 『內經』에서 말한 "以苦發之."하라는 것은 實火로 津液이 아직 손상되지 않은 자를 가리킨다. 본 증상은 熱盛하면서 또한 熱이 이미 津液을 손상시켰다. 만약 苦寒을 위주로 사용한다면 陰津이 더욱 손상되므로 辛寒으로 淸熱生津하는 것이 마땅하다. 石膏는 淸透熱邪하면서 "除頭痛身熱, 三焦大熱, 皮膚熱, 解肌發汗, 止消渴煩逆."(『本草別錄』)을 잘하기 때문에 知母와 비교했을 때 淸熱瀉火시키는 효능이 더욱 두드러지기에 陽明氣分의 實熱을 식히는 要藥이 된다. 따라서 石膏를 방제 중 君藥으로 삼는 것이 仲景의 原義에 비교적 적합하다.

3. 白虎湯 중 石膏의 用量에 관한 것: 白虎湯 중 石膏의 用量은 古今의 認識에 의견 차이가 비교적 많다. 대부분 의학자들은 용량이 마땅히 커야 한다고 인식하였다. 예를 들어 張錫純이 인식하기를 "夫石膏之質甚重, 七八錢不過一大撮耳. 以微寒之藥, 欲用一大撮撲滅寒溫燎原之熱, 又何能有大效? 是以愚用生石膏以治外感實熱, 輕證亦必至兩許. 若實熱熾盛, 又恒重用至四五兩, 或七八兩 …… 且嘗觀歷代方書, 前哲之用石膏, 有一證而用至十四斤者(見『筆花醫鏡』). 有一證而用至數十斤者(見『吳鞠通醫案』). 有產後亦重用石膏者(見『徐靈胎醫案』, 白虎加人蔘湯에서 玄參으로 知母를 대신하고, 生山藥으로 粳米를 대신한다). 然所用者, 皆生石膏也."(『醫學衷中參西錄』上冊)라고 하였다.

또한 石膏의 용량이 지나치게 많으면 부작용이 있다고 인식하는 사람도 있었다. 예를 들어 『蒲輔周醫案』 중에서 일찍이 일례의 일본B형뇌염 환자를 언급한 것이 있는데, 하루 밤낮 동안 石膏를 4斤에 달할 정도로 많이 복용하고는 神呆不語가 출현하여 진찰을 요구한 것이다. 吳瑭은 白虎湯을 논하면서 역시 말하기를 "白虎慓悍, 邪重非其力不舉, 用之得當, 原有立竿見影之妙. 若用之不當, 禍不旋踵. 懦者多不敢用, 未免坐誤事機. 孟浪者, 不問脈證之若何, 一概用之. 甚至石膏用至斤餘之多, 應手而效者固多, 應手而斃者亦復不少. 皆未眞知確見其所以然之故, 故手下無准的也."(『溫病條辨』卷1)라고 하였다. 따라서 病勢·年齡·體質·季節 등에 근거하여 石膏의 용량을 짐작하여 사용하는 것이 중요하며, 지나치게 많거나 지나치게 적은 것은 옳지 않으니, 일반적으로 每劑에 30~120 g을 사용하는 것이 타당하다.

4. 본 方證의 禁忌에 관한 것: 『溫病條辨』卷1에서는 白虎湯을 응용하는 4대 禁忌證을 명확하게 제시하였다. ① "脈浮弦而細者, 不可與也."라고 하였다. 脈浮弦而細는 寒邪가 表에 있으면서 正氣가 충분하지 못한 것이니 扶正解表해야 하는데, 만약 白虎湯을 誤用하면 다시 그 正氣를 손상시키면서 邪氣를 裏로 끌어들여서 病勢가 사로잡히게 한다. 진실로 張仲景이 말한 "傷寒脈浮, 發熱無汗, 其表不解, 不可與白虎湯."이라고 한 것과 같다. ② "脈沉者, 不可與也."라고 하였다. 脈沉에는 沉而有力과 沉而無力의 구별이 있으니, 沉而有力한 것은 대부분 陽明腑實證에 나타나는데 치료는 攻下하는 것이 마땅하고 白虎湯을 사용해서는 안 되고, 만약 沉而無力한 자는 腎陽이 衰微하면서 浮陽이 外越하는 것이니 역시 白虎湯을 사용해서는 안 된다. ③ "不渴者, 不可與也."라고 하였다. 不渴의 原因도 또한 두 종류가 있다. 한 종류는 '濕溫'에서 보이는 것으로, 濕多熱少하여 아직 燥로 변화하지 않고 津液이 손상되지 않았다면 치료는 化濕淸熱하는 것이

마땅한데, 白虎湯의 大寒滋潤한 방제를 사용하면 반드시 涼遏冰伏하면서 濕을 제거하기 힘들어질 것이다. 한 종류는 '熱入營血'에서 보이는 것으로 營陰을 蒸騰하여 上泛於口한 것이니, 치료는 透熱轉氣·淸熱涼血하는 것이 마땅한데, 白虎湯을 사용하면 쉽게 營陰이 內閉하여 外達시킬 수 없게 된다. ④ "汗不出者, 不可與也."라고 하였다. '汗不出'에 대하여 또한 그 원인을 상세하게 살펴야 하는데, 津液이 크게 휴손되어 汗을 만들 資源이 없는 자는 마땅히 養陰生津하여 汗의 資源을 만들어야 하고, 表에 寒邪가 있어서 衛氣를 막은 자는 辛溫으로 치료하여 解表散寒해야 한다. 이상 두 종류의 상황은 모두 白虎湯을 응용하는 것이 마땅하지 않다.

張錫純은 『醫學衷中參西錄』 중에서 앞의 두 개 禁忌에 대해서는 肯定하였지만 뒤의 두 개에 대해서는 비난하면서 또한 몇 가지 病例를 열거하였고, 아울러 『傷寒論』 原文을 인용하여 證據로 삼았다. 張氏가 말하기를 "前兩條之不可與, 原當禁用白虎湯矣. 至其第三謂不渴者不可與也, 夫有白虎湯之定例, 渴者加人蔘, 其不渴者卽服白虎湯原方, 無事加蔘可知矣. 吳氏以爲不渴者不可與, 顯與經旨相背矣. 且果遵吳氏之言, 其人若渴卽可與白虎湯, 而亦無事加蔘矣, 不又顯與渴者加人蔘之經旨相背乎? 至其第四條謂汗不出者不可與也, 夫白虎湯三見於『傷寒論』, 唯陽明篇中所主之三陽合病有汗, 其太陽篇所主之病及厥陰篇所主之病, 並未見有汗者也. 仲聖當日未見有汗卽用白虎湯, 而吳氏則於未見有汗者禁用白虎湯, 此不又顯與經旨相背乎? 且石膏原具有發表之性, 其汗不出者不正可借以發其汗乎? 且卽吳氏所定之例, 必其人有汗且兼渴者始可用白虎湯, 然陽明實熱之證, 渴而兼汗出者, 十人之中不過一二, 是不幾將白虎湯置之無用之地乎?" (『醫學衷中參西錄』上冊)라고 하였다. 張氏가 論한 것이 一理가 없지 않으니 임상에서 참고할 만하다.

【醫案】

1. 溫熱 『岳美中醫案集』: 某 남자, 54세. 感冒를 앓으면서 發熱로 입원하였는데, 이미 여러 번 洋藥 해열제를 먹었지만 열이 물러나자마자 다시 나타났으며, 8일 후에도 여전히 지속적인 發熱이 38.8℃에 달하였고, 口渴, 汗出, 咽微痛, 脈象浮大, 舌苔薄黃하였다. 이것은 溫熱이 이미 陽明으로 들어간 것인데, 內外가 비록 함께 大熱하지만 여전히 氣分에 있기 때문에 白虎湯에 加味하여 치료하였다. 處方: 生石膏 60 g, 知母 12 g, 粳米 12 g, 炙甘草 9 g, 鮮茅根 30 g(後下), 鮮蘆根 30 g, 連翹 12 g. 물에 달여 쌀이 익을 때까지 끓여서 따뜻하게 복용한다. 오후 및 야간에 연속해서 2첩을 복용하였더니 熱勢가 下降하면서 체온이 38℃가 되었고, 다음날 原方을 계속해서 2첩 복용하였더니 熱이 곧바로 37.4℃까지 하강하였으며, 이후에 石膏의 양을 45 g까지 감소시켜서 먹었더니 2일 후에 체온이 정상으로 내려갔다.

考察: 본 예의 환자는 初期에는 感冒로 發熱하면서 邪氣가 衛分에 있었는데, 洋藥을 사용한 후에 熱勢를 억제하지 못하고 도리어 邪氣로 하여금 안으로 전해져 熱이 陽明으로 들어감으로써 內外가 함께 大熱하면서 邪熱이 熾盛하므로 大劑 白虎湯에 加味하여 매일 2첩을 복용함으로써 熱勢를 억제하였으며, 증상이 감소한 후에는 石膏의 양을 줄여서 2첩을 복용하고는 나았다. 곧 熱이 심하면 藥量도 충분히 해야 하지만, 熱이 감소하면 藥量도 감소시키는 것이니, 熱邪를 꺾을 수도 있을 뿐만 아니라 正氣를 손상시키지 않는 것이다.

2. 中暑 『生生堂治驗』: 某 小兒, 8세. 中暑로 身灼熱煩渴하면서 四肢懈惰하였다. 한 醫師가 白虎湯을 주었는데 20여 일이 지났는데도 오히려 효과가 없었다. 先生이 말하기를 某醫의 치료가 不當한 것이 아니었는데 효과를 보지 못한 것은 藥劑를 가볍게 해서 그런 것이다. 곧 前藥을 2배로 하여(帖重十錢) 주었더니, 잠시 있다가 물이 흘러내리듯이 發汗하였으며, 다음날 善食하면서 머지않아 회복되었다.

考察: 患兒가 身熱煩渴하였는데, 前醫가 白虎湯을

주었는데도 효과가 없었던 것은 辨證은 정확하였지만 病이 重한데 藥이 輕하였기 때문이다. 바로 張錫純이 말한 "夫石膏之質甚重, 七八錢不過一大撮耳. 以微寒之藥, 欲用一大撮撲滅寒溫燎原之熱, 又何能有大效." 라고 한 것과 같은 것으로, 나중에 白虎湯을 2배로 하여 사용하였더니 汗出하면서 邪氣가 제거되었고, 다음날 완전히 나았다.

3. 暈厥『國醫論壇』(1992, 2:13): 某 남자, 42세. 최근 두 달 동안 排尿性暈厥이 3차례 발생하였으니, 모두 午後 혹은 夜間에 배불리 먹고 飮酒한 후에 잠이 든 것과 관계되는데, 깊은 잠을 자는 도중에 놀라서 깨면 尿急 증상이 출현하였고, 排尿時에 갑자기 頭暈·惡心의 감각을 느꼈으며, 계속해서 暈倒, 四肢厥冷, 汗出, 不省人事하였다. 시간은 가장 긴 것이 30분 정도였고, 가장 짧은 것은 2분 정도였다. 깨어난 후에 스스로 胸脇脹滿, 煩渴, 全身疲乏를 느꼈다. 이미 CT·腦電圖·血流動力學 등의 검사를 거쳤는데 모두 이상을 발견할 수 없었다. 진단하여 보니 환자는 體質豐腴, 面紅唇燥, 胸腹灼熱, 煩渴引飮, 汗出神疲, 不思飮食, 小便短赤, 舌紅苔黃燥, 脈滑數하였다. 이것은 熱厥에 속한다. 치료는 辛寒淸熱·養陰生津 한다. 白虎湯에 元參·麥門冬·五味子를 넣어 3첩을 급하게 달여 복용하였다. 복용한 후에 胸腹熱 및 煩渴引飮이 이미 제거되었으며 飮食을 먹는 량이 증가하였고, 계속해서 5첩을 복용하고는 모든 증상이 다 제거되면서 이후에 재발하지 않았다.

考察: 본 醫案은 환자의 평소 체질이 豐腴한 것에 근거하자면 飽食하고 飮酒한 후에 바로 잠을 잔 것이고, 發病이 바로 暑氣에 해당되는 계절을 맞이하였으니, 暈厥에 한 무리의 熱盛한 증상을 동반한 것으로 마땅히 '熱厥'의 범주에 속한다. 그러므로『傷寒論』의 "傷寒脈滑而厥者, 裏有熱, 白虎湯主之."라고 한 것을 따라 白虎湯을 투여하여 辛寒으로 淸解裏熱하여 氣陽通達하게 하였고, 生脈飮의 生津救陰하는 것을 합하여 陰陽 二氣로 하여금 서로 포용하여 벗어나지 않게 하였다. 이와 같이 하면 津液이 회복되고 熱이 식으면서 厥症도 이에 회복되는 것이다.

【副方】

1. 白虎加人蔘湯(『傷寒論』): 知母 六兩(18 g) 石膏 碎 一斤(50 g), 綿裹 甘草 炙 二兩(6 g) 粳米 六合(9 g) 人蔘 三兩(9 g)

- 用法: 上五味, 以水一斗, 煮米熟湯成, 去滓, 溫服一升, 日三服.
- 作用: 淸熱益氣生津.
- 適應症: 汗吐下後, 裏熱熾盛, 而見大熱·大渴·大汗·脈洪大者; 白虎湯證見有背微惡寒, 或飮不解渴, 或脈浮大而芤, 以及暑熱病見有身大熱屬氣津兩傷者.

본 방제는 또한 人蔘白虎湯이라고도 부른다. 방제에서 白虎湯을 사용하여 淸熱除煩·生津止渴하고, 人蔘을 넣어 補益氣陰함으로써 表邪가 이미 풀리고 熱이 裏에 왕성하여 津液과 氣가 모두 손상된 자에게 적용한다.

2. 白虎加桂枝湯(『金匱要略』): 知母 六兩(18 g) 甘草 炙 二兩(6 g) 石膏 一斤(50 g) 粳米 二合(6 g) 桂枝 去皮, 爲粗末 三兩(5~9 g).

- 用法: 每用五錢(15 g), 水一盞半, 煎至八分, 去滓溫服, 汗出愈.
- 作用: 淸熱, 通絡, 和營衛.
- 適應症: 溫瘧, 其脈如平, 身無寒但熱, 骨節疼煩, 時嘔. 以及風濕熱痹, 症見壯熱, 氣粗煩躁, 關節腫痛, 口渴苔白, 脈弦數者.

본 방제는 白虎湯에 桂枝 三兩을 넣어 만든 것으로, 원문에서는 "溫瘧者, 其脈如平, 身無寒但熱, 骨節疼煩, 時嘔."하는 것을 치료한다고 하였는데, 桂枝의 溫通經絡·調和營衛하는 것을 취하면서 겸하여 沖逆을 안정시키는 작용을 한다. 최근에는 風濕熱痹로 증상에 壯熱, 汗出, 氣粗煩躁, 關節腫痛, 口渴苔白, 脈弦數이 나타나는 자를 치료하는 것으로 사용하였는데 역시 양호한 효과가 있었다.

3. 白虎加蒼朮湯(『類證活人書』卷18): 知母 六兩(18 g) 甘草 炙 二兩(6 g) 石膏 一斤(50 g) 蒼朮 粳米 各三兩(各 9 g)

- 用法: 上銼如麻豆大, 每服五錢(15 g), 水一盞半, 煎至八九分, 去滓, 取六分清汁, 溫服.
- 作用: 淸熱祛濕.
- 適應症: 濕溫病. 身熱胸痞, 汗多, 舌紅苔白膩等. 以及風濕熱痹, 症見身大熱, 關節腫痛等.

본 방제는 白虎湯에 蒼朮 三兩을 넣어 만든 것이다. 白虎湯으로 淸熱하고, 蒼朮을 넣어 燥濕함으로써 濕困熱甚한 關節腫痛, 身重足冷, 頭重如裹, 壯熱口渴, 胸痞, 舌質紅, 苔白膩, 脈洪大而長 등에 적용한다.

상술한 세 가지 방제는 모두 白虎湯에 加味하여 만든 것이다. 그중에 白虎加人蔘湯은 淸熱과 益氣生津을 並用하였는데, 壯火가 食氣할 수 있고 熱盛하면 傷津할 수 있으므로 白虎湯을 사용하여 淸熱하면서 人蔘을 넣어 益氣生津하는 것이다. 暑熱은 매번 傷氣를 많이 하는데, 大汗하면 쉽게 陰津을 손상시키므로 본 방제는 暑溫으로 熱盛津傷證에 역시 사용할 수 있다. 白虎加桂枝湯은 淸熱·通絡·和營衛하는 방제인데, 溫瘧 혹은 風濕熱痹證에 사용하여 치료한다. 白虎加蒼朮湯은 淸熱과 燥濕을 並用한 방제인데, 濕溫病의 身熱胸痞·汗多·苔白膩한 것에 사용하여 치료하고, 또한 風濕熱痹로 關節紅腫하는 등에 사용할 수 있다.

竹葉石膏湯

(『傷寒論』)

【異名】人蔘竹葉湯(『三因極一病證方論』卷5)·石膏竹葉湯(『易簡方』).

【組成】竹葉 二把(6 g) 石膏 一斤(50 g) 半夏 洗 半斤(9 g) 麥門冬 去心 一升(20 g) 人蔘 二兩(6 g) 甘草 炙 二兩(6 g) 粳米 半升(10 g)

【用法】물 一斗를 끓여 六升을 취하여 찌꺼기를 버리고, 粳米를 넣어 쌀이 익을 때까지 끓여서 쌀을 제거한다. 一升을 따뜻하게 복용하는데 매일 세 번 복용한다.

【效能】淸熱生津, 益氣和胃.

【主治】傷寒·溫病·暑病, 餘熱未淸, 氣津兩傷證. 身熱多汗, 心胸煩悶, 氣逆欲嘔, 口乾喜飮, 或虛煩不寐, 舌紅苔少, 脈虛數.

【病機分析】본 방제가 치료하는 病證은 熱病 이후에 餘邪가 留連하여 裏熱이 식지 않으면서 氣津已傷하고 胃氣不和해서 생기는 것이다. 熱病 後期에 餘熱이 다하지 않으면서 熱淫於內하므로 身熱이 보인다. 熱邪가 津液을 핍박하여 外泄하게 하므로 多汗하는 것이다. 熱이 氣機를 막아서 心胸煩悶하는 것이 다. 餘熱이 內擾하면서 胃氣不和하여 上逆하므로 氣逆欲嘔가 보인다. 熱이 陰津을 손상하므로 口乾喜飮하는 것이다. 熱이 心神을 攪亂하므로 虛煩不寐하는 것이다. 熱邪는 가장 쉽게 傷津耗氣하는데, 본 증상은 비록 邪熱의 大勢는 이미 제거되었지만 正氣도 역시 이미 損傷되어 氣와 津液이 모두 손상되었으므로 舌紅少苔하고 脈虛而數 혹은 細한 등의 병증이 보이는 것이다. 熱病 後期에 大熱이 이미 제거되었지만 餘熱이

아직 식혀지지 않으면서 肺胃氣分에 머무르면, 熱이 비록 높지 않더라도 완전히 물러나게 하는 것이 쉽지 않으니 그 熱의 性質이 實中有虛에 속하기 때문이다.

【配伍分析】 본 方證의 病機는 이미 病後에 餘熱이 未盡하여 氣와 津液이 모두 손상된 것인데, 치료함에 있어 만약 清熱만 하면서 益氣生津하지 않는다면 氣와 津液이 회복되기 어렵고, 만약 益氣生津만 하면서 清熱하지 않는다면 邪熱이 다시 熾盛하면서 사그라진 잿더미에서 다시 불타오르지 않을까 두려운 것으로, 葉桂가 말하기를 "爐煙雖熄, 灰中有火."(『外感溫熱篇』)라고 하여 예방하지 않을 수 없는 것이다. 오직 清補를 並行하는 방법이 있을 뿐이니, 清熱生津할 뿐만 아니라 益氣和胃해야 두 가지를 온전하게 하는 방법이 되는 것이다. 그러므로 방제로는 辛甘大寒한 石膏를 사용하여 안으로는 肺胃의 熱을 식힘으로써 除煩하고, 辛寒相合하면 밖으로 肌膚의 熱을 풀어주고, 甘寒相合하면 또한 生津止渴할 수 있기에 방제 중 君藥이 된다. 竹葉은 甘淡하면서 性寒하고, 心肺胃經으로 歸經하면서 清熱除煩·生津利尿하는 효능을 갖추고 있는데, 『名醫別錄』卷2에서 말하기를 "主胸中痰熱, 咳逆上氣."라고 하였고, 『本草正義』卷1에서 말하기를 "退虛熱煩躁不眠, 止煩渴, 生津液, 利小水, 解喉痹, 並小兒風熱驚癇." 할 수 있다고 하였다. 人蔘·麥門冬은 潤肺養陰·益胃生津·淸心除煩한다. 이상 세 가지의 약재를 서로 배합하면 清熱除煩할 뿐만 아니라 益氣生津할 수 있기에 함께 臣藥이 된다. 佐藥은 半夏로 降逆止嘔하고, 粳米로 甘平益胃한다. 半夏는 비록 溫하지만, 清熱生津藥 중에 배합하면 溫燥한 성질은 제거되고 降逆하는 용도만 남아서 해로움이 없을 뿐만 아니라, 脾氣를 운화하여 津液을 轉輸하기에 人蔘·麥門冬으로 하여금 益氣生津하면서도 膩滯하지 않도록 하고, 粳米의 甘平益胃와 서로 합하면 또한 石膏의 寒涼이 傷胃하는 것을 방지할 수 있다. 甘草는 使藥이 되는데, 人蔘의 益氣和中을 도울 뿐만 아니라, 또한 調和藥性하는 작용이 있다. 모든 약재를 함께 사용하면 清熱하면서도 和胃를 겸하고, 補虛하면서도 邪氣를 매어있게 하지 않아서 熱清煩除하면서 氣津兩復하고 胃氣和降할 수 있기에 모든 증상이 저절로 낫는다.

본 방제의 방제 구성의 특징: 첫째, 清熱藥과 補氣·養陰藥을 並用한 것인데, 清餘熱에 養氣陰을 겸하면서 補虛하면서도 邪氣를 매어있게 하지 않고, 邪氣가 제거되면서 正氣도 역시 회복되는 것이다. 둘째, 寒涼으로 清熱하는 중에 胃氣를 보살피는데 주의하였는데, 石膏·竹葉의 清熱한 것이 있으면서 또한 人蔘·半夏·粳米·甘草의 和中益胃하는 것도 있다. 셋째, 소량의 溫燥한 半夏를 취하여 清熱生津하는 약재 중에 配入함으로써 溫燥한 성질은 제거되고 降逆하는 용도만 남아있으며, 또한 胃氣의 轉輸를 도와서 補하면서도 滯하지 않도록 하였다.

【類似方比較】 본 방제는 白虎湯을 변화 발전시켜서 온 것과 관계있다. 白虎湯證은 正盛邪實하면서 裏熱이 內熾하므로 石膏·知母의 重劑를 사용하여 清熱하는데 중점을 두었다. 본 방제는 大熱은 이미 제거되었는데 餘熱이 식혀지지 않으면서 氣와 津液이 이미 손상된 것이다. 그러므로 石膏·竹葉을 사용한 것은 의도가 그 餘熱을 식히는데 있고, 다시 人蔘·麥門冬·粳米·甘草·半夏 등을 사용하여 이미 손상된 氣와 津液을 補하면서 또한 胃氣의 조화를 겸한 것이니, 이것이 清補兼施하는 방제이다. 『醫宗金鑑』「訂正傷寒論注」卷1에서 말하기를 "以大寒之劑, 易爲清補之方."이라고 하였으니, 실제로 白虎湯과 竹葉石膏湯을 구별하는 요점이 된다.

【臨床應用】

1. 證治要點: 熱病의 과정 중에 氣와 津液이 이미 손상되면서, 身熱有汗이 물러나지 않고 胃失和降하는 등에 모두 사용할 수 있다. 본 방제를 사용하는 것은 身熱多汗, 氣逆欲嘔, 煩渴喜飮, 口乾, 舌紅少津, 脈虛數을 證治의 要點으로 삼는다.

2. 加減法: 만약 胃陰不足으로 胃火上逆하여 口舌糜爛, 舌紅而乾하면 石斛·天花粉 등을 넣어 清熱養陰하고, 胃火熾盛하여 消穀善饑하고 舌紅脈數하는 자는 知母·天花粉 등을 넣어 清熱生津하는 작용을 강화한다.

3. 竹葉石膏湯은 다음 한국표준질병사인분류(KCD)에 해당하는 환자가 傷寒·溫病·暑病 이후 餘熱未淸, 氣津兩傷證으로 辨證되는 경우 본 처방의 사용을 고려해볼 수 있다.

처방 목표	한국표준질병사인분류(KCD)
中暑	T67 열 및 빛의 영향
夏季熱	T67 열 및 빛의 영향
流行性腦炎	G05.1 달리 분류된 바이러스질환에서의 뇌염, 척수염 및 뇌척수염
糖尿病	E10~E14 당뇨병

【注意事項】 熱病으로 正盛邪實하여 大熱이 아직 쇠약해지지 않으면서 氣陰이 아직 손상되지 않은 자는 본 방제를 사용하는 것이 마땅하지 않다.

【變遷史】 본 방제는 張仲景이 創製한 것으로 원문에서는 "傷寒解後, 虛羸少氣, 氣逆欲吐."를 치료한다고 하였다. 후세에 본 방제의 응용 범위에 대하여 비교적 큰 발전이 있었는데, 예를 들어 『外臺秘要』卷3에서 인용한 『張文仲方』에서는 이것을 사용하여 "天行表裏虛煩"을 치료하였고, 『仁齋直指方論』卷3에서는 "伏暑內外熱熾, 煩躁大渴."에 사용하였으며, 『普濟方』卷368에서는 "中暑, 渴煩吐逆, 脈數者."에 사용하였고, 『奇效良方』卷64에서는 "小兒虛羸少氣, 氣逆欲吐, 四體煩熱."에 사용하였고, 『西塘感症』卷7에서는 "煩躁, 起臥不安, 睡不穩."을 치료하였고, 『葉氏女科方論』卷2에서는 "妊娠燥渴, 胃經實火."를 치료하였고, 『雜病源流犀燭』卷15에서는 "暑風; 夏熱病並小便不利; 昏病大渴."을 치료하였고, 『中醫皮膚病學簡編』에서는 "疿子"에 사용하였다. 본 방제를 사용함에 피해야 할 것에 대하여 『外臺秘要』卷3에서 인용한 『張文仲方』에서 말하기를 "忌海藻·羊肉·菘菜·餳."라고 하였으니 증상에 임해서 참고할 만한 資料로 삼을 수 있다.

竹葉石膏湯을 白虎加人蔘湯에 加減한 것에서 由來한 것이라고 인식하는 의학자도 있으니, 예를 들어 張璐가 말하기를 "此湯即人蔘白虎湯, 去知母, 而益半夏·麥門冬·竹葉也."(『傷寒纘論』卷下)라고 하였고, 또한 白虎湯에 加減한 것에서 由來한 것이라고 인식하는 의학자도 있으니, 예를 들어 吳謙 등이 말하기를 "是方也, 白虎湯, 去知母, 加人蔘·麥門冬·半夏·竹葉也, 以大寒之劑, 易爲清補之方, 此仲景白虎變方也."(『醫宗金鑒』「訂正傷寒論注」卷1)라고 하였다. 두 가지 학설은 비록 차이가 있지만 실제로는 같은 것인데, 대개 白虎加人蔘湯은 곧 白虎湯에 人蔘을 넣은 것으로부터 만들어진 것이니 그 근원은 하나이다.

竹葉石膏湯에서 竹葉·石膏를 빼고 麥門冬을 重用하며 다시 大棗를 넣으면, 곧 변화하여 麥門冬湯이 된다. 張璐가 인식하기를 麥門冬湯은 "於竹葉石膏湯中偏除方名二味, 而加麥門冬數倍爲君."(『千金方衍義』卷17)이라고 하였는데, 마침내 病後의 餘熱을 清瀉하여 益氣生津降逆하는 방제를 滋養肺胃·降逆下氣하는 방제로 변화시킨 것이다.

후세 사람들이 仲景의 竹葉石膏湯을 기초로 하여 加減 變化시켜서 만든 同名異方에 이르러서는 곧 다음과 같은 것들이 있다. 『保嬰撮要』卷15에서는 原方의 半夏·粳米를 빼고 生薑을 넣었으며, 또한 石膏를 煅用하여 清熱시키는 효능을 약간 부족하게 하였는데, 小兒의 胃經氣虛內熱로 瘡疾을 앓으면서 渴症을 느끼는 것을 치료하였다. 『痘科辨要』卷9에서는 原方의 半夏·人蔘·甘草를 빼고, 知母·玄參·薄荷·西河柳를 넣어 滋陰解毒透疹하는 효능을 함께 가지도록 하였는데, 痲疹으로 火鬱毒이 깊어지면서 邪熱이 壅於胃하여 乘於肺하는 자를 치료하였다. 『傷暑全書』卷下에서는 原方의 粳米를 糯米로 바꾸고, 다시 淡豆豉를 넣어서 宣解鬱熱을 겸할 수 있도록 하였는데, 伏暑로 內外發熱하면서 煩躁大渴하는 것을 치료하였다. 『辨證錄』卷9에서는 原方의 半夏를 빼고, 知母·茯苓을 넣어 降逆하는 것을 없애고 清熱시키는 효능을 강화시킨 것으로, 胃火沸騰으로 大便秘結하면서 煩躁不寧하는 등의 증상을 치료하였다. 『醫學集成』卷2에서는 沙蔘으로 原方의 人蔘을 바꾸었으며, 다시 生薑을 넣어 養陰宣散하는 효능을 비교적 뛰어나게 하였는데, 胃火의 鬱結로 생긴 口臭를 치료하였다. 『顧氏醫經』卷5에서는 原方의 人蔘·半夏·粳米를 빼고, 洋蔘·梨皮·綠豆·天花粉·石斛·知母·甘蔗汁·黑豆·玉竹·燈心草를 넣어 養陰生津하는 효력을 상당히 강화시켰는데, 痧後의 煩渴을 치료하였다.

【難題解說】 방제 중 半夏의 配伍 意義에 관한 것: 竹葉石膏湯證은 본래 餘熱이 식지 않으면서 氣와 陰液이 모두 손상된 것이다. 그렇다면 방제 중 溫燥한 半夏를 配伍하는 것은 清熱하는 방법과 서로 상반되는 것 같아 실제로 깊은 뜻이 숨어있는 것 같다. ① 和胃하여 降逆止嘔하는 것이다. 半夏는 비록 溫하지만 清熱生津하는 약재 중에 配伍하면 溫燥의 성질은 제거되고 降逆하는 용도만 남게 되어, 본 方證의 嘔逆에 딱 맞게 和胃降逆止嘔의 작용을 일으킨다. ② 反佐의 작용이 있다. 陳念祖가 말하기를 "溫邪內逼陽明, 津液劫奪, 神機不定, 用石膏·知母·半夏·竹葉·甘草之屬, 泄熱救津. 治急用甘涼之品, 以清熱濡津或有濟, 而群以寒涼中雜以半夏者, 以燥熱之邪與寒涼之品, 格而不入, 必用半夏之辛燥以反佐, 同氣相求, 使藥氣與病邪, 不致如水火不相濟, 所以故用."(『溫熱贅言』)이라고 하였다. ③ 陰陽을 조화하는 것이다. 柯琴이 말하기를 "半夏稟一陰之氣, 能通行陰之道, 其味辛, 能散陽蹺之滿, 用以引衛氣從陽入陰, 陰陽通, 其臥立至, 其汗自止矣."(『傷寒附翼』卷下』)라고 하였다.

【醫案】

1. 消渴 『經方應用』: 某 여자, 56세, 農民. 糖尿病을 여러 해 동안 앓았는데, 최근에는 神疲乏力, 口渴引飮, 溲多를 自覺하였고, 진단해보니 脈細數, 舌紅少津, 身形消瘦하였다. 症狀에 의거하고 脈을 참고하면 胃熱內盛하여 氣津俱損한 것과 관계있으니 清胃熱·益氣陰하는 것이 마땅하여 방제로는 竹葉石膏湯에 加味한 것을 사용하였다. 竹葉 12 g, 生石膏 30 g, 麥門冬 12 g, 法半夏 6 g, 甘草 3 g, 北沙蔘 12 g, 天花粉 12 g, 懷山藥 18 g, 粳米 一撮. 3첩을 복용한 후에 口渴이 현저하게 輕減하였고, 계속해서 原方을 3첩 복용했더니 이후에 다시 진단받으러 오지 않았다.

2. 餘熱未淨, 氣陰兩傷 『古方新用』: 某 여자, 6세, 1978년 12월 初診. 患兒는 3일 전부터 發熱이 38.5℃였으며, 咳嗽·少痰·頭痛·納差를 동반하였으며, X-선 흉부투시검사에서는 異常을 볼 수 없었다. 먼저 tetracycline·甘草片·克感敏 등의 약재를 사용하여 치료하였으나 효과가 없어서 erythromycin을 2일 동안 정맥주사하는 것으로 바꾸었는데도 체온이 여전히 38℃ 이상이었으므로 한의사에게 요구하여 진단·치료하도록 하였다. 진단하여 보니 乏力懶動, 舌尖紅, 苔薄黃, 中心略厚, 脈弦細하였다. 辨證은 餘熱未淨·氣陰兩傷한 것으로 보았고, 竹葉石膏湯을 사용하여 치료하였다. 黨參 3 g, 半夏 9 g, 粳米 12 g, 麥門冬 24 g, 竹葉 9 g, 生石膏 48 g, 甘草 6 g, 물에 달여 3차례에 나누어 복용하였다. 위의 약재를 2첩 복용한 후에 熱을 물러나고 症狀이 소실되었으며, 體溫이 36℃까지 내려갔다. 복약을 정지하고 3일 동안 관찰하였는데 아직 다시 發熱하지 않았으며, 飮食 먹는 것이 점점 증가하였고, 밖에 나가서 놀기 시작하였다.

考察: 醫案1의 消渴은 辨證이 胃熱하면서 氣津俱損한 것에 속하기에 竹葉石膏湯에 加味한 清胃熱·益氣陰하는 약재를 투여하였고, 복약한 후에 치료 효과가 상당히 우수하였다. 醫案2의 餘熱未淨·氣陰兩傷은 竹葉石膏湯證과 매우 합당하므로 原方을 2첩 투여하였더니 곧 나았다.

梔子豉湯

(『傷寒論』)

【異名】 梔子香豉湯(『傷寒總病論』卷3)·香豉梔子湯(『傷寒總病論』卷3)·梔子湯(『聖濟總錄』卷40)·加減梔子湯(『雲岐子注脈訣並方』)·梔子豆豉湯(『證治准繩』「幼科」卷5)·梔豉湯(『壽世保元』卷2).

【組成】 梔子 擘 十四個(9 g) 香豉 綿裹 四合(6 g)

【用法】 물 四升으로 먼저 梔子를 달여서 二升半이 되면, 香豉를 넣고 달여서 一升半을 취하여 찌꺼기를 버리고 나누어서 두 번 복용하는데, 따뜻하게 하여 한 번씩 복용한다. 吐하는 자는 이후의 복용을 중지한다.

【效能】 淸宣鬱熱, 除煩止躁.

【主治】 傷寒汗·吐·下後, 虛煩不得眠, 甚者反復顚倒, 心中懊憹, 胸脘痞悶, 饑不能食, 舌苔薄黃膩, 脈數.

【病機分析】 본 方證의 病機는 汗·吐·下한 후에 餘熱이 未盡하면서 熱이 胸膈을 擾亂하는 것이다. 煩은 心煩인데 熱이 心을 擾亂하여 생기는 것이다. '煩'자 앞에 '虛'자를 덧붙인 것은 이것을 빌려 病變의 성질을 설명하려는 것으로 '虛'는 '正氣의 虛'를 가리키는 것이 아니고 '有形의 實邪'와 상대적으로 말한 것이다. 表邪가 裏로 들어가서 만약 有形之物, 예를 들어 水·痰飮·宿食 등과 상호 搏結한다면 實證을 형성한다. 비유하자면 熱邪가 痰水와 서로 결합한 結胸 및 燥熱과 宿食·燥屎와 서로 결합한 陽明腑實證 등과 같은 것들은 모두 心中懊憹 혹은 煩躁의 見證이 있는데, 이것은 實한 성질의 煩이지 虛煩이 아니다. 본 조문의 煩은 비록 熱邪가 內陷하였지만 아직 有形之物과 서로 결합하지 않았기 때문에 단지 無形之邪가 胸膈을 擾亂하여 蘊鬱不去하는 것이니, 따라서 '虛煩'이라고 부르는 것이다. 虛煩은 비록 實邪는 없지만 도리어 火熱의 鬱이 있다. 火熱의 邪氣가 蘊鬱胸膈하여 鬱而不伸하면 그 가벼운 자는 心煩不得眠하는 것이고, 그 심한 자는 반드시 反復顚倒·心中懊憹하는 것이며, 胸脘痞悶은 막혀서 통하지 않을 때의 自我의 感覺으로 火鬱의 邪氣가 氣機의 運行에 영향을 미친 것을 반영하고 있으며, 胃熱하면 饑하고 氣滯하면 不能食하는데 지금 熱鬱하면서 氣滯하므로 饑不能食하는 것이고, 脈數한 것은 熱이 있는 것이고 舌苔薄黃而膩한 것은 邪氣가 이미 去表入裏하여 熱鬱而氣滯한 것을 밝힌 것이다. 총괄하면 本證의 病性은 熱이 되고, 病位는 胸膈에 있으며, 病機는 餘邪未盡하여 鬱熱阻滯한 것이다.

【配伍分析】 본 방제를 구성한 출발점은 胸膈間에 있는 無形의 邪熱을 淸泄하려는 것이다. 방제 중 梔子는 苦寒하며 心·肝·肺·胃·三焦經으로 歸經하는데, 淸泄鬱熱·解鬱除煩하는 것에 長技를 가지고 있으며, 또한 導火下行하여 降而不升하게 하니 "瀉心肺之邪熱, 使之屈曲下行從小便出, 而三焦鬱火以解."(『本草備要』卷2)라고 하였다. 豆豉는 辛甘하며 그 氣味가 輕薄하여 肺·胃經으로 歸經하는데, 解表宣熱을 잘 하면서 또한 胃氣를 조화롭게 하니, 『本草備要』卷4에서 말하기를 "宣熱, 解表除煩 …… 調中下氣."라고 하였다. 두 가지 약재를 서로 配伍하면 降中有宣하기에 방제의 구성이 巧妙하면서 약재의 가짓수는 적지만 효력이 專一하여 胸膈鬱熱을 淸宣하는 좋은 방제가 된다.

原方 중 梔子에는 겨우 '擘'이라고 注를 달아서 밝히고는 '炒用'하라고는 말하지 않았으니, 이것은 生品을 사용하여 淸熱하는 작용을 취함을 볼 수 있고, 豆豉를 나중에 넣는 것은 의도가 그 輕淸香透·宣散鬱熱하는 것을 취함에 있는 것이니, 이와 같이 사용하는 것에는 깊은 뜻이 내포되어 있다.

【臨床應用】

1. 證治要點: 본 방제를 사용하는 것은 虛煩不得眠, 心中懊憹, 舌苔薄黃膩를 證治의 要點으로 삼는다.

2. 加減法: 熱鬱氣滯가 비교적 심하면 鬱金·瓜蔞·枳殼 등 理氣開鬱하는 것을 넣을 수 있고, 熱이 심하면 連翹·黃芩을 넣어 淸透邪熱할 수 있으며, 濕熱鬱阻하면 厚朴·石菖蒲를 넣어 化濕理氣할 수 있고, 鬱火疼痛에는 金鈴子散과 합하여 理氣止痛하고, 嘔惡에는 竹茹·半夏를 넣어 和胃止嘔한다.

3. 梔子豉湯은 다음 한국표준질병사인분류(KCD)에 해당하는 환자가 熱鬱胸膈證으로 辨證되는 경우 본 처방의 사용을 고려해볼 수 있다.

처방 목표	한국표준질병사인분류(KCD)
神經症	F00~F99 V. 정신 및 행동 장애
食道炎	K20 식도염
胃潰瘍	K25 위궤양
膽囊炎	K81 담낭염

【注意事項】 방제 중 豆豉는 마땅히 後下해야 한다. 평소에 脾虛便溏이 있는 자는 본 방제를 신중하게 복용해야 한다.

【變遷史】 본 방제는 張仲景이 創製한 것으로 仲景書 중에 8번 보인다. 하나는 『傷寒論』 '太陽病篇'의 第78·79·80·83條이고, '陽明病篇'의 第226·231條이며, '厥陰病篇'의 第374條이다. 다른 하나는 『金匱要略』 '嘔吐噦下利病篇'의 第44條에 있다.

張仲景은 또한 梔子豉湯을 기초로 하여 변화 발전시킨 아래의 7개 方劑가 있다. 原方에 甘草를 넣어 益氣和中한 것을 梔子甘草豉湯이라고 부르는데, 熱擾胸膈에 少氣를 겸한 자를 치료한다. 原方에 生薑을 넣어 辛散止嘔한 것을 梔子生薑豉湯이라고 부르는데, 熱擾胸膈에 嘔吐를 겸한 자를 치료한다. 原方에 豆豉를 빼고 厚朴·枳實을 넣어 行氣除滿한 것을 梔子厚朴湯이라고 부르는데, 熱擾胸膈에 腹滿을 겸하는 자를 치료한다. 原方에 豆豉를 빼고 乾薑을 넣어 溫中散寒한 것을 梔子乾薑湯이라고 부르는데, 熱擾胸膈한 것이 醫師가 誤下하여 中陽을 손상시켜서 생긴 자를 치료한다. 原方에 豆豉를 빼고 黃柏·甘草를 넣은 것을 梔子柏皮湯이라고 부르는데, 淸熱祛濕하여 退黃하는 효능이 있어서 熱重於濕한 黃疸을 치료한다. 原方에 枳實을 넣어 行氣寬中한 것을 枳實梔子豉湯이라고 부르는데, 大病瘥後에 勞復한 자를 치료한다. 原方에 大黃·枳實을 넣어 泄熱消積한 것을 梔子大黃湯이라고 부르는데, 嗜酒로 積熱蘊濕하여 內結胃腑하면서 上擾胸膈하여 黃疸이 발생한 것을 치료한다.

후세의 의학자들은 梔子豉湯의 임상 운용 범위에 대하여 또한 확대한 바가 있다. 예를 들어 晉代 『肘後備急方』卷2에서는 霍亂吐下後에 心腹煩滿한 것을 치료하였고, 明代 『普濟方』卷133에서는 感冒로 寒熱이 발생하면서 頭痛體痛한 것을 치료하였으며, 『證治准繩』「幼科」卷5에서는 小兒痘疹, 虛煩驚悸不得眠하는 것을 치료하였다.

그리고 후세의 의학자들이 加減하여 처방함으로써 梔子豉湯과는 다른 조합의 새로운 방제를 만들었으니, 예를 들면 晉代 『外臺秘要』卷2에서 인용한 『範汪方』에서는 原方에 桂心·麻黃·大黃을 넣어 梔子湯이라고 부르면서 溫中散邪·瀉下消食을 겸하여 가능 하게 함으로써 "傷寒愈後 飮食勞復"을 치료하였다 『醫心方』卷20에서 인용한 『深師方』에서는 原方에 黃芩을 넣어 역시 梔子豉湯이라고 불렀는데, 石毒을 解散하는 효능이 있어서 服石으로 口中傷爛하면서 舌痛하는 것을 치료하였다. 宋代 『傷寒總病論』에서는 原方에 石膏를 넣어 梔子石膏香豉湯이라고 불렀는데, 辛涼으로 淸泄시키는 효능이 비교적 뛰어나서 傷寒勞復如初로 自汗出하고 脈浮滑하면서 煩躁가 심한 자를 치료하였다. 淸代 『傷寒大白』卷3에서는 本方을 小陷胸湯(黃連·半夏·瓜蔞霜)과 합하여 化痰開結을 겸하게 하면서 梔子豆豉陷胸湯이라고 불렀는데, 食滯中焦하면서 兼有痰凝하여 懊憹하게 된 자를 치료하였다. 『傷寒來蘇集』卷3에서 梔子豉湯을 말하기를 "旣可以祛邪, 又可以救誤, 上焦得通, 津液得下, 胃氣因和耳."라고 하였으니, 梔子豉湯에는 和解樞機하는 작용이 있어서 宣通上下하여 和調內外하는 치료 메커니즘이 있음을 설명하는 것이다. 葉桂는 그 뜻을 깊이 있게 깨달아서 그의 풍부한 실천 경험은 梔子豉湯의 구체적인 운용에 있어서 得心應手하고 左右逢源하는 경지에 도달하였다. 『臨證指南醫案』에서 葉氏가 이 방제를 운용하여 치료한 37개 醫案으로 볼 것 같으면 外感病인 風溫·暑濕·秋燥 등에 사용하였을 뿐만 아니라, 雜病인 眩暈·脘痞·心痛 등에도 사용하였으며, 氣分의 鬱熱證에도 사용하고, 嗽血·吐血證에도 또한 사용하였으며, 上中焦病에 사용하고 下焦病에도 또한 간혹 사용하였고, 심지어 邪熱이 上中下에 彌滿한 三焦病에도 또한 사용하였다. 葉氏는 본 방제를 응용할 때에 매번 약간의 微苦微辛한 藥物들, 예를 들면 杏仁·瓜蔞皮·鬱金과 같은 종류를 보좌하여 넣었는데, 이렇게 이 방제의 응용 범위를 확대시켰을 뿐만 아니라, 해당되는 방제의 작용을 증강시키면서 임상 치료 효과를 제고시켰다.

【難題解說】 본 방제를 복용한 후의 '得吐'에 관한 문제: 仲景書 중에 살펴보면 梔子豉湯方의 뒤에 나오는 注에서 말하기를 "得吐者, 止後服."하라 하였다. 따라서 후세의 의학자들은 본 방제가 湧吐劑에 속하는지의 여부를 둘러싸고 說法이 상당히 많으면서 論述이 일치하지 않는다. 본 방제를 湧吐劑에 속하는 것으로 인식한 사람이 있으니, 예를 들면 成無己·方有執·王子接·柯琴 등과 같은데, 柯琴이 말하기를 "梔子苦能泄熱, 寒能勝熱 …… 豆形象腎, 制而爲豉, 輕浮上行, 能使心腹之濁邪上出於口, 一吐而心腹得舒, 表裏之煩熱悉除矣."(『傷寒來蘇集』「傷寒附翼」卷下)라고 하였다. 본 방제가 湧吐劑에 속하지 않고 清熱劑에 속한다고 인식한 사람들이 있으니, 예를 들면 汪琥·汪紱·陳元犀 등과 같은데, 汪琥가 말하기를 "梔子豉湯, 仲景雖用以吐虛煩之藥, 余曾調此湯與病人服之, 未必能吐, 何也? 蓋梔子之性苦寒, 能淸胃火潤燥; 豉性苦寒微甘, 能瀉而兼下氣調中, 所以其苦未必能使人吐也."(『傷寒論辨證廣注』卷4)라고 하였다.

이상 두 종류의 인식은 비록 각자의 말에 그 이치가 있지만 모두 전면적이지 못하다. 仲景의 원래 의도를 살펴보면 본 방제는 湧吐劑에 속하지는 않지만, 본 방제를 복용한 후에 '得吐'하는 현상이 있음을 부정하지는 못한다. 立法한 의도로 볼 것 같으면 仲景이 방제를 구성한 출발점은 胸膈間에 있는 無形의 邪熱을 清泄하는 것이지 催吐의 目的과 動機가 없다. 따라서 條文 중에 瓜蒂散證과 같이 '當吐'와 같은 종류의 명확한 논술이 없으며, 겨우 "得吐, 止後服."이라고 말하면서 곧 의학자들에게 服藥한 후에 嘔吐 현상이 출현할 수 있는 환자가 있음을 제시한 것이다. 다만 토하냐 안하냐는 것은 病證와 病勢에서 결정한 것이다. 病位와 病機 상으로 볼 것 같으면 梔子豉湯證은 汗·吐·下한 후에 餘熱이 未盡하면서 蘊而不宣하고 胸膈을 擾亂하여 "虛煩不得眠, 若劇者, 必反復顚倒, 心中懊憹."의 증상이 나타나는 것이다. 이때의 '虛煩'은 汗·吐·下한 후에 虛해진 것이 아니라 '實煩'과 서로 감별하기 위한 것이다. 이때의 病勢는 邪熱이 胸膈에 막혀있는 것이다. 梔子豉湯은 胸膈間에 있는 無形의 邪熱을 清泄하기 위하여 설계한 것으로, 복약한 후에 吐하지 않는 자는 藥이 邪氣를 이겨서 邪熱이 안쪽으로 清解되는 것이고, 복약한 후에 吐하는 자는 藥과 邪氣가 다투면서 病勢가 위를 향하는 것으로, 正氣가 펼쳐지면서 邪氣가 밖으로 나가게 하여 吐하는 것이다. 吐한 후에 邪熱이 外泄하면서 病證이 저절로 풀리므로 방제 후에 "得吐者, 止後服."이라고 말한 것이다.

【醫案】

1. 虛煩 『陝西中醫學院學報』(1987, 1:62): 某 남자, 71세. 진흙길을 걷다가 넘어졌는데, X-선 촬영을 하니 左股骨粗隆下에 骨折이 보였으며, 骨折의 遠段이 向外向上으로 移位하였다. 진단은 左股骨粗隆下骨折이다. 입원 후에 骨折 初期에 따라 辨證論治하면서 韓藥을 內服하거나 對症 處理하였다. 환자는 牽引術 후 20일에 胸中煩熱하면서 神不守舍하고 躁動不寧을 自覺하였고, 스스로 冷水 포대를 사용하여 胸部 및 胃脘部에 얼음찜질을 하였다. 활력징후: 體溫 36.5℃, 脈搏 82

회/분, 呼吸 20회/분, 血壓 140/80 mmHg. 뼈 견인장치는 잘 되어 있으며, 牽引이 진행되는 곳은 感染이나 삼출액이 없었으며, 心肺 檢査에는 이상이 보이지 않았고, 腹軟無壓痛, 腸鳴音正常, 舌質淡紅, 苔薄白, 脈虛弦하였다. 補液과 함께 항생제를 응용한 치료를 4일 동안 하였지만 모든 증상에 감소되는 것이 없었다. 脈症에 근거하여 梔子豉湯에 加味한 것으로 바꾸어 투여하였다. 梔子 9 g, 淡豆豉 9 g, 牛膝 9 g, 夏枯草 9 g, 甘草 6 g. 1첩을 복용한 후에 모든 증상이 크게 감소하였고, 조금씩 가감하여 다시 3첩을 투여하였더니 모든 증상이 소실되었다.

考察: 梔子豉湯의 효능은 透邪泄熱·除熱解鬱하는 것에 있으니, 發熱·心煩不眠·胸悶不舒하면서 虛邪가 胸中에 침입한 虛煩症을 치료한다. 본 병증은 비록 經文 중에서 말한 "下利後, 更煩 ……"을 닮지는 않았지만, 그 熱이 비교적 심하여 冷水 포대로 냉찜질 하는데 이르렀고, 高齡의 환자여서 평소 체력이 쇠약한데다가 傷筋動骨로 반드시 瘀血이 있으면서 瘀血이 熱로 변화하여 胸中에 침입하면서 胸中煩熱과 躁動不寧이 나타나므로 梔子豉湯에 加味하여 치료함으로써 양호한 효과를 거둔 것이다.

2. 鼻衄『新中醫』(1985, 3:46): 某 여자, 73세. 최근 10일 동안 매일 오전 10~11시에 스스로 心煩과 胸中에 物塞感을 느끼면 바로 뒤이어 코에서 鮮血이 淋漓하게 나왔으며, 약 30분이 지나면 心煩退하고 胸悶減하면서 鼻血도 그쳤다. 며칠 동안 치료받았지만 효과가 없어서 진찰받으러 왔다. 症狀: 鼻衄의 血色은 鮮紅하였고, 飮食과 대·소변은 정상이었으며, 舌質紅, 苔薄黃, 脈弦稍數하였다. 증상은 邪熱이 안으로 胸膈을 擾亂하여 손상이 血絡에 미치고 迫血妄行한 것에 속하였다. 치료는 淸熱除煩·涼血止血하는 것이 마땅하다. 處方: 炒梔子·淡豆豉 各 15 g, 白茅根 10 g. 2첩을 복약하고는 出血이 그쳤다.

考察: 정해진 시간에 鼻衄하는 것은 비교적 드물게 보인다. 이번 例의 血出과 血止는 心煩·胸內의 物塞感과 관계있으니, 이 鼻衄은 邪熱이 안으로 胸膈을 擾亂하여 손상이 血絡에 미쳐서 血이 熱의 압박을 받음으로써 생긴 것임을 제시하고 있다. 그러므로 본 방제에 白茅根을 넣은 것을 투여하여 熱除血止시킨 것이다.

3. 小兒夜啼『新中醫』(1985, 3:46): 某 남자, 11개월. 밤이 되면 躁動不安하면서 啼哭한 것이 1주일쯤 되었다. 이미 다른 醫師가 導赤散 등으로 치료하였는데 효과가 없어서 진단받으러 왔다. 小兒는 상술한 증상을 제외하고도 納減, 大便正常, 小便赤而異臊, 舌質紅, 苔薄黃, 指紋紫紅을 동반하였다. 이것은 熱擾胸膈證에 속하니 치료는 淸熱除煩하는 것이 마땅하다. 處方: 山梔子 4 g, 淡豆豉 八枚. 2첩을 복용하고는 모든 증상이 소실되었다.

考察: 환자는 嬰兒이니까 하소연할 수 없기에 醫者는 그 아이가 懊憹證을 앓고 있음을 알기 어렵다. 다만 다른 醫師가 導赤散을 사용했는데 효과가 없었다는 것과, 小便赤而異臊, 舌紅, 苔薄黃 등 일련의 熱象이 있다는 것과 연계시키며, 또한 밤이 되면 躁擾啼哭하는 것으로 熱擾胸膈하는 虛煩懊憹證으로 볼 수 있다. 그러므로 본 방제를 투여하여 효과를 얻은 것이다.

第二節 清營涼血劑

清營湯

(『溫病條辨』卷1)

【組成】 犀角 三錢(9 g) 生地黃 五錢(15 g) 元參 三錢(9 g) 竹葉心 一錢(3 g) 麥門冬 三錢(9 g) 丹參 二錢(6 g) 黃連 一錢五分(5 g) 銀花 三錢(9 g) 連翹 連心用 二錢(6 g)

【用法】 위의 약재를 물 8잔에 달여서 3잔을 취한 후에 매일 세 번 복용한다.

【效能】 清營解毒, 透熱養陰.

【主治】 熱入營分證. 身熱夜甚, 神煩少寐, 時有譫語, 目常喜開或喜閉, 口渴或不渴, 斑疹隱隱, 脈細數, 舌絳而乾.

【病機分析】 본 方證은 溫熱病의 邪熱이 안으로 營分에 전해진 것이다. 邪熱이 營分으로 전해지면 熱이 營陰을 손상시키고, 夜는 陰에 속하므로 身熱夜甚한 것이다. 營氣는 心과 통하는데, 邪熱이 營分으로 들어가면 心包를 燔灼하여 心神이 擾亂되므로 心煩不眠하고, 심하면 神明이 錯亂하면서 때때로 譫語하는 것이다. 눈을 뜨고 감는 것이 일정하지 않은 것은 火熱이 外泄하려고 하면서 陰陽이 既濟하지 못하기 때문이다. 熱蒸하면 營陰이 上承하므로 본래 口渴 하다가도 도리어 不渴한 것이다. 熱이 營分으로 들어간 것은 비록 아직까지는 血分으로 들어가지 않았지만 이미 血分에 가까이 있어서 血熱妄行하면서 肌膚로 넘치므로 비록 아직까지는 發斑하지 않았더라도 이미 隱隱한 것을 볼 수 있는 것이다. 舌은 心之苗竅가 되고 心主營하는데, 營分에 熱이 있으므로 舌絳而乾한 것이다. 脈細數 또한 熱이 營陰을 손상시킨 형상이다.

【配伍分析】 본 방제는 『素問』「至眞要大論」에 있는 "熱淫於內, 治以鹹寒, 佐以甘苦."의 뜻을 본받은 것으로, 清營解毒과 透熱養陰하는 약재를 配伍하여 방제를 구성하였다. 방제 중 犀角은 苦鹹性寒하여 清熱涼血解毒하는데, 寒하면서도 막히지 않고 또한 散瘀할 수 있기에 君藥이 된다. 熱이 심하면 傷陰하므로 涼血하면서도 응당 養陰을 겸하게 한 것이다. 生地黃은 오로지 涼血滋陰하고, 麥門冬은 清熱養陰生津하며, 玄參은 滋陰降火解毒에 長技를 가지고 있는데, 세 가지 약재는 함께 君藥을 도와서 清營涼血·養陰解毒하니 방제 중에서 臣藥이 된다. 佐藥은 金銀花·連翹로써 하는데, 清熱解毒을 잘하면서 또한 芳香透達·輕宣透邪하기에 熱을 바깥으로 透出시킬 수 있기 때문에, 營分으로 들어간 邪氣로 하여금 裏에 鬱遏되지 않도록 하면서, 邪熱이 더욱 內陷하는 것을 방지하고 氣分으로 透出할 수 있도록 촉진시켜서 풀어주는 것이니, 이것이 곧 葉桂가 『外感溫熱篇』에서 말한 "入營猶可透熱轉氣"의 의미이다. 竹葉의 心을 사용하는 것은 清香이 心에 들어있어서 오로지 清心熱하기 때문이며, 또한 輕清透達하는 성질을 가지고 있어서 佐藥과 함께 透熱向外한다. 黃連은 苦寒한데 心經으로 들어가서 清心瀉火하며, 竹葉心과 黃連은 또한 君藥을 도와서 清熱할 수 있다. 丹參은 性涼하면서 心·肝經으로 歸經하니 清心하면서 또한 涼血活血하기에, 모든 약재를 인도하여 心經으로 들어가서 君藥의 清熱涼血을 도울 뿐만 아니라, 活血祛瘀하여 熱과 血이 뭉치는 것을 방지한다. 이상 세 가지 약재는 모두 心經으로 들어가면서 使藥의 작용을 겸하고 있다. 전체 방제는 犀角·生地黃·玄參의 清熱涼血하는 약재에 輕宣透熱하는 金銀花·連翹를 配伍하고, 清心하는 竹葉心·黃連에 까지 이르렀으니, 함께하면 清營解毒·泄熱養陰하는 효능을 발생시킨다.

본 방제 구성의 특징: 첫째, 涼血藥에 滋陰清熱하는 약재를 配伍한 것인데, 이것은 熱이 營分에 들어가서 점점 血分에까지 미치는 자를 위해서 설계한 것이니, 두 가지를 서로 배합하면 淸熱解毒·涼血滋陰하는 효능을 강화시킬 수 있다. 둘째, 淸熱涼血藥 중에 輕宣透熱하는 氣分의 약재를 配伍한 것으로, 의도는 初入하는 營分의 熱邪로 하여금 鬱遏되지 않게 하면서, 장차 熱邪로 하여금 氣分으로 轉出하면서 풀리도록 한 것이니, 이것이 透熱轉氣하는 방법인 것이다. 셋째, 涼血藥에 活血藥을 配伍함으로써 熱과 血이 뭉치는 것을 방지한 것이다.

【臨床應用】

1. 證治要點: 본 방제는 溫病으로 熱邪가 營分으로 傳入하는 증상을 主治하는데, 身熱夜甚, 神煩少寐, 斑疹隱隱, 舌絳而乾, 脈數을 證治의 要點으로 삼는다.

2. 加減法: 만약 寸脈이 大하면서 舌乾이 비교적 심한 자는 黃連을 뺌으로써 苦燥한 약재가 傷陰하는 것에서 벗어나야 하고, 神昏譫語가 비교적 심한 자는 安宮牛黃丸·紫雪과 함께 사용할 수 있고, 만약 熱毒이 壅盛한 喉痧의 重症을 치료할 때에는 본 방제에 石膏·牡丹皮·甘草를 넣음으로써 淸熱瀉火·涼血活血하는 작용을 강화시킬 수 있다.

3. 淸營湯은 다음 한국표준질병사인분류(KCD)에 해당하는 환자가 熱入營分證으로 辨證되는 경우 본 처방의 사용을 고려해볼 수 있다.

처방 목표	한국표준질병사인분류(KCD)
B型腦炎	A83.0 일본뇌염
流行性腦脊髓膜炎	G02.0 달리 분류된 바이러스질환에서의 수막염
	G01 달리 분류된 세균성 질환에서의 수막염
	G00 달리 분류되지 않은 세균성 수막염

처방 목표	한국표준질병사인분류(KCD)
敗血症	(질병명 특정곤란)
	A00~B99 I. 특정 감염성 및 기생충성 질환
	A41.9 상세불명의 패혈증
傷寒	A01.0 장티푸스
熱性病	(질병명 특정곤란)
	A00~B99 I. 특정 감염성 및 기생충성 질환
	G00~G09 중추신경계통의 염증성 질환
	R50.9 상세불명의 열

【注意事項】 본 방제를 사용할 때에는 舌診에 注意해야 한다. 原著에서 말하기를 "舌白滑者, 不可與也."라고 하였는데, 苔白滑한 것은 濕邪를 끼고 있는 형상이니 본 방제를 誤用하게 되면 쉽게 濕을 도와 邪氣가 머무르게 된다. 반드시 舌質絳而乾해야 사용할 수 있다.

【變遷史】 본 방제는 吳瑭의 『溫病條辨』에서 나왔는데, 다만 『臨證指南醫案』 중에 이미 葉桂의 본 방제와 유사한 醫案과 處方의 記載가 있다. 예를 들면 『臨證指南醫案』에 실려 있는 馬氏의 病案에 "少陰伏邪, 津液不騰, 喉燥舌黑, 不喜飮水. 法當淸解血中伏氣, 莫使液涸. 犀角·生地·丹皮·竹葉·元參·連翹."라고 하였으며, 程氏의 病案에 "暑久傷營, 夜寐不安, 不饑微痞, 陰虛體質, 議理心營. 鮮生地·元參·川連·銀花·連翹·丹參."이라고 하여, 葉氏는 臨證하면서 매번 손이 가는 대로 辨證하여 藥을 쓴 것이 많은데 방제의 이름을 붙이지는 않았다. 결과적으로 이상 두 가지 醫案을 歸納分析하면 葉氏 醫案과 淸營湯의 構成과 主治 사이의 源流와 發展된 關系를 분명하게 볼 수 있다. 상술한 두 醫案의 방제를 서로 합한 것에서 牡丹皮를 빼고 麥門冬을 넣으면 곧 『溫病條辨』의 淸營湯이 된다. 이로부터 淸營湯은 吳瑭이 『素問』「至眞要大論」의 "熱淫於內, 治以鹹寒, 佐以甘苦."의 이론을 따르면서 葉氏의 臨床經驗을 總結한 기초상에서 創製된 것임을 볼 수 있다.

【難題解說】

1. 본 방제의 主治證에 관한 것: 본 방제의 主治를 다수의 의학자들은 邪熱이 안으로 營分에 전해진 증상으로 인식하였다. 다만 방제 중에 氣分의 熱邪를 淸解하는 약재를 사용하였으므로 몇몇 의학자들은 본 방제를 氣營兩淸하는 대표방으로 인식하였으니, 예를 들면 山東中醫學院의 『中藥方劑學』에서는 본 방제를 "熱傷營陰而氣分之邪尙未盡解之症."이라고 인식하였고, 成都中醫學院의 『中醫治法與方劑』에서도 또한 본 방제를 "氣分之熱未盡, 故苔黃而燥, 身熱煩渴."하는 것으로 인식하였다.

도대체 본 방제에 氣分症狀이 있는가? 『溫病條辨』의 原著를 조사해보면 해당되는 서적에는 본 방제를 언급한 條文이 3개가 있다. 上焦篇 第15·30條와 中焦篇 第20條이다. 卷1 중에 있는 第15條에는 "太陰溫病, 寸脈大, 舌絳而乾, 法當渴, 今反不渴者, 熱在營中也, 淸營湯去黃連主之."라고 하였고, 第30條에는 "脈虛, 夜寐不安, 煩渴舌赤, 時有譫語, 目常開不閉, 或喜閉不開, 暑入於厥陰也. 手厥陰暑溫, 淸營湯主之. 舌白滑者, 不可與也."라고 하였으며, 卷2 중에 있는 第20條에는 "陽明溫病, 舌黃燥, 肉色絳, 不渴者, 邪在血分, 淸營湯主之. 若滑者, 不可與也, 當於濕溫中求之. 溫病傳裏, 理當渴甚, 今反不渴者, 以邪氣深入血分, 格陰於外, 上潮於口, 故反不渴也. 曾過氣分, 故苔黃而燥. 邪居血分, 故舌之肉色絳也. 若舌苔白滑, 灰滑, 淡黃而滑, 不渴者, 乃濕氣蒸騰之象, 不得用淸營, 柔以濟柔也."라고 하였으니, 상술한 3개 조문의 원문 중에는 氣分證이 없다. 겨우 上焦篇 第30條 중에 '煩渴舌赤'이라고 하여 類似氣分證候가 있는데, 다만 吳氏가 스스로의 해석에서 명확하게 지적하기를 "煩渴舌赤, 心用恣而心體虧也."라고 하였고, 中焦篇 第20條 중에 '舌黃燥'의 증상이 있는데, 氣分의 舌象과 유사하지만 吳氏가 스스로 이것을 해석하기를 "曾過氣分, 故苔黃而燥."라고 하였다. 이로부터 吳氏가 본 방제를 創製한 원래의 의도에는 氣營兩淸하는 것이 아니었으며, 방제 중 氣分藥을 사용한 것은 葉桂의 "入營猶可透熱轉氣"의 治療 大法을 따라 透熱轉氣를 위하여 설정한 것임을 알 수 있다.

2. 본 방제의 立法 근거에 관한 것: 본 방제의 구성 配伍는 葉桂의 "入營猶可透熱轉氣"를 立法 근거로 삼았다. 이른바 '入營'은 唐大烈이 『吳醫彙講』에서 '乍入營分'이라고 해석하였는데, 의미하는 것은 邪氣가 '이제 금방' 혹은 '처음' 營分으로 들어갔다는 뜻이다. 이때에는 氣分이 이미 끝나고 營分證이 처음 나타난다. '猶可'는 '오히려 가능하다'·'아직 가능하다'는 뜻이다. '透熱'은 『溫病縱橫』에서 해석하여 말하기를 "所謂透熱, 就是在淸營的藥物中適當配入具有宣通氣機作用的藥物, 以促進營分的邪熱透出氣分而解."라고 하였다. '轉氣'는 營分으로 들어간 邪氣의 出路를 가리키는 것이 분명하다. "入營猶可透熱轉氣"는 原文의 뜻을 살펴보면 다시 輕淸透氣하는 약재를 응용하여 病邪를 營分으로부터 氣分을 향하여 透達되도록 재촉함으로써 그것이 氣分을 따라 바깥으로 풀리기를 바라는 것이다. 임상적인 체험에 근거하자면 病證이 氣分으로부터 營分을 향하여 轉化·傳變할 때에 항상 동시에 氣分과 營分의 症狀을 목격할 수 있으며, 또한 이것은 氣分의 熱이 아직 풀리지 않았는데 다시 營分의 징후를 만나는 것이다. 이러한 병증을 처리함에 있어서 만약 순수하게 淸營涼血하는 약재를 사용한다면 매번 涼遏하여 病邪가 冰伏하는 폐단에 이르게 된다. 이때에는 마땅히 透熱外達시키는 것에 입각하여 氣分으로 轉入시켜서 풀어야 한다.

별도로 氣와 血 사이에 한 개의 營分 단계를 증가시켜서 病機와 임상 증후를 분석함에 있어서 주로 溫熱病邪가 들어가는 部位의 淺深·輕重을 반영하였다. 氣分의 病邪가 풀리지 않았는데, 만약 그 사람이 正氣虛弱하고 津液虧乏하다면 病邪는 곧 虛한 틈을 타고 안으로 營分으로 들어가면서 身熱夜甚, 心煩不寐, 時有譫語, 斑疹隱隱, 舌絳, 脈細數 등의 증상이 출현하게 되고, 만약 病邪가 진일보하여 깊이 血分으로 들어가면 吐血·衄血·便血·尿血 및 斑疹透露나 舌色深絳

등의 증상이 출현할 수 있다. 따라서 '營'은 '氣'와 '血'의 사이에 끼어있는 樞機가 되면서, 邪熱이 '氣'로부터 '營'으로 들어가거나 혹은 '營'으로부터 '氣'로 轉化하는 것이, 바로 病勢가 惡化되거나 혹은 趨愈하는 표시가 되고, 向內 혹은 向外하는 전환점이 되는 것이니, 透熱轉氣시키는 입법 근거의 하나를 볼 수 있는 것이다. 溫熱의 邪氣가 裏로 傳入하는 것에는 營分의 證候가 출현하지만 正邪라는 양쪽 방면의 要素가 달려있다. 內因은 營陰虛와 津液不足이고, 外因은 熱甚毒重한 것이다. 淸營湯의 用藥은 바로 正邪의 양쪽 방면을 조준한 것으로, 生地黃·玄參·麥門冬으로는 養陰生津·扶正補虛하고, 犀角·金銀花·連翹·黃連·竹葉으로는 淸熱解毒·宣透氣機하는 것이니, 뜻이 淸·養을 함께 돌아보고 扶正祛邪하는데 있다. 透熱轉氣하는 것은 養營陰·淸邪熱을 통하여 동시에 발생시키는 효과가 있는 것이다.

3. 방제 중 丹參의 配伍 의미에 관한 것: 방제 중 淸心活血하는 丹參을 配伍한 것은 깊은 뜻을 가지고 있다. 첫째, 丹參은 모든 약을 인도하여 心으로 들어가는데, 營氣는 心과 통하여 心熱을 淸하게 하면 營熱이 쉽게 풀리기 때문이다. 둘째, 丹參의 성질이 涼하여 淸熱涼血하는 효능이 있다. 셋째, 丹參은 活血散瘀하여 熱과 血이 뭉쳐서 瘀血이 되는 것을 방지할 수 있으며, 또한 斑疹을 치료한다.

【醫案】

1. 風溫『新中醫』(1994, 10:37): 某 여자, 6세. 身體가 瘦弱한 아이가 갑자기 高熱 39.8℃가 되면서 頭痛, 咳嗽, 流涕, 欲嘔, 煩躁不安을 동반하면서 胸腹部에 은은하게 針尖 모양 크기의 紅點이 나타났다. 다른 醫師들이 洋藥인 解熱劑 근육주사 및 antibiotic 및 corticosteroid 정맥주사를 주었는데, 약재를 사용한 후에 體溫이 하강하였지만 당일 저녁에 또한 40℃까지 올라갔으며, 다음날 약제의 양을 증가시켜 계속해서 1일을 用藥하였지만 여전히 제압하지 못하였으므로 한의사를 불러서 진찰을 받았다. 증상으로는 面色紅赤, 胸腹紅疹隱隱, 煩躁不安, 口渴, 壯熱이 보였으며, 舌紅絳而乾하면서 脈細數하였다. 風溫으로 氣營同病한 것으로 진단하였고, 치료는 涼營解毒·透熱養陰으로써 하였으며, 방제로는 淸營湯에 加味한 것을 선택하였다. 處方: 水牛角(先煎) 60 g, 金銀花 6 g, 連翹·竹葉 各 5 g, 玄參·丹參·麥門冬·生地 各 10 g, 黃連 3 g, 板藍根 15 g. 먼저 水牛角을 20分 정도 달인 후에 나머지 약재를 넣고 一碗이 되도록 달여서 3차에 나누어서 복용하는데, 매 차례의 간격은 3시간으로 한다. 十宣穴을 鍼刺하여 放血하는 것을 배합하고, 大椎·曲池·合谷 등의 혈자리를 미루어 살피는데 微汗이 이르면 그친다. 다음날 새벽에 體溫이 38℃가 되었으며, 계속해서 1첩을 복용하니 당일 저녁에 체온이 정상으로 돌아왔으며 紅疹도 사라졌다.

考察: 風은 陽邪에 속하면서 百病之長이 되고, 熱을 끼고 相助하면 傳變이 비교적 빠르면서 營分으로 들어가서 紅疹을 化生하는데, 患兒의 稟賦가 不足하기에 衛外하여 抗邪하는 힘이 비교적 약한 것이 더해졌다. 그러므로 발병이 갑작스러웠으며 반복적으로 高熱이 있었고, 洋藥으로 治療해도 효과가 좋지 않으면서 身熱夜甚, 口渴煩躁, 胸腹에 斑疹이 隱隱한 熱灼營陰의 징후가 출현하였으므로 淸營湯을 選用하여 涼營解毒·透熱養陰한 것이다. 방제 중 水牛角 60 g을 重用하여 犀角을 대신하여 營分의 熱毒을 涼解하였으니, 方藥이 부합하여 빠른 효과를 얻었다.

2. 熱入營血(結締組織病)『浙江中醫雜誌』(1986, 7:297): 某 남자, 62세. 지속적인 發熱이 7일 동안 있어서 來院하여 급하게 진찰을 받았는데, 증상으로는 發熱鼻塞하고 體溫이 39℃ 이상이었으며 全身의 肢體가 酸痛한 것이 나타났다. 檢查: X-선 흉부검사에서 우측 하부의 肺에 무늬가 굵어졌다. 혈액검사: 백혈구 7,600/mm^{3}인데, 中性이 85%였다. 肝機能: SGPT 68단위. 총 단백질 7.3 g, albumin 3.3 g, globulin 4.0 g, 적혈구침강속도 101 mm/h였다. 양의사가 진단하기로는 發熱을 조사할 필요가 있으며, 結締組織病이라고 하였다. 먼저 항생제로 3일을 치료하였으나 효과가 뚜렷하

지 않아서 한의사를 불러 진찰하게 하였다. 진단: 壯熱神昧, 入暮尤甚, 唇乾齒燥, 口渴不飮, 下肢皮膚散在性紅疹, 尿黃赤不暢, 便閉, 舌紅絳無苔, 脈弦細數. 증상이 熱毒이 熾盛하여 熱이 營血을 消爍한 것에 속하기에 淸熱透邪·涼血透疹하는 것을 적용하였으며, 淸營湯에 加減한 것을 투여하였다. 水牛角·生地·板藍根 各 30 g, 丹皮·杏仁·連翹 各 10 g, 金銀花·制大黃 各 15 g, 甘草 5 g. 2일 후에 高熱이 점점 물러나면서 下肢의 紅疹도 맑아졌으며, 大便亦行, 舌紅·苔薄, 脈弦略數하였다. 原方에서 制大黃을 빼고 雞內金 10 g을 넣어 3첩을 복용한 후에 熱이 제거되고 紅疹도 이미 물러났으며, 다시 前方을 5첩 주었더니 증상이 소실되었다. 이후에 방문하여 살펴보았는데 환자는 이미 평상시와 같이 일을 하고 있었다.

考察: 본 醫案은 熱邪가 이미 營分에 있으므로 身熱嗜睡하면서 入夜熱重하였고, 風熱이 안으로 營血로 침범하여 紅疹隱隱이 나타난 것이다. 방제 중에 水牛角을 重用함으로써 營血의 熱毒을 淸解한 것이며, 아울러 丹皮와 배합하여 涼血止血하는 효능을 증강시킨 것이다. 熱盛하여 傷陰하였으므로 生地黃과 배합하여 甘寒養陰하였고, 고용량으로 淸營解毒하는 기초상에서 淸氣分하는 金銀花·連翹·板藍根을 넣어 邪氣로 하여금 營分으로부터 氣分으로 전환하여 풀리게 하였으며, 肺와 大腸은 서로 表裏가 되므로 杏仁을 制大黃과 配伍하여 宣肺化痰·通腑瀉火한 것이다. 모든 약재가 배합되면 淸營解毒·透熱養陰하는 효능이 나타난다.

3. 邪陷心包(바이러스성 腦炎)『浙江中醫雜誌』(1986, 7:297): 某 남자, 40세. 갑작스러운 高熱로 神志昏迷를 동반하여 입원하였다. 양의사는 바이러스성 腦炎으로 확진하였다. 증상으로는 發熱神昏, 時有譫語, 面色微靑, 舌體强硬, 色紅絳, 苔微黃兼黑, 脈弦細가 나타났다. 증상은 暑熱外襲하여 邪陷心包한 것에 속하였으며, 淸營透熱·開竅醒神을 적용하였다. 水牛角·生地·板藍根 各 30 g, 石菖蒲·連翹 各 10 g, 金銀花·殭蠶·丹參 各 15 g, 川連 3 g, 粉草 5 g. 安宮牛黃丸 2粒을 研末로 만들어서 몇 차례 나누어 코로 들이마시게 하였다. 2첩을 복용한 후에 高熱은 조금씩 물러났지만, 여전히 神志欠淸하면서 下肢抽搐하였고, 舌質紅絳, 苔微黃燥, 脈細略數하여 邪熱이 外達하려고 하는 形勢가 있었다. 原方에 黃連을 빼고 西洋蔘 5 g을 넣은 것을 3첩 복용한 후에 體溫이 정상이 되면서, 神志漸淸하고 口乾舌燥하며 神倦氣怯하였으며, 前方에 加減한 것을 주어 마무리를 잘 하였더니 나았다.

考察: 본 醫案은 逆傳心包의 重症인데, 방제로는 고용량의 水牛角에 菖蒲를 합한 것을 사용하여 淸心開竅하였으며, 殭蠶으로는 息風止痙하였고, 熱盛하여 傷陰한 까닭으로 生地黃을 사용하여 養陰하였고, 金銀花·連翹·板藍根과 配伍하여 淸熱解毒하였으며, 丹參으로 涼血活血하고, 安宮牛黃丸으로 淸熱解毒·豁痰開竅한 것이다. 전체 방제에는 透熱轉氣·淸營泄熱·涼血解毒하는 효능이 있다.

【副方】 淸宮湯(『溫病條辨』卷1): 玄參心 三錢(9 g) 蓮子心 五分(1.5 g) 竹葉卷心 二錢(6 g) 連翹心 二錢(6 g) 犀角尖 磨沖 二錢(6 g) 連心麥冬 三錢(9 g)

- 用法: 原書加減法: 熱痰甚, 加竹瀝·梨汁各五匙; 咯痰不淸, 加栝蔞皮一錢五分; 熱毒盛, 加金汁·人中黃; 漸欲神昏, 加銀花三錢·荷葉二錢·石菖蒲一錢.
- 作用: 淸心熱, 養陰液.
- 適應症: 外感溫病, 發汗而汗出過多, 耗傷心液, 以致邪陷心包, 出現神昏譫語等症.

본 방제를 『溫病條辨』의 方解 大意에 근거하면 다음과 같다. 犀角은 味鹹하면서 辟穢解毒하고, 玄參은 味苦하여 水에 속하는데 두 가지 약재가 君藥이 된다. 蓮子心은 甘苦鹹하기에 使藥이 된다. 連翹는 心의 모양을 닮아서 心熱을 물리칠 수 있고, 竹葉心은 通竅淸火할 수 있어서 佐藥이 된다. 麥門冬 心은 心中의 穢濁結氣를 흩뜨릴 수 있으므로 臣藥이 된다. 吳氏가

解釋한 방제 중의 藥物은 모두 心을 사용하는데, 이것은 '心'이라야 능히 心으로 들어가서 穢濁한 것을 맑게 할 수 있기 때문이다.

본 방제와 淸營湯의 주요한 구별: 溫熱病은 營分에 熱이 있는 것인데, 항상 쉽게 안으로 心包에 들어가므로 吳瑭이『溫病條辨』중에서 제시하기를 먼저 淸營湯을 사용하고 나중에 淸宮湯을 사용하라고 하였다. 그 원인은 營分有熱과 邪陷心包의 두 가지는 傳變이 비교적 빠르기 때문이다.

두 방제의 작용에 있어서의 주요한 구별: 淸營湯은 淸營透熱·養陰活血에 치중하고, 淸宮湯은 淸心辟穢를 위주로 한다. 만약 溫病에서 邪熱傳營과 內陷心包를 겸하고 있다면 淸營湯과 淸宮湯을 또한 함께 사용할 수 있다.

犀角地黃湯 (芍藥地黃湯)

(『小品方』, 錄自『外臺秘要』卷2)

【異名】地黃湯(『傷寒總病論』卷3)·解毒湯(『小兒衛生總微論』卷8)·解毒散(『楊氏家藏方』卷19).

【組成】芍藥 三分(0.9 g) 地黃 半斤(25 g) 丹皮 一兩(30 g) 犀角屑 一兩(30 g)

【用法】이상의 약재를 부수어서 물 一斗에 달여서 四升을 취하여 찌꺼기를 버리고 一升을 따뜻하게 복용한다. 1일에 2~3차례 복용한다.

【效能】淸熱解毒, 涼血散瘀.

【主治】

1. 熱入血分證: 身熱譫語, 斑色紫黑, 舌絳起刺, 脈細數, 或喜忘如狂, 漱水不欲咽, 大便色黑易解等.

2. 熱傷血絡證: 吐血, 衄血, 便血, 尿血等, 舌紅絳, 脈數.

【病機分析】본 方證은 溫熱의 邪毒이 血分을 燔灼하여 생긴 것이다. 熱毒이 血分에 熾盛하기 때문에 身熱하는 것이고, 心主血하고 心藏神하기에 熱이 血分으로 들어가면 心神을 擾亂시키므로 神昏譫語하는 것이다. 熱이 血分에 있으면 形勢가 반드시 迫血妄行하는데, 陽絡을 손상시키면 血外溢하고 陰絡을 손상시키면 血內溢한다. 그러므로 熱이 血分을 燔灼하여 上升하는 자는 口鼻로 나와서 吐血·衄血하는 것이고, 下泄하는 자는 二便으로 나와서 便血·尿血하는 것이며, 外溢하는 자는 肌膚로 드러나서 斑色이 紫黑으로 나타나는 것이다. 心主血脈하면서 開竅於舌하는데, 血分에 熱이 왕성하므로 舌絳起刺하면서 脈細數한 것이다. 熱盛하면 대부분 口渴喜飮하게 되는데, 다만 邪氣가 陰分에 머무르면 熱이 陰液을 쪄서 上潮하므로 漱水不欲咽하는 것이고, 血이 熱의 逼迫을 받아 腸間에 스며들므로 大便色黑易解한 것이다. 총괄하면 본 方證은 營分의 邪熱이 풀리지 않으면서 血分으로 깊이 들어간 것으로, 葉桂가『外感溫熱篇』중에서 제시한 '耗血動血'의 증상이다. 動血의 임상적인 특징은 上溢하면 吐血·衄血이 되고, 下溢하면 便血·溲血이 되며, 外溢하면 發斑成片이 되는 것이다. 譫妄如狂이 함께 보이는 자는 蓄血發狂이고, 만약 發斑과 神昏譫語가 함께 보이면 이것은 邪熱이 由營入血하여 안으로 心神을 擾亂하기 때문이다. 이상의 것들을 종합하여 서술하면 出血·發斑은 비록 上下內外의 구분이 있지만, 총체적인 病機는 모두 邪熱이 由營入血하여 迫血妄行이 진행된 것이고, 심하면 出血留瘀한 까닭이다.

【配伍分析】葉桂가 말하기를 "入血就恐耗血動血, 直須涼血散血."(『外感溫熱篇』)이라고 하였다. 본 방제

가 바로 涼血散瘀를 치료의 大法으로 삼는 것이다. 방제는 苦鹹寒한 犀角을 사용하여 君藥으로 삼았는데, 心·肝經으로 歸經하여 淸心肝而解熱毒하며, 또한 寒하면서도 막히지 않기 때문에 직접적으로 血分으로 들어가서 涼血하는 것이다. 血熱이 시원한 것을 만나면 그 血이 저절로 편안해지는 것이다. 『本草經疏』卷17에서 말하기를 "犀角, 今人用治吐血·衄血·下血, 傷寒蓄血發狂譫語, 發黃·發斑·瘡痘稠密熱極黑陷等證, 皆取其入胃入心, 散邪淸熱, 涼血解毒之功耳."라고 하였다. 熱盛하면 傷陰하면서 또한 失血 증상이 더해지는데, 만약 滋陰하지 않는다면 陰液이 저절로 회복되기 어려울 것이다. 그러므로 臣藥은 生地黃의 甘苦性寒하면서 心·肝·腎經으로 歸經하여 淸熱涼血·養陰生津하는 것이니, 하나는 이미 잃어버린 陰血을 회복할 수 있으며, 둘째로는 犀角을 도와 血分의 熱을 풀면서 또한 止血할 수도 있으니, 『本經逢原』卷2에서 말하기를 "乾地黃, 內專涼血滋陰, 外潤皮膚榮澤, 病人虛而有熱者宜加用之."라고 하였다. 芍藥은 苦酸微寒한데 "酸, 收也, 泄也. 芍藥之酸, 收陰氣而泄邪氣."(『注解傷寒論』卷6)라고 하였다. 본 방제에서는 그것을 사용하여 養血斂陰하면서 또한 生地黃을 도와 涼血和營泄熱하니 熱盛하여 出血하는 자에게 더욱 마땅하다. 牡丹皮는 "其味苦而微辛, 其氣寒而無毒 …… 辛以散結聚, 苦寒除血熱, 入血分, 涼血熱之要藥也. …… 熱去則血涼, 涼則新血生, 陰氣復, 陰氣復則火不炎而無因熱生風之證矣."(『本草經疏』卷9)라고 하였는데, 방제 중에서는 이것으로 淸熱涼血止血하는 것이니 "所謂能止血者, 瘀去則新血自安, 非丹皮眞能止血也."(『重慶堂隨筆』卷下)라고 하였다. 또한 그것이 活血散瘀할 수 있기 때문에 化斑하는 효과를 거둘 수 있으므로 두 가지 약재를 사용하여 佐藥으로 삼는다. 네 가지 약재를 같이 사용하면 함께 淸熱解毒·涼血散瘀의 방제가 만들어지는 것이다.

본 방제의 配伍 특징: 하나는 淸熱하는 중에 養陰을 겸하는 것으로 熱淸血寧하게 하여 耗血動血의 우려를 없게 한 것이고, 두 번째는 涼血과 散血을 並用한 것으로, 涼血止血하면서 또한 冰伏留瘀하는 폐단이 없도록 한 것이다.

【類似方比較】 淸營湯과 본 방제를 서로 비교하면, 두 가지는 모두 犀角·生地黃을 위주로 하면서 熱入營血證을 치료한다. 다만 前者는 淸熱涼血하는 중에 淸氣하는 약재를 配伍한 것으로 營分으로 들어간 熱로 하여금 氣分을 따라 풀리게 한 것이고, 後者는 邪熱이 깊이 血分에 들어가서 耗血·動血하는 모든 증상에 적용된다. 두 방제는 공통적으로 淸營涼血하는 효능을 갖추고 있기 때문에 主證 상에 모두 身熱·譫語·煩躁·舌絳·脈數 등의 증상이 보이고, 그 구성에 모두 犀角·生地黃이 있으니 이것이 두 방제의 淸熱涼血하는 공통된 성질이 있는 것이다. 熱의 程度와 層次의 深淺 상에서 두 가지가 구별된다. 淸營湯은 邪熱이 처음 營分으로 들어가서 아직 動血하지 않은 것을 主治하는 것으로, 血熱의 형세가 비교적 가벼운데, 그 熱이 入夜尤甚하고 譫語가 時作時休하며 斑疹處가 은은하게 드러나는 단계에 있으며 舌紅絳하고, 그 치료는 淸營解毒·透熱養陰을 위주로 한다. 그러므로 犀角·地黃 등 淸營涼血藥 중에 黃連·竹葉·金銀花·連翹의 淸氣藥을 配伍하여 營分의 熱로 하여금 氣分으로 轉出하여 풀리도록 하는 것이다. 그러나 犀角地黃湯은 邪熱이 血分으로 깊이 들어가서 耗血·動血의 증상이 뚜렷한 것을 主治하는데, 吐血·衄血·便血, 斑疹透露, 譫語漸轉神昏, 舌深絳, 脈數이 있다. 그러므로 치료는 淸營解毒·涼血散瘀를 위주로 하는 것이니, 犀角·地黃의 血分藥을 사용하는 기초상에서 다시 涼血散瘀하는 芍藥과 牡丹皮를 配伍하는 것이다.

【臨床應用】

1. 證治要點: 본 방제는 熱毒이 깊이 血分으로 들어간 耗血·動血證을 主治하는데, 各種失血, 斑色紫黑, 神昏譫語, 身熱舌絳을 證治의 要點으로 삼는다.

2. 加減法: 만약 蓄血로 喜忘如狂하는 자는 熱燔血分하여 瘀熱互結하는 것과 관계되므로 大黃·黃芩을

넣는다. 鬱怒하면서 肝火를 끼고 있는 자는 柴胡·黃芩·梔子를 넣는다. 心火熾盛한 자는 黃連·黑梔子를 넣는다. 만약 吐血하는 자는 側柏葉·白茅根·三七을 넣는다. 衄血하는 자는 白茅根·黃芩을 넣는다. 便血하는 자는 槐花·地楡를 넣는다. 尿血하는 자는 白茅根·小薊를 넣는다. 發斑하는 자는 青黛·紫草를 넣는다. 原方 중 芍藥은 현대에는 赤芍藥을 사용하고, 犀角은 현대에는 水牛角을 사용하여 대신한다.

3. 犀角地黃湯은 다음 한국표준질병사인분류(KCD)에 해당하는 환자가 熱入血分證, 熱傷血絡證으로 辨證되는 경우 본 처방의 사용을 고려해볼 수 있다.

처방 목표	한국표준질병사인분류(KCD)
彌散性血管內凝血	I74 동맥색전증 및 혈전증
	I80 정맥염 및 혈전정맥염
	I82 기타 정맥의 색전증 및 혈전증
過敏性紫斑病	D69.0 알레르기자반증
急性白血病	C92.0 급성 골수모구성 백혈병
	C91.0 급성 림프모구성 백혈병 [ALL]
敗血症	(질병명 특정곤란)
	A00~B99 I. 특정 감염성 및 기생충성 질환
	A41.9 상세불명의 패혈증

【注意事項】 陽虛失血 및 脾胃虛弱한 자는 禁用한다.

【變遷史】 본 방제의 원래 명칭은 芍藥地黃湯으로 東晉 陳延之의 『小品方』에서 만들어졌는데, 『小品方』의 原書가 이미 유실되었기 때문에 지금은 『外臺秘要』卷2에서 인용한 『小品方』 중에서 볼 수 있다. 이것을 사용하여 傷寒 및 溫病으로 마땅히 發汗해야 하는데 발한하지 않아서 안으로 蓄血이 있어서 그 사람이 脈大來遲하면서 腹不滿한데 스스로 腹滿하다고 말하거나, 鼻衄·吐血이 不盡하여 안으로 瘀血이 남아서 面黃하고 大便黑한 자를 치료한다. 『備急千金要方』卷12에 본 방제가 실려 있는데, 비로소 犀角地黃湯이라고 부르기 시작했으며 主治하는 病證은 『小品方』과 같다.

清代에 이르러 溫病學派가 '衛氣營血' 學說을 創立하였는데, 熱邪가 "入血就恐耗血動血, 直須涼血散血."해야 한다고 인식하였으며, 犀角地黃湯을 사용하여 熱入血分證을 치료해야 한다고 주장하였다. 吳瑭은 그의 著作인 『溫病條辨』卷1 중에서 犀角地黃湯과 銀翹散을 합하여 "太陰溫病, 血從上溢者."를 치료하였는데, "血從上溢, 溫邪逼迫血液上走清道, 循清竅而出, 故以銀翹散敗溫毒, 以犀角地黃清血分之伏熱."이라고 인식하였고, 또한 『溫病條辨』卷3에서 말하기를 "時欲漱口不欲咽, 大便黑而易者, 有瘀血也, 犀角地黃湯主之."라고 하였으며, 또한 解釋하여 말하기를 "邪在血分, 不欲飮水, 熱邪燥液口乾, 又欲求救於水, 故但欲漱口, 不欲咽也. 瘀血溢於腸間, 血色久瘀則黑, 血性柔潤, 故大便黑而易解也. 犀角味鹹, 入下焦血分以清熱, 地黃去積聚而補陰, 故用此輕劑以調之也."라고 하였다. 후세의 의학자들은 이 방제가 清熱解毒·涼血散瘀하는 작용을 갖추고 있다는 것에 근거하여 溫熱의 邪氣가 血分을 燔灼하는 것을 치료하는 대표 방제로 만들었다.

【難題解說】

1. 散血藥의 運用에 관한 것: 犀角地黃湯은 溫熱의 邪氣가 血分을 燔灼하여 迫血妄行함으로써 動血發斑하는 증상을 치료한다. 葉桂가 총결하여 "入血就恐耗血動血, 直須涼血散血"한다는 치료 대법을 제시하였다. 血分에 熱이 있으면 涼血藥物을 사용하는 것은 항상된 이치이지만, 이미 動血하는데 또한 어찌하여 散血藥을 사용하는 것인가? 대개 熱이 血分에 있으면 첫 번째로는 耗血傷陰하면서, 두 번째로는 動血하면서 出血을 일으킨다. 耗血傷陰하면 熱과 血이 뭉쳐서 瘀血 형성을 초래하고, 動血發斑하는 것도 瘀血의 殘留를 일으키는데, 게다가 涼血藥은 寒涼으로 凝滯하므로 또한 血行에 장애를 일으킨다. 血熱이 풀린 후에 留下한 瘀血이 근심을 일으키지 않도록 하기 위하여 涼血解毒하는 방제는 散血藥物과 配伍하는 것이

필요하다.

2. 芍藥에 관한 것: 본 방제의 芍藥은 晉·唐 時期에 매번 대부분 赤芍藥과 白芍藥을 혼용하여 사용하였다. 그러므로 原方의 구성 중에서는 통일해서 '芍藥'이라고 말하면서 赤·白芍藥의 구분을 명확하게 말하지 않은 것이다. 현대 임상에서는 대부분 赤芍藥을 사용하는데, 赤芍藥의 機能이 淸營涼血·活血祛瘀하여 그것이 熱病의 出血·發斑을 치료하는 효과가 白芍藥과 비교해서 우수하기 때문이다. 다만 만약에 熱傷陰血이 비교적 심하다면 또한 白芍藥도 사용할 수 있으니 지나치게 얽매일 필요는 없다.

【醫案】

1. 紫斑病『浙江中醫雜誌』(1984, 6:274): 某 여자, 16세. 4일 동안 疲勞가 누적된 후에 疲乏頭暈을 自覺하였다. 오늘 새벽에 暗紅色 糊狀 血便이 3차례 풀려나왔고, 全身에 出血點과 검푸른 덩어리가 널리 펴져 있었으며, 粉紅色液을 입으로 吐하였고, 齒齦滲血, 頭昏, 面色蒼黃하였다. 양의사는 血小板減少性 紫斑病으로 진단하였다. 舌質淡·尖絳, 脈虛數하였다. 이것은 營血의 熱이 迫血妄行하여 大衄 重症이 만들어진 것이다. 치료는 淸熱涼血·瀉火解毒하는 것이 마땅하다. 방제로는 犀角地黃湯에 仙鶴草·白茅根·川連·焦山梔·側柏炭을 넣은 것을 사용하였다. 2첩 복용한 후에 齒·鼻出血이 이미 그쳤고 體溫이 正常이 되었으며, 發熱感을 自覺하면서 汗出, 舌質淡白, 脈數하였다. 前方에서 廣犀角을 水牛角으로 바꾸면서, 側柏炭·川連을 빼고 陳棕炭·黨參을 넣어 계속해서 調治하여 나았다.

考察: 본 醫案은 환자의 體質이 평소에 虛한데다가, 또한 邪熱이 迫血妄行하면서 그 發病이 急하고 來勢가 猛하므로 빠르게 犀角地黃湯에 加味한 것을 사용하여 먼저 그 標를 치료하였고, 出血狀況이 호전되기를 기다린 후에 다시 補氣止澀하는 약재를 참고하여 넣어서 標本을 함께 고려하여 만족할 만한 치료 효과를 얻었다.

2. 風疹『浙江中醫雜誌』(1991, 4:166): 某 여자, 35세. 2년 동안 뚜렷한 유발 원인 하에서 全身에 風疹塊가 반복적으로 출현하면서 瘙癢感이 심하였고, 心煩·口渴·夜寐差하였으며, 舌紅·苔薄하고 脈弦滑數하였다. 犀角地黃湯에 地膚子·紫草·浮萍·防風·生甘草·夜交藤을 넣은 것을 주었다. 7첩 복용한 후에 風疹塊가 이전과 비교했을 때 뚜렷하게 감소하였고, 心煩夜寐 모두 호전되었다. 다시 14첩을 복용한 후에 夜間에는 대체로 발작하지 않았으며, 다시 14첩을 복용한 후에 나았다.

考察: 본 病을 한의학에서는 '癮疹'이라고 부른다. 이른바 無風不癢, 無熱不紅하기에 치료는 "治風先治血, 血行風自滅"한다는 이론에 근거하여 犀角地黃湯에 疏風止癢藥을 넣어 標本을 함께 치료하는 목적에 도달하였다.

第三節 清熱解毒劑

黃連解毒湯

(方出『肘後備急方』卷12, 名見『外臺秘要』卷1引『崔氏方』)

【異名】 解毒湯(『素問病機氣宜保命集』卷中)·火劑湯(『脈因證治』卷上)·黃連黃柏湯(『傷寒總病論』卷3)·既濟解毒湯(『修月魯般經』, 錄自『醫方類聚』卷56)·三黃解毒湯(『醫學心悟』卷6)·三黃湯(『不居集』「下集」卷4).

【組成】 黃連 三兩(9 g) 黃芩 黃柏 各二兩(6 g) 梔子 十四枚(9 g)

【用法】 이상 네 가지 약재를 잘게 부수어서 물 六升으로 달여 二升을 취하여 2차에 나누어 복용한다.

【效能】 瀉火解毒.

【主治】 三焦實熱火毒證. 大熱煩躁, 口燥咽乾, 目赤睛痛, 錯語不眠; 或熱病吐血·衄血·便血, 甚或發斑; 身熱下利, 濕熱黃疸; 外科癰瘍疔毒, 小便黃赤, 舌紅苔黃, 脈數有力.

【病機分析】 본 方證은 熱毒이 三焦에 壅盛한 까닭이다. 이곳에서 말하는 熱毒은 病因과 病證을 가리켜서 하는 말이다. 外感六淫한 것이 鬱하여 熱로 변화하거나, 혹은 안으로 積熱이 생겨서 邪熱이 內壅하면, 熱甚하면서 毒을 형성하여 實熱火毒으로 하여금 三焦에 가득 차게 하면서 上下內外에 波及되게 한다. 안으로 心神을 擾亂하면 大熱煩躁하면서 錯語不眠하는 것이고, 熱灼津傷하면 口燥咽乾하며, 血爲熱迫하여 隨火上逆하면 吐·衄·便血이 되고, 熱傷脈絡하여 血溢肌膚하면 發斑하고, 熱壅筋肉하면 癰腫疔毒한다. 舌紅苔黃과 脈數有力은 모두 火毒熾盛한 증상이다. 모든 증상이 實熱火毒으로 인하여 질병을 앓게 하는 것이다.

【配伍分析】 본 方證은 熱毒이 三焦에 壅盛한 것이므로, 치료는 瀉火解毒하는 것이 마땅하니 苦寒으로 직접적으로 亢盛한 熱을 꺾는 것이다. 본 방제는 連·芩·梔·柏의 大苦大寒한 약재를 모은 것인데, 黃連은 淸瀉心火하여 君藥이 되는 것으로, 心主神明하고 火主於心하기 때문에 瀉火하려면 반드시 먼저 瀉心하여야 하고, 心火寧하면 諸經의 火가 저절로 내려가면서 아울러 中焦의 火도 겸하여 瀉할 수 있다. 臣藥은 黃芩으로써 上焦의 火를 淸泄한다. 佐藥은 黃柏으로써 下焦의 火를 瀉하고, 梔子로 三焦를 다함께 瀉하여 열을 아래로 가게 이끌어 火熱로 하여금 아래쪽으로 제거되게 한다. 네 가지 약재를 모두 사용하면 함께 瀉火解毒의 효능을 만든다. 본 방제는 配伍 상에 있어서 淸熱解毒에 상용하는 것을 한 방제 속에 같은 종류끼리 모아서 위 아래를 모두 식히면서 三焦도 함께 살피는 것을 갖추고 있으며, 苦寒한 것으로 직접적으로 꺾으면서 다른 약재로 佐制하거나 혹은 調和하는 것을 사용하지 않았으니 매우 굳세고 곧은 특징을 가지고 있다.

【類似方比較】『外臺秘要』卷1에서 말하기를 "胃中有燥糞, 令人錯語, 正熱盛亦令人錯語. 若秘而錯語者, 宜服承氣湯; 通利而錯語者, 宜服下四味黃連除熱湯(即黃連解毒湯)."이라고 하였으니, 본 方證과 承氣湯證의 구별 요점으로 삼았다. 본 方證과 大承氣湯證에는 煩躁·錯語 등 熱盛神昏症이 있지만, 그 治法에는 淸熱瀉火와 瀉下實熱의 구별이 있다. 大承氣湯證은 熱과 實이 뭉쳐서 潮熱腹滿하면서 便秘가 있는 것이니 치료는 釜底抽薪함으로써 급히 下法으로 陰을 보존하는 것이 마땅하다. 본 方證은 實熱火毒이 三焦에 가득 차서 熱勢가 비록 항성하지만 便秘는 없는 것이니 치료는 苦寒으로 直折하여 瀉火함으로써 救陰하는 것이 마땅하니, 진실로『醫方集解』「瀉火之劑」에서 말한 "抑陽而扶陰, 瀉其亢甚之火, 而救其欲絶之水也."라고 한 것과 같다.

【臨床應用】

1. 證治要點: 본 방제는 瀉火解毒시키는 효력이 상당히 강한데, 臨證에서 運用할 때에는 大熱煩躁, 口燥咽乾, 舌紅苔黃, 脈數有力을 證治의 要點으로 삼는다.

2. 加減法: 便秘인 자는 大黃을 넣어 瀉下實熱함으로써 熱毒으로 하여금 前後로 分消하여 풀리도록 하고, 吐血·衄血·發斑한 자는 玄參·生地黃·牡丹皮를 참작하여 넣거나 혹은 犀角地黃湯과 합방하여 淸熱涼血化斑함으로써 열이 식으면 血이 스스로 편안해져 止血시키지 않더라도 出血이 저절로 그칠 것이고, 瘀熱로 發黃하는 자는 茵陳·大黃을 넣어 淸熱利濕退黃한다. 만약 下痢膿血하면서 裏急後重한 자는 木香·檳榔을 넣어 調氣함으로써 氣順하면 後重이 저절로 제거되

고, 濕熱下注하여 尿頻尿急尿痛하는 자는 車前子·木通·澤瀉를 넣어 淸熱利濕 작용을 증강시킨다.

3. 黃連解毒湯은 다음 한국표준질병사인분류(KCD)에 해당하는 환자가 三焦實熱火毒證으로 辨證되는 경우 본 처방의 사용을 고려해볼 수 있다.

처방 목표	한국표준질병사인분류(KCD)
敗血症 膿毒血症	(질병명 특정곤란)
	A00~B99 I. 특정 감염성 및 기생충성 질환
	A41.9 상세불명의 패혈증
痢疾	A03 시겔라증
	A00~A09 장감염질환
肺炎	J09~J18 인플루엔자 및 폐렴
	J20~J22 기타 급성 하기도감염
	J18.9 상세불명의 폐렴
泌尿系感染	N30 방광염
	N34 요도염 및 요도증후군
	N39.0 부위가 명시되지 않은 요로감염
流行性腦脊髓膜炎	G02.0 달리 분류된 바이러스질환에서의 수막염
	G01 달리 분류된 세균성 질환에서의 수막염
	G00 달리 분류되지 않은 세균성 수막염
B型腦炎	A83.0 일본뇌염

【注意事項】 본 방제의 구성은 大苦大寒한 藥劑이기 때문에 久服·多服하게 되면 쉽게 脾胃를 손상시키므로 實熱이 아닌 자에게는 사용해서는 안 되고, 陰虛火旺한 자에 대해서도 복용을 禁忌한다.

【變遷史】 본 방제의 由來에 대하여 歷代로 서로 다른 記載가 있다. 『醫方集解』「瀉火之劑」에서 말하기를 "相傳此方爲太倉公火劑, 而崔氏治劉護軍, 又云其自制者."라고 하였다. 현재 文獻 記載에 근거하면 본 방제가 제일 일찍 보이는 것은 晉代 葛洪의 『肘後備急方』卷2인데, 다만 방제만 있고 명칭은 없다. 방제도 있고 명칭도 있는 서적의 記載는 唐代 王燾의 『外臺秘要』에서 인용한 『崔氏方』이 제일 빠르다. 『肘後備急方』卷2에 실려 있는 것을 살펴보면 "又方, 黃連三兩, 黃柏·黃芩各二兩, 梔子十四枚, 水六升, 煎取二升, 分再服, 治煩嘔不得眠."이라고 하였다. 그중에 構成·主治·劑量·煎服法 등은 모두 『外臺秘要』에 있는 黃連解毒湯과 대체로 서로 같다. 본 방제 는 伊尹의 三黃湯 혹은 倉公의 火劑湯에서 서로 전 해졌으며, 또한 『傷寒論』의 瀉心湯에서 변화한 것으 로도 볼 수 있으니 곧 大黃을 빼고 黃柏·梔子를 넣어 완성한 것이다. 黃連解毒湯의 방제 구성은 大苦大寒한 약재를 모아서 亢盛한 火를 瀉함으로써 灼傷되는 陰을 救濟하는 것으로 三焦의 實熱火毒證을 主治하기에 苦寒으로 亢盛한 熱을 직접적으로 꺾는 방제의 모범이 된다. 따라서 후세의 의학자들은 上·中·下의 實熱火毒 및 疔毒瘡瘍 등 구체적인 病證을 치료할 때에 항상 이 방법을 본받아서 가감하여 운용하였다.

첫째, 본 방제에 가감하여 조성된 새로운 방제. 본 방제는 비록 비교적 강한 瀉火解毒 작용이 있어서 일체 邪火熱毒이 三焦에 왕성한 자에게 사용하지만, 실제로 응용하는 중에는 三焦의 熱盛證이 다 갖추어질 필요는 없고, 동시에 적당한 가감을 통하여 上·中·下 三焦의 火熱證候에 광범위하게 사용할 수 있다. 예를 들면 『醫學正傳』卷2에서 인용한 東垣方의 二黃湯은 黃芩(酒制)·黃連(酒制)·甘草를 各等分하여 大頭天行疫病 및 上焦의 火熱毒盛證을 主治하였고, 『千金翼方』卷15의 三黃湯은 大黃·黃連·黃芩 各三兩으로 三焦實熱이 아직 火毒을 釀成하지는 않으면서 大便秘結한 자를 치료하였으니, 진실로 『醫宗金鑒』卷56에서 말한 "三黃湯用黃芩瀉上焦火, 黃連瀉中焦火, 大黃瀉下焦火. 若夫上焦實火, 則以此湯之大黃易甘草, 名二黃湯. 使芩·連之性, 緩緩而下, 留連膈上."이라고 한 것과 같다. 『溫熱暑疫全書』卷1의 黃連解毒 合 犀角地黃湯(即兩者合方)은 溫毒發斑으로 斑色紫黑한 것을 主治하고, 『片玉痘疹』卷3의 黃連解毒涼膈散은 곧 黃連解毒湯에 連翹·薄荷·大力子·大黃 등 16味를 넣어 완성한 것으로

痘瘡을 主治하며, 『幼幼集成』卷6의 黃連解毒 合 天水散은 곧 본 방제에 滑石·甘草를 넣어 痲疹自利로 裏急後重하면서 欲作痢하는 자를 치료한 것이다. 이 외에 『痘疹心法』卷22의 牛黃淸心丸은 실제로 黃連解毒湯에서 淸下焦火하는 黃柏을 빼고, 牛黃·鬱金·朱砂 세 가지 약재를 넣어서 완성한 것으로 淸熱瀉火·開竅安神의 기능을 하며 熱陷心包證을 主治하였고, 그 이후에 『溫病條辨』卷1의 安宮牛黃丸은 또한 牛黃淸心丸을 가미하여 만든 것으로 안에는 黃連解毒湯에 黃柏을 뺀 것을 포함하고 있다.

둘째, 후세 의학자들은 본 방제에 가미하여 조성된 것으로 하여금 黃連解毒湯과 방제의 명칭을 같게 하였다. 예를 들면 『萬病回春』卷2의 방제는 곧 본 방제에 柴胡·連翹를 넣어서 傷寒의 大熱이 不止하여 煩躁乾嘔·口渴喘滿·陽厥極深·蓄熱內甚한 것을 치료하였고, 『外科正宗』卷2의 방제는 곧 본 방제에 連翹·牛蒡子·甘草를 넣어 疔毒이 心으로 들어가서 內熱口乾·煩悶恍惚·脈實한 자를 치료하였으며, 『痘科類編』卷4의 방제는 곧 본 방제에 生地黃을 넣어 痘疹의 熱이 심하여 血熱氣實한 자를 치료한 것이고, 『傷寒大白』卷2의 방제는 곧 본 방제에 石膏를 넣어 淸裏熱함으로써 發狂의 증상으로 外無表邪하고 裏無痰食한 것 등을 치료한 것과 같다.

이상을 종합하면 같은 黃連解毒湯에 加減하여 변화 발전된 淸熱方劑이지만, 그중에는 또한 上下·緩急·輕重의 구별이 있으며, 苦寒으로 직접적으로 火를 꺾는 代表方으로부터 또한 淸心開竅하는 涼開劑로 발전하였으니, 방제의 加減 變化는 治法의 分合 轉化를 함축하고 있어서 그 안의 깊은 뜻은 실제로 무궁무진함을 볼 수 있다.

【難題解說】 본 방제의 配伍에 관한 것: 본 方證의 病機는 實熱火毒이 三焦에 가득차서 上下內外에 파급되고, 이것으로부터 말미암아 內外科의 各種 病證을 일으키는 것이다. 방제를 구성하는 配伍는 苦寒藥으로 上·中·下 三焦의 모든 증상을 나누어서 다스리는데, 黃連으로는 瀉心火·中焦火하고, 黃芩은 淸肺熱·上焦火하며, 黃柏은 瀉下焦火하고, 梔子는 三焦之火를 통합해서 瀉한다. 이러한 解釋에 대하여 지나치게 구속되는 것은 옳지 않으며, 膠柱鼓瑟하는 것에서 벗어남으로써 마땅히 그 法度를 터득하여 융통성 있게 응용해야 하는 것이니, 진실로 張介賓이 『景岳全書』卷50에서 말한 "火有陰陽, 熱分上下. 據古方書咸謂黃連淸心, 黃芩淸肺, 石斛·芍藥淸脾, 龍膽淸肝, 黃柏淸腎. 今之用者, 多守此法, 是亦膠柱法也. 大凡寒涼之物, 皆能瀉火, 豈有涼此而不涼彼者."라고 한 것과 같다.

【醫案】

1. 不眠 『四川中醫』(1988, 10:27): 某 남자, 63세, 1988년 4월 25일 초진. 최근 5일 동안 밤 12시에서 새벽 2시 전후로 不眠하면서 胸悶懊憹하고 心神不定하여 반드시 양쪽 손에 冷物을 붙잡고 있어야 잠들 수 있었다. 근래에 納穀減少하면서 神疲困倦하였고, 脈滑數, 舌苔薄黃, 體形消瘦하였다. 胸部의 皮膚에 散在性 斑疹을 볼 수 있었는데, 色은 暗紅하면서 不痛不癢하였다. 辨證은 熱毒擾心이다. 黃連解毒湯에 加味한 것으로 치료하였다. 黃連·黃芩·黃柏 各 6 g, 焦山梔·豆豉·牡丹皮 各 9 g, 淡竹葉·甘草·生地 各 7 g. 2첩을 복약한 후에 皮疹이 소실되고 睡眠이 호전되었으며 3첩으로 나았다.

2. 反胃 『生生堂經驗』: 間街 五條比 大阪屋에 사는 德兵衛의 부인, 26세. 月事가 정상적이지 않았고, 아침을 먹으면 문득 저녁에 吐하였고 저녁을 먹으면 곧 아침에 吐하였으며, 매번 토할 때마다 上氣煩熱, 頭痛, 眩暈하였는데, 時醫가 혹시 翻胃로 보고 치료하였지만 조금의 효과도 없었으며, 그 面色이 焰焰하면서 脈沉實하고 心下에서 少腹까지 拘攣하면서 누르면 다 통증이 있었다. 先生이 치료할 수 있는 하나의 방제가 있다고 말씀하시고는, 黃連解毒湯 3帖을 주었더니 이전의 증상들이 상당히 나았고, 이후 數日 동안 갑자기 腹痛이 있으면서 덩어리 같은 것을 瀉下하고는 月事가 순

조로워졌다. 한 달 후에 예전으로 돌아왔다.

3. 細菌性 痢疾『江蘇中醫』(1990, 6:32): 某 남자, 35세, 1982년 8월 12일 초진. 主訴: 시원한 음료수를 많이 먹으면서 下痢가 생겼다. 증상으로는 高熱不已하면서 腹痛泄瀉와 裏急後重하면서 膿血便을 하루에 10여 차례 보았다. 진단할 때 환자는 急性病의 모습을 드러내었는데, 舌紅·苔黃하면서 脈數하였고, 體溫은 39.2℃였으며, 大便常規에서 膿細胞(+++)·적혈구(+++)였다. 診斷은 急性細菌性痢疾(濕熱型, 熱重於濕)이었다. 치료는 清熱燥濕·涼血止痢하였다. 방제로는 黃連解毒湯과 白頭翁湯을 합한 것에 加減하였다. 黃連 4 g, 炒梔子·黃芩·黃柏 各 10 g, 白頭翁 20 g, 地榆炭 15 g, 秦皮 12 g, 木香 6 g, 檳榔 12 g. 2첩을 복약하고는 體溫이 정상이 되었으며, 腹痛泄瀉가 크게 감소하였다. 다시 3첩을 복용하고는 下痢가 그치고 모든 증상이 소실되었으며 大便常規도 정상이었다.

【副方】 瀉心湯(『金匱要略』): 大黃 二兩(6 g) 黃連 一兩(3 g) 黃芩 一兩(3 g)

- 用法: 上三味, 以水三升, 煮取一升, 頓服之.
- 作用: 瀉火解毒, 燥濕泄痞.
- 適應症: 邪火內熾, 迫血妄行. 症見吐血·衄血等; 或濕熱內蘊而成黃疸, 見有胸痞煩熱; 或積熱上沖而致目赤且腫, 口舌生瘡; 或外科瘡瘍, 見有心胸煩熱, 大便乾結等.

본 방제는 黃連解毒湯과 함께 瀉火解毒시키는 방제이다. 차이점은 본 방제에는 大黃의 導熱下行하여 釜底抽薪하는 것이 있어서 瀉火泄熱시키는 효능을 강화시킨 것이니 이른바 '以瀉代清'한 것이고, 黃連解毒湯은 清熱瀉火함으로써 熱毒을 分 것으로 三焦火熱을 清除하는 것에 치중하면서 瀉下시키는 作用은 없는 것이다.

普濟消毒飮 (普濟消毒飮子)

(『東垣試效方』卷9)

【異名】 普濟消毒散(『瘟疫論』卷2).

【組成】 黃芩 黃連 各半兩(各 15 g) 人蔘 三錢(9 g) 橘紅 去白 玄參 生甘草 各二錢(各 6 g) 連翹 板藍根 馬勃 鼠黏子 各一錢(各 3 g) 白殭蠶 炒 升麻 各七分(各 2 g) 柴胡 桔梗 各二錢(各 6 g)

【用法】 위의 것들을 細末로 만들어서 절반은 湯劑로 調劑하여 수시로 복용하고, 절반은 蜜로 丸을 만들어 입에 머금어 녹인다.

【效能】 清熱解毒, 疏風散邪.

【主治】 大頭瘟. 憎寒發熱, 頭面紅腫焮痛, 目不能開, 咽喉不利, 舌乾口燥, 舌紅苔黃, 脈浮數有力.

【病機分析】 본 방제의 主治는 大頭瘟(又名 大頭天行)인데, 그 증상의 특징을 原書에서 말하기를 "初覺憎寒體重, 次傳頭面腫盛, 目不能開, 上喘, 咽喉不利, 舌乾口燥."라고 하였다. 그 原因은 風熱 時毒의 邪氣에 감염된 것이 上焦에 壅滯하면 頭面을 세차게 공격하면서 생기는 것이다. 頭는 諸陽之會인데, 熱毒이 蘊結하면 위로 頭面을 공격하여 氣血經絡이 壅滯되므로 頭面紅腫焮痛하는 것이다. 熱毒이 壅盛하여 肌表에 鬱滯되면 邪正交爭하여 邪盛正旺하면 舌乾口燥·舌紅苔黃·脈浮數 등이 나타난다. 본 證狀은 冬春의 두 계절에 많이 발생하는데, 특징은 熱毒이 深重하고 병세가 猛烈하면서 傳染性을 갖추고 있으며 小兒에게 發病하는 것이 많다.

【配伍分析】본 병증은 風熱 時毒의 邪氣를 感受하여 上焦에 壅滯하기에 頭面에 발생하였기 때문이다. 時毒은 마땅히 淸解해야 하고 風熱은 마땅히 疏散해야 하는데, 病位가 上部에 있으므로 마땅히 形勢에 따라 引導하여 上焦의 風熱을 疏散하고 上焦의 時毒을 淸解해야 한다. 그러므로 解毒散邪의 방법으로써 하는데, 두 가지를 함께 사용하되 淸熱解毒을 위주로 한다. 방제 중에 連·芩을 重用하여 淸熱瀉火함으로써 上焦의 熱毒을 제거하므로 君藥으로 삼는다. 鼠黏子(牛蒡子)·連翹·殭蠶은 辛涼하면서 頭面의 風熱을 疏散하므로 臣藥이 된다. 玄參·馬勃·板藍根·桔梗·甘草는 淸利咽喉하면서 아울러 본 방제의 淸熱解毒하는 효능을 강화시키고, 橘紅은 利氣하여 壅滯한 것을 疏通하기에 腫毒을 消散하는 것에 유리하고, 人蔘은 補氣扶正하면서 解毒疏散에 並用하기에 또한 扶正祛邪의 의미가 있으므로 모두 佐藥이 된다. 升麻·柴胡는 升陽散火하여 風熱을 疏散하기에 鬱熱時毒의 邪氣로 하여금 宣散透發하도록 하는데, 이것이 곧 '火鬱發之'의 뜻이며, 아울러 모든 약제들과 협조하여 頭面에 上達하기에 舟楫(舟楫: 방제의 어느 조성약물 이 다른 약물을 위로 유도하여 上焦 병증을 치료하는 작용이 있는 약물)의 작용을 하므로 使藥이 된다. 게다가 芩·連이 升·柴의 인도를 받으면 病所에 직접적으로 도달하고, 升·柴는 芩·連의 苦降이 있으면 또한 發散 太過에 이르지 않게 되는데, 이것이 一升一降하고 相反相成하여 상호 制約함으로써 時毒의 淸解와 風熱의 疏散을 유리하게 한다. 모든 약재를 配伍하면 淸疏를 함께 사용하고 升降을 함께 투여함으로써 전 부가 淸熱解毒·疏風散邪의 효능을 갖는 것이다.

【臨床應用】

1. 證治要點: 본 방제는 大頭瘟을 치료하는 상용 방제로 頭面紅腫焮痛, 憎寒發熱, 咽喉不利, 舌紅苔黃, 脈浮數을 證治의 要點으로 삼는다.

2. 加減法: 原書에서 말하기를 "或加防風·薄荷·川芎·當歸身, 㕮咀, 如麻豆大, 每服秤五錢, 水二盞, 煎至一盞, 去滓, 稍熱, 時時服之. 食後如大便硬, 加酒煨大黃一錢, 或二錢以利之, 腫勢甚者, 宜砭刺之."라고 하였다. 臨證함에 있어 만약 表證이 뚜렷하면서 裏熱이 심하지 않다면 芩·連의 용량을 참작해서 줄일 수 있고, 荊芥·防風·蟬蛻·桑葉 등을 넣어서 疏風散邪하는 작용을 증강시킨다. 만약 表證이 이미 풀리고 邪氣가 火化하여 裏熱이 비교적 심하다면 柴胡·薄荷를 빼고, 金銀花·靑黛 등을 넣어 淸熱解毒하는 효능을 강화시킨다. 만약 裏熱이 왕성하면서 燥結을 겸하는 자는 大黃·枳實·玄明粉을 넣어 瀉熱通便하고, 腫硬이 消散되지 않는 자는 牡丹皮·貝母·赤芍藥·絲瓜絡·夏枯草·橘皮 등을 넣어서 活血通絡·理氣化痰함으로써 消腫散結하며, 睾丸炎을 合併한 자는 川楝子·龍膽을 넣어 肝經의 實火를 淸瀉한다.

3. 普濟消毒飮은 다음 한국표준질병사인분류(KCD)에 해당하는 환자가 風熱時毒證으로 辨證되는 경우 본 처방의 사용을 고려해볼 수 있다.

처방 목표	한국표준질병사인분류(KCD)
顔面丹毒	A46 단독(丹毒)
耳下腺炎	B26 볼거리
急性扁桃腺炎	J03 급성 편도염
頷下腺炎	K11.2 타액선염
頭面部 蜂窩織炎	L03.2 얼굴의 연조직염
림프腺炎	L04 급성 림프절염
	I88 비특이성 림프절염
	I89 림프관 및 림프절의 기타 비감염성 장애

【注意事項】본 방제에 쓰인 藥物은 대부분 苦寒辛散하므로 陰虛한 자는 신중하게 사용해야 한다.

【變遷史】본 방제는 제일 먼저 『東垣試效方』卷9에 나타나는데, 大頭天行을 치료한다고 말하였으며, 증상의 특징은 "初覺憎寒體重, 次傳頭面腫盛, 目不能開, 上喘, 咽喉不利, 舌乾口燥."라고 하였다. 記載되어 있

는 '大頭天行'은『諸病源候論』·『千金翼方』·『素問病機氣宜保命集』·『景岳全書』등에 비록 유사한 증상을 描寫한 것이 있지만 病名이 일치하지 않으며, 淸代 溫病學說의 發展이 비교적 성숙한 시기에 이르기까지 이미 이 病을 '溫病'의 범위에 넣었으며, 病因·病機로는 '風溫熱毒'·'風溫毒邪'라고 설명하였다. 臨床 症狀은 吳瑭의『溫病條辨』卷1에 기술된 것에 근거하면 "溫毒咽痛喉腫, 耳前耳後腫, 頰腫面正赤, 或喉不痛, 但外腫甚則耳聾, 俗名大頭瘟·蝦蟆瘟."라고 하였으며,『絳雪園古方選注』卷下에서는 본 방제를 사용하여 "時行疫癘, 目赤腫痛·胞爛."을 치료하면서 眼科方에 귀속시켰다.

大頭瘟의 治療에 관하여『醫學正傳』卷2에 二黃湯이 실려 있는데, 東垣方에서 인용한 것에 근거하여 말한 것으로 黃芩(酒制)·黃連(酒制)·甘草를 各等分하여 大頭天行疫病 및 上焦火熱毒盛證을 主治하였다. 다만 본 병증을 전문적으로 치료하는 방제는 여전히 제일 먼저 普濟消毒飮을 추천하는데, 진실로 吳瑭의『溫病條辨』卷1에서 본 방제를 크게 칭찬한 것과 같은 것으로 "治法總不能出李東垣普濟消毒飮之外, 其方之妙, 妙在以涼膈散爲主, 而加化淸氣之馬勃·殭蠶·銀花, 得輕可去實之妙; 再加玄參·牛蒡·板藍根, 敗毒而利肺氣, 補腎水以上濟邪火."라고 하였으며, 동시에 吳氏는 升麻·柴胡를 빼고 金銀花·荊芥를 넣으면 치료 효과가 더욱 좋다고 인식하였다.

【難題解說】

1. 본 방제의 起源에 관한 것: 역대의 의학자들은 모두 본 방제가 어떠한 종류의 著作에서 나타나는지 정확하게 지적하지 못하였다. 다만 이것이 李杲의 방제이고, 1202년에 만들어졌으며, 처음의 이름은 普濟消毒飮子라는 것은 대체로 일치하고 있다. 李杲가 본 방제를 본인의 著作物 중에 끼워 넣지 않았기 때문에 후세에 이 방제의 方源에 대하여 논쟁이 생기게 된 것이다. 淸代 王子接은『絳雪園古方選注』卷下에서 이 방제를 말하기를 본래『太平惠民和劑局方』으로부터 비롯한 것이라고 하였지만,『太平惠民和劑局方』을 조사해보면 이 방제의 記載를 볼 수 없다. 上海中醫學院主編인『中醫方劑臨床手冊』에서 말하기를 그 起源을『東垣十書』라고 하였고,『方劑學』統合 編纂 教材 2版 및 4版에서는 모두 본 방제가『醫方集解』에서 나왔다고 말하였다. 다만 바로 汪昻이『醫方集解』에서 말한 것과 같이 "『十書』中無此方, 見於『准繩』."이라고 하였는데,『證治准繩』은 明代 王肯堂이 1602년에 편찬한 것으로 普濟消毒飮子가 이 책의 '雜病·諸門'에 실려 있으며, 大頭瘟을 치료한다고 하였다.

별도로 조사한 것에 근거하면 이것 이전에 元代 羅天益의『衛生寶鑒』「補遺」에 본 방제가 실려 있는데, 羅氏는 李杲의 學生으로 본 서적은 일정 정도 李氏의 學术 理論을 반영하고 있으며, 또한 이것이 본 방제가 비교적 일찍 記述되어 있는 모습이다. 이후로 明代 汪機의『外科理例』(1531년에 편찬)에 본 방제가 수록되어 있는데, 비로소 이름을 바꾸어 '普濟消毒飮'이라고 불렀으며, 主治는 이전과 같았고, 方藥에서 약간 다른 것이 있었으며(普濟消毒飮子에서 人蔘을 빼고 薄荷를 넣음), 복용법에 있어서 湯劑로 內服하던 것을 또한 丸·散劑로 만들어 복용할 수 있도록 고쳐서 사용하였다. 淸代『醫方集解』에 수록된 본 방제는 여전히 普濟消毒飮이라고 불렀으며, 이때에 이르러서 모든 서적에 記述되어 있는 것을 종합하였는데, 그 내용은 모두 李杲의 學生인 羅天益이 整理한『東垣試效方』의 "普濟消毒飮子, 時毒治驗." 病案과 서로 같았다. 따라서 최근에 비교적 역사적인 사실과 가까운 설명 방법은 이 방제가 제일 처음『東垣試效方』에 보인다고 인식하는 것에 일치한다.

2. 방제 중 人蔘에 관한 것: 방제 중 人蔘은 李杲가 사용하였는데, 첫째는 補氣扶正하니 解毒疏散하는 많은 약재와 함께 사용하면 扶正祛邪의 의미가 있는 것이고, 둘째는 李氏가 金元時代에 살고 있었으며 그가 제시한 '胃氣爲本'하는 학술 관점과 관련있을 가능성이 있다. 그러나『醫方集解』의 방제에는 薄荷를 사용하고 人蔘이 없다. 그러므로 임상에서 본 방제를 사용할

때 人蔘을 사용할 지의 여부는 人體의 邪正虛實을 보고 정해야 한다.

3. 방제 중 升麻·柴胡에 관한 것: 吳瑭이 인식하 기를 大頭瘟은 溫毒이 上擾하여 升騰飛越이 太過하 여 생긴 것이므로 본 방제를 사용하여 치료할 때에는 마땅히 升麻·柴胡를 뺌으로써 升陽助熱하는 것을 방 지해야 한다고 하였고, 또한 본 방제에 사용된 약재는 대부분 輕淸上浮하여 총체적으로 上焦를 치료하는데 升·柴를 引經藥으로 사용하는 것은 또한 군더더기가 되어서 無益할 뿐만 아니라 도리어 해로움이 된다고 하였으며, 동시에 또한 본 병증은 邪氣가 上焦에 있으니 芩·連의 苦寒한 약재를 사용하는 것을 마땅하지 않으니 引邪入裏하는 것에서 벗어나야 한다고 인식하였다. 다만 또한 서로 다른 견해를 가지고 있는 자도 있으니, 예를 들어 葉子雨는 『增補評注溫病條辨』에 서 말하기를 "治大頭天行, 用普濟消毒飮甚是. 此方有升·柴之升散, 亦有芩·連之苦降, 開闔得宜, 不得譏東垣之誤也. 去升麻·黃連尚可, 去柴胡·黃芩則不可."라고 하였고, 陸士諤 또한 말하기를 "此方之升· 柴, 猶之畫龍點睛, 精神全在此一點."(同上)이라고 하였다. 그 이후에도 吳氏의 학설에 同意하거나 不同意하는 자들이 여전히 동시에 있었다. 大頭瘟의 病因·病機 및 방제 配伍의 상호 制約 關系로 볼 것 같으면 葉氏의 설명이 합리적이다. 또한 火毒의 治療로 『內經』에서는 '火鬱發之' 하라는 치료 원칙이 있으니 金元時期의 方劑 配伍에는 升降을 並用한 것도 있고 또한 升陽散火하는 방법도 있다. 그러므로 吳氏의 觀點에는 의논해야만 할 점이 있다.

【醫案】

1. 丹毒 『廣西中醫藥』(1994, 5:34): 某 여자, 29세, 1991년 1월 29일 초진. 3일 전에 發熱微惡寒하면서 右側 面頰部의 皮膚에 갑자기 紅赤한 것이 정상적인 피부면보다 높게 솟아나면서 境界가 뚜렷하였으며, 신속하게 주위로 퍼지면서 간간이 크기가 다른 水皰가 생겼고, 苔微黃하고 脈浮數하였다. 증상은 風熱의 邪毒이 頭面의 肌膚에 鬱結한 것에 속한다. 치료는 疏風透表·淸熱解毒하는 것이 마땅하다. 普濟消毒飮에 加減하였다. 黃芩·黃連·金銀花·連翹·馬勃·玄參·桔梗 各 10 g, 板藍根 15 g, 升麻 6 g, 薄荷 6 g, 大青葉 15 g. 연속해서 3첩을 복용하였다. 3일 후에 다시 진단하였더니 皮膚의 紅赤이 크게 감소하였고, 皮膚의 손상 범위도 억제되었으며, 水皰도 쭈글쭈글해졌다. 위 방제를 다시 2첩 복용했더니 대체로 치유되었다.

2. 流行性 耳下腺炎 『四川中醫』(1990, 5:24): 某 남자, 1일 이내에 發熱(39~40℃)하면서 양쪽 뺨 부위 주변이 부어오르면서 입을 벌리거나 음식물을 씹기가 곤란하였고, 口渴·惡心·嘔吐·小便黃赤을 동반하였다. 舌質紅, 苔黃膩, 脈滑數하였다. 口腔 내에 耳下腺管 입구를 보니 紅腫하였다. 증상은 熱毒熾盛하여 少陽膽經에 蘊結한 것에 속한다. 치료는 淸熱解毒·疏風散邪하는 것이 마땅하다. 藥用: 黃連 6 g, 黃芩·牛蒡子·殭蠶·玄參·赤芍藥 各 9 g, 生石膏 90 g, 知母 9 g, 夏枯草 30 g, 板藍根 24 g, 柴胡 2 g. 밖으로는 如意金黃散을 발랐다. 3첩을 복약한 후에 體溫이 正常이 되었고 頭痛이 輕減하였으며 精神이 好轉되면서 少量의 飮食을 먹을 수 있게 되었다. 뺨 부위의 腫脹도 조금 줄어들었지만 여전히 堅硬하였다. 증상은 熱毒이 아직 다 흩어지지 않은 것에 속하니, 치료는 淸熱解毒·軟堅散結하는 것이 마땅하다. 위의 방제에서 生石膏·知母를 빼고 海藻·昆布 各 9 g, 生牡蠣 15 g을 넣어 2첩을 복용한 후에 頭痛이 소실되고 飮食 먹는 것이 크게 증가하였으며 腮腫도 이미 사라졌다. 계속해서 2첩을 복용하여 치료 효과를 확실하게 하였다.

3. 傳染性 單核細胞增多症 『浙江中醫雜誌』(1985, 1:14): 某 남자, 8세, 1982년 8월 10일 초진. 9일 전에 頸部 양쪽에 疼痛을 자각하면서 活動에 제한을 받았으며, 움직이면 痛症이 심하면서 점점 腫脹하였고, 嘔吐納呆를 동반하였다. 體溫은 대부분 39℃였으며, 小便深黃하고 輕咳咽痛하였으며 大便은 時乾時稀하면서 매일 한 번 보았다. 이미 penicillin·streptomycin·復方

인 sulfamethoxazole 등을 사용하였지만 病勢에 호전이 없었다. 양쪽 頸部에 퍼져있는 腫脹處의 深部에는 계란 크기의 核이 있었고, 밀어도 움직이지 않았으며, 아울러 크기가 다른 꿰어있는 듯한 硬核을 만질 수 있었는데 疼痛하면서 문지르면 發熱感이 손을 지졌으며, 양측 腹股溝에는 10여 粒의 붙어있지 않은 硬核이 있으면서 만지면 통증이 있었다. 心肺는 正常이었고, 肝이 있는 右肋緣下 2 cm가 질감이 부드러우면서 觸痛 및 叩擊痛이 있었으며, 脾가 있는 左肋緣下 0.5 cm에도 있었다. 血象: 백혈구 28,000/mm^3, 중성구 26, 림프구 14, 變異 림프구 60. 肝機能: 티몰혼탁시험(thymol turbidity test, TTT) 6단위, 티몰솜털침전검사(thymol flocculation test)+, GPT는 정상이었다. 증상은 風溫熱毒이 少陽之絡에 壅滯한 것에 속하고, 치료는 淸熱解毒·理血消腫하는 것이 마땅하며, 방제로는 普濟消毒飮에 加減한 것을 사용하였다. 板藍根·牡蠣(先入) 各 20 g, 連翹·夏枯草·神曲·延胡·牛蒡子·黃芩·北柴胡 各 10 g, 白芍藥 12 g, 黃連·乳香·沒藥 各 6 g. 外用으로는 如意金黃散을 식초와 함께 섞어서 매일 1차례씩 바깥에 붙였다. 6일을 치료하였더니 體溫이 정상으로 내려갔고, 頸部의 腫脹도 대체로 사라졌으며, 脾는 만져지지 않으면서 肝도 1 cm 축소되면서 觸痛이 뚜렷하지 않았다. 前方에서 生牡蠣·乳香·沒藥·延胡·黃芩을 빼고 生地·陳皮·薏仁·茯苓·甘草를 넣어 2주를 치료하였더니, 頸部·腹股溝의 腫塊가 소실되었고 肝脾가 만져지지 않았다. 血象: 백혈구 6700/mm^3, 中性分葉粒細胞 34, 伊紅 2로 완전히 나아서 퇴원하였다.

考察: 醫案1의 丹毒·醫案2의 流行性 耳下腺炎·醫案3의 傳染性 單核細胞增多症은 發病한 부위에 비록 頭面과 頸部의 차이가 있지만, 모두 風熱疫毒의 邪氣를 感受하여 上焦에 壅滯되어 頭面에 발생해서 생긴 것이다. 그러므로 모두 普濟消毒飮으로 疏風透表·淸熱解毒하여 치료 효과가 현저한 것이다.

涼膈散

(『太平惠民和劑局方』卷6)

【異名】 連翹飮子(『黃帝素問宣明論方』卷6)·連翹消毒散(『外科心法』卷7).

【組成】 川大黃 朴硝 甘草 爁 各二十兩(各 600 g) 山梔子仁 薄荷葉 去梗 黃芩 各十兩(各 300 g) 連翹 二斤半(1,200 g)

【用法】 위의 약을 粗末로 만들어서 매번 二錢(6 g)을 복용하는데, 물 一盞에 竹葉 七片을 넣고 꿀을 조금 넣은 다음 七分이 되도록 달여서 찌꺼기를 제거하고 食後에 따뜻하게 복용한다. 小兒는 半錢을 복용하는데, 나이에 따라 加減하여 복용한다. 下利를 하면 복용을 멈춘다.

【效能】 瀉火通便, 淸上瀉下.

【主治】 上·中二焦火熱證. 煩躁口渴, 面赤唇焦, 胸膈煩熱, 口舌生瘡, 咽喉腫痛, 睡臥不寧, 譫語狂妄, 便閉溲赤, 或大便不暢, 舌紅苔黃, 脈滑數.

【病機分析】 본 方證은 臟腑의 積熱이 胸膈에 모인 것이므로 上·中의 二焦에서 나타나는 증상을 위주로 삼는다. 『靈樞』「脈度」에서 말하기를 "心氣通於舌, 脾氣通於口."라고 하였는데, 지금 上·中의 二焦에서 邪氣가 鬱滯되어 熱이 생기면서 熱이 心胸에 모이면 煩躁가 나타나고, 熱이 津液을 燒灼하여 口에 上承하지 못하면 口渴이 나타나며, 燥熱이 內結하여 腑氣가 통하지 않으면 便秘溲赤이 나타나고, 燥熱이 上沖하므로 面赤唇焦가 나타나고, 熱이 胸膈에 모여서 鬱하여 通暢하지 못하면 胸膈煩熱하고, 心火가 上炎하면 口舌生瘡하며, 鼻는 肺竅가 되고 齦은 胃絡에 속하는데 肺胃에 熱이 왕성하여 위로 經竅를 순환하면 咽喉腫

痛이 생기는 것이고, 上焦에 邪熱이 亢盛하여 진액을 消爍하면 舌紅·苔黃·脈數의 형상이 나타나는 것이다.

【配伍分析】 본 증상은 上·中의 二焦에 邪熱이 熾盛한 것으로, 上焦에 無形의 熱邪가 있으면 淸法을 사용하지 않으면 제거할 수 없고, 中焦에 有形의 積滯가 있으면 下法을 사용하지 않으면 제거할 수 없다. 오직 淸熱瀉火通便하면서 淸上瀉下를 並行해야지 비로소 그 병의 근본을 치료할 수 있다. 방제 중 連翹를 重用한 것은 淸熱解毒하는 것으로 『本草綱目』卷16에서 인용한 張元素의 말을 살펴보면 "連翹之用有三: 瀉心經客熱, 一也; 去上焦諸熱, 二也; 爲瘡家聖藥, 三也."라고 하였다. 본 방제는 上·中 二焦의 火熱을 淸除하는 것을 위주로 하면서, 또한 連翹의 용량을 유독 重用하였으므로 藥力이 가장 강하여 君藥이 된다. 黃芩과 配伍함으로써 胸膈의 鬱熱을 맑게 하고, 山梔로 三焦를 다함께 瀉하여 火가 아래로 가게 이끌어 大黃·芒硝로 瀉火通便함으로써 中部에서 蕩熱하니 모두 臣藥이 된다. 薄荷·竹葉은 輕淸疏散함으로써 上部에서 解熱하는데 겸하여 '火鬱發之'의 의미도 있으므로 佐藥이 된다. 使藥은 甘草·白蜜로써 하는데, 朴硝·大黃의 峻瀉시키는 효력을 緩和시킬 뿐만 아니라 存胃津·潤燥結·和諸藥할 수 있다. 전체 방제를 配伍하면 함께 瀉火通便·淸上瀉下의 효능을 가져온다.

전체 방제를 종합해서 관찰해보면 連翹·黃芩·梔子·薄荷·竹葉이 있어 胸膈의 邪熱을 上部에서 疏解淸泄할 뿐만 아니라, 다시 調胃承氣湯을 사용하여 通便導滯하여 中部에서 蕩熱하니, 上焦의 熱로 하여금 淸解되게 하고 中焦의 實로 하여금 下利를 통하여 제거되게 한다. 따라서 淸上과 瀉下를 並行하는 것인데, 다만 瀉下는 胸膈의 鬱積을 淸泄하기 위해서 설정한 것이니 이른바 '以瀉代淸'의 의미가 곧 이것을 가리킨다.

【臨床應用】

1. 證治要點: 본 方證은 上·中 二焦의 火熱이 熾盛하여 胸膈煩熱, 面赤唇焦, 煩躁口渴, 舌紅苔黃, 脈數한 것을 證治의 要點으로 삼는다.

2. 加減法: 上焦에 熱이 심하여 心胸煩熱口渴하는 자는 梔子를 重用하면서 天花粉을 넣어 淸熱生津하고, 心經에 熱盛하여 口舌生瘡하는 자는 黃連·地骨皮를 넣어 淸心熱하며, 咽喉紅腫痛이 심하면서 壯熱과 煩渴欲飮하지만 大便不燥한 자는 硝·黃을 제거하고 石膏·桔梗·山豆根·板藍根을 넣어 淸熱利咽하며, 吐衄不止하면 鮮茅根·鮮藕節을 넣어 涼血止血한다.

3. 涼膈散은 다음 한국표준질병사인분류(KCD)에 해당하는 환자가 上·中二焦火熱證으로 辨證되는 경우 본 처방의 사용을 고려해볼 수 있다.

처방 목표	한국표준질병사인분류(KCD)
咽炎	J02 급성 인두염
	口腔炎
口腔炎	K12 구내염 및 관련 병변
急性扁桃腺炎	J03 급성 편도염
膽道感染	K80 담석증
	K81 담낭염
	K83.0 담관염
流行性腦脊髓膜炎	G02.0 달리 분류된 바이러스질환에서의 수막염
	G01 달리 분류된 세균성 질환에서의 수막염
	G00 달리 분류되지 않은 세균성 수막염

【注意事項】 본 방제는 비록 通腑시키는 힘이 있지만, 중점이 胸膈의 熱을 淸解하는 것에 있으므로 臨證함에 있어 곧 大便不秘하더라도 胸膈灼熱如焚한 자는 또한 사용할 수 있다. 孕婦가 본 方證을 앓으면 방제 중 朴硝·大黃을 마땅히 少用하거나 혹은 不用해야 한다.

【變遷史】 본 방제는 제일 처음 『太平惠民和劑局方』卷6에 보이는데, 原文에서는 "大人小兒臟腑積熱,

煩躁多渴, 面熱頭昏, 唇焦咽燥, 舌腫喉閉, 目赤鼻衄, 頷頰結硬, 口舌生瘡, 痰實不利, 涕唾稠粘, 睡臥不寧, 譫語狂妄, 腸胃燥澀, 便溺秘結, 一切風壅."을 치료한다고 하였다. 그 主治하는 證候에는 無形의 散漫浮遊하는 火가 있을 뿐만 아니라 腸腑에 積滯된 有形의 熱도 끼고 있으며, 방제를 구성한 用藥을 보면 上·中 二焦의 熱毒을 淸解하는 것에 중점을 두면서 瀉火通便으로 輔佐하고 있어서, 有形無形·上中表裏의 모든 邪熱로 하여금 모두 빠르게 解散하게 함으로써 『素問』「至眞要大論」에서 "熱淫於內, 治以鹹寒, 佐以苦甘."하라는 뜻과 합하고 있다. 涼膈散의 방제를 구성한 用藥은 실제로 『傷寒論』의 調胃承氣湯에 連翹·梔子·黃芩·薄荷·竹葉 등을 넣어 變化시켜서 온 것이며, 그 立法은 위로 『金匱要略』에 있는 瀉心湯의 淸熱解毒과 瀉熱通便을 이어받은 것이다.

후세의 의학자들은 涼膈散에 加減하여 運用한 것이 비교적 많으며, 이것을 기초로 또한 많은 새로운 방제를 만들었다. 예를 들면 張元素는 胸膈과 六經熱이면서 中焦에 燥實이 없는 자에 대하여 항상 방제 중 硝·黃을 빼고 다시 桔梗을 넣었는데, 『此事難知』卷上에서 말하기를 "易老法: 涼膈散, 減大黃·芒硝, 加桔梗同爲舟楫之劑, 浮而上之, 治胸膈中與六經熱, 以其手足少陽之氣, 俱下胸膈中, 三焦之氣同相火遊行於身之表, 膈與六經乃至高之分. 此藥浮載, 亦至高之劑, 故解於無形之中, 隨高而走, 去胸膈中及六經熱也."라고 하였다. 李杲는 普濟消毒飮을 制作하여 大頭瘟을 치료하였는데, 이 방제의 淸熱解毒에 疏散風熱을 함께 한 것도 역시 涼膈散에서 방법을 취한 것이다. 그러므로 吳瑭이 말하기를 普濟消毒飮 "之妙, 妙在以涼膈散爲主, 而加化淸氣之馬勃·殭蠶·銀花, 得輕可去實之妙."(『溫病條辨』卷1)라고 한 것이다. 『保命歌括』卷17에서는 涼膈散과 白虎湯을 合方하여 涼膈白虎湯이라고 불렀는데, 肺熱을 크게 식힐 수 있어서 上焦에 積熱로 肺脹而咳하면서 胸高上氣而渴하는 것을 치료하였다. 『銀海精微』卷上에서는 방제 중 竹葉·白蜜을 빼고 黃連을 넣어 涼膈連翹散이라고 불렀는데, 上攻하는 眼目의 熱을 잘 淸泄할 수 있어서 陰陽不和, 五臟壅熱, 肝膈毒風上充, 眼目熱極, 珠疹淚出, 忽然腫痛難忍, 五輪脹起하는 것을 치료하였다. 『醫宗金鑒』卷59에서도 역시 竹葉·白蜜을 빼고 荊芥穗·防風·牛蒡子를 넣어 疏散外達하여 涼膈消毒飮이라고 불렀는데, 疹毒으로 裏熱壅盛하거나 혹은 疹毒이 이미 밖으로 돋아나면서 上攻咽喉하여 증상이 가벼우면 붓고 아프고, 심하면 약과 물을 삼킬 수 없는 것을 치료하였다. 『重訂通俗傷寒論』에서는 방제 중에 羚羊角 一味를 넣어 涼肝息風을 겸하게 하여 涼膈加羚羊湯이라고 불렀는데, 積熱로 發痙·便閉하는 것을 치료하였다.

이상은 涼膈散에 加減을 거친 후에 方名을 改變한 것이다. 涼膈散에 加減한 후에 여전히 涼膈散이라고 부른 同名異方을 요약하면 아래의 例와 같다. 『壽世保元』卷6의 방제는 原方의 竹葉·白蜜을 빼고 石膏·知母·黃連·升麻를 넣어 淸熱瀉火解毒하는 효능을 강화시킨 것으로 胃에 實熱이 있어서 齒痛하거나 혹은 上齒痛이 더욱 심한 자를 치료하였다. 『症因脈治』卷1의 방제는 原方에서 大黃·芒硝·甘草·竹葉·白蜜을 빼고 桔梗·天花粉·黃連을 넣어 효능을 淸上焦之熱하는 것에 치중한 것으로 上焦에 熱이 심하여 표증은 이미 풀어졌으나 안으로 열이 있어, 淸法이 마땅하나 下法은 마땅하지 않은 증상을 치료하였다. 『傷寒大白』卷2의 방제는 原方에서 甘草·竹葉·白蜜을 빼고 桔梗·天花粉을 넣어 만든 것으로 上焦의 心肺熱을 淸解하는 효능이 있어서 心肺가 邪熱에 가려져서 神識昏迷하고 狂言譫語하는 것을 치료하였다. 『活人方』卷1의 방제는 原方에서 黃芩·竹葉·白蜜을 빼고 荊芥穗·桔梗을 넣어 上焦火熱을 淸散하게 한 것으로 心火刑金하거나 혹은 胃火壅逆하거나 혹은 表裏에 鬱滯된 風熱로 頭目不淸, 痰氣不利, 口舌生瘡, 牙疼目赤, 周身斑疹, 二便不調한 것을 치료하였다. 『疫疹一得』卷下의 방제는 石膏로 大黃·芒硝를 바꾸어 疫疹을 치료한 것인데, 余霖이 스스로 말하기를 "疫疹乃無形之毒, 投以硝·黃之猛烈, 必致內潰. 予以石膏易去硝·黃, 使熱降淸升而疹自透, 亦上升下行之意也."라고 하였다. 『溫熱經緯』卷5의 방제는 이 방제를 기초로 다시 桔梗을 넣어 淸心涼膈散이라고 불렀는데, 王士雄이 말하기를 "淸心涼膈散, 一名桔梗湯, 卽涼膈散去硝·黃加桔梗. 余氏又加生石膏, 爲治療疫疹初期之良劑."라고 하였다.

【醫案】

1. 急性 傳染性 結膜炎『湖南中醫雜誌』(1994, 2:42): 某 여자, 19세, 1987년 5월 4일 初診. 病이 생긴지 2일이 되었는데, 먼저 左眼이 紅腫하였고 계속해서 右眼도 역시 紅腫하였다. 癢痛交作, 怕熱羞明, 時流淡紅血淚, 眼眵黏稠, 晨起不易睜眼, 瞼胞微腫, 頭痛口渴, 心煩不安, 大便은 2일 동안 보지 못하였다. 體溫 38.1℃, 舌紅·苔黃燥, 脈浮數하였다. 증상은 風熱疫毒에 속하였으며, 치료는 瀉熱解毒으로써 하였다. 涼膈散에 加減한 것을 투여하였다. 板藍根 15 g, 生地 10 g, 玄參 15 g, 生大黃 6 g, 炒梔子 10 g, 薄荷 6 g, 連翹 10 g, 黃芩 10 g, 生甘草 6 g, 竹葉 10 g. 매일 1첩씩 복용하였고, 동시에 蒲公英 煎湯으로 熏洗하는 것을 配用하여 用藥한지 3일만에 나았다.

2. 腦鳴『新中醫』(1994, 7:21): 某 남자, 61세, 1992년 2월 初診. 환자는 스스로 느끼기에 머릿속에서 벌레와 개구리가 우는 것 같다고 하였으며, 咳嗽·不眠·多夢을 동반하고 있어서 입원하여 腦動脈硬化 치료를 받았는데, 전후로 復方 丹參針·低分子 dextran 注射液과 韓藥인『金匱』腎氣丸·鹿茸丸 등을 사용하였으나 한 달여 동안 여전히 호전되지 않았다. 현재 환자는 여전히 벌레가 울듯이 腦鳴하는 것을 느끼면서 眩暈이 晝夜로 계속 발작하는 것을 동반하였고, 體胖, 口乾, 大便秘結, 小便黃, 舌紅·苔略白帶黃, 脈弦數하였다. 腦鳴이라는 하나의 증상에는 虛實의 구분이 있는데, 이 환자는 증상에 근거하여 분석하자면 實에 속하였으므로 곧 涼膈散을 사용하여 瀉하였다. 處方: 連翹·大黃 各 15 g, 芒硝 20 g, 竹葉 6 g, 生甘草·薄荷 各 10 g, 山梔子·黃芩 各 12 g. 위의 방제를 3첩 복용한 후에 大便을 3~4차례 瀉下하면서 胸中이 대략 輕快해지면서 腦鳴이 크게 감소하였다. 芒硝를 빼고 鉤藤 15 g을 넣어 계속해서 위의 방제를 3첩 복용하였더니 腦鳴이 대체로 사라졌다. 치료 효과를 확실히 하기 위하여 먼저대로 또 3첩을 복용하였더니 腦鳴과 眩暈이 이미 그쳤고, 6개월 동안 방문하여 물어보았지만 재발하지 않았다.

考察: 醫案1의 急性 傳染性 結膜炎은 증상이 風熱疫毒이 위로 眼目을 공격한 것에 속하므로 치료는 瀉熱解毒하는 것으로써 하였고, 涼膈散에 加減한 것을 투여함과 동시에 蒲公英 煎湯으로 熏洗하는 것을 配用하여 用藥한지 3일만에 곧바로 나았다. 醫案2의 腦鳴은 현대 의학의 腦動脈硬化症에 속하는 것으로 여러 가지로 치료했는데 효과가 적었는데, 한의사가 辨證하기로는 病勢가 實에 속하면서 上焦의 火熱이 가득 차면서 淸空이 擾亂된 것이므로 곧 涼膈散을 사용하여 淸上瀉下하였더니, 약재를 복용한 후에 胸中이 시원해지면서 腦鳴이 크게 감소하고 眩暈도 또한 해결된 것이다. 이상 醫案은 비록 그 病變 部位에 眼目·肺·頭部의 차이가 있으며 臨床 症狀도 각각 다르지만, 모두 火熱의 邪氣가 上焦를 침범하여 擾亂시키고 局部에 쌓여서 병이 된 것이니, 따라서 치료는 모두 涼膈散에 加減하여 좋은 효과를 거둔 것이다.

【副方】 淸心涼膈散(『溫熱經緯』卷5): 連翹 四兩(120 g) 黃芩 薄荷 梔子 各一兩(各 30 g) 石膏 二兩(60 g) 桔梗 一兩(30 g) 甘草 一兩(30 g)

- 用法: 將上藥爲粗末. 每服三錢(9 g), 加水碗半, 煎一碗, 去滓溫服.
- 作用: 淸心涼膈, 瀉熱解毒.
- 適應症: 熱毒壅阻上焦氣分證. 症見壯熱, 口渴, 煩躁, 咽喉紅腫腐爛, 舌紅苔黃等症.

본 처방은 涼膈瀉熱하는 방제로 連翹·黃芩·梔子로 淸心涼膈하고, 石膏·薄荷로 辛涼透熱하며, 桔梗·甘草로 上焦氣分을 宣通하면서 겸하여 利咽喉한다. 본 방제와 涼膈散을 서로 비교하면, 그 病位가 上部에 있기 때문에 邪氣가 氣分에 있으면서 無形의 熱이 되므로

苦寒瀉下하는 약재를 사용하지 않으면서 輕清上浮하는 약재를 위주로 하여 透達鬱熱한 것이다.

第四節 氣血兩清劑

清瘟敗毒飲

(『疫疹一得』卷下)

【組成】 生石膏 大劑 六兩至八兩(180~240 g) 中劑 二兩至四兩(60~120 g) 小劑 八錢至一兩二錢(24~36 g), 小生地 大劑 六錢至一兩(18~30 g) 中劑 三錢至五錢(9~15 g) 小劑 二錢至四錢(6~12 g), 犀角 大劑 六錢至八錢(18~24 g) 中劑 三錢至五錢(9~15 g) 小劑 二錢至四錢(6~12 g), 眞川連 大劑 四至六錢(12~18 g) 中劑 二至四錢(6~12 g) 小劑 一錢至一錢半(3~4.5 g), 梔子 桔梗 黃芩 知母 赤芍 玄參 連翹 竹葉 甘草 丹皮 (以上十味, 原書無用量)

【用法】 六脈이 沉細而數하면 大劑를 사용하고, 沉而數한 자는 中劑를 사용하며, 浮大而數한 자는 小劑를 사용한다(現代 用法: 먼저 石膏를 수십 번 끓도록 달인 다음에 나머지 약재들을 넣는다. 犀角은 汁이 되도록 갈아서 함께 복용한다).

【效能】 清熱涼血, 瀉火解毒.

【主治】 溫熱疫毒, 氣血兩燔證. 大熱渴飮, 頭痛如劈, 乾嘔狂躁, 譫語神昏, 或發斑, 或吐血, 衄血, 四肢或抽搐, 或厥逆, 脈沉細而數, 或沉數, 或浮大而數, 舌絳唇焦.

【病機分析】 본 방제는 疫病의 流行으로 瘟疫熱毒이 야기되어 內外에 충만함으로써 氣血兩燔한 증상에 맞추어 설계한 것이다. 熱毒이 火로 변화하면서 火盛하면 津液을 손상시키므로 大熱煩渴·舌絳唇焦가 나타나고, 熱毒이 위로 淸竅를 공격하면 안으로 神明을 擾亂시키면서 頭痛如劈·譫語神昏에 이르게 되고, 熱이 營血을 압박하여 妄行하므로 發斑·吐衄이 생기는 것이다. 厥逆·脈沉細而數한 것은 火毒이 深重하여 鬱閉하면서 外達하지 못하는 형상이며, 脈沉數한 것은 火毒이 조금 가벼우면서 鬱閉가 심하지 않은 것이며, 浮大而數에 이르는 것은 완전히 鬱閉된 것이 없으면서 火毒이 輕淺한 것이다. 총괄하면 증상은 溫熱疫毒이 內外에 충만하면서 氣分·血分을 교란시키면서 氣血兩燔한 것에 이른 것에 속한다.

【配伍分析】 본 방제는 溫疫熱毒으로 氣血兩燔한 증상을 주치하는데, 立法하여 방제를 선택할 때에는 熱疫 중의 火毒이 충만한 것을 치료하는 것에 치중하였다. 이것을 위하여 清瘟敗毒飲은 白虎湯·犀角地黃湯·黃連解毒湯의 세 가지 방제를 종합한 후 加減하여 방제를 구성하였다. 방제 중 石膏를 重用하면서 知母·甘草와 配伍하였는데, 이것은 白虎湯에서 방법을 구한 것으로 의도는 清熱保津하는 것에 있다. 黃連·黃芩·梔子을 함께 사용한 것은 黃連解毒湯의 方義를 모방한 것으로 의도는 三焦의 火熱을 通瀉하는 것에 있다. 犀角·生地·赤芍藥·丹皮을 서로 配伍한 것은 곧 犀角地黃湯으로, 이것은 清熱解毒·涼血散瘀하기 위해서 설정한 것으로 清氣法과 함께 사용함으로써 氣血兩燔하는 증상을 치료한다. 다시 連翹·玄參과 配伍하여 '解散浮遊之火'하고, 桔梗·竹葉은 '載藥上行'하는 것을 취한 것이다. 余霖이 말하기를 "此大寒解毒之劑, 故重用石膏, 先平甚者, 而諸經之火, 自無不安矣."(『疫疹一得』卷下)라고 하였으니, 본 방제는 비록 세 가지 방제를 합하여 만들어진 것이지만, 白虎湯 大劑의 辛寒으로 陽明經熱을 清解하는 것을 위주로 하면서 瀉火·解毒·涼血을 輔助하는 것으로 조합하여 방제를 만듦으로써 함께 清瘟敗毒하는 효능을 발생시킴을 알

수 있다.

【臨床應用】

1. 證治要點: 본 방제는 瘟疫熱毒으로 氣血兩燔證을 主治하는데, 大熱渴飮, 頭痛如劈, 譫語神昏, 或熱盛發斑, 吐血衄血, 脈數, 舌絳唇焦한 것을 證治의 요점으로 삼는다.

2. 加減法: 原書에서 말한 것을 살펴보면 "如斑一出, 即加大青葉, 並少佐升麻四五分, 引毒外透, 此內化外解·濁降清升之法."이라고 하였다. 현재에는 아래와 같이 加減하는 것을 더할 수 있다. 熱疫으로 頭痛如劈하고 兩目昏花하면 菊花를 넣어 肝經의 火熱을 식히고, 骨節煩痛하면서 허리를 마치 몽둥이에 맞은 듯하면 黃柏을 넣어 腎經의 火毒을 식히며, 火邪가 上擾하여 心神이 不寧하면 木通을 넣어 열을 이끌어 아래로 가게하고, 神昏·譫語하여 熱毒이 心包를 침범하면 마땅히 涼開하는 安宮牛黃丸 혹은 至寶丹을 겸용하고, 熱毒이 안으로 肝經을 핍박하여 筋脈이 抽搐하는 자는 羚羊角·鉤藤·殭蠶 등을 넣어 涼肝息風한다.

3. 清瘟敗毒飮은 다음 한국표준질병사인분류(KCD)에 해당하는 환자가 溫熱疫毒, 氣血兩燔證으로 辨證되는 경우 본 처방의 사용을 고려해볼 수 있다.

처방 목표	한국표준질병사인분류(KCD)
B型腦炎	A83.0 일본뇌염
流行性 腦炎	G05.1 달리 분류된 바이러스질환에서의 뇌염, 척수염 및 뇌척수염
敗血症 膿毒血症	(질병명 특정곤란)
	A00~B99 I. 특정 감염성 및 기생충성 질환
	A41.9 상세불명의 패혈증
化膿性 感染	B95 다른 장에서 분류된 질환의 원인으로서의 연쇄알균 및 포도알균
流行性 出血熱	A92~A99 절지동물매개의 바이러스열 및 바이러스출혈열

【注意事項】 原方 중 주요한 약재의 용량에 大·中·小의 다름이 있는데, 임상에서 본 방제를 운용할 때에는 마땅히 病證의 輕重을 보아 참작하여 그 용량을 中劑 혹은 小劑로 사용하고, 만약에 熱毒이 매우 심한 자에게 반드시 大劑로 清解하는 것을 사용해야 겨우 구제할 수 있다.

【變遷史】 본 방제는 清代의 의학자인 余霖이 만든 것이다. 余氏는 疫病을 진단하고 치료하는데 長技를 가지고 있어서 『疫疹一得』을 지었는데, 강렬한 傳染性을 가지고 있는 '熱疫'에 대한 인식과 斑疹의 形色에 대한 論辨 및 그 疫病의 預後에 대한 判斷에 모두 일가견을 가지고 있어서 王士雄이 그를 칭송하여 "獨識淫熱之疫, 別開生面, 洵補昔賢之未逮, 堪爲仲景之功臣."이라고 하였다. 사실상 清瘟敗毒飮은 余氏가 漢晉時期의 白虎湯·黃連解毒湯·犀角地黃湯을 종합해서 처방하여 만든 것으로, 이것은 清熱涼血·瀉火解毒하는 重劑로 溫熱疫毒이 충만하여 氣血兩燔한 疫毒의 重症을 치료한다. 『疫疹一得』의 原方에 실려 있기를 "治一切火熱, 表裏俱盛, 狂躁煩心, 口乾咽痛, 大熱乾嘔, 錯語不眠, 吐血衄血, 熱盛發斑, 不論始終, 以此爲主. 疫疹初期, 六脈細數沉伏, 面色青慘, 昏憒如迷, 四肢逆冷, 頭汗如雨, 腹內攪腸, 欲吐不吐, 欲泄不泄. …… 搖頭鼓頷, 百般不足, 此爲悶疫, 斃不終朝. 如欲挽回於萬一, 非大劑清瘟敗毒飮不可."라고 하였다. 余氏는 石膏가 아니면 熱疫을 치료하기에 부족하다고 인식하면서 石膏의 重劑를 사용하여 諸經의 表裏에 있는 火를 瀉할 것을 제창함으로써 治法과 用藥에 있어서 疫疹의 치법을 풍부하게 발전시켰다. 본 방제는 余氏가 熱疫 및 熱疫發斑을 치료한 主方으로 그가 나열한 51證은 모두 본 방제에 가감한 것을 사용하여 치료하였으며, 사용량은 늘리기만 하고 줄이지는 않았으니 그 응용의 妙味를 볼 수 있다. 현대에는 본 방제를 急性 感染性疾病으로 氣血兩燔證을 치료하는데 상용하고 있으니, 확실히 이것은 寒涼直折·氣血兩清에 첫째가는 대표적인 방제이다.

【難題解說】

1. 熱疫과 傷寒의 구별: 熱疫과 傷寒은 비록 개별 증상은 서로 같지만 證候의 屬性에 있어서는 같은 것 중에 차이가 있다. 余氏가 인식하기를 "黑熱疫不是傷寒, 傷寒不發斑疹."이라고 하였고, 동시에 또한 '熱疫' 중에 頭痛·出汗·嘔·利의 4種 症狀에 대하여 傷寒과의 차이점을 분별하여 지적하였다. 4種 症狀의 구체적인 해석: ① "疫證初期, 有似傷寒太陽·陽明證者. 然太陽·陽明頭痛不至如破, 而疫則頭痛如劈, 沉不能擧." ② "傷寒無汗, 而疫則下身無汗, 上身有汗, 唯頭汗更盛. 頭爲諸陽之首, 火性炎上, 毒火盤踞於內, …… 如籠上熏蒸之露, 故頭汗獨多, 此又痛雖同而汗獨異也." ③ "有似少陽而嘔者, 有似太陰自利者. 少陽之嘔, 脇必痛, 疫證之嘔, 脇不痛, 因內有伏毒, 邪火乾胃, 毒氣上沖, 頻頻而作." ④ "太陰自利, 腹必滿, 疫證自利腹不滿 ……. 熱注大腸, 有下惡垢者, 有日及數十度者, 此又證異而有病同也."(『疫疹一得』). 이것으로 熱疫의 총체적인 病機는 溫熱疫毒이 내외에 충만하면서 氣分·血分을 교란시키고 심지어는 氣血兩燔에 이르게 됨을 볼 수 있다.

별도로 余氏가 논한 '悶疫'은 熱疫의 暴發證으로, 대부분 熱毒의 穢濁한 病邪를 感受함으로 말미암아 안에서 阻滯되면서 閉塞되어, 질병의 발생이 갑작스럽게 內閉하면서 外脫한 것 같은 險惡한 증상이 출현하게 된 것이다. 본 증상은 面色靑慘하고 四肢冰冷하면서 頭汗如雨하여 陰寒이 內盛하여 逼陽外脫하는 것과 매우 유사하지만, 실제로 이것은 熱毒의 穢濁이 내에서 伏閉하여 外達하지 못하기 때문에 上迫해서 생기는 것이다. 神昏, 腹絞痛, 欲吐不吐, 欲泄不泄하는 것은 熱毒이 內閉한 것이다. 頭痛如劈한 것은 熱毒이 上竄한 것이 원인이다. 頭搖鼓頷하는 것은 陽氣가 邪毒의 遏伏을 받아서 邪氣와 正氣가 激爭해서 생기는 것이고, 『素問』「至眞要大論」에서 말하기를 "諸噤鼓慄, 如喪神守, 皆屬於火."라고 하였으니, 또한 '噤慄'은 火熱의 內閉로 말미암아 생기는 것임을 설명하는 것이다.

2. 본 방제의 융통성 있는 운용에 관한 것: 淸瘟敗毒飮의 임상 응용은 余氏가 熱疫의 증상에 따른 輕重에 근거하여 상응하게 用量을 제정하였는데, 그중에 중점적인 약재로는 네 가지가 있으니 곧 生石膏·生地·犀角·川黃連으로, 각각 증상의 極重·重·輕의 세 가지 유형에 따라 분별해서 大·中·小 세 가지 방제로 사용하였는데, 原書의 用法에서 말하기를 "六脈沉細而數, 即用大劑. 沉而數者, 用中劑. 浮大而數者, 用小劑."라고 하였다. 대개 沉細而數한 것은 火毒이 深重한 것으로 鬱閉하여 外達하지 못하는 모습이고, 沉而數한 것은 火毒이 조금 가벼워서 鬱하지만 심하지는 않은 것이며, 浮大而數한 것에 이르러서는 전혀 鬱閉한 것이 없으면서 火毒이 輕淺한 것이다. 이외에 原書에는 또한 임상에서 참고할 만한 것을 제공하는 것이 있으니, 곧 51證에 이 방제의 치료를 응용한 것인데 用量을 증가시키면서 감소시키지는 않았다. 그중에 辨證하여 방제 중의 약 용량을 증가시킨 12證이 있으며, 石膏에 대한 용량을 加重한 것이 43證이 있고, 川黃連 24證, 犀角 18證, 生地 12證이 있다. 이상에 근거하면 본 방제의 原書에서의 응용은 곧 淸氣·涼血·瀉火·解毒에 치중한 것으로 구별은 用量의 輕重에 있음을 알 수 있으니, 예를 들어 石膏의 大劑는 六兩~八兩이고 小劑는 八錢~一兩二錢이며, 黃連은 최대 六錢에서 최소는 半錢이다. 이 중에 최대량과 최소량의 차이는 약 10倍 내외이고, 기타 두 가지 약재는 최소와 최대 용량의 차이가 3~4배가 나니, 原書에 記載된 것은 見證이 다르면 用量의 차별도 매우 큼을 볼 수 있다. 따라서 임상에서 응용할 때에는 반드시 辨證을 정확하게 하고 약의 선택을 적절하게 하면서 또한 藥量의 輕重에 균형을 맞추는 것을 중시해야 한다. 만약 重病에 輕劑를 투여하거나 輕病에 重劑를 투여하면, 그 결과가 前者는 효과가 없을 뿐만 아니라 氣血兩燔하는 重證이 쉽게 순식간에 傳變하여 치료 기회를 상실하여 危篤한 不治證에 이르게 되고, 後者는 藥이 病所에 지나쳐서 장차 鬱熱冰伏하여 邪氣를 內陷하게 함으로써 溫하게 하면 邪熱을 돕게 되고 寒하게 하면 더욱 鬱閉를 조장하여 寒溫兩難의 교착된 국면에 이르게 된다.

3. 石膏의 용량에 관한 것: 石膏의 용량에 대하여 역대의 의학자들이 상세히 해석한 것들이 많은데, 예를 들어 莊制亭이 인식하기를 "此方分兩太重, 臨床時不妨量裁十二味, 或減輕分兩, 如石膏由三五錢以至二三兩, 皆可取效."(錄自『溫熱經緯』卷5)라고 하였다. 현대의 名醫인 焦樹德도 『方劑心得十講』중에서 또한 언급하기를 이 방제의 石膏 용량이 확실히 크게 사람들을 놀라게 한다고 하였으나, 原書에 記載된 淸代 乾隆年에 京都에서 大疫이 발생하였을 때 대담하게 본 방제를 사용하여 活人한 것을 이루 다 헤아릴 수 없다. 20세기 50년대에 北京 지역에 B형腦炎이 유행하였는데, 환자가 확실히 "惡寒發熱·頭痛如劈·大熱乾嘔" 등의 증상이 있을 때에 生石膏를 보통 90~120 g에 이르도록 사용하였고, 150~180 g까지 사용한 경우도 있었으나 확실히 양호한 효과를 얻었다. 바로 王士雄이 『溫熱經緯』卷5에서 설명한 "蓋一病有一病之宜忌. 用得其宜, 硝·黃可稱補劑; 苟犯其忌, 蔘·朮不異砒·硇. 故不可舍病之虛實寒熱而不論, 徒執藥性之純駁以分良毒. 補偏救弊, 隨時而中, 貴於醫者之識病耳. 先議病, 後議藥, 中病即是良藥. 然讀書以明理, 明理以致用, 苟食而不化, 則粗庸偏謬, 貽害無窮, 非獨石膏爲然."이라고 한 것과 같다.

【醫案】

1. 流行性出血熱『浙江中醫雜誌』(1993, 12:563): 某 남자, 54세, 1989년 1월 初診. 流行性出血熱으로 이미 다른 병원에서 20여 일을 치료받았는데, 頭身劇痛 및 高熱은 비록 감소하였지만 尿閉不利하여 위험이 朝夕에 달려있었다. 당시의 진단: 面色潮紅, 乾嘔煩躁, 大渴引飮, 神昏譫語, 視物昏花, 胸腹部紅色皮疹, 鼻衄, 口吐紅色泡沫, 欲食不進, 欲便不下, 雙下肢乾瘦欠溫, 半月無尿意. 舌絳, 苔黃, 唇燥焦, 脈沉細數有力. 실험실 검사: 헤모글로빈 80 g/L, 백혈구 15.9×10^9/L, 호중성 백혈구 0.91, 호산성 백혈구 0.09, 소변검사는 정상. 증상은 熱毒이 內外에 충만하여 氣血兩燔한 것에 속하였다. 치료는 淸熱解毒·涼血瀉火를 적용하였다. 淸瘟敗毒飮 加減: 白茅根 200 g, 生石膏(先煎) 300 g, 黃連·黃芩·水牛角(磨汁하여 나누어서 兌服함)·焦山梔·赤芍藥·連翹·玄參·丹皮 各 20 g, 桔梗·淡竹葉·甘草 各 10 g. 그것을 연속해서 3첩을 복용하도록 부탁하여 매일 자주 5차례 복용하였는데, 尿意感은 있었지만 양이 적으면서 시원하지 않아서 약 200 mL씩 나왔는데 색깔은 濃茶와 같았다. 효과가 있었기에 방제를 바꾸지 않으면서 아울러 大白茅根의 용량을 300 g에 이르기까지 하여 6첩을 복용한 후에 소변량이 날마다 증가하여 약 800~1,000 mL까지 보았으며 색깔은 淡微黃하였다. 後期에는 熱毒이 腎陰을 灼傷하여 津液이 다할 것을 염려하여 마땅히 腎의 陰精을 補益하여 水源을 보충하기 위하여 左歸飮을 丸으로 만들어서 白茅根 달인 물로 바꾸어 복용하였다. 2개월을 거치면서 병이 치유되었다.

考察: 본 예의 流行性出血熱은 이미 다른 의원의 치료를 20여 일 거치면서 頭身劇痛 및 高熱이 비록 감소하였지만 尿閉不利하여 위험이 朝夕에 달려있었다. 그 尿閉不利한 것이 膀胱의 氣化失常으로 생긴 尿液停聚가 아니라, 실제로 疫毒의 邪氣가 津液을 煎灼하여 水源이 耗竭된 증상이니 본래 즉각적으로 腎陰을 峻補해야 한다. 그러나 이때의 病證이 여전히 溫疫熱毒이 내외에 충만하여 氣血兩燔한 시기에 처해있기 때문에, 즉각적으로 峻補劑를 투여하면 熱毒이 막혀서 잠복하는 근심이 생길 것이 걱정되기 때문에, 급히 淸瘟敗毒飮을 투여하여 釜底抽薪함으로써 疫毒의 火가 제거되기를 기다린 후에 다시 완만하게 腎陰을 보하면 水源이 저절로 회복되는 것이다.

2. 流行性 耳下腺炎『甘肅中醫』(1994, 1:25): 某 남자, 12세, 1984년 4월 6일 初診. 우측 귀 아래쪽에 疼痛이 2일 되었고, 發熱惡寒, 頭痛, 食欲減退, 咀嚼時疼痛, 小便黃, 大便乾燥를 동반하였다. 신체검사: 脈浮數, 苔白厚하였고, 우측 귀 아래쪽이 腫脹하여 약 4 cm×4 cm의 腫塊가 있으면서 표면이 밝았는데 輕證의 壓痛이 있으면서 波動은 없었고, 환측의 耳下腺 입구가 약간 紅腫하면서 壓痛이 있었다. 流行性 耳下腺炎으로 진단하였다. 증상이 熱毒이 少陽·陽明의 絡에

壅遏하여 氣血이 막히면서 經脈의 순행에 장애가 생긴 것에 속한다. 치료는 清熱解毒·涼血通絡하는 것이 마땅하여, 淸瘟敗毒飮에 加減한 것을 사용하였다. 生石膏 30 g, 生地·玄參·連翹·黃芩·赤芍藥 各 15 g, 水牛角 9 g, 梔子 10 g, 川黃連·牡丹皮·知母·大黃 各 6 g. 3첩을 복약한 후에 頭痛이 그치고 發熱이 가벼워졌으며 腫塊가 사라졌다. 原方을 계속해서 3첩 복용한 후에 나머지 증상들이 소실되면서 병이 나았다.

考察: 본 예의 流行性 耳下腺炎증상은 熱毒이 少陽·陽明의 絡에 壅遏하여 氣血이 막히면서 經脈의 순행에 장애가 생긴 것에 속하니, 치료는 清熱解毒·涼血通絡하는 것이 마땅하다. "溫病下不厭早"하라는 것에 근거하여 原方 중에서 輕緩한 竹葉·甘草를 감소시키거나 빼고, 준엄하게 攻下하는 大黃을 넣어 淨腑를 깨끗하게 하여 病勢를 갑자기 꺾을 수 있는 것이니, 病勢를 신속하게 호전되게 하면서 아울러 毒素의 鬱熱을 제거할 수 있기에 邪氣를 제거함으로써 正氣가 안정되는 것이다.

3. 重症 肝炎『中醫雜誌』(1984, 6:16): 某 여자, 48세, 1976년 1월 1일 初診. 倦怠無力하면서 惡心嘔吐하고 鞏膜 및 皮膚에 發黃하면서 肝機能에 뚜렷한 손상이 있어서 急性 病毒性 肝炎으로 진단하고 입원 치료를 하였다. 현대의학의 일상적인 치료를 10일했는데, 肝性昏睡가 발생하였으므로 한의사에게 요청하여 진찰하게 하였다. 1월 10일 진찰: 神昏, 狂躁不安, 譫語胡言, 打人罵人, 潮熱不退, 鞏膜 및 皮膚深黃, 面浮腹滿, 肘部 및 臀部에 주사 놓은 부위가 瘀斑으로 青紫하였고, 大便秘, 小便黃赤, 舌質紅絳, 苔黃厚而膩, 脈滑數하였다. 치료는 清熱解毒·利濕退黃·通腑開竅로써 하였고, 淸瘟敗毒飮과 茵陳蒿湯을 합한 것으로 처방한 것을 투여하였다. 水牛角(先煎) 100 g, 生地 12 g, 丹皮 10 g, 黃連 10 g, 黃芩 10 g, 焦山梔 9 g, 石膏 30 g, 知母 10 g, 竹葉 12 g, 連翹 10 g, 赤芍藥 9 g, 茵陳 30 g, 大黃(後下) 15 g, 芒硝(沖服) 9 g. 安宮牛黃丸 2粒. 매일 1첩씩 위의 방제를 연속해서 4일 사용하였는데, 潮熱退, 狂躁止, 腑氣已通, 腹脹이 輕減하면서 出血은 증가하지 않았지만 여전히 神昏하였다. 다시 방제를 加減하여 복용하였는데, 1월 17일에 이르러서 의식이 맑아지면서 親疏를 분간할 수 있었으며, 소량의 飮食을 먹을 수 있었다. 다만 黃疸은 여전히 심했으며, 神萎, 惡心, 大便溏, 小便黃, 苔黃厚而膩하였다. 바꾸어서 茵陳五苓散에 加味한 것을 주어서 연속해서 50여 첩을 복용하였더니 증상이 소실되면서 肝機能이 정상에 접근하였고 임상적으로 치유되어서 퇴원하였다.

考察: 본 醫案은 重症의 肝炎으로 疫毒이 熾盛한 증상에 속하므로 淸瘟敗毒飮을 위주로 치료하였다. 치험자가 체험하여 터득한 것: ① 石膏를 重用하여 胃腑를 맑게 하였다. 余氏는 2倍로 石膏를 중시하여 말하기를 "重用石膏, 直入胃經, 使其敷布十二經, 退其淫熱."이라고 하였고, 『疫證條辨』에서 말하기를 "非生不足以制其焰."이라고 하였다. ② 攻下法으로 通腑하여 釜底抽薪하였다. 溫熱의 邪氣는 극히 쉽게 津液을 손상시켜서 燥하게 만드니 熱病은 중점이 救陰하는 것에 있는데, 釜底抽薪하는 것은 이에 急下存陰하는 방법이기에 방제 중 大黃·芒硝를 넣어 攻下通腑하는 것이다. 大黃은 苦寒으로 善行하기에 瀉火破積하는 要藥이 되는데, 겸하여 活血化瘀·涼血止血·利膽退黃할 수 있다. ③ 鎭痙息風하여 祛痰開竅한다. 熱極生風하고 煉液爲痰하기에 溫熱病은 항상 抽風·痰迷·神昏 등의 險症이 있으니 적극적으로 예방하고 치료해야 한다. ④ 清熱利濕하고 芳香化濁한다. 濕熱의 邪氣가 쉽게 相兼하여 병을 일으키니, 예를 들어 本病에서는 茵陳을 넣음으로써 利濕退黃하는 것이다. ⑤ 危險한 重症에는 '三寶'를 겸용한다. 安宮牛黃丸·紫雪·至寶丹은 여전히 한의학에서 응급함을 구제할 때 용약하는 보배라고 할 수 있으니, 위험한 重症에는 '三寶'를 겸용하는 것이 확실히 양호한 효과가 있다.

【副方】

1. 神犀丹(『醫效秘傳』卷1): 烏犀角尖(磨汁) 石菖蒲 黃芩 各六兩(各 180 g) 眞懷生地絞汁 金銀花 各一斤(各

500 g) 金汁 連翹 各十兩(各 300 g) 板藍根 九兩(270 g) 香豉 八兩(240 g) 元參 七兩(210 g) 花粉 紫草 各四兩(各 120 g) 各生曬研細, 以犀角·地黃汁·金汁和搗爲丸.

- 用法: 每重一錢(3 g), 涼開水化服. 日二次. 小兒減半.
- 作用: 淸熱開竅, 涼血解毒.
- 適應症: 溫熱暑疫, 邪入營血, 熱深毒重, 耗液傷陰. 症見高熱昏譫, 斑疹色紫, 口咽糜爛, 目赤煩躁, 舌紫絳等.

2. 化斑湯(『溫病條辨』卷1): 石膏 一兩(30 g) 知母 四錢(12 g) 生甘草 三錢(9 g) 玄參 三錢(9 g) 犀角 二錢(6 g) 磨沖 白粳米 一合(9 g)

- 用法: 水八杯, 煮取三杯, 日三服. 滓再煮一盅, 夜一服.
- 作用: 淸氣涼血.
- 適應症: 溫病熱入氣血之證. 發熱煩躁, 外透斑疹, 色赤, 口渴或不渴, 脈數等.

淸瘟敗毒飮·神犀丹·化斑湯은 모두 淸熱涼血하는 효능을 갖추고 있는데, 차이점은 淸瘟敗毒飮은 熱毒이 충만하여 氣血兩燔하는 증상을 치료하므로 大劑의 辛寒한 약재를 사용하여 陽明經의 熱을 淸解하면서 아울러 瀉火·解毒·涼血하는 것을 사용하여 氣血을 모두 淸하게 하는 것에 있고, 神犀丹은 邪氣가 營血로 들어가서 熱深毒重한 증상을 치료하므로 淸熱解毒을 위주로 하면서 아울러 涼血開竅하는 것을 사용함으로써 解毒神淸시키는 것에 있으며, 化斑湯은 溫病의 熱入氣血로 發熱·發斑하는 증상을 치료하는데, 본 방제는 淸氣涼血을 위주로 하지만 淸瘟敗毒飮의 淸氣涼血解毒과 비교하면 부족한 점이 있다는 것이다.

세 방제의 配伍한 用藥 방면에 있어서의 공통점은 犀角·玄參을 사용하였다는 것이고, 구별점은 다음과 같다. 淸瘟敗毒飮은 石膏를 重用하여 '先平其甚者'하면서 陽明經熱을 크게 淸하게 하므로 君藥으로 삼았고, 芩·連으로 瀉火하면서 犀角(現爲水牛角)·生地黃·玄參으로 涼血解毒하는 것을 배합하여 사용하였다. 神犀丹은 犀角을 사용하여 淸熱涼血하면서 石菖蒲로 芳香開竅하여 함께 君藥이 되면서 淸心開竅·涼血解毒하는 효능을 갖추고 있고, 銀花·連翹·金汁·豆豉·板藍根과 배합하여 內淸外透하면서 生地·玄參·花粉 등으로 護陰生津하여 함께 淸心開竅·涼血解毒하는 효능을 거두는 것이다. 化斑湯은 石膏·犀角(現爲水牛角)·玄參으로 함께 氣血兩淸하는 방제를 구성하면서 氣血兩燔하는 發斑證에 사용하여 치료하는데, 化斑湯의 瀉火解毒하는 효능은 淸瘟敗毒飮보다 약간 부족하다.

별도로『中醫方劑大辭典』에 실려 있는 것에 근거하면 化斑湯의 同名異方은 19개에 달하는데, 그 主治 및 用藥 방면으로 분석하면 아래와 같은 규율을 발견할 수 있었다. ① 主治 방면: 주로 發斑·斑毒 및 痲疹·痘毒이나, 심하면 斑·疹 혹은 痘·斑이 함께 출현하는 重症을 치료하는데 사용되었다. 다만 邪氣와 正氣의 盛衰가 다르기 때문에 病狀을 세 가지 등급으로 구별할 수 있는데, 이미 風熱의 外邪가 鬱表한 것이 있어서 肺氣失宣하여 疹毒이 鬱하여 暢發하지 못하는 斑疹 輕症이 있고, 또한 溫病으로 熱入氣血한 斑毒 重症이 있으며, 다시 發斑하면서 脈虛하여 斑疹 후기의 邪氣가 未盡하여 氣陰兩虛한 증상이 있다. ② 用藥 방면: 病狀에 맞추어 세 가지 종류로 구분할 수 있는데, 斑疹이 輕症인 자는 치료가 解肌透疹하는 것이 마땅하고, 약재로는 牛蒡子·連翹·柴胡·升麻·荊芥·防風·黃芩 등을 사용한다. 斑疹의 重症에 대하여는 淸氣涼血하는 것에 중점이 있으며, 약재로는 石膏·知母·玄參·水牛角·丹皮·生地黃 등을 사용한다. 斑疹의 後期에 이르러서의 치료는 益氣淸熱養陰하면서 겸하여 化斑止血하는 것이 마땅하고, 약재로는 人蔘·石膏·玄參·知母·甘草 등을 사용한다. 같은 化斑湯이라고 명칭하고 같이 斑疹 등의 病證을 치료한다고 하더라도, 질병 경과의 發展 및 病勢의 輕重에 따라 다르며, 그 治法 및 用藥도 또한 그것에 따라 달라짐을 볼 수 있다. 그렇지만 또한 반드시 보아야 할 것은 病勢의 程度가 서로 같은 것을 치료할 때에는 그 用藥이 대부분 서로 같았다는 것이다.

第五節 清臟腑熱劑

導赤散

(『小兒藥證直訣』卷下)

【異名】 導赤湯(『外科證治全書』卷5).

【組成】 生地黃 生甘草 木通 各等分(各 6 g)

【用法】 위의 약재를 분말로 만들어서 매번 三錢(9 g)을 복용하는데, 물 一盞에 竹葉를 넣어 함께 五分이 되도록 달여서 食後에 따뜻하게 복용한다.

【效能】 清熱, 利水.

【主治】 心經火熱證. 心胸煩熱, 口渴面赤, 意欲飲冷, 以及口舌生瘡; 或心熱移於小腸, 症見小溲赤澀刺痛, 舌質紅, 脈數.

【病機分析】 본 方證의 病機를 原書에서는 '心熱'로 개괄하였는데, 心主神明하면서 胸中에 위치하고 있어서 心經에 熱이 있으면 神明이 擾亂되면서 心胸煩熱이 나타나는 것이고, 手少陰心經은 咽喉를 끼고 上行하여 咽部를 지나므로 만약 心火上炎하여 津液을 灼傷하면 口渴面赤·意欲冷飲하는 것이며, 舌은 心之苗가 되는데 火邪가 上部를 熏蒸하므로 口舌生瘡이 나타나는 것이다. 心과 小腸은 서로 表裏가 되므로 心熱하면 小腸도 역시 熱하는데, 만약 心熱이 小腸으로 옮겨지면 小溲赤澀·尿時刺痛이 나타난다. 舌質紅과 脈數은 모두 心經에 熱이 있는 증상이다.

【配伍分析】 본 방제는 心經蘊熱 혹은 心熱이 小腸으로 옮겨간 것을 위해서 만들어진 것이다. 치료도 清心熱하면서 利小便하는 것이 마땅하니, 熱을 인도하여 아래로 가게함으로써 蘊熱로 하여금 小便을 따라 풀리도록 한 것이다. 방제 중 木通은 心과 小腸으로 들어가는데, 味苦性寒하여 清心降火하면서 利水通淋하므로 君藥으로 사용한다. 生地黃은 心·腎經으로 들어가는데, 甘涼하면서 潤하여 清心熱하면서 涼血滋陰하므로 臣藥으로 사용하는 것이고, 木通과 서로 배합하면 利水하면서도 陰을 손상시키지 않고, 補陰하면서도 邪氣를 매어두지 않는다. 竹葉으로써 佐藥을 삼는데, 清心除煩하면서 熱을 인도하여 아래로 가게한다. 甘草의 梢를 사용하는 것은 莖中으로 직접 도달하여 淋痛을 그치게 하는 것이며, 아울러 능히 調和諸藥하면서 또한 木通·生地의 寒涼한 약재가 胃를 손상시키는 것을 방지할 수 있으므로 佐使藥으로 사용한다. 네 가지 약재를 합해서 사용하면 함께 清熱利水하는 효능을 갖추게 된다.

본 방제의 配伍 특징은 清熱과 養陰하는 약재를 配伍하여 利水하면서도 陰을 손상시키지 않고, 瀉火하면서도 胃를 攻伐하지 않으며, 滋陰하면서도 邪氣를 매어두지 않는 것에 있으니, 小兒처럼 陰陽이 모두 여리고(稚陰稚陽) 쉽게 寒證이 熱證으로 바뀌고(易寒易熱), 쉽게 虛症이 實證으로 바뀌며(易虛易實) 病變이 신속한 病理·生理 특징에 적합하다. 그러므로 본 방제는 小兒에게 최고 마땅하니 이것이 또한 錢乙이 制方한 本意인 것이다.

【臨床應用】

1. 證治要點: 본 방제는 清心利水하는 상용 방제인데, 증상에 임해서는 心胸煩熱, 口渴, 口舌生瘡 혹은 小便赤澀, 舌紅, 脈數을 證治의 요점으로 삼는다.

2. 加減法: 만약 心火較盛하면 黃連을 넣어 清心瀉火할 수 있으며, 心熱移於小腸하여 小便不通하면 車前子·赤茯苓을 넣어 清熱利水하는 효능을 증가시킬 수 있다.

3. 導赤散은 다음 한국표준질병사인분류(KCD)에 해당하는 환자가 心經火熱證으로 辨證되는 경우 본 처방의 사용을 고려해볼 수 있다.

처방 목표	한국표준질병사인분류(KCD)
口腔炎	K12 구내염 및 관련 병변
鵝口瘡	B37.0 칸디다구내염
	B37.9 상세불명의 칸디다증
小兒夜啼	R68.1 영아기에서 독특한 비특이성 증상_야제
急性 泌尿系感染	N39.0 부위가 명시되지 않은 요로감염

【注意事項】 본 방제 중에 木通은 苦寒하고 生地黃은 陰柔寒涼하므로 脾胃가 虛弱한 자는 신중히 사용해야 한다.

【變遷史】 본 방제는 北宋의 小兒科 名醫인 錢乙이 創製한 것이다. 『小兒藥證直訣』卷下에 記載된 것에 근거하면 원래 小兒의 "心熱, 視其睡, 口中氣溫, 或合面睡, 及上竄咬牙, 皆心熱也."하는 것을 치료하는 것이었다. 이후에 의학자들의 부단한 임상 실천을 경과하면서 그 응용 범위가 확대되었는데, 주로 心經에 熱이 있는 것을 치료하는 것에서부터 心移熱於小腸證에까지 확대되었고, 또한 小兒科에서부터 內科에까지 확장하였다. 예를 들어 『太平惠民和劑局方』卷6(淳祐 新添方)에서는 大人과 小兒의 心經內熱로 邪熱이 相乘하여 煩躁悶亂하거나, 下經으로 전해지면서 小便赤澀淋澀하면서 臍下滿痛하는 것을 치료한다고 하였고, 『醫宗金鑒』卷29에 실려 있는 治療 病證은 더욱 광범위한데 "熱氣熏蒸胃口, 以致滿口糜爛, 甚於口瘡, 色紅作痛, 甚則連及咽喉不能飲食; 心火刑金, 火熱喘急; 孕婦因膀胱水病熱甚尿澀而小腹作疼." 등이라고 하였다.

본 방제를 기본으로 하여 약재를 증감하여 처방한 同名異方 역시 상당히 많은데, 예를 들어 『世醫得效方』卷11의 방제는 黃芩·燈草·白茅根을 넣어 清熱利水하는 효능이 더욱 좋은 것으로 心氣熱을 치료하였다. 『活幼心書』卷下의 방제는 黃芩·赤茯苓을 넣어 역시 清熱利水하는 효능을 강화한 것으로 小兒의 心經에 壅熱한 모든 증상을 치료한다. 『醫方類聚』卷136에서 인용한 『經驗良方』의 방제는 竹葉을 빼고 麥門冬·燈草를 넣어 養陰清熱하는 효능을 강화시킨 것으로 心經이 內虛하여 邪熱이 相乘하는 모든 증상을 치료한다. 『奇效良方』卷65의 방제는 竹葉을 빼고 人蔘·麥門冬을 넣고 生甘草를 炙甘草로 바꾸어 사용하면서 益氣養陰을 겸하여 가능하게 하였는데, 小兒瘡疹으로 心經蘊熱하면서 睡臥不寧하고 煩躁而小便不利하며 面赤多渴하면서 貪食乳하는 자를 치료하였다. 『銀海精微』卷上의 방제는 梔子·黃柏·知母·燈心草를 넣어 苦寒瀉火하는 효능을 비교적 강화시킨 것으로 目大眥에 赤脈이 傳睛하는 것을 치료하였다. 『片玉痘疹』卷6의 방제는 竹葉을 빼고 辰砂·防風·薄荷葉을 넣으면서 鎭心清熱疏風을 겸하여 가능하게 한 것으로 痘瘡發熱로 驚搐이 있는 자를 치료한다. 『丹台玉案』卷3의 방제는 犀角(현재는 水牛角으로 대체)·薄荷·連翹를 넣어 清心熱하는 효능을 더욱 크게 한 것으로 心經의 發熱을 치료한다. 『眼科闡微』卷3의 방제는 犀角(현재는 水牛角으로 대체)·丹皮를 넣어 清心涼血明目을 겸하여 가능하게 한 것으로 心經의 實熱로 양쪽 大眼角에 赤色이 있으면서 內外에 紅絲가 보이고, 점점 白睛으로 침입하여 瘀血이 堆積하여 不散하는 것을 치료한다. 『筆花醫鏡』卷2의 방제는 麥門冬·車前·赤茯苓을 넣어서 작용을 清熱利水하는 것에 치중한 것으로 熱閉하여 小便不通하는 것을 치료한다.

이상의 모든 同名異方은 모두 錢氏導赤散 중의 木通·生地黃을 보유하여 清心利水하면서, 혹은 甘草를 빼거나, 혹은 竹葉을 빼었고, 혹은 단지 더하면서 줄이지는 않았는데, 더하는 약재에는 주로 세 가지 종류가 있다. 첫째는 清心瀉火藥이니 犀角(현재는 水牛角으로 대체)·連翹·朱砂·梔子·黃芩 등과 같은 것이고, 둘째는 淸熱利水藥이니 車前·白茅根·赤茯苓·燈心草 등과 같은 것이며, 셋째는 養陰益氣藥으로 麥門冬·人蔘 등과 같은 것이다. 後世의 諸方에서 增減시킨 藥物들은 여전히 原方의 淸心利水하면서 不傷陰하는 치법을 중심으로 하고 있음을 설명하고 있는데, 이것이 바로 錢氏가 導赤散의 방제를 구성할 때 立法한 精華이면서 후세에 모범을 보이는 까닭이다.

【難題解說】

1. 본 방제의 君藥에 관한 것: 一說에는 錢氏의 本意가 '小兒心熱'을 위하여 본 방제를 創製한 것이기 때문에 마땅히 入心腎經하여 甘涼而潤之하는 生地黃을 君藥으로 삼아야 하는데, 入心하여 淸心涼血할 수 있고, 또한 入腎하여 養陰生津할 수 있으므로 이것을 사용하여 心經에 熱이 있으면서 陰傷이 심하지 않은 자를 치료한다는 것으로, 季楚重 등이 이러한 관점을 견지하고 있다. 一說에는 木通·生地黃으로 君藥을 삼는 것인데, 이유는 두 가지가 配伍되어야 비로소 滋陰利水하는 효능을 완성할 수 있어서 滋陰하면서 心火를 제어하고, 利水하면서도 陰을 손상시키지 않는다는 것인데, 『醫方發揮』 등이 이러한 관점을 견지하고 있다. 본 방제를 사용하여 치료하는 것이 心經熱盛 및 心熱移於小腸한 것이기 때문에 마땅히 心과 小腸의 兩經으로 들어가는 木通을 君藥으로 삼아야 하는데, 그 性味가 苦寒하여 淸心降火할 뿐만 아니라 利尿通淋할 수 있어서 두 가지 일을 다 할 수 있다.

2. 心熱의 性質에 관한 것: 錢氏는 단지 그것이 '心熱' 혹은 '心氣熱'을 치료한다고 말하면서 心熱의 虛實 속성에 대해서는 언급하지 않았다. 만약 이 증상이 心經의 實熱이라면 치료는 苦寒한 약재로 직접적으로 좌절시켜야 하기에 瀉心湯이 가장 적합하며 陰柔滋膩한 生地黃을 사용하는 것은 이치에 맞지 않고, 만약 心經의 虛熱이라면 치료는 滋陰淸熱해야 하는데 또한 木通·竹葉과 같은 滲利傷陰하는 약재를 많이 사용하는 것은 마땅치 않다. 錢氏의 原書로 볼 것 같으면 본 方證은 實火가 아닐 뿐만 아니라 虛熱도 아니다. 이유는 두 가지가 있다. 첫째, 錢氏의 책 卷上의 '脈證治法' 중에는 心實證이 있는데 "心氣實則氣上下行澀, 合臥則氣不得通, 故喜仰臥, 則氣得上下通也. 瀉心湯主之."라고 하여 導赤散證 중에 있는 '合面臥'한다는 것과 '喜仰臥'한다는 것은 정반대이다. 그리고 錢氏의 瀉心湯 약재 구성에는 겨우 黃連 1味를 가지고 직접적으로 心經의 實熱을 꺾고 있는데, 導赤散 중에는 비록 苦寒한 木通이 있지만 陰柔滋膩한 生地黃이 방제 중에 있으면서 또한 중요한 지위를 차지하고 있기 때문에 導赤散의 心熱은 心經의 實火가 아님을 볼 수 있다. 둘째, 錢氏의 책 卷上에 있는 '目內證' 중에서 말하기를 "赤者心熱, 導赤散主之; 淡紅者, 心虛熱, 生犀散主之."라고 하였다. 본 조문 중에서 '心熱'과 '心虛熱'은 서로 對立이 되니, 導赤散의 心熱은 心經의 虛熱이 아님을 볼 수 있다. 따라서 『醫宗金鑒』「刪補名醫方論」卷4에서는 장차 본 증상을 개괄하기를 '水虛火不實'이라고 하였는데, 이러한 설명이 錢氏의 本意와 비교적 일치하는 것 같다. 곧 水虛不甚하고 火亦不實한 것인데, 水虛가 심하지 않기에 熱을 생성하기에는 부족하고 火도 또한 實하지 않기에 傷陰하기에는 부족한 것이다.

이상에서 볼 수 있듯이 導赤散은 淸熱利水와 陰柔滋膩를 一體가 되도록 합한 것으로, 小兒가 稚陰稚陽之體라서 "易寒易熱, 易虛易實."하여 질병의 변화가 신속한 특징을 조준하여 制方한 것이니, 의도는 治實하면서 正氣虛해지는 것을 예방하고 治虛하면서 邪氣實해지는 것을 예방하는데 있다. 곧 淸心利水하면서 傷陰하지 않고, 滋陰生津하면서 濕을 도와 邪氣를 모으는 폐단이 없도록 한 것이니, 火象不甚하고 陰無大傷한 자에 대하여 비교적 양호한 치료 효과가 있다.

【醫案】

1. 小兒夜啼『四川中醫』(1987, 4:21): 某 남자 嬰兒, 4개월. 患兒는 4일 이전에 밤에 잠이 들려고 하면 啼哭이 그치지 않았으며, 哭聲響亮, 面赤唇紅, 煩躁不安, 大便乾, 舌尖紅, 指紋紅紫, 體溫正常이었다. 이것은

心經에 熱有이 있으면서 神明을 擾動시킨 것이니 치료는 淸心瀉火하는 것이 마땅하다. 방제로는 導赤散에 加減한 것을 사용하였다. 生地·木通·淡竹葉 各 3 g, 黃連·生大黃(後下)·蟬蛻 各 2 g, 2첩. 2일 후에 다시 진찰하니 夜啼는 이미 그쳤지만 大便淸稀하기에 여전히 이 처방에다가 大黃·黃連을 빼고 麥門冬·茯苓 各 2 g을 넣어 2첩을 복용하여 나았다.

2. 木舌『河南中醫』(1994, 4:254): 某 남자 嬰兒, 4개월, 혼합 수유. 3개월 전에 舌體가 腫大하면서 젖을 먹을 때 소리를 내면서 시끄러운 울음소리를 내었는데, 이미 '先天愚型'으로 진단받았지만 치료해도 효과가 없었다. 지금 진찰해보니 舌體가 腫大하면서 나무판처럼 딱딱한 것이 입안에 가득 찼으며, 혀는 늘어나면서 입 밖으로 빠져나와 있으며 움직이지 못하여 젖을 빨기 곤란하였으며, 동반하여 面赤唇紅, 舌質紅, 苔黃, 大便秘, 小便少, 煩躁不安, 哭鬧不止가 나타났다. 이것은 心脾의 積熱로 邪熱이 經絡을 따라 口舌에 上行한 것으로 치료는 淸心瀉火·解毒消腫하는 것이 마땅하다. 방제로는 導赤散에 淸熱散(水牛角·黃連·滑石·梔子) 등을 합하여 물에 달여 頻服하였다. 다시 진찰했을 때 모든 증상이 輕減하였으며 계속해서 9일을 복용하고는 치유되었다.

考察: 醫案1의 小兒夜啼는 心經에 熱이 있으면서 神明을 擾動하여 생긴 것이니 치료는 瀉火淸心하는 導赤散에 加味하였고, 醫案2의 木舌은 증상이 心脾의 積熱이 經絡을 따라 위로 이동함으로써 야기된 것에 속하므로 치료는 淸心瀉火하면서 解毒消腫으로 보좌한 것이다. 약재와 증상이 박자가 맞으므로 양호한 효과를 거둔 것이다.

淸心蓮子飮

(『太平惠民和劑局方』卷5)

【異名】 蓮子淸心飮(『醫方集解』「瀉火之劑」).

【組成】 黃芩 麥門冬 去心 地骨皮 車前子 甘草 炙 各半兩(各 15 g) 石蓮肉 去心 白茯苓 黃芪 蜜炙 人蔘 各七錢半(各 22.5 g).

【用法】 위의 약재를 갈아서 분말로 만들어 매번 三錢(10 g)을 복용하는데, 물 一盞半을 달여 八分이 되면 취하여 찌꺼기를 버리고 물속에서 차갑게 식힌 다음에 空心인 食前에 복용한다.

【效能】 淸心火, 益氣陰, 止淋濁.

【主治】 心火偏旺, 氣陰兩虛, 濕熱下注證. 症見遺精淋濁, 血崩帶下, 遇勞則發; 或腎陰不足, 口舌乾燥, 煩躁發熱等.

【病機分析】 본 方證은 心火가 妄動함으로 말미암아 氣陰이 不足해지면서 心腎不交하고 濕熱下注하여 생기는 것이다. 心火가 妄動하면 心陰이 암암리에 소모되면서 心火가 아래로 腎과 사귀지 못하고 腎水가 위로 心을 救濟해주지 못하여 水虧火旺함으로써 精室을 擾動하므로 遺精이 나타나고, 濕熱이 下注하면 膀胱에 침입하면서 氣化를 담당하지 못하여 水道가 不利하므로 淋濁이 나타나며, 心火와 濕熱이 沖任을 손상시키므로 血崩帶下가 나타나고, 熱이 내부에서 왕성하면 心神이 편안하지 않으므로 煩躁發熱이 나타나고, 腎陰이 부족하면 陰津도 역시 휴손되어 虛火가 上炎하므로 口舌乾燥가 나타나고, 心火가 偏旺하면 氣陰을 耗傷하여 氣陰兩虛에 이르게 되고, 過勞하게 되면 耗氣하는데 氣耗하면 氣陰이 더욱 虛해지므로 遇勞則發이 나타나는 것이다.

【配伍分析】 이러한 心火偏旺, 氣陰兩虛, 濕熱下注하는 증상에 대하여 치료는 마땅히 淸心火·益氣陰·利濕止淋하여 扶正과 祛邪를 함께 살펴야 한다. 방제 중 石蓮肉은 淸心除煩·淸熱利濕하기에 君藥으로 사용한다. 黃芩·地骨皮는 蓮肉의 淸熱시키는 힘을 도와주니 臣藥으로 사용한다. 茯苓·車前子는 濕熱을 分利시키고, 人蔘·黃芪는 益氣扶正하며, 麥門冬은 淸心養陰하니 이상의 약재들은 모두 佐藥이 된다. 甘草는 調和淸利補養의 효능을 갖추고 있으니 使藥으로 사용한다. 모든 약재를 합하여 사용하면 心火淸寧·氣陰恢復·心腎交通·濕熱分淸하게 만들어서 치료하고자 하는 증상이 모두 제거된다.

본 방제의 配伍 특징은 淸心火를 위주로 하면서 益氣養陰·淸利濕熱하는 약재를 배오하여 扶正과 祛邪를 함께 살핀 것이니 補瀉兼施의 방제가 된다.

【類似方比較】 본 방제는 導赤散과 함께 淸心養陰利水하는 효능을 갖추고 있다. 본 방제는 淸心과 利水시키는 힘이 비교적 강하면서 黃芪·人蔘이 있으므로 補氣시키는 효능을 겸하여 가지고 있기 때문에 心火가 偏旺하여 氣陰兩虛하면서 濕熱下注하는 증상에 사용하고, 導赤散은 淸心利水시키는 힘이 뒤지면서 또한 益氣시키는 효능도 없으므로 心經의 火熱 및 心熱이 小腸으로 옮겨지는 증상에 마땅하다.

【臨床應用】

1. 證治要點: 본 방제는 心火가 偏亢하면서 氣陰이 兩虛하고 濕熱이 下注하는 증상에 사용하는데, 임상에서 응용할 때에는 遺精淋濁, 血崩帶下, 遇勞則發, 煩躁發熱, 口舌乾燥한 것을 證治의 요점으로 삼는다.

2. 加減法: 遺精이 위주인 자는 煅龍骨·煅牡蠣를 넣어 鎭潛心陽·收澀固精하고, 膏淋白濁이 위주인 자는 萆薢·石菖蒲를 넣어 利濕化濁하며, 血崩帶下하는 자는 椿根皮·炒荊芥穗炭을 넣어 固崩止帶한다.

3. 淸心蓮子飮은 다음 한국표준질병사인분류(KCD)에 해당하는 환자가 心火偏旺, 氣陰兩虛, 濕熱下注證으로 辨證되는 경우 본 처방의 사용을 고려해 볼 수 있다.

처방 목표	한국표준질병사인분류(KCD)
慢性前立腺炎	N41.1 만성 전립선염
乳糜尿	(질병명 특정곤란)
	B74 사상충증
	A18.1 비뇨생식계통의 결핵
	R80 고립된 단백뇨
機能性 子宮出血	N93.8 기타 명시된 이상 자궁 및 질 출혈_기능성자궁출혈
神經衰弱 (neurasthenia)	F48.0 신경무력증
	F48.8 기타 명시된 신경증성 장애
	F48.9 상세불명의 신경증성 장애
心筋炎	I40 급성 심근염
	I41 달리 분류된 질환에서의 심근염

【變遷史】 본 방제는 『太平惠民和劑局方』卷5에서 나오는데, 이 방제가 "淸心養神, 秘精補虛, 滋潤腸胃, 調順氣血."하는 효능이 있으면서, 또한 "藥性溫平, 不冷不熱."하며, "心中蘊熱, 時常煩躁, 因而思慮勞力, 憂愁憂鬱, 是致小便白濁, 或有沙膜, 夜夢走泄, 遺瀝澀痛, 便赤如血; 或因酒色過度, 上盛下虛, 心火炎上, 肺金受克, 口舌乾燥, 漸成消渴, 睡臥不安, 四肢倦怠, 男子五淋, 婦人帶下赤白; 及病後氣不收斂, 陽浮於外, 五心煩熱."을 치료한다고 하였다. 후세의 의학자들은 본 방제의 임상 운용에 대하여 확대하였으니, 예를 들어 『保嬰撮要』卷14에서는 이것을 사용하여 心腎의 虛熱로 便癰하여 發熱口乾하고 小便白濁하면서 밤에는 안정되고 낮에는 발작하는 것을 치료한다고 하였고, 『外科正宗』卷3에서는 이것을 사용하여 心經의 蘊熱로 小便赤澀하면서 玉莖腫痛이나 혹은 莖竅作痛하거나 上盛下虛로 心火炎上하면서 口苦咽乾하고 煩躁作渴하는 것을 치료한다고 하였다.

본 방제를 기초로 加減하여 변화 발전시킨 방제로 대략 아래의 세 가지 방제가 있다. 첫째, 『仁齋直指方論』卷10에 실려 있는 같은 이름의 방제로 地骨皮·黃芪를 빼고 益智仁·遠志·石菖蒲·白朮·澤瀉를 넣어 만들었는데, 益氣淸熱하는 작용을 경감시키면서 固腎除濕化濁시키는 힘을 강화시킨 것으로, 心中에 熱이 침범하여 煩躁하면서 赤濁肥脂한 것을 치료한다. 둘째, 『明醫雜著』卷6의 同名方으로 蓮子(疑脫)·黃芪·茯苓·甘草를 빼고 柴胡를 넣어 만들었는데, 益氣시키는 효능을 감소시키면서 疏泄散熱을 겸하여 가능하게 한 것으로, 熱이 氣分에 있어서 煩躁作渴하면서 小便赤濁淋瀝하거나, 혹은 陰虛火旺하여 口苦咽乾하고 煩渴하며 微熱하는 자를 치료한다. 셋째, 『仁朮便覽』卷3의 淸水蓮子飮으로 방제 중의 白茯苓을 赤茯苓으로 바꾸고, 다시 地膚子를 넣어 만들었는데, 淸利濕熱하는 효능이 비교적 뛰어나서 上盛下虛하면서 心火炎上하여 口苦咽燥하고 微熱하면서 小便赤澀하거나 혹은 淋疾이 되려고 하는 것을 치료한다.

【醫案】

1. 夢交 『江蘇中醫』(1991, 9:36): 某 여자, 36세. 3년 전에 남편이 세상을 떠난 후에 항상 思慮過度한데 情志不暢하여 하루 종일 神志가 恍惚하면서 不眠健忘하였으며, 최근 2~3개월 동안 꿈속에서 愛人과 交合을 하면서 形體가 매일 점점 消瘦해지고 神疲乏力하였으며, 夜寢不安, 納食不香, 月經稀少하였고, 舌紅, 苔薄黃, 脈弦細數하였다. 증상은 肝鬱이 火로 변하여 傷陰함으로써 心陰이 암암리에 소모되면서 心火偏亢하여 心腎不交에 이르게 된 것에 속한다. 치료는 疏肝解鬱·降火寧神·交通心腎해야 한다. 방제로는 淸心蓮子飮에 加減한 것을 사용하였다. 蓮子心·炙甘草 各 6 g, 黃芩·地骨皮·麥門冬·合歡皮·茯神 各 12 g, 黃芪·太子蔘·炒棗仁 各 15 g, 柴胡 9 g, 生龍骨, 生牡蠣 各 30 g. 10첩을 복용한 후에 밤에 잠들 수 있었고 夢交는 소실되었다. 이후에 養血安神片으로 調理하였더니 모든 증상이 다 제거되면서 정신이 편안해지고 식사량이 증가하였으며 신체가 건강해졌다.

考察: 본 例는 情志憂鬱로 인하여 鬱久하면 火로 변하여 傷陰하며, 心陰이 암암리에 소모되면 心火가 偏亢하면서 神不守舍하므로 夢交가 발생한 것이다. 방제로는 淸心蓮子飮을 사용하여 益氣陰·瀉心火·交心腎하였으며, 棗仁·合歡皮를 配伍하여 養血寧心安神하였고, 龍·牡를 配伍하여 潛陽安魂하여 神魂이 집을 잘 지킴으로써 夢交가 저절로 제거된 것이다.

2. 水腫 『湖南中醫學院學報』(1988, 2:43): 某 남자, 26세. 간간이 下肢 水腫이 1년 동안 있어서 입원한 지 3개월 정도 되었는데, 慢性 絲毬體腎炎(腎病型)으로 진단 받고 한의학과 서양의학 치료를 거쳤지만 水腫은 때때로 붓고 때때로 가라앉다. 일반 소변검사: 尿蛋白이 지속되었다(++)~(++++). 이번에 진단하여 보니 周身乏力, 腰膝酸軟, 耳鳴, 五心煩熱, 양쪽 下肢의 踝關節處에 輕證의 凹陷性 水腫이 있었고, 面色蒼白, 舌體胖白, 苔薄白, 脈細無力, 尺脈弱하였다. 辨證은 脾腎의 氣陰兩虛로 하였다. 치료는 健脾益氣·益腎固精하는 것이 마땅하다. 방제는 淸心蓮子飮에 加減한 것으로 하였다. 黃芪 30 g, 石蓮子·黨參·益母草 各 15 g, 茯苓 12 g, 車前子·黃芩·地骨皮·麥門冬·淫羊藿 各 10 g. 10첩을 복용한 후에 水腫이 점점 없어지면서 精神이 이전과 비교해서 호전되었고, 飮食이 증가하고 일반 소변검사에서 尿蛋白(++)~(+)이 나왔다. 原方을 50첩까지 복용한 후 다시 尿蛋白(+)~(−)을 검사하였다. 본 방제 사용을 堅持하면서 加減하여 6개월을 치료하였더니 水腫이 나타나지 않았고, 또한 뚜렷한 불편함이 없었으며, 尿蛋白은 陰性이 되었다. 방문하면서 물어본 지 2년이 되었지만 아직 재발하지 않았다.

考察: 慢性 腎炎의 水腫은 일반적으로 脾腎에 책임이 있으니, 곧 脾虛하여 制水하지 못하고 腎虛하여 主水하지 못하기 때문에 水濕이 肌膚에 넘치면서 水腫이 되는 것이다. 또한 脾가 統攝하지 못하고 腎이 封藏하지 못하여 精微로운 물질이 尿中으로 流失되면서 반드시 陰精을 손상시키는 것이다. 淸心蓮子飮은 脾腎을 모두 살피면서 利水하면서 澀精하는 것이니 標本을

兼治하는 것이다. 益母草를 넣어 活血化瘀함으로써 菀陳을 제거하고, 淫羊藿으로 溫補腎陽함으로써 氣化를 돕는 것이니, 전체 방제의 配伍가 정확하고 적절하여 효과를 얻은 것이다.

3. 淋證『河南中醫學院學報』(1988, 2:44): 某 여자, 32세. 小便頻數과 澀痛이 반복해서 발작한 것이 5년 되었는데, 때때로 가벼워지고 때때로 심해졌으며 대부분 과로 혹은 睡眠不足 후에 발병하였다. 최근 몇 주 동안 다시 과로한 후에 尿頻·尿急·短赤澀痛이 출현하였고, 煩躁, 全身乏力, 舌質淡紅, 苔微黃膩, 脈細數 등의 증상을 동반하였다. 일반 소변검사: 백혈구(++)·적혈구(+)·化膿性 細胞(++). 양의사의 진단은 慢性 腎盂腎炎의 급성 발작이라고 하였고, 한의사는 勞淋으로 辨證하였다. 치료는 淸心蓮子飮에 蒲公英 10 g 넣은 것을 적용하였는데, 5첩을 복용한 후에 증상이 개선되면서 精神이 호전되었고, 일반 소변검사에서 적혈구(+)인 것을 제외하면 나머지는 모두 정상이었다. 계속해서 原方을 15첩 투여하였는데, 복용한 후에 치유되었고, 방문하여 물어보니 15년이 되었는데 재발하지 않았다.

考察: 이 例의 淋證은 대부분 과로로 인해서 생겼으므로 勞淋이 된다.『醫方考』에서 인식하기를 淸心蓮子飮은 勞淋을 치료한다고 하였다. 그러므로 본 방제에 다시 蒲公英을 넣어 淸熱解毒한 것으로, 病機에 일치하므로 효과를 거둔 것이다.

龍膽瀉肝湯

(『太平惠民和劑局方』, 錄自『醫方集解』「瀉火之劑」)

【異名】 瀉肝湯(『類證治裁』卷4).

【組成】 龍膽草 酒炒 6 g 梔子 酒炒 9 g 黃芩 炒 9 g 澤瀉 12 g 木通 9 g 車前子 9 g 當歸 酒洗 3 g 生地黃 酒炒 9 g 柴胡 6 g 生甘草 6 g

『醫方集解』에는 용량 표기가 없음.

【用法】 水煎服.

【效能】 淸肝膽實火, 瀉下焦濕熱.

【主治】

1. 肝膽實火上炎證: 頭痛目赤, 脇痛, 口苦, 耳聾, 耳腫 等, 舌紅苔黃, 脈弦數有力.

2. 肝膽濕熱下注證: 陰腫, 陰癢, 陰汗, 小便淋濁, 或婦女帶下黃臭 等, 舌紅苔黃, 脈弦數有力.

【病機分析】 본 方證은 肝膽의 實火로 혹은 濕熱이 循經하여 上炎하거나 혹은 下注하여 생기는 것이다. 足厥陰肝經은 "起於足大趾叢毛之際, 上循足跗上臁, 去內踝一寸, …… 循股陰, 入毛中, 過陰器, 抵小腹, 夾胃屬肝絡膽, 上貫膈, 布脇肋, 循喉嚨之後, 上入頏顙, 連目系, 上出額, 與督脈會於巔. 環唇內, …… 別貫膈, 上注肺."한다. 만약 肝膽經의 實火가 熾盛하여 循經上炎하면 巓頂疼痛, 口苦目赤, 耳聾耳腫 등의 증상이 나타나고, 實火가 循經하여 脇肋에 이르면 脇肋脹滿疼痛이 나타나며, 濕熱의 邪氣가 循經하여 下注하면 小便淋濁과 陰癢·陰腫 및 陰汗이 나타나고 婦女에 있어서는 帶下黃臭가 나타난다. 舌紅苔黃하면서 脈弦數한 것은 모두 肝膽에 熱이 있는 것을 주관한다.

【配伍分析】 본 방제는 肝膽의 實火·濕熱로 질환이 생기는 것을 위해 만들어졌는데, 치료는 淸肝膽實火·瀉下焦濕熱하는 것이 마땅하다. 방제 중 龍膽草는 大苦大寒하면서 肝·膽經으로 歸經하는데, "凉肝猛將."(『筆花醫鏡』卷2)한다고 하였고, "厥陰·少陽之正藥."이라고 하였으며, 또한 "大能瀉火, 但引以佐使, 則諸火皆治."(『景岳全書』「本草正」卷48)이라고 하였고, 『藥品

化義』卷9에서 龍膽草를 말하기를 "專瀉肝膽之火, 主治目痛頸痛, 兩脇疼痛, …… 凡屬肝經熱邪爲患, 用之神妙. 其氣味厚重而沉下, 善淸下焦濕熱."이라고 하였으니, 龍膽草가 上部에 있어서는 肝膽의 實火를 淸解하고 下部에 있어서는 肝膽의 濕熱을 瀉下하여 양쪽으로 그 효능이 뛰어나서 病勢에 적중함을 볼 수 있으므로 방제 중에서 君藥이 된다. 黃芩·梔子의 두 가지 약재는 性味苦寒하면서 膽 및 三焦經으로 歸經하면서 瀉火解毒·燥濕淸熱하기에 淸上導下할 수 있어서 臣藥으로 사용한다. 濕熱이 下焦에 壅滯하였으므로 滲濕泄熱하는 車前子·澤瀉·木通을 사용하여 濕熱을 인도하여 下行함으로써 邪氣로 하여금 배출로가 있게 한다. 肝은 藏血하는 臟器로 肝經에 實火가 있으면 쉽게 陰血을 耗傷시키는데, 게다가 위에서 서술한 모든 약재들이 또한 苦燥滲利하여 傷陰하는 약재에 속하므로 生地黃의 養陰과 當歸의 補血을 사용하여 祛邪하면서도 正氣를 손상시키지 않게 하는 것이다. 肝臟은 體陰用陽하며 성질이 喜條達하면서 惡憂鬱한데, 火邪가 內鬱하여 肝氣가 펼쳐지지 못한다고 해서 大劑의 苦寒降泄하는 약재를 사용하면 肝膽의 氣가 抑鬱될 것이 두렵다. 그러므로 柴胡를 사용하여 疏暢氣機하면서 아울러 諸藥을 인도하여 肝膽으로 歸經하게 하는 것이며, 게다가 柴胡와 黃芩을 서로 배합하면 肝膽의 熱을 淸解할 뿐만 아니라 淸上시키는 힘을 증가시키는 것이니, 이상의 六味는 모두 佐藥이 된다. 甘草는 使藥이 되는데, 한편으로는 苦寒한 약재를 완화시켜서 傷胃하는 것을 방지하고, 다른 한편으로는 調和諸藥하는 것이다. 모든 약재들을 서로 配伍하면 火降熱淸하면서 濕濁을 消散시킬 수 있으므로 循經하면서 발생하는 모든 증상들에 相應하여 낫게 할 수 있다.

본 방제의 配伍 특징은 瀉法 가운데 補法이 있고, 降하는 가운데 升하고, 祛邪하되 正氣를 상하지 않고, 瀉火하되 胃을 해치지 않는 것에 있으니, 配伍가 엄밀하여 진실로 瀉肝하는 良方이 된다.

【臨床應用】

1. 證治要點: 본 방제는 淸肝膽·利濕熱하니, 무릇 肝膽의 實火가 上炎하거나 혹은 濕熱이 下注하여 생기는 각종 증후에 모두 사용할 수 있다. 다만 모든 증상이 다 갖추어질 필요는 없고 口苦溺赤, 舌苔黃, 脈弦數有力한 것을 證治의 요점으로 삼는다.

2. 加減法: 肝膽의 實火가 비교적 왕성하면 木通·車前子를 빼고 黃連을 넣어 瀉火시키는 힘을 도울 수 있으며, 만약 濕盛熱輕한 자는 黃芩·生地를 빼고 滑石·薏苡仁을 넣어 利濕시키는 효능을 증가시킬 수 있고, 만약 玉莖에 瘡이 생기거나 혹은 便毒懸癰 및 陰囊腫痛紅熱한 자는 柴胡를 빼고 連翹·黃連·大黃을 넣어 瀉火解毒할 수 있고, 肝經의 濕熱로 帶下가 紅色인 자는 蓮須·赤芍藥 등을 넣어 淸熱燥濕涼血할 수 있고, 肝火上炎하여 頭痛眩暈하고 目赤多眵하며 口苦易怒에 이른 것은 菊花·桑葉을 넣어 淸肝明目할 수 있고, 木火刑金하여 咳血이 나타나는 자는 丹皮·側柏葉을 넣어 涼血止血할 수 있다.

3. 龍膽瀉肝湯은 다음 한국표준질병사인분류(KCD)에 해당하는 환자가 肝膽實火上炎證, 肝膽濕熱下注證으로 辨證되는 경우 본 처방의 사용을 고려해볼 수 있다.

처방 목표	한국표준질병사인분류(KCD)
頑固性 偏頭痛	G43 편두통
頭部 濕疹	L20~L30 피부염 및 습진
高血壓病	I10 본태성(원발성) 고혈압
	I15 이차성 고혈압
急性 結膜炎	H10.2 기타 급성 결막염
	H10.3 상세불명의 급성 결막염
虹彩炎	H20.0 급성 및 아급성 홍채섬모체염
毛様體炎	L02 피부의 농양, 종기 및 큰종기
外耳道 癤腫	H60.0 외이의 농양

처방 목표	한국표준질병사인분류(KCD)
鼻炎	J00 급성 비인두염[감기]
	J30 혈관운동성 및 알레르기성 비염
	J31 만성 비염, 비인두염 및 인두염
外陰炎	N76.2 급성 외음염
	N76.3 아급성 및 만성 외음염
睾丸炎	N45.01 고환염, 농양을 동반한
	N45.91 고환염, 농양을 동반하지 않은
腹股溝 淋巴腺炎	L04.8 기타 부위의 급성 림프절염
	I88 비특이성 림프절염
急性 骨盤腔炎	(질병명 특정곤란)
	N73 기타 여성골반염증질환
	R10 복부 및 골반 통증
帶狀疱疹	B02 대상포진

【注意事項】 본 방제의 藥性이 苦寒하여 쉽게 脾胃를 손상시키고, 게다가 肝膽實火를 淸瀉시키는 것이 위주이므로 脾胃虛寒과 陰虛陽亢한 자에게 사용하는 것은 마땅하지 않다.

【變遷史】 본 방제의 方源에 관하여 現代『方劑學』教材에서는 주로 아래의 세 가지 설명 방법이 있다. 『方劑學』통합편찬 2판 教材는『醫宗金鑒』에서 출전하는 것으로 인식하였고, 上海市 大學教材인『方劑學』(上海人民出版社, 1974년)에서는『太平惠民和劑局方』에서 출전하는 것으로 인식하였으며,『方劑學』통합편찬 5판 教材는 "本方之源, 暫時尚難確定. 有認爲本方是李東垣方, 查『蘭室秘藏』所載本方, 是名同藥異. 有認爲出自『醫宗金鑒』所載, 方凡二見, 一見於『外科心法要訣』, 其方引自『外科正宗』. 一見於『刪補名醫方論』, 其方引自『醫方集解』, 故方源暫用錄自『醫方集解』."라고 인식하였다.

龍膽草·梔子·黃芩 등 10味의 약재로 구성된 龍膽瀉肝湯을 현재 존재하는 문헌으로 살펴보면 제일 처음『醫方集解』「瀉火之劑」에서 보인다. 이 책의 方下에 또한 주석하기를『局方』에서 출전한다고 하였으니 이후의 方書들은 대부분 이 학설을 따랐는데, 예를 들면『成方切用』卷8과『成方便讀』卷3 등에 이 방제를 실으면서 모두『太平惠民和劑局方』에서 出典한다고 말한 것과 같다. 人民衛生出版社가 1959년에 조판하여 인쇄한 元代 建安年間 宗文書堂 鄭天澤이 간행한 판본에 依據한『太平惠民和劑局方』을 세밀하게 검사해보았는데, 이 방제의 記載를 볼 수 없었다.『太平惠民和劑局方』이 역사상 여러 차례 增補되면서 刊本이 많은 상황에서 지금 판본에 이 방제의 記載가 없다고 해서『醫方集解』의 관점을 否定하는 것은 옳지 않다. 따라서 본 著作에서는 세밀하고 신중하면서 객관적인 태도로『太平惠民和劑局方』(錄自『醫方集解』「瀉火之劑」)을 본 방제의 方源으로 정하고자 한다.

『中醫方劑大辭典』에 記載된 것에 의하면 龍膽瀉肝湯의 同名異方은 25개에 달한다. 이에 장차 본 방제를 근원으로 하면서 加減하여 변화 발전시킨 방제를 시간의 선후 순서에 따라 대략 서술하면 다음과 같다. 元代 李杲의『蘭室秘藏』卷下의 처방은 본 방제와 비교했을 때 梔子·黃芩·甘草가 적으니 곧 淸熱瀉火시키는 힘을 조금 輕減한 것으로 陰部가 때로 반복적으로 熱癢하거나 臊臭하는 것을 치료하는데, 방제가 7味의 약재로 구성되어 있기 때문에『景岳全書』卷57에서는 이 방제를 칭하여 '七味龍膽瀉肝湯'이라고 불렀다. 元代 羅天益의『衛生寶鑒』卷12의 처방은 본 방제와 비교하면 生地·當歸·車前子·木通·澤瀉가 적고, 人蔘·天門冬·麥門冬·五味子·黃連·知母가 많으니, 곧 養血柔肝과 利水滲濕의 효능은 없으면서 益氣養陰하는 효능을 겸하고 있으며, 또한 淸熱하는데 장점을 가지고 있으니 膽癉을 치료한다. 明代 薛己의『校注婦人良方』卷24의 처방은 일명 加減龍膽瀉肝湯(『外科發揮』卷6)이라고 부르는데, 본 방제와 비교하면 柴胡 한 가지 약재가 적어서 肝經濕熱의 모든 증상을 치료한다. 明代 陳實功의『外科正宗』卷3의 처방은 본 방제와 비교해서 柴胡가 적고 連翹·黃連이 더 많아서 淸熱瀉火하는 효능이 비교적 강하여 역시 肝經濕熱의 모든 증상을 치료한다. 明代 秦景明의『症因脈治』卷1의 처방은 본 방제와 비교해서

生地·當歸·車前子·木通·澤瀉가 적고, 黃連·知母·麥門冬이 많은데, 이 방제는 실제로는 羅天益의 방제에 減味하여 만들어진 것이고, 秦氏는 또한 이 방제를 기초로 하여 卷1·卷3과 卷4(2方)에 化裁하여 同名異方 4개를 만들었다. 淸代 秦之楨의 『傷寒大白』卷2의 처방은 羅天益의 방제에서 天門冬·五味子를 줄여서 만든 것으로 肝經伏火로 施泄下血하는 것을 치료하였고, 또한 卷3의 처방은 羅天益의 방제에서 天門冬·五味子·人蔘을 줄이고, 陳膽星·靑黛를 넣어 만든 것으로 肝膽有火로 目不能合하는 것을 치료하였다. 羅國綱의 『羅氏會約醫鏡』卷5의 처방은 또한 羅天益의 방제에 人蔘을 줄여서 만든 것과 관계되는데 肝經濕熱로 인한 陰挺·筋疝을 치료하였다. 隨霖의 『羊毛瘟證論』의 처방은 본 방제와 비교했을 때 澤瀉가 적으며, 또한 柴胡를 銀柴胡로 바꾸었는데, 溫邪의 병증은 물러났지만 餘毒이 肝腎에 머물러 있는 모든 증상을 치료하였다. 翁藻의 『醫鈔類編』卷22의 처방은 본 방제와 비교했을 때 柴胡가 적고 連翹·大黃이 많은데 纏腰火丹을 치료하였다. 鮑相璈의 『驗方新編』卷11의 처방은 본 방제와 비교했을 때 梔子·柴胡가 적은데 肝膽經의 實火와 濕熱로 脇痛·耳聾하는 것을 치료하였다. 竹林寺僧의 『竹林女科證治』卷3의 처방은 羅天益의 방제에서 麥門冬을 줄여서 만든 것으로 暴怒로 傷肝하면서 動火하여 産後에 産戶不閉하게 된 것을 치료한다.

이상에서 서술한 것들을 종합하면 역대의 의학서적에 기재된 龍膽瀉肝湯의 同名異方이 비교적 많은 것은 이 방제가 肝膽實火와 濕熱證을 치료하고, 치료효과가 확실하다는 것을 말하는 것이다. 다만 의학자들의 개인적인 경험이 다르고, 근거한 의학서적 및 그 판본이 각각 다르기 때문에 구성하고 있는 약재에 있어서 서로 차이가 만들어진 것이다.

【難題解說】 본 방제의 主治에 관한 것: 본 방제가 치료하는 病證이 肝膽實火라는 것에 대해서는 아직까지 논쟁이 없다. 다만 肝膽濕熱의 來源에 대해서는 서로 다른 견해가 있다. 『醫方發揮』에서는 본 병증을 少陽三焦와 관련있다고 제시하였다. 三焦는 "通調水道, 下輸膀胱."을 주관하여 水液이 前陰으로부터 體外로 배출되게 하는데, 肝膽의 經脈이 繞陰器하므로 肝膽經에 實火가 熾盛하여 上下에 충만한 시기에, 매번 三焦에 피로가 누적되면서 水濕의 排泄을 방해하게 되면 水濕代謝가 失常하면서 濕이 생기게 되고, 肝火와 濕邪가 서로 막혀서 濕熱이 아래쪽에서 서로 뭉치면 곧 肝膽濕熱下注라고 말하는 것이다. 張秉成은 별도의 견해가 있었는데, 예를 들어 『成方便讀』卷3에서 말하기를 "夫相火寄於肝膽, 其性易動, 動則猖狂莫制, 夾身中素有之濕濁, 擾攘下焦, 則爲種種諸證. 或其人肝陰不足, 相火素强, 正値六淫濕火司令之時, 內外相引, 其氣並居, 則肝膽所過之經界, 所主之筋脈, 亦皆爲患矣."라고 하였으니, 張氏가 인식한 肝膽濕熱은 혹은 身中에 평소에 있거나 혹은 六淫의 濕火가 司令하는 시기에 內外가 相引하여 생긴 것임을 볼 수 있다. 두 종류의 견해는 각각 이치가 있으니 並存시켜서 임상에서의 운용에 대비하고자 한다.

【醫案】

1. 陰癢 『河南中醫藥學刊』(1994, 5:52): 某 여자, 38세, 1984년 8월 15일 初診. 主訴: 陰部가 癢痛하면서 帶下量이 많은 것이 1년 되었다. 現病歷: 평소에 생리주기가 빠르면서 양이 적고 色紫한 질병이 있었다. 1년 전에 月經하는 기간에 冒雨涉水하면서 陰部癢痛이 출현하였고, 坐臥不安, 帶下色白而稠, 有腥臭, 伴口苦而黏, 小便黃赤, 心煩少寐하였다. 양의사가 眞菌性 陰道炎으로 진단하였고, 이미 洋藥을 복용하여 치료받았지만 효과가 좋지 않았다. 舌紅, 苔黃膩, 脈滑數하였다. 증상이 濕熱이 內蘊하여 循經下注하면서 衝任을 손상한 것과 관계있었다. 診斷: 陰癢(濕熱下注). 治法: 淸熱利濕. 方藥: 龍膽草 12 g, 梔子 12 g, 黃芩 12 g, 木通 10 g, 車前子 15 g, 生地 15 g, 柴胡 10 g, 澤瀉 12 g, 當歸 12 g, 蒼朮 10 g, 黃柏 12 g, 蛇床子 15 g, 苦蔘 10 g, 甘草 6 g, 3첩을 물에 달여 복용함.

二診: 병이 절반은 제거되었는데, 약재가 이미 질병에 적중하여 효과가 있었기에 방제를 바꾸지 않고 계속해서 위 처방을 5첩 주었다.

三診: 증상이 기본적으로 소실되었지만 오직 睡眠은 좋지 않아서 前方에서 蒼朮·苦蔘·蛇床子를 빼고, 炒棗仁 20 g과 夜交藤 20 g을 넣었다.

8월 31일 四診: 증상이 전부 소실되었고, 精神·飮食·二便·睡眠이 모두 정상이었으며, 다시 검사했을 때 眞菌이 陰性이면서 병이 완쾌되었다.

2. 帶下『河南中醫藥學刊』(1994, 5:53): 某 여자, 35세, 農民, 1983년 7월 14일 初診. 主訴: 帶下量이 많은 것이 3개월 정도 되었다. 現病歷: 帶下가 黃色質稠하면서 腥臭가 났으며, 小便赤澀하면서 腰酸痛하였다. 이미 '子宮頸部炎'으로 진단 받고 抗菌消炎 치료를 2개월 거쳤지만 효과가 없었다. 진찰하여 보니 舌質紅, 苔黃膩, 脈弦數하였다. 診斷: 帶下證. 증상이 脾濕肝火가 胞中에서 搏結하여 任帶 二脈을 손상시킨 것에 속하였다. 治法: 淸熱化濕止帶. 方藥: 龍膽草 12 g, 梔子 10 g, 黃芩 12 g, 柴胡 12 g, 車前子 12 g, 澤瀉 10 g, 木通 10 g, 當歸 12 g, 黃柏 12 g, 黑荊芥 10 g, 生地 12 g, 甘草 6 g, 3첩을 물에 달여 복용함.

二診: 帶下量이 감소하면서 모든 증상이 호전되어 위의 방제를 5첩 주었다.

三診: 모든 증상이 다 제거되었고, 2년 동안 방문하여 물어보았지만 재발하지 않았다.

3. 鼻衄『新中醫』(1994, 11:3): 某 남자, 54세, 1956년 12월 6일 初診. 매번 감정이 격해지면 鼻衄이 그치지 않았으며, 頭痛, 眩暈, 目赤善怒, 口苦咽乾, 心煩鼻燥, 胸膺悶痛, 舌紅, 脈弦數하였다. 이것은 갑자기 大怒로 傷肝하면서 肝火가 上沖하면 血液을 압박하여 外出하게 함으로써 돌발적으로 鼻衄이 발생한 것에 속한다. 치법은 淸瀉肝火해야 한다. 處方: 龍膽草·生地 各 15 g, 丹皮·黃芩·車前子(包煎)·荊芥炭·麥門冬·炒山梔子 各 12 g, 黃連·赤芍藥·花粉·柴胡 各 12 g, 甘草 6 g, 白茅根 30 g. 연속해서 3첩을 복용하였더니 鼻衄이 이미 그쳤으며 각각의 증상이 모두 나았다.

4. 血精『河南中醫』(1994, 4:253): 某 남자, 26세, 農民. 1992년 2월에 혼인한 지 5년이 되었는데 그의 부인이 아직 임신을 하지 못하여 진단받으러 왔다. 일반적인 精液檢査에서 精液에서 血性을 나타내면서 色鮮紅한 것을 발견하였다. 현미경 검사: 백혈구(+++), 적혈구(++++), 활동하는 精子를 볼 수 없었다. 환자는 평소에 건강하였는데, 때때로 피곤함이 지나치거나 혹은 물을 적게 마셨을 때에 尿急·尿頻·尿痛·腰酸이 출현하였으며, 평상시에는 어떠한 불편함도 없었다. 房事時에 항상 血性 精液이 나왔는데, 여자가 出血한 것으로 오인하면서 주의하지 않았다. 舌質紅, 苔黃稍膩, 脈弦數하였다. 診斷: 血精證. 증상은 肝膽의 濕熱로 熱이 精室을 擾亂시킨 것이다. 방제로는 龍膽瀉肝湯에 加減하였다. 龍膽草 6 g, 黑梔子 15 g, 黃芩 15 g, 車前子(包煎) 15 g, 柴胡 9 g, 生地 15 g, 當歸 15 g, 木通 6 g, 甘草 6 g, 茜草 15 g, 白茅根 30 g. 매일 1첩씩 물에 달여 복용하여 연속해서 10첩을 복용하였다. 일반적인 精液 검사: 백혈구(+), 적혈구(+), 精子 생존율 30%였다. 스스로 口微乾함을 느꼈고, 舌紅苔微黃, 脈稍數하였다. 위 처방을 고수하면서 木通·車前子를 빼고, 杞果 10 g, 玄參 20 g, 黑地楡 15 g을 넣어 연속해서 10첩을 복용하였다. 精液을 검사하였더니 黃白色이면서 量은 약 3 mL였고, 精子의 생존율은 60%였으며 활동 능력은 양호하였다. 知柏地黃丸으로 바꾸어 매일 2차례 每次 一丸씩 마무리를 잘 하였고, 3개월 후에 다시 정액 검사를 하였더니 精子의 생존율은 70% 이상이어서 복약을 정지하면서 관찰하였다. 같은 해 10월에 그의 부인이 임신하였다.

考察: 醫案1은 陰癢證으로 그 발생 원인은 脾虛로 濕蘊한 데다가 肝經의 鬱熱이 濕을 끼고 下注하면서

任帶 두 經脈을 손상시키거나, 혹은 病蟲에 감염되면서 蟲이 陰中을 侵蝕하여 생긴 것이므로 徐春甫가 말하기를 "婦人陰癢多屬蟲蝕所爲, 始因濕熱不已."라고 하였다. 그러므로 龍膽瀉肝湯으로 치료하여 淸利濕熱함으로써 효과를 거두었다. 醫案2의 帶下證도 역시 肝鬱脾虛로 말미암아 濕熱이 下注하여 생긴 것이므로 이 방제를 투여하여 효과를 보았다. 醫案3의 鼻衄은 怒함으로 인하여 肝이 손상되면 肝火上沖하여 血液을 압박하여 外出하면서 생긴 것이다. 그러므로 치료는 龍膽瀉肝湯으로 처방하여 淸瀉肝火하면 火降熱淸하면서 鼻衄이 저절로 낫는다. 醫案4의 血精은 肝膽의 濕熱이 精室의 血絡을 손상시킨 것과 관계되므로 龍膽瀉肝湯을 사용하여 淸熱利濕하여 寧絡함으로써 奏效한 것이다.

5. 裏急後重『成都中醫學院學報』(1992, 1:37): 某 남자, 45세, 農民. 1990년 1월 4일 初疹. 6개월 전에 혼합형 痔疾로 某 醫院에서 수술 치료를 받았는데, 수술 후에 裏急後重이 출현하면서 자각하기를 肛門의 墜脹感을 견디기 힘들었으며, 수술한 입구에서 항문이 확대되는 느낌이 있었다. 매일 大便을 1~2차례 보면서 시원하게 나오면서 형체를 이루었는데, 다만 평상시에 便意가 자주 있으면서 자주 大便을 보고자 하였지만, 보려고 하면 나오지 않았다. 양의사가 이미 '肛竇炎'·'腸炎' 등으로 살펴서 치료하였지만 효과가 없었고, 또한 한의사는 '中氣不足, 脾虛下陷'으로 살펴서 補中益氣·升陽擧陷 및 艾灸·針刺 치료를 거쳤지만 역시 好轉되지 않으면서 病勢가 날마다 加重된 것이 이미 6개월이 지났다. 현재의 증상으로는 裏急後重, 便意頻頻, 肛墜難忍, 頭暈目眩, 心煩易怒, 目赤口苦, 不眠多夢, 食少形瘦, 舌質紅, 苔黃膩, 脈弦數有力이 보였다. 肛門 검사: 수술한 부위의 愈合은 양호하면서 占據性 病變을 볼 수 없었고, 肛門 括約筋의 수축은 유력하였고, 肛竇·肛管 및 直腸에 紅腫 充血은 없었다. 증상은 肝經濕熱이고 치료는 肝經의 濕熱을 淸瀉하는 것이 마땅하다. 방제는 龍膽瀉肝湯에 加減하였다. 龍膽草 15 g, 梔子 15 g, 柴胡 10 g, 生地 10 g, 車前子 15 g, 澤瀉 12 g, 當歸 10 g, 生甘草 5 g, 法半夏 10 g, 竹茹 10 g, 生龍骨 10 g, 生牡蠣 10 g, 茯苓 15 g. 물에 달여 1첩을 복용한 후에 모든 증상이 완화되었으며, 3첩 후에 睡眠과 飮食이 정상으로 회복되면서 裏急後重 및 그 나머지 모든 증상도 역시 소실되었다. 3개월을 방문하면서 물어보았지만 재발하지 않았다.

考察: 裏急後重은 虛實의 구분이 있다. 본 醫案은 肝經의 濕熱로 생긴 것인데, 甘溫으로 升補하는 것을 誤用하여 濕熱이 더욱 심해진 것이고, 龍膽瀉肝湯에 加減한 것으로 바꾸어 사용하였더니 양호한 효과를 얻었다.

6. 陽痿『中國中藥雜誌』(1990, 11:55): 某 남자, 32세. 1989년 4월 5일 初診. 2년 전에 夫婦간에 감정의 불화로 離婚하였고 올해 초에 再婚하였는데, 처음에 陰莖이 萎弱해지기 시작하더니 비록 때로 性欲이 일어나더라도 陰莖이 弛縱하여 難擧하였고, 이미 다방면으로 醫師를 찾아서 補腎壯陽하는 약재를 多服하였지만 모두 만족스러운 치료 효과를 얻지 못하였다. 하루 종일 情緖가 鬱悶하면서 煩躁易怒하였고, 항상 脇痛口苦의 감각을 느꼈으며 小便短澀하였다. 진단하여 보니 舌質淡紅, 苔薄黃, 脈弦數하였다. 이것은 肝膽의 濕熱로 瘀血이 腎氣를 막은 것과 관계된다. 龍膽瀉肝湯에 加減한 것을 적용하였다. 龍膽草 20 g, 梔子 15 g, 黃芩 15 g, 柴胡 15 g, 澤瀉 15 g, 木通 10 g, 當歸 15 g, 牛膝 15 g, 路路通 15 g, 甘草 12 g. 3첩을 물에 달여 복용함. 복약한 후에 脈症이 모두 好轉되었으며, 陰莖이 우연히 勃起가 되었지만 단단하지 못하였고 지속 시간도 비교적 짧아서 여전히 合房하지 못하였다. 약재가 이미 질병에 적중하였기에 위 처방을 固守한 채로 龍膽草를 15 g으로 바꾸고 石菖蒲 10 g·巴戟天 15 g을 넣어 다시 5첩을 복용하였더니 모든 증상이 다 제거되면서 陰莖의 勃起가 단단하였고 性生活이 완전히 회복되었다.

考察: 본 例의 陽痿는 發病이 情緒와 밀접하게 관계있기에 임상적인 표현이 肝熱證이 되는 것이니, 陽痿의 發病이 肝의 疏泄기능 失調와 밀접하게 관계있으므로 陽痿를 치료할 때 '腎虛'에만 구애되는 것은 불가함을 설명하는 것이다. 疏泄을 하지 못하면 鬱하여 도달하지 못하고, 다시 濕熱의 邪氣와 겸하게 되면 循經下注하여 腎氣를 막으므로 즉시 宗筋이 弛縱하여 作强할 수 없게 되는 것이니, 이것이 본 醫案에 나오는 陽痿의 病因·病機이다. 그러므로 치료는 龍膽瀉肝湯에 加減한 것으로 淸泄肝熱하고, 牛膝·路路通을 넣어 養血活血通絡하면 그 효과가 탁월한 것이다.

瀉青丸

(『小兒藥證直訣』卷下)

【異名】 涼肝丸(『世醫得效方』卷11)·瀉肝丸(『普濟方』卷362).

【組成】 當歸 去蘆頭, 切, 焙, 秤 龍腦 焙, 秤 川芎 山梔子仁 川大黃 濕紙裹煨 羌活 防風 去蘆頭, 切, 焙, 秤 各等分.

【用法】 이상을 분말로 만들어서 蜜과 반죽하여 芡實大의 丸으로 만든다. 매번 半丸~一丸씩 竹葉을 煎湯한 것에 砂糖을 넣은 溫水로 복용한다.

【效能】 淸肝瀉火.

【主治】 肝經鬱火證. 目赤腫痛, 煩躁易怒, 不能安臥, 尿赤便秘, 脈洪實, 以及小兒急驚, 熱盛抽搐等.

【病機分析】 본 方證은 肝經의 鬱火로 생긴 것이다. 肝은 開竅於目하는데, 肝火가 上炎하면 目赤腫痛하는 것이고, 火熱이 內鬱하여 心神을 擾亂시키면 煩躁易怒·不能安臥가 나타나며, 火가 肝에 鬱滯되면 熱結하여 津液이 손상되므로 大便秘結·小便赤澀한 것이고, 肝主筋을 하는데 肝經의 鬱火가 經脈을 拘急하므로 小兒急驚 혹 抽搐이 나타나는 것이다. 脈洪實한 것도 역시 火熱이 內盛한 형상이다.

【配伍分析】 본 方證은 肝經의 鬱火로 생긴 것이므로 치료는 淸肝瀉火하는 것이 마땅하다. 방제 중에 龍膽草는 大苦大寒하면서 肝으로 歸經하여 직접적으로 肝火를 瀉하기에 君藥으로 사용하였다. 大黃·梔子는 龍膽草를 도와 肝膽의 實火를 瀉하여 熱을 인도하여 下行함으로써 二便을 따라 分消시키기에 臣藥으로 사용하였다. 肝火가 鬱結하여 木이 條達하지 못하면 羌活·防風의 辛散함을 취하는데, 『素問』「臟氣法時論」의 "肝欲散, 急食辛以散之."라는 뜻과 부합되며, 또한 羌·防은 능히 祛風邪·散肝火할 수 있기에 肝木의 條達하여 上升하는 성질을 暢達시킬 수 있으니 '火鬱發之'의 뜻이다. 竹葉은 淸熱除煩하기에 熱을 인도하여 小便으로 빠져나가게 하고, 當歸·川芎은 養肝血함으로써 火熱이 肝血을 손상시키는 것을 방지하면서 瀉肝으로 인해 傷肝하지 않도록 하니 모두 佐藥이 된다. 蜂蜜·砂糖은 調和諸藥하여 함께 使藥이 된다. 모든 약재를 합하여 사용하면 함께 淸肝瀉火·養肝散鬱의 효능을 발생시킨다.

본 방제의 配伍 특징은 肝火를 淸瀉하는 것을 위주로 하면서 升散하는 약재로써 鬱火를 疏散하는 것을 輔助한 것으로, 淸中有疏·寓升於降·瀉火而不涼遏·升散而不助火하는 것이고, 다시 養血하는 약재로 輔佐함으로써 瀉肝하는 것이 傷肝하지 않도록 만든 것이니 相輔相成하므로 瀉肝의 良方이 된다.

【類似方比較】 본 방제는 龍膽瀉肝湯과 더불어 모두 淸肝瀉火하는 효능이 있으며, 肝經實火의 증상을 치료한다. 다만 龍膽瀉肝湯은 瀉火시키는 힘이 비교적 강하면서 또한 淸熱利濕할 수 있기에 肝經의 實火가 上炎하거나 혹은 肝膽의 濕熱이 下注하는 것을 치료하는데 사용하니 苦寒한 약재로 직접적으로 挫折시키

는 방제가 되고, 瀉淸丸은 瀉火시키는 힘은 비교적 약하지만 肝經鬱火를 疏散할 수 있기에 肝經鬱火를 치료하는데 사용하니 火鬱을 發散시키는 방제가 된다.

【臨床應用】

1. 證治要點: 본 처방은 淸肝瀉火하는 방제로 肝經鬱火證을 主治하는데, 目赤腫痛, 煩躁易怒, 不能安臥, 尿赤便秘, 脈洪實을 證治의 요점으로 삼는다.

2. 본 방제는 현대에 眼球炎·血管神經性 頭痛·高血壓 頭痛·帶狀疱疹·不眠·兒童 高熱 경련(convulsion) 등의 辨證이 肝經鬱火證에 속하는 자를 치료하는데 상용한다.

3. 瀉靑丸은 다음 한국표준질병사인분류(KCD)에 해당하는 환자가 肝經鬱火證으로 辨證되는 경우 본 처방의 사용을 고려해볼 수 있다.

처방 목표	한국표준질병사인분류(KCD)
眼球炎	H00~H59 Ⅶ. 눈 및 눈 부속기의 질환
血管神經性 頭痛	G44.1 달리 분류되지 않은 혈관성 두통
高血壓 頭痛	I10 본태성(원발성) 고혈압
	I15 이차성 고혈압
帶狀疱疹	B02 대상포진
不寐	G47.0 수면 개시 및 유지 장애[불면증]
	F51.0 비기질성 불면증
兒童 高熱 경련 (convulsion)	(질병명 특정곤란)
	R56.0 열성 경련

【注意事項】 脾胃가 虛弱한 자는 본 방제를 사용하는 것이 마땅하지 않다.

【變遷史】 본 방제는 錢乙이 創製한 것으로 『小兒藥證直訣』卷下에 실려 있다. 원래 小兒 驚風으로 "肝熱搐搦, 脈洪實."한 것을 치료하는 것이었는데, 후세의 의학자들이 본 방제의 응용 범위를 부단히 확대하였으니, 예를 들면 『素問病機氣宜保命集』卷3에서는 中風自汗, 昏冒發熱, 不惡寒, 不能安臥하는 것에 사용한 것으로 이것은 風熱로 煩躁한 것이고, 『張氏醫通』卷14에서는 肝經實熱로 大便不通, 腸風便血, 陰汗臊臭하는 것에 사용하였으며, 『醫方集解』「瀉火之劑」에서는 이것으로 肝火鬱熱, 不能安臥, 多驚多怒, 筋痿不起, 目赤腫痛하는 것을 치료하였는데, 현대에는 일반적으로 대부분 『醫方集解』의 설명을 따라서 본 방제로 肝經鬱火證을 치료한다.

錢氏의 瀉靑丸을 기본으로 하여 만들어진 방제는 주로 아래의 4가지가 있다. 첫째, 『明醫指掌』卷10의 同名方은 곧 본 방제에 生地·琥珀·天竺黃을 넣어 만들어서 涼血化痰鎭驚을 겸하여 가능하게 한 것으로 肝熱驚風으로 目竄 혹은 暴赤하면서 抽搐하는 것을 치료한다. 둘째, 『丹台玉案』卷3의 同名方은 곧 본 방제에 柴胡·白芍藥을 넣어 疏肝柔肝을 겸하여 가능하게 한 것으로 肝經發熱을 치료한다. 셋째, 『症因脈治』卷11의 瀉靑湯은 곧 본 방제에 大黃·竹葉을 빼고 黃芩을 넣으면서 丸劑를 湯劑로 만든 것인데 淸肝膽風熱하는 효능이 있어서 肝火頭痛, 惱怒卽發, 痛引脇下하는 것을 치료한다. 넷째, 『片玉痘疹』卷3의 瀉靑散은 곧 본 방제에서 大黃·竹葉을 빼고 滑石·甘草·燈心을 넣으면서 丸劑를 달인 후 散劑로 만든 것인데 痘瘡으로 心·肝 두 經에 火가 심하거나 辰砂導赤散을 복용한 후에 驚이 물러나지 않는 자를 치료한다.

【難題解說】 본 방제 중 龍腦가 무엇인지에 관한 것: 一說에서는 龍膽草라고 하였고, 一說에서는 冰片이라고 하였다. 宋代 이후의 方書에 실린 瀉靑丸을 살펴보면 모두 龍膽草를 사용하였는데, 오직 用澄의 版本에서만 龍腦라고 하였다. 다만 龍腦 아래쪽에 있는 '焙'字의 분석을 따르자면 龍膽草는 草本植物藥이기 때문에 焙用할 수 있지만, 龍腦는 冰片의 異名으로 樟樹의 脂液을 가공하여 만든 것이니 藥物을 넣을 때 研用할 수는 있어도 焙用할 수는 없다. 또한 『小兒藥證直訣箋正』에서 말하기를 "此方本是仲陽自制, 而諸書引用極多, 龍腦皆作龍膽草. 惟周刻此本獨作龍腦. 按

龍膽大寒 …… 淸肝之力, 勝於龍腦, 藥雖異而理可通, 但此是樹脂熬煉而成, 已是精華, 氣味皆厚, 與其他草木之質不同, 故入藥分兩, 無不輕用, 即仲陽此書諸方, 凡用龍腦, 比較他藥, 不過十分之一, 獨此方與諸藥等分."이라고 하였으니, 龍腦의 '腦'字는 '膽'字를 傳抄하면서 訛傳된 것으로, 본 방제를 사용하는 자는 龍膽草로 하는 것이 마땅하다.

【醫案】

1. 驚風『續名醫類案』卷29: 羅田令이 朱씨 성을 가진 아직 돌이 안 된 여자아기의 驚風病을 치료하였다. 萬蜜齋가 瀉靑丸을 복용시켰더니 搐搦이 더욱 심해졌는데, 대개 喉間에 痰이 있기 때문에 藥末이 상당히 거칠면 頑痰이 裹住하면서 黏滯해서 내려가지 못해서 그런 것이다. 이에 달여서 湯劑로 만든 다음에 얇은 棉紙를 사용하여 여과해서 찌꺼기를 제거한 후에 한 번에 복용하여 나았다.

考察: 肝經에 熱이 심하면 驚風이 발생하니 瀉靑丸을 투여하면 이치적으로 奏效해야 하는데, "服之而搐轉甚"하였다. 羅氏가 인식하기로는 劑型이 마땅하지 못한 것과 관계있다고 보고 煎劑로 바꾸었더니 한 번 복약으로 나았다. 증상에 임해서 방제를 사용할 때에는 病證을 살피는 것에도 정확해야 할 뿐만 아니라 方劑의 劑型을 적합하게 운용해야 함을 설명하는 것이다.

2. 巓頂痛『浙江中醫雜誌』(1983, 6:274): 某 여자, 36세. 痛症이 頭部로부터 발생했는데 眉中을 따라 정수리까지 올라갔으며, 痛症이 심하면 嘔吐하려는 것이 이미 10여 년 되었다. 평상시에 憂鬱寡歡하였고 大便은 항상 乾結하였으며, 口苦, 耳鳴, 耳聾하였다. 듣자하니 大怒하면서 이 병을 얻었다고 하며, 이후에는 정서적인 자극을 받으면 갑자기 발생한다고 한다. 舌質紅, 苔黃膩, 脈弦緊하였다. 증상은 肝火上炎으로 巓頂이 灼傷된 것에 속한다. 치료는 淸肝瀉火를 위주로 하는 것이 마땅하다. 방제로는 龍膽草·制大黃·柴胡·當歸·川芎·防風·羌活·石菖蒲 各 6 g, 梔子·牛膝 各 9 g, 磁石 15 g, 木通 5 g을 사용하였다. 5첩을 복용한 후에 痼疾이 사라지는 듯하였다. 原方에 養血柔肝하는 약재를 섞어 넣어 조리를 잘 하였다.

考察: 옛날 사람들이 말하기를 높은 머리꼭대기에는 오직 風만이 도달할 수 있다고 하였는데, 肝火가 風을 끼고 上煽하면 또한 이러한 질환을 앓을 수 있는 것이니, 疼痛이 陣痛 發作性으로 심해지면서 아울러 耳聾·口苦·便結·舌紅·脈弦 등의 증상이 있는 것으로 辨證을 한다. 방제는 瀉靑丸으로 직접적으로 肝火를 瀉下하고, 牛膝·木通을 넣어서 導火下行하며, 柴胡로 疏暢氣機하고, 菖蒲·磁石으로 交通心腎하는 것이다.

3. 帶狀疱疹『新中醫』(1995, 6:49): 某 남자, 50세. 환자 10일 전에 여행하는 도중에 피로가 겹치면서 땀을 흘리고 바람을 맞은 후에 우측 胸脇의 肌膚에 찌르는 듯한 疼痛을 느꼈고, 계속해서 紅色 丘疹이 발생하였으며, 丘疹의 주위가 매우 빠르게 발전하여 黃豆 크기의 水皰가 만들어졌다. 外科에서 帶狀疱疹으로 진단받고 입원 치료하였는데, poly I~C·비타민B12 주사액을 근육주사하고 病毒靈, 비타민B1과 비타민C 알약 등의 약재를 口服하였지만 효과가 없어서 이후에 한의사에게 요청하여 진찰하게 하였다. 診察: 우측 胸脇의 皮膚에 17 cm × 9 cm의 黃豆와 같은 크기의 水皰群이 있었고, 疱疹의 基底部에는 紅色을 띄면서 허리띠 모양으로 배열되었으며, 疼痛이 마치 찌르는 것과 같아서 때때로 呻吟하였고, 夜臥不安, 口乾不欲飮, 小便黃, 舌苔黃膩, 脈滑數을 동반하였다. 증상은 肝經의 濕熱이 肌膚에 浸淫한 상태에서 風毒의 邪氣를 外感함으로써 內外合邪하여 營血을 손상시킨 것에 속한다. 치료는 肝膽의 濕熱을 淸瀉하기 위해서 瀉火解毒·祛風除濕·活血止痛하는 것이 마땅하다. 방제로는 瀉靑丸에 加味한 것을 사용하였다. 當歸·川芎·羌活·防風 各 9 g, 龍膽草·山梔子·重樓 各 15 g, 土茯苓 30 g, 大黃·甘草 各 6 g. 아울러 辛辣·魚腥한 음식물의 섭취를 禁忌하도록 하였다. 3첩을 복약한 후에 疱疹에 結痂가 나타났

지만 여전히 疼痛을 느꼈다. 다시 原方을 사용하여 8첩을 복용하였더니 모든 병이 다 제거되었다.

考察: 이 증상은 心肝에 火盛하여 濕熱이 內蘊한 상태에서 風毒의 邪氣를 外感하여 內外合邪함으로써 肌膚를 浸淫하여 營血을 손상시킨 것과 관계있다. 방제로는 龍膽草·土茯苓을 사용하여 淸利濕熱하였고, 羌活·防風으로 疏風散邪하였으며, 梔子·大黃·重樓·甘草로 淸熱瀉火解毒하였고, 當歸·川芎으로 活血止痛하였으니, 모든 약재를 합하여 사용하면 病機에 적중하는 것이다.

【副方】 當歸龍薈丸(原名龍腦丸, 『黃帝素問宣明論方』卷4): 當歸 龍膽草 梔子 黃連 黃柏 黃芩 各一兩(各 30 g) 蘆薈 靑黛 大黃 各半兩(各 15 g) 木香 一分(0.3 g) 麝香 半錢(1.5 g).

- 用法: 上爲末, 煉蜜爲丸, 如小豆大, 小兒如麻子大. 生薑湯下, 每服二十丸.
- 作用: 淸瀉肝膽實火.
- 適應症: 肝膽實火證. 頭暈目眩, 神志不寧, 譫語發狂, 或大便秘結, 小便赤澀.

본 방제는 肝膽實火證을 위해서 설계한 것이다. 방제 중 龍膽草는 大苦大寒하면서 肝膽實火를 전문적으로 瀉한다. 梔子는 三焦의 火를 瀉하여 熱을 小便을 따라 인도하여 풀어준다. 大黃·蘆薈는 通腑하여 瀉熱하니 熱을 大便을 따라서 나가게 하며, 龍膽草의 瀉肝하는 힘을 도와서 邪氣로 하여금 出路를 만들어 준다. 黃芩·黃連·黃柏·靑黛는 瀉火解毒한다. 다시 木香을 사용하여 行氣散結하고, 麝香으로 開竅醒神한다. 當歸로는 養血補肝하여 모든 苦寒性燥한 약재가 陰血을 손상시키는 것을 방지한다. 모든 약재를 합하여 사용하면 함께 肝膽의 實火를 淸解한다.

본 방제는 제일 먼저 『黃帝素問宣明論方』卷4(千頃堂本)에 보이며 이름을 '龍腦丸'이라 하였는데, 이 책의 四庫全書本에서는 '當歸龍膽丸'이라고 하였으며, 『丹溪心法』卷4에서 처음으로 '當歸龍薈丸'으로 이름 붙이면서 통용하는 방제 명칭이 만들어진 것이다.

瀉靑丸·當歸龍薈丸은 같은 肝膽實火를 瀉하는 방제인데, 그 차이점은 瀉靑丸은 瀉肝火하면서 겸하여 肝膽鬱火를 疏散할 수 있기 때문에 肝火內鬱證에 마땅한 것이고, 當歸龍薈丸은 구성이 大苦大寒한 약재가 위주가 되면서 實火를 瀉하여 二便으로 分消하는 것에 치중하여 肝經實火證을 치료하는데 사용되는데, 만약 實火上盛의 증상이 아니라면 함부로 사용해서는 안 된다.

左金丸

(『丹溪心法』卷1)

【異名】 回令丸(『丹溪心法』卷1)·萸連丸(『醫學入門』卷7)·茱連丸(『醫方集解』「瀉火之劑」)·左金丸(『張氏醫通』卷16)·二味左金丸(『全國中成藥處方集』 天津方).

【組成】 黃連 六兩(180 g) 吳茱萸 一兩(30 g)

【用法】 위의 약재를 분말로 만든 다음에 水丸 혹은 蒸餠으로 丸을 만들어서 白湯下에 五十丸(6 g)을 복용한다.

【效能】 淸瀉肝火, 降逆止嘔.

【主治】 肝火犯胃證. 症見脇肋疼痛, 嘈雜呑酸, 嘔吐口苦, 舌紅苔黃, 脈弦數.

【病機分析】 본 方證은 肝氣가 厥陰經에 鬱滯됨으로 말미암아 鬱하여 火로 변화하여 肝火가 胃를 침범하여 형성되는 것이다. 厥陰의 經氣가 通暢하지 못하

면 脇肋疼痛이 나타나는 것이고, 肝火犯胃하여 胃失和降하므로 嘈雜呑酸하면서 심하면 上逆하여 嘔吐가 나타나는 것이며, 肝火가 經脈을 따라 上炎하므로 口苦가 나타나는 것이다. 舌紅苔黃과 脈弦數은 모두 肝經에 鬱火가 있는 형상이다. 본 方證의 病機와 症狀 특징에 관하여 汪昂은『醫方集解』중에서 "肝火燥盛, 左脇作痛, 呑酸吐酸."이라고 精密하게 개괄하였으니, 이것이 곧 본 방제로 辨證論治하는 주요한 근거가 된다.

【配伍分析】 본 방제는 肝經의 火旺으로 橫逆犯胃하는 것을 위하여 만들어진 것이므로 그 치법은 淸肝瀉火·降逆止嘔하는 것에 있다.『素問』「至眞要大論」에서 말하기를 "諸逆沖上, 皆屬於火."라고 하였고, "諸嘔吐酸, 暴注下迫, 皆屬於熱."이라고 하였다. 무릇 '火'·'熱'과 관련되어 있는 上衝·嘔吐·酸水 등은 瀉火降逆이 반드시 사용해야 될 방법이다. 방제 중에 黃連을 重用한 것은 味苦性寒하기 때문인데, 첫 번째는 心火를 淸瀉함으로써 肝火를 瀉하는 것으로 이른바 "實則瀉其子"하는 것이니 肝火가 淸해지면 저절로 橫逆犯胃할 수 없는 것이고, 두 번째는 胃火를 淸하는 것으로 胃火가 내려가면 그 氣도 저절로 내려가서 標本을 兼顧하면서 一擧兩得할 수 있기 때문에 肝火犯胃하는 嘔吐·呑酸에 대하여 더욱 적당한 것이므로 君藥으로 사용하였다. 순수하게 苦寒한 약재만을 사용한다면 또한 鬱結不開할 우려가 있으므로 辛熱疏利하는 吳茱萸로 조금 보좌하여 그 下氣시키는 작용을 취하여 黃連의 和胃降逆을 보조하도록 한 것이고, 그 성질이 辛熱하여 開鬱시키는 힘이 강하기 때문에 大劑의 寒涼藥 중에 反佐하게 되면 熱을 조장하지 않을 뿐만 아니라 肝氣를 條達시켜서 鬱結을 열리게 하며, 또한 黃連의 苦寒을 억제하여 瀉火함으로써 涼遏하는 폐단이 없도록 하는 것이다. 합하여서 방제를 만들면 함께 淸瀉肝火·降逆止嘔하는 효능을 만들어낸다.

본 방제의 配伍 특징은 辛開·苦降하면서 寒熱을 함께 투여한 것인데, 瀉火하면서도 涼遏하지 않고 溫通하면서도 熱을 조장하지 않는 것이니, 이른바 '相反相成'하는 것으로 肝火得淸하고 胃氣得降하게 되면 모든 증상이 저절로 낫는 것이다.

본 방제의 命名에 관하여 吳昆이 말하기를 "左金者, 黃連瀉去心火而肺金無畏, 得以行金令於左以平肝, 故曰左金."(『醫方考』卷2)이라고 하였다.

【臨床應用】

1. 證治要點: 본 방제는 肝火犯胃를 主治하는데, 嘔吐呑酸, 脇痛口苦, 舌紅苔黃, 脈弦數을 證治의 요점으로 삼는다.

2. 加減法: 呑酸이 심한 자는 烏賊骨·煅瓦楞을 넣어 制酸止痛하고, 脇肋疼이 심한 자는 金鈴子散을 합방하여 行氣止痛시키는 효능을 강화시킨다.

3. 左金丸은 다음 한국표준질병사인분류(KCD)에 해당하는 환자가 肝火犯胃證으로 辨證되는 경우 본 처방의 사용을 고려해볼 수 있다.

처방 목표	한국표준질병사인분류(KCD)
胃炎	K29 위염 및 십이지장염
食道炎	K20 식도염
胃潰瘍	K25 위궤양

【注意事項】

1. 본 방제의 黃連과 吳茱萸의 용량 비율은 6:1이다.

2. 吐酸이 胃虛寒에 속하는 자는 본 방제를 사용해서는 안 된다.

【變遷史】 본 방제는 元代 의학자인 朱震亨이 創製한 것으로『丹溪心法』卷1에서 나오는데, 肝火脇痛을 치료하는데 사용하였다. 그 근원을 추적하여 거슬러 올라가면 일찍이 北宋 초기의『太平聖惠方』卷59에 이미 吳茱萸 二兩과 黃連 二兩으로 구성된 茱萸丸이 실

려 있는데 水瀉不止를 치료하였고, 北宋 말기의 『聖濟總錄』卷34에는 黃連 一兩·吳茱萸 半兩으로 구성된 甘露散이 있는데 暑氣를 치료하였으며, 같은 책 卷165에는 黃連 一兩·吳茱萸 半兩으로 구성된 茱萸丸이 있는데 産後에 赤白痢疾이 日久하여 臍腹冷疼하는 것을 치료하였다. 이상 세 가지의 방제는 모두 左金丸보다 일찍 나타난 것이다. 朱氏는 이러한 방제들의 영향을 받으면서 黃連과 吳茱萸의 비율을 6:1로 정하여 본 방제를 創製했을 가능성이 있다. 左金丸이 세상에 알려진 이후부터 역대의 의학자들이 광범위하게 계속하여 사용하였는데, 관련된 의학 서적에 기재된 것 중에는 方名 또한 여러 번 변경된 것도 있으니 예를 들면 『醫學入門』卷16에서 명명한 左金丸 등과 같은 것이 있다.

본 방제를 기초로 加減하여 변화 발전시켜서 만들어진 방제로는 아래와 같은 것들이 있다. 『保嬰撮要』卷10의 四味茱連丸은 吳茱萸·黃連·神曲·荷葉을 各等分하여 구성한 것으로 腹脹噫氣呑酸하면서 食不能化하는 것을 치료하였는데, 이 방제가 『證治准繩』「幼科」卷3에서는 또한 四味萸連丸이라고 불렀다. 『醫學入門』卷7의 四味萸連丸은 黃連·吳萸·桃仁·陳皮·半夏로 구성되어 있으며 痰火夾瘀로 呑酸하는 것을 치료하였다. 『醫學正傳』卷4의 連附六一湯은 黃連 六錢과 附子 一錢으로 구성된 것으로 淸熱止痛하는 효능이 있기에 胃脘痛이 심하면서 諸藥이 효과가 없는 것을 치료하였다. 『不知醫必要』卷2의 左金湯은 黃連·吳茱萸·陳皮로 구성되어 和中을 겸하여 가능하게 한 것으로 肝火脇痛을 치료하였다. 이상의 많은 방제들은 모두 左金丸의 立法과 配伍하는 用藥보다 진일보 발전한 것이다.

【醫案】

1. 胃脘痛 『廣西中醫藥』(1989, 1:21): 某 남자, 36세. 胃脘이 脹滿한 것이 팽팽하게 통증을 일으키면서 兩脇에까지 파급된 것이 1달 정도 되었고, 惡心, 呑酸, 腸鳴, 心煩易怒, 口苦而乾을 동반하면서, 舌紅苔黃, 脈弦數하였다. 양의사가 진단하기를 胃腸神經症이라고 하였고, 洋藥을 복용했는데도 치료 효과가 좋지 않았다. 한의사가 진단하기를 胃脘痛이라고 하였고, 증상이 肝鬱化火로 橫逆犯胃한 것에 속하였기에 치료는 淸肝和胃로써 하였다. 방제로는 左金丸을 매번 1.5 g씩 매일 2차례 복용하였다. 치료를 거친 후에 疼痛이 소실되었고, 惡心·呑酸이 완화되었으며, 腸鳴이 경감하였다.

2. 妊娠 惡阻 『湖南中醫雜誌』(1990, 3:14): 某 여자, 25세. 妊娠 2개월 되었는데, 嘔吐가 비교적 심하면서 飮食을 먹기 힘들었으며, 이미 香砂六君子湯 2첩을 복용했는데도 嘔吐가 도리어 극심해졌다. 現病症: 자주 酸水 혹은 苦水를 吐하였으며, 脘悶脇脹, 心煩口苦, 舌紅苔黃, 脈弦滑하였다. 증상은 胎元이 初結하는 시기에는 肝火가 본래 旺盛하기에 衝氣上 逆하면서 胃失和降한 것에 속하였다. 치료는 淸肝降逆·和胃止嘔하는 것이 마땅하다. 방제로는 左金丸에 加味하였다. 黃連 4 g, 吳茱萸 1 g, 蘇梗 6 g, 茯苓 10 g, 竹茹 30 g. 2첩을 복용한 후에 조금 嘔吐하려는 때가 있었고 소량의 묽은 죽을 먹을 수 있었으며, 胸悶, 口苦, 心煩, 舌紅, 苔薄黃, 脈小弦而滑하였다. 原方에 黃芩·當歸身 各 6 g을 넣어 淸熱安胎하면서 다시 3첩을 복용하였더니 모든 증상이 다 제거되었다.

3. 脇痛 『湖南中醫雜誌』(1990, 3:14): 某 여자, 34세. 최근 3일 동안 우측 脘脇隱脹하면서 때때로 劇痛이 肩背에까지 이어졌으며, 1일 동안 加重되었다. 外科의 진단으로는 急性 膽囊炎(單純型)이라고 하였다. 진단하여 보니 身微熱, 體溫 38.5℃, 胸悶, 納呆, 右脘脇脹痛, 惡心嘔吐, 面赤口苦, 便秘溲黃, 舌紅苔黃膩, 脈弦滑數하였다. 증상은 肝膽의 實熱이 脇絡을 막은 것에 속하였다. 치료는 疏肝利膽·淸熱和胃하는 것이 마땅하고, 방제로는 左金丸에 加味하였다. 黃連 5 g, 吳茱萸 1 g, 蒲公英 15 g, 鬱金 10 g, 枳實 10 g, 연속해서 3첩을 복용하였더니 脇痛이 뚜렷하게 경감하였고, 熱이 제거되면서 嘔吐하는 것이 그쳤으며, 오직 음식물 섭취하는 것만 좋지 않았다. 原方에 焦三仙 各 6 g을 넣은 것을 주어 健胃消食하였는데, 연속해서 4첩을 복용하고는 모든 증상이 사라졌다.

考察: 醫案1의 胃脘痛은 肝鬱化火, 橫逆犯胃하여 생긴 것이므로 左金丸을 사용하여 清肝和胃하였더니 그 통증이 저절로 그쳤다. 醫案2의 惡阻는 胎元이 初結하는 시기에 肝火가 본래 旺盛해지는 것이 더해지면서 橫逆犯胃하여 胃失和降하여 생긴 것이니, 그 치료는 당연히 清瀉肝火·和胃止嘔를 위주로 해야 하고, 左金丸에 蘇梗·竹茹·黃芩 등 安胎하는 약재를 넣어서 火清胎安하게 하여 모든 증상이 다 제거된 것이다. 醫案3의 脇痛은 肝膽의 實熱로 氣機가 不暢하면서 胃氣가 不和하여 생긴 것이니, 치료는 疏泄肝膽·清熱和胃하는 것이 마땅하고, 방제로는 左金丸에 蒲公英을 넣어 清熱解毒하고 枳實·鬱金을 넣어 疏肝理氣하여 나은 것이다.

【副方】

1. 戊己丸(原名: 苦散, 『養生必用』, 錄自『幼幼新書』卷26): 黃連 吳茱萸 白芍藥 俱剉如豆, 同炒赤 各五兩(各 10 g).

- 用法: 上爲細末, 麵糊爲丸, 如梧桐子大. 每服20丸, 濃煎米飮下, 空心日三服.
- 作用: 疏肝理脾, 清熱和胃.
- 適應症: 肝脾不和引起的胃痛呑酸, 腹痛泄瀉.

左金丸은 본 방제에서 白芍藥을 빼고 다시 黃連과 吳茱萸의 용량 비율을 변화시켜서 만든 것이다. 본 방제는 黃連과 吳茱萸를 같은 量으로 사용하였으니, 이것은 清熱과 開鬱을 함께 중시한 것이고, 白芍藥을 配伍한 것은 和裏緩急하려는 것에 뜻이 있다. 疏肝理脾和胃하는 효능이 있으므로 肝脾不和로 인한 胃痛呑酸과 腹痛泄瀉를 치료하는데 사용할 수 있다.

2. 香連丸(『太平惠民和劑局方』卷6 吳直閣增諸家名方, 原名: 大香連圓): 黃連 去蘆鬚 二十兩(600 g) 用茱萸 十兩(300 g) 同炒令赤, 去茱萸不用 木香 不見火 四兩 八錢八分(150 g).

- 用法: 上藥爲細末, 醋糊爲丸, 如梧桐子大. 每服二十丸, 飯飮呑下.
- 作用: 清熱化濕, 行氣止痛.
- 適應症: 腸胃虛弱, 冷熱不調, 泄瀉煩渴, 米穀不化, 腹脹腸鳴, 胸膈痞悶, 脇肋脹滿. 或下痢膿血, 裏急後重, 夜起頻並, 不思飮食; 或小便不利, 肢體怠惰, 漸即瘦弱.

左金丸·戊己丸·香連丸은 공통적으로 苦降辛開의 配伍 방법을 갖추고 있다. 차이점: 左金丸은 黃連을 吳茱萸보다 6倍로 하여 중점이 清肝瀉火·和胃降逆하는 것에 있으니, 脇肋脹痛, 嘔吐呑酸하는 肝火犯胃證을 주치한다. 戊己丸은 連·萸를 같은 量으로 하였으니, 곧 清熱과 開鬱을 함께 중요시한 것이고, 白芍藥을 넣어 和中緩急한 것이니, 胃痛呑酸하고 腹痛泄瀉하는 肝脾(胃)不和證을 치료한다. 香連丸은 連·萸를 함께 炒한 후에 吳茱萸를 제거한 것은 의도가 清熱燥濕을 위주로 한 것에 있는 것이고, 木香을 넣어 行氣止痛하였으니, 濕熱痢疾로 膿血이 相兼하면서 腹痛으로 裏急後重하는 것을 주치한다.

瀉白散

(『小兒藥證直訣』卷下)

【異名】 瀉肺散(『小兒藥證直訣』卷下)·瀉肺湯(『證治准繩』「幼科」卷9).

【組成】 地骨皮 桑白皮 炒 各一兩(各 30 g) 甘草 炙 一錢(3 g)

【用法】 위의 약재를 부수어 散劑로 만든 다음에 粳米 一撮을 넣어 물 二小盞에 七分이 되도록 달여서 食前에 복용한다.

【效能】 淸瀉肺熱, 平喘止咳.

【主治】 肺熱喘咳證. 氣喘咳嗽, 皮膚蒸熱, 日晡尤甚, 舌紅苔黃, 脈細數.

【病機分析】 肺主氣하여 그 氣가 淸肅下降해야 온몸의 氣도 順行하는데, 만약 肺에 伏火鬱熱이 있으면 곧 肺氣가 壅實하여 氣逆不降하면서 喘咳를 일으키는 것이고 심하면 氣急해지는 것이다. 肺는 皮毛와 合하는데, 肺 중에 伏火가 鬱蒸하므로 皮膚蒸熱이 나타나는 것이다. 伏熱이 陰分을 손상시키므로 그 發熱이 日晡에 심해지는 것이다. 舌紅·脈細數은 모두 肺熱이 陰分을 손상시킨 징후이다.

【配伍分析】 본 방제는 肺에 伏火鬱熱이 있는 것을 위하여 설정한 것이다. 肺熱로 喘咳하면 치료는 마땅히 肺熱을 淸泄하여 平喘止咳해야 한다. 방제 중 桑白皮는 甘寒으로 入肺하여 淸肺熱·瀉肺氣하여 喘咳를 안정시키는데, 무릇 肺 중에 "實邪鬱遏, 肺竅不得通暢, 借此滲之散之, 以利肺氣."(『藥品化義』卷6)한다고 하였다. 桑白皮는 氣薄質液하여 不燥不剛하기에 비록 瀉肺하더라도 傷肺하지는 않으므로 君藥으로 사용하였다. 地骨皮는 甘淡而寒하면서 肺·腎經으로 歸經하기에 君藥을 도와 肺 중의 伏火를 瀉하면서도 또한 養陰하는 효능이 있다. 『本草備要』卷2에서 말하기를 "地骨皮能退內潮, 人所知也, 能退外潮, 人實不知. 病或風寒散而未盡, 作潮往來, 非柴·葛所能治, 用地骨皮走表又走裏之藥, 消其浮遊之邪, 服之未有不愈者."라고 하였으니, 君臣이 서로 합하여 肺火를 淸瀉함으로써 肺氣의 肅降을 회복시키는 것이다. 炙甘草·粳米는 養胃和中함으로써 培土生金하여 扶正祛邪하고, 또한 그 甘緩한 성질을 빌려서 君臣 약재의 淸熱시키는 힘을 완만하게 上部에 머무르게 할 수 있을 뿐만 아니라, 瀉肺시키는 힘을 완만하게 下行하도록 할 수 있어서 佐使藥으로 사용한다. 네 가지 약재를 합하여 사용하면 함께 瀉肺淸熱·止咳平喘하는 효능을 발생시킨다.

본 방제의 配伍 특징은 그것이 이미 肺 중의 實熱을 淸透함으로써 治標하는 것이 아닐 뿐만 아니라, 또한 滋陰潤肺함으로써 治本하는 것이 아니라, 肺 중의 伏火를 淸瀉함으로써 鬱熱을 없애는 것이며, 이것은 小兒의 '稚陰'한 素質에 맞춘 것이며, 아울러 肺가 嬌臟인 것을 살펴서 立法하고 用藥한 것이다. 방제에서 桑白皮·地骨皮를 취한 것은 비교적 和平한 약재로 芩·連의 苦燥傷陰하는 것을 피한 것이며, 또한 粳米·甘草가 있어 養胃益肺하는데 金淸氣肅함으로써 平喘咳하기에 標本兼顧하는 묘미가 있는 것이다.

【臨床應用】

1. 證治要點: 본 방제는 肺熱喘咳證을 위하여 만든 것인데, 임상에서는 喘咳氣急, 皮膚蒸熱, 舌紅苔黃, 脈細數한 것을 證治의 요점으로 삼는다.

2. 加減法: 肺經에 熱이 심하면 黃芩·知母 등을 넣어 淸泄肺熱하는 효능을 증강시키고, 燥熱咳嗽인 자는 瓜蔞皮·川貝母 등을 넣어 潤肺止咳한다.

3. 瀉白散은 다음 한국표준질병사인분류(KCD)에 해당하는 환자가 肺熱喘咳證으로 辨證되는 경우 본 처방의 사용을 고려해볼 수 있다.

처방 목표	한국표준질병사인분류(KCD)
小兒 麻疹 初期	B05 홍역
肺炎	J09~J18 인플루엔자 및 폐렴
	J20~J22 기타 급성 하기도감염
	J18.9 상세불명의 폐렴
氣管支炎	J40 급성인지 만성인지 명시되지 않은 기관지염

【注意事項】 外感 風寒으로 야기된 喘咳나 혹은 虛寒性 咳嗽에는 본 방제를 사용하는 것이 마땅하지 않다.

【變遷史】 본 방제는『小兒藥證直訣』卷下에서 출전하는데, 원래는 小兒의 肺盛으로 氣急喘咳하는 것을 치료하는 것이었다. 후세의 의학자들은 본 방제의 淸瀉肺熱·平喘止咳하는 효능에 근거하여 그 임상 응용범위를 또한 확장시켰으니, 예를 들면『斑論萃英』에서는 이것을 사용하여 肺熱로 目黃·口不吮乳·喘嗽하는 것을 치료하였고,『保嬰撮要』卷13에서는 肺經에 熱이 있어 生瘡하는 것을 치료하였으며,『醫方集解』「瀉火之劑」에서는 肺火로 皮膚가 蒸熱하면서 灑淅寒熱하는 것이 日晡에 더욱 심하고 喘嗽氣急하는 것을 치료한 것과 같다.

본 방제를 기초로 하여 藥味를 加減하여 변화 발전시킨 同名異方이 비교적 많다. 예를 들면 南宋의 嚴用和가 지은『濟生方』卷2의 방제는 곧 본 방제에서 粳米를 빼고 桔梗·半夏·瓜蔞子·升麻·杏仁·生薑을 넣어 만들면서 겸하여 化痰寬胸潤腸을 가능하게 한 것이니, 肺臟의 實熱로 心胸壅悶하고 咳嗽煩喘하며 大便不利하는 것을 치료하였다. 元代 朱震亨의『脈因證治』卷中에 있는 방제는 곧 본 방제에서 粳米를 빼고 靑皮·五味·茯苓·蔘·杏仁·半夏·桔梗·生薑을 넣어서 陰氣在下하고 陽氣在上하면서 咳喘嘔逆하는 것을 치료하였다. 明代 陶華의『癰疽驗方』에 있는 방제는 본 방제에서 粳米를 빼고 貝母·紫菀·桔梗·當歸·瓜蔞仁·生薑을 넣어 만든 것으로 肺癰을 치료한다. 萬全의『幼科發揮』卷4에 있는 방제는 곧 본 방제에서 粳米를 빼고 桔梗·陳皮를 넣은 것으로 小兒의 肺熱證을 치료한다. 芮經의『杏苑生春』卷3에 나오는 방제는 본 방제에서 粳米를 빼고 麥門冬을 넣은 것과 관계되는데, 겸하여 養陰淸熱하는 것을 가능하게 한 것으로 肺熱證을 치료한 것이고, 孫文胤의『丹台玉案』卷3에 있는 방제는 上方의 기초상에서 다시 五味子·天門冬·貝母를 넣어 肺經發熱을 치료한 것이다. 淸代 秦景明의『症因脈治』卷3에 있는 방제는 본 방제에서 粳米를 빼고 荊芥穗·防風·柴胡·葛根을 넣어서 겸하여 疏風解表를 가능하게 한 것으로 外感嗽血, 表邪外束, 身發寒熱, 咳嗽帶血한 자를 치료하고, 同卷의 同名方은 본 방제에서 粳米를 빼고 乾葛·石膏를 넣어 만든 것으로 淸泄伏熱하는 효능이 더욱 좋아서 外感으로 嗽血하면서 熱邪가 內伏한 자를 치료한다. 張璐의『張氏醫通』卷13에 있는 방제는 곧 본 방제에 竹葉을 넣어 만든 것으로 肺熱咳嗽로 手足心熱하는 것을 치료한다. 張琰의『種痘新書』卷12에 있는 방제는 곧 본 방제에서 粳米를 빼고 淡竹葉·燈心·馬兜鈴을 넣어 만든 것으로 痲疹咳嗽를 치료한다. 沈金鼇의『雜病源流犀燭』卷1에 있는 방제는 곧 본 방제에 人蔘·茯苓·知母·黃芩를 넣어서 晨嗽를 치료하였다. 王淸源의『醫方簡義』卷2에 있는 방제는 곧 본 방제에 知母를 넣어 만든 것으로 肺火로 喘咳하는 자를 치료한다. 이상의 모든 방제는 모두 錢氏瀉白散의 立法과 配伍用藥 및 그 適應證을 진일보 발전시킨 것으로, 동시에 또한 錢氏瀉白散이 후세 의학자들에게 끼친 영향이 深遠함을 충분히 설명하는 것이다.

【難題解說】

1. 본 방제의 君藥에 관한 것: 본 방제는 桑白皮을 君藥으로 삼는데, 이것은 본 方證이 肺 중에 伏火가 鬱熱하여 肺氣가 壅盛해지면서 肺失宣肅에 이른 것이기 때문이다. 桑白皮를 사용하여 肺熱을 淸瀉시켜서 肺氣를 이롭게 하면 肺氣의 宣降에 질서가 있도록 할 수 있다. 또한『醫宗金鑒』「刪補名醫方論」卷4에서 말하기를 桑白皮는 "質液而味辛, 液以潤燥, 辛以瀉肺."라고 하였으니, 桑白皮는 淸瀉肺熱·平喘止咳하여 肺 중에 伏火가 있어서 肺氣壅盛한 것을 잘 다스릴 뿐만 아니라, 質潤不燥하여 肺氣를 瀉하면서도 嬌臟을 손상시키지 않기에 더욱 稚陰之體인 小兒에 적당하므로 君藥으로 사용하는 것이다.

2. 본 方證의 病機에 관한 것: 錢氏가 말한 본 방제의 主治는 '小兒肺盛'인데,『醫方集解』「瀉火之劑」에서는 본 방제를 사용하여 '肺火'를 치료한다고 하였고, 그 임상적인 표현으로는 일반적으로 "皮膚蒸熱, 灑淅惡寒, 日晡尤甚, 喘嗽氣急." 등이 있다. 본 方證의 喘嗽는 肺熱로 肺氣가 上逆하여 생기는 것이기 때문에 鬱閉로 咳喘하면서 氣急鼻煽한 것과 같이 壅塞하여

痰阻한 것과는 輕重의 구별이 있으며, 본 方證의 病機 특징은 肺熱이 뚜렷하지 않으면서 陰分의 손상 역시 가벼운 것에 있다.

3. 본 방제가 外感을 겸하는 것이 마땅한지의 여부에 관한 것: 吳瑭이 인식하기를 瀉白散은 咳喘에 外感을 겸하고 있는 자에게는 사용하는 것이 옳지 않다고 하면서 본 방제에 대하여 상당히 많은 완곡한 비평을 하였으니, 『溫病條辨』卷6의 '瀉白散不可妄用論' 중에서 말하기를 "歷來注此方者, 只言其功, 不知其弊. …… 此方治熱病後與小兒痘後, 外感已盡眞元不得歸原, 咳嗽上氣, 身虛熱者, 甚良. 若兼一毫外感, 即不可用. 如風寒·風溫正盛之時, 而用桑白皮·地骨皮, 或於別方中加桑白皮, 或加地骨皮, 如油入面, 錮結而不可解矣."라고 하였다. 吳氏의 설명에도 비록 일정한 이치가 있지만 너무 지나치게 구속될 필요는 없다. 본 방제의 主治는 肺熱喘咳證으로 만약 外感을 겸하고 있다면, 단지 증상에 따라 가감하면 또한 사용할 수 있으니, 예를 들어 『症因脈治』卷3의 같은 이름의 방제는 곧 본 방제에 粳米를 빼고 荊芥穗·防風·柴胡·葛根을 넣어 發汗解表함으로써 外感嗽血로 表邪外束하여 身發寒熱하며 咳嗽帶血하는 자를 치료한 것이고, 『醫宗金鑒』卷41에서 말한 본 방제의 가감법에는 "若無汗, 是爲寒遏肺火, 加麻黃·杏仁發之."이라고 하였으니, 肺熱에 外感을 겸한 것에 본 방제를 절대적으로 禁忌한 것이 아니며, 단지 증상에 따라 가감하여 적합하게 變通하면 저절로 양호한 효과가 있음을 설명하는 것이다.

【醫案】

1. 蕁麻疹 『安徽中醫學院學報』(1986, 1:33): 某 여자, 49세. 蕁麻疹을 앓은 지 6년 여 되었는데, 時發時止하면서 여러 차례 中·洋藥物 치료를 거쳤지만 효과가 좋지 않았다. 환자는 病으로 고통스러워하였으며, 心煩急躁하면서 밤에 잠들기 힘들어 하였는데, 일찍이 頑固性 蕁麻疹으로 진단받았다. 이번에 발병하게 된 것은 새집으로 이사한 것으로 인하여 室內가 눅눅하면서 수일 동안 발병하였다. 瘙癢을 견디기 힘들었고 四肢가 더욱 심했으며 그 發疹된 곳을 긁으면 손이 닿는 곳마다 커졌는데, 熱을 만나면 심해졌고 冷을 만나면 조금 감소하였으며 겨울은 가볍고 여름은 심하였다. 반복한지 2년여가 지나면서 皮疹이 全身으로 두루 퍼졌으며 입술이 부은 것처럼 두터워졌고 疹塊處에 닿으면 灼熱感이 있었다. 舌質紅, 苔薄黃, 脈浮數하였다. 風熱夾濕한 것으로 辨證論治하였다. 적용한 방제: 桑白皮·地骨皮 各 30 g, 甘草·苦蔘 各 10 g, 蟬衣 20 g. 찧어서 부순 다음에 물에 달여 복용하였는데, 계속해서 12첩을 복약한 이후에 發疹이 사라졌다. 치료 효과를 확실하게 하기 위하여 이 처방을 곱게 갈아 每次 6 g씩 매일 2차례, 연속해서 2개월을 복용하였더니 7년이 지난 지금까지 재발하지 않았다.

2. 單純疱疹 『江西中醫藥』(1990, 6:35): 某 여자, 26세. 發熱·咳嗽를 한 지 3일 후에 鼻孔 및 口角의 皮膚黏膜 경계처에 群集을 이룬 小水皰가 일어나면서 灼癢한 것이 1일 되었다. 진단하여 보니 皮疹으로 바늘구멍만한 水皰가 密集하여 무리를 이루었고, 주위가 紅暈하였으며 皰液이 澄清하였고 양측 頜下의 림프샘이 약간 부어있었다. 體溫을 측정하니 38.5℃였고, 舌紅, 苔薄黃, 脈浮數하였다. 診斷: 單純疱疹이다. 이것은 外感 風熱의 毒이 肺胃 두 경맥에 침입하여 皮膚를 蘊蒸하여 생긴 것과 관계있다. 치료는 瀉肺淸熱·解毒消疹하는 것이 마땅하다. 방제로는 瀉白散에 加減하였다. 桑白皮·大青葉·板藍根·銀花 各 15g, 地骨皮·黃芩 各 10 g, 甘草 5 g. 물에 달여 3첩을 복용한 후에 병이 나았다.

考察: 蕁麻疹을 한의학에서는 대부분 癮疹이라고 부른다. 醫案1의 발병은 시작이 외부의 濕邪를 感受함으로 인하여 이후에 盛夏乘涼하면서 다시 風熱의 邪氣에 감촉되면서 濕熱이 相搏하여 초래된 것이다. '肺合皮毛'의 이치와 '以皮行皮'하는 뜻을 따라서 본 방제를 사용하여 淸肺瀉火하였고, 다시 祛風除濕하는 苦蔘 및 疏散風熱하는 蟬衣를 넣어서 藥力이 더욱 굉장해졌으므로 효과를 거둔 것이다. 醫案2의 單純疱疹은 '肺合皮毛'를 따라 立論한 것으로 기본 病機가 '肺經有

熱'인 것에 맞추어서 본 방제에 가감하여 투여하였으므로 양호한 효과를 얻었다.

3. 疱疹性 結膜炎 『雲南中醫學院學報』(1994, 4:41): 劉 某氏, 28세. 自覺하기를 우측 眼球가 澀痛하면서 微癢한 지가 2일 되었다. 檢查: 양쪽 눈의 시력은 정상이었고, 右眼 大眦部位의 白睛 표층에 3개의 粟粒樣 疱疹을 볼 수 있었고, 아울러 赤脈이 圍繞하면서 黑睛은 透明한 것을 볼 수 있었으며, 左眼은 이상을 발견할 수 없었다. 舌紅苔黃, 脈浮하였다. 診斷: 疱疹性 結膜炎. 증상은 熱이 肺經에 침입한 것에 속한다. 방제로는 瀉白散에 穀精草·蟬蛻·木賊 등을 넣어 4첩을 복약하였더니 나았다.

4. 咳嗽 『謝鐵廬醫案』: 楊協勝의 딸이 寒熱咳嗽하면서 腹痛泄瀉하였다. 醫者가 '痛一陣瀉一陣'하는 것은 火에 속하는 例인 것을 알지 못하고, 木이 강하여 反克하는 이치로 알고 망령되게 消耗시키는 약제를 사용하였더니 점점 面浮氣促에 이르면서 식사량이 감소하여 羸瘦해졌고, 또한 芪·朮의 약재를 誤用함으로써 潮熱이 더욱 심해지면서 痛瀉가 더욱 많아졌다. 2달 동안 오래 끌면서 많은 사람들이 童癆로 낫기 어렵다고 말하였다. 나에게 진찰해 주기를 요구하기에 먼저 戊己丸을 湯劑로 만들어서 주었더니 2첩에 痛瀉가 바로 그쳤고, 계속해서 瀉白散에 生脈湯을 합하여 2첩을 주었더니 潮嗽가 모두 편안해졌다.

考察: 白睛은 風輪으로 肺에 속하는데, 熱이 肺經에 침입하였으므로 醫案3의 白睛 疱疹이 나타난 것이고, 치료는 瀉白散으로 肺熱을 淸瀉함으로써 효과를 거둔 것이다. 肺와 大腸은 서로 表裏가 되는데, 肺熱하면 大腸도 역시 불안해지므로 醫案4의 咳嗽와 腹痛泄瀉가 함께 나타나는 것이니 瀉肺淸熱하는 것이 병을 치료하는 근본이 된다.

【副方】 葶藶大棗瀉肺湯(『金匱要略』): 葶藶子 熬令色黃, 搗丸如彈子大(9 g) 大棗 十二枚(四枚)

- 用法: 上藥先以水三升煮棗, 取二升, 去棗, 內葶藶, 煮取一升, 頓服.
- 作用: 瀉肺行水, 下氣平喘.
- 適應症: 痰涎壅盛, 咳喘胸滿.

방제 중 葶藶子는 苦寒하면서 祛痰平喘하기에 瀉下逐痰하는 효능이 있어서 實證을 치료하는 것에 빠른 효과가 있다. 葶藶子의 藥性이 猛烈하여 正氣를 손상시킬 것이 의심되기 때문에 大棗로 輔佐하여 甘溫安中하면서 藥性을 緩和한 것이니 瀉下로 正氣가 손상되지 않게 한 것이다. 두 가지 약재를 합하여 사용하면 瀉肺行水·下氣平喘의 효능을 발생시킨다.

본 방제는 瀉白散과 함께 모두 瀉肺作用이 있으나, 瀉白散은 肺中伏火를 瀉하는 것이고, 본 방제는 肺中痰水를 瀉하는 것이다. 瀉白散이 치료하는 咳喘은 肺중의 伏火가 鬱熱함으로써 생긴 것이니 咳痰의 量이 적고 또한 苔必黃燥하면서 脈細數하고, 본 방제가 치료하는 咳喘은 痰濁이 肺에 壅滯하여 생긴 것이니 咳痰의 量이 많으면서 稠濁하고 胸膈滿悶하며 苔膩하고 脈滑하다.

淸胃散

(『脾胃論』卷下)

【異名】 淸胃湯(『瘡瘍經驗全書』卷1)·消胃湯(『不知醫必要』卷2).

【組成】 生地黃 當歸身 各三分(各 0.9 g) 牡丹皮 半錢(1.5 g) 黃連 如黃連不好, 更加二分, 如夏月倍之 六分(0.6 g) 升麻 一錢(3 g)

【用法】 위의 약재들을 가루로 만들어서 모두 한 번에 복용하는데, 물 一盞半에 七分이 되도록 달여서 찌

꺼기를 제거하고 식힌 다음에 복용한다.

【效能】 淸胃涼血.

【主治】 胃火牙痛. 牙痛牽引頭痛, 面頰發熱, 其齒喜冷惡熱; 或牙宣出血; 或牙齦紅腫潰爛; 或唇舌頰腮腫痛; 口氣熱臭, 口乾舌爛, 舌紅苔黃, 脈滑數.

【病機分析】『脾胃論』에서는 이 方證의 病機를 '陽明經中熱盛'이라고 말하였으므로 증상으로는 陽明經에 熱盛한 것이 循經하여 外發하는 표현이 나타난다. 足陽明胃經은 鼻를 따라 上齒로 들어가서 耳前·前額과 口唇을 둘러서 분포하니, 胃中에 熱盛하여 火熱이 經絡을 따라 上攻하면 牙齒疼痛과 腮頰唇舌腫痛하면서 齒齦潰爛과 口氣熱臭가 나타난다. 手陽明大腸經은 위로 頰部로 가서 貫頰하고 絡下齒하는데, 胃熱하면 大腸도 역시 熱하므로 腸熱이 經絡을 따라 발병하면 下齒도 또한 痛症이 생긴다. 牙齒가 熱로 인해서 痛症이 생기기에 得冷則痛減·遇熱則痛劇하는 것이니 따라서 喜冷惡熱하는 것이고, 足陽明胃經은 髮際를 따라 額顱로 올라가므로 齒痛으로 말미암아 額顱面頰에까지 發熱이 미치는 것이고 齒痛牽引頭痛하는 것이다. 胃는 多氣多血한 腑인데 胃熱이 血絡에까지 손상이 미치므로 牙宣出血이 나타나는 것이다. 熱傷津液하면 口乾舌燥를 느끼고, 胃熱이 熾盛하므로 脈이 滑大而數한 것이다. 舌紅苔黃, 口乾舌燥는 胃熱로 津液이 손상된 징후이다.

【配伍分析】 본 방제는 胃火齒痛을 위하여 설계한 것이다. 그러므로 黃連을 君藥으로 사용한 것은 味苦性寒하여 직접적으로 胃腑의 火를 淸解하기 때문이다. 升麻는 臣藥이 되는데, 淸熱解毒하면서 升하여 發散할 수 있어서 鬱遏된 火를 宣發할 수 있으니 '火鬱發之'의 뜻으로, 『藥性論』卷2에서 말하기를 升麻는 "能治口齒風䘌腫疼, 牙根浮爛惡臭."라고 하였다. 升麻를 黃連와 서로 配伍하면 瀉火하면서도 涼遏하는 폐단을 없앨 수 있고, 散火하면서도 升焰하는 우려를 없앨 수 있는 것이니, 두 가지 약재가 淸上徹下하여 上炎하는 火를 發散시킬 수 있고, 內鬱된 熱을 下降할 수 있기 때문에 熱毒이 모두 풀리면서 牙痛도 그치게 할 수 있다. 胃熱하면 陰血이 반드시 손상을 받으므로 生地黃으로 涼血滋陰하고, 丹皮는 涼血淸熱하니 모두 臣藥이 된다. 當歸는 養血活血하여 消腫止痛을 도우므로 佐藥으로 사용한다. 升麻는 引經을 겸하고 있으므로 使藥으로도 삼는다. 모든 약재를 합하여 사용하면 함께 淸胃涼血의 효능을 발생시킨다.

본 방제의 配伍 특징은 苦寒한 것으로 淸胃를 위주로 하면서 升陽散火하는 것으로 보좌한 것이니, 이와 같이 苦寒한 것이 升散한 것을 만나면 涼遏하지 않고, 升散하는 것도 苦寒한 것의 보좌를 받으면 助熱하지 않는 것이다. 또한 涼血滋陰하는 것으로 보좌 하여 苦寒한 것이 燥함으로써 陰血을 손상시킬 우려를 없앤 것이며, 게다가 涼血하는 것은 淸胃하는 효능을 돕기도 하는 것이니, 配伍의 묘미가 모범으로 삼을 만하다.

【臨床應用】

1. 證治要點: 본 처방은 牙痛을 치료하는 상용 방제로 胃熱證이나 혹은 血熱火鬱인 자는 모두 사용할 수 있으니, 牙痛牽引頭痛, 口氣熱臭, 舌紅苔黃, 脈滑數한 것을 證治의 요점으로 삼는다.

2. 加減法: 만약 腸燥便秘를 겸하고 있는 자는 大黃을 넣어 導熱下行할 수 있고, 口渴飮冷하는 자는 石膏를 넣으면서 아울러 重用하여 淸熱生津할 수 있으며, 胃火熾盛한 牙衄에는 牛膝을 넣어 血熱을 인도하여 下行시킬 수 있다.

3. 淸胃散은 다음 한국표준질병사인분류(KCD)에 해당하는 환자가 胃熱證, 血熱火鬱證으로 辨證되는 경우 본 처방의 사용을 고려해볼 수 있다.

처방 목표	한국표준질병사인분류(KCD)
口腔炎	K12 구내염 및 관련 병변

처방 목표	한국표준질병사인분류(KCD)
齒周炎	K05.2 급성 치주염
	K05.3 만성 치주염
三叉神經痛	G50.0 삼차신경통

【注意事項】 무릇 風火牙痛에 속하거나 혹은 腎虛火炎으로 생기는 牙齦腫痛과 牙宣出血인 자는 본 방제를 사용하는 것이 마땅하지 않다.

【變遷史】 본 방제는 元代에 李杲가 制訂한 것으로 『脾胃論』卷下에 실려 있는데, 이것을 사용하여 "因服補胃熱藥, 陽明經中熱盛, 而致上下齒痛不可忍, 牽引頭腦, 滿面發熱, 其齒喜寒惡熱."하는 것을 치료하였다. 그러나 '淸胃散'의 方名은 제일 먼저 南宋 劉昉의 『幼幼新書』卷28에서 인용한 張渙方에서 보이는데, 다만 두 방제의 配伍한 用藥과 主治는 서로 같지 않다.

후세의 의학자들은 본 방제의 立方 大法을 따르면서 隨證하여 加減하고 변화 발전시킨 방제가 비교적 많은데, 예를 들어 同名異方인 것에는 다음과 같은 것들이 있다. 『外科正宗』卷4의 方은 본 방제에서 當歸를 빼고 石膏·黃芩을 넣어 만들어서 淸胃시키는 힘을 비교적 강하게 만든 것이니, 胃經에 熱이 있어서 牙齒 혹은 齒齦이 붓고 出血이 그치지 않는 것을 치료한 것이다. 『瘍科選粹』卷3의 方은 본 방제에 石膏·細辛·黃芩을 加味한 것과 관계되는데, 胃脘痛으로 胃火가 왕성한 자를 치료한 것이다. 『證治彙補』卷4의 方은 곧 본 방제에 芍藥을 넣은 것으로 陽明經 齒痛을 치료한 것이다. 『醫宗金鑒』卷51의 方은 본 방제에 石膏를 넣은 것으로 小兒가 胎熱이 胃中에 축적되어 牙根이 水泡와 같이 부은 것을 치료하는데 重齦이라고 부른다. 『幼幼集成』卷3의 方은 곧 본 방제에 白芷·細辛을 넣어 走馬牙疳을 치료한 것이다. 『治疹全書』卷下의 方은 곧 본 방제에 連翹·元參·甘草·粳米를 넣어 牙痛, 牙宣, 口臭, 口瘡을 치료한 것이다. 『痲症集成』卷4의 方은 본 방제에 升麻를 빼고 石膏·黑梔를 넣어 만든 것으로 熱이 胃에 왕성하여 牙根潰爛出血하고 唇口腫痛한 것을 치료한 것이다. 『喉症指南』卷4의 方은 본 방제에 當歸를 빼고 石膏·連翹를 넣은 것과 관계되는데, 陽明實火로 牙痛과 口瘡하는 것을 치료한 것이다. 이외에 본 방제에 加減하여 변화 발전시켜서 만든 同名의 淸胃湯이라고 한 것들이 있는데, 『痘疹仁端錄』卷11의 方·『幼科鐵鏡』卷6의 方·『傷寒大白』卷1의 方·『瘍醫大全』卷17의 方 등이 있으며, 그 구성과 주치는 다시 일일이 열거하지는 않겠으니, 본 방제가 후세의 같은 종류의 방제에 끼친 영향이 매우 깊었음을 볼 수 있다.

【難題解說】 본 방제에서 君藥의 認識에 관한 것: 본 방제는 淸胃涼血하는 효능을 갖추고 있어서 陽明經 중에 熱盛한 것을 치료하는데, 火熱의 邪氣가 經絡을 따라 發熱하면서 牙痛·牙宣出血하는 것이 그 두드러진 증상이라는 것에 대해서는 역대의 의학자들의 의견이 일치한다. 다만 방제 중에 도대체 어떤 약재를 君藥으로 삼을 지에 대한 것은 의견이 나누어진다. 예를 들어 唐宗海는 升麻(『血證論』卷下)라고 인식하였고, 羅美는 生地黃(『古今名醫方論』卷4)이라고 인식하였으며, 汪昂은 『醫方集解』「瀉火之劑」 중에서 그 君藥은 당연히 黃連이라고 명백하게 논술한 것 등이 있다. 본 방제의 證治 및 方劑의 配伍 意義 등의 상황을 종합하면 黃連을 君藥으로 삼는 것이 비교적 타당하다. 첫째, 黃連은 苦寒하여 胃 중의 積熱을 잘 식히는데, 淸胃散이라는 이름을 보고 그 뜻을 생각해보면 곧 淸胃熱하는 방제이므로 黃連으로써 君藥을 삼아야 한다. 둘째, 李杲는 黃連의 용량에 대하여 신중히 고려하여 한 分도 양보하지 않았다고 말할 수 있는데, 黃連의 뒤에 나오는 注에서 말하기를 "揀淨, 六分."이라거나 "如黃連不好, 更加二分. 如夏月倍之."라고 한 것은 대체로 黃連은 때에 따라서 增減시켜 정해져있지 않다는 것이다. 李杲가 본 약재의 용량에 역점을 두어 강조한 것은 반드시 重任을 맡기기 위한 것이니 또한 그것이 君藥이 된다. 셋째, 升麻의 방제 중 용량이 유독 많은 것은 다만 반드시 黃連의 苦寒한 약성을 빌려 아래쪽으로 瀉火하고 비로소 助火上炎에 이르지 않도록 하는 것이다. 陳士鐸이 말하기를 "夫火性炎上, 引其上升

者易於散, 任其下行者難於解, 此所以必須多用, 而大熱之毒, 隨元參·麥冬與芩· 連·梔子之類而行盡消化也. 大約元參·麥冬用至一·二兩者, 升麻可多用至五錢, 少則四錢·三錢, 斷不可止用數分與一錢已也."라고 하였고, 또 말하기를 "止血必須地黃, 非升麻可止. 用升麻者, 不過用其引地黃入肺與胃耳. 此等病, 升麻又忌多用, 少用數分, 便能相濟以成功, 切不可多用至一錢之外也."(『本草新編』卷2)라고 하였으니, 升麻의 용량이 유독 많은 것은 胃中의 火熱을 清瀉하기 위해서 설정한 것으로 '火鬱發之'의 뜻이 깃들어있음을 볼 수 있으니, 黃連이 없다면 升散其焰할 것이 의심되므로 마땅히 臣藥이 된다.

【醫案】

1. 齒齦腫痛『吉林中醫藥』(1994, 3:36): 某 여자, 37세. 齒齦腫痛이 5개월 되었는데, 上下의 齒齦이 腫脹하여 疼痛難忍하였고 씹을 수가 없었다. 잠들기 곤란하였고 溲黃便結하였으며, 苔黃膩, 脈滑數하였다. 증상은 陽明熱盛으로 循經上沖하는 것에 속하였다. 치료는 清胃散에 加減하였다. 代赭石 50 g, 升麻·黃連·桃仁·丹皮 各 10 g, 當歸·生地 各 20 g, 蒲公英 100 g. 매일 1첩씩 물에 달여 2차례에 나누어 복용하였다. 5첩을 복약하니 疼痛腫脹이 輕減하였고, 이 처방을 고수하면서 代赭石만 20 g으로 바꾸어서 계속해서 5첩을 복용하였더니 병이 나았다.

2. 便秘『吉林中醫藥』(1994, 3:36): 某 남자, 63세. 便秘의 병력이 2년 되었다. 中·洋藥物을 투여하면 사용했을 때 효과가 있었지만 쉬면 다시 질환을 앓았다. 口渴飮冷, 納呆乏力, 少腹痛滿, 溲黃, 便結하여 7~8일에 한 번 보았고, 苔黃少津, 脈滑數하였다. 증상은 胃가 中焦를 蒸하여 傳導하지 못하는 것에 속하니, 치료는 清胃熱·通三焦하는 것이 마땅하다. 방제는 清胃散에 加減하였다. 大黃 10 g, 升麻 10 g, 黃連 7 g, 當歸 20 g, 生地 20 g, 丹皮 10 g, 黃芩 10 g, 杏仁 10 g. 매일 1첩씩 물에 달여 2차례에 나누어 복용하였다. 10첩을 복약하여 병이 나았다.

3. 癮疹『新中醫』(1994, 12:37): 某 여자, 30세. 全身에 紅疹이 출현하면서 瘙癢을 호소하는 것이 2일 되었다. 증상은 全身에 빽빽하게 크기가 다른 紅色 疹塊가 나타나면서 瘙癢難忍하였는데 夜間에 더욱 심하였다. 皮膚焮熱, 心煩口渴, 咽喉腫痛, 神疲納呆, 小便黃, 舌紅, 苔黃, 脈細數하였다. 증상은 胃熱이 蘊結하여 血熱이 皮膚에 鬱滯한 것에 속하였다. 방제는 清胃散에 加味하였다. 處方: 黃連 6 g, 生地 30 g, 丹皮·升麻·當歸·殭蠶·蟬蛻 各 6 g. 연속해서 5첩을 복용하였더니 병이 나았다.

瀉黃散

(『小兒藥證直訣』卷下)

【異名】 瀉脾散(『小兒藥證直訣』卷下)·瀉黃湯(『痘疹會通』卷4).

【組成】 藿香葉 七錢(21 g) 山梔子仁 一錢(3 g) 石膏 五錢(15 g) 甘草 三兩(90 g) 防風 四兩(120 g) 去蘆, 切, 焙

【用法】 위의 약재들을 부수어서 蜜·酒와 함께 약간 볶아서 향기가 나면 細末로 만든다. 매번 一~二錢(3~6 g)을 물 一盞(200 mL)에 五分이 되도록 달여서 수시로 清汁을 따뜻하게 복용한다.

【效能】 瀉脾胃伏火.

【主治】 脾胃伏火證. 口瘡口臭, 煩渴易饑, 口燥唇乾, 舌紅脈數, 以及脾熱弄舌等.

【病機分析】 脾는 口에 開竅하고 唇은 外候를 살펴는 곳이다. 지금 脾에 伏火鬱熱이 있어서 上部로 熏蒸하면 口唇이 곧 熱象이 있으면서 이를테면 口瘡·口臭·煩渴易饑, 口燥唇乾 등과 같은 것들이 되는 것이다.

脾胃는 서로 表裏가 되는데, 脾熱이 胃에 영향을 미치면 津液이 內耗하면서 煩渴이 나타나고, 熱은 사람으로 하여금 消穀하게 하므로 消穀善饑하는 것을 볼 수 있다. 小兒의 '弄舌'은 心脾에 熱이 있는 것인데, 舌은 心之苗가 되고 脾脈은 連舌本하고 散舌下하므로 弄舌은 心脾의 伏火로 생기는 것이다. 따라서 脾胃伏火는 본 방제가 主治하는 病證의 주요한 病機가 된다.

【配伍分析】 脾胃에 伏火鬱熱이 있으면 치료는 脾胃의 伏火를 瀉해야 한다. 방제 중 石膏·山梔가 서로 配伍되어 있는데, 石膏는 辛寒하니 이것으로 淸熱시키고, 山梔는 苦寒하니 이것으로 瀉火시키며, 아울러 引熱下行하여 小便을 따라 풀리게 하니 淸上徹下하는 효능을 갖추고 있기에 君藥으로 사용한다. 防風은 味辛微溫한데 본 방제에서는 '火鬱發之'를 위하여 설정한 것이다. 본 方證은 脾胃에 伏火하여 생긴 것인데, 만약 苦寒淸瀉하는 것만을 투여한다면 伏火가 抑遏하여 不升함을 벗어나기 힘들다. 그러므로 淸熱하는 중에 升散하는 약재를 配伍함으로써 寒涼하게 하면서도 冰伏함에는 이르지 않게 하고 升散하게 하면서도 火焰을 돕지는 않는 것이니 이것이 淸中有散하고 降中有升하는 방법이다. 藿香은 化濕醒脾하기에 防風과 함께 서로 配伍하면 脾胃의 氣機를 떨쳐 회복시키는 작용이 있으니 두 가지 약재를 臣藥으로 삼는다. 甘草는 和中瀉火하고, 蜜과 酒를 사용하여 調服함으로써 中·上의 二焦를 완만하게 조정할 수 있어서 瀉脾하면서도 傷脾하지 않도록 한 것이니 모두 佐·使藥이 되는 것으로, 바로 王泰林이 말한 "蓋脾胃伏火, 宜徐徐而瀉卻, 非比實火當急瀉也."(『王旭高醫書六種』「退思集類方歌訣」)라고 한 것과 같다.

본 방제의 配伍 특징은 淸瀉을 위주로 하면서 升散을 보조한 것으로 淸中有散·降中有升하여 寒涼하면서도 冰伏함에는 이르지 않고 升散하면서도 火焰을 돕지는 않는 것이고, 甘潤和中한 것으로 輔佐함으로써 瀉脾하면서도 傷脾하지는 않도록 한 것이다.

【類似方比較】 본 방제는 淸胃散과 함께 淸熱作用이 있는데, 瀉黃散은 脾胃의 伏火를 瀉하여 脾熱弄舌과 口瘡口臭 등을 主治하고, 淸胃散은 淸胃涼血하여 胃熱齒痛하거나 혹은 牙宣出血과 頰腮腫痛하는 자를 치료한다. 前者는 淸瀉와 升發을 並用하면서 아울러 脾胃를 돌보는 것이고, 後者는 淸胃涼血을 위주로 하면서 겸하여 升散解毒하는 것이니, 이것이 두 가지 방제의 같은 것 가운데서도 다른 것이다.

【臨床應用】

1. 證治要點: 본 방제는 脾熱口瘡을 치료하는 상용방으로 口瘡口臭, 舌紅, 脈數을 辨證의 要點으로 삼는다.

2. 加減法: 小兒의 '滯頤'가 脾胃積熱에 속하는 자는 藿香을 빼고 赤茯苓·木通을 넣어 淸熱利濕하고, 脾胃鬱熱의 口瘡·弄舌에 대해서는 淸熱을 위주로 치료하면서 防風을 重用할 필요는 없으며, 만약 口瘡·口疳에 血熱을 겸하고 있는 자는 生地·赤芍藥을 넣을 수 있고, 口舌赤裂疼痛에는 黃連·黃柏을 넣을 수 있고, 舌下腫痛에는 栝蔞·貝母 등을 넣을 수 있다.

3. 瀉黃散은 다음 한국표준질병사인분류(KCD)에 해당하는 환자가 脾胃伏火證으로 辨證되는 경우 본 처방의 사용을 고려해볼 수 있다.

처방 목표	한국표준질병사인분류(KCD)
口腔潰瘍	K12 구내염 및 관련 병변
小兒鵝口瘡	B37.0 칸디다구내염
	B37.9 상세불명의 칸디다증

【注意事項】 陰虛火旺의 口瘡口臭는 본 방제를 사용하는 것이 마땅하지 않다.

【變遷史】 본 방제는 『小兒藥證直訣』卷下에서 出典하는데, 원래는 '脾熱弄舌'을 치료하기 위해서 만든 것이다. 후세의 의학자들이 또한 그것을 확충하여 脾胃

伏火로 인한 多種의 病證을 치료하는데 사용하였다. 예를 들면 『斑論萃英』에서는 이것을 사용하여 "脾熱目黃, 口不能吮乳."를 치료하였고, 『普濟方』卷386에서는 이것을 사용하여 "小兒身涼, 身黃睛黃, 疳熱口臭, 唇焦, 瀉黃沫, 脾熱口甜, 胃熱口苦, 不吮乳."하는 것을 치료하였으며, 『保嬰撮要』卷11에서는 이것을 사용하여 "瘡瘍, 作渴飮冷, 臥不露睛, 手足並熱, 屬胃經實熱者."를 치료하였고, 『萬氏家傳片玉心書』卷5에서는 이것을 사용하여 "脾熱, 目內黃, 目胞腫."하는 것을 치료하였다. 위에서 서술한 모든 증상들의 표현이 비록 目黃·瘡瘍·目胞腫 등으로 다르지만, 모두 脾熱熏蒸으로 생긴 것이므로 모두 본 방제로 치료한 것이다.

후세의 의학자들이 본 방제를 기초로 加減 처방하여 만든 방제가 있다. 『嚴氏濟生方』卷5의 同名方은 곧 본 방제에 縮砂仁을 넣어 脾胃壅實로 口內生瘡, 煩悶多渴, 頰痛心煩, 唇口乾燥, 壅滯不食하는 것을 치료한다. 『醫宗金鑒』卷65의 同名方은 곧 본 방제에서 藿香을 빼고 豨薟草를 넣어 眼皮가 外翻한 것이 마치 舌로 입술을 핥은 것과 같은 것을 치료하는데, 胃經에 血壅氣滯하여 胞腫睫緊해서 생긴 것이다. 『眼科闡微』卷3의 瀉黃湯은 본 방제에서 山梔를 빼고 大黃·白芍藥·陳皮를 넣어 만든 것으로 時行赤眼과 脾經濕熱을 치료한다.

【難題解說】

1. 방제 중 防風의 서로 다른 견해에 관한 것: 防風은 脾中伏火를 升發할 수 있다고 인식한 의학자가 있으니, 淸熱藥과 서로 配伍하는 것은 升降을 함께 투여하는 것으로 吳昆·汪昂 등이 곧 이러한 관점을 견지하였고, 張山雷는 제시하기를 "病是火熱, 安有升散以煽其焰之理."(『小兒藥證直訣箋正』)라고 하였다. 이상의 두 종류의 관점으로 나누어지는 것은 본 방제에 防風을 配伍하여 사용하는 것은 脾胃伏火의 치료에 대하여 相反相成하거나 아니면 有損無益하기 때문이다. 瀉黃散이 主治하는 병증의 病機는 脾胃伏火이니 이치로는 당연히 淸降해야 한다. 그러나 脾胃伏火에는 또한 寒涼한 것을 過用함으로 인하여 憂鬱을 만나서 火鬱脾虛하고 虛中夾實했을 가능성도 있다. 또한 일찍이 『內經』 중에는 이미 '火鬱發之' 하라는 論述이 있는데, 본 방제가 바로 이러한 이론을 구체적으로 운용한 것으로 이러한 '淸'과 '散'을 並行하여 鬱火證을 치료하는 방법은 宋代 및 金·元時期의 制方 중에 많이 體現되어 있다. 그러므로 張氏가 본 방제의 防風을 잘못 사용한 것이라고 인식한 것은 편파적인 것이다. 다만 張氏가 防風의 용량에 '輕重不一'하다고 제시한 것은 주의할 만하다. 小兒는 稚陰之體에 속하는데 防風은 升散하는 약재기 때문에 脾胃伏火의 증상에 용량을 유독 많이 사용한다면, 설령 辛寒과 苦降하는 것이 서로 배합된다고 하더라도 升散하는 성질을 제약하기 힘들기 때문이다.

2. 방제 중 甘草에 관한 것: 張山雷는 甘草가 "非實熱者必用之藥"(『小兒藥證直訣箋正』)이라고 인식하였다. 모든 古籍을 살펴보면 實熱을 치료하는 방제가 비록 甘草를 반드시 사용한 것은 아니지만, 甘草를 사용한 것도 또한 상당히 많으니, 예를 들어 涼膈散·當歸龍薈丸 등은 모두 實火를 치료하는데 방제 중에 甘草를 갖추고 있다. 본 方證의 病因으로 말할 것 같으면 脾胃에 이미 伏火가 있으니 형세가 반드시 運化 機能에 영향을 미칠 것이고, 또한 寒涼한 약재를 사용하여 瀉火하면 中氣가 손상 받지 않을 수 없다. 그러므로 石膏·梔子를 응용하여 脾胃伏火를 맑게 하는 동시에 甘草를 重用하여 脾胃의 氣를 調補하는 것이다.

【醫案】

1. 唇瘡 『廣西中醫藥』(1984, 5:27): 某 남자, 30세. 환자는 冬至 전후에 연속해서 신선로 요리를 먹고는 下唇起瘡, 腫痛不止, 口燥便結, 食後腹脹, 尿黃하여 茶色과 같았다. 炎見寧·riboflavin 등을 복용하였지만 효과가 없었다. 진단해보니 舌質紅, 苔薄黃, 脈弦數하였다. 辨證은 燥邪가 引動하여 脾火가 上沖한 것에 속하였고, 치료는 瀉火潤燥로써 하였다. 瀉黃散에 麥門冬 6 g을 넣은 것을 적용하여 매일 1첩씩 복용하였다.

복약한 후에 大便通暢하고 唇腫痛이 모두 감소하였으며, 皰疹에 黃水가 넘치던 것이 점점 結痂를 형성하더니 1주 후에는 치유되었다.

2. 小兒 牙關緊閉『謝映廬醫案』: 傅毓尚의 아이가 潮熱惡寒하였는데, 醫師가 羌·防·柴·葛과 같은 종류를 사용하였더니 熱이 더욱 심하면서 大汗淋漓, 四肢怠惰, 食已即饑하였다. 醫師가 오히려 잘 먹으니 좋은 것이라고 말하였고, 潮熱이 물러나지 않은 것을 보고서는 瘧疾로 바꾸어 인식하면서 다시 柴胡·檳榔과 같은 종류를 사용하였는데 그 熱은 여전하였다. 그 大便 보기가 매우 어려운 것을 물어보고는 다시 大黃·枳殼을 넣었는데 대변은 여전히 잘 통하지 않았고, 이에 牙關緊閉, 口中流涎, 面唇俱白, 大汗嗜臥, 腹中欲食한데 口不能入하였다. 이전의 醫師가 속수무책으로 가버리고 나를 초대하여 진찰하게 하였다. 물어보니 처음에는 潮熱畏寒이 있었는데 계속해서 大汗易饑便堅하면서 四肢倦怠하였으며, 이후에 牙緊涎流하였다고 한다. 진맥하여 보니 諸脈이 弦小하면서 오직 양쪽 關脈이 洪大하게 이르렀다. 세밀하게 이 증상을 관찰해보니 비록 三陽經病에 속하지만, 太陽·少陽에는 전혀 관계가 없고, 모두 陽明胃病이었다. 대개 胃中에 伏火가 있어서 中消의 징후가 된 것이다. 瀉黃散에 蒺藜·升麻·大黃을 넣어서 주었다. 방제 중에 가장 오묘한 것은 防風·升麻인데 升陽瀉木의 작용이 있어서, 이른바 胃中伏火를 계발하여 清陽·邪火하는 것이 양쪽으로 그중간을 막지 못하게 하여 모두 舒暢하도록 하는 것이다. 또한 蒺藜로 誘導하고 石膏로 서늘하게 하며 大黃으로 나가게 하고 梔子로 이끌게 하고 甘草로 조화롭게 하고 蜂蜜로 윤택게 하여 질서정연하니 진실로 胃中伏熱의 妙劑가 되는 것이다. 목구멍으로 넘긴 후에 잠깐 동안 熟睡를 취하였으며 牙關이 곧 열리고 流涎도 또한 그쳤으며 潮熱도 물러났다. 다시 搜風潤腸하는 약재를 자주 복용하고는 건강해졌다.

3. 重舌『廣西中醫藥』(1984, 5:27): 某 여자, 65세. 煎餅을 먹었으며, 그날 저녁에 또한 風邪를 感受하면서 혀 가운데 여러 개의 潰瘍面이 있었는데 대략 땅콩 알맹이 모양의 크기였으며, 혀 아래의 血脈이 脹起하면서 모양이 小舌(약 1 cm×3 cm)과 같았고 紅色이면서 만지면 통증이 있었고, 善食易饑, 口乾煩渴, 疲倦煩熱, 小溲色黃, 舌紅苔黃中剝, 脈細數하였다. 증상은 脾胃伏火·陰虛血結·風熱內蘊한 것에 속하였다. 치료는 清瀉脾火·養陰行血에 疏風을 보좌하는 것이 마땅하다. 處方: 藿香 10 g, 梔子 10 g, 生石膏 30 g, 銀花 15 g, 麥門冬 10 g, 山甲 6 g, 防風 12 g, 竹葉 6 g, 甘草 6 g. 매일 1첩씩 물에 달여 복용한다. 1주일을 복용하였더니 혀 가운데의 潰瘍이 기본적으로 소실되었고, 혀 아래의 血腫이 사라지면서 만져도 통증이 없어져서 병이 이미 나았다.

考察: 醫案1은 辛辣溫燥한 음식물을 지나치게 먹음으로 인하여 燥邪가 引動하여 脾火가 上沖하면서 唇瘡이 생긴 것이다. 그러므로 치료는 瀉火潤燥로써 한 것이고, 방제는 瀉黃散으로 瀉脾火하면서 麥門冬을 넣어 滋陰潤燥한 것이다. 醫案2의 牙關緊閉와 醫案3의 重舌은 모두 脾胃伏火에 책임이 있으므로 모두 瀉黃散에 加減하여 효과를 취한 것이다.

4. 帶下『中級醫刊』(1988, 3:54): 某 여자, 44세. 발병한 지 3개월 되었는데, 帶下色이 黃하면서 黏臭하였고, 四肢倦怠와 함께 陰部瘙癢을 동반하였으며, 坐臥不安, 納呆, 胸悶, 口苦黏膩而臭, 苔黃膩, 脈滑數하였다. 방제는 瀉黃散에 四妙散을 합방한 후 加味하였다. 藿香 10 g, 生石膏 15 g, 梔子 8 g, 防風 8 g, 甘草 5 g, 蒼朮 6 g, 黃柏 8 g, 川牛膝 10 g, 生薏仁 20 g, 白鮮皮 10 g. 4첩을 복약한 후에 스스로 호소하던 증상들은 뚜렷하게 경감하였으며, 原方을 또한 4첩 복용한 후에 증상이 소실되었다.

考察: 본 例의 환자는 濕毒이 안으로 침범하여 沖任脈을 손상시켜서 邪氣가 蘊蓄하여 熱을 생성하고 穢濁한 것이 下流함으로써 帶下가 된 것이다. 『婦人秘科』에서 말하기를 "帶下之病, 婦人多有之, 赤者屬熱,

兼虛兼火治之. 白者屬濕, 兼虛兼痰治之."라고 하였는데, 본 例는 兼濕兼熱에 속하여 淸熱利濕하는 것이 마땅하므로 瀉黃散에 四妙散을 합방하여 치료하였다.

5. 風赤瘡痍 『四川中醫』(1995, 3:44): 某 남자, 5세. 눈 주위의 皮膚가 紅·腫·瘙癢·脫屑하는 것이 보름이 되었다. 환자는 보름 전부터 눈 주위가 瘙癢하면서 불편함에 출현하기 시작하였으며, 계속해서 局部가 發紅·微腫·點狀皮疹이 솟아났다. 양의사의 對症 치료를 거친 후에도 감소하지 않으면서 도리어 날마다 심해지면서 紅腫이 더욱 심해졌고, 皮疹은 여기가 일어나면 저기가 잠복하였고, 皮疹이 물러난 후에는 皮屑이 脫落하였다. 이후에 韓藥의 淸熱涼血·解毒化濕·祛風止癢 등의 치료를 거쳤지만 여전히 뚜렷한 치료 효과가 없었다. 당시의 진단: 양쪽 眼瞼이 紅腫하면서 表面에 疹屑이 交錯하였고, 아울러 上下瞼緣에 파급되면서 역시 紅腫하면서 起疹하였으며, 瘙癢不適, 伴口臭口乾喜飮, 頭昏, 納呆, 尿黃, 便結, 舌紅苔黃厚, 脈濡數하였다. 진단은 風赤瘡痍로 하였고, 증상은 脾胃에 伏火하여 上部로 鬱結한 것에 속하며, 치료는 脾胃伏火를 瀉하면서 利濕·解毒·消腫하는 것을 적용하였고, 방제로는 瀉黃散에 加味한 것을 투여하였다. 藥用: 藿香 10 g, 山梔子·生甘草 各 7 g, 石膏 30 g, 防風·蟬蛻·荊芥·通草 各 8 g, 土茯苓·連翹·丹皮 各 9 g, 大黃(後下) 5 g. 물에 달여 복용하면서 아울러 조금의 藥汁으로 局部에 발랐다. 1첩을 복약하니 瘙癢이 그치면서 大便이 通暢하였고, 다시 2첩을 복용하니 紅腫癢疹이 전부 소실되어 나았다.

考察: 본 醫案은 脾經의 風熱毒邪가 위로 눈을 공격해서 생긴 것이다. 치료는 瀉黃散으로 脾經의 積熱伏火를 淸瀉하면서, 祛風·解毒·通腑하는 약재로 조금 보좌하여 脾氣를 通暢하게 하면, 脾胃의 風熱毒邪가 淸瀉되고 經氣가 調和되면서 瘡痍가 저절로 낫는 것이다.

玉女煎

(『景岳全書』卷51)

【組成】 石膏 二至五錢(6~15 g) 熟地黃 三至五錢 或一兩(9~15 g 혹 30 g) 麥門冬 二錢(6 g) 知母 牛膝 各一錢半(各 4.5 g)

【用法】 위의 약재들을 물 一盅半(300 mL)을 사용하여 七分(200 mL)이 되도록 달여서 따뜻하게 복용하거나 혹은 冷服 한다.

【效能】 淸胃熱, 滋腎陰.

【主治】 胃熱陰虛證. 頭痛, 齒痛, 齒松牙衄, 煩熱乾渴, 舌紅苔黃而乾. 亦治消渴, 消穀善饑等.

【病機分析】 『景岳全書』에서 말하기를 본 方證은 "少陰不足, 陽明有餘"라고 하였다. 陽明有餘하면 胃熱이 循經하여 위로 頭面을 공격하기에 頭痛과 齒痛이 나타난다. 熱이 胃經의 血絡을 손상시키면 牙衄하게 된다. 熱이 陰津을 손상시켜서 少陰不足하면 煩熱口乾과 舌紅苔黃而乾이 나타난다. 腎陰이 不足하면 牙齒가 흔들리게 된다.

본 방제는 또한 消渴을 치료하는데, 이것은 胃熱이 熾盛하여 腐熟水穀하는 힘이 强盛하기 때문에 消穀善饑가 나타나는 것이고 少陰이 不足하여 虛火가 妄動하면 口乾唇燥와 五心煩熱 등의 증상이 나타난다.

이상의 것들을 종합해서 서술하면 본 方證은 실제로 水虧火盛이 서로 원인이 되어 병이 되는 것이지만 胃熱이 위주가 된다.

【配伍分析】 방제 중 石膏는 胃火의 有餘를 淸解하기에 君藥으로 사용하고, 熟地黃은 腎水의 不足을 滋

養하기에 臣藥으로 삼는 것이니, 君臣을 합하여 사용하면 淸火하면서 壯水하는 것이다. 知母로 보좌함으로써 石膏의 淸胃瀉火를 도울 뿐만 아니라 熟地黃의 滋補腎陰하는 것을 돕는 것이며, 麥門冬은 淸熱養陰하고, 牛膝은 熱을 引導하여 引血下行하니 역시 佐藥으로 삼는 것이다. 모든 약재를 配伍하면 함께 淸胃熱·滋腎陰의 효능을 발생시킨다.

본 방제의 配伍 특징은 淸補를 함께 투여하면서 標本을 겸하여 돌보는 것이고, 引熱下行하는 것으로 보좌함으로써 熱은 물러나고 陰液은 존재하게 하는 것이니, 上炎하는 火가 下行하면서 陰陽水火가 평형에 이르면 모든 증상이 저절로 낫는 것이다.

【類似方比較】 본 방제는 淸胃散과 함께 胃熱齒痛을 치료하는데, 다만 淸胃散은 중점이 淸胃火하는 것에 있어서 黃連으로써 君藥으로 삼았는데, 그 성질이 苦寒하기에 升麻와 配伍한 것은 升散解毒하려는 의도가 있는 것이고, 겸하여 生地·丹皮 등의 涼血散瘀하는 약재를 사용한 것은 機能이 淸胃涼血하기 때문이니 胃火熾盛으로 인한 齒痛·牙宣 등의 증상을 치료한다. 본 방제는 淸胃熱을 위주로 하면서 겸하여 滋腎陰하는 것이므로 石膏를 君藥으로 사용하면서 熟地·知母·麥門冬 등의 滋腎陰하는 약재와 配伍한 것이며, 牛膝은 引熱下行하기에 淸潤兼降하는 방제에 속하여 淸胃火·滋腎陰하도록 작용하므로 胃火旺하면서 腎水不足하여 생기는 齒痛 및 牙宣하는 모든 증상들을 치료한다.

【臨床應用】

1. 證治要點: 본 방제는 淸胃熱·滋腎陰하는 효능을 갖추고 있어서 胃火熾盛하고 腎水不足으로 인한 齒痛·牙衄·消渴 등에 모두 加減하여 응용할 수 있다. 臨證해서는 齒痛齒松, 煩熱乾渴, 舌紅苔黃而乾을 證治의 요점으로 삼는다.

2. 加減法: 火盛한 자는 山梔子·地骨皮를 넣어 淸熱瀉火할 수 있고, 血分에 熱盛하여 齒衄에 出血量이 많은 자는 熟地黃을 빼고 生地·玄參을 넣어 淸熱涼血하는 효능을 증가시킨다.

3. 玉女煎은 다음 한국표준질병사인분류(KCD)에 해당하는 환자가 胃熱陰虛證으로 辨證되는 경우 본 처방의 사용을 고려해볼 수 있다.

처방 목표	한국표준질병사인분류(KCD)
急性 口腔炎	K12 구내염 및 관련 병변
舌炎	K14.0 설염
三叉神經痛	G50.0 삼차신경통
糖尿病	E10~E14 당뇨병
病毒性 心筋炎	I41.1 달리 분류된 바이러스질환에서의 심근염

【注意事項】 大便溏瀉한 자는 본 방제를 사용하는 것이 마땅하지 않다.

【變遷史】 본 방제는 明代의 張介賓이 創製한 것으로 『景岳全書』卷51에 실려 있으며, "水虧火盛, 六脈浮洪滑大, 少陰不足, 陽明有餘, 煩熱乾渴, 頭痛牙疼, 失血等證."을 치료하는데 사용하였는데, 이 증상은 대개 內傷雜病에 속하는 것이다. 淸代의 吳瑭은 본 방제가 淸熱하면서 血分을 겸하고 있으므로 본 방제에 加減함으로써 溫病의 氣血兩燔證을 치료하였는데, "太陰溫病, 氣血兩燔者, 玉女煎去牛膝加元參主之."라고 하면서 아울러 문장 아래에 玉女煎去牛膝熟地加細生地元參方(『溫病條辨』卷1)을 두었고, 또한 본 방제에서 熟地黃을 乾地黃으로 바꾸고 다시 竹葉을 넣어 竹葉玉女煎이라고 명칭하면서 "婦女溫病, 經水適來, 脈數耳聾, 乾嘔煩渴, …… 甚至十數日不解, 邪陷發痙者."(『溫病條辨』卷3)를 치료하였다. 이밖에 淸代의 復古派 의학자인 陳念祖는 본 방제에 대하여 완곡한 비평을 상당히 많이 하였지만, 唐宗海는 이 방제를 極讚하면서 沖陽이 위로 陽明과 합하여 야기된 咳血을 치료할 수 있다고 인식하였으니, 예를 들어 말하기를 "陳修園力辟此方之謬, 然修園之所以短於血證者即此."(『血證

論』卷8)라고 하였다. 吳瑭은 玉女煎을 기본으로 하여 新方을 創製함으로써 溫病의 氣血兩燔證을 치료하였고, 唐宗海는 玉女煎의 적응증을 확대함으로써 咳血을 치료하였다. 두 사람이 한 일은 비록 차이가 있지만 玉女煎을 발전시키면서 풍부하게 하였다는 것은 서로 같다. 동시에 또한 본 방제의 立法과 用藥의 配伍가 확실하기에 후세 사람들이 본보기로 삼을 만함을 설명하고 있다.

【難題解說】 방제 중 地黃을 熟用할 것인지 아니면 生用할 것인지에 관한 것: 玉女煎은 胃熱陰虛를 치료하는 방제인데, 방제 중에 어찌하여 甘寒한 生地黃을 사용하지 않고 甘溫한 熟地黃을 사용할 수 있겠는가? 이것은 본 방제의 病機가 "少陰不足, 陽明有餘."한 것이기 때문인데, 곧 水虧火盛이 서로 원인이 되어서 병이 된 것이니 '水虧'한 것에 대해서는 당연히 益其精해야 하므로 熟地黃을 사용하여 滋陰補精하는 것이다. 당연히 만약에 火熱傷陰하여 陰虛火旺한 것이라면 生地黃을 사용하는 것이 마땅한 것이니, 진실로 張秉成이 말한 "虛火一證, 亦改用生地爲是."(『成方便讀』卷3)라고 한 것과 같다. 吳瑭은 玉女煎에 加減한 것을 사용하여 溫熱病의 氣血兩燔證을 치료하였는데, 곧 玉女煎이 氣血兩治할 수 있는 것을 선택하면서 熟地黃을 細生地黃으로 바꾼 것은 輕而不重하고 涼而不溫한 의미를 취한 것이다. 따라서 玉女煎 중에 地黃을 生用할 것인지 아니면 熟用할 것인지는 증상에 따라 정해야 하는 것이니 臨機應變의 묘미를 볼 수 있다.

【醫案】

1. 口瘡『浙江中醫雜誌』(1983, 7:333): 某 남자, 29세. 최근 1주일 동안 口腔이 糜爛疼痛하면서 唇內 및 兩頰에 팥 크기의 潰瘍이 여러 곳 있었고, 口乾微臭, 喜飮, 舌紅嫩, 根微有苔, 脈沉細數하였다. 양의사는 再發性 口腔潰瘍으로 진단하였다. 치료는 玉女煎에 知母를 빼고 肉桂·黃連·炒白朮·淮山藥·續斷을 넣어 4첩을 복약하였더니, 口腔潰瘍이 縮小되면서 옅어졌고 疼痛이 輕減하였으며 納食이 增加하였는데 오직 腹部가 怕冷하였다. 原方에 吳茱萸를 넣어 계속해서 3첩을 복용하여 병이 나았다.

考察: 본 醫案의 口瘡은 胃熱陰虛에 脾虛를 겸하면서 虛火上炎한 것과 관계있다. 그러므로 玉女煎에 交泰丸을 합방하면서 健脾시키는 약재를 넣고 뺌으로써 치료하였다.

2. 齒衄『河北中醫』(1984, 3:45): 某 남자, 23세. 齒齦에서 出血하는 것이 6개월 되었는데, 齒痛齒松, 煩熱口渴引飮, 舌紅, 苔薄黃而乾, 脈洪數하였다. 이것은 胃熱陰虛의 증상이니 치료는 淸胃滋陰하는 것으로 적용하였고, 방제로는 玉女煎에 加味하였다. 石膏 30 g(先煎), 生地 12 g, 麥門冬 9 g, 知母 9 g, 牛膝 9 g, 丹皮 9 g, 鮮茅根 30 g, 女貞子 12 g, 旱蓮草 12 g. 10첩을 복약하였는데 齒衄은 비록 감소하였지만 아직 그치지는 않았고, 頭暈乏力, 口乾而燥, 舌苔와 脈은 전과 같았다. 이것은 胃熱이 熾盛하여 胃陰을 灼傷해서 생기는 것이므로 이 처방에 石斛 10 g, 生首烏 12 g, 焦梔子 9 g을 넣어 연속해서 14첩을 복약한 후에 齒衄이 크게 감소하면서 頭暈 등의 모든 증상도 역시 가벼워졌다. 이에 이 처방을 고수한 채로 21첩을 번갈아 주었더니 齒衄은 이미 그쳤는데 오직 乏力을 느끼면서 때로는 盜汗이 나왔고 苔微黃, 舌淡紅, 脈細弱하였다. 다시 방제를 고수한 채로 浮小麥 30 g을 넣어 한 달을 조리하면서 치료하였더니 나았다.

考察: 이 醫案의 齒衄은 胃熱陰虛한 때문이므로 玉女煎에 育陰淸熱止血하는 약재를 加味하였으며, 처방을 고수한 채 증상에 따라 加減하여 마침내 좋은 효과를 거둔 것이다.

3. 鼻癤『浙江中醫雜誌』(1983, 7:332): 某 남자, 38세. 최근 몇 년 동안 양쪽 鼻孔 안쪽이 紅腫疼痛하였고, 반복해서 발작한 것이 10여 차례 되었는데, 항생제 치료를 거쳤지만 모두 완전히 제압되지 않았으며 매번 破潰·排膿한 후에야 비로소 나았다. 최근에 또한 다시

발작하면서 양쪽 下鼻甲이 充血되었고 鼻內가 紅腫하면서 아울러 여러 개의 小膿頭가 있었으며, 가볍게 鼻翼을 접촉하여도 곧바로 劇痛을 느꼈고, 口乾渴飮, 腰酸少寐, 舌紅少津, 脈弦數하였다. 玉女煎(熟地黃을 生地黃으로 바꾼 것)에 黃芩·連翹·杏仁을 넣은 것을 주었다. 3첩을 복용한 후에 癤腫이 消退하였고 口乾·腰酸이 갑작스럽게 줄어들었으며 깊은 잠을 잘 수 있었다. 6개월 후에 피로가 누적된 이후에 다시 재발하였는데, 스스로 原方을 복용하고는 또 나았다. 이후에 1년 이상 다시 재발하지 않았다.

考察: 이 醫案의 鼻癤은 肺胃의 伏火에 속하는데, 鼻를 熏蒸하여 聚而不散하면 醞釀하면서 癤이 되는 것이고, 겸하여 腰酸·舌紅少津 등이 나타나는 것은 腎陰이 不足한 형상이므로 본 방제를 사용하여 益少陰·瀉陽明하여 나은 것이다.

芍藥湯

(『素問病機氣宜保命集』卷中)

【異名】 黃芩芍藥湯(『明醫指掌』卷9)·白芍藥湯(『醫家心法』)·當歸芍藥湯(『醫宗金鑒』 卷53).

【組成】 芍藥 一兩(30 g) 當歸 黃連 各半兩(各 15 g) 檳榔 木香 甘草 炙 各二錢(各 6 g) 大黃 三錢(9 g) 黃芩 半兩(15 g) 官桂 二錢半(7.5 g).

【用法】 위의 약재를 잘게 부수어서 매번 半兩(15 g)을 복용하는데, 물 二盞(240 mL)을 一盞(120 mL)이 되도록 달여서 食後에 따뜻하게 복용한다.

【效能】 淸熱燥濕, 調氣和血.

【主治】 濕熱痢疾. 腹痛, 便膿血, 赤白相兼, 裏急後重, 肛門灼熱, 小便短赤, 舌苔黃膩, 脈弦數.

【病機分析】 痢疾은 "由胃腑濕蒸熱壅, 致氣血之凝結, 夾糟粕積滯, 進入大小腸, 刮脂液, 化膿血下注, 或痢白·痢紅·痢瘀紫·痢五色, 腹痛嘔吐, 口乾溺赤, 裏急後重, 氣陷肛墜, 因此閉塞不利, 故亦名滯下也."(『類證治裁』卷3)라고 하였다. 본 방제가 치료하는 濕熱痢疾은 濕熱疫毒이 아래쪽으로 大腸에 注入하면서 氣機를 壅滯하여 腸中에 積滯하여 통하지 못하므로 腹痛과 裏急後重하는 것이고, 濕熱이 熏灼하여 손상이 腸絡에 미치면 氣血과 濕熱이 相搏하면서 醞釀化膿하므로 便膿血로 赤白相兼하는 것이며, 熱毒이 아래로 廣腸을 압박하므로 肛門灼熱과 小便短赤하는 것이다. 舌苔黃膩와 脈弦數은 濕熱이 內蘊한 징후이다.

【配伍分析】 본 방제가 主治하는 病證은 濕熱이 腸道를 막아서 氣血不和한 것이니 치료는 淸熱燥濕·調和氣血하는 것이 마땅하고, 아울러 因勢利導하기 위해서 通因通用하여야 한다. 방제 중 黃芩·黃連은 苦寒한데 腸道로 들어가서 淸熱燥濕解毒하니 君藥으로 사용한다. 大黃은 苦寒通裏·涼血瀉垢하니 黃芩·黃連을 도와 瀉火燥濕할 뿐만 아니라, 蕩滌積滯하여 '通因通用'의 묘미를 얻을 수 있으니 臣藥이 된다. 芍藥을 重用함으로써 行血排膿·緩急止痛하며, 當歸와 서로 배합하여 行血和血하니 "行血則便膿自愈"하는 것이다. 또한 소량의 肉桂를 사용하여 溫而行之하는데, 능히 血分으로 들어가서 歸·芍의 行血和營을 돕고 또한 芩·連의 苦寒한 성질을 제약해서 涼遏滯邪의 폐단이 없도록 한 것이니, 바로 陳念祖가 말한 "肉桂之溫, 是反佐法, 芩連必有所制而不偏也."(『時方歌括』卷下)라고 한 것과 같다. 또한 大黃과 肉桂가 配伍하면 더욱 오묘한 작용이 있는데, 大黃이 肉桂를 만나면 行血시키는 힘이 더욱 현저해지고, 肉桂가 大黃을 만나면 助火할 염려가 없어지는 것이다. 木香·檳榔은 行氣導滯하여 "調氣則後重自除"하는 것이고, 또한 檳榔은 더욱 大黃의 導滯를 도울 수 있는 것이니 이상의 모든

약재가 함께 佐藥이 된다. 使藥은 甘草로써 調和諸藥하는 것인데, 芍藥과 서로 배합하면 더욱 緩急止痛할 수 있다. 모든 약재를 합하여 사용하면 함께 淸熱燥濕·調和氣血하는 효능을 만드는 것이다.

본 방제의 配伍 특징은 淸熱燥濕을 위주로 하면서 겸하여 氣血並治하면서 '通因通用'으로 肝脾를 동시에 조절하는 것이니, 평범하게 순전히 苦寒止痢하는 약재만을 사용한 것과는 다르다.

【臨床應用】

1. 證治要點: 본 방제는 熱痢를 치료하는 상용 방제인데, 痢下赤白, 腹痛裏急, 苔膩微黃을 證治의 요점으로 삼는다.

2. 加減法: 原方의 뒤에 "如血痢, 漸加大黃. 汗後臟毒, 加黃柏半兩."이라는 것이 있다. 별도로 만약 苔黃而乾하면서 熱이 심하여 津液이 손상된 자는 溫燥한 肉桂를 제거할 수 있고, 만약 苔膩脈滑하면서 食滯를 겸한 자는 甘草를 빼고 焦山楂를 넣어 消食導滯할 수 있으며, 만약 瀉下하는 것이 赤多白少하거나 혹은 純下赤凍하는 자는 當歸를 當歸尾로 바꾸고 아울러 丹皮·地楡 등을 넣어 涼血行血한다.

3. 芍藥湯은 다음 한국표준질병사인분류(KCD)에 해당하는 환자가 濕熱證으로 辨證되는 경우 본 처방의 사용을 고려해볼 수 있다.

처방 목표	한국표준질병사인분류(KCD)
細菌性 痢疾	A03 시겔라증
	A00~A09 장감염질환
아메바性 痢疾	A06.0 급성 아메바이질
	A06.1 만성 장아메바증
潰瘍性 結腸炎	K51 궤양성 대장염
急性 腸炎	K29.1 기타 급성 위염

【注意事項】 痢疾 初期에 表證이 있는 자는 본 방제를 사용하는 것이 마땅하지 않고, 久痢 및 虛寒痢도 역시 사용하는 것이 마땅하지 않다. 陰虛內熱한 자는 사용을 禁忌한다.

【變遷史】 본 방제는 『素問病機氣宜保命集』卷中에서 출전하는데, 劉完素가 『傷寒論』의 黃芩湯에서 大棗를 빼고, 『金匱要略』의 瀉心湯과 『兵部手集』의 香連丸 등을 加味하여 만든 것이다. 淸熱燥濕·調氣行血·瀉下導滯하는 효능이 있는데, 原書에서는 이것을 사용하여 "瀉而便膿血"을 치료한다고 하였고, 아울러 말하기를 본 방제의 치법을 "行血則便膿自愈, 調氣則後重自除."라고 하였다. 후세의 의학자들은 모두 이 방제를 濕熱痢疾을 치료하는 主方으로 추앙하였으며, 아울러 "行血則便膿自愈, 調氣則後重自除."라는 두 문장을 痢疾을 치료하는 大法으로 따랐다(『成方便讀』卷1).

본 방제를 기초로 가감하여 변화 발전시켜 만든 방제는 대략 아래의 세 가지 例와 같다. 첫째, 『素問病機氣宜保命集』卷中의 芍藥黃連湯은 곧 본 방제에 黃芩·木香·檳榔을 줄여서 만든 것으로, 이 방제에는 調氣하는 효능이 없으며 淸熱燥濕을 돕는 힘도 역시 약화되었으니 大便 후에 下血하면서 腹中痛하는 자를 치료한다. 둘째, 『醫方考』卷2의 芍藥湯加芒硝한 방제로 곧 본 방제에 芒硝를 넣어 만든 것이니, 이 방제는 大黃이 芒硝를 만나면서 瀉下導滯·通因通用하는 효능이 倍로 증가한 것으로 痢疾로 便膿血하면서 裏急後重하는 자를 치료한다. 셋째, 『幼科折衷』卷上의 芍藥黃連湯으로, 이 방제는 겨우 黃連·芍藥·當歸와 甘草의 네 가지 약재로 구성된 것인데, 실제로는 芍藥湯에 약재를 줄여서 온 것으로 淸熱燥濕·和中行血하는 효능이 있어서 小兒의 下痢白赤과 腹痛으로 裏急後重하는 것을 치료한다. 대개 小兒는 稚陰稚陽한 육체이기 때문에 비록 下痢를 앓더라도 大黃·檳榔과 같은 종류로 通導攻伐을 맡기기는 어려우므로 빼는 것이다.

【難題解說】 본 방제의 君藥에 관한 것: 본 방제는 어떤 약재로 君藥을 삼는 것인가? 各家의 의견이 일치하지 않는다. 羅美는 芍藥·甘草를 君藥으로 인식하였고(『古今名醫方論』卷2), 汪昂은 芍藥을 君藥으로 인식하였으며(『醫方集解』「瀉火之劑」), 成都中醫學院이 편집한 『中醫治法與方劑』에서는 말하기를 "方中黃芩·黃連, 淸熱燥濕, 解毒止痢, 力量頗强, 用爲主藥, 以消除致病之因."이라고 하였다. 본 方證의 病機로 분석해보면 濕熱痢는 濕熱의 邪氣가 腸腑에 蘊結하여 氣血壅滯함으로써 腸道의 脂膜과 血絡이 손상을 받아서 생기는 것이다. 따라서 淸熱燥濕解毒하는 것이 근본을 치료하는 방법이고, 調氣活血하는 것은 단지 輔佐하는 치법일 뿐이다. 만약 淸熱燥濕하지 않고 다만 調氣行血하는 약재만 투여한다면 痢疾은 마침내 낫기 어렵다. 그러므로 나는 본 방제에서 黃芩·黃連을 君藥으로 삼는 것이 비교적 타당하다고 인식한다. 게다가 본 방제의 분류가 淸熱劑에 속하는 것으로 보더라도 또한 黃芩·黃連을 君藥으로 삼는 것이 논리적이다. 만약 芍藥을 君藥으로 삼는다면 본 방제를 마땅히 理血劑에 귀속시켜야 할 것이다.

【醫案】 痔瘡脹痛: 『江西中醫藥』(1984, 5:31): 某 여자, 48세. 混合痔이면서 靜脈에 血栓의 형성을 동반하였으며, 舌質紅, 苔黃, 脈滑하였다. 치료는 芍藥湯에 枳殼·銀花를 넣어 4첩을 복약한 후에 脹痛이 제거되었다.

考察: 본 醫案의 痔瘡脹痛은 濕熱의 邪氣가 아래로 腸에 주입되어 氣血이 壅滯해서 야기된 것이다. 芍藥湯에 枳殼·銀花를 넣은 것을 사용하여 淸熱燥濕·行血調氣하여 효과를 얻었는데, 또한 '異病同治'한 것이다.

黃芩湯

(『傷寒論』)

【組成】 黃芩 三兩(9 g) 芍藥 二兩(6 g) 甘草 炙 二兩(6 g) 大棗 擘 十二枚(四枚)

【用法】 위의 네 가지 약재를 물 一斗에 달여 三升을 취하고 찌꺼기를 제거한 후 一升씩 따뜻하게 복용하는데, 낮에 2번 밤에 1번 복용한다.

【效能】 淸熱止利, 和中止痛.

【主治】 熱瀉·熱痢. 身熱口苦, 腹痛下利, 舌紅苔黃, 脈數.

【病機分析】 본 방제는 熱瀉·熱痢를 치료한다. 『傷寒論』172條에서 말하기를 "太陽與少陽合病, 自下利者, 與黃芩湯."이라고 하였다. 이것은 太陽과 少陽이 동시에 발병한 것이지만 少陽이 위주가 된다. 『醫方集解』「和解之劑」에서 말하기를 "二經合病, 何以不用二經之藥? 蓋合病而兼下利, 是陽邪入裏, 則所重者在裏."라고 하였다. 少陽의 樞機가 不利하면 邪氣가 鬱滯하여 火로 변화하며 循經하여 上擾하면 身熱口苦가 생기고, 안으로 陽明을 압박하여 아래로 大腸으로 가면 肛門灼熱하면서 瀉下黏穢하고 腹痛하는 것을 볼 수 있으며, 심하면 裏急後重 등이 되는 것이다. 총괄하면 그 病機는 少陽火鬱하여 內迫胃腸한 것이다.

【配伍分析】 본 방제가 치료하는 熱瀉·熱痢의 病機는 少陽의 火鬱이 안으로 腸胃를 압박한 것이므로 치료는 淸裏熱을 위주로 해야 하니, 汪琥는 『傷寒論辨證廣注』에서 말하기를 "太少合病而致下利, 則在表之寒邪悉鬱而爲裏熱矣. 裏熱不實, 故與黃芩湯以淸熱益陰, 使裏熱淸而陰氣得復, 斯在表之陽熱自解."라고 하였다. 방제 중 黃芩은 苦寒하여 少陽·陽明의 裏에 있는

熱을 淸하게 하여 淸熱燥濕·解毒止利하므로 君藥이 되고, 芍藥은 酸寒하여 泄熱斂陰和營하면서 아울러 土 중의 木을 瀉함으로써 緩急止痛하므로 臣藥이 되며, 甘草·大棗는 調中和脾·益氣滋液하여 正氣를 보살피므로 모두 佐使의 용도가 된다. 네 가지 약재를 조합하면 함께 淸熱止利·和中止痛하는 효능을 발생시킨다.

【臨床應用】

1. 證治要點: 본 방제는 熱瀉·熱痢를 주치하는데, 身熱口苦, 腹痛下利, 舌紅苔黃, 脈數을 證治의 요점으로 삼는다.

2. 加減法: 만약 胃氣上逆하여 嘔吐하는 자는 半夏·生薑을 넣어 和胃降逆止嘔하고, 腹痛이 심한 자는 木香·檳榔을 넣어 理氣導滯止痛하며, 大便膿血하는 자는 炒山楂·炒地楡를 넣어 消積凉血止痢한다.

3. 黃芩湯은 다음 한국표준질병사인분류(KCD)에 해당하는 환자가 裏熱證으로 辨證되는 경우 본 처방의 사용을 고려해볼 수 있다.

처방 목표	한국표준질병사인분류(KCD)
細菌性 痢疾	A03 시겔라증
	A00~A09 장감염질환
아메바性 痢疾	A06.0 급성 아메바이질
	A06.1 만성 장아메바증
急性 腸炎	K52 기타 비감염성 위장염 및 결장염
	A09 감염성 및 상세불명 기원의 기타 위장염 및 결장염

【注意事項】 下利의 初期에 表證이 있거나 虛寒性 下利에는 본 방제를 사용하는 것이 마땅하지 않다.

【變遷史】 본 방제는 『傷寒論』에서 출전하는데, 원래는 "太陽與少陽合病, 自下利者."를 위하여 설계한 것인데, 후세의 의학자들은 일반적으로 모두 비록 "太陽與少陽合病"이라는 말이 있지만, '裏熱下利'가 본 방제의 主治證의 關鍵이 있는 곳이라고 인식하였다. 본 방제는 淸熱止利·和裏止痛하는 효능이 있으니 熱瀉·熱痢를 치료하는 기본방이 되었다. 그러므로 『醫方集解』「和解之劑」에서는 본 방제를 "萬世治利之祖方"이라고 불렀으며, 濕熱痢疾을 치료하는 芍藥湯과 같은 것은 곧 본 방제를 본뜬 것이다. 후세의 의학자들은 본 방제의 泄熱斂陰·調中和脾하는 효능을 취하여 그 응용 범위를 부단히 확대시켜서 下利를 치료하는 것에만 한정하지 않았으니, 예를 들어 『小兒衛生總微論方』卷7에서는 傷寒으로 생긴 口舌의 諸病을 치료하는데 사용하였으니, 舌黃, 舌黑, 舌腫, 舌裂, 舌上生芒刺, 舌上出血과 같은 것이고, 『醫學入門』卷4에서는 冬月의 陽明症으로 潮熱하여 發熱에 일정한 시간이 있는데 脈但浮者는 風이 있는 것으로 마땅히 有汗해야 하는데 날씨가 추워서 無汗하고 밤에 잘 때 반드시 盜汗이 나오는 것을 치료하는데 사용하였으며, 『雜病源流犀燭』卷19에서는 正氣虛하면서 伏邪가 더욱 심하여 往來寒熱하고, 頭痛嘔吐가 조금 나은 후에 渾身에 壯熱하는 것을 치료하는데 사용하였고, 『隨息居重訂霍亂論』卷4에서는 溫病이 霍亂으로 변하는 것을 치료하는데 사용하였다.

본 방제에 加減하여 변화 발전시킨 방제: 『傷寒論』의 黃芩加半夏生薑湯은 곧 본 방제에 半夏·生薑을 넣어 만든 것으로 降逆止嘔를 겸하고 있어서 熱瀉·熱痢에 嘔吐를 겸하고 있는 자를 치료하였다. 『醫方類聚』卷53에서 인용한 『神巧萬全方』의 黃芩湯이 있는데, 이 방제는 『傷寒總病論』卷3에서 또한 黃芩芍藥湯으로 부른 것으로, 곧 본 방제에서 大棗를 빼고 芍藥을 赤芍藥으로 사용하여 만든 것으로 淸熱凉血하는 효능이 있어서 陽明病으로 口乾하지만 다만 漱水不欲咽하는 자가 必衄하는 것을 치료하거나, 陽明脈浮, 發熱, 口鼻中燥, 能食하는 자가 역시 衄血하는 것을 치료하였다. 『赤水玄珠』卷28의 黃芩芍藥湯은 곧 본 방제에서 大棗를 빼고 升麻를 넣어 만든 것으로 痲痘滯下를 치료하였다. 『傷寒大白』卷2의 黃芩芍藥湯은 곧 본 방제에서 大棗를 빼고 川連을 넣어 陽明表熱로 衄血하거나 濕熱이 少陽을 손상시켜서 下利하고 寒熱口苦하는 것을 치료하였다. 『痲症集成』卷4의 黃芩芍藥湯은 곧 본 방제에서 大棗를 빼고 枳殼·木香을 넣은 것으로 痲疹 후에 下痢日久하는 자를 치료하였다.

【難題解說】 본 방제의 分類와 歸屬에 관한 것: 본 방제는 『傷寒論』「辨太陽病脈證並治下篇」에 나타나는데, 原文의 172條에서 말하기를 "太陽與少陽合病, 自下利者, 與黃芩湯."이라고 하였다. 黃芩湯의 病機는 太·少合病하였지만 少陽이 위주가 되는 것이므로 몇몇 의학자들은 본 방제를 和解劑라고 인식하였다. 예를 들어 汪昻은 『醫方集解』에서 장차 和解之劑에 귀속시켰고, 許宏은 『金鏡內台方議』卷6에서 말하기를 "太陽與少陽合病者, 自下利, 爲在半表半裏, 與黃芩湯以和解之."라고 하였다. 그렇지만 다수의 의학자들은 본 방제의 主治가 熱利이고, 그 病機를 原文에서는 비록 太·少合病을 말했지만 裏熱下利가 그 주요한 矛盾으로, 임상에서 운용할 때에는 太陽·少陽合病에 구속될 필요가 없으며, 大腸濕熱로 생기는 泄瀉·痢疾 等이기만 하면 모두 다 증상에 따라 처방하여 응용할 수 있다. 본 방제의 작용은 淸熱이 위주가 되니 이치적으로 마땅히 淸熱劑에 귀속시켜야 한다. 따라서 역대로 인쇄된 『方劑學』 통합 편집 교재에서는 모두 본 방제를 淸熱劑에 歸入시킨 것이다.

【醫案】

1. 痢疾 『陝西新醫藥』(1979, 9:31): 某 남자, 26세. 여름철에 痢疾을 앓으면서 膿血便을 下痢하였는데 紅多白少하였고, 腹部가 攣急而痛하면서 肛門作墜하였으며, 身熱, 脈弦數, 舌苔黃하였다. 치료는 調氣和血·淸熱燥濕으로 하였다. 白芍藥 9 g, 甘草 3 g, 黃芩 9 g, 廣木香 6 g(後下). 연속해서 3첩을 복용하였더니 下痢가 그치면서 腹痛이 제거되었다.

2. 아메바성 痢疾 『江西中醫藥』(1954, 10:46): 某 여자, 22세, 9월 21일 入院. 下痢紅白하고 腹痛, 裏急後重한 것이 이미 2일 되었다. 환자는 妊娠한 지 2개월째이다. 9月 20日 새벽에 기상했을 때 갑자기 腹痛이 자주 있었고, 紅白黏液을 下痢하였는데 紅多白少한 것을 매일 20~30차례 보았으며, 裏急後重이 상당히 극심하면서 小腹墜脹한 감각을 느껴 마치 출산하려는 상황이 있어서 입원하였다. 診察: 形體消瘦하면서 神疲하였고, 腹部를 만지면 呻吟하면서 重病感이 있었다. 脈象沉弱하면서 매분마다 76번을 뛰었다. 舌質淡苔白하였고, 體溫은 37.9℃였으며, 心·肺에 이상이 없고 肝·脾가 觸及되지는 않았으며 腹部에만 壓痛이 있었다. 실험실 검사: 大便에서 아메바 原蟲이 검출되었다. 診斷: 아메바성 痢疾. 방제는 黃芩湯에 加減한 것을 사용하였다. 黃芩 3 g, 白芍藥 9 g, 甘草 4.5 g, 香連丸 3 g. 이상의 약재를 3첩 복용한 후에 腹痛·裏急後重이 이미 제거되었고 下痢의 횟수가 크게 감소하여 하루에 겨우 2~3번 갔으며, 아울러 黃色稀糞을 띠고 있었다. 體溫은 정상이고 식욕도 점차 계발되었다. 原方을 다시 1첩 복용하였더니 下痢紅白하던 것이 완전히 제거되었고 대변이 정상이 되었다.

考察: 黃芩湯은 淸熱和中하여 痢疾을 치료하는 효과적인 방제인데, 현대 의학의 細菌性 痢疾이나 아니면 아메바성 痢疾에 구속되지 않고, 단지 熱邪가 腸을 內迫한 것에 속하는 것들은 사용하면 모두 빠른 효과가 있으니, 이상의 두 가지 醫案이 증명하는 것이다.

白頭翁湯

(『傷寒論』)

【組成】 白頭翁 二兩(6 g) 黃柏 三兩(9 g) 黃連 三兩(9 g) 秦皮 三兩(9 g)

【用法】 위의 약재 네 가지를 물 七升으로 달여 二升이 되면 찌꺼기를 버리고 一升을 따뜻하게 복용하고, 낫지 않으면 다시 一升을 복용한다.

【效能】 淸熱解毒, 涼血止痢.

【主治】 熱毒痢疾. 腹痛, 裏急後重, 肛門灼熱, 下痢膿血, 赤多白少, 渴欲飮水, 舌紅苔黃, 脈弦數.

【病機分析】 原書에서 말하기를 본 방제는 '熱痢'를 主治하는데, '渴欲飮水'와 '下重'의 증상이 나타나며, 그 病機는 熱毒이 深陷하여 아래쪽으로 大腸을 壓迫한 것이다. 『素問』「至眞要大論」에서 말하기를 "暴注下迫, 皆屬於熱."이라고 하였는데, 지금 濕熱의 邪毒이 大腸에 壅滯하여 腸中이 氣滯不通하므로 腹痛·裏急後重한 것이고, 熱毒이 깊이 血分으로 들어가면 血敗肉腐하여 釀成하여 膿血이 되므로 純下血痢하면서 赤多白少한 것이며, 邪熱이 下迫하므로 肛門灼熱한 것이고, 下痢와 邪熱이 모두 津液을 손상시키므로 渴欲飮水한 것이다. 舌紅, 苔黃, 脈弦數하는 것은 熱이 심한 까닭이다.

【配伍分析】 본 方證은 熱毒이 깊이 血分으로 陷入하여 病이 大腸에서 발생한 것이다. 치료는 淸熱解毒·涼血止痢하여 熱淸毒除하면 血痢가 저절로 그친다. 방제 중 白頭翁爲君, 歸大腸與肝經, 味苦性寒, 能入血分, 淸熱解毒, 涼血止痢, "治熱毒下痢, 紫血鮮血宜之."(『傷寒蘊要書』)라고 하였다. 臣藥은 黃連의 苦寒으로 淸熱解毒·燥濕厚腸하고, 黃柏으로 下焦의 濕熱을 瀉하니 두 가지 약재가 함께 君藥을 도와 淸熱解毒하면서 더욱 燥濕止痢할 수 있다. 秦皮는 佐藥이 되는데 大腸經으로 歸經하며, 苦寒性澀하여 熱痢下重을 주관하는데, 倪朱謨가 말하기를 "秦皮味苦性澀而堅, 能收斂走散之精氣. 故仲景用白頭翁湯, 以此治下焦虛熱而利者, 取苦以澀之之意也."(『本草彙言』卷9)라고 하였다. 네 가지 약재를 서로 배합하면 淸熱解毒·涼血止痢의 작용이 비교적 강해지기에 熱毒血痢의 良方이 된다.

【類似方比較】 본 방제는 芍藥湯과 함께 痢疾을 치료하는 방제인데, 본 방제는 熱毒血痢를 主治하는 것으로 熱毒이 깊이 血分으로 들어가서 淸熱解毒·涼血止痢하도록 치료하는 것이고, 芍藥湯은 痢下赤白가 濕熱痢에 속하면서 氣血瘀滯를 겸하고 있는 증상을 치료하므로 淸熱燥濕과 調和氣血을 함께 진행하는 것이고, 아울러 '通因通用'의 방법을 취하여 "行血則便膿自愈, 調氣則後重自除."하게끔 하는 것이다. 두 방제의 작용에 있어서 주요한 구별점으로 白頭翁湯은 淸熱解毒에 涼血燥濕止痢를 겸하는 것이고, 芍藥湯은 淸熱燥濕에 行血調氣를 함께 사용하는 것이다. 두 방제가 치료하는 痢疾의 輕重으로 볼 것 같으면 熱毒血痢가 濕熱痢보다 심하므로 白頭翁湯은 '甚者獨行'하는 것으로 중점이 腸道의 熱毒을 淸除하는 것에 있으니 방제를 구성하는 用藥이 비교적 간단명료한 것이고, 芍藥湯은 '間者並行'하는 것으로 치료는 淸熱解毒과 調和氣血을 함께 열거한 것이니 방제를 구성하는 用藥이 주도면밀한 것이다.

【臨床應用】

1. 證治要點: 본 방제는 熱毒이 깊이 血分으로 陷入한 下痢를 主治하는데, 下痢赤多白少, 腹痛, 裏急後重, 舌紅苔黃, 脈弦數한 것을 證治의 요점으로 삼는다.

2. 加減法: 發熱急驟, 下痢鮮紫膿血, 壯熱口渴, 煩躁舌絳하여 疫毒痢에 속하는 자는 生地·丹皮를 넣어 涼血解毒할 수 있고, 腹痛과 裏急後重이 뚜렷한 자는 木香·檳榔·白芍藥을 넣어 行氣消滯·緩急止痛할 수 있다.

3. 白頭翁湯은 다음 한국표준질병사인분류(KCD)에 해당하는 환자가 熱毒陷入血分證으로 辨證되는 경우 본 처방의 사용을 고려해볼 수 있다.

처방 목표	한국표준질병사인분류(KCD)
아메바性 痢疾	A06.0 급성 아메바이질
	A06.1 만성 장아메바증
細菌性 痢疾	A03 시겔라증
	A00~A09 장감염질환

【變遷史】 본 방제는 『傷寒論』에서 출전하는데, "熱痢下重, 欲飮水者."를 치료하는데 사용하였고, 淸熱解毒·涼血止痢하는 효능이 있어서 熱痢로 赤多白少가 보이는 것을 치료하는 主方으로 公認되었다. 『傷寒今釋』에서 인용한 『類聚方廣義』에서는 더욱 그 적응증을 확대하여 "眼目鬱熱, 赤腫陣痛, 風淚不止者."를 치료하였으며, 아울러 "本方用爲熏洗劑亦效."라고 말하였다.

본 방제를 근원으로 삼아 制訂한 방제: 『金匱要略』의 白頭翁加甘草阿膠湯은 곧 본 방제에 甘草·阿膠를 넣어 養血和中을 겸하여 가능하게 한 것으로 婦人의 產後에 下痢虛極한 것을 치료한 것이다. 『外臺秘要』卷25에서 인용한 『古今錄驗』의 白頭翁湯은 곧 본 방제에 黃柏을 빼고 乾薑·甘草·當歸·石榴皮를 넣어 溫中收斂을 겸하여 가능하게 한 것으로 寒痢의 急下 및 滯下를 치료한 것이다. 『備急千金要方』卷15의 同名의 방제는 곧 본 방제에 厚朴·阿膠·附子·茯苓·芍藥·乾薑·當歸·赤石脂·甘草·龍骨·大棗·粳米를 넣은 것으로 赤滯下血이 세월이 지나도 낫지 않는 것을 치료한 것이다. 『普濟方』卷212의 同名의 방제는 곧 椿皮로 본 방제의 秦皮와 바꾸어 만든 것으로 熱痢滯下, 下血連月不愈하는 것을 치료한 것이다. 『普濟方』卷355의 同名의 방제는 곧 본 방제에 秦皮를 빼고 甘草·阿膠·陳皮를 넣어 產後의 下痢虛極을 치료한 것이다. 『杏苑生春』卷4의 同名의 방제는 곧 陳皮로 본 방제의 秦皮와 바꾸어 만든 것으로 濕熱痢疾을 치료한 것이다. 『明醫指掌』卷4의 同名의 방제는 곧 본 방제에서 黃柏을 뺀 것으로 協熱自利와 小便赤澀을 치료한 것이다. 『醫學金針』卷8의 白頭翁加甘草阿膠苓桂湯은 곧 본 방제에 甘草·阿膠·茯苓·桂枝를 넣은 것으로 疹後頻頻泄利膿血을 치료한 것이다. 이상의 諸方은 모두 痢疾을 치료하기 위해서 사용하는 것인데, 다만 구체적인 病狀이 같지 않으므로 모두 白頭翁湯의 치법을 固守하면서 靈活하게 加減하여 준 것이다.

【難題解說】

1. 본 방제와 芍藥湯은 같이 痢疾을 치료하는데, 어째서 본 방제에서는 行血調氣하는 약재를 사용하지 않은 것인가?: 이것은 본 方證의 病機가 熱毒下迫한 것이기 때문에 그 腹痛과 裏急後重이 모두 熱毒이 腸道에 壅滯하여 생긴 것이니 淸熱解毒하는 약재를 투여하여 熱毒을 제거하면 裏急後重이 자연스럽게 생길 까닭이 없어지므로 방제 중에 調氣行血하는 약재를 사용하지 않은 것이다. 바로 汪昂이 『醫方集解』「瀉火之劑」중에서 명백히 논술한 "此熱利下重, 乃熱傷氣, 氣下陷而重也, 下陷則傷陰, 陰傷則血熱, 雖後重而不用調氣之藥, 病不在氣也."라고 한 것과 같다.

2. 본 方證과 肝經火鬱과의 관련성: 柯琴이 말하기를 "厥陰下痢屬於熱, 以厥陰主肝而司相火, 肝旺則氣上撞心, 火鬱則熱利下重."이라 하였고, "弦爲肝脈, 是木鬱之征也."라고 하였으며, 白頭翁은 "臨風偏靜, 長於驅風, 用爲君藥, 以厥陰風木, 風動則木搖而火旺. 欲平走竅之火, 必寧搖動之風."(錄自『古今名醫方論』卷3)이라 하였다. 唐宗海와 方有執 및 汪苓友 등도 역시 이러한 관점을 지지하였다. 방제 중 秦皮·黃連에는 양호한 淸肝瀉火 작용이 있어서 현대에는 본 방제로 熱毒痢를 치료할 뿐만 아니라 急性 結膜炎을 치료하는 것에도 또한 좋은 효과가 있다. 다만 일반적으로 말하면 熱痢下重과 肝은 필연적인 연계성은 없다.

【醫案】

1. 下痢 『中醫雜誌』(1980, 6:11): 某 여자, 35세. 泄瀉와 便秘가 교체하여 출현한 것이 시간을 질질 끌면서 1년 가까이 되었다. 現症: 泄瀉를 하루에 3번 하였는데 褐色이면서 끈적끈적하였으며, 少腹痛에 裏急後重을 동반하였고, 苔白膩而乾, 脈弦小하였다. 양의사는 慢性腸炎으로 진단하였다. 한의사는 濕熱이 腸間에 蘊阻하여 下焦의 氣機가 불리한 것으로 辨證하였다. 白頭翁湯에 黃柏을 빼고 木香·當歸·赤芍藥 等 등을 넣은 것을 연속해서 9첩 복용하였더니 裏急後重이 즉시 제거되면서 大便轉乾하였고, 이후에는 桂枝湯에 香連丸을 합방한 것으로 調治하여 나았다.

2. 赤眼『中醫藥硏究』(1988, 2:39): 某 여자, 16세. 양쪽 눈이 紅赤乾澀하면서 視物模糊를 동반한 것이 1주일 되었다. 현재는 口乾欲飮水하면서 大便乾結하여 sulfonamides를 內服하면서 chloramphenicol 眼軟膏를 外用하였는데, 結膜囊 속에 분비물이 많아지면서 角膜의 熒光素 染色은 (−)였으며, 舌質紅, 苔薄黃, 脈滑數하였다. 양의사는 急性 結膜炎으로 진단하였다. 한의사는 熱毒이 눈을 上攻한 것으로 진단하였으니, 치료는 淸熱解毒·涼血通腑하는 것이 마땅하다. 處方: 白頭翁 10 g, 黃連·黃柏 各 6 g, 秦皮·生大黃·知母 各 10 g, 細生地 12 g. 3첩을 복약하였더니 양쪽 눈의 紅赤이 대체로 사라지면서 약간의 瘙痒感이 있었으며, 大便은 매일 2번을 보면서 微溏하였다. 上方에 生大黃의 용량을 3 g이 되도록 줄이고, 다시 蟬蛻 10 g, 荊芥·防風 各 6 g을 넣어 계속해서 2첩을 복약하여 나았다.

考察: 醫案1은 濕濁이 왕성한 것이 막혀서 熱로 변하고, 腸間에 머물면서 下焦의 氣機가 불리해진 것이므로 치료는 白頭翁湯으로 淸熱燥濕하면서, 木香·當歸·赤芍藥을 넣어 調氣行血한 것이니, 약재와 증상이 박자가 맞아서 자연스럽게 양호한 효과가 있었던 것이다. 醫案2의 赤眼은 熱毒이 上攻하여 야기된 것이므로 본 방제를 사용하여 淸熱解毒涼血함으로써 효과를 얻은 것이다.

【副方】 白頭翁加甘草阿膠湯(『金匱要略』): 白頭翁 二兩(6 g) 甘草 阿膠 各二兩(各 6 g) 秦皮 黃連 黃柏 各三兩(各 9 g).

- 用法: 上藥六味, 以水七升, 煮取二升半, 內膠令消盡, 分溫三服.
- 作用: 淸熱解毒, 涼血止痢, 養血和中.
- 適應症: 產後血虛, 又患熱痢.

본 방제는 白頭翁湯에 阿膠·甘草를 넣어 구성된 것으로 "產後下痢虛極"을 치료한다. 產後에는 體弱하면서 陰血이 虧虛되었으니 비록 熱毒血痢를 앓더라도 순수하게 苦寒으로 淸熱燥濕하는 방제를 사용하는 것은 불가하니 痢疾이 비록 그치더라도 도리어 傷陰敗胃할 것이 의심된다. 따라서 白頭翁湯 중에 阿膠를 넣어 滋養陰血하고 甘草를 넣어 益胃和中하여 治痢와 扶正을 함께 돌봐야한다. 이 방제는 오직 產後에만 마땅한 것이 아니라 陰虛血弱에 속하면서 病으로 痢疾을 가지고 있는 자는 모두 사용할 수 있다.

第六節 淸虛熱劑

青蒿鱉甲湯

(『溫病條辨』卷3)

【異名】 青蒿鱉甲煎(『濕溫時疫治療法』).

【組成】 青蒿 二錢(6 g) 鱉甲 五錢(15 g) 細生地 四錢(12 g) 知母 二錢(6 g) 丹皮 三錢(9 g)

【用法】 위의 약재를 물 五杯(750 mL)에 달여 二杯(300 mL)를 취하여 하루에 두 번 복용한다.

【效能】 養陰透熱.

【主治】 溫病後期, 邪伏陰分證. 夜熱早涼, 熱退無汗, 舌紅苔少, 脈細數.

【病機分析】 본 방제가 치료하는 것은 溫病 後期에 陰液이 이미 손상되었는데 邪熱이 다하지 않아서 陰分에 깊이 잠복한 증상이다. 人體의 衛陽之氣는 낮에는 表로 운행하고 밤에는 裏로 운행한다. 陰分에 본래 伏熱이 있는데, 夜晩이 되면 陽氣가 陰分으로 들어가면

서 兩陽이 서로 더해지고 陰不制陽하므로 밤이 되면 身熱하는 것이고, 낮에는 衛氣가 바깥의 表로 운행하면서 陽氣가 陰分에서 나오니 熱이 물러나면서 身涼하는 것이다. 그러나 비록 熱退身涼하지만 邪熱이 여전히 陰分에 深伏하면서 表를 따라서 풀리지 않고, 溫邪가 久留하면서 陰液이 耗傷한 것이 더해지니 땀을 만들 물질적 원천이 없으므로 熱退無汗하는 것이니, 바로 吳瑭이 말한 "夜行陰分而熱, 日行陽分而涼, 邪氣深伏陰分可知. 熱退無汗, 邪不出表, 而仍歸陰分更可知矣."(『溫病條辨』卷3)라고 한 것과 같다. 舌紅苔少과 脈細數은 모두 陰虛有熱의 형상이다.

【配伍分析】 이러한 陰虛邪伏의 증상에 대하여 순수하게 養陰하는 약재를 사용하는 것은 옳지 않으니 邪熱이 未盡하여 陰分에 深伏하고 있는데 滋膩한 약재를 태과하게 사용하면 熱을 붙잡아서 邪氣를 머무르게 하고, 비록 發熱이 있더라도 苦寒한 약재를 사용해서는 안 되니 陰液이 이미 손상되었는데 苦寒한 약재가 燥하게 만들면 더욱 그 陰液을 손상시키기 때문이다. 바로 吳瑭이 말한 "邪氣深伏陰分, 混處氣血之中, 不能純用養陰; 又非壯火, 更不得任用苦燥."(『溫病條辨』卷3)라고 한 것과 같다. 따라서 다만 한편으로는 養陰하면서 한편으로는 清熱하여 陰을 회복하게 하면 족히 이로써 制火할 수 있고 邪氣가 제거되면 그 熱이 저절로 물러나게 할 수 있을 뿐이며, 또한 邪熱이 深伏하고 있으므로 透達 작용을 갖추고 있는 清熱藥物을 選用하여 陽分으로 투출되게 하면 풀리는 것이다. 방제 중 鱉甲은 鹹寒하면서 직접적으로 陰分으로 들어가기에 滋補陰液할 뿐만 아니라 入絡搜邪를 잘하여 깊이 잠복한 陰分의 邪熱을 清解한다. 青蒿는 味苦微辛하면서 性寒하고 氣味芳香하여 清熱透邪의 要藥이 되는데, 『本草新編』卷3에서 말하기를 "能引骨中之火, 行於肌表."라고 하였다. 두 가지 약재를 서로 配伍하면 鱉甲은 오로지 陰分으로 들어가서 滋陰하고, 青蒿는 陽分으로 나와서 透熱할 수 있으니, 養陰하면서도 邪氣를 매어있게 하지 않고 透熱하면서도 正氣를 손상시키지 않으니 相得益彰의 묘미가 있는 것이며, 吳瑭 자신이 해석하기를 "此方有先入後出之妙, 青蒿不能直入陰分, 有鱉甲領之入也. 鱉甲不能獨出陽分, 有青蒿領之出也."(『溫病條辨』卷3)라고 하였으니 함께 君藥이 된다. 生地黃은 甘涼하여 滋陰涼血하고, 知母는 苦寒하여 滋陰降火하니, 두 가지 약재가 함께 臣藥이 되는데 鱉甲을 도와서 養陰함으로써 虛熱을 물리친다. 丹皮는 辛苦而涼하면서 "治血中伏火, 除煩熱."(『本草綱目』卷14)할 수 있어서, 火를 물러나게 함으로써 陰液을 생성하는 것이니, 青蒿를 도와서 陰分의 伏熱을 透泄하므로 佐藥으로 사용한다. 다섯 가지 약재를 합하여 사용하면 滋·清·透를 함께 진행하면서 標本을 겸하여 돌보므로 養陰退熱하는 효능이 있는 것이다.

【臨床應用】

1. 證治要點: 본 방제는 溫熱病 後期에 餘熱이 未盡하고 陰液이 不足한 虛熱證에 가장 적합한데, 夜熱早涼, 熱退無汗, 舌紅少苔, 脈細數한 것을 證治의 요점으로 삼는다.

2. 加減法: 만약 暮熱早涼하고 汗解渴飮하면 生地黃을 빼고 天花粉을 넣어 清熱生津止渴하고, 肺癆骨蒸과 陰虛火旺한 자를 치료하려면 沙參·旱蓮草을 넣어 養陰清肺할 수 있고, 小兒의 夏季熱이 陰虛有熱에 속하는 자는 白薇·荷梗 등을 적당히 넣어 解暑退熱하고, 陰虛火旺한 자에 대해서는 石斛·地骨皮·白薇 등을 넣어 退虛熱한다.

3. 青蒿鱉甲湯은 다음 한국표준질병사인분류(KCD)에 해당하는 환자가 溫病後期, 邪伏陰分證으로 辨證되는 경우 본 저방의 사용을 고려해볼 수 있다.

처방 목표	한국표준질병사인분류(KCD)
各種 傳染病 恢復期의 微熱	(질병명 특정곤란)
	A00~B99 I. 특정 감염성 및 기생충성 질환
	R50.9 상세불명의 열
原因不明의 發熱	R50.9 상세불명의 열

【注意事項】青蒿는 高溫을 견디지 못하므로 끓는 물을 사용하여 泡服하고, 나머지 약재는 煎服한다.

【變遷史】본 방제는『衛生寶鑒』卷5의 秦艽鱉甲散에서 秦艽·柴胡·當歸·地骨皮·烏梅를 빼고 生地·丹皮를 넣어 구성한 것이다. 秦艽鱉甲散은 평소의 체질이 陰虛한데 風邪를 感受하면서 內熱로 변함으로 인한 陰虛伏熱證이 생긴 것을 치료한다. 본 방제는 溫病 後期에 餘熱이 未盡한 것을 치료하기 위하여 만든 것으로 陰虛가 邪熱보다 위중하다는 주요 특징이 있다. 그러므로 柴胡·秦艽의 解表透邪하는 약재를 뺀 것은 發汗으로 傷陰할 것을 두려워하는 것이고, 또한 烏梅의 斂汗하는 약재를 빼서 收斂留邪하는 것을 예방한 것이며, 다시 當歸를 뺀 것은 當歸가 秦艽鱉甲散 중에서는 素體가 肝血不足하기 때문에 설정한 것이고, 본 方證은 溫病의 後期에 熱傷陰液한 것이 위주이므로 當歸의 補血養肝하는 것이 필요 없으며, 아울러 當歸의 辛溫한 성질이 助熱하는 것을 방지하기 위한 것이므로 그것을 빼고 生地黃의 養陰·涼血·清熱하는 것으로 바꾼 것이다. 별도로 無汗骨蒸을 잘 치료하는 牡丹皮로 秦艽鱉甲散 중의 有汗骨蒸을 잘 치료하는 地骨皮를 대체한 것이다. 이와 같이 加減하여 변화시킴으로써 青蒿鱉甲湯이 드디어 溫病의 後期에 陰虧熱伏하여 夜熱早涼하며 熱退無汗하는 것을 치료하는 良方으로 만들어진 것이다. 본 방제는 현재 陰虛邪戀을 치료하는 주요한 방제로 이미 형성되어서 各種 感染性疾病의 後期에 微熱不退·手術後微熱·小兒 夏季熱·陰虛感冒 및 各種 原因不明의 微熱 등이 陰虛內熱에 속하는 자를 치료하는데 사용할 수 있다.

【難題解說】

1. 본 방제의 同名 異方에 관한 것:『溫病條辨』의 青蒿鱉甲湯에는 두 개의 방제가 있다. 下焦篇에서 출전하는 것이 본 방제이고, 卷2의 中焦에서 출전하는 것에서 말하기를 "脈左弦, 暮熱早涼, 汗解渴飲, 少陽瘧偏於熱重者, 青蒿鱉甲湯主之."라고 하였다. 青蒿鱉甲湯方(苦辛鹹寒法): 青蒿 三錢, 知母 二錢, 桑葉 二錢, 鱉甲 五錢, 丹皮 二錢, 花粉 二錢. 물 5잔을 달여 2잔을 취하여 瘧疾이 오기 전에 2차에 나누어서 따뜻하게 복용한다. 이 방제를 本書에서 선택한 青蒿鱉甲湯과 비교하면 桑葉·花粉이 많으면서 生地黃이 없으며, 두 방제의 용량 변화는 크지 않다. 이 방제는 淸透시키는 힘이 비교적 강하여 少陽瘧으로 氣分의 熱이 비교적 심한 자를 치료하고, 本書에서 선택한 방제는 養陰하는 힘이 비교적 강하여 陰分의 熱이 비교적 심한 자를 치료한다. 비록 두 방제의 구성으로는 차이가 있지만, '暮熱早涼'이라는 主症은 일치하며, 또한 證候의 性質이 대체적으로 같은 종류라서 방제를 구성하는 용약도 대체로 서로 비슷하여 모두 青蒿·鱉甲·知母·丹皮의 네 가지 약재가 있는 것이다.

2. 본 方證의 發病 機轉에 관한 것: 본 방제는 "夜熱早涼, 熱退無汗." 등의 증상을 主治하는데, 溫病의 後期에 陰液耗傷하면서 餘熱이 陰分에 深伏해서 생기는 것이다. 그 發病 機制에 관하여 한 종류의 觀點은 人體의 衛陽之氣가 낮에는 表로 운행하고 밤에는 裏로 운행하는 것이라고 인식하는 것이다. 陰分에 본래 伏熱이 있으면 夜晩에 陽氣가 陰分으로 들어가서 兩陽이 서로 더해지면 陰이 陽을 제어하지 못하므로 밤이 되면 身熱하는 것이고, 낮에는 衛氣가 表로 外行하여 陽氣가 陰分에서 나오니 熱이 물러나면서 身涼한다는 것이다. 별도의 한 종류의 觀點은 夜間은 陰이 되는데 陰分이 虧損된 사람은 自然界에 있는 陰의 도움을 받아서 邪熱과 맞서므로 夜間에 發熱이 출현하는 것이고, 平旦에는 陽氣가 왕성해지면서 陰氣가 점차 쇠약해져서 邪熱과 맞설 힘이 없으므로 平旦 이후에는 熱이 물러난다고 인식하는 것이다. 그러나 비록 熱이 물러나면서 身涼해지더라도 邪熱이 여전히 陰分에 深伏하여 表解하지 못하였으므로 熱退해도 無汗한 것이다. 내가 인식하기로는 첫 번째 觀點이 비교적 적합한 것 같은데, 吳瑭이 原著에서 말한 것을 살펴보면 "夜行陰分而熱, 日行陽分而涼, 邪氣深伏陰分可知. 熱退無汗, 邪不出表而仍歸陰分, 更可知矣, 故曰熱自陰分而來, 非上·中焦之陽熱也."라고 하였다. 吳氏가 말

한 "夜行陰分而熱, 日行陽分而涼."이라는 것은 陽氣의 運行을 가리켜서 말한 것이니 곧 陽氣가 밤에 陰分으로 운행하여 邪熱과 함께 두 가지 陽이 서로 더해지기에 밤이 되면 發熱하는 것이다.

【醫案】

1. 陰虛肺熱 『北京中醫』(1994, 6:34): 某 여자, 52세. 일찍이 肺炎을 앓았었는데 이미 대체로 치유되었지만, 15일 전부터 微熱이 사라지지 않고 乾咳少痰, 聲音嘶啞, 便乾尿黃하였다. 신체검사: 體溫 37.8℃, 舌紅少苔, 脈象細數, 일반 혈액 화학검사는 정상이었다. 증상은 陰虛肺熱에 속하였으니 치료는 養陰潤肺하는 것이 마땅하다. 靑蒿鱉甲湯에 加味한 것을 사용하였다. 靑蒿 10 g, 鱉甲 15 g(先煎), 知母 12 g, 生地 20 g, 丹皮 12 g, 麥門冬 18 g, 川貝 10 g, 沙蔘 12 g. 4첩을 복약한 후에 體溫이 하강하면서 모든 증상이 輕減하였다. 다만 때때로 心煩感을 느꼈으므로 原方 중에 百合 15 g을 넣어 淸心安神할 뿐만 아니라 潤肺止咳하였다. 다시 3첩을 복용하고는 體溫이 정상으로 회복되고 모든 증상이 사라졌다.

考察: 邪熱이 蘊肺하면 津液을 煎熬하여 肺가 滋潤되지 못하면서 燥熱이 생기므로 乾咳無痰, 聲音嘶啞, 便乾尿黃, 舌紅少苔한 것은 모두 陰虛有熱한 모양에 속한다. 치료는 養陰淸熱을 위주로 하면서 潤肺止咳를 보좌하는 것이 마땅하고, 방제로는 靑蒿鱉甲湯에 麥門冬·川貝·沙蔘·百合을 넣어 그 肺陰을 회복시킨 것이고, 藥과 증상이 서로 합하니 모든 증상이 나은 것이다.

2. 陰虛內熱 『北京中醫』(1994, 6:34): 某 남자, 68세. 스스로 말하기를 15일 전에 痢疾를 앓았는데, 치료를 거친 후에 下痢는 이미 그쳤지만, 오직 微熱의 起伏이 있으면서 사라지지 않는 것이 이미 1주일 되었다. 항생제를 사용하였지만 효과가 없었고, 腋下 體溫이 37.5~38℃였으며, 疲乏無力을 자각하였고 渴而少飮하면서 暮熱早涼하였고, 또한 大便乾燥하면서 尿少色黃하였다. 신체검사: 體溫 37.8℃, 面色潮紅, 舌質紅而乾, 少苔, 脈象細數. 大·小便의 일반 화학검사는 정상이었고, 血象도 정상이었다. 증상은 陰虛內熱에 속하였으니, 치료는 養陰透熱하는 것이 마땅하다. 靑蒿鱉甲湯에 加味한 것을 주었다. 靑蒿 10 g, 鱉甲 20 g(先煎), 生地 18 g, 地骨皮 15 g, 知母 10 g, 丹皮 12 g, 銀柴胡 12 g. 3첩을 복약한 후에 熱의 세력이 減退하였다. 효과가 있어 방제를 바꾸지 않고 다시 2첩을 복약하였더니 體溫이 정상이 되면서 모든 증상이 사라지면서 나았다.

考察: 이 환자는 年老하여 體弱함으로써 痢疾을 치료한 후에 餘邪가 未盡하여 陰虛生內熱하면서 그 病이 陰分에 있으므로 微熱不退가 나타나는 것이다. 이때 치료를 만약 단순하게 淸熱시키기만 한다면 더욱 陰液을 손상시키게 되고, 단지 養陰만을 살핀다면 또한 쉽게 滋膩한 약재로 邪氣를 매어있게 만든다. 그러므로 마땅히 養陰透熱하는 방법을 사용하여 養陰·淸熱·涼血을 합해서 사용해야 邪熱을 淸除하면서도 陰液은 손상시키지 않게 할 수 있다.

淸骨散

(『證治准繩』「類方」卷1)

【組成】 銀柴胡 一錢五分(4.5 g) 胡黃連 秦艽 鱉甲 醋炙 地骨皮 靑蒿 知母 各一錢(各 3 g) 甘草 五分(2.5 g)

【用法】 물 二盅(300 mL)을 달여서 八分(240 mL)이 되면 食遠服한다.

【效能】 淸虛熱, 退骨蒸.

【主治】 虛勞發熱, 骨蒸潮熱, 或微熱日久不退, 形體消瘦, 唇紅顴赤, 困倦盜汗, 或口渴心煩, 舌紅少苔,脈細數等.

【病機分析】 본 方證은 肝腎陰虧로 虛火內擾해서 생기는 것이다. 腎은 藏精하면서 主骨하니 精은 陰에 속하는 것인데, 陰虛하면 精도 역시 부족해지니 陰虛生內熱하므로 骨蒸潮熱이 나타나는 것이다. 陰精이 耗損되면 水虧火炎하면서 陰虛하여 陽을 제어하지 못하여 虛火內擾하므로 微熱日久不退가 나타나는 것이다. 眞陰이 消爍되면 肌體가 영양을 공급받지 못하여 形體消瘦·困倦無力이 나타나는 것이다. 虛火上炎하면 唇紅顴赤이 나타나는 것이다. 陰虛陽亢하면 津液을 핍박하여 外出하므로 盜汗하는 것이다. 陰虛하면 陰液이 上承하지 못하고 口舌이 陰液의 滋養을 받지 못하므로 口渴하는 것이고, 陰虛內熱하면 心神이 擾亂되므로 心煩하는 것이다. 舌質紅과 脈細數 등은 모두 陰虛內熱의 증상이다.

【方解】 이와 같이 虛火가 병이 된 증상에 대하여 만약 滋陰만 하고 淸熱하지 않는다면 虛火가 猖獗하는 형세를 억제하기가 힘들다. 다만 여기에서의 淸熱을 苦寒한 약물을 사용하여 하는 것은 또한 옳지 않으니, 만약 苦寒한 약재를 사용하게 되면 더욱 그 陰液을 손상하게 된다. 따라서 본 방제에서는 많은 무리의 淸虛熱·退骨蒸을 잘하는 약재를 위주로 모으고, 滋陰하는 약재로 배오함으로써 熱退하면서 陰復하게 한 것이다. 방제 중 銀柴胡는 甘苦微寒하여 淸熱涼血하는데, 虛熱을 잘 물리치면서 苦燥하는 성질이 없으니 방제 중 君藥이 된다. 知母는 滋陰하여 瀉腎火하면서 淸虛熱하는데 銀柴胡와 함께 사용하면 淸熱 중에 透發을 겸하고, 胡黃連은 血分으로 들어가서 淸熱하며, 地骨皮는 肺 중의 伏火를 내리면서 下焦 肝腎의 虛熱을 제거하니, 세 가지 약재는 함께 陰分의 虛熱을 淸解하고 有汗한 骨蒸을 잘 물리치니 방제 중 臣藥이 된다. 靑蒿는 芳香性이 있으며 淸虛熱하면서 伏熱을 잘 透發하기에 骨中의 火를 끌어와서 肌表로 행하게 하고, 秦艽는 泄熱하면서 益陰氣하며, 鱉甲은 鹹寒하기에 滋陰潛陽할 뿐만 아니라 引藥하여 陰分으로 들어가니 虛熱을 치료하는 상용약이 되기에, 모두 방제 중 佐藥이 된다. 甘草는 調和諸藥하면서 苦寒한 약재가 胃氣를 손상시키는 것을 방지하므로 使藥이 된다. 모든 약재를 서로 합하면 함께 淸虛熱·退骨蒸의 효과를 발생시킨다. 본 방제는 많은 무리의 退熱除蒸하는 약재를 한 방제에 모아서 淸透伏熱에 중점을 두면서 겸하여 滋養陰津함으로써 退熱除蒸의 효과를 만든 것이다. 原書에서 본 방제를 "專退骨蒸勞熱"한다고 말하였으므로 '淸骨散'이라고 부른 것이다.

【類似方比較】 본 방제는 靑蒿鱉甲湯과 함께 陰虛發熱을 치료하는데, 그 차이점은 淸骨散은 한 무리의 淸虛熱하는 약재로 방제를 구성하여 陰虛內熱로 인한 骨蒸潮熱을 치료하는 것이고, 靑蒿鱉甲湯은 靑蒿·鱉甲을 君藥으로 삼고 生地·知母를 배오한 것이니 養陰과 透邪를 並進함으로써 熱病이 傷陰하여 邪氣가 陰分에 잠복한 증상을 치료하는 것이다.

【臨床應用】

1. 證治要點: 본 방제는 肝腎陰虧로 虛火內擾하여 생긴 虛勞發熱을 主治하는데, 骨蒸潮熱, 形瘦盜汗, 舌紅少苔, 脈細數을 證治의 요점으로 삼는다.

2. 加減法: 만약 血虛가 심한 자는 當歸·芍藥·生地를 넣어 養陰補血하고, 咳嗽가 많은 자는 阿膠·麥門冬·五味子를 넣어 滋陰潤肺止咳하며, 氣虛를 겸하는 자는 黃芪·黨參을 넣어 益氣補虛하고, 食欲不佳하고 大便溏薄 등이 脾胃虛弱에 속하는 자는 秦艽·胡黃連·知母 등의 苦寒한 약재를 빼고 扁豆·山藥 등을 넣어 健脾和胃益陰한다.

3. 淸骨散은 다음 한국표준질병사인분류(KCD)에 해당하는 환자가 肝腎陰虧, 虛火內擾證으로 辨證되는 경우 본 처방의 사용을 고려해볼 수 있다.

처방 목표	한국표준질병사인분류(KCD)
結核病	A15~A19 결핵
慢性 消耗性 疾病의 微熱	E40~E46 영양실조

【變遷史】 본 방제는 元代 羅天益의 『衛生寶鑒』卷5에 나오는 秦艽鱉甲散에 加減하여 만든 것과 관계있다. 秦艽鱉甲散은 원래 風勞病으로 骨蒸壯熱하고 筋肉消瘦하는 것을 치료하는 것인데, 약재로는 秦艽·鱉甲·柴胡·地骨皮·當歸·知母·靑蒿·烏梅를 사용하여 淸熱除蒸·滋陰養血한 것이다. 王肯堂은 秦艽鱉甲散 중의 柴胡를 銀柴胡로 바꾸고, 當歸·烏梅의 養血斂陰하는 것을 뺐으며, 다시 胡黃連·甘草를 넣어 淸熱和中하였다. 이렇게 淸骨散을 만들어 骨蒸潮熱을 치료하는데 사용하여 매우 효과가 있었다. 그러므로 後世에서는 이러한 종류의 病證을 치료할 때 대부분 본 방제를 중시하면서 가감하였으니, 예를 들어 『醫學心悟』卷3의 淸骨散은 본 방제의 銀柴胡를 柴胡로 바꾸고, 다시 白芍藥·丹皮·黃芩을 넣어 만든 것인데, 養陰涼血淸熱하는 효능을 겸하고 있어서 咳嗽吐紅하면서 점차 骨蒸勞熱을 형성하는 것을 치료하였고, 『鎬京直指』의 淸骨散은 鱉甲을 鱉甲膠로 바꾸고, 胡黃連을 뺐으며, 生首烏·石斛을 넣어 만든 것으로 그 養陰하는 효능이 비교적 우수하여 역시 骨蒸을 치료하였다.

【難題解說】 본 방제의 主治에 관한 것: 본 방제가 主治하는 證候는 虛勞發熱이다. '虛勞'는 하나의 病名으로 『金匱要略』에서 나온다. 『諸病源候論』과 『聖濟總錄』등의 문헌을 분석하면 虛勞는 氣血陰陽이나 臟腑의 虛損으로 생기는 많은 종류의 病證 및 相互 傳染된 骨蒸·傳尸를 포괄한다. 후대의 문헌에서는 대부분 前者를 '虛損'이라고 부르고, 後者를 '勞瘵'라고 부른다. 본 방제가 치료하는 虛勞發熱은 肝腎陰虧하여 虛火內擾해서 생기는 骨蒸潮熱이니, 이것은 虛勞病 중의 하나의 유형이다.

【醫案】

1. 手術後 輸血 高熱 『淸熱方劑的藥理與臨床』: 某 남자, 53세. 主訴: 胃痛이 반복해서 발작한 지 20여 년 되었고, 이미 胃切除術을 시행하였다. 저번 달에 남아 있는 胃에서 出血이 생겨서 胃空腸 吻合術을 시행하였으며, 수술 후에 輸血하면서 高熱(38.5~ 40.5℃)이 출현한 것이 이미 한 달 가량 지속되었다. X-선 胸部 사진과 간기능 검사·肥達氏反應·血沉 등에서 모두 이상이 없었고, 熱原蟲이 陰性이었으며, 尿培養도 陰性이었고, 大·小便의 일상 검사에서 정상이었다. 혈액검사: 헤모글로빈 59%, 적혈구 205만/mm^3, 백혈구 7,800/mm^3, 중성구 88%, 림프구 12%. 이산화탄소 결합력 容積이 30%, 요소 질소가 29.2 mg%, 크레아티닌이 1.75 mg/dL였다. 高熱無汗, 口唇乏紅, 口舌糜爛, 小便不暢, 大便乾結, 脈細弱, 舌暗紅瘦小無苔하였다. 증상은 陰血虧虛로 인한 高熱에 속하였다. 치료는 滋陰養血淸熱하는 것이 마땅하다. 방제로는 淸骨散에 가미한 것을 사용하였다. 銀柴胡·胡黃連·地骨皮·秦艽·靑蒿·銀花·當歸·知母 各 10 g, 白芍藥·鱉甲·生地·丹參 各 15 g, 甘草 5 g. 매일 1첩씩 물에 달여 복용하였다. 4첩을 복용한 후에 體溫이 38℃까지 내려갔고, 다시 4첩을 복용했더니 體溫이 정상으로 회복되면서 大小便이 正常이 되었고, 口舌糜爛이 소실되었으며, 관련된 화학 실험 항목도 역시 정상이 되었다. 다시 補中益氣湯으로 調理하여 마무리를 잘 하였다.

考察: 久病으로 體虛하면서 陰血이 虧損되었고, 熱毒이 亢盛하면서 다시 陰液을 耗損하였으니, 淸骨散을 사용하여 滋陰淸熱함으로써 그 근본을 치료하였고, 銀花·生地黃을 넣어 淸熱涼血하였으며, 丹參·當歸·白芍藥으로 오로지 血分으로 들어가게 해서 活血養血斂陰하였으니, 전체 방제를 합해서 사용하면 滋陰退熱의 효능이 상당히 강하므로 한 달이 된 高熱을 복약한 후에 4첩으로 곧 제거한 것이다.

2. 妊娠 高熱 『淸熱方劑的藥理與臨床』: 某 여자, 29세. 主訴: 월경이 그친 지 3개월 정도 되었는데, 高熱이 최근 1개월 정도 있었다. 朝輕暮重, 煩躁不安, 不思飮食, 口乾舌燥, 頭昏, 乏力, 小便灼熱하였다. 검사:

體溫 40℃, 胸部 X-선 사진·간기능·肥達氏反應·血沉·大小便 일반 검사에서 모두 정상이었고, 熱原蟲도 陰性이었다. 일반혈액검사: 헤모글로빈 98%, 적혈구 300만/mm^3, 백혈구 13,600/mm^3, 중성구 78%, 임파구 22%. 妊娠 소변 검사는 陽性이었다. 臍上에 계란 1개 크기의 炎症性 包塊가 있었다. 脈滑, 舌淡紅苔薄黃하였다. 증상은 陰血不足으로 熱毒亢盛한 것에 속하였다. 치료는 滋陰養血·淸熱解毒이 마땅하고, 방제로는 淸骨散에 가미한 것을 사용하였다. 銀柴胡·胡黃連·靑蒿·知母·地骨皮·蒲公英·野菊花·紫花地丁·銀花 各 10 g, 鱉甲·生地·丹參 各 15 g, 甘草 5 g. 매일 1첩씩 물에 달여 복용하였다. 3첩을 복용한 후에 體溫은 38.8℃였다. 계속해서 3첩을 복용한 후에 體溫이 정상으로 회복되었고, 臍上의 炎症性 包塊도 축소되었다. 다시 加減하여 6첩을 복약하였더니 包塊가 소실되면서 血液의 일반검사가 정상이었으며, 모든 증상이 다 제거되었고, 産月에 이르러서 여자 아이를 출산하였다.

考察: 평소 체질이 陰虛한데다가 懷孕하면서 또한 陰血이 胞宮을 濡養할 필요가 생기면서 더욱 陰血虧虛가 나타나서 陰不制陽하므로 虛熱이 갑자기 나타난 것이다. 淸骨散으로 退虛熱하고 淸熱解毒·涼血活血하는 약재를 합함으로써 病勢에 적당하였다.

秦艽鱉甲散

(『衛生寶鑑』卷5)

【異名】 秦艽鱉甲飮(『醫略六書』卷19).

【組成】 柴胡 鱉甲 去裙, 酥炙, 用九肋者 地骨皮 各一兩(各 30 g) 秦艽 當歸 知母 各半兩(各 15 g)

【用法】 이상 여섯 개의 약재를 粗末로 만든다. 매번 五錢(15 g)을 복용하는데, 물 一盞(150 mL)에 靑蒿五葉과 烏梅 一個를 넣어 七分(100 mL)이 되도록 달여서 찌꺼기를 제거한 후에 空心에 臨臥할 때 따뜻하게 복용한다.

【效能】 滋陰養血, 淸熱除蒸.

【主治】 風勞病. 骨蒸盜汗, 筋肉消瘦, 唇紅頰赤, 口乾咽燥, 困倦, 咳嗽, 舌紅少苔, 脈細數.

【病機分析】 본 방제는 風邪를 感受한 것을 잘못 치료하여 裏로 전해지고, 변하여 內熱이 생기면서 陰血을 耗損하여 骨蒸勞熱의 증상에 이르게 된 것을 치료하기 위하여 만든 것으로, 吳昆은 이것을 '風勞骨蒸'이라고 불렀다. 陰虛內熱하므로 骨蒸盜汗이 나타나고, 骨蒸이 오래되면 血枯하기에 筋肉消瘦·困倦乏力하며, 虛火上炎하면 唇紅頰赤·口乾咽燥하며, 風火相搏하여 灼肺하면 咳嗽하고, 舌紅少苔와 脈象細數 등은 모두 虛熱內擾의 징후이다.

【配伍分析】 이러한 陰虛熱擾의 증상에 대하여 이치적으로는 당연히 淸熱과 滋陰을 並用하고 祛邪와 扶正을 함께 돌봐야 한다. 방제 중 秦艽는 "療風, 不問久新."(『名醫別錄』卷2)이라고 하였는데, 骨蒸을 주관하므로 祛風淸熱할 수 있고, 鱉甲은 滋陰退熱하니, 두 가지는 함께 君藥이 된다. 柴胡는 味苦性涼하니 "除虛勞煩熱, 解散肌熱."(『醫學啟源』卷下)이 가능하고, 地骨皮는 味甘性寒하여 "能淸骨中之熱, 泄火下行."(『臟腑藥式補正』)하니, 두 가지 약재는 淸泄涼降함으로써 退虛熱하니 합하여 臣藥으로 사용한다. 知母는 淸熱滋陰하고 當歸는 養血和血하니, 두 가지 약재를 서로 配伍하면 陰血虧虛의 근본을 培養하니 모두 佐藥이 된다. 용법 중에 靑蒿를 조금 넣음으로써 淸透邪熱을 돕고, 烏梅를 사용한 것은 증상에 盜汗·咳嗽가 나타나기 때문이고, 또한 방제 중 柴胡·秦艽·靑蒿와 같은 종류가 發汗한 이후에 陰液이 손상될 것을 두려워한 것이다. 烏梅는 酸斂하여 斂肺止咳·收澀止汗할 수 있으며, 아울러 "引諸藥入骨而收其熱."(『醫方考』卷3)할 수

있다. 또한 本品과 解表透邪藥을 서로 配伍하면 一散一收하기에 祛邪하면서도 傷陰하지 않고 斂陰하면서도 礙邪하지 않아서 相反相成하는 것이다. 모든 약재를 서로 합하면 함께 滋陰養血·淸熱除蒸의 효능을 만들 수 있다.

【類似方比較】 본 방제는 靑蒿鱉甲湯·當歸六黃湯과 함께 모두 淸虛熱之劑와 관계되는데, 滋陰淸熱하는 작용을 갖추고 있어서 虛熱證을 치료한다. 다만 靑蒿鱉甲湯은 鱉甲으로 滋陰搜邪退熱하고, 靑蒿로 芳香透熱外出하며, 生地·知母로 鱉甲을 도와 滋陰淸熱하고, 丹皮는 靑蒿와 配伍하면 涼血淸熱하니, 전체 방제는 養陰과 透熱을 並用하면서 養陰에 편중된 것이니 대부분 熱病의 後期에 夜熱早涼하는 邪氣가 陰分에 잠복한 자에게 응용한다. 秦艽鱉甲散은 鱉甲·當歸·知母로 滋陰養血淸熱하고, 秦艽·靑蒿·柴胡로 陰分의 伏熱을 淸泄하며, 地骨皮로 除蒸하고, 烏梅로 斂汗生津하니, 전체 방제가 養陰과 泄熱을 並用하면서 退熱에 편중된 것이니 대부분 陰虛血少로 熱邪가 陰血에 잠복하여 骨蒸潮熱하는 자에게 사용한다. 當歸六黃湯은 當歸·二地로 滋陰養血하고, 黃芪로 補氣强衛하면서 固表止汗하며, 三黃은 淸熱瀉火하니, 전체 방제가 滋陰養血과 淸火泄熱을 並用하면서 養陰淸熱止汗에 편중된 것이니 대부분 陰虛火旺하면서 盜汗하는 자에게 사용한다.

【臨床應用】

1. 證治要點: 본 방제는 外感風邪를 失治함으로써 裏로 전해지면서 변하여 內熱이 생겨서 陰血을 모손시켜서 생긴 骨蒸潮熱을 위해서 설정된 것으로 임상에서 응용할 때에는 骨蒸潮熱, 筋肉消瘦, 盜汗, 咳嗽, 舌紅少苔, 脈細數을 證治의 요점으로 삼는다.

2. 加減法: 만약 陰虧가 비교적 심한 자는 生地黃을 넣어 壯水滋陰할 수 있고, 汗多하면 黃芪를 넣어 益氣固表하며, 咳嗽가 비교적 심한 자는 川貝母·瓜蔞 등의 化痰止咳하는 약재를 참작하여 넣는다.

3. 秦艽鱉甲散은 다음 한국표준질병사인분류(KCD)에 해당하는 환자가 陰虛熱擾證으로 辨證되는 경우 본 처방의 사용을 고려해볼 수 있다.

처방 목표	한국표준질병사인분류(KCD)
結核病의 潮熱	A15~A19 결핵
溫熱病 後期의 餘熱未盡	(질병명 특정곤란)
	R50.9 상세불명의 열
原因不明 微熱	R50.9 상세불명의 열

【變遷史】 본 방제는 宋代『博濟方』卷1의 地骨皮散에 加減하여 변화 발전시켜서 온 것과 관계있다. 地骨皮散은 地骨皮·秦艽·柴胡·枳殼·知母·當歸·鱉甲·桃枝頭·柳枝頭·生薑·烏梅로 구성되어 있는데, 骨蒸壯熱, 筋肉消瘦, 多困少力, 夜多盜汗을 치료한다. 地骨皮散은 宋代『聖濟總錄』에도 또한 記載되어 있는데, 이름을 地骨皮湯이라고 하였고, 元代『醫壘元戎』卷5에서는 地骨皮枳殼散이라고 불렀다. 본 방제는 地骨皮散에서 枳殼·桃枝頭·柳枝頭·生薑을 빼고 烏梅를 넣어 만든 것으로 원래는 骨蒸壯熱, 筋肉消瘦, 唇紅頰赤, 氣粗, 四肢困倦, 夜有盜汗하는 것을 치료하는 것이었다. 후세에서는 이 방제로 陰虧血虛한데다가 外感風邪가 裏로 전해지면서 熱로 변화하여 風勞를 앓는 것을 치료하는 主方으로 삼았다. 淸代의 李用粹는 일찍이 말하기를 "風癆者, 初期原因咳嗽鼻塞, 久則風邪傳裏, 耗氣損血, 漸變成癆, 後致不治. 惟羅謙甫主以秦艽鱉甲散, …… 可謂發前人所未發."(『證治彙補』卷2)라고 하였다. 明代의『證治准繩』「類方」卷1에서는 또한 秦艽鱉甲散에 加減하여 변화 발전시켜서 淸骨散을 만들었는데 淸骨散의 **【變遷史】**項을 참고하여 보기 바란다.

【難題解說】 본 방제의 主治에 관한 것: 본 방제의 主治證은 '風勞'이며 또한 '肝勞'라고도 부르는 것인데, 表裏兩虛한 사람이 氣血不足으로 肌腠가 疏泄한데 風邪가 乘襲하면서 혹은 皮膚에 游移하거나 혹은 臟腑에 沈滯한 것을 가리키는 것으로 體虛로 食少羸瘦, 筋脈不利, 手足多痙, 肢節煩痛, 腰膝無力, 面色萎黃,

小便數量多, 臥而盜汗, 毛焦口臭, 寒熱往來, 肌骨蒸熱, 疳利 등의 病症이 야기된 것이다. 『金匱翼』卷3에서 말하기를 "風勞之證, 肌骨蒸熱, 寒熱往來, 痰嗽, 盜汗, 黃瘦, 毛焦, 口臭, 或成疳利. 由風邪淹滯經絡, 瘀鬱而然. 其病多著於肝, 亦名肝勞."이라고 하였다.

【醫案】

1. 肺結核咯血『淸熱方劑的藥理與臨床』: 某 남자, 20세. 主訴: 최근 1주일 동안 發熱惡寒, 咳痰帶血, 咳引胸痛, 盜汗, 頭痛, 神疲力倦, 食欲減退, 咽乾口燥, 大便乾結, 小便黃하였다. 검사: 體溫 39℃, 혈액 검사: 백혈구 4,700/mm³, 적혈구 침강 속도 30 mm/h, 양쪽 肺의 聽診에서 濕性 囉音이 들렸다. X-선 흉부 사진: 양쪽 肺에 모두 균일한 細小顆粒狀의 병변 부위가 있었는데, 肺門處가 비교적 빽빽하였기에 急性 粟粒性 肺結核으로 진단하였다. 脈細數하고 舌紅苔黃燥하였다. 증상은 熱毒熾盛하여 迫血妄行한 것에 속하였으니, 치료는 淸熱解毒除蒸하는 것이 마땅하며, 방제로는 秦艽鱉甲散에 가미한 것을 사용하였다. 銀柴胡·青蒿·知母·黃連·秦艽百部 各 12 g, 黃芩 10 g, 鱉甲 20 g, 地骨皮 15 g, 甘草 6 g. 매일 1첩씩 물에 달여 복용하였다. 9첩을 복용한 후에 양쪽 肺의 濕性 囉音이 감소하였고, 發熱惡寒이 그쳤으며, 다른 증상들도 현저하게 경감되었다. 다시 9첩을 복용하였더니 痰中帶血이 이미 그쳤고, 계속해서 潤肺抗癆하는 방제로 치료하여 마무리를 잘 하였다.

考察: 본 醫案은 病이 初期에 속하니 바로 青年이 체격이 건장하고 正氣가 强盛하며 熱毒이 熾盛한 때를 맞이한 것으로, 熱이 絡脈을 손상시켜서 迫血外溢한 것이니 秦艽鱉甲散으로 退熱除蒸하고 滋陰養血한 것이고, 黃連·黃芩·生甘草의 淸熱解毒하는 약재를 넣어 熱毒을 제거하고, 百部는 甘苦微溫하여 오로지 肺經으로 귀경하여 肺癆咯咳의 증상을 치료하는 것이다. 전체 방제는 근본을 치료함으로써 병의 根源을 단절한 것이니, 비록 止血하는 약재를 사용하지는 않았지만 血도 역시 熱이 풀림에 따라 그치는 것이다.

2. 이차성 肺部感染『淸熱方劑的藥理與臨床』: 某 여자, 44세. 代訴: 3년 전에 B형 腦炎의 후유증으로 神志不淸하고 四肢僵直하며 二便失常하여 鼻로 유동식을 먹여서 유지하였는데, 최근에는 發熱하면서 肺部를 살펴보니 계속해서 感染 증상이 발생하였고, 항생제를 사용하여 치료하고는 高熱은 이미 사라졌지만 微熱이 2주 동안 지속되었다. 검사: 體溫 37.5℃, 感染의 병변 부위는 발견할 수 없었다. 午後微熱, 夜間盜汗, 心悸, 易怒煩躁, 手足心熱, 顴紅, 舌紅少苔, 脈細數하였다. 증상은 熱病 후에 傷陰하여 陰虛內熱한 것에 속하였으니, 치료는 育陰淸熱하는 것이 마땅하고, 방제로는 秦艽鱉甲散에 가미한 것을 사용하였다. 秦艽·知母 各 15 g, 鱉甲(炙)·地骨皮·柴胡 各 30 g, 青蒿·生地 各 10 g, 生甘草 6 g. 매일 1첩씩 물에 달여 복용하였다. 3첩을 복용한 후에 모든 증상이 다 제거되었으며, 다시 3첩을 복용하고는 熱이 풀리면서 體溫이 정상이 되었다.

考察: 본 醫案의 四診을 함께 참고해보면 陰虛內熱에 속하는데, 病體가 이미 虛한데 다시 外邪를 感受함으로써 機體의 機能이 손상되므로 秦艽鱉甲散에 加減한 것을 사용하여 滋陰淸熱除蒸함으로써 효과를 거둔 것이다.

當歸六黃湯

(『蘭室秘藏』卷下)

【異名】 六黃湯(『愼齋遺書』卷5).

【組成】 當歸 生地黃 黃芩 黃柏 黃連 熟地黃 各等分(各 6 g) 黃芪 加一倍(12 g)

【用法】 위의 약재를 가루로 만들어 매번 五錢(15 g)을 복용하는데, 물 二盞(300 mL)을 달여서 一盞(150 mL)이 되면 食前에 복용한다. 小兒는 반으로 줄여서

복용한다.

【效能】 滋陰瀉火, 固表止汗.

【主治】 陰虛火旺盜汗證. 發熱盜汗, 面赤心煩, 口乾唇燥, 大便乾結, 小便黃赤, 舌紅苔黃, 脈數.

【病機分析】 본 방제가 치료하는 盜汗은 陰虛火旺으로 생기는 것이다. 心은 火에 속하여 위치는 上部에 머무르며, 腎은 水에 속하여 위치는 下部에 머무른다. 정상적인 상황 하에서는 心火가 腎에 下降하면 腎水가 寒해지지 않게 되고, 腎水도 또한 心에 上濟하여 心陽이 亢盛되지 않게 한다. 이와 같이 水火가 旣濟하면 心腎이 相交하면서 陰陽이 平衡을 이루기에 모든 질병이 생기지 않는 것인데, 만약 腎陰이 虧虛하여 腎水가 위로 心을 救濟하지 못하여 陰不制陽하면 心火가 偏亢하면서 陰虛火旺의 증상을 만드는 것이다. 또한 陰이 虛해질수록 火는 더욱 旺盛해지는데 火旺하면 迫津外泄하여 陰液을 지키지 못하므로 發熱盜汗이 나타나는 것이고, 虛火가 上炎하면 面赤心煩하는 것이며, 陰虛水虧하면 口乾唇燥과 大便乾結이 나타나고, 小便黃赤과 舌紅苔黃 및 脈數한 것은 모두 陰虛火旺의 형상이다.

【配伍分析】 이러한 陰虛火旺의 盜汗證에 대하여 치료는 滋陰淸熱·固表止汗하는 것이 마땅하다. 방제 중 當歸·生地黃·熟地黃은 肝腎으로 들어가서 滋陰養血하는데, 陰血이 충분하면 水가 火를 제어할 수 있으니 방제 중 君藥이 된다. 盜汗은 水가 火를 救濟하지 못하여 心火가 홀로 왕성하면 火旺迫津하여 생기는 것이므로 黃連·黃芩·黃柏으로 淸心瀉火除煩함으로써 堅陰하게 하는데, 熱이 식으면 火가 內擾하지 못하고 陰堅하면 汗이 外泄하지 못하니 모두 방제 중 臣藥이 된다. 君臣을 서로 배오하면 養陰과 瀉火을 함께 시행하면서 標本을 함께 돌보는 것이다. 汗出이 過多함으로 말미암아 表氣가 不固하므로 黃芪를 2배로 사용하여 益氣實衛固表하며, 當歸·熟地黃과 함께 하면 또한 益氣養血할 수 있으므로 방제 중 佐藥이 된다. 전체 방제를 종합해서 관찰해보았을 때 그 방제를 구성한 특징은 첫째, 養血育陰과 瀉火除熱을 함께 진행하여 養陰으로써 治本하고 瀉火로써 治標하는 것이니 陰固하게 하면 水가 火를 제어할 수 있고 熱淸하면 곧 耗陰하지 못하는 것이고, 둘째는 益氣固表와 育陰瀉火을 서로 배합한 것으로 育陰瀉火가 本이 되고 益氣固表가 標가 되는데 이로써 營陰內守하고 衛外固密하게 하는 것이다. 모든 약재를 합하여 사용하면 滋陰淸熱·固表止汗하는 효능이 있어서 內熱·外汗이 모두 상응하여 낫는 것이다.

【臨床應用】

1. 證治要點: 본 방제는 陰虛火旺의 盜汗症을 주치하는데, 盜汗面赤, 心煩溲赤, 舌紅, 脈數을 證治의 요점으로 삼는다.

2. 加減法: 만약 陰虛하면서 內火가 비교적 가벼운 자는 黃連·黃芩을 빼고 知母를 넣어 瀉火하면서 傷陰하지 않도록 바랄 수 있다.

3. 當歸六黃湯은 다음 한국표준질병사인분류(KCD)에 해당하는 환자가 陰虛火旺盜汗證으로 辨證되는 경우 본 처방의 사용을 고려해볼 수 있다.

처방 목표	한국표준질병사인분류(KCD)
結核病	A15~A19 결핵
糖尿病	E10~E14 당뇨병
甲狀腺機能亢進	E05 갑상선독증[갑상선기능항진증]
更年期症候群	N95.1 폐경 및 여성의 갱년기상태

【注意事項】 본 방제는 養陰瀉火하는 힘이 상당히 강하여 陰虛火旺하면서 中氣가 아직 손상되지 않은 자에게 적용된다. 만약 脾胃虛弱하여 음식량이 감소하고 便溏하는 자는 사용하는 것이 마땅하지 않다.

【變遷史】 當歸六黃湯은 元代 李杲가 創製한 것으로 『蘭室秘藏』卷下에 실려 있는데, 原書에서는 겨우 "治盜汗之聖藥也"라고만 말하고 있다. 明代 吳昆의 『醫方考』卷4에서 말하기를 "陰虛有火, 令人盜汗者, 此方(即當歸六黃湯)主之."라고 하였고, 淸代 徐大椿의 『蘭台軌範』卷1에서도 역시 본 방제가 치료하는 盜汗을 "陰虛有火 …… 或血虛不足, 虛火內動."이라고 명확하게 지적하였다. 따라서 후세 사람들이 陰虛火旺의 盜汗을 치료할 때에는 대부분 본 방제를 근본으로 삼아 뜻을 세웠다. 예를 들어 當歸六黃湯의 同名 異方으로 『傷寒全生集』卷2의 방제는 구성에서 知母·生薑·大棗·浮小麥을 증가시킨 것이니 淸熱止汗시키는 작용을 강화시키면서 겸하여 和脾胃·調營衛를 가능하게 한 것으로 陰虛火旺으로 盜汗하면서 寸脈虛浮하고 尺脈數大無力한 것을 치료하였고, 『寒溫條辨』卷5의 방제는 麻黃根·浮麥·防風을 넣어 역시 陰虛盜汗을 치료하였는데 固表止汗시키는 효능을 비교적 뛰어나게 하면서 겸하여 祛風할 수 있는 것이며, 『麻症集成』卷上의 방제는 또한 梔子·浮小麥을 넣어 淸熱止汗시키는 효능을 강화시키려는 의도가 있는 것으로 火盛逼迫하여 汗妄流하는 것을 치료한 것과 같다.

【難題解說】 방제 중 黃芪를 配伍한 의미: 當歸六黃湯은 陰虛火旺의 發熱盜汗證을 主治하는데, 방제 중 어찌하여 甘溫補氣하는 黃芪을 重用한단 말인가? 이것은 본 방제의 汗出이 대부분 營陰의 虛가 加重되었을 뿐만 아니라 衛陽의 손상으로도 생기는 것이니, 衛氣가 虛하면 肌表가 성글면서 빽빽하지 못하여 汗出이 더욱 심하니 이와 같으면 陰虛가 회복되기 어렵고 火를 쉽게 제약할 수 없다. 그러므로 방제를 구성함에 當歸·生熟地를 사용하여 補陰하고 黃芩·黃連·黃柏으로 瀉火하는 것을 제외하고도, 또한 黃芪를 2배로 사용하여 보좌한 것이다. 그 의미로 첫째는 益氣實衛하여 固表하는 것이니, 또한 張秉成이 『成方便讀』卷4에서 말한 "恐氣不能永固於表, 故加黃芪以固之耳."라고 한 것과 같다. 둘째는 안정되지 않은 陰을 고정시키는 것이니, 黃芪를 當歸·熟地와 합함으로써 益氣養血하여 氣血이 충실해지고 腠理가 빽빽해지면 汗이 쉽게 빠져나가지 못하는 것이고, '三黃'과 합하여 扶正瀉火함으로써 火가 內擾하지 못하면 陰液이 內守하여 汗을 그치게 할 수 있는 것으로, 바로 『醫宗金鑒』「刪補名醫方論」卷1에서 말한 "又於諸寒藥中加黃芪, 庸者不知, 以爲贅品, 且謂陰盛者不宜, 抑知其妙義正在於斯耶! 蓋陽爭於陰, 汗出營虛, 則衛亦隨之而虛. 故倍用黃芪者, 一以完已虛之表, 一以固未定之陰."이라고 한 것과 같다.

【醫案】

1. 小兒 虛汗 『雲南中醫雜誌』(1985, 3:26): 某 여자, 1세. 그의 엄마가 말하기를 患兒는 1주일 전에 高熱이 물러난 이후에 땀이 자주 나오면서 夜間에 더욱 심하였고, 또한 煩躁, 夜臥不安, 口乾思飮, 便乾尿黃하였다. 진단해보니 咽不紅하고 唇紅하였으며, 舌質紅少津, 苔薄白, 指紋紫紅하였다. 이것은 熱病으로 津液이 손상되어 陰虛火擾해서 생긴 것이니, 치료는 育陰淸熱·固表止汗으로 하였다. 處方: 當歸 6 g, 生地 6 g, 熟地 6 g, 黃芩 3 g, 黃柏 3 g, 黃連 0.5 g, 生黃芪 6 g, 麻黃根 3 g. 2첩을 복용한 후에 밤에 자는 것이 안정되면서 虛汗이 그쳤으며 煩躁가 제거되고 大便이 통하면서 모든 증상이 나아졌다.

考察: 患兒는 高熱 후에 땀이 자주 나오면서 陰液이 더욱 손상되었으므로 口乾思飮·煩躁·便乾尿黃 등 津液이 虧損된 모양을 동반하여 나타내었다. 그러므로 當歸·熟地·生地黃을 사용하여 養血滋陰·涼血生津하고, 三黃으로 淸火함으로써 內熱을 그치게 하고, 黃芪로 益氣固表하면서 麻黃根으로 斂汗할 수 있는 것이다.

2. 盜汗 『黑龍江中醫藥』(1987, 1:22): 某 여자, 38세. 인공유산 후 1주일이 되었는데, 盜汗으로 옷이 모두 젖었으며, 평상시에도 매우 쉽게 感冒에 걸리고 움직이면 숨이 차고 神倦乏力하였으며, 口苦하면서 乾燥하고 心煩易怒하였다. 舌淡紅하면서 胖有齒印하였고, 苔薄膩

하면서 脈細하였다. 이것은 脾氣가 虛弱하여 陰火가 上乘한 것이니, 치료는 益氣固表·清火止汗하는 것이 마땅하다. 方用: 當歸 9 g, 生熟地 各 9 g, 川柏 9g, 黃芩 12 g, 炙黃芪 20 g, 防風 3 g, 焦白朮 12 g, 桑葉 9 g, 淮山藥 15 g, 仙鶴草 30 g, 穀麥芽 各 30 g, 炙甘草 3 g. 1첩을 복용한 후에 盜汗이 뚜렷하게 감소하였고, 4첩을 복용한 후에 盜汗이 소실되었다. 다시 4첩을 복용하여 鞏固해지도록 하였는데, 1년 후에 방문하여 물어보니 상황이 양호하였다.

考察: 李杲는 當歸六黃湯을 "治盜汗之聖藥也"라고 불렀으며, 아울러 역대의 의학자들도 추앙하였다. 李杲의 氣火와 關系된 學說을 이용하여 盜汗의 病機를 분석해보면 이것은 衛陽不足하고 火盛陰傷한 것인데, 눈을 감으면 衛陽은 陰分으로 운행하여 表를 호위하는 힘이 無力하면서 腠理가 열리게 되고, 이때에 裏로 운행하는 衛陽이 도리어 도둑처럼 陰火를 도와서 津血을 蒸騰하므로 津液이 腠理로 빠져나오면서 汗이 되는 것이고, 깨어나면서 눈을 뜨면 陰分으로 운행하던 衛陽이 다시 表에 흩어지면서 汗이 그치는 것이다. 그러므로 본 醫案에서는 黃芪를 重用함으로써 益氣固表하고, 黃芩·黃連·黃柏으로 陰火를 瀉하며, 當歸·生地·熟地黃으로 養陰涼血하고, 桑葉·仙鶴草는 모두 민간에서 盜汗을 치료하는 單方으로 여러 번 보도된 것이고, 다시 白朮·防風을 넣어 黃芪와 配伍하면 곧 玉屏風散이 되는데 益氣固表의 작용을 강화시킨 것이다. 藥과 證狀이 서로 합하니 저절로 奏效한 것이다.

3. 再發性 口瘡 盜汗 『黑龍江中醫藥』(1987, 1:22): 某 남자, 37세. 口腔潰瘍이 일상적으로 반복 발작한 것이 이미 數年이 되었다. 최근에는 發作은 여전하면서 進食困難, 自覺神倦乏力, 口唇乾燥, 夜眠欠佳, 舌紅而胖, 苔薄, 脈細數하였다. 이전에 이미 腎陰不足으로 心火上炎하여 水火不交하는 것으로 변증론치 하였지만 口腔潰瘍이 호전되지 않았다. 다시 시험 삼아 脾胃虛弱으로 陰火上沖한 것으로 변증론치 하였다. 方用: 當歸 12 g, 川柏 15 g, 黃芩 12 g, 生熟地 各 15 g, 生黃芪 20 g, 生石膏 30 g(先煎), 木通 6 g, 焦山梔 9 g, 竹葉 9 g, 知母 9 g, 川牛膝 12 g, 生甘草 12 g. 5첩을 복용하고는 나았다.

考察: 본 醫案의 神倦乏力하면서 舌體胖大한 것은 뚜렷하게 脾氣虛弱하면서 元氣不足한 것이다. "火與元氣不兩立, 一勝則一負."라고 하였는데, 脾氣虛弱하여 陰火上沖하면서 口腔潰瘍이 오랫동안 잘 낫지 않는 것이니 當歸六黃湯에 玉女煎·導赤散을 합방한 것에 加減하였더니 효과가 매우 빠르게 나타난 것이다.

4. 脂溢性 皮炎 『中醫雜誌』(1986, 7:25): 某 여자, 25세. 皮膚가 瘙癢한 것이 10여 년 되었는데, 頭皮에 기름기가 많았으며 顏面 및 몸통은 건조하면서 散在性으로 좁쌀 크기의 癮疹 및 脂溢性 鱗屑이 있었고, 皮膚의 색깔은 潮紅하였고, 面頰에는 때때로 烘熱感이 있었으며, 매번 經期를 만나면 발작이 더욱 심하면서 瘙癢을 견디기 힘들었고, 性情이 躁急해지면서 大便은 時溏時乾하고 苔薄膩하고 脈弦滑하였다. 이것은 濕熱이 營分에 머물러 있는 것에 속하는데, 치료는 滋陰涼血·清利濕熱하는 當歸六黃湯에 加減한 것을 주었다. 藥用: 黃芪 15 g, 當歸 10 g, 生熟地 各 10 g, 黃連 3 g, 黃芩 6 g, 黃柏 6 g, 茯苓 10 g, 苡仁 15 g, 地膚子 15 g, 萆薢 15 g, 萹蓄 10 g. 4첩을 복용한 후에 瘙癢이 輕減하였고 面部의 烘熱로 점점 물러났다. 10일 후에 面部의 潮紅이 이미 절반 정도 물러났으며 가려운 것도 또한 차도가 있었고, 月經이 시작하였지만 面部의 皮疹이 출현하지 않으면서 皮脂가 溢出하던 것도 뚜렷하게 감소하였다. 계속해서 25첩을 복용하였더니 面部의 脂溢性 皮炎이 潮紅하는 것은 이미 물러났는데 다만 때때로 瘙痒感은 있었다. 스스로 말하기를 5~6년 동안 새벽에 일어나면 양쪽 下肢가 水腫하면서 朝輕暮重하였는데, 韓藥을 복용한 이후로는 下肢 浮腫이 이미 소실되었다. 이것은 원래 氣虛가 있었던 까닭이다. 이 처방에 加減하여 14첩을 복약하였더니 面部의 皮疹이 소실되었고, 방제를 고수한 채로 계속해서 21첩을 복용함으로써 확실하게 마무리를 잘 하였다.

皮疹이 소실된 후에 재발은 없었다.

考察: 본 例는 濕熱이 營分에 머물러 있는 것에 책임이 있다. 방제 중 芩·連·柏이 當歸·地黃의 짝을 만나면 淸熱燥濕하면서 傷陰하지 않고, 當歸·地黃이 三黃의 도움을 얻으면 滋陰養血하면서도 礙濕하지 않는 것이다. 歸·芪를 함께 사용하면 甘溫으로 除熱하면서 氣血을 함께 돌보므로 扶正達邪하려는 의도가 있다. 用藥이 病機에 적중하여 효과를 얻은 것이다.

5. 更年期症候群(虛勞)『中醫藥信息』(1988, 3: 29): 某 여자, 51세. 최근 1년 동안 月經이 앞뒤로 옮겨지면서 일정한 시기가 없었고 量이 많아서 마치 물을 붓는 것과 같았다. 頭暈目眩, 耳鳴如潮, 腰痛似折, 心悸不安, 煩躁易怒, 烘熱陣陣, 寐則盜汗濕衣, 晝則寒熱乍作, 左側肢體麻木, 筋肉如蟲蟻蠕行, 尿黃便結하였다. 이미 洋藥인 diethylstilbestrol·methyltestosterone을 복용하였지만 효과가 드러나지 않아서 한의사를 찾아서 치료하였다. 당시의 진단: 舌紅, 苔薄白, 脈象細軟而數. 血壓은 130/90 mmHg였다. 진단은 腎陰虧虛로 心肝陽亢하여 沖·任·維脈이 영양을 공급받지 못한 것이다. 當歸六黃湯에 加減한 것을 적용하였다. 生熟地 各 15 g, 川連 3 g, 黃芩 5 g, 黃柏 6 g, 當歸 10 g, 生黃芪 15 g, 生龍牡 各 30 g, 秦艽 10 g, 制鱉甲 15 g, 五味子 10 g. 7첩을 복약하고는 모든 증상이 함께 감소하였으며, 血壓은 110/80 mmHg였다. 上方을 고수한 채로 15첩을 복용하였고, 아울러 加減하여 3개여월을 조리하면서 치료하였더니 月經이 來潮하지 않으면서 신체가 상쾌하고 건강해졌다.

考察: 본 병증의 형성은 중요한 책임이 腎虛에 있다. 대개 腎은 先天之本으로 眞陰·眞陽이 붙어 살고 있는 장소이다. 腎의 眞氣가 부족하기에 陰陽이 失衡하면서 臟氣가 偏頗하고 沖任維脈이 不調한 病理 變化가 출현하는 것이다. 방제 중 當歸·黃芪는 辛甘化陽으로 營衛를 조화롭게 함으로써 維脈과 통하고, 二地는 甘苦로 陰氣를 合化하여 滋陰養血함으로써 調補沖任하는 것이다. 대개 眞陰이 부족한 자는 火만 유독 불사르므로 三黃을 사용하여 적은 量으로 보좌하여 그 항성된 것을 조금 꺾는 것이고(苦寒한 약재를 過用하면 化燥傷陰할 우려가 있음), 秦艽·制鱉甲·生龍牡·五味子와 배오함으로써 滋陰潛陽·斂汗退熱의 효능을 강화시키는 것이니, 陰平陽秘를 바라면서 內臟이 安和하면 점점 天壽를 기르는 경지에 들어가도록 하는 것이다.

6. 甲狀腺機能亢進症(癭氣)『中醫藥信息』(1988, 3:29): 某 남자, 38세. 평소에 잘 다투면서 이기는 것을 좋아하였고 일에 부딪치면 툭하면 화를 내었다. 1년 여 전에 結喉의 양측이 거칠게 자라나는 것을 자각하면서 喉頭에 막힌 감각이 생겼고, 胸脇脹痛, 多食體瘦, 恚怒急躁, 神疲乏力, 心悸不寐, 怕熱多汗, 口乾善飮, 飮不解渴, 頭暈腰酸, 手抖肉顫, 溲黃便秘하였다. 이미 某 醫院의 검사를 받았는데, 기초대사율은 +27%였고, 요오드 131 갑상선 섭취율 측정은 24시간에 62.6%였다. 갑상선기능항진증으로 확진 받았기에 갑상선기능항진증 관련 약재를 복용하고 안정된 후에 백혈구 수치가 하강하여 한의학적인 치료로 전환하도록 부탁하였다. 진찰 소견: 頸前이 漫腫하면서 軟而不堅하였고, 舌紅하고 脈弦細略數하였다. 증상은 氣陰이 兩虛하면서 鬱火가 內燔하여 痰氣가 壅結한 것에 속하였다. 當歸六黃湯에 加味한 것을 적용하였다. 川連 8 g, 黃芩·黃柏·當歸 各 10 g, 生黃芪·玄參 各 15 g, 浙貝母·黃藥子 各 12 g, 生牡蠣 30 g, 生熟地 各 12 g. 10첩을 복용한 후에 모든 증상이 대략 감소하였는데, 다만 大便稀溏하면서 乏力體倦은 더욱 심해졌다. 原方을 고수한 채로 生熟苡仁 各 15 g, 炒二芽 各 12 g, 太子蔘 15 g을 넣었다. 복약한 이후에 便泄은 이미 그치면서 많은 질병이 감소하였다. 여전히 初診方을 근본으로 增損하여 80여 첩을 복용하였더니 症狀과 徵候가 전부 제거되었다. 다시 기초대사율을 검사하니 +10%였고, 요오드 131 갑상선 섭취율 측정은 24시간에 41.2%여서 그 병이 기본적으로 치유되었다.

考察: 갑상선기능항진증은 本虛標實의 증상인데, 氣陰兩虛가 根本이고 火鬱痰結이 그 標證이니 치료는 標本兼顧하면서 補虛瀉實하는 것이 마땅하다. 『知醫必辨』에서 말하기를 "五臟以肝火爲最橫"이라고 하였는데, 하나의 경맥이 뭉쳐 있으면 火로 변화하여 마치 불사르는 것 과 같다. 본 例의 환자는 鬱火로 傷陰하면 痰氣가 凝聚하여 오래되면 陰虛가 氣에 영향을 미치면서 이러 한 질병이 발생하는 것이다. 그러므로 當歸六黃湯으 로 養陰益氣·交濟水火하고, 消瘰丸과 配伍하여 清熱散結·軟堅化痰하며, 다시 黃藥子를 증가시켜 解毒消癭한 것이다. 모든 약재를 합하여 사용하면 함께 扶正祛邪의 효능을 발생시키는데, 氣陰이 충족되고 痰火가 사라지면 癭氣는 평상시와 같아질 수 있다.

第五章

祛暑劑

祛暑하는 藥物을 위주로 構成하여 祛除暑邪하는 작용을 갖추고 있으며, 暑病을 治療하는데 사용하는 方劑를 祛暑劑라고 부른다.

祛暑劑는 역사가 유구하여 暑病 및 그것의 治療原則에 대한 논술은『黃帝內經』에까지 거슬러 올라갈 수 있다.『素問』「五運行大論」에서 말하기를 "其在天爲熱, 在地爲火, …… 其性爲暑."라고 하였고,『素問』「熱論」에서 말하기를 "凡病傷寒而成溫者, 先夏至日者爲病溫, 後夏至日者爲病暑, 暑當與汗皆出, 勿止."라고 하였다. 暑는 六淫의 하나로 夏季의 主氣이니 火熱이 변화한 것이다. 夏季에 暑邪에 感受하면 발생하는 疾病을 통칭해서 暑病이라고 한다. 暑病은 傷寒의 範疇에 속하며, 暑病의 治療는 "當與汗皆出"의 방법을 사용할 뿐만 아니라 "熱者寒之"와 "溫者淸之"(『素問』「至眞要大論」)의 방법도 사용할 수 있으니, 이것이 후세의 의학자들이 辛散과 寒涼한 藥物을 응용하여 解表淸暑함으로써 이론의 기초를 다졌다.

漢代의 張仲景은 太陽中暍을 論治하면서 白虎加人蔘湯과 一物瓜蒂散(『金匱要略』)을 사용하였다. 中暍은 곧 中暑를 말하는 것으로 仲景의 方劑는 당시에 현존하던 자료 중에 최고 이른 시기에 사용된 暑病의 方劑였다. 이후에 상당히 장기간의 역사 시기 동안 暑病의 治療는 대부분 仲景을 宗主로 삼았는데, 六經으로 辨證하면서 白虎湯類方을 상용하였으므로 葉桂가 回顧하면서 말하기를 "暑病發自陽明, 古人以白虎湯爲主方."(『臨證指南醫案』卷10)이라고 한 것이다. 다만 이 당시의 暑病은 여전히 傷寒의 範疇에 속하는 것으로 白虎湯 또한 淸熱劑에 속하였다.

宋代의『太平惠民和劑局方』卷2에는 香薷散이 실려 있는데, 이 方劑는 原本에서 주로 "飮食變亂於腸胃之間"한 모든 症狀에 사용한다고 하였다. 본 方劑는 辛溫發散에 苦溫燥濕을 配伍한 것을 채용하여 方劑를 構成하였기 때문에 祛暑解表할 뿐만 아니라 化濕和中할 수 있어서 마침내 夏季에 外感於寒하고 內傷於濕한 것을 治療하는 상용 方劑로 만들어진 것이다. 이 方劑를 立法한 것이 "暑當與汗皆出"하라는 것과 서로 부합하기 때문에 또한 후세에 祛暑解表하는 대표적인 方劑로 받들어진 것이다. 이후에 "世醫治暑病, 以香薷飮爲首藥."(『本草綱目』卷14)이라고 하였으니, 그것에 加減하여 化裁한 方劑가 쏟아져 나오면서 祛暑劑를 확립하는 方劑의 기초를 다졌다.

金元時代의 劉完素는 火熱論을 제창하면서 六氣가 모두 化火할 수 있다고 강조하였으며, 아울러 火熱과 濕의 관계에 대하여 많이 발휘한 것들이 있는데, 祛暑利濕法을 창안하여 六一散을 발굴하였고, 桂苓甘露散을 제정하여 暑熱兼濕한 모든 症狀을 治療하는데 사용하였다. 六一散과 桂苓甘露散의 출현은 祛暑利濕劑를 확립하는데 標志가 되면서 影響이 심원하였고, 劉氏가 暑病을 치료할 때 또한 六經辨證을 채용하지 않았는데 이것으로부터 暑病이 傷寒의 範疇에서 이탈되었다. 조금 후대의 李杲는 "內傷脾胃, 百病由生."이라고 인식하면서 清暑益氣湯을 적용하여 "因飮食失節, 勞倦所傷, 日漸因循, 損其脾胃, 乘暑天而作病也."를 치료하면서(라고 하여) 清暑益氣法과 清暑益氣劑의 시작을 열었다. 본 方劑가 "淸燥之劑"(『內外傷辨惑論』卷中)이기 때문에 後世의 醫學者들은 주로 脾胃의 元氣가 본래 虛한데 다시 暑濕에 손상된 자에게 사용한다(사용했다). 제일 먼저 祛暑劑를 단일한 하나의 분류로 나열한 것은 『河間十八劑』에 속하는데, 애석하게도 原書는 이미 逸失되었다. 明代 『心印紺珠經』卷下에 실려 있는 '十八劑'에 근거하면 '暑劑'의 附方으로 단지 '白虎湯'만 있는데, 이 때의 祛暑劑가 겨우 최초의 형식을 갖추었다고 말할 수 있을 것이다.

明代의 張鶴騰(字: 鳳逵)은 이전 사람들이 暑病을 치료한 論述을 모아서 『傷暑全書』를 편성하였는데, 이것이 현존하는 최초의 暑病 전문서적이지만, 이 책은 당시의 醫學者들에게 충분한 관심을 끌지 못하였다. 祛暑劑가 온전한 方劑의 門類로 만들어진 것은 清代 汪昂의 『醫方集解』에서 시작되는데, 이 책에는 '淸暑之劑'라는 하나의 門類를 나열하여 많은 것들을 전부 받아들이면서 四味香薷飮·清暑益氣湯·生脈散·六一散·消暑丸·人蔘白虎湯 등 諸家들의 治暑方 10개 및 그것을 加減하여 변화 발전시킨 方劑 10개를 기록함으로써 清代 初期 이전의 祛暑劑를 총결하였다.

清代 葉桂는 張鶴騰의 治暑思想을 더욱 확대 발전시켜서 말하기를 "張鳳逵云: 暑病首用辛涼, 繼用甘寒, 再用酸泄酸斂, 不必用下."(『臨證指南醫案』卷10)라고 하였는데, 葉氏는 몸소 실천하면서 辛涼·甘寒之劑 등을 상용하여 暑病을 論治하였으니 모든 溫病學派들에게 영향을 두루 미쳤다. 清代의 吳瑭은 三焦辨證을 더욱 빛나고 성대하게 하여 前賢과 葉桂가 暑病을 치료한 경험을 총결하였는데, 藥物로는 輕淸宣透하는 것을 사용하여 新加香薷飮과 清絡飮을 창안하여 手太陰暑溫을 치료하였다. 吳氏가 확립한 辛涼復辛溫法과 新加香薷飮은 祛暑解表法과 祛暑解表劑를 충실히 한 것이고, 清絡飮은 清熱祛暑劑 중에 하나의 辛涼輕劑를 보충한 것이다. 清代 王士雄은 暑·濕·火 세 가지 氣의 性能에 대하여 더욱 발휘한 것이 있는데, 暑邪는 純陽無陰한 것으로 인식하면서 用藥함에 있어서 甘涼으로 濡潤할 것을 주장하였고, 李杲의 清暑益氣湯의 약물에 溫燥한 것이 많은 것을 유감으로 생각하면서 별도로 "以清暑熱而益元氣"(『溫熱經緯』「薛生白濕熱病篇」)하는 하나의 方劑를 적용하여 清暑益氣之劑를 풍부하게 하였는데, 당시에는 그것을 王氏清暑益氣湯이라고 불렀다.

暑邪가 疾病을 일으키는 것은 뚜렷한 계절성이 있어서 夏季에만 나타난다. 暑는 陽邪이면서 그 성질이 炎熱하는데, 暑熱이 사람을 손상시키면 항상 직접적으로 氣分으로 들어가서 人體의 陽熱이 亢盛되면서 心神被擾하고 汗液外泄하며 津液虧損을 초래한다. 暑의 성질이 升散하기에 쉽게 傷津耗氣하는데, 暑熱이 熏蒸하면 腠理를 開泄하게 하여 汗液이 外泄하는데, 만약 汗出이 그치지 않으면 매번 쉽게 氣가 津液을 따라 손상되는 것을 초래한다. 여름철에 天暑가 下迫하면 地濕이 上蒸하여 氣候가 潮濕해지므로 "暑者, 熱之兼濕者也."(『傷寒指掌』卷4)라는 설명이 있는 것이고, 항상 暑濕이 內鬱함으로 인하여 三焦에 가득 차게 되면 氣機가 막히면서 升降을 하지 못하게 된다. 여름철에 이르게 되면 더위를 싫어하면서 貪涼飮冷하면서 시원한 바람에 노출되는 것을 피하지 않게 되면 또한 寒邪가 肌表를 침습하게 되어 表寒을 겸하게 된다. 따라서 祛暑劑는 暑病의 이러한 특징에 근거하기에 상응하여 祛暑清熱·祛暑解表·祛暑利濕과 清暑益氣의 네 가지 종류로 분류한다.

祛暑清熱劑: 夏月에 暑熱의 病邪를 感受하면서 身熱心煩·汗多口渴 等의 症狀이 나타나는 것에 적용

한다. 祛暑淸熱藥을 위주로 조성되는데, 傷暑가 가벼운 자는 銀花·荷葉·扁豆花·西瓜翠衣 等의 辛涼輕芳한 藥物을 위주로 하고, 暑熱이 傷心하면서 또한 쉽게 夾濕하므로 "治暑之法, 淸心利小便最好."(『明醫雜著』卷3)라고 하였으니, 따라서 항상 淸心利水하는 藥物들 예를 들면 竹葉·滑石 等을 配合하는데, 代表 方에는 淸絡飮과 같은 것이 있다. 中暑가 심한 자는 石膏·知母 등 甘寒淸熱하는 藥物을 위주로 하고, 益胃護津하는 藥品들 예를 들면 甘草·粳米 등과 같은 것들을 配伍할 수 있는데, 津液이 暑邪로 耗傷되지 않도록 보호할 뿐만 아니라 寒涼한 약물을 지나치게 사용하여 傷胃하는 것을 방지할 수 있는 것이니, 代表 方에는 白虎湯(見淸熱劑)과 같은 것이 있다.

祛暑解表劑: 夏季에 乘涼飮冷하면서 寒濕을 感受하여 겉으로는 表氣不宣하고 속으로는 脾胃不和하여 頭痛發熱, 惡寒無汗, 腹痛吐瀉, 舌苔白膩 等의 症狀이 나타나는 것에 적용한다. 항상 香薷·藿香 등 解表祛暑藥을 위주로 方劑를 구성한다. 常用 配伍: ① 苦溫燥濕 혹은 健脾化濕하는 약물과 配伍하는데, 예를 들면 厚朴·扁豆·扁豆花 등으로 化濕和中한다. ② 辛涼解散하는 약물과 配伍하는데, 예를 들면 銀花·連翹 등으로 上焦의 暑熱을 淸透시킨다. 代表 方으로는 香薷散·新加香薷飮과 같은 것이 있다.

祛暑利濕劑: 感暑夾濕하여 身熱煩渴, 胸脘痞悶, 嘔惡泄瀉, 小便不利 等의 症狀이 나타나는 것에 적용하는데, 治療는 淸暑熱利小便하는 것을 위주로 하며, 항상 滑石·石膏 등 淸熱藥과 茯苓·澤瀉 등 利濕藥을 위주로 方劑를 構成한다. 常用 配伍: ① 生甘草와 配伍함으로써 淸熱瀉火·甘緩和中한다. ② 桂枝와 配伍함으로써 溫陽化氣行水한다. 代表 方으로는 六一散·桂苓甘露散과 같은 것이 있다.

淸暑益氣劑: 暑熱이 傷氣하고 津液이 灼傷되면서 身熱煩渴, 倦怠少氣, 汗多脈虛 等의 症狀이 나타나는 것에 적용된다. 항상 西洋蔘·西瓜翠衣·麥冬·人蔘·五味子 등의 淸暑藥과 益氣養陰藥을 위주로 方劑를 構成한다. 常用 配伍: ① 白朮·甘草 等의 甘溫한 藥物과 配伍함으로써 益氣健脾한다. ② 黃連·知母 등 苦寒 혹은 甘寒한 藥物과 配伍함으로써 淸熱祛暑한다. ③ 竹葉·澤瀉 等 淸利하는 藥物과 配伍함으로써 淸利濕熱한다. 代表 方으로는 王氏淸暑益氣湯과 李氏淸暑益氣湯과 같은 것이 있다.

"傷暑作出百般病"이라고 하였으니 祛暑劑를 정확하게 사용하기 위해서는 辨證을 정확하게 하는 것을 제외하고도 마땅히 主次의 輕重을 분명히 가려내는 것에 주의해야 한다. 예를 들어 暑病은 夾濕하는데, 暑重濕輕한 자는 濕邪가 쉽게 熱化하므로 藥物을 사용함에 있어 溫燥한 약물을 지나치게 사용하는 것은 마땅하지 않으니 이로써 津液이 손상되는 것에서 벗어나야 하고, 만약 暑輕濕重한 자는 暑가 쌓이면서 濕이 모이기에 用藥함에 있어 또한 涼潤한 것을 지나치게 사용하는 것은 마땅하지 않으니 이로써 陰柔한 것이 邪氣를 매어두는 것에서 벗어나야 한다. 또한 暑病은 다만 上焦에만 있으니 用藥하는 것은 輕劑가 마땅한데 重劑를 사용하면 藥物이 病所를 지나치게 되고, 만약 暑病이 三焦에 가득 차게 되면 用藥할 때 重劑가 마땅한데 輕劑를 사용하면 藥力이 미치지 못한다.

第一節 祛暑淸熱劑

淸絡飮

(『溫病條辨』卷1)

【組成】鮮荷葉邊 二錢(6 g) 鮮銀花 二錢(6 g) 西瓜翠衣 二錢(6 g) 鮮扁豆花 一枝(6 g) 絲瓜皮 二錢(6 g) 鮮竹葉心 二錢(6 g)

【用法】물 2杯를 달여서 1杯를 취하여 하루에 두 번 服用한다.

【效能】解暑淸肺.

【主治】暑傷肺經氣分之輕證. 身熱口渴不甚, 頭目不淸, 昏眩微脹, 舌淡紅, 苔薄白.

【病機分析】본 方劑가 다스리는 症狀은 대부분 暑溫을 이미 發汗시킨 후에 大熱은 이미 제거되었지만 餘邪가 풀리지 않으면서 邪淺病輕한 자이다. 暑熱이 氣分에 있기 때문에 正邪相爭하므로 身熱하고, 熱傷津液하므로 口渴하는데, 다만 邪淺病輕하므로 身熱口渴이 심하지 않은 것이다. 暑邪는 대부분 夾濕하는데, 濕은 陰邪로 그 성질이 重濁黏滯하여 쉽게 氣機를 막아서 陽氣를 손상시키고, 濕熱이 熏蒸하면 濁氣가 위로 淸竅를 가리므로 頭目不淸·昏眩微脹하는 것이다. 舌淡紅과 苔薄白도 또한 邪淺病輕한 형상이다.

【配伍分析】이 방제는 署邪가 肺經의 氣分을 상하게 한 輕證을 치료하기 위해 만든 것으로, 남아있는 症狀을 잘 처리하고 깨끗하게 만드는 方劑이다. 『素問』「陰陽應象大論」의 "因其輕而揚之"라는 것과 『素問』「至眞要大論」의 "溫者淸之"라는 治療 原則에 근거하여 辛涼芳香한 藥物로 立法한 것이니 "只以芳香輕藥, 淸肺絡中餘邪足矣."(『溫病條辨』卷1)라고 하였다. 暑는 陽邪가 되기 때문에 최고로 쉽게 耗氣傷津하니 治療는 寒涼撤熱하는 것으로 그 邪氣를 淸解해야 한다. 다만 본 方證은 邪輕病淺하기 때문에 다만 辛涼輕淸한 것을 필요로 하며 이로써 藥重하여 過病하는 것에서 벗어나야 하고, 濕邪를 끼고 있기 때문에 또한 淸利芳化하는 것이 마땅하므로 본 方劑에서 사용하는 諸藥은 모두 辛涼輕淸한 藥物인 것이다. 方劑 중 鮮金銀花는 辛涼解散하니 "淸絡中風火濕熱, 解瘟疫穢惡濁邪."(『重慶堂隨筆』卷下)라고 하여 氣分의 熱邪 및 上焦의 暑熱을 잘 식힌다. 鮮荷葉은 淸芳醒神하니 "淸涼解暑, 止渴生津."(『本草再新』卷5)하는데, 邊을 사용하는 것은 疏散시키는 힘이 더욱 강하여 "上淸頭目之風熱, 止眩暈, 淸痰, 泄氣, 止嘔, 頭悶疼."(『滇南本草』卷3)고 하였다. 두 가지 藥物은 辛涼輕淸하여 上焦의 肺絡에 있는 暑熱을 식히고 頭目이 昏眩不淸한 것을 풀어주니 함께 君藥이 된다. 西瓜翠衣는 甘涼하면서 淸熱解暑·生津止渴·利尿除濕하니 暑熱을 淸透하는 효과가 있고, 鮮扁豆花는 甘淡微寒하면서 芳香而散하니 解暑化濕·健脾和胃하는데 장점을 가지고 있다. 두 가지 藥物은 君藥을 도와서 淸熱解暑利濕하기에 함께 臣藥이 된다. 鮮竹葉心은 氣味가 淸香하면서 甘淡而寒하니 淸心利水하여 暑濕으로 하여금 아래로 빠져나가게 하니 "又取氣輕入肺, 是以淸氣分之熱, 非竹葉不能."(『藥品化義』卷4)이라고 하였으므로 佐使가 된다. 絲瓜는 甘涼하면서 經絡을 通達하여 生津止渴하고 解暑除煩할 수 있는데, 皮를 취한 것은 肺로 들어가게 해서 肺絡를 淸하게 하려는 것이니, 暑熱을 풀어서 邪氣를 透出시켜 外出하게 하기에 使藥으로 사용하였다. 모든 藥物들을 서로 합하면 함께 解暑淸肺하는 效能을 발생시킨다.

본 方劑의 配伍 특징은 모든 植物藥의 花·葉·皮의 鮮嫩한 것들을 모아서 辛涼輕淸·芳香祛暑하는 것을 취한 것으로, 이로써 肺絡의 餘邪를 淸하게 한다.

본 方劑가 "淸肺絡中餘邪"를 위하여 설계한 것이니 茶飮을 대신할 수 있으므로 '淸絡飮'이라고 이름 붙인 것이다.

【臨床應用】

1. 證治要點: 본 方劑는 暑邪가 肺經을 손상하여 邪輕病淺한 자에게 사용하는데, 身熱口渴不甚, 頭目不淸, 舌淡紅, 苔薄白한 것을 證治의 요점으로 삼는다.

2. 加減法: 原書에서 말하기를 "手太陰暑溫, 但咳無痰, 咳聲淸高者, 淸絡飮加甘草·桔梗·麥冬·甜杏仁·知母主之."라고 하였고, "暑溫寒熱, 舌白不渴, 吐血者, 名爲暑瘵, 爲難治, 淸絡飮加杏仁·薏仁·滑石湯主之."라고 하였다. 前者에서 咳而無痰하고 其聲淸高한 것은 火에 편중되면서 濕을 겸하지 않은 것이니 淸絡飮을 사용하여 肺絡 중의 無形의 熱을 淸하면서, 甘草·桔梗을 넣어 開提肺氣하고, 杏仁을 넣어 利肺氣하며, 麥冬·知母를 넣어 保肺陰하면서 制火한 것이다. 後者는 表裏의 氣血이 함께 病든 것이니 暑瘵에 속하는데, 순수하게 淸하기만 하면 虛한 것이 걸리고, 순수하게 補하기만 하면 邪氣가 걸린다. 그러므로 淸絡飮으로 血絡 중의 熱을 淸하면서도, 杏仁을 넣어 利함으로써 '氣爲血帥'가 됨을 취한 것이고, 薏仁·滑石으로 利濕하여 邪氣가 물러나고 氣가 편안해지면서 血이 그칠 수 있도록 바라는 것이다.

3. 淸絡飮은 다음 한국표준질병사인분류(KCD)에 해당하는 환자가 暑傷肺經氣分之輕證으로 辨證되는 경우 본 처방의 사용을 고려해볼 수 있다.

처방 목표	한국표준질병사인분류(KCD)
中暑 先兆	T67 열 및 빛의 영향
中暑	T67 열 및 빛의 영향
小兒 夏季熱	T67 열 및 빛의 영향

【注意事項】 본 方劑는 暑熱이 肺經氣分을 손상한 輕證에 적용하므로 重證에는 마땅하지 않다.

【變遷史】 본 方劑는 淸代 吳瑭의 『溫病條辨』卷1에서 기원하는데, 이 책 제27조에서 말하기를 "手太陰暑溫, 發汗後, 暑證悉減, 但頭微脹, 目不了了, 餘邪不解者, 淸絡飮主之. 邪不解, 而入中下焦者, 以中下法治之. 旣曰餘邪, 不可用重劑明矣, 只以芳香輕藥, 淸肺絡餘邪足矣. 倘病深而入中下焦, 又不可以淺藥治深病也."라고 하였다.

본 方劑는 吳氏의 "治上焦如羽, 非輕不擧"라는 학술 사상을 체현한 것으로 上焦溫病을 치료하는 대표적인 方劑 중 하나이다. 吳氏는 다른 사람의 장점을 참고로 하면서 化裁하여 자기의 方劑로 만들었는데, 더욱이 葉桂의 영향을 매우 많이 받았으니 통계에 의하면 『溫病條辨』 중에 "除仲景方(약 20% 차지)·自創方(약 20%), 其他50%以上都來自葉氏. 就是仲景方和自創方, 也都是在葉案中反復使用而受到啟發, 或綜合幾個案例而形成的."(『溫病條辨新解』)이라고 하였다. 본 方劑는 葉桂의 醫案과 매우 깊은 淵源關系가 있는데, 최고로 뚜렷한 것은 『臨證指南醫案』「暑」에 실려 있는 "王, 暑邪寒熱, 舌白不渴, 吐血, 此名暑瘵重證. 西瓜翠衣·竹葉心·靑荷葉汁·杏仁·飛滑石·苡仁."라는 것과 『溫病條辨』 중의 暑瘵條를 서로 비교해보면 證候가 기본적으로 일치하면서 文字에 서로 차이나는 것이 몇 개 없을 뿐만 아니라, 用藥하는 것에 있어서도 겨우 銀花·扁豆·絲瓜皮가 많을 뿐이다. 後世의 醫學者들은 본 方劑에 加減하여 暑病으로 上焦의 肺經氣分에 있는 諸證 및 夏季에 中暑를 預防하는 것에 사용하였다.

【難題解說】 본 方劑의 君藥에 관한 것: 본 方劑 중 扁豆花를 제외하면 기타 각 약물의 용량이 균등하여 어떤 약물을 君藥으로 삼을 것인지에 대하여 諸家들의 서로 다른 견해가 있다. 『方劑學』(통합 편집 교재 4版) 및 『醫方發揮』 등은 西瓜翠衣를 君藥으로 삼았고, 『方劑學』(李飛 主編) 및 『方劑學』(劉持年 主編)은 金銀花를 君藥으로 삼았으며, 『中醫理法方藥精要』·『中醫處方學』등은 銀花와 扁豆花를 君藥으로 삼았고, 『中國醫藥彙海』에서 본 方劑를 논할 때에는 비록 君藥

을 명확하게 하지는 않았지만, 荷葉과 銀花의 작용을 두드러지게 하면서 기타 약물을 佐藥으로 삼았다.

君藥이란 主病 혹은 主證을 조준하여 주요한 治療 작용을 일으키는 藥物이다. 吳氏의 本意를 살펴보면 본 方證은 病이 上焦의 氣分에 있으면서 暑熱이 肺絡에 留連하여 頭目이 昏眩不淸한 것을 主症으로 삼는다. 그러므로 본 方劑의 君藥은 주로 上焦氣分에 작용하여 肺絡의 暑熱을 식히면서 頭目不淸을 解除하는 것에 장점을 가지고 있는 것이다. 方劑 중 西瓜翠衣는 "入脾胃二經"(『四川中藥志』)하여 비록 淸熱解暑할 수 있지만, 生津利尿에 장점을 보이면서 주로 暑熱煩渴과 小便短少한 것에 사용하니 이것으로 君藥을 삼는 것은 분명히 부적당하다. 鮮扁豆花는 解暑하는 힘이 최고로 강력하지만 健脾和胃·淸熱化濕하는 것에 장점을 가지고 있어서 주로 痢疾·泄瀉에 사용하고, 竹葉心은 淸心除煩·生津利尿하는 것에 장점을 가지고 있어서 주로 熱病의 煩渴에 사용하며, 絲瓜는 淸熱化痰·涼血解毒하는 것에 장점을 가지고 있어서 주로 身熱煩渴 등의 증상에 사용하니, 이상 세 가지의 약물은 모두 君藥으로 삼기에는 마땅하지 않다. 荷葉은 주로 心·肝·脾經으로 歸經하면서 겸하여 肺經으로 들어가서 淸暑利濕·升發淸陽하기에 주로 暑濕泄瀉와 眩暈 등의 症狀에 사용한다. 銀花는 肺胃經으로 歸經하면서 氣分의 要藥이 되며 淸熱解毒하는데 장점을 가지고 있는데, 張秉成이 新加香薷飮을 해석하면서 말하기를 "銀花辛涼解散, 以淸上焦之暑熱."(『成方便讀』卷3)이라고 하였으니, 單味로 涼茶를 만들어서 中暑를 예방할 수 있다. 荷葉·銀花은 方劑의 첫머리에 나열되어 있는데 鞠通이 그것을 君藥으로 한 것인지 아니지는 알 수 없다. 다만 두 가지 藥物은 芳香輕淸하면서 上焦氣分을 淸하게 하고 肺絡의 暑熱 餘邪를 제거하며 頭目이 昏眩不淸한 것을 없애니 확실히 모든 藥物 중에서 최고로 장점을 보이는 것이므로 마땅히 이 두 가지 藥物을 君藥으로 삼아야 한다.

【醫案】 暑風『江西中醫藥』(1982, 4:32): 某 남자, 1세, 입원 날짜: 1980년 7월 21일. 患兒는 최근 1개월 동안 發熱, 咳嗽, 氣促, 痰少, 精神萎靡, 吃乳少, 大便正常이였다. 그 지방에서 치료해도 효과가 없었는데, '暑溫'(氣管支肺炎)으로 외래 진찰을 받으면서 입원을 받아들였다.

檢査(1): 體溫: 39.1℃, 脈搏: 160회/분, 呼吸 4회/분, 面色蒼白, 汗出, 呼吸急促, 鼻翼煽動, 胸高攔肚, 口唇乾燥發紺, 喉頭有痰聲, 抽搐, 角弓反張, 舌紅苔黃, 指紋紅紫, 心率 160회/분, 양쪽 肺에서 뚜렷한 濕性 囉音을 들을 수 있었다. 양약으로는 抗菌·强心·糾酸·抗驚厥 등을 주었고, 한약으로는 羚角鉤藤湯에 蜈蚣·全蝎 等을 넣은 것을 주었는데 效果가 없었다. 22일 점심 때 發熱 40℃, 昏迷, 呼吸急促, 鼻翼煽動, 抽搐加重, 角弓反張, 舌脈如前하였다.

檢査(2): 心率: 200회/분, 양쪽 肺에서 乾濕 囉音이 있어서 中毒性 肺炎으로 진단하였다. 張壽民 老中醫에게 진단을 청했는데, 張老가 지적하기를 이것은 '暑風'으로 暑熱이 만약 하강하지 않으면 抽風도 마땅히 그치지 않는다고 하였다.

處方과 治療 結果: 먼저 雄黃 20 g을 硏末로 만든 것에 1~2개의 雞蛋白을 넣은 것을 사용하여 胸腹에 펼쳐 바르면서 淸熱解毒·透邪外出하였고, 다음에는 鮮荷葉을 땅에 펼쳐서 거기에 눕게 하여 解暑退熱하였으며, 다시 淸絡飮을 服用시켰다. 處方: 鮮荷葉 6 g, 扁豆花 6 g, 鮮竹葉 6 g, 金銀花 6 g, 絲瓜絡 6 g, 鮮西瓜翠衣 20 g, 一劑. 洋藥으로는 단지 산소 흡입과 支持療法을 하였고, 抗痙攣과 解熱하는 藥物의 사용은 정지하였다. 위에서 서술한 처리를 한 이후에 體溫이 점차 하강하였고 抽搐 等의 症狀도 점점 輕減하였다. 7월 23일, 發熱 38℃, 神志淸楚, 呼吸平穩, 眼球靈活, 弄舌頻頻, 抽搐이 있으면서 조금씩 發作하였지만 시간 간격이 연장되었고, 舌紅苔黃少津하면서 指紋이 紅紫하였다. 張老가 인식하기를 이것은 暑熱傷津한 것이니 산소 흡입을 정지하고, 여전히 上方을 고수한 채로 낮에 一劑, 밤에 一劑 먹으면서 洋藥으로는 支持療法을 주었다. 7월 24일, 患兒는 抽搐이 아직 발작하지 않았고, 弄舌이 이미 그치면서 睡眠에 들어갈 수 있었는데, 여전히 低熱과 煩躁가 있었으며, 精神은 여전히 좋았고 呼吸은 평온하였다. 이때에 이르러 病이 이미 순조로운 형세로 전환되었기에 王氏淸暑益氣湯으로 바꾸어 사용함으로써 마무리를 잘 하였다.

考察: 患兒는 暑熱動風으로 病勢가 危重한 것 같아서 羚角鉤藤湯에 加味한 것을 주었는데 효과가 없었으며, 본 方劑로 1차례 약을 주니 病이 3할 정도 감소하고, 三劑를 服用한 후에 위험한 상태를 평온하게 하였으니, '輕可去實'이라고 말할 수 있을 것이다. 治療를 경험한 자가 나중에 이 방법을 모방하여 또한 暑風 2례를 급히 구조하였는데 역시 성공을 거두었다.

小兒 暑熱症: 본 方劑에 靑蒿·黃芩·益元散·爵床·五葉蓮을 넣어 小兒 暑熱症 28례를 治療하였는데 전부 나았다. 服藥 시간은 최고 짧은 것이 1일이고, 최고 긴 것이 4일이였으며, 평균 치유 시간은 2.8일이였다.[1)]

【參考文獻】

1) 李文亮, 齊强, 王天明, 等.『千家妙方』(下冊). 北京: 戰士出版社, 1979:333-4.

第二節 祛暑解表劑

香薷散

(『太平惠民和劑局方』卷2)

【異名】 香薷湯(『聖濟總錄』卷38)·香薷飮(『仁齋直指方論』「附遺」卷3)·三物香薷飮(『醫方集解』「淸暑之劑」).

【組成】 香薷 去土 一斤(500 g) 白扁豆 微炒 半斤(250 g) 厚朴 去粗皮, 薑汁炙熟 半斤(250 g)

【用法】 위의 藥物을 粗末로 만들어 매번 三錢(9 g)을 복용하는데, 물 一盞에 술 一分을 넣어서 七分이 되도록 달여 찌꺼기를 제거하고, 물에 넣어서 차게 한 후에 시간에 관계없이 연속해서 2번 服用한다(現代用法: 水煎服하거나 혹은 술 소량을 넣어 함께 달이는데, 용량은 原方에 비례하여 참작하여 정한다).

【效能】 祛暑解表, 化濕和中.

【主治】 陰暑. 惡寒發熱, 頭痛, 身痛無汗, 胸脘痞悶, 或四肢倦怠, 腹痛吐瀉, 舌苔白膩, 脈浮.

【病機分析】 본 方劑가 治療하는 證候는 여름철에 더위를 피하여 서늘한 바람을 쐬거나 차가운 음료수를 많이 마셔서 外感風寒하고 內傷於濕해서 생긴 것이니, 症狀은 表寒裏濕에 속한다. 夏月에 感寒하여 邪氣가 肌表에 滯하므로 惡寒發熱, 頭痛, 身痛, 無汗, 脈浮 등 風寒表實證이 나타난다. 서늘한 틈을 타서 길거리에 눕거나 生冷한 음식물을 먹으면 濕이 脾胃를 손상하여 氣機가 不暢하므로 四肢倦怠·胸悶泛惡하고, 심하면 腹痛吐瀉한다. 舌苔白膩한 것은 寒濕의 징후이다.

【配伍分析】 본 方劑는 여름철에 더위를 피하여 서늘한 바람을 쐬거나 차가운 음료수를 많이 마셔서 外感寒邪하고 內傷於濕하여 이르게 된 것을 위하여 설계한 것이다. 『素問』「陰陽應象大論」에 근거하면 "其在皮者, 汗而發之."하라 하였고, "因其輕而揚之."하라고 하였으며, 『素問』「至眞要大論」에서는 "濕淫於內, 治以苦熱, 佐以酸淡, 以苦燥之, 以淡泄之."하라는 원칙이 있으니 치료는 마땅히 辛溫發表·苦溫燥濕·芳香化濕하여야 한다. 그러므로 祛暑解表·化濕和中하는 것으로 立法하였다. 方劑 중 香薷는 芳香性으로 재질이 가벼우면서 辛溫發散하기에 여름철 解表祛暑의 要藥이 되는데, 바로 『本草經疏』卷9에서 말하기를 "香薷, 辛散溫通, 故能解寒鬱之暑氣, 霍亂腹痛, 吐下轉筋, 多由暑月過食生冷, 外邪與內傷相並而作, 辛溫通氣, 則能和中解表."라고 한 것과 같으니 重用하여 君藥으로 삼았다. 厚朴은 苦辛하면서 性溫한 약물로 "辛能散結, 苦能燥濕, 溫熱能祛風寒, …… 其功長於泄結散滿, 溫暖脾胃, …… 然而性專消導, 散而不收, 略無補益之功."(『本草經疏』卷13)이라고 하였으므로 이것으로 行氣散滿·燥濕化滯하기에 臣藥이 된다. 扁豆는 甘平하면서 "氣淸香而不竄, 性溫和而色微黃, 與脾性最合. 主治霍亂嘔吐, 腸鳴泄瀉, 炎天暑氣, 酒毒傷胃, 爲和中益氣佳品."(『藥品化義』卷5)이라고 하였으니 이것으로 健脾和中·滲濕消暑하기에 佐藥이 된다. 술을 조금 넣어 함께 달이는 것은 溫通經脈·活血通陽하려는 의도가 있는 것으로 藥力으로 하여금 온몸에 通達하려는 것이다. 모든 藥物을 합하여 사용하면 祛暑解表·化濕和中하여 表裏雙解하는 效能이 있다.

본 方劑의 配伍 특징: 辛溫으로 表散하는 것과 苦溫燥濕·甘緩和中하는 것을 配伍하여, 外邪를 散하여 表證를 해결할 뿐만 아니라 濕滯한 것을 변화시켜 腸胃를 조화롭게 하는 것이다.

【臨床應用】

1. 證治要點: 본 方劑는 여름철에 더위를 피하여 서늘한 바람을 쐬거나 찬 음료수를 마셔서 外感風寒하고 內傷濕滯한 것에 상용하는 方劑로, 臨床에서는 惡寒發熱, 頭痛身痛, 無汗, 胸悶, 舌苔白膩, 脈浮한 것을 證治의 요점으로 삼는다.

2. 加減法: 만약 表邪가 심한 자는 靑蒿를 넣어 祛暑解表하는 效能을 강화시킬 수 있고, 만약 鼻塞流涕를 겸하여 보이는 자는 葱豉湯과 합방하여 通陽解表하며, 만약 內熱을 겸하는 자는 黃連을 넣어 淸熱하고, 裏에 濕이 왕성한 자는 茯苓·甘草를 넣어 利濕和中하고, 濕熱의 積滯가 비교적 심하여 腹痛·泄瀉·裏急後重이 나타나는 자는 木香·檳榔·黃芩·黃連 등을 넣어 行氣導滯·淸熱燥濕할 수 있고, 胸悶·腹脹·腹痛이 심한 자는 木香·砂仁·藿香·枳殼 등을 넣어 化濕行氣할 수 있고, 평소 체질이 脾虛하여 中氣가 부족한 자는 人蔘·黃芪·白朮을 넣어 益氣健脾할 수 있다.

3. 香薷散은 다음 한국표준질병사인분류(KCD)에 해당하는 환자가 外感風寒, 內傷濕滯證으로 辨證되는 경우 본 처방의 사용을 고려해볼 수 있다.

처방 목표	한국표준질병사인분류(KCD)
胃腸型感冒	A08 바이러스성 및 기타 명시된 장감염
	A09 감염성 및 상세불명 기원의 기타 위장염 및 결장염
急性胃腸炎	K29 위염 및 십이지장염
	K50~K52 비감염성 장염 및 결장염
細菌性痢疾	A03 시겔라증
	A00~A09 장감염질환
藥物不良反應	Y88.0 치료용 약물, 약제 및 생물학적 물질에 의한 부작용의 후유증
流行性B型腦炎	A83.0 일본뇌염
流行性腦脊髓膜炎	G02.0 달리 분류된 바이러스질환에서의 수막염
	G01 달리 분류된 세균성 질환에서의 수막염
	G00 달리 분류되지 않은 세균성 수막염
腹部手術愈合後	Z54.0 수술후 회복기
장티푸스·	A01.0 장티푸스

처방 목표	한국표준질병사인분류(KCD)
急性扁桃腺炎	J03 급성 편도염

【注意事項】 만약 表虛有汗에 속하거나, 혹은 中暑로 發熱汗出하면서 心煩口渴하는 자는 사용이 마땅하지 않다.

【變遷史】 본 方劑는 제일 먼저 『太平惠民和劑局方』卷2에 보이는데, "治臟腑冷熱不調, 飮食不節, 或食腥膾生冷過度, 或起居不節, 或露臥濕地, 或當風取冷, 而風冷之氣, 歸於三焦, 傳於脾胃. 脾胃得冷, 不能消化水穀, 致令正邪相乾, 腸胃虛弱. 因飮食變亂於腸胃之間, 便致吐利, 心腹疼痛. 霍亂氣逆, 有心痛而先吐者, 有腹痛而先利者, 有吐利俱發者, 有發熱頭痛體痛而復吐利虛煩者, 或但吐利心腹刺痛者, 或轉筋拘急疼痛, 或但嘔而無物出, 或四肢逆冷而脈欲絶, 或煩悶昏塞而欲死者, 此藥悉能主之."라고 하였으니 본 方劑가 원래는 전문적으로 治暑를 위해서 설계한 것이 아님을 볼 수 있다. 약물의 구성으로 분석해보면 본 方劑는 『外臺秘要』卷6에서 인용한 『救急方』의 香薷湯을 변화시켜서 온 것으로, 이 方劑는 香薷·小蒜 各一升, 厚朴 六兩, 生薑 十兩을 사용하여 霍亂으로 갑자기 불쾌한 감각을 느끼거나 腹痛吐利하는 것을 치료하였다.

본 方劑가 세상에 알려진 이후에 "世醫治暑病, 以香薷飮爲首藥."(『本草綱目』卷14)으로 하였다. 후세의 의학자들은 본 方劑로 化裁하여 暑濕·暑熱과 外有表邪하고 內有濕滯한 많은 증상에 광범위하게 응용하였다. 그 유사한 方劑를 주로 이하 6가지 종류로 구분할 수 있다: ① 茯苓·木瓜 등의 化濕利濕하는 약물과 配伍하여 本方證이면서 濕盛한 자에게 사용하였으니, 예를 들면 『醫方集解』「淸暑之劑」의 五物香薷飮은 본 方劑에 茯苓·甘草를 넣은 것이고, 『醫方集解』「淸暑之劑」의 六味香薷飮은 본 方劑에 茯苓·甘草·木瓜를 넣은 것이다. ② 藿香·蘇葉·茯苓·木瓜 等의 解表化濕하는 藥物과 配伍하여 本方證이면서 寒濕兩盛한 자에게 사용하였으니, 예를 들면 『張氏醫通』卷13의 消暑十全散은 본 方劑에 陳皮·炙甘草·白朮·茯苓·木瓜·藿香·蘇葉을 넣은 것이고, 『雜病源流犀燭』卷15의 消暑十全飮은 본 方劑에 蘇葉·白朮·赤茯苓·藿香·木瓜·檀香·甘草를 넣은 것이다. ③ 人蔘·黃芪·炙甘草 등의 補中益氣하는 藥物과 配伍하여 本方證에 氣虛를 겸하고 있는 자에게 사용하였으니, 예를 들면 『醫學心悟』卷3의 四味香薷飮은 본 方劑에 炙甘草를 넣었고, 『症因脈治』卷2의 家秘香薷飮은 본 方劑에 人蔘·甘草·陳皮를 넣었으며, 『是齋百一選方』卷7의 十味香薷飮은 본 방제에 炙黃芪·人蔘·白朮·陳皮·白茯苓·乾木瓜·炙甘草를 넣었다. ④ 黃連·銀花·連翹 등의 淸熱藥과 配伍한 것으로 暑熱證에 사용하였는데, 예를 들면 『醫方集解』「淸暑之劑」의 四味香薷飮은 본 方劑에 黃連을 넣었고, 『症因脈治』卷4의 加味香薷飮은 본 方劑에 甘草·黃連을 넣었으며, 『溫病條辨』卷1의 新加香薷飮은 扁豆花로 扁豆와 바꾸고 銀花·連翹를 넣었고, 『中醫治法與方劑』의 加味香薷湯은 본 方劑에 青蒿·金銀花·連翹·滑石·甘草를 넣었다. ⑤ 桑皮·地骨皮 등과 配伍하여 본 方證에 咳嗽를 겸하여 가지고 있는 자에게 사용하였으니, 예를 들면 『症因脈治』卷2의 十味香薷飮은 陳皮·茯苓·蒼朮·黃柏·升麻·葛根·桑白皮·地骨皮·甘草를 넣은 것이다. ⑥ 燥濕化痰하는 藥物과 配伍하여 瘧疾에 사용하였는데, 예를 들면 『證治准繩』「類方」卷1의 加味香薷飮은 본 方劑에 白朮·白芍藥·陳皮·白茯苓·黃芩·黃連·甘草·猪苓·澤瀉·木瓜를 넣었고, 『幼科直言』卷4의 加味香薷飮은 본 方劑에 甘草·柴胡·陳皮·川貝母를 넣었다.

【難題解說】

1. 陰暑에 관한 것: 『景岳全書』卷15에서 말하기를 "暑本夏月之熱病. 然有中暑而病者, 有因暑而致病者, 此其病有不同, 而總由於暑. 故其爲病, 則有陰陽二證, 曰陰暑, 曰陽暑, 治猶冰炭, 不可不辨也. 陰暑者, 因暑而受寒者也. 凡人之畏暑貪涼, 不避寒氣, 則或於深堂大廈, 或於風地樹陰, 或以乍熱乍寒之時不愼衣被, 以致寒邪襲於肌表, 而病爲發熱頭痛, 無汗惡寒, 身形拘急, 肢體酸疼等證. 此以暑月受寒, 故名陰暑, 即傷寒也. 惟宜溫散爲主, 當以傷寒法治之也. 又有不愼口

腹, 過食生冷, 以致寒涼傷臟, 而爲嘔吐·瀉痢·腹痛等證. 此亦因暑受寒, 但以寒邪在內, 治宜溫中爲主, 是亦陰暑之屬也. 陽暑者, 乃因暑而受熱者也. 在仲景即謂之中暍."이라고 하였다. 이것에 대하여 吳瑭이 인식하기를 "所謂陰暑者, 即暑之偏於濕, 而成足太陰之裏證也."(『溫病條辨』卷1)라고 하였으니, 陰暑는 여름철에 外感寒邪하거나 혹은 內傷生冷하여 야기된 한 종류의 질병을 특별하게 가리키는 것으로 中暑와 같은 종류의 熱證과 당연히 구별해야 하고, 동시에 身倦胸悶하고 嘔吐泄瀉하는 등의 傷濕과 관련된 표현이 왕왕 존재하므로 傷寒과 다름을 볼 수 있다.

2. 香薷에 관한 것: "香薷乃夏月解表之藥, 如冬月之用麻黃."(『本草綱目』卷14)이라고 하였으니 본 方劑에서는 君藥으로 사용하였다. 따라서 香薷의 表散作用에 대한 꼭 맞는 평가가 본 方劑의 합리적 사용에 대한 의미가 매우 크다. 蔡陸仙이 말하기를 "俗謂其作用可代麻黃, 其實麻黃發汗之力峻, 殊非香薷可望其項背者也. 須知暑邪與寒邪不同, 暑日皮毛開泄, 其邪傷人也輕淺; 冬日則皮毛閉束, 其邪傷人也深, 此其不同之點, 已昭然若揭竿矣. 而況暑日汗本易泄, 當汗排泄之時, 驟遇外邪, 則毛竅旋斂, 則所排泄之汗液, 不得外去, 乃停著於膚表之內, 故阻氣於內, 因壅而生熱焉. 此時若去其停著之水, 稍助發散, 則皮毛自開, 氣自得泄, 而暑邪亦因而解散. 香薷宣行皮膚之水, 力有專長, 故爲暑日表散之特藥."(『中國醫藥彙海』「方劑部」)라고 하였고, 蒲輔周는 인식하기를 "香薷味辛微溫芳香, 專長祛暑利水, 爲祛暑之良藥. 有人說: 夏月香薷乃冬月之麻黃也, 因而被誤解爲發汗的峻藥, 但臨床實際不是峻汗之藥, 夏季外感疾病, 屬暑濕鬱閉於表者常需用至香薷·鮮藿香之類, 香薷確與麻黃不同."(『蒲輔周醫療經驗』「方藥雜談」)이라고 하였으니, 香薷의 發表는 麻黃과 서로 다르며 아울러 峻汗하는 약물도 아니니 祛暑行水하는 것이 解表하는 중에 깃들어 있어서 "爲暑日表散之特藥"임을 볼 수 있다.

3. 본 方劑의 적응증에 관한 것: 본 方劑는 여름철에 더위를 피하여 서늘한 바람을 쐬거나 찬 음료수를 마셔서 外感於寒하고 內傷於濕을 치료하는 常用方이지만, 治暑하는 通用方은 아니니 만약 "治暑概用香薷飮, 大謬."(『張氏醫通』卷2)라고 하였다. 『局方』에서는 원래 "飮食變亂於腸胃之間"한 것을 위주로 치료하였는데, 그 表寒한 것은 或然證으로 삼을 수 있다. 역대의 의학자들이 의료를 실행하면서 본 方劑의 사용 범위가 정도는 다르지만 확대 및 변환되었는데, 어떤 사람은 인식하기를 "香薷畢竟爲辛溫解表藥物, 因此, 凡外感風寒, 內有濕邪者, 雖病不在暑月, 亦可應用."(『方劑學』, 廣州中醫學院主編)이라고 하였고, "凡見惡寒·發熱·頭痛·脈浮之表證又見胸悶腹痛, 吐瀉之傷濕症狀者, 可不拘夏月均能使用."(『醫方發揮』)이라고 하였으니, 얼마든지 본 方劑는 外寒을 발산하여 解表할 뿐만 아니라 濕滯를 변화시켜서 腸胃를 조화롭게 할 수 있으니 表寒裏濕證을 치료할 수 있다. 그렇지만 方劑 중 君藥인 香薷가 "爲暑日表散之特藥"이면서 효과가 특히 뛰어남이 있음을 고려한다면 본 方劑의 적응증은 陰暑의 內外兩感사람에게 최고로 적당한 것이다.

4. 본 方劑의 歸類에 관한 것: 본 方劑는 解表와 祛暑의 이중 작용을 갖추고 있어서 많은 종류의 方書 중에서 歸類가 서로 다른데, 예를 들어 『方劑學』(統編敎材4版)·『醫方發揮』·『古今名方發微』·『方劑學』(統編敎材6版) 등에서는 解表劑에 귀속시켰고, 『成方便讀』·『方劑學』(李飛主編)·『方劑學』(劉持年主編) 등에서는 祛(淸)暑劑에 귀속시켰으며, 『醫方集解』에서는 장차 그것을 淸暑劑 중의 四味香薷飮 조문 아래에 귀속시키면서 "治傷暑嘔逆·泄瀉"한다고 하였다. 原書의 主治를 조사해보면 "飮食變亂於腸胃之間"이 重點이면서 表證은 없다. 그 이후에 "世醫治暑病, 以香薷飮爲首藥."(『本草綱目』卷14)이라고 하면서 역대로 상용하면서 쇠퇴하지 않았으며, 아울러 이것에 加減하여 변화시켜서 많은 治暑하는 名方이 생겨났다. 별도로 본 方劑는 解表하는 중에 祛暑化濕하는 것이 깃들어 있어서 "暑當與汗皆出"(『素問』「熱論」)의 治療 原則이 체현되어 있

으니 暑季의 表裏兩感에 적용된다. 본 方劑의 祛暑劑 發展史 상에서의 중요한 위치 및 그 작용 특징을 고려한다면 祛暑劑에 속한다고 보는 것이 더욱 타당한 것 같다.

5. 服用 方法에 관한 것: 原書의 傍題 뒤의 注文에는 '水中沉冷'할 것을 밝혀놓았는데, 『本草綱目』卷14에서도 또한 말하기를 "其性溫, 不可熱飮, 反致吐逆, 飮者惟宜冷服, 則無拒格之患."이라고 하였다. 冉雪峰이 인식하기를 冷服과 熱服은 모두 각기 의미가 있는데, 관건은 學者가 病機를 장악하여야 비로소 그 사이에서 進退할 수 있다고 보았다(參『歷代名醫良方注釋』). 어떠한 종류의 服用法을 채용할 것인지는 香薷의 藥性 및 效能을 고려해야 하는데, "香薷先升後降, 故熱服能發散暑邪, 冷飮則解熱利小便, 治水甚捷."(『本經逢原』卷2)이라고 하였고, "發汗解表宜熱服, 利水消腫宜涼服."(『中藥學』, 全國高等中醫藥院校統編教材)이라고 하였다. 그러므로 본 方劑를 사용하여 暑濕外感으로 嘔逆이 비교적 심하고 小便不利한 자를 치료할 때에는 冷服하여 그 下行하는 성질을 돕는 것이 마땅하고, 外感表證이 뚜렷하면서 濕滯가 비교적 가벼운 자는 溫服하여 그 辛溫發散하는 效力을 돕는 것이 마땅하다.

【醫案】

1. 陰暑『續名醫類案』卷4: 董仁仲, 여름철에 시원한 바람을 쐬고 차가운 음료수를 마셨더니 갑자기 頭疼發熱, 霍亂吐瀉, 煩躁口渴, 舌苔白滑하였는데, 이것은 陰暑이다. 과도하게 寒涼한 것을 먹어서 온몸에 있는 陽氣가 陰邪에 막힌 것이니 香薷의 辛熱로 發越陽氣·散水和脾하는 것이 마땅하다. 四劑를 服用하고는 나았다.

2. 倦怠『續名醫類案』卷4: 옛날에 어떤 사람이 있었는데 여름철에 서늘한 곳에 있으면서 외출을 하지 않다가 손님이 와서 창문 아래에 앉아있다가 갑자기 倦怠感을 느꼈는데, 스스로가 補中湯을 지어 먹었는데 도리어 극심해졌다. 醫師가 그 이유를 물어보더니 연속적으로 香薷飮을 2번 복용하게 하였더니 편안해졌다.

考察: 여름철에 서늘한 곳에 머무르다가 우연히 창밑에 앉으면서 感寒의 기회를 맞이하게 된 것이다. 倦怠는 氣虛해서 생긴 것이 아닌데 補中湯을 복용한 것은 스스로 일을 망친 것이다. 香薷飮은 辛溫解表·祛暑和中하기에 증상에 딱 맞는 方劑이다.

3. 過勞中暑『醉花窗醫案』: 배우 모씨로 이름은 잊어버렸는데 四喜部에서의 이름은 旦이다. 6월초에 泗州城劇을 공연할 때에는 대중들이 좋다고 칭찬하였다. 어떤 관리가 있었는데 그 技藝를 좋아하여 다시 錢을 내면서 『賣武』 연극의 1막을 공연하게 하였으며, 刀矛와 劍戟과 같은 종류로 신체를 속박하면서 旋舞하는 것을 2시간쯤 하고나서 장식한 것들을 떼어내면서 무대 뒤로 들어갔는데 大吐가 그치지 않으면서 腹中이 絞痛하였다. 급하게 옮길 것에 실어서 집으로 돌와왔는데, 嘔吐는 그쳤지만 정신이 혼미하여 사람을 알아보지 못하였고 손으로 밀어도 깨어나지 않았다. …… 同鄕 사람이 나에게 진단해 줄 것을 청하여 함께 가서 보았는데, 남아있는 粉과 脂肪이 아직도 얼굴과 뺨에 어지럽게 있었고, 汗出如油하고 氣息促迫하면서 불러도 반응이 없었다. 그 손목을 끌어당겨서 보았더니 六脈이 浮濡하였지만 깊이 누르니 도리어 나타나지 않았다. 내가 말하기를 이것은 中暑의 陽邪라고 하였다. 곁에서 돌보는 자에게 가죽 신발을 뜨겁게 하여 그 배꼽을 따뜻하게 하였더니 15분쯤 지나서 조금 깨어났으며, 즉시 大劑 香薷飮을 먹였더니 2일 후에 안정되었다.

考察: 병증은 過勞와 傷暑로 발생하였는데, 계속해서 氣津이 둘 다 손상되면서 虛陽이 外越하는 형세가 있었다. 가죽 신발을 뜨겁게 하여 배꼽을 따뜻하게 하는 것은 방법이 비록 열악하지만 溫中回陽시킬 수 있다. 이와 같이 嘔吐腹痛하면서 六脈이 浮濡한 것은 寒濕에 손상된 것이므로 본 방제로 효과를 거둔 것이다.

【副方】

1. 黃連香薷飮(無比香薷散)(『傳家秘寶』卷中): 厚朴 去粗皮 二兩(9 g) 黃連 二兩(9 g) 同厚朴更入生薑四兩(12 g)搗如泥, 炒令紫色 香薷穗 一兩半(6 g)(一方에는 白扁豆苗 一兩半이 더 있다)

- 用法: 上爲粗散. 每服三錢(9 g), 水一盞, 酒一盞, 同煎至一盞, 水中沉極冷服, 並吃二服(現代用法: 水煎服, 用量按原方比例酌定).
- 作用: 解表散寒, 祛暑除煩.
- 適應症: 多食生冷, 眠臥冷席, 傷於脾胃, 而致霍亂吐利轉筋, 臍腹撮痛, 遍身冷汗, 四肢厥逆, 躁渴不定.

본 方劑는 『傳家秘寶』卷中에 처음으로 보이는데, 原名은 無比香薷散이고, 『類證活人書』卷18에서는 香薷散이라고 명칭하였으며, 후세 사람들은 습관적으로 黃連香薷飮이라고 불렀다. 方劑 중 黃連은 淸熱燥濕·除煩降逆하고, 香薷는 解表散寒·祛暑化濕하며, 厚朴은 理氣燥濕하는데, 生薑을 重用하여 辛散表邪할 뿐만 아니라 溫中止嘔하여 香薷의 發散表寒하는 것을 보조하면서 厚朴의 和中理氣하는 것과 합하면 黃連이 苦寒으로 胃腸의 기능을 방해하는 것을 制約하기에 服藥하였을 때 格拒하는 폐단이 없도록 한다. 모든 藥物을 합하여 사용하면 寒熱이 양쪽으로 조화를 이루어서 解表祛暑·和中除煩하는 方劑가 되는 것이다.

본 方劑는 香薷散과 함께 解表·祛暑·除濕하는 作用이 있어서 모두 여름철 外感風寒에 內傷濕滯한 症狀에 사용할 수 있다. 香薷散은 辛溫芳化를 위주로 하면서 效能은 解表和中을 잘 하기에 濕未化熱하여 寒熱無汗하고 胸脘痞悶하는 等의 症狀에 적용하고, 본 方劑는 寒熱並用하면서 겸하여 除煩할 수 있어서 外寒裏熱로 心神被擾하여 汗出·大渴·煩躁 等의 症狀에 적용하는 것이니, 만약에 "暑熱吐利·煩心者, 此方冷服."(『醫方考』卷1)하는 것이 더욱 마땅하다.

2. 四味香薷飮(『醫方集解』「淸暑之劑」): 香薷 一兩(9 g) 厚朴 薑汁炒(6 g) 扁豆 炒(9 g) 黃連 薑炒 三錢(9 g)

- 用法: 水煎, 冷服.
- 作用: 淸解暑熱, 化濕和中.
- 適應症: 外感暑熱, 皮膚蒸熱, 頭痛而重, 自汗肢倦, 或煩躁口渴, 或嘔吐泄瀉.

方劑 중 香薷는 解表·祛暑·除濕하고, 黃連은 淸熱·燥濕·除煩하며, 扁豆는 健脾·化濕·和中하고, 厚朴은 理氣燥濕한다. 모든 藥物을 합하여 사용하면 함께 解表祛暑·化濕和中의 方劑가 된다.

본 方劑와 香薷散은 모두 祛暑解表·化濕和中하는 作用이 있어서 여름철 感冒로 內傷濕滯한 症狀에 사용할 수 있다. 香薷散은 香薷를 君藥으로 하여 散寒解表하기에 外感風寒으로 惡寒發熱하면서 身痛無汗하는 等의 症狀에 적용하고, 본 方劑는 香薷·黃連을 함께 사용하여 淸解暑熱하기에 外感暑熱로 皮膚蒸熱하고 自汗煩渴하는 等의 症狀에 적용한다.

3. 十味香薷飮(『是齋百一選方』卷7): 香薷葉 一兩(9 g) 黃芪 炙(6 g) 人蔘 去蘆(6 g) 白朮(6 g) 陳皮 溫湯浸少時, 去皮(6 g) 白茯苓(6 g) 乾木瓜(6 g) 厚朴 去粗皮, 生薑自然汁拌和, 炒至黑色(6 g) 白扁豆 炒, 去殼(9 g) 甘草 炙(6 g) 各五錢.

- 用法: 上爲粗末. 每服三錢(9 g), 水一盞, 加大棗一個, 同煮至七分, 去滓, 不拘時服; 煎服亦可.
- 作用: 解表祛暑, 和中益氣.
- 適應症: 暑證身熱, 體困神倦, 頭重吐利.

方劑 중 香薷는 辛散表邪·祛暑化濕하고, 扁豆·厚朴·陳皮·茯苓·木瓜는 健脾除濕·理氣和中하며, 人蔘·白朮·黃芪·甘草는 益氣健脾할 수 있어서 합하면 扶正祛邪·標本兼治의 方劑가 된다.

본 方劑와 香薷散은 모두 祛暑解表·化濕和中하는 作用이 있어서 여름철 外感風寒에 內傷濕滯한 症狀에 사용할 수 있다. 香薷散은 用藥이 精專하여 祛邪에 치우쳤기 때문에 表證이 비교적 두드러지고 正氣가 아직 손상되지 않으면서 寒熱身痛하는 자에게 적용하고, 본 方劑는 用藥이 비교적 많아서 扶正과 祛邪를 並用하기 때문에 表證이 심하지 않으면서 濕邪가 비교적 왕성함으로써 脾氣가 이미 손상되어 症狀으로 體困神倦이 나타나는 자에게 적용한다.

본 方劑와 李杲의 淸暑益氣湯은 모두 祛暑益氣하는 作用이 있어서 氣虛傷暑한 症狀에 사용할 수 있다. 다만 李氏의 淸暑益氣湯은 黃芪·蒼朮을 君藥으로 사용하여 效能이 淸暑益氣·除濕健脾을 잘 하면서 겸하여 養陰하기 때문에 暑熱夾濕으로 氣津이 모두 손상되면서 밖으로 表邪가 없는 자에게 적용되고, 본 方劑는 香薷를 君藥으로 사용하여 효능이 解表祛暑·和中益氣를 잘 하기 때문에 表裏兩感하면서도 濕邪가 비교적 왕성하여 陰液이 아직 손상되지 않은 자에게 적용한다.

新加香薷飮

(『溫病條辨』卷1)

【組成】香薷 二錢(6 g) 金銀花 三錢(9 g) 鮮扁豆花 三錢(9 g) 厚朴 二錢(6 g) 連翹 二錢(6 g)

【用法】물 5잔을 달여 2잔을 취한다. 먼저 1잔을 복용하여 땀이 나면 나머지 服用은 중지하고, 땀이 나지 않으면 다시 服用하는데 服用을 다 하여도 땀이 나지 않으면 다시 만들어서 服用한다.

【效能】祛暑解表, 淸熱化濕.

【主治】暑濕兼寒證. 發熱頭痛, 惡寒無汗, 口渴面赤, 胸悶不舒, 身重酸痛, 小便赤澀, 舌紅, 苔白膩, 脈浮而數者.

【病機分析】본 方劑가 治療하는 證候는 暑濕이 內蘊하면서 寒邪가 外束한 것을 겸하고 있는 것이다. 대부분 여름철에 먼저 暑濕을 받은 상태에서 다시 起居를 삼가지 못하고 더위를 피하여 서늘한 바람을 쐬면서 차가운 음료수를 마심으로써 寒邪를 感受하여 暑濕이 양성되면서 寒에 의해서 막히는 症狀이 된다. 寒邪가 表를 침범하여 衛陽이 鬱滯되면 腠理가 열리지 않으므로 惡寒·頭痛·無汗하는 것이고, 暑熱이 안에서 鬱滯하여 瀉越되지 못하므로 發熱·面赤·口渴하는 것이며, 暑邪가 寒에 의해서 막히면 濕이 肌腠에 응체되므로 身重酸痛하는 것이고, 暑濕이 안에서 울체되므로 胸中煩悶·小便赤澀한 것이고, 舌紅·苔白膩·脈浮而數은 모두 暑濕이 寒에 의해 막혀있는 현상이다.

【配伍分析】본 方劑는 暑·濕·寒의 세 가지 氣가 交感하여 表裏同病한 것을 위하여 설계하였다. 『素問』「至眞要大論」에서는 "抑者散之"하고 "溫者淸之"하라고 하였고, 『素問』「陰陽應象大論」에서는 "其在皮者, 汗而發之."하고 "因其輕而揚之"하라고 하였으며, 『素問』「至眞要大論」에는 "濕淫於內, 治以苦熱."의 치료 원칙이 있으니, 辛涼淸暑·辛溫發表·苦溫燥濕함으로써 祛暑解表·淸熱化濕하는 것으로 치료 원칙을 정했다. 溫病은 辛溫한 藥物을 최고로 꺼리는데, 그것이 化燥助熱할 것을 두려워해서이다. 그러나 暑邪가 夾濕하면서 寒邪가 表를 폐색한 것을 겸하면 땀이 나오지 못하니, 사용을 꺼리지 않을 뿐만 아니라 辛溫한 藥物의 도움을 받아서 散寒化濕·開閉疏鬱하여야 하고, 暑病은 衛表가 閉鬱된 것이니 그 병의 초기에는 또한 마땅히 辛涼淸散해야 하니 마침내 辛溫한 것에 辛涼한 方劑를 거듭한 것이다. 香薷는 芳香性이 있으면서 質이 가볍고 辛溫發散하기에 肺衛가 閉鬱된 寒을 外散할 뿐만 아니라 水液이 停滯된 濕을 內化할 수 있어서, "能解寒鬱之暑氣"(『本草經疏』卷9)하여 여름철 解表祛

暑의 要藥이 되니 方劑 중에서 君藥으로 사용하였다. 暑濕이 內鬱하면 마땅히 滌暑化濕해야 하므로 鮮扁豆花의 芳香微寒한 것으로 散邪解暑하여 津液이 손상되지 않도록 하면서 또한 健脾和胃·淸熱化濕하고, 金銀花는 "淸絡中風火濕熱, 解瘟疫穢惡濁邪."(『重慶堂隨筆』卷下)하며, 連翹는 "能透肌解表, 淸熱逐風, 又爲治風熱要藥."(『醫學衷中參西錄』中冊)이 되며, "連翹·銀花辛涼解散, 以淸上焦之暑熱."(『成方便讀』卷3)한다고 하였으니, 세 가지 藥物은 辛涼宣散·淸透暑熱하기에 함께 臣藥이 된다. 濕은 陰邪이니 溫이 아니면 변화시킬 수 없으므로 厚朴의 苦辛性溫한 것으로 燥濕化滯·行氣消悶하며 香薷의 理氣化濕하는 것을 도와주니 佐藥으로 사용한다. 모든 藥物을 서로 합하면 함께 祛暑解表·淸熱化濕하는 效能을 발생시킨다.

본 方劑의 配伍 특징에 두 가지가 있다: 첫째, 淸溫을 함께 사용하면서 淸을 위주로 한 것이니, 銀花·連翹의 涼은 暑가 陽邪이기에 涼이 아니면 淸하게 할 수 없다는 뜻과 딱 알맞고, 香薷·厚朴의 溫은 濕이 陰邪가 되기 때문에 溫이 아니면 변화시킬 수 없다는 뜻과 딱 알맞다. 둘째, 한 무리의 辛味 약물을 모았는데, 辛溫으로써 表에 있는 寒邪를 散하고 內에 쌓인 濕滯를 변화시키며, 辛涼으로써 안에 鬱滯된 暑熱을 淸하게 한다.

본 方劑는 『太平惠民和劑局方』卷2의 香薷散에 銀花·連翹를 넣고, 扁豆花로 扁豆와 바꾸어 만든 것이므로 '新加香薷飮'이라고 명칭한 것이다.

【類似方比較】 본 方劑와 香薷散은 함께 祛暑劑에 속하기 때문에 두 方劑 중에는 모두 辛溫한 香薷·厚朴이 있어서 解表散寒·化濕和中하는 作用을 갖추고 있다. 香薷散은 香薷를 重用하면서 술을 넣어서 함께 달이기에 辛溫한 方劑가 되고, 또한 健脾和中利濕하는데 장점을 가지고 있는 扁豆와 配伍하여 散寒解表·化濕和中하는 힘을 강화시켰기 때문에 여름철에 感寒夾濕하여 寒濕이 모두 비교적 왕성한 症狀을 主治한다. 본 方劑는 香薷의 용량이 적고 또한 金銀花·扁豆花·連翹와 같은 모든 辛涼輕淸한 약물을 넣어서 藥性이 偏涼하기에 辛溫한 것에 辛涼한 方劑를 거듭한 것이 되고, 淸熱祛暑하는 힘은 강하면서 化濕和中하는 힘은 弱하기에 寒邪가 束表하면서 暑濕이 內蘊하여 暑가 寒에 막혀있지만 寒濕은 가볍고 暑熱이 심한 증상을 主治한다. 강조할 것은 新加香薷飮은 淸熱祛暑의 效能을 갖추고 있지만 香薷散은 이러한 방면의 작용을 갖추고 있지 않다. 따라서 두 方劑의 적응증도 다른 것이니 본 方證은 暑濕兼寒한 것이고 香薷散證은 陰暑이다.

【臨床應用】

1. 證治要點: 본 處方은 辛溫과 辛涼을 합한 方劑로 暑濕內蘊에 寒邪外束을 겸한 症狀을 위하여 설계한 것이니, 臨床에서는 發熱惡寒, 頭痛無汗, 身重酸痛, 面赤口渴, 苔膩한 것을 證治의 요점으로 삼는다.

2. 加減法: 暑熱이 심한 자는 靑蒿·滑石을 넣어 淸熱解暑하고, 裏熱이 熾盛한 자는 大黃을 넣어 淸熱瀉火할 수 있으며, 濕이 편중된 자는 藿香·茯苓을 넣어 化濕利水한다.

3. 新加香薷飮은 다음 한국표준질병사인분류(KCD)에 해당하는 환자가 暑濕兼寒證으로 辨證되는 경우 본 처방의 사용을 고려해볼 수 있다.

처방 목표	한국표준질병사인분류(KCD)
여름철 發熱	T67 열 및 빛의 영향
上氣道感染·	J00~J06 급성 상기도감염
急性胃腸炎	K29 위염 및 십이지장염
	K50~K52 비감염성 장염 및 결장염
細菌性痢疾	A03 시겔라증
	A00~A09 장감염질환
冷房病	(질병명 특정곤란)
	J00 급성 비인두염[감기]
	R53 병감 및 피로

【注意事項】

1. 만약 땀이 저절로 나는 자에게는 사용해서는 안 되며, 약물을 사용한 후에 땀이 나면 다시 服用하지 않음으로써 지나친 땀으로 陰液을 손상시키는 것에서 벗어나야 한다.

2. 본 方劑를 사용할 때에는 일반적으로 熱飮하는 것이 마땅하지 않다.

3. 본 方劑에 사용하는 藥物에는 비교적 많은 휘발성 성분을 함유하고 있으므로 오래 달이는 것은 마땅하지 않다.

【變遷史】 본 方劑는 淸代 吳瑭의 『溫病條辨』「上焦篇」卷1에서 출전하는데, 手太陰의 暑溫으로 傷寒과 유사하면서 面赤口渴, 但汗不出, 右脈洪大, 左手反小한 것을 治療하는데 사용하였다. 吳氏는 淸代의 유명한 溫病學家로 『內經』 중의 三焦槪念에 근거하여 衛氣營血辨證의 기초상에서 溫熱病의 傳變 規律과 결합시켜서 三焦를 사용하여 溫病을 辨證論治하였다. 吳氏가 말하기를 "凡溫病者, 始於上焦, 在手太陰."(『溫病條辨』卷1)이라고 하였는데, 上焦의 溫病은 邪氣가 肺衛에 있는 것으로 治療로는 輕淸宣透하는 것으로써 하였고 藥物로는 辛凉한 것들을 사용하였는데, "蓋肺位最高, 藥過重, 則過病所."(『溫病條辨』卷1)라고 하였으니, 본 方劑는 곧 吳氏가 上焦 溫病을 治療한 代表的인 方劑 중 하나이다. 吳氏는 타인의 장점을 본받아 新方을 化裁하는데 뛰어났으니, 예를 들어 辛凉平劑인 銀翹散은 葉桂가 啟發한 것을 받아들인 것이고, 본 方劑는 『太平惠民和劑局方』卷2의 香薷散에서 方劑 중 扁豆의 呆滯한 것을 빼고, 銀花·連翹의 辛凉解散하는 것과 扁豆花의 淸熱解暑하는 것을 넣었으니, 辛溫한 方劑를 변화시켜 辛溫한 것에 辛凉한 方劑를 거듭한 것을 만든 것이다. 後世의 醫學者들은 본 方劑에 加減하여 變化시켜 주로 여름철에 外有表寒하고 內蘊暑濕하여 暑가 寒에 막혀서 질병이 上焦에 있는 각종 證候에 사용하였다.

【醫案】

1. 暑咳 『江蘇中醫』(1995, 3:35): 某 남자, 22세, 1987년 7월 20일 初診. 환자는 5일 전에 외출하면서 暑邪를 感受하였고 저녁에 시원한 것을 먹으면서 感寒하였는데, 곧 身熱咳嗽하면서 頭痛惡寒하여 止咳退熱藥을 服用해도 효과가 없었다. 종일토록 咳嗽頻作, 咽部發癢, 吐痰色白, 胸脘痞悶, 口渴, 納呆, 尿赤, 大便 2일未行, 舌苔薄膩微黃, 脈濡數하였다. 體溫: 38.8℃, 흉부 X-선 사진은 정상이였다. 辨證은 暑邪를 감촉한 상태에서 受寒하여 肺氣失宣한 것으로 하였다.

處方과 治療 結果: 祛暑化濕·淸宣肺氣하는 것을 적용하여 新加香薷飮에 桑葉·杏仁·川貝母·炒牛蒡을 넣은 것을 투여하였다. 四劑를 복용하였더니 咳嗽가 뚜렷하게 경감하였으며 發熱도 이미 물러났다. 原方에 厚朴을 빼고 다시 三劑를 복용하여 병이 나았다.

考察: 본 醫案은 暑邪를 感受한 상태에서 寒邪에 感觸되어 肺失宣肅에 이르면서 痰阻氣逆한 것이므로 止咳退熱劑를 服用해도 효과가 없었다. 이후에 新加香薷飮을 사용하여 淸熱祛暑·解表化濕하면서 桑·杏·貝母와 같은 종류와 합하여 宣肅肺氣·化痰止咳하였으니, 方劑가 病機와 합하였으므로 효과를 얻은 것이다.

2. 暑嘔 『江蘇中醫』(1995, 3:35): 某 여자, 48세, 1988년 8월 12일 初診. 患者는 어제 저녁에 갑자기 胸悶하면서 惡心嘔吐를 4차례 하였는데 음식물 및 黃水를 吐出하였고, 飮食不進, 惡寒發熱, 心煩口渴, 大便溏, 小便短赤, 舌苔白膩微黃, 脈濡數하였다. 體溫: 38.7℃. 이것은 暑濕蘊中으로 胃失和降한 것이다.

治療 原則: 淸暑化濕和中으로 하였다.

處方과 治療 結果: 新加香薷飮에 藿香·制半夏·薑竹茹를 넣은 것을 투여하였다. 二劑를 복용한 후에 嘔吐는 이미 편안해졌고 身熱도 역시 제거되었는데 오직 胸脘은 여전히 답답하였다. 原方으로 다시 三劑를 복

용하였더니 복약을 다 하면서 병이 제거되었다

考察: 본 醫案은 暑熱夾濕한 것이 서로 中焦를 곤란하게 하여 胃失和降함으로써 濕濁이 上逆하여 생긴 것이다. 新加香薷飮으로 淸熱祛暑하고 藿香·半夏·竹茹를 넣어 芳香化濕·和胃止嘔하니 藥物과 症狀이 박자가 맞은 것이다.

第三節 祛暑利濕劑

六一散(益元散)

(『黃帝素問宣明論方』卷10)

【異名】 天水散·太白散(『傷寒直格』卷下)·神白散(『儒門事親』卷13)·雙解散(『攝生衆妙方』卷4)·滑胎散(『增補內經拾遺方論』卷3).

【組成】 滑石 六兩(180g) 甘草 一兩(30 g)

【用法】 위의 藥物을 細末로 만들어 매번 三錢(9 g)을 服用하는데, 꿀을 조금 넣어서 溫水로 調下하거나 혹은 꿀이 없어도 역시 가능하고, 1일 3차례 服用한다. 혹은 찬 음료수를 마시려는 사람은 新井泉으로 調下하는 것도 역시 가능하다. 傷寒을 解利하기 위해서 發汗시킬 때에는 葱白·豆豉湯으로 달인 것으로 調下하고, 難産에는 紫蘇湯으로 調下한다(現代用法: 細末로 만들어서 매번 6~18 g을 服用하는데, 包煎하거나 혹은 溫開水에 1일 2~3차 調下하고, 또한 기타 方藥 중에 넣어서 煎服할 수 있다. 外用으로는 환처에 뿌리면서 두드려준다).

【效能】 淸暑利濕.

【主治】

1. 暑濕證. 身熱煩渴, 小便不利, 或嘔吐泄瀉.
2. 膀胱濕熱所致之小便赤澀淋痛以及砂淋等.
3. 皮膚濕疹, 濕瘡, 汗疹(痱子).

【病機分析】 "長夏炎蒸, 濕土司令, 故暑必兼濕."(『醫方集解』「淸暑之劑」)이라고 하였으니, 본 方證은 暑熱에 濕을 끼고 있어서 생기는 것이다. 暑는 陽熱의 邪氣이니 그 성질이 升散하면서 쉽게 耗氣傷津한다. 暑熱이 傷人하므로 身熱하는 것이고, 暑氣는 心과 통하는데 熱이 心을 擾亂하므로 心煩하는 것이며, 暑邪가 津液을 손상시키므로 口渴이 나타나는 것이다. 濕의 성질은 黏滯하여 쉽게 氣機를 阻遏하는데, 暑熱이 濕을 끼고 있으면 膠結하여 풀리지 않으면서 三焦를 阻遏하고, 三焦의 氣化가 不利하여 升降을 담당하지 못하면 손상이 胃腸에 미치면서 嘔吐·泄瀉가 나타나고, 膀胱에 영향을 미쳐서 氣化가 不利하므로 小便不利나 나타나고, 濕熱이 下注하면 小便赤澀淋痛이 되고, 濕熱이 互結하여 津液을 煎熬하여 砂石을 만들면 砂淋이 되고, 濕熱의 邪氣가 氣分에 머무르면서 정체되어 풀리지 않으면 肌膚를 鬱蒸하면서 蘊釀하여 濕疹·濕瘡·汗疹이 만들어진다.

【配伍分析】 본 方劑는 暑熱에 濕을 끼고 있는 症狀을 위하여 설계한 것이다. 『素問』「至眞要大論」의 "熱者寒之"와 "濕淫於內, …… 以淡泄之."의 治療 原則에 근거하여 淸暑利濕으로써 立法한 것이다. 方劑 중 滑石은 味甘淡性寒하며 質重하면서 滑한데, 甘味로써 胃氣를 조화롭게 하고, 寒性으로써 積熱을 흩어버리고, 淡味는 水濕을 滲出할 수 있으며, 質重한 것은 下降시키면서 滑한 것은 利竅할 수 있기에 水道를 통하게 하는 것이니, 『本草通玄』卷4에서 그 기능을 일컫기를 "利竅除熱, 淸三焦, 涼六腑, 化暑氣."라고 하였고,

『本草再新』卷8에서 그 기능을 말하기를 "淸火化痰, 利濕消暑, 通經活血, 止瀉痢嘔吐, 消水腫火毒."할 수 있다고 하였으며, "是爲祛暑散熱, 利水除濕, 消積滯, 利下竅之要藥."(『本草經疏』卷3)이라고 하였으니, 淸三焦·解暑熱할 뿐만 아니라 滲濕邪·利小便할 수 있으므로 方劑 중 이것으로 君藥을 삼았다. 甘草는 甘緩性平한데, 李杲는 그것을 일컫기를 "生用則氣平, 補脾胃不足, 而大瀉心火."(錄自『中藥大辭典』)라고 하였으니, 淸熱瀉火和中할 뿐만 아니라 滑石의 寒滑하면서 무거워 떨어지는 것이 태과한 것을 완만하게 하기에 佐·使藥이 된다. 두 가지 약물을 配伍하여 淸熱解暑·利水通淋함으로써 內蘊한 濕으로 하여금 아래쪽으로 빠져나가게 하면 熱可退·渴可解·淋可通·利可止할 수 있으니, 바로 "治暑之法, 淸心利小便最好."(『明醫雜著』卷3)라는 뜻과 합하는 것이다.

본 方劑의 配伍 특징은 6배의 質重寒滑한 滑石을 응용하여 1배의 甘緩和中한 甘草와 서로 配伍하여 淸熱利水·甘寒生津함으로써 淸熱하면서도 留濕하지 않고 利水하면서도 傷正하지 않도록 만든 것에 있다.

본 方劑는 6배의 滑石과 1배의 甘草를 사용하여 갈아서 散劑로 服用하는 것이므로 이름을 '六一散'이라고 불렀다.

【臨床應用】

1. 證治要點: 본 方劑는 暑濕을 治療하는 常用 方劑로 身熱煩渴과 小便不利를 證治의 요점으로 삼는다.

2. 加減法: 臨床에서는 항상 淸暑利濕하는 藥物과 配伍하는데 예를 들면 西瓜翠衣·絲瓜絡과 같은 종류이고, 陽明熱이 심한 자는 石膏를 넣어 淸熱하고, 小便澀痛 혹은 砂淋에는 海金沙·金錢草를 참작하여 넣어서 利水通淋하고, 血淋인 자는 마땅히 生側柏葉·小薊·車前草를 넣어 通淋止血하고, 여름철에 生冷物을 먹어서 생긴 赤白痢疾에는 黑山梔·乾薑을 넣을 수 있다.

3. 六一散은 다음 한국표준질병사인분류(KCD)에 해당하는 환자가 暑濕證, 膀胱濕熱證, 濕熱證風으로 辨證되는 경우 본 처방의 사용을 고려해볼 수 있다.

처방 목표	한국표준질병사인분류(KCD)
泄瀉	(질병명 특정곤란)
	K59.1 기능성 설사
	K52.9 상세불명의 비감염성 위장염 및 결장염
胃腸型感冒	A08 바이러스성 및 기타 명시된 장감염
	A09 감염성 및 상세불명 기원의 기타 위장염 및 결장염
胃腸炎	K29 위염 및 십이지장염
	K50~K52 비감염성 장염 및 결장염
中暑	T67 열 및 빛의 영향
藥物不良反應	Y88.0 치료용 약물, 약제 및 생물학적 물질에 의한 부작용의 후유증
膀胱炎	N30 방광염
尿道炎	N34.1 비특이성 요도염
	N34.2 기타 요도염
泌尿系結石	N20 신장 및 요관의 결석
	N21 하부요로의 결석
手術後 尿道症候群	(질병명 특정곤란)
	Z54.0 수술후 회복기
	N34.3 상세불명의 요도증후군
手術後 包皮水腫	(질병명 특정곤란)
	Z54.0 수술후 회복기
	N48.1 귀두포피염
濕疹	(질병명 특정곤란)
	Z54.0 수술후 회복기
	L20~L30 피부염 및 습진
黃水瘡	L01 농가진
痱子	L74.0 홍색땀띠
	L74.1 결절모양땀띠
	L74.2 깊은땀띠
	L74.3 상세불명의 땀띠

【注意事項】

1. 陰液이 虧損되면서 안으로 濕熱症이 없거나 혹은 小便淸長한 자는 본 方劑의 사용을 禁忌한다.

2. 孕婦는 服用하는 것이 마땅하지 않다.

3. 重症인 자는 倍方으로 복용하는 것도 가능하다.

【變遷史】 본 方劑의 原名은 益元散으로 金代 劉完素의 『黃帝素問宣明論方』卷10에서 출전하는데, 『傷寒標本心法類萃』卷下에서 六一散으로 부르면서 지금까지 전해져 온 것이다. 劉完素는 金元四大家 중에 제일 처음에 해당되는데 그가 제창한 火熱論은 六氣가 모두 化火할 수 있음을 강조한 것으로 火熱病을 잘 치료하였다. 表證에 대해서는 진실로 汗解해야 한다고 인식하고 있는데, 다만 表에 '怫熱鬱結'하고 있다면 절대로 辛熱藥이 마땅하지 않고 오직 辛涼 혹는 甘寒한 약물을 사용하여 解表해야만 비로소 表解熱除할 수 있는 것이다. 臨床에서 구체적으로 사용하는 것 중에는 본 方劑가 主方의 하나가 되는데, 예를 들어 夏季의 外感에는 "以甘草·滑石·葱·豉等發散爲甚妙."(『素問玄機原病式』卷2)라고 하였고, 陽熱이 表에 鬱遏하면 石膏·滑石·甘草·葱·豉 등을 사용하여 開發鬱結하는 것이며, 表證에 內熱을 겸하여 가지고 있으면 表裏雙解하는 것을 주는 것이니 天水一涼膈半 혹은 天水涼膈各半 등을 사용할 수 있는 것이다. 完素가 인식하기를 본 方劑는 九竅六腑를 疏通시켜서 生津液·去留結·消蓄水·止渴·寬中·除煩熱하고, 五臟을 補益하여 脾胃의 氣를 크게 기르며, 安魂定魄하고, 明耳目·壯筋骨·通經脈·和血氣·消水穀·保元眞·耐勞役饑渴·宣熱하며, 오랫동안 복용하면 强志·輕身·駐顔·延壽하게 하며, 遍身에 結滯된 것을 宣通시킴으로써 氣和하여 낫도록 한다. 身熱·吐利泄瀉·腸澼·下痢赤白·癃閉淋痛·石淋·腸胃中積聚·寒熱·心躁·腹脹痛悶한 것에 사용하고, 內傷으로 陰痿·五勞七傷·一切虛損·癎痓·驚悸·健忘·煩滿·短氣·臟傷咳嗽·飮食不下·筋肉疼痛한 것과, 口瘡·牙齒疳蝕·百藥酒食邪毒·中外諸邪所傷·中暑·傷寒·疫癘·饑飽勞損·憂愁思慮·恚怒驚恐·汗後遺熱·勞復·兩感傷寒한 것과, 婦人下乳催生·產後損益血衰·陰虛熱甚·一切熱證·吹奶乳癰하는 等等에 사용한다. 完素의 學術 思想은 본 方劑 중에서 高度로 구현되어 있음을 볼 수 있으니, 그래서 "神驗之仙藥"이라 하고, "若以隨證驗之, 此熱證之仙藥也, 不可闕之."(『黃帝素問宣明論方』卷10)라고 칭찬하는 것이다.

『傷寒直格』卷下에 있는 益元散의 조문 아래에 실려 있기를 "本世傳名太白散."이라고 하였으니, 본 方劑는 원래 '世傳'된 효과적인 方劑였는데, 完素가 임상에 적용하면서 전체적으로 정리하여 발전 시킨 것이다. 完素의 著作 중에서 본 方劑의 方名이 매우 많으며, 이것을 사용하여 上下表裏에 있는 70여 症狀을 치료하였으니 또한 이러한 하나의 관점을 설명하는 것이다.

完素가 스스로 적용하면서 변화 발전시킨 方劑는 益元散·雞蘇散 및 碧玉散을 제외하고도 다시 본 方劑에 黃丹을 넣은 紅玉散이 있는데 "主療不殊, 收效則一."(『傷寒直格』卷下)이라고 하였고, 麻黃 二兩을 넣은 神白散(『黃帝素問宣明論方』卷10)이 있다. 후세에 六一散과 유사한 方劑에는 주로 두 종류가 있다. 하나는 크게 溫熱補益하는 약물을 넣어 扶正하는 역량을 강화시킨 것으로 주로 嘔逆瀉利 等의 症狀에 사용하였는데, 예를 들어 『丹溪心法』卷2의 淸六丸(又名淸六散)은 본 方劑에 炒紅曲을 넣어 活血健脾한 것이고, 卷5의 溫淸丸은 乾薑을 넣어 溫中降逆한 것이며, 『醫方考』卷2의 溫六丸(又名溫六散)도 역시 乾薑을 넣었는데 다만 세 가지 약물의 劑量이 溫淸丸과 조금 달랐고, 卷4의 茱萸六一散은 吳茱萸를 넣어 溫中下氣하였으며, 『醫學衷中參西錄』上冊의 加味天水散은 본 方劑에 山藥을 넣어 滋陰固元한 것이다. 별도의 한 종류는 苦寒淸熱除濕하는 藥物을 넣어서 祛邪하는 역량을 강화시킨 것으로 주로 淋證에 사용하였는데, 예를 들어 『濟陰綱目』卷91의 加味益元散은 본 方劑에 車前子를 넣어 淸熱利濕한 것이고, 『醫方考』卷4의 三生益元散은 生側柏葉·生車前草·生藕節汁을 넣어 淸熱涼血한 것이며, 『中醫方藥手冊』의 滑石黃柏散은 黃柏을 넣어 淸熱燥濕한 것이다. 별도로 後世의 醫學者들 중에서 溫病學家들은 장차 본 方劑를 다른 方劑 중에 넣어서 濕熱의 諸病에 광범위하게 응용하였으며, 아울러 많은 효과가 있는 方劑를 創立하였다.

【難題解說】

1. 方源과 方名에 관한 것: 『黃帝素問宣明論方』 卷10과 『傷寒直格』卷下와 『傷寒標本心法類萃』卷下에 모두 본 方劑가 실려있다. 『黃帝素問宣明論方』은 劉完素가 지은 것으로 1172년에 만들어졌고, 이후의 두 書籍은 그의 제자가 편찬한 것으로 1186년에 만들어졌다. 따라서 본 方劑는 『黃帝素問宣明論方』에서 제일 처음 보이는 것으로 方劑의 근원은 이 책으로 보는 것이 옳다. 본 方劑의 명칭이 많아서 『黃帝素問宣明論方』에서는 益元散이라고 나오고, 『傷寒直格』에는 益元散·天水散·太白散이라고 나오며, 『傷寒標本心法類萃』에는 益元散·天水散·六一散이라고 나온다. 六一散이라고 부르는 것은 滑石과 甘草의 용량 비율을 설명할 뿐만 아니라 辰砂를 넣은 益元散과 구별할 수 있으므로 後世에서 상용하였다. 『增補內經拾遺方論』卷3에서 말하기를 "六一者, 方用滑石六兩, 甘草一兩, 因數而名之也."라고 하였고, 또 말하기를 "不曰一六, 而曰六一, 乾下坤上, 陰陽交而泰之道也. 一名天水散, 天一生水, 地六成之, 陰陽之義也. 又名益元散, 益元者, 除中積熱以益一元之氣也. 亦名神白散, 神白者, 因其色白而神之也."라고 하였으니, 이 속에서 '天一生水, 地六成之'라고 한 것은 곧 五行의 生成數 學說 중에 있는 地는 6에 배합하고 天은 1에 配合한 것에서 온 것이다.[1] 何任도 또한 인식하기를 본 方劑는 "益氣而不助邪, 逐邪而不傷氣, 確不負益元之名."[2]이라고 하였다.

2. 본 方劑의 適應證에 관한 것: 본 方劑는 藥少力薄하기 때문에 단독으로 사용할 때에는 輕證에 마땅하다. 바로 程國彭이 지적하기를 暑病에는 "有傷暑·中暑·閉暑之不同. 傷暑者, 感之輕者也. 其症煩熱口渴, 益元散主之. 中暑者, 感之重者也. 其症汗大泄, 昏悶不醒, 或煩心喘渴, 妄言也. 昏悶之際, 以消暑丸灌之, 立醒. 既醒, 則驗其暑氣之輕重而淸之, 輕者益元散, 重者白虎湯."(『醫學心悟』卷3)이라고 하였다. 河間은 장차 본 方劑를 內科·婦科·臟腑·經絡·耳目九竅 等의 70여 證狀과 表裏·虛實·氣血·內外에 두루 미치는 것에 광범위하게 응용하였다. 이것에 대하여 汪昂이 인식하기를 "蓋取其能通除上下三焦濕熱也."(『醫方集解』「淸暑之劑」)라고 하였으니 한 마디 말로 핵심을 찔렀다고 말할 수 있을 것이다. 후세의 溫病學家는 대부분 본 方劑를 각자의 方劑로 치료하는 중에 융합시켜서 넣어 暑溫·濕溫·伏暑의 諸證에 광범위하게 응용하였다.

【醫案】

1. 中暑 『續名醫類案』卷4: 陳子佩가 한 사람을 치료하였는데, 8월 경에 發熱譫語하고 不食하면서 또한 大便을 보지 못하였다. 모든 의사들이 다 傷寒으로 보고 처음에는 表를 치료하였고, 계속해서 下法을 사용하였지만 모두 효과가 없으면서 50여 일에 이르렀다. 人蔘을 투여하였더니 熱이 조금 감소하였지만, 人蔘을 적게 쓰니 다시 發熱하기에 이것으로 그것이 虛해서 생긴 것임을 더욱 의심하였다. 급하게 補하였으나 不食과 不便이 여전하였고, 六脈을 진단하였을 때 和平하면서 절대 죽을 상태는 아니였다. 傷寒으로 50일 동안 不便·不食하면서 不死할 이치가 없다고 말하면서 病사람에게 들어보니 여름철에 葬事를 지내면서 분주하게 왕래하였다고 한다. 반드시 이것은 中暑임을 의심할 여지가 없는데 잘못 傷寒으로 치료하였고, 또한 人蔘의 補劑를 투여하여 여름철에 補를 하면서 더욱 풀리지 않은 것이므로 여기까지 이르게 된 것이다. 마땅히 六一散을 주어 涼水로 調服하였으며, 病者가 마시고자 한다면 비록 많이 마셔도 무방하다. 服用을 마치자 곧바로 잠이 들었고, 잠에서 깨어나서는 곧바로 大便을 보았으며, 大便을 본 후에 음식 생각이 나면서 數日이 지나면서 나았다.

考察: 병증은 여름철에 葬事를 지내느라고 분주하게 다니면서 中暑로 傷神하여 일어났다. 暑濕이 교착하여 풀리지 않으면서 三焦의 氣化가 불리해지므로 發熱이 오랫동안 물러나지 않으면서 上下가 不通한 것이다. 人蔘을 먹으면 熱이 감소하는 것은 暑熱로 傷氣해서 그런 것인데, 그러나 暑濕을 치료하지 않으면 결코 치료되지 않는다. 六一散 方劑를 투여하여 "熱散則三焦寧而表裏和, 濕去則闌門通而陰陽利."(『本草綱目』卷9)하게 한 것이다.

2. 暑風『續名醫類案』卷4: 壬戌년 여름에 五營을 다스리는 朱載는 항상 아침 일찍 관아로 들어갔는데, 수레 중에서 嘔吐하면서 昏憒하고 遺尿하였다. 의사가 中風으로 다스려서 附子理中湯에 殭蠶을 넣은 것을 주었는데, 이후에 더욱 양쪽 脈이 손가락을 치면서 위독함이 이미 극에 달하였고, 人蔘·附子가 아직 적어서 만회하기 어려울 것 같았다. 柴가 말하기를 이것은 暑風으로 脈에는 죽음의 형상이 없으므로 힘껏 보호하면 無事할 것이라고 하였다. 伊芳同이 水部에 머무르고 있는데 錢築岩이 믿지 못하고서는 급히 이전의 藥物을 달여서 장차 먹이려고 하였는데, 다행히도 禾中의 朱汝가 六一散을 먹일 수 있어서 한 번 服用하였는데 神氣가 조금 안정되었다. 錢은 비록 醫學을 알지는 못했지만 六一散과 理中湯은 冰炭과 같이 다름을 본래 알아서 이전의 藥物을 服用하는 것을 정지하였다. 다음날 드디어 黃連香薷飮에 羌活을 넣은 것으로 치료하여 며칠 동안 조리하고는 건강해졌다.

考察: 病證은 여름철에 風邪를 입음으로 인하여 일어났으니, 暑·濕·風이 함께 모두 근심이 된 것으로 症狀은 實熱에 속하는데, 附子理中湯으로 論治하는 것은 負薪救火하는 것과 다름이 없어서 禍를 돌릴 수 없을 것 같아서 두렵다. 다행이도 六一散을 주어서 效果를 얻었으며, 마침내 祛暑化濕疏風하는 方劑로 효과를 거두었다.

3. 霍亂『續名醫類案』卷6: 遂平縣에 사는 李仲安이 한 명의 하인과 한 명의 佃客을 이끌고 偃城에 이르러서 邵輔의 書齋 중에서 夜宿을 하였다. 이날 밤 하인이 도망갔는데, 仲安이 그가 달아난 것을 알고는 佃客과 함께 말을 타고는 급하게 쫓아갔다. 당시가 7월이여서 날씨가 매우 더웠으며, 뜨거운 바람은 화살과 같았고 먼지가 하늘에 자욱하였는데, 辰時에 돌아왔으니 세 시간도 안 되었지만 왕복 120里를 돌아왔으며, 그 사람을 잡지도 못하고 다시 邵氏의 書齋에 야숙하게 되었다. 갑자기 夜間에 신음소리가 들리면서 다만 나를 찾았지만 누군지 알지 못하였다. 불을 밝혀서 찾아보니 仲安의 佃客이였다. 上吐下瀉, 目上視而不下, 胸脇痛不可動搖, 口欠而脫臼, 四肢厥冷하였는데, 이것이 바로 風濕暍 세 가지가 모두 합한 증상이다. 그의 사위가 일찍이 그것에 대한 말을 들은 게 있어서 六一散을 취하여 新汲水에다가 生薑을 갈아서 調服하였는데, 半升을 한 번에 服用하고는 그 사람이 다시 嘔吐하였고, 다시 半升을 調製하여 서서히 服用시켰더니 오랜 시간이 지나고 나서야 비로소 잠잠해졌다. 다음날 아침에 다시 여러 번 服用하고는 마침내 일어날 수 있었다. 3일을 調養하고는 평안해졌다.

考察: 疾病은 이슬을 먹고 바람을 쐬면서 일어난 것으로, 더위를 무릅쓰고 빠르게 달림으로써 過勞로 脾를 손상시키고 邪氣가 胃腸에 간섭하면서 氣機가 逆亂하여 霍亂이 발생한 것이다. 六一散에 生薑을 넣은 것으로 調服하여 祛暑利濕·解表和中한 것이니, 三焦를 이롭게 하여 表裏가 화합하게 하고 陰陽을 조화롭게 하여 氣機가 通暢하게 함으로써 모든 症狀이 저절로 나은 것이다.

4. 泄瀉『醫學衷中參西錄』上冊: 한 명의 孺子가 한 달 정도 泄瀉를 하면서 身熱燥渴, 嗜飮涼水, 强與飮食即惡心嘔吐하여 다방면으로 치료하였지만 낫지 않았다. 六一散에 山藥을 넣은 것을 一劑 투여하였더니 燥渴과 泄瀉가 즉시 반 정도 나았다. 또 一劑를 服用하였더니 음식을 먹을 수 있으면서 모든 病症이 다 나았다.

考察: 六一散에 山藥을 넣은 것은 곧 張錫純의 加味天水散으로 "治暑日泄瀉不止, 肌膚燒熱, 心中燥渴,

小便不利, 或兼喘促. 小兒尤多此證, 用此方更佳.”(『醫學衷中參西錄』上冊)라고 하였으니 참고할 만하다.

5. 膀胱炎 『福建中醫藥』(1965, 6:20): 某 남자, 69세, 1963년 5월 21일 就診. 患者는 어제 저녁부터 尿頻하기 시작하면서 尿急·小便滴瀝難下·量少하였고, 小腹에 작열감의 진통을 동반하면서 야간에 병세가 가중되었으며, 夜尿 20여 차례, 小便을 다 볼 때 쯤에는 小便에 血樣을 띄었으며 口渴을 동반하였다. 刻診: 體溫 38.8℃, 唇口紅甚, 舌苔黃濁, 脈數有力하였다. 진단은 急性膀胱炎이였으며 症狀은 膀胱에 積熱하여 蘊結成淋한 것에 속하였다. 六一散 二兩을 沖開水 600 mL에 담근 후에 찌꺼기를 제거하고 모두 3차례로 만들어 服用하였는데, 매일 一劑씩 연속해서 4일을 服用하였더니 痊愈하였다.

6. 腎囊風 『陝西中醫』(1987, 1:35): 某 남자, 42세. 陰囊 및 양쪽 股內側에 산재성 紅色 丘疹이 5일 동안 있었고, 瘙癢感이 심하면서 많은 곳에서 문드러지면서 濃液이 흘렀으며, 舌紅, 苔白中根部厚, 脈弦滑하였다. 六一散을 溫開水로 調服하였는데, 매차 9g씩 매일 2차례 服用하였고, 아울러 外用으로는 六一散에 地榆粉·黃柏粉을 넣어 골고루 발랐는데, 用藥한 지 4일만에 나았다.

考察: 본 症狀은 濕熱이 下注하여 肌膚에 鬱滯함으로써 발생한 것과 관계되는데, 본 方劑로 淸熱解肌·除濕利水하였으므로 약물이 도달하면서 병이 제거된 것이다.

7. 藥物過敏 『山西中醫』(1987, 2:29): 某 남자, 17세. 痢疾을 앓으면서 某醫院에서 치료를 받았는데, 輸液(erythromycin을 넣음) 과정 중에서 과민 반응이 발생하면서 전신에 皮膚焮紅, 疱疹滿布, 頭暈, 心慌, 惡心, 氣急喘促하여 곧바로 藥物 공급을 정지하였다. 洋藥을 사용하여 알레르기를 제거하려고 하였으나 효과가 없어서 즉시 六一散 60g을 沖服하였는데 나누어 涼飮하면서 3시간 내에 완전히 服用하였더니, 小便을 시원하게 수차례 보면서 상술한 症狀이 완전히 소실되었고, 장차 痢疾도 역시 나았다.

8. 農藥中毒 『山西中醫』(1987, 2:29): 某 남자, 44세, 1975년 7월 5일 診斷. 患者는 오늘 오전 dichlorvos 분무제 사용시에 마스크를 착용하지 않고 30분을 일한 후에 胸悶氣短을 느끼면서 점점 가중되었다. 患者를 보았더니 皮膚가 微紅하면서 皮疹이 散布하였으며 喘促有聲하면서 때때로 昏瞀欲厥하는 형세가 있었다. 물어보았더니 평소에 哮喘의 病歷이 없었다고 하기에 農藥中毒으로 診斷하였다. 즉시 滑石 60 g, 生甘草 15 g을 煎湯하여 나누어 涼飮하였다. 1시간 후에 小便量이 많아지면서 증상이 갑자기 감소하였고, 하루 밤낮으로 上方 二劑를 완전히 服用하였더니 마침내 痊愈하였다.

9. 斑蝥(cantharis) 中毒 『上海中醫藥雜誌』(1985, 1:36): 某 군인, 尿路感染을 앓아서 하나의 民間 單方을 服用하였다: 斑蝥 7只, 大棗 七枚. 大棗 속에 斑蝥 1개씩을 넣고 麵으로 싸서 火煨한 다음에 麵을 제거하고 가루로 만들어 1차례 沖服했다. 服用 후 2시간도 되지 않아서 面部에 烘熱感을 느꼈으며 계속해서 少腹拘急, 腰痛, 煩躁하면서 하룻 동안 小便을 보지 못하였다. 診斷하여 보니 患者는 面紅如醉하였고 弓腰屈腹하였고 坐臥不寧하였으며, 대단히 고통스러워하면서 몇 차례나 진찰을 받지 못하였는데 이후에 두 명의 건장한 남자가 강제로 잡은 다음에야 진찰할 수 있었다. 그 脈은 弦澀有力하면서 舌質紫黯하였다. 그 집안사람에게 물어보니 위에서 말한 藥物을 服用한 것을 제외한다면 최근 2달 동안 어떠한 藥物도 사용하지 않았다고 하여 斑蝥 中毒으로 診斷하였다. 解毒利腑를 하지 않으면 구제할 수 없는데, 이 두 가지를 완전하게 구비한 것으로는 마땅히 六一散을 추천할 수 있다. 급히 六一散 30g을 溫水로 調服하였다. 二劑를 服用한 후에 赭色尿 약 500 mL를 배설하면서 정신이 편안해졌다. 다만 小便이 여전히 痛澀不利하여 다시 二劑를(服用하였더니) 모든 症狀이 다 제거되었다.

考察: 『溫熱經緯』卷5에서 본 方劑를 말하기를 "溫水擂胡麻漿調下, 並可下死胎, 解斑螫毒."이라고 하였는데 틀림없는 말이다.

10. 毒厥 『山西中醫』(1987, 2:29): 某 남자, 48세, 요리사. 1년 전에 생선을 가공하면서 지느러미 가시에 右手食指를 다쳤는데, 다음날 상처 부위에서 白皰가 일어나면서 全身이 불편하면서 低熱, 右肢劇痛, 納呆, 惡心하였고, 계속해서 暈厥仆地하였으며, 응급처치를 통해 다시 소생하였는데, 이후에 1년 동안 7차례나 暈倒가 발작하였다. 다방면으로 治療를 하였지만 效果가 없었고, 病勢가 날마다 가중되어 우측 半身은 항상 疼痛難忍하였으며, 일할 수 있는 능력을 잃어버리면서 臥病으로 休養하고 있다. 診察하여 보니 患者는 面容憔悴, 神情恐慌, 右臂及右腿外側均見大小不等之紺斑 10여 덩어리, 大者如掌, 小者似卵, 質硬, 壓痛甚劇, 脈弦, 舌紅, 舌側瘀斑數點하였다. 破傷 中毒으로 진단하였고 毒瘀가 血分에 침입한 것이다. 즉시 六一散 200 g을 주어 매번 綠豆水를 사용하여 10 g을 冲服하게 하였으며, 하루 2차례 服用시켰다. 10일 후에 다시 診察하니 患者의 神情이 爽朗하였는데, 말하기를 服藥한 후에 病勢가 하루하루 뚜렷하게 호전되면서 지금은 飮食 먹는 것이 크게 증가하였고, 體力이 뚜렷하게 회복되었으며, 紺斑과 疼痛이 대체로 소실되었지만 오직 우측 다리 바깥쪽에 아직 하나의 작은 조각이 있으면서 이미 색깔은 옅어지고 부드러워지면서 疼痛이 심하지 않았다. 나는 의외의 효과가 나온 것에 대하여 매우 감동하면서 환자에게 동시에 기타 解毒藥을 服用했는지의 여부를 물어보았는데, 그가 말하기를 위의 약물을 복용하기 전에 매우 장시간 동안 복용한 것이 없었으며, 服用 기간에도 기타 어떠한 한약과 양약을 服用한 적이 없었다고 하였다. 즉시 다시 上方을 주어서 계속해서 10일 동안 服用하게 하였더니 모든 症狀이 痊愈하였다. 이후에 이 方劑를 사용하여 破傷 中毒의 危症 2례를 治療하였는데 모두 빠르게 쾌유하는 效果를 얻었다.

考察: 醫案 7~10은 모두 藥物 등에 過敏하거나 中毒된 반응으로, 본 方劑로 治療하여 양호한 效果를 얻었다. 方劑 중 滑石은 "淸火化痰, 利濕消暑, 通經活血, 止瀉痢嘔吐, 消水腫火毒."(『本草再新』卷8)하기에 利下竅·化食毒하고, 甘草는 "解百藥毒, 如湯沃雪, 驗如反掌."(『本草綱目』卷12)한다. 두 가지 약물을 相須하면 藥味는 간단하지만 效力은 전일하여 單刀直入적으로 百藥·酒食·邪毒을 풀어준다.

【副方】

1. 益元散(辰砂益元散)(『奇效良方』卷5): 滑石 六兩(180 g) 甘草 一兩(30 g) 辰砂 三錢(9 g)

- 用法: 上爲細末, 每服二錢(6 g), 溫水送下, 燈心湯調服亦可.
- 作用: 淸暑利濕, 鎭驚安神.
- 適應症: 暑濕證煩渴多汗, 心悸怔忡, 不眠多夢, 小便不利.

본 方劑는 원래 『奇效良方』卷5에 실려있던 것인데 辰砂益元散으로 불려지던 것을 『醫方集解』「淸暑之劑」에서 益元散으로 이름을 바꾸었다. 方劑 중 滑石은 性寒質重하여 淸心解暑熱할 뿐만 아니라 滲濕利小便할 수 있기에 君藥으로 삼았다. 甘草는 益氣和中瀉火하는데 滑石과 配伍하면 小便을 下利하면서도 津液을 손상시키지 않게 하고, 또한 滑石의 寒滑重墜하여 伐胃하는 것을 예방할 수 있기에 臣藥으로 삼았다. 朱砂는 甘寒淸心·安神定驚하기에 佐使으로 삼았다. 柯琴이 칭찬하면서 말하기를 "是方也, 益氣而不助邪, 逐邪而不傷氣, 不負益元之名."(錄自 『古今名醫方論』卷4)라고 하였다. 그러므로 후세에서는 습관적으로 益元散이라고 부르게 된 것이다.

2. 碧玉散(『黃帝素問宣明論方』卷10): 滑石 六兩(180 g) 甘草 一兩(30 g) 靑黛(原書에서는 分量를 기록하지 않았는데 9 g을 사용할 수 있다).

• 用法: 研爲散. 每服三錢(9 g), 開水調下, 或水煎服.
• 作用: 祛暑利濕, 淸熱解毒.
• 適應症: 暑濕證兼肝膽鬱熱, 目赤咽痛, 或口舌生瘡.

본 方劑는 六一散에 靑黛를 넣은 것이다. 方劑 중 六一散을 사용하여 淸暑利濕하고, 靑黛는 淸肝涼血解毒한다. 그 색깔이 淺碧하기 때문에 이름하여 '碧玉散'이라고 부른다.

3. 鷄蘇散(『黃帝素問宣明論方』卷10): 滑石 六兩(180 g) 甘草 一兩(30g) 薄荷葉末(原書에서는 分量를 기록하지 않았는데 9 g을 사용할 수 있다).

• 用法: 上爲細末. 每服三至五錢(9~15 g), 溫開水送服.
• 作用: 淸暑利濕, 辛涼解表.
• 適應症: 暑濕證兼微惡風寒, 頭痛頭脹, 咳嗽不爽.

본 方劑는 六一散에 薄荷를 넣은 것이다. 方劑 중 六一散을 사용하여 淸暑利濕하고, 薄荷는 辛涼解表하기에 解暑疏風하는 方劑에 합당하다.

이상 세 가지 方劑는 모두 六一散과 유사한 方劑인데, 모두 暑濕을 感受하여 身熱煩渴하고 小便不利하는 等의 症狀에 사용할 수 있다. 益元散은 鎭驚安神하는 效能을 겸하고 있기에 暑熱內擾로 心神不安한 자에게 적용되고, 碧玉散은 淸肝涼血하는 효능을 겸하고 있기에 暑濕에 肝膽鬱熱을 겸하고 있는 자에게 적용되며, 雞蘇散은 疏風解表하는 효능을 겸하고 있기에 暑濕에 外感風邪를 겸하고 있는 자에게 적용된다.

【參考文獻】

1) 趙存義. 『中醫古方方名考』. 北京: 中國中醫藥出版社, 1994:45-47.
2) 何任. "凡間仙藥"益元散小議[J]. 新中醫, 1991, 23(9):20-21.

桂苓甘露散

(『黃帝素問宣明論方』卷6)

【異名】 桂苓白朮散(『黃帝素問宣明論方』卷6)·桂苓甘露飮(『傷寒直格』卷下).

【組成】 茯苓 去皮 一兩(30 g) 甘草 炙 二兩(60 g) 白朮 半兩(15 g) 澤瀉 一兩(30 g) 桂 去皮 半兩(15 g) 石膏 二兩(60 g) 寒水石 二兩(60 g) 滑石 四兩(120 g) 猪苓 半兩(15 g)(一方不用猪苓)

【用法】 이상을 분말로 만들어서 매번 三錢(9 g)씩 溫湯으로 調下하는데, 新汲水도 역시 좋고, 生薑湯은 더욱 양호하다. 小兒는 매번 一錢(3 g)을 服用하는데 용법은 위와 같다(現代用法: 또한 水煎服할 수 있는데, 용량은 原方의 비율을 참고하여 정한다).

【效能】 淸暑解熱, 化氣利濕.

【主治】

1. 暑濕證. 發熱頭痛, 煩渴引飮, 小便不利.

2. 霍亂吐下, 腹痛滿悶.

3. 小兒吐瀉, 驚風.

【病機分析】 본 方劑가 主治하는 것은 이미 暑熱의 손상을 받았는데 다시 水濕이 內停한 症狀이 있는 것이다. "夏月火土當令, 天之熱氣下, 地之濕氣上, 濕與熱蒸, 或成暑氣, 暑者, 熱之兼濕者也, 故曰暑必夾濕."(『傷寒指掌』卷4)이라고 하였다. 暑는 陽邪이기에 暑熱이 사람을 손상시키면 먼저 上焦氣分을 방해하므로 發熱頭痛하는 것이고, 暑邪가 心으로 들어가면 煩하고 熱盛하여 津液을 손상시키면 渴하므로 煩渴引飮이 나타나는 것이며, 暑熱이 拂鬱하면 濕邪가 內部를

阻滯함으로써 水道를 宣通시키지 못하므로 小便不利한 것이다. 暑濕이 함께 왕성하여 三焦의 腸胃之間에 잠복하면 안으로 脾胃를 손상시켜서 升降失司하고 清濁相干하므로 腹痛滿悶·霍亂吐下를 볼 수 있는 것이다. 이전 사람이 말하기를 "傷暑做出百般病."(『直指方』, 錄自『醫方類聚』卷25)이라고 하였으니, 吐瀉·驚風이 모두 그 징후이다.

【配伍分析】 본 方劑는 暑熱에 濕證을 겸한 것을 위하여 설정한 것으로, 『素問』「至眞要大論」에 나오는 "熱者寒之"·"結者散之" 및 "濕淫於內, …… 以淡泄之."의 원칙에 근거하여 清暑利濕으로 立法한 것이다. 方劑 중 滑石은 甘寒滑利하기에 "滑以利諸竅, 通壅滯, 下垢膩; 甘以和胃氣, 寒以散積熱, 甘寒滑利, 以合其用, 是爲祛暑散熱, 利水除濕, 消積滯, 利下竅之要藥."(『本草經疏』卷3)이 되고, 그것이 清解暑熱과 利水滲濕의 두 가지 效能을 다 가지고 있으므로 君藥이 된다. 『素問』「至眞要大論」에서 말하기를 "熱淫於內, 治以鹹寒."하라고 하였는데, 方劑 중 寒水石은 辛鹹氣寒하니 그 大寒微鹹한 성질은 清熱降火할 수 있는 것이고, 『醫林纂要探源』卷3에서 말하기를 "除妄熱, 治天行大熱及霍亂吐瀉, 心煩口渴, 濕熱水腫."이라고 하였으며, 石膏는 辛甘氣寒하여 "解實熱, 祛暑氣, 散邪熱, 止渴除煩之要藥."(『本草經疏』卷4)이라고 하였으니, 두 가지 藥物을 滑石과 配伍하면 清熱解暑하는 效能을 강화시킬 수 있기 때문에 함께 臣藥이 된다. 猪苓·茯苓·澤瀉는 모두 甘淡한 藥物로 利水滲濕하고, 白朮은 健脾益氣·燥濕利水하며, 다시 官桂를 사용하여 下焦의 氣化를 도와서 濕邪를 小便을 따라 제거하게 하면서, 또한 君·臣藥의 寒涼重墜한 것을 制約하여 寒함으로 인하여 막히지 않도록 하는 것이니, 이상의 五味는 함께 佐藥이 된다. 甘草는 苓·朮과 합하여 健脾하면서 清利하면서도 正氣를 손상시키지 않고 調和諸藥시키므로 使藥으로 사용하였다. 모든 약제를 합하여 사용하면 함께 清暑解熱·化氣利濕하는 效能을 발생시켜서 升降의 기전이 회복되게 함으로써 暑邪가 제거되고 濕邪가 사라지면서 모든 症狀이 저절로 낫는 것이다.

본 方劑의 配伍 특징: 性寒清熱하면서 質重而降하는 三石을 淡滲利濕하는 약물과 配伍함으로써 清熱과 利水를 함께 사용하여 邪去正安시키는 것이다.

본 方劑는 五苓散·甘露散과 六一散을 合方하여 만든 것으로 효능이 清暑利濕을 잘 하기에, "一若新秋甘露降而暑氣潛消矣."(『絳雪園古方選注』卷中)하는 것이므로 命名하기를 '桂苓甘露散'이라고 한 것이다.

【類似方比較】 본 方劑와 六一散의 두 가지 方劑 중에는 함께 滑石·甘草가 있는데, 모두 祛暑利濕하는 方劑로 清暑利濕하는 作用이 있어서 暑熱夾濕한 症狀에 사용한다. 다만 六一散은 藥少力輕하여 暑濕의 輕證 및 淋證·濕疹 等의 症狀에 사용하면서 또한 外用으로도 가능한 것이고, 본 방제는 五苓散·甘露散에 六一散을 합방하여 구성한 것으로 藥衆力宏하면서 겸하여 化氣利水할 수 있으니 暑濕이 함께 왕성하여 病勢가 비교적 심하고 邪氣가 腸胃를 간섭하는 것에 속하는 것을 상용한다.

【臨床應用】

1. 證治要點: 본 方劑는 清暑利濕하는 效能이 비교적 강하여 이미 暑熱의 손상을 받은 상태에서 다시 水濕이 內停하여 證情이 비교적 심한 자에게 많이 사용하는데, 臨床的으로는 發熱, 煩渴引飮, 上吐下瀉, 小便不利를 證治의 요점으로 삼는다.

2. 加減法: 만약 暑熱이 亢盛하면서 舌苔乾燥한 자는 마땅히 肉桂를 빼고, 만약 濕盛한 자는 厚朴·扁豆 등의 苦溫燥濕하는 것을 넣으며, 만약 暑熱로 傷氣한 자는 人蔘을 참작하여 넣고 白朮를 重用함으로써 補氣시킨다.

3. 桂苓甘露散은 다음 한국표준질병사인분류(KCD)에 해당하는 환자가 暑濕證으로 辨證되는 경우 본 처방의 사용을 고려해볼 수 있다.

처방 목표	한국표준질병사인분류(KCD)
夏季 發熱	T67 열 및 빛의 영향
泄瀉	(질병명 특정곤란)
	K59.1 기능성 설사
	K52.9 상세불명의 비감염성 위장염 및 결장염
急性胃腸炎	K29 위염 및 십이지장염
	K50~K52 비감염성 장염 및 결장염
霍亂	U28.4 곽란(霍亂)
中暑	T67 열 및 빛의 영향

【注意事項】 본 方劑는 暑熱夾濕하여 暑濕俱盛하거나 혹은 熱重濕輕하면서 病勢較重한 자에 대하여 더욱 마땅하고, 만약 濕重하면서 暑熱이 비교적 가벼워서 暑邪가 濕에 막힌 자는 본 方劑를 마땅히 愼用해야 한다.

【變遷史】 본 方劑는 金代 劉完素의 『黃帝素問宣明論方』卷6에서 출전하는데, "治傷寒, 中暑, 冒風, 飮食中外一切所傷, 傳受濕熱內甚, 頭痛, 口乾, 吐瀉, 煩渴, 下利, 小便赤澀, 大便急痛, 濕熱霍亂吐下, 腹滿痛悶, 及小兒吐瀉·驚風."이라고 하였다. 본 方劑는 仲景의 五苓散과 錢乙의 甘露散 및 六一散을 合方하여 만든 것이다. 五苓散은 『傷寒論』에서 출전하는데 원래 太陽의 經腑가 함께 병들어서 생긴 蓄水證을 治療하기에 利水滲濕·溫陽化氣하는 效能이 있고, 甘露散은 『小兒藥證直訣』에서 출전하는데 원래 小兒의 傷熱로 인한 吐瀉·驚風을 치료하기에 中·下焦之熱을 해결할 수 있고, 六一散은 원래 '世傳'된 유효한 方劑였는데 完素가 더욱 확대 발전시킨 것으로 濕熱의 諸證을 광범위하게 治療한 것이다. 劉完素는 멀리 仲景을 스승으로 섬기면서 겸하여 諸家들을 융합하였는데, 五苓散을 사용하여 化氣利水하면서 三石을 重用하여 暑熱의 邪氣를 淸解하였고 합하여 淸暑祛濕하는 方劑를 만들었으니, 後世에서는 습관적으로 桂苓甘露飮이라고 불렀다.

조금 후대의 張元素는 桂苓白朮散을 모방하였는데, 곧 본 方劑에서 猪苓을 빼고 三石의 양을 줄이면서 人蔘·藿香·葛根·木香의 益氣化濕調中하는 것을 넣었는데 治療하는 것은 대략 같았고(見『醫學啟源』卷中), 張從正은 『儒門事親』卷12 중에서 이것을 桂苓甘露散이라고 불렀는데, 이 方劑도 역시 後世의 醫學者들에게 숭상을 받았다. 淸代 葉桂는 完素의 뜻을 본받아서 장차 본 方劑로 化裁하였는데, 三石에 杏仁·竹茹·通草·金汁·金銀花露를 넣어서 祛濕하는 효력은 비록 감소되었지만 淸暑하는 效能은 더욱 드러나기에 暑熱夾濕(見『臨證指南醫案』「暑門」楊案)한 것에 사용하여 治療하였고, 후세에 吳瑭은 三石湯이라고 命名하면서(『溫病條辨』卷2), 暑濕이 三焦에 가득차서 邪氣가 氣分에 있는 것에 사용하여 治療하였다. 현대의 『全國中藥成藥處方集』에 있는 加味甘露散은 본 方劑에 藿香·朱砂·琥珀을 넣은 것으로 胃腸의 諸熱이나 暑濕으로 吐瀉하는 등의 症狀을 治療한다.

【難題解說】

1. 본 方劑의 來源과 方名에 관한 것: 前賢들은 대부분 五苓散에 三石을 합한 것으로 본 方劑를 논술하였는데, 冉雪峰은 본 方劑를 인식하기를 "乃五苓·六一合裁加減之方."이라고 하면서 아울러 『局方』의 甘露飮과 비교하면서 그 속의 관계를 찾아내려고 시도하였다(見『歷代名醫良方注釋』). 古方 중에서 寒水石·石膏·滑石을 사용하여 淸熱시킨 것으로 영향력이 비교적 큰 것은 『金匱要略』의 風引湯과 『千金翼方』에서 『蘇恭方』의 내용을 인용한 紫雪인데, 다만 이 두 가지의 方劑는 용약이 번잡하여 본 方劑와 직접적인 淵源 관계가 없다. 錢乙의 『小兒藥證直訣』卷下를 조사해보면 "玉露散(又名甘露散): 治傷熱吐瀉, 黃瘦. 寒水石·石膏各半兩, 甘草一錢."이라고 되어 있는데, 錢乙은 이 方劑를 상용하여 臟腑熱을 식힘으로써 小兒의 吐瀉·驚風 等의 症狀을 治療하였으니, 예를 들면 夏秋의 吐瀉(『小兒藥證直訣』卷上)나 四大王宮에 있는 五太尉의 驚搐의 발작을 治療한 醫案(『小兒藥證直訣』卷中) 및 "治小兒熱盛生風, 欲爲驚搐."(『小兒藥證直訣』卷下)한 것을 治療한 것과 같다. 五苓散·甘露散·六一散의 세 가지 方劑를 合方하였다고 보는 것이 문장이 간결하고 유려

하니, 곧 桂苓甘露散이 된다. 完素가 桂苓甘露散의 치료에 대해서 말하기를 "小兒吐瀉·驚風"이라고 하였으니, 마땅히 錢氏의 甘露散의 啟發을 받아서 桂苓甘露散이라고 命名하였다고 보는 것이 또한 本源을 표시하는 의미가 있는 것이다.

2. 본 方劑의 出處에 관한 것: 『黃帝素問宣明論方』과 『傷寒直格』에는 모두 본 方劑가 실려 있는데, 『黃帝素問宣明論方』은 劉完素가 지은 것으로 1172년에 만들어졌고, 『傷寒直格』은 그의 제가가 편집한 것으로 1186년에 만들어졌다. 따라서 본 方劑는 『黃帝素問宣明論方』에서 제일 처음 보이는 것이니 方劑의 근원은 마땅히 이 책으로 보는 것이 옳다.

【醫案】

1. 霍亂 『名醫類案』卷4: 江應宿은 어떤 婦人이 6월 중순에 霍亂病으로 吐瀉轉筋하는 것을 治療하였다. 어떤 醫師가 藿香正氣散을 투여하였는데, 煩躁와 面赤이 더해지면서 옷을 벗고 땅에 드러누웠다. 내가 診察하여 보니 脈虛無力하였고 身熱引飮하였다. 이것은 傷暑로 생긴 것이니 辛甘大寒한 方劑로 그 火熱을 瀉하는 것이 마땅하다. 五苓散에 滑石·石膏를 넣은 것으로써 吐瀉를 바로잡고, 다시 桂苓甘露飮을 주어 나았다.

考察: 藿香正氣散은 溫散시키는 方劑이니 찬 음료수를 마셔 찬 기운이 엄습하면서 寒濕을 겸한 자를 치료하는 것은 가능하지만, 暑熱의 霍亂에 시행하는 것은 잘못된 것이다. 옛날에 "脈虛身熱, 得之傷暑"라는 분명한 가르침이 있으니, 臨證할 때에는 마땅히 去僞存眞하여 상세하게 살펴서 잘 판단하여야 한다.

2. 內傷霍亂 『衛生寶鑒』卷16: 戊午년 봄에 襄陽을 공격한 후 돌아오다가 夏州와 曹州의 경계에 머물렀는데, 蒙古에 있는 百戶가 良海를 애석해하기에 술과 고기를 먹고 양젖을 마시고는 霍亂吐瀉를 얻어서 아침부터 정오까지 精神이 昏憒하면서 곤란하여 급히 나를 찾아 진찰해달라고 하였다. 脈은 浮數하였지만 누르면 無力하였고, 상한 음식은 이미 吐出하였다. 즉시 新汲水 半碗에 桂苓白朮散을 調理하여 서서히 服用시켰더니 조금 나았다. 또한 담장의 그늘인 곳에 하나의 구멍을 대략 2尺이 되도록 파서 新汲水를 저장하였다가 안에서 저어주면서 1시간을 기다리면 맑아지는데 이름하여 '地漿'이라고 하는 것으로, 맑은 것 1斛을 사용하여 다시 調服시켰더니 점점 기운이 조화로워지면서 吐利가 그쳤고 밤에 安眠하게 되었다. 다음날 약간 燥渴하여 錢氏白朮散을 때때로 服用시켰더니 깨끗하게 나았다.

考察: 환자는 兵馬를 타서 勞倦해진 후에 暴食暴飮하여 霍亂吐瀉를 아침부터 정오까지 하면서 精神이 迷亂해진 것이니, 이것이 "因暑熱內傷而得之"(『衛生寶鑒』卷16)라는 것이므로 본 方劑로 효과를 거둔 것이다. 담장의 그늘에 있는 地漿水는 重陰의 氣를 가지고 있어서 淸熱·解毒·和中하기에 暑熱로 神亂한 것에 사용하면 거의 끊어지려고 하는 陰氣를 구제할 수 있다.

3. 泄瀉 『臨證指南醫案』卷6: 某氏가 秋暑에 穢濁한 氣를 흡입하면서 寒熱如瘧, 上咳痰, 下洞泄, 三焦蔓延, 小水短赤하여 芳香辟穢하면서 分利滲濕하기로 의논하면서 藿香·厚朴·廣皮·茯苓塊·甘草·猪苓·澤瀉·木瓜·滑石·檀香汁을 주었다. 한편 藥物을 服用하여 조금 나아졌으니 穢濁이라고 한 것이 臆說은 아닌 것이며, 그 陰莖囊腫한 것은 濕熱이 심해지면서 아래쪽으로 腑로 들어간 것으로 方書의 莖款症과는 구별되는 것이니 河間의 방법으로 의논하여 厚朴·杏仁·滑石·寒水石·石膏·猪苓·澤瀉·絲瓜葉을 주었다.

考察: 秋暑에 穢濁으로 病이 생겨서 三焦에 蔓延한 것이므로 먼저 芳香辟穢한 것을 사용하여 病勢가 조금 완만해지면, 계속해서 桂苓甘露飮에 增損시켜 사용하여 淸利濕熱한 것이다.

4. 洞泄 『霍亂論』: 나의 동생인 仲韶가 乙卯년 초가을에 갑자기 洞泄如注의 疾病을 앓으면서 곧바로 온몸에 汗出如洗하면서 病으로 지친 모습으로 한숨을

쉬고 있어서, 깊은 밤에 급하게 나에게 와서 왕진을 가서 살펴보았는데 脈來沉細하면서 몸에는 發熱이 없어서 엄연히 虛寒의 증상이였고, 오직 苔色黃膩하면서 小便이 완전히 없는 것은 濕熱病이였다. 桂苓甘露飮에 厚朴을 넣은 것을 숟가락으로 주었더니 나았다.

考察: 이 증상은 濕이 暑보다 심한 것으로 "濕勝則陽微"라고 하였으므로 洞泄·汗出·脈沉·不熱하여 형세가 虛寒과 유사하지만 실제로는 濕熱에 속하는 것이니 본 方劑에 加味한 것을 투여하여 淸熱利水·苦溫燥濕한 것이다.

5. 小兒 夏季熱『實用中醫藥雜誌』(2003, 4:213):李 모씨, 女, 2세, 2001년 8월 15일 초진. 여름이 된 이후로 發熱이 이미 한달 가량 되었고 多飮多尿하면서 점차 消瘦해져서 이미 치료를 받아보았지만 뚜렷한 호전이 없었다. 현재는 形體較瘦, 面色蒼白少華, 精神萎靡, 皮膚滾燙, 乾燥少汗, 煩躁不安, 口渴飮冷, 飮後腹脹有振水音響, 食量少, 大便稀, 小便微黃, 舌淡苔膩, 指紋紫暗하였다. 體溫은 39.5℃이고, 일반 혈액검사는 정상이였다. 症狀은 暑熱이 傷氣하여 脾胃가 氣化를 못하면서 濕熱이 中焦에 정체하여 津液을 온몸에 펼치지 못하는 것에 속한다.

治療 原則: 淸暑泄熱·化氣利濕하는 것이 마땅하다.

處方과 治療 結果: 方劑로는 桂苓甘露飮에 加減한 것을 사용하였다: 茯苓·白朮·猪苓·澤瀉·桂枝·甘草·石膏·滑石·寒水石. 二劑를 복용한 후에 口渴이 그치고 식사량이 증가하였으며 發熱이 사라졌다. 이후에 蔘苓白朮散을 사용하여 調理를 잘 하였다.

考察: 본 醫案은 暑熱內蒸하여 發熱하면서 飮冷傷中하여 水停한 것이므로 먼저 桂苓甘露飮을 사용하여 淸泄暑熱·化氣行水한 것이고, 다시 蔘苓白朮散을 사용하여 健脾化濕함으로써 效果를 거둔 것이다.

6. 口渴『山西中醫』(2008, 3:41): 劉 모씨, 男, 54세, 2006년 5월 12일 初診. 환자는 1996년 1월 중순에 感冒를 앓은 후에 口乾이 출현한 후에 점차 加重되었고, 10여 년 동안 잇따라 여러 醫院을 돌아보면서 진단과 치료를 받아보았지만 효과가 없었다.

刻診: 口乾不欲飮, 口氣穢臭, 面色黃潤, 形體肥胖, 二便正常, 舌胖大·邊有齒痕·苔厚膩如積粉. 診斷은 濕熱中阻·氣化無權한 것으로 하였다.

治療 原則: 淸化濕熱하는 것으로 하였다.

處方과 治療 結果:方劑는 苓甘露飮에 加減한 것을 사용하였다: 茯苓·澤瀉·猪苓·甘草·白朮·肉桂·石膏·滑石·寒水石을 매일 一劑씩 水煎服하였다. 5월 18일 二診: 五劑를 服用한 후에 口渴이 경감하면서 대략 腹脹感을 느끼기에, 上方에 厚朴을 넣어 化濕行氣하였다. 이후에 上方에 加減하여 모두 20劑를 服用한 후에 治愈되었다. 1년 동안 방문하면서 물어보았는데 재발하지 않았다.

考察: 口渴에 여러 해 동안 사로잡혀 있는 것은 濕熱이 中焦를 막으면서 氣化를 하지못하여 津液이 상승하지 못해서 그렇게 되는 것이다. 그러므로 이전의 醫師들은 益胃生津하는 方劑를 여러 번 사용하였지만 효과를 보지 못한 것이다. 桂苓甘露飮을 사용하여 淸化濕熱하면서 그 氣化를 회복시켰으므로 口渴이 나을 수 있었던 것이다.

第四節 清暑益氣湯

清暑益氣劑

(『溫熱經緯』卷4)

【異名】王氏清暑益氣湯(『中醫方劑學講義』南京中醫學院主編).

【組成】西洋蔘(5 g) 石斛(15 g) 麥冬(9 g) 黃連(3 g) 竹葉(6 g) 荷梗(15 g) 知母(6 g) 甘草(3 g) 粳米(15 g) 西瓜翠衣(30 g)(原方에는 分量이 기록되어 있지 않는데, 통합 편찬 교재인『方劑學』4版에 근거하여 보충하였다.)

【用法】水煎服.

【效能】清暑益氣, 養陰生津.

【主治】暑熱氣津兩傷證. 身熱汗多, 口渴心煩, 小便短赤, 體倦少氣, 精神不振, 脈虛數.

【病機分析】본 方劑가 치료하는 것은 暑熱로 氣와 津液을 소모하고 손상시킨 症狀이다. 暑는 陽邪라서 그 성질이 炎熱하여 易升易散하기에 耗氣傷津하는데, 바로『素問』「擧痛論」에서 말한 "炅則腠理開, 營衛通, 汗大泄, 故氣泄矣."라고 한 것과 같다. 暑熱이 鬱蒸하면 身熱汗多하는 것이고, 熱이 胸膈을 擾亂하면 心煩하는 것이며, 津液을 耗傷시키면 口渴喜飮·小便短赤하고, 氣가 津液을 따라 빼앗기면 體倦少氣·精神不振하고, 脈象이 虛數한 것은 暑邪가 氣와 津液을 손상시킨 형상이다.

【配伍分析】본 方劑는 暑熱이 氣와 津液을 耗傷시킨 症狀을 위하여 설계한 것이다.『素問』「至眞要大論」에 나오는 "熱者寒之" 및『素問』「三部九候論」의 "虛則補之"라는 治療 原則에 근거하여 清暑益氣·養陰生津으로 立法한 것이다. 方劑 중 西洋蔘은 甘苦涼하면서 益氣生津·養陰清熱하고, 西瓜翠衣는 甘涼하면서 清熱解暑·生津止渴하니 두 가지 藥物은 함께 君藥이 된다. 荷梗은 西瓜翠衣를 도와서 解暑清熱하고, 石斛·麥冬은 모두 甘寒한 약물로 西洋蔘을 도와 養陰生津하며, 또한 石斛과 겸하면 清熱할 수 있고, 麥冬과 겸하면 清心除煩할 수 있으니, 이상의 세 가지 藥物은 함께 臣藥이 된다. 黃連은 苦寒하면서 效能이 오로지 清熱瀉火하기에 이로써 清熱祛暑하는 역량을 도와주며, 知母는 苦寒甘潤하기에 清熱瀉火·滋陰潤燥하며, 竹葉은 甘淡하면서 清熱除煩하니 모두 佐藥이 된다. 甘草·粳米는 益胃和中하기에 使藥이 된다. 모든 약물을 서로 합하면 暑熱이 식혀지면서 氣津이 회복되게 하여 모든 症狀이 저절로 제거되므로 이름 하여 '清暑益氣湯'이라고 부르는 것이다.

본 方劑 配伍의 특징: 대량의 甘涼濡潤하는 藥物을 사용하면서 苦寒清泄하는 것으로 조금 보좌하고, 겸하여 清熱解暑와 益氣生津하는 것을 살핀 것으로, 清熱하면서도 陰液을 손상시키지 않고 補虛하면서도 邪氣를 매어있게 하지 않는 것이다.

【類似方比較】본 方劑는『傷寒論』의 竹葉石膏湯과 더불어 모두 清解暑熱·益氣生津할 수 있기에 暑熱을 感受하여 氣와 津液이 모두 손상된 자에게 사용한다. 다만 본 方劑에는 西瓜翠衣·荷梗 등 暑邪를 치료하는 전문 약제가 있어서 清暑養陰生津하는 효력이 비교적 강하기에 祛暑劑에 속하여 暑熱을 感受하여 氣와 津液이 모두 손상되어 體倦少氣하고 汗多脈虛한 자에게 상용한다. 竹葉石膏湯은 石膏·竹葉 등으로 清熱하기에 清熱和胃하는 기능이 비교적 강하기에 清熱劑에 속하여 熱病의 이후에 餘熱이 깨끗해지지 않아서 氣와 陰液이 모두 손상되면서 嘔逆虛煩한 자에게 많이

사용한다.

【臨床應用】

1. 證治要點: 본 方劑는 여름철에 暑熱을 感受하여 氣와 陰液이 모두 손상된 증상에 사용하는데, 身熱多汗, 體倦少氣, 口渴, 脈虛數을 證治의 요점으로 삼는다.

2. 加減法: 만약 暑熱이 비교적 왕성하면 石膏·金銀花·連翹 등을 참작하여 넣음으로써 淸熱시키고, 만약 津氣耗傷이 비교적 심하면 黃連을 적당히 감소시키면서 西洋蔘·石斛·麥冬 등 益氣生津시키는 藥物을 증량시키고, 小兒의 夏季熱로 久熱이 물러나지 않으면서 煩渴體倦한 것이 氣津不足한 것에 속하는 자는 黃連을 빼고 白薇·地骨皮를 넣어 養陰退熱하고, 만약 濕濁을 겸한 경우에는 麥冬·知母 등도 역시 적당히 감소시키고, 만약 汗多하다면 糯稻根·浮小麥을 넣어 收斂止汗시킨다.

3. 淸暑益氣湯은 다음 한국표준질병사인분류(KCD)에 해당하는 환자가 暑熱氣津兩傷證으로 辨證되는 경우 본 처방의 사용을 고려해볼 수 있다.

처방 목표	한국표준질병사인분류(KCD)
中暑	T67 열 및 빛의 영향
夏季熱	T67 열 및 빛의 영향
機能性發熱	(질병명 특정곤란)
	R50 기타 및 원인미상의 열
肺炎	J09~J18 인플루엔자 및 폐렴
	J20~J22 기타 급성 하기도감염
	J18.9 상세불명의 폐렴
急性傳染病	A00~B99 I. 특정 감염성 및 기생충성 질환

【注意事項】 본 方劑에는 간간이 滋膩한 약물이 있으므로 暑病에 夾濕하여 舌苔厚膩한 자는 사용하는 것이 옳지 않다. 暑證으로 高熱煩渴하면서 氣虛의 見證이 없는 자도 역시 사용하는 것이 마땅하지 않다.

【變遷史】 본 方劑는 淸代 王士雄의 『溫熱經緯』에서 근원한다. 『溫熱經緯』「薛生白濕熱病篇」제 38조문에서 말하기를 "濕熱證, 濕熱傷氣, 四肢困倦, 精神減少, 身熱氣高, 心煩溺黃, 口渴自汗, 脈虛者, 用東垣淸暑益氣湯主治."라고 하였고, 王氏가 더 살펴서 말하기를 "此脈此證, 自宜淸暑益氣以爲治, 但東垣之方, 雖有淸暑之名, 而無淸暑之實. 觀江南仲治孫子華之案·程杏軒治汪木工之案可知, 故臨證時須斟酌去取也. 余每治此等證, 輒用西洋蔘·麥冬·石斛·黃連·竹葉·荷梗·知母·甘草·粳米·西瓜翠衣等, 以淸暑而益元氣, 無不應手取效也."라고 하였다. 王氏는 淸代 溫病學派의 代表的인 醫學者 중 한 사람으로 溫病을 辨證論治할 때 存胃津·補眞陰할 것을 강조하면서 甘涼으로 濡潤한 것을 주장하였는데, 李杲의 淸暑益氣湯에 있는 藥物에는 辛燥한 것들이 많아서 暑證에는 불리하여 "雖有淸暑之名, 而無淸暑之實."이라고 하면서 마침내 이 方劑를 적용한 것이다. 본 方劑에는 원래 方名이 없었는데, 方名은 『中醫方劑學講義』(據『中醫方劑大辭典』)에서 출전하였으니 李杲의 淸暑益氣湯과 서로 구별하기 편하게 한 것으로, 『中醫方劑學講義』(南京中醫學院方劑教研組編)에서는 이 方劑를 王氏淸暑益氣湯이라고 불렀다. 어떤 사람은 본 方劑를 『傷寒論』의 竹葉石膏湯을 변화 발전시켜서 생긴 것과 관계있다고 인식하는 사람도 있다(見『中國醫學百科全書』「方劑學」). 본 方劑가 세상에 알려진 후에 溫病學派들의 지극한 숭앙을 받았으며, 아울러 광범위하게 임상에서 사용되었고, 현재에는 이미 暑傷氣陰을 치료하는 대표적인 方劑로 만들어졌다.

【難題解說】 본 方劑의 적응 증에 관한 것: 본 方劑는 원래 『薛生白濕熱病篇』第38條에서 설계할 때에는 '濕熱證'을 치료하는 方劑였다. 다만 이 조문의 證候는 마땅히 濕熱證의 후기에 속하는 것으로 濕邪가 이미 미약해지고 熱邪가 오히려 왕성해지면서 氣와 津液이 이미 손상된 것이다. 그러므로 "四肢困倦, 精神減少, 身熱氣高, 心煩溺黃, 口渴自汗, 脈虛." 등의 표현이 있다. 이때에 다시 辛溫香燥하여 祛暑하는 힘은 조금 덜

하지만 燥濕하는 힘이 비교적 강한 李氏 淸暑益氣湯을 사용하는 것은 이미 적합하지 않다. 비록 같은 양상의 증상인 '濕熱'에 속한다고 할지라도 王氏의 淸暑益氣湯의 立法이나 用藥과는 이미 크게 차이가 난다. 따라서 후세의 의학자들은 본 方劑를 '濕熱證'에 사용하지 않고 暑熱로 耗傷氣津한 症狀에 사용한 것이다.

【醫案】

1. 暑熱『江蘇中醫雜誌』(1985, 5:17): 某 여자, 1세. 여름철이 된 이후로 低熱이 37.5~38.5℃의 사이를 徘徊하였고, 暮輕夜重하고 無汗口渴하며 溲少便結하였는데, 이미 항생제·해열제 및 補液을 사용하였지만 효과가 없었고, 또한 新加香薷飮 二劑를 服用한 후에 汗出도 되지 않으면서 身熱이 도리어 증가하였다. 患兒는 皮膚乾燥하고 苔薄少而乾하였다. 症狀은 陰虛傷暑에 속하였으니, 王氏淸暑益氣湯에 加減한 것을 투여하였다: 太子蔘·石斛·麥冬·竹葉·知母·香薷·鮮西瓜衣. 진하게 달여서 마시게 하였는데, 一劑를 복용하였더니 微汗이 나왔고, 三劑를 복용하니 汗出하면서 熱이 물러나고 병이 제거되었다.

考察: 땀의 근원은 陰津인데 患兒는 평소 체질이 陰虛한데다가 暑熱로 거듭 陰液을 손상시키면서 生化의 근원이 부족한 것에 이르게 된 것이다. 잘못 祛暑解表化濕하는 方劑를 사용하였으니 陰液이 더욱 손상된 것이므로 無汗하면서 熱이 더욱 심해진 것이다. 淸暑益氣湯에 加減한 것으로 滋陰淸暑·透熱於外하니 營陰이 충족되고 津液이 회복되게 함으로써 汗出하면서 병이 드디어 풀린 것이다.

2. 暑濕『廣東中醫』(1958, 6:6): 某 여자, 24세, 농민, 8월 19일 初診. 病者는 걷지 못하면서 神氣疲乏하였고, 앉지도 못하여 침상에 누워서 눈을 뜨지 못하였고, 숨이 차고 面黃自汗하면서 聲細懶語하였다. 그 어머니가 대신 호소하기를 질병이 생긴 지는 대략 두 달 정도 되었는데, 최근 10일 동안은 밥을 목구멍으로 삼키지 못한다고 하였다. 그 脈象은 弦細하였고 身微熱하였다. 이것은 暑濕이니 淸暑益氣湯에 黃連·竹葉을 빼고, 潞黨參으로 西洋蔘과 바꾸며, 扁豆花·川朴花를 넣은 것을 주었다.

8월 20일 二診: 스스로 호소하기를 조금 食欲이 생겨서 米粉을 조금 먹었는데, 오직 小便이 여전히 黃而短하면서 입에 여전히 渴症이 있다고 하여 前方에 梔子·益元散을 넣은 것을 주었다.

8월 21일 三診: 各 증상이 모두 감소하였다. 효과가 있어 方劑를 바꾸지 않았다.

8월 23일 그녀의 어머니가 와서 말하기를 매번 끼니때에 粥을 한 사발 정도 먹을 수 있는데, 오직 手足이 여전히 疲倦하고, 關節에 통증이 느낀다고 하였다. 이것은 暑熱은 이미 제거되었지만 濕이 여전히 臟에 머물러 있는 것이니, 化濕運脾하는 方劑를 주어 調理시켰더니 나았다.

考察: 暑熱에 濕을 끼고 있는 것은 病勢가 오랫동안 낫지 않으며, 오래되면 氣虛가 이미 심해지면서 완전히 음식을 먹지 못하므로 黃連의 苦寒한 것을 빼고, 扁豆花·川朴花를 넣어 芳香醒脾하여 胃氣를 점차 회복시킨 것이고, 다시 化濕運脾하는 藥物을 넣어 效果를 얻은 것이다.

3. 低熱『福建中醫藥』(1992, 1:30): 某 남자, 15세, 학생. 1977년 3월 31일 '流行性腦膜炎'을 앓았으며, 치료를 거쳐 高熱이 하강하여 퇴원하였는데, 다만 여전히 低熱이 물러나지 않았고(37.8~38.5℃), 4개월 동안 뒤얽히면서 일련의 관련된 검사를 거쳤지만 모두 이상을 발견할 수 없었다. 8월 12일에 한의로 바꾸어 診斷治療하도록 하였다.

診斷: 身熱汗出, 心煩倦怠, 口渴欲飮, 便乾溲赤, 舌質이 鮮紅하면서 尖邊에 起刺하였고 少苔하였으며 脈濡數하였다. 때는 혹독한 여름의 계절이였으니, 이

熱病은 暑熱로 損津耗氣하여 氣와 陰液이 모두 손상된 것에 이른 것임을 의심할 필요가 없다.

治療 原則: 清暑益氣·養陰清熱로써 하는 것이 마땅하다.

處方과 治療 結果: 清暑益氣湯에서 西瓜翠衣·粳米를 빼면서, 西洋蔘을 太子蔘으로 바꾸고 荷梗을 荷葉으로 바꾸어 사용하였으며, 鱉甲을 넣어 五劑를 복용한 후에 熱이 물러났으며, 모두 九劑를 복용하고는 체온이 정상이 되었다.

考察: 大病 후의 低熱은 남아있는 邪氣가 깨끗하게 제거되지 않은 것에 속하고, 시간을 끌면서 여름에 이르러서 熱과 暑가 서로 합해지면 熱勢가 더욱 왕성해지면서 氣津을 모상시킨 것이다. 본 方劑에 加減한 것을 사용하여 때에 따라 알맞게 制御한 것이니 교묘하지 않다고 말할 수 없다.

4. 傳染性 單核細胞增多症『新中醫』(1994, 1:18): 1993년 7월 4일, 한 쌍의 夫婦가 등에 병든 아이를 업고 진단받으러 왔는데, 某 병원의 진료의견서를 보여주었다: 陳××, 남자, 8세, 發熱 8일, 6월 25일 入院. 發熱 39~40℃, 關節疼痛하면서 頷下·頸內外·腹股溝에 땅콩 크기만한 淋巴腺腫大가 있었는데 癒着은 없고 質中하며 壓痛은 없었다. 心肺의 반응은 陰性이였고, 肝이 肋下 2橫指 부위까지 부어있으면서 脾는 부어있지 않았다. 旣往歷: 1993년 3월에 發熱로 인하여 異型淋巴腺增高가 출현하여서 입원하여 '傳染性 單核細胞增多症'이라고 진단 받았는데, 호전되면서 퇴원하였다. 혈액검사: 백혈구 20.1×10^9/L, 중성구 0.81, 임프구 0.13, 적혈구 4.11×10^{12}/L, 헤모글로빈 106.8g/L, 혈소판계수 4.25×10^3/L, 瘧原蟲(-), 傷寒·副傷寒 血清凝集試驗(-), 혈중세균배양(-), 적혈구 침강율 22 mm/h, 抗連鎖狀球菌 溶血素 "O"<1:500, UA IgA(+)1:10, 肝機能에는 이상이 없었지만, B형 초음파에서 肝肥大 2 cm를 보였고 肝 내면의 光點이 濃密하였다. Cephazolin·ampicillin·amoxicillin·norfloxacin 등 및 對症 처리를 하였는데도 여전히 반복적으로 高熱이 있어서 상급 醫院의 치료로 轉院하였다. 병든 아이가 스스로 호소하기를 頭痛骨楚, 口渴引飮, 大便乾結, 小便黃短하다고 하였다. 검사: 身熱烙手, 有微汗出, 面赤神煩, 唇焦, 舌赤苔黃乾, 脈濡細數疾하였다.

治療 原則: 病證은 暑熱이 오랫동안 머물면서 傷津耗氣한 것에 속한다.

處方과 治療 結果: 王氏清暑益氣湯에 清絡飮을 합한 것에 加減한 것을 주었는데, 그 痰火結核을 점차 완만하게 처리하였다. 處方: 西洋蔘·竹葉卷心·絲瓜絡·知母·石斛·扁豆花·麥冬·鮮蓮葉·西瓜皮·忍冬藤·甘草·崩大碗, 一劑를 물에 2차례 달여서 여러 차례 나누어서 服用하였다. 복약한 후에 熱이 내리면서 잠자리가 편안해졌고 神氣가 상당히 좋아졌으며, 다음날 새벽에 大便을 무르게 1차례 보았다. 前方에서 知母를 빼고 葛根을 넣어 다시 二劑를 服用하였더니 熱이 깨끗해지면서 몸이 평화로웠고 모든 병증이 다 물러났다. 이에 竹葉卷心·蓮葉을 빼고, 다시 消瘰丸 및 夏枯草·王不留行·風栗殼 등을 넣은 것으로 方劑를 만들어 다시 10여 劑를 服用한 후에 몸에 있는 淋巴腺腫大도 역시 점점 사라졌다.

【副方】 清暑益氣湯(『內外傷辨惑論』卷中): 黃芪汗少者, 減五分 蒼朮 泔浸, 去皮 以上各一錢五分(各 9 g) 升麻 一錢(6 g) 人蔘 去蘆 白朮 橘皮 神曲 炒 澤瀉 以上各五分(各 3 g) 甘草 炙 黃柏 酒浸 當歸身 麥門冬 去心 靑皮 去白 葛根 以上各三分(各 2 g) 五味子 九個(2 g)

- 用法: 水煎服.
- 作用: 清暑益氣, 除濕健脾.
- 適應症: 平素氣虛, 又受暑濕. 身熱頭痛, 口渴自汗, 四肢困倦, 不思飮食, 胸滿身重, 大便溏薄, 小便短赤, 苔膩, 脈虛.

본 方劑는『內外傷辨惑論』과『脾胃論』의 두 군데에서 출전하는데, 실제로 補中益氣湯에 化裁하여 만든 것이니 '淸燥之劑'(『內外傷辨惑論』卷中)가 된다. 본 方證은 "皆因飮食失節, 勞倦所傷, 日漸因循其脾胃, 乘暑天而作病也."(『內外傷辨惑論』卷中)한 것이다.『內經』에서 말하기를 "陽氣者, 衛外而爲固也."라고 하였고, "炅則氣泄"이라고 하였다. "今暑邪干衛, 故身熱自汗. 以黃芪·人蔘·甘草補中益氣爲君. 甘草·橘皮·當歸身甘辛微溫, 養胃氣, 和血脈爲臣. 蒼朮·白朮·澤瀉滲利除濕; 升麻·葛根苦甘平, 善解肌熱, 又以風勝濕也; 濕勝則食不消而作痞滿, 故炒曲甘辛, 靑皮辛溫, 消食快氣; 腎惡燥, 急食辛以潤之, 故以黃柏苦辛寒, 借甘味瀉熱補水; 虛者滋其化源, 以五味子·麥門冬酸甘微寒, 救天暑之傷庚金爲佐也."(『內外傷辨惑論』卷中)라고 하였으며, 原書의 加減에는 "如汗大泄者, 津脫也, 急止之, 加五味子·炒黃柏·知母, 此按而收之也; 如濕熱乘其腎肝, 行步不正, 脚膝痿弱, 兩脚攲側, 已中痿邪, 加酒洗黃柏·知母, 令兩足湧出氣力矣; 如大便澀滯, 隔一·二日不見者, 致食少, 乃血中伏火而不得潤也, 加當歸身·地黃·桃仁泥·麻仁泥以潤之."라고 하였다.

이상 두 가지의 淸暑益氣湯은 金代의 李杲와 淸代의 王士雄이 적용한 것으로 분별되는데, 方劑를 구성한 것은 비록 다르지만 모두 淸暑益氣하는 작용이 있어서 暑病에 氣虛를 겸하는 증상을 主治한다. 李杲의 方劑는 正虛罹邪를 따라 立論한 것으로 脾胃의 元氣가 先虛한데다가 다시 暑濕의 邪氣를 感受함으로써 耗傷津氣한 것으로 설계한 것이니, 藥物로는 人蔘·黃芪·二朮·陳皮 등의 성질이 溫燥에 치우친 것을 사용함으로써 淸暑生津하는 효력은 부족하지만 健脾燥濕하는 효력은 비교적 강하다. 王士雄의 方劑는 邪實傷正을 따라 立論한 것으로 暑熱의 邪氣가 肺胃를 傷害하여 氣와 津液이 모두 虛함에 이르게 된 것으로 설계한 것이니, 藥物로는 西洋蔘·西瓜翠衣·荷梗·知母·石斛·麥冬의 종류와 같이 성질이 凉潤에 치우친 것을 사용함으로써 淸熱養陰하여 양쪽으로 그 장점에 능수능란한 것이다. 臨床에서 만약 元氣本虛한데 또한 暑濕을 感受하거나, 혹은 暑濕이 오래되면서 中氣를 손상시키거나, 혹은 濕溫으로 氣와 陰液을 모두 손상시킨 경우에는 마땅히 李氏의 方劑를 사용해야 하고, 暑溫의 邪熱이 熾盛하여 津液과 氣가 모두 손상되면 마땅히 王氏의 方劑를 사용해야 한다. 총괄하면 두 가지 方劑의 立法·主治에는 같은 것 중에 차이점이 있어서 각각이 奧妙한 바가 있으니, 모두 良方이기에 한쪽을 없앨 수 없으며, 진실로 裘沛然 등이 말한 "實則李杲與王氏之方, 雖俱爲暑症而設, 李氏方宜於脾虛濕聚, 王氏方則宜於陰虧火盛, 專主不一, 未可論其短長."(『中醫歷代各家學說』)이라고 한 것과 같다.

第六章

溫裏劑

溫裏劑는 溫熱藥으로 주로 구성되며 溫裏助陽, 散寒通脈 등의 작용을 해서 裏寒證을 치료하는 방제이며, 溫裏劑라고 부른다. "八法" 중의 溫法을 응용한다.

溫裏劑의 運用은 유구한 역사를 가지고 있으며, 일찍이 『黃帝內經』에서 이미 溫法의 사용원칙에 대해 명확하게 제시하였다. 예를 들면 『素問』·「至眞要大論」에서 "寒者熱之", "治寒以熱", "寒淫于內, 治以甘熱", "寒淫所勝, 平以辛熱" 등의 내용은 溫裏劑의 治法 이론이 되었다. 『靈樞』·「壽夭剛柔篇」에 기록된 寒痹藥熨方은 비교적 이른 溫裏方劑라고 말할 수 있으며, 이와 같은 종류의 방제의 選藥制方에 사고의 실마리를 제공했다. 『神農本草經』에서 溫熱한 성질을 가진 약물은 100味나 되며, 총 수량의 28%을 차지하고, 溫裏方劑의 약물의 기초가 되었다. 張仲景은 『黃帝內經』에서 寒證을 치료하는 기본이론을 계승하였으며, 風寒의 邪氣에 感受하여 발생하는 질병에 대해서 체계적으로 연구하였다. 그는 『傷寒雜病論』에서 『素問』·「熱論」의 六經分證의 학설에 근거해서 外感疾病에서 오는 복잡한 증후 및 그 발전 변화를 창조적으로 정리하고 비교적 완벽한 六經辨證 체계를 제시하였다. 이중의 三陰病은 대부분 裏寒證候에 속하기 때문에 仲景이 이러한 病變에 대해서 다수의 溫裏助陽祛寒하는 방제의 초안을 세웠다. 예를 들면 溫中祛寒하는 理中丸·吳茱萸湯·小建中湯·大建中湯 등이 있다. 回陽救逆하는 四逆湯·通脈四逆湯·白通湯·通脈四逆加猪膽汁湯·白通加猪膽汁湯 등과 溫經散寒하는 當歸四逆湯·黃芪桂枝五物湯·當歸四逆加吳茱萸生薑湯 등은 溫法方劑의 기본 유형을 포함할 뿐만 아니라, 그중 대부분이 溫裏의 祖劑가 되어 지금까지도 여전히 매우 높은 임상 응용 가치가 있다. 仲景은 또한 위에서 말한 방제의 使用指征·注意事項·加減方法 등에 관하여 상세하게 논술했으며, 臟腑·經絡·病因·診斷·治療 등에 관한 지식을 유기적으로 연결해서 체계적인 溫法理論을 형성했다. 이는 溫裏方劑의 운용이 東漢末年에 상당한 수준까지 이르러 후대에 溫裏方劑의 구성과 운용에 있어서 지대한 영향을 끼쳤다. 裏寒證의 형성은 素體陽虛하거나 寒邪가 裏로 들어가서 陽氣를 傷하게 하는 경우가 많기 때문에, 裏寒證은 매번 裏虛한 病理와 함께 나타난다. 仲景의 溫裏方劑는 대부분 이를 도와서 補하는 약으로 구성되어 있으며, 이는 溫補를 并用해서 裏虛寒證을 치료하는 효시를 열었다고 할 수 있으며, 지금까지도 임상에서 중요한 지도작용을 하고 있다. 明代의 張介賓이 일찍이 말하길: "丹溪曰: '氣有餘, 便是火'. 餘續之曰: '氣不足, 便是寒'(『景岳全書』卷50)라고 했다. 하지만 이른바 寒이 氣虛에서 발생한다는 관점은 분명히 仲景溫補法의 制方思想을 종합해서 이를 기초로 해서 형성된 것이다. 후세의 수많은 溫裏方劑는 대부분 仲景方에서 넣고 빼서 변화해 온 것이다. 예를 들면 理中丸을 기초로 하고 변화해서 만들어진 방제는 附子

理中丸·枳實理中丸·連理湯·理中化痰丸·丁萸理中丸 등이 있고, 四逆湯을 기초로 하고 변화해서 만들어진 방제는 蔘附湯·急救回陽湯·回陽救急湯·四味回陽飮 등이 있다. 仲景의 制方思想을 반영한 후, 역대 의학자들은 仲景의 裏寒證 치료 방제를 기초로 하고, 臨床 필요에 근거해서 溫法 및 기타 방제에도 또한 큰 발전을 가져왔다. 溫裏劑의 選藥制方에 대하여, 明代의 張介賓은 臨床實踐에서 출발해서 溫熱方藥의 宜忌理論을 총정리했다. 예를 들면 "凡用熱之法, 如乾薑能溫中亦能散表, 嘔惡無汗者宜之; 肉桂能行血善達四肢, 血滯多痛者宜之; 吳茱萸善暖下焦, 腹痛泄瀉者極妙; 肉豆蔻可溫脾腎, 飧泄滑利者最奇;……多汗者忌薑, 薑能散也; 失血者忌桂, 桂動血也……" 등등(『景岳全書』卷50)이 있다. 이와 같은 논술은 매우 실제적인 지도의 의의가 있다. 張氏는 또한 肉桂·附子·乾薑 등과 같은 陽剛藥에 人蔘·熟地黃·炙甘草 등과 같은 甘柔補益한 藥을 配伍하는데 뛰어나다. 이러한 강온함이 서로 조화를 이루어 陽生陰長해서 生化無窮하게 한다는 학술사상은 후세에 高鼓峰·張璐 등과 같은 사람의 발전을 통해서 溫補學派를 형성했고, 仲景이 말한 溫으로 補한다는 制方理論을 크게 발전시켰다.

淸代 의학자 程國彭는『醫學心悟』에서 "溫法"을 醫門八法 중의 하나로 분류하고, 溫法理論에 대해 한 층 더 나아가 총정리했다. 아울러 사람들이 "溫法"을 사용할 때 當溫而不溫, 不當溫而溫, 當溫而溫之不得其法, 當溫而溫之不量其人·不量其證與其時 등의 네가지 상황을 주의해야만 이로써 溫法理論이 더욱 완전해질 수 있다고 경고했다. 王維德는『外科證治全生集』陽和湯을 처음으로 만들어서 陰疽을 치료했으며, 外科 영역에서 溫裏方劑의 응용을 개척했다. 王淸任은『醫林改錯』에서 溫法과 活血化瘀法을 결합 응용해서 急救回陽湯(附子·乾薑·黨參·白朮·桃仁·紅花·甘草)을 구성했다. 이는 溫裏方劑의 組方配伍에 새로운 방향을 제시했을 뿐만 아니라, 또한 현대 의학에서 韓醫藥을 응용해서 쇼크를 치료하는데 시사하는 바가 크다. 최근 40년 동안 溫裏方劑의 임상 및 實驗硏究 분야에서 또한 큰 발전이 있었다. 溫裏方劑가 胃腸道의 소화 흡수를 강화하는 기능이 있을 뿐만 아니라, 인체의 에너지 부족 상태를 개선시키고, 心臟기능을 증강시키고, 혈관운동중추의 반사성 흥분 작용 및 교감신경(交感神經)이 혈압을 상승시켜서 혈액 순환을 개선시키는 기능 및 鎭痛기능 등을 갖고 있다는 것을 발견했을 뿐만 아니라, 아울러 더 나아가서는 수많은 古方의 임상 응용 범위를 확장시켰고, 또한 前人의 이론을 계승한 기초위에 많은 새로운 制劑를 개발 연구했다. 예를 들면 四逆注射液·參附注射液 등 溫裏劑의 응용을 더욱 광범위하게 전개했다.

溫裏劑는 中焦虛寒, 陽衰陰盛, 亡陽欲脫하거나 經脈寒凝에 의한 裏寒證을 치료하기 위해 만들어 졌다. 裏寒證의 형성은 素體陽虛, 寒從內生 때문이거나; 外寒入裏, 深入臟腑經絡 때문이거나; 失治하거나 誤治하기 때문이거나, 寒藥을 과도하게 복용해서 陽氣를 손상했기 때문이다. 요컨대 寒邪直中과 寒從內生 이 두 방면에서 벗어나지 않는다. 임상에서 일반적으로 但寒不熱, 喜暖蜷卧, 口淡不渴, 小便淸長, 舌淡苔白, 脈沉遲或細 등으로 나타난다.

裏寒證에는 臟腑經絡부위의 차이가 있고, 病情에는 緩急輕重의 차이가 있기 때문에, 溫裏方劑는 溫中祛寒·回陽救逆·溫經散寒 세 종류로 나눈다.

溫中祛寒劑는 中焦脾胃虛寒證에 사용한다. 임상에서 肢體倦怠, 食欲不振, 腹痛吐瀉, 四肢不溫, 口淡不渴, 或呑酸吐涎, 舌淡苔白滑, 脈沉細或沉遲 등의 病症으로 나타난다. 이 종류의 方劑 구성은 항상 溫裏藥 중에서 辛熱하거나 辛溫이 脾로 入經하는 것을 위주로 해서 치료한다. 주로 乾薑·吳茱萸·蜀椒·桂枝·生薑 류를 사용하며, 이 중에서 특히 乾薑을 가장 많이 사용한다. 配伍 부분에 있어서, 다음과 같은 몇 가지가 있다: ① 健脾益氣藥을 配伍한다. 예를 들면 人蔘·白朮·飴糖·炙甘草·大棗 등이 있다. 脾胃가 虛寒한 증상은 溫熱이 아니면 寒邪가 제거되지 않고, 補益이 아니면 虛損이 치료되기 어렵기 때문에, 따라서 溫中祛寒方劑에 健脾益氣한 藥을 配伍해서 兼顧其虛해야 한다. 예를 들면 理中丸의 人蔘·白朮, 吳茱萸湯의 人蔘·大棗, 小建中湯의 飴糖·炙甘草·大棗, 大建中湯의 飴糖·人蔘, 黃芪建中湯의 黃芪·飴糖·炙甘草·大棗 등이 있다. ② 養血益陰藥을 配伍한다. 예를 들면 當歸·芍藥·地黃 등이 있다. 脾胃는 後天之本이고, 營衛氣血의 化源이기 때문에, 中焦가 虛寒할 때 衛陽乏源할 뿐만 아니라, 營陰 또한 化生不足해서 陰陽失和에 이르게 된다. 따라서 이 종류의 방제는 주로 養血益陰한 藥을 配伍해서 陰陽을 조화롭게 하고 中氣를 일으켜서 溫中補虛에 도달하게 하고자 하는 목적이 있다. 예를 들면 小建中湯의 芍藥, 內補當歸建中湯의 當歸·芍藥 등이 있다.

回陽救逆劑는 陽衰陰盛, 內外俱寒한 증상에 사용하며, 심지어 陰盛格陽하거나 戴陽 등의 증상에도 사용한다. 임상에서 四肢厥逆, 精神萎靡, 惡寒蜷臥, 下利淸穀하고 심할때는 大汗淋漓, 脈微細하거나 脈微欲絶한 증상으로 나타난다. 이 종류의 방제 구성은 주로 附子·乾薑·肉桂이나 陽起石·補骨脂·胡蘆巴 등의 辛熱祛寒·溫腎助陽藥을 위주로 하며, 이 중에서 溫裏祛寒藥物을 응용할 때 특히 附子를 우선으로 선택한다. 附子는 辛熱燥烈한 性味가 있어, 특정 부위에만 구속되어 있지 않고, 十二經을 通行해서 散失된 元陽을 회복할 수 있을 뿐만 아니라, 또한 元陽의 부족을 도울 수 있기 때문이다. 配伍 부분에 있어서, 다음과 같은 몇 가지가 있다: ① 益氣固脫藥을 配伍한다. 예를 들면 人蔘·白朮·炙甘草 등이 있다. 腎陽衰微, 陽氣暴脫한 증상은, 병세가 위급한 순간에 단순하게 溫陽하게 하면, 치료 효과가 미미할 수 있기 때문에, 위태로운 순간에 구하려면 반드시 大溫大補해야 한다. 따라서 回陽救逆方에 益氣固脫한 藥을 配伍해서 넣고, 回陽固脫한 효능을 강화해야 한다. 예를 들면 蔘附湯의 人蔘, 四逆湯의 炙甘草, 回陽救急湯의 人蔘·白朮·炙甘草 등이 있다. ② 通陽開竅藥을 配伍한다. 예를 들면 葱白·麝香 등이 있다. 腎陽衰微하고 陰寒內盛해서 陰陽의 氣가 맞지 않으면, 陰陽이 離絶된 위험한 징후가 나타나게 된다. 따라서 증상에 맞게 通陽開竅藥을 추가해서 陰陽의 氣를 交通하게 하고, 通陽復脈의 효능을 강화한다. 예를 들면 白通湯의 葱白, 回陽救急湯의 麝香 등이 있다. ③ 收澀藥을 配伍한다. 예를 들면 五味子·肉豆蔻·赤石脂 등이 있다. 陰寒內盛, 陽氣欲脫로 인한 危證에는 回陽救逆한 방제에 收斂의 효능이 있는 藥을 넣고 보조해서 固脫의 효능을 강화시킬 수 있다. 예를 들면 回陽救急湯의 五味子, 黑錫丹의 肉豆蔻 등이 있다. ④ 行氣藥을 配伍한다. 예를 들면 陳皮·木香·川楝子 등이 있다. 寒凝하면 氣滯하고, 氣滯하면 또한 陰陽의 氣가 서로 맞지 않는 것을 加重시키기 때문에, 따라서 이 종류의 방제는 大劑의 辛熱한 藥을 사용해서 回陽祛寒한다는 전제하에 行氣藥을 조금 넣고, 祛散陰寒한 효력을 도와서 助陽復脈하게 한다. 예를 들면 回陽救急湯의 陳皮 등이 있다.

溫經散寒劑는 寒邪가 經脈에 정체되어서 나타나는 血痹寒厥·陰疽 등의 증상에 사용한다. 임상에서 手足厥寒, 肢體痹痛하거나 發爲陰疽 등으로 나타난다. 이 종류의 방제 구성은 주로 溫經散寒, 行血通脈藥을 위주로 하며, 자주 사용하는 약물에는 桂枝·細辛·麻黃·生薑 류가 있다. 配伍 부분에 있어서, 대부분 益氣養血藥을 配伍하며, 예를 들면 黃芪·炙甘草·大棗·當歸·熟地·鹿角膠·芍藥 등이 있다. 이는 寒凝經脈證이 주로 素體陰血虛弱, 陽氣不足, 復感寒邪 때문에 발생하는 것이기 때문에 증상에 맞게 위에서 말한 약을 配伍해서 넣으면 扶正補虛, 標本兼顧할 수 있다. 예를 들면 當歸四逆湯의 當歸·芍藥·炙甘草·大棗, 黃芪桂枝五物湯의 黃芪·大棗·芍藥, 陽和湯의 熟地·鹿角膠 등이 있다. 이밖에도, 寒凝經脈, 血行不暢한 경우에는 通行血脈藥을 配伍할 수 있다. 예를 들면 當歸四逆湯의 木通이 있다. 寒痰痹阻를 동반한 경우에는 化痰藥을 配伍할 수 있다. 예를 들면 陽和湯의 白芥子 등이 있다. 단, 陽和湯은 본 교재에서 신설된 癰瘍劑의 散結消癰劑에서 기술한다.

溫裏劑를 응용할 때 반드시 다음의 몇 가지를 주의해야 한다: 첫째, 寒證이 있는 部位가 어느 臟腑에 해당하는지를 판별해야 비로소 적절한 치료를 할 수 있다. 둘째, 증후의 寒熱 眞僞를 정확하게 판별해서, 假象에 현혹되지 말아야 한다. 만약 眞熱假寒한 증상에 溫裏劑를 잘못 사용하게 되면 불에 기름을 붓는 격이 된다. 셋째, 사람에 따라·시간에 따라·장소에 따라 적절하게 치료해야 한다. 素體가 陽虛한 사람에 있어서, 겨울철이 되거나 북방지역에 거주하는 사람인 경우에는 溫裏藥物의 劑量을 조금 重하게 하고, 이와 반대인 경우에는 劑量을 輕하게 해서 溫燥劫津한 우려를 방지해야 한다. 이밖에도, 陰寒太盛하거나 眞寒假熱한 증상에 대해서 환자가 약을 복용할 때 입에 넣자마자 토하는 경우에는 성질이 寒凉한 藥을 少量 配伍하거나 熱藥을 冷服한다. 이것이 바로 "寒因寒用"의 反佐方法이다.

第一節 溫中祛寒劑

理中丸

(『傷寒論』)

【異名】 四順理中丸(『備急千金要方』卷2)·白朮丸(『聖濟總錄』卷171)·調中丸(『小兒藥證直訣』卷下)·大理中丸(『世醫得效方』卷5)·順味丸(『普濟方』卷159)·人蔘理中丸(『癱瘓機要』卷下).

【組成】 人蔘 乾薑 甘草 炙 白朮 各三兩(各 9 g)

【用法】 위의 약을 분말로 갈고, 꿀을 넣고 계란 노른자 크기(9 g) 정도의 환으로 빚는다. 끓는 물에 한 알을 넣고 풀어 낮에 3~4회, 밤에 2회 따뜻하게 복용한다. 뱃속이 따뜻해지지 않으면 3~4환까지 늘린다. 湯法: 네 가지 약을 잘게 잘라서(위의 丸의 藥量을 1일 용량으로 삼는다), 물 八升을 넣고 三升으로 졸여서 찌꺼기는 제거하고 一升을 하루에 3회에 나눠서 따뜻하게 복용한다.

【效能】 溫中散寒, 補氣健脾.

【主治】 1. 脾胃虛寒證. 嘔吐下利, 脘腹疼痛, 喜溫喜按, 不欲飮食, 畏寒肢冷, 舌淡苔白, 脈沉細.

2. 陽虛失血證. 吐血, 衄血, 便血, 崩漏, 血色黯淡, 四肢不溫, 面色萎黃, 舌淡脈弱.

3. 小兒慢驚.

4. 病後喜唾涎沫, 霍亂 及 胸痹 等由 中焦虛寒而致者.

【病機分析】 脾胃는 함께 中焦를 주관하고, 運化를 담당해서 升降相濟하게 한다. 만약 脾胃虛寒하면 運化無權, 升降失常, 淸陽不升해서 下利를 발생하게 하고 陰寒凝聚하면 濁陰不降해서 嘔吐를 발생하게 한다. 中焦虛寒하면 寒凝氣滯해서 脘腹疼痛하고 喜溫喜按하게 된다. 『靈樞』「五邪篇」에서 "邪在脾胃, 陽氣不足, 陰氣有餘, 則中寒腸鳴腹痛."이라고 하였다. 脾虛하고 健運의 기능을 상실하면 不欲飮食하고, 陽虛하고 溫煦의 기능을 상실하면 畏寒肢冷하게 된다.

脾主統血, 氣能攝血. 中焦虛寒, 脾陽不足, 則脾氣亦虛, 統攝無權, 血不循經而致便血·吐血·衄血·婦人崩漏等 失血證. 이는 바로 『血證論』卷1에서 말한: "經云脾統血, 血之運行上下, 全賴于脾, 脾陽虛則不能統血."와 같다.

小兒慢驚은 久病으로 因하거나 或은 吐瀉傷脾하면 脾虛失運하여 土不培木과 木鬱風動하게 되어, 抽搐, 目睛上視 증상이 나타난다.

病後喜唾涎沫은 病後脾虛로 인해 不能運化以布津하며 虛而不攝하면 則喜唾, 甚則流涎不止한다. 霍亂으로 飮食不節하고, 病邪가 脾胃에 직접 침범하면, 脾胃의 陽氣에 손상을 입히고, 淸濁相干, 升降失常해서 吐瀉交作 등과 같은 病症이 발생한다. 胸痹의 원인은 매우 다양한데, 본 방제에서 胸痹의 발병 원인은 陰盛陽虛로 인한 것이다. 中焦虛寒, 陽虛不運, 陰寒阻滯胸中, 陰乘陽位하면 결국에는 痹阻하고 痹痛하게 된다.

【配伍分析】 본 방제는 飮食勞倦하거나 久病傷及中陽으로 인한 中焦虛寒證을 치료하기 위해서 만들어졌다. 본 증상은 虛寒에 해당하며, 溫熱하지 않으면 陰寒不除하고, 補益하지 않으면 虛損不復한다. 『素問』·「至眞要大論」에서 "寒者熱之"과 『素問』·「三部九候論」에서 "虛則補之"라는 治法에 근거해서 溫中散寒과 補氣健脾를 위주로 치료한다. 『素問』·「至眞要大論」에서 "寒淫所勝, 平以辛熱."이라고 했다. 乾薑은 大辛大熱한 性味가 있어 溫脾胃하고 化陰凝, 祛寒濕하여 溫中祛寒, 扶陽抑陰에 이르게 하는 효능이 있다. 본 방제에서 乾薑은 君藥이다. 본 증상은 虛證에 해당하며, 虛하면 補해야 한다. 따라서 甘溫入脾하는 人蔘을 넣어 補中益氣하면 氣旺하여 陽이 回復되며 培補後天하므로, 乾薑을 도와서 中陽을 회복하게 한다. 본 방제에서 人蔘은 臣藥이다. 脾虛하면 쉽게 生濕하기 때문에, 甘溫苦燥한 性味를 가진 白朮을 넣어, 燥濕健脾하고 除濕益氣하게 한다. 白朮은 본 방제에서 人蔘을 도와서 健脾益氣한 효력을 강화시킬 뿐만 아니라, 또한 除濕運脾해서 健運中州할 수 있으며, 佐藥으로 삼는다. 乾薑·人蔘·白朮은 一溫一補一燥한다. 甘草는 蜜炙해서 益氣補中하고 調和諸藥하므로 使藥이 된다. 위의 네 가지 약을 配伍하면, 모두 溫中祛寒하고 補益脾胃한 효능이 있다.

본 방제의 配伍 특징은 溫을 위주로 하고, 補養을 輔로 한다. 두 가지 특징이 서로 돕고 조화를 이루면, 陽氣復, 脾胃健, 寒凝化하게 해서 中焦虛寒諸證이 저절로 해소된다.

【臨床應用】

1. 證治要點: 본 방제는 溫中祛寒한 증상을 치료하는 代表方이다. 中焦虛寒으로 인한 冷·痛·吐·利가 主症이다. 대체로 中焦虛寒으로 인한 肢體不溫, 舌淡苔白, 脈沉細無力 증상을 동반한 諸症을 본 방제에 加減하여 치료할 수 있다.

2. 加減法: 만약 臍上築한 경우에는 腎虛水氣上凌하므로 白朮을 빼고 桂枝를 加하여 平冲降逆한다. 吐多한 경우에는 氣壅于上하기 때문에 白朮을 빼고 治嘔의 聖藥인 生薑을 加하여 降逆止嘔한다. 悸한 경우에는 水飮凌心하기 때문에 茯苓을 加하여 化飮寧心한다. 渴欲得水한 경우에는 脾不化濕, 津液不布하기 때문에 白朮을 加하여 培土制水, 健脾運濕한다. 虛寒이 甚하면 附子를 加하여 溫中散寒하고 溫腎한다(附子理中湯). 虛寒이 비교적 심하고 四肢逆冷한 경우에는 附子·肉桂를 加하여 溫中散寒을 增强하고 暖肝腎하므로 脾腎肝의 三臟을 溫補하게 된다(桂附理中湯). 脾胃虛寒에 兼하여 外感表證이 있으면 桂枝를 加하여 表裏同治한다(桂枝人蔘湯). 脾肺虛寒, 咳嗽不止한 경우에는 半夏·茯苓·細辛·五味子를 加하여 溫中化飮止嗽한다. 寒濕發黃한 경우에는 茵陳을 加하여 利膽退黃한다. 陽虛失血한 경우에는 黃芪· 當歸·阿膠를 加하여 益氣養血攝血한다. 喘滿浮腫하 고 小便不利를 동반한 경우에는, 五苓散을 합해서 溫陽化氣利水한다.

3. 理中丸은 다음 한국표준질병사인분류(KCD)에 해당하는 환자가 脾胃虛寒證, 陽虛失血證, 中焦虛寒證으로 辨證되는 경우 본 처방의 사용을 고려해볼 수 있다.

처방 목표	한국표준질병사인분류(KCD)
胃及十二指腸潰瘍	K25 위궤양
	K26 십이지장궤양
淺表性胃炎	K29.3 만성 표재성 위염
胃竇炎	K29 위염 및 십이지장염
胃下垂	K31.88 위 및 십이지장의 기타 명시된 질환_위하수
胃擴張	K31.0 위의 급성 확장
慢性結腸炎	K52 기타 비감염성 위장염 및 결장염
	A09 감염성 및 상세불명 기원의 기타 위장염 및 결장염
痢疾	A03 시겔라증
	A00~A09 장감염질환
泄瀉	(질병명 특정곤란)
	K59.1 기능성 설사
	K52.9 상세불명의 비감염성 위장염 및 결장염
腎下垂	N28.8 신장 및 요관의 기타 명시된 장애
慢性腎炎	N03 만성 신염증후군
崩漏	N93.9 상세불명의 이상 자궁 및 질 출혈_붕루
便血	(질병명 특정곤란)
	K92.1 흑색변
	K92.2 상세불명의 위장출혈
吐血	K92.0 토혈
鼻衄	(질병명 특정곤란)
	R04.0 코피
過敏性紫癜	D69.0 알레르기자반증
小兒慢驚風	(질병명 특정곤란)
	R56.8 기타 및 상세불명의 경련_경풍(驚風)
小兒腸痙攣	(질병명 특정곤란)
	R10 복부 및 골반 통증
慢性口腔潰瘍	K12 구내염 및 관련 병변
慢性支氣管炎	J41 단순성 및 점액화농성 만성 기관지염
	J42 상세불명의 만성 기관지염
膽道蛔虫症	B77.8 기타 합병증을 동반한 회충증
胸痹	R07.3 기타 흉통_흉비(胸痺; 胸痞)
	I20~I25 허혈심장질환

【注意事項】 본 방제의 藥性이 溫燥해서, 陰虛內熱한 환자의 경우에는 사용을 禁한다.

【變遷史】 理中丸은 張仲景이 "霍亂, 頭痛發熱, 身疼痛, 寒多不用水者" 및 "大病瘥後, 喜唾, 久不了了, 胸上有寒"한 증상을 치료하기 위해 만들었다. 본 방제는 溫中補虛, 健脾助運 하는데 있어서 中焦가 虛寒한 증후를 치료하는 기본 원칙을 구현하였기 때문에, 후세의 의학자들에 의해 加減하여 다양한 종류의 脾胃虛寒한 증후를 치료하는데 사용되었다. 본 방제의 사용범위가 확장되면서 또한 이에 따라 수많은 溫中祛寒類方의 변화와 발전을 가져왔다. 요컨대, 대체적으로 다음의 몇 가지가 있다. 첫째는 附子·肉桂·高良薑 등의 溫裏助陽藥을 加하여 裏寒이 비교적 심하고, 心腹疼痛이나 吐瀉가 비교적 심한 경우에 사용한다. 방제를 예로 들면 『延年秘錄』(『外臺秘要』卷6)· 『聖濟總錄』卷38 同名方 및 유명한 附子理中丸(『太平惠民和劑局方』卷5) 등이 있다. 둘째는 茯苓·澤瀉 등의 利水滲濕藥을 加하여 中陽不足, 運化無權, 水濕內停, 吐利不止한 경우에 사용한다. 방제를 예로 들면 『證治準繩』·「幼科」卷5·『誠書』卷8·『活人方』卷3 등에 수록된 理中丸이 있다. 셋째는 半夏·茯苓·蘇子 등의 化痰止咳藥을 加하여 中焦虛寒, 脾虛不運水濕, 濕聚成痰한 경우에 사용한다. 방제를 예로 들면 理中化痰丸(『明醫雜著』卷6)·理中降痰湯(『雜病源流犀烛』卷7) 등이 있다. 넷째는 丁香·半夏·陳皮 등의 和胃降逆藥을 加하여 中寒氣逆, 中脘停食, 入口即吐 或嘔吐清水冷涎한 경우에 사용한다. 방제를 예로 들면 理中加丁香湯(『丹溪心法』卷3)·理中湯(『萬病回春』卷3) 등이 있다. 다섯째는 川椒·烏梅 등의 驅蛔殺蟲藥을 加하여 中焦虛寒, 胃中虛冷吐蛔한 경우에 사용한다. 방제를 예로 들면 理中安蛔湯(『傷寒全生集』卷4)·理中湯(『古今醫彻』卷1) 등이 있다. 여섯째는 黃連 등의 淸熱藥을 加하여 中焦虛寒하면서

濕熱中阻를 동반한 寒熱錯雜한 증후에 사용한다. 방제를 예로 들면 連理湯(『症因脈治』卷2) 등이 있다. 이밖에도, 또한 透疹·息風·活血 등의 藥을 加하여 痘疹吐利·小兒慢驚風·中虛血滯腹痛 등의 증후에 사용하는 다수의 방제가 있다. 요컨대, 대체로 中焦虛寒이 主證이 되는 경우에는, 역대 의학자들이 대부분 理中丸을 主方으로 加減하여 치료했다. 이를 통해 본 방제가 후세에 溫中補虛方劑를 구성하는데 지대한 영향을 미쳤다는 것을 알 수 있다. 본 방제의 劑型은 원래 丸劑이지만 中焦虛寒이 비교적 심한 증상에 사용할 경우에는 일반적으로 湯劑로 복용하며 理中湯이라고 부른다. 原書에서 丸劑의 효력이 "不及湯"이라 기록되어 있다.

【難題解說】

1. 본 방제의 君藥에 대해서: 역대 의학자들의 理中丸의 君藥에 대한 인식이 달랐다. 첫째는 蔡陸仙을 대표 의학자로 하며 乾薑을 君藥으로 여겼다. 그는『中國醫藥匯海』에서 말하길: 理中湯은 "方中以乾薑爲主"라고 했다. 둘째는 成無己를 대표로 하여 人蔘을 君藥으로 여겼다. 예를 들면『傷寒明理論』卷4에서: "人蔘味甘溫, 『內經』曰: 脾欲緩, 急食甘以緩之. 緩中益脾, 必以甘爲主, 是以人蔘爲 君."라고 했다. 셋째는 乾薑·人蔘을 모두 君藥으로 여기고[1), 방제에서 乾薑을 빼게 되면, 비록 補中燥濕한 효능은 갖게 되지만, 반면 溫中의 효력이 매우 떨어진다고 하였으며; 만약 방제에서 人蔘을 사용하지 않으면, 溫復中陽하고 燥濕도 그런대로 괜찮지만, 반면 補益脾氣한 효력은 격감하게 된다. 乾薑·人蔘을 함께 사용할 경우에만 비로소 中焦虛寒證을 치료하는 主藥으로 간주할 수 있다. 이는 바로 虛한 경우에는 人蔘으로 補하고, 寒한 경우에는 乾薑으로 溫하라는 뜻이다. 仲景의 논술에 따르면 본 방제는 太陰虛寒한 증상을 치료하기 위해 만들어 졌으며 또한 寒盛을 위주로 치료한다. 예를 들면『傷寒論』에서 "大病瘥後, 喜唾, 久不了了, 胸上有寒, 當以丸藥溫之, 宜理中丸."라고 했다. 霍亂에서 "寒多不用水者, 理中丸主之"라고 했다. 이는 본 방제가 中寒한 증상에 치중해서 치료하며, "寒者溫之"한 治法을 구현했다는 것을 말해준다. 따라서 방제학 교과서에서 본 방제를 溫裏劑로 분류한다. 역대 의학자들 또한 본 방제를 補益劑가 아닌 溫中劑로 간주하고, 乾薑을 君藥으로 여겼다. 이는 더욱더 仲景의 立方 취지에 부합하는 것 같다. 하지만 임상에서 응용할 때는 그때그때의 상황에 따라 결정할 수 있다. 만약 寒이 심한 경우에는 乾薑을 君藥으로 삼고; 虛가 심한 경우에는 人蔘을 君藥으로 삼고; 虛寒이 동시에 심한 경우에는 乾薑과 人蔘을 모두 君藥으로 삼는다.

2. 본 방제의 劑型에 대해서: 본 방제의 劑型은 仲景이 丸劑와 湯劑 두 종류가 있다고 명시했다. 丸劑는 緩治에 사용하고, 湯劑는 병세가 비교적 危急한 경우에 사용한다. 霍亂은 병세가 비교적 위급하기 때문에『傷寒論』의 理中丸 方後에서 丸劑의 용법에 대해 설명한 동시에 또한 지적하길: "然不及湯"라고하며 湯法에 대한 實例를 들었다. 큰 병을 앓고 난 후에 喜唾한 증상이 나타나고, 병세가 완화되면, 丸藥으로 증상을 완화시킨다. 따라서『傷寒論』에서 "當以丸藥溫之"라고 지적했다. 胸痹한 虛證은 병세 역시 위급하기 때문에『金匱要略』에서 湯法(人蔘湯)만을 사용하며 丸劑를 사용하지 않는다고 명시했다. 이를 통해 본 방제의 劑型은 丸劑가 될 수도 있고 湯劑가 될 수도 있으며, 모두 병세의 緩急에 따라 결정된다는 것을 알 수 있다.

3. 본 방제가 치료하는 霍亂에 관하여:『靈樞』「五亂篇」에서 처음으로 기록되었으며, 갑자기 발병하거나, 大吐大瀉, 煩悶不舒와 같은 특징을 갖는다. 현대 의학에서 霍亂·副霍亂·急性胃腸炎으로 나타난다. 발병 원인은 飮食不潔하거나 寒邪·暑濕·疫癘의 氣를 感受해서 나타나는 것이다. 臨證에는 寒熱之辨·乾濕之分 및 轉筋之變이 있다.『傷寒論條辨』에서 이르길: "熱多欲飮水者, 陽邪盛也, 寒多不用水者, 陰邪盛也."라고 했다. 理中丸으로 치료하는 霍亂은 邪가 脾胃를 침범해서 脾胃의 陽氣가 손상을 입고, 中焦가 虛寒해서 升降의 기능을 상실한 寒霍亂이기 때문에, 본 방제를 霍亂의 通治方으로 여겨서는 안 된다.

【醫案】

1. 喜唾『中國現代醫藥雜誌』(2008, 9:126): 남자, 학생, 12세. 喜唾 증상이 나타난지 2개월 가량 되었다. 西醫로 치료했으나 효과가 없었다. 진료 당시: 자신도 모르게 빈번하게 침을 뱉고, 質稀, 苔薄白滑, 脈弦하며, 寒飮證에 해당한다. 『傷寒論』396條에서 이르길: "大病差後, 喜唾, 久不了了, 胸上有寒, 當以丸藥溫之, 宜理中丸."라고 했다. 理中丸에 附子를 加하여 附子理中丸으로 처방해서 매일 2회, 매회 一丸씩 10일 동안 복용했다. 재진 당시 재발하지 않고 완치했다.

2. 流涎『湖北中醫雜誌』(2003, 7:55): 남자, 7세, 환자는 流涎 증상이 반년 동안 멎지 않아서 中西醫에서 다방면으로 치료를 했으나 효과가 없었다. 진료 당시 환자는 面黃肌瘦, 精神不振, 納差, 大便을 보면 소화되지 않은 음식물이 있고, 小便淸長, 唇淡甲白, 舌淡, 苔白, 脈細弱無力했다. 본 증상은 先天不足, 脾虛及腎한 것으로 理中丸에 山藥·茯苓·桂枝·補骨脂를 加하여 치료하였으며, 약을 十劑 복용하게 한 후 증상이 사라졌다. 반년 후 재발해서 原方을 그대로 처방하고 劑型을 丸劑로 바꿔서 연속해서 十一劑를 복용하게 한 후 諸症이 사라지고, 정신과 체력이 모두 정상으로 회복했다. 이후 방문 조사에서 재발하지 않았다.

3. 血證『天津中醫』(1985, 5:17): 남자, 나이는 쉰을 넘었다. 宿患胃痛하고 음식물을 섭취하면 통증이 줄어들었다. 喜溫喜按, 大便時溏, 面色萎黃해서 溫中理虛한 약제를 복용했으나 통증이 바로 완화되었다. 그 후 과로로 다시 寒邪의 침입을 받고나서 脘痛을 악화시켜서, 痰涎에 소화되지 않은 음식물이 섞인 토사물을 토하기 시작하다가 점점 심해지더니 약 300 mL 정도 吐血했다. 혈색은 紫暗不鮮했다. 西藥으로 止血 치료를 했으나 효과를 보지 못해서 진료를 요청했다. 환자의 상태를 보니 精神萎靡, 吐血紫暗, 便溏肢冷, 脈沉細弱, 舌體胖大有齒痕, 舌質紫暗, 苔白而嫩했다. 본 증상은 脾陽이 虛하고 統血 기능에 장애가 생기고, 血外溢하고 走濁道해서 급하게 溫陽健脾하고 益氣攝血한 방법을 쓰고 消瘀한 치료를 추가한다. 理中湯에 附子·側柏葉·仙鶴草·三七을 加하여 달여서 三劑 복용한 후 嘔血이 바로 멎었다.

4. 糖尿病便秘『江蘇中醫藥』(2008, 10:27): 여자, 68세. 환자는 2형 당뇨병을 앓은지 12년이 되었으며, 최근 3년 동안 혈당 관리가 잘되지 않아 大便乾結이 3~5일에 1번씩 반복적으로 일어나서, 番瀉葉·글리세린 관장 등의 對症治療를 했으나, 변비가 점점 심해졌다. 현재 공복혈당은 12.4 mmol/L이고, 몸이 여위고, 口乾多飮, 腹脹納差, 煩躁, 舌淡, 苔薄乏津, 脈細澀이 함께 나타난다. 본 증상은 脾虛腸燥으로 理中丸에 當歸·肉蓯蓉·天花粉·生地黃·枳實·葛根·生山藥을 加하여 치료한다. 연속해서 총 20劑의 약을 복용한 후 공복혈당 검사에서 5.9 mmol/L로 나타났으며, 諸症이 사라지고, 병세가 점점 안정을 찾았다.

5. 胸痹『冉雪峰醫案』: 남자. 환자는 胸膺 통증을 여러 해 앓았으며, 치료를 받았다. 환자는 六脈沉弱하고, 兩尺이 더욱 심했다. 본 증상은 虛痛이므로, 理中湯에 附子·吳茱萸를 加하여 약을 十劑 복용하게 한 후, 脈이 점점 敦厚하고, 통증이 점점 멎게 되며, 吳茱萸·附子를 빼고 다시 20여 제를 복용하게 한 후에는 완치할 수 있다고 했다.

考察: 醫案1, 醫案2의 증상은 喜唾·流涎, 質淸稀, 舌淡苔白하며, 中焦虛寒해서 失于布津, 虛而不攝으로 인한 것으로, 溫中健脾한 방법으로 運化를 돕고, 統攝한 효능을 회복시켜야 한다. 醫案3의 吐血은 虛寒한 증상이 함께 나타나며, 脾陽이 虛해서 統血의 기능에 장애가 와서 나타나는 것으로 溫中攝血하게 치료해야 한다. 醫案4는 증상이 비록 津虧腸燥에 속하지만 병을 앓은 기간이 오래 경과되었기 때문에, 脾虛不運, 布津失常과 관련이 있다. 따라서 健脾助運하게 치료해서 布津의 기능을 회복시키고 宿疾이 치료되었다. 醫案5의 胸痹는 中焦虛寒해서 陽虛不運하고 寒濕內生해서 痹阻되어 胸中에 통증이 생긴 것이기 때문에 中焦에서부터 치료하면 효과를 볼 수 있다.

【副方】

1. 附子理中丸(『太平惠民和劑局方』卷5): 附子炮,去皮臍 人蔘去蘆 乾薑炮 甘草炙 白朮 各三兩(各 9 g)

- 用法: 위의 약물을 곱게 갈고 꿀을 섞어서 1兩을 10개의 환으로 빚는다. 매회 1개의 丸을 1잔의 물에 풀고, 10분의 7이 되게 달여서 空心·食前에 살 짝 데워서 복용한다.
- 作用: 溫陽祛寒, 益氣健脾.
- 適應症: 脾胃虛寒, 腹痛吐利, 脈微肢厥, 霍亂轉筋, 感寒頭痛, 沉寒痼冷.

본 방제는 理中丸方을 기초로 해서 附子를 加하여 구성한다. 방제에서 附子는 性味가 大辛大熱해서 乾薑과 함께 配伍하면 溫陽散寒한 성질을 띄게 되어서 陰翳을 없애준다. 人蔘·白朮·甘草와 配伍하면 益氣健脾하게 된다. 諸藥을 함께 사용하면 함께 溫陽散寒하고 益氣健脾한 효능이 있다.

2. 連理湯(『症因脈治』卷2): 人蔘 白朮 乾薑 炙甘草 黃連.

- 作用: 溫中祛寒, 清化濕熱.
- 適應症: 脾胃虛寒, 濕熱內蘊. 瀉痢煩渴, 吞酸腹脹, 小便赤澀, 心痛口糜.

본 방제는 理中丸에 黃連을 加하여 구성한 것으로, 原方에는 用量이 표기되어 있지 않다. 臨證에서 等量을 사용하거나 理中丸을 重用할 수 있고, 黃連으로 약간 보조한다. 방제의 理中丸은 原方에서 溫陽祛寒, 益氣健脾 하고, 黃連으로 清化濕熱 한다. 『秘傳證治要訣類方』卷1에 이와 같은 이름의 방제가 있는데, 이는 理中湯에 茯苓·黃連을 加하여 구성한 것으로 清利濕熱한 효능이 매우 뛰어나다.

위의 두 방제는 비록 主治 방법은 서로 다르지만, 病機는 모두 脾陽不足하고 中焦虛寒한 것을 위주로 하기 때문에 방제를 구성하는데 있어 역시 理中丸을 위주로 해서 溫中健脾하게 한 다음에 다시 각 증상의 차이에 근거해서 약물을 配伍해야 한다. 理中丸과 비교하여 附子理中丸으로 치료하는 증상은 陽虛寒勝하다. 따라서 附子를 넣고 溫陽祛寒하게 한다. 連理湯으로 치료하는 증상은中焦虛寒하고 또한 濕熱內蘊한 증상이 함께 나타나기 때문에 黃連을 加하여 清化濕熱한다.

【參考文獻】

1) 曹福海. 理中丸求考. 陝西中醫. 1987;8(10):464.

吳茱萸湯

(『傷寒論』)

【異名】 茱萸湯(『金匱要略』卷中)·茱萸人蔘湯(『三因極一病證方論』卷11)·三味參萸湯(『醫學入門』卷4)·參萸湯(『醫學入門』卷7)·四神煎(『仙拈集』卷1)·吳萸湯(『方症會要』卷3).

【組成】 吳茱萸 湯洗 一升(9 g) 人蔘 三兩(9 g) 大棗 擘 十二枚(四枚) 生薑 切 六兩(18 g)

【用法】 위의 약을 물 七升으로 二升이 되게 달여서 찌꺼기를 제거하고, 7合을 하루 3번 따뜻하게 복용한다.

【效能】 溫中補虛, 降逆止嘔.

【主治】 虛寒嘔吐證. 食穀欲嘔, 畏寒喜熱, 或 胃脘痛, 吞酸嘈雜; 厥陰頭痛, 乾嘔吐涎沫; 少陰吐利, 手足逆冷, 煩躁欲死.

【病機分析】胃는 陽明에 속하며, 주로 腐熟水穀를 받아들여서, 腸으로 내려보내는 기능을 한다. 胃中이 虛寒하면, 곧 納穀를 할수 없게 되어서, 呑酸嘈雜, 畏寒喜熱하게 되고; 胃氣가 上逆하면, 嘔吐하거나 食後欲嘔하거나 乾嘔吐涎沫하게 된다. 寒性이 凝滯해서 收引하면 胃脘疼痛으로 나타나게 된다. 厥陰之脈夾胃屬肝, 上出與督脈會于巓頂, 肝胃虛寒하면, 陰寒濁氣가 肝脈을 따라서 上衝하기 때문에, 巓頂頭痛으로 나타나게 된다. 腎陽不足하여 火不暖土하면 吐利가 빈번하게 나타나고, 手足逆冷하게 된다. 煩躁欲死는 吐利頻作의 고통으로 인한 것이다. 본 방제로 치료하는 증상은 胃中虛寒, 厥陰頭痛과 少陰吐利의 구분이 있지만, 中焦虛寒과 濁陰上逆을 공통의 病機로 한다. 본 방제의 3개 證候는 胃寒嘔吐(食穀欲嘔), 肝寒犯胃(乾嘔 吐涎沫), 少陰寒水侮脾(吐利四逆)이며, 證候가 다양하여도 성질은 모두 虛寒에 속하며, 3개 證候 모두 嘔吐의 공통점이 있다.

【配伍分析】본 방제는 胃寒氣逆에 의한 증상을 위주로 하며, 『素問』·「至眞要大論」에서 "寒淫所勝, 平以辛熱"에 근거하여 치료한다. 본 방제에서 吳茱萸는 君藥이다. 味辛性熱한 吳茱萸가 肝·腎·脾·胃經으로 入해서 溫中降逆, 辛開苦降하므로, 溫胃止嘔·溫肝降逆·溫腎治吐利하여 한 가지 약물로서 세 가지 병을 치료한다. 『神農本草經』卷2에서: "吳茱萸能溫中下氣止痛."이라 하고; 汪昂은: "吳茱萸爲厥陰本藥, 故又治肝氣上逆·嘔涎頭痛."(『醫方集解』·「祛寒之劑」)이라 했다. 生薑은 臣藥이 된다. 본 방제의 主症은 嘔이므로 生薑 六兩을 重用한 것이 특징이며, 그 취지는 溫胃散寒, 降逆止嘔하여 吳茱萸의 溫胃降逆을 돕는데 있다. 張錫純이 이르길: "吳茱萸湯中重用生薑至六兩, 取其 溫通之性, 能升能降, 以開脾胃凝滯之寒邪, 使脾胃之氣上下能行."(『醫學衷中參西錄』·「醫論」)이라 했다. 虛寒證은 마땅히 溫補하게 치료해야 한다. 따라서 人蔘으로 補氣健脾하고 助運化해서 中虛를 회복할 수 있게 하므로 佐藥이 된다. 또한 生津·安神하고, 과도한 嘔吐로 인한 傷津이나 煩躁不安한 증상을 함께 돌본다. 大棗는 甘平하며 益氣補脾와 調和諸藥의 효능이 있다. 또한 人蔘을 도와서 補虛하며, 生薑과 配伍해서 和中하고, 吳茱萸의 辛燥한 性味를 억제하므로 使藥이 된다. 위의 네 가지 약을 配伍하면 溫中補虛, 抑陰扶陽, 降逆止嘔의 효능이 있다.

본 방제의 配伍 특징은 溫中降逆藥과 補氣益胃藥을 함께 配伍하며, 溫補를 함께 응용하고, 溫降을 위주로 치료한다.

【臨床應用】

1. 證治要點: 본 방제는 肝胃虛寒, 濁陰上逆에 의한 증상을 치료하기 위해서 만들어졌다. 畏寒喜熱, 口不渴, 手足逆冷 등으로 나타나는 일반적인 裏寒症狀 이외에도 乾嘔하거나 嘔吐涎沫, 舌淡苔滑, 脈細遲 혹은 弦細한 症狀을 치료의 요점으로 삼는다.

2. 加減法: 嘔가 심한 경우에는 陳皮·半夏·砂仁 를 加하여 降逆止嘔한다. 頭痛이 심한 경우에는 川芎·當歸를 加하여 養血止痛한다. 寒이 심한 경우에는 附子·乾薑를 加하여 溫裏散寒한다. 呑酸嘈雜한 경우에는 烏賊骨·煅瓦楞子를 加하여 制酸和胃한다.

3. 吳茱萸湯은 다음 한국표준질병사인분류(KCD)에 해당하는 환자가 虛寒嘔吐證으로 辨證되는 경우 본 처방의 사용을 고려해볼 수 있다.

처방 목표	한국표준질병사인분류(KCD)
神經性嘔吐	F50.2 신경성 폭식증
	F50.0 신경성 식욕부진
	F50.5 기타 심리적 장애와 연관된 구토
神經性頭痛	G44.2 긴장형두통
	G44.1 달리 분류되지 않은 혈관성 두통
偏頭痛	G43 편두통
梅尼埃病	F45.8 기타 신체형장애
急性胃炎	K29.1 기타 급성 위염

처방 목표	한국표준질병사인분류(KCD)
慢性胃炎	K29.3 만성 표재성 위염
	K29.4 만성 위축성 위염
	K29.5 상세불명의 만성 위염
消化性潰瘍	K25 위궤양
	K26 십이지장궤양
	K27 상세불명 부위의 소화성 궤양
	K28 위공장궤양
高血壓病	I10 본태성(원발성) 고혈압
	I15 이차성 고혈압
眼疾	H00~H59 Ⅶ. 눈 및 눈 부속기의 질환
妊娠嘔吐	O21 임신중 과다구토

【注意事項】 본 방제의 약성은 溫燥에 치우쳐 있으며, 반면 嘔吐呑酸證은 또한 寒熱의 차이가 있다. 만약 鬱熱로 인해 발생한 嘔吐苦水, 呑酸, 胃脘痛과 肝陽上亢으로 인한 頭痛에는 사용을 禁한다. 嘔吐가 심한 환자는 冷服法으로 복용하면 服藥으로 嘔吐가 일어나는 거부반응을 면할 수 있다.

【變遷史】 본 방제는 『傷寒論』의 陽明病·少陰病·厥陰病에서 모두 보여지며, 溫中補虛와 和胃降逆한 효능이 있어서 陽明·少陰·厥陰 三經의 虛寒證을 主治한다. 후세에 溫中散寒止嘔한 방제는 대부분 본 방제를 기초로 加減하여 구성되었다. 본 방제와 이름이 같은 방제도 여러 개가 있다. 예를 들면 『肘後備急方』卷1에서 吳茱萸湯은 吳茱萸·桂 두 약물로 구성한 것으로 卒心痛을 主治한다. 『備急千金要方』卷16에서 吳茱萸湯은 본 방제에 半夏·小麥·桂心·甘草를 加하여 久寒, 胸脇逆滿, 不能食를 主治한다. 『太平聖惠方』卷12에서 吳茱萸湯은 본 방제에 厚朴·甘草를 加하여 傷寒吐利, 手足逆冷, 心煩悶絶을 主治한다. 『聖濟總錄』卷26에서 吳茱萸湯은 본 방제에서 大棗를 減하고 厚朴·木瓜·藿香葉·桂·丁香·甘草를 加하여 傷寒後霍亂, 吐利腹脹, 轉筋, 手足冷, 飮食不消를 主治한다. 이밖에도 수많은 溫裏散寒止嘔 방제의 구성에 있어서 또한 본 방제의 영향을 받았다. 예를 들면 沉香溫胃丸(『內外傷辨惑論』卷中)·扶陽助胃湯(『衛生宝鑑』卷13)·吳茱萸加附子湯(『醫方考』卷5)·吳茱四逆湯(『醫略六書』卷18) 등이 있다.

【難題解說】

1. 生薑을 重用하는 의미에 대해서: 본 방제에서 生薑의 用量이 六兩에 이르며, 桂枝湯으로 調和營衛하게 치료할 때 生薑 三兩을 사용하는 용량의 두배이다. 무릇 본 방제로 치료하는 증상은 陽明·少陰·厥陰의 차이가 있지만 病機는 모두 中焦虛寒, 濁陰上逆과 관계있기 때문에 生薑을 重用해서 溫胃散寒, 降逆止嘔하게 치료하고, 君藥으로 쓰이는 吳茱萸의 溫中降逆한 효력을 도와서 逆氣下降하고 氣機暢達한다.

2. 하나의 방제로 三經病證을 치료하는 것에 대해서: 吳茱萸湯은 『傷寒論』에서 陽明·少陰·厥陰의 三經病證을 치료한다고 했다. 즉 "食穀欲嘔, 屬陽明也, 吳茱萸湯主之"에서 陽明病證을 치료하고; "少陰病, 吐利, 手足逆冷, 煩躁欲死者, 吳茱萸湯主之"에서 少陰病證을 치료하고; "乾嘔, 吐涎沫, 頭痛者, 吳茱萸湯主之"에서 厥陰病證을 치료한다. 비록 病證에 있어 三經의 구분이 있고, 症狀에도 차이가 있지만, 모두 嘔吐증상으로 나타나고 中焦虛寒, 濁陰上逆과 관계있다. 게다가 君藥으로 쓰이는 吳茱萸은 性味가 辛熱하고, 肝·腎·脾·胃로 入經해서 溫胃止嘔할 뿐만 아니라 溫肝降逆하게 할 수 있고, 또한 溫腎해서 吐利를 멎게 할 수 있으므로, 하나의 약으로 세 가지 병을 낫게 한다. 따라서 吳茱萸湯 하나의 방제를 사용해서 三經病證을 치료할 수 있다.

【醫案】

1. 眩暈 『光明中醫』(2008, 11:5771): 여자, 50세, 간부. 농촌으로 내려가 과로로 인해 頭暈目眩하고 눈앞이 어지럽고 움직이며 바로 嘔吐淸涎했다. 최근 3일 동안 더욱 심해져서 頭痛을 동반하고 巓頂에 마치 찬물을 끼얹는 것 같았다. 四末이 차고, 胃脘隐痛, 腸鳴, 茶食難入, 心煩不寧, 舌苔白滑, 脈沉細無力 등의 증상이 나타났다. 西醫에서 "메니에르증후군"이라고 진단했다.

본 증상은 胃虛肝寒하고, 濁陰의 氣가 上逆한 것이다. 치료는 溫中補肝, 降逆止嘔하게 해야 한다. 吳茱萸湯에 川芎·木香·桂枝를 넣고 치료하였으며, 약 三劑를 복용한 후 호전되어서, 계속해서 原方을 다시 三劑 복용한 후 환자가 안정을 찾고 諸證이 모두 사라졌다.

2. 頭痛(高血壓病)『光明中醫』(2008, 11:5771): 남자, 60세. 환자는 高血壓을 앓은지 5년이 되었다. 10일 전 추위에 자극을 받아서 현기증과 두통이 나타났으며, 두통의 경우 巓頂 부위가 가장 심하고, 통증이 심할 때는 두피가 무감각해졌다. 胃脘脹悶해서 불편하면 溫熨 치료를 해서 편해지고, 늘 嘔吐涎沫하고, 혈압은 190/110 mmHg이다. 환자는 안색이 어둡고 몸이 뚱뚱하며, 舌淡苔白滑潤, 脈緩無力했다. 이는 肝胃虛寒, 濁陰上逆, 淸竅失養으로 인해 발병하는 것이다. 散寒止嘔, 溫胃降逆한 治法으로 치료해야 한다. 방제는 吳茱萸湯에 茯苓·炙甘草·白朮·半夏를 加하여 三劑를 복용한 후에 환자가 현기증과 두통이 크게 줄어들었다고 느끼고 胃開吐止 했으며, 혈압은 140/90 mmHg으로 原方을 계속해서 六劑 복용한 후 안정을 찾았다.

3. 慢性支氣管炎『遼寧中醫雜誌』(2008, 11:2571): 여자, 55세. 咳嗽·氣喘이 반복해서 발생한지 6년이 되었다. 최근 일주일 동안 병세가 악화되었다. 西醫에서 慢性支氣管炎으로 진단했다. 일주일 전 감기에 걸려서 재발했으며 밤낮으로 기침을 하고, 스스로 枇杷膏 등의 中西藥을 복용한 후에도 병세가 완화되지 않았다. 진료 당시 환자는 微惡風寒, 咳嗽微喘多痰, 특히 아침 저녁으로 증상이 심하며, 痰色白而淸稀, 時嘔, 胸悶氣逆, 流淸涕, 口不渴, 舌體胖, 苔白膩, 脈浮滑한 증상을 보였다. 방제는 吳茱萸湯에 桂枝·杏仁·制半夏·紫菀·款冬花·陳皮를 加하여 六劑 복용한 후 증상이 사라졌다.

4. 慢性腹瀉『中醫硏究』(2002, 1:36): 남자, 31세. 날 음식과 찬 음식을 잘못 먹어서 腹瀉가 멎지 않다가 치료를 받고 호전되었으나, 그후부터 날 음식과 찬 음식을 먹기만 하면 바로 泄痢가 멎지 않아서 점점 몸이 말라서 의사를 불러 1년 넘게 진료를 받다가 나에게 진료를 받으러 왔다. 환자의 증상은 精神疲憊, 面色黧黑, 消瘦, 嘔吐酸水, 臍腹冷痛, 大便을 하루에 4~5번 보고, 四肢逆冷, 舌淡苔白膩, 脈沉細했다. 본 증상은 肝寒胃虛, 脾氣下陷해서 발생한 것이다. 吳茱萸湯에 茯苓을 加하여 약을 三劑 복용한 후 吐酸泄痢 증상이 줄어들었고, 大便이 기본적인 형태를 띄었다. 계속해서 原方에 五味子·肉豆蔻를 넣고 연속해서 30餘劑를 복용한 후 다 나았다고 했다.

考察: 醫案1은 50세가 넘어서 氣血이 虛한데다가 업무 중 과로를 해서 厥陰肝寒하고 淸陽不展하며 濁陰上逆해서 眩暈이 발병했다. 吳茱萸湯으로 溫中降逆하고 疏肝燥脾를 위주로 치료하고, 川芎을 加하여 厥陰肝經으로 들어가서 頭頂痛을 함께 치료한다. 木香은 腸胃의 氣를 돌리며; 桂枝를 加하여 溫通陽氣하게 한다. 藥效가 서로 맞아서 효과가 매우 빠르게 된다. 醫案2은 肝胃陰寒하고 阻遏于中으로 인한 것으로, 따라서 또한 "脾冷多涎", "脾虛多涎"이라는 주장이 있다. 치료할 때 純陽劑를 사용해서 寒降陽升을 촉진해서, 脾胃가 運化의 기능을 수행할 수 있도록 한다. 따라서 『傷寒論』378條에서 "乾嘔吐涎沫, 頭痛者, 吳茱萸湯主之."라고 했다. 만약 肝陽上亢으로 인해 血壓이 높아졌다는 주장에 얽매이면 치료와는 거리가 멀어지게 된다. 醫案3은 咳嗽가 오랫동안 멎지 않고 병세가 반복적으로 발생해서 脾陽이 손상을 입고, 脾陽不運, 水精不布, 寒飮內停, 復感風寒, 外寒引動內飮해서 결국에서 본 증상이 발생하게 된 것이다. 따라서 吳茱萸湯으로 外散風寒하고 內逐寒飮하게 치료해서 약과 증상이 서로 맞아서 빠른 치료 효과를 보았다. 醫案4는 少陰寒盛, 寒水上泛해서 脾土를 侮하게 하고, 中焦가 運化하지 않아서, 淸氣가 올라가지 않고, 濁氣가 내려오지 않으며, 吐利 증상이 계속해서 나타나고, 오랫동안 脾氣下陷하면 慢性腹瀉로 변하게 된다. 따라서 吳茱萸湯에 五味子·肉豆蔻를 加하여 溫中散寒, 澀腸止瀉하게 치료한 후 완치했다.

【副方】小半夏湯(『金匱要略』): 半夏 一升(20 g) 生薑 半斤(10 g)

- 用法: 이상의 약에 물 七升을 넣고 달여서, 一升半으로 졸여서 나눠서 따뜻하게 복용한다.
- 作用: 和胃止嘔, 散飮降逆.
- 適應症: 嘔吐不渴, 心下에 支飮이 있는 경우 및 구역질이 나고 토하는 증상을 치료한다.

방제의 半夏는 燥濕化飮하고 和胃降逆해서 止嘔要藥이 된다. 生薑과 배합하면, 半夏의 毒性을 억제할 수 있을 뿐만 아니라 溫胃散寒하고 化飮止嘔한 작용을 강화할 수 있기 때문에 嘔吐를 치료하는 聖藥이 된다.

吳茱萸湯의 경우 溫中補虛, 降逆止嘔하며, 胃中虛寒하고 濁陰上逆한 諸證을 위주로 치료하지만; 小半夏湯은 飮停于胃, 胃失和降으로 인한 嘔吐를 主治한다.

小建中湯

(『傷寒論』)

【異名】芍藥湯(『古今錄驗方』引『外臺秘要』卷17)·桂心湯(『聖濟總錄』卷91)·建中湯(『傷寒明理論』卷4)·桂枝芍藥湯(『傷寒圖歌活人指掌』卷4).

【組成】桂枝 去皮 三兩(9 g) 甘草 炙 二兩(6 g) 大棗 擘 十二枚(四枚) 芍藥 六兩(18 g) 生薑 切 三兩(9 g) 飴糖 一升(30 g)

【用法】위의 여섯가지 약 중에서, 먼저 다섯가지 약을 물 七升으로 三升이 되게 달여서 찌꺼기를 제거하고 다시 飴糖을 넣고, 약한 불에 올려서 녹인 다음 一升씩 하루 3회에 나누어 따뜻하게 복용한다.

【效能】溫中補虛, 和裏緩急.

【主治】虛勞裏急證. 腹中時痛, 喜溫欲按, 舌淡苔白, 脈細弦; 虛勞而心中悸動, 虛煩不寧, 面色無 華 手足煩熱, 咽乾口燥.

【病機分析】본 방제는 腹痛, 心悸, 發熱을 치료한다. 이 세 가지 증상의 원인은 虛勞所致이다. 본 방제는 주로 虛勞諸證을 치료한다. 본 방제에서 치료하는 腹痛, 心悸, 發熱 증상의 원인은 虛勞所致이다. 이는 바로 虛勞을 말하며, 모두 中焦가 虛寒하고 化源不足해서 발병하는 것이다. 陽氣가 부족하면 곧 溫煦할 수 없기 때문에 따라서 腹中時痛, 喜得溫按하게 된다. 中虛하면 生化할 수 없고, 陰陽이 모두 부족하고, 養心할 수 없기 때문에 곧 虛煩心悸, 面色無華하게 된다. 中虛營衛化生이 부족하면, 陰陽이 조화를 잃어서 手足煩熱, 咽乾口燥로 나타나게 된다. 이상의 證은 비록 비교적 복잡하지만, 모두 中焦虛寒, 化源不足, 營衛失和, 氣血虛損으로 인해 야기된 것이다.

【配伍分析】본 방제는 桂枝湯에 芍藥을 倍用하고, 飴糖을 加하여 구성한 것이다. 小建中湯은 小小建立, 中焦陽氣, 實則 土中瀉木을 治法으로 하고, 『素問』·「臟氣法時論」에서 "脾欲緩, 急食甘以緩之"에 근거하여 치료한다. 본 방제에서 飴糖은 君藥이다. 飴糖은 甘溫質潤하여 溫中補虛하고 和裏緩急의 효능이 있다. 芍藥은 用量을 倍用하고, 芍藥과 飴糖이 合해서 酸甘益陰하고 緩急止痛한다. 桂枝는 性味가 辛甘하며, 溫陽하고 祛虛寒의 효능이 있다. 芍藥과 桂枝는 一溫一凉, 一散一收의 配伍가 되어 和陰陽, 調營衛의 효능이 있다. 본 방제에서 芍藥과 桂枝는 모두 臣藥이 된다. 炙甘草는 甘溫하여 益氣하는데, 飴糖을 도와 溫中補虛하고, 桂枝와 合하여 辛甘養陽, 芍藥과 配하여 酸甘化陰의 효능이 있다. 生薑은 溫胃하며, 大棗는 補脾하는데, 生薑· 大棗를 合用하면 辛甘한 味가 助脾胃, 通行津液하게 된다. 본 방제에서 炙甘草와 生薑과 大棗는 모두 佐使藥이다. 諸藥을 함께 配伍하면 中氣

를 健하게 하고, 化源을 足하게 하고, 氣血를 生하게 하고, 營衛를 調和하여, 虛勞諸證이 해소될 수 있다.

본 방제의 配伍 특징은 甘溫藥을 위주로 하고 辛酸한 藥을 配伍해서, 辛甘化陽하고 酸甘化陰한 방제를 만들고 사용해서 陰陽相生하고 中氣自立할 수 있게 한다.

【類似方比較】 본 방제와 桂枝湯은 모두『傷寒論』에서 나온 것이지만, 본 방제의 理法과 桂枝湯은 차이가 있다. 桂枝湯은 桂枝을 君藥으로 삼으며, 解肌發表하고 調和營衛한 효능이 있어서 外感風寒表 虛證을 치료하며, 辛溫解表劑에 속한다. 본 방제는 飴糖을 君藥으로 삼으며, 溫中補虛하고 和裏緩急한 효능이 있어서 虛勞腹痛, 心悸 등의 裏寒虛證을 치료하며, 溫中補虛劑에 속한다. 理中丸과 吳茱萸湯과 小建中湯을 비교하면, 세 방제의 공통점은 溫中散寒補虛의 효능으로 中焦虛寒證을 치료한다. 각각의 차이점으로 理中丸은 溫中을 爲主로 主症은 痛, 吐, 瀉이다. 吳茱萸湯은 降逆을 爲主로 主症은 嘔逆이다. 小建中湯은 緩急을 爲主로 主症은 腹痛이다.

【臨床應用】

1. 證治要點: 본 방제는 虛勞裏急腹痛을 치료하는 常用方劑이며, 임상에서 腹痛喜溫喜按, 面色無華, 舌淡紅, 脈沉弱하거나 虛弦한 증상을 치료의 요점으로 삼는다.

2. 加減法: 寒重한 경우에는 花椒를 加하여 溫中散寒하고, 便溏한 경우에는 白朮을 加하여 健脾除濕하고, 氣滯한 경우에는 木香을 行氣除脹하고, 氣虛한 경우에는 黃芪·黨參을 加하여 補中益氣하고, 血虛한 경우에는 當歸를 加하여 溫養補血한다.

3. 小建中湯은 다음 한국표준질병사인분류(KCD)에 해당하는 환자가 虛勞裏急證으로 辨證되는 경우 본 처방의 사용을 고려해볼 수 있다.

처방 목표	한국표준질병사인분류(KCD)
胃及十二指腸潰瘍	K25 위궤양
	K26 십이지장궤양
慢性胃炎	K29.3 만성 표재성 위염
	K29.4 만성 위축성 위염
	K29.5 상세불명의 만성 위염
再生障碍性貧血	D61 기타 무형성빈혈
	D60 후천성 순수적혈구무형성[적모구감소]
神經衰弱	F48.0 신경무력증
	F48.8 기타 명시된 신경증성 장애
	F48.9 상세불명의 신경증성 장애
慢性肝炎	K73 달리 분류되지 않은 만성 간염
	B18 만성 바이러스간염
溶血性黃疸	D55~D59 용혈성 빈혈
	P58 기타 과다용혈로 인한 신생아황달
機能性發熱	(질병명 특정곤란)
	R50 기타 및 원인미상의 열
白血病	C91 림프성 백혈병
	C92 골수성 백혈병
	C93 단핵구성 백혈병
	C94 명시된 세포형의 기타 백혈병
	C95 상세불명 세포형의 백혈병

【注意事項】 陰虛火旺·嘔家·吐蛔·中滿한 경우에는 본 방제를 응용하는 것은 옳지 않다.

【變遷史】 小建中湯은 桂枝湯에 芍藥을 倍用하고 飴糖을 加하여 구성한 것으로, 두 방제는 비록 한 가지 약물의 차이만 있을 뿐이지만, 君藥의 변화로 인해 解肌發表劑가 溫中補虛·和裏緩急한 방제로 변화하게 했다. 본 방제는 調和陰陽, 溫建中臟을 治法으로하며 培補後天와 資氣血生化之源을 통해서 積勞虛損諸證을 치료한다. 예를 들면『金匱要略心典』卷上에서 "求陰陽之和者, 必于中氣; 求中氣之立者, 必以建中也"라고 했다. 이를 통해 虛勞를 치료하는 諸方 중에서 하나의 일파를 이루었다고 말할 수 있다. 小建中湯은 飴

糖을 重用해서 甘溫補虛, 緩急止痛를 위주로 한다. 이를 기초로 해서 仲景은 中氣가 부족하고 脾胃虛弱하 비교적 심한 경우에 대해서 黃芪(黃芪建中湯)를 더 추가해서 益氣建中의 효력을 강화해야 한다고 주장했다.『備急千金要方』卷3에서 또한 방제의 桂枝를 桂心으로 바꾸고 다시 當歸를 加하여 補虛和血止痛의 효력으로 산모의 産後大虛한 경우에 사용하며, "腹中痛不止, 吸吸少氣, 或苦小腹拘急, 痛引腰背, 不能飮食"한 경우에는 內補當歸建中湯(當歸建中湯)을 사용한다. 이후 역대 의학자들은 中虛腹痛한 증상에 주로 본 방제를 위주로 해서 치료했는데, 현대 의학에서는 胃及十二指腸球部潰瘍으로 인한 胃脘隐痛, 喜溫喜按, 舌淡脈細와 같은 中虛臟腑해서 溫養하는 기능에 장애가 생긴 경우에 본 방제를 사용해서 加減하여 치료를 했다. 이 또한 빠른 효과를 보았다. 본 방제는 또한 陰陽을 조화롭게 해서, 虛勞發熱을 제거하는 효능을 갖는다. 따라서 또한 甘溫除熱法으로 후세의 內傷發熱 치료에도 비교적 큰 영향을 미쳤다.

【難題解說】

1. 본 방제의 적응증에 대해서: 小建中湯은『傷寒論』과『金匱要略』에 모두 기록되어 있는데, 主治證候은 저서의 여러곳에서 분산되어 나타난다. 예를 들면『傷寒論』에서 "傷寒, 陽脈澀, 陰脈弦, 腹中急痛"; "傷寒二三日, 心中悸而煩"라고 기록되어 있다.『金匱要略』에서 "虛勞裏急, 悸, 衄, 腹中痛, 夢失精, 四肢酸疼, 手足煩熱, 咽乾口燥"; "男子黃, 小便自利"; 및 "婦人腹中痛" 등으로 기록되어 있다. 위에서 언급한 임상에서 나타나는 증싱은 비록 복잡하지만, 이를 종합해 보면, 세 종류로 정리할 수 있다. 첫째, 中焦虛寒하면 溫煦의 기능을 잃어서 腹痛이 끊임없이 나타나게 된다. 둘째, 中虛化源이 부족하고 氣血虛餒하면 濡養하지 못해서 心悸·四肢酸疼·面色萎黃 등의 증상을 유발하게 된다. 셋째, 氣血不足한데다가 더 나아가서 陽損及陰하고 陰陽失調한 것으로, 陰虛生熱하면, 手足煩熱·咽乾口燥·衄血·失精 등의 증상이 나타나게 되고, 陽虛生寒하면, 裏急·腹痛 등의 증상이 나타나게 된다. 여기에서 알 수 있듯이, 위에서 말한 증상의 발병 원인은 모두 中焦虛寒으로 化源不足에 이르거나 陰陽失調에 이르는 것과 관계있다.

2. 본 방제의 立法에 대해서: 본 방제는 中焦脾胃가 虛弱한 증상을 치료하기 위해 만들어진 것이기 때문에 飴糖을 重用하고 君藥으로 삼는다. 그 목적은 溫中補虛하고 緩急止痛하게 치료하는 것이며, 溫養을 위주로 하는 大法을 구현했다. 이는『傷寒明理論』卷4에서 본 방제의 효능이 "溫建中臟"이라고 명확하게 지적했다. 본 방제의 약물 配伍의 또 다른 특징은 酸甘한 맛과 辛甘한 맛을 함께 사용한다는 것이다: 芍藥의 酸味와 飴糖·甘草의 甘味를 함께 配伍하면, 化生陰液한 효능을 갖게 되고; 桂枝·生薑의 辛味와 飴糖·甘草의 甘味를 함께 배합하면, 化生陽氣의 효능을 갖게 된다. 이 둘을 함께 配伍해서 사용해서 甘潤溫補, 調和陰陽한 治法을 구현했다. 따라서 본 방제는 또한 中虛陰陽失調에 의한 發熱을 치료하는데도 사용한다. 따라서『金匱要略心典』卷上에서 본 방제의 효능을 "和陰陽, 調營衛"라고 요약했다. 이밖에도, 李杲가 본 방제에서 芍藥의 효능이 "土中瀉木"(『脾胃論』卷上)이라고 제시한 이후로 후세의 의학자들 또한 본 방제의 立法은 培土抑木하는데 있다고 여겼다. 예를 들면『醫宗金鑑』에서 "緩肝和脾",『醫方論』卷3에서 "小建中湯之義, 全在抑木扶土"라고 하였다. 비록 白芍는 柔肝緩急한 효능이 있지만 또한 脾로 入經해서 緩急止痛한 효능이 있다. 임상에서 보았을 때, 中虛腹痛은 대부분 脘腹隐痛, 喜得溫按, 舌淡脈細한 증상으로 나타나며, 肝木乘脾에 의한 경우와 차이가 있다. 따라서, 李飛는 본 방제의 立法은 溫中補虛를 위주로 해서 만들고, 본 방제를 사용할 때 또한 中焦虛寒에 중점을 두고 치료해야 한다고 생각한다. 만약 肝木乘脾, 脇腹脹痛이 비교적 가벼운 경우에는 본 방제로 扶土抑木하게 해서 증상을 완화시킬 수 있고; 증상이 심한 경우에는 반드시 疏肝解鬱藥을 함께 사용해야 한다.

3. 방제의 飴糖·芍藥의 사용에 대해서: 飴糖은 수수·쌀·보리·밀·조·옥수수 등의 전분질이 함유된 곡물을 원료로 해서, 發酵糖化를 거쳐서 만들어진다. 味甘性溫하며, 脾·胃·肺로 歸經하기 때문에 본 방제에서 溫中補虛, 緩急止痛, 生津潤燥한 효능이 있다. 복용시에는 烊化해서 녹인 다음 물에 타서 마신다. 본 방제의 芍藥의 경우 임상에서 대부분 白芍藥을 사용하며 그 성질이 寒하기 때문에 炒해서 사용하는 것이 알맞다. 白芍藥의 小建中湯에서 配伍 의의는 대체적으로 세 가지로 나누어 볼 수 있다: ① 化陰해서 和陽하게 한다. 白芍藥은 斂陰養血해서 陰血不足을 滋하게 하고, 게다가 방제의 여러 甘味藥과 함께 配伍해서 陰液이 化生하는데 도움을 준다. ② 和裏緩急하게 한다. 腹痛은 본 방제 및 其類方에서 발생 빈도가 가장 높은 증상이다. 白芍藥은 和裏緩急에 뛰어나기 때문에 따라서 본 방제는 이를 重用해서 脘腹의 통증을 완화한다. ③ 柔肝止痛하게 한다. 만약 肝木乘脾가 함께 발생하는 경우에는, 白芍藥은 또한 土中瀉木하고 柔肝緩急한 작용을 해서 통증을 멎게 할 수 있다. 酒炒하면 또한 疏肝한 효능이 증가하게 된다.

【醫案】

1. 虛勞『吳鞠通醫案』: 施모씨, 20세. 몸이 차고 六脈弦細하고 때로는 身熱하며, 선천적으로 허약해서, 諸虛不足하므로 小建中湯으로 치료했다. 白芍 六錢, 炙甘草 三錢, 生薑 四錢, 桂枝 四錢, 膠飴 一兩, 大棗 四枚를 加하여 달여서 60劑를 복용한 후, 諸證에 모두 효과를 보았다.

2. 小兒尿頻『千家妙方』: 여자, 4세. 尿頻 증상이 발생한지 한 달 정도 되었으며 하루에 수십 차례 매번 소량의 소변을 보았다. 단 음식을 좋아해서 식사량은 많지 않으며, 발육 상태는 보통으로 몸이 조금 마르고, 神情에 생동감이 없었다. 얼굴빛이 조금 누르스름하고 창백하며, 腹部가 조금 긴장되어 있었다. 中氣不足, 脾胃虛弱로 진단하고 建中湯을 처방했다. 十劑를 복용한 후, 尿頻 증상이 호전되었으며 횟수가 매일 20여 회까지 줄어 들었으며, 안색이 붉어져서 계속해서 原方에 黃芪를 加하여 七劑를 복용한 후 尿頻이 나았다.

3. 産後發熱『現代中西醫結合雜誌』(2005, 2:122): 여자, 28세. 출산 후 발열 증상이 2개월 동안 계속되었다. 체온은 38~40℃이고, 땀을 많이 흘리며, 面色萎黃, 口唇·指甲無華, 骨瘦如柴, 皮膚干皱, 精神萎靡, 左臀壓瘡如掌大, 凹陷色淡, 膿稀했다. 본 증상은 産後病을 오랫동안 앓아서 體虛, 脾胃氣虛, 陽陷入陰, 氣虛해서 열이 나는 것이다. 建中湯에 加減하여 이를 위주로 해서 補中益氣, 托裏排膿하게 치료해야 한다. 약을 복용한 15일 후 정신이 맑아지고 열이 내렸다. 다시 蚤休·忍冬藤을 加減하여 2개월 정도 조리했더니 열이 내리고 땀이 멎었으며, 痰吐流利하고 臀部의 壓瘡이 다 아물었다.

考察: 醫案1은 선천적으로 허약해서, 脾胃가 虛寒하고 運化 기능이 무력해지고, 化生氣血이 부족해서 六脈弦細하고 마치 몸에 열이 없는 것처럼 肢寒畏冷한 경우에는 理中湯을 주고 溫中散寒하고 補益脾胃하게 치료해야 한다. 반면 본 醫案에서 나타나는 身熱 증상은 化源虧乏, 營衛化生이 부족하고 陰陽이 조화를 이루지 못해서 발생하는 것이기 때문에 小建中湯을 처방해서 甘溫補益하게 치료해야 한다. 즉 化源을 돕고 또한 寒熱을 제거해서 낫게 되는 것이다. 醫案2는 小兒尿頻으로 中氣不足, 脾胃虛弱해서 발생하는 것이다. 脾는 運化를 주관하고, 전신에 津液을 布散하게 하는데, 脾虛하면 運化 기능이 무력해지기 때문에 津液이 膀胱으로 내려가지 못해서 尿頻으로 나타나는 것이다. 따라서 小建中湯으로 甘溫健脾하게 치료하면, 脾가 運化해서 津液이 布散하게 되어 증상이 낫게 된다. 醫案3은 출산후 脾胃氣虛, 氣虛發熱한 것으로 甘溫除熱法에 따라, 建中湯을 처방해서 辛甘化陽, 酸甘化陰, 氣充血濡하게 하면, 浮陽이 저절로 없어진다.

黃芪建中湯

(『金匱要略』)

【異名】 黃芪湯(『古今錄驗』引『外臺秘要』卷17).

【組成】 芍藥 酒炒 六兩(18 g) 桂枝 去皮 三兩(9 g) 甘草 炙 二兩(6 g) 生薑 切 三兩(9 g) 大棗 擘 十二枚(四枚) 飴糖 一升(30 g) 黃芪 一兩半(9 g)

【用法】 위의 일곱 가지 약 중에서, 먼저 여섯 가지에 약을 물 七升으로 달여서 찌꺼기를 제거하고, 다시 飴糖을 넣고 약한 불에 올려서 녹인 다음 一升씩 하루 3회에 나누어서 따뜻하게 복용한다.

【效能】 溫中補氣, 和裏緩急.

【主治】 虛勞病, 陰陽氣血虛證. 裏急腹痛, 喜溫喜按, 形體羸瘦, 面色無華, 心悸氣短, 自汗盜汗

【病機分析】 脾胃는 後天之本으로 營衛氣血生化의 源泉이 된다. 中焦虛寒하면, 納運無力, 生化不足해서 곧 陰陽氣血이 모두 虛하게 된다. 中氣虛寒하고 不得溫養하면 裏急腹痛이 있고 喜溫喜按하게 된다. 氣血生化가 부족하면, 機體가 溫養의 기능을 상실해서 形體羸瘦, 面色無華하게 되며, 氣血虛한데 養心 하지 않으면, 心이 養하지 못해서 心悸氣短한 증상을 보이고, 營衛不足하면 表虛不固해서 自汗盜汗 증상이 나타난다. 이상의 諸症은 모두 中焦虛寒 化源不足으로 인해서 나타나는 것이다.

【配伍分析】 본 방제는 小建中湯에 黃芪를 加하여 구성된 것으로 溫中補虛를 立法의 대상으로 삼아서, 虛勞를 치료하는 유명한 방제이다. 방제에서 黃芪는 甘溫入肺해서 健脾益氣하게 하고, 飴糖은 甘溫補虛해서 緩急止痛하며, 모두 君藥이다. 桂枝는 助陽하고 芍藥은 益陰해서 두 약물을 함께 배합하면 陰陽을 조화롭게 해서, 化生氣血하며 臣藥이 된다. 生薑·大棗는 辛甘해서 함께 배합하면, 健脾益胃하고 調和營衛하게 해서, 佐藥이다. 炙甘草는 益氣健脾하고, 諸藥을 조화롭게 하기 때문에 使藥이다. 게다가 炙甘草의 甘味는 桂枝·飴糖와 함께 配伍해서 "辛甘化陽"하고, 芍藥과 配伍하면 "酸甘化陰" 한다. 諸藥을 함께 배합하면, 益氣建中하기 때문에, 본 방제는 化源이 足하고, 氣血가 生하고, 營衛가 調하게 할 수 있어서 모든 病症을 치료한다.

【類似方比較】 본 방제와 小建中湯은 모두 溫中補虛, 緩急止痛한 효능이 있어서 中焦脾胃虛弱하고, 陰陽氣血이 부족한 증상을 치료한다. 본 방제는 또한 黃芪를 1 兩半으로 重用하면 黃芪가 脾肺의 氣를 補하는데 뛰어나고 또한 固表止汗할 수 있기 때문에, 中焦虛寒하고, 氣虛가 비교적 심하고 神疲乏力, 自汗脈弱한 증상이 함께 나타나는 경우에 사용하는 것이 알맞다.

【臨床應用】

1. 證治要點: 본 방제는 益氣溫中의 常用方으로, 임상에서 裏急腹痛, 喜溫喜按, 形體羸瘦, 面色無華, 心悸氣短하거나 自汗盜汗, 舌淡紅, 脈沉弱한 증상을 치료의 요점으로 삼는다.

2. 加減法: 小建中湯과 같다.

3. 黃芪建中湯은 다음 한국표준질병사인분류(KCD)에 해당하는 환자가 虛勞病, 陰陽氣血虛證으로 辨證되는 경우 본 처방의 사용을 고려해볼 수 있다.

처방 목표	한국표준질병사인분류(KCD)
胃·十二指腸潰瘍	K25 위궤양
	K26 십이지장궤양
神經衰弱	F48.0 신경무력증
	F48.8 기타 명시된 신경증성 장애
	F48.9 상세불명의 신경증성 장애

처방 목표	한국표준질병사인분류(KCD)
慢性腹膜炎	K65 복막염
慢性胃炎	K29.3 만성 표재성 위염
	K29.4 만성 위축성 위염
	K29.5 상세불명의 만성 위염

【注意事項】 陰虛火旺한 경우, 嘔家나 中滿한 경우에는 모두 본 방제의 사용을 금한다.

【變遷史】 본 방제는 『金匱要略』·「血痹虛勞病脈證并治」에서, 小建中湯에 黃芪를 넣고 구성했으며, "虛勞裏急, 諸不足"한 증상을 主治했다. "裏急"라는 것은 腹中拘急한 것을 가리킨다. "諸不足"는 氣血陰陽이 모두 虛하다는 것을 가리킨다. 본 방제에 대한 논술이 小建中湯의 條文 뒤에 바로 이어져 있고, 본 방제에는 또한 黃芪를 첨가한 것에서 보아, 본 방제로 치료하는 證候와 小建中湯證은 유사하지만, 다만 그 虛損이 더욱 심하다는 것을 알 수 있다. 小建中湯을 운용할 때 환자의 虛損 정도에 맞게 융통성있게 加減할 수 있다는 것을 알려 주며, 이를 통해서도 또한 仲景의 用方의 法度를 엿볼 수 있다. 후세의 의학자들은 매우 깊은 깨우침을 받아서 본 방제를 응용할 때, 人蔘을 加하여 補氣한 효력을 더욱 돋구거나(『肘後備急方』卷4); 當歸를 加하고, 飴糖·白芍와 함께 配伍해서, 養陰補血한 효능(『外臺秘要』卷17 引『必效方』)을 돕거나; 桂枝를 肉桂로 바꿔서 溫陽祛寒한 치료 효과(『證治要訣類方』卷1)를 높이거나; 白朮·陳皮를 加하여, 脾胃의 運化를 돕거나, 補而不滯(『傷寒全生集』 卷2)하게 하는 등, 본 방제가 후세의 溫中補虛한 방제에 미친 영향을 반영했다.

【醫案】

1. 胃竇炎 『河北中醫』(1987, 1:28): 남자, 49세. 만성 위통이 반복적으로 발생한지 벌써 5년 정도 되었다. 위내시경 검사 결과: 胃體 점막 충혈, 紅腫, 蠕動운동 정상, 活檢經病理證實, 胃竇中度慢性炎症이 나타나서 胃竇炎으로 진단받았다. 증상: 脘腹에 脹痛이 있고 식후에 특히 심하며, 納穀欠佳, 泛吐淸水, 手足不溫, 急躁易怒, 苔薄白, 脈弦細했다. 본 증상은 肝木犯胃, 中陽不足에 속한다. 黃芪建中湯에 柴胡·香附를 加하여 달여서, 五劑 복용한 후 胃脘痛이 약간 줄어들었으며, 계속해서 十劑를 복용한 후, 식사량이 증가하고, 吐酸 증상이 호전되어서 上方에 증감해서 다시 5六劑를 복용한 후 諸證이 모두 나았고, 위내시경 재검사에서 모두 정상으로 확인되었으며, 지금까지 재발하지 않았다.

2. 淺表性胃炎 『河北中醫』(1994, 14:30): 張모씨. 胃脘痛을 반년 동안 앓아서 치료를 받으러 방문했다. 위내시경 검사(纖維胃鏡檢查)에서 胃體의 中·下竇 부위의 점막이 주로 붉은 빛을 띠어서 淺表性胃炎으로 진단했다. 환자의 증상은 胃痛隱隱, 喜溫喜按, 得溫痛減, 遇寒痛甚, 伴神疲乏力, 納少便溏, 舌淡苔白, 脈沉緩으로 나타나서, 黃芪建中湯에 加減하여 약 2三劑를 복용하게 했다. 약을 복용한 후 임상 증상이 사라지고 다 나아서 퇴원했다.

3. 萎縮性胃炎 『湖北中醫雜誌』(1991, 17:12): 남자, 45세. 환자는 2개월 전 自覺 上脘 부위가 살살 아프고, 식욕부진해서 한 병원에서 위내시경 검사를 두 번 받은 결과 "慢性萎縮性胃炎"이라고 진단받았다. 환자의 증상은 胃脘部脹痛, 噯氣, 飽脹, 有時噯氣連續不止, 勉强進食, 大便不爽, 舌質淡紅, 苔薄白, 脈弦緩으로 나타났다. 본 증상은 약 1년 동안 반복적으로 발생했으며, 이는 中氣虛弱, 脾胃虛寒으로 인한 것이기 때문에 黃芪建中湯에 黨參을 加하여, 30劑를 복용하게 한 후 증상이 사라졌다. 계속해서 20劑를 복용한 후 약효가 안정을 찾았으며, 위내시경 재검사에서 정상으로 회복되었음을 확인했다. 3년 동안의 방문 조사에서 諸症이 모두 다 나았다.

4. 潰瘍病 『湖北中醫雜誌』(1982, 3:20): 남자, 45세. 위내시경 검사와 X-선 검사를 통해 十二指腸球部潰瘍으로 진단받았다. 병을 앓은지는 이미 10년이 넘었으며, 이전에 出血 병력이 2번 있고, 여러차례 潰瘍을 치료했으나 아물지 않았다. 위내시경 검사에서 十二指腸

球部前壁에 1.5 cm×1.0 cm만한 크기의 깊이 0.2 cm의 궤양이 있다는 것을 발견했다. 환자의 증상은 胃脘隐痛, 飢時痛著, 食後痛減, 喜暖喜按, 神疲易乏, 大便偏溏, 舌質淡, 苔薄白, 脈細弱으로 나타났다. 본 증상은 脾胃虛寒한 증상으로 판단하고, 黃芪建中湯의 煎劑와 片劑를 처방하고, 4주 동안 치료했다. 치료 후 脘痛은 이미 사라졌으며, 기타 증상도 뚜렷하게 개선되었다. 위내시경 재검사에서 球部潰瘍이 모두 완전하게 아물었다.

考察: 醫案1은 中焦虛寒하고 肝氣鬱滯한 증상이 동시에 발생했기 때문에 黃芪建中湯으로 培土해서 中陽을 建하게 한다. 또한 柴胡·香附를 加하여 疏肝解鬱하게 한다. 나머지 3例는 모두 中氣虛弱, 脾胃虛寒으로 인해 발병한 것이기 때문에 黃芪建中湯으로 溫中補虛, 益氣建中하게 해서, 中陽을 建하게 하고 氣血을 充하게 함으로써 諸症이 모두 치료되었다.

【副方】 內補當歸建中湯(『備急千金要方』卷3)

當歸 四兩(12 g) 芍藥 六兩(18 g) 甘草 二兩(6 g) 生薑 六兩(18 g) 桂心 三兩(9 g) 大棗 十枚

- 用法: 물 一斗를 넣고 달여서 三升으로 졸이고, 찌꺼기를 제거한 후, 하루 3회에 나누어서 모두 복용하게 했다. 출산 후 1개월 동안은 하루에 四·五劑를 복용하는 것이 가장 좋다. 만약 大虛한 경우에는 飴糖 六兩을 넣고, 湯劑를 불에 올려서 飴糖을 녹인다.
- 作用: 溫中補虛, 緩急止痛.
- 適應症: 産後虛羸, 腹中疼痛, 食欲不振, 面色萎黃, 唇口乾燥, 乳汁缺乏.

본 방제는 小建中湯에 當歸를 加한 것이다. 방제의 當歸는 養血活血한 효능이 있고, 小建中湯은 溫中補虛하기 때문에, 이 둘을 함께 배합하면, 溫補氣血하고 建中止痛하게 할 수 있다. 본 방제와 黃芪建中湯은 모두 溫中補虛, 緩急止痛한 효능을 가지고 있지만, 黃芪建中湯이 健脾益氣한 효능이 더욱 뛰어나다. 반면 본 방제는 養血療虛한 효력이 특히 뛰어나다.

大建中湯

(『金匱要略』)

【異名】 三物大建中湯(『張氏醫通』卷16).

【組成】 蜀椒 去汗 二合(6 g) 乾薑 四兩(12 g) 人蔘 二兩(6 g)

【用法】 위의 세 가지 약을 물 四升으로 二升이 되게 달여서 찌꺼기를 제거하고, 膠飴 一升(30 g)을 넣고 약한 불에 一升半이 되게 달여, 두 번에 나누어서 따뜻하게 복용한다. 밥 지을 시간 정도가 지나면 죽 二升을 먹고 난 후에 약을 복용한다. 매일 糜粥을 먹고, 溫覆하게 한다(현대용법: 세 가지 약을 물을 넣고 2번 달여서, 汁을 취해서, 飴糖 3 g을 넣고 2회에 나누어서 따뜻하게 복용한다).

【效能】 溫中補虛, 降逆止痛.

【主治】 中陽衰弱, 陰寒內盛, 脘腹劇痛證. 心胸中大寒痛, 咽不能食, 腹中寒上衝皮起, 見有頭足, 上下痛 不可觸近, 舌苔白滑, 脈細緊, 甚則 肢厥脈伏, 或腹中漉漉有聲.

【病機分析】 본 방제는 中陽衰弱, 陰寒內盛한 脘腹劇痛證을 主治한다. 『素問』·「痹論」에서 "痛者, 寒氣多也, 有寒故也."라고 했다. 中陽이 허약하고, 陰寒이 뱃속에 맺혀 있으며, 經脈이 收引拘急해서 心胸에 매우 寒하고 아프게 된다. 陰寒이 胃를 침범하면, 濁陰이 거꾸로 올라와서 구역질이 나서 먹을 수 없는 증상이 나

타나게 된다. 『素問』·「擧痛論」에서 "寒氣客于腸胃, 厥逆上出, 故痛而嘔."라고 했다. 뱃속의 한기(寒氣)가 치밀고 피부가 들뜨면, 뱃속의 한기가 치밀어 올라 마치 뱃가죽 밖에서 뭔가가 꿈틀거리는 것처럼 보이기도 하고, 가슴부터 배까지 아파서 만질 수가 없다. 만약 뱃속에 寒飮이 있으면 뱃속에서 꼬르륵 소리가 난다.

【配伍分析】 中陽衰弱하고 陰寒內盛한 경우에 溫하지 않으면 寒이 제거되지 않고, 補하지 않으면 虛損이 회복되지 않는다. 방제에서 蜀椒는 性味가 辛熱해서, 溫中散寒, 降逆止痛하게 하고 君藥이 된다. 張秉成이 이르길: "蜀椒之大辛大熱, 上至肺而下至腎, 逐寒暖胃, 散積殺虫"(『成方便讀』卷2)라고 했다. 乾薑은 性味가 辛熱해서, 溫中祛寒, 和胃止嘔한 효능이 있기 때문에 蜀椒의 溫建中陽하고 散寒止痛한 효력을 도와서 臣藥이 된다. 人蔘은 補脾益胃, 扶助正氣하다. 방제에서 飴糖을 重用해서 建中緩急하게 하면, 椒·薑의 止痛한 효능을 강화시킬 뿐만 아니라, 또한 과도하나 辛燥한 성질을 억제할 수 있다. 게다가 甘緩益氣, 補虛助陽한 효능이 있어서 모두 佐藥이 된다. 諸藥을 함께 사용하면 中陽을 튼튼하게 하고, 陰寒을 제거하고, 陽氣를 회복하게 할 수 있다.

본 방제의 配伍 특징은 溫과 補한 치법을 병행해서 사용하지만, 溫法을 위주로 한다. 溫法을 사용해서 陰寒을 제거하고, 中土를 補해서 中陽을 建하게 하면, 서로 보완해서 좋은 효과를 얻을 수 있게 된다.

【類似方比較】 大建中湯과 小建中湯·黃芪建中湯 및 當歸建中湯의 네가지 방제는 모두 溫中補虛한 효능을 갖고 있으며 中虛腹痛證을 치료할 수 있다. 하지만 大建中湯은 散寒降逆한 효력이 비교적 뛰어나서 中虛寒甚, 腹痛拒按하고 嘔逆한 증상이 함께 나타나는, 證勢가 비교적 급한 경우에 사용하는 것이 알맞다. 이밖의 세 가지 방제는 溫中緩急을 위주로 하기 때문에 腹痛綿綿, 喜溫喜按한 證勢가 비교적 천천히 나타나는 경우에 사용하는 것이 알맞. 이중 小建中湯은 辛甘한 약들과 함께 배합하며, 다량의 芍藥을 도와서 酸甘化陰하게 하기 때문에, 中陽虛하면서 營陰 또한 부족한 경우에 사용하는 것이 알맞다. 黃芪建中湯은 小建中湯에 黃芪를 첨가하면 益氣建中한 효력이 크게 증가하기 때문에 陽生陰長하게 해서 諸虛不足한 증상이 저절로 제거된다. 當歸建中湯은 주로 產後虛羸 및 產後에 百脈이 空虛한 증상을 치료하기 때문에 苦辛甘溫·補血和血한 효능이 있는 當歸를 추가한다. 간단히 말하면, 大建中湯은 散寒을 위주로 하고, 小建中湯은 溫陽을 위주로 하고, 黃芪建中湯은 甘溫益氣에 치중해서 치료하며, 當歸建中湯은 和血止痛에 중점을 두고 치료한다.

【臨床應用】

1. 證治要點: 본 방제는 溫陽建中하게 치료하며, 임상에서 주로 虛寒性腹痛, 嘔吐 및 虛寒虫積·疝瘕 등의 증상 및 脘腹에 심한 통증이 있거나, 구역질로 음식물을 먹을 수 없거나, 舌苔白滑, 脈弦緊한 증상을 치료의 요점으로 삼는다.

2. 加減法: 腹痛脹滿한 경우에는 厚朴·砂仁를 加한다. 寒證이 심하고 두통에 눈앞이 아찔한 경우에는 吳茱萸를 加한다. 惡寒 증상이 심한 경우에는 附子를 加한다. 구토가 심한 경우에는 半夏·生薑를 加한다. 口乾한 경우에는 白芍를 加한다. 손발에 麻痹 증상이 있는 경우에는 桂枝를 加한다.

3. 大建中湯은 다음 한국표준질병사인분류(KCD)에 해당하는 환자가 中陽衰弱, 陰寒內盛, 脘腹劇痛證으로 辨證되는 경우 본 처방의 사용을 고려해볼 수 있다.

처방 목표	한국표준질병사인분류(KCD)
胃腸痙攣症	(질병명 특정곤란)
	K31.9 위 및 십이지장의 상세불명 질환
	R10.19 상세불명의 상복부통증
腸粘連	K66.0 복막유착

처방 목표	한국표준질병사인분류(KCD)
腸疝痛	(질병명 특정곤란)
	K40~K46 탈장
	N40~N51 남성생식기관의 질환
	R10.42 급통증_산병(疝病)
腸管狭窄	(질병명 특정곤란)
	K31.1 성인 비대성 유문협착
	R10.19 상세불명의 상복부통증
腸道蛔虫性梗阻	B77.0 장합병증을 동반한 회충증
胃擴張	K31.0 위의 급성 확장
胃下垂	K31.88 위 및 십이지장의 기타 명시된 질환_위하수
胰腺炎	K85 급성 췌장염
	K86.1 기타 만성 췌장염
闌尾炎	K35 급성 충수염
	K36 기타 충수염
	K37 상세불명의 충수염
腹膜炎	K65 복막염
腎結石	N20.0 신장의 결석

【注意事項】 實熱内結, 濕熱積滯하거나 陰虛血熱로 인해 腹痛이 발병한 경우에는 본 방제의 사용을 금한다.

【變遷史】 본 방제는 張仲景이 腹滿痛證을 치료하기 위해 만든 것으로, 『金匱要略』·「腹滿寒疝宿食病脈證治」에 수재되어 있으며, 仲景의 여러 "建中"方 중에서 散寒止痛의 효능이 뛰어난 것으로 유명하다. 후세의 본 방제의 운용 변화는 대략 아래의 몇 가지 측면으로 나누어 볼 수 있다. 첫째는 黃芪·附子·菘蓉·鹿茸 등을 넣고 溫陽補虛한 효력을 강화해서 虛勞陽氣하거나 氣血不足한 모든 질병에 사용한다. 예를 들면 『深師方』(『外臺秘要』卷17)·『嚴氏濟生方』卷1 및 『定齋未病方』(『普濟方』卷217) 중의 大建中湯이 있다. 둘째는 半夏·生薑 등을 넣고 和胃降逆한 효능을 도와서 中寒氣逆한 증상이 비교적 심한 경우에 사용한다. 예를 들면 『備急千金要方』卷19의 大建中湯이 있다. 셋째는 遠志·龍骨 등을 넣고 寧心固澀한 효능을 강화해서 中焦虛寒하고 心腎虛衰, 精关不固, 神不守舍한 경우에 사용한다. 예를 들면 『備急千金要方』卷19·『黃帝素問宣明論方』卷1 및 『女科百問』卷上의 大建中湯이 있다. 넷째는 桂心·歸身 등을 넣고 溫經活血通脈하게 해서 中虛腹痛하고 瘀血한 증상을 함께 보이는 경우에 사용한다. 예를 들면 『臨證指南醫案』卷1의 大建中湯 등이 있다. 종합해 볼 때, 이상의 네 가지 종류의 변화는 기본적으로 原方의 溫中·補虛·降逆·止痛한 효능에서 벗어나지 않았으며, 이는 大建中湯의 기본적인 효능을 구현했을 뿐만 아니라, 또한 후세의 본 방제에 대한 응용 발전을 반영하였다.

【難題解說】 "腹中寒, 上衝皮起, 出見有頭足"에 대해서: 본 증상은 뱃속에 늘 이물감(包塊)이 생겼다가 말았다가 하는 것을 묘사한 것이다. 이에 대한 발생 원인은 두가지가 있다: 첫째는 中焦虛寒, 陰寒内盛하면, 陰寒의 氣가 거꾸로 上衝하고, 寒凝氣聚해서 발생하는 것이다. 汪昂이 "陰寒之氣逆而上衝, 橫格于中焦, 故見高起痛嘔不可觸近之證"(『醫方集解』·「祛寒之劑」)라고 했다. 둘째는 뱃속에 蛔虫이 있고 또한 中焦虛寒해서 나타나는 것이다. 蛔虫은 따뜻한 것은 좋아하지만, 차가운 것을 싫어하는 특성을 갖기 때문에 추위에 강하지 못하고, 뱃속에서 요동치면 증상으로 나타나는 것이다. 尤怡는: "上衝皮起, 出見有頭足, 上下痛不可觸近者, 陰凝成象, 腹中虫物乘之而動也."(『金匱要略心典』卷中)라고 말했다.

【醫案】

1. 慢性胰腺炎急性發作『實用中醫內科雜誌』(2006, 1:5): 여자, 60세. 慢性胰腺炎을 앓은 지 여러해 되었으며, 식욕부진이 있을 때마다 반복적으로 발생했다. 이번에 환자는 脘腹 및 양쪽 옆구리에 통증이 반년 넘게 멎지 않아서 다양한 종류의 항생제 치료를 받았으나 낫지 않고, 또한 병세가 차츰 심해졌으며, 脘腹의 脹痛이 왼쪽 어깨와 등까지 이어지고, 식후의 痛勢이 더욱 심해지고 汗出肢冷, 얼굴색이 창백하고, 식사를

할 수 없으며, 소변은 淸하고, 대변은 굳어져서 나오지 않고, 舌質淡, 有齒痕, 苔薄白, 脈이 沉細하고 힘이 없는 증상이 함께 나타났다. 실험실 검사 결과: 白細胞 15.0×10^9/L, 中性粒細胞 0.90. 血·尿淀粉酶가 눈에 띄게 증가했다. 본 증상은 中焦虛寒에 속하므로, 溫中散寒止痛하게 치료하는 것이 알맞다. 본 방제에서 약 사용은 甘草·鷄內金·蒲黃·五靈脂를 넣고 一劑를 복용하게 한 후 통증이 줄어들었고 三劑를 복용한 후 식사를 할 수 있었고, 十劑를 복용한 후 다 나았다.

2. 十二指腸球部潰瘍 『實用中醫內科雜誌』(2006, 1:5): 남자, 48세. 환자는 慢性淺表性胃炎을 앓은지 여러해 되었으며, 늘 胃脘부위에 통증이 있고, 酸水를 토하고, 다년간 날 음식, 찬 음식, 점성이 있는 음식, 딱딱한 음식물을 섭취할 때마다 증상이 반복적으로 발병했다. 최근 3개월 동안 병세가 갑자기 심해지더니, 胃脘부위에 통증이 있고, 嘈雜泛酸, 굶으면 통증이 심해지고, 음식을 먹고 몸이 따뜻해지면 통증이 줄어들었다. 神疲乏力, 身體瘦弱, 氣短言微, 舌質暗淡, 苔薄而膩, 脈沉微弱했다. 위내시경검사(電子胃鏡檢查)결과: 淺表性胃炎이고; 十二指腸球部潰瘍(활동기)으로 나타났다. 본 증상은 中焦虛寒, 陰寒凝結에 의한 것으로 益氣溫中健脾하게 치료해야 하며, 大建中湯에 甘草·黃芪·海螵蛸를 넣고, 泰胃美(tagamet)을 배합해서, 三劑를 복용한 후 통증이 줄어들어서, 계속해서 原方에 蒼朮·吳茱萸·蒲黃·五靈脂를 넣고 十劑를 복용한 후 다 나았다. 평소에 음식을 섭취할 때 맵고 자극적인 음식을 피하라고 당부했다.

3. 腸梗阻 『浙江中醫雜誌』(2000, 10:224): 여자, 34세. 환자가 急性腸梗阻을 앓았고, 수술받는 것에 겁을 먹어서, 中醫로 옮겨서 치료를 받았다. 본 증상은 急性病容으로, 面靑白, 腹脹大하고, 복부에 包塊나 길다란 물체가 갑자기 튀어 나오고, 상하좌우로 공격해서 아프고 손으로 만질 수 없을 정도였다. 脈沉遲緊, 舌淡, 苔白滑했다. 본 증상은 腹中大寒에 속하고, 中陽이 健運의 기능을 제대로 하지 못하고, 陰寒凝聚, 腸道阻塞하다. 이 증상과 病機는 『金匱要略』大建中湯證에서 묘사한: "心胸中大寒痛, 嘔不能食, 腹中寒, 上衝皮起, 出見有頭足"과 매우 부합한다. 따라서 大建中湯을 처방해서 一劑를 복용하게 한 후, 뱃속에서 큰 소리가 나고, 설사를 하면 淸稀便을 보고, 배가 아픈 증상이 크게 줄어 들었다. 이어서 三劑를 복용한 후에 모두 완치되었다.

考察: 醫案1은 慢性胰腺炎이 急性으로 발병한 것으로, 증상은 中陽衰弱에 속한다. 陰寒內盛에 의한 복통은 통증이 심해지면 大建中湯으로 溫中散寒하게 치료한다. 寒이 심해지면 瘀가 생기기 때문에 蒲黃·五靈脂·鷄內金을 넣고 活血化瘀하게 치료하고, 甘草를 넣고 甘緩和中하게 치료한다. 諸藥을 함께 사용하면, 寒散瘀行하게 해서 통증이 멎게 된다. 醫案2는 疼痛拒按 증상이 나타나며 實證이 아니다. 便秘 또한 實秘가 아니므로, 脈證合參한 방법으로 치료해야 한다. 본 증상은 陽氣虛衰, 陰寒內盛하다. 방제에 大建中湯을 選用해서 病機에 적절하게, 標本同治해서, 諸病이 줄어들었다. 醫案3은 腸梗阻의 病機는 邪阻中焦, 通降不行이다. 관건은 "塞"자에 있다. 中焦는 氣機가 升降하는 통로와 충추이기 때문에, 막히거나 升降出入에 문제가 생기면, 통증·구토·부종·변비 이 네가지의 전형적인 증상으로 나타나게 된다. 塞한 원인에는 寒凝氣滯, 火熱鬱閉, 濕阻中焦, 虫團內結, 食積血瘀 등이 있으며, 발병 원인에 따라 다르게 치료해야 한다. 본 醫案은 中焦大寒, 陰寒凝滯, 腸道阻塞不通한 것이다. 따라서 溫通의 治法으로 "治寒以熱"하게 치료해야 한다. 大建中湯으로 大熱大補하게 하면, 大振中陽, 蕩寒通降해서 梗塞이 저절로 통하게 된다.

第二節 回陽救逆劑

四逆湯
(『傷寒論』)

【組成】 甘草 炙 二兩(6 g) 乾薑 一兩半(9 g) 附子 生用, 去皮, 破八片 一枚(15 g)

【用法】 위의 세 가지 약을 물 三升으로 一升二合이 되게 달여서 찌꺼기를 제거하고, 따뜻하게 복용한다.

强人可 大附子 一枚, 乾薑 三兩.

【效能】 回陽救逆.

【主治】 少陰病. 四肢厥逆, 惡寒踡臥, 嘔吐不渴, 腹痛下利, 神衰欲寐, 舌苔白滑, 脈微; 太陽病 誤汗亡陽. 四肢厥逆, 面色蒼白, 脈微細.

【病機分析】 寒은 陰邪가 되며, 陽氣를 쉽게 傷하게 한다. 寒邪가 少陰에 깊게 들어가면, 腎陽까지 傷하게 된다. 腎陽은 온몸의 陽氣를 불어 넣는 근본이 된다. 『素問』·「厥論」에서 "陽氣衰于下, 則爲寒厥."라고 했다. 腎陽이 虛衰하면, 온몸과 肢體가 溫煦한 기능을 잃게 되어서 결국에는 四肢厥逆, 惡寒踡臥 증상으로 나타난다. 脾는 주로 水穀精微를 運化하는 기능을 하고, 腎陽의 溫煦에 의존하며, 腎陽이 쇠약해지면 脾陽을 溫煦하게 할 수 없고, 脾가 運化의 기능을 잃게 되어서 淸陽이 올라가지 못하면 반대로 下陷하고, 濁陰이 내려가지 못하면 반대로 上逆해서, 嘔吐下利하게 된다. 陽虛寒盛하면 寒한 성질이 凝滯해서 腹痛으로 나타난다. 『素問』·「擧痛論」에서 "寒氣入經而稽遲, 泣而不行, 客于脈外則血少, 客于脈中則氣不通, 故卒然而痛."라고 했다. 陽氣가 충만해야만 精神이 비로소 왕성할 수 있고, 陽氣가 虛衰하면, 神失所養해서, 神衰欲寐으로 나타난다. 太陽誤汗하면, 陽氣가 땀과 함께 밖으로 배출되고, 心腎의 陽을 손상시켜서, 陽氣가 매우 虛한 亡陽證으로 나타나게 된다. 陽氣虛衰하면, 血行이 無力해져서, 脈微而細한 증상으로 나타나게 된다.

【配伍分析】 본 방제는 寒邪가 少陰에 깊게 들어가서 발생한 寒厥證을 치료한다. 『素問』·「至眞要大論」에서 "寒淫于內, 治以甘熱, 佐以苦辛"하고; "寒淫所勝, 平以辛熱"이라 했다. 병이 少陰에 도달하면, 陽衰陰盛하고 脈微肢厥해서 大劑辛熱한 방제가 아니면, 破陰回陽하지 못해서 救逆할 수 없다. 방제에서 附子는 回陽救逆의 第一要藥으로 性味가 大辛大熱하고 入心脾腎經하여 上助心陽, 中溫脾土, 下壯腎陽의 효능이 있다. 十二經脈을 通行하여 迅達內外해서 溫腎壯陽하고 祛寒救逆하게 하므로, 君藥이다. 錢潢이 이르길: "附子辛熱, 直走下焦, 大補命門之眞陽, 故能治下焦逆上之寒邪, 助淸陽之升發而騰達于四肢, 則陽回氣暖而四肢無厥逆之患矣"(『傷寒溯源集』卷4)라고 했다. 乾薑은 性味가 辛熱하여 溫中散寒, 助陽通脈의 효능이 있으며, 부자와 함께 配伍하면 相輔相成하여 溫陽破陰의 작용이 증강되므로, 臣藥이 된다. 有附子無乾薑 不熱之說이 있다. 附子.乾薑을 함께 사용하면, 溫壯脾腎之陽하고, 祛寒救逆하게 할 수 있다. 『本經疏證』卷10에서: "附子以走下, 乾薑以守中, 有薑無附, 難收斬將奪旗之功, 有附無薑, 難取堅壁不動之效."라고 했다. 炙甘草는 佐使藥이다. 甘草의 甘緩한 성질을 이용하여 附子·乾薑의 回陽救逆작용이 지속적으로 발휘되도록 한다. 附子·乾薑의 燥烈辛散之性을 制約하여 劫傷陰液하는 우려를 막을 수 있다. 또한 甘草와 乾薑을 配伍하면 溫陽健脾한다. 脾陽得健하면 水穀運化와 健脾益氣를 촉진한다. 이와 같이 脾腎의 陽이 補하게 되면, 선후천적으로 서로 滋助해서 回陽救逆한 효능을 얻게 된다. 만약 약을 복용한 후에 嘔吐증상이 나타나면, 차게 복용할 수 있다. 이는 곧 『素問』·「五常政大論」에서 "氣反者……溫寒以熱, 凉而行之"의 방법이다.

본 방제의 配伍 특징은 주로 大辛大熱한 효능이 매우 강한 약품을 사용해서 破陰復陽하게 하고 甘溫益氣한 약을 配伍해서 解毒할 수 있을 뿐만 아니라 또한 과도하게 辛熱한 性味를 완화시킨다.

방제의 명칭은 "四逆湯"이고, 逆은 厥逆을 의미한다. 四逆은 四肢인 손가락(발가락)부터 거슬러 올라가 逆冷해지며, 肘膝 부위까지 싸늘해지는 증상을 가리킨다(四肢厥逆, 冷過肘膝). 四肢는 諸陽의 本으로, 三陰三陽의 脈은 手足과 서로 연결되어 있다. 陽衰陰盛하고, 少陰樞機가 온전하지 못하고, 陽氣가 四肢에 이르지 못하면, 四肢厥逆한 증후가 나타나게 된다. 본 방제는 四肢厥逆을 해소하고, 陽氣가 舒展해서 四肢에 도달하게 하는 것으로, 四逆湯이라고 부른다.

【臨床應用】

1. 證治要點: 본 방제는 回陽救逆의 대표적인 방제이다. 四肢厥冷외에도 神疲欲寐, 下利淸穀, 舌淡苔白, 脈微 등의 全身 虛寒證이 함께 나타난다.

2. 加減法: 寒氣가 盛한 경우에는 附子·乾薑을 重用한다. 體虛脈弱한 경우에는 紅參·黨參·黃芪를 加한다. 脾氣가 부족한 경우에는 焦白朮·炒山藥를 加한다. 腰痛이 있는 경우에는 桑寄生·杜仲을 加한다. 下肢에 水腫이 있고·小便양이 적은 경우에는 連皮茯苓·澤瀉를 加한다.

3. 四逆湯은 다음 한국표준질병사인분류(KCD)에 해당하는 환자가 陽衰陰盛證으로 辨證되는 경우 본 처방의 사용을 고려해볼 수 있다.

처방 목표	한국표준질병사인분류(KCD)
심근경색	I21 급성 심근경색증
	I22 후속심근경색증
심부전	I50 심부전
쇼크	(질병명 특정곤란)
	R57 달리 분류되지 않은 쇼크

처방 목표	한국표준질병사인분류(KCD)
급성위염	K29.1 기타 급성 위염
만성위염	K29.3 만성 표재성 위염
	K29.4 만성 위축성 위염
	K29.5 상세불명의 만성 위염
급성장염	K52 기타 비감염성 위장염 및 결장염
	A09 감염성 및 상세불명 기원의 기타 위장염 및 결장염
만성장염	K52 기타 비감염성 위장염 및 결장염
부종	(질병명 특정곤란)
	R60 달리 분류되지 않은 부종
위하수	K31.88 위 및 십이지장의 기타 명시된 질환_위하수
마진(홍역)	B05 홍역
천식	J45 천식
식도경련	K22.0 분문의 이완불능증
	K22.4 식도의 운동장애
백혈구감소증	D70 무과립구증
	D72.8 기타 명시된 백혈구의 장애
독혈증	(질병명 특정곤란)
	A00~B99 I. 특정 감염성 및 기생충성 질환
	A41.9 상세불명의 패혈증

【注意事項】

1. 본 방제는 陽衰陰盛에 의한 厥逆을 치료한다. 예를 들어 眞熱假寒에 해당하는 경우에는 사용을 금한다.

2. 대체로 寒盛格陽으로 인하여 몸 겉면에서 面紅·煩躁 등의 眞寒假熱한 증상을 보이는 경우에는, 熱湯 때문에 格拒하는 것을 예방하기 위해서, 湯劑를 차갑게 해서 복용한다.

【變遷史】 張仲景은 『傷寒論』에서 본 방제의 主治를 8가지로 나누었다. "傷寒脈浮, 自汗出, 小便數, 心煩, 微惡寒, 脚攣急, 反与桂枝欲攻其表, 此誤也, 得之便厥, 若重發汗, 復加燒針者"; "傷寒醫下之, 續得下利

淸穀不止, 身疼痛者"; "太陽病, 發熱頭痛, 脈反沉, 若不差, 身體疼痛"; "陽明病, 脈浮而遲, 表熱裏寒, 下利淸穀"; "少陰病, 脈沉者";"少陰病, 飮食入口則吐, 心中溫溫欲吐, 復不能吐, 始得之, 手足寒, 脈弦遲, 若膈上有寒飮, 乾嘔者"; "厥陰病, 大汗出, 熱不去, 內拘急, 四肢疼, 下利, 厥逆而惡寒者"; "霍亂病, 旣吐且利, 小便復利, 而大汗出, 下利淸穀, 內寒外熱, 脈微欲絶"이다. 『金匱要略』에서 "嘔而脈弱, 小便復利, 身有微熱, 見厥者"에 사용한다. 仲景의 논술을 자세히 살펴보면, 본 방제 治證의 임상 증상은 다양하지만, 대체로 모두 四逆惡寒·下利淸穀·嘔吐나 身痛 등의 陽氣虛衰하고 陰寒內盛한 증후로 보여진다. 따라서, 仲景은 性味가 大辛大熱한 藥과 配伍組方해서 신속하게 挽回陽氣, 拯救厥逆하게 치료했다. 만약 陰寒이 지극히 심하고, 陰甚格陽해서 眞寒假熱한 증상이 나타난 경우에는, 仲景은 乾薑·附子를 重用해서 回陽通脈한 효능을 강화시키고, "通脈四逆湯"이라고 불렀다. 만약 霍亂吐利가 너무 심해서 陽亡液脫한 경우에는 다시 益陰하는 藥을 추가한다. 병세가 심하지 않은 경우에는, 仲景은 四逆湯에 人蔘을 넣고, 回陽救逆, 益氣生津하게 하였으며, "四逆加人蔘湯"라고 불렀다. 만약 병세가 비교적 심하고 吐下自斷, 汗出而厥, 四肢拘急不解, 脈微欲絶한 증상이 나타나는 경우에는, 仲景은 通脈四逆湯에 猪膽汁을 소량 넣고, 寒凉한 성질을 빌려서 陽藥을 陰으로 들어가게 하고, 苦潤한 性味의 약을 사용해서 潤燥滋液하게 해서, 함께 回陽救逆, 益陰和陽하는 효능을 갖게 했다. 仲景이 四逆湯을 처음으로 만들어서 후세의 回陽救逆 방제의 효시가 되었을 뿐만 아니라, 또한 藥量의 增減·藥味의 變化 등의 측면에서도 다양한 변화의 방법을 보여주었다. 이는 후세의 의학자들이 陽氣虛衰, 陰寒內盛한 증상을 치료하는데 있어 지대한 영향을 주었으며, 아울어 최근 2천년 동안의 운용 과정에서 부단히 발전하고 있다. 예를 들면 唐代의 兒科 저작인 『顱囟經』卷上에서 四逆湯에 白朮 한 가지 약물을 넣고 "溫脾散"을 만들고, 이를 溫中健脾燥濕의 방제로 삼아서 "小兒脾冷水瀉, 乳食不消, 吃奶頻吐"에 사용했다. 『傷寒六書』卷3에서 回陽救急湯은 본 방제와 六君子湯을 합한 것으로 助補益脾胃한 효력을 갖는다. 다시 肉桂·五味子·麝香를 加하면 溫裏散寒, 益氣生脈하는 효력이 더욱 강화되기 때문에 四逆湯의 回陽救逆한 효능과 비교했을 때 특히 더 뛰어나다. 寒邪直中三陰, 眞陽衰微한 증상에 사용한다. 陰陽이 모두 脫證한 증후에 대해서, 『景岳全書』卷51에서 四逆湯에 人蔘를 넣고 湯劑로 만드는 방법을 본뜬 다음 또 熟地·當歸 등의 滋陰養血한 약물을 넣었다. 原方과 비교했을 때 回陽救陰한 효능이 더욱 뛰어나다. 현대 연구에서 四逆湯은 또 확실한 升壓·强心·抗休克 등의 작용을 발견했기 때문에, 본 방제를 心肌梗死·心衰·급만성 위장염 吐瀉 과다, 각종 高熱 大汗으로 인한 虛脫, 각종 원인으로 인한 쇼크 등 陽衰陰盛에 해당하는 증상을 치료하는데 사용한다. 본 방제는 원래 湯劑이지만, 현대 의학에서는 또한 注射劑로 만들어서 사용하며, 응급 치료에서 중요한 작용을 발휘한다.

【難題解說】

1. 본 방제의 組成에 대해서: 柯琴을 대표로 하는 의학자들은: 四逆湯證은 陽氣欲脫하기 때문에 방제에 반드시 人蔘이 있어야 하고, 인삼이 없는 이유는 후세로 전해지면서 기록하는 과정에서 누락되었기 때문이라고 주장했다. 柯氏가 이르길: "仲景凡治虛證, 以裏爲重, 協熱下利, 脈微弱者, 便用人蔘; 汗後身疼, 脈沉遲者, 便加人蔘. 此脈遲而利淸穀, 且不煩不渴, 中氣大虛, 元氣已脫, 但溫不補, 何以救乎? 觀茯苓四逆之煩躁, 且用人蔘, 况通脈四逆, 豈得無參? 是必因本方之脫落而成之耳"(『傷寒來蘇集』·「傷寒論注」卷4) 라고 말했다. 左季 또한 이러한 관점을 유지했으며, 그는 『傷寒論類方匯參』에서 이르길: "謂四逆有人蔘, 則此之所加, 犹桂枝之加佳耳."라고 했다. 하지만 대다수의 의학자들은 仲景이 별도의 四逆加人蔘湯을 만들었고, 四逆湯에는 반드시 人蔘을 포함하지 않는다고 여겼다. 또한 이 세 가지 약은 충분히 본 方證을 감당할 수 있으며, 대량의 臨床實踐에서도 이 점을 충분히 증명했다.

2. 附子 生用·熟用에 대한 견해: 四逆湯의 原方에는 生附子가 있지만, 후세에 어떤 사람이 이에 대해 이의를 제기하면서, 生附子에 독이 있다고 여겨서, 약에 넣을때는 익혀서 사용해야 하며 生用하는 것은 옳지 않다고 했다. 하지만 대다수의 사람들이 仲景의 관점에 동의해서, 四逆湯의 類方에서 生附子를 응용할 때, 첫째로 生附子로 回陽한 효력을 더욱 강하게 하고, 둘째로 본 방제는 湯劑로 사용하기 때문에 生附 子를 오랫동안 달여서 毒性을 줄이고, 셋째 生附子와 乾薑·甘草를 함께 달여서 또한 독성을 줄다. 따라서 본 방제의 附子는 生用하는 것이 알맞다.

3. 방제의 君藥에 대해서: 成無己를 대표로 하는 의학자들은 본 방제에서 甘草를 君藥으로 삼아야 한다고 여겼다. 그는『傷寒明理論』卷4에서 "四逆者, 四肢厥逆而不溫也……甘草味甘平,『內經』曰: 寒淫于内, 治以甘熱. 却陰回陽, 必以甘爲主, 是以甘草爲君."라고 했다. 許宏을 대표로 하는 의학자들은 본 방제가 裏寒證을 치료하는데 있어 반드시 附子를 君藥으로 삼아야 한다고 주장했다.『金鏡內台方議』卷7에서 "今此四逆湯, 乃治病在于裏之陰者用也. 且下利清穀, 脈沉無熱, 四肢厥逆, 脈微, 陽氣內虛……皆屬于陰也.必以附子爲君."라고 했다. 이상의 두가지 견해에서 볼 때 후자가 仲景의 立方 취지에 부합한다. 본 방제가 치료하는 증상은 少陰陽氣虛衰, 陰寒內盛한 증상이기 때문에 大辛大熱純陽한 藥이 아니면, 陰寒을 제거해서 陽氣를 회복할 수 없다. 따라서 附子를 君藥으로 삼아서 신속하게 回陽한 효과에 도달하면 잠깐 사이에 환자를 치료할 수 있다.

4. 附子의 用量과 부작용: 附子의 용량에 대해서 각지에서 서로 다른 경험을 갖고 있다. 附子는 독성이 있기 때문에 대다수의 의학자들이 附子의 用量에 대해서 신중한 태도를 취하고 있으며, 少量에서 시작해서, 증상에 맞게 조금씩 用量을 늘려야 한다고 했다. 일반적으로 임상에서 6~10 g을 사용하는 것이 알맞다. 胡氏[1]가 이르길, 만약 陰寒이 太盛하면, 150 g까지 늘릴 수 있으며, 심지어 이보다 더 많을 수도 있다고 했다. 하지만 이는 특수한 상황일 뿐이다. 만약 병세가 위급하지 않으면, 반드시 少劑量부터 시작해서 반응을 관찰하고 조금씩 양을 늘리는 것이 비교적 알맞다. 馮氏[2]는 附子의 독성반응은 혀·손가락·온몸이 무감각하고, 머리가 어지럽고 눈앞이 가물가물하거나, 구역질을 하고 싶은 증상 등으로 나타난다고 말했다. 炮制加工이나 적당한 配伍를 통해서 부작용을 줄일 수 있다. 四逆湯에서 附子에 乾薑을 配伍하고, 아울러 甘草와 함께 사용하면, 附子의 독성을 크게 줄일 수 있다.

【醫案】

1. 少陰病『傷寒論匪要分析』: 여자, 약 30세. 월경기간에 조심하지 않고 목욕을 하고 한밤중에 추위에 몸서리를 치다가 계속해서 깊이 잠이 들고 나서, 인사불성이 되어, 脈微細欲絶, 手足厥逆했다. 바로 人中·十宣을 찔러서 피를 흘리고 나서 한 번 깨어났으나, 오래지 않아 여전히 쿨쿨 잠이 들었는데, 이것이 바로 陰寒太盛, 陽氣大衰, 氣血凝滯에 의한 것이다. 四逆湯을 大劑로 처방해서: 炮附子 25 g, 北乾薑 12 g, 炙甘草 12 g을 넣고 물을 넣고 달이고, 네 번에 나누어서 따뜻하게 30분에 한 번씩 灌服하게 했다. 이는 重藥을 緩服하는 방법으로, 만약 一劑를 顿服하면, "脈暴出" 한 변화가 있을 수 있다. 약을 다 복용하기 전에, 四肢가 따뜻해지고, 脈이 돌아오고, 정신이 처음처럼 맑아졌다.

2. 少陰寒厥證『名醫類案』卷1: 羅謙甫이 省掾인 曹德裕의 처를 치료했다. 2월초, 傷寒을 8~9일 동안 앓아서, 羅謙甫를 청해서 치료했다. 환자는 脈得沉細而微, 四肢逆冷, 自利腹痛, 目不欲開, 兩手常抱腋下, 頭昏嗜卧, 口舌干燥했다. 내가 말하길: 이전의 의사가 白虎에 人蔘을 넣고 1帖을 남겨 놓았는데, 복용해도 되겠는가? 羅謙甫가 말하길: 白虎는 비록 口燥舌干를 치료한다고 하지만, 만약 이 한마디를 집한다면 치료할 수 없다. 본 증상에 白虎를 사용해서는 안되는 이유는 세 가지가 있다:『傷寒論』에서 이르길: 하나는, 立夏 이

전과 處暑 이후에는 사용하면 안 된다. 둘은, 太陽證에 땀을 흘지지 않고 갈증을 느끼지 못하는 경우에는 사용할 수 없다. 셋은, 환자가 陰證悉具하면 이때 春氣가 여전히 寒하기 때문에 사용할 수 없다. 仲景이 이르길, 下利淸穀하면 바로 裏를 치료해야 하며, 四逆湯으로 치료해야 한다. 四逆湯五兩에 人蔘一兩, 生薑十片, 葱白9莖, 물은 큰 잔으로 5盞을 넣고 함께 3盞으로 달여서 찌꺼기는 빼고 3회에 나누어서 하루 동안 복용하게 했다. 밤이 되어 설사가 멎고 手足이 따뜻해지고, 다음날 大汗이 해소되어서, 계속해서 理中湯을 수차례 복용한 후 다 나았다.

3. 泄瀉『吉林中醫藥』(1983, 6:28): 여자, 35세. 腸鳴腹瀉하고, 下利淸穀가 하루에 4~5차례 나오며, 腹痛, 形寒肢冷한 증상이 함께 나타났다. 理中湯·四神丸등의 약을 복용해 보았으나 효과가 뚜렷하지 않았다. 최근 병세가 심해지고, 面色靑黑, 精神疲憊, 舌淡, 苔白, 六脈沉細했다. 四診合參했을 때 본 증상은 脾腎가 모두 虛하고, 陽氣衰微, 陰寒內盛으로 인해서 발생한 것이니. 回陽救逆과 止瀉을 治法을 함께 사용한다. 四逆湯에 赤石脂를 넣고 복용한 후 증상이 줄어들었으며, 약을 四劑 복용한 후 설사가 멎었다. 계속해서 二劑 복용한 후 다 나았다.

4. 心動過緩『傷寒解惑論』: 여자. 환자는 胸中悶滿, 手足發凉, 脈搏沉遲해서 "心動過緩症"이라고 진단받았으나, 효과적인 치료법이 없어서 中醫에서 다시 치료를 받았다. 四逆湯에 人蔘을 넣고 약을 六劑 복용하고 나서 완치 후 재발하지 않았다.

5. 頭痛『山東中醫學院學報』(1977, 1:30): 남자, 12세. 매일 아침 일어날 때마다 두통이 끊이지 않고, 自汗, 精神倦怠, 畏寒喜熱, 舌淡苔白, 脈沉細無力하고, 점심때가 되어서는 치료하지 않아도 저절로 나았다. 한 中醫에서 氣虛頭痛을 여러 차례 치료받았으나 효과가 없었다. 이는 증상 연구에 지대한 영향을 미쳤으며, 필자는 陽虛頭痛을 四逆湯에 葱白를 넣고 약 二劑를 복용하게 한 후 다 나았다.

6. 吐血危證『江西中醫藥』(1959, 5:30): 남자, 64세. 갑자기 吐血盈盈하고, 숨이 차고, 눈을 감고 말을 하지 않고, 구슬같은 땀을 흘리고, 四肢가 얼음처럼 하고, 脈沉微했다. 병이 위독한 순간에 유일하게 益氣回陽하고 攝血歸經한 治法으로 大劑해서 치료했다. 방제는 四逆湯에 參須·黃芪를 넣었다. 다음날 재진 당시 四肢가 따뜻해지고, 땀이 멎고, 피가 그쳤지만, 다만 精神疲憊, 聲音低微, 脈仍微弱해서, 위의 방제에 白朮·白芍을 넣고 치료했더니 모든 증상이 안정됐다.

考察: 醫案2는 陽虛寒盛證으로, 脈沉細而微, 四肢逆冷, 自利腹痛, 神疲欲寐하다. 따라서 陽虛寒盛한 경우에는 목이 마르지 않은 것을 많이 볼 수 있는데 본 증상은 口舌干燥하며, 이는 陽衰陰盛해서, 化津上承할 수 없어서, 口舌干燥한 증상으로 나타나는 것이다. 이전의 의사가 신중하게 증상을 판단하지 않고, 단지 口舌干燥한 것만을 보고, 白虎에 人蔘을 넣고 오용했다. 만약 羅氏가 명확하게 증상을 판단하지 않앗다면 환자는 약을 잘못 복용해서 사망에 이르게 되었을 것이다. 醫案3은 陽氣衰微, 陰寒內盛에 의한 泄瀉이며, 完穀不化, 形寒肢冷, 脈沉細한 증상이 함께 나타났다. 回陽救逆하게 치료해야 한다. 이전의 의사가 理中湯·四神丸 류만을 사용하고, 病重藥輕해서, 효과가 뚜렷하지 않았다. 나중에 四逆湯에 赤石脂을 넣고 치료하였더니 다 나았다. 醫案4는 陽虛寒盛하면, 心陽虛해서 血行이 無力해져서 "心動過緩"한 증상이 나타난다. 醫案5은 陽虛淸陽이 위로 올라가지 못해서 두통으로 나타나는 것이다. 醫案6은 脾腎陽虛하면, 脾가 攝血할 수 없어서 大出血을 하게 되는 것이다. 모두 四逆湯에 加味해서 완치했다.

【副方】

1. 通脈四逆湯(『傷寒論』): 甘草 炙 二兩(6 g) 附子大者 生, 去皮, 破八片 一枚(20 g) 乾薑 三兩, 强人可 四兩(12 g).

- 用法: 위의 세 가지 약을 물 三升으로 一升二合이 되게 달여서 찌꺼기를 제거하고, 두 번에 나누어서 따뜻하게 복용한 후 맥이 바로 나타나는 사람은 낫는다.
- 作用: 回陽通脈.
- 適應症: 少陰病, 陰盛格陽證. 下利淸穀, 裏寒外熱, 手足厥逆, 脈微欲絶한데 몸은 오히려 惡寒하지 않으며, 얼굴이 붉거나 利止, 脈不出한 증상으로 나타난다. 만약 "吐已下斷, 汗出而厥, 四肢拘急不解, 脈微 欲絶者"한 경우에는 猪膽汁半合(5 mL)를 넣고, "通脈四逆加猪膽汁湯"이라고 부른다.

2. 四逆加人蔘湯(『傷寒論』): 四逆湯加人蔘 一兩(6 g).

- 用法: 四逆湯과 같다.
- 作用: 回陽益氣, 救逆固脫.
- 適應症: 眞陽衰微, 元氣亦虛. 四肢厥逆하고, 惡寒으로 몸을 웅크리고, 脈은 미미하지만 下利가 저절로 회복되고, 설사는 비록 멎었지만 餘證이 여전히 남아 있는 경우 등을 치료한다.

3. 白通湯(『傷寒論』): 葱白 四莖 乾薑 一兩(5 g) 附子 一枚 生用, 去皮, 破八片(15 g).

- 用法: 위의 세 가지 약을 물 三升으로 一升이 되게 달여서 찌꺼기를 제거하고, 두 번에 나누어서 따뜻하게 복용한다.
- 作用: 通陽破陰.
- 適應症: 少陰病, 下利脈微. 만약 설사가 멎지 않고, 厥逆해서 脈이 돌지 않고, 乾嘔로 괴로운 경우에는 猪膽汁一合(5 mL), 人尿五合(25 mL)을 넣고, "白通加猪 膽汁湯"이라고 부른다.

通脈四逆湯·四逆加人蔘湯·白通湯은 모두 『傷寒論』에서 少陰病을 치료하는 主要方劑가 되며, 四逆湯을 기초로 加減하여 변화 발전해 온 것으로, 각각의 깊은 뜻이 있어서, 응용할 때 구별해서 사용해야 한다. 通脈四逆湯은 "少陰四逆" 이외도, 또한 "身反不惡寒, 其人面色赤, 或腹痛, 或乾嘔, 或咽痛, 或利止脈不出" 등의 陰盛格陽, 眞陽欲脫한 위급한 증상을 치료한다. 따라서 四逆湯을 기초로 해서 薑·附의 用量을 重用해서 陽回脈復할 수 있다. 따라서 방제 뒷부분의 注에서 이르길 "分溫再服, 其脈即出者愈"라고 했다. 만약 吐下都止, 汗出而厥, 四肢拘急不解, 脈微欲絶한 증상을 보이는 경우에, 이는 모두 眞陰眞陽大虛欲脫한 위급한 증상이기 때문에, 苦寒한 猪膽汁을 넣고, 寒邪가 拒藥하는 것을 방지하고 또한 虛陽을 陰中으로 復歸하도록 했다. 이는 또한 反佐法의 妙用으로 볼 수 있다. 방제 뒷부분의 注에서 이르길 "無猪膽, 以羊膽代之"라고 했다. 四逆湯證은 원래 下利이 나타난다. 만약 설사가 멎었는데도 四逆證이 여전히 나타난다면, 이는 氣血이 크게 손상을 입었기 때문이다. 따라서 四逆湯에 大補元氣할 수 있는 人蔘을 넣고, 益氣固脫해서 陽氣를 회복하게 하고, 陰血을 스스로 생겨나게 된다. 임상에서 대체로 四逆湯證은 氣短·氣促한 증상을 보이며, 모두 四逆湯加人蔘湯으로 응급치료를 할 수 있다. 白通湯은 四逆湯에서 甘草를 빼고 乾薑의 用量을 줄인 다음 다시 葱白을 넣어서 구성한 것이다. 주로 下焦에 陰寒이 왕성하고, 긴급하게 通陽破陰해서, 陰盛逼陽하는 것을 방지하게 한다. 따라서 辛溫通陽한 葱白을 넣고, 薑·附와 배합해서 通陽復脈하게 한다. 下利가 심한 경우에는 陰液이 반드시 傷하기 때문에, 乾薑의 燥熱한 성질을 줄이는 것은 護陰의 뜻을 담고 있다. 만약 설사가 멎지 않고, 厥逆해서 脈이 돌지 않고, 乾嘔로 괴로운 것은 裏에서 陰寒이 盛하고, 陽氣上脫한 위급한 증상이기 때문에, 따라서 긴급하게 大辛大熱劑를 사용해서 通陽復脈하게 하고, 아울러 猪膽汁·人尿를 넣고 滋陰해서 和陽하게 한다. 이는 反佐法이다. 原方에 "服湯, 脈暴出者死, 微續者生"이라는 말이 있다. 방제의 뒷부분에는 또한 "若無膽, 亦可用"라고 하니, 이를 통해 人尿를 重用한다는 것을 알 수 있다. 이들은 모두 白通加猪膽汁湯으로 證治하는 정교한 부분과 通脈四逆湯의 "無猪膽, 以羊膽代之"한 反佐法이며, 모두 깊은 뜻을 가지고 있다.

回陽救急湯

(『傷寒六書』卷3)

【異名】 回陽急救湯(『壽世保元』卷2)·回陽返本湯(『鎬京直指醫方』).

【組成】 熟附子 9 g 乾薑 5 g 肉桂 3 g 人蔘 6 g 白朮 炒 9 g 茯苓 9 g 陳皮 6 g 甘草 炙 5 g 五味子 3 g 半夏 製 9 g

【用法】 위의 약에 물 二盃을 넣고, 生薑 세조각을 넣고 달여서, 복용할 때 麝香三厘(0.1 g)를 넣고 섞어서 복용한다. 中病은 손발이 따뜻하면 바로 멈추므로, 많이 복용해서는 안 된다.

【效能】 回陽救急, 益氣生脈.

【主治】 寒邪直中三陰, 眞陽衰微. 惡寒踡臥, 四肢厥冷, 吐瀉腹痛, 口不渴, 神衰欲寐, 或 身寒戰慄, 或 指甲口脣青紫, 或 吐涎沫, 舌淡苔白, 脈沈遲無力 甚或 無脈.

【病機分析】 寒한 속성을 가진 陰邪는 陽氣를 쉽게 상하게 한다. 만약 素體陽虛, 外感寒邪, 正不御邪하고, 寒邪가 三陰에 直中하면 眞陽衰微하게 된다. 인체의 五臟六腑와 四肢百骸는 모두 陽氣의 溫煦에 의존해서 陽氣衰微하고, 肢體가 溫煦의 작용을 상실하면, 惡寒蜷卧, 四肢厥冷으로 나타난다. 眞陽衰微하면, 脾陽이 溫煦의 기능을 상실하고, 정상적으로 運化하지 못해서, 淸陽이 위로 올라가지 못하고, 濁陰 이 아래로 내려가지 못해서 嘔吐泄瀉로 나타나게 된다. 寒邪直中하면, 寒性收引하고 寒凝氣滯해서 腹痛 으로 나타난다. 陽氣는 內化水穀해서 養神해야 陽氣가 풍해져서 精神도 왕성해진다. 만약 陽氣虛衰하면, 神失所養해서 神衰欲寐으로 나타난다. 寒邪가 三陰 에 直入하고, 陽氣虛衰하면 身寒戰慄하고 陽虛하면 血行이 無力해져서, 指甲口唇青紫, 脈沉遲無力하고, 심지어 無脈證이 나타나기도 한다.

【配伍分析】 본 방제는 陰寒內盛, 陽微欲脫한 重證을 치료한다. 回陽救逆, 益氣生脈하게 치료하는 것이 알맞다. 寒邪가 三陰에 直中하면, 陰寒이 왕성해져서, 眞陽欲脫의 위험한 상태에 이르게 된다. 본 방제에서 附·薑·桂의 大辛大熱한 性味로 破陰回陽하지만, 陽氣衰微한 경우에는 辛熱香竄한 약품을 급히 처방하면 오히려 반대로 眞氣亡散, 虛陽暴脫에 이르게 된다. 따라서 방제에서 六君子湯을 넣고 補益脾胃, 固守中州하게 하고, 소량의 五味子를 넣고 酸澀斂氣해서, 眞氣亡散을 예방한다. 또한 人蔘과 五味子를 함께 배합하면 또한 益氣生脈한 효능을 갖게 된다. 다시 麝香을 소량 넣고 辛香走竄한 효능을 빌려서, 十二經脈을 통하게 해서 약효가 온몸에 퍼지게 한다. 게다가 麝香의 辛散한 性味는 五味子의 酸收한 性味와 함께 配伍해서, 散中有收하기 때문에, 回陽救急한 효과를 도우면서도, 眞氣가 소모되고 虛陽散越한 우려가 없게 된다. 諸藥을 함께 사용하면, 回陽生脈한 효능을 갖게 된다.

본 방제의 配伍 특징은 첫째, 溫陽救逆과 補脾益胃의 治法을 함께 조화롭게 사용한다. 이는 즉 破陰回陽한 가운데 固護中州를 겸하는 것으로, 溫補를 병행해서 서로 충돌하지 않게 하는 것이다. 둘째는 發中有收하게 치료한다. 散하면 약효를 빠르게 하고, 收하면 虛陽散越할 염려가 없게 된다.

【臨床應用】

1. 證治要點: 본 방제는 寒邪直中三陰, 眞陽衰微로 인해 발병한 증상을 치료한다. 일반적인 裏寒症狀을 제외하고, 방제는 厥·利·脈微·神疲·欲寐한 증상을 치료의 요점으로 삼는다.

2. 加減法: 嘔吐涎沫하거나, 아랫배에 통증이 느껴지는 경우에는 鹽炒吳茱萸를 加하여, 暖肝溫胃, 下氣

止嘔한다. 脈이 돌지 않는 경우에는 猪膽汁를 加하여, 反佐法으로서 陽脫에 의한 變症을 예방한다. 泄瀉不止한 경우에는 升麻·黃芪를 加하여, 益氣升陽한다. 嘔吐가 멎지 않는 경우에는 薑汁을 加하여, 溫胃止嘔한다.

3. 回陽救急湯은 다음 한국표준질병사인분류(KCD)에 해당하는 환자가 寒邪直中三陰證으로 辨證되는 경우 본 처방의 사용을 고려해볼 수 있다.

처방 목표	한국표준질병사인분류(KCD)
급성위염	K29.1 기타 급성 위염
급성장염	K52 기타 비감염성 위장염 및 결장염
	A09 감염성 및 상세불명 기원의 기타 위장염 및 결장염
식중독	A04 기타 세균성 장감염
	A05 달리 분류되지 않은 기타 세균성 음식매개중독

【注意事項】 이 방제는 回陽救急峻劑이며, 過量을 복용해서는 안 된다. 따라서 "手足溫和則止"해야 한다. 약 복용 후 손발이 따뜻해지면 바로 복용을 멈춘다.

【變遷史】 본 방제는 明代의 陶華가 만든 것으로 『傷寒六書』에서 처음으로 기록되기 시작했으며, 原書에서 寒邪直中陰經眞寒證을 치료하는데 사용한다. 증상은 "初病起無身熱, 無頭疼, 只惡寒, 四肢冷厥, 戰慄腹疼, 吐瀉不渴, 引衣自蓋, 蜷卧沉重; 或手指甲唇靑; 或口吐涎沫; 或至無脈; 或脈來沉遲無力" 등으로 나타났다. 이는 본 방제가 寒邪直中, 眞陽衰微한 증상을 치료하기 위해 立法했다는 것을 알 수 있다. 본 방제는 四逆湯에 六君子湯을 합하고, 다시 肉桂·五味子·麝香를 넣어서 구성한 것이다. 두 방제의 回陽·益氣한 장점을 함께 취하고, 또한 通經生脈한 효능을 증가시켜서, 후세의 수많은 의학자의 칭송을 받았다. 何秀山은 본 방제가 "回陽固脫, 益氣生脈之第一良方"(『重訂通俗傷寒論』)라고 말했다. 何廉臣 또한 이르길: "此節庵老名醫得心應手之方, 凡治少陰中寒及夾陰傷寒, 陽氣津液并虧, 及溫熱病凉瀉太過, 克伐元陽, 而陽虛神散者多效"라고 했다. 아울러 방제에서 麝香를 配伍한 심오한 뜻을 크게 칭찬하며, 麝香을 "配合于溫補回陽之中, 殊有卓識."(『重訂通俗傷寒論』)라고 지적했다. 이를 통해 回陽救急湯의 立法組方은 陶氏가 仲景의 回陽救逆理論에 대해 진일보한 발전을 구현했다는 것을 알 수 있다.

【醫案】 肺心病心力衰竭『中西醫結合實用臨床急救』(1995, 2:76): 남자, 65세, 咳喘를 한지 20년이 되었으며, 겨울이 되면 증상이 더욱 심해지고, 기침을 할 때 伴腰 아래로 水腫이 나타난지 3~4년이 되었다. 이번에는 外感으로 인한 증상으로 입원했는데, 西醫의 종합치료 이후, 병세가 나아지지 않고, 喘腫이 점점 더 심해졌다. 진료 당시 환자는 端坐直視, 氣急喘呼, 冷汗淋漓, 面色暗滯, 舌質紫暗, 光滑無苔, 四肢逆冷하고, 허리 아래로는 함몰성 水腫이 나타나고, 脈躁疾했다. 자정이 지나면 숨이 가빠지기 시작하고, 얼굴에 식은 땀이 줄줄 흐르다가, 오전 9시 이후에는 점점 숨찬 증상이 줄어들고 식은 땀이 멎었다. 본 증상은 脾腎의 陽氣가 매우 虛해져서, 眞陽欲脫한 것이다. 이때 반드시 微陽한 眞陽을 빠르게 구해서 坎宮으로 돌아가게 해야 한다. 急用 回陽救急湯을 급히 써서 환자에게 밤낮을 가리지 않고 자주 복용하게 했다. 약 三劑를 복용한 후 새벽에 환자가 갑자기 驚狂으로 불안해 하고, 공포에 질려 비명을 지르고 欲死하려고 하더니, 몇 분 후 응고된 아교같은 어두운 녹색의 痰을 약 300 mL 토했다. 구토후에는 숨찬 증상이 줄어들고 식은 땀이 멎어서 당일 밤 똑바로 누워서 잠들 수 있었다. 병세가 호전된 후, 위의 방제를 기초로 해서 또 넣고 빼고 化裁해서 十劑 정도 복용한 후 호전되어서 퇴원했다.

考察: 肺心病心力衰竭은 咳喘病의 위중한 단계에 상당하며, 이때 임상에서는 咳喘·水飮·痰濁·瘀血이 함께 생기는 증후군이 나타나면서 증상이 매우 복잡하게 뒤엉켰다. 본 醫案에서 환자 病機의 관건은 바로 陽氣極端衰微, 眞陽欲脫할 경우에 救陽·回陽하게 치료해야 하는 것으로, 陽氣가 한 번 돌기만 하면, 모든 膠結해서 해결하기 어려운 증상이 곧 저절로 해결될 수 있다.

【副方】 回陽救急湯(『重訂通俗傷寒論』): 黑附塊 三錢(9 g) 紫瑤桂 五分(1.5 g) 別直參 二錢(6 g) 原麥冬 辰砂染 三錢(9 g) 川薑 二錢(6 g) 薑半夏 一錢(3 g) 湖廣术 一錢半(5 g) 北五味 三分(1 g) 炒廣皮 八分(3 g) 淸炙草 八分(3 g) 眞麝香 三厘(0.1 g).

- 用法: 물을 넣고 달여서 복용한다.
- 作用: 回陽生脈.
- 適應症: 少陰病으로 下利脈微하고, 심한 경우에는 설사가 멎지 않고, 肢厥해서 맥이 돌지 않고, 乾嘔心煩한 증상을 主治한다.

본 방제는 兪根初가 陶華의 回陽救急湯을 바탕으로 하고 化裁해서 만든 驗方이다. 陶氏方과 비교해서 麥冬 1味를 더 넣었으며, 原方의 人蔘·五味子와 함께 배합하면 生脈散하게 된다. 이와 같은 益氣生脈한 효능을 증가시키지만, 麥冬은 성질이 寒하기 때문에, 소량 사용하는 것이 좋으며, 과도하게 사용했을 경우에는 回陽破陰한 효력에 장애를 가져온다.

蔘附湯

(『濟生續方』『醫方類聚』卷150)

【異名】 附參湯(『古今醫統大全』卷22)·轉厥安産湯(『葉氏女科證治秘方』卷3).

【組成】 人蔘 半兩(9 g) 附子 一兩(15 g)

【效能】 위의 약을 가늘게 썰어서(㕮咀), 3服으로 나누고, 물 二盞에 生薑 10조각을 넣고 10분의 8이 되게 달여서 찌꺼기는 제거하고 食前에 따뜻하게 복용한다.

【用法】 益氣, 回陽, 固脫.

【主治】 元氣大虧, 陽氣暴脫證. 手足逆冷, 頭暈喘促, 面色蒼白, 冷汗淋漓, 脈微欲絶.

【病機分析】 본 방제는 元氣大虧, 陽氣暴脫한 증상을 치료하기 위해 만들었다. 陽氣는 인체에서 溫煦와 五臟六腑의 생리활동을 추진하는 작용을 하며, 몸에 陽氣가 있으면 生機가 있기 때문에, 만약 元氣大虧, 陽氣暴脫해서 四肢에 陽氣가 없는 溫煦인 경우에는 厥冷으로 나타나고; 元氣大虧, 陽氣暴脫해서 上達하지 못하면, 頭暈, 面色蒼白으로 나타나고; 陽氣外脫, 肺氣가 부족하면 呼吸喘促으로 나타나고; 腠理不固, 陰液外溢하면 冷汗淋漓로 나타나고; 氣脫해서 血行의 기능에 장애가 생기면 脈微欲絶한 증상으로 나타난다.

【配伍分析】 본 방제는 陽氣暴脫證을 主治하며, 大補元氣, 回陽固脫한 治法를 사용한다. 방제의 人蔘은 性味가 甘溫해서 大補元氣한 효능이 있으며, 重用해서 以固後天하게 한다. 附子는 大辛大熱한 藥으로, 溫壯元陽한 효능이 있어서, 以補先天하게 한다. 또한 人蔘의 補氣한 효력을 도울 수 있다. 두 약을 함께 配伍하면, 上溫心陽, 下補命火, 中助脾土, 力專效宏, 作用迅捷하게 된다. 『醫宗金鑑』·「删補名醫方論」卷1에서 "補後天之氣無如人蔘, 補先天之氣無如附子, 此蔘附湯之所由立也……兩藥相須, 用之得當, 則能瞬息化氣于烏有之鄕, 頃刻生陽于命門之內, 方之最神捷者也." 라고 하였다.

본 방제의 配伍 특징은 益氣固脫과 回陽救逆을 함께 配伍해서 사용하면, 益氣固脫한 효력이 뛰어나게 된다.

【類似方比較】 본 방제와 四逆湯은 모두 回陽劑에 해당하며, 陽衰陰盛한 四肢厥逆, 脈微弱 등의 증상을 主治한다. 하지만 四逆湯證은 비록 陽衰하지만 氣脫하지 않아서, 急救回陽을 위주로 치료한다. 방제에서

附子와 乾薑을 함께 配伍하고, 陽氣를 도와서 散寒救逆해서 少陰厥逆證을 치료한다. 본 방제의 증상은 陽衰至極, 陽氣暴脫, 證情更重, 除見上述症狀外, 尚見冷汗淋漓, 氣息微弱, 脈微欲絶 등으로 나타난다. 따라서 回陽과 益氣固脫하는 방법을 함께 사용하며, 人蔘은 大補元氣하고, 附子는 溫壯元陽하기 때문에, 두 약을 함께 사용해서 氣固陽回하게 하면, 諸症이 나을 수 있다.

【臨床應用】

1. 證治要點: 본 방제는 益氣回陽救脫의 代表方劑가 된다. 임상에서 四肢厥冷, 汗出喘促, 脈微欲絶한 증상을 치료의 요점으로 삼아야 한다.

2. 加減法: 본 방제는 쇼크·心衰로 인해서 手足厥冷·脈微欲絶·大汗不止한 陽氣欲脫 증상이 나타날 때 사용하며, 煅龍骨·煅牡蠣·白芍·炙甘草 등의 斂汗潛陽한 약품을 넣고 固脫한 효능을 강화할 수 있다.

3. 蔘附湯은 다음 한국표준질병사인분류(KCD)에 해당하는 환자가 元氣大虧, 陽氣暴脫證으로 辨證되는 경우 본 처방의 사용을 고려해볼 수 있다.

처방 목표	한국표준질병사인분류(KCD)
휴극(쇼크)	(질병명 특정곤란)
	R57 달리 분류되지 않은 쇼크
심기쇠갈(심부전)	I50 심부전
붕루	N93.9 상세불명의 이상 자궁 및 질 출혈_붕루
화농성질환후유증	B95 다른 장에서 분류된 질환의 원인으로서의 연쇄알균 및 포도알균
대수술	(질병명 특정곤란)
	Z54.0 수술후 회복기

【注意事項】

1. 본 방제는 大溫大補해서 응급처치에 사용하는 방제이다. 따라서 오랫동안 복용할 수 없으며, 陽氣가 다시 회복되면 별도의 조리를 해야 한다.

2. 방제에서 人蔘은 黨参으로 대체할 수 없으며, 환자가 쇼크로 약을 복용할 수 없을 때 鼻飼法을 사용할 수 있다.

【變遷史】『醫方類聚』의 기록에 따르면, 본 방제는 『濟生續方』에서 처음으로 기록되기 시작했으며 “眞陽不足, 上氣喘息, 自汗盜汗, 氣短頭暈”에 사용한다. 본 증상은 陽氣虛弱에 해당한다. 본 방제의 약물 구성을 보면, 四逆湯에서 守한 성질의 乾薑·緩한 성질의 甘草를 빼고, 大補元氣의 효능을 갖는 人蔘을 넣고 구성한 것이다. 방제를 구성하는 약물은 겨우 두가지 이지만 “瞬息化氣于烏有之鄕, 頃刻生陽于命門之内”할 수 있고, 약의 구성은 간단하지만 약효가 뛰어나기 때문에 역대 의학자들이 각종 질병에서 陽氣暴脫로 인한 위급한 상황이 발생할 때 응급 치료로 사용해서 위급한 상황을 만회하고 益氣해서 回陽固脫하게 했다. 급성 출혈로 인한 陽隨血脫한 환자의 경우에는 “有形之血不能速生, 無形之氣所當急固”하다는 이치에 따르고, 또한 항상 본 방제의 益氣固脫한 효능을 우선시 해야 한다. 현대 의학에서는 陽氣暴脫證候의 응급처치의 요구에 부응하기 위해서, 또한 본 방제의 제형을 注射劑로 바꾸고, “参附注射液”라고 부른다. 이는 임상의 응급처치에서 가장 많이 사용하는 中成藥 중 하나가 되었다.

【醫案】

1. 痢疾『寓意草』: 張仲儀가 처음에 痢疾을 15일 동안 앓아서, 바로 왕진을 청해해서 보니, 행동은 평소와 다름없지만, 内傷의 脈이 짚어보니, 少陰의 邪가 있어서, 진료 후 내가 이르길: 본 증상은 여전히 一表一裏가 적당하나 表藥 중에는 人蔘을 많이 사용하고, 裏藥 중에는 附子를 사용해야만 방제에 문제가 없게 된다. 만약 痢疾門의 諸藥을 사용하면, 반드시 위태로워 진다. 仲議는 평소에 깊은 믿음이 있어서, 바로 前藥을 먹고 의심할 여지가 없으며, 疾勢는 눈에 띄게 나타나지 않았다. 해질 무렵이 되어서 갑자기 열이 심하

게 나고 몸이 巨石처럼 무거워서 베개 위에 누워 있었다. 두 사람이 겨우 부축해서 움직일 수 있을 정도로 人事沉困해서 온 가족이 당황하고 혼란스러워서 表裏二劑를 급히 다 복용했다. 다음날 아침 진료 당시에는 몸을 일으켜서 방을 나갈 수 있어서 계속해서 參附藥二劑를 처방하고 완치했다. 만약 증상을 판별하지 않고 약을 사용한다면, 痢疾門 중에 어찌 이같은 治法이 있을 수 있겠는가? 하물며 증상이 눈에 띄지 않는데 어찌 일찍 볼 수 있겠는가!

2. 中風『續名醫類案』: 景씨 부인은 나이가 50에 가깝다. 中風에 걸린지 5~6일이 지나도록 계속해서 땀을 흘리고, 目直口噤하고 오줌을 가리지 못하거나, 壞症이라고 여기고 脈을 짚어보니, 비록 맥은 매우 약하지만 重按하면 여전히 너무 빠르지도 않고 너무 느리지도 않은 자연스러운 상태로 나타났다. 이는 바로 胃氣이다. 이른바 遺尿인 본 증상은 당시에 脫症에 속한다고 여겨서 치료하지 않았다. 환자는 수일 동안 오줌을 누지 않고, 며칠 동안 지켜보았는데도 不脫해서 絶症이 아니라고 판단해서 蔘附湯을 처방했다. 2~三劑를 복용한 후 조금씩 호전을 보이다가 重服溫補해서 다 나았다.

3. 心臟驟停『國醫論壇』(2005, 4:30): 여자, 71세. 환자는 "5일 동안 설사(腹瀉)·식용부진(納差)"으로 입원했을 당시 고혈압·심장병력을 부정했다. 검사 결과 혈압은 14/9.33 kPa, 神疲, 乏力해서 묽은 변을 하루에 5~6번씩 보고, 입안이 조금 건조하고, 가끔씩 心慌하고, 舌淡苔白, 脈緩했다. 약을 쓰기 전, 환자는 아침에 일어나서 소변을 볼 때 갑자기 面色蒼白, 抽搐하며, 昏迷해서 바로 호흡이 멈춰서, 觸診해보니 대동맥 박동 상실로 보여졌으며, "심정지(心臟驟停)"로 진단했다. 바로 心前區를 주먹으로 친 이후에, 인공호흡과 심폐소생술(胸外心臟按壓)을 실시하고 계속해서 기도삽입·산소흡입·정맥 주사 경로 확보(建立靜脈通道) 등을 했다. 심전도 검사에서 수평 직선이 보이고 심전파가 없었다. 신속하게 腎上腺素(adrenaline) 2 mg을 정맥에 주사하고 동시에 蔘附注射液 60 mL와 蔘麥注射液 150 mL을 정맥에 주사했다. 2분 후 다시 腎上腺素(adrenaline) 2 mg 정맥주사를 준 다음에 동시에 300J 전기 충격을 주었을 때 심장박동률이 54회/분이고, 얼굴색이 붉게 돌아왔다. 9분 후 자가호흡이 회복되었으며 혈압은 12/8 kPa이고, 瞳孔이 回縮하고 의식이 점점 맑아져서 응급 구조가 성공적으로 진행되었다. 이후에 2주 동안 中西醫의 결합치료를 받은 후에 완치해서 퇴원했다.

4. 厥證(多臟器衰竭合并肺炎)『中國中醫急診』(2006, 1:100): 남자, 여러 가지 노인성 질병에 시달리다가 최근에는 갑자기 胸痹가 발병해서 心痛이 등에 까지 이르고, 3일 후에는 또 고열과 기침·가래가 잦았다. 항생제 및 擴冠 약물로 2주 동안 치료한 후에 병세가 심해져서 中醫를 찾았다. 진료 결과 환자는 의식불명으로 체온은 38℃이고, 빈혈이 있는 것 같고, 온몸이 부어 올랐다. 肺 전체가 實變하고; 심장박동률이 빨라지고, 부정맥(心律不齊) 증상을 보였다. 혈WBC: 10×10^9/L, N0.82, Hb 72 g/L이다. 요소질소가 높아지고, 요단백(++++), BP: 83/45 mmHg이다. 식은땀이 나고, 사지가 차고, 오줌을 적게 누고, 脈微欲絶했다. 본 증상은 正衰邪熾, 陽氣虛脫에 속한다. 蔘附湯에 白朮·茯苓·防己·全瓜蔞·赤芍를 넣고 매일 一劑씩 물을 넣고 달여서 汁 100 mL을 2회에 나누어서 鼻飼했다. 약 五劑를 주고 나서 병세가 바로 호전되고, 식은땀이 멎고, 혈압이 정상으로 상승했다. 위의 방제를 일주일 동안 계속해서 복용한 후 병세가 점점 개선되었다. 위의 방제를 계속해서 3주 동안 복용한 후 환자는 식사량이 두배로 늘고, 水腫이 점차 줄어들고, 肺부위의 감염이 점차 흡수되고, 心·腎기능이 점차적으로 회복되고, 체온·혈(血)이 정상적으로 회복되었다.

考察: 醫案1는 邪가 少陰으로 들어가서 陽衰陰盛한 寒痢으로, 陰寒이 몹시 성하여 陽氣를 몸 밖으로 밀어내기 때문에 나타나는 實證의 假熱 증상이다. 만약 淸熱止痢劑를 함부로 사용하면 浮陽盡脫에 이르게 된다. 喩昌은 본 증상을 陽虛欲脫證이라고 명백히 구분하고 蔘附湯으로 陽氣가 회복되고 寒邪가 해소되게 치료해서 다 나았다. 醫案2는 中風 이후에 汗出脈微, 遺尿不禁이 나타난 正氣不支, 陽氣欲脫한 증상이기 때문에 蔘附湯으로 益氣해서 回陽固脫하게 치료했다. 醫案3의 病機는 氣虛暴脫·陰陽離決에 속한다. 急性期에는 우선적으로 益氣해서 回陽固脫해야 한다. 전통 이론에서는 陽氣暴脫한 경우에 蔘附湯을 써서 益氣해서 回陽救逆하게 할 수 있고, 氣陰虛脫한 경우에는 生脈散을 써야 효과를 볼 수 있다고 했다. 醫案4는 환자가 나이가 많고 몸이 쇠약하며, 重病에 시달려서 正衰邪熾, 陽氣虛脫한 상태에 빠져 있다. 蔘附湯을 加味해서 사용하고, 藥이 病機에 부합해서, 正氣가 勝하고 邪氣가 退하게 해서, 환자의 諸症을 모두 안정시켜서 편안해 졌다.

第三節 溫經散寒劑

當歸四逆湯

(『傷寒論』)

【組成】 當歸 三兩(12 g) 桂枝 去皮 三兩(9 g) 芍藥 三兩(9 g) 細辛 三兩(3 g) 甘草 炙 二兩(6 g) 通草 二兩(6 g) 大棗 擘 二十五枚(八枚)

【用法】 위의 약을 물 八升을 넣고 三升으로 달여서 찌꺼기는 제거하고, 一升을 하루에 세 번 따뜻하게 복용한다. 通草는 現代 本草學의 木通이다.

【效能】 溫經散寒, 養血通脈.

【主治】 血虛寒厥證. 手足厥寒, 口不渴, 或 腰, 股, 腿, 足疼痛, 舌淡苔白, 脈沈細, 或 脈細欲絶者

【病機分析】 四肢는 諸陽의 本이 된다. 血虛感寒, 陽氣不振하면 四肢가 溫養의 기능을 제대로 발휘하지 못해서 手足厥寒으로 나타나게 된다. 그러나 다른 陽氣衰微한 증상은 보이지 않고 오히려 맥박이 매우 약하거나 몸의 일부가 靑紫한 것은 血虛해서 經脈이 寒邪의 침범을 받아서, 血脈 운행이 순조롭지 않아서 발생한 것이다. 이러한 肢厥은 단지 손바닥(발바닥)에서 손목(복사뼈)까지 찬 것을 가리키며, 四逆湯證의 四肢厥逆과는 차이가 있다. 血虛하면 寒邪가 허한 것을 침범해서 장애를 주면, 經脈이 막히고, 氣血의 운행이 순조롭지 못하게 되어서 腰腿疼痛으로 나타나게 된다. 『素問』「擧痛論」에서 "寒氣入經而稽遲, 泣而不行, 客于脈外則血少, 客于脈中則氣不通."라고 했다. 舌淡·苔白, 脈沉細 혹은 細而欲絶한 것은 모두 血虛寒滯經脈한 증상이다.

【配伍分析】 본 방제는 養血通脈을 치료하는 常用方이다. 방제의 當歸는 性味가 苦辛甘溫해서, 補血和血하며, 溫補肝血의 要藥이 된다. 桂枝는 性味가 辛溫해서, 溫經通脈하며, 經脈 중의 客留한 寒邪를 제거해서 血行을 잘 통하게 한다. 두 약을 함께 配伍하면, 養血溫通하여 寒邪를 제거하고, 血脈을 잘 통하게 해서, 모두 방제의 君藥이 된다. 白芍는 養血和營해서 當歸와 配伍하면 補益陰血의 효력을 더욱더 증가시킬 수 있고, 桂枝와 配伍하면 調和營衛 효능을 갖게 된다. 細辛은 성미가 辛溫走竄해서 外로는 經脈을 溫하게 하고, 內로는 臟腑를 溫하게 하며, 表裏를 잘 통하게 해서, 寒邪를 散하게 하고, 桂枝의 溫經散寒한 효력을 도우며, 白芍와 함께 방제에서 臣藥이 된다. 木通은 性味가 苦寒해서, 通利血脈하고, 또한 桂枝·細辛이 과도하게 溫燥해서 耗血傷津할 수 있는 것을 예방하며, 佐藥이 된다. 大棗를 重用하면, 歸·芍의 補血를 돕고, 또한 桂·辛의 通陽을 도우며, 甘草는 益氣健脾하고 諸藥을 조화롭게 하기 때문에 모두 使藥이 된다. 諸藥을 함께 配伍하면, 陰血을 充하게 하고, 陽氣를 振하게 하고, 陰寒을 제거하고, 經脈을 통하게 해서, 손발이 따뜻해지고 맥박 또한 회복된다.

본 방제는 當歸를 君藥으로 삼고 厥陰傷寒, 手足厥寒한 四逆證과 脈細欲絶한 경우를 主治한다. 따라서 當歸四逆湯이라고 부른다.

본 방제의 配伍 특징: 養血和營와 辛散溫通을 함께 배합해서, 血脈을 得充해서 막힘없이 잘 통하게 하고, 또한 溫經不燥하게 하고, 養血해서 지체하지 않게 한다.

【類似方比較】『傷寒論』에서 四逆이라고 이름지어진 방제는 四逆散·四逆湯·當歸四逆湯이 있으며, 세 방제는 모두 四肢厥逆의 효능이 있다. 四逆散은 陽鬱厥逆을 主治하며, 熱邪가 傳經해서 몸 안쪽에 퍼지고, 陽氣內鬱해서 四末에 이르지 못해서 厥冷으로 나타난다. 이러한 厥冷의 특징은 冷在肢端, 身熱脈弦이다. 손발끝에서 팔꿈치와 무릎을 넘지 못하고, 또한 身熱, 脈弦 등의 증상으로 나타날 수 있으므로, 調暢氣機한 治法으로 치료한다. 四逆湯과 當歸四逆湯은 모두 寒厥을 치료하지만 四逆湯證은 少陰病에 陽氣虛衰, 陰寒內盛, 肢冷嚴重, 冷過肘膝하면서 온몸이 虛寒한 증상을 보이기 때문에 回陽救逆하게 치료해야 한다. 當歸四逆湯證은 血虛感寒, 陽氣不振, 寒凝經脈으로 인한 것이다. 肢厥의 정도가 四逆湯證에 비해 가볍고 肢體疼痛을 특징으로 하며, 血虛舌淡·脈細 등의 증상으로 나타난다. 치료는 溫經散寒, 養血通脈하게 해야 하고, 陰血을 다시 傷하게 하지 않기 위해서 溫熱燥烈한 性味를 띈 附·薑를 사용하는 것은 옳지 않다. 이는 위의 세 방제의 다른점이다.

【臨床應用】

1. 證治要點: 본 방제는 血虛感寒, 寒凝經脈한 증상을 치료하기 위해서 만들어졌으며, 手足厥寒, 舌淡苔白, 脈沉細或脈細欲絶한 증상을 치료의 요점으로 삼는다. 血虛해서 寒邪가 經絡으로 들어간 腰·股·腿·足의 통증, 手足凍瘡 및 여성 월경불순, 월경전 腰腹冷痛 등의 血虛有寒에 속하는 모든 증상에 사용할 수 있다.

2. 加減法: 만약 血虛寒凝·脈絡不通에 속하는 腰·股·腿·足 통증의 경우에는 증상에 맞게 牛膝·鷄血藤·木瓜를 加하여 活血通絡한다. 內有久寒하고 水飮嘔逆을 동반하는 경우에는 吳茱萸·生薑를 加하여 溫胃散寒止嘔한다. 血虛寒凝한 월경기 복통이나 남성 寒疝의 경우에는 烏藥·茴香·高良薑·香附를 加하여 理氣散寒止痛한다.

3. 當歸四逆湯은 다음 한국표준질병사인분류(KCD)에 해당하는 환자가 血虛寒厥證으로 辨證되는 경우 본 처방의 사용을 고려해볼 수 있다.

처방 목표	한국표준질병사인분류(KCD)
혈전폐색성맥관염	I73.1 폐색혈전혈관염[버거병]
무맥증	I46 심장정지
	R00.3 무맥성전기활동 NEC
레이노병	I73.0 레이노증후군
소아하지마비	A80 급성 회색질척수염
동상	T33~T35 동상
월경통	N94.4 원발성 월경통
	N94.5 이차성 월경통
	N94.6 상세불명의 월경통
산후 신통	U32.7 산후풍(産後風)

【變遷史】 본 방제는 桂枝湯에서 生薑을 減하고, 大棗를 倍用하고, 當歸·細辛·通草를 加하여 구성한 것이다. 반면 桂枝湯은 桂枝를 加하여 解肌散寒 하고, 芍藥과 配伍해서 斂陰和營하게한다. 방제를 立法하는데 있어 調和營衛를 위주로 했다. 當歸四逆湯은 當歸·芍藥을 加하여 養血和血하고, 桂枝로 溫經散寒하며, 방제를 立法하는데 있어 溫經養血한 효능을 위주로 한다. 이를 통해서 알 수 있듯이, 當歸四逆湯은 비록 桂枝湯에 加減하여 변화 발전해서 온 것 이지만 立法은 이미 桂枝湯과 완전히 다르며, 仲景이 방제를 응용할 때 근엄한 법도를 갖추고 또한 탄력있게 변화를 주는 것을 구현했다. 본 방제는『傷寒論』에서 "傷寒厥陰病, 手足厥寒, 脈細欲絶"을 치료하는데 사용했으며, 후세

에 또한 본 방제를 凍瘡·초기 레이노병(早期雷諾病)·血栓閉塞性 脈管炎 등의 寒凝經脈에 해당하는 증상 치료에 사용했으며, 이 또한 좋은 치료효과를 거두었다.

【難題解說】

1. 본 방제의 乾薑·附子 有無에 대한 논쟁: 柯琴을 대표로 하는 의학자들은 본 방제를 "四逆"이라고 부르고, 薑·附 등의 약이 있어야 한다고 주장했다. 그는『傷寒來蘇集』「傷寒論注」편의 卷4에서 "此條證爲在裏, 當是四逆本方加當歸, 如茯苓四逆之例, 若反用桂枝湯攻表, 誤矣, 既名四逆湯, 豈得無薑·附."라고 하였다. 또 한편으로는 본 방제에 薑·附가 없어야 한다는 주장도 있다. 본 증상은 血虛感寒하기 때문에 薑·附을 사용하면 溫燥가 너무 과도해져서 耗傷陰血할 수 있게 된다. 예를 들어 費伯雄은『醫方論』卷3에서 "當歸四逆湯以和榮爲主……雖有寒而不加薑·附者, 恐燥烈太過劫陰耗血也."라고 했다. 두 가지 관점은 후자가 옳다고 보아야 한다. 본 방제는 溫經散寒, 養血通脈한 효능이 있어서 血虛得補, 寒邪得散, 經脈得通하게 해서 四肢가 점차 따뜻해지게 되므로, 當歸四逆湯에 薑·附가 없어야 한다.

2. 방제에서 通草를 配伍하는 의의: 방제의 "通草"은 木通이다.『中醫历代方論選』에서 "在历代本草中, 其原植物種類, 隨不同的歷史時期而有所變化. 木通起先被稱爲'通草'入藥,『唐本草』以前方劑中的通草, 實即木通, 直至南唐·陳士良『食性本草』首改'通草'爲木通, 而以通脫木爲通草的文献記載, 始自唐『本草拾遺』."라고 했다. 본 방제에서 通草를 配伍하는 의의는 두 가지가 있다. 첫째, 通草의 血脈을 通하게 하고, 關節을 利하게 하는 효능을 빌어서 當歸·桂枝의 通脈을 돕는다. 둘째 通草는 성질이 寒涼하고, 또한 桂·辛의 燥熱太過를 예방할 수 있기 때문에, 본 방제로 補血해서 지체하지 않게 하고, 溫陽해서 燥하지 않게 한다.

【醫案】

1. 血痹『新中醫』(1979, 2:45): 여자, 25세. 밤에 자고 일어났더니 양손이 저리고, 마치 개미가 기어가는 느낌이 들고, 손가락을 움직이는데 불편해서 바늘을 쥐기 어려웠다. 반면 손아귀 힘은 아직 남아 있었다. 손이 약간 차갑고, 촉각통각에 이상이 없고, 脈은 沉細하고 조금 弦緊하며, 舌淡苔白했다. 본 증상은 寒邪가 응결하고, 經脈이 막혀서, 血行의 運化 기능에 장애가 생겨서 肢端絡脈이 失養한 증후이기 때문에 본 방제에 川芎·黃芪·麻黃를 加하여 二劑 복용한 후 증상이 줄어들었으며, 다시 三劑를 복용한 후 완치되었다.

2. 血栓閉塞性脈管炎『河北中醫』(1987, 3:4): 남자, 53岁. 왼쪽 발가락 통증을 앓은지 5개월이 되어서 입원했다. 5개월 전 왼쪽 발에 통증을 느끼고·차갑고·마비되어, 걸을 때 간헐적으로 절룩거리면서 걷고, 점차 심해지고, 밤에는 통증이 심해서, 증상을 앓은 후에 中西藥物을 복용하고 치료해 보았으나 효과는 크지 않았다. 왼쪽 발가락의 피부색이 검붉게 변하고, 발톱이 두껍게 변하고, 부분적인 솜털이 빠지고, 발등의 온도가 낮고, 趺陽脈 박동이 쇠약해지고, 舌黯紅, 苔薄白, 脈沉細했다. 當歸四逆湯에 地龍·元胡·鷄血藤·肉桂·丹參·防己를 加하여 六劑를 복용한 후 증상이 뚜렷하게 줄어들고, 통증이 기본적으로 완화되었으며, 밤중에 편안하게 잠을 잘 수 있고, 피부 온도가 정상으로 변화해서 十五劑 복용한 후 통증이 완전이 없어지고, 피부 온도는 기본적으로 회복하고, 양쪽 발의 趺陽脈이 거의 비슷해져서, 임상에서 완치한 후 퇴원했다.

3. 凍傷『岳美中醫案集』: 남자, 30세. 눈보라가 몰아치고 손발이 얼어서 땅에 넘어져서, 몇 리(里)를 기다 땅에 누어서 죽기를 기다리는데, 이웃 사람이 발견해서 치켜 세워서 들어왔는데, 手足厥逆해서 누워서 轉側하는게 어려웠다. 이는 凍傷으로, 當歸四逆湯을 넣고 厥回肢溫하게 치료해야 한다. 四劑를 복용한 후 몸에 호두같은 紫疱가 나고 凍瘡으로 변했다. 며칠 후 돌려 누울 수 있고, 한달 정도 후 완치했다.

4. 産後身痛『浙江中醫雜志』(1991, 10:450): 여자, 28세. 출산 후 10일 동안 乳腺炎을 앓고 여러차례 외출해

서 진료를 받을 때 감기에 걸려서, 온몸의 관절통으로 시큰하고, 四肢가 특히 심하고 움직일 수 없으며, 굽히고 펴기 힘들고, 上肢는 힘이 없어서 물건을 들 수 없고, 下肢는 걷는데 힘이 들었다. 게다가 冷麻가 나타나고, 腰背가 시큰거리고, 頭暈心悸, 面色少華, 舌淡苔白, 脈沉細했다. 스스로 아스피린을 먹고, 땀을 내어 통증을 없애려고 시도하다가 결과적으로 땀을 비오듯이 흘리고 몸의 통증이 더욱 심해졌다. 본 증상은 産後血虛하고, 筋脈失養, 腠理不固한데다가 또 風寒外邪을 感受해서, 氣血의 運行이 막히고, 통하지 않아서 통증으로 나타난 것이다. 治宜 益氣養血, 溫經散寒하게 치료해야 하며, 當歸四逆湯에서 大棗를 빼고, 黃芪·桑枝·秦艽·没藥·葛根을 加하여 2一劑 복용한 후 완치했다.

考察: 醫案1은 寒邪가 응결하고, 經脈이 막혀서 血行이 잘 통하지 않아서 血痹로 나타나는 것이다. 본 방제는 溫經散寒, 養血通脈해서 藥證이 서로 잘 맞아서 五劑 복용한 후 완쾌했다. 醫案2는 血栓閉塞性 脈管炎, 足凉, 麻木, 苔白, 脈沉細한 것으로 이는 寒邪가 응결하고, 血脈이 막혀서 발병하는 것이다. 따라서 본 방제를 사용하면 치료 효과가 매우 뛰어나다. 醫案3은 凍傷으로, 寒邪가 經脈에 응결해서, 肢冷不溫하기 때문에 본 방제로 溫經散寒하게 해야 한다. 醫案4은 출산 후 血虛感寒으로 寒邪가 經脈에 응결하고, 氣血의 運行 장애로, 막혀서 통증으로 나타난 것이다. 본 방제는 溫經해서 寒邪를 散하게 하고, 또한 補血해서 産後血虛를 치료하기 때문에 본 방제를 위주로 해서 益氣通絡한 藥을 넣고 완치했다.

【副方】 當歸四逆加吳茱萸生薑湯(『傷寒論』): 當歸 三兩(9 g) 芍藥 三兩(9 g) 甘草 炙 二兩(6 g) 通草 二兩(6 g) 大棗 擘 二十五枚(八枚) 桂枝 去皮 三兩(9 g) 細辛 三兩(3 g) 生薑 切 半斤(15 g) 吳茱萸 二升(5 g).

- 用法: 위의 아홉 가지 약에 물 六升과 청주 六升을 섞어서 五升으로 달이고, 찌꺼기를 제거하고 따뜻하게 5회에 나누어서 복용한다.
- 作用: 溫經散寒, 養血通脈.
- 適應症: 手足厥寒, 脈細欲絶, 內有久寒.

當歸四逆加吳茱萸生薑湯은 當歸四逆湯證에 평소에 脾胃나 衝任에 寒이 있는 경우를 치료한다. 吳茱萸·生薑은 厥陰·陽明經으로 가서, 오랫동안 지체해서 묵은 寒을 흩어지게 하고, 淸酒를 넣어서 달이면 散寒通脈한 효력이 더욱 강해진다. 본 方證은 血虛感寒, 經脈不利한 증상을 치료하고, 또한 오랫동안 지체해서 묵은 寒의 경우 辛熱燥烈한 藥을 사용하면 陰血이 傷할까 두려워 附·薑은 사용하지 않는다. 반면 吳茱萸·生薑을 사용해서 暖肝溫胃하고 散寒開鬱하게 해서 當歸四逆湯證과 內有久寒을 치료하는 좋은 방제가 된다.

黃芪桂枝五物湯

(『金匱要略』)

【異名】 黃芪湯(『聖濟總錄』卷19)·黃芪五物湯(『三因極一病證方論』卷3)·桂枝五物湯(『赤水玄珠全集』卷12)·五物湯(『東醫宝鑑』·「雜病篇」卷2).

【組成】 黃芪 三兩(9 g) 芍藥 三兩(9 g) 桂枝 三兩(9 g) 生薑 六兩(18 g) 大棗 十二枚(四枚) 一方有 人蔘

【用法】 위의 약에 물을 넣고 六升 넣고 三升으로 달여서 七合을 따뜻하게 하루에 3번 복용한다.

【效能】 益氣溫經, 和血通痹.

【主治】 血痹. 肌膚 麻木不仁, 脈微緊.

【病機分析】 『素問』·「遺篇·刺法論」에서 "正氣存內, 邪不可干."라고 했다 인체의 正氣가 충분하면, 안으로는 臟腑의 氣血이 조화를 이루고, 밖으로는 外邪의 침

입을 맞서 싸울 수 있다. 만약 인체의 正氣가 부족하면, 營衛不和하고, 風邪를 感受해서, 外邪가 血脈에 머무르고, 氣血을 막히게 해서, 肌膚를 濡養할 수 없으면 결국에는 肌膚가 麻木不仁한 증상으로 나타난다. 邪가 血脈에 정체하고, 凝澀해서 통하지 않고, 氣血의 運行에 막혀서, 脈微澀하고 脈緊하게 된다.

【配伍分析】 본 방제는 血痺를 치료하기 위해서 만들어졌다. 방제에서 黃芪는 大補元氣하고, 正氣를 도와서, 邪를 제거해서 밖으로 배출하게 하고, 固護肌表하므로, 君藥이 된다. 桂枝는 溫經通陽하고 또한 祛散外邪할 수 있어서 黃芪와 配伍해서, 益氣溫陽, 和血通經하게 한다. 桂枝는 黃芪와 配伍하면, 益氣해서 振奮衛陽하게 한다. 黃芪가 桂枝와 配伍하면, 固表해서 邪를 머물지 못하게 한다. 芍藥은 養血和營해서 通痺하고, 桂枝와 함께 配伍하면, 調和營衛하고 表部에 머물러 있는 風邪를 驅散하게 한다. 모두 臣藥으로 여긴다. 肌表에 병이 있으면, 生薑으로 發散風邪하고 溫行血脈하며, 桂枝의 효력을 도우며, 佐藥이 된다. 大棗는 諸藥을 조화롭게 하고 生薑과 함께 配伍하면 桂·芍을 도와서 調和營衛하게 하고 使藥이 된다. 諸藥을 함께 配伍해서, 風邪를 제거하고, 氣血을 行하게 하면, 血痺를 치료한다.

본 방제의 配伍 특징: 補氣養血와 通經散邪을 함께 실시해서, 固表해서 邪를 남기지 않고, 祛邪해서 正氣를 상하지 않게 한다.

【臨床應用】

1. 證治要點: 본 방제는 血痺를 치료하는 常用方으로, 임상에서 肌膚가 麻木不仁하거나 통증이 있고, 손발이 차고, 舌質이 黯淡하거나 靑紫하고, 脈微緊하거나 沉細한 증상을 치료의 요점으로 삼는다.

2. 加減法: 氣虛가 심한 경우에는 黃芪를 倍用하고, 黨參을 加하여 益氣 通經固表한다. 血虛한 경우에는 當歸·鷄血藤을 加하여 補血和血 한다. 陽虛肢冷한 경우에는 附子를 加하여 溫陽散寒한다. 筋攣麻痺한 경우에는 木瓜·烏梢蛇을 加하여 舒筋通痺 한다. 風邪가 심한 경우에는 防風·防己를 加하여 祛風散邪 한다. 血瘀을 동반한 경우에는 桃仁·紅花를 加하여 活血通絡한다. 『醫宗金鑑』에서 "其功力 專於 補外, 所以不用人蔘 補內, 甘草 補中也"라 하였다.

3. 黃芪桂枝五物湯은 다음 한국표준질병사인분류(KCD)에 해당하는 환자가 血痺, 氣虛血滯, 微感風邪證으로 辨證되는 경우 본 처방의 사용을 고려해볼 수 있다.

처방 목표	한국표준질병사인분류(KCD)
피부염	(질병명 특정곤란)
	L00~L99 XII. 피부 및 피하조직의 질환
말초신경염	G50~G59 신경, 신경근 및 신경총 장애
	M79.2 상세불명의 신경통 및 신경염
중풍후유증	U23.4 중풍후유증(中風後遺證)
견주염(어깨관절 주위염)	M75.0 어깨의 유착성 관절낭염
혈전폐색성맥관염	I73.1 폐색혈전혈관염[버거병]
레이노병	I73.0 레이노증후군
비골신경마비	G57.3 외측오금신경의 병변_비골신경마비
경추병	M54.2 경추통
상완골외상과염	M77.1 외측상과염
주관절증후군	G56.8 팔의 기타 단일신경병증
요골관증후군	G56.3 요골신경의 병변
수근관증후군	G56.0 손목터널증후군
요추추간판탈출증	M51 기타 추간판장애
	G55.1 추간판 장애에서의 신경근 및 신경총 압박(M50~M51)
이상근증후군	R29.8 신경계통 및 근골격계통의 기타 및 상세불명의 증상 및 징후

【變遷史】 본 방제는 『金匱要略』·「血痺虛勞病脈證并治」篇中에서 유래되었으며, 血痺를 치료하는 專方으로, 증상은 "寸口关上微, 尺中小緊, 外證身體不仁, 如

風痹狀"이다. 본 방제는 또한 桂枝湯의 變方이 되며, 桂枝湯에 生薑을 倍用하고·甘草를 減하고, 黃芪를 加하여 구성한 것으로, 두 방제는 비록 약 한 가지의 차이가 있지만, 甘草의 緩한 성질을 빼고, 生薑의 散한 성질을 加하여, 아울러 黃芪를 君藥으로 삼아서 益氣固表한 君藥이 된다. 따라서 立法에 있어서 益氣溫經하고, 和血通痹한 효능을 위주로 한다. 黃芪桂枝五物湯은 후세의 의학자들에 의해 널리 사용되고 있는데, 周扬俊은 본 방제를 血痹를 치료하는 "至當不易"한 방제(『醫宗金鑑』卷19)로 찬양했다. 현대 의학에서 본 방제를 末梢神經炎·皮炎·肩周炎·血栓閉塞性 脈管炎 등 肢體가 麻木하거나 酸痛한 것을 위주로 하는 다양한 종류의 신경·근육·혈관성 병변을 치료한다. 증상은 氣虛血滯하고, 微感風邪하다.

【難題解說】 血痹에 대해서: "血痹"는 병명 중의 하나로, 형성 원인과 임상 증상에 대해 仲景이 논하길: "夫尊榮人骨弱肌膚盛, 重因疲勞汗出, 卧不時動摇, 加被微風, 遂得之"(『金匱要略』·「血痹虛勞病脈證并治」)라고 했다. 血痹는 是由 氣血不足하고 外邪를 感受해서 발병한 것으로, 임상에서는 肢體의 국소 근육이나 피부의 麻木가 특징이며, 만약 外邪의 감수를 비교적 심하게 받으면, 또한 酸痛感이 있을 수 있다. 따라서 仲景은 또한 "如風痹狀"라고 말했다. 血痹와 風痹의 임상에서의 주요한 차이는: 전자의 경우 麻木不仁을 主症으로 하고, 후자의 경우 疼痛을 主症으로 한다는 것이다.

【醫案】

1. 血痹『四川中醫』(1983, 5:27): 劉모씨. 四肢麻木를 앓은지 1년 정도 되었으며, 밤중에 특히 심했다. 비타민B12와 비타민B1를 60일 동안 근육에 주사했으나, 치료효과가 뚜렷하지 않았다. 이후에 침구치료로 바꾸고 나서, 침구치료 초기에는 작은 효과가 있었으나, 계속해서 치료했을 때 효과가 없었다. 본 증상은 氣虛懶言, 疲乏無力하고, 四肢麻木한데 上肢가 비교적 심하고, 臀部發凉, 脈雙沉細, 舌質淡嫩, 苔薄白해서, 黃芪桂枝五物湯을 十五劑 복용한 후 諸證이 모두 없어졌다.

2. 頸性眩暈『四川中醫』(1993, 5:26): 여자, 67세. 환자는 5개월 전 아침에 일어났을 때 갑자기 어지럽고 눈앞이 캄캄하다가 약 30분 후에 저절로 완화되었다. 그 이후에는 과로 후에 일시적으로 眩暈 증상이 나타났다. 현재 환자의 증상은: 頭暈目眩, 頭枕隐痛, 惡心嘔吐, 頸項酸痛, 上肢麻木, 胸悶氣短, 疲乏無力, 舌質淡, 舌尖邊多紫斑, 苔薄白했다. 頸椎 正側位片 검사 결과: 5·6번째 頸椎體의 앞부분이 입술 모양으로 변해 있었다. 腦血流圖에서: 頸動脈 양측의 폭이 비대칭으로 나타났다. 頸性眩暈으로 진단했다. 본 증상은 氣虛血瘀에 속한다. 益氣活血에 근거해서 化瘀通絡하게 치료한다. 방제는 黃芪桂枝五物湯에 丹參·葛根·川芎을 加하여 매일 一劑씩 달여서 복용했다. 약을 六劑 복용한 후 증상이 줄어 들었으며, 계속해서 六劑를 복용한 후 諸症이 모두 사라졌다. 腦血流圖 재검사에서 이미 정상으로 회복했으며, 2년 동안의 방문조사에서 재발하지 않았다.

3. 胸痹『天津中醫』(1986, 3:18): 여자, 5세. 본 증상은 초기에 自覺 胸悶氣短하다고 느껴지고, 계속해서 胸前區에 종종 隐痛이 느껴지고, 통증이 왼쪽 어깨와 등쪽으로 뻗어 냈다. 날씨가 추워지만 통증이 더욱 심해진지 2년 정도 되었다. 심전도검사 결과 "冠狀動脈供血不足."으로 진단해서 黃芪桂枝五物湯에 薤白·附子를 加하여 총 30劑를 복용했다. 이후 胸痛 諸證이 제어되있으며, 심전도 검사 결과 또한 정상에 가까워졌다.

4. 中風後遺症『四川中醫』(1983, 5:27): 노부인, 증상은 오른쪽 반신 癱瘓, 口眼歪斜, 手足麻木, 肌肉不仁, 오른쪽 반신에 自汗이 흐르는 증상으로 나타났다. 이는 營衛氣血이 虛虧하고 陽氣가 막혀서 經脈이 營養하지 못한 증상이다. 黃芪桂枝五物湯을 주고 치료하였으며, 총 十五劑 복용한 후, 脈舌이 정상으로 돌아

오고 諸症이 제거되어 보통 사람과 같아졌다. 4년 후 방문조사에서 재발하지 않았다.

考察: 醫案1는 正氣虧虛하고 風邪를 感受해서, 氣血痹阻하고, 肢體를 溫煦濡養해서 발생한 四肢麻木한 血痹이다. 따라서 四肢가 麻木한 동시에 氣虛懶言, 疲乏無力한 증상을 보여서 黃芪桂枝五物湯으로 益氣通痹하게 치료해서 다 나았다. 醫案2는 氣虛血瘀로 인한 頸性眩暈이며, 除見 頭暈目眩한 증상이 나타날 뿐만 아니라 또한 上肢麻木, 疲乏無力 등의 증상이 나타난다. 따라서 본 醫案은 黃芪桂枝五物湯에 丹參·葛根·川芎을 配伍해서, 益氣活血하고 化瘀通痹하게 치료해서 완치했다. 醫案3은 心陽虧虛, 胸陽不振, 氣血痹阻해서 발생한 胸痹證이다. 본 醫案은 黃芪桂枝五物湯으로 益氣溫經하게 하고, 또한 附子·薤白을 넣고 心陽을 溫하게 하고, 胸痹를 開하게 해서, 胸陽을 振하게 하고, 氣血을 통하게 해서 胸痹가 완치되었다. 醫案4는 營衛氣血이 虧虛해서 발생하는 中風후유증으로, 手足麻木, 肌膚不仁의 증상이 나타났다. 따라서 黃芪桂枝五物湯으로 益氣溫經하고 和血通絡하게 해서 효과를 보았다.

第七章

表裏雙解劑

대체로 解表藥에 瀉下藥이나 淸熱藥·溫裏藥 등을 배합하고 이를 위주로 구성해서 表裏同治, 内外分解한 작용을 하고, 表裏同病을 치료하는 방제를 表裏雙解劑라고 부른다. 이는 汗法과 下法·淸法·溫法 등을 결합해서 운용하는 치료법이다.

汗法·下法·淸法·溫法의 이론은 일찍이 『黃帝內經』에 기록되어 있다. 예를 들면 "其有邪者, 必漬形以爲汗, 其在皮者, 汗而發之"(『素問』「陰陽應象大論」에 수재됨)하고; "今風寒客于人也, 使人毫毛毕直, 皮膚閉而爲熱, 當是之時, 可汗而發之"(『素問』「玉機眞臟論」에 수재됨)하고; "其下者, 引而竭之; 中滿者, 瀉之于內……其實者, 散而瀉之"(『素問』「陰陽應象大論」)하며; "治諸勝復, 寒者熱之, 熱者寒之, 溫者淸之, 淸者溫之"(『素問』「至眞要大論」)하다고 하였다. 東漢 末年에 張仲景의 『傷寒雜病論』에서 汗法과 下法·淸法·溫法을 결합하고 운용한 表裏雙解劑를 찾아볼 수 있는데, 예를 들면 少陽陽明合病을 치료하는 데는 解表攻裏의 작용을 하는 大柴胡湯을 썼고; 傷寒表證이 아직 해소되지 않았는데, 下法을 잘못 사용하면, 邪陷陽明해서, 熱利에 이르게 되므로, 解表淸裏한 작용을 하는 葛根芩連湯을 사용하였고; 太陽病外證이 해소되지 않아서 수차례 下法을 잘못 사용해서, 脾胃陽氣에 손상을 가져온 경우에는 解表溫裏한 작용을 하는 桂枝人蔘湯을 사용하였다. 이러한 방제의 출현은 후세의 表裏雙解劑의 발전와 운용에 지대한 영향을 끼쳤다. 唐代의 『外臺秘要』에서 表證未解, 鬱熱傳裏해서 表裏 모두가 盛한 증상에는 『深師方』의 石膏湯을 사용해서 淸熱瀉火, 發汗解表한다고 했다. 金·元시대 寒凉派의 대표적인 의학자인 劉完素도 火熱病을 치료할 때 또한 表裏雙解한 方法을 운용했다. 예를 들면 外感風邪, 内有蘊熱해서 表裏가 모두 實한 증상에 대해서 防風通聖散을 創製했으며, 이는 解表·攻裏·淸熱·補益한 약재를 함께 사용해서 汗·下·淸·補 네가지 방법의 결합운용을 구현했다. 淸代의 汪昂은 前人의 表裏同治한 方劑를 집대성해서 하나의 門으로 분류하고, 아울러 表裏雙解한 方法에 대해서 핵심을 찌르고 명확하게 논술하였다. 그가 말하길: "病在表者, 宜汗宜散, 病在裏者, 宜攻宜淸, 至于表證未除, 裏證又急者,"하면 마땅히 "和表裏而兼治之"(『醫方集解』「表裏之劑」)해야 한다고 하며, 表裏雙解劑를 하나의 독립적인 方劑로 만들었다.

表裏雙解劑는 表裏同病한 증후를 치료하기 위해서 만들었다. 表裏同病이라는 것은 表證未解하며 또한 裏證이 나타나거나, 원래부터 宿疾이 있거나, 또한 新邪를 感受해서 表證과 裏證이 동시에 나타난 증후를 가리킨다. 表裏同病은 表證과 裏證의 차이에 따라 그 유형이 달라진다. 表證으로 말하자면 表寒과 表熱의 차이가 있다; 裏證으로 말하자면, 또한 裏熱·裏寒·

裏虛·裏實의 차이가 있다. 따라서 表裏同病한 증후는 表寒裏熱, 表熱裏寒, 表裏俱熱, 表裏俱寒, 表實裏虛, 表虛裏實, 表裏俱虛, 表裏俱實 등의 다양한 상황이 나타날 수 있다. 요약하자면, 위에서 말한 證候는 表證兼裏寒, 表證兼裏熱, 表證兼裏實 및 表證兼裏虛이 네가지 유형이 있을 뿐이다. 表裏雙解劑는 表裏에 병을 일으킨 원인 및 表裏 증후의 성질에 대해서 汗法과 溫·淸·攻·補 네가지 방법을 유기적으로 결합운용해서 복잡한 病勢를 치료하는 것이다.

이상의 表裏同病한 네가지 유형에 대해서, 본 장에서는 방제를 解表淸裏·解表溫裏·解表攻裏 세 가지 종류로 분류했다. 解表補裏 방제에 대해서는, 表邪未解하고 또한 正氣不足한 증상을 치료하며, 이미 解表劑에서 소개했기 때문에 본 장에서는 다시 반복하지 않는다.

解表攻裏劑는 주로 外有表邪, 裏有實積한 증상을 치료한다. 임상에서 惡寒·發熱 등의 表證으로 나타나고, 또한 腹滿·便秘·舌紅苔黃 등의 實熱內結한 증상으로 나타난다. 방제조합은 解表藥에 瀉下藥을 配伍해서 이를 위주로 해서 치료하며, 解表藥은 예를 들면 麻黃·桂枝·荊芥·防風·柴胡·薄荷를 넣고; 瀉下藥은 예를 들면 大黃·芒硝 등을 넣는다. 代表方에는 예를 들면 大柴胡湯·防風通聖散 등이 있다.

解表淸裏劑는 주로 表邪未解, 裏熱已熾한 증상을 치료한다. 임상에서 惡寒·發熱 등의 表證으로 나타나고, 또한 煩躁口渴하거나 熱利·氣喘·苔黃·脈數 등의 裏熱證으로 나타난다. 방제조합은 解表藥에 淸熱藥을 配伍해서 이를 위주로 해서 치료하며, 解表藥은 주로 麻黃·豆豉·葛根 등을 사용하고; 淸熱藥은 주로 黃芩·黃連·黃柏·石膏 등을 사용한다. 代表方에는 예를 들면 葛根黃芩黃連湯·石膏湯 등이 있다.

解表溫裏劑는 주로 表邪未解하고 또한 裏寒이 있는 증상을 치료한다. 임상에서 表寒證의 惡寒·發熱로 나타나고, 또한 心腹冷痛·下利·苔白·脈遲 등의 五臟六腑의 陽氣 손상, 冷積內停한 裏寒證으로 나타난다. 방제조합은 解表藥과 溫裏藥을 配伍하고 이를 위주로 해서 치료하며, 解表藥은 주로 麻黃·桂枝·白芷 등을 넣고; 溫裏藥은 주로 乾薑·肉桂 등을 選用한다. 代表方에는 예를 들면 五積散·桂枝人蔘湯 등이 있다.

表裏雙解劑를 사용할 때는 다음과 같은 몇 가지 점을 주의해야 한다: 우선, 본 장의 방제는 表裏同病을 치료하기 위해서 만든 것이기 때문에 임상에서 반드시 表證과 裏證이 함께 나타나야지만 비로소 응용할 수 있다. 만약 약이 증상에 맞지 않으면, 쉽게 正氣를 공격해서, 사고에 이르게 할 수 있다. 둘째, 해당 증상을 상세히 表證과 裏證의 寒·熱·虛·實한 속성으로 판별한 다음에 病勢에 대해 적절한 방제를 선택해야 한다. 셋째, 表·裏 증후의 輕重緩急은 흔히 같지 않으며, 방제조합과 配伍를 할 때 반드시 表證과 裏證의 輕重과 우선순위를 구분해서 表藥과 裏藥의 비율을 따져보아야, 비로소 방제에서 너무 과도한 용량을 사용하거나 못 미치는 염려가 없게 된다.

第一節 解表攻裏劑

大柴胡湯

(『金匱要略』)

【組成】 柴胡 半斤(15 g) 黃芩 三兩(9 g) 芍藥 三兩(9 g) 半夏 洗 半升(9 g) 枳實 炙 四枚(9 g) 大黃 二兩(6 g) 大棗 擘 十二枚(四枚) 生薑 切 五兩(15 g)

【用法】 위의 8味 약에 물 一斗 二升을 넣고 六升으로 달이고, 찌꺼기를 제거해서 다시 달인다. 一升을 하루 3회 따뜻하게 복용한다(현대용법: 물을 넣고 2회에 나누어서 달인다. 찌꺼기를 제거하고 다시 달이며, 2회에 나누어서 따뜻하게 복용한다).

【效能】 和解少陽, 內瀉熱結.

【主治】 少陽·陽明合病을 치료한다. 往來寒熱, 胸脇苦滿, 嘔不止, 鬱鬱微煩, 心下滿痛或心下痞硬, 大便不解或協熱下利, 舌苔黃, 脈弦數有力하다.

【病機分析】 본 방제는 소양병(少陽病)과 양명병(陽明病)의 증상이 동시에 나타나는 증상을 치료한다. 少陽은 半表半裏에 해당하며, 三陽이 表裏를 출입하는 樞紐가 된다. 足少陽之腑는 膽이 되며, 邪氣가 아직 少陽에 머물러서 半表半裏에서 相爭하면, 膽經의 經氣가 원활하게 통하지 못해서 往來寒熱, 胸脇苦滿 등의 少陽證이 주요한 증상으로 나타나게 된다. 하지만 病邪가 陽明으로 들어가 있으면 化熱成實에 의한 熱結한 증상이 나타나게 된다. 따라서 증세가 단순한 少陽證에 비해 심하다. 裏熱의 정도가 심해서, 心煩한 증상이 더해지면 "鬱鬱微煩"으로 나타나게 된다. 少陽病이 아직 해소되지 않은 상태에서 膽熱이 胃를 공격하고, 또한 陽明이 化熱하여 成實로 나타나고, 氣機가 막히고, 腑氣가 통하지 않으면, 胃氣의 上逆정도가 더욱 심해져서, 少陽證의 "喜嘔"가 "嘔不止"로 발전하고, 또한 心下滿痛이나 痞硬, 大便秘結, 苔黃 등의 陽明熱結, 腑氣不通한 증상이 나타나게 된다; 만약 裏熱下迫, 大腸傳導失司하면 또한 協熱下利한 증상으로 나타난다. 邪가 少陽에 머무르게 되면, 陽明熱結, 正盛邪實해서, 脈象이 弦數하고 힘이 있어진다.

【配伍分析】 본 방제가 치료하는 증상은 少陽·陽明合病을 치료한다. 少陽病의 治法은 和解少陽이고, 陽明熱結證의 治法은 內瀉熱結이다. 따라서 少陽·陽明合病은 위의 두가지 治法을 함께 사용해서 少陽을 和解해서 外邪를 제거하고, 陽明을 瀉下해서 熱結을 제거한다. 病에 少陽에 있을 경우, 仲景이 말한대로 下法의 사용을 금해야 하며, 만약 그렇지 못할 경우에는 氣血을 상하게 해서 驚悸를 일으키게 된다. 하지만 陽明腑實한 상황이 함께 나타날 경우에는 또한 반드시 表裏兼顧해야 한다. 따라서 汪昂이 이르길: "少陽固不可下, 然兼陽明腑實則當下."(『醫方集解』「表裏之劑」에 수재됨)라고 했다.

본 방제는 小柴胡湯에 人蔘·甘草를 빼고, 大黃·枳實·芍藥을 넣어 구성한 것이다. 또한 小柴胡湯과 小承氣湯을 합한 후 넣고 빼서 변화해 온 것이라고 볼 수도 있다. 小柴胡湯은 少陽을 和解하는 主方이 되며, 小承氣湯은 陽明을 瀉下하는 輕劑가 된다. 따라서 본 방제는 少陽·陽明을 함께 치료하며, 表裏雙解한 방제가 된다. 방제에서 柴胡·大黃은 君藥으로 여기며, 이중 柴胡는 주로 少陽으로 들어가서, 疏邪透表하게 하며, 大黃은 陽明으로 들어가서 瀉熱通腑하게 한다. 黃芩은 性味가 苦寒해서 臣藥으로 여기며,少陽의 鬱熱을 擅淸하고, 柴胡와 함께 사용하면 少陽을 和解하는 작용을 하게 된다; 枳實은 行氣破結해서 大黃과 배합하면, 內瀉熱結, 行氣消痞할 수 있다. 이 네가지 약은 본 방제의 주요한 구성 성분이다. 다시 芍藥을 사용해서 緩急止痛하게 하고 大黃과 함께 배합해서 뱃속의 實痛

을 치료할 수 있다. 枳實과 함께 配伍하면 氣血을 조화롭게 해서 心下滿痛을 제거할 수 있다; 半夏는 和胃降逆하고, 生薑을 重用하면 止嘔의 작용이 더욱 증가해서 嘔逆이 멎지 않는 것을 치료할 수 있다. 모두 佐藥으로 여긴다. 大棗는 和中益氣해서, 芍藥과 함께 사용하면 酸甘化陰한 性味를 띄게 되어서, 熱邪가 몸에 들어가서 傷陰하는 것을 예방할 수 있을 뿐만 아니라 또한 枳實·大黃으로 인해 瀉下傷陰할 수 있는 우려를 완화시킬 수 있다. 大棗와 生薑은 함께 配伍하면 또한 調和營衛해서 諸藥을 조화롭게 할 수 있기 때문에 使藥으로 여긴다. 諸藥을 함께 사용하면, 和解少陽, 內瀉熱結의 작용을 띄게 되어서 少陽과 陽明의 合病이 모두 낫게 된다.

위에서 말한 약을 분석해 보면, 본 방제는 和解와 瀉下를 함께 사용하는 방제이다. 하지만 방제는 小承氣湯을 반(大黃의 용량을 반으로 줄이고, 厚朴는 뺀다)으로 줄였기 때문에, 和解少陽을 위주로 하고, 瀉下한 효력이 비교적 완화되어서 少陽初入陽明之證에 사용하는 것이 적합하다. 이는 바로 『醫宗金鑑』「删補名醫方論」 卷8에서 말한: "斯方也, 柴胡得生薑之倍, 解半表之功捷; 枳·芍得大黃之少, 攻半裏之效徐, 雖云下之, 亦下中之和劑也."와 같다.

【類似方比較】 본 방제는 小柴胡湯과 비교해 볼 때, 두 방제 모두에 柴胡·黃芩·半夏·大棗가 있으며 용량 또한 동일하다. 生薑의 경우, 小柴胡湯에서는 三兩을 사용하고, 大柴胡湯에서는 五兩을 사용한다. 따라서 大柴胡湯에서 치료하는 嘔逆은 小柴胡湯의 것과 비교했을 때 그 정도가 심하다. 따라서 生薑을 重用하여 止嘔의 효력을 강화하였고, 生薑은 또한 柴胡와 함께 조화를 이루어서 散邪의 작용을 강화할 수 있다. 小柴胡湯에 있는 人蔘·甘草를 大柴胡湯에서는 사용하지 않았다. 그 이유는 少陽의 邪는 조금씩 몸속으로 전해지고, 陽明은 實熱已結하고 또한 正氣不虛하기 때문에 이 둘을 뺀다. 大黃·枳實을 넣는 것은 導滯下結하고자 하는 뜻이 있고, 芍藥을 사용하는 것은 주로 緩急止痛의 효력을 강화하고자 하는 것이다. 小柴胡湯은 주로 少陽病을 치료하며, 大柴胡湯은 少陽陽明合病을 치료한다. 何廉臣이 大柴胡湯에 대해 이르길 "爲和解少陽·陽明, 表裏緩治之良方, 但比小柴胡湯專于和解一經者, 力量較大, 故稱大"(『重訂通俗傷寒論』에 수재됨)하고 했다.

【臨床應用】

1. 證治要點: 임상에서 본 방제를 응용할 때 往來寒熱, 胸脇이나 心下가 滿痛하고, 嘔吐, 便秘, 苔黃, 脈弦數有力한 증상을 치료의 요점으로 삼는다.

2. 加減法: 만약 脇脘의 통증이 심한 경우에는 川楝子·延胡索·鬱金 등을 넣어 行氣止痛의 작용을 강화하고; 惡心嘔吐가 심한 경우에는 薑竹茹·黃連·旋覆花 등을 넣어 降逆止嘔한 효능을 강화하고; 여러날 동안 대변을 보지 못하고, 熱盛煩躁, 舌乾口渴, 渴欲飮水, 面赤, 脈洪實한 경우에는 芒硝를 넣어 瀉熱通便하게 하고; 黃疸을 동반하는 경우에는 茵陳·梔子를 넣어 淸熱利濕해서 退黃하게 한다; 膽結石이 있는 경우에는 金錢草·鷄內金를 넣어 결석을 변화하게 한다.

3. 大柴胡湯은 다음 한국표준질병사인분류(KCD)에 해당하는 환자가 少陽·陽明合病證으로 辨證되는 경우 본 처방의 사용을 고려해볼 수 있다.

처방 목표	한국표준질병사인분류(KCD)
膽系急性感染	K80 담석증
	K81 담낭염
	K83.0 담관염
膽石症	K80 담석증
膽道蛔虫病	B77.8 기타 합병증을 동반한 회충증
急性胰腺炎	K85 급성 췌장염
胃及十二指腸潰瘍	K25 위궤양
	K26 십이지장궤양
肝炎	K73 달리 분류되지 않은 만성 간염
	K75 기타 염증성 간질환

처방 목표	한국표준질병사인분류(KCD)
脂肪肝	K70.0 알코올성 지방간
	K76.0 달리 분류되지 않은 지방(변화성)간
急性扁桃體炎	J03 급성 편도염
腮腺炎	B26 볼거리
小兒高熱	(질병명 특정곤란)
	A00~B99 I. 특정 감염성 및 기생충성 질환
	G00~G09 중추신경계통의 염증성 질환
	R50.9 상세불명의 열

【注意事項】 본 방제는 少陽陽明合病을 치료하기 위해 만들었으며, 단순한 少陽證이나 陽明證에는 본 방제를 사용하는 것은 옳지 않다. 사용할 때는 少陽證과 陽明熱結의 輕重에 근거해서 방제의 藥量의 비율을 추가해야 한다.

【變遷史】 본 방제는 張仲景이 창시한 것으로, 『傷寒論』과 『金匱要略』 모두에 본 방제를 응용한 기록이 있다. 『傷寒論』에서 이르길: "太陽病, 過經十餘日, 反二三下之, 後四五日, 柴胡證仍在者, 先與小柴胡湯;嘔不止, 心下急, 鬱鬱微煩者, 爲未解也, 與大柴胡湯下之則愈." "傷寒十餘日, 熱結在裏, 復往來寒熱者, 與大柴胡湯." "傷寒發熱, 汗出不解, 心下痞硬, 嘔吐而下利者, 大柴胡湯主之."라고 했다. 『金匱要略』에서 이르길: "按之心下滿痛者, 此爲實也, 當下之, 宜大柴胡湯."라고 했다. 위의 내용을 종합해 보면, 大柴胡湯의 적응증 증후는 少陽證의 往來寒熱·煩·嘔가 나타나며, 또한 陽明裏實의 心下急·心下痞硬·心下滿痛이 나타나기 때문에, 少陽·陽明合病證이다. 후세의 사람들이 본 방제를 응용하면서 발전을 가져왔다. 예를 들면 『肘後備急方』卷2에서 본 방제를 "熱實, 得汗不解, 腹滿痛煩躁, 欲谬語者."에 사용했다. 『普濟方』卷198에서 인용한 『旅舍備要方』에는 "瘧, 寒熱嘔逆, 脈弦小緊, 間日頻日, 發作無時; 及傷寒熱在裏, 腹滿譫語, 煩渴, 大小便澀."을 치료했다. 『太平惠民和劑局方』卷2에서는 "傷寒十餘日, 邪氣結在裏, 寒熱往來, 大便秘澀, 腹滿脹痛, 語言譫妄, 心中痞硬, 飮食不下; 或不大便五六日, 繞臍刺痛, 時發煩躁, 及汗後如瘧, 日晚發熱, 兼臟腑實, 脈有力者."에 사용했다. 『證治準繩·幼科』卷3에서 또한 본 방제를 사용해서 "風熱痰嗽, 腹脹及裏熱未解."를 치료했다. 『幼幼集成』卷2에서는 본 방제를 "夾食傷寒, 其證壯熱頭痛, 噯氣腹脹, 大便酸臭, 延綿不解."에 사용했다. 大柴胡湯에서 변화 발전해 온 同名方 역시 적지 않다. 예를 들면 『外臺秘要』卷1에서 인용한 『範汪方』의 大柴胡湯은 본 방제에서 黃芩·枳實·大棗을 빼고, 知母·萎蕤·炙甘草·人蔘을 넣어 "傷寒七八日不解, 默默煩悶, 腹中有乾糞, 譫語."를 치료한다. 『太平聖惠方』卷11의 大柴胡湯은 본 방제에서 大黃를 빼고, 檳榔·白朮·赤苓을 넣어 "傷寒二三日, 心中悸, 嘔吐不止, 心下急, 鬱鬱微煩者."에 사용한다. 『普濟方』卷44에서 인용한 『指南方』의 大柴胡湯은 본 방제에 炙甘草를 넣어 頭痛을 치료한다. 『醫方類聚』卷54에서 인용한 『通眞子傷寒括要』의 大柴胡湯과 본 방제를 서로 비교해보면, 大黃·枳實을 빼고, 枳殼·赤芍藥을 넣고 陽明病, 脇下堅滿, 大便秘而嘔, 口燥한 경우를 치료한다. 『易简方』 大柴胡湯은 본 방제와 비교했을 때 芍藥을 빼고, 甘草를 넣어서 "傷寒十餘日, 熱結在裏, 往來寒熱; 或心下急, 鬱鬱微煩; 或口生白苔, 大便不通; 或發熱汗出; 或腹中滿痛; 或日晡發熱如瘧; 或六七日不了了, 睛不和, 無表裏證, 大便難, 身微熱者."를 치료한다. 『治痘全書』卷13의 大柴胡湯은 柴胡·白芍·枳殼·黃芩·大黃으로 구성해서 "痘瘡, 腰疼腹痛, 寒熱往來, 熱毒欲發不出者."를 치료한다. 『傷寒大白』卷2의 大柴胡湯은 柴胡·黃芩·廣皮·甘草·半夏·大黃으로 구성하며 "少陽表證未解, 裏證又急, 潮熱, 大便秘, 有下證者"에 사용한다. 『痢疾纂要』卷9의 大柴胡湯은 본 방제와 비교했을 때 芍藥을 줄이고 芒硝를 많이 하여 "感時行癘氣, 表邪裏邪俱實者"에 사용한다. 당대의 의학자들은 大柴胡湯을 기초로 변화 발전한 複方大柴胡湯(『中西醫結合治療急腹證』에 수재됨)을 사용하는데 본 방제에서 半夏·生薑·大棗를 빼고, 木香·川楝子·延胡索·蒲公英·生甘草를 넣고 구성해서 行氣止痛, 淸熱解毒한 효능이 大柴胡湯에 비해 더욱 뛰어나다.

【難題解說】

1. 방제의 大黃 有無에 대한 인식: 大柴胡湯은 仲景方이며, 『傷寒論』의 방제에는 大黃을 기록하지 않고 있으며, 『金匱要略』 방제에는 오히려 大黃이 있다. 따라서 역대 의학자들의 논쟁을 일으켰다. ① 大黃을 넣지 않는다는 주장(無大黃論). 柯琴을 대표로 하며, 『傷寒來蘇集』「傷寒論注」卷3에서 이르길: "大柴胡是半表半裏氣分之下藥, 并不言大便, 其心下急與心下痞硬是胃口之病, 而不在胃中, 結熱在裏, 非結實在胃, 且下利則地道已通, 仲景不用大黃之意曉然."라고 주장했다. ② 둘 중 하나만 선택할 수 있다는 주장(兩可擇一論). 방제에 大黃이 있을 수도 없을 수도 있다. 예를 들면 張錫純은 『醫學衷中參西錄』 中册에서 이르길: "乃後世畏大黃之猛, 遂易以枳實, 迨用其方不效, 不得不仍加大黃, 而竟忘去枳實, 此大柴胡湯一方或有大黃或無大黃之所由來也."라고 주장했다. ③ 大黃을 넣는다는 주장(有大黃論). 대부분의 의학자들이 이러한 관점을 가지고 있다. 예를 들면 新輯宋本『傷寒論』方後의 注에서 이르길: "一方加大黃二兩, 若不加, 恐不爲大柴胡湯." 라고 하였고, 『許叔微傷寒論著三種』「傷寒發微論」卷下에서 이르길: "大黃在傷寒乃爲要藥, 大柴胡湯中不用, 誠脫誤也."라고 주장했다. 필자가 大柴胡湯에 반드시 大黃이 있어야 한다고 생각하는 이유는: ① 大柴胡湯으로 치료하는 증상은 少陽未解하고 胃家已實한데, 이때 만약 大黃이 없다면 어찌 通下의 목적을 달성할 수 있겠는가? 『傷寒論』 第106條에서 이르길: "與大柴胡湯下之則愈."라고 하였다. 만약 大黃이 없으면, "下之" 이 두 글자는 이해하기 어렵다. ② 『傷寒論』와 『金匱要略』에 기록되어 있는 大柴胡湯은 大黃의 유무 이외에 其他藥物과의 용량은 모두 동일하다. 仲景은 製方할 때, 구성이 치밀하여, 약재를 한 가지라도 넣고 빼거나 심지어 藥量이 다르기만 해도 方名을 바꾸었다. 따라서 본 저서에는 명칭이 같지만 다른 약재로 조성된 두가지 방제가 기록되어 있을 리가 없다. 따라서 『傷寒論』의 大柴胡湯에는 마땅히 大黃이 있어야 하고, 大黃이 없을 수 있는 가능성은 전해지는 과정에서 누락되었기 때문이라고 볼 수 있다.

2. 본 방제를 분류하는 것에 대한 토론: 大柴胡湯이 어떤 종류로 분류되어야 하는지에 대해, 역대의 方書에서 각자 자신의 견해를 나타냈다. 본 방제를 表裏雙解劑를 분류했다. 예로『醫方集解』 및 『方劑學』統編教材 제5판이 있다; 본 방제를 和解劑로 분류했다. 예로 統編教材『方劑學』 제4판 및 规划教材『方劑學』이 있다; 본 방제가 瀉下劑에 분류되어야 한다는 주장했다. 예를 들면 『傷寒來蘇集』「傷寒論注」卷3에서 "而曰下之則愈者, 見大柴胡爲下劑, 非和劑也."라고 하였다. 본 방제가 도대체 어떠한 분류에 해당하는지에 대해서는 먼저 仲景의 원문 분석을 따를 수 있다. 『傷寒論』 제103조에서 大柴胡湯에 대한 글이 가장 처음 등장했으며, 증상의 상태에 대해 비교적 상세하게 논술했다. 조문에서 이르길: "太陽病過經十餘日, 反二·三下之, 後四五日, 柴胡證仍在者, 先與小柴胡湯; 嘔不止, 心下急, 鬱鬱微煩者, 爲未解也, 與大柴胡湯下之則愈." 라고 했다. 柴胡證이 아직도 있는 "仍"라는 글자는 환자가 往來寒熱하거나 胸脇苦滿하거나 默默不欲飮食하거나 心煩喜嘔 등의 少陽主證이 있다는 것을 말한다. 이전의 의학자들이 "二·三下之"의 治法을 행한 것은, 證情에 있어 陽明에 裏熱實證이 나타난다는 숨은 뜻을 갖고 있는 것이다. 『金匱要略』에서 "按之心下滿痛者, 此爲實也, 當下之, 宜大柴胡湯."라고 한 것 또한 이 증상에 裏實證이 있다는 것을 증명하며, 이는 少陽陽明合病證이다. 방제의 약재는 柴胡를 위주로 하고, 반근까지 重用한다. 柴胡는 少陽專藥으로 少陽邪熱에 도달하게 할 수 있고, 大黃·枳實과 함께 配伍하면, 和解하면서 또한 瀉下熱結할 수 있으므로, 단순한 和解劑·瀉下劑와는 配伍방법에 있어서 판이하게 다르다. 따라서 表裏雙解劑로 분류하는 것이 타당하다. 한 가지 밝히고 싶은 것은, 여기서 말하는 表는 太陽의 表로 이해해서는 안 된다. 만약 본 방제가 和解하면서 또한 瀉下의 의미가 있다면, 이것이 더욱 적절한 것 같다.

【醫案】

1. 熱結在裏證 『傷寒九十論』: 羽流蔣尊病, 환자는 초기에 心煩喜嘔, 往來寒熱해서, 의사가 초기에 小柴

胡湯 처방했으나 낫지 않았다. 내가 진맥을 해 보니, 脈이 洪大하고 實하며 熱結在裏해서, 小柴胡湯을 처방해서 증상이 제거되었다. 仲景이 이르길 10일 넘게 傷寒하면, 熱結在裏해서 다시 往來寒熱한 경우에는 大柴胡湯을 처방하고 두 번 복용하게 하면 병이 낫는다고 했다.

2. 急性膽囊炎『陝西中醫』(1980, 3:39): 여자, 54세. 오른쪽 옆구리에 前膽區에 심한 통증을 느끼고 胃를 잡아 뜯는 것 같고, 침대에서 데굴데굴 구르고, 구슬땀을 뚝뚝 흘리면, 이때는 유일하게 "度冷丁"을 급히 주입해야만 통증을 멎게 할 수 있다. 하지만 오래지 않아 다시 발병했다. 환자는 몸이 뚱뚱하고, 두 뺨에 붉은기를 띠고, 舌絳苔黃했다. 대변을 언제 보았는지 물으니 이미 4일 동안이나 보지 못했고 게다가 口苦多嘔한데 현대의학에서 急性膽囊炎 혹은 膽結石으로 진단했습니까? 증상 판별: 肝膽이 氣鬱火結하고, 橫逆해서 胃를 헤치며 腑氣가 不利해지기 때문에, 大便이 秘結不通하고, 肝膽이 氣火交阻해서 氣血이 不利하게 되는 것이다. 즉 심한 통증을 참기 어려워서 口苦多嘔하는 것이다. 疏方: 柴胡 18 g, 大黃 9 g, 白芍 9 g, 枳實 9 g, 黃芩 9 g, 半夏 9 g, 鬱金 9 g, 生薑 12 g, 陳皮 9 g을 넣고, 두 번 달여서 3회에 나누어서 복용하게 했다. 한 번 복용하고 나서 통증이 멎어서 편안하게 잠을 이룰 수 있었고; 두 번째 복용한 후에는 大便解下하고, 嘔吐가 바로 멎었다; 세 번째 복용한 후에는 대변을 또 보고 통증이 완전히 사라졌다.

3. 嘔·利·痞·痛證『陝西中醫』(1980, 3:39): 남자, 44세. 환자는 감기에 걸려서 온몸이 쑤시고, 가슴이 그득하고 식욕이 없었다. 오후부터 열이 나기 시작하고, 小溲色黃, 脈弦細而浮, 舌苔白膩했다. 증상 판별: 濕熱羈于衛·氣之間해서, 芳化, 少佐滲利하게 치료해야 한다. 方用: 白蔻仁 6 g, 杏仁 9 g, 苡米 9 g, 半夏 9 g, 佩蘭 6 g, 連翹 6 g, 滑石 9 g, 通草 3 g, 大豆卷 9 g을 넣고, 2첩을 복용하게 한 후, 胃脘痞塞, 喜嘔, 大便下痢黏秽, 裏急後重, 腹痛而急, 脈弦滑, 舌苔는 厚膩하면서 黃하게 나타났다. 본 증상은 木火交鬱하고 少陽氣機가 순조롭지 못하고 陽明胃腸이 조화를 이루지 못해서 氣火가 中에 울체되어 있고 心下痞滿하여, 熱이 臟으로 내려가서 下利黏穢하게 되는 것이다; 木의 성질은 急하지만, 土의 성질은 緩하다. 또한 濕熱相煎에서 왔기 때문에 裏急後重해서 뱃속에 통증이 생기게 된다. 『傷寒論』에서 이르길: "傷寒發熱, 汗出不解, 心下痞, 嘔吐下利者, 大柴胡湯主之."라고 했다. 따라서 본 증상은 주장과 매우 부합한다. 處方: 柴胡 12 g, 黃芩 9 g, 半夏 12 g, 生薑 12 g, 枳實 6 g, 大黃 6 g, 白芍 9 g, 大棗 四枚을 넣고 달여서, 초탕을 복용한 후 온몸이 땀으로 범벅이 되고 배가 아프고 소리가 났으며; 재탕을 복용한 후 대변으로 심한 악취를 띄는 배설물 배출하고 나서 복통도 없어지고, 痞滿·喜嘔 등의 증상이 모두 사라진 후에야 仲景의 말을 믿고 의심하지 않았다.

4. 腹痛發熱『新中醫』(1992, 11:33): 남자, 29세, 노동자, 1989년 10월 10일 진료를 받으러 방문했다. 환자는 며칠 동안 피로로 한밤중에 갑자기 오른쪽 윗배에 통증이 느껴지고 발열 증상이 함께 나타나더니, 체온이 최고 39℃에 달해서 우리 병원 응급실에서 진료를 관찰했다. B형 초음파검사 및 화학실험검사(化驗檢查)에서 이상소견이 발견되지 않았다. 항생제 주입 치료를 4일 동안 한 후에도 여전히 복통이 멎지 않았으며 오후에는 체온이 39℃ 정도에 이르렀다. 내가 진료 당시 환자는 神疲無力, 腹痛拒按, 胸悶煩躁, 納呆, 오후부터 열이 나기 시작하고, 대변을 4일 동안 보지 못했으며, 舌紅, 苔黃厚燥, 脈沉弦한 증상을 보였다. 본 증상은 少陽과 陽明을 동반한 裏實證으로 大柴胡湯 原方을 처방해서 약 2첩을 복용하게 한 후 대변을 보게 되었고, 3첩을 복용한 후 열이 떨어졌다. 환자가 몸이 가볍고 정신이 맑아졌다고 느껴서 계속해서 3첩을 복용한 후 치료 효능이 안정을 찾았다.

考察: 본 환자는 병원에서 비록 확진하지 않았으나, 환자는 發熱, 脇痛, 往來寒熱, 胸悶煩躁, 不欲飮食한

少陽證에 해당한다. 4일 동안 대변을 보지 않고, 脇腹의 통증이 심해서 拒按한 것은 陽明證에 해당한다. 舌苔·脈象은 少陽·陽明 두 증후에서 함께 나타나는 증상이기 때문에 大柴胡湯證으로 보는 것은 의심할 여지가 없으며, 原方 치료 후 효과를 보았다.

5. 三叉神經痛『江蘇中醫雜誌』(1983, 6:38): 여자. 나이는 환갑을 넘었고, 몸은 비록 여위었지만, 힘이 넘쳤다. 1976년 초겨울에, 面痛이 나타난지 한달이 넘었는데 낫지 않고, 통증이 매우 이상하게도 아침에는 광대뼈 바깥쪽으로 抽痛이 있고, 오전에는 코에 酸痛이 있고, 오후가 되어서는 두통으로 이마의 통증이 멎지 않았으며, 밤이 되었을 때는 통증이 가장 적었다. 매일 이와 같은 과정이 반복되었으며, 편안한 날이 없었다. 병원에서: 三叉神經痛이라고 진단했다. 환자의 상태를 관찰해 보니 苔黃舌燥하고 脈象이 沉弦하면서 數해서 이르길: 이는 少陽·陽明合病이라고 말했다. 足少陽脈의 그 가지는 별도로 銳眦로 가서 大迎으로 내려가고, 手少陽脈과 합쳐서 콧마루(頞)에 이르며; 足陽明脈은 客主人을 지나고, 髮際(머리칼이 난 언저리)를 돌아 額顱에 이른다. 膽胃가 失降하면, 厥氣가 上逆해서, 經脈이 柔順한 성질을 잃게 되어서 痹해서 통증으로 나타나게 된다. 또한 膽馴胃降해서 자신을 아프게 한다. 大柴胡는 위로는 膽火를 제거하고, 아래로는 陽明을 통하게 하므로, 바로 여기에 부합한다. 따라서 본 방제에 元參·牛膝을 重用해 처방해서 滋水降沖하게 하면, 伏陽明해서 馴膽火하게 한다. 3첩을 복용하게 한 후 面痛이 없어진 것 같아서 이후에 仲景黃芩湯에 枳實·知母를 넣고 堅陰和陽해서 치료효과를 보았고, 영원히 재발하지 않았다.

考察: "陽明獨旺于面"하다. 三叉神經痛은 바로 陽明에서 나타난다. 循經而治할 뿐만 아니라 또한上病下取의 뜻을 갖고 있다. 하지만 "陽明之上, 燥氣治之"하기 때문에, 下法을 쓰고 난 후에는 마땅히 滋陰和陽하게 한다. 이는 仲景이 餘熱不盡에 竹葉石膏湯을 사용하는 것에서 알 수 있다.

【副方】

1. 複方大柴胡湯(『中西醫結合治療急腹症』): 柴胡 9 g 黃芩 9 g 枳殼 6 g 川楝子 9 g 延胡索 9 g 白芍 9 g 生大黃 9 g 後下 木香 6 g 蒲公英 15 g 生甘草 6 g

- 作用: 和解少陽, 理氣泄熱.
- 適應症: 潰瘍病과 急性穿孔을 치료하며, 腹腔의 감염을 치료한다. 윗배와 오른쪽 아랫배의 壓痛, 腸鳴, 便燥, 身熱, 苔黃, 脈數한 증상으로 나타난다.

본 방제는 大柴胡湯에서 半夏·生薑·大棗를 빼고, 木香·川楝子·延胡索·蒲公英·生甘草를 넣고 구성한 것으로 腹痛·身熱한 증상을 치료한다. 이러한 行氣止痛·淸熱解毒의 작용은 大柴胡湯에 비해 뛰어나다.

2. 厚朴七物湯(『金匱要略』): 厚朴 半斤(15 g) 甘草 大黃 各三兩(各 9 g) 大棗 十枚(4개) 枳實 五枚(9 g) 桂枝 二兩(6 g) 生薑 五兩(12 g)

- 用法: 위의 약에 물 一斗를 넣고 四升으로 달여서 八合을 매일 3회 따뜻하게 복용한다.
- 作用: 解肌發表, 行氣通便.
- 適應症: 外感表證未罢, 裏實已成. 腹滿發熱, 大便不通, 脈浮而數.

本方와 大柴胡湯은 모두 解表攻裏를 치료하기 위한 방제이다. 大柴胡湯은 少陽病과 陽明病이 함께 나타나는 경우를 치료하며, 少陽證을 위주로 해서 치료한다; 厚朴七物湯은 太陽病과 陽明病이 함께 나타나는 경우를 치료하며 陽明證을 위주로 해서 치료한다. 따라서 厚朴七物湯은 厚朴을 重用하고, 枳實과 配伍해서 行氣除滿하게 하고, 大黃은 瀉熱通便한 효능이 있기 때문에, 세 가지 약을 함께 배합하면 厚朴三物湯의 뜻을 갖게 되며, 陽明을 공격해서 熱結하게 된다. 桂枝를 輕用하면 生薑·大棗·甘草을 도와서 解肌散寒, 調和營衛하므로, 함께 發表攻裏한 방제가 된다.

防風通聖散

(『黃帝素問宣明論方』卷3)

【異名】 通聖散(『傷寒標本心法類萃』卷下).

【組成】 防風 川芎 當歸 芍藥 大黃 薄荷葉 麻黃 連翹 芒硝 各半兩(各 15 g) 石膏 黃芩 桔梗 各一兩(各 30 g) 滑石 三兩(90 g) 甘草 二兩(60 g) 荊芥 白朮 梔子 各一分(各 3 g)

【用法】 위의 약을 분말로 곱게 갈고, 매회 二錢(6 g)을 물 1 큰잔(大盞)에 生薑 3조각을 넣고 10분의 6이 되게 달여서 따뜻하게 복용한다.

【效能】 疏風解表, 瀉熱通便.

【主治】 본 방제는 風熱壅盛하고 表裏俱實한 증상을 치료한다. 증상은 憎寒壯熱, 頭目昏眩, 目赤睛痛, 口苦而乾, 咽喉不利, 胸膈痞悶, 咳嘔喘滿, 涕唾稠黏, 大便秘結, 小便赤澀, 舌苔黃膩, 脈數有力하게 나타난다. 본 방제는 瘡瘍腫毒, 腸風痔漏, 鼻赤癮疹 등의 증상 또한 치료한다.

【病機分析】 본 방제는 몸 밖으로는 風邪를 감수하고(外感風邪), 몸 안으로는 蘊熱이 있는(內有蘊熱), 表裏가 모두 實한 증상을 치료하기 위해 만들어졌다. 風熱之邪가 表部에 머물면, 正邪相争해서, 憎寒壯熱하게 된다; 風熱이 상부를 공격하면, 頭目昏眩, 目赤睛痛한 증상이 발생한다; 風熱이 肺胃를 上淫하면 咽喉不利, 胸膈痞悶, 咳嘔喘滿, 涕唾稠黏한 증상으로 나타난다; 內有蘊熱하면 口苦口乾, 便秘溲赤로 나타난다; 瘡瘍腫毒, 腸風痔漏, 鼻赤癮疹 등의 증상 또한 風熱壅盛, 氣血怫鬱로 인해 발생하는 것이다.

【配伍分析】 風熱壅盛하고 表裏俱實한 증상에 대해서, 疏散風熱해서 表邪을 제거하고, 瀉熱攻下해서 裏實을 제거해야 한다. 방제의 薄荷·防風·荊芥·麻黃은 疏風散表하기 때문에 表邪을 땀으로 배출하게 할 수 있고; 大黃·芒硝은 瀉熱通便, 蕩滌積滯하기 때문에 實熱을 설사를 통해 내보낼 수 있다. 두 群의 약재를 함께 配伍하면, 表散外邪할 수 있을 뿐만 아니라 또한 瀉熱除實하고, 解表攻裏해서 表裏同治할 수 있으므로 방제에서 主要藥物이 된다. 石膏는 性味가 辛甘大寒해서, 清泄肺胃의 要藥이 되며, 連翹·黃芩는 性味가 苦寒해서, 清熱解毒瀉火의 要藥이 되며, 桔梗은 性味가 苦辛性平해서, 肺부위의 風熱을 제거하고, 清利頭目하다. 네가지 약을 함께 사용하면 肺胃의 熱을 清解하고, 梔子·滑石은 清熱利濕해서, 芒硝·大黃과 함께 配伍하면, 裏熱을 대소변으로 내보낸다; 火熱之邪가 灼血耗氣하게 하고, 汗下가 동시에 나타나면, 또한 쉽게 傷正하게 된다. 따라서 當歸·芍藥·川芎을 사용해서 養血和血하게 하고, 白朮을 사용해서 健脾燥濕하게 하고, 甘草를 사용해서 和中緩急하고 또한 모든 약을 조화롭게 한다. 이상의 모든 약재는 輔助藥物로 여긴다. 약을 달일 때 生薑 세조각을 넣는 것은 和胃를 하기 위한 것이고, 白朮·甘草와 함께 配伍하는 것은, 또한 健脾和胃助運의 효능을 띄게 한다. 위와 같은 配伍를 통해서, 땀으로 배출해서 表部를 상하지 않게 하고, 清解下痢로 배출해서 裏를 상하지 않게 해서, 疏風解表, 瀉熱通便한 효능을 띄게 된다.

본 방제를 종합해 보면, 방제의 薄荷·防風·荊芥·麻黃으로 解表하게 하고, 또한 石膏·黃芩·連翹·桔梗로 清裏하게 하며; 大黃·芒硝로 瀉熱通便하게 하고, 또한 梔子·滑石으로 清熱利濕하게 한다; 當歸·芍藥·川芎으로 養血和血하게 하고, 또한 白朮·甘草로 益氣和中하게 한다. 따라서 汗·下·清·利·補의 다섯가지 治法을 함께 사용하는 방제이며, 表裏雙解·前後分消·氣血兩調한 효능을 띠며, 散瀉하면서 補養하고, 邪를 제거하되 傷正하지 않고, 扶正하되 또한 碍邪하지 않는다. 하지만 配伍 및 약재 사용에서 볼 때 解表·瀉下·清熱을 위주로 해서 表裏實熱證候을 치료하는 효과적인 방제이다. 『王旭高醫書六種』「退思集類方歌注」에서 이르길: "此爲表裏·氣血·三焦通治之劑." "汗不傷表, 下不傷裏, 名曰通聖, 極言其用之效耳."라고 했다.

【臨床應用】

1. 證治要點: 본 방제는 表裏俱實證을 치료하며 憎寒壯熱, 口苦咽乾, 二便秘澀, 苔黃, 脈數한 증상을 치료의 요점으로 삼는다.

2. 加減法: 본 방제는 湯劑로 사용할 때, 구체적인 상황에 따라 적절하게 넣고 뺄 수 있다. 예를 들어 涎嗽한 경우에는 薑半夏를 넣고 下氣化痰하게 하고; 憎寒 증상이 나타나지 않는 경우에는 麻黃를 빼고; 內熱不盛한 경우에는 石膏을 빼고; 便秘 증상이 없는 경우에는 大黃·芒硝를 빼고; 體質壯實한 경우에는 當歸·芍藥·白朮 등의 扶正하는 약재를 뺀다.

3. 防風通聖散은 다음 한국표준질병사인분류(KCD)에 해당하는 환자가 風熱壅盛, 表裏俱實證으로 辨證되는 경우 본 처방의 사용을 고려해볼 수 있다.

처방 목표	한국표준질병사인분류(KCD)
感冒	J00 급성 비인두염[감기]
高血壓	I10 본태성(원발성) 고혈압
	I15 이차성 고혈압
偏頭痛	G43 편두통
肥胖症	E66 비만
高脂血症	E78 지질단백질대사장애 및 기타 지질증
習慣性便秘	K59.0 변비
急性結膜炎	H10.2 기타 급성 결막염
	H10.3 상세불명의 급성 결막염
多發性麥粒腫	H00 맥립종 및 콩다래끼
老年性瘙痒	L29 가려움
面部蝴蝶斑	L81.1 기미
斑禿	L63 원형 탈모증

【注意事項】이 처방은 發汗力과 攻下작용이 맹렬하여, 胎氣에 손상을 입힐 수 있어, 허약한 사람이나 임산부에게는 신중하게 사용한다.

【變遷史】본 방제는 河間學派의 창시자인 劉完素에 의해 창시되었다. 劉完素의 주요한 학술사상은 火熱學說이다. 火熱論의 주요한 논점은 "六氣皆能化火"이며, 그가 火熱에 대해 심도있는 이해를 하게 된 것은 그의 경험에서 온 것으로, 이러한 경험은 임상 증상에 대한 끊임없는 총 정리 속에서 나온 것이다. 그가 활동했던 시기에는, 熱性病이 광범위하게 유행하였으며, 이러한 조건속에서, 劉完素의 경험을 결합하고, 『素問』의 病機를 연구해서, 火熱病의 여러 가지 발병원인과 機制에 대해 연구 조사하고, 熱性病에 대한 치료원칙에 대해 정리했다. 火熱이 表部에 있으면, 辛涼·甘寒한 治法을 사용해서 汗解하게 하고; 火熱이 裏에 있으면, 承氣諸方을 사용해서 下解하게 하고; 表裏俱熱하면 表裏雙解의 治法을 사용하게 되는데 防風通聖散이 表裏의 火熱을 모두 제거하는 代表方劑이다. 그가 말하길: "余自制雙解·通聖辛涼之劑, 不遵仲景法桂枝·麻黃發表之藥, 非余自炫, 理在其中矣"(『素問』「病機氣宜保命集卷上」)라고 했다. 王泰林은 본 방제는 『局方』의 涼膈散에서 竹葉·白蜜을 빼고, 發表·調和氣血한 효능이 있는 약재를 넣고 구성함으로써 瀉火通便, 淸泄裏熱한 방제에서 解表攻裏, 調氣和血, 三焦通治한 방제로 변했다고 생각했다. 原書에서 본 방제는: "風熱怫鬱, 筋脈拘倦, 肢體焦萎, 頭目昏眩, 腰脊强痛, 耳鳴鼻塞, 口苦舌乾, 咽嗌不利, 胸膈痞悶, 咳嘔喘滿, 涕唾稠黏, 腸胃燥熱結, 便尿淋閉, 或夜卧寢汗, 咬牙睡語, 筋惕驚悸; 或腸胃拂鬱結, 水液不能浸潤于周身, 而但爲小便多出者; 或濕熱內鬱, 而時有汗泄者, 或因亡液而成燥淋閉者; 或因腸胃燥鬱, 水液不能宣行于外, 反以停濕而泄; 或燥濕往來, 而時結時泄者; 或表之, 陽中正氣與邪熱相合, 并入于裏, 陽極似陰而戰, 煩渴者; 或虛氣久不已者; 或風熱走注, 疼痛麻痹者; 或腎水眞陰衰虛, 心火邪熱暴甚而僵仆; 或卒中久不語; 或一切暴喑而不語, 語不出聲; 或喑風癇者; 或洗

頭風; 或破傷; 或中風, 諸潮搐, 并小兒諸疳積熱; 或驚風積熱, 傷寒疫癘而能辨者; 或熱甚怫結而反出不快者; 或熱黑陷將死, 或大人·小兒風熱瘡疥及久不愈者; 或頭生屑, 偏身黑黧, 紫白斑駁; 或面鼻生紫赤風刺癮疹, 俗呼爲肺風者; 或成風癘, 世傳爲大風疾者; 或腸風痔漏, 并解酒過熱毒, 兼解利諸邪所傷, 及調理傷寒未發汗, 頭項身體疼痛者; 并兩感諸證. 兼治産後血液損虛, 以致陰氣衰殘, 陽氣鬱甚, 爲諸熱證, 腹滿澀痛, 煩渴喘悶, 譫妄驚狂, 或熱極生風而熱燥鬱, 舌强口噤, 筋惕肉瞤. 一切風熱燥證, 鬱而惡物不下, 腹滿撮痛而昏者, 兼消除大小瘡及惡毒, 兼治坠馬打仆傷損疼痛, 或因而熱結, 大小便澀滯不通, 或腰腹急痛, 腹滿喘悶者."한 경우를 치료한다. 후세 의학자들은 본 방제에 대한 치료범위를 넓혀서 "面腫風"(『儒門事亲』卷6에 수재됨), "痢後鶴膝風"(『醫學正傳』卷1에 수재됨), "凍耳成瘡者"(『片玉心書』에 수재됨), "風熱實盛發狂及楊梅瘡"(『壽世保元』卷9에 수재됨), "時行暴熱, 風腫火眼, 腫痛難開, 或頭面俱腫"(『秘傳眼科七十二症全書』卷6에 수재됨), "胃經積熱生瘡而致秃瘡"(『醫宗金鑑』卷63에 수재됨) 등의 증상을 치료하는 데에도 사용했다. 오늘날 임상에서는 본 방제를 肥胖症·皮膚病 등에도 사용하는데, 이는 解表攻下한 능력을 통해 거둔 좋은 효과이다. 본 방제에서 가감하여 변화 발전해온 同名異方 역시 여러 개가 있다. 예를 들면『醫學啓源』卷中에서 防風通聖散은 본 방제를 기초로 해서 芒硝는 빼고, 牛蒡子·人蔘·半夏를 넣고, 일체의 風熱鬱結, 氣血蘊滯, 筋脈拘攣, 手足麻痹, 肢體焦痿, 頭痛昏眩, 腰脊强痛, 耳鳴鼻塞, 口苦舌乾, 咽嗌不利, 胸膈痞悶, 咳嘔喘滿, 涕唾稠黏, 腸胃燥熱結, 便溺淋閉한 증상을 치료한다고 하였다.『癘瘍機要』卷下의 防風通聖散은 본 방제에서 蒺藜·鼠粘子를 넣고 구성해서 風熱熾盛, 大便秘結, 發熱煩躁, 表裏俱實한 경우를 치료한다.『痲症集成』卷下에 또한 防風通聖散이 실려 있는데, 본 방제에서 川芎·當歸·芍藥·大黃·芒硝·黃芩·滑石·白朮을 빼고, 大力子·元參·木通을 넣어, 痲症表裏三焦俱實, 昏睡壯熱, 目赤舌乾咽痛 등을 치료한다.

본 방제는 원래 煮散法을 사용하지만 丸劑로도 사용하며, "防風通聖丸"(『全國中藥成藥處方集』上海·北京 등의 방제를 참고)이라고 부른다.

【難題解說】 風熱이 表部에 있으면 어째서 辛溫解表藥을 配伍합니까?: 본 방제는 風熱壅盛, 表裏俱實之證을 치료한다. 風熱之邪가 表部에 있으면, 마땅히 辛凉한 약을 사용해야 하는데, 왜 방제에서는 麻黃·防風·荊芥 등의 辛溫解表藥을 配伍하였습니까? 첫째, 金·元 이전의 의학자들은, 解表藥을 습관적으로 辛溫한 약재를 사용하였고, 明·淸이후에 이르러서야 비로소 辛凉解表藥의 응용이 비교적 큰 발전을 이루었다. 둘째, 風熱이 表部에 있으며, 陽氣가 鬱閉하기 때문에, 辛溫發散하고 開通力이 강한 약재를 사용해서 怫鬱을 제거하고, 風熱之邪를 땀으로 배출하게 할 수 있다. 만약 辛凉한 性味의 약품을 단독으로 사용하면 효과를 보기 어렵다. 셋째, 辛溫解表藥과 辛凉하면서 苦寒한 藥인 薄荷·連翹·黃芩·石膏 등과 함께 응용하면, 주로 發表의 효능만을 취하고 助熱의 폐단은 없게된다. 다만 본 방제를 응용할 때 주의가 필요하다. 만약 憎寒 증상이 나타나지 않으면 麻黃을 빼고 치료할 수 있으며, 가능한 한 辛溫하면서 不燥한 약을 選用한다.

【醫案】

1. 面腫風『儒門事亲』卷6: 南鄕의 陳君俞은 , 秋試를 보러 가서, 머리와 뒷덜미 한 쪽이 붓고 한쪽 눈까지 이어져서 부었는데, 그 모양이 마치 반쪽 항아리 같고, 脈洪大하였다. 戴人 張從正이『內經』에서는 "얼굴이 붓는 것은 風이다"라고 하였다. 이는 바로 風이 陽明經을 타고 들어온 것이다. 陽明은 氣血이 모두 많으니, 風腫에는 마땅히 땀을 흘려야 한다. 通聖散에 生薑·葱根·豆豉를 넣고 함께 큰 잔으로 한 잔으로 달여서 먹은 후 땀을 조금 낸 다음에 다음날 풀줄기로 코를 찔러 피를 내고 나서 부은 것이 없어졌다.

2. 咽喉腫痛『齊氏醫案』卷4: 齊有堂이 한 환자를 치료했는데, 咽喉가 붓고 아파서, 갈증이 나도 물을 마

시지 않고, 대변이 딱딱하게 굳고, 六脈을 짚어 보니 모두 實해서, 防風通聖散을 방제했다. 自汗 증상이 나타나는 경우에는 麻黃을 빼고, 桂枝를 넣고, 涎嗽한 경우에는 薑製半夏를 넣고 芒硝·大黃을 重用한 후에 다 나았다. 필자는 50년의 경험을 통해서, 임상에서 虛熱한 환자가 많고 實熱한 환자가 적다는 것을 발견했다. 따라서 본 방제는 함부로 사용해서는 안 된다.

3. 暴風客熱『中醫雜誌』(1986, 3:40): 남자, 12세, 학생, 1984년 9월 20일 진료를 받았다. 두 눈이 붉게 변하고, 눈이 부시고 눈물이 흐르고, 통증과 가려움증이 함께 나타난지 3일이 되었다. 때로는 惡風發熱, 頭痛鼻塞하고, 눈꼽이 많고 끈적끈적하며, 口渴欲飮, 溲黃하고 대변을 이틀 동안 보지 못했다. 검사 결과: 체온 37.8℃이고, 두 눈꺼풀이 붓고, 검붉은 색을 띠며, 안구결막이 충혈되고 붓고, 각막 가장자리에는 점 모양의 침윤 증상이 산재해 있었다. 홍채(−), 동공 크기는 정상이고, 빛에 대한 반응은 양호했다. 舌紅, 苔黃, 脈浮數한 증상은 肺胃熱盛, 外感風邪로 인한 것이다. 따라서 宣肺解表, 淸熱瀉下하게 치료해야 한다. 방제: 荊芥 4.5 g, 麻黃 3 g, 薄荷 5 g, 防風 6 g, 黃芩 6 g, 連翹 6 g, 炒梔子 4.5 g, 赤芍 6 g, 大黃 4.5 g, 芒硝 4.5 g, 生石膏 18 g(먼저 달인다)에 물을 넣고 달여서 하루에 1첩씩 연속해서 3첩을 복용한 후 모든 증상이 없어졌다.

考察: 暴風客熱은 현대의학의 급성 카타르성(catarrhal) 결막염에 해당하는데, 발병 원인은 주로 肺胃熱盛, 外感風邪로 인한 것이다. 본 病例는 風熱俱重으로 나타났다. 따라서 防·麻·薄·荊을 넣고 發散解表하게 하고, 梔·芩·芍·翹·石膏를 넣고 淸熱散腫하게 하고, 黃·硝를 넣고 泄熱下行했다. 약과 증상이 맞으면 북채로 북을 치면 바로 소리가 나는 것처럼 빨리 효과가 나타나는 것이다.

4. 眩暈『陝西中醫』(1985, 8:353): 남자, 59세, 1980년 4월 4일 진료받았다. 환자는 高血壓 병력이 있고, 최근에는 일이 뜻대로 되지 않고, 화가 나서 갑자기 밤새도록 잠을 못 자고, 입안이 쓰고 목이 마르고, 머리가 어지럽고 두통이 심해지고, 面紅升火, 溺赤便結하고, 舌質紅, 苔薄黃, 脈弦했다. 혈압은 180/100 mmHg이다. 본 증상은 怒氣로 肝이 손상되고, 肝氣가 뭉치고 맺혀서 火가 발생하고, 上犯淸空한 것이다. 淸熱瀉火, 平肝潛陽하게 치료한다. 본 방제에서 桔梗을 빼고, 生牡蠣 30 g, 野菊花 12 g을 넣고, 4첩을 물을 넣고 달여서 복용하게 했다. 두 번째 진료 당시: 1첩을 다 복용한 후 두통이 줄어들고 面紅 증상이 사라졌다; 4첩을 모두 복용한 후에는 수면 상태가 호전되고, 대소변이 원활해졌다. 현재 舌苔가 조금 줄어들고, 脈弦하며, 혈압은 170/95 mmHg까지 떨어졌다. 방제를 그대로 해서 芒硝를 빼고 총 10첩을 복용한 후 증상이 없어지고 혈압은 160/80 mmHg으로 안정을 찾았다.

考察: 본 病例의 고혈압 환자는 怒氣로 肝이 손상되고, 肝氣가 뭉치고 맺혀서 火가 발생하고, 上犯淸空한 것이다. 面紅口苦, 溺赤便結, 舌紅苔黃 등으로 나타나는 것에서 보았을 때 모두 表裏俱實한 증상이다. 防風通聖散은 散風平肝하고 瀉熱通便해서 病勢에 딱 맞게 되어서 효과를 보게 된다.

5. 扁平疣『新疆中醫藥』(1990, 3:60): 여자, 18세, 학생, 1983년 4월 20일 초진을 받았다. 얼굴에 납작한 疣가 생긴 지 2년이 되었다. 2년 전부터 얼굴에 여러 개의 疣贅이 생기기 시작하더니 그 수가 계속해서 늘어나서 板藍根·聚肌胞·病毒唑·烏洛托品 등의 한약과 양약치료를 받아 보았으나 모두 無效했다. 검사 결과: 얼굴에서 좁쌀 크기의 납작한 丘疹이 몰려 있고, 표면은 매끈하고, 일부의 皮疹은 선 모양으로 늘어져 있으며, 舌脈은 정상이었다. 진료 결과: 扁瘊(扁平疣)은 肝膽風熱血燥하고 風熱毒邪에 감염되어서 발생하는 것이다. 방제: 防風通聖丸을 매일 一丸씩 하루에 1회 연속으로 20일 동안 복용하게 했다. 1개월 후 재진 당시, 颜面의 疣贅가 모두 사라졌고, 6개월 후 재진 당시 재발하지 않았다.

考察: 扁平疣은 대부분 肝火가 있을 때 다시 風熱邪毒의 침입을 받은 것과 관련이 있다. 防風通聖散은 散風平肝, 淸熱解毒할 수 있기 때문에 따라서 扁平疣 치료에 효과가 있다.

第二節 解表淸裏劑

葛根黃芩黃連湯

(『傷寒論』)

【異名】 葛根湯(『神巧萬全方』은 『醫方類聚』卷53에 수록됨)·黃連葛根湯(『普濟方』卷369)·葛根黃連黃芩湯(『金鏡內台方議』卷3)·葛根黃芩湯(『傷寒全生集』卷3).

【組成】 葛根 半斤(24 g) 甘草 炙 二兩(6 g) 黃芩 三兩(9 g) 黃連 三兩(9 g)

【用法】 먼저 葛根을 물 八升에 넣고 달여서, 二升이 감소하면, 모든 약을 넣고 다시 달여서, 二升을 取하여 去滓하고, 2회로 나누어 溫服한다.

【效能】 解表淸裏.

【主治】 表證未解, 邪熱入裏한 증상을 치료한다. 身熱, 下利臭穢, 胸脘煩熱, 口乾作渴, 喘而汗出, 舌紅苔黃, 脈數或促하다.

【病機分析】 外感表證은 邪가 太陽에 있기 때문에 마땅히 解表해야 한다. 만약 잘못 사용해서 攻下하면, 表邪가 陽明으로 들어가서 "協熱下利"에 이르게 된다. 이때 表邪가 아직 해소되지 않고, 裏熱이 몹시 성하면, 表裏 모두에 熱이 있게 되어서 결국에는 身熱·胸脘煩熱·口渴·舌紅·苔黃·脈數하게 된다; 熱邪內迫하면 大腸이 傳導失司해서, 下利臭穢하게 된다; 肺와 大腸은 서로 表裏의 관계에 있기 때문에, 裏熱이 肺로 上蒸하면, 肺氣不利해서 喘으로 나타나게 되고, 肌表로 外蒸하면 땀으로 배출하게 된다. 原書에서 본 증상에 대해 이르길 "脈促"라고 하였으며, 이는 사람의 陽氣가 盛해서, 抗邪外達한 형세를 갖고 있으며, 表邪가 아직 전부 內陷하지 않았기 때문에, 따라서 "表未解也"라고 한다. 본 방제가 치료하는 증상은 表邪未解, 裏熱熾盛한 증상이다.

【配伍分析】 본 방제가 치료하는 증후의 病機에 대해서, 마땅히 외부에서는 肌表之邪를 解하고, 내부에서는 胃腸之熱을 淸해야 한다. 처방에서 葛根을 重用해서 君藥으로 삼았으며, 맛이 甘辛하고 凉한 성질을 띄기때문에, 脾胃로 入經해서, 解肌發表해서 散熱할 뿐만 아니라, 또한 脾胃의 淸陽의 氣를 升發시켜서 瀉利를 멎게 해서, 表解裏和하게 한다. 柯琴은 이를 "氣輕質重"이라고 부르고, 동시에 葛根을 先煎한 후에 나머지 모든 약을 나중에 넣는다고 하며, "解肌之力優而淸中之氣銳"(『傷寒來蘇集』「傷寒附翼」卷上에 수재됨)라고 했다. 黃芩·黃連을 臣藥으로 삼아서 淸熱燥濕하고 厚腸止利하게 한다. 黃芩·黃連은 모두 맛이 苦하고 성질이 寒한 약품이기 때문에, 寒한 성질로 胃腸의 熱을 淸하게 하고, 苦한 성질로 腸胃의 濕을 燥하게 해서, 腸 속의 濕熱을 제거하여 下利를 멎게 할 수 있다. 『神農本草經』卷2에서 黃芩은 주로 "諸熱黃疸, 腸澼泄痢"하며, 본서 卷1에서 黃連은 주로 "熱氣目痛, ……腸澼腹痛, 下痢"한다고 했다; 『名醫別錄』卷2에서는 黃芩은 "治痰熱, 胃中熱"하고; 黃連은 "調胃厚腸"한다고 하였으니 두 약은 胃腸熱痢에 효과가 있다는 것을 알 수 있다. 甘草로 甘緩和中하고, 調和諸藥하게 한다. 네 가지 약을 함께 사용하면, 外疏內淸하고 表裏同治해서 表解裏和하게 되므로, 身熱下利가 저절로 치유된다.

본 방제는 解表淸裏·表裏同治를 위한 방제가 되며, 따라서 방제에서 사용하는 약재에서 봤을 때, 淸裏熱을 위주로 하고, 解表散邪로 보조하며, 치료 證候는 마땅히 裏熱下利를 위주로 봐야 한다.

본 방제는 약재 구성을 근거하여 이름을 지었는데, 후세에는 주로 본 방제를 "葛根芩連湯"이라고 줄여서 불렀다.

【類似方比較】 본 방제는 黃芩湯·白頭翁湯·芍藥湯과 더불어 모두 熱利에 사용할 수 있다. 하지만 본 방제가 치료하는 증상은 熱利에 太陽表證을 동반하는 증상으로, 身熱口渴, 喘而汗出, 下利臭秽, 舌紅, 苔黃 등의 表裏俱熱한 증후가 나타난다. 본 방제는 表裏雙解의 작용을 하며, 특히 淸裏熱의 효능이 뛰어나다. 黃芩湯이 치료하는 증상은 太陽少陽合病으로, 口苦·腹痛 등의 증상이 비교적 뚜렷하게 나타나며, 방제는 淸熱止痢, 和中止痛의 작용을 한다. 白頭翁湯은 熱毒이 血分으로 깊숙이 파고든 熱利를 치료하며, 관련 증후의 특징은 下痢膿血, 赤多白少, 身熱, 苔黃하다. 淸熱解毒, 凉血止痢의 작용을 한다. 芍藥湯은 濕熱痢를 치료하며, 便膿血에 赤痢와 白痢가 함께 나타나고 또한 腹痛, 裏急後重이 비교적 심하게 나타난다. 따라서 淸熱燥濕와 調和氣血한 치법을 함께 응용하고, "通因通用"를 위주로 해서, "行血則便膿自愈, 調氣則後重自除."하게 한다.

【臨床應用】

1. 證治要點: 임상에서 본 방제를 사용할 때, 身熱下利·苔黃·脈數한 증상을 치료의 요점으로 삼는다.

2. 加減法: 腹痛이 있는 경우에는 炒白芍을 넣어 緩急止痛하게 하고; 裏急後重한 경우에는 木香·檳榔을 넣어 行氣해서 後重을 없애고; 便膿血이 있는 경우에는 白頭翁·秦皮를 넣어 凉血止痢하게 하고; 嘔吐를 동반하는 경우에는 半夏·竹茹를 넣어 降逆止嘔하게 하고; 食滯한 경우에는 焦山楂·焦神曲을 넣어 消食하게 한다.

3. 葛根黃芩黃連湯은 다음 한국표준질병사인분류(KCD)에 해당하는 환자가 表證未解, 邪熱入裏으로 辨證되는 경우 본 처방의 사용을 고려해볼 수 있다.

처방 목표	한국표준질병사인분류(KCD)
急性腸炎	K52 기타 비감염성 위장염 및 결장염
	A09 감염성 및 상세불명 기원의 기타 위장염 및 결장염
細菌性痢疾	A03 시겔라증
	A00~A09 장감염질환
腸傷寒	A01.0 장티푸스
小兒秋季腹瀉	T67 열 및 빛의 영향
胃腸型感冒	A08 바이러스성 및 기타 명시된 장감염
	A09 감염성 및 상세불명 기원의 기타 위장염 및 결장염

【注意事項】 下利 증상이 있지만 열이 나지 않고, 脈沉遲하거나 微弱하고, 증상이 虛寒한 경우에는 본 방제를 응용해서는 안 된다.

【變遷史】 본 방제는 『傷寒論』「太陽篇」에서 유래된 것으로 傷寒表證이 아직 낫지 않고, 邪가 陽明으로 들어가서 일으킨 協熱下利를 치료하는 방제이다. 原文에서 이르길: "太陽病, 桂枝證, 醫反下之, 利遂不止, 脈促者, 表未解也; 喘而汗出者, 葛根黃芩黃連湯主之." 라고 했다. 후세에는 본 방제의 뜻에 따라 주요한 藥物을 사용해서 만든 痢를 치료하는 새로운 방제들이 끊임없이 나왔으며, 溫病學者 또한 본 방제를 "陽明溫病"의 "痧疹"을 치료하는데 사용했다. 예를 들면 陸懋修가 이르길: "此爲陽明主方, 不專爲下利而設"(『世補齋醫書』卷6에 수재됨)라고 했다. 陸氏가 이르길: "痧之原, 出于肺, 因先有痧邪而始發表熱, 治痧者, 當治肺, 以升達爲主而稍佐以淸凉; 疹之原, 出于胃, 因表熱不解已成裏熱而蘊爲疹邪, 治疹者, 當治胃, 以淸凉爲主而少佐以升達. 痧于當主表散時, 不可早用寒瀉; 疹于

當主苦瀉時, 不可更從辛散. 大旨升達主葛·柴之屬; 淸凉主芩·桑·丹之屬, 惟宗仲景葛根芩連一法出入增減, 則于此際之細微層析皆能曲中而無差忒, 此治痧疹之要道也."(『世補齋醫書』卷7에 수재됨)라고 말했다. 『保嬰撮要』卷18에서는 "疹後身熱不除."에 사용했으며, 『方極』에서는 본 방제를 사용해서 "治項背强急, 心悸而下利者."라 하였고, 『瘍科心得集』 卷中에서는 "外瘍火毒內逼, 協熱便泄."에 사용하였으며, 『中國醫學大詞典』에서는 "酒客熱喘"을 치료했다. 오늘날 임상에서 본 방제를 急性腸炎·細菌性痢疾·腸傷寒 등의 腸熱下利에 해당하는 질병을 치료하는데 사용한다.

본 방제는 원래 湯劑이며, 현대에는 散劑·片劑·口服液 등의 劑型으로 바꿔서 사용한다.

【難題解說】 본 방제의 치료에 대하여 表證이 있는가?: 『傷寒論』에서 이르길: "太陽病, 桂枝證, 醫反下之, 利遂不止, 脈促者, 表未解也; 喘而汗出者, 葛根黃芩黃連湯主之."라고 하며, 본 方證은 表證未解, 裏熱下利, 喘而汗出하다고 명확하게 지적하고 있다. 이러한 견해를 지지하는 의학자는 汪琥·柯琴·喩昌·徐大椿·尤怡 등이다. 예를 들어 尤怡가 지적하길: "邪陷于裏者十之七, 而留于表者十之三, 其病爲表裏并受之病."(『傷寒貫珠集』卷2에 수재됨)라고 했다. 하지만 또한 어떤 사람은 다른 견해를 갖고 있어, 본 방제가 치료하는 증상은 表邪已解, 裏熱下利證이라고 주장했다. 예를 들면 惲鐵樵가 이르길: "此節之文字, 當云: 太陽病, 醫反下之, 利遂不止, 脈促者, 表未解也, 葛根湯主之; 喘而汗出者, 表已解也, 葛根黃芩黃連湯主之."(『藥庵醫學叢書』「傷寒論輯義按」卷2에 수재됨)라고 말했다. 『傷寒釋義』에서는 이를 기초로 해서 또한 더 나아가 상세하게 설명하길: "太陽病桂枝證, 理應解表, 今醫者反用下法, 因致利遂不止. 此時, 若見脈促, 是知正氣不因誤下而虛, 邪尙在表, 則仍可從表而解, 如桂枝加葛根湯·葛根湯等都可酌情應用, 若是下利而脈不促, 同時見到喘而汗出, 這是陽邪入裏, 已成爲協熱下利之候, 故主葛根芩連湯以淸解其熱, 裏熱得淸, 則喘·汗·利諸症都可同時而愈."라고 했다. 邪가 陽明으로 들어가면, 表證이 꼭 존재하는 것은 아니기 때문에 이러한 주장도 어느 정도 일리가 있다. 도대체 본 방제를 응용하려면 표증이 있어야 하는가? 본 방제의 구성 약재를 분석했을 때, 방제에 解表作用을 하는 약재는 葛根 한 가지이고, 葛根은 또한 淸熱止利한 작용을 한다. 본 방제는 비록 表裏雙解劑가 되지만, 淸裏熱의 작용이 특히 뛰어나서 熱利하고 表證을 겸하는 경우에 사용하면 解表淸熱한 작용을 할 수 있다; 熱利하고 表證이 없는 경우에 사용하면 또한 淸熱止利한 효능을 얻을 수 있다. 따라서 본 방제를 응용할 때 身熱下利를 치료요점으로 삼아야 하고, 表證의 유무에 구애받을 필요는 없다.

【醫案】

1. 痢疾 『江西中醫藥』(1958, 9:27): 환자 1세, 여름에서 가을로 바뀔 때 갑자기 痢疾에 걸려서, 赤白痢가 한꺼번에 겹쳐서, 脾虛로 오인하고, 직접 溫補한 약을 처방했다. 열흘이 지난 후에 증상은 나날이 심해지고, 目暗昏迷, 舌絳, 煩渴, 指纹深紅粗大했다. 『經』에서 이르길: 暴注下迫하면 모두 熱에 해당한다. 본 증상은 熱邪內伏한 증후로 淸熱厚腸法으로 처방해서, 葛根芩連湯을 加味(黃連 3 g, 黃芩 6 g, 葛根 9 g, 白芍 12 g, 青木香 3 g, 白頭翁 6 g, 粉甘草 3 g을 넣는다)해서, 1첩을 복용한 후 효과가 있었고, 4첩을 복용한 후 치유되었다.

2. 濕熱泄瀉(鼠傷寒)『陝西中醫』(1984, 12:20): 患兒 여자, 1세 반. 15일 동안 열이 나고, 이틀 동안 腹瀉 증상이 나타나서 1984년 5월 8일에 입원했다. 15일 전부터 열이 나기 시작하고, 체온은 39℃ 이상에 달해서, 한 병원에서 靑霉素(penicillin)·慶大霉素(gentamicin)·수액 등을 주고 치료했으나 효과가 없었다. 입원 2일 전부터 하루에 십여차례 설사를 하고, 황갈색 점액변을 보았으며, 腹脹, 食少, 精神이 오락가락했다. 체온은 39.3℃이고, 영양상태가 떨어지고, 心肺기능 정상, 腹軟, 장명음이 계속해서 났다. 혈액소견: 白細胞 25,500/

mm³, 中性粒細胞 0.87, 淋巴細胞 0.13. 대변 내시경 검사 결과 膿細胞가 18~20개 있고, 5월 9·10·12일에 각각 대변 배양검사에서 장티푸스 간균이 나타났다. 장티푸스(salmonella typhimurium)로 확진되었다. 5월 9일 증상이 심해 져서, 氨苄靑霉素(ampicillin) 0.5 g을 12시간에 한 번씩 근육에 주하고 또한 對症治療를 했다. 5월 14일까지 여전히 체온은 39℃이고, 설사를 20여 차례 했다. 한의사에게 진료를 청해서 보니, 脈象滑數, 舌質紅, 苔黃膩, 대변은 黃稀하고 악취가 났으며, 濕熱泄瀉로 진단받았다. 처방: 葛根 6 g, 黃連 5 g, 黃芩 6 g을 넣고, 1첩을 100 mL로 달여서, 매 번 20 mL씩 복용하게 했다. 17일에는 체온이 떨어지고, 설사가 9회로 줄었으며, 18일에는 寒熱往來가 나타나고, 체온이 40℃로 올랐으나 설사 횟수는 증가하지 않았다. 위의 방제에 小柴胡湯을 합해서, 약 3첩을 복용하게 한 후, 20일에는 熱退身凉하고, 대변을 매일 2회 보고, 누런색의 모양을 갖춘 무른 변을 보았다. 葛根芩連湯에 竹葉石膏湯을 방제해서 치료한 후에 좋은 효과를 보았다. 대변은 3회 연속해서 배양 검사를 진행했으며 균 성장이 발견되지 않았다.

3. 痧疹『陜西中醫』(1988, 12:76): 여자, 4세. 1984년 4월 20일 진료받았다. 7일 전부터 열이 나기 시작하고, 기침이 나고 눈물이 그렁그렁하고, 倦怠思睡, 飮食不振, 大便溏稀하고, 口腔의 뺨 부위에 麻疹黏膜斑이 나타나서, 透疹中藥 2첩을 주고, 항바이러스액을 肌内에 투여하고, 病毒靈(moroxydine)을 복용하게 해서 3일 동안 치료했다. 환자의 체온은 40℃이고, 疹은 여전히 없어지지 않아서 舌紅苔黃, 脈象浮數하였다. 증상의 상태를 따져 보니, 麻疹이 있을 때 邪가 肺衛를 침범하고, 陽明으로 들어가서, 肺胃의 熱이 매우 심해지고, 蘊蒸內擾해서, 氣機에 장애를 가져왔기 때문에, 따라서 疹毒이 기한이 지나서도 없어지지 않고 본 증상으로 나타나는 것으로, 宣散透疹, 淸裏解毒하게 치료해야 한다. 葛根芩連湯을 방제해서: 葛根·升麻·蟬衣·桑葉·菊花·牛蒡子 各 6 g씩, 黃芩·黃連·淡竹葉·甘草 各 4.5 g씩, 二花·連翹 各 9 g씩을 물을 넣고 달여서 하루에 1첩을 여러 번에 나누어서 자주 복용했다. 上方을 2첩 복용한 후 전신의 疹點이 들어가고, 발열과 기침이 모두 줄어들었으며, 精神이 호전되어서 계속해서 2첩을 복용하게 한 후 열이 떨어지고, 疹이 점점 사라졌다. 하지만 乾咳, 食欲不振은 여전히 남아 있어서, 沙參麥冬湯에 麥芽·鷄內金을 넣고 처방하여 조리한 후 건강을 회복했다.

考察: 醫案1은 痢疾 환자이다. 처음에 溫補劑를 방제하였으나 병의 상태가 점점 심해져서 葛根芩連湯으로 바꿔서 加味한 후에는 藥證相合해서 바로 효과를 보았다. 醫案2는 鼠傷寒病例이다. 한의사가 증상을 濕熱泄瀉로 판단하고 葛根芩連湯을 방제하였으며 이 또한 좋은 효과가 있었다. 醫案3은 麻疹病例이다. 邪가 肺衛를 침범해서 肺胃의 熱이 매우 심해지고, 氣機에 장애를 가져와서, 疹毒이 오랜 시간이 지났는데도 들어가지 않아서 葛根芩連湯을 넣고 淸裏解毒하게 하고, 升麻·蟬衣·牛蒡子 등을 넣고 宣散透疹하게 치료해서, 뚜렷한 효과를 보았다. 이는 선인들이 말씀하신: 본 방제는 "下利를 위주로 해서 치료하기 위해 만들어진 것이 아니고", "陽明溫病" 및 "痧疹" 치료에도 사용할 수 있다는 것을 증명한다.

石膏湯

(『深師方』, 錄自『外臺秘要』卷1)

【異名】 三黃石膏湯(『傷寒總病論』卷5에 수재됨).

【組成】 石膏(30 g) 黃連 黃柏 黃芩 各二兩(各 6 g) 香豉 綿裹 一升(9 g) 梔子 擘 十枚(9 g) 麻黃 去節 三兩(9 g)

【用法】 위의 7가지 약을 잘라서 물 一斗를 넣고 三升으로 달인 다음에 3회에 나누어서 하루에 다 복용하고 땀을 낸다. 처음에는 1첩을 복용하고 땀을 조금 흘

리면; 그 후에는 1첩을 나누어 2일에 복용한다. 자주 땀을 흘리고, 拘攣하여 煩憒한 증상이 줄어들고, 수차례 대소변을 보면 가슴이 열려 말을 할 수 있게 된다. 이는 바로 열독이 없어지게 되는 것이다.

【效能】 淸熱瀉火, 發汗解表.

【主治】 傷寒表證이 해소되지 않고, 裏熱이 왕성한 증상을 치료한다. 壯熱無汗, 身體沉重拘急, 鼻乾口渴, 煩躁不眠, 神昏譫語, 脈滑數하거나 發斑한다.

【病機分析】 본 방제는 傷寒表證이 해소되지 않고, 邪熱이 裏로 들어가서, 三焦熱盛한 증상을 치료하기 위해 만들었다. 表部에 實邪가 침범하면, 衛氣閉鬱, 正邪相争해서, 壯熱無汗, 身體拘急하게 된다; 邪鬱營衛하면, 비록 腸胃로 들어가지는 않고 腑實證이 되지만 三焦에 모두 熱이 나고, 毒火內熾하게 되어 鼻乾口渴, 煩躁不眠, 神昏譫語한 증상을 보이게 된다; 만약 邪熱이 迫血妄行하면 吐衄·發斑 증상이 모두 나타나게 된다; 裏熱이 치성하면 滑數脈으로 나타난다.

【配伍分析】 본 방제는 表邪가 풀리지 않고, 裏熱이 왕성한 증상을 치료하기 위해 만들어 졌다. 이때 만약 裏만 치료하면 表는 풀리지 않는다; 하지만 發其表하면 裏證 또한 위급해 진다. 따라서 解表와 淸裏는 兼顧해야 한다. 방제에서 辛甘大寒한 性味를 띄는 石膏는 辛한 맛은 解肌하고, 寒한 성질은 淸熱할 수 있기 때문에, 淸熱除煩의 要藥이 된다. 또한 解表藥의 발산을 방해하지 않기 때문에 君藥으로 사용하고, 본 방제의 명칭을 여기에서 따왔다. 麻黃·豆豉를 配伍하여 辛溫而散, 發汗解表하여 臣藥으로 삼고, 表에 머물러 있는 邪를 몸밖으로 배출하게 한다; 君藥과 臣藥이 함께 조화를 이루면 表裏同治의 작용을 하게 된다. 黃連·黃芩·黃柏·梔子(즉 黃連解毒湯이다)는 모두 大苦大寒한 性味의 약으로 瀉火解毒하는 효능이 뛰어나다. 이 중 黃芩은 上焦心肺의 火을 제거하는데 뛰어나고, 黃連은 中焦胃火를 없애는 데 뛰어나고, 黃柏은 下焦腎火을 없에는 데 뛰어나고, 梔子는 三焦之火를 通泄한다. 위의 네가지 약과 石膏를 함께 配伍하면, 三焦之火를 몸안에서 배출하게 되니 모두 佐藥으로 삼는다. 諸藥을 配伍할 때, 麻黃·豆豉가 石膏·三黃·梔子를 만나면 發表하되 裏熱을 돕지 않으며; 三黃·石膏·梔子는 麻黃·豆豉를 만나면 淸裏하되 表邪를 방해하지 않는다. 이와 같이 表裏分消, 內外同治하면 淸熱瀉火, 發汗解表의 작용을 하며 解表淸裏의 좋은 방제가 된다.

【類似方比較】 본 방제와 大靑龍湯은 모두 表實無汗하고, 또한 裏熱證이 있는 경우에 사용한다. 방제의 구성에서 모두 麻黃을 넣고 發表하게 하고, 石膏를 넣고 淸裏하게 한다. 하지만 大靑龍湯은 表證이 비교적 심한 증상을 치료하기 때문에 解表의 효력이 비교적 강하고; 본 방제는 裏熱이 심해서 三焦에 미치게 되어 나타난 증상을 치료하기 때문에, 石膏 이외에도 또한 黃芩·黃連·黃柏·梔子를 넣고 三焦火熱의 邪를 通泄하게 하며, 淸熱瀉火의 효력이 비교적 뛰어나다.

【臨床應用】

1. 證治要點: 본 方劑의 病證은 外邪鬱表, 肌腠閉塞, 裏熱壅盛, 弥漫三焦로 인해 발생한 것이다. 본 방제를 사용할 때 壯熱無汗, 鼻乾口渴, 煩躁脈數한 증상을 치료의 요점으로 삼아야 한다.

2. 加減法: 만약 表部에 微汗이 있으면, 방제의 麻黃을 절반으로 줄여 傷表를 예방하고; 大便微溏한 경우에는 石膏를 빼고, 葛根을 넣어서 脾胃의 淸陽을 升하게 하고; 高熱煩躁·神昏譫語한 증상이 나타나는 경우에는 安宮牛黃丸을 배합해서 淸心開竅하게 할 수 있다.

3. 石膏湯은 다음 한국표준질병사인분류(KCD)에 해당하는 환자가 外邪鬱表, 裏熱壅盛證으로 辨證되는 경우 본 처방의 사용을 고려해볼 수 있다.

처방 목표	한국표준질병사인분류(KCD)
急性病	(질병명 특정곤란)

【注意事項】 방제의 清熱한 약은 모두 大苦大寒한 性味를 띄기 때문에 오랜 기간 동안 복용할 경우에는 쉽게 脾胃를 상하게 된다. 火盛하지 않는 환자에게는 사용을 금하고, 虛人의 경우 신중하게 사용한다. 原書에서 돼지고기·찬 물의 복용을 금한다고 했다.『醫宗金鑑』「删補名醫方論」卷4에서 이르길: "若表有汗, 麻黃減半, 桂枝倍加, 以防外疏; 裏有微溏, 則減去石膏, 倍加葛根, 以避中虛也."라고 했다

【變遷史】 본 방제는 원래『深師方』에 수재되어 있으며,『外臺秘要』卷1에서 발췌한 것이다. 원서에는: "傷寒八九日, 三焦熱, 其脈滑數, 昏憒, 身體壯熱, 沉重拘攣, 或時呼呻, 欲攻内而體犹沉重拘攣, 由表未解."한 증상을 치료한다고 기록되어 있다. 그 製方思想을 연구해 보니, 사실상 大青龍湯·白虎湯과 黃連解毒湯에서 기원하였다. 약재 구성에서 볼 때, 본 방제는 黃連解毒湯에 石膏·麻黃·豆豉를 넣고 구성한 것이다. 黃連解毒湯을 사용해서 三焦火熱의 邪를 清泄하고, 麻黃·豆豉를 넣는 것은, 증상이 表證을 겸해서 壯熱無汗, 身體拘急하기 때문에 본 방제를 사용해서 解表散邪하고자 하는 것이다. 따라서『外臺秘要』에서 이르길: 본 증상을 치료할 때, 만약 "直用解毒湯, 則攣急不差"라고 하였다. 石膏를 넣는 것은, 첫째는 大寒한 성질은 清熱除煩하게 해서 壯熱·煩躁·脈滑數 등의 증상을 치료하기 위함이니 바로『醫宗金鑑』「删補名醫方論」卷4에서 말한: 以石膏 "内合三黃, 取法乎白虎"와 같다; 둘째는 石膏는 麻·豉와 함께 配伍하면, 또한 大青龍湯의 製方 의미를 갖게 된다. 이는『醫宗金鑑』「删補名醫方論」卷4에서 말한: "石膏倍用重任之者, 以石膏外合麻·豉, 取法乎青龍."와 같다. 후세의 의학자들이 본 처방을 응용할 때 또한 변화가 있었다.『傷寒總病論』卷5에서 본 처방의 명칭을 "三黃石膏湯"으로 바꾸고, 용량에도 변화를 주었다: 石膏 一兩, 黃連·黃柏·黃芩 各 반兩, 梔子 5개, 麻黃 三分으로 表裏寒熱한 약재의 비율에서 보았을 때, 石膏湯과는 조금 다르다.『傷寒六書』卷3에서 본 방제를 수재하고, 煎法에서 薑·棗·細茶 세 가지 약을 추가하여, 傷寒經汗·吐·下誤治後, 三焦熾熱, 譫語不休, 身目에 黃疸이 나타나는 증상을 치료하였다 .

【難題解說】 본 방제가 다스리는 表證의 성질에 대해서: 原書에는 비록 본 방제는 表裏同病證을 치료하고, 또한 裏熱證에 해당하지만, 表邪의 寒熱屬性에 대해서는 명확하게 지적하지 않았다. 解表藥에서 사용하는 麻黃·豆豉 및 환자의 "無汗" 증상에서 볼 때, 마치 表寒證 같아 보이지만, "身體壯熱, 脈滑數, 沉重拘急" 등의 증상에서 볼 때는 오히려 熱象이 된다. 하지만 表熱證이 어찌 "땀을 흘리지 않는가"? 이는 邪熱이 表部에 머물면, 衛氣被鬱하기 때문이다. 이는 바로『傷寒總病論』卷5에서 말한: "寸口脈洪而大, 滑而數, 洪大榮氣長, 滑數胃氣實, 榮長即陽盛, 怫鬱不得出……."와 같다. 본 증상은 陽氣怫鬱하면, 腠理閉塞해서 땀이 나오지 않게 되는 것을 말해 준다.『醫方集解』「表裏之劑」에서는 본 방제가 "傷寒溫毒, 表裏俱熱, ……六脈洪數."을 치료한다고 명확하게 밝히고 있다. 表熱證에 왜 辛溫한 性味를 띄는 麻黃을 選用했는가? 金·元시대 이전의 의학자들은 解表하는데 辛溫한 약을 습관적으로 사용하였으며, 明 이후에야 解表의 用藥 범위가 넓어졌다. 본 방제가 치료하는 증상에서 볼 때, 陽氣鬱閉가 비교적 심하기 때문에 만약 辛溫發散하고 開通力이 강한 약재를 사용하지 않으면 怫鬱을 해소하는 치료 효과를 얻기 어려울 것이다. 다만 현대 의학에서 본 방제를 사용하는데 있어서, 寒凉과 辛溫한 약재의 配伍 비율을 특히 주의해야 하며, 가능한 辛溫하되 燥烈하지 않은 약을 選用하는 것이 알맞다.

第三節 解表溫裏劑

五積散

(『仙授理傷續斷秘方』)

【異名】 催生湯(『易简方』, 『醫方類聚』卷229에 수록됨)·異功五積散(『管見大全良方』, 『醫方類聚』卷56에 수록됨)·熟料五積散(『醫方集解』「表裏之劑」)·百病無忧散·調中健胃湯(『鄭氏家傳女科萬金方』卷1).

【組成】 蒼术 桔梗 各二十兩(各 600 g) 枳殼 陳皮 各六兩(各 180 g) 芍藥 白芷 川芎 當歸 甘草 肉桂 茯苓 半夏 湯泡 各三兩(各 90 g) 厚朴 乾薑 各四兩(各 120 g) 麻黃 去根·節 六兩(180 g)

【用法】 위의 약 중 枳殼·肉桂 두 가지를 제외하고, 나머지는 剉細해서, 약한 불에 색이 변할 때까지 볶은 다음 펼쳐서 식힌다. 그런 다음에 枳殼·桂를 넣고 섞어서 매회 三錢(9 g)씩 물 一盞을 넣고, 生薑 3조각을 넣고 半盞이 되게 달여서 뜨겁게 복용한다; 대체로 두통이 있거나 傷風發寒 증상이 있는 경우에는 매회 二錢(6 g)씩, 生薑·葱白을 넣고 달여서 식후에 뜨겁게 복용한다.

【效能】 發表溫裏, 順氣化痰, 活血消積.

【主治】 外感風寒, 内傷生冷한 증상을 치료한다. 身熱無汗, 頭痛身疼, 項背拘急, 胸滿惡食, 嘔吐腹痛하거나, 성인 여성의 血氣不和, 心腹疼痛, 月經不調 등의 寒性에 해당하는 증상을 치료한다.

【病機分析】 外感風寒, 邪鬱肌表, 腠理閉塞하면 發熱無汗, 頭痛身疼, 項背拘急 등의 表實證으로 나타난다. 内傷生冷하거나 宿有積冷하면, 脾胃의 陽氣가 손상을 입으면, 運化기능을 상실해서, 痰阻氣滯하고 氣血不和하게 되어서, 또한 胸滿惡食, 嘔吐腹痛하거나 腹脇脹痛 등의 증상으로 나타나게 된다. 寒凝氣滯하고 氣血不和하면 성인 여성에게서는 心腹疼痛, 月經不調로 나타날 수 있다. 寒束肌表, 積冷内停하면 주로 苔白膩, 脈沉弦하거나 浮遲한 증상으로 나타날 수 있다. 이로써 알 수 있듯이 본 방제는 寒·濕·氣·血·痰의 五積證을 치료하는데 사용해서 五積散이라고 부른다.

【配伍分析】 본 방제는 外感風寒, 内傷生冷 때문에 발생한 五積證을 치료하기 위해서 만들어졌으며, 五積 중에서 특히 寒積을 위주로 한다. 따라서 치료는 發汗解表, 溫裏祛寒을 위주로 해서 内外之寒을 제거해야 하고, 健脾助運, 燥濕化痰, 調氣活血한 약품을 도와서 氣血痰濕의 積을 치료한다. 방제의 麻黃·白芷는 性味가 辛溫發汗, 解表散邪해서, 外寒을 제거하고; 乾薑·肉桂는 性味가 辛熱해서 溫裏祛寒한다. 네 가지 약을 함께 사용하면 内外之寒을 제거할 수 있기 때문에 처방에서 주요한 구성성분으로 삼는다. 蒼朮·厚朴을 配伍하면 苦溫燥濕, 健脾助運하기 때문에 濕積을 제거하고; 半夏·陳皮·茯苓·甘草를 함께 配伍하면, 二陳湯이 되기 때문에 行氣燥濕化痰해서 痰積을 제거할 수 있다; 當歸·川芎·芍藥은 活血止痛하기 때문에 血積을 化할 수 있고; 桔梗과 枳殼은 하나는 升하고 하나는 降하기 때문에, 升降氣機, 寬胸利膈해서 氣積을 순조롭게 行하게 할 수 있으며 또한 理氣化痰의 효력을 강화할 수 있다; 炙甘草는 和中健脾하고 調和諸藥하는 효능을 겸하고 있는데, 이 모두가 본 방제의 보조 부분이 된다. 諸藥을 함께 配伍하면 表裏同治하고 氣血痰濕의 작용을 병행하게 된다. 脾運復健, 氣機通暢, 痰消濕化, 血脈調和하게 해서 모든 증상이 없어지게 된다.

본 처방 配伍의 특징은 解表溫裏, 祛除寒邪를 위주로 하고 健脾助運, 燥濕化痰, 調氣活血을 보조로 하는 것이다. 全方의 配伍는 전체적이어서, 寒·濕·氣·血·痰의

五積證을 치료하는 大法을 사용해서 五積證을 치료하는데 확실한 효과가 있는 방제라는 것을 보여준다.

방제에서 枳殼·肉桂·白芷·陳皮를 제외한 나머지는 모두 炒制해서 攤冷한 후에 함께 넣고 달인 것을 "熟料五積散"(『醫方集解』「表裏之劑」을 참고함)이라고 부른다; 만약 諸藥을 생으로 사용해서 물을 넣고 달이면 "生料五積散"(『易简方』을 참고함)이라고 부른다. 이 둘은 응용에 있어서 약간의 차이가 있다: 溫散寒邪를 위주로 하는 경우에는 熟料五積散을 사용하고; 發散風寒을 위주로 하는 경우에는 生料五積散을 사용한다.

【臨床應用】

1. 證治要點: 본 방제는 外感風寒, 内傷生冷에 의한 五積證을 치료하는 代表方이다. 임상에서 寒熱無汗, 胸腹脹滿, 苔白膩, 脈沉遲 등의 증상을 치료의 요점으로 삼는다.

2. 加減法: 본 방제를 구성하는 약의 종류는 매우 많다. 임상에서 응용할 때 表裏證의 輕重에 따라, 五積의 우선순위에 근거해서 가감의 변화를 줄 수 있다. 表寒證이 심한 경우에는 桂枝를 肉桂로 바꾸어, 解表의 효력을 강화하고; 表寒證이 비교적 약한 경우에는, 麻黃·白芷를 빼서 發汗의 효력을 줄인다; 裏寒證이 매우 심한 경우에는 製附片을 넣고 溫裏散寒하게 하고; 胃痛, 嘔吐清水 증상이 나타나는 경우에는 吳茱萸를 넣어 溫中散寒, 降逆止嘔하게 한다; 氣虛한 경우에는 人蔘·黃芪·白朮을 넣어 益氣扶正하게 하고; 血瘀가 없는 경우에는 川芎·當歸를 뺀다; 痛經이 있는 경우에는 延胡索·炒艾葉·烏藥을 넣어 溫經止痛하게 한다. 따라서, 五積의 緩急輕重 및 그 겸증을 자세히 살펴서, 탄력적으로 變通해서 약재를 넣고 빼서 응용해야 한다.

3. 五積散은 다음 한국표준질병사인분류(KCD)에 해당하는 환자가 外感風寒, 内傷生冷證으로 辨證되는 경우 본 처방의 사용을 고려해볼 수 있다.

처방 목표	한국표준질병사인분류(KCD)
坐骨神經痛	M54.3 좌골신경통
腰痛	(질병명 특정곤란)
	M54.5 요통
	M51.2 기타 명시된 추간판전위
	M54.9 상세불명의 등통증
喘咳	(질병명 특정곤란)
	J00~J99 X. 호흡계통의 질환
	R05 기침
胃痛	K29 위염 및 십이지장염
	K30 기능성 소화불량
	R10.1 상복부에 국한된 통증
痛經	N94.4 원발성 월경통
	N94.5 이차성 월경통
	N94.6 상세불명의 월경통
閉經	N95 폐경 및 기타 폐경전후 장애
慢性盆腔炎	N73 기타 여성골반염증질환
	R10 복부 및 골반 통증
帶下	N89.8 질의 기타 명시된 비염증성 장애
鶴膝風	A18.01 기타 관절의 결핵성 관절염
	M01.1 결핵관절염
流注	L03 연조직염
	M60.0 감염성 근염

【注意事項】 평소 체질이 陰虛하거나 濕熱한 환자의 경우에는 본 방제를 사용하는 것은 적절하지 않다.

【變遷史】 본 방제는 唐代 藺道人의『仙授理傷續斷秘方』에서 유래되었는데, 원 저서에 본 방제가 "五勞七傷, 被傷疼痛, 傷風發寒."을 치료한다고 기록하고 있다. 처방은 모두 15가지의 약으로 구성되어 있으며, 여기에 藥을 더해서, 藥味가 더욱 복잡하고, 자세히 살펴보면, 본 방제의 製方思想은 상당 부분이 張仲景의『傷寒論』에서 유래되었으며, 방제에 太陽表證을 치료하는 桂枝湯이 있고, 또한 麻黃과 桂枝를 합해서 辛散表寒한 작용을 강화했다. 痰飮을 치료하는 苓桂术甘湯이 있다. 腎着病을 치료하는 甘薑苓术湯이 있다.

여기에 燥濕運脾한 厚朴·枳殼과 調經和血한 當歸·川芎·芍藥 등을 더해서 구성하면, 본 방제의 작용은 사실상 複方配伍의 종합적인 작용을 한다. 宋代의 의학자인 王袞은 본 방제를 『博濟方』卷2에 수록하였다. 하지만 人蔘 한 가지를 추가하고, "一切氣"를 치료했다. 『蘇瀋良方』卷3에서 또 『博濟方』에서 人蔘을 빼고 "五積方"이라고 명칭을 바꿨다. 『太平惠民和劑局方』卷2에도 五積散을 수재하였으며, 약재 구성은 『仙授理傷續斷秘方』의 것과 완전히 일치한다. 또한 본 방제의 치료에 대해 비교적 상세하게 논술하였으며, 구체적으로는 본 방제가 "外感風寒, 內傷生冷, 心腹痞悶, 頭目昏痛, 肩背拘急, 肢體怠惰, 寒熱往來, 飮食不進; 及婦人血氣不調, 心腹撮痛, 經候不調, 或閉不通."한 증상을 치료한다고 했다. 후세의 의학자들은 대부분 『局方』의 주장을 따르고 또한 발전시켰다. 예를 들면 『三因極一病證方論』卷4에서는 "五積散治太陰傷寒, 脾胃不和及有積聚腹痛."라고 하였고, 『古今醫鑑』卷3에는 "五積散治寒邪卒中, 直入陰經等症."라고 하였다. 이밖에도, 五積散에 가감하여 발전시킨 방제도 매우 많다. 예를 들면 『愼齋遺書』卷8의 五積散은 본 방제에서 蒼朮·芍藥·乾薑을 빼고, 腫病, 脈浮하고 힘이 없는 증상을 치료한다. 『痘疹心法』卷23에서는 五積散을 사용해서 겨울철 痘出不快를 치료한다. 『傴後方』에서는 五積散의 蒼朮·陳皮·甘草·茯苓·厚朴을 빼고 大棗를 넣어서 陰陽兩感, 內傷生冷, 外感風寒, 頭疼嘔吐, 滿身拘急, 腹痛, 憎寒發熱한 증상을 치료한다. 『症因脈治』卷4에는 桔梗·芍藥·白芷·川芎·當歸·茯苓·麻黃을 빼고 寒積瀉痢를 치료한다. 『白喉全生集』에는 芍藥·當歸·肉桂·茯苓·麻黃·乾薑을 빼고, 銀花·白殭蠶·煨薑을 넣고, 白喉寒證을 치료한다. 현대 임상에서 본 방제를 外感風寒·內傷生冷으로 인한 寒·濕·氣·血·痰의 五積證을 치료하는 代表方으로 여긴다.

본 방제는 원래 煮散劑로 사용하지만, 丸으로 만들어서 사용하는 경우도 있다.

【難題解說】 본 방제의 方源에 대해서: 역대 의학자 및 『中醫大辭典』에서 모두 본 방제는 宋代의 『太平惠民和劑局方』에서 유래되었다고 말했으며, 유일하게 樊氏만 『仙授理傷續斷秘方』에서 유래되었다고 주장했다.[1] 『仙授理傷續斷秘方』는 傷科의 專著로 書序에 이 책은 唐·會昌間의 사람인 藺道人에 의해 쓰여졌다고 기록되어 있어 책이 발간된 시기(841)가 『局方』(1098)보다 이른 것은 분명하다. 『局方』에 수재된 五積散의 약재 구성과 『仙授理傷續斷秘方』는 완전히 동일하며, 약물 용량에 있어서 蒼朮과 桔梗만 조금 다를뿐 나머지 13가지 약의 용량은 조금의 차이도 없으며, 製劑·藥引·服藥量 또한 완벽하게 일치한다. 따라서 본 방제가 『仙授理傷續斷秘方』에서 유래되었다고 보는 것이 비교적 타당하다.

【醫案】

1. 痛經 『江蘇中醫雜誌』(1990, 5:301): 여자, 24세, 1975년 12월 초진. 환자는 중고교 시절에 월경 기간 중 밭에 나가서 일을 하다가 痛經病을 얻었는데, 매달 월경을 할 때마다 量少色淡, 腹痛, 食納尙可, 小便淸長, 四肢欠溫, 舌淡苔薄, 脈沉細했다. 본 증상은 寒凝經絡, 冲任失和로 인해 발생한 것으로 五積散에: 桔梗 10 g, 蒼白朮 各 9 g씩, 厚朴 10 g, 茯苓 10 g, 炙甘草 10 g, 當歸 10 g, 白芍 10 g, 川芎 6 g, 桂枝·肉桂 各 5 g씩, 延胡 10 g, 炒艾葉 10 g, 烏藥 5 g, 白芷 10 g을 넣고 빼서 10첩을 복용한 다음에 월경 주기가 되면 월경량이 증가하고, 색이 붉게 변하고, 복통이 크게 줄어서 다시 原方을 계속해서 2주 동안 복용한 후에 8년의 고질병이 뿌리 뽑혔다.

2. 閉經 『上海中醫藥雜誌』(1998, 2:37): 宋모씨, 19세, 미혼. 14세에 초경을 하였으며, 期·量·色·質은 아직 정상이다. 환자는 월경이 멈춘지 3개월이 경과했으며, 面色靑白, 四肢欠溫, 胸悶惡心, 納呆乏力, 帶下頻多, 色白質稀, 舌淡苔白膩, 脈象沉緊했다. 桃紅四物湯을 복용해 보았으나 효과가 없었다. 환자는 본 증상을 앓기 전 월경 기간에 비를 맞고 추위에 떤 적이 있는데, 이

는 寒濕凝滯해서 經閉한 것이기 때문에 溫經散寒하고 燥濕祛痰하게 치료해야 한다. 五積散을 방제해서 치료했다: 當歸·茯苓 各 20 g씩, 川芎·蒼朮·陳皮·枳殼·桔梗·半夏·肉桂·乾薑 各 10 g씩, 厚朴·白芷 各 15 g씩, 甘草 3 g, 麻黃 6 g을 넣었다. 약을 3첩 복용하게 한 후, 월경을 조금 하고, 小腹에는 隱痛이 느껴지고, 苔脈은 예전과 같았다. 이는 월경 전의 전조증상으로, 위의 방제에서 麻黃을 빼고, 계속해서 약 3첩을 복용하게 한 후 월경이 시작되고, 色淡量少, 小腹冷痛, 脈沉滑했다. 이는 寒濕內阻한 형상으로 原方을 계속해서 3첩 복용하고, 월경 1주일 전에 다시 原方으로 약 3첩을 복용했다. 월경은 주기에 맞게 시작되었고, 量·色·質 모두가 정상으로 바뀌어서 다시 八珍湯을 방제해서 치료한 후에 완치했다.

3. 流注『浙江中醫學院學報』(1980, 3:20): 남자, 36세, 농민, 1974년 12월 9일 초진. 15일 전, 惡寒發熱하고 온몸이 시큰거리고, 계속해서 오른쪽 허리 부분에 흰색을 띈 손바닥만한 腫塊가 나타났다. 4일 후, 上臂에 또 계란 크기의 腫塊가 나타났다. 腰痛이 심하고, 形寒無汗, 四肢逆冷, 苔白, 脈微弦했다. 五積散에 附子를 넣었다. 방제: 歸尾·白芍·蒼朮·枳殼·茯苓·半夏·桂枝를 各 9 g씩 넣고, 淡附子·麻黃·乾薑을 各 4.5 g씩 넣고, 陳皮·桔梗·川芎·白芷·川朴을 各 6 g씩 넣고, 甘草 3 g을 넣었다. 葱白 3줄기, 生薑 3조각을 넣고 약 5첩을 복용하게 했다. 12월 14일 진료 당시: 약을 복용한 후 形寒四肢逆冷이 해소되고, 腫塊가 모두 사라지고, 身痛 또한 없어졌다. 頭暈 및 四肢酸楚, 脈微弦이 아직 느껴져서, 附子八味湯으로 치료한 후 좋은 효과를 보았다.

考察: 五積散에 附子를 넣는 의미는 扶陽, 溫經止痛에 있다. 『醫宗金鑑』卷72에서 이르길: "外寒侵襲者, 初宜服五積散加附子, 次服附子八物湯溫之."라고 했다. 선인의 경험은 응용하는데 적합해서 만족스러운 치료효과를 볼 수 있다.

4. 寒濕腰痛『浙江中醫學院學報』(1980, 3:20): 남자, 52세, 농민, 1978년 6월 8일 초진. 5일 전 허리에 타박상을 입었는데, 허리를 옆으로 돌리는데 불편하고, 그저께 일할 때 또 비를 맞고 몸이 젖어서, 그날 저녁 한밤중에 腰痛이 심해져서 끙끙 앓다가 다음날 진료를 받으러 왔다. 환자는 面靑, 怕冷, 苔白膩, 脈浮緊했다. 五積散에서 芍藥을 빼고: 桂枝·茯苓·半夏 各 9 g씩, 白芷·枳殼·川朴·蒼朮 各 6 g씩, 麻黃 3.6 g, 陳皮·乾薑 各 4.5 g씩, 當歸 12 g, 川芎 15 g, 桔梗·甘草 各 3 g씩을 넣고 약을 2첩 복용하게 방제했다. 6월 10일 두 번째 진료에서: 약을 1첩 복용한 후, 온몸에서 땀이 흐르고, 다음날 腰痛이 크게 줄어들었다. 2첩을 복용한 후에는 허리가 조금 아프고 여전히 頭暈乏力, 腰酸, 苔白, 脈小弦했다. 補益脾胃하게 치료해서 건강을 보살폈다.

考察: 환자는 허리 허리에 타박상을 입고, 瘀血內停하고 또 寒濕이 침입해서, 氣血의 運行이 더욱 순탄하지 않았다. 五積散을 사용하고 歸·芎을 重用해서 活血祛瘀通絡하게 치료하면, 증상이 없어진다.

5. 帶狀疱疹後神經痛『國外醫學』「中醫中藥分册」(1994, 1:15): 여자, 74세. 6개월 전 흉부에 대상포진 후 신경통(帶狀疱疹後神經痛)을 앓아서 늑간신경차단술(肋間神經阻滯療法)로 한달 동안 4~5회 치료한 후 치료 효과가 매우 뛰어났으며, 통증 정도가 2/10~3/10으로 줄어들었다. 하지만 계속해서 치료를 했으나 낫지 않고, 치료를 시작한 후 2개월 동안 바로 겨울이 되어서 가장 추울 때 통증이 심해졌다. 漢方五積散을 방제하고 나서 일주일만에 효과를 보았으며 통증간격이 연장되었다. 계속해서 五積散을 복용하고 나서 치료 효과가 매우 좋아지고, 따뜻한 봄이 되었을 때는 통증이 거의 사라졌다.

【副方】 柴胡桂枝乾薑湯(『傷寒論』): 柴胡 半斤(15 g) 桂枝 去皮 三兩(12 g) 乾薑 二兩(6 g) 栝蔞根 四兩(12 g) 黃芩 三兩(9 g) 牡蠣 熬 二兩(20 g) 甘草 炙 二兩(3 g)

- 用法: 위의 7가지 약에 물 一斗二升을 넣고 六升으로 달여서 찌꺼기를 제거하고, 다시 三升으로 달인 다음에, 하루에 一升을 3회에 나누어서 따뜻하게 복용한다. 처음 복용한 후에는 微煩하고, 두 번째 복용한 후에는 땀을 흘리고 바로 치유된다.
- 作用: 和解少陽, 溫化水飮.
- 適應症: 傷寒으로 가슴과 옆구리가 그득하고 약간 뭉쳐 있으며, 소변이 정상적이지 않고, 갈증은 있으나 메스꺼움은 없다. 하지만 머리에서 땀이 나고, 열이 올랐다가 내렸다가 하고, 가슴이 답답한 증상을 치료한다. 또한 瘧疾에 寒이 많고 熱이 약간 있거나, 寒하지만 熱이 없는 경우에 사용한다.

본 방제는 원래 傷寒을 앓은지 5~6일이 되었는데, 汗法·下法 등의 치료를 한 후에도 치료되지 않고 邪入少陽해서 往來寒熱·胸脇滿·心煩한 少陽柴胡證을 치료한다.

그러나 少陽證은 보통 가슴과 옆구리가 그득하고, 메스껍지만 갈증이 없고, 소변이 정상적인 증상으로 나타난다. 가슴과 옆구리가 그득하고 약간 뭉쳐 있으며 소변이 정상적이지 않고, 갈증은 있으나 메스꺼움이 없는 것은 少陽病에 水飮內結을 동반한 것이다. 少陽의 樞機가 不利하면, 三焦가 決瀆기능을 상실해서, 몸안에 水濕이 몰려서 가슴과 옆구리가 그득하게 된다. 水道가 通調의 기능을 상실하고, 陽氣가 宣化하지 못하면, 결국에는 小便不利·口渴하게 된다. 胃氣는 아직 고르기 때문에 메스껍지 않은 것이다. 하지만 머리에서 땀이 나는 것은 少陽의 樞機가 不利하고, 水道가 통하지 못하고, 陽鬱이 온몸에 전달되지 못하고, 반대로 위로 발산해서 나타나는 것이다. 따라서 和解少陽, 溫化水飮을 위주로 해서 치료해야 한다.

본 방제는 小柴胡湯에서 人蔘·半夏·生薑·大棗를 빼고, 桂枝·牡蠣·栝蔞根·乾薑을 넣어서 만든 것이다. 방제에서 柴胡·黃芩을 함께 사용하면, 和解少陽하게 할 수 있고, 栝蔞根·牡蠣을 함께 사용하면, 逐飮散結할 수 있고; 桂枝·乾薑·炙甘草를 함께 사용하면 振奋中陽, 溫化寒飮할 수 있다. 구토하지 않기 때문에 半夏·生薑을 빼고; 水飮內結하기 때문에 甘溫壅補한 性味의 人蔘·大棗를 뺀다. 본 방제는 和解少陽, 疏利樞機, 宣化寒飮한 방제이기 때문에, 처음 복용했을 때는 正邪相争해서 微煩이 나타나고, 두 번째 복용했을 때는 陽氣가 通하고, 表裏가 和해서 땀을 배출한 후 낫게 된다. 본 방제와 五積散은 모두 解表溫裏劑가 되며 表證兼裏寒證에 사용한다. 이중 五積散은 風寒束表, 五積內停한 증상에 사용한다. 따라서 麻黃·白芷에 溫裏散寒·燥濕化痰·調氣和血한 약을 配伍한다. 반면 柴胡桂枝乾薑湯은 邪鬱少陽, 寒飮內結한 증상에 사용한다. 따라서 柴胡·黃芩에 溫陽化飮한 약을 配伍한다. 두 방제가 치료하는 表證의 부위·裏證의 성질은 모두 다르다.

桂枝人蔘湯

(『傷寒論』)

【異名】 桂枝加人蔘湯(『雲岐子保命集』 卷上).

【組成】 桂枝 別切 四兩(12 g) 甘草 炙 四兩(12 g) 白朮 三兩(9 g) 人蔘 三兩(9 g) 乾薑 三兩(9 g)

【用法】 위 다섯 가지 약재 중 먼저 네 가지 약에 물 九升을 넣고 五升으로 달인다. 桂枝를 넣고, 다시 三升으로 달여서 찌꺼기를 제거하고, 一升씩 낮에 두 번, 밤에 한 번씩 따뜻하게 복용한다.

【效能】 解表溫裏, 益氣消痞.

【主治】 太陽病, 外證이 아직 제거되지 않았는데, 수차례 잘못 치료해서, 協熱而利하고, 利下가 멎지 않고, 心下痞硬, 表裏不解한 증상을 치료한다.

【病機分析】太陽病은 表不解하기 때문에 汗法을 응용해서 解表해야 한다. 만약 下法을 사용해서 치료한다면 이는 이미 잘못 치료한 것이며, "數下之"는 수차례 下法을 잘못 사용한 것이다. 表邪가 제거되지 않았는데 오히려 脾陽을 상하게 해서, 脾氣虛寒하면 下利하고, 表邪가 제거되지 않으면 열이 나게 된다. 여러 차례 瀉下해서, 脾陽의 손상이 심하고 運化의 기능을 상실하고, 升降이 정상적으로 이루어지지 않아서, 淸氣가 아래로 내려가서 利下가 멎지 않게 된다. 氣機가 막혀서 통하지 않으면 心下痞硬로 나타나게 된다. 본 방제로 치료하는 증상은 誤下한 후에 脾氣虛寒해서 表邪가 제거되지 않은 증상이라는 것을 알 수 있다.

【配伍分析】본 方劑의 病證은 表裏同病하고 表裏 모두가 寒한 증후이므로, 辛溫解表하고 溫裏益氣하게 치료해야 한다. 방제의 桂枝은 性味가 辛溫해서 太陽之表를 제거하고, 後下는 辛香之氣를 보전하게 한다.人蔘은 大補元氣하기 때문에, 運化를 도와서 升降을 원활하게 하므로, 모두 君藥이 된다. 性味가 辛熱한 乾薑은 臣藥이 되며, 中焦脾胃를 溫하게 해서 裏寒을 없앤다. 脾陽不足하면 脾氣不運해서 水濕이 쉽게 생기기 때문에, 따라서 白朮을 佐藥으로 삼아서 健脾燥濕止利하게 한다. 甘草는 맛이 甘平하며, 『素問』「至眞要大論」에서 이르길: "五味入胃, 甘先入脾"라고 하며, 脾가 부족한 경우에는 이를 甘補하고, 補中助脾해서 반드시 甘劑를 사용한다. 따라서 방제에서 甘草를 重用해서, 益氣健脾해서 和中하게 하고, 佐藥과 使藥으로 사용한다. 諸藥을 함께 배합하면 利止痞消하게 해서 表證 역시 낫게 된다.

본 방제는 解表溫裏, 表裏同治하는 방제이지만, 본 방제의 약재 구성을 분석해 보았을 때, 溫陽益氣·顧護中陽을 위주로 하고 解表를 보조로 하므로, 따라서 본 방제는 裏證을 위주로 해서 치료해야 한다.

【臨床應用】

1. 證治要點: 임상에서 본 방제를 사용할 때 身熱下利, 苔白, 脈遲한 증상을 치료의 요점으로 삼는다.

2. 加減法: 만약 虛寒이 심한 경우에는 附子를 넣어 助陽한 효능을 증가시키고; 腹痛이 있는 경우에는 白芍을 넣어 緩急止痛하게 하고; 利下가 멎지 않는 경우에는 黃芪·升麻 등을 넣어 益氣升陽止瀉하게 한다.

3. 桂枝人蔘湯은 다음 한국표준질병사인분류(KCD)에 해당하는 환자가 脾胃虛寒, 外感表證으로 辨證되는 경우 본 처방의 사용을 고려해볼 수 있다.

처방 목표	한국표준질병사인분류(KCD)
急性胃炎	K29.1 기타 급성 위염
慢性胃炎	K29.3 만성 표재성 위염
	K29.4 만성 위축성 위염
	K29.5 상세불명의 만성 위염
急性腸炎	K52 기타 비감염성 위장염 및 결장염
	A09 감염성 및 상세불명 기원의 기타 위장염 및 결장염
慢性腸炎	K52 기타 비감염성 위장염 및 결장염

【注意事項】본 방제의 약성은 溫燥에 치우쳐서 있어서, 熱證下利 및 陰虛한 환자 모두에게 사용하는 것은 적절하지 않다.

【類似方比較】본 방제는 葛根芩連湯와 모두 太陽病에 사용할 수 있는데, 下法을 誤用해서 발생한 "協熱下利"에 사용할 수 있다. 하지만 葛根芩連湯證은 表邪가 없어지지 않고 陽明으로 들어가서 表裏가 모두 熱한 協熱下利한 증상이지만, 桂枝人蔘湯은 表證이 없어지지 않고 裏虛寒하고, 表裏가 모두 寒한 協熱利에 해당하는 증상을 치료한다. 따라서 전자는 辛凉解表, 淸熱止利하게 치료하는 것이 알맞고; 후자는 辛溫解表, 溫裏止利하게 치료하는 것이 적절하다. 두 방제는 비록 모두 表裏雙解劑에 해당하지만, 하나는 解表淸裏가 되고, 다른 하나는 解表溫裏가 된다.

【變遷史】 본 방제는 『傷寒論』「辨太陽病脈證并治下」에서 처음으로 보여졌으며, 理中丸을 湯劑로 만들어서, 炙甘草의 용량을 重用하고, 桂枝를 넣어서 만든 것이다. 理中丸으로 溫中散寒을 위주로 해서 치료하는데, 왜 太陽篇에 있는가? 본 方證은 太陽病으로 誤下해서 발생한 것으로, 誤下한 이후에 脾氣가 虛寒하고, 下利가 그치지 않으며 또한 表邪가 제거되지 않아서, 理中丸으로 溫中散寒止利하게 하고, 桂枝를 사용해서 太陽之表를 제거하므로, 表裏兩解法이 된다.

【難題解說】 만약 表證이 없다면 본 방제를 사용할 수 있겠는가?: 『傷寒論』의 原文에서 이르길: "太陽病, 外證未除, 而數下之, 遂協熱下利, 利下不止, 心下痞硬, 表裏不解者, 桂枝人蔘湯主之."라고 하며 명확하게 지적하길, 본 방제로 치료하는 증상은 太陽病에 表證이 未除하고, 表裏同病한 증후라고 했다. 하지만 본 방제에서 사용하는 약재를 분석해 보았을 때, 人蔘·乾薑·白朮·甘草는 溫中散寒止利하고, 桂枝는 비록 解表藥이지만, 또한 溫中止痛할 수 있고, 蔘·薑·朮·草와 함께 배합하면, 특히 溫中補虛한 효능이 뛰어나게 된다. 따라서 본 방제를 응용할 때 表證의 유무에 구애받을 필요가 없으며, 虛寒下利하고 表證이 없는 경우에도 본 방제를 사용할 수 있다.

【醫案】

1. 胃痛 『老中醫經驗選』: 남자, 36세. 환자는 胃痛이 반복적으로 발생해서, 위 조영검사를 통해 十二指腸球部潰瘍으로 진단받았다. 최근 胃脘이 살살 아프고, 자주 통증시 발생하였으며, 식후 2~3시간 후나 밤이 되면 더욱 심해졌다. 오른쪽 상복부에 뚜렷한 壓痛 및 痞滿感이 느껴지고, 口淡無味, 時泛淸水, 胃納欠佳, 神疲乏力, 大便失常, 小便較多, 脈遲弱, 舌質淡白, 苔薄白했다. 이는 胃虛氣寒으로 인한 것이기 때문에, 溫中散寒하게 치료하고 방제는 桂枝人蔘湯을 사용해서: 黨參 15 g, 白朮 15 g, 乾薑 9 g, 炙甘草 9 g, 桂枝(後下) 12 g을 넣고, 약 3첩을 매일 1첩씩 복용하게 했다. 재진 당시: 약을 복용한 후, 胃痛이 이미 멎었으며, 식사는 평소와 같았다. 하지만 약 복용을 멈춘 후에는 胃痛이 다시 나타나고, 痞悶喜按하고, 소변량이 비교적 많으며, 脈遲細, 舌淡, 苔薄白했다. 여전히 위의 治法에 따라 치료하고 첫 번째 방제에서 桂枝 3 g을 뺐다. 약을 3첩 복용한 후 통증이 멎었다. 그런 다음에 위의 방제에 따라 위통이 사라질 때까지 계속해서 치료해서, 다시는 재발하지 않았다.

2. 痲疹後期腹瀉 『廣東中醫』(1963, 3:40): 여자, 3살 쯤된다. 疹子가 모두 들어갔지만, 몸의 열은 떨어지지 않고, 체온이 39℃로, 하루에 10여 차례 下利 증상이 나타나고, 모두 누런색 糞水를 쏟았다. 脈이 數하면서 멈추지 않고, 舌質은 아직 정상이다. 痲疹으로 진단받고 나서 熱毒이 다 없어지지 않고 痢 증상이 나타나서, 葛根芩連湯에 石榴皮를 넣고 복용한 후 체온이 오히려 39.5℃까지 오르고, 여전히 下利 증상은 멎지 않았다. 분뇨의 냄새를 맡아 보니 전혀 악취가 나지 않았다. 여러 번 생각하고, 아이의 상태를 보니 매우 피곤한 얼굴이었다. 桂枝人蔘湯으로 바꾸고, 石榴皮는 여전히 넣어서 한 번 복용하게 한 후 熱利가 모두 줄어들어서, 다시 복용하게 한 후에는 열이 내리고 下利가 멎었다.

考察: 醫案1은 환자가 虛寒한 증상이 비교적 뚜렷하고, 또한 胃脘의 통증과 痞滿이 두드러져서 桂枝人蔘湯을 복용하고 약과 증상이 함께 맞아서 효과를 보았다. 醫案2는, 痲疹으로 진단받은 후 身熱下利한 것으로, 초기에는 熱毒이 깨끗이 없어지지 않고 痢 증상이 나타나서, 葛根芩連湯을 사용해서 치료했으나 효과가 없었다. 환자의 상태를 관찰하니 매우 피곤해 보이고, 下利를 해도 악취가 나지 않았다. 본 증상은 疹子가 들어간 후 中焦虛寒으로 인한 下利이기 때문에, 桂枝人蔘湯으로 바꿔서 방제한 후에 藥이 病機에 맞아 떨어져서 열이 내리고 설사가 멎었다.

第八章

補益劑

補益劑는 補益藥을 위주로 구성되며, 人體의 氣·血·陰·陽을 補養하여 각종 虛證을 치료하는 방제이므로, 補益劑라고 한다. 八法 중의 "補法"을 구현한 것이다.

補益方劑의 응용은 오랜 역사를 가지고 있다. 일찍이 『黃帝內經』에서 補法의 사용원칙에 대해 명확하게 제시하였는데, 예를 들면 "虛則補之"(『素問』·「三部九候論」), "損者益之", "勞者溫之"(『素問』·「至眞要大論」), "因其衰而彰之", "形不足者, 溫之以氣; 精不足者, 補之以味", "氣虛宜掣引之"(『素問』·「陰陽應象大論」) 및 "補上治上制以緩, 補下治下制以急"(『素問』·「至眞要大論」) 등의 논술이 있었으며, 이는 補益方劑의 立論 근거가 되었다. 『難經』에 이르러서는 補法의 理論과 운용에 있어서 또 한번의 보완과 진전이 있었다. 예를 들면 『難經』·「十四難」에서 "損其肺者,益其氣; 損其心者, 調其榮衛; 損其脾者, 調其飮食,適其寒溫; 損其肝者, 緩其中; 損其腎者, 益其精"이라 하여 五臟分補法에 대해 상세하게 논술하였으며, 이를 기초로 하여 다시 五行 및 臟腑相生學說에 근거하여 "虛者補其母"(六十九難), "子能令母實", "瀉南方火, 補北方水"(七十五難) 등의 五臟虛證을 치료하는 間接補益法을 제시하여, 補益五臟虛損 이론을 더욱 더 완벽하게 완성하였고, 나아가 補益方劑의 이론적 기초를 다졌다. 현존하는 最古의 약학서인 『神農本草經』에 수록된 360여 종의 약물 중에서, 약 20%가 補益類의 藥物이며, 이 중에는 人蔘, 黃芪, 地黃, 鹿茸, 當歸, 靈芝 등의 유명한 補養약물이 포함되어 있다. 이러한 補益類의 藥物 기록은 補益方劑가 만들어지는데 있어서 약물학적 기초를 이루었다. 東漢末年에 이르러서는 『傷寒雜病論』이 출판되었으며, 이에 기록된 理中丸, 腎氣丸, 麥門冬湯, 炙甘草湯 등의 방제는 配伍가 엄격하고, 選藥이 정교하고 합리적이어서 후세의 溫補脾腎, 益氣養血, 滋陰生津하는 방제의 근원이 되었으며, 역대 補益方劑의 구성 및 배합, 운용에 지대한 영향을 끼쳤다. 唐代부터는 補益方劑가 광범위하게 사용되기 시작하였으며, 方書 중에서도 이를 점차 전문적인 하나의 '門'으로 수록하였다. 여기에 대하여 徐大椿은 "古人病愈之後, 即令食五穀以養之, 則元氣自復…… 自唐『千金翼』等方出, 始以養性補益等各立一門, 遂開後世補益服食之法"(『醫學源流論』卷下)이라고 하였다. 宋의 『太平惠民和劑局方』에서는 이전의 수많은 補益方劑를 精選하여 수록하였는데, 예를 들면 유명한 四君子湯, 十全大補湯, 人蔘養榮湯, 四物湯, 蔘苓白朮散 등이 있다. 아울러 各 방제의 主治運用을 더욱 발전시키고 새로운 주치증을 추가하였는데, 이는 당시 의학자들의 虛證치료에 대한 인식 및 補益方劑의 運用이 새로운 수준에 도달했음을 나타낸 것이다. 이러한 뛰어난 方劑는 서적에 기록되어 널리 전해지고 변화 발전해 왔으나, 방제를 처음으로 기록한 서적과 原方劑名이 잘 알려지지 않은 경우도 많았다. 錢乙은 선인의 이론을 계승해서 小兒의 臟腑는 柔弱하다는 생리적 특징에 초점을 맞추어 五臟虛損을 補益하는 여러 方劑를 만들었다. 예를 들면 補腎의 효능이 있는 六味地黃丸, 補脾의 효능이 있는 白朮散, 補肺의 효능이 있는 阿膠散, 補心의 효능이 있는 安神丸 등이 있으며, 이러한 方劑는『難經』의 補五臟이론을 기반으로 한 것이다. 이러한 신규 方劑는 방제의 효능을 제고하고, 滋膩呆補한 성질을 피하기 위하여 기존의 古方을 化裁變通하여 創方된 것이다. 예를 들면 四君子湯에, 陳皮를 넣어서 異功散을 만들고, 藿香, 木香, 葛根을 넣어서 白朮散을 만들었으며, 腎氣丸에서 桂附를 빼서 六味地黃丸을 만들었는데, 이는 후세 의학자들이 古方을 활용하는 본보기가 되었다. 金元이후 다양한 學術流派가 나타나면서, 補法理論에 대한 연구 및 補益方劑의 運用은 새로운 단계로 접어들었다. 諸家는 補法理論에 대해 다양한 방면에서 새롭고 체계적으로 상세하게 논술했을 뿐만 아니라, 특징적인 수많은 補益方劑를 만들었다. 예를 들면 李杲는 "脾胃之氣既傷, 而元氣亦不能充, 而諸病之所由生也"(『脾胃論』卷上)라고 하여, 脾胃氣의 升發을 강조하였으며, 이를 근거로 補中益氣湯을 만들었는데, 이는 補中益氣 升陽擧陷하는 새로운 치법을 제시하여, 補氣諸方에서 독보적인 가치를 세웠다. 그는 또한 氣血相生의 이론에 따라 當歸補血湯을 만들어, 후세의 補氣生血法의 運用에 큰 영향을 끼쳤다. 朱震亨은 "陽有餘而陰不足論"을 주창하여, 人體 陰精의 護養을 중시하였다. 그는 이러한 이론에 따라 大補陰丸을 만들었는데, 이는 滋陰降火와 培本淸源을 처음으로 응용한 것이다. 또한 痿證을 치료하는 滋陰降火劑인 朱震亨의 虎潛丸도 널리 사용되고 있다. 明代 張介賓은 陰陽의 이치를 상세히 연구하고 命門과 眞陰을 강조하였으며, 虛證의 치료에 있어서는『黃帝內經』의 "諸寒之而熱者取之陰, 熱之而寒者取之陽" 및 王冰의 "益火之源, 以消陰翳; 壯水之主, 以制陽光"을 계발하여 "陰陽相濟"法을 주장하였다. 그는 "氣因精而虛者, 自當補精以化氣; 精因氣而虛者, 自當補氣以生精……善補陽者必于陰中求陽, 則陽得陰助而生化無窮; 善補陰者必于陽中求陰, 則陰得陽升而泉源不竭"(『類經』卷14)이라고 하였으며, 이에 따라 左歸丸(飮), 右歸丸(飮) 등의 補腎名方을 만들어 "陽中求陰", "陰中求陽"의 配伍 방법의 모범을 제시하였다. 淸代의 溫病學家는 養陰生津의 方法이 溫病치료에 활용되는 것에 대해 심도있게 연구하여 益胃湯, 增液湯, 加減復脈湯 등과 같은 補陰名方을 만들었다. 근래에는 한의학 교육의 체계화, 과학연구의 발전 및 補益方劑의 임상적 경험이 누적되고 정리되면서, 補法 및 補益方劑가 이론적으로 더욱 체계적이고, 약물조합에 있어서도 더욱 완벽해졌다. 특히 補益方劑의 작용 메커니즘 연구 결과, 補益方劑는 人體의 에너지 대사를 개선시킬 수 있을 뿐만 아니라, 에너지의 공급을 증진시켜서 人體의 면역기능을 향상시키고, 또한 抗癌, 抗老化, 養生保健, 延年益壽 등에도 긍정적인 작용을 하므로, 補益方劑는 인류의 체질 강화 및 삶의 질 향상, 난치병의 예방과 치료 등에 응용될 수 있는 한층 더 넓은 가능성을 보여주었다.

補益劑는 虛證을 치료하기 위해 만들어진 것으로, 虛證은 人體의 正氣가 虛弱하여 발생되는 여러 가지 虛弱증후에 대한 概括이다. 虛證은 先天的 稟賦不足으로 발생할 수 있지만, 주로 後天的인 불균형과 疾病耗損으로 유도된다. 예를 들어 飮食失當하면, 營血生化의 근원이 부족하게 되고, 思慮太過, 悲哀驚恐, 過度勞倦하면 氣血營陰을 耗傷하게 되고, 房室不節하면 腎精元氣를 耗損하게 되고, 久病에 失治하거나 誤治하면 正氣가 손상되고, 大吐, 大瀉, 大汗, 出血, 失精하면 陰液氣血이 耗損하게 된다. 이러한 경우는 모두 人體의 正氣를 不足하게 하거나 虛弱하게 해서 虛證을 형성할 수 있다. 人體의 正氣는 陽氣, 陰液, 精, 血, 津液, 營, 衛 等을 포함하기 때문에 虛證이 미치는 범위는 매우 넓지만, 이 중 氣虛, 血虛, 陰虛, 陽虛의 네 가지가 중요한 類型이다. 그러나 어떤 類型의 正氣虛損이든 그 발병 病位는 五臟에서 벗어날 수 없다. 따라서 氣·血·陰·陽을 綱으로, 五臟을 目으로 하여 虛證을 辨證論治하면 번잡한 것을 간단하게 파악할 수 있을 뿐만 아니라, 임상에서도 방제를 용이하게 활용할 수 있다. 人體의 氣·血·陰·陽은 생리적으로 서로 資生하고 서로 轉化하는 밀접한 관계에 있기 때문에, 병리적으로도 역시 서로 영향을 미칠수 있다. 먼저 氣血의 면에서 보면, 血液의 생성은 臟腑의 氣化作用에 의지하므로, 臟腑의 氣가 充盛하면 氣化作用이 强健해져서, 血液을 化生하는 효능이 강해지고, 반대로 臟腑의 氣가 虛餒하여 氣化作用이 부족하면 血液을 化生하는 효능이 약해 진다. 또한 臟腑의 氣는 끊임없는 血液의 營養공급에 의지하므로, 血足하면 氣盛하고, 血少하면 氣衰하게 된다. 위에서 말한 병리학적 변화는 氣血중 어떤 것이 먼저 虛한지에 상관 없이 최종적으로는 모두 氣血兩虛한 증상으로 나타나게 된다. 다음으로 陰陽의 면에서 보면, 생리학적으로 陰陽은 서로 뿌리가 되며, 相生하고 相依한다. 陰虛하면 養陽하기 어렵고 장기적으로 지속되면 陽虛를 초래할 수 있는데 이것이 陰損及陽이며, 陽虛하면 化陰하기 어렵고 장기적으로 지속되면 陰虛를 초래할 수 있는데 이것이 陽損及陰이다. 陰陽이 서로 손상되면 결과적으로 陰陽兩虛證이 초래된다. 그러므로 正氣가 虛弱한 것은 그 성질에 따라 주로 氣虛·血虛·陰虛·陽虛 네 가지로 구분할 수 있지만 氣血兩虛 및 陰陽兩虛 또한 매우 흔하게 볼 수 있는 證이기 때문에 補益方劑는 補氣·補血·氣血雙補·補陰·補陽·陰陽幷補의 여섯 종류로 분류된다.

補氣劑는 氣虛한 病證에 적용한다. 氣虛와 五臟과의 관계에서는 肺·脾가 주가 된다. 人身의 氣는 後天之氣, 즉 水穀之氣와 자연계의 淸氣가 相合하여 이루어진 것으로, 끊임없이 先天之氣를 充養하기 때문에 肺·脾의 생리활동 정상 여부는 체내 氣의 盛衰에 중요한 영향을 미친다. 脾肺氣虛證은 肢體倦怠乏力, 少氣懶言, 語音低微, 動則氣促, 面色萎白, 食少便溏, 舌淡苔白, 脈虛弱하고 심하면 虛熱自汗하거나 脫肛, 子宮脫出 등의 증상으로 나타날 수 있다. 補氣方劑의 조성은 補氣藥物을 위주로 하며 人蔘, 黨参, 黃芪, 白朮, 炙甘草 類를 常用한다. 脾胃의 氣가 虛하면 運化力이 弱해지기 때문에, 補氣方劑의 藥物劑量은 일반적으로 輕하게 하는 것이 적합하며, 약물 配伍방법은 다음의 몇 가지로 나누어 볼 수 있다. ① 行氣藥의 配伍. 예를 들면 陳皮, 木香, 砂仁의 類이다. 脾胃의 氣가 虛하면 기능이 약해지고, 또한 補氣藥物은 胃에 장애를 일으키기 쉽게 때문에 補氣健脾方劑에 佐使로 소량의 行氣藥物을 넣어 補하더라도 滯하지 않게 한다. 예를 들면 補中益氣湯, 異功散의 陳皮와 蔘苓白朮散의 砂仁 等이다. ② 利水滲濕藥의 配伍. 예를 들면 茯苓, 薏苡仁의 類이다. 脾는 運化水濕하고, 肺는 通調水道하기 때문에, 肺脾의 氣가 虛하면, 水濕內停에 이르게 된다. 그러므로 補氣方劑에 利水滲濕藥物을 配伍하여 水濕을 下滲하면 脾運의 기능이 원활하게 되고 또한 補氣의 효능을 강화하게 된다. 예를 들면 四君子湯의 茯苓, 蔘苓白朮散의 茯苓, 薏苡仁 등이다. ③ 升陽擧陷藥의 配伍. 예를 들면 升麻, 柴胡 類이다. 脾氣는 主升하기 때문에, 中虛氣陷한 경우에는 淸陽을 升擧하는 약물을 조금 넣어 補氣升陽을 강화한다. 예를 들면 補中益氣湯의 升麻, 柴胡 등이다. ④ 補血藥의 配伍. 예를 들면 當歸, 白芍, 枸杞子의 類이다. 일반적으로, 補氣方劑에는 滋膩碍胃하지 않도록 補血藥을 配伍하는 경우가 많지 않지만, 만약 오랫동안 氣虛해서 血分 또한 虛한 경우에는 少量의 養血藥을 配伍한다. 그러나 지나치면 陰柔碍胃하게 되기 때문에 절대 多量을 사용해서는 안 된다. 예를 들면 補中益氣湯은 補氣爲主라는 전제하에, 當歸를 二分 配伍하여 和血養血하게 하였다. 이외에도, 陰虛를 兼하는 경우에는 斂陰生津의 藥物을 配伍하는데, 生脈散의 麥門冬, 五味子가 그 例이다. 外感表邪를 兼하는 경우에는 疏風解表의 藥物을 配伍하는데, 玉屛風散의 防風이 그 例이다. 補氣劑의 代表方으로는 四君子湯, 蔘苓白朮散, 補中益氣湯, 玉屛風散, 生脈散 등이 있다.

補血劑는 血虛한 病證에 적용한다. 心主血하고, 肝藏血하고, 脾統血하므로 血虛는 心, 肝, 脾의 三臟과 매우 밀접한 관계가 있다. 血虛證은 面色萎黃, 頭暈目眩, 唇爪色淡, 心悸, 失眠, 舌淡, 脈細하거나 婦

女의 月經不順, 量少色淡, 經閉不行 등의 증상으로 나타날 수 있다. 補血方劑의 조성은 補血藥物을 위주로 하며 當歸, 地黃, 白芍藥, 阿膠, 枸杞子, 龍眼肉 類를 常用한다. 약물 配伍방법은 다음의 몇 가지로 나누어 볼 수 있다. ① 活血化瘀藥의 配伍. 예를 들면 丹參, 川芎, 赤芍藥, 桃仁, 紅花 類이다. 대체로 血虛證에서는 血行이 不利해서 凝滯成瘀하기 쉬우며, 일단 瘀血이 형성되면 또한 新血의 生長에 영향을 미칠 수 있다. 따라서 補血劑를 전적으로 陰柔滋補한 藥物로만 구성하는 것은 적절하지 않으며, 補血하고 活血 작용을 겸한 藥物을 추가하거나 少量의 活血化瘀藥을 配伍하여, 血行을 개선하고 또한 補血生新의 효능을 강화한다. 四物湯의 川芎이 그 例이다. ② 補氣藥의 配伍. 예를 들면 人蔘, 黨參, 黃芪 類이다. 有形의 血은 無形의 氣에서 생기는 것이다. 즉 "血不獨生, 賴氣以生之"(『醫論三十篇』)라 하였듯이, 血虛證을 치료하는 경우에는 補氣藥을 적절히 配伍해서 生化를 도와야 한다. 이것은 바로 李杲의 "血虛以人蔘補之, 陽旺則能生陰血"(『內外傷辨惑論』卷中)과 같으며, 汪廷珍의 "血虛者, 補其氣而血自生"(『溫病條辨』卷4에서 발췌)과도 같다. 當歸補血湯의 黃芪와 歸脾湯의 黃芪, 人蔘, 白朮이 그 例이다. 大失血해서 血虛에 이른 경우에는 마땅히 大補元氣하여 固脫해야 한다. 補血劑의 代表方으로는 四物湯, 當歸補血湯 등이 있다.

氣血雙補劑는 氣血兩虛한 病證에 적용한다. 증상은 面色無華, 頭暈目眩, 心悸怔忡, 食少倦怠, 氣短懶言, 舌淡, 脈虛無力 등으로 나타난다. 氣血雙補方劑의 조성은 人蔘, 黃芪, 白朮 등의 補氣藥과 當歸, 熟地黃, 白芍藥, 阿膠 등의 補血藥을 함께 사용한다. 본 방제는 補氣劑와 補血劑를 결합해서 응용하기 때문에 配伍방법 또한 위의 두 종류의 방제와 유사하다. 氣血雙補劑의 代表方으로는 八珍湯, 歸脾湯, 十全大補湯, 人蔘養榮湯, 泰山磐石散 등이 있다.

補陰劑는 陰虛한 病證에 적용한다. 陰虛證과 五臟은 모두와 밀접한 관계가 있으나, 특히 腎陰虛를 위주로 한다. 腎은 先天之本으로, 五臟六腑의 精을 받아 藏하기 때문에, 心肺肝脾의 陰津虛損은 최종적으로는 腎에 영향을 미치게 된다. 이밖에도, 心, 肺, 肝의 陰虛證도 비교적 흔하게 나타나며, 이는 종종 腎陰虛와 겸하여 나타나기도 한다. 陰虛證은 形體消瘦, 頭暈耳鳴, 潮熱顴紅, 五心煩熱, 盜汗失眠, 腰酸遺精, 咳嗽咯血, 口燥咽乾, 舌紅少苔, 脈細數 등의 증상으로 나타날 수 있다. 補陰方劑의 조성은 주로 補陰藥物을 위주로 하며 北沙蔘, 天門冬, 麥門冬, 石斛, 玉竹, 山茱萸, 生地, 熟地, 龜甲, 鱉甲 類를 常用한다. 약물 配伍방법은 다음의 몇 가지로 나누어 볼 수 있다. ① 淸熱藥의 配伍. 예를 들면 知母, 黃柏, 牡丹皮 類이다. 陰虛하면 陽亢하고, 水不制火하여 內熱이 생긴다. 따라서 淸熱藥物을 적절히 배합하여 降火하고 또한 眞陰을 保全하여야 한다. 大補陰丸의 黃柏, 知母와 六味地黃丸의 牡丹皮 등이 그 例이다. 임상에서는 熱의 정도에 따라 方劑中 淸熱藥의 비율을 고려하여야 하며, 절대로 寒凉苦燥한 약을 과도하게 사용해서는 안 된다. ② 補陽藥의 配伍. 예를 들면 鹿角膠, 菟絲子, 鎖陽, 狗脊 類이다. 陰陽은 서로 뿌리가 되며, 병리학적으로도 陰虛는 陽에 영향을 미칠 수 있고, 陽虛 또한 陰에 영향을 미칠 수 있다. 그러므로, 만약 陰虛한 증상에 전적으로 養陰만 하면 陽이 약하여 化하지 못하기 때문에, 虧虛한 陰의 신속한 회복이 어렵다. 또한 大劑의 陰柔凝滯한 약은 陽氣受損의 우려가 있으므로, 大劑의 補陰劑에 소량의 補陽藥物을 넣어, 滋陰作用을 강화한다. 이는 바로 張介賓의 "善補陰者, 必于陽中求陰, 則陰得陽升而泉源不竭"(『類經』卷14)과 같다. 左歸丸의 鹿角膠, 菟絲子, 虎潛丸의 鎖陽, 乾薑 등이 그 例이다. 이밖에도, 陰虛는 많은 경우 血虛를 겸하므로 補陰劑에 補血藥物을 配伍하는데, 一貫煎의 當歸와 百合固金湯의 當歸, 白芍이 그 例이다. 氣滯를 겸하는 경우에는 行氣藥物을 配伍하는데, 一貫煎의 川楝子가 그 例이고, 氣虛를 겸하는 경우에는 補氣藥物을 配伍하는데, 炙甘草湯의 人蔘이 그 例이며 腎陰虛證을 치료하는 경우에는 利水滲濕藥을 配伍하여 泄腎濁하는데, 六味地黃丸의 澤

瀉, 茯苓이 그 例이다. 補陰劑의 代表方으로는 六味地黃丸, 大補陰丸, 炙甘草湯, 一貫煎, 百合固金湯 등이 있다.

補陽劑는 陽氣虛弱한 病證에 적용한다. 陽虛와 五臟의 관계는 心, 脾, 腎 위주이다. 이 중 心, 脾陽虛의 방제는 "溫裏劑"에서 소개하였으므로, 여기에서는 주로 腎陽虛의 방제에 대하여서만 설명한다. 腎은 人體眞陽이 머무는 곳이며, 腎陽은 一身陽氣의 근본이 된다. 腎陽虛證은 주로 面色白, 形寒肢冷, 腰膝酸痛, 下肢軟弱無力, 小便不利 或 小便頻數, 尿後餘瀝, 少腹拘急, 男子陽痿早泄, 婦女宮寒不妊, 舌淡苔白, 脈沉細, 尺部尤甚 등의 증상으로 나타날 수 있다. 補陽方劑의 조성은 주로 補陽溫腎 약물을 위주로 하며, 附子, 肉桂, 巴戟天, 肉蓯蓉, 淫羊藿, 仙茅, 鹿角膠 類를 常用한다. 配伍에 있어서는 兼證의 차이에 따라 적합한 配伍를 하는데, 즉 濕을 겸한 경우에는 利濕藥을 配伍하고, 痰을 겸한 경우에는 化痰藥을 配伍하는 것 등이다. 이외에 補陽方劑는 地黃, 枸杞子, 山茱萸류와 같은 補陰藥을 配伍하는 특징이 있다. 앞서 서술한 바와 같이 陰陽은 互根하므로 陰虛에는 補陰藥에 補陽藥을 配伍하여 陰液의 化生을 돕는다. 같은 이치로, 陽虛한 경우에도 또한 補陽藥에 補陰藥을 넣어 陽이 陰에 뿌리를 두게 하여 생성된 陽이 依附하게 하고, 또한 陰藥의 滋潤으로 陽藥의 溫燥를 제어하여, 溫補하더라도 津液을 傷하지 않게 한다. 이는 張介賓의 "善補陽者, 必于陰中求陽, 則陽得陰助而生化無窮"(『類經』卷14)과 같다. 腎氣丸과 右歸丸의 地黃, 山茱萸, 山藥, 枸杞子 등이 그 例이다. 補陽劑의 代表方으로는 腎氣丸, 右歸丸 등이 있다.

陰陽幷補劑는 陰陽兩虛한 病證에 적용한다. 증상은 頭暈目眩, 腰膝酸軟, 陽痿遺精, 畏寒肢冷, 自汗盜汗, 午後潮熱 등으로 나타난다. 陰陽幷補方劑의 조성은 熟地黃, 山茱萸, 龜板, 何首烏, 枸杞子 등의 補陰藥과 肉蓯蓉, 巴戟天, 附子, 肉桂, 鹿角膠의 補陽藥을 함께 사용한다. 본 방제는 補陰劑와 補陽劑를 결합해서 응용하기 때문에 配伍방법 또한 위의 두 종류의 방제와 유사하다. 임상에서는 陰陽虛損의 정도 및 主次輕重을 잘 분별하여 補陰과 補陽 두 종류의 약물을 합리적으로 配伍하여야 한다. 陰陽幷補劑의 代表方으로는 地黃飮子, 龜鹿二仙膠, 七寶美髥丹 등이 있다.

補益劑로 五臟虛損證을 치료하는 방법은 다음과 같은 두 가지 형식이 있다. 첫째는 直接補益法으로, 虛弱한 臟器를 직접 補益하는 것이다. 이는 『難經』·「十四難」의 "損其肺者, 益其氣, 損其心者, 調其營衛, 損其脾者, 調其飮食, 適其寒溫, 損其肝者, 緩其中, 損其腎者, 益其精"과 같다. 둘째는 間接補益法으로, 臟腑相生의 관계에 따라 虛損臟器가 의존하는 臟을 補益하는 것으로, 구체적인 응용방법은 크게 두 종류가 있다. 하나는 五行相生理論에 근거한, "虛者補其母"의 방법이다. 예를 들어 肺氣가 虛한 경우에는 補脾하여 培土生金하게 하고, 脾陽이 虛한 경우에는 補命門하여 補火生土하게 하고, 肝陰이 虛한 경우에는 補腎하여 滋水涵木하게 하는 것이다. 둘째는 補腎 또는 補脾를 통하여 虛損한 臟을 간접적으로 補養하는 것으로, 腎은 先天之本이고, 腎中陰陽은 五臟六腑陰陽의 근본이 된다는 것이 이론적 근거이다. 이는 『醫原』卷上의 "腎中眞陽之氣, 絪縕煦育, 上通各臟腑之陽, 而腎中眞陰之氣, 即因腎陽蒸運, 上通各臟腑之陰"과 같다. 또한 宋의 許叔微는 "補脾不如補腎"(『本事方』卷6)이라고 하였다. 반면 脾는 後天之本으로 氣血生化의 근원이 된다. 五臟六腑의 氣血陰陽은 모두 脾의 不斷한 水穀精微의 運化에 의하여 充養되기 때문에, 明의 薛己는 "補腎不若補脾"(『明醫雜著』卷6)라고 하였다. 위의 두 이론은 각기 다른 각도에서 補腎과 補脾의 중요성을 강조한 것으로, 모두 이론적 근거와 실제 응용 가치가 있다. 그러나, 만약 각각 한 방면을 고집한다면 다소 편파적인 면이 있으므로, 실제 응용시에는 반드시 證에 맞게 조절해야 한다. 이는 程國彭의 "須知脾弱而腎不虛者, 則補脾爲亟; 腎弱而脾不虛者, 則補腎爲先; 若脾腎兩虛, 則幷補之"(『醫學心悟』卷首)와 같으며, 이러한 견해는 임상의 辨證施治에 매우 유용하다.

이밖에도, 補法에는 峻補와 平補의 구분이 있다. 예를 들면 暴脫과 같이 病勢가 急迫한 증에는 峻補하여 응급 상황에 대처하고, 일반적으로 病勢가 緩慢하고, 病程이 비교적 긴 虛弱증에는 平補하여야 한다. 峻補할 경우, 藥味는 적게 하지만 劑量은 많게 하여 약효를 專的으로 발휘하게 하고 또한 약물효능을 견제하는 배합은 적게 하여야 한다. 平補할 경우에는, 劑量을 너무 많이 해서는 안 되며, 항상 健脾和胃, 調氣和血하는 藥物을 배합하여 補中寓通하고, 補而不膩滯하고, 通而不傷正해서, 장기간의 복용으로 虛弱을 調補하는 데 유리하게 하여야 한다.

補益劑를 응용할 때에는 다음과 같은 몇 가지 사항을 주의하여야 한다. 첫째, 證候의 虛實眞假를 명확히 辨別하여야 한다. 일반적으로 전형적인 虛證은 구별하기가 어렵지 않지만, 어떤 경우에는 虛損이 太過하고, 臟腑기능의 이상으로 인해 마치 實證과 같은 현상을 나타내기도 한다. 이는 張介賓의 "至虛之病, 反見盛勢, 大實之病, 反有羸狀, 此不可不辨也. 如病起七情, 或飢飽勞倦, 或酒色所傷, 或先天不足, 及其既病, 則每多身熱, 便秘, 戴陽, 脹滿, 虛狂, 假斑等證, 似爲有餘之病, 而其因實由不足."(『景岳全書』卷1)과 같고, 또한 『顧氏醫鏡』의 "心下痞痛按之則止, 色悴聲短, 脈衰無力, 虛也, 甚則脹而不能食, 氣不舒, 便不利, 是至虛有盛候."와도 같다. 그러므로, 眞虛假實證을 實證으로 오인하여 攻伐한 藥物을 誤用해서는 절대 안 된다. 이와 마찬가지로, 어떤 實證은 때때로 假虛證으로 나타날 수도 있다. 이는 『顧氏醫鏡』의 "聚積在中, 按之則痛, 色紅氣粗, 脈來有力, 實也; 甚則默默不欲語, 肢體不欲動, 或眩暈昏花, 或泄瀉不實, 是大實有羸狀."과 같다. 이러한 眞實假虛證에 대해서도 虛證으로 오인해서 성급하게 補益劑를 투여해서는 절대 안 된다. 둘째, 환자의 脾胃상태에 주의해야 한다. 평소 脾胃가 허약한 경우에는 補益劑가 脾胃의 運化 및 吸收를 어렵게 하고, 또한 補益藥物은 대부분 味甘하고 質膩해서 碍胃 및 滯氣하기 쉽다. 따라서 中虛한 환자가 이를 복용하면 목표로 하는 補益이 어려울 뿐만 아니라, 오히려 中滿納差한 증상이 더해질 수 있으므로, 이른 바 "虛不受補"하게 된다. 『素問』·「平人氣象論」에서 "有胃氣則生, 無胃氣則死"라고 하였듯이, 이런 부류의 환자는 우선 脾胃를 調理하거나, 補益方劑에 健脾和胃, 理氣消導 약물을 佐하여 脾胃의 運化기능을 도와야 한다. 평소에 脾胃기능이 양호한 경우에라도 處方時에는 마땅히 脾胃를 고려해야 한다. 즉 "塡補必先理氣"하여 補하되 不滯하도록 하여야 한다. 셋째, 正氣가 虛損한데, 濕阻, 痰滯, 熱擾, 食積 등의 實邪를 겸한 경우에는 邪實과 正虛의 主次緩急을 변별하여 先攻後補, 先補後攻 또는 攻補兼施 등의 치법을 선택하여야 하며, 또한 반드시 祛邪하되 傷正하지 않게 하고, 補虛하되 留邪하지 않게 하여야 한다. 넷째, 補益劑의 구성 약물은 대부분 味厚滋膩하므로, 煎藥時에는 文火로 오랫동안 달여야 하며, 또한 3번 煎藥하여 유효 성분이 충분히 용출되게 하여야 한다. 복용시간은 공복이나 식전이 가장 좋으나, 急證의 경우에는 복용시간을 제한할 필요가 없다. 이밖에도, 補益劑는 體質을 增强시킬 수 있고 病에 대한 抵抗性(disease resistance)을 향상시킬 수 있지만, 보익제의 주된 목적은 補虛扶弱하여 疾病을 治療하는 것이다. 만약 체질이 强壯한데 補益劑를 濫用하면 陰陽氣血의 平衡失調를 유도하여 손상을 초래할 수 있다. 體虛해서 補益劑가 필요한 경우에는 服藥과 동시에 음식 및 생활 습관의 조절, 적당한 운동 등 다양한 방법으로 종합적인 치료를 시행하여 환자가 건강을 빨리 회복할 수 있도록 해야 한다.

第一節 補氣劑

四君子湯(白朮湯)

(『聖濟總錄』卷80)

【異名】 白朮散(『朱氏集驗方』卷2), 四聖湯(『活幼口議』卷20), 人蔘散(『普濟方』卷394), 溫中湯(『古今圖書集成·醫部全錄』卷436), 四君湯(『文堂集驗方』卷4).

【組成】 人蔘 去蘆 白朮 茯苓 去皮(各 9 g) 甘草(6 g)(原文各等分)

【用法】 위의 약을 細末하여 二錢(15 g)을 물 一盞으로 끓여 10분의 7로 달여 시간에 구애받지 않고 수시로 복용한다. 소금을 조금 넣고, 白湯으로 복용해도 된다.

【效能】 益氣健脾.

【主治】 脾胃氣虛證을 치료한다. 증상은 面色痿白, 語聲低微, 氣短乏力, 食少便溏, 舌淡苔白, 脈虛弱하게 나타난다.

【病機分析】『靈樞』·「營衛生會」에서 "人受氣于穀, 穀入于胃, 以傳于肺, 五臟六腑, 皆以受氣"라 하였듯이, 脾主運化하고, 胃主受納하는데, 五臟六腑 四肢百骸는 모두 消化되어서 전달된 水穀精微에 의지해서 充養되기 때문에 脾胃를 後天之本이라하며, 또한 氣血生化之源이라고 한다. 만약 脾胃氣虛해서, 健運의 기능을 상실하면 胃納不振해서, 飮食減少하고 大便溏薄의 증상이 나타나며, 氣血生化가 부족하면, 臟腑組織器官이 濡養되지 못하여 臟腑怯弱, 營衛不足하게되어 面色痿白, 語聲低微하게 된다. 脾氣虧虛하여 肢體失養하면 四肢倦怠하게 된다. 따라서 『素問』·「太陰陽明論」에서 "四肢皆稟氣于胃……今脾病不能爲胃行其津液, 四肢不得稟水穀氣, 氣日以衰, 脈道不利, 筋骨肌肉, 皆無氣以生, 故不用焉"이라고 하였다. 舌淡, 苔薄白, 脈虛弱은 모두 中焦脾胃氣虛한 증상이다. 『醫方考』卷3에서는 "夫面色痿白, 則望之而知其氣虛矣; 言語輕微, 則聞之而知其氣虛矣; 四肢無力, 則問之而知其氣虛矣; 脈來虛弱, 則切之而知其氣虛矣."라고 하였다. 따라서 脾胃氣虛, 運化力弱, 氣血乏源이 本證의 기본 病機가 된다.

【配伍分析】 脾胃氣虛하고, 運化無權한 證은 당연히 補氣健脾하여 치료해야 한다. 方劑 중의 人蔘은 性味가 甘溫하기 때문에 『神農本草經』卷1에서 이에 대해 "主補五臟"한다고 하였다. 특히 元氣를 大補하고, 주로 脾經으로 入하기 때문에 본 방제에서 君藥이 되고 脾胃의 虛를 大補한다. 白朮은 性味가 甘溫하고 苦燥한 성질을 겸한다. 甘溫은 補氣하고, 苦燥는 健脾하므로, 脾의 喜燥惡濕과 健運하는 성질에 어울린다. 따라서 "安脾胃之神品"(『本草經疏』卷6) 및 "脾臟補氣第一要藥"(『本草求眞』卷1)이라 일컬어지며, 人蔘과 配伍되어서는 益氣補脾 효능을 더욱 증강시키므로 臣藥으로 삼았다. 茯苓은 性味가 甘淡해서, 健脾滲濕하며, "去濕則逐水燥脾, 補中健胃"(『景岳全書』卷49)하게 된다. 白朮과 配伍하면 茯苓은 滲濕助運하여 走而不守하고, 白朮은 補中健脾하여 守而不走하므로, 두 약은 相輔하여 健脾助運의 효능이 더욱 뚜렷해지므로 佐藥으로 삼았다. 炙甘草는 甘溫益氣해서 人蔘·白朮과 配伍하면 益氣補中의 효력을 강화할 수 있고, 또한 方劑의 諸藥을 調和할 수 있기 때문에 佐使藥으로 사용하였다. 본 방제의 구성은 비록 네 가지의 약이지만 모두 味甘하여 脾經으로 入한다. 또한 益氣하는 가운데 燥濕한 효능을 갖추었으며, 補虛하는 가운데 運脾의 효능을 갖는다. 본 방제는 諸藥이 相輔相成하여 빈틈없이 配伍되어, 약의 종류는 단순하지만 효능이 뛰어나고, 또한 脾欲甘, 喜燥惡濕, 喜通惡滯한 생리적 특성에 적합하므로 脾胃氣虛證을 치료하는 기본적인 大法

을 구현한 것이다.

본 방제의 配伍특징은 益氣補脾를 위주로 하고 祛濕助運한 약을 配伍한 것으로 補中兼行하고, 溫而不燥하여 脾胃를 平補하는 良方이 된다.

본 방제를 구성하는 약재는 甘溫平和하기 때문에, 補而不滯하고, 利而不峻하며 작용이 冲和平淡하여, "常服溫和脾胃, 進益飮食, 辟寒邪瘴霧氣"(『太平惠民和劑局方』卷3)하며, 마치 마음이 너그럽고 온화한 君子와 같다하여 "四君子湯"이라는 이름이 붙었다.

【類似方比較】 본 방제와 理中丸의 약재 구성에는 모두 人蔘·白朮·炙甘草가 있으며, 모두 益氣補中하기 때문에 脾虛證을 치료할 수 있다. 하지만 四君子湯은 위의 세 가지 약에 茯苓을 配伍하고 人蔘을 君藥으로 하여 益氣健脾를 위주로 하여 脾胃氣虛證을 치료한다. 반면 理中丸은 세 가지 약에 乾薑을 配伍하고 또한 乾薑을 君藥으로 삼아 溫中祛寒한 효능을 나타내므로 中焦虛寒證을 치료하는데 적합하다.

【臨床應用】

1. 證治要點: 본 방제는 脾胃氣虛證을 치료하는 常用方이자, 補氣의 基本方이다. 面色痿白, 食少神倦, 四肢乏力, 舌淡苔白, 脈虛弱이 本方의 사용요점이다.

2. 加減法: 嘔吐 환자의 경우에는 半夏·陳皮 등을 加하여 降逆止嘔하게 하고, 胸膈痞滿한 환자의 경우에는 枳殼·陳皮 등을 加하여 行氣寬胸하게 하고, 畏寒腹痛이 있는 환자의 경우에는 乾薑·附子 등을 加하여 溫中散寒하게 하고, 心悸失眠 증상이 있는 환자의 경우에는 酸棗仁을 加하여 寧心安神한다.

3. 四君子湯은 다음 한국표준질병사인분류(KCD)에 해당하는 환자가 脾胃氣虛證으로 辨證되는 경우 본 처방의 사용을 고려해볼 수 있다.

처방 목표	한국표준질병사인분류(KCD)
機能性消化不良	K30 기능성 소화불량
不良萎縮性胃炎	K29.4 만성 위축성 위염
化性潰瘍	K25 위궤양
	K26 십이지장궤양
	K27 상세불명 부위의 소화성 궤양
	K28 위공장궤양
慢性絲球體腎炎	N03 만성 신염증후군
月經前症候群	N94.3 월경전긴장증후군
迫流産	O20.0 절박유산
小兒感染後脾虛綜合征	(질병명 특정곤란)
	U68 비병증(脾病證)
小兒低熱	(질병명 특정곤란)
	A00~B99 I. 특정 감염성 및 기생충성 질환
	G00~G09 중추신경계통의 염증성 질환
	R50.9 상세불명의 열
小兒鼻衄	(질병명 특정곤란)
	R04.0 코피

【變遷史】 본 방제의 原名은 "白朮湯"이며, 『聖濟總錄』卷80에서 유래한 것으로 "水氣渴, 腹脇脹滿"한 증상을 치료하기 위해 조성되었다. 『太平惠民和劑局方』卷3(新添諸局經驗秘方)에서 본 방제를 轉載하면서 이름을 "四君子湯"으로 변경하였고, "溫和脾胃, 進益飮食, 辟寒邪瘴霧氣"하는 효능과 "榮衛氣虛, 臟腑怯弱, 心腹脹滿, 全不思食, 腸鳴泄瀉, 嘔噦吐逆"의 치료증상을 제시하여 본 방제가 脾胃虛弱한 증후를 치료하는데 사용되는 것을 명확히 하였다. 이후의 역대 의학자들은 모두 『局方』의 논설을 계승해서 본 방제를 脾胃氣虛證을 치료하는 代表方이자 基本方으로 삼았으며, 대부분의 補氣法은 四君子湯의 方意를 따르고, 또한 補脾諸方은 모두 四君子湯의 化裁를 따른 것으로, 脾胃氣虛가 주요한 병리적 변화로 나타나는 다양한 질병을 치료하는데 널리 사용되었다. 예를 들면 유명한 異功散·六君子湯·香砂六君子湯 및 蔘苓白朮散·補中益氣湯 등의 방제는 모두 四君子湯의 方意를 따라 化裁해서 만든 것이다. 후세에는 본 방제를 응용할 때 단지 脾胃

氣虛證에 그치지 않고, 脾는 後天之本이고, 氣血生化의 근원이다는 이치에 근거해서, 오랫동안 虛해서 낫지 않고 諸藥이 효과가 없는 경우 및 血虛證에도 본 방제를 隨證加減하여 사용하였다. 이는 培補中土하고, 後天之本을 充養해서, 水穀精微를 온몸에 敷布하게 하여, 機體를 점차 强健하게 회복시키고자 하는 의미이다. 이는 바로 陳念祖가 말한 "胃氣爲生人之本, 蔘·朮·苓·草從容和緩, 補中宮土氣, 達于上下四旁, 而五臟六腑皆以受氣, 故一切虛證皆以此方爲主"(『時方歌括』卷上)와 같다.

【難題解說】

1. 方劑에서 各 약재에 대한 選用: ① 人蔘: 人蔘은 大補元氣하는 약품으로, 야생 인삼은 가격이 비교적 비싸고, 黨參과 人蔘은 효능이 거의 비슷하기 때문에 古方 중에는 人蔘을 사용하는 사람이 있었지만 현재는 대부분 黨參으로 대신한다. 黨參은 脾肺의 氣를 專補하기 때문에, 본 方劑 중의 人蔘은 임상에서 대부분 黨參으로 바꾸어 사용한다. 다만 補氣의 효력이 人蔘에 비해 약하기 때문에 용량을 조금 늘려서 사용하는데, 보통 10~15 g이 적당하고, 大劑의 경우 30 g까지 늘릴 수 있다. ② 白朮: 白朮은 補氣健脾의 要藥으로, 일반적으로 補氣健脾에는 炒用하고 燥濕利水·健脾通便·益氣止汗에는 生用하며, 氣陰兩虛에는 陳米飯에 蒸用한다. 만약 肺의 氣陰不足으로, 乾咳가 심하여 咳血하는 경우에는 白蜜로 蒸用하는데, 白朮은 蒸한 후에 燥한 성질이 潤하게 된다. ③ 茯苓: 茯苓은 보통 다섯 가지 부분, 즉 外皮部分(茯苓皮)·近外皮部分의 淡紅色部分(赤茯苓)·內層의 白色部分(白茯苓)·菌核中間의 細松根이 穿過한 部分(茯神) 및 松根(茯神木)으로 나누며, 그 작용은 각각 다르다. 본 방제에서는 白茯苓이 적합하다. 하지만 임상에서는 대부분 赤·白茯苓을 구분하지 않으며, 處方에서는 茯苓으로 통칭하는 경우가 많다. ④ 甘草: 甘草의 炮製法이 명확히 기록되어 있지는 않지만, 본 방제는 脾胃氣虛한 증상을 치료하기 때문에 炙甘草를 사용하는 것이 적합하다.

2. 原書에서 본 방제에 대한 용법: 본 방제의 명칭은 四君子湯이지만, 原書에 근거하면 본 방제를 응용하는 방법은 湯·散의 두 가지 제형이 있다. 그러나 原書의 湯劑는 사실상 煮散이고 또한 사용량이 二錢으로 비교적 輕한편이다. 환자의 脾胃氣가 이미 虛하여 大劑湯藥을 견뎌내지 못하거나, 오래된 慢性病에는 완만한 치료를 도모해야 하기 때문에, 소량의 약을 분말로 만들어 물을 넣고 달여 사용한다. 이러한 사용법은 임상에서 큰 의의가 있다. 原書에 散劑로 복용시에는 "入鹽少許, 白湯點服"이라고 기록되어 있다. 일반적으로 鹹味는 走腎하므로, 腎臟 질환의 치료를 목적으로 약을 복용할 때 소량의 소금을 넣어 引經작용을 하게 하는 경우가 많다. 그렇다면 본 방제에서 脾胃氣虛證을 치료할 때 "소량의 소금을 넣는 것"은 어떤 의미가 있는가? 李時珍은 소금에 대해 "鹽爲百病之主, 百病無不用之. 故服補腎藥用鹽湯者, 鹹歸腎, 引藥氣入本臟也; 補心藥用炒鹽者, 心苦虛, 以鹹補之也; 補脾藥用炒鹽者, 虛則補其母, 脾乃心之子也……"(『本草綱目』卷11)라고 하였다. 이로 보면, 선인들은 소금이 다방면에서 치료 작용을 한다고 인식하였으며, 결코 腎病의 치료에만 국한되지 않는다고 여겼다는 것을 알 수 있다. 현대 영양학적 면에서 분석해 보면, 食鹽의 주요 성분은 염화나트륨인데, 이 중 나트륨 이온은 人體의 물질대사 및 생리활동의 다양한 방면에 관련되어 있어 체내에 필수적인 무기원소 중의 하나이다. 인체에서 소금의 중요성에 대한 인식은 古今을 막론하고 일치한다는 것을 알 수 있다. 그렇지만 李時珍이 말한 소금은 補心을 통해 補脾효능을 나타낸다는 관점은, 역대로 논술한 바가 많지 않으며, 또한 현재 임싱에시도 사용하는 경우가 적으므로, 이에 대하여서는 향후 좀 더 깊이 있는 연구가 필요하다.

【醫案】

1. 虛寒泄瀉『靜香樓醫案』: 中氣虛寒하여 날씨가 추워지면 설사를 하거나, 火로 인한 齒衄에 사용한 경우로, 이것은 古人이 胸中에는 積集된 殘火가 있고 腹內에는 久積된 沈寒이 있다고 말한 것이다. 본 증상은

溫補中氣하여 脾土가 厚해지면 火가 저절로 삭아든다. 四君子湯에 益智仁·乾薑을 넣는다.

2. 妊娠惡阻『黑龍江中醫藥』(1989, 1:4): 여자, 25세. 임신 2개월, 食欲不振, 惡心欲吐 증상이 심해져서 입원하였다. 양약치료를 4일 동안 받았으나 효과가 없었으며 식사를 할 수 없을 정도로 자주 嘔吐하고, 먹으면 증상이 더욱 심해져서 황녹색의 苦水를 吐하였고, 脘悶, 倦怠乏力, 思睡, 舌淡苔薄, 脈滑無力하였다. 四君子湯에 陳皮 20 g, 竹茹 15 g, 厚朴 10 g을 넣고 1첩을 복용한 후에 脘內가 편안해지고 惡心이 줄었으며 嘔吐가 나오지 않고 식사를 할 수 있게 되었다. 4첩을 복용한 날 오후에 惡心이 미약하게 약 1시간 동안 지속되었으나, 결국에는 吐하지 않고 惡心도 진정되고 식욕이 증진되었다.

3. 小兒低熱『四川中醫』(1984, 1:44): 남자, 6세. 평소 脾胃虛弱하고, 자주 大便溏薄하고 納食不良했다. 1개월 전 中毒性消化不良 때문에 입원 치료를 받았으며, 吐瀉가 멎은 후에 低熱이 오랫동안 지속되고 떨어지지 않아서 여러 가지 검사를 받고 "기능성저열"로 진단받았다. 진료 당시 환자의 증상은 面色白, 肢倦乏力, 語聲低微, 不思飮食, 자주 입이 마르고 뜨거운 음료를 마시는 것을 좋아했다. 額角 및 두 手心에 發熱이 있고, 舌質胖潤, 苔薄白, 脈細緩無力하고, 체온은 37.5~38.5℃ 사이였다. 본 증상은 吐瀉 후 脾胃虛弱하여 元氣가 손상되고 虛陽外浮한 發熱에 해당하기 때문에 四君子湯으로 補氣健脾하고, 山藥·天花粉을 넣어 脾胃의 陰을 滋養하여 陰平陽秘하도록 하였다. 5첩을 복용한 후 열이 내리고 병이 나았다.

考察: 醫案1의 泄瀉에 수반된 齒齘證은 脾胃虛弱, 運化無力, 中虛氣餒, 虛陽上浮로 인해서 발병한 것으로 中氣虛寒하기 때문에 四君子湯에 益智仁·乾薑을 넣어 益氣溫中補脾하는 효능을 나타내도록 하였다. 본방은 四君子湯과 理中丸의 合法으로, 溫補中氣하면 脾土가 厚하여 虛火가 저절로 없어지게 된다. 醫案2의 妊娠惡阻는 脾胃虛弱하여 胃氣上逆해서 발병한 것으로 四君子湯에 理氣和胃하는 陳皮·竹茹·厚朴을 넣어 효과를 거두었다. 醫案3은 脾胃氣虛, 中虛陽浮로 인해 發熱한 것으로 四君子湯에 脾胃의 陰을 滋養하는 山藥·天花粉을 넣어 脾胃의 陰陽을 平調하게 하여 5첩을 복용한 후 평안하게 되었다. 위에서 볼 수 있듯이, 대체로 脾胃氣虛證은 임상에서 나타나는 증상의 표현에 관계없이 본 방제를 化裁해서 치료하면 모두 양호한 치료효과를 볼 수 있다.

【副方】

1. 異功散(『小兒藥證直訣』卷下): 人蔘 切, 去頂 茯苓 去皮 白朮 陳皮 剉 甘草 各等分(6 g).

- 用法: 위의 약을 細末하여 매번 二錢(6 g)을 복용하는데, 물 一盞에 生薑 五片, 大棗 二枚를 넣고 함께 10분의 7이 되게 달여 식전에 따뜻하게 복용한다.
- 作用: 益氣健脾, 行氣化滯.
- 適應症: 脾胃氣虛兼氣滯證을 치료한다. 飮食減少, 大便溏薄, 胸脘痞悶不舒하거나 嘔吐泄瀉 등의 증상을 치료한다. 현대에는 脾胃氣滯에 해당하는 소아의 소화불량에 사용한다.

2. 保元湯(『博愛心鑑』卷上): 人蔘 一錢(3 g) 黃芪 三錢(9 g) 甘草 一錢(3 g) 肉桂 五~七分(1.5~2 g).

- 用法: 물로 달여 복용한다.
- 作用: 益氣溫陽.
- 適應症: 虛損勞怯, 元氣不足을 치료한다. 倦怠乏力, 少氣畏寒 및 小兒痘瘡, 陽虛頂陷, 不能發起灌漿者를 치료한다.

異功散은 四君子湯에 陳皮를 넣어 行氣化滯하고, 生薑·大棗를 넣어 調和脾胃하게 만든 것으로, 四君子湯보다 行氣和胃의 효능이 더욱 뛰어나다. 또한 補氣하되 滯氣하지 않으며 健脾和胃한 효능이 더 뛰어난 방제이기 때문에 脾胃氣虛에 胸脘痞悶 등의 氣滯證狀

이 함께 나타나는 환자를 치료하는데 적합하다. 保元湯은 四君子湯의 人蔘·甘草를 取하고, 여기에 黃芪를 넣어서 人蔘의 補氣力을 돕고, 소량의 肉桂를 배합해서 溫暖下元하고, 氣血生長을 촉진한다. 본 방은 純補無瀉하고, 溫補陽氣가 매우 뛰어난 방제이므로 虛損勞怯·元氣不足한 제반 증상을 치료하는데 적합하다.

六君子湯

(『太平惠民和劑局方』, 錄自『醫學正傳』卷3)

【組成】 陳皮 一錢(3 g) 半夏 一錢五分(4.5 g) 茯苓 一錢(3 g) 甘草 一錢(3 g) 人蔘 一錢(3 g) 白朮 一錢五分(4.5 g)

【用法】 위의 약을 잘게 썰어 1첩으로 한다. 大棗 二枚, 生薑 三片과 새로 길은 물에 달여 복용한다.

【效能】 益氣健脾, 燥濕化痰.

【主治】 脾胃氣虛兼痰濕證을 치료한다. 증상은 面色萎白, 語聲低微, 氣短乏力, 食少便溏, 咳嗽痰多色白, 惡心嘔吐, 胸脘痞悶, 舌淡苔白膩, 脈虛하게 나타난다.

【病機分析】 脾는 주로 運化의 기능을 담당하여, 첫째로 음식에서 흡수한 水穀精微를 心肺로 전달하고 나아가 온몸의 臟腑組織器官에 영양을 보충한다. 둘째로 음식물을 소화한 것에 기초하여, 이 중 일부의 水液을 흡수하여 心肺까지 전달하기도 한다. 즉 "食氣入胃, 濁氣歸心……飮入于胃, 游溢精氣, 上輸于脾, 脾氣散精, 上歸于肺"(『素問』·「經脈別論」)와 "夫飮食入胃……津液與氣, 入于心, 貫于肺"(『脾胃論』卷上)의 의미이다. 脾의 運化기능은 주로 脾氣의 推動작용과 脾陽의 溫煦작용에 의해 발휘된다. 만약 脾氣가 虛弱하여 運化 기능을 상실하면, 소화와 흡수 기능이 감소하고 氣血生化의 원천이 부족하게 되어 納少便溏, 面色少華 증상이 나타나고, 土不生金하여 肺氣가 失充되면 少氣懶言, 語聲低微 증상이 나타난다. 또한 水液代謝가 失常되면, 水濕停滯하고 凝滯不化하여 積聚成痰하게 된다. 이는 바로 張介賓이 말한 "脾主濕, 濕動則爲痰"(『景岳全書』卷)과 같은 의미이다. 痰은 有形之邪로서, 쉽게 氣機를 阻滯할 뿐만 아니라, 또한 항상 氣機를 따라 상승하여 肺를 犯하기도 한다. 그러므로 咳嗽痰多·胸脘痞悶·惡心嘔吐 등의 肺胃氣逆, 氣機失暢한 증상으로 나타나기도 한다. "脾爲生痰之源, 肺爲貯痰之器"라는 것은 바로 이러한 病機變化를 요약한 것이다. 따라서 脾氣虛弱, 濕聚成痰이 本證의 기본 病機가 된다.

【配伍分析】 본 방제는 四君子湯에 半夏·陳皮를 加하여 이루어졌으므로, 脾虛가 本이며, 痰濕이 標가 되는 證의 治療에 사용한다. 李中梓는 "脾爲生痰之源, 治痰不理脾胃, 非其治也."(『醫宗必讀』卷9)라고 하였으며, 張介賓 역시 "見痰休治痰", "善治痰者, 治其生痰之源"(『景岳全書』卷31)이라 하였다. 따라서 四君子(人蔘·白朮·茯苓·甘草)로 益氣補虛, 健脾助運하여 脾虛한 本을 회복하고 生痰之源을 예방하였으며, 또한 白朮을 重用하여, (四君子湯이 等量으로 쓰인 原方과 비교하여) 健脾助運, 燥濕化痰을 더욱 증강하였다. 半夏는 辛溫而燥하여 濕痰을 化하는 要藥이며, 또한 降逆하여 和胃止嘔한다. 『藥性論』에서는 이를 "消痰, 下肺氣, 開胃健脾, 止嘔吐, 去胸中痰滿"(『證類本草』卷10)이라고 하였다. 陳皮 역시 辛溫苦燥한 약재로, 調理氣機하여 胸脘의 痞를 제거할 수 있을 뿐만 아니라, 和胃止嘔하여 胃氣上逆을 내려준다. 이밖에도 燥濕化痰하여 濕聚한 痰을 제거할 수 있으며, 陳皮의 行氣의 효능은 化痰작용을 도움으로써, "氣順則痰消"의 의미를 잘 보여준다. 半夏와 陳皮 二藥의 배합은 燥濕化痰·和胃降逆 효능이 서로 협력 및 보완되어 장점이 더욱 더 잘 나타나는 相須배합으로 痰阻한 標를 제거한

다. 전탕시에 소량의 生薑·大棗를 첨가하는 것은 四君子湯의 益脾 효능을 돕고 半夏·陳皮와 配伍되어서는 和胃할 수 있기 때문이다. 본 방제는 四君子湯과 二陳湯(陳皮·半夏·茯苓·甘草)을 배합하여 조성된 것으로, 두 방제를 함께 사용함으로써 甘溫益氣하되 碍邪하지 않고 行氣化滯하되 傷正하지 않아, 脾氣를 충실하게 하고 運化를 회복하게 하여 濕濁이 제거되므로 痰滯가 점차 사라지게 된다.

본 방제의 配伍 특징은 益氣健脾藥과 燥濕化痰藥을 配伍하여 補瀉를 병행함으로써 標本兼治하는데 있다. 또한 甘溫補脾로 運化를 도움으로서 生痰의 근원을 막을 수 있고, 燥濕化痰으로 中焦의 濕을 제거함과 동시에 脾運의 회복을 돕기 때문에, 이 두 종류의 약이 서로 조화를 이루어 益氣健脾하며 燥濕化痰하는 효능을 발휘하게 된다.

본 방제는 四君子湯을 加味하여 조성된 방으로 陳皮·半夏의 성질은 비록 비교적 溫燥하나 峻猛攻逐한 藥은 아니기 때문에, 六藥을 配伍하면 補하는 가운데 消하고, 補하되 滯하지 않아, 四君子湯의 甘溫沖和한 성질과 유사하므로 "六君子湯"이라 하였다. 즉 吳昆이 말한 "名之曰六君子者, 表半夏之無毒, 陳皮之弗悍, 可以與蔘·苓·朮·草比德云爾!"(『醫方考』 卷3)와 같다.

【類似方比較】 본 방제는 四君子湯을 加味해서 만들어 졌으며, 六君子湯과 四君子湯 모두 益氣健脾한다. 四君子湯은 益氣健脾하여 脾胃氣虛證을 치료하는 基本方인 반면, 六君子湯은 四君子湯을 기초로 해서 白朮을 重用하고, 또한 半夏·陳皮를 加하였으므로 燥濕化痰和胃한 효능이 증강되어 脾胃氣虛에 痰濕內阻·肺胃氣逆을 동반한 증상을 치료하는데 적합하다.

【臨床應用】

1. 證治要點: 본 방제는 脾胃氣虛兼痰濕證을 치료하는 常用方劑이다. 食少便溏, 胸脘痞悶, 咳嗽痰多色白, 舌淡苔白膩, 脈虛가 本方의 사용요점이다.

2. 加減法: 氣虛가 비교적 심한 경우에는 人蔘·白朮을 重用하고, 痰多壅盛한 경우에는 半夏·陳皮를 重用하고, 畏寒怕冷한 경우에는 炮薑·附子를 넣어 溫中祛寒하고, 痰多淸稀한 경우에는 乾薑·細辛을 넣어 溫肺化飮한다.

3. 六君子湯은 다음 한국표준질병사인분류(KCD)에 해당하는 환자가 脾胃氣虛兼痰濕證으로 辨證되는 경우 본 처방의 사용을 고려해볼 수 있다.

처방 목표	한국표준질병사인분류(KCD)
十二指腸潰瘍	K26 십이지장궤양
化學療法 消化器 毒性 副作用	Z54.2 화학요법후 회복기
파킨슨씨病	G20 파킨슨병
貧血	D50~D53 영양성 빈혈
	D55~D59 용혈성 빈혈
	D60~D64 무형성 및 기타 빈혈
慢性腎炎	N03 만성 신염증후군

【注意事項】 본 방제는 성질이 비교적 溫燥하기 때문에 眞陰虧損한 환자의 경우에는 사용을 忌한다.

【變遷史】 六君子湯은 『局方』에서 인용한 『醫學正傳』卷3에 처음 출현하였으며, 그 구성 및 命名으로 보아 四君子湯에 陳皮·半夏를 加하여 구성된 방제임이 분명하다. 본 방제가 치료하는 증후에 대하여 原書에서는 단지 "痰夾氣虛發呃"로 매우 간략하게 기록하였으나, 이를 明代의 薛己가 『外科發揮』卷5에서 한층 더 보충하였다. 즉 "一切脾胃不健, 或胸膈不利, 飮食少思, 或作嘔, 或食不化, 或膨脹, 大便不實, 面色萎黃, 四肢倦怠"를 치료한다고 하여, 본 방제는 "一切脾胃不健"을 치료하기 위해 조성되었음을 명확하게 밝혔다. 이후의 역대 의학자들은 본 방제를 임상에서 "口舌生瘡"(『口齒類要』·「口瘡」)·"帶下"(『濟陰綱目』卷3)·"痔漏"(『羅氏會約醫鏡』卷12)·"驚搐"(『證治準繩』·「幼科」卷2)·"瘡瘍久潰不斂"(『證治準繩』·「瘍醫」卷2) 등의 증상을

치료하는데 응용하였다. 본 방제의 구성 약재를 살펴보면, 四君子湯은 益氣健脾의 專方이며, 陳皮·半夏는 燥濕化痰의 要藥으로, 이를 배합하면 補中益氣하는 동시에 燥濕化痰하는 효능을 지닌 방제로 활용할 수 있다. 따라서 후세에 본 방제를 응용해서 치료 범위를 확대하였다하더라도 그 증후는 모두 脾胃氣虛에 痰濕內蘊의 증상을 동반한 基本病理를 벗어나지 않아야 한다. 兼證에 따라 方劑의 加減化裁를 진행하는 것은 處方과 用藥의 임상에 있어 중요한 방법중의 하나이며, 이는 한의학의 辨證論治의 특색을 구현하는 것으로, 이로 인해 발전된 수많은 名方이 생겨나게 되었다. 본 방제는 바로 그 본보기가 되는 사례이다. 清代의 名醫 柯琴은 본 방제를 기초로 木香·砂仁를 加하여 "香砂六君子湯"을 創製하여 脾胃氣虛, 濕阻氣滯의 證을 치료하는데 활용하였으며, 이 방제는 六君子湯과 함께 임상에서 뛰어난 명성을 얻어 역대 의학자들에게 널리 사용되었다.

본 방제는 본래 湯劑로 되어 있으나, 현대에는 方劑 중의 人蔘을 黨參으로 바꾸고 丸劑로 제조하기도 하는데 이를 "六君子丸"(『中藥成方配本』)이라고 한다.

【醫案】

1. 瀉痢 『壽世保元』·「丙集」 卷3: 한 사람이 痢를 앓았는데 後重하여, 스스로 芍藥湯을 복용하였으나, 後重이 더 심해지고, 飮食少思, 腹寒肢冷하였다. 이를 脾胃虧損으로 판단하고 六君子湯에 木香·炮薑을 加하여 2첩을 복용하게 하여 치유하였다.

2. 呑酸 『壽世保元』·「丙集」 卷3: 한 부인이 呑酸噯腐, 嘔吐痰涎, 面色純白하였다. 二陳·黃連·枳實類로 치료하였으나 發熱作渴, 肚腹脹滿의 증상이 추가되었다. 내가 이것은 脾胃虧虛한 것으로 아직 寒中은 아니다라고 하였으나, 不信하여 여전히 火治하여, 벌레에 물려 독이 퍼진 것처럼 사지가 부어올랐다. 六君子湯에 附子·木香을 넣어서 치료를 한 후 胃氣가 점차 회복되고, 식욕이 점차 나아졌으며, 虛火歸經하였다. 다시 補中益氣湯에 炮薑·木香·茯苓·半夏를 加하여 복용하게 한 후 완전히 치유되었다.

3. 眩暈痞悶 『張氏醫通』卷3: 뜻하지 않은 憤한 일로 眩暈痞悶해서 3개월 가량 豁痰利氣藥을 복용했으나 효과가 없었으며, 오히려 피곤하고 食欲이 줄어들고, 下元乏力하였다. 7월 하순에 石頑(張璐)에게 진찰을 받았으며, 당시 환자는 六脈이 有餘한 듯하였으나, 指下는 沖和之氣가 약간 부족하고, 氣口脈이 홀로 不調하여 脈이 時大時小했으며, 兩尺脈은 모두 濡大少力했다. 본 환자는 평소 痰濕이 많아 점차 水土二經에 쌓이고, 여기에 剝削하는 약을 여러 차례 복용한 후 中氣를 傷하고 疲倦少食하여 발병하게 되었다. 治法은 우선 中氣를 조절해서 水穀精微를 전달하고 그런 다음에 서서히 溫補下元하도록 하였다. 六君子湯에 當歸를 넣어서 營血을 함께 조절하여, 無化의 우려가 없게 하였다.

考察: 세 가지 驗案은 모두 의학자가 誤治하여 탈이 난 것으로 六君子湯을 사용하고 나서 효과를 본 것이다. 醫案1의 痢疾은 芍藥湯을 복용한 후 後重이 더 심해졌다. 이 경우의 下痢後重은 脾胃虛弱, 腸失傳導에 의한 것이지 濕熱로 발생한 것이 아님에도, 의학자가 苦寒清熱解毒劑를 투여해서 陽을 더욱 손상시켰기 때문에 원래의 痢疾도 낫지 않았는데, 納差·腹寒·肢冷등이 또 발생한 것이다. 본 증상은 中焦虛寒, 納運失司한 것으로 六君子湯으로 益氣健脾하고, 또한 木香으로 行氣하고, 炮薑으로 溫裏하여 中焦陽氣를 보충하여 胃納脾運을 회복시켰는데, 2첩을 복용한 후 모든 증상이 완치되었다고 했다. 醫案2의 呑酸噯腐, 嘔吐痰涎은 脾胃虧虛, 痰濕中阻로 발생한 것이기 때문에 원래는 益氣健脾, 燥濕化痰해야 하지만, 의학자가 오히려 苦寒傷中, 辛燥破氣하는 黃連·枳實類를 계속 투여하여 거듭 脾胃를 傷하게 하여 마침내 中陽亦衰, 虛火上浮, 水濕泛溢, 肢體腫滿한 증상이 발생했다. 결국에는 六君子湯으로 益氣健脾, 燥濕化痰하게 하고 木香으로 理氣醒脾하고, 附子로 溫煦中陽하게 해서 脾胃

의 陽氣가 점차 회복되고, 식욕이 증가하였으며 虛火歸原하게 되었다. 이어서 補中益氣湯을 배합해서 益氣升陽한 후에 완쾌되었다. 醫案3의 眩暈痞悶은 痰濕中阻, 淸陽不升해서 발병하는 것이지만, 本病의 근본은 脾胃의 氣가 虛餒한 것에 있다. 의학자가 그 근원을 알지 못하고 오히려 여러 차례 豁痰利氣하는 방제를 투약해서 中氣를 반복하여 傷하여 中虛痰滯가 더욱 심해졌다. 결국에는 六君子湯加味로 益氣健脾, 燥濕化痰하여 유효하였다.

【副方】 香砂六君子湯(柯琴方, 錄自『古今名醫方論』卷1): 人蔘 一錢(3 g) 白朮 二錢(6 g) 茯苓 二錢(6 g) 甘草 七分(2 g) 陳皮 八分(2.5 g) 半夏 一錢(3 g) 砂仁 八分(2.5 g) 木香 七分(2 g) 生薑 二錢(6 g).

- 用法: 물로 달여 복용한다.
- 作用: 益氣化痰, 行氣溫中.
- 適應症: 脾胃氣虛하고 濕阻氣滯한 증상을 치료한다. 嘔吐痞悶, 不思飮食, 脘腹脹痛, 消瘦倦怠하거나 氣虛腫滿등을 치료한다.

본 방제는 六君子湯에 木香·砂仁을 넣고 만들어진 것이므로 "香砂六君子湯"이라고 부른다. 木香과 砂仁은 모두 性味가 辛溫芳香하고 脾胃로 歸經하는데, 砂仁은 行氣化濕이 뛰어나고 木香은 行氣止痛이 뛰어나다. 두 약을 六君子湯에 배합하면 行氣止痛과 燥濕健脾의 효력이 더욱 증가되므로 脾胃氣虛, 濕阻氣滯, 脘腹脹痛의 증상을 치료하는데 적합하다.

六君子湯과 본 방제는 모두 人蔘·白朮·茯苓·甘草·半夏·陳皮로 구성되어, 益氣健脾, 燥濕和胃하는 효능이 유사하지만, 六君子湯은 半夏·白朮을 重用하여 燥濕化痰이 뛰어나므로 脾肺를 함께 치료하고, 본 방제는 白朮·茯苓을 重用하여 健脾化濕이 뛰어나 脾를 치료하는데 뛰어나다. 임상에서 증상의 우선 순위를 판단해서 용통성있게 선택하여야 한다.

"香砂六君子湯"은 同名異方이 다수 존재하지만, 대부분 六君子湯을 加味해서 만들어진 方이다. 본 방제와 비교적 유사한 것으로는 砂仁·香附子·藿香을 더한 방제(『明醫雜著』卷6), 砂仁·藿香을 더한 방제(『口齒類要』), 砂仁·香附子를 더한 방제(『杏苑生春』卷4), 砂仁·木香·烏梅를 더한 방제(『張氏醫通』卷16) 등이 있다. 香砂六君子湯의 同名異方은 비록 약물구성은 大同小異하지만, 일반적으로는 본 香砂六君子湯(柯琴方)이 通用되고 있다.

蔘苓白朮散

(『太平惠民和劑局方』卷3 紹興續添方)

【異名】 白朮調元散(『痘疹全集』卷13), 蔘朮飮(『張氏醫通』卷16), 白朮散(『全國中藥成藥處方集』)

【組成】 蓮子肉 去皮 一斤(500 g) 薏苡仁 一斤(500 g) 縮砂仁 一斤(500 g) 桔梗 炒令深黃色 一斤(500 g) 白扁豆 薑汁浸, 去皮, 微炒 一斤半(750 g) 白茯苓 二斤(1 kg) 人蔘 去蘆 二斤(1 kg) 甘草 炒 二斤(1 kg) 白朮 二斤(1 kg) 山藥 二斤(1 kg)

【用法】 위의 약을 곱게 분말로 갈아서 二錢(6 g)을 棗湯에 타서 복용한다. 소아의 경우 나이를 참작하여 용량을 조절한다(현대용법: 湯劑로 달여 복용하며, 용량은 原方의 비율에 맞게 참작해서 增減한다).

【效能】 益氣健脾, 滲濕止瀉.

【主治】

1. 脾胃氣虛夾濕證을 치료한다. 증상은 飮食不化, 胸脘痞悶, 或吐或瀉, 四肢乏力, 形體消瘦, 面色萎黃, 舌淡苔白膩, 脈虛緩하게 나타난다.

2. 肺脾氣虛夾痰濕證을 치료한다. 증상은 咳嗽痰多色白, 胸脘痞悶, 神疲乏力, 面色白, 納差便溏, 舌淡苔白膩, 脈細弱而滑하게 나타난다.

【病機分析】 脾는 運化를 主하고, 胃는 受納을 主한다. 만약 脾胃虛弱하면, 納運 기능에 장애를 일으켜, 첫째 津液不化해서 凝聚成濕하기 때문에 "諸濕腫滿, 皆屬于脾"하게 되고, 둘째 飮食不化하면 氣血의 根源이 부족해지기 때문에 "脾爲後天之本"이이라 하였다. 濕阻中焦하면 脾胃升降이 실조하고, 淸濁不分하게 되어, 胃氣上逆하여 嘔吐가 발생하고, 濕濁下趨하여 泄瀉가 발생하게 된다. 濕聚하여 痰이 되면, 肺에 쌓이게 되어서 咳嗽白色痰多하게 된다. 濕은 重濁黏滯하므로 氣機를 막아, 胸悶不舒, 脘痞失暢한 증상이 나타나게 된다. 氣血이 不足하면, 肢體의 濡養을 상실하게 되므로 四肢無力, 形體消瘦, 面色萎黃한 증상이 나타난다. 舌淡, 苔白膩, 脈虛緩 등은 모두 脾虛에 濕을 겸한 증상이다. 따라서 脾胃氣虛, 運化失司, 濕濁內生이 本證의 기본 病機가 된다.

【配伍分析】 본 방제는 脾虛夾濕의 證을 치료하기 위해 만들어진 것으로, 治法은 補益脾胃에 滲濕을 겸해야 한다. 『素問』·「刺法論」에서 "欲令脾實……宜甘宜淡"이라고 하였듯이, 方劑 중의 人蔘은 甘溫하고 주로 脾經으로 入하여 脾胃의 氣를 補하는데 뛰어나다. 白朮은 甘溫하지만 性이 燥하므로 益氣補虛할 뿐 아니라 健脾燥濕한다. 茯苓은 甘淡하므로 利水滲濕하고 健脾助運하는 要藥이 된다. 蔘·朮을 배합하면 益氣補脾가 더욱 강해지고, 苓·朮을 配伍하면, 除濕運脾가 더욱 뚜렷해진다. 蔘·朮·苓을 함께 배합하면, 脾氣가 충만해져서 化濕하게 되고, 濕濁이 제거되면 또한 저절로 健脾하게 된다. 세 가지 약을 배합하면 益氣健脾滲濕의 작용을 발휘하므로, 모두를 君藥으로 삼으며, 본 방제는 이 세 가지 약으로 이름을 지었다. 山藥은 甘平하며, 또한 『神農本草經』卷1에서는 "主傷中, 補虛羸……補中益氣力, 長肌肉, 久服耳目聰明"이라고 하였듯이, 平補脾胃한다. 蓮子肉은 甘平澀해서, 補脾하고 厚腸胃하며, 澀腸止瀉하는데 뛰어나고, 또한 健脾開胃하고 食欲을 증진시키므로, 이 두 약은 人蔘·白朮을 도와서 健脾益氣하고, 厚腸止瀉한다. 扁豆는 甘平하여 補中, 健脾化濕하고, 薏苡仁은 甘淡微寒하여 健脾利濕한다. 두 약은 白朮·茯苓을 도와서 健脾助運, 滲濕止瀉하게 한다. 따라서 위의 네 가지 약을 모두 臣藥으로 삼았다. 砂仁은 辛溫芳香하여 化濕醒脾, 行氣和胃하므로 朮·苓·扁·薏의 除濕을 돕고, 또한 濕으로 인한 氣滯를 잘 통하게 한다. 桔梗은 宣開肺氣하고 通利水道하여 모든 약의 성질을 上行하게 하여 培土生金하므로 砂仁과 함께 佐藥으로 삼았다. 炙甘草는 益氣和中, 調和諸藥하므로 使藥으로 삼았다. 大棗煎湯과 함께 복용하는 것은 補益脾胃를 더욱 증가시키기 위함이다. 그러므로 위의 모든 약재를 配伍하여, 中焦의 虛를 補하고, 脾氣의 運化를 돕고, 停聚한 濕을 滲利시키고, 氣機의 滯를 통하게 하면, 脾胃의 受納과 健運이 회복되어 모든 증상이 제거된다.

본 방제의 配伍특징은 세 가지가 있다: 첫째는 益氣補脾藥과 滲濕止瀉藥을 配伍해서, 虛實을 함께 치료한다. 둘째는 桔梗을 配伍하여 藥性이 上行入肺하여 肺氣를 宣通하게 하며, 또한 方中의 다른 약과 配伍되어 다방면에서 치료 작용을 발휘한다. 셋째는 甘淡平和한 약재를 사용하여 補하되 滯하지 않고, 利하되 峻하지 않기 때문에 久服하여도 특별한 이상반응이 없다.

【類似方比較】 본 방제와 四君子湯은 모두 益氣健脾하는 방제이다. 본 방제는 四君子湯을 기초로 하여 山藥·蓮子肉·薏苡仁·白扁豆·砂仁·桔梗 등의 滲濕止瀉, 調理氣機하는 약을 넣어 구성한 것이다. 두 방제는 모두 補氣健脾 작용을 하지만, 四君子湯은 補氣를 위주로 해서 脾胃氣虛證을 치료하는 基本方이 되고, 본 방제는 和胃滲濕 및 保肺作用을 겸하기 때문에 脾胃氣虛에 濕을 동반한 泄瀉證을 치료하는데 적합하며, 또한 肺脾氣虛에 痰濕을 동반한 咳嗽證을 치료할 수 있으므로, "培土生金"의 常用方劑 중의 하나가 된다. 본 방제와 六君子湯은 모두 脾胃氣虛에 痰濕을 겸한 證

을 치료할 수 있으며, "培土生金"의 治法을 구현한 방제이다. 그렇지만 六君子湯은 四君子湯에 二陳湯을 配伍해서 구성한 것으로 燥濕化痰의 효력이 비교적 뛰어나고, 본 방제는 四君子湯에 滲濕止瀉하는 약재를 配伍해서 구성한 것으로 健脾化濕治本에 중점이 있으므로, 주로 脾虛에 濕을 겸한 泄瀉證에 사용하는데, 임상응용시에는 標本의 輕重緩急에 근거해서 융통성 있게 선택하여야 한다. 요약하면, 세 방제는 모두 益氣健脾하지만 차별점이 존재하므로 임상에서 증상에 맞게 선택하여 사용하여야 한다.

【臨床應用】

1. 證治要點: 본 방제는 약성이 平和하고, 溫하되 燥하지 않다. 임상에서 응용할 때, 脾胃氣虛뿐만 아니라 泄瀉, 咳嗽咯痰色白, 舌苔白膩, 脈虛緩한 증상이 本方의 사용요점이다.

2. 加減法: 裏寒과 腹痛을 동반하는 경우에는 乾薑·肉桂를 넣어 溫中祛寒止痛하고, 納差食少한 경우에는 炒麥芽·焦山楂·炒神曲 등을 넣어 消食和胃하고, 白痰이 많은 경우에는 半夏·陳皮 등을 넣어 燥濕化痰하게 한다.

3. 蔘苓白朮散은 다음 한국표준질병사인분류(KCD)에 해당하는 환자가 脾胃氣虛夾濕證, 肺脾氣虛夾痰濕證으로 辨證되는 경우 본 처방의 사용을 고려해볼 수 있다.

처방 목표	한국표준질병사인분류(KCD)
慢性胃炎	K29.3 만성 표재성 위염
	K29.4 만성 위축성 위염
	K29.5 상세불명의 만성 위염
慢性腸炎	K52 기타 비감염성 위장염 및 결장염
貧血	D50~D53 영양성 빈혈
	D55~D59 용혈성 빈혈
	D60~D64 무형성 및 기타 빈혈
肺結核	A15 세균학적 및 조직학적으로 확인된 호흡기결핵
	A16 세균학적으로나 조직학적으로 확인되지 않은 호흡기결핵
慢性氣管支炎	J41 단순성 및 점액화농성 만성 기관지염
	J42 상세불명의 만성 기관지염
慢性腎炎	N03 만성 신염증후군
婦女帶下	N89.8 질의 기타 명시된 비염증성 장애

【變遷史】 본 방제는 原書에서 "脾胃虛弱, 飮食不進, 多困少力, 中滿痞噎, 心忪氣喘, 嘔吐泄瀉, 及傷寒咳噫"를 치료한다고 하였고, 久服하면 "養氣育神, 醒脾悅色, 順正辟邪"한다고 여겼다. 그 증상을 자세히 분석해 보면, 納差倦怠와 中滿吐瀉는 中虛濕阻한 증상이고, 氣喘咳逆은 肺虛氣弱한 증상이다. 그러므로 본 방제는 후세에 脾胃氣虛泄瀉證의 치료와 "培土生金"의 代表方劑로 여겨졌다. 또한 본 방제는 四君子湯에 薏苡仁·蓮子肉·白扁豆·山藥·砂仁·桔梗 등 대부분 滲濕止瀉, 理氣和中하는 약을 加味하여 조성된 방제로, 加味에 의하여 平補脾胃한 방제가 益氣健脾, 滲濕止瀉한 방제로 변화된 것이다. 汪昂은 『醫方集解』에서 본 방제에 陳皮를 加하였는데, 이는 辛溫苦降한 성질을 추가하여 본 방제의 行氣健脾, 燥濕和胃를 증가시킨 것이다. 『太平惠民和劑局方』卷3에서는 본 방제를 "此藥中和不熱, 久服養氣育神, 醒脾悅色, 順正辟邪"라고 하였으며, 또한 謝觀은 "此方不寒不熱, 性味和平, 調理病後痢後尤宜. 常服調脾悅色, 順正去邪, 功難盡述"이라고 칭송하였다. 蔘苓白朮散의 치법확립 및 방제구성은 후세의 中虛泄瀉證 치료에 지대한 영향을 끼쳤다. 예를 들어 北宋의 錢乙은 본 방제를 본보기로 삼아서 "七味白朮散"을 창제하였는데, 四君子湯으로 補脾하고, 藿香·木香으로 芳香化濕, 和胃止嘔, 行氣暢中하게 하였으며, 上浮하는 桔梗을 升淸하는 葛根으로 대체하여 補脾止瀉의 方劑로 변용하여 小兒의 脾虛久瀉를 치료하는데 사용하였다. 淸代의 繆希雍은 妊娠婦의 脾胃虛衰泄瀉 치료를 위하여, 蔘苓白朮散의

뜻을 따라 본 방제에 和胃化濕淸熱하는 藥을 加하여 "資生丸"을 만들었다. 이 두 처방은 모두 대대로 전해지는 名方이 되었다.

본 방제는 원래 散劑인데 후세에는 장기복용의 편리를 위해 丸劑나 膏劑로 만들고 이를 각각 "蔘苓白朮丸"(『醫林繩墨大全』卷2)·"蔘苓白朮膏"(『雜病源流犀燭』卷29)라고 하였다.

【難題解說】 方劑 중의 桔梗의 配伍의의: 桔梗은 苦辛平하다. 본 방제에서 桔梗을 사용한 것은, 첫째 桔梗은 升浮하므로, 제반 滲利藥과 配伍되어 降하는 가운데 升하게 하여 氣機升降의 회복을 돕고, 아울러 砂仁과 配伍되어서는 理氣한다. 이는 바로 『馮氏錦囊秘錄』卷5에서 말한 "桔梗入肺, 能升能降. 所以通天氣于地道, 而無痞塞之憂也"와 같으며, 『醫方集解』·「補養之劑」에서 말한 "桔梗苦甘入肺, 能載諸藥上浮, 又能通天氣于地道, 使氣得升降而益和"와 같다. 둘째 桔梗은 肺로 引經하는데, 肺는 水의 上源으로, 肺氣가 宣通하면 水道가 通利하여 濕이 제거된다. 셋째 桔梗은 宣利肺氣하여 肺가 布精하여 전신을 養하도록 한다. 넷째 桔梗은 舟楫으로, 補脾하는 약을 上行시켜, 脾氣의 上升을 유도하고 肺에 輸精되게 하므로 "培土生金"한다.

【醫案】

1. 脾虛泄瀉 『福建中醫藥』(1965, 5:39): 여자, 48세. 腹瀉 병력이 있고, 자주 腹痛腸鳴이 있었다. 최근 여러 달 동안 매일 묽은 변을 2~3회 보고, 胃의 受納이 不良하며, 식욕이 없고 形瘦神疲, 舌質淡白, 脈虛弱無力하였다. 본 증상은 脾虛濕瀉이므로 蔘苓白朮散을 위주로 健脾滲濕하였다. 處方: 西黨參 9 g, 焦白朮 9 g, 白茯苓 9 g, 淮山藥 12 g, 炒扁豆 9 g, 薏苡仁 12 g, 苦桔梗 3 g, 縮砂仁杵冲 2.4 g, 炒蓮肉 9 g, 炙甘草 3 g. 3첩을 복용한 후 腹瀉가 멎었고, 다시 7첩을 복용한 후, 胃의 受納이 증가하고 대변이 정상으로 돌아왔다.

2. 胃虛嘈雜 『福建中醫藥』(1965, 5:39): 여자, 28세. 최근 脘中嘈雜한데 밥을 먹으면 조금 완만해지고, 입맛이 없으며 식후에는 바로 脹悶하고, 大便不實, 舌淡苔白, 脈象虛細하였다. 본 증상은 胃虛해서 腐熟轉輸의 기능이 약해진 것이기 때문에, 마땅히 健脾養胃해야 하므로 蔘苓白朮散의 의미를 따라야 한다. 處方: 西黨參 9 g, 白茯苓 9 g, 焦白朮 9 g, 淮山藥 12 g, 白扁豆 9 g, 薑半夏 4.5 g, 新會陳皮 4.5 g, 炙甘草 3 g. 2첩을 복용한 후 모두 나았다.

3. 胃脘痛 『中醫臨床與保健』(1993, 3:49): 남자, 48세. 上腹部에 隱痛이 있으며, 피로가 쌓이거나, 寒邪에 感觸되면 심해진다. 淸水를 자주 토하고, 음식물을 조금 먹으면, 熱水를 마시게 되고 통증 역시 조금 개선되었지만, 호전과 악화를 반복한지 5년이 되었어도 낫지 않았다. 그 사이에 2번 위장조영검사를 받고 慢性胃炎으로 진단받았다. 진료 당시 환자의 증상은 몸이 瘦瘠하고, 얼굴빛은 萎黃하고, 혀는 약간 胖淡紅하고 齒痕이 있었으며, 苔薄, 脈沉緩하였다. 본 증상은 脾胃虛弱이 本이고, 寒邪傷中이 標이다. 蔘苓白朮散에서 桔梗을 去하고 乾薑·香附·丹參를 加하여 물에 달여 하루 3번 복용시켰다. 6첩을 복용한 후 통증이 사라졌으며, 이후에는 原方에 當歸·炙黃芪를 넣고 20첩을 복용한 후, 胃痛이 재발하지 않았다. 2년 동안의 방문 조사에서도 舊疾이 다시 발생하지 않았음을 확인하였다.

考察: 四診合參의 결과 본 증상은 脾胃虛弱이다. 蔘苓白朮散으로 健脾益氣하고, 여기에 乾薑·香附·丹參등의 辛香走竄, 活血化瘀하는 약을 넣어 증상에 적중하였으며, 계속해서 平和한 성질의 약으로 잘 조리하였다. 수년간의 고질병이 완전 치유되었다.

4. 水腫 『山西中醫』(1994, 4:44): 남자, 36세, 노동자. 1년 넘게 眼瞼 및 顔面에 반복적으로 水腫이 발생하였으며, 피로가 쌓이면 水腫이 더욱 뚜렷하였다. 소변검사·신장기능검사·심전도검사 등을 여러 차례 받았으나 모두 정상이었다. Hydrochlorothiazide·triamterene 등의

이뇨제를 복용하였으나 효과가 좋지 않았다. 진료 당시 환자의 증상은 眼瞼 및 顔面水腫, 疲軟乏力, 胸脘痞塞, 大小便正常, 舌淡, 苔薄白膩, 脈緩弱하였다. 본 증상은 脾胃氣虛로 인해 水濕不利한 것이므로 健脾化濕하여야 한다. 蔘苓白朮散에 黃芪·桂枝를 加하여 5첩을 연속해서 복용한 후, 眼瞼 및 顔面 부위의 水腫이 사라졌으며, 나머지 증상도 호전되었다. 계속해서 原方을 약 5첩 복용한 후 모든 증상이 제거되었다.

考察: 본 환자는 운송 업무에 종사하였으며, 장기간 과도한 업무로 피로가 쌓이고, 식사가 불규칙적이어서 脾胃가 손상되었다. 脾虛하면 運化의 기능이 遲滯되고 水濕停聚해서 浮腫이 생기게 된다. 蔘苓白朮散으로 健脾益氣, 和胃滲濕하고, 黃芪·桂枝를 加하여 益氣通陽하였다. 이러한 약재들은 모두 배합되어 健脾化濕하는 효능을 발휘한다.

5. 行經泄瀉 『福建中醫藥』(1965, 5:39): 여자, 35세, 최근 몇 년 동안 月經때마다 泄瀉, 腹脹微痛, 精神困倦, 飮食少進, 頭目眩暈, 月經或多或少, 色淡, 舌質淡紅, 脈象濡緩無力하였다. 症과 脈을 함께 고려한 결과, 이는 脾胃虛弱, 濕聚中焦로 발병한 것으로, 運脾滲濕, 理氣調經하여야 한다. 處方: 西黨參 9 g, 白茯苓 9 g, 淮山藥 12 g, 薏苡仁 12 g, 炒扁豆 9 g, 炒蓮肉 9 g, 縮砂仁杵冲 2.4 g, 陳橘皮 2.4 g, 生白芍 9 g, 制香附 4.5 g, 粉葛根 4.5 g, 炙甘草 3 g. 위의 방을 加減하여 4첩을 연속해서 복용한 후 모든 증상이 제거되었고, 4개월 동안의 방문 관찰결과 재발이 없었다.

考察: 이상의 醫案1과 醫案5는 모두 久瀉에 神疲食少, 精神困倦, 舌淡苔白或薄膩 등을 수반하는 病例로, 脾虛夾濕으로 진단하고 蔘苓白朮散으로 치료하였는데, 藥과 證이 相合하여 우수한 치료효과를 나타내었다. 醫案2의 脘中嘈雜은 脾胃虛弱하여 발생한 것으로, 濕象은 뚜렷하지 않고, 氣機升降은 평소와 같기 때문에, 蔘苓白朮散에서 滲泄하는 薏苡仁과 開肺하는 桔梗을 제거하고, 다시 和胃調氣하는 半夏·陳皮를 넣었다. 그 결과 2첩을 복용한 후 모든 증상이 완치되었다.

【副方】

1. 七味白朮散(『小兒藥證直訣』卷下, 原名"白朮散"): 人蔘 二錢五分(7 g) 白茯苓 五錢(15 g) 白朮 五錢(15 g) 藿香葉 五錢(15 g) 木香 二錢(6 g) 甘草 一錢(3 g) 葛根 五錢 渴者는 一兩까지 늘린다(15~30 g).

- 用法: 위의 약을 粗末하고 三錢을 물로 달인다.
- 作用: 健脾止瀉.
- 適應症: 脾胃久虛, 嘔吐泄瀉頻作不止, 精液枯竭, 口渴煩躁, 但欲飮水, 乳食不進, 羸瘦困劣한 증상을 치료한다.

七味白朮散은 蔘·苓·朮·草으로 益氣健脾하고, 藿香으로 芳香化濕, 和胃止嘔하고, 木香으로 調氣暢中하고, 葛根으로 升陽止瀉, 生津止渴한다. 이러한 약을 함께 配伍하면 健脾止瀉하는 방제가 된다. 蔘苓白朮散과 비교하면, 두 방제는 모두 四君子湯을 포함하고 있으므로 益氣健脾和胃하여, 脾胃氣虛證을 치료하는 常用方이 된다. 그러나 蔘苓白朮散은 山藥·扁豆·蓮子·薏苡仁 등을 포함하고 있기 때문에 補脾滲濕이 강하고, 또한 培土生金하여 益肺할 수 있으며, 본 방제는 補脾滲濕이 약하며, 또한 桔梗을 葛根으로 바꾸어 脾의 치료를 위주로 하며, 藿香과 葛根은 解表를 겸하기 때문에 脾虛久瀉에 外感을 동반한 사람에게 적합하다.

2. 資生丸(『先醒齋醫學廣筆記』卷2, 原名 "保胎資生丸"): 人蔘 人乳浸, 飯上蒸, 烘乾 三兩(9 g) 白朮 三兩(9 g) 白茯苓 爲細末, 水澄, 蒸, 晒乾, 入人乳再蒸, 晒乾 一兩半(4.5 g) 廣陳皮 去白, 略蒸 二兩(6 g) 山楂肉 蒸 二兩(6 g) 甘草 去皮, 蜜炙 五錢(3 g) 懷山藥 切片, 炒 一兩五錢(4.5 g) 川黃連 如法炒七次 三錢(1 g) 薏苡仁 炒三次 一兩半(4.5 g) 白扁豆 炒 一兩半(4.5 g) 白豆蔻仁 不可見火 三錢五分(1 g) 藿香葉 不見火 五錢(1.5 g) 蓮肉 去心, 炒 一兩五錢(4.5 g) 澤瀉 切片, 炒 三錢半(1 g) 桔梗 米泔浸, 去蘆, 蒸 五錢(1.5 g) 芡

實粉 炒黃 一兩五錢(4.5 g) 麥芽 炒, 研磨, 取淨麵 一兩(3 g).

- 用法: 위의 약을 細末하여, 煉蜜로 二錢(6 g)정도의 탄자대 크기로 丸으로 만든다. 매회 一丸씩 白湯이나 淸米湯·橘皮湯·炒砂仁湯으로 잘 씹어서 복용한다.
- 作用: 益氣健脾, 和胃滲濕, 消食理氣.
- 適應症: 妊娠 3개월에, 陽明脈衰하여 胎元不固한 증상을 치료하며, 또한 脾胃虛弱, 食少便溏, 脘腹作脹, 惡心嘔吐, 消瘦乏力 등의 증상도 치료한다.

본 방제의 약재 구성은 蔘苓白朮散에 가깝다. 즉 蔘苓白朮散에서 砂仁을 빼고 陳皮·白豆蔻·藿香葉·澤瀉를 넣어서 理氣醒脾, 祛濕化濁하고, 山楂·麥芽를 넣어 消食和胃化滯하고, 芡實을 넣어 健脾化濕하고, 黃連을 넣어 和胃淸濕熱하여 구성한 것이다. 그러므로 原方에 비하여 理氣和胃의 효능이 더 뚜렷하고, 또한 淸化濕熱의 효능이 증가되어 있다. 原書에서 본 방제는 주로 保胎를 목적으로 사용되었으므로 "保胎資生丸"이라고도 한다. 현대 임상에서는 脾胃氣虛에 濕積化熱을 동반한 食少便溏·消瘦乏力 등의 증상을 치료하는데 常用하고 있다.

補中益氣湯

(『內外傷辨惑論』卷中)

【異名】 醫王湯(『方函口訣』, 錄自『傷寒論今釋』卷7)

【組成】 黃芪 一錢(18 g) 甘草 炙 五分(9 g) 人蔘 去蘆 升麻 柴胡 橘皮 當歸身 酒洗 白朮 各三分(6 g)

【用法】 위의 약을 가늘게 썰어 1첩으로 하여, 물 三盞을 넣고 一盞이 될 때까지 달여서 찌꺼기는 제거하고 아침 식사 후 따뜻하게 복용한다. 만약 증상이 심한 경우에는 2첩을 복용하면 낫는다. 용량의 輕重은 증상에 맞게 조절해서 치료한다.

【效能】 補中益氣, 升陽擧陷.

【主治】

1. 脾不升淸證을 치료한다. 증상은 頭暈目眩, 視物昏瞀, 耳鳴耳聾, 少氣懶言, 語聲低微, 面色萎黃, 納差便溏, 舌淡脈弱하게 나타난다.

2. 氣虛發熱證을 치료한다. 증상은 身熱, 自汗, 渴喜熱飮, 氣短乏力, 舌淡而胖, 脈大無力하게 나타난다.

3. 中氣下陷證을 치료한다. 증상은 脫肛, 子宮脫垂, 久瀉久痢, 崩漏 등의 증상에 氣短乏力, 納差便溏, 舌淡, 脈虛軟을 동반한다.

【病機分析】 脾는 運化를 主하고, 胃는 受納을 主한다. 脾胃는 中焦에 머물면서, 消化水穀, 攝取精微해서 五臟六腑·四肢百骸에 營養을 전달한다. 脾胃健運하면 精力旺盛, 氣血充沛하기 때문에, "後天之本, 營衛氣血生化之源"이라 한다. 이는 바로 『素問』·「平人氣象論」에서 말한 "人以水穀爲本"과 『中藏經』에서 말한 "胃氣壯, 則五臟六腑皆壯"과 같다. 만약 飮食失調, 勞倦過度하면, 脾胃가 손상되기 쉽다. 그러므로 李杲는 "飮食失常, 寒溫不適, 則脾胃乃傷, 喜怒憂思, 勞役過度, 而耗損元氣"(『內外傷辨惑論』卷中)라 하였다. 脾胃가 허약하여 運化기능을 상실하면, 氣血生化의 원천이 부족하게 되고 또한 臟腑經絡이 無養하게 되어 肢倦體軟, 面色萎黃, 納少便溏하게 된다. 肺氣가 脾胃로부터 淸氣를 充養받지 못하면, 土不生金하여 肺氣가 虛弱해져서 少氣懶言하고 語聲低微하게 되며, 脾肺의 氣가 虛하면 衛陽 역시 손상을 받아, 皮毛를 溫煦하지 못하므로 畏寒怯冷, 四肢不溫하게 되며, 氣虛하면 腠理失固하게 되어 陰液이 잘 外泄하므로 動則汗出한다. 脾氣는 主升하는데, "人納水穀, 脾氣化而上升"(『醫學三字經』卷4)과 "脾宜升則健"(『臨證指南醫案』卷3)과

같다. 中虛가 오랫동안 회복되지 않으면, 氣機가 정상적인 기능을 하지 못하고, 淸陽이 마땅히 升해야 하나 升하지 못하여, 여러 가지 病變을 일으킬 수 있다. 예를 들어 淸陽不升하면, 水穀精微가 頭面으로 上輸할 수 없어, 淸竅失養하는데, 증상이 가벼울 때는 頭昏目眩하고, 심할 때는 頭痛이 멎지 않고 청력이 약해지며 눈이 침침하게 된다. 津液이 입으로 올라가지 못하면 口渴不止하는데, 오직 따뜻한 음료만 좋아하고 많이 마시지는 않으며, 또 舌質淡胖 등의 증상이 있어, 다른 熱證으로 인한 갈증과는 구별이 가능하다. 만약 淸陽이 下焦로 下陷하면, 鬱遏不達하여 發熱이 나타날 수 있는데, 이는 實火가 아니므로 熱이 심하지는 않으며 病程이 비교적 길고, 열이 나타났다가 그쳤다를 반복하며, 또 심했다가 완화되기를 반복하며, 手掌의 熱이 手背의 熱보다 심하고, 또 피로하면 증상이 심해지고, 脈은 虛大無力하다. 이는 外感發熱로 熱이 심하며 熱이 그치지 않고, 手背의 熱이 手掌보다 뜨겁고, 脈數而有力한 것과는 완전히 다르다. 따라서 李杲는 이를 "陰火"라 하여, 外感六淫의 邪로 인한 發熱과는 구별하였다. 만약 中氣下陷하여 升擧無力하면, 久瀉·久痢·崩漏下血不止 등의 氣血津精이 滑脫散失하는 증상이나, 脫肛·子宮脫垂·胃下垂 등과 같은 內臟下垂의 현상이 발생할 수 있다. 이상의 내용을 종합하여 보면, 본 방제가 치료하는 증후는 임상에서 다양한 증상으로 나타날지라도, 모두 脾胃氣虛 淸陽不升에 말미암은 것이다.

【配伍分析】 본 방제는 飮食勞倦, 脾胃損傷으로 발생하는 脾胃氣虛, 淸陽不升을 치료하기 위해서 만들어진 것으로, 『素問』·「至眞要大論」의 "勞者溫之"와 "下者擧之"의 치료원칙에 따라, 益氣升陽, 調補脾胃를 立方의 근거로 삼았다. 李杲는 "內傷脾胃, 乃傷其氣; 外感風寒, 乃傷其形. 傷外爲有餘, 有餘者瀉之; 傷內爲不足, 不足者補之"라 하고, "內傷不足之病, ……惟當以甘溫之劑, 補其中, 升其陽, ……蓋溫能除大熱, 大忌苦寒之藥瀉胃土耳."(『內外傷辨惑論』卷中)라고 하였다.

黃芪는 補中升陽의 으뜸이다. 이에 대하여 『本草正義』卷1에서는 "黃芪, 補益中土, 溫養脾胃, 凡中氣不振, 脾土虛弱, 淸氣下陷者最宜"라고 하였으며, 또한 張錫純은 "黃芪旣善補氣, 又善升氣"(『醫學衷中參西錄』上冊)라고 하였다. 中氣가 虛하면 淸陽不升하고 土不生金하여 肺氣 또한 점차 虛餒하게 된다. 黃芪는 益氣補脾에 뛰어날 뿐만 아니라 또한 "入肺補氣, 入表實衛"하므로, "補氣諸藥之最"(『本草求眞』卷5)라는 평을 얻었다. 그러므로 본 방제에서는 黃芪를 重用하여 君藥으로 삼아, 첫째 補中益氣, 升陽擧陷하고, 둘째 補肺實衛, 固表止汗하였다. 이는 바로 李杲가 말한 "脾胃一虛, 肺氣先絶, 故用黃芪以益皮毛而閉腠理, 不令自汗損其元氣"(『內外傷辨惑論』卷中)와 같다. 黃芪를 重用하여 補益脾肺한 것은 東垣의 立方 원리를 잘 보여 주는 것이다.

方劑 중의 人蔘은 "補五臟, 安精神"(『神農本草經』卷上)하고, 補氣의 要藥이 되며, 黃芪와 비교하였을 때, 人蔘은 補益脾胃를 위주로 한다. 때문에, 『得配本草』卷2에는 "肌表之氣, 補宜黃芪; 五內之氣, 補宜人蔘"이라 하였다. 白朮은 專補脾胃하기 때문에, 『本草經疏』卷6에서 "其氣芳烈, 其味甘濃, 其性純陽, 爲除風痺之上藥, 安脾胃之神品"이라고 하였다. 甘草는 "炙用溫而補中, 主脾虛滑泄, 胃虛口渴, 寒熱咳嗽, 氣短困倦, 勞役虛損, 此甘溫助脾之功也"(『藥品化義』· 脾藥)이라고 하였다. 세 가지 약은 모두 甘溫補中한 要藥으로, 黃芪와 相輔하여 補氣健脾가 더욱 확실해지므로 모두 본 방제의 臣藥이 된다.

氣虛가 日久하면 반드시 血을 傷하게 되므로, 方劑 중에 甘辛溫한 當歸를 配伍해서 補養陰血하였다. 張介賓은 "其味甘而重, 故專能補血; 其氣輕而辛, 故又能行血, 補中有動, 行中有補, 誠血中之氣藥, 亦血中之聖藥也.……大約佐之以補則補, 故能養營養血, 補氣生精, 安五臟, 强形體, 益神志, 凡有形虛損之病, 無所不宜"(『景岳全書』卷48)라고 하였다. 따라서 본 방제에서 當歸를 사용하는 것은 補而不滯의 장점이 있을 뿐만

아니라 또한 甘溫의 치법에 위배되지 않으므로, 當歸를 배오하여 蔘·芪·朮·草의 益氣生血한 도움을 받아, 補血이 더욱 뚜렷해지게 된다. 淸陽은 마땅히 升하여야 하나 不升하게 되면, 降하여야 하는 濁陰역시 不降하게 되어, 升降이 균형을 잃고, 淸濁이 相干해서 氣機가 不暢해지기 때문에, 調理氣機하는 陳皮를 配伍해서 升降의 회복을 돕고 淸濁의 氣가 각각 정상적으로 통하게 하며, 아울러 理氣和胃하여 諸藥이 補而不滯하게 한다. 이상의 두 가지 약은 모두 佐藥이 된다.

여기에 다시 輕淸升散한 柴胡·升麻를 넣어 益氣하는 모든 약물과 조화를 이루어서 淸陽의 上升을 돕는다. 이는 바로 『內外傷辨惑論』卷中에서 말한 "胃中淸氣在下, 必加升麻·柴胡以引之, 引黃芪·人蔘·甘草甘溫之氣味上升.……二味苦平, 味之薄者, 陰中之陽, 引淸氣上升也"와 같다. 또한, 『本草綱目』卷13에서도 "升麻引陽明淸氣上升, 柴胡引少陽淸氣上行, 此乃稟賦虛弱, 元氣虛餒, 及勞役肌飽, 生冷內傷, 脾胃引經最要藥也"라고 하였다. 柴胡·升麻는 補益효능이 없으므로, "在脾虛之病用之者, 乃借其升發之氣, 振動淸陽, 提其下陷, 以助脾土之轉輸, 所以必與補脾之蔘·芪·朮幷用"(『本草正義』卷2)하여야 하며, 또한 용량을 가볍게 하여야한다. 왜냐하면 柴胡는 "若多用二·三錢, 能祛散肌表.……若少用三·四分, 能升提下陷"하고, 또한 升麻는 "善提淸氣, 少用佐蔘·芪升補中氣"(『藥品化義』卷3)하기 때문에 두 약은 佐使를 겸한다. 炙甘草는 調和諸藥하기 때문에 또한 使藥을 겸한다.

위의 약을 배합해서 사용하면, 脾胃健運, 元氣內充, 氣虛得補, 氣陷得擧, 淸陽得升하게 되어 모든 증상이 제거될 수 있다. 일찍이 趙獻可가 "凡脾胃喜甘而惡苦, 喜補而惡攻, 喜溫而惡寒, 喜通而惡滯, 喜升而惡降, 喜燥而惡濕."(『醫貫』卷6)이라고 하였듯이, 본 방제는 甘·補·溫·通·升·燥한 성질을 모두 갖추고 있어 補益脾胃의 諸方 중 매우 특징적인 방제이다.

본 방제의 配伍특징은 두 가지가 있다: 첫째는 補氣藥과 升提藥의 配伍로, 補氣를 主로 하고 升提를 輔로 하여 補中寓升하게 하는 것이며, 둘째는 補益藥에 소량의 行氣 약재를 配伍하여 氣機升降을 조절할 뿐만 아니라 또한 補而不滯하게 하는 것이다.

【類似方比較】 본 방제와 四君子湯·蔘苓白朮散의 세 방제는 모두 補脾의 주요 약물인 人蔘·白朮·甘草를 사용하였으며, 모두 甘溫益氣健脾한 방제로서 脾胃虛弱證을 치료한다. 그중 四君子湯의 작용은 비교적 단순하며, 益氣健脾의 基本方으로 脾胃氣虛하고 運化力이 약한 증상에 사용한다. 蔘苓白朮散은 四君子湯의 기초위에 滲濕健脾止瀉藥을 추가한 것이기 때문에, 益氣健脾외에도 和胃滲濕할 수 있어, 脾胃氣虛夾濕證을 치료하는데 사용한다. 補中益氣湯은 四君子湯의 기초 위에 黃芪·升麻·柴胡·當歸·陳皮 등의 약을 더하여 구성하였으므로, 본 방제는 益氣健脾외에도 升陽擧陷, 調理氣血하기 때문에, 주로 中虛氣餒, 淸陽不升하여 발생하는 각종 증후를 치료하는데 사용한다.

【臨床應用】

1. 證治要點: 본 방제는 補氣升陽, 甘溫除熱의 代表方이다. 대체로 脾胃虛弱해서 淸陽不升하거나 中氣下陷하거나 혹은 장기간 發熱하는 어떠한 증상이 있으면서 體倦乏力, 面色萎黃, 舌淡脈弱 등의 脾胃氣虛症狀이 함께 나타나는 경우에는 본 방제를 사용할 수 있다. 최근 30년간 甘溫除熱法이 유효하였던 162건의 발열 病例에 대해 정리한 결과, 본 治法의 응용 특징은 아래의 몇 가지로 종합할 수 있다. ① 병의 경과가 비교적 길지만 보통 수개월 이내이며, 10세 이하 혹은 20~50세가 많다. ② 低熱이 계속 되거나 壯熱이 내리지 않고, 飮食失節하거나 過勞한 경우에는 증상이 심해진다. ③ 脾氣虧虛하거나 氣血兩虛한 증상을 동반한다. ④ 甘寒養陰하고 苦寒淸熱한 방제를 사용하거나 각종 항생제를 사용해도 별 효과가 없다.[1)]

2. 加減法: 原書에서 이르길; 煩亂하며 腹中이나 온몸에 刺痛이 있는 것은, 血澀不足한 것이므로 當歸

身을 五分 혹은 一錢을 넣는다. 精神短少한 경우에는 人蔘 五分·五味子 2개를 더 넣는다. 頭痛에는 蔓荊子 三分을 넣고, 통증이 심한 경우에는 川芎 五分을 넣는다. 頂痛·腦痛에는 藁本 五分·細辛 三分을 넣고, 頭痛有痰하여 몸이 무겁고 피곤한 경우는 太陰痰厥頭痛으로 半夏 五分·生薑 三分을 넣는다. 耳鳴, 目黃, 頰頷腫, 頸·肩·臑·肘·臂의 外後廉痛, 面赤, 脈洪大한 경우에는 羌活 一錢, 防風·藁本 各 七分, 甘草 五分을 넣어 經血을 통하게 하고, 黃芩·黃連 各 三分을 넣어 消腫하고, 人蔘 五分·黃芪 七分으로 益元氣 瀉火邪하는데 따로 1첩을 복용한다. 嗌痛頷腫, 脈洪大, 面赤한 경우에는 黃芩·甘草 各 三分, 桔梗 七分을 넣고, 口乾咽乾한 경우에는 葛根 五分을 넣어 胃氣를 上行시켜 口咽을 潤하게 한다. 夏月咳嗽의 경우에는 五味子 25개, 麥門冬(去心) 五分을 넣고, 疼月咳嗽의 경우에는 根節을 제거하지 않은 麻黃을 五分 넣는데, 가을철 차가운 날씨에도 역시 麻黃을 넣는다. 春月天溫咳嗽의 경우에는 佛耳草·款冬花만 各 五分씩 넣는다. 久病痰嗽에 肺中伏火한 경우에는 人蔘을 빼서 痰嗽가 늘어나는 것을 방지한다. 食不下는 胸中胃上이 有寒하거나 氣가 澁滯한 경우로 靑皮·木香 各 三分, 陳皮 五分을 넣고, 冬月에는 益智仁·草豆蔻仁을 各 一分씩 추가한다. 夏月에는 黃芩·黃連 各 五分을 더하고, 秋月에는 檳榔·草豆蔻·白豆蔻·縮砂를 各 五分씩 넣는다. 초봄인데도 여전히 추운 경우에는 辛熱劑를 약간 더하여, 春氣의 不足을 補하고, 風藥의 佐로 삼는데, 益智仁·草豆蔻를 넣어도 된다. 心下痞하고 夯悶한 경우에는 芍藥·黃連 各 一錢을 넣고, 痞腹脹한 경우에는 枳實·木香·縮砂 各 三分, 厚朴 七分을 넣고, 날씨가 추운 경우에는 乾薑이나 中桂(桂心)를 조금 더하고, 心下痞하고 覺中寒한 경우에는 附子·黃連 各 一錢을 넣고, 不能食而心下痞한 경우에는 生薑·陳皮 各 一錢을 넣고, 能食而心下痞한 경우에는 黃連 五分·枳實 三分을 넣고, 脈緩有痰한 痞의 경우에는 半夏·黃連 각一錢을 넣고, 脈弦, 四肢滿, 便難하면서 心下痞한 경우에는 黃連 五分·柴胡 七分·甘草 三分을 넣는다. 腹中痛이 있는 경우에는 白芍藥 五分·甘草 三分을 넣고, 惡寒하면서 冷痛을 느끼는 경우에는 中桂 五分을 넣고, 惡熱喜寒하는 복통의 경우에는 앞서 넣은 白芍藥, 甘草 두 약재에다가 또 生黃芩을 二分이나 三分을 더한다. 夏月腹痛에 惡熱이 없는 경우에도 이렇게 하는데, 이것은 時熱을 治하는 것이다. 날이 차가울 때의 복통에는 芍藥을 빼고 半夏·益智·草豆蔻류를 넣는다. 脇下가 痛하거나 縮急할 경우에는 柴胡 三分을 넣고, 증상이 심할 경우에는 五分을 넣고, 甘草 三分을 넣는다. 臍下痛의 경우에는 眞熟地黃 五分을 넣는데, 만약 그치지 않으면, 大寒한 경우로 肉桂 五分을 넣는다. 누워 있으면서도 잘 놀라고 소변을 지리는 환자는 邪가 少陽·厥陰에 있는 것으로 柴胡 五分을 넣고, 淋症이 나타나는 경우에는 澤瀉 五分을 넣는다. 大便秘澀한 경우에는 當歸 一錢, 大黃(酒洗, 煨) 五分이나 一錢을 넣는데, 만약 대변을 보지 못하는 환자의 경우에는 正藥을 달여, 먼저 맑은 탕약 한모금에 玄明粉을 五分이나 一錢을 調服하여, 대변이 통하면 중지한다. 脚膝痿軟해서 步行無力하거나 통증이 느껴지는 것은 腎肝伏熱이므로 黃柏 五分을 넣고 空心服하는데, 효과가 없으면 다시 漢防己를 五分 넣는다. 脈緩, 沉困怠惰無力한 경우에는 蒼朮·人蔘·澤瀉·白朮·茯苓·五味子를 各五分씩 넣는다. 熱이 심한 경우에는 黃柏을 조금 넣어 下焦陰火를 제거한다. 心煩不止하는 경우에는 生地黃을 조금 넣어 腎水를 補하는데 水旺하게 되면 心火가 저절로 내려간다. 氣浮心亂한 경우에는 朱砂安神丸을 사용해서 안정시킨다.

3. 補中益氣湯은 다음 한국표준질병사인분류(KCD)에 해당하는 환자가 脾不升淸證, 氣虛發熱證, 中氣下陷證으로 辨證되는 경우 본 처방의 사용을 고려해볼 수 있다.

처방 목표	한국표준질병사인분류(KCD)
脫肛	K62.2 항문탈출
	K62.3 직장탈출
子宮脫垂	N81 여성생식기탈출

처방 목표	한국표준질병사인분류(KCD)
久瀉久痢	(질병명 특정곤란)
	K59.1 기능성 설사
	K52.9 상세불명의 비감염성 위장염 및 결장염
痢疾	A03 시겔라증
	A00~A09 장감염질환
崩漏	N93.9 상세불명의 이상 자궁 및 질 출혈_붕루

【注意事項】 陰虛火旺 또는 實證發熱에는 본 방제의 사용을 금한다. 下元이 虛憊한 경우에도 본 방제를 복용할 수 없다. 이것은 陸麗京이 말한 "此爲淸陽下陷者言之, 非爲下虛而淸陽不升者言之也. 倘人之兩尺虛微者, 或是癸水銷竭, 或是命門火衰, 若再一升提, 則如大木將搖而撥其本也."(『古今名醫方論』卷 1에서 발췌)와 같다.

【變遷史】 본 방제를 만든 李杲는 金元四大家 중의 한 사람으로, "補土派"의 창시자라고 불리었다. 그는 脾胃를 人體元氣之本 및 精氣升降運動의 中樞라고 보고, "內傷脾胃, 百病由生"이라는 유명한 논점을 제시하였다. 脾胃氣機升降에 있어서, 李杲는 특히 生長과 升發을 강조하였는데, 穀氣上升하고 脾氣升發하고 元氣充沛해야만 비로소 生機가 蓬勃旺盛할 수 있으며, 그렇지 않으면 반드시 疾病이 생기게 된다고 주장했다. 여기에 대하여 그는 "『五常政大論』云: '陰精所奉其人壽, 陽精所降其人夭', 陰精所奉, 謂脾胃既和, 穀氣上升, 春夏令行, 故其人壽; 陽精所降, 謂脾胃不和, 穀氣下流, 收藏令行, 故其人夭"(『脾胃論』卷上)라고 하였다. 그는 또한 脾胃虛弱하여 元氣不足하고 淸陽下陷하면 內熱, 즉 陰火가 발생할 수 있다고 여기고, 나아가 脾胃內傷病理의 주요 부분으로 脾胃氣虛, 淸陽下陷, 陰火上衝의 세 가지를 제시하고 또한 補中升陽瀉火의 用藥法을 만들었는데, 이 중 補中升陽을 基本大法으로 삼았다. 그러므로 그는 임상에서 "辛甘之藥滋胃, 當升當浮, 使生長之氣旺"과 "人之脾胃氣衰, 不能升發陽氣, 故用升麻·柴胡助辛甘之味, 以引元氣上升"(『脾胃論』卷中)을 즐겨 사용하였다. 補中益氣湯에는 위에 나타난 李杲의 학술사상이 집약되어 있다. 方은 전체적으로 補氣升陽을 중점으로 하여 만들어진 것으로, 이는 脾胃健旺, 淸陽上升, 元氣充足하게 해서, 陰火가 자연적으로 가라앉고, 열이 떨어지게 하는 것을 목표로 하였다. 이러한 治法은 후세에 "甘溫除熱法"이라고 불리었으며, 이는 本을 치료하여 陰火를 발생시키는 그 근원을 제거하는 것이다. 만약 煩熱이 떨어지지 않으면 甘溫藥에 苦寒瀉火藥을 配伍해서 火熱을 降泄하고, 元氣를 보호하는 방법을 쓰지만, 이러한 방법은 잠시 사용하여야 하고 過量을 사용하여서는 안 된다. 따라서 李杲는 補中益氣湯加減法에서 黃柏·地黃 등의 약을 운용할 때 모두 앞에 "少加"의 두 글자를 덧붙였으며, 또한 명확하게 "蓋溫能除大熱, 大忌苦寒之藥瀉胃土耳"라고 지적하였다. 그렇게 하지 않으면 苦寒藥으로 인한 伐脾敗胃, 戕傷陽氣의 우려가 발생할 수 있다. 또한 李杲는 약재의 升降浮沉에 따른 배합과 君臣佐使를 중시하였으며, 用藥은 因時, 因地, 因人, 因臟腑經絡에 따라 융통성있게 隨證加減하였는데, 이러한 특징은 補中益氣湯의 配伍 및 加減法에 잘 나타나 있다. 이밖에도 李杲는 약의 용량을 대부분 輕하게 하여, 輕劑를 즐겨 사용하였다. 예를 들면 補中益氣湯의 총 용량은 二錢 八分에 불과하며, 升陽益胃湯과 補脾胃瀉陰火升陽湯 역시 한 첩이 三錢에 불과하다.

補中益氣湯에서 제시된 黃芪·人蔘·白朮·甘草 등의 補氣藥과 升麻·柴胡 등의 升陽擧陷藥의 配伍는 후세에 補氣升陽法을 운용하는데 큰 영향을 끼쳤다. 대체로 氣虛淸陽不升한 증후를 치료하는 방제는 대부분 補中益氣湯의 立方취지을 따르거나 본 방제를 加減하여 완성한 것이다. 비교적 유명한 張介賓의 擧元煎은 氣虛下陷, 血崩血脫, 亡陽垂危한 증상을 치료하는 것으로, 바로 補中益氣湯의 약물 중 여섯 가지 약으로 구성되었는데, 補中益氣湯에서 陳皮·當歸를 빼서 調氣動血을 피하고자 하였으며, 오로지 효능을 益氣擧陷에 집중하였다(『景岳全書』卷51). 또한, 張錫純의 升陷湯은 胸中大氣下陷을 치료하는 것으로, 역시 補中益氣湯의 뜻을 따라 黃芪를 重用하고 升麻·柴胡를 配伍해서 大氣之陷을 올리고, 다시 知母의 凉潤한 성질을 배합해서 黃芪의 溫한 성질을 억제하고, 桔梗을 配伍하여 胸中으로 약을 上達하게 하였다. 氣虛下陷한 질병에 있어서 증상이 어떻든 張錫純은 升陷湯을 기준으로 가감하여 치료하였으며, 누차 효과를 보았다(『醫學衷中參西錄』上冊). 현재 본 방제의 임상 운용 자료에 따르면, 어떤 종류의 질병이든 상관없이, 中氣不足, 中氣下陷하거나 氣虛發熱에 해당하는 증상인 경우에는 모두 補中益氣湯을 가감하여 치료할 수 있다.[2] 이를 통해 알 수 있듯이, 補中益氣湯은 中虛氣陷治療의 基本法과 방제조합의 기본형식을 제시하였기 때문에 학술적으로 임상적으로 매우 중요한 가치와 의미를 갖고 있다. 역대 의학자들은 李杲의 학설을 높게 평가하였는데, 朱震亨은 李杲의 학설을 "醫之爲書, 至是始備, 醫之爲道, 至是始明."(『格致餘論』序)이라고 극찬하였다. 葉桂 역시 李杲의 학설을 추앙하여 "脾胃之論, 莫詳于東垣", "歷擧益氣法, 無出東垣範圍, 俾淸陽旋轉, 脾胃自强, 偏寒偏熱, 總有太過不及之弊, 補中益氣加味"(『臨證指南醫案』卷3)라고 하였다. 이를 바탕으로 葉氏는 또한 "養胃陰"의 治法을 만들어 脾胃學說을 더욱 완벽하게 보완하였다.

본 방제는 원래 湯劑이지만, 현대에서는 丸劑나 片劑로 변형하여 사용하는 경우가 있으며, 각각 "補中益氣丸"(『中藥成方配本』 蘇州方)·"補中益氣片"(『天津市中成藥規範』)이라고 부른다.

【難題解說】

1. 본 방제의 출처에 관하여: 본 방제의 來源은 역대 출판된『方劑學』교재 및 다수의 전문 서적에서 모두『脾胃論』에서 유래되었다고 밝히고 있다. 李杲는 平生著作은 비록 많다고는 하지만, 李濂의『醫史』·「東垣老人傳」의 기록에 따르면, 그는 생전에 탈고하고 또한 自序가 있는 것은『內外傷辨惑論』한 권뿐이고, 나머지는 모두 임종전 "平時所著, 檢勘爲帙, 以類相從"이라고 하며 羅謙甫에게 위탁한 것으로, 그 후에 羅謙甫에 의해 계속해서 간행되었다. 이밖에도 근대의 古籍硏究 및 東垣學術硏究의 결과『內外傷辨惑論』이 책으로 완성된 시기로 1231년과 1247년의 두 가지 견해가 있는데, 두 견해 모두『脾胃論』의 간행 연대인 1249年보다 빠르다.[3,4] 비록 고금의 의학자들이 고증한편찬연대의 구체적인 시간은 다르나『內外傷辨惑論』이『脾胃論』보다 먼저 나왔다는 관점은 일치한다. 따라서 補中益氣湯은『內外傷辨惑論』에 최초로 기록되었으며, 方源 역시 이 서적으로 삼아야 한다.

2. 氣虛發熱의 기전에 대한 인식: 본 방제는 氣虛發熱의 증후를 치료하는 代表方劑이다. 氣虛發熱의 기전에 대하여서는, 역대 의학자들의 몇 가지 견해가 있다. 요약하면, 주로 氣血虛損發熱說[5], 外感熱病氣虛毒强發熱說[6], 氣虛心肝腎火妄動發熱說[7], 腎火上衝發熱說[8], 陽虛發熱說[9] 및 虛陽外越發熱說[10]등이 있다. 本方이 치료하는 證의 病機를 전반적으로 이해하기 위해서는 李杲의 원서 내용을 분석해 보아야 할 필요가 있다. 李杲가 본 방제를 만든 것은 內傷"熱中"證을 치료하기 위해 만든 것으로, 이 證은 飮食不節, 勞倦過度하거나 情志失調로 脾胃에 손상을 입어 발생한 것으로, "脾胃虛衰, 元氣不足, 而心火獨盛. 心火者, 陰火也, 起于下焦, 其系系于心. 心不主令, 相火代之, 相火, 下焦包絡之火, 元氣之賊也. 火與元氣不兩立, 一勝則一負. 脾胃氣虛, 則下流于腎, 陰火得以乘其土位. 故脾胃之證, 始得之則氣高而喘, 身熱而煩, 其脈洪大而頭痛, 或渴不止, 皮膚不任風寒而生寒熱. 蓋陰火上衝, 則氣高而喘, 身煩熱, 爲頭痛, 爲渴, 而脈洪大.……皆脾胃之氣不足所致也"(『內外傷辨惑論』卷中)한 것이다. 위의 문장을 종합해 보면, 적어도 다음의 세 가지 문제를 명확히 알 수 있다. 첫째, 脾胃氣虛하면 "陰火"가 발생할 수 있다. 그렇다면, 왜 陰火인가? 위에서 볼 수 있듯이 陰火는 心火·相火 등을 포함하며, 이는 李杲가 말한 陰火는 단순히 臟腑의 火만을 가리키는 것이 아니라는 것을 나타낸다. "陰火"는『內外傷辨惑論』·『脾胃論』·『蘭室秘藏』·『醫學發明』등의 저서에서 총 40여 곳에 나오는데, 心·肝·胃·脾·腎·經絡 등의 火를 포괄하며, 모두 內傷의 火와 연계되어 있다. 즉 李

杲가 말한 "陰火"는 內傷에 의해 일어난 모든 虛性 또는 本虛標實한 火熱邪氣를 의미한다.[4] 둘째, 脾胃氣虛로 "陰火"가 생기는 기전은 아래의 두 가지 측면으로 나누어 볼 수 있다. 첫째는 氣火가 균형을 잃는 것으로, 즉 元氣와 陰火는 相互抑制의 관계에 있으므로, 元氣不足하면 陰火亢盛하게 되고, 元氣充沛하면 陰火斂降하게 되므로, 陰火는 "元氣之賊"이 되고, "火與元氣不兩立, 一勝則一負"하는 것이다. 이러한 과정 중 脾胃氣虛가 陰火 발생의 주요 원인이 된다. 둘째는 升降의 失調로서 李杲는 "脾胃氣虛, 則下流于腎, 陰火得以乘其土位"라고 하였는데, 그 뜻은 中氣虛餒하여 淸陽下陷하면 流于腎間하여 變生內熱하게 되는데, 이것이 곧 "陰火"라는 것이다. 셋째, 氣虛發熱證의 기본 病機는 脾胃受損하여 中氣不足하면 淸氣下陷하고 陰火上衝하는 것이다. 그중 氣虛가 本이고, 發熱이 標이기 때문에 李杲는 補氣升陽, 甘溫除熱의 치법을 확립하였다. 요약하면, 李杲는 氣虛로 인한 發熱證候의 病機변화를 설명하기 위해서, "陰火"라는 개념을 제시하였고, 아울러 이를 臟腑의 氣機와 氣火의 相關性 측면에서 논술하였는데, 이것의 주요한 의미는 脾胃氣虛가 內傷熱證 발생과정에서 주도적인 작용을 한다는 것과 補氣升陽法이 氣虛發熱證을 치료하는데 중요한 작용을 한다는 것이다. 原書에서 李杲의 논조가 비교적 개괄적이기 때문에 논리적으로 명확하지는 않다. 그러므로 본 方證의 발병기전에 관하여 역대 의학자들의 많은 논쟁이 있었다. 비록 동일한 문제를 보더라도 각자의 의견이 다를 수 있지만, 위에서 언급한 개념들에서 벗어난다면, 李杲의 본 뜻에 위배될 수 있다.

3. 본 방제의 치법 확립에 관한 인식: 『內外傷辨惑論』 중 內傷發熱證의 治法에 관한 논술은 "內傷不足之病, …… 惟當以甘溫之劑, 補其中, 升其陽, 甘寒以瀉其火則愈"이다. 어떤 학자는 이에 근거하여 補中益氣湯은 甘溫補氣升陽에 甘寒瀉火를 配伍한 것으로, 蔘·芪·朮·草 등의 甘溫한 약은 益氣補中하며, 升麻·柴胡는 寒凉散火退熱하므로, 모든 약재가 升陽擧陷만을 위해 사용된 것은 아니다. 이것이 李杲의 立方취지에 적합하다라고 지적하였다.[6] 그러나 李杲의 저서에서 氣虛發熱을 치료하는 방제를 종합해 보면, 升麻·柴胡와 관련된 작용은 모두 升陽과 연관되어 있다. 예를 들면 "胃中淸氣在下, 必加升麻·柴胡以引之, 引黃芪·人蔘·甘草甘溫之氣味上升"(『內外傷辨惑論』卷中)이라 하였고, "人之脾胃氣衰, 不能升發陽氣, 故用升麻·柴胡助辛甘之味, 以引元氣之升"(『脾胃論』卷中)이라고 하여, 어느 곳에도 升散退熱한다는 내용은 없다. 또한 李杲의 方論에 있는 "心火乘脾, 須炙甘草之甘以瀉火熱"에 근거해서, 위에서 언급한 甘寒瀉火의 약은 炙甘草라고하는 주장이 있으나[7], 『脾胃論』 중에도 黃芪·人蔘·甘草가 "除濕熱煩熱之聖藥"이라는 내용이 있으므로, 甘寒瀉火를 개괄해서 配伍의 의미를 이해하는 것은 지나치게 편협한 해석이 될 수 있다. 李杲는 이미 原書에서 "蓋溫能除大熱, 大忌苦寒之藥瀉胃土耳, 今立補中益氣湯"이라고 명확하게 입방의 원리를 제시하였고, 또한 方後에 加減法을 부가하였는데, 가감법 중 陰火가 심하여 煩躁한 경우에는 黃柏을 조금 넣어서 救腎水하여, 陰中의 伏火를 제거하고, 만약 煩擾不止하면, 生地黃을 약간 넣어 補腎水하면, 水旺하여 心火가 내려간다는 등의 가감법이 있다. 이는 李杲가 만든 본 방제는 甘溫除熱을 위주로 치법을 확립했다는 것을 잘 나타내고 있으며, 아울러 內傷發熱證에 陰火가 심하지 않은 경우에는 甘溫補氣升陽만으로, 脾胃氣充하게 하면 陰火가 내려가므로, 이는 治本하여 陰火의 생성근원을 제거하는 것이며, 만약 陰火가 지나치게 亢盛하면, 적당하게 寒凉瀉火藥을 配伍해서 標本兼顧해야 함을 잘 나타내고 있다. 甘溫補中升陽에 甘寒瀉火를 配伍하는 것은 원래 李杲가 제시한 內傷發熱證 치료의 총체적 원칙이며, 補中益氣湯證에만 국한되는 것은 아니다.

4. 본 方劑 중의 일부 약물작용의 논술에 관한 李杲의 인식: 補中益氣湯은 中虛氣陷證候를 치료하는 代表方인 만큼 방제에서 사용하는 여러 약물 역시 補中益氣升陽의 치법을 구현해야 한다. 그러나 李杲가 그의 저서에서 方劑 중의 일부 약물의 작용에 대해 언

급한 것을 살펴보면, 어떤 부분은 매우 이해하기가 어렵다. 앞서 말한 바와 같이, 黃芪·人蔘·甘草는 모두 益氣補脾要藥이지만 李杲는 『脾胃論』에서 오히려 이 세 가지 약이 “除濕熱煩熱之聖藥”이라고 하였고, 『內外傷辨惑論』에서 白朮은 “除胃中熱, 利腰臍間血”이라고 하였다. 이와 같은 주장을 분석할 때에는 반드시 李杲의 전체적인 학술사상과 관점을 종합하여 분석하여야 한다. 위에서 말한 바와 같이, 李杲는 中虛氣陷하여 “陰火”上衝한 發熱證은 반드시 補氣升陽해야 한다고 주장했으므로 『脾胃論』의 黃芪·白朮·甘草와 관련된 사항은 사실상 氣虛發熱과 같은 특정한 증후를 대상으로 말한 것으로, 甘溫補氣하여 中氣漸充하면 淸陽得升하게 되어 退熱의 효능을 갖게 된다는 의미이다. 만약 글자 그대로 단순하게 이해하면, 이 세 가지 약은 “除熱瀉火”할 수 있다는 잘못된 결론에 도달할 수 있다. 다시 李杲의 白朮에 대한 “除胃中熱, 利腰臍間血”을 분석해 보면, 전자는 白朮이 補中益氣하여 氣充陽升하면 退熱하게되므로 이해하기 쉬우나, 후자는 이해하기가 어렵다. 白朮이 “利腰臍間血”한다는 주장은 『名醫別錄』에서 가장 먼저 나왔으며, 『本草經疏』卷6에서는 이에 대하여 “利腰臍間血者, 血屬陰, 濕爲陰邪, 下流客之, 使腰臍血滯而不得通利, 濕去則諸證無不愈矣”라고 해석하였는데, 이는 白朮에는 行血滯하는 효능은 없지만, 濕이 下焦로 흘러 들어가서 血이 막혀서 통하지 않는 경우에는 白朮로 益氣健脾燥濕하면 通利血脈한 효과를 볼 수 있다는 뜻이다. 요약하면, 李杲가 본 방제의 補氣藥이 “除熱” 또는 “利血”한다라고 한 것은, 위의 약재가 益氣補中健脾한 효능을 통해서 얻은 이차적 치료 효과이며, 그 자체의 작용은 아니다. 또한 이것은 “治病求本”이론의 구체적인 구현으로도 볼 수 있다.

【醫案】

1. 頭痛 『續名醫類案』卷22: 몇 달 동안 계속된 두통으로 참기 어려워 散風淸火之劑를 복용했다. 진료 당시 환자의 증상은 脈浮虛不鼓, 語言懶怯, 肢體惡寒했다. 이는 勞倦傷中해서, 淸陽의 氣가 不升하고, 濁陰의 氣가 不降한 것인데, 散風淸火劑로 땀을 낸 것은 오히려 表를 虛하게 하였고, 淸하게 한 것은 더욱 傷中하게 하였다. 본 환자의 惡寒은 氣虛하여 上榮 및 外固할 수 없어 나타난 것이다. 게다가 脈象浮虛·體倦語怯한 증상이 있어, 中氣가 약하다고 판단하여 補中益氣湯으로 升淸降濁하게 하고, 여기에 蔓荊子를 加하여 使藥으로 삼아서, 高巓까지 도달하게 하였다. 1첩을 복용하고 호전되었고, 2첩을 복용한 후 완전히 나았다.

考察: 頭痛의 원인에는 外感·內傷의 구별이 있고, 病理변화에는 正虛·邪實의 차이가 있다. 본 환자는 오랫동안 두통을 앓았고, 또한 體倦語怯하고 畏寒脈虛하여 氣虛淸陽不升으로 淸竅失養한 증상이 함께 나타났다. 이전의 의사가 여러 차례 散風淸火之劑를 투여하였는데, 升散한 성질은 氣를 더욱 소모하게 하고, 苦寒한 성질은 더욱 傷中하게 하였다. 補中益氣湯에 蔓荊子를 넣어 補氣升陽하여, 淸陽은 上升하게 하고 濁陰은 下降하게 하여, 증상에 맞게 치료한 후 약효가 매우 빠르게 나타났다.

2. 內傷發熱 『醫學正傳』卷2: 환자는 呂氏의 아들로 30세 정도였다. 9월에 과로로 發熱이 있었는데 의사가 이를 外感으로 여기고 小柴胡湯·黃連解毒湯·白虎湯 등으로 치료하였으나 오히려 痰氣上壅, 狂言不識人, 目赤上視, 身熱如火한 증상이 더해졌다. 8일 후 나를 찾아와 진찰을 받을 당시 환자는 六脈數疾七八至하고 또 三部豁大無力하며 左略弦而芤했다. 내가 ‘본 질병은 中氣不足인데 거기에 또 寒凉한 약을 복용하여 內傷하게 되면서 內虛發熱한 증상이 나타나게 된 것이며, 苦寒藥을 지나치게 많이 복용하여 陰盛格陽한 증상이 나타난 것이다. 다행히 元氣가 어느 정도는 남아 있으니 죽지는 않을 것이다’라고 하고, 補中益氣湯에 制附子二錢·乾薑一錢을 넣고, 또 大棗·生薑을 추가해서 달여 복용하게 했다. 뭇 의사들은 이는 죽음을 재촉하는 것이라고 조롱하였다. 해질녘에 1첩을 복용하여, 痰氣가 가라앉고 숙면을 취할 수 있게 되었고, 또한 아파서 잠을 이루지 못하다가, 복약 후 편안히 잠자

는 것이 평소와 같다고 환자의 아버지가 소식을 전해주었다. 한밤중이 되어서야 비로소 깨어났고 사람을 알아보기 시작하고 모든 증상이 줄어들었다. 계속해서 1첩을 복용하게 한 뒤에 날이 밝았을 때는 약간의 땀을 흘리며 氣가 和하고 완쾌되었다.

『四明醫案』(『醫宗己任編』卷4에서 발췌): 庚子년 6월에 呂用晦가 熱證을 앓았다. 환자를 진찰해 보니, 內傷證이었다. 致病의 연유를 물어 보니, 환자가 한밤중에 밖에서 사람들과 오랜 동안 대화한 뒤 잠잘 시간이 부족하여 짧게 잠을 자고 난 후, 다음날 便이 시원하지 않고 점차 熱이 나며 飮食을 모두 폐하고 며칠 동안 便을 보지 못했으며, 藥을 복용해도 아무런 효과가 없었다고 하였다. 내가 생각하기에, 이것은 庸醫들이 病의 原因을 風露所迫으로 생각하고 辛散藥을 重用하였으며, 또한 음식을 먹지 못하는 것을 食滯로 생각하고 함부로 消導藥을 사용한 것이다. 이들이 어찌 "邪之所湊, 其氣必虛"를 알겠는가. 補中益氣湯을 투여하면 땀이 나면서 便通하게 되고 熱이 저절로 내릴 것이라 생각하여, 이에 약을 달여서 마시게 하니, 그릇을 내려놓기 무섭게 大便으로 燥矢 數十枚가 나왔고, 胸膈이 편안하게 느껴지고, 그날 밤이 되어서는 熱이 내리고 粥을 먹을 수 있게 되었다. 연속해서 약을 여러 첩을 복용한 후 완전히 나았다.

考察: 본 醫案은 內傷發熱을 치료한 2례로서, 첫 번째 病例의 경우는 目赤狂言과 身熱如火를 동반하여 實火內熾한 증상으로 誤診하기 쉽다. 그렇지만 六脈數疾하나 按하면 無力而芤한 것으로 陰盛格陽한 증후로 판단하고 대담하게 補中益氣湯에 大辛大熱 回陽救逆하는 乾薑 附子를 같이 넣어 투여하였다. 1첩을 복용하고 증상이 줄었으며, 2첩을 복용한 후 다 나았다. 다음 病例는 發熱이 있으면서 納差, 便結을 동반한 증상으로, 이 또한 實熱內結證과 매우 유사하다. 하지만 여러 차례 消導·辛散한 처방을 사용하였으나 별로 효과가 없었으며, 환자는 한밤중에 밖에서 오랜 동안 머문 후부터 이 증상이 시작되었다고 하였다. "邪之所湊, 其氣必虛"라는 이치에 근거해서 補中益氣湯을 투여하였고, 환자는 服藥 후 氣復陽升하고 氣機暢達하여 汗出하면서 便通하여, 증상이 치유되었다. 위의 두 病例에서 보이는 前賢들의 證에 대한 인식과, 用藥의 정교함은 감탄하지 않을 수 없으며, 前賢들의 의학이론에 대한 깊은 조예와 세밀하게 관찰 및 분석하는 태도는 후학들이 반복하여 탐구할 만한 가치가 있다.

3. 崩漏『女科撮要』卷上: 환자는 월경 주기가 일정하지 않으며 崩血昏憒하고 發熱不寐하였다. 或者는 血熱妄行이라 하여 寒劑를 투여하였으나 증상이 더욱 심해졌고, 或者는 胎가 損傷된 것이라 하여 止血劑를 투여하였으나 역시 효과를 보지 못하였다. 진찰결과, 본 증상은 脾氣虛弱해서 統攝의 기능을 상실해서 나타나는 것일 뿐이므로 補脾하면 血이 저절로 멎게 될 것이라 하고, 補中益氣湯에 炮薑를 넣어 처방하였다. 여러 첩을 복용하지 않고도 효과를 볼 수 있었다.

考察: 여성의 血崩은 血熱妄行해서 발생하기도 하고, 瘀阻絡損해서 발생하기도 하며, 또한 脾不統血하여 血溢脈外해서 나타나기도 하므로 證에 맞게 방제를 응용해야 한다. 본 醫案의 崩血昏憒는 出血過多로, 血虛해서 載氣하지 못하여, 陽氣浮越한 것으로, 熱이 나고 밤에 잠을 이루지 못한 것이다. 이는 바로 血虛發熱이지 血熱妄行이 아니다. 따라서 補中益氣湯으로 補中益脾하고, 炮薑을 더 넣어 理中湯의 의미를 부가하여, 두 방제가 합쳐 中焦陽氣를 충만하게 하여 統血의 기능을 회복시켰다.

4. 癃閉『福建中醫藥』(1986, 4:53): 여자, 28세. 출산 후 소변을 보지 못한 지 5일이 되었으며, 面色蒼白, 少氣懶言, 汗出多, 倦怠乏力, 嗜睡, 尿意急迫하나 잘 나오지 않고, 少腹墜脹, 惡露淡紅, 脈沉弱緩, 舌質淡紅, 齒痕이 있었다. 본 증상은 氣血虛弱하고 中氣下陷하여, 膀胱氣化가 不利한 것이다. 따라서 補中益氣湯에 桃仁·紅花·木通을 넣어 5첩을 투여한 후 완치되었다.

考察: 醫案4는 출산 후 氣血虛弱하고 中氣下陷하여 膀胱氣化가 不利해서 癃閉가 발생한 경우이다. 따라서 補中益氣湯으로 補氣升陽하고, 여기에 다시 桃仁·紅花를 넣어 下焦瘀血을 消하고, 木通을 넣어 利尿通淋하여 標本兼顧의 치료효과를 보았다.

【副方】

1. 益氣聰明湯(『東垣試效方』卷5): 黃芪 甘草 各半兩(15 g) 芍藥 一錢(3 g) 黃柏 酒制, 剉, 炒黃 一錢(3 g) 人蔘 半兩(15 g) 升麻 葛根 各三錢(9 g) 蔓荊子 一錢半(4.5 g).

- 用法: 위의 약을 가늘게 썰어 三錢(9 g)을 물 二盞(400 mL)에 넣고 一盞(200 mL)이 되게 달여 찌꺼기는 제거하고 따뜻하게 복용한다. 잠자기 전 五更에 가까울 때 再煎服한다.
- 作用: 益氣升陽, 聰耳明目.
- 適應症: 飮食不節, 勞役形體, 脾胃不足, 淸陽不升, 白內障, 耳鳴 또는 久年目暗으로 사물을 잘 볼 수 없는 증상을 치료한다.

대부분 본 방제는 『原機啓微』 또는 『脾胃論』에서 유래되었다고 한다. 그러나 『脾胃論』에는 본 방제에 대한 기록이 없으며, 또한 『原機啓微』는 1370년에 책으로 완성되었기 때문에 1266년에 간행된 『東垣試效方』보다는 104년 늦다. 그러므로 본 방제는 『東垣試效方』에서 유래되었다고 보아야 한다. 또한, 汪昂은 『醫方集解』에서 본 방제가 東垣에 의해 만들어졌다고 명확하게 밝혔다. 方劑中 黃芪·人蔘·甘草를 重用해서 益氣補中하게 하고, 升麻·葛根·蔓荊子와 같은 輕揚升發하는 약을 配伍해서 升陽擧陷하게 하면 淸氣가 頭目에 上達해서 淸竅를 榮養하게 된다. 肝은 開竅于目하기 때문에, 芍藥(『醫方集解』에서는 白芍藥)으로 佐하여 養血斂陰柔肝하고, 腎은 開竅于耳하기 때문에 黃柏으로 降火堅陰固腎한다. 또한 酒制, 炒黃한 黃柏은 寒性이 감약되어 傷中의 우려가 없다. 原書의 方後 加減法에서 만약 脾胃虛甚하면 黃柏을 제거하고, 煩悶有熱하면 점차 용량을 늘리고, 무더운 夏月에는 배로 늘려 사용한다고 한 것으로 보면, 黃柏은 주로 淸熱瀉火의 목적으로 사용된 것이다. 모든 구성약물을 함께 배합해서 사용하면 益氣升陽하고 榮養淸竅하게 된다.

2. 擧元煎(『景岳全書』卷51): 人蔘 黃芪 炙 各三~五錢(9~15 g) 炙甘草 一~二錢(3~6 g) 升麻 炒 五~七分(2~3 g) 白朮 炒 一~二錢(3~6 g).

- 用法: 水煎服한다.
- 作用: 益氣擧陷.
- 適應症: 氣虛下陷, 血崩血脫, 亡陽垂危 등의 증상을 치료한다.

본 방제는 補中益氣湯을 가감하여 만든 것이다. 本方은 人蔘·黃芪를 重用하여 益氣固脫하고, 白朮·炙甘草를 配伍해서 益氣를 강화하며, 升麻를 配伍해서 升陽擧陷하였다. 陽氣虛餒를 겸하는 경우에는 증상을 참작하여 附子·乾薑·肉桂 등의 약을 추가한다.

3. 升陷湯(『醫學衷中參西錄』上冊): 生黃芪 六錢(18 g) 知母 三錢(9 g) 柴胡 一錢五分(4.5 g) 桔梗 一錢五分(4.5 g) 升麻 一錢(3 g).

- 用法: 水煎하여 세 번에 나누어서 하루에 모두 복용한다.
- 作用: 益氣升陷.
- 適應症: 胸中大氣下陷하여 氣短不足하고 숨쉬기 힘이 들며, 숨을 쉬려고 애쓰면 호흡이 가빠지거나, 숨이 멎을 듯 위태롭고, 脈이 沉遲微弱하거나 맥의 律動이 不調한 증상을 치료한다.

본 방제 역시 補中益氣湯을 기초로 만들어진 것으로 胸中大氣下陷한 證에 적용한다. 黃芪는 君藥으로 補氣升陽하고, 升麻·柴胡는 擧陷升提하며, 知母의 凉潤으로 黃芪의 溫性을 제어한다. 桔梗은 약물의 舟楫으로 약효를 胸中으로 上達한다. 모든 약을 함께 사용하면 益氣升陷하게 된다.

위에서 말한 세 가지 방제는 비록 主治證候가 각기 다르지만, 모두 氣虛下陷으로 인해서 발생한 것이다. 그러므로 방제조합의 구성은 모두 補中益氣湯의 治法을 따라, 補氣藥을 重用하고, 擧陷升提藥을 配伍하였다. 그중 益氣聰明湯은 蔘·芪·草에 升麻·葛根·蔓荊子를 配伍한 것으로 補中益氣, 升淸陽于頭目하므로 中氣虛弱, 淸陽不升, 淸竅失榮으로 인한 頭暈眼花, 耳失聰, 目不明 등의 증상에 적합하다. 擧元煎은 蔘·芪·朮·草로 益氣補中, 攝血固脫하고, 升麻로 升陽擧陷을 보조하였으므로, 中氣下陷, 血失統攝으로 인한 血崩血脫證에 적합하다. 升陷湯은 黃芪 한 가지만을 重用해서 補氣升陽하고, 升麻·柴胡·桔梗을 佐로 하여 下陷된 淸氣를 升擧하며, 아울러 藥力을 胸中에 上達시키므로, 胸中大氣下陷, 氣短喘促, 脈象微弱에 적합하다.

【參考文獻】

1) 潘麗萍, 周超凡. 甘溫除熱法應用指探析. 中醫雜誌. 1993;34(3):184.
2) 杜發斌, 王汝俊. 補中益氣湯臨床運用規律研究. 中藥藥理與臨床. 1993;9(3):1.
3) 中國中醫研究院圖書館.『全國中醫圖書聯合目錄』.北京: 中醫古籍出版社. 1991;406.
4) 裘沛然, 丁光迪.『中醫各家學說. 北京: 人民衛生出版社. 1992;155.
5) 廣州中醫學院.『方劑學』. 上海: 上海科學技術出版社. 1979;98.
6) 崔文成. 甘溫除熱法管見. 中醫雜誌. 1994;35(8):460.
7) 魯兆麟. 淺議補中益氣湯治療陰火證的機理. 國醫論壇. 1986;(1):21.
8) 蔣天佑. 使用補中益氣湯的體會. 天津醫藥. 1975;(9):463.
9) 潘靜江. 補中益氣湯新解. 新醫學. 1974;5(6):289.
10) 丁承恩. 小兒低熱症的辨證施治. 山東中醫學院學報. 1978;(增刊):64.

升陽益胃湯

(『內外傷辨惑論』卷中)

【異名】 益胃湯(『醫級寶鑑』卷8)

【組成】 黃芪 二兩(30 g) 半夏 湯洗 人蔘 去蘆 炙甘草 各一兩(15 g) 獨活 防風 白芍藥 羌活 各五錢(9 g) 橘皮 四錢(6 g) 茯苓 柴胡 澤瀉 白朮 各三錢(5 g) 黃連 一錢(1.5 g)

【用法】 위의 약을 가늘게 썰어, 三錢에서 五錢(15 g)을 生薑 五片, 大棗 二枚와 물 三盞에 넣고 一盞이 될 때까지 달여서 찌꺼기는 제거하고 아침식사 후 따뜻하게 복용한다.

【效能】 益氣升陽, 淸熱除濕.

【主治】 脾胃虛弱, 濕熱滯留中焦證을 치료한다. 증상은 飮食無味, 食不消化, 脘腹脹滿, 面色白, 畏風惡寒, 頭眩耳鳴, 怠惰嗜臥, 肢體重痛, 大便不調, 小便赤澀, 口乾舌乾으로 나타난다.

【病機分析】 脾主運化하고 喜燥惡濕하며, 脾氣가 升하면 健運한 것이다. 脾胃虛弱하면 納運이 不良하므로 飮食無味하고 大便不調하게 된다. 淸陽不升하면, 淸竅失養하므로 頭眩耳鳴하게 된다. 土不生金하면 肺氣亦衰하므로 畏風惡寒, 面色白하게 된다. 脾失健運하면 濕濁內停하므로 阻礙氣機하여 脘腹脹滿하게 된다. 脾는 肌肉四肢를 主하는데, 濕困中焦하고, 陽氣不運하면 肌肉에 濕이 정체하여 肢體困倦沉重하며, 심하면 통증이 생기게 된다. 濕熱下注하면 小便頻急하며, 排尿가 시원하지 않다. 濕邪化燥하면 口乾, 舌乾 등의 津液不足현상이 나타난다. 이상에서 알 수 있듯이, 脾胃虛弱, 淸陽不升, 濕熱內蘊이 本證의 기본 病機가 된다.

【配伍分析】본 방제는 脾虛濕熱證을 치료하기 위해 만들어진 것이므로, 益氣健脾, 除濕淸熱의 治法을 사용하였다. 黃芪는 "補益中土, 溫養脾胃, 凡中氣不振, 脾土虛弱, 淸氣下陷者最宜"(『本草正義』卷1)한 것으로, 본 방제에서는 黃芪를 重用하여 補脾益氣, 升擧淸陽하므로 君藥이 된다. 人蔘·甘草는 모두 甘溫補脾가 뛰어난 약으로 黃芪와 함께 사용하면 相須하여 益氣補虛가 더욱 현저해진다. 白朮·茯苓은 健脾除濕의 要藥으로 위 藥들의 補氣작용을 강화할 뿐만 아니라, 中焦濕濁을 運化시키고 脾胃의 健運을 돕는다. 따라서 이상의 약을 모두 臣藥으로 삼았다. 半夏·陳皮는 燥濕行氣和胃하여, 中焦의 氣를 통하게 하고 胃氣上逆을 멎게 한다. 澤瀉는 甘淡하며 滲濕利水한다. 또한 "脾胃有濕熱, 則頭重而目昏耳鳴, 澤瀉滲去其濕, 則熱亦隨去, 而土氣得令, 淸氣上行"(『本草綱目』卷19)하므로, 苓·朮과 配伍되면 除濕의 효과가 더욱 뛰어나게 된다. 柴胡·防風·獨活·羌活은 모두 辛散升浮하는 약으로, 升浮한 성질은 芪·蔘·朮·草의 淸陽上升에 도움을 주고, 또한 疏散한 성질은 苓·朮·澤을 도와 肌肉經絡의 濕을 제거한다. 濕邪가 쌓여 化熱하였으므로, 黃連으로 淸熱燥濕하고, 濕邪가 化燥하여 傷津하였으므로 白芍을 配伍하여 養陰補血하였다. 아울러 黃連과 白芍은 辛散藥들로 인해 溫燥傷津·升散耗氣하는 것을 제어할 수 있다. 이는 바로 吳昆의 "古人用辛散, 必用酸收, 所以防其峻厲, 猶兵家之節制也"(『醫方考』卷4)와 같다. 이상의 약들은 모두 佐藥이다. 生薑·大棗를 加하여 전탕하는 것은 和胃補脾하게 하고, 甘草와 더불어서는 藥性을 調和하므로 使藥으로 삼는다. 모든 약을 함께 배합하면, 補瀉兼施하고, 虛實幷治하는 方으로 益氣升陽, 健脾除濕, 淸熱和中하게 된다.

본 방제의 配伍 특징은 네 가지가 있다: 첫째는 補氣藥과 升陽藥의 配伍로서, 補中寓升하여 益氣升陽하므로 脾虛의 근본을 회복시킨다. 둘째는 健脾滲濕藥과 祛風勝濕藥의 配伍로서, 補中寓散하여 內外의 濕을 幷治한다. 셋째는 補氣升陽藥과 滲濕降火藥의 配伍로서, 補中寓瀉하고 升中寓降하므로 正邪를 兼顧한다. 넷째는 辛溫疏散藥과 酸寒收斂藥의 配伍로서, 散中寓收하여 燥散에 편중됨을 제어한다.

본 방제는 君藥으로 黃芪를 重用하였으며, 다량의 升散한 약을 配伍하였으므로, 補氣升陽이 매우 뛰어나다. 본 방으로 補氣健脾, 淸熱除濕하면 中焦脾胃의 氣가 점차 충만해지므로 "升陽益胃湯"이라 명명하였다.

【類似方比較】본 방제는 補中益氣湯에서 當歸를 白芍으로, 升麻를 防風으로 바꾸고, 茯苓·半夏·羌活·獨活·澤瀉·黃連을 더하여 구성한 것이다. 茯苓·澤瀉·半夏는 除濕和胃의 효능을 도울 수 있고, 羌活·獨活은 肌肉筋骨에 浸淫한 濕을 제거할 수 있다. 黃連은 中焦濕熱을 제거할 수 있다. 白芍은 當歸와 배합되어 養血할 뿐만 아니라, 芍藥의 酸味로 辛散藥들이 耗氣할 수 있는 우려를 막을 수 있다. 防風은 祛風勝濕할 뿐만 아니라, 升麻와 배합되어서는 脾氣를 升發한다. 補中益氣湯과 升陽益胃湯은 모두 補氣升陽을 기초로 하였으며, 黃芪를 重用하여 補氣升陽하고, 白朮·炙甘草로 補脾의 효력을 도우며, 柴胡를 佐藥으로 사용하여 升陽擧陷하여 脾胃氣虛, 淸陽不升證을 치료하는데 사용한다. 그러나 補中益氣湯은 補氣升陽의 代表方 및 基本方이 되고, 본 방제는 補氣升陽하면서 除濕淸熱이 증가되어 있으므로, 脾胃虛弱, 淸陽不升, 濕鬱生熱의 證을 치료하는데 적합하다.

【臨床應用】

1. 證治要點: 본 방제는 益氣升陽, 淸熱除濕의 代表方이다. 面色白, 神情倦怠, 脘腹脹滿, 肢體困重, 口乾舌乾이 本方의 사용요점이다.

2. 加減法: 泄瀉와 肛門灼熱을 겸하면 黃芩을 加하여 淸腸의 효력을 돕고, 肢體重痛이 뚜렷하지 않으면 羌活·獨活을 빼고, 口乾舌乾이 없으면 黃連를 빼고, 服藥 후 소변이 정상화 되면 茯苓·澤瀉의 양을 줄인다.

3. 升陽益胃湯은 다음 한국표준질병사인분류(KCD)에 해당하는 환자가 脾胃虛弱, 濕熱滯留中焦證으로 辨證되는 경우 본 처방의 사용을 고려해볼 수 있다.

처방 목표	한국표준질병사인분류(KCD)
慢性結腸炎	K52 기타 비감염성 위장염 및 결장염
	A09 감염성 및 상세불명 기원의 기타 위장염 및 결장염
萎縮性胃炎	K29.4 만성 위축성 위염
慢性膽囊炎	K81.1 만성 담낭염
慢性骨盤炎	N73 기타 여성골반염증질환
	R10 복부 및 골반 통증
原因不明 低熱	R50.9 상세불명의 열
慢性齒周炎	K05.3 만성 치주염
蕁麻疹	L50 두드러기

【注意事項】 服藥 기간 중에는 과식을 피하고, 적당한 운동을 병행하여야 한다. 이는 바로 原書의 "若喜食, 十二日不可飽食, 恐胃再傷, 以藥力尚少, 胃氣不得轉運升發也, 須薄味之食或美食助其藥力, 益升浮之氣而滋其胃氣, 愼不可淡食以損藥力, 而助邪氣之降沉也. 可以小役形體, 使胃與藥得轉運升發; 愼勿太勞役, 使氣復傷, 若脾胃得安靜尤佳. 若胃氣稍强, 少食果以助穀藥之力."과 같다.

【變遷史】 본 방제는 補氣升陽의 저명한 방제로써, 脾胃질환에 있어 陽氣升發에 중점을 두어 치료하는 李杲의 학술사상이 잘 반영된 방제이다. 이러한 관점에서 그 方意는 補中益氣湯과 유사하다. 그러나 補中益氣湯은 補中升陽을 위주로 구성된 반면, 본 방제에는 滲濕瀉火가 고려되어 있다. 이러한 치법은 바로 李杲의 "內傷不足之病, ……惟當以甘溫之劑, 補其中, 升其陽, 甘寒以瀉其火則愈"(『內外傷辨惑論』卷中)와 같다. 李杲는 原書에서 본 방제의 主治證候의 病機와 임상증상에 대하여 비교적 상세하게 논술하였는데 "脾胃虛則怠惰嗜臥, 四肢不收, 時値秋燥令行, 濕熱少退, 體重節痛, 口乾舌乾, 飮食無味, 大便不調, 小便頻數, 不欲食, 食不消; 兼見肺病, 洒淅惡寒, 慘慘不樂, 面色惡而不和, 乃陽氣不伸故也."라고 하여 본 방제의 證은 脾虛兼夾濕熱 또는 肺脾兩虛임을 명확하게 밝혔다. 또한 淸代의 董西園은『醫級寶鑑』에서 胸腹脹悶·頭眩耳鳴·下利遺溺 등의 적응증을 추가함으로써, 濕熱內蘊으로 인한 病機를 강조하였다. 요약하면 升陽益胃湯은 補氣升陽瀉火法을 脾胃內傷證候의 치료에 활용한 李杲의 학술사상이 집중적으로 발현된 것으로, 후세에 脾胃虛弱, 淸陽不升, 濕熱中阻의 證候를 치료하는 代表方劑로 활용되고 있다.

【醫案】

1. 泄瀉『續名醫類案』卷10: 某氏는 元氣素弱, 飮食亂化, 泄瀉不已, 小便短少, 洒淅惡寒, 體重節痛한 증상이 있었는데, 脾肺虛로 판단하고 升陽益胃湯을 투여한 후, 다 나았다.

2. 過敏性結腸炎『中醫雜誌』(1965, 6: 7): 남자, 50세. 泄瀉를 3년 동안 하였으며, 매일 2~3번씩 묽은 변에 完穀이 섞여 있고 가끔씩 腸鳴이 있으며, 食欲不振, 面色萎黃, 形瘦神疲, 脈濡小, 舌淡苔薄하여, 수차례 치료를 받았으나 효과가 뚜렷하지 않았으며, 양방에서 過敏性結腸炎으로 진단하였다. 이것은 脾陽不足하여 運化의 기능을 상실한 것이므로 升陽益胃하여 치료하였다. 處方: 黨參 12 g, 黃芪 12 g, 白朮 12 g, 炒柴胡 2.4 g, 炒白芍 4.5 g, 茯苓 6 g, 薑川連 0.9 g, 陳皮 4.5 g, 薑夏 4.5 g, 生薑一片, 紅棗 3개. 복약 일주일 후, 대변이 1일 1회로 개선되었고, 대변량은 비교적 많았으며 식욕이 약간 늘었으며, 48첩 복용 후, 형태를 갖춘 대변을 하루 1번 보게 되었고 腸鳴이 사라졌다.

3. 원인불명의 發熱『浙江中醫雜誌』(1983, 7: 332): 남자, 53세. 洒淅惡寒 이후에 發熱하였는데, 최고 40℃ 이상까지 올랐으며, 腹脹, 大便不暢, 胃納極差, 四肢怠惰無力, 頭目眩暈, 小便不利한 증상이 15일 이상 지속되었다. 병리검사결과 慢性肝炎·早期肝硬化·肝

腎症候群(hepatorenal syndrome, HRS)·원인불명의 발열(fever of unknown origin, FUO)로 진단받았다. 연속해서 和解少陽, 淸泄膽腑, 苦寒淸熱, 通腑泄便 등의 治法을 사용하였으며, 아울러 페니실린과 스트렙토마이신을 근육 주사하고, 포도당주사액에 젠타마이신(gentamicin) 등을 넣고 정맥으로 투여한 후에도 효과를 보지 못해서 본 병원으로 전원해 왔다. 환자의 증상을 보니 面色萎黃하고 舌苔는 비록 微黃하지만 舌質은 淡하고, 脈細無力했다. 脈診과 舌診을 종합해서 볼 때, 본 증상에서 熱은 邪實로 인한 것이 아니고, 氣虛로 인해 발생한 것이다. 따라서 "甘溫除大熱"에 근거하여 升陽益胃湯에서 黃連을 빼고, 瓜蔞仁·厚朴花를 더하였다. 3첩 복용 후 熱退身凉하고 정신이 맑아졌으며, 이후 계속해서 원래의 치료방법으로 복약하여 증상이 현저히 개선되었으며, 3개월 후에는 가벼운 일을 할 수 있게 되었다.

考察: 醫案1·醫案2의 泄瀉는 納差·面色萎黃·形瘦神疲 등의 증상이 수반되었으므로, 脾胃虛弱, 淸陽不升, 濕熱內蘊으로 판단하고 升陽益胃湯으로 치료하였다. 이 중 醫案2의 경우는 體重節痛 등의 濕淫肌肉한 증상이 없어 羌活·獨活·防風 등의 祛風勝濕한 약을 제거하였는데, 藥과 證이 相合되어 좋은 치료 효과를 거두었다. 醫案3의 虛熱證은 脾胃氣虛, 虛陽浮越해서 발병한 것이다. 脾虛濕阻, 虛陽外浮로 高熱不退하였으므로 升陽益胃湯을 加減하여 치료하였는데, 中虛不足하기 때문에 寒凉傷中할 수 있는 黃連을 제거하였고, 腹脹·大便不暢이 동반되어 있으므로 加瓜蔞仁하여 潤腸泄熱하고, 또 加厚朴花하여 行氣除滿하였다. 3첩 복용 후 수일 동안 지속되던 열이 마침내 떨어지게 되었다.

玉屛風散

(『究原方』, 錄自『醫方類聚』卷150)

【組成】防風 一兩(30 g) 黃芪 蜜炙 白朮 各二兩(60 g)

【用法】위의 약을 가늘게 썰어 三錢(9 g)을 大棗一枚와 물 一盞半에 넣고, 七分이 되게 달여서 찌꺼기는 제거하고, 식후에 熱服한다.

【效能】益氣固表止汗.

【主治】

1. 表虛自汗을 치료한다. 증상은 汗出惡風, 面色白, 舌淡苔薄白, 脈浮虛하게 나타난다.

2. 虛人腠理不固하여 易感風邪하는 데 적용한다.

【病機分析】衛氣는 胸中으로부터 나오고 脈外로 循行해서 體表로 분포되어 肌膚腠理를 溫養하고 汗孔開合을 조절하며, 外邪侵入을 방어한다. 이는『靈樞』「本臟」에서 말한 "衛氣者, 所以溫分肉, 充皮膚, 肥腠理, 司開合者也"와 같으며, 또한『醫旨緖餘』에서 말한 "衛氣者, 爲言護衛周身, 溫分肉, 肥腠理, 不使外邪侵犯也"와도 같다. 이로 보면 衛氣라는 이름에는 이미 "護衛"의 뜻을 포함하고 있음을 알 수 있다. 肺는 전신의 氣를 주관하고 밖으로는 皮毛와 합해서, 衛氣를 體表에 輸布하고 肌膚를 充養하는데, 이는 모두 肺氣의 宣發작용에 의한 것으로, "脾氣散精, ……肺輸于皮毛, 輕淸者入于經絡爲營, 慓悍者入于皮膚爲衛"(『愼齋遺書』卷2)와 같다. 일단 肺氣虛弱하면 肌表로 衛氣를 宣發할 수 없게 되어 衛氣 또한 弱해지며, 나아가서는 腠理失固하여 毛竅疏鬆하게 된다. 만약 營陰을 不守하여 津液이 外泄하게 되면 自汗하게 되고, 外邪를 방어하는 능력이 약해지면, 風寒의 邪가 매번 그 虛를

틈타 침입하여 쉽게 외감하게 되며, 衛氣가 虛해지면 肌腠를 溫煦하지 못하므로 늘 惡風怯寒하게 된다. 이는 바로 『讀醫隨筆』에서 말한 "衛氣者, 熱氣也. 凡肌肉之所以能溫, 水穀之所以能化者, 衛氣之功用也. ……衛氣不到則冷"과 같다. 또 환자의 面色白, 舌淡苔薄白, 脈浮虛軟과 같은 증상은 모두 肺衛氣虛하여 臟腑經絡을 濡養시키지 못하고, 機能이 감퇴하여 발생한 것이다. 따라서 肺衛氣虛, 腠理失固가 本證의 기본 病機가 된다.

【配伍分析】 본 方劑의 證은 肺衛氣虛, 腠理失固로 인한 것으로 益氣實衛하여 固表止汗하여야 한다. 方劑 중의 黃芪는 甘溫하고, 脾·肺二經으로 歸經하여 "入肺補氣, 入表實衛, 爲補氣諸藥之最"(『本草求眞』卷5)이다. 그러므로 본 방제에서는 黃芪의 補脾肺氣하는 성질을 취하여, 脾氣旺盛하게 하여 土能生金하게 하고, 肺氣足하게 되면 表固衛實하게 되기 때문에 君藥으로 삼았다. 白朮은 甘苦溫하며 주로 脾胃經에 入하며 益氣健脾의 要藥이 된다. 黃芪와 조화를 이루어 培土生金, 固表止汗을 더욱 뛰어나게 하므로 臣藥으로 삼았다. 『神農本草經』卷1에서 白朮은 "止汗"의 효능이 있다고 말했고, 『備急千金要方』卷10에서도 또한 單味白朮煎湯은 汗出不止를 치료한다고 기록된 것을 보면 固表止汗에 白朮을 사용한 유래는 매우 오래되었다는 것을 알 수 있다. 芪·朮을 함께 사용하면 補脾胃를 해서 助運化할 뿐만 아니라, 氣血生化의 원천을 도우며, 또 補肺氣하고 實肌表하면, 營陰이 常道를 循行하게 되어, 汗이 外泄하지 않게 되고, 邪氣 역시 內侵하기 어렵게 된다. 風邪가 襲表하였다면, 마땅히 外邪를 제거해야 하지만, 腠理疏鬆한 환자의 경우에는 發汗하면 더욱 그 表를 상할 우려가 있기 때문에, 본 방제에서는 甘溫不燥하며 약성이 緩한 防風을 소량 加하여 走表하도록 하여 風邪를 제거하도록 하였다. 또한 防風은 "風藥中潤劑"이기 때문에, 補氣固表의 효능이 뛰어난 黃芪와 함께 配伍하면, 黃芪에 防風의 성질이 더해져서 固表하되 邪를 머물게 하지 않고, 防風에 黃芪의 성질이 더해져서 祛邪하되 傷正하지 않게 되므로, 두 약의 뛰어난 配伍는 그야말로 張秉成이 말한 "黃芪固表益衛, 得防風之善行善走者, 相畏相使, 其功益彰, 則黃芪自不慮其固邪, 防風亦不慮其散表"(『成方便讀』卷1)와 같다. 약을 달일 때 大棗一枚를 넣는 것은 본 방제의 益氣補虛한 효력을 강화시키기 위한 것이다. 위에서 말한 모든 약을 함께 사용하면, 補中兼疏하고, 散中寓收하므로, 表虛自汗한 환자가 복용하면 益氣固表해서 汗泄이 멎게 되고, 體虛易感風邪하는 환자가 복용하면 益氣固表해서 外邪를 방어할 수 있다.

본 방제의 配伍특징은 다음과 같다: 益氣固表를 위주로 하고 소량의 祛風解表藥을 配伍해서 固表하는 가운데 疏散을 겸하고, 祛風하면서도 固表止汗한 효능을 강화할 수 있으므로, 相畏相使하고, 相反相成한다.

본 방제의 益氣固表, 止汗御風하는 효능은 마치 병풍이나 휘장과 같고, 玉과 같이 진귀하여, 이를 "玉屛風散"이라고 이름지었다.

【類似方比較】 본 방제와 桂枝湯은 모두 表虛自汗을 치료하지만, 본 玉屛風散證의 自汗은 衛氣虛弱, 腠理不固로 발생한 것이고, 桂枝湯證의 自汗은 外感風寒, 營衛不和로 발생한 것이다. 따라서 본 방제의 효능은 固表止汗을 위주로 하고, 祛風을 겸한 것이며, 桂枝湯은 解肌發表, 調和營衛를 위주로 한다. 이는 바로 吳昆이 말한 "是自汗也, 與傷風自汗不同, 傷風自汗, 責之邪氣實; 雜證自汗, 責之正氣虛. 虛實不同, 攻補亦異"(『醫方考』卷4)와 같다.

【臨床應用】

1. 證治要點: 본 방제는 表虛自汗한 증상을 치료하는 常用方劑이다. 自汗惡風, 面色白, 舌淡脈虛한 증상이 本方의 사용요점이다.

2. 加減法: 汗出이 심한 경우에는 浮小麥·牡蠣·麻黃根 등을 넣어 固表止汗의 효능을 강화하고, 表虛外感風寒, 頭痛鼻塞, 汗出惡風, 脈緩한 경우에는 桂枝

湯을 함께 사용해서 益氣固表, 調和營衛한다.

3. 玉屛風散은 다음 한국표준질병사인분류(KCD)에 해당하는 환자가 表虛自汗證으 辨證되는 경우 본 처방의 사용을 고려해볼 수 있다.

처방 목표	한국표준질병사인분류(KCD)
上氣道感染	J00~J06 급성 상기도감염
感冒, 絲球體腎炎	N08.8 달리 분류된 기타 질환에서의 사구체장애
알레르기性 鼻炎	J30.1 화분에 의한 알레르기비염
	J30.2 기타 계절성 알레르기비염
	J30.3 기타 알레르기비염
	J30.4 상세불명의 알레르기비염
慢性蕁麻疹	L50.80 만성 두드러기
氣管支喘息	J45 천식
手術後自汗證	(질병명 특정곤란)
	Z54.0 수술 후 회복기
	R61.9 상세불명의 다한증
出産後自汗證	(질병명 특정곤란)
	O90.9 산후기의 상세불명의 합병증
	O85 산후기 패혈증
小兒自汗證	(질병명 특정곤란)
	R61 다한증

【注意事項】 虛人外感에 邪多虛少하거나, 陰虛發熱에 의한 盜汗에는 본 방제의 사용을 금한다.

【變遷史】『究原方』 이전의 方書에 이미 黃芪·白朮·防風 3가지를 配伍해서 自汗證을 치료한 기록이 존재한다. 예를 들면『素問病機氣宜保命集』卷1에서의 白朮防風湯·黃芪湯은 모두 위의 3가지 약으로 구성된 것으로, 용량의 비율만 玉屛風散과 다를 뿐이다. 白朮防風湯은 防風을 重用하고, 芪·朮은 각각 防風用量의 절반을 사용하여, 전체 방제에서 補散의 비율은 1:1이 되며, 破傷風으로 發表散邪藥(羌活防風湯)을 복용한 후 自汗이 있는 환자를 치료한다. 黃芪湯의 경우에는 세 가지 약의 용량은 동일하며, 補散의 비율은 2:1이 되며, 傷寒發熱有汗, 脈微弱하며 惡風이 심한 환자를 치료한다. 본 방제(玉屛風散)는 芪·朮을 重用하고, 防風은 芪 또는 朮의 절반만을 사용해서 補散의 비율이 4:1이 되어, 氣虛自汗을 치료할 뿐만 아니라, 虛人外感을 예방한다. 이로 보면, 상술한 3종의 방제는 모두 自汗을 치료하지만, 邪氣의 微甚 및 正虛의 輕重차이가 있기 때문에, 용약 비율 또한 각각의 중점에 따라 달라짐을 알 수 있다. 후세의 의학자들은 본 방제의 益氣實表御邪한 효능을 근거로 해서 치료 범위를 한층 더 확대하였다. 예를 들면『濟陽綱目』卷15에서는 본 방제로 "風雨寒濕傷形, 皮膚枯槁"를 치료하였는데, 본 방제로 肺의 衛氣를 보충하여 水穀精微가 皮膚가 당연히 潤澤하게 하면 皮膚가 潤澤하게 되는 것이다. 근래 임상에서는 본 방제를, 外感으로 인해 반복적으로 유발되는 사구체신염·알레르기성 비염·蕁麻疹·氣管支喘息 등의 여러 가지 질환에 사용한다. 이는 본 방제의 實衛御邪한 효능을 이용하여 外邪의 易感을 방지하므로 좋은 치료효과를 볼 수 있다.

본 방제는 원래 煮散劑이나 현대에는 湯劑·沖劑·口服液·片劑 및 水丸·시럽 등의 제형으로 바꾸어 임상에서 사용이 더욱 편리해졌다.

【難題解說】

1. 본 방제의 출처에 관하여: 각종『方劑學』교재에서 玉屛風散의 기원에 대한 기록은 크게 세 가지로 나누어 볼 수 있는데, 첫째는『世醫得效方』이며, 둘째는『丹溪心法』, 셋째는『究原方』이다.『世醫得效方』은 元·危亦林이 1337년에 저술하여 1345년에 간행한 것이지만, 현재의『世醫得效方』에서는 본 방제를 찾아볼 수 없다.『丹溪心法』은 朱震亨의 제자가 정리하여 완성한 것으로 대략 1347년에 책으로 완성되었다. 宋·張松의『究原方』은 1213년에 책으로 완성되었으며, 原書가 산실되었지만 그 인용문을『醫方類聚』와『古今圖書集成醫部全錄』에서 찾아볼 수 있기 때문에 본 방제의 기원은『究原方』으로 보는 것이 타당하다.

2. 본 방제의 분류에 대하여: 대부분의 方論書에서는 본방을 補益門에 배속하였다. 즉, 『景岳全書』卷53에서는 "古方八陣"의 "補陣", 『醫方集解』 및 『成方便讀』卷1에서는 "補養之劑", 『成方切用』卷2에서는 "補養門"에 배속하였다. 그러나 현대의 『方劑學』에는 일부 서적에서만 補益劑로 분류하고, 대부분 『方劑學』에는 본 방제가 表虛自汗을 치료대상으로 삼기 때문에 "固澀劑"로 분류하였다. 본 방제의 약재 구성을 분석해 보면, 芪·朮은 補氣藥이고 防風은 散表하는 성질의 약이므로 收澀藥을 위주로 구성된 固澀劑와는 차이가 매우 크다. 본 방제는 黃芪를 君藥으로 白朮을 臣藥으로 하여, 補氣를 위주로 한다. 그러므로 본 방제의 止汗은 固澀을 바탕으로 한 것이 아니라, 脾肺의 氣를 大補하여 氣旺表實하게 하여 自汗을 그치게 하는 것이다. 이렇게 하는 것이 병의 根本을 따라 治法을 논하는 것이다. 따라서 본 『方劑學』에서는 이를 "補益劑"로 분류하였으며, 이것이 名實相符하고 이치에 합당하다.

3. 본 방제의 약재 용량에 대하여: 앞에서 서술한 것처럼, 芪·朮·防의 용량 차이로 인해 白朮防風湯·黃芪湯 및 玉屛風散이 된다. 하지만 후세의 각종 문헌 중에 옮겨 기록된 玉屛風散은 그 용량과 비율에 있어 차이가 크다. 예를 들면 『丹溪心法』卷3에서는 白朮을 重用하였고, 『醫宗金鑑』·「刪補名醫方論」卷28에서는 세 가지 약을 等分하였으며, 『東醫寶鑑』·「内景篇」卷2에서는 防風을 重用하였다. 고금의 40여 개 문헌 중에 수록된 玉屛風散을 분석한 바에 따르면[1], 치료의 대상이 대체적으로 동일함에도 불구하고 약재의 용량 비율이 무려 12가지나 된다. 그중 세 가지 약의 양이 동일한 것도 있고, 두 가지 약의 양이 동일한 경우도 있다. 두 가지 약이 다르게 구성된 약재 組合에는 重用하는 경우도 있고 輕用하는 경우도 있다. 특히 그중 8가지 문헌에 기록된 玉屛風散이 모두 『世醫得效方』에서 나온 것이지만, 그 구성 비율은 5가지나 된다는 것이다. 이를 통해 추측해 보면, 玉屛風散의 세 가지 약재 비율이 다양하게 기록된 것은, 여러 사람에 의한 傳寫오류와 함께, 의학자들이 증상에 합리적이게 변화 발전시킨 상황을 배제할 수 없다. 본 방제의 配伍는 補散幷用으로, 各家가 氣虛感邪의 우선순위에 따라 補散의 비중에 변화를 주는 것은 辨證論治의 理法에 어긋나는 것이 아니다. 또한 상기 문헌의 다양한 용량조합을 살펴보면, 防風을 重用하는 경우는 한 종류의 방제만 있을 뿐이고, 나머지는 모두 補中寓散한 것으로, 益氣固表의 뜻을 잃지 않았다. 따라서 임상에서 본 방제를 응용할 때에는 반드시 補氣固表를 위주로 한다는 기본원칙을 잘 파악하여야 한다. 그런데 약재의 비율에 따라 玉屛風散의 효능에도 차이가 존재한다는 연구도 있다. 예를 들면 芪·朮·防 세 가지 약의 비율이 1:2:1과 2:1:1인 두 방제에 대해 연구한 결과, 전자의 경우는 항피로 작용이 비교적 강하고, 후자의 경우는 마우스의 생존기간을 연장하고 단위 산소섭취량을 줄여준다는 보고가 있다.[2] 상기 연구는 관찰 지표가 비교적 적고, 결과 역시 補氣의 범주를 못 벗어나지만, 方劑의 약재용량 변동이 약효에 영향을 미친다는 것을 밝혔다는 점에서 향후 더욱 깊이 연구할 가치가 있다.

【醫案】

1. 虛傷風『一得集』: 올해 41세 정도 되었으며, 쌀가게를 운영해서 노동으로 인한 피로가 심하고, 계유년 가을에 傷風咳嗽를 앓아서 나를 찾아와 진찰을 받았다. 진료 당시 환자는 脈浮部虛大, 寸口澀小, 自汗淋漓하였다. 이것은 傷風症이지만, 脈象이 極虛하고, 寸口脈이 大해야 하는데 오히려 小한 것으로 보아 內傷에 약간의 外感을 겸한 것이다. 만약 發散藥을 복용하면, 땀이 계속 흐르고 멎지 않고 또한 虛陽浮越하게 될 것이므로, 補益法을 사용하였다. 玉屛風散 2첩으로 치료하였다.

考察: 玉屛風散은 肺衛氣虛, 腠理失固의 證을 치료하는 益氣實衛, 固表止汗의 방제이다. 虛人이 外感風邪한 경우, 만약 發散劑를 투여하면, 그 表를 더욱 傷하게 하여 汗漏不止의 우려가 있으며, 風邪가 제거되지 않을 뿐만 아니라 陽氣 역시 外脫할 우려가 있다. 따라서 玉屛風散을 사용하여 發表而不傷正하고, 固表

而不留邪하였다. 약과 증상이 잘 맞아서 좋은 치료 효과를 나타내었다.

2. 虛人衛陽不固, 反復感冒『福建中醫藥』(1984, 3:50): 여자, 44세, 의료계 종사자. 환자는 한 달에 1~2회씩 자주 감기에 걸리고, 움직이면 바로 氣促易汗하고 神疲易倦, 面色蒼白, 食欲不振, 舌淡苔薄白, 脈細弱하였다. 면역글로불린측정 결과는 IgG 60 mg%, IgA 245 mg%, IgM 140 mg%이었다. 본 증상은 衛陽不固하고 腠理虛疏하여 感受風寒한 것으로, 玉屛風散을 加味하여 사용하였다. 處方: 黃芪15 g, 白朮 10 g, 防風·當歸 各 8 g을 넣고 매주 6첩씩 水煎服하였다. 3개월 후 모든 증상이 감약되었으며, 면역글로불린 재검사에서는 IgG 1,225 mg%, IgA 240 mg%, IgM 145 mg%로 나타났다.

考察: 衛陽不固하고 腠理虛疏하면 자주 감기에 걸리고, 게다가 병이 오래 되면 氣不生血해서 氣虛血弱한 證으로 변하게 된다. 따라서 玉屛風散으로 益氣實衛하여 風邪를 방어하고, 當歸를 加하여 養血補虛하였다. 3개월 동안 복용후 모든 증상이 감약되었고 감기 횟수가 현저히 줄어들었으며, IgG 또한 현저하게 상승하였다.

3. 自汗『山東中醫雜誌』(1983, 2:36): 남자, 33세, 농민, 1981년 5월 3일 초진. 환자의 自汗은 5년이 넘었으며, 최근 반년 동안 증상이 심해졌으며, 밥을 먹거나 노동시 땀이 심하게 나고, 倦怠乏力, 食欲不振, 胸悶, 面色萎黃, 舌淡苔薄白, 有齒痕, 脈弦細한 증상을 동반하였다. 본 증상은 氣虛自汗으로, 玉屛風散을 加味하였다. 處方: 黃芪 30 g, 白朮 15 g, 防風 9 g, 烏梅 15 g, 炒山楂 15 g. 20첩을 투여한 후 식욕이 크게 회복되고, 氣力이 점점 좋아졌으나, 오직 自汗은 변화가 없고, 게다가 胸悶은 더욱 심해져서, 原方에 生麻黃 6 g을 넣어 3첩을 투여한 후 自汗이 점점 멎고 胸悶 또한 사라졌다. 계속해서 용량을 3 g까지 줄이고 다시 5첩을 투여한 후 치유하였다. 1년 정도의 방문 조사에서도 재발하지 않았다.

考察: 表虛自汗에 먼저 玉屛風散에 烏梅·山楂를 넣어 斂汗開胃한 효능을 증가시켜서 20첩을 투여한 후에 食欲 및 體力이 매우 좋아졌으나, 自汗은 변화가 없고 胸悶은 더욱 심해졌다. 이는 脾氣는 점차 회복되었으나, 肺氣가 失宣한 것으로, 麻黃을 조금 넣어 3첩을 투여한 후, 5년의 고질병이 마침내 사라졌다. 본 醫案은 發汗하는 麻黃을 自汗의 치료에 사용한 것으로 대담하고 생각이 깊은 의안이다. 麻黃은 宣肺하는 要藥으로 肺氣를 皮毛까지 外達해서 衛氣를 充養하는데, 여기에 烏梅가 배합되면, 散中寓收하고, 또한 過發汗에 대한 우려가 없게 되므로 좋은 효과를 얻을 수 있었다.

【參考文獻】

1) 陳馥馨, 高曉山. 玉屛風散組成考査及聯想. 中成藥. 1995;(4):45.
2) 趙自强, 韓生銀. 玉屛風散古今劑量比例改變的藥理作用比較. 中醫藥硏究. 1992;(3):41.

生脈散

(『醫學啓源』卷下)

【異名】 生脈湯(『丹溪心法』卷1), 蔘麥散(『遵生八箋』卷4), 生脈飮(『醫錄』, 錄自 蘭台軌範』卷1), 人蔘生脈散(『症因脈治』卷2), 定肺湯(『醫林繩墨大全』卷2), 蔘麥五味飮(『胎産心法』卷下).

【組成】 麥門冬 人蔘 各三錢(9 g) 五味子 十五粒(6 g)

【用法】 물로 달여 복용한다.

【效能】 益氣生津, 斂陰止汗.

【主治】

1. 久咳傷肺, 氣陰兩虛證을 치료한다. 증상은 乾咳少痰, 短氣自汗, 口乾舌燥, 脈虛細하게 나타난다.

2. 暑熱로 인한 耗氣傷陰證을 치료한다. 증상은 汗多神疲, 體倦乏力, 氣短懶言, 咽乾口渴, 舌乾紅少苔, 脈虛數하게 나타난다.

【病機分析】 肺는 主氣하고 呼吸을 주관한다. 만약 久咳不愈하면 肺氣가 날로 消耗되고 肺陰도 점차 손상을 입게 된다. 氣虛하면 咳嗽氣短, 自汗聲低하고, 陰虛하면 肺失清潤, 乾咳痰少하며, 肺는 전신의 氣를 주관하여 百脈의 朝會가 되므로, 肺氣虛餒하고 脈道失充하게 되면, 脈이 虛弱하게 된다. 暑는 여름의 炎熱한 氣로서, 성질이 升散하므로, 이를 感受하면 腠理開泄되어 大汗하여 傷陰하게 되므로 "陽勝則陰病"이라는 말이 있다. 또한 氣는 汗을 따라 泄하므로, 氣도 점진적으로 소모되는데 "氣虛身熱, 得之傷暑"(『素問』·「刺志論」)와 같다. 氣虛하면 腠理不固하여 땀이 멎지 않고, 땀이 많이 나면 날수록 津液이 손상되고, 津液이 손상되면 될수록 氣가 소모되어서 氣陰兩虛한 증상에 이르게 된다: 氣虛하면 汗多神疲, 體倦乏力, 氣短懶言하게 되고, 陰虛하면 咽乾口渴, 舌質乾紅少苔, 脈來虛數하게 된다. 이로부터 알 수 있듯이 본 방제가 치료하는 질병의 명칭은 비록 다르지만, 氣陰兩虛라는 이치는 동일하다.

【配伍分析】 본 방제가 치료하는 모든 증상은 氣陰不足으로 인한 것이므로, 益氣養陰生津하여야 한다. 方劑 중의 人蔘은 甘溫하되 燥하지 않아서, 補益肺氣할 뿐만 아니라 또한 補氣生津이 뛰어나기 때문에 君藥으로 삼았다. 麥門冬은 甘寒生津하여, 潤肺養陰에 뛰어나고, 人蔘과 함께 조화를 이루어서는 氣陰雙補에 뛰어난 효과를 나타내므로 臣藥으로 삼았다. 五味子는 酸溫收澀, 益氣生津, 斂陰止汗하므로 氣津의 外泄을 막을 수 있을 뿐만 아니라, 蔘·麥과 배합되어서는 耗損된 氣陰을 회복하게 할 수 있으므로 佐藥으로 삼았다. 세 가지 약은 모두 肺經으로 入하면서도, 각각 補, 潤, 斂의 특징이 있기 때문에, 氣陰의 虛를 補하고 또한 氣陰의 散을 斂한다. 그러므로 본방은 肺虛久咳에서는 益氣養陰, 斂肺止咳의 효과를 나타낼 수 있고, 暑熱로 인한 氣耗津泄에서는 益氣生津, 斂陰止汗의 효과를 나타낼 수 있다.

본 방제는 비록 氣陰雙補의 효능이 있지만, 人蔘의 補氣 효능을 위주로 한 것이다. 이를 통해 氣復津生하고 汗止陰存하며 脈得氣充하기 때문에, "生脈"이라 하였다.

【類似方比較】 본 방제와 王孟英의 清暑益氣湯은 모두 暑病汗多, 耗氣傷津의 證을 치료한다. 그러나 清暑益氣湯證은 暑熱이 아직 치성하고 氣津은 이미 손상된 邪實正虛이므로, 身熱心煩, 小便短赤, 舌紅苔黃 등의 熱盛 양상이 있으며, 본 방제는 暑熱이 지난 후 氣陰俱損한 純虛無實한 증상을 치료하며, 또한 久咳肺虛, 乾咳痰少를 치료하는 常用方이다.

【臨床應用】

1. 證治要點: 본 방제는 氣陰兩虛證을 치료하는 代表方劑이다. 임상에서 體倦, 氣短, 咽乾, 舌紅, 脈虛를 사용의 요점으로 삼으며, 특히 氣陰兩虛에 津氣耗散을 겸한 病機에 적합하다.

2. 加減法: 人蔘은 甘溫하고 大補元氣하므로 氣虛가 심하지 않은 경우에는 黨參으로 바꾸어 사용하고, 氣陰不足에 內熱을 兼하면 西洋蔘으로 인삼을 대신할 수 있다. 이는 바로 張錫純이 말한 西洋蔘은 "性涼而補, 凡欲用人蔘而不受人蔘之溫補者, 皆可以此代之"(『醫學衷中參西錄』中冊)라는 것과 같다. 病勢가 위중한 경우에는 전체 방제의 용량을 늘려서 사용하는 것이 합리적이다.

3. 生脈散은 다음 한국표준질병사인분류(KCD)에 해당하는 환자가 氣陰兩虛證으로 辨證되는 경우 본

처방의 사용을 고려해볼 수 있다.

처방 목표	한국표준질병사인분류(KCD)
冠狀動脈性心臟病	I20 협심증
	I24 기타 급성 허혈심장질환
	I25 만성 허혈심장병
心絞痛	I20 협심증
急性心筋梗塞	I21 급성 심근경색증
不整脈	I20 협심증
	I08 다발판막질환
	I49 기타 심장부정맥
心筋炎	I40 급성 심근염
	I41 달리 분류된 질환에서의 심근염
心不全	I50 심부전
肺性心疾患 (pulmonary heart disease)	I27 기타 폐성 심장질환
	I27.9 상세불명의 폐성 심장병
肺結核	A15 세균학적 및 조직학적으로 확인된 호흡기결핵
	A16 세균학적으로나 조직학적으로 확인되지 않은 호흡기결핵
慢性氣管支炎	J41 단순성 및 점액화농성 만성 기관지염
	J42 상세불명의 만성 기관지염
Shock	(질병명 특정곤란)
	R57 달리 분류되지 않은 쇼크
中暑	T67 열 및 빛의 영향
老人性痴呆	F03 상세불명의 치매
新生兒硬腫症	(질병명 특정곤란)
	P83.0 신생아피부경화증
	L21.0 두피지루_아기머릿기름딱지

【注意事項】 본 방제는 補斂合法으로 氣陰兩虛, 純虛無實의 證에 적합하다. 그러므로 溫病으로 氣陰이 손상되었지만 餘熱이 아직 남아있거나, 久咳肺虛하지만 痰熱이 남아 있는 경우는 본 방제의 사용을 금한다.

【變遷史】 본 방제는 金代 張元素의 『醫學啓源』에 처음 기재된 것으로, "補肺中元氣不足"하여 "肺中伏火, 脈氣欲絶"을 치료한다. 李杲는 이를 계승하여, 본 방제의 補斂氣陰을 여름철 熱傷元氣, 汗泄津傷한 증후를 치료하는데 사용하였는데, 이와 관련된 논술은 『内外傷辨惑論』에 기재되어 있다. 이로부터 역대 의학자들은 본 방제의 임상 운용을 다음의 두 가지로 분류하였다: 첫째는 益氣斂陰止汗의 효능을 응용해서 外感熱病 汗多津傷氣耗의 증상을 치료하는 것으로, 吳瑭을 대표 인물로 들 수 있으며, 『溫病條辨』卷1에서 본 방제는 暑溫을 치료하는데 "因陽氣發泄太甚, 内虛不司留戀"하기 때문에 발생한 "汗多而脈散大"한 증상을 大補元氣, 酸甘化陰하게 하면 守陰하여 留陽하게 된다고 하였다. 둘째는 약이 모두 肺經으로 入하며, 補肺氣 養肺陰하는 효능을 갖기 때문에 肺氣虛餒, 氣陰不足한 증상을 치료하는데 응용하는 것으로, 吳昆을 대표 인물로 들 수 있다. 그는 『醫方考』卷3에서 "肺主氣, 正氣少故少言, ……人蔘補肺氣, 麥冬淸肺氣, 五味子斂肺氣, 一補一淸一斂, 養氣之道畢矣"라고 하였다. 生脈散은 補益氣陰에 중점이 있기 때문에, 의학자들은 氣陰兩虛에 해당하는 内科·外科·婦人科·小兒科 등의 다양한 질병으로 치료영역을 확대하였다. 예를 들면 『正體類要』卷上에서는 본 방제로 瘡瘍潰後 膿水出多 氣陰俱虛한 증상을 치료하였고, 『外科樞要』卷4에서는 본 방제로 胃氣虧損, 陰火上衝, 肌肉消瘦, 汗出不止한 증상을 치료하였으며, 근래의 임상에서는 본 방제를 다양한 심혈관계질환 및 쇼크의 응급치료에 사용한다. 본 방제는 원래 湯劑이지만, 현대에는 드링크제·주사액 등의 제형으로 제조하여 久服하거나 응급사용에 편리하도록 하였다.

【難題解說】

1. 본 방제의 출처에 관하여: 다수의 『方劑學』 교재에 본 방제의 方源은 李杲의 『内外傷辨惑論』으로 기록되어 있다. 그러나 『内外傷辨惑論』은 1231년(一說에는 1247년)에 간행되었으며, 이 보다 일찍 1186년에 간행된 張元素의 『醫學啓源』에는 본 방제를 사용하여 補肺中元氣하였다는 기록이 있다. 하지만 후세의 대부분 의학자들은 生脈散은 東垣이 暑病의 氣津兩傷을 치료

한 방제라고만 알고 있으며, 원래 張元素가 肺虛證候 치료했다는 것은 잘 모르고 있는 경우가 많다. 이는 바로 汪昂이 生脈散을 "淸暑之劑"에 수록하였고, 徐大椿 역시 본 방제가 "傷暑之後存其津液之方也. ……用此方者, 須詳審其邪之有無, 不可徇俗而視爲治暑之劑也"(錄自『溫熱經緯』卷4에서 발췌)라고 한 것과 같다. 이로 보면 東垣의 저술은 널리 전해졌으며, 東垣學說의 영향력 또한 매우 크다는 것을 알 수 있다. 본서에서는 본 방제의 方源을 명확하게 하여, 본 방제의 뜻을 더욱 깊이 이해할 수 있게 하였다.

2. 본 방제의 치료와 치법의 확립에 관하여: 본방은 張元素가 創製한 것으로서, 肺熱不淸하고 오래 되어 氣陰耗損된 증상을 치료하는데 사용된다. 原書를 보면 "脈氣欲絶"이라는 말이 있는데, 이것은 氣虛할 뿐만 아니라 또한 그 氣虛의 정도가 매우 심한 것이다. 肺는 氣之主이므로, 肺氣虛甚하면 반드시 五臟에 영향을 미치고, 脈道失充하게 되어, 脈微細하게 되고 심하면 脈診하는 指下에 맥박이 이르지도 않게 된다. 이는 바로 王士雄이 말한 "方名生脈, 則熱傷氣之脈虛欲絶可知矣"(『溫熱經緯』卷4)와 같으며, 『赤水玄珠全集』卷5에서는 본 증상의 臨床表現에 대해서 "肺氣大虛, 氣促上喘, 汗出而息不續, 命在須臾"라고 더욱 구체적으로 기술하였다. 『萬病回春』卷2에서는 비록 본 방제가 暑病을 치료하지만, 그 病機는 "暑傷于氣, 脈虛弦細芤遲, 屬元氣虛脫者"라고 명시하였으며, 溫病學家는 본 방제를 陰傷氣脫證候를 치료하는 要方으로 인식하였다. 이상의 여러 의학자들이 본 방제를 운용한 논술을 보면, 氣虛의 정도가 매우 뚜렷하며, 심할 경우는 氣가 耗散할 우려까지 있다. 生脈散은 元氣大虛 津氣耗散을 치료하기 위해 만들어진 것으로, 그 본뜻은 人蔘의 大補元氣한 효능을 통해 氣虛의 本을 補하고, 五味子의 收斂肺氣한 효능을 통해 氣泄의 標를 固하며, 다시 麥門冬의 甘寒淸潤한 효능을 통해 부족한 陰을 滋한다. 세 가지 약이 合用되면 甘潤不燥하고, 補斂合法하여, 元氣充足하고 肺陰回復하게 되어 脈이 정상으로 회복된다. 본 방제의 치법은 補斂氣陰에 기초하기 때문에 氣陰不足에 耗散의 증을 겸한 다양한 종류의 病證을 치료하는데 적합하다. 본방의 사용례를 종합해 보면, 李杲가 暑病汗多 耗氣傷津한 증상을 치료한 것, 薛己가 瘡瘍潰後 膿水出多 陰傷氣耗한 증상을 치료한 것, 혹은 현대에서 본 방제를 응용하여 쇼크·심혈관계질환 등을 치료한 것 등은, 증상은 각기 다르지만 모두 氣津虛損耗泄이라는 기본적인 病機를 벗어나지 않는다.

3. 본 방제의 현대 임상 운용에 관하여: 현대에서 본 방제는 심혈관계질환 및 쇼크의 응급치료에 널리 사용되어 뚜렷한 치료 효과를 거두고 있다. 이러한 질병은 임상에서 神疲乏力, 汗多懶言, 氣短咳喘, 面色無華하거나 蒼白, 心悸脈虛 등의 氣陰不足한 증상으로 나타난다. 본 방제는 大補元氣, 斂陰止汗하고, 또한 모든 약이 心經으로 入하여, 補心寧神한 효과를 겸하고 있으며, 실험적 연구에서도 본 방제는 强心·혈압조절·心筋代謝(cardiac metabolism)개선 등의 작용을 나타내므로, 心肺氣陰虧損을 주요 病理로 해서 나타나는 쇼크·심부전·부정맥 등의 증상을 치료하는데 적합하다.[1] 이밖에도 방제의 약재와 용량을 조정함으로써 氣陰兩虛로 辨證되는 各科의 질병에 활용할 수 있다.

4. 본 方劑 중의 人蔘의 운용에 대하여: 人蔘은 大補元氣, 益氣固脫의 要藥으로, 현재는 대부분 栽培品을 사용하고 있으며, 임상에서는 病勢에 따라 품종을 참작하여 選用해야 한다: 元氣大虛한 경우에는 紅蔘이나 高麗蔘을 사용하고, 陰虛가 비교적 뚜렷한 경우에는 生曬蔘이나 白蔘을 選用한다. 虛하면서 火가 있는 경우에는 西洋蔘을 사용하고, 氣陰不足이 輕證인 경우에는 黨參으로 사용할 수 있다. 또한, 病勢가 急重한 경우에는 용량을 늘려야 하고, 病勢가 輕淺한 경우에는 용량을 줄여야 한다. 이와 같이 증상에 따라 참작해서 사용하면, 어떠한 종류의 질병이든, 病勢의 緩急에 상관없이, 氣陰不足에 해당하는 경우는 모두 약효를 볼 수 있다.

【醫案】

1. 中暑『續名醫類案』卷7: 陸祖愚가 한 사람을 치료했는데, 7월 訟事中에, 冷粥을 몇 그릇 먹고 나서 얼마 지나지 않아 바로 吐했다. 이때부터 茶와 飮料는 모두 吐하고, 頭痛身熱하고, 咽喉不利하며, 昏冒하고, 항상 입에 痰液이 흘렀다. 의학자가 中暑로 알고, 香薷飮을 냉복시키자 바로 토했다. 또 우물물에 益元散을 타서 투여해도 역시 吐하고, 昏冒가 더 심해졌다. 맥을 보니, 陽部는 洪數無倫하고, 陰部는 沉微無力했다. 이는 邪氣가 在上焦한 것으로, 在上者는 因而越之하여야 하므로 涌吐하여야 한다. 대개 饑餓한 경우는 胃中空虛한데 暑熱의 氣가 乘虛하여 入胃하면, 胃熱이 極하게 되고 여기에 한랭한 물을 마시면, 冷熱이 상반되어 水入則吐하게 된다. 口中流涎 역시 胃熱이 上涎하였기 때문이다. 沸湯에 소금을 조금 넣고, 齏汁을 몇 스分 넣어, 따뜻하게 복용시켰는데, 2~3그릇까지는 吐하지 않다가, 잠시 후 水飮과 痰涎을 한 대야만큼 大吐했다. 이후 바로 生脈散을 투여한 후 人事淸爽하고 모든 증상이 한꺼번에 줄어들었다.

考察: 여름에 배고픔을 참으면, 胃中空虛하게 되고, 暑熱之氣가 乘虛해서 胃로 들어가게 된다. 胃熱極할 때 급하게 차가운 것을 먹으면 胃氣를 더욱 傷하게 해서 痰飮中阻하게 되는데 심하면 飮入則吐하게 된다. 鹽湯으로 涌吐함으로서 胃熱과 痰涎은 비록 제거되었지만, 氣陰이 크게 상하였으므로 生脈散으로 益氣養陰한 후에 모든 증상이 한꺼번에 줄어들었다.

2. 脫證『成都中醫學院學報』(1979, 1:48): 여자, 75세. 고혈압 및 만성 기관지염을 앓은 지 여러 해가 되었다. 평소 혈압은 190~170/110~100 mmHg이며, 또한 頭暈失眠, 咳嗽胸悶 등의 증상이 있었다. 진찰하러 오기 10분 전에 過勞로 인하여 갑자기 呼吸困難, 心悸, 頭汗如珠, 口噤不語, 脈形隱伏, 怠緩而結하고 脈搏이 불규칙적이며, 36회/분이었다. 본 증상은 脫證에 해당하므로, 서둘러 紅蔘2支(切片)를 麥門冬 15 g·五味子 12 g을 끓인 물에 담가놓았다가 흰 설탕을 넣고, 천천히 투여하였다. 약을 다 복용한 다음에 환자가 신음하기 시작하고 손발을 움직였다. 다시 약을 복용한 후에 의식을 되찾고, 脈搏이 50회/분으로 나타났으나 여전히 脈無力而結하고 3~5번에 1번씩 멈추었다. 본 증상은 元氣가 회복되었지만 아직 완전하지 않은 것으로, 原方을 진하게 달여 마시고 2시간 안에 生脈散 2첩을 모두 복용하게 한 후 의식이 맑아지고 위기를 넘겨서 안정을 찾았다. 다음날 再診時, 환자는 頭昏, 疲乏, 心跳하였고 六脈은 弦緩하였으며 5~8번에 1번씩 멈추었다. 혈압은 140/100 mmHg이었고, 이미 식사는 가능하였다. 계속해서 原方을 3첩 투여하고 素食으로 調養한 후 脈形이 整齊되고 정상 상태를 회복하였다.

3. 부정맥『中級醫刊』(1959, 9:26): 여자, 73세. 기관지확장에 기관지폐렴이 같이 나타났으며, 계속되어 심부전으로 발전하여 毛地黃葉(digitalis잎) 분말을 복용하였다. 치료과정 중 갑자기 惡心嘔吐하고, 맥박은 38회/분이었으나 규칙적이었고, 혈압은 90/0 mmHg까지 떨어졌으며, 疲乏하고 嗜睡하였다. 양방협진을 통해 digitalis중독으로 인한 방심실블록(atrioventricular block)으로 진단하였고, 人蔘 9 g, 麥冬 9 g, 五味子 3 g으로 연속해서 5첩을 투여한 후 심장박동이 56회/분으로 회복되었고 모든 증상이 조금씩 緩解되었다.

考察: 醫案2의 心悸氣喘, 頭汗如珠, 脈形隱伏은 氣陰外脫한 위급한 증상이므로 益氣固脫劑를 重用하지 않으면 위급한 상황을 구하기 어렵다. 따라서 급하게 紅蔘을 重用한 生脈散을 진하게 달여 자주 복용시키고 2시간 내에 2첩을 모두 복용하게 한 후 元氣를 회복하고 정신이 점차 맑아지고 위기를 넘겨서 안정을 찾았다. 醫案3의 不整脈 역시 氣陰欲脫한 위급한 증상으로 生脈散을 사용해서 大補元氣, 斂陰固脫하여 증상이 緩解되었다.

4. 肌衄『浙江中醫雜誌』(1987, 4:162): 남자, 50세. 15일 전, 일도 많고 스트레스도 많았는데, 또 날까지 더워 땀을 많이 흘려서 乏力口乾하였다. 1주일 전 옷을

갈아입다가 조각 모양의 淡紅色 혈흔을 발견하였는데 당시에는 개의치 않았다. 이후로 心煩口苦, 頭暈眠差하였으며, 그제 아침부터 또 옷에 혈흔이 지난번처럼 나타났다. 검사 결과 몸에 땀이 나는데, 육안으로는 붉지 않지만 거즈로 반복해서 땀자국을 닦으면 거즈가 약간 붉게 변하는 것을 볼 수 있었다. 땀을 채취해서 검사한 결과 적혈구가 산재해 있었고 환자는 面色萎黃, 舌淡, 脈弦細하였다. 生脈散에 白芍을 넣어 5첩을 복용한 후 다 나았다.

考察: 본 증상의 肌衄은 勞倦耗氣, 津血不固로 발생한 것이기 때문에 人蔘으로 益氣補虛하고, 麥門冬으로 養陰生津하고, 五味子로 斂汗固表하고, 다시 白芍으로 養血斂陰하여, 약과 증이 相合하여 빠른 효과를 나타내었다.

【參考文獻】

1) 黃金龍, 蒙定水. 生脈注射液在心血管疾病中的臨床應用研究近況. 福建中醫藥. 2007;38(1):61-62.

人蔘蛤蚧散(蛤蚧散)

(『博濟方』卷2)

【組成】 蛤蚧一對 新好者, 用湯洗十遍, 慢火内炙令香, 研細末. 人蔘 茯苓 知母 貝母 去心, 煨過, 湯洗 桑白皮 各二兩(60 g) 甘草 炙 五兩(150 g) 大杏仁 湯洗, 去皮尖, 爛煮令香, 取出, 研 六兩(180 g)

【用法】 위의 약을 細末하고 杏仁을 넣어 같이 곱게 간다. 매번 半錢에 生薑 二片, 약간의 酥, 물 八分을 넣고 달여 熱服한다. 湯點으로 頻服하여도 좋다.

【效能】 補肺益腎, 止咳定喘.

【主治】 肺腎氣虛, 痰熱内蘊咳喘證을 치료한다. 증상은 咳嗽氣喘, 呼多吸少, 聲音低怯, 痰稠色黃, 或咳吐膿血, 胸中煩熱, 身體羸瘦, 或遍身水腫, 脈浮虛하게 나타난다.

【病機分析】 "肺爲氣之主, 腎爲氣之根, 肺主出氣, 腎主納氣, 陰陽相交, 呼吸乃和"(『類證治裁』卷2)라고 하였듯이 만약 肺腎의 氣가 虛하면, 氣를 주관하는 바가 없게 되어, 虛氣上逆하여 咳喘이 발생하고, 또 呼多吸少하고 聲音低怯하게 된다. 肺는 水之上源이고, 腎은 主水之臟이므로, 肺腎의 氣가 虛하면, 津液이 失布하고, 氣化가 失司하여, 水濕이 停聚하게 되고, 나아가 津凝하여 痰이 된다. 痰이 쌓여서 化熱하면 痰熱이 阻肺하여, 咯痰이 粘稠한 黃色이 된다. 痰熱蘊肺하면 灼傷血絡하고 심하면 肉腐血敗하여 膿을 생성하기도 하므로, 胸中煩熱, 咳吐膿血하게 된다. 水濕이 肌膚에 泛溢하면 水腫이 나타나고, 正氣久虛하여, 臟腑肌肉을 失養하면 身體羸瘦하고 脈浮而虛弱無力하게 된다. 이상의 내용을 종합하면, 本方의 病機는 肺腎氣虛가 發病의 本이 되고, 痰熱内蘊, 氣逆不降이 發病의 標가 된다.

【配伍分析】 본 방제는 肺腎氣虛, 痰熱内蘊한 證을 치료하기 위해 만든 것으로 補肺益腎, 淸熱化痰, 止咳定喘의 효과가 있다. 方劑 중의 蛤蚧는 甘鹹微溫하고 肺腎으로 歸經하며, 肺腎의 氣를 峻補해서 納氣平喘하는 효능이 뛰어나며, 또한 止癆嗽하기 때문에 虛喘을 치료하는 要藥이 된다. 人蔘은 甘溫不燥하고, 肺脾로 歸經하며, 大補元氣해서 益肺脾하는 효능이 뛰어나다. 두 약을 함께 配伍하면, 益肺腎해서 止喘嗽하므로, 補虛定喘하는 常用藥對가 되며, 經驗方인 "蔘蛤散"은 바로 이 두 가지 약으로만 구성된 것이다. 두 약 모두를 본 방제의 君藥으로 삼았다. 茯苓은 甘淡하고, 滲濕健脾하므로 生痰之源을 제거하고, 甘草는 重用하였는데, 茯苓과 배합하면 健脾補中하고, 또한 人蔘·蛤蚧의 益氣扶正하는 효능을 돕는다. 이상의 약을 臣藥으로 삼았다. 杏仁·桑白皮를 佐하여 肅降肺氣, 止咳定

喘하고, 茯苓과 배합되면 通調水道, 利水하여 面浮足腫을 제거한다. 知母·貝母는 清熱潤肺하고 化痰止咳한다. 두 약을 배합하면, "二母散"(『太平惠民和劑局方』, 『證治準繩』·「類方」卷2에서 발췌)이 되며, 喘急咳嗽, 痰涎壅盛한 증상을 치료하는데 뛰어나다. 甘草는 藥性을 調和하므로 使藥을 겸한다. 모든 약을 配伍하면 補肺益腎, 止咳定喘하는 효능을 갖게 된다.

본 방제의 配伍 특징은 두 가지가 있다: 첫째는 補益肺腎하는 약과 肅肺清熱化痰하는 약을 配伍하여 虛實幷治, 標本兼顧한 것이며, 둘째는 清潤平和한 약을 사용하여, 補益하되 膩滯하지 않고, 利氣하되 峻厲하지 않게 한 것으로, 補肺納氣하되 痰邪를 머물지 않게 하고, 清熱化痰하되 肺氣를 傷하지 않게 한다. 그러므로 久病으로 正虛邪實한 증상을 치료하는데 가장 적합하다.

【臨床應用】

1. 證治要點: 본 방제는 咳喘時久, 肺腎虛衰하고 痰熱을 동반한 증상을 치료하며, 임상에서 운용할 때 咳嗽氣喘, 痰稠色黃, 脈浮而虛가 本方의 사용요점이 된다.

2. 加減法: 熱이 없는 경우에는 桑白皮·知母를 빼고, 陰虛를 兼하는 경우에는 麥門冬·沙蔘 등을 넣어 養陰潤肺하고, 咳吐膿血하거나 痰中帶血하는 경우에는 白茅根·地楡炭·側柏炭 등을 넣어 清熱涼血止血하게 한다.

3. 人蔘蛤蚧散은 다음 한국표준질병사인분류(KCD)에 해당하는 환자가 肺腎氣虛, 痰熱內蘊咳喘證으로 辨證되는 경우 본 처방의 사용을 고려해볼 수 있다.

처방 목표	한국표준질병사인분류(KCD)
慢性氣管支炎	J41 단순성 및 점액화농성 만성 기관지염
	J42 상세불명의 만성 기관지염
氣管支擴張症	J47 기관지확장증

처방 목표	한국표준질병사인분류(KCD)
肺氣腫	J43 폐기종
肺結核	A15 세균학적 및 조직학적으로 확인된 호흡기결핵
	A16 세균학적으로나 조직학적으로 확인되지 않은 호흡기결핵

【注意事項】 肺腎兩虛하면서 偏寒하거나 新感外邪를 동반한 咳喘에는 본 방제의 사용을 금한다.

【變遷史】 본 방제의 原名은 "蛤蚧散"으로 宋代 王衮의 『博濟方』에서 유래되었으며, "肺痿咳嗽, 即肺癰嗽"를 치료한다. 人蔘·蛤蚧에 止咳化痰藥을 배합하여 肺虛痰阻로 인한 喘咳를 치료하는 方을 구성하였는데, 이러한 배합은 宋代의 方劑에서 흔히 볼 수 있는 것으로, 예를 들면 王衮 이전에는 『太平聖惠方』에 다수의 "蛤蚧丸"이 있고, 王衮 이후에는 『聖濟總錄』의 "蛤蚧丸"·"蛤蚧湯" 및 『楊氏家藏方』의 "人蔘蛤蚧散" 등이 있다. 특히 『聖濟總錄』卷88의 "蛤蚧湯"은 본 방제에서 知母·貝母의 두 가지 약재만 빠진 것으로 보아 본 治法이 당시에 이미 광범위하게 활용된 것으로 예상된다. 明代 許國禎은 본 방제의 適應證을 "三二十年間肺氣上喘咳嗽, 咯唾膿血, 滿面生瘡, 遍身黃腫"을 치료하는 데까지 확대하였으며, 아울러 명칭도 "人蔘蛤蚧散"으로 바꾸었는데, 이는 그의 대표적 저서인 『御藥院方』卷5에 기록되어 있다. 이로부터 본 방제는 널리 알려지게 되었으며, 역대 의학서적에서 많이 인용하게 되었다.

【難題解說】 본 방제의 출처에 관하여: 各 『方劑學』교재마다 『衛生寶鑑』 또는 『御藥院方』 등으로 다르게 기록되어 있다. 앞서 말한 바와 같이, 본 방제의 原名은 "蛤蚧散"으로, 宋代의 『博濟方』(1047년)에 처음 기록되었으며, 明代의 『御藥院方』(1267년)에 이르러서 "人蔘蛤蚧散"으로 명칭을 바꾸었다. 또한 『衛生寶鑑』은 1343년에 이르러서야 책으로 완성되었으므로, 본 방제의 方源은 『博濟方』으로 보는 것이 타당하다.

【副方】人蔘胡桃湯(『夷堅·己誌』卷3, 錄自『是齋百一選方』卷5, 原名 "觀音人蔘胡桃湯"): 新羅人蔘一寸許(9 g) 胡桃肉 去殼, 不剝皮 一個(9 g).

- 用法: 水煎服한다.
- 作用: 補肺腎, 定喘逆.
- 適應症: 肺腎兩虛, 氣促痰喘.

方劑 중의 人蔘은 大補元氣하고, 胡桃肉은 補腎斂肺定喘한다. 두 약을 合用하면, 肺腎을 함께 補하고 補虛定喘하게 된다. 본 방제와 人蔘蛤蚧散은 모두 補虛定喘하여 虛喘證을 치료한다. 그러나 본방은 약성이 偏溫하여 肺腎兩虛, 氣喘不能平臥한 증상을 치료하는데, 虛證에 응용하고, 후자는 약성이 偏寒하여 肺腎虛衰兼痰熱의 咳喘을 치료하는데, 虛中夾實의 證에 응용한다.

第二節 補血劑

四物湯

(『仙授理傷續斷秘方』)

【異名】地髓湯(『聖濟總錄』卷164)·大川芎湯(『鷄峰普濟方』卷16).

【組成】白芍藥 川當歸 熟地黃 川芎 各等分.

【用法】三錢(9 g)을 1첩으로 하여, 물 一盞半을 넣고 10분의 7이 되도록 달여 공복에 뜨겁게 복용한다.

【效能】補血和血.

【主治】營血虛滯證을 치료한다. 증상은 心悸失眠, 頭暈目眩, 面色無華, 形瘦乏力, 婦人月經不調, 量少或經閉不行, 臍腹作痛, 舌淡, 脈細弦或細澀하게 나타난다.

【病機分析】血은 陰에 속하여 안으로 臟腑를 기르고 밖으로 형체를 충실하게 한다. 따라서『難經』「二十二難」에서 '血主濡之'라고 하였으며,『景岳全書』卷30에서 또 말하기를 血은 "灌漑一身, 無所不及, 故凡爲七竅之靈, 爲四肢之用, 爲筋骨之和柔, 爲肌肉之豐盛, 以至滋臟腑, 安神魂, 潤顏色, 充營衛, 津液得以通行, 二陰得以調暢, 凡形質所在, 無非血之用也. 是以人有此形, 惟賴此血『素問』「五臟生成篇」에서 "肝受血而能視, 足受血而能步, 掌受血而能握, 指受血而能攝"이라고 하였다. 陰血이 虧虛하여 臟腑形體가 濡養의 도움을 받지 못하면 여러 종류의 病變이 나타난다. 만약 血이 虛하면 위로 순환할 수 없고, 七竅와 形體가 혈액 공급이 부족하면 頭暈目眩, 面色無華, 唇甲色淡, 舌淡한 증상이 나타난다. 心은 血을 주관하고 神을 갈무리 하는데, 血이 虛하면 心이 영양을 잃고 神이 집을 지키지 못하게 되면 심장박동이 빨라지고, 불면증과 다몽증에 시달리는 증상이 나타난다. 血이 虛하여 밖으로 形體를 충실하게 하지 못하면, 살이 빠지고 힘이 부족하게 된다. 血海가 비고, 陰血이 부족하고, 血海가 텅 비고, 게다가 血虛로 脈道가 막히게 되면 血液의 運行 또한 유창하지 못하게 되는데 곧 張秉成이 말한 '血虛多滯, 經脈隧道, 不能滑利通暢"과 같은 것이다. 여성의 월경량이 적고 색이 옅으며 제때에 나오지 않거나, 혹은 월경이 당겨지거나 늦춰지며, 심하면 폐경에 이르게 된다. 臍腹이 作痛한다. 血虛하여 脈道가 충실하지 못하면 脈象이 가늘고 無力하게 된다. 이를 통해 알 수 있듯이, 營血이 虛滯하고 臟腑와 形體가 촉촉함을 잃는 것이 본 증상의 기본 病機이다.

【配伍分析】본 방제는 營血虛滯한 증상을 치료하기 위한 것으로 補血調血한다. 方劑 중의 熟地黃은 맛이 달고 따뜻하여, 肝과 腎으로 들어가고, 質이 潤하고

膩하여 滋陰補血하는 중요한 藥이다. 『本草鋼目』卷16에서 이에 대해 "塡骨髓, 長肌肉, 生精血, 補五臟內傷不足"이라고 하였고, 張介賓 또한 "能補五臟之眞陰, 而又于多血之臟爲最要.……諸經之陰血虛者, 非熟地不可"(『景岳全書』卷48)라고 말했다. 따라서 본 방제에서는 이를 君藥으로 삼는다. 當歸는 맛이 달고 따뜻하고 質이 潤하여 肝과 心으로 들어가 補血하는 효능이 뛰어나고 겸하여 活血하여 선인들이 이를 "補中有動, 行中有補, 誠血中之氣藥, 亦血中之聖藥也"(同上)라고 하였다. 본 방제에서 이 약을 사용하는 것은 첫째는 熟地黃의 補血하는 효능을 도울 수 있고, 둘째는 經隧脈道의 막힌 것을 통하게 할 수 있기 때문에 臣藥이 된다. 白芍藥은 맛이 시고 달며 質이 柔하여 肝과 脾로 들어가 養血斂陰하는 효능이 뛰어나, 地黃·當歸와 함께 사용하면 본 방제의 滋陰養血하는 효능이 더욱 두드러진다. 또한 경련을 완화해서 腹痛을 멎게 한다. 川芎은 性味가 辛散溫通하여, 肝과 膽으로 들어가서, 위로는 머리와 눈으로 올라가고, 아래로는 血海로 내려가고, 가운데로는 울결된 것을 풀어주고, 옆으로는 絡脈을 통하게 하여 血中의 氣藥이 되어, 活血行氣하는데 뛰어나다. 當歸와 서로 배오하면 혈맥의 힘을 더욱더 창달하게 하여, 두 藥은 모두 方濟 중의 佐藥이 된다. 方劑 중의 地黃·芍藥은 陰柔하고, 養血斂陰함으로 血中血藥이라고 부른다. 當歸·川芎은 溫通하고 補中有行하여서 血中氣藥이 된다. 전자는 補血하는 힘이 우수하지만, 그 성질이 陰柔하여 막힌다. 후자는 補하는 힘은 좀 부족하지만 오히려 溫通하여 流動하게 한다. 그러므로 張秉成이 말하길 "血虛多滯, 經脈隧道, 不能滑利通暢, 又恐地·芍純陰之性, 無溫養流動之機, 故必加以當歸·川芎辛香溫潤, 能養血而行血中之氣, 以流動之"(『成方便讀』卷1)라고 하며, 當歸·川芎을 配伍한 의미에 대해 확실하고 상세하게 설명하였다. 네 가지 약을 함께 배오하면, 動靜이 결합하고, 강직하고 부드러운 것이 서로 도와서, 血虛한 경우에는 補血의 효능을 거둘 수 있게 되고, 血滯한 경우에는 行血하는 효능을 보게 되므로, 진실로 補血調血의 좋은 방제이다.

본 방제의 배오 특징은 두 가지이다. 첫째, 補血과 活血하는 약을 함께 사용하여 補血하면서 血이 막히지 않게하고, 和血하면서 傷血하지 않게 하여서, 임상에서는 특히 血虛血滯證을 치료하는데에 사용해야 한다. 둘째, 모든 약이 肝으로 들어가기 때문에 본 방제는 調補肝血을 위주로 한다. 肝은 血海가 되고, 女子는 肝이 先天이 됨으로, 일단, 肝血이 부족하면 肝鬱血滯하기 쉽고, 부인과 질환인 임신과 출산에 관한 모든 질병과 月經不調는 대부분 肝血虛滯와 관련이 있다. 따라서 본 방제는 또한 부인과에서 調經의 常用方劑가 된다.

【臨床應用】

1. 證治要點: 본 방제는 血虛가 주요 병리 변화가 되는 증상을 치료한다. 그러므로 임상에서 운용할 때 마땅히 頭暈心悸, 面色無華, 舌淡, 脈細의 증상이 치료의 요점이 되어야 한다.

2. 加減法: 氣虛를 동반한 경우에는 人蔘·黃芪 등을 넣어 補氣生血한다. 瘀滯가 심한 경우에는 桃仁·紅花를 넣고, 白芍藥은 赤芍藥으로 바꿔 活血祛瘀를 강화한다. 血虛에 寒이 있는 경우에는 肉桂·炮薑·吳茱萸 등을 넣어 溫通血脈하고, 血虛에 熱이 있는 경우에는 黃芩·牡丹皮를 더하고, 熟地黃은 生地黃으로 바꿔 넣어 淸熱凉血하게 하고, 妊娠胎漏한 경우에는 阿膠·艾葉 등을 넣어 止血安胎한다. 方劑 중의 모든 약의 용량은 원래 동일한 양을 사용하지만, 임상에서 운용할 때는 반드시 증상에 따라 양을 조절해야 하며, 『蒲輔周醫療經驗』에서는 "川芎量宜小, 大約爲當歸之半, 地黃爲當歸的二倍"라고 하였고, 『謙齋醫學講稿』에서는 "用作養血的用量, 熟地·當歸較重, 白芍次之; 在不用熟地時, 白芍的用量又往往重于當歸"라고 하는 등의 경험은 본 방제를 운용할 때 참고할 만한 가치가 있다.

3. 四物湯은 다음 한국표준질병사인분류(KCD)에 해당하는 환자가 營血虛滯證으로 辨證되는 경우 본 처방의 사용을 고려해볼 수 있다.

처방 목표	한국표준질병사인분류(KCD)
婦科月經不調	N91 무월경, 소량 및 희발 월경
	N92 과다, 빈발 및 불규칙 월경
胎産疾病	O00~O99 XV. 임신, 출산 및 산후기
蕁麻疹(두드러기)	L50 두드러기
扁平疣 (편평사마귀)	B07 바이러스사마귀
慢性皮膚病 (骨傷科疾病)	M84 골연속성의 장애
過敏性紫癜	D69.0 알레르기자반증
神經性頭痛	G44.2 긴장형두통
	G44.1 달리 분류되지 않은 혈관성 두통
出血	(질병명 특정곤란)
	R58 달리 분류되지 않은 출혈

【注意事項】 方劑 중의 熟地黃은 滋膩하고, 當歸는 滑潤하기 때문에, 濕盛中滿하고 大便溏泄한 증상이 있는 환자는 사용을 금한다.

【變遷史】 현존하는 四物湯에 관한 최초의 기록은 唐代 藺道人이 쓴 『仙授理傷續斷秘方』에 있는데, 跌仆閃挫로 인한 상처가 심하여 腸 속에 瘀血이 있는 증상을 치료하는 것이다. 근원을 거슬러 올라가 보면, 張山雷가 말한 본 방제는 "實從『金匱』膠艾湯得來, 即以原方去阿膠·艾葉·甘草三味"(『瀋氏婦科輯要箋正』卷下)였다. 仲景膠艾湯은 원래 婦人의 衝任虛損과 陰血이 內守할 수 없어서 발생한 여러 종류의 血證을 치료하기 위해 만들어진 것이나, 藺道人은 이 중에서 暖宮調經하고 養血止血하는 阿膠·艾葉과 甘草를 빼고 生地黃을 熟地黃으로 바꾸고 芍藥은 白芍藥으로 하고, 原方의 當歸·川芎은 그대로 남겨두어 이름을 '四物湯'이라고 하였다. 따라서 養血止血, 調經安胎의 방제가 傷科血虛血滯한 증후를 치료하는 방제로 바뀌었다. 본 방제를 구성하는 모든 약은 肝으로 들어가며, 女子는 肝이 先天이 되기 때문에, 宋代의 『太平惠民和劑局方』卷9에서 본 방제를 부인과질환의 치료에 사용하게 되었고 책에서 말하기를 "四物湯, 調益營衛, 滋養氣血, 治衝任虛損, 月水不調, 臍腹疞痛, 崩中漏下, 血瘕塊硬, 發歇疼痛; 妊娠宿冷, 將理失宜, 胎動不安, 血下不止; 及産後乘虛, 風寒內搏, 惡露不下, 結生瘕聚, 少腹堅痛, 時作寒熱"이라고 하였다. 이후 역대 의학자들은 본 방제를 여성질병 치료에 운용하였고, 상세한 설명과 많은 발전이 있었다. 예를 들어 『聖濟總錄』에서는 '産後亡陰, 血虛汗出不止'라고 하였고, 『鷄峰普濟方』卷16에서는 '妊娠至産前腹痛不可堪忍, 及月事或多或少或前或後疼痛'이라고 하였고, 『世醫得效方』卷14에서는 '産後血乾, 痞悶心煩;産育艱難, 或一歲一産'이라고 하였고, 『葉氏女科證治』卷3에서는 '妊娠血少無以養胎, 遍身酸懶, 面色青黃, 不思飲食, 精神困倦, 形容枯槁'라고 하는 등, 이처럼 血虛血滯한 증상으로 판단되는 여성의 胎前産後 뿐 아니라, 月經不調한 모든 질병의 경우에는 증상에 맞게 四物湯을 選用해서 그 용량을 조절한다. 따라서 陳自明이 본 방제를 婦人疾患을 치료하는 通用方(『婦人良方大全』卷2)으로 구분했으며, 이로써 부인과 병증에 가장 널리 쓰이는 방제 중의 하나가 되어, '婦科聖方'이라 불리며 지금까지 쇠퇴하지 않고 꾸준히 사용되고 있다. 이와 동시에, 수많은 의학자들이 임상경험을 근거로 본 방제를 여러 종류의 血虛 증후를 치료하는데 사용했다. 예를 들어 『口齒類要』·『壽世保元』卷4 등에서는 본 방제를 '血虛發熱' 치료에 사용했고, 『簡明醫彀』卷3에서는 본 방제를 '失血發厥' 치료에 사용했으며, 『證治汇補』卷1에서는 '血虛中風' 치료에 사용하였고, 『醫方集解』「補養之劑」에서는 본 방제가 '모든 血虛' 증상을 치료할 수 있다고 더욱 더 명확하게 밝힘으로써, 본 방제의 임상 운용 범위가 계속해서 확대되게 되었다. 현대임상에서는 그 운용범위를 넓혀, 內·外·婦·兒·皮膚·五官·眼目의 모든 질병을 불문하고, 血虛에 血滯를 동반한 모든 질병에 본 방제를 사용해서 넣고 빼면, 모두 좋은 효과를 보게 된다. 종합해서 말하면, 본방제는 補血하는 基本方으로, 약 사용 비율 및 炮製의 차이에 따라, 血虛는 補하고, 血滯는 行하게 하고, 血熱은 제거할 수 있으므로 다양한 血分病證에 넣고 빼서 치료할 수 있다. 따라서 費伯雄은 본 방제를 "調補血分之法, 于斯著矣"(『醫方論』卷3)라고 칭찬하였

으며, 汪昂 또한 '凡血證通宜四物湯'(『醫方集解』「理血之劑」)이라고 하여, 역대 의학자들에게 調血要劑로 칭송받았다. 후세에는 본 방제를 기초로 하고 加味해서 만든 방제가 매우 많으며, 『中醫方劑大辞典』에 수재된 '加味四物湯'이라는 이름의 방제만 보아도120여 가지에 이르며, 이 중 가장 대표적인 명성을 떨치는 방제는 '桃紅四物湯'(原名은 '加味四物湯')이다. 이외에 '聖愈湯' 등도 역시 대대로 전해지며 자주 사용하는 良方이다.

【難題解說】

1. 본 방제의 출처에 관하여: 기존의 방제학 저서와 교재는 모두 『太平惠民和劑局方』에서 유래되었다고 하였다. 위에서 서술한 바와 같이, 『局方』 이전의 『仙授理傷續斷秘方』에는 이미 四物湯에 대한 기록이 있으며, 후자는 서기 841~846년 사이에 쓰여져, 전자(서기 1078~1085년)보다 2세기 앞서 있다. 따라서 최근 출판된 일반 고등교육 중의약류 기획교재인 『方劑學』에서는 본 방제의 출처를 『仙授理傷續斷秘方』으로 정정했다.

2. 본 방제의 君藥에 관하여: 『韓氏醫通』·『醫方集解』에는 모두 當歸를 君藥으로 삼았으며, 『傷寒緒論』에는 오히려 熟地黃을 君藥으로 삼았다. 비록 當歸·熟地黃은 모두 補血의 효능을 갖지만, 熟地黃은 肝腎으로 들어가고, 質이 潤하고 膩하여 滋陰補血하는 要藥이 되고, 當歸는 補血하는 힘은 조금 떨어지지만 行血하는 효능이 뛰어나다. 그리하여, 본 방제는 補血의 代表方이 되기 때문에 熟地黃을 君藥으로 하는 것이 적절하다. 단, 임상에서 본 방제를 운용할 때에는 적절하게 조절해서, 補血을 위주로 하는 경우에는 마땅히 熟地黃이 君藥이 되고, 調血을 위주로 하는 경우에는 當歸가 君藥이 될 수 있다.

【醫案】

1. 혈관 신경 부종(血管神經性水腫) 『上海中醫藥雜誌』(1964, 2:26): 남자, 32세. 혈관 신경 부종이 반복적으로 발생한 지 5년이 되었으며, 항상 蕁麻疹(두드러기, urticaria)가 함께 나타났으며, 심할 때는 편두통, 상복부통이 함께 나타났다. 양쪽 扁桃體가 크게 붓고, 皮膚劃痕실험 결과 양성이며, 실험실 산호성 과립형 백혈구 직접 검사수(實驗室嗜酸性粒細胞直接檢查數)는 6,611/mm³이다. 10% 글루콘산칼슘 주사, 노보카인 정맥주사, 자혈요법(自血療法), 내복용 베나드릴(Benadryl, 苯海拉明), 冬眠靈·레세르핀(reserpine, 利血平) 및 조직요법(組織療法), 침구요법을 사용해서 치료한 적이 있고, 또한 五官科로 전과해서 扁桃體를 잘라냈으나 모두 효과가 없었다. 환자는 이미 자신감을 잃었고, 또 반복적으로 발병한지 1년이 지난 후에 심한 두통 증상을 동반하여 다시 한 번 발병해서, 四物湯을 처방해서 치료하고, 약 2첩을 복용한 후 통증이 눈에 띄게 호전되었고, 약 6첩을 복용한 후 다시 발병하지 않았다. 4년 동안의 방문 조사에서 다시 재발하지 않았다.

考察: 血虛한 신체가 밖에서 風邪의 침입을 받아 여러 해 동안 거듭 발병해서 陰血이 날로 소모되면, 風邪 또한 쉽게 체내로 침입해서 痼疾로 변하게 된다. 선인이 일찍이 '治病求本'이라고 하였고, 또한 '治風先治血, 血行風自滅'이라고 하였다. 따라서 四物湯으로 養血調血하게 해서 培本하면 약과 증상이 잘 맞아서 빠른 효과를 보게 된다.

2. 手顫 『陝西中醫』(1988, 10:459): 여자, 65세. 환자는 원래 高血壓病이 있었으나 치료를 받고 나서 치유되었다. 1년 전 양손이 떨리고, 손가락이 저려서 한 병원에서 디아제팜(diazepam), 오리자놀(oryzanol), 冬眠靈 등의 약으로 치료한 후 증세가 한동안 호전되었다. 3개월 전, 과로로 손떨림이 심해 약을 먹어도 효과를 보지 못했다. 당시 환자의 증상은 양손 마디에 미세한 떨림이 있었는데 왼손이 특히 심하고, 손가락 끝이 저리고, 손아귀 힘이 약해져서 물건을 들고 있을 수 없었다. 머리 떨림, 두근거림, 얼굴에 화색이 없고, 말소리가 떨리는 증상이 함께 나타났다. 혀가 심하게 붉고, 苔白, 脈細했다. 혈압을 측정한 결과 20.0/11.5 kPa이고, 혈액 검사 결과: 헤모글로빈 수치는 70 g/L이다. 본 증상은 陰血이 부족하여 心肝이 血虧해서 虛風이 內動하고 筋

脈失養한 것으로 養血息風해야 한다. 處方: 熟地黃·白芍藥 各 20 g, 當歸 15 g, 川芎·天麻·釣鉤藤 各 10 g씩 넣는다. 두 번째 진료: 약 9첩을 복용한 후, 두 손의 떨림 증상이 현저히 감소하였으며, 손으로 물건을 들 수 있고, 말은 정상으로 회복하였으나, 유일하게 손떨림·머리 떨림 증상이 덜해지지 않아서 原方을 그대로 해서 地龍 10 g, 全蝎 3 g을 넣고 연속으로 약 10첩을 복용하게 한 후 손떨림·머리떨림 증상이 완전히 사라졌으며, 나머지 증상도 모두 완치되었다. 1년 동안의 방문 조사에서 재발하지 않았다.

考察: 肝은 血을 저장하고 조절하며, 筋을 주관하므로, 肝血이 부족하면 筋脈을 濡養할 수 없기 때문에 虛風內動하게 된다. 즉 血虛生風하는 것이다. 따라서 四物湯으로 養血柔肝하게 하고 天麻·釣鉤藤·地龍·全蝎 등을 넣고 息風止痙하게 하면, 血이 충족해져 筋이 柔해지고, 風을 제거해서 떨림 증상이 멎게 된다.

【副方】

1. 聖愈湯(『脈因症治』卷下): 熟地黃 七錢一分(20 g) 白芍藥 酒拌 七錢 五分(15 g) 川芎 七錢五分(9 g) 人蔘 七錢五分(15 g) 當歸 酒洗 五錢(12 g) 黃芪 炙 五錢(12 g)(본 방제의 原書에는 용량이 기록되어 있지 않으며, 『方劑學』에 근거하여 보충한다.)

• 用法: 물을 넣고 달인다.
• 作用: 益氣, 補血, 攝血
• 適應症: 여성의 月經先期에 월경량이 많고 색이 옅으며, 精神倦怠, 四肢乏力한 증상을 치료한다.

'聖愈湯'이라는 이름의 방제는 李杲가 편찬한 『蘭室秘藏』卷下에서 가장먼저 나왔으며, 방제는 生地黃·熟地黃·川芎·當歸·人蔘·黃芪 이렇게 여섯 가지 약으로 구성된다. 元代의 朱震亨은 본 방제의 生地黃을 白芍藥으로 바꿔 넣어, 『脈因證治』에서 '聖愈湯'이라고 불렀다. 淸代의 吳謙 등이 『醫宗金鑑』를 편찬할 때는 朱震亨方에 柴胡 한 가지를 더 넣었는데도 여전히 '聖愈湯'이라고 불렀다. 이와 같이 변화 발전하여 이름은 같지만 내용이 다른 수많은 '聖愈湯'을 만들었다. 위에서 알 수 있듯이, 본 방제는 李杲의 방제구성관을 본받았는데, 단지 李杲의 '聖愈湯' 중에서 生地黃이 白芍藥으로 바뀐 것으로 인하여, 다른 同名方과 비교했을 때 후세 의학자들에게 더욱 상용되고 널리 알려져 지금까지 사용되고 있다. 위에서 말한 起原은 이전에는 언급하는 경우가 드물었기 때문에 본 방제의 출처가 수많은 『方劑學』 저서에서 『醫宗金鑑』으로 오인되었다. 본 방제는 四物湯에 人蔘·黃芪를 넣어 大補元氣하도록 구성한 것이기 때문에, 氣血雙補하는 효능이 있을 뿐만 아니라, 또한 補氣攝血하는 힘이 있어서 氣血兩虛證 및 氣虛와 血失統攝으로 인해 발생한 出血證을 치료하는 常用方劑가 된다.

2. 桃紅四物湯(『醫壘元戎』, 『玉機微義』卷31에서 발췌함. 原名은 '加味四物湯'이다.): 四物湯에 桃仁(9 g) 紅花(6 g)을 넣는다.

• 用法: 물을 넣고 달인다.
• 作用: 養血活血
• 適應症: 여성의 월경주기가 너무 앞당겨 지거나, 血에 핏덩이가 많이 나오고, 자줏빛을 띠고 稠黏 하며, 腹病이 있는 등의 증상을 치료한다.

본 방제의 原名은 '加味四物湯'으로, 『玉機微義』卷31을 인용한 『醫壘元戎』에서 그 기록을 볼 수 있으며, 『醫宗金鑑』卷44에 본 방제를 수록할 때는 이름을 '桃紅四物湯'으로 바꾸었으며, 『方症會要』卷2에서는 또 '四物加桃仁紅花湯'이라고 바꿔 불렀다. 桃仁·紅花는 活血化瘀하는 효능이 있는 要藥으로 四物湯에 넣으면 原方의 行血하는 효력을 더욱 강하게 하기 때문에, 原書에서 '瘀血腰痛'을 전문적으로 치료하는데 사용하였으며, 후세에는 血瘀에 血虛를 동반한 다양한 종류의 질병을 치료하는 데까지 그 치료 범위가 점차 확대되었으며, 이 중 특히 부인과질병을 치료하는데 가장 많이 쓰인다.

當歸補血湯

(『內外傷辨惑論』卷中)

【異名】黃芪當歸湯(『蘭室秘藏』卷上), 補血湯(『脈因症治』卷上), 芪歸湯(『周愼齋遺書』卷五), 黃芪補血湯(『產科心法』下集).

【組成】黃芪 一兩(30 g) 當歸 酒洗 二錢(6 g)

【用法】위의 약을 가늘게 썰어서(上咀), 물 二盞을 넣고 一盞이 되게 달여 찌꺼기는 제거하고 공복에 따뜻하게 복용한다.

【效能】補氣生血.

【主治】血虛發熱證을 치료한다. 증상은 肌熱面赤, 煩渴欲飮, 舌淡, 脈洪大而虛, 重按無力하게 나타난다. 또한 婦人經期·產後血虛發熱頭痛, 혹은 瘡瘍이 헐어서 헤진 후 오랫동안 낫지 않는 경우의 환자를 치료한다.

【病機分析】血은 氣의 어머니가 되고, 陽氣를 運載해서 전신에 이르게 한다. 따라서 『醫原』에서 '血能載氣以行也'라고 하였다. 만약 勞倦內傷, 陰血耗損하면 陽氣가 머무를 곳이 없이 이리저리 떠다니다가 흩어져서 돌아갈 곳이 없게 된다. 『讀醫隨笔』에서 "所謂血藏氣者, 氣之性情慓悍滑疾, 行而不止, 散而不聚者也. 若無以藏之, 不竟行而竟散乎? 惟血之質爲氣所戀, 因以血爲氣之室, 而相裹結不散矣"라고 하였고, 唐宗海 또한 이르기를 "血虛者, 發熱汗出, 以血不配氣, 則氣盛而外泄也"(『血證論』卷6)라고 하였다. 본 방제의 治證은 血虛하여 陰이 陽을 붙잡지 못하고, 陽氣가 밖으로 浮越하여서 肌熱面赤, 煩渴欲飮, 發熱頭痛, 脈象洪大 등의 白虎湯證과 같은 증상이 나타나지만, 脈이 비록 洪大해도 세게 눌렀을때 힘이 없기 때문에 眞虛假實한 증상이 된다. 이때 虛實證候를 판별하는 관건은 脈象의 虛實에 있다는 것을 알 수 있다, 이는 바로 李杲가 말한 "血虛發熱, 證象白虎, 惟脈不長實有辨耳, 誤服白虎湯必死"(『內外傷辨惑論』卷中)와 같다.

【配伍分析】본 방제는 血虛陽浮한 虛熱證을 치료하기 위해 만들었으며, 본 증상은 비록 陰血虧虛가 本이 되고, 陽浮發熱이 標가 되지만, 有形의 血은 빠르게 생겨날 수 없어서 外浮한 陽氣가 만약 제때에 회복되지 않으면 散亡할 우려가 있지 않겠는가! 그러므로 치료는 마땅히 '急則治標'의 가르침을 따라서, 浮越한 陽氣를 가라앉혀, 약간의 陽氣를 남기면, 더욱 生機가 돌게 되어, 陽氣가 점차 회복되고, 虛熱이 서서히 가라앉게 되어서, 다시 本이 서서히 회복하게 된다. 方濟 중의 黃芪는 性味가 甘溫純陽하고 補氣固表하는 효능이 뛰어나서, 본 방제에서 이 약을 重用하여 효력을 넓혀서 散亡한 陽氣를 신속하게 수렴시켜 行하게 하고, 浮陽이 만약 회복되면, 모든 위태로운 증후가 완화될 수 있는데, 이는 바로 '有形之血不能速生,無形之氣所當急固'라는 이치에 해당하며, 거기에 補氣하는 것 또한 生血의 효력을 도와서 陽生陰長하고 氣旺血充 한다. 따라서 본 방제의 君藥이 된다. 소량의 當歸를 배오해서 養血和營하게 하고 補虛하여 本을 치료하므로 臣藥이 되며, 또한 黃芪의 生血하는 효능을 도와서 陰血이 점점 가득해지고, 陽氣가 조금씩 潛涵할 수 있으면 虛熱이 저절로 내리게 된다. 이는 바로 張秉成이 말한 "如果大脫血之後而見此等脈證, 不特陰血告匱, 而陽氣亦欲散亡. 斯時也, 有形之血不能速生, 無形之氣所當急固. 故以黃芪大補肺脾元氣而能固外者爲君. 蓋此時陽氣已去裏而越表, 恐一時固裏無及, 不得不從衛外以挽留之.當歸益血和營, 兩味合之, 便能陽生陰長, ……非區區補血滋膩之藥, 所可同日語也"(『成方便讀』卷1)와 같다.

본 방제의 配伍특징은 補氣하는 성질의 약에 약에 소량의 補血하는 약을 配伍하고 益氣固表를 위주로 해서 陽浮한 標를 치료하고, 또한 補氣生血하여 血虛

한 本을 회복하게 할 수 있으므로, 특히 血虛陽浮에 發熱을 동반한 증상을 치료하는데 적합하다.

【臨床應用】

1. 證治要點: 본 방제는 血虛發熱證을 치료하기 위해 만들어졌으며, 임상에서 응용할 때 肌熱, 口渴喜熱飮, 面紅 이외에도 舌淡, 脈大而虛, 重按無力한 증상이 치료의 요점이 된다.

2. 加減法: 血虛證에 陽浮發熱 증상을 보이지 않는 경우에는 黃芪의 용량을 줄여야 하고, 氣不攝血한 出血證에는 仙鶴草·血餘炭 등을 넣고 止血의 효능을 강화해야 한다.

3. 當歸補血湯은 다음 한국표준질병사인분류(KCD)에 해당하는 환자가 血虛發熱證으로 辨證되는 경우 본 처방의 사용을 고려해볼 수 있다.

처방 목표	한국표준질병사인분류(KCD)
婦人經期	N94.9 여성생식기관 및 월경주기와 관련된 상세불명의 병태
産後 血虛發熱	O85 산후기 패혈증
	O86 기타 산후기감염
貧血	D50~D53 영양성 빈혈
	D55~D59 용혈성 빈혈
	D60~D64 무형성 및 기타 빈혈
過敏性紫癜	D69.0 알레르기자반증
婦人月經過多	N92 과다, 빈발 및 불규칙 월경
瘡瘍潰 후 오랫동안 낫지 않아 血虛氣弱하거나 氣不攝血에 해당	L20~L30 피부염 및 습진

【注意事項】 陰虛潮熱한 경우에는 본 방제를 신중하게 사용한다.

【變遷史】 본 방제는 金代 의학자인 李杲가 만든 것으로 血虛發熱證을 치료하는 代表方劑이다.

李杲의 醫書 중 본 방제의 적응증에 관한 논술이 주로 3곳이 있다. 즉 『內外傷辨惑論』卷中의 "肌熱燥熱, 困渴引飮, 目赤面紅, 昼夜不息, 其脈洪大而虛, 重按全無.……血虛發熱, 證象白虎, 惟脈不長實有辨耳, 誤服白虎湯必死. 此病得之于飢困勞役"와 『脾胃論』卷中의 "發熱惡熱, 煩躁, 大渴不止, 肌熱不欲近衣, 其脈洪大, 按之無力者, 或兼目痛鼻乾者, ……此血虛發燥" 그리고 『蘭室秘藏』卷上에서 말한 '熱上攻頭目, 沿身胸背發熱' 등이다. 위 논술은 비록 다른 저서에도 기록되어 있지만, 증상에 대한 묘사는 모두'發熱, 煩渴, 肌熱, 惡熱' 등의 內熱熾盛한 증상으로 되어 있으며, 그 熱은 血虛에서 기인하기 때문에 이를'血虛發熱' 혹은 '血虛發燥'라고 한다. 본 증상은 '飢困勞役해서 얻은 것'이기 때문에, 內傷發熱한 虛熱證에 해당한다. 이를 통해 알 수 있듯이, 李杲의 當歸補血湯은 원래 血虛發熱證을 치료하기 위해서 만든 것으로 方濟중 性味가 甘溫한 黃芪를 사용해서 大補元氣하고 力挽浮陽하게 하고, 當歸를 配伍해서 養血補虛하면, 이로 인해 浮陽이 內潛하고 陰血이 점차적으로 채워져서 모든 증상이 낫게 되는데, 이는 또한 '甘溫除熱'하는 治法에 해당한다. 본 방제는 후세의 血虛發熱證候 치료에 큰 영향을 주었는데, 역대의학자들이 약을 쓰는데 있어 모두 본 방제를 따랐을 뿐만 아니라, 또한 黃芪·當歸의 용량과 비율에 있어서도 東垣의 제조법을 따랐다. 고금의 의학자들은 또한 본 방제 약재의 配伍작용에 따라 다양한 氣血虛弱病證 치료에 활용했다. 예를 들어 黃芪는 益氣攝血과 益氣托毒등의 효능이 있어 본 방제에서 氣血虧虛로 瘡瘍內陷해서 화농되지 않았거나 혹은 오랫동안 상처가 아물지 않는 경우(『證治準繩』「瘍醫」卷2)나 氣不攝血한 出血證(『血證論』卷7)을 치료하고, 方劑에서 用藥 비율은 여전히 原方을 따른다. 또한 본 방제는 補氣와 補血의 효능이 있는 약재를 배합해서 구성하였기 때문에 다양한 종류의 血虛證 및 氣血兩虛證을 치료한다. 하지만 黃芪의 용량을 줄여야 하는 경우도 있는데, 예를 들면 『壽世保元』卷7에서 본 방제는 여성이 평소 虛弱한데 출산으로 血虧氣耗하게 되어 출산 후에 젖이 나오지 않을 때에는, 黃芪·當歸의 사용 비율을 1:2로 바꿔야 한다고 하였다. 본 방제보다 조금 앞선 '婦人氣虛血少, 經水三月一來'를 치료하는 當歸補血湯(『陳素庵婦科補解』卷1)은 方劑 중의 黃芪의 용량이 의외로 當歸(當歸 一兩二錢·炙黃芪 一兩)보다 적다. 위의 방제는 血虛하거나 氣血兩虛해서 陽氣가 浮越하지 않는데 열이 나는 증상을 치료하기 위해 만들어졌으며, 이 때문에 용량의 변화가 있다. 최근 각기 다른 비율의 黃芪와 當歸의 配伍작용에 대한 실험 연구 결과, 當歸·黃芪의 비율이 2:1일 때 養血작용이 가장 뚜렷하게 나타나며, 原方 비율의 當歸補血湯은 補氣를 위주로 한 방제가 되어야 한다고 지적했다.[1,2] 이러한 주장은 본 방제의 方義를 이해하는데 참고 가치가 있으며 또한 현재 임상운용과 거의 일치한다.

【難題解說】

1. 본 방제에서 重用하는 黃芪에 대한 인식: 본 방제는 血虛發熱證을 치료하는 主方이 되며, 方劑 중의 當歸는 養血의 효능이 있는 要藥으로, 虛損된 陰血을 補益하게 한다는 의견에는 古今의 의학자들이 의심을 하지 않는다. 그러나, 왜 補氣하는 黃芪를 重用하는가에 대한 견해는 같지 않다. 요약하자면 대략 다섯 가지가 있다. 첫째, '補氣生血論'으로 吳昆이 대표적 인물인데, 有形의 血은 無形의 氣에서 생기고, 黃芪는 大補元氣하는 효능이 있기 때문에, 陽生陰長, 氣旺血生한다고 주장했다. 둘째, '氣血雙補論'으로 汪昂이 대표적 인물로 본 증상은 血虛할 뿐만 아니라 氣 역시 부족하기 때문에, 黃芪에 當歸를 配伍하여 氣血雙補하는 효과를 거두게 된다고 주장한 것이다. 셋째, '急固浮陽論'으로 張秉成이 대표적 인물로, 본 증상은 血虛陽浮로 인해 발병한 것이기 때문에 黃芪를 사용해서 大補肺脾하고 元氣固外해서 浮陽을 다스린다고 주장했다. 넷째, '補脾生血論'으로 汪紱이 대표적 인물이며, 黃芪로 하여 脾胃를 補해서 氣血의 원천을 돕는다고 주장했다. 다섯째, '走表泄熱論'으로 陳念祖가 대표적 인물이다. 본 증상의 發熱은 血虛熱鬱로 皮毛不解해서 발생한 것이기 때문에 성질이 輕하고 맛이 微甘한 黃芪로, 輕淸走表해서 열을 땀과 함께 배출할 수 있다고 주장했다. 위에서 일치하지 않는 견해는 비록 많지만, 그 발생 원인은 주로 두 가지로 나누어 볼 수 있다. 첫째는 본 증상의 病機에 대한 인식의 차이로, 즉 '血虛證에 어찌 발열이 일어날 수 있는가?'이고, 둘째는 '血虛發熱證에 대해서는 치료의 중점을 어느 쪽에 두어야 하는가?'이다. 한의학에서는 血과 氣는 생리적으로 상생하고 서로 의지하는 것으로, 이른바 '氣爲血之帥, 血爲氣之母'라고 하여, '氣以生血, 血以載氣'한다고 하였다. 일단 陰血이 다 없으면, 정도가 가벼울 경우에는 臟腑經絡이 濡養의 기능을 잃어버리고, 심한 경우에는 氣를 싣지 못해서 陽氣가 의지할 곳이 없게 되어 밖으로 浮越하게 되는 것으로, 예를 들면 發熱口渴, 目赤面紅 등의 熱象이 나타나게 된다. 따라서 대체로 血虛證의 發熱은 모두 陽氣가 陰血의 涵養을 얻지 못 해서 몸 밖으로 떠도는 것으로, 熱象의 輕重 역시 陽氣浮越의 정도를 반영한다. 본 증상은 原書에서 '證象白虎'라고 말하였는데, 이는 충분히 熱이 심하여 陽浮가 심하다는 것으로, 사실은 陽氣가 안에서 밖으로 빠져나간 것임으로 치료는 浮越한 陽氣를 보충하는데 중점을 두어야 한다. 이를 통해 알 수 있듯이, 張秉成가 말한 "如果大脫血之後而見此等脈證, 不特陰血告匱, 而陽氣亦欲散亡. 斯時也, 有形之血不能速生, 無形之氣所當急固. 故以黃芪大補肺脾元氣而能固外者爲君, 蓋此時陽氣已去裏而越表, 恐一時固裏無及, 不得不從衛外以挽留之."는 확실히 정곡을 찌르는 주장이다. 게다가 본 방제의 黃芪는 補氣生血의 효능이 있다 할지라도 용량이 當歸의 5배 이상이 될 정도로 많고, 또한 본 방제의 치료 증후와 연관지어 보면, 黃芪를 重用하는 주된 목적은 분명히 浮越한 陽氣를 急固하게 하는데 있으며, 기혈과 상생의 관계를 통해 간접적으로 음혈의 부족을 보충하기 위한 것이 아니라는 것을 쉽게 알 수 있다. 補氣生血한다는 주장은 비록 근거는 있지만 補血의 방제인데 왜 補氣藥을 重用하는가? 라고 하는 것은 補氣가 生血에 도움이 된다고 해도, 補氣藥이 補血藥의 다섯배가 넘는다는 것은 방제의 配伍 常法에 어긋난다. 補血方에 대해 말하자면,

마치 떠들썩한 손님이 주인의 자리를 빼앗는 것 같은 의심이 든다. 더욱 중요한 것은, 血虛發熱한 증상 치료에도 補血을 근거로 치법을 확립해서 탁월한 효과를 볼 수 있는 것은 아니다라는 것이다. 따라서 吳昆가 말한 것은 본말이 전도된 것이다. 종합해 보면, 當歸補血湯에서 黃芪를 重用한다는 뜻은 急固浮陽에 있지, 補氣生血에 있지 않다.[3, 4] 임상에서 증상을 치료하는데 있어서, 고금의 의학자가 본 방제를 운용할 때, 血虛發熱한 증상에 대해서는 기본적으로 原方의 藥量의 비율을 준수하였으며, 반면 일반적인 血虛證에서 補氣生血을 위주로 할 때는 대부분 黃芪의 용량을 줄이고 補血하는 약을 重用했다. 나머지 몇 가지 관점도 확실히 본 방제의 치료 病機와는 맞지 않는다.

2. 본 방제의 君藥에 대한 인식: 『方劑學』 전문 저서 및 교재에서도 본 방제의 君藥에 대한 논술에 차이가 있다. 黃芪를 君藥으로 하거나 當歸를 君藥으로 한다. 위에서 이미 언급한 바와 같이, 만약 血虛發熱한 증상을 치료하고자 한다면, 급하게 標를 치료해야 하기 때문에 마땅히 黃芪가 大補元氣하고, 固其浮陽하여, 君藥이 된다. 반면 일반적인 血虛證에서는, 黃芪가 補氣生血하여 當歸의 補血하는 효력을 돕는 것이기 때문에, 當歸가 君藥이 된다.

【醫案】

1. 血虛發燥 『正體類要』卷上: 환자는 타박상 이후, 煩躁面赤, 口乾作渴하고 脈이 洪大하나, 按하면 脈이 없는 것 같았다. 내가 말하기를 '본 증상은 血虛發燥이다. 따라서 當歸를 넣은 補血湯 2첩을 먹고 나면 바로 멎는다.'고 했다.

2. 虛勞發熱 『壽世保元』卷4: 환자는 虛勞發熱, 自汗 증상이 있었다. 모든 약으로도 열을 내릴 수 없었으며, 當歸補血湯 1첩을 복용하고 약효를 보았다.

考察: 두 醫案은 타박상으로 피를 많이 흘리거나 오랜병으로 고생하였기 때문에 血虛發熱한 증상으로 나타난 것이다. 따라서 當歸補血湯을 처방하면 益氣養血해서 낫게 된다.

【參考文獻】

1) 滕佳琳, 韓濤, 葉向榮, 等. 當歸補血湯配伍關係的實驗研究—不同用藥比例對小鼠紅細胞膜流動性的影响. 中藥藥理與臨床. 1991;7(3):6-7.
2) 滕佳琳, 韓濤. 當歸補血湯補氣作用機理探討. 中藥藥理與臨床. 1994;(5):4.
3) 湖北中醫學院方劑學教研室. 『古今名方發微』. 武漢: 湖北科學技術出版社. 1986:442.
4) 樊巧玲, 孫美珍. 當歸補血湯方義析疑. 中國中藥雜誌. 1996;21(6):375.

第三節 氣血雙補劑

八珍湯(八珍散)

(『瑞竹堂經驗方』卷4)

【異名】 八物湯(『醫學正傳』卷3.)

【組成】 當歸 去蘆 川芎 熟地黃 白芍藥 人蔘 甘草 炙 茯苓 去皮 白朮 各一兩(30 g)

【用法】 위의 약을 가늘게 썰어서(上㕮咀). 三錢(9 g)을 1첩으로 하여, 물 一盞半(300 mL)에 生薑 5조각, 大棗 1알을 넣고 10분의 7(200 mL)이 되게 달여서 찌꺼기는 제거하고 수시로 복용한다.

【效能】 益氣補血.

【主治】 氣血兩虛證을 主治한다. 증상은 面色蒼白하거나 萎黃하고, 頭暈目眩, 四肢倦怠, 氣短懶言, 心悸怔忡, 飮食減少, 舌淡苔薄白, 脈細弱하거나 虛大無力하게 나타난다.

【病機分析】 본 방제가 치료하는 증상은 대부분 久病失治하거나 病後失調하고 失血過多로 인한 氣血兩虛 증상이다. 본 증상의 四肢倦怠, 氣短懶言, 飮食減少, 脈弱 등은 모두 氣虛해서 나타나는 것이고, 面色少華, 頭暈目眩, 心悸怔忡, 舌淡脈細 등은 모두 血虛해서 나타나는 증상이다.

【配伍分析】 본 방제가 치료하는 모든 증상은 氣血兩虛로 인해 발생하는 것이기 때문에 益氣補血한 治法을 사용해서 立法해야 한다. 방제의 人蔘·熟地는 性味가 甘溫하기 때문에 益氣補血한 효능을 띠고, 모두 君藥으로 삼는다. 白朮·茯苓은 健脾利濕한 성질이 있기 때문에 人蔘의 益氣補脾한 효능을 돕는다. 當歸·白芍의 養血和營한 성질은 熟地의 補益陰血한 성질을 돕기 때문에, 모두 臣藥이 된다. 川芎는 活血行氣한 성질이 있고 炙甘草는 和中益氣하고 調和藥性한 특징이 있기 때문에 모두 佐使藥이 된다. 달일 때 生薑·大棗를 넣는 것 역시 脾胃를 조절해서 諸藥을 조화롭게 하는 것이다. 모든 약을 배합하면 함께 補益氣血한 효능을 띄게 된다. 본 방제는 四君子湯과 四物湯의 合方으로, 四君子湯은 補氣諸方의 으뜸이 되며, 四物湯은 補血諸方의 으뜸이 되므로, 본 방제가 둘에서 하나로 합쳐지면, 두 방제의 장점을 모두 갖게 되므로, 따라서 "八珍"으로 이름지어 졌다.

본 방제의 배오 특징은 補氣藥과 補血藥을 함께 사용하고, 氣血을 함께 補하기 때문에 氣血兩虛證을 치료하는 良方이 된다.

【類似方比較】 본 방제와 當歸補血湯은 모두 益氣藥과 補血藥을 配伍해서 만들어진 것으로, 補益氣血한 작용을 한다. 반면 當歸補血湯은 補氣한 성질의 약을 重用하고, 補氣를 위주로 해서 浮陽을 固하는 효능이 있기 때문에 血虛陽浮에 의한 發熱을 치료하는데 사용한다. 본 방제는 益氣養血을 함께 위주로 해서 치료하기 때문에 氣血兩虛證을 치료하는데 적합하다.

【臨床應用】

1. 證治要點: 본 방제는 氣血兩虛證을 치료하는 常用方이며, 임상에서 운용할 때 氣短乏力, 心悸失眠, 頭目眩暈, 舌淡, 脈細無力한 증상을 치료의 요점으로 삼는다.

2. 加減法: 心悸失眠한 경우에는 酸棗仁, 柏子仁 등을 넣고 養心安神하게 치료하고, 胃弱納差한 경우에는 砂仁·神曲를 넣고 消食和胃하게 치료한다.

3. 八珍湯은 다음 한국표준질병사인분류(KCD)에 해당하는 환자가 氣血兩虛證으로 辨證되는 경우 본 처방의 사용을 고려해볼 수 있다.

처방 목표	한국표준질병사인분류(KCD)
病後虛弱	(질병명 특정곤란)
	R53 병감 및 피로
貧血	D50~D53 영양성 빈혈
	D55~D59 용혈성 빈혈
	D60~D64 무형성 및 기타 빈혈
遷延性肝炎	K73 달리 분류되지 않은 만성 간염
	B18 만성 바이러스간염
神經衰弱	F48.0 신경무력증
	F48.8 기타 명시된 신경증성 장애
	F48.9 상세불명의 신경증성 장애
月經不調	N91 무월경, 소량 및 희발 월경
	N92 과다, 빈발 및 불규칙 월경
胎萎不長	P05.0 임신기간에 비해 저체중
	P05.1 임신기간에 비해 과소크기
	P05.9 상세불명의 느린 태아성장
習慣性流産	N96 습관적 유산자

처방 목표	한국표준질병사인분류(KCD)
外證出血過多	(질병명 특정곤란)
	R58 달리 분류되지 않은 출혈
潰瘍久不愈合	(질병명 특정곤란)
	R23.8 기타 및 상세불명의 피부변화

【變遷史】 본 방제의 原名은 "八珍散"으로, 『瑞竹堂經驗方』卷4에서 유래한 것으로, "調暢營衛, 滋養氣血, 能補虛損"한 효능을 사용해서 "臍腹疼痛, 全不思食, 臟腑怯弱, 泄瀉, 小腹堅痛, 時作寒熱"한 증상을 치료한다. 『外科發揮』卷2에서 본 방제의 이름을 "八珍湯"로 바꾸고, 본 방제가 "進美飮食, 退虛熱"한 효능이 있다고 했다. 후세에는 본 방제가 四君子湯과 四物湯의 合方해서 사용해서 補氣와 補血작용을 겸하기 때문에, 각종 氣血不足證候에 속하는 만성 허약성 질환을 치료하는 데 사용하며, 계속해서 지금까지도 활발하게 사용되고 있다. 내과·외과·부인과·소아과 各 과를 막론하고, 氣血兩虛 증상으로 판명되면 모두 본 방제를 넣고 빼서 치료할 수 있으며, 氣血兩虛證을 치료하기 위해 가장 많이 사용하는 방제이다. 본 방제는 후세에 또 丸劑로 바꾼 경우가 있는데, 이름을 "女科八珍丸"(『中國醫學大辭典』 참조)이라 지었으며, 또한 "八珍丸"이라고도 부른다(『中藥成方配本』 참조).

【難題解說】 본 방제의 출처에 관하여: 다른 교재에서 모두 『正體類要』에서 유래되었다고 말한다. 『正體類要』는 明代의 薛己가 지은 것으로, 1529년에 책으로 완성되었으며, 일찍이 元代의 沙圖穆蘇의 『瑞竹堂經驗方』(1326에 출간됨)에 이미 본 방제에 대한 기록바 있다. 비록 방제의 명칭이 현재의 것과 약간 차이가 있지만, 약물구성에 있어 오늘날의 방제와 같으며, 게다가 방제가 "滋養氣血"한 효능이 있다고 명시했다. 薛氏가 본 방제를 옮겨 기록할 때 명칭을 "八珍湯"로 바꾸고, 『外科發揮』(1528년에 쓰여짐)를 포함한 그의 수많은 저서에서 인용했다. 이를 통해 八珍湯의 방제는 『瑞竹堂經驗方』에서 가장 먼저 보여졌으며, "八珍湯"이라는 명칭은 『外科發揮』에서 처음으로 보여지기 시작했다는 것을 알 수 있다.

【醫案】 血枯 『內科摘要』卷上: 한 여인이 오랫동안 血崩을 앓아서 몸이 여위고 음식을 먹으면 비린내를 느끼고, 입에서는 津液이 흐르고 딱딱한 음식을 조금만 먹어도 뱃속이 더부룩했다. 이러한 血枯症은 肺肝脾가 虧損되어 앓게 되는 것으로 八珍湯·烏賊骨丸을 함께 2개월 동안 복용한 후 월경이 돌아왔고, 百餘劑를 복용하고 나서 예전처럼 건강을 회복했다.

按語: 오랫동안 血崩을 앓고, 氣隨血耗한데다가 氣血이 부족하고, 脈道가 澀滯하면 血枯證이 된다. 따라서 八珍湯으로 氣血의 虛를 補하고 烏賊骨丸으로 止血해서 함께 막힌 것을 통하게 하면, 氣血이 充盈해지고 經脈이 통하게 되어서 모든 증상이 낫게 된다.

十全大補湯(十全散)

(『傳信適用方』卷2)

【異名】 十補湯(『易簡方』)·十全飮(『太平惠民和劑局方』卷5續添諸局經驗秘方)·大補十全散(『醫壘元戎』)·千金散(『丹溪心法附餘』卷21)·十全大補散(『證治準繩』·「類方」卷1)·加味八珍湯(『羅氏會約醫鏡』卷14).

【組成】 人蔘 去蘆(6 g) 白朮 白芍藥 白茯苓(各 9 g) 黃芪(12 g) 川芎(6 g) 乾熟地黃(12 g) 當歸 去蘆(9 g) 桂 去皮 甘草 炒(各 3 g) 各等分

【用法】 위의 약을 가늘게 썰어서(上㕮咀). 三錢(9 g)을 1첩으로 하여, 生薑 3조각, 大棗 2개를 쪼개서 넣고 물 一盞半(300 mL)을 넣어서 10분의 8이 되게 달인다. 찌꺼기는 제거하고 수시로 복용한다.

【效能】 溫補氣血.

【主治】 氣血兩虛證을 主治한다. 증상은 面色萎黃, 倦怠食少, 頭暈目眩, 神疲氣短, 心悸怔忡, 自汗盜汗, 四肢不溫, 舌淡, 脈細弱하게 나타나고, 婦女崩漏, 月經不調, 瘡瘍不斂 등으로도 나타난다.

【病機分析】 氣는 煦를 주관하고, 血는 濡를 주관한다. 氣虛하면 四肢百骸이 溫養의 기능을 제대로 수행하지 못해서 倦怠氣短, 四肢不溫, 自汗神疲으로 나타난다. 血虛하면 臟腑經絡이 濡養의 기능을 잃게 되어서 面色萎黃, 頭暈目眩, 心悸怔忡한 증상을 보이게 된다. 衝任氣血이 부족하거나 血이 統攝의 기능에 장애가 생겨서 崩中漏下하거나 血海失充하면 월경량이 적거나 없게 되고, 肌肉筋骨이 영양을 공급받지 못하면 瘡瘍이 오랫동안 헐어서 헤지고 오래도록 상처가 아물지 않게 된다.

【配伍分析】 이상의 여러 종류의 증상은 모두 氣血兩虛로 인해서 발생한 것이기 때문에 益氣養血한 治法을 사용해야 한다. 본 방제는 四君子湯에 四物湯을 배합한 다음에 黃芪·肉桂를 추가해서 구성한 것이다. 四君子湯과 四物湯은 각각 補氣와 補血의 효능을 띈 要方으로, 두 방제를 함께 配伍하면 氣血雙補의 효능을 갖게 된다. 黃芪는 性味가 甘溫하며 補氣한 효능의 要藥이 된다. 『靈樞』·「營衛生會」에서 이르길: "人受氣于穀, 穀入于胃, 以傳于肺, 五臟六腑皆以受氣"라고 하였으며, 즉 肺가 흡수한 자연의 淸氣와 脾가 흡수한 水穀의 精氣가 합해져서 後天의 氣가 되는 것이다. 黃芪는 脾肺로 歸經하기 때문에 後天의 氣를 大補하며 또한 升陽·固表·托瘡 등의 다양한 작용을 하기 때문에 『本草求眞』卷5에서 이에 대해 이르길 "補氣諸藥之最, 是以有耆之稱, ……秉性純陽, 而陰氣絶少"라고 하였다. 四君子와 함께 配伍하면 본 방제의 補氣한 효력이 더욱 뚜렷해 진다. 肉桂는 性味가 辛甘大熱하기 때문에, 補火助陽, 溫通血脈한 효능을 띠며, 여러 益氣養血한 성질의 약과 함께 사용하면, 溫通陽氣하고, 氣血生長을 북돋아서 본 방제의 補益虛損한 효능을 강화하게 된다. 이는 바로 張秉成이 말한: "各藥得溫養之力, 則補性愈足, 見效愈多, 非惟陽虛可溫, 即陰虛者亦可溫, 以無陽則陰無以生"바와 같다. 모든 약을 함께 配伍하면, 補氣하는 가운데 升陽한 효력을 띄게 되고, 養血하는 가운데 溫通한 효능을 띄게 되므로, 함께 大補氣血한 효능이 나타나게 된다.

본 방제의 配伍 특징은 여러 益氣養血藥에 辛熱한 性味의 肉桂를 配伍해서 補養하는 가운데 溫陽하게 해서 陽生陰長한 효능을 거두는 것이다.

본 방제는 열 가지의 약으로 구성하기 때문에 大補氣血한 효능을 띄게 되므로 "十全大補"라고 부른다.

【類似方比較】 본 방제와 八珍湯은 모두 四君子湯과 四物湯의 合方이지만, 본 방제는 黃芪·肉桂를 추가한다. 黃芪는 後天의 氣를 補하는데 뛰어나고 肉桂는 氣血生長을 북돋기 때문에, 따라서 본 방제는 八珍湯에 비해 補益氣血한 효력이 뛰어나다. 또한 黃芪는 甘溫純陽한 性味를 갖고, 肉桂는 大辛大熱한 性味를 띄기 때문에, 따라서 본 방제는 溫補氣血한 효능을 위주로 한다. 八珍湯은 氣血兩虛證을 치료하는 基本方이 되고, 반면 본 방제는 氣血兩虛한 重證을 치료하는 代表方이 되기 때문에, 본 방제는 畏寒·四肢不溫 등을 동반하는 虛寒한 증상을 치료하는데 특히 적합하다.

【臨床應用】

1. 證治要點: 본 방제는 大補氣血한 代表方이 되며, 임상에서 운용할 때 神疲氣短, 頭暈目眩, 四肢不溫, 舌淡, 脈細弱한 증상을 치료의 요점으로 삼는다.

2. 加減法: 心悸怔忡한 경우에는 五味子·酸棗仁 등을 넣고 養心安神하게 하고, 自汗不止한 경우에는 煅龍骨·煅牡蠣 등을 넣고 斂汗固表하게 치료한다.

3. 十全大補湯은 다음 한국표준질병사인분류(KCD)에 해당하는 환자가 氣血兩虛證으로 辨證되는 경우 본 처방의 사용을 고려해볼 수 있다.

처방 목표	한국표준질병사인분류(KCD)
貧血	D50~D53 영양성 빈혈
	D55~D59 용혈성 빈혈
	D60~D64 무형성 및 기타 빈혈
痿證	G70 중증근무력증 및 기타 근신경장애
	G71 근육의 원발성 장애
	G73 달리 분류된 질환에서의 신경근접합부 및 근육의 장애
神經衰弱	F48.0 신경무력증
	F48.8 기타 명시된 신경증성 장애
	F48.9 상세불명의 신경증성 장애
慢性蕁麻疹	L50.80 만성 두드러기
月經不調	N91 무월경, 소량 및 희발 월경
	N92 과다, 빈발 및 불규칙 월경
潰瘍久不愈合	L20~L30 피부염 및 습진
	L00~L08 피부 및 피하조직의 감염
外科手術後腫瘍	L91.0 비대성 흉터

【變遷史】 본 방제의 原名은 "十全散"이며, 『傳信適用方』卷2에서 나온 것으로, "補諸虛不足, 養榮衛三焦, 五臟六腑"라고 했다. 그 근원을 거슬러 올라가면, 본 방제는 四君子湯에 四物湯을 합하고 黃芪·肉桂를 넣고 만든 것이다. 다시 그 근원을 거슬러 올라가면 南朝 『劉涓子鬼遺方』에는 이미 益氣養血藥과 黃芪·肉桂를 配伍해서 氣血虛損證候를 치료한다는 기록이 있고, 그중 內補黃芪湯은 본 방제와 비교해 白朮 한 가지 약이 덜 들어가고, 遠志·麥冬 두 가지 약을 더 넣을 뿐이지 그 방제 구성에 있어 유사하다. 더 일찍 나온 張仲景의 『金匱要略』의 "薯蕷丸"에서도 이미 본 방제의 대부분의 구성약물이 포함어 있다(黃芪만 없다). 『太平惠民和劑局方』에는 본 방제의 명칭을 "十全大補湯"으로 바꿔서 기록하고, "男子·婦人諸虛不足, 五勞七傷, 不進飮食; 久病虛損, 時發潮熱, 氣攻骨脊, 拘急疼痛, 夜夢遺精, 面色萎黃, 脚膝無力, 一切病後氣不如舊, 憂愁思慮傷動血氣, 喘嗽中滿, 脾腎氣弱, 五心煩悶" 한 증상을 치료한다고 한데에서, 본 방제가 大補氣血한 主方이 된다는 것을 확인할 수 있다. 그 후, 역대 의학자들이 본 방제를 운용하고 계속 발전시켰으며 예를 들면 『外科發揮』卷2에서는 본 방제의 雙補氣血한 효능을 바탕으로 해서, 氣血兩虛해서 潰瘍이 오랫동안 成膿하지 않거나, 膿成不潰하거나, 潰後不斂한 증상을 치료했다. 『濟陰綱目』卷8에서 또한 본 방제로 성인의 임신과 출산의 모든 질병을 치료하는 데 사용하고, 『雜病源流犀燭』卷2 및 卷9載에서 疹子·諸厥·諸癎 등을 치료하는 데 사용하였으며, 본 방제의 응용범위가 점차적으로 內·外·婦·兒의 各 과의 氣血兩虛 증후에 해당하는 다양한 질병 치료로 확대되었다.

본 방제는 원래 散劑로 달여서 사용하였지만, 후세의 일부 의학자들이 丸劑나 膏劑로 바꿔서 사용하고, 각각 "十全大補丸"(『麻疹全書』 참조) 및 "十全大補膏"(『中藥成方配本』 참조)로 이름지어 사용하였다. 현대에 와서는 또한 드링크제(口服液) 등의 제형으로 만들어 장기 복용에 더욱 편리하게 만들었다.

【難題解說】 본 방제 구성의 연원(淵源)에 대해서: 본 방제는 예로부터 八珍湯에 黃芪·肉桂를 넣어 만든 것으로 여겨져 왔다. 예를 들면 張秉成은 이에 대해: "八珍并補氣血之功, 固無論矣.而又加黃芪助正氣以益衛, 肉桂溫血脈而和營."라고 말했다. 考 八珍湯은 元代의 沙圖穆蘇의 『瑞竹堂經驗方』(1326년 간행)에서 처음 보여졌으며, 반면 十全大補湯은 南宋의 吳彦夔의 『傳信適用方』(1180년 간행)에 이미 기록이 있다. 따라서 十全大補湯은 적어도 八珍湯보다 140여 년 먼저 세상에 나왔기 때문에 본 방제가 八珍湯에서 유래되었다는 주장은 적절치 않다. 위에서 말한 바와 같이, 일찍이 『劉涓子鬼遺方』(499년 간행)에는 이미 十全大補湯의 약물 구성과 매우 유사한 內補黃芪湯이 실려 있는데, 특히 益氣養血藥과 黃芪·肉桂를 配伍하는 治法이 동일하다. 『劉涓子鬼遺方』은 비교적 영향력이 있는 方書이기 때문에 본 방제를 구성하고 配伍하는 것이 內補黃芪湯에서 변화 발전한 가능성이 높다고 추측할 수 있다.

【醫案】

1. 卒然暈倒『杏苑生春』卷7: 본 증상은 갑자기 쓰러졌다가 冷汗이 나고 정신이 안정되어 깨어났다가 불시에 다시 증상이 발병해서 마치 中風인 듯 하였으나, 이는 氣虛陽衰한 원인으로 발병한 증상이므로 風과 氣를 치료하는 약을 사용해서는 안 된다. 十全大補湯을 위주로 해서 치료하고, 증상이 심할 때는 黑附子를 넣는다.

2. 瘧疾『石山醫案』卷1: 본 환자는 30세 가까이 되었으며, 체형은 마르고 얼굴색이 淡紫했다. 8월에 瘧疾이 발병했다. 나에게 진찰을 받을 당시 환자는 왼쪽 脈이 매우 和하지만 빠르고, 오른쪽 脈은 弱하고 힘이 없었다. 淸暑益氣湯에 넣고 빼서 치료하라고 권했으며, 胸膈痞悶 증상이 느껴진다고 하여 人蔘이 사용을 꺼렸다. 의사를 바꿔서 瘧를 치료한 후, 瘧 증상이 좋아졌다 나빠졌다 하였고, 약을 복용하면 증상이 약간 심해졌다. 10월에 다시 나에게 진료를 받을 당시, 脈이 모두 浮小하고 濡하며 빠르고, 오른쪽이 특히 不足했다. 내가 말하길: 正氣가 오랫동안 虛하면, 邪가 머물면서 나가지 못해서 瘧가 여전히 멎지 않게 되는 것이므로 十全大補湯에서 桂를 넣고 芩을 넣고 參을 두배로 사용해서 복용하면 점차적으로 낫게 된다고 했다.

3. 痿證『芷園臆草存案』: 織造劉大監은 病痿 증상을 앓은 지 1년이 되었으며 빠른 약효를 보고 싶어서 아침 저녁으로 약을 복용하였다. 2월 나에게 진찰을 받을 당시 환자는 六脈細弱하고 血氣大虛해서 十全大補湯을 처방하여 약 100첩을 복용한 후 약효를 볼 수 있었다.

考察: 醫案1의 暈厥은 氣血虧虛, 淸竅失養, 神志失寧으로 인해서 발병한 것이기 때문에 十全大補湯을 사용해서 大補氣血하게 치료한 후 효과를 보았다. 醫案2의 瘧疾은 여름철 무더운 날씨에 발병한 것으로 暑熱耗傷氣津으로 진단하고 淸暑益氣湯을 처방해서 치료했지만 환자가 이를 의심하고 瘧를 멎게 하는 약을 복용한 후 正氣가 더욱 손상을 입어 無力하면 邪해지고 邪氣가 남아서 점차 勞瘧로 변하게 되었다. 이와 같이 正氣大虛하면서 實邪를 동방하는 증상에는 補虛培本을 위주로 하고 截瘧祛邪한 치료법을 추가하야 하므로 十全大補湯에서 辛熱助邪한 성질을 띄는 肉桂를 빼고, 黃芩를 넣고 淸泄少陽하게 하였다. 또한 人蔘을 倍用해서 大補元氣하게 하면, 元氣가 회복되고 正氣가 抗邪하면 힘이 있게 되어서, 邪氣가 제거되고 모든 寒熱 증상이 저절로 사라진다. 醫案3의 痿證 역시 氣血兩虛, 筋脈失養한 증상에 속하며, 久病痼疾이면서 또한 氣血이 大虛해서 빠른 치료 효과를 보기 어렵기 때문에 十全大補湯을 100첩 복용한 후 완치했다.

【副方】薯蕷丸(『金匱要略』): 薯蕷 三十分(30 g) 當歸 桂枝 麯 乾地黃 豆黃卷 各十分(10 g) 甘草 二十八分(28 g) 人蔘 七分(7 g) 川芎 芍藥 白朮 麥門冬 杏仁 各六分(6 g) 柴胡 桔梗 茯苓 各五分(5 g) 阿膠 七分(7 g) 乾薑 三分(3 g) 白蘞 二分(2 g) 防風 六分(6 g) 大棗 一百枚(百个)爲膏.

- 用法: 위의 약을 분말로 만들어 煉蜜을 넣고 탄환크기의 환으로 빚는다. 매회 一丸씩 공복에 酒로 복용하며, 환 100알을 一劑로 삼는다.
- 作用: 益氣養血, 補虛祛風.
- 適應症: 虛勞, 氣血俱虛, 外兼風邪한 증상을 主治한다. 증상은 頭暈目眩, 倦怠乏力, 心悸氣短, 肌肉消瘦, 不思飮食, 微有寒熱, 肢體沉重, 骨節酸痛하게 나타난다.

본 방제는 “虛勞諸不足, 風氣百疾”한 증상을 치료하기 위해 만들어 졌으며, 氣血이 모두 虛하고 風邪를 동반하는 증상이 기본 病理가 된다. 방제에서 薯蕷(즉 山藥)을 넣고 “補中益氣力, 長肌肉”(『神農本草經』卷1에 수재됨)하고, 脾胃를 補해서 氣血生化의 근원을 돕게 하고, 人蔘·白朮·茯苓·乾薑·豆黃卷·大棗·甘草·曲을 넣고 益氣補脾하게 하고, 當歸·川芎·白芍·地黃·麥冬·阿膠를 넣고 養血滋陰하게 하고, 柴胡·桂枝·防風·白蘞을 넣

고 祛風散邪하게 하고, 杏仁·桔梗을 넣고 疏利氣機하게 한다. 모든 약을 함께 配伍하면, 補하는 가운데 散하고, 補虛하되 斂邪하지 않고, 祛邪하되 傷正하지 않게 되어서, 함께 補虛祛風하고 扶正祛邪한 효능을 갖게 된다.

본 방제와 十全大補湯·治癰瘍劑의 內補黃芪湯은 모두 氣血雙補한 효능을 갖지만, 본 방제는 山藥과 甘草를 重用하기 때문에 補氣한 효능이 補血에 비해 뛰어나고, 또한 扶正하는 가운에 祛風한 효능을 겸하기 때문에, 모든 諸虛不足하고 風邪를 復感한 虛實에 雜證을 동반한 증상을 치료하는데 적합하다. 반면 나머지 두 방제는 培補을 위주로 하며, 益氣養血을 똑같이 중시하기 때문에, 氣血虛損해서 발생하는 다양한 종류의 純虛無實한 질환을 치료하는데 사용한다.

人蔘養榮湯(養榮湯)

(『三因極一病證方論』卷13)

【組成】 黃芪 當歸 桂心 甘草 炙 橘皮 白朮 人蔘 各 一兩(30 g) 白芍藥 三兩(90 g) 熟地黃 五味子 茯苓 各 七分(22 g) 遠志 去心, 炒 半兩(15 g)

【用法】 위의 약을 잘게 썬다. 12 g을 1첩으로 하여, 물 一盞半(300 mL)에 生薑 3조각 大棗 2개에 물을 넣고 10분의 7(200 mL)이 되게 달여서 찌꺼기는 제거하고 공복에 복용한다.

【效能】 益氣補血, 養心安神.

【主治】 心脾氣血兩虛證을 主治한다. 증상은 倦怠無力, 食少無味, 驚悸健忘, 夜寐不安, 虛熱自汗, 咽乾唇燥, 形體消瘦, 皮膚乾枯하고 咳嗽氣短이 심하면 喘이 심해지고, 瘡瘍이 헐어서 헤진 후 氣血이 부족하고 寒熱이 떨어지지 않고, 瘡口가 오랫동안 아물지 않게 된다.

【病機分析】 積勞虛損, 氣血日耗. 脾氣가 허약하면 倦怠無力, 食少無味하고, 土不生金하면 肺氣 역시 약해지기 때문에 咳嗽氣短하고 심하면 喘도 심해지고 自汗 증상으로 나타난다. 『玉機微義』卷17에서 이르길 "血盛則形盛, 血弱則形衰"라고 하여, 血虛하고 心神이 滋養하지 못하면, 驚悸健忘·夜寐不安한 증상으로 나타나고, 形體失濡하면 皮膚가 乾枯하고, 肌肉이 羸瘦하게 되고, 陰血이 부족하고, 陽이 조절지 않으면, 虛熱이 內生하고, 咽乾唇燥하게 된다. 瘡瘍이 헐어서 헤진 후 오랫동안 상처가 않는 등의 증상 역시 氣血이 부족하고 肌肉筋骨이 濡養의 기능을 상실한 증상이다. 따라서 본 방제는 임상에서 보여지는 증상이 비록 많지만, 모두 心脾氣血이 손상을 입어서 발생하는 것이다.

【配伍分析】 본 방제는 心脾氣血兩虛하면서 內熱을 동반한 증상을 치료하기 위해 만들어 졌다. 따라서 방제에서 酸寒한 성질의 白芍은 養血補虛하고 斂陰止汗하며 虛熱을 동반한 증상을 치료한다. 人蔘은 大補元氣한 성질을 띠며, 養心益肺補脾를 위한 要藥이 되며, 두 약을 함께 配伍하면, 益氣養血한 효능을 띠게 되므로, 君藥으로 삼는다. 當歸·熟地는 白芍을 도와서 補血하게 하고, 黃芪·白朮·茯苓·甘草는 人蔘을 도와서 補氣하게 하며, 아울러 白芍의 固表斂汗한 성질을 돕고, 肉桂의 氣血生長을 도와서 모두 臣藥으로 삼는다. 陳皮를 넣고 行氣和胃하게 하고, 遠志·五味子를 넣고 養心安神하게 한다. 또한 生薑·大棗를 넣고 脾胃를 조화롭게 하며 使藥으로 삼는다. 모든 약을 함께 配伍하면 益氣補血하고 養心安神한 효능을 갖게 된다.

본 방제의 配伍특징은 두 가지가 있다. 첫째는 益氣補血藥과 行氣和中한 성질의 약과 配伍해서 補하되 滯하지 않게 한다. 둘째는 益氣養血한 성질의 약을 寧心安神한 성질의 약과 配伍하기 때문에, 본 방제는 養

心寧神한 효능을 겸한다.

【類似方比較】본 방제와 十全大補湯의 구성은 비슷하며 모두 氣血兩虛한 증상을 치료하는데 사용한다. 하지만 본 방제는 白芍을 重用하기 때문에 약성이 매우 寒하고, 또한 行氣動血한 성질의 川芎을 포함하지 않으며 養心安神한 효능을 띄는 五味子·遠志가 더 들어있어서 十全大補湯에 비해 養血의 효력이 특히 뛰어나고, 또한 寧心淸補한 효능이 강화되었기 때문에, 氣血大虛하고 특히 熱이 많으며 心神失寧한 증상을 동반하는 환자를 치료하는데 적합하다. 반면 十全大補湯의 모든 약은 용량이 동일하며, 따라서 약성이 특히 溫해서, 氣血大虛하면서 특히 寒한 증상을 치료하는데 적합하다.

본 방제의 12가지 약 중에 9가지는 內補黃芪湯과 같다. 다만 川芎·麥冬이 없고, 橘皮·白朮·五味子가 더 들어 있다. 川芎이 없고 白芍을 重用하기 때문에 補血의 효력이 더욱 강하며, 白朮이 있기 때문에 補氣한 효력 또한 뛰어나다. 게다가 五味子를 넣고 養心安神하게 하고, 橘皮를 넣고 理氣行滯하게 하기 때문에, 본 방제는 補益氣血, 養心安神한 효능이 비교적 뛰어나다. 따라서 방제를 "人蔘養榮湯"이라고 부른다. 內補黃芪湯은 白朮·五味子가 없이 때문에, 補氣·安神과 補血한 효능이 모두 본 방제만 못하다. 두 방제는 모두 補하는 가운데 淸하는 효능을 띈 방제이지만, 후자는 주로 瘡瘍外證을 치료하는데 사용한다.

【臨床應用】

1. 證治要點: 본 방제는 氣血兩虛, 心神失寧한 증상을 치료하는 常用方으로, 임상에서 운용할 때 氣短乏力, 心悸失眠, 口乾唇燥, 舌淡紅하고 脈細弱하거나 細數無力한 증상을 치료의 요점으로 삼는다.

2. 加減法: 遺精便泄한 증사이 나타나는 경우에는 龍骨 一兩을 넣고, 咳嗽 증상이 나타나는 경우에는 阿膠를 넣고, 熱象이 뚜렷하지 않은 경우에는 白芍의 용량을 줄인다.

3. 人蔘養榮湯은 다음 한국표준질병사인분류(KCD)에 해당하는 환자가 心脾氣血兩虛證으로 辨證되는 경우 본 처방의 사용을 고려해볼 수 있다.

처방 목표	한국표준질병사인분류(KCD)
貧血	D50~D53 영양성 빈혈
	D55~D59 용혈성 빈혈
	D60~D64 무형성 및 기타 빈혈
病後虛弱	(질병명 특정곤란)
	R53 병감 및 피로
神經衰弱	F48.0 신경무력증
	F48.8 기타 명시된 신경증성 장애
	F48.9 상세불명의 신경증성 장애
潰瘍久不愈合	L20~L30 피부염 및 습진
	L00~L08 피부 및 피하조직의 감염

【注意事項】氣血兩虛證에 寒한 증상을 동반하는 경우에는 본 방제의 사용을 금한다.

【變遷史】본 방제의 原名은 "養榮湯"으로, 南宋의 의학자인 陳言이 들었으며, 『三因極一病證方論』(1174년에 편찬됨)에서 보여졌다. 『太平惠民和劑局方』卷5의 淳祐新添方은 본 방제를 옮길 때 "人蔘養榮湯"으로 이름을 바꿔서 기록했다. 본 방제의 적용범위에 대해서, 原書에는 이미 상세하게 논술 하였다: "積勞虛損, 四肢沉滯, 骨肉酸疼, 吸吸少氣, 行動喘咳, 小便拘急, 腰背强痛, 心虛驚悸, 咽乾唇燥, 飮食無味, 陰陽衰弱, 悲憂慘戚, 多卧少起; 久者積年, 急者百日, 漸至瘦削, 五臟氣竭, 難可振復; 又治肺与大腸俱虛, 咳嗽下利, 喘乏少氣, 嘔吐痰涎"라고 하며, 논술 중 본 방제의 主治 증후와 병리와 관련하여 "積勞虛損", "陰陽衰弱", "五臟氣竭, 難可振復" 등으로 묘사되어 있으며, 陳氏가 방제를 만든 목적은 본 방제를 사용해서 五臟陰陽을 大補해서 다양한 종류의 虛損勞傷한 重證을 치료하고, 또한 養血補虛에 치중하기 때문에 "養榮湯"라고

부른다는 것을 알 수 있다. 후세의 의학자들이 임상에서 본 방제를 운용하면서 또한 본 방제의 적용 범위를 계속해서 보충하였으며, 예를 들어『校注婦人良方』卷24에서 본 방제를 사용해서 "潰瘍寒熱, 四肢倦怠, 體瘦少食, 面黃氣短, 不能收斂"한 증상 및 큰 瘡瘍이 나은 후에 氣血이 크게 상한 경우를 치료했다. 반면『醫方集解』·「理血之劑」에서는 본 방제를 "發汗過多, 身振脈搖, 筋惕肉瞤"한 증상 치료에 사용했다. 본 방제의 구성은 四君子湯에 四物湯을 합하고 動血의 효능이 있는 川芎를 빼고, 다시 黃芪·肉桂를 넣고 補益의 효력을 강화하고, 五味子·遠志를 넣고 養心安神하게 하고, 橘皮를 넣고 行氣和胃해서 補하되 滯하지 않게 하며, 이로써 본 방제는 大補氣血하고 養心安神한 방제가 된다. 본 방제는 원래 湯劑로 사용하였으나, 후세에 또한 丸劑로 사용하는 경우도 있으며, "人蔘養榮丸"라고 부른다(『中國醫學大辭典』 참조).

【難題解說】본 방제의 組方 유래에 관하여: 본 방제를 만든 사람은 十全大補湯을 만든 사람과 동일한 시대이지만 약간 앞선다. 따라서 방제의 기원은 八珍湯도 아니고 十全大補湯도 아니다. 본 방제의 立法과 內補黃芪湯은 모두 益氣養血, 補中兼淸한 방제에 속하므로, 따라서 본 방제의 약을 쓰는 방법과 配伍가 영향을 받았는지 여부는 연전히 검토가 필요하다.

【醫案】

1. 빈혈(貧血)『上海中醫藥雜誌』(1985, 1:35): 여자, 50세. 환자는 貧血을 앓은지 7~8년이 되었으며, 헤모글로빈은 5~7 g 사이이다. 최근 2주 동안 昏厥 증상이 자주 나타나고, 面色無華, 心慌耳鳴, 少氣懶言, 易汗納差, 舌淡而胖, 苔薄白, 脈沉細했다. 본 증상은 脾胃虛弱하고 氣血不足한 증상으로 판단했다. 우선 歸脾湯 七劑를 사용하고, 계속해서 본 방제를 사용해서 大補氣血하게 치료하고, 총 三四劑를 복용한 후 헤모글로빈이 9.5 g까지 상승하고, 증상이 점차 사라졌다.

考察: 본 醫案은 貧血 重症으로, 따로는 昏厥하고, 少氣懶言, 面色無華, 心慌耳鳴, 易汗納差, 結合舌苔·脈象한 증상을 동반해서 나타나며, 心脾氣血兩虛證으로 인해서 발병한 것이다. 따라서 먼저 歸脾湯을 주고 益氣養血, 健脾養心하게 치료하고, 心神漸寧할 때까지 기다려서 다시 人蔘養榮湯을 주고 大補氣血하게 치료한 후 효과를 보았다.

2. 용혈성 황달(溶血性黃疸)『山西中醫』(1989, 5:54): 남자, 16세, 학생. 환자는 巩膜이 누런색을 띈지 40여일이 되어었으며, 최근 1일 동안 증상이 심해지고, 疲乏無力, 不思飮食, 寐差한 증상이 함께 나타났다. 간기능 검사 결과: 麝濁테스트와 알라닌아미노전달효소 모두가 정상이고, 황달지수는 25 U이고, 총 빌리루빈(Bilirubin)은 64.98 μmol/L이며, B형간염바이러스 표면항원은 음성이고, 반덴베르그반응 간접반응에서 음성이다. 빌리루빈은 음성이고, 헤모글로빈은 70 g/L이다. 임상 진단 결과: 용혈성황달이다. 服用글루크로락톤(glucurolactone)·비타민C 및 淸熱利濕退黃 중약을 10여제 복용한 후 효과가 없어서, 당일 내진했다. 진료 당시 환자는: 두 눈의 巩膜이 귤색처럼 누런색을 띠고, 皮膚萎黃, 疲乏無力, 氣短懶言, 不思飮食, 面色蒼白無華, 寐差, 小便黃, 舌淡, 苔微黃, 脈細弱無力한 증상을 보였다. 健脾利濕하고 益氣養血하며 膽을 이롭게 해서 黃疸을 물리치는 방제로 치료했다. 處方: 黨參 12 g, 焦白朮 12 g, 茯苓 12 g, 當歸 6 g, 炒白芍 9 g, 熟地黃 9 g, 炙黃芪 12 g, 陳皮 9 g, 炒遠志 12 g, 五味子 9 g, 茵陳 20 g, 黃柏 10 g, 梔子 10 g, 金錢草 15 g, 炙甘草 6 g, 生薑 3조각, 大棗 3개에 물을 넣고 달여서 매일 一劑씩 복용하게 했다. 약 十劑를 복용한 후 黃疸이 크게 줄고 巩膜이 약간 누런 정도로 덜해 지고, 식욕이 증가하고, 氣短乏力한 증상이 눈에 띄게 줄어들어서 편안하게 잠을 잘 수 있었다. 검사 결과 헤모글로빈 이 100 g/L까지 증가하고 효과를 보아서, 방제를 그대로 해서 계속해서 위의 약을 복용하게 했다. 세 번째 진료에서 黃疸이 사라지고, 얼굴색은 불고 윤기가 나며 원기가 왕성해지고, 헤모글로빈은 130 g/L까지 증가해서,

매달 약 五劑를 연속해서 3개월 동안 복용하고 몸 조리를 잘 하라고 당부했다.

3. 考察: 黃疸의 발병 원인은 물론 寒濕이나 濕熱으로 인한 경우가 많지만, 또한 氣血虧虛해서 발병하는 경우도 있다. 따라서 張介賓이 黃疸은 "則全非濕熱, 而總由血氣之敗, 益氣不生血, 所以血敗, 血不華色, 所以色敗"(『景岳全書』卷31에 수재됨)하다고 주장했다. 본 病例의 환자는 두 눈이 귤색처럼 누래서 마치 陽黃인 것처럼 보이지만 초기에는 淸利濕熱하고 利膽退黃한 方藥을 사용했으나 효과를 보지 못했다. 다시 진찰해 보니 비록 환자의 두 눈의 공막의 황염이 선명하지만, 또한 面色無華, 神疲乏力, 氣短懶言, 納少寐差, 舌淡 등의 心脾氣血兩虛證을 동반하기 때문에 따라서 人蔘養榮湯을 처방해서 心脾氣血을 補益하고, 다시 茵陳·黃柏·梔子·金錢草 등의 淸利濕熱退黃한 약을 넣고 補益하는 가운데 淸利하게 하고, 虛實을 함께 치료하고 標本兼顧해서 약과 증상이 잘 맞아서 좋은 치료 효과를 거두게 된다.

歸脾湯

(『正體類要』卷下)

【異名】 歸脾散(『古今醫鑑』卷8)·加味歸脾湯(『古今醫鑑』卷11)·歸脾飮(『痘學眞傳』卷7)·歸脾養營湯(『瘍科心得集』卷上).

【組成】 白朮 當歸 茯神 黃芪 炒 龍眼肉 遠志 酸棗仁 炒 各一錢(3 g) 木香 五分(1.5 g) 甘草 炙 三分(1 g) 人蔘 一錢(3 g)

【用法】 生薑·大棗를 加하여 물에 넣고 달여서 복용한다.

【效能】 益氣補血, 健脾養心.

【主治】

1. 心脾氣血兩虛證을 치료한다. 증상은 心悸怔忡, 健忘失眠, 盜汗虛熱, 體倦食少, 面色萎黃, 舌淡, 苔薄白, 脈細弱하게 나타난다.

2. 脾不統血證을 치료한다. 증상은 便血, 皮下紫癜, 婦女崩漏, 月經超前, 量多色淡, 或淋漓不止, 舌淡, 脈細弱하게 나타난다.

【病機分析】 心은 神明을 주관하고, 血에 의존해서 養하게 하고, 脾는 혈액의 統攝을 주관하고, 氣를 따라 統攝하게 한다. 만약 思慮가 너무 심하고 무리해서 心脾를 상하면, 氣血이 나날이 소모되게 된다. 血虛로 인해 神失所養하게 되면, 神明不安해서 失眠多梦·心悸怔忡·神思恍惚·健忘神疲 등의 증상이 나타나게 된다. 따라서 張介賓이 말하길: "血虛則無以養心, 心虛則神不守舍, 故或爲驚惕, 或爲恐畏, 或若有所系戀, 或無因而偏多妄思, 以致終夜不寐及忽寐忽醒而爲神魂不安等證"(『景岳全書』卷18에 수재됨)라고 하였다. 氣虛로 인해서 運化의 기능을 상실하면, 血가 統攝하지 못해서 便血·崩漏·皮下紫癜 등과 같은 여러 失血證이 나타나게 되며, 또한 張氏가 말한 바와 같이: "蓋脾統血, 脾氣虛則不能收攝, 脾化血, 脾氣虛則不能運化, 是皆血無所主, 因而脫陷妄行"(『景岳全書』卷30에 수재됨)하게 된다. 『靈樞』·「決氣篇」에서 말하길: "中焦受氣取汁, 變化而赤, 是謂血"고 하며, 脾氣健旺하면, 에너지가 고갈되지 않고 化生營血하며, 五臟을 조화롭게 하고, 洒陳六腑하고 營運周身하며, 脾虛하면 氣血生化에 원천이 있게 해서 四肢百骸가 모두 滋養하지 못해서 결국에는 體倦食少, 面色萎黃, 舌淡脈細弱 등의 증상이 모두 나타나게 된다. 陰血虧虛하고 陽氣가 涵養하지 못하면, 虛陽이 外浮해서 또한 盜汗虛熱한 증상으로 나타나게 된다.

【配伍分析】 본 방제가 치료하는 증상은 心脾氣血兩虛를 기본 病機로 하기 때문에 益氣健脾와 養血安神을 兼顧해야 한다. 방제의 人蔘은 性味가 甘溫補氣하고 心脾로 歸經하기 때문에 補益脾胃한 要藥이 되거나 또한 補心益智하고 助精養神한 효능을 갖는다. 따라서 『神農本草經』卷1에는 人蔘이 "補五臟, 安精神, 定魂魄"한다는 주장이 있고, 『本草汇言』卷1에서 또한 이르길: "人蔘, 補氣生血, 助精養神之藥也, 故眞氣衰弱, 短促虛喘, 以此補之, 如榮衛空虛, 用之可治也; ……驚悸怔忡, 健忘恍惚, 以此寧之; ……元神不足, 虛羸乏力, 以此培之; 如中氣衰陷, 用之可升也"라고 했다. 龍眼肉은 性味가 甘溫味濃하고 心脾로 歸經하기 때문에, 補益心脾하고 養血安神한 효능을 띠는 滋補 치료에 좋은 약이 된다. 따라서 『滇南本草』卷1에 이에 대해 "養血安神, 長智斂汗, 開胃益脾"라고 하였으며, 두 약을 함께 배합하면, 補氣生血하고 益脾養心한 효능이 특히 뛰어나기 때문에 모두 君藥이 된다. 黃芪·白朮은 性味가 甘溫하고 脾로 入經하고 脾가 허한 것을 보하며, 人蔘의 益氣補脾한 효력을 도와서 脾胃를 氣充하게 해서, 統血攝血한 기능을 회복하게 할 뿐만 아니라, 또한 氣血生化의 원천이 있게 해서 補氣生血하고 陽生陰長한 효력을 갖게 한다. 當歸는 性味가 甘辛微溫하고 滋養營血한 효능이 있어서 龍眼肉의 養血補心한 효능을 돕기 때문에 臣藥이 된다. 茯神·遠志·酸棗仁은 寧心安神한 성질을 띠고, 木香은 理氣醒脾한 성질이 있어서 補氣養血藥과 配伍하면 補하되 礙胃하지 않고, 補하되 滯하지 않아서, 張璐이 일찍이 이에 대해 말하길: "此方滋養心脾, 鼓動少火, 妙以木香調暢諸氣, 世以木香性燥不用, 服之多致痞悶, 或泄瀉·減食者, 以其純陰無陽, 不能輸化藥力故耳"(『古今名醫方論』卷1에서 발췌함)라고 하여, 가히 그 이치를 잘 알고 있다고 말할 수 있으며, 이상의 모든 약은 佐藥으로 삼는다. 炙甘草로 補氣和中하고 調和諸藥하게 한다. 약을 달일 때 生薑·大棗를 넣고 調和脾胃하게 해서 生化를 돕는다. 모든 약을 함께 配伍하면, 益氣補血하고 健脾養心한 효능을 갖게 된다.

본 방제의 配伍 특징은 두 가지가 있다: 첫째는 心脾를 함께 치료하고 補脾를 위주로 해서, 脾旺하게 하면 氣血生化에 원천이 있게 된다 따라서 방제를 "歸脾"라고 부른다. 둘째는 氣血을 함께 補하고 補氣를 위주로 하면, 氣旺해서 生血하게 되며, 血足하면 心有所養, 神有所舍하게 된다.

【類似方比較】 본 방제와 補中益氣湯은 모두 人蔘·黃芪·白朮·甘草의 益氣補脾한 효능으로 脾氣虛弱한 증상을 치료할 수 있다. 하지만 본 방제는 補氣藥에 養血安神藥을 配伍해서 이를 위주로 해서 치료하기 때문에 益氣健脾하고 補心寧神한 효능을 띠며 心脾氣血兩虛證을 치료하고, 補中益氣湯은 補氣藥에 升擧淸陽藥을 配伍해서 이를 위주로 치료하기 때문에 益氣健脾하고 升陽擧陷한 효능을 띠며 脾胃氣虛하고 淸陽不升한 증상을 치료하는 데 사용한다.

본 방제와 人蔘養榮湯은 모두 補氣健脾藥에 養血安神藥을 配伍해서 구성한 것으로 모두 心脾氣血兩虛證을 치료한다. 차이점은 人蔘養榮湯은 방제에 蘊含十全大補湯을 구성하는 약물을 포함하기 때문에 大補氣血한 효능을 갖지만, 養心安神힌 효력은 약간 떨어지기 때문에 心脾의 氣血虛가 심해서 神志失寧이 비교적 가벼운 증상을 치료하는데 적합하고, 또한 瘡瘍으로 氣血大虛하고, 헐어서 오랫 동안 아물지 않은 경우를 치료하느데 사용한다. 본 방제의 益氣養血한 효능을 비록 人蔘養榮湯만 못하지만 養心安神의 효력이 뛰어나고 또한 益氣攝血한 작용을 하기 때문에 心脾의 氣血이 부족하고 心이 滋養하지 못하고 神志不安이 비교적 심한 증상이나 脾가 허해서 혈액의 통섭(統攝)이 불가능한 出血證을 치료하는데 사용한다. 임상에서 증상을 치료할 때, 두 방제를 증상에 맞게 選用한다.

【臨床應用】

1. 證治要點: 본 방제는 心脾의 氣血이 부족한 증상을 치료하는 常用方으로, 임상에서 운용할 때 心悸

失眠, 體倦食少, 便血 및 崩漏, 舌淡, 脈細弱한 증상을 치료의 요점으로 삼는다.

2. 加減法: 崩漏下血에 寒으로 치우친 경우에는 艾葉炭·炮薑炭을 넣고 溫經止血하게 하고, 熱로 치우친 경우에는 生地炭·阿膠珠·棕櫚炭을 넣고 淸熱止血하게 한다.

3. 歸脾湯은 다음 한국표준질병사인분류(KCD)에 해당하는 환자가 心脾氣血兩虛證, 脾不統血證으로 辨證되는 경우 본 처방의 사용을 고려해볼 수 있다.

처방 목표	한국표준질병사인분류(KCD)
胃·十二指腸潰瘍出血	K25 위궤양
	K26 십이지장궤양
機能性子宮出血	N93.8 기타 명시된 이상 자궁 및 질 출혈_기능성자궁출혈
再生不良性貧血	D61 기타 무형성빈혈
	D60 후천성 순수적혈구무형성[적모구감소]
神經衰弱	F48.0 신경무력증
	F48.8 기타 명시된 신경증성 장애
	F48.9 상세불명의 신경증성 장애
心臟病	I20~I25 허혈심장질환
	I30~I52 기타 형태의 심장병

【變遷史】 宋代의 嚴用和는 1253년 『濟生方』의 "歸脾湯"(이하 嚴氏方으로 줄여서 표기함)을 기초로 하고 遠志·當歸를 넣어서 만든 것이다. 嚴氏가 방제를 만들 때 心脾氣血을 補益해서 "思慮過度, 勞傷心脾, 健忘怔忡"한 증상을 치료하는 데 뜻을 두었다. 元代의 危亦林은 『世醫得效方』卷7에서 嚴氏方을 인용할 때 또한 그 사용 범위를 넓혀서 "脾不能統攝心血, 以致妄行, 或吐血下血"한 증상을 치료하는 데 사용하였으며, 이를 통해 본 방제는 補益心脾하고 益氣攝血한 방제로서 후세에 전해졌다. 明代의 薛己는 본 방제의 養血寧神한 효능을 강화시키고 嚴氏方에 當歸·遠志를 넣고 또한 "驚悸·盜汗·嗜卧少食·月經不調·赤白帶下" 등의 증상을 치료하는 데 사용해서, 역대의 의학자들이 薛氏의 견해에 큰 찬사를 보냈으며, 지금까지 계속해서 사용되어 오고 있는데, 그 영향은 이미 嚴氏原方을 훨씬 능가하였다. 본 방제는 益氣養血한 성질의 약을 하나의 방제에 모았기 때문에 임상에서 운용할 때 증상에 따라 氣虛·血虛의 치우침 없이 적당하게 늘리고 줄여서 조절 할 수 있다. 예를 들어 淸代 의학자인 顧養吾는 歸脾湯에 大熟地 한 가지 약만을 사용해서 原方의 滋補陰血한 효력을 강화하고, 이름을 "黑歸脾湯"(『銀海指南』卷3에 수재됨)라고 불렀다. 凌奐의 『飼鶴亭集方』에서는 또한 顧氏方의 茯苓을 茯神으로 바꾸고, 丸劑로 바꿔 제조하고, "黑歸脾丸"이라고 부른다.

본 방제는 원제 湯劑이지만, 후세에 복용의 편의를 위해서 대부분 丸劑로 만들고, "歸脾丸"(『丸散膏丹集成』 참조)·"人蔘歸脾丸"(『北京市中藥成方選集』 참조)·"白歸脾丸"(『全國中藥成藥處方集』福州方 참조) 등으로 부른다.

【醫案】

1. 心悸怔忡 『南雅堂醫案』: 지나치게 신경을 쓰면 陰血이 반드시 손상되고 怔忡健忘해서 모든 心血이 부족하게 된다. 따라서 心은 生血하고, 脾는 統血하므로, 증상을 파악하고 歸脾湯으로 치료한다.

『續名醫類案』卷27: 馬元儀가 心悸症을 앓는 환자를 치료했는데, 환자가 肢體倦怠해서 陰虛를 치료했으나 효과가 없었다. 진찰 당시 환자는 脈이 浮虛無力한데다가 마음을 애태우고 思慮傷心해 있었다. 心의 아래에 脾가 있으며, 脾가 心病을 받으면, 뭉쳐서 침(涎)이 생기고 精液이 생기지 않고 淸陽이 不布하기 때문에 결국에는 四肢에 氣가 막혀서 倦怠하게 된다. 治法은 大補心脾하게 치료하고, 歸脾湯 20첩을 丸으로 만들어서 복용한 후 완치했다.

2. 心痛 『南雅堂醫案』: 본 증상은 脈이 細小하고

右寸은 澀하며, 心下悸하고 통증이 심하면 喜按하고, 음식을 적게 먹으면 낫고, 대소변 모두 淸利하게 나타나서 虛痛으로 진단하고, 歸脾湯에 石菖蒲를 넣고 치료했다.

『脈訣汇辨』: 邑宰章生公이 南京에서 시험에 참가했는데, 8월 5일이 되자 心脾의 통증이 심하고, 식사와 물을 마시기도 어려웠다. 兩寸 맥이 澀하고 無力한 것으로 진단하고, 大劑歸脾湯에 人蔘三錢·官桂二錢을 넣고 달여서 복용하게 했다. 얼마 지나지 않아 통증이 줄어서, 계속해서 약 一劑를 복용한 후 통증이 갑자기 사라졌다.

3. 失眠 『中醫雜誌』(1955, 2:30): 남자, 41세. 본 환자는 폐결핵 및 늑막염을 앓은 적이 있다. 현재는 일이 너무 바쁘고, 지나치게 신경을 써서 밤에 한 두시간밖에 잠을 못자고, 몸은 피곤하고, 기억력은 감퇴되고, 식욕이 부진하고, 자주 두통과 현기증이 났다. 검사 결과 체격은 중간 정도이고, 약간 여위고, 안색은 창백하고, 脈搏이 약간 약했다. 歸脾湯을 처방하고 酸棗仁 四錢으로 重用해서 연속으로 약 三劑를 복용하게 한 후 모든 증상이 호전되었다.

『內蒙古中醫藥』(1984, 1:44): 劉모씨, 여자, 51세. 평소에 근심이 많고, 처음에는 잠이 들기 어렵고, 꿈을 많이 꾸며 잘 깨고, 이러한 증상이 반복적으로 발생해서 결국에는 깊은 잠을 자기 어렵게 되었으며, 그에 따라 月經失調에 淋漓不斷한 지 2년이 되었다. 요즘 얼굴이 붓고, 오후가 되면 潮熱하고, 양쪽 다리가 붓고 얼굴색이 白黃하고 無華하며, 舌體胖, 苔白中厚하고, 脈象은 양쪽 寸關이 大하면서 힘이 없고, 尺脈沉弱했다. 본 증상은 무리하여 心脾를 상하고, 氣血生化의 원천이 부족하고 脾虛해서 血이 統攝의 기능을 상실한 것으로, 마땅히 健脾益氣하고 養心寧神하게 치료해야 한다. 歸脾湯에서 當歸는 빼고 眞珠母 15 g, 白芍 12 g을 넣고 물을 넣고 달여서 약 六劑를 복용하게 했다. 약을 복용한 후 자각증상이 약간 줄어서, 계속해서 위의 처방에 加味한 다음에 歸脾丸을 복용하고 조리하여 회복했다.

4. 痿證 『山東中醫學院學報』(1977, 4:62): 남자, 17세. 하지 근육을 움직일 때 힘이 없고, 두 손가락을 펴지 못한지 20일이 되어서 진료을 받았다. 본 증상은 面色無華, 神疲乏力, 舌質淡, 苔薄白, 脈沉細無力하게 나타났다. 歸脾湯에 伸筋草 30 g·活血藤 30 g을 넣고 치료했다. 약 六劑를 복용한 후, 두 손가락이 정상으로 돌아왔고, 다시 歸脾丸 1갑을 복용하게 해서 치료 효과를 높였다.

5. 便血 『淸代名醫醫案大全』·「曹仁伯醫案」: 便血 증상이 나타나기 전에 먼저 盜汗 증상을 보였는데, 盜汗은 寒熱 때문에 나타나는 것으로, 寒熱이 이미 내렸는데도 盜汗便血 증상은 없어지지 않고 脈小而數하고 氣陰兩虛한 증상으로 나타났다. 歸脾湯에서 遠志는 빼고 丹皮·山梔·地楡·桑葉을 넣는다.

6. 紫癜 『北京中醫』(1953, 5:13): 여자, 23세. 평소에 다른 질병은 없는데, 유일하게 月經이 가끔씩 불순했다. 1950년 가을 心動悸, 胃納不佳, 關節酸痛, 精神疲倦하다고 느끼고, 다리 피부에서 자주 피가 나고 붉은색 반점이 나타나서 입원하고 西藥으로 4개월 동안 치료했으나 큰 변화가 없었다. 현재 환자는 얼굴색이 창백하고, 기력이 없고 나른하며, 月經不調에 식욕이 없고 목소리가 낮으며 心動悸하며 四肢에 힘이 없고 수면부진하며 관절에 酸痛이 느껴지고, 하지에는 고리 모양의 붉은 반점이 있으며 크기는 균일하지 않으며, 몸통과 팔에는 비교적 적었다. 歸脾湯을 煎劑로 달여서 매일 1첩씩 복용하게 한 후 모든 증상이 줄어들어서 계속해서 3주일 동안 복용한 후 모든 증상이 사라져서 이미 평소와 같이 일을 하고 있었다.

7. 項疽 『得心集醫案』: 黃榮靑은 項外結喉 사이가 갑자기 딱딱한 疽이 생겼다. 의사을 불러 치료하고 疏風化痰한 방제를 사용해서 치료한 후 疽의 모양이 점

차 길어지고 환부를 눌러 보니 딱딱한데 아프지 않고 차갑지도 뜨겁지도 않고, 가렵지도 아프지도 않았다. 思慮해서 鬱結하면 營衛가 留滯되므로 氣가 한 곳에 머물러 돌지 않기 때문에 益氣和營한 성질의 약을 사용하면, 반드시 완치한다. 歸脾湯을 연속해서 수십제 복용하게 한 후 核疽가 저절로 사라졌다.

8. 崩漏『淸代名醫醫案精華』: 출산 후 百脈이 空虛하고, 氣血이 모두 상하게 되면 衝任이 부진해서 15일 내에 피가 심하게 흐르게 되며, 이는 바로 衝傷血崩이다. 寒熱로 乳房이 부풀고 五心煩熱하며 모든 虛證이 거듭해서 나타나고 나날이 더욱 심해지며, 脈이 弦數無神하게 나타나기 때문에, 먼저 太陰陽明을 主治하고, 胃가 좋아져서 식사가 가능하고, 모든 虛證이 회복할 때까지 기다려서 歸脾湯에서 木香은 빼고 枸杞子는 넣는다.

9. 帶下『山東中醫學院學報』(1977, 4:60): 馬모씨, 여자, 33세. 최근 1년 동안 白帶가 많고 쪼그려 앉았을 때 白帶가 흘러 내리고 淸稀하며 악취가 없었다. 진찰 당시 환자는 面色無華, 全身無力, 背寒肢麻, 舌質淡, 苔薄白, 脈細弱했다. 脾氣虛弱하고 寒濕帶下한 증상으로 진단하고, 방제는 歸脾湯을 사용해서 치료하였으며, 약 三劑를 복용한 후 白帶가 바로 멎었다.

考察: 醫案1·3은 心脾氣血兩虛한 증상으로, 心이 滋養하지 못하면 心悸·失眠·怔忡한 증상으로 나타나므로, 본 방제를 사용해서 益氣補血하고 養心安神하게 하면 효과를 볼 수 있다. 醫案5·6·8의 血證은 모두 脾虛해서 血이 統攝의 기능을 상실해서 발생하는 것이므로, 또한 본 방제를 위주로 하고 內熱을 동반하는 경우에는 淸熱涼血한 약을 넣고, 血이 움직일 것을 염려한 경우에는 木香을 빼면 모두 좋은 치료 효과를 볼 수 있다. 醫案2의 心痛은 氣血이 손상되고 心이 滋養하지 못해서 발생한 것이기 때문에 歸脾湯을 처방하고, 첫째는 石菖蒲를 넣고 開通心竅하게 하고, 둘째는 人蔘을 重用하고 다시 肉桂를 넣고 氣血이 虛한 것을 大補하면, 약과 증상이 서로 잘 맞아서 빠른 치료 효과를 보게 된다. 醫案4는 氣血兩虛하고 筋脈失養으로 인해서 팔다리가 늘어지고 쓰지 못하는 증상이고, 醫案7은 氣血이 부족하면 營衛가 정체되어 氣가 한 곳에 머물러 돌지 않아 項疽가 된 것이 된다. 醫案9은 脾氣虛弱하고 濕濁下注해서 발생한 帶下이다. 비록 증상은 다르지만 모두 氣血兩虛에 속하는 증상이므로 歸脾湯을 사용해서 補益氣血하고 健脾助運하게 치료하면 扶正培本해서 효과를 볼 수 있다.

【副方】 妙香散(『太平惠民和劑局方』卷5 紹興續添方): 麝香 別研 一錢(3 g) 木香 煨 二兩半(75 g) 山藥 薑汁炙 茯神 去皮·木 茯苓 去皮, 不焙 黃芪 遠志 去心炒 各一兩(30 g) 人蔘 桔梗 甘草 炙 各半兩(15 g) 辰砂 別研 三錢(9 g)

- 用法: 위의 약을 곱게 분말로 갈아서 二錢(6 g)을 1첩(服)으로 하여 따뜻한 술에 타서 수시로 복용한다.
- 作用: 益氣補虛, 寧心安神.
- 適應症: 남성, 성인여성의 心氣不足, 志意不定, 驚悸恐怖, 悲憂慘戚, 虛煩少睡, 喜怒不常, 夜多盜汗, 飮食無味, 頭目昏眩 등의 증상을 主治한다.

본 방제는 心脾氣虛하고 心神煩亂한 증상을 치료하기 위해서 만들어 졌다. 따라서 益氣健脾하고 補心安神한 효능을 立法의 근거로 삼았다. 방제의 人蔘·黃芪·山藥·茯苓은 心脾之氣를 補益하고, 茯神·遠志·辰砂은 安神定志하게 하고, 桔梗은 載藥上浮하는 작용을 해서 心氣之虛를 補하고, 木香의 理氣醒脾한 효능은 補하되 滯하지 않게 하고, 麝香의 開竅醒腦해서 寧神의 효능을 돕는다. 모든 약을 함께 사용하면 補益心脾하고 寧心安神한 치료 효과를 거두게 된다.

본 방제와 歸脾湯은 모두 人蔘·黃芪·茯神·遠志·甘草·木香을 포함하고 있어서 益氣補脾하고 寧心安神한 효능을 띈다. 반면 歸脾湯은 또한 白朮·當歸·酸棗仁·龍眼

肉을 포함하기 때문에 補血養心한 효능이 갖는데 氣血同補하고 養心安神한 방제가 되며, 心脾氣血兩虛한 증상을 치료하는데 사용한다. 본 방제에는 또한 茯苓·山藥·桔梗·辰砂·麝香을 포함하기 때문에 鎭心寧神한 효능을 겸하며, 補氣를 위주로 하고, 安神의 효능을 겸하는 방제가 되므로 心脾氣虛, 心氣渙散, 神煩意亂한 증상을 치료하는 데 사용한다.

炙甘草湯

(『傷寒論』)

【異名】 復脈湯(『傷寒論』)·甘草湯(『普濟方』卷27).

【組成】 甘草 炙 四兩(12 g) 生薑 切 三兩(9 g) 人蔘 二兩(6 g) 生地黃 一斤(50 g) 桂枝 去皮 三兩(9 g) 阿膠 二兩(6 g) 麥門冬 去心 半升(10 g) 麻仁 半升(10 g) 大棗 擘 三十枚(十枚)

【用法】 위의 약을 淸酒 七升와 물 八升을 넣고 우선 8가지 약만 三升이 되게 달여서 찌꺼기는 제거하고 阿膠를 넣고 녹여서 一升을 하루 3회에 나누어서 따뜻하게 복용한다(현대용법: 물에 달여서 阿膠를 넣고 녹여서 冲服한다).

【效能】 益氣養血, 通陽復脈.

【主治】

1. 脈結代, 心動悸를 主治한다. 증상은 虛羸少氣, 舌光少苔하거나 質乾而瘦小하게 나타난다.

2. 虛勞肺痿를 主治한다. 증상은 咳嗽, 涎唾多, 形瘦短氣, 虛煩不眠, 自汗盜汗, 咽乾舌燥, 大便乾結, 脈虛數으로 나타난다.

【病機分析】 心은 血脈을 주관한다. 心氣가 왕성하고 陰血이 충만하면 심장박동에 힘이 있고 리듬이 정연하고 脈象 역시 안정되고 힘이 있게 된다. 만약 心氣가 허약하고 힘이 없어서 血脈을 부추기지 못해서 脈氣에도 이어지지 못하면 脈結代해서 數하고 일정하지 않게 뛰게 된다. 陰血이 부족하고 血脈이 充盈하지 않으면, 心이 滋養하지 못해서 心悸不寧하게 된다. 氣血兩虛하고 形體이 溫養하지 못하면 虛羸少氣하게 된다. 舌는 마음의 싹이 되고, 心의 氣血이 虛少하면 奉養을 할 수 없기 때문에 舌光少苔하거나 質乾瘦小하게 된다. 본 방제로 치료하는 虛勞肺痿는 오랜 기침으로 肺가 상하고 氣陰이 손실되어서 생긴 것이다. 肺氣가 허약하고 氣가 위로 올라가면 咳嗽氣短하게 된다. 津液이 흐르지 않으면 多唾涎沫하게 된다. 肺氣가 부족하고 衛氣도 약하고 腠理가 不密하면 自汗이 멋지 흐르게 된다. 陰血이 부족하면 形體失充, 神明·淸竅·形體를 모두 滋養하지 못해서 결국에는 虛煩不眠, 咽乾舌燥, 形體消瘦, 大便乾結한 증상으로 나타난다. 陰虛熱擾하고 迫津外泄하면 잠을 잘 때 땀을 흘리고, 脈이 虛數한 것 역시 氣陰부족에 의한 증상이다. 위의 내용을 종합해 보면, 위의 증상은 비록 임상에서 복잡하게 나타나지만, 모두 陽氣 및 陰血이 부족을 기본적인 病機변화로 삼는다.

【配伍分析】 본 방제는 원래 心의 氣血兩虛로 인한 脈結代과 心動悸를 치료하기 위해 만들어진 것이다. 따라서 益心氣·補心血, 養心陰, 通心陽을 立法의 근거로 삼는다. 방제에서 炙甘草를 重用하면 補心氣한 효능을 뛰어나게 하여 "安魂定魄"(『日華子本草』卷5에 수재됨)할 수 있으며, 게나가 補中益脾하고 化生氣血한 효능이 뛰어나기 때문에 後天의 근본을 滋養해서 氣血生化의 근원을 넉넉하게 한다. 본 약물은 性味가 甘平柔潤하고, 補하되 심하지 않고(補而不峻), 완화시켜 動悸를 멈추게 하므로 君藥이 된다. 臣藥인 生地黃은 性味가 甘涼滋潤하고 養陰補血한 효능이 있어서 방제에서 一斤이 넘을 정도로 重用한다. 이는 炙甘草와 함께 配伍하면 益氣養血한 효능을 갖게 되어서 脈의 근

본을 회복하게 하는 데 그 목적이 있다. 人蔘·大棗는 補益心脾한 성질을 갖고 炙甘草와 배합하면 養心復脈하고 補脾化血의 효능이 더욱 뛰어나게 된다. 阿膠·麥冬·火麻仁은 性味가 甘潤養血하고 生地黃을 배합하면 滋心陰, 養心血, 充血脈한 효력이 특히 뛰어나게 된다. 桂枝·生薑은 性味가 辛溫走散해서 溫心陽, 通血脈한 효능을 띠므로 氣血을 원활하게 통하게 해서 脈氣가 막힘이 없이 흐르도록 도와주며, 모두 佐藥이 된다. 原方에서 약을 달일 때 淸酒를 넣으면, 辛熱한 술의 성질이 藥勢를 함께 돌게 해서 모든 약이 溫通血脈한 효력을 갖게 한다. 여러 가지 약을 함께 配伍하면 陰血이 충분하게 되어서 血脈이 충만해지고, 陽氣가 회복되어서 心脈이 통하게 되고, 氣血이 충만해지고 血脈이 원활하게 통하게 되면, 悸가 안정을 찾게 되고 脈이 회복될 수 있다. 炙甘草·人蔘 역시 補肺氣, 潤肺止咳한 효능을 갖고, 阿膠·麥冬 또한 養肺陰, 治肺燥한 효능이 뛰어나고, 生地·火麻仁은 滋補腎水에 뛰어나서 膠·地와 함께 배합하면 "金水相生"의 효력을 갖기 때문에, 따라서 본 방제는 또한 肺의 氣陰이 兩虛한 虛勞肺痿를 치료하는데 사용할 수 있다.

본 방제의 配伍 특징은 세 가지이다: 첫째는 氣血陰陽을 함께 補하며, 특히 益氣養血의 효력이 뛰어나다: 둘째는 心脾肺腎의 네 臟器를 함께 조리하며, 특히 補益心肺의 효능이 뛰어나다: 셋째는 補血하는 가운데 通脈하는 효력이 있고, 氣足血充해서 脈으로 통하게 하면, 脈氣가 막힘없이 흐르게 되어 모든 증상이 저절로 낫게 된다.

방제에서 炙甘草의 劑量은 보통의 용량보다 훨씬 많은 四兩에 달할 정도로 重用해서 益氣補心하고 緩急定悸한 효능을 띠며, 의학자들의 주목을 받기 위해서 보통의 調和한 효능과 다르다는 것을 강조하고 "炙甘草湯"라고 이름지었다. 본 방제를 복용하면 悸가 안정을 찾고 脈이 회복되는 효과를 볼 수 있으므로, 또한 "復脈湯"이라고 이름지었다.

【類似方比較】 본 방제와 歸脾湯은 모두 心의 氣血을 補益하게 해서, 氣血不足하고 心神失養한 心悸를 치료할 수 있다. 하지만 본 방제는 補益氣血하는 효능이 비교적 뛰어나고, 또한 桂枝·生薑·酒 등의 辛溫通陽한 성질의 약을 配伍했기 때문에 益氣養血할 뿐만 아니라 또한 通陽復脈할 수 있어서, 氣血兩虛, 脈氣가 서로 통하지 않아 나타나는 心動悸, 脈結代를 치료하는데 적합하고, 또한 넣고 빼서 肺氣陰兩虛한 久咳痰少證을 치료할 수 있다. 반면 歸脾湯에는 參·芪과 白朮을 함께 配伍하기 때문에 補脾益氣한 효력이 비교적 강하고, 또한 대량의 養心安神한 약물과 配伍하기 때문에 補心安神할 수 있을 뿐만 아니라 또한 益氣攝血해서 心脾氣血兩虛하고 神失所養해서 발생하는 心悸·失眠·健忘證 및 脾氣虛弱하고 血이 統攝의 기능을 상실한 出血證을 치료하는데 사용한다.

본 방제와 生脈散은 모두 補肺氣하고 養肺陰하는 효능이 있어서, 肺의 氣陰兩虛로 인해 오랫동안 기침이 멎지 않는 증상을 치료한다. 하지만 본 방제는 益氣養陰한 효능이 비교적 강하고, 斂肺止咳의 효력이 부족하기 때문에, 治本을 위주로 하고 또한 溫補에 치중한다. 따라서 陰虛肺燥가 비교적 심하거나 內熱을 동반하는 환자에게 사용하는 것은 적절치 않다. 반면 生脈散은 益氣養陰한 효력이 본 방제만 못하지만 收斂작용을 하는 五味子를 配伍하고 標本兼顧하기 때문에 止咳의 효능이 炙甘草湯에 비해 뛰어나고, 淸補를 위주로 해서 치료한다. 임상에서 사용할 때 증상에 맞게 참작해서 選用할 수 있다.

【臨床應用】

1. 證治要點: 본 방제는 陰陽氣血을 함께 補하는 방제이다. 임상에서 脈結代, 心動悸, 虛羸少氣, 舌光少苔한 증상을 치료의 요점으로 삼는다.

2. 加減法: 陰血虛가 심하고 舌光하면서 萎한 경우에는 熟地을 生地로 바꿔서 滋補陰血의 효력을 강화한다. 心悸怔忡이 비교적 심한 경우에는 酸棗仁·柏子

仁 등을 넣고 養心安神定悸의 효능을 증대하거나 龍齒·磁石을 넣고 重鎭安神의 효능을 돕는다. 虛勞肺痿陰傷肺燥가 비교적 두드러지는 경우에는 桂枝·生薑·酒의 제량을 적당히 줄이거나 빼서 溫藥耗陰劫液의 우려를 예방한다.

3. 炙甘草湯은 다음 한국표준질병사인분류(KCD)에 해당하는 환자가 陰血不足, 心氣虛弱證, 氣陰兩傷證으로 辨證되는 경우 본 처방의 사용을 고려해볼 수 있다.

처방 목표	한국표준질병사인분류(KCD)
功能性心律不齊	I49.8 기타 명시된 심장부정맥
期外收縮	I49.4 기타 및 상세불명의 조기탈분극
冠心病	I25.1 죽상경화성 심장병
風濕性心臟病	I09 기타 류마티스심장질환
病毒性心肌炎	I41.1 달리 분류된 바이러스질환에서의 심근염
甲狀腺功能亢	E05 갑상선독증[갑상선기능항진증]

【注意事項】 본 방제는 대부분 溫한 성질의 약으로 구성하기 때문에, 陰虛內熱한 환자의 경우에는 신중하게 사용한다.

【變遷史】 炙甘草湯은 東漢의 저명한 의학자인 張仲景이 만든 것으로 "傷寒脈結代, 心動悸"를 치료하는 데 사용하기 때문에 따라서 "復脈湯"이라고도 부른다. 唐·孫思邈는 임상 실험을 통해서 본 방제의 主治 증후의 病機 및 임상에서 나타나는 증상에 대해 또한 진일보한 설명을 하였으며, 본 증상은 虛해서 발생한 것이라고 명확하게 밝히고 임상에서 "虛勞不足, 汗出而悶, 脈結心悸, 行動如常"(『千金翼方』卷15에 수재됨)하게 나타난다는 것을 관찰했다. 王燾는 본 방제의 구성 약물이 肺의 氣陰을 補益하는 것을 바탕으로 해서, 본 방제의 치료 범위를 "肺痿涎唾多, 心中溫溫液液者"(『外臺秘要』卷10에 수재됨)까지 확대해야 한다고 주장했다. 王氏의 이러한 주장에도 후세에 附合者가 많음에도 불구하고 실행에 옮기는 사람은 많지 않다. 그러나, 본 방제는 주로 여전히 補虛復脈한 효능으로 脈結代·心動悸한 증상을 치료하는 데 뛰어나고 대대로 이름을 날리며 지금까지 사용되고 있다. 炙甘草湯은 仲景의 補益虛損한 효력이 있는 名方이며, 또한 방제학사에 있어서 비교적 이른 補益方劑이므로, 후세의 補益方劑의 組方配伍에 심대한 영향을 미쳤다고 볼 수 있다. 따라서 『醫學入門』에서 이르길 "一切滋補之劑, 皆自此方而變化之者"(丹波元堅『金匱玉函要略述義』卷上에서 발췌함)라고 하며 본 방제는 또한 補法의 근원이라 칭할만 하다. 淸·吳瑭은 溫病의 病機 특징과 치료의 필요성을 결합해서 방제에서 溫한 성질을 띄는 桂·薑·參·棗는 빼고, 酸寒한 性味의 白芍를 넣고 滋陰斂液해서 氣陰(血)을 함께 補하는 방제를 滋陰하게 하는 전문 방제(專方)인 加減復脈湯으로 바꿔서 "溫熱病後期, 邪熱久羈, 陰液虧虛"한 증상을 치료하는 데 사용하고, 또한 이를 기초로 하고 약간 加味해서 "一甲復脈湯"·"二甲復脈湯"·"三甲復脈湯"·"大定風珠" 등의 일련의 滋陰生津하고 柔肝熄風한 名方을 만들었다. 본 방제가 후세의 滋陰生津法을 운용하는 데 영향을 준 것에서 또한 "滋陰祖方"(『醫寄伏陰論에 수재됨』)라는 명성을 얻었다.

【難題解說】

1. 본 방제의 君藥에 대한 인식: 본 방제의 君藥에 대한 인식에 있어서 예로부터 두 가지 관점이 있다. 첫째는 柯琴을 대표로 하며, 生地黃이 君藥이 된다고 여겼다. 예를 들어 柯氏가 이르길: "此以心虛脈代結, 用生地爲君, 麥冬爲臣, 峻補眞陰, 開後學滋陰之路"(錄自『古今名醫方論』卷1)라고 하였고, 보통 고등교육 중의약류 기획교재인 『方劑學』(제6판 교재)에서 또한 이와 같은 주장을 했다. 둘째는 錢潢을 대표로 하며, 炙甘草가 君藥이 된다고 여겼다. 예를 들어 錢氏가 이르길: "此方以炙甘草爲君, 故名炙甘草湯"(『傷寒溯源集』卷2에 수재됨)라고 하였고, 이러한 주장을 따르는 사람은 王子接·丹波元堅·呂震 등이 있으며, 또한 제2판·제4판 교재·高等中醫院校教學參考叢書『方劑學』·中醫基础系列教材『方劑學』(상해과학기술출판사) 등에서도 동일한

주장을 하고 있다. 위의 生地黃이 君藥이 된다고 여기는 경우는 주로 방제에서 용량이 가장 많은 약을 근거로 하는 것이고, 炙甘草가 君藥이 된다고 주장하는 경우는 주로 방제에서 보통 이상의 劑量을 사용하고 炙甘草를 이름으로 불리는 방제이기 때문이다. 본 방제가 치료하는 氣血의 虛를 어떤 위주로 치료하는 것인가에 대한 내용은 原書에 명확하게 논술되어 있지 않기 때문에 "針對主證起主要治療作用者爲君"한다는 방제의 구성 원칙에 따라 판단하기 어렵다. 게다가 仲景方에는 君藥으로 명명한 경우가 매우 많지만 또한 十棗湯 등의 예외도 있다. 게다가 용량이 특히 많지만 君藥이 아닌 경우가 적지 않다. 따라서 만약 단지 용량이나 혹은 方名의 사용 여부를 가지고 君藥을 판단한다면 이는 또한 전체를 아우르지 못하는 단편적인 견해에 불과하다. 따지고 보면 본 방제의 君藥은 매우 확정하기 어려운 것 같다. 그러나 만약 仲景의 여러 방제를 살펴보면, 방제 명칭에서 나타나는 약은 군약인지 아닌지에 상관없이 모두 독특하게 중요한 작용을 한다. 또한 仲景은 평소 制方配伍가 엄격하기로 유명한데 劑量이 錙銖 사이에서 변화하고 또한 반복해서 짐작해서 본 방제의 炙甘草의 용량이 四兩에 달할 정도로 重用하였고, 仲景의 여러 방제에 있어서 이보다 뛰어난 것은 없으며, 보통과는 다른 調和補益한 효능을 띄는 방제로써, "脈結代, 心動悸"를 위주로 치료하는 특수한 法度라고 말할만 하다. 이밖에도 "君藥是方劑組成中不可缺少的藥物"이라는 점에서 본 방제에서 生地黃의 補益陰血한 효능은 힘이 세고 뛰어나지만 炙甘草에 비하면 없어서는 안되는 약물은 당연히 후자로 보아야 한다. 위의 요소를 종합하면, 仲景은 본 방제에서 炙甘草의 중요성과 대체 불가능한 특징 모두에서 炙甘草의 중요한 위치를 증명하였으므로, 따라서 이를 君藥으로 삼는 것이 비교적 仲景의 본뜻에 맞는 것 같다. 이에 대해 당대의 유명한 의학자인 岳美中이 일찍이 통찰력 있게 논술하길: "仲景炙甘草湯以炙甘草爲名, 顯然是以甘草爲君. 乃後世各注家都不深究仲景制方之旨, 意退甘草于附庸地位, 即明如柯韵伯, 精如尤在泾, 也只認甘草留中不使速下, 或囫圇言之, 漫不經意. 不知甘草具'通經脈·利血氣'之功能, 載在陶弘景『名醫別錄』, 而各注家只依從甘草和中之說法, 抛弃古說不講. …… 生地黃, 『神農本草經』主'傷中, 逐血痹'; 『名醫別錄』主'通血脈, 利氣力'. 則大棗·地黃爲輔助甘草'通經脈, 利血氣'之輔藥無疑"(『岳美中醫案集』에 수재됨)라고 하였다. 岳氏는 『傷寒論』이 책으로 완성된 연대를 고려해서 『神農本草經』·『名醫別錄』 등의 "古說"에 따라 방제의 地黃과 炙甘草 등 약의 작용을 분석하였으며, 이를 통해 낡은 틀에 얽매이지 않았다는 것에서 의미심장하게 새겨볼 만하다.

生地黃은 본 방제에서 어디까지나 補血(陰)群藥의 주요 약이 되기 때문에, 따라서 氣血雙補한 治法을 구현할 수 있도록 炙甘草와 함께 君藥으로 삼아야 하다는 주장도 일리가 있다. 하지만 만약 地黃을 君藥으로 삼게 되면, 炙甘草가 이를 따르게 되므로, 이는 仲景의 立方 본 뜻에 어긋나는 듯하다. 임상에서 본 방제를 사용할 때 氣血虛損의 우선 순위에 따라 참작해서 君藥을 결정한다는 것은 이와 별도로 논해야 한다.

2. 본 방제의 범주 분류에 대한 인식: 위의 본 방제의 君藥의 인식에 대한 이견은 한층 더 본 방제가 각 판 교재의 "補益劑"에 속한 범주의 차이를 가져왔다. 예를 들면 본 방제가 제2판·제5판 교재에서 "補血"劑로 분류되며, 제4판과 계열 교재에서는 "氣血雙補"劑로 분류되며, 제6판 교재에서는 다시 "補陰"劑로 분류되었다. 위에서 서술한 바와 같이, 본 방제는 地黃을 君藥으로 삼지 않기 때문에 "補陰"이나 "補血"의 방제로 보는 것은 타당하지 않다. 하지만 방제에서 滋陰養血한 성질의 地黃을 重用하고 麥冬·麻仁·阿膠 등의 補血한 성질의 약을 넣고 서로 조화를 이루게 하기 때문에, 만약 "補氣"劑로 분류한다면 또한 補血한 효능을 구현하기 어렵다. 반면 방제에서 君藥인 炙甘草로 補氣하게 하고, 臣藥인 生地黃으로 養血하게 해서 두 약을 重用하고, 또한 여러 약이 이를 도우면 함께 氣血雙補한 효능을 갖게 되므로, 따라서 본 방제를 "氣血雙補"劑로 분류하는 것이 비교적 타당하다.

【醫案】

1. 心悸『經方實驗錄』: 변호사 姚建이 예전에 진료를 받으러 왔는데, 수면과 식사에는 문제가 없었다. 맥을 짚어보니 結代하여 대략 10회 뛰고 한 번 멈추거나, 혹은 20~30회 뛰다가 한 번 멈추는 등 일정하지 않았다. 또한 일이 많고, 자주 심장이 두근거리고 마음이 편하지 않았다. 炙甘草湯을 10여 제 복용한 후 나았다.

2. 崩漏『浙江中醫雜誌』(1985, 10:463): 여자, 49세. 최근 1년 동안 月經不調하고 자주 출혈이 멎지 않았다. 이번에는 월경을 20일 넘게 하고 혈색이 옅은 붉은색을 띠고 稀했다. 또한 眩暈·體倦, 腰酸, 舌淡胖苔少而潤, 脈細軟한 증상이 함께 나타났다. 炙甘草湯에 넣고 빼고, 약물은 炙甘草 30 g, 黨參 15 g, 阿膠·炒白朮·麥冬·熟地 各 10 g, 桂枝 9 g, 乾薑 6 g, 大棗 十枚으로 구성해서, 약 七劑를 복용한 후 출혈이 멎었다.

考察: 醫案1의 心悸·脈結代는 氣血이 부족해서 心을 滋養하지 못하고, 脈氣가 서로 통하지 않아서 발병한 것으로 炙甘草湯을 투약한 후 약효를 보았다. 醫案2의 崩漏는 脈證合參하며, 氣血이 부족하고 血이 統攝의 기능을 잃어서 발생한 증상이기기 때문에 雙補氣血의 효능이 있는 炙甘草湯에 白朮을 넣어서 補氣의 효력을 증대하고, 麻仁을 빼고 熟地로 바꾼다. 제안할 만한 것은, 본 病證은 脈結代하지 않기 때문에 通陽復脈하게 치료할 필요가 없거나, 溫燥動血할 것을 걱정해서 桂枝와 乾薑을 뺄필요는 없다. 이는 임상에서 본 방제를 운용할 때, 劫陰動血할 폐해를 지나치게 걱정할 필요가 없으며, 두 약의 辛溫通達한 性味는 오히려 氣血의 化生을 돕는다. 이는 바로 呂震이 말한: "陰無陽則不能化氣, 故復以桂枝·生薑宣陽化陰"(『傷寒尋源』卷5에 수재됨)와 같다.

【副方】 加減復脈湯(『溫病條辨』卷3): 炙甘草 六錢(18 g) 乾地黃 六錢(18 g) 生白芍 六錢(18 g) 麥冬 不去心 五錢(15 g) 阿膠 三錢(9 g) 麻仁 三錢(9 g)

- 用法: 위의 약에 물 8잔을 넣고 3잔이 되게 달여서 3회에 나누어서 복용한다.
- 作用: 滋陰養血, 生津潤燥.
- 適應症: 溫熱病後期, 邪熱久羈, 陰液虧虛證한 증상을 치료한다. 身熱面赤, 口乾舌燥, 脈虛大, 手足心에 열이 나고 심할 때는 手足背에 이르는 증상으로 나타난다.

본 방제는 復脈湯(炙甘草湯)에서 人蔘·乾薑·桂枝·大棗은 빼고, 白芍을 넣고 구성한 것이기 때문에 加減復脈湯이라고 부른다. 본 방제는 溫病後期의 陰液虧耗한 증상을 主治하므로, 따라서 補氣한 성질을 띠는 人蔘·大棗 및 溫燥劫陰한 효능이 있는 桂枝·乾薑을 빼고 甘凉滋陰淸熱한 性味를 갖는 生地·麥冬과 甘平潤燥益陰한 性味를 띠는 炙甘草·阿膠·麻仁을 넣고, 다시 酸寒斂陰生津한 性味를 띠는 白芍을 넣고 酸甘化陰한 性味를 띠는 甘草와 함께 配伍한다. 모든 약을 함께 配伍하면, 滋潤하는 가운데 酸斂하고, 益陰增液시켜서 津이 생기게 되고, 補益하는 가운데 淸凉하고, 補虛扶正하면 邪 또한 제거되어, 氣血(陰)을 함께 補하는 炙甘草湯이 滋陰生津한 효능을 띠는 전문 방제(專方)로 변하게 되어서 溫病後期의 陰虛內熱證을 치료하는 良方이 된다.

泰山磐石散 (太山磐石散)

(『古今醫統大全』卷85)

【異名】 安胎散(『文堂集驗方』卷3).

【組成】 人蔘 黃芪 各一錢(3 g) 白朮 炙甘草 各五分(1.5 g) 當歸 一錢(3 g) 川芎 白芍藥 熟地黃 各八分(2.4 g) 續斷 一錢(3 g) 糯米 一撮 黃芩 一錢(3 g) 砂仁

五分(1.5 g)

【用法】 물 一盞半(300 mL)을 넣고 10분의 8 (240 mL)이 되게 달여서 식후에 복용한다. 하지만 임신했다고 느껴지면, 3~5일에 1첩씩 복용하고, 임신 4개월 이후에는 복용하지 않는다.

【效能】 益氣健脾, 養血安胎.

【主治】 氣血虛弱, 胎元失養證을 치료한다. 주로 胎動不安, 墮胎, 滑胎, 面色淡白, 倦怠乏力, 不思飮食, 舌淡苔薄白, 脈滑無力한 증상으로 나타난다.

【病機分析】 衝脈은 血海이요, 任脈은 胞胎를 주관한다. 만약 妊婦으로 氣血虛弱하고 血虛해서 養胎하지 못하고, 氣虛해서 固胎할 힘이 없으면, 胎動不安하고 심할때는 滑胎·墮胎에 이르게 된다. 面色淡白無華, 身體倦怠乏力, 納差食少, 舌淡苔薄白 등은 모두 脾虛氣餒하고 血海虧虛한 증상이다.

【配伍分析】 본 방제는 氣血虛弱하고 胎元失養한 증상을 主治한다. 따라서 益氣健脾, 養血安胎를 立法이 근거로 삼는다. 방제에서 人蔘의 大補元氣한 성질은 固胎元하게 하고, 熟地의 補血滋陰한 성질은 胎元을 滋養하게 하므로, 두 약을 함께 配伍하면 衝任氣血이 부족한 本을 회복시키므로, 모두 君藥이 된다. 續斷은 補腎安胎하게 하고, 黃芩은 淸熱安胎하게 하며, 白朮은 補脾安胎한 효능을 띄므로, 세 약은 모두 安胎의 要藥이 된다. 선인이 일찍이 이르길: 續斷은 "所損之胎孕非此不安"(『本草汇言』卷3에 수재됨)하고, "黃芩·白朮乃安胎聖藥, 俗以黃芩爲寒而不敢用, 蓋不知胎孕宜淸熱凉血, 血不妄行, 乃能養胎, 黃芩乃上·中二焦藥, 能降火下行, 白朮能補脾也"(『本草鋼目』卷13引朱震亨)하므로 세 약을 배합하면 補腎健脾淸熱해서 胎元을 保하게 되므로 모두 臣藥이 된다. 黃芪은 益氣升陽한 성질을 갖고 人蔘·白朮과 함께 配伍하면, 첫째로는 補氣升陽해서 胎元之固를 돕고, 둘째로는 後天의 근본을 補해서 氣血生化의 근원을 돕는다. 當歸·白芍·川芎은 모두 肝으로 入經하고 養血調血약이며, 肝은 藏血之臟으로 女子는 肝을 先天으로 여기기 때문에 따라서 婦科의 補血에 좋은 약이 되고, 熟地와 함께 배합하면 補血養胎의 효능이 특히 뛰어나게 된다. 砂仁은 行氣和胃하고 安胎止嘔한 효능이 있으며, 또한 모든 益氣養血한 약품을 사용해서 滋膩礙胃한 것을 예방할 수 있으므로, 이상의 모든 약은 佐藥이 된다. 糯米는 補脾養胃하고 모든 약을 조화롭게 하기 때문에 佐使藥으로 사용한다. 모든 약을 함께 配伍하면, 氣血이 왕성하고 衝任이 안정을 찾게 되어서 墮胎할 염려가 없게 된다.

본 방제의 配伍 특징은 두 가지가 있다: 첫째는 益氣養血藥에 安胎한 효능의 약을 配伍해서 收補虛安胎한 효능을 갖는다. 둘째는 補脾養肝益腎한 治法을 함께 사용해서 衝任을 모두 腎에 예속되게 하고, 女子는 肝을 先天으로 여기고 脾는 後天의 근본이며 氣血生化의 근원이기 때문에, 따라서 여성의 氣血虛損한 증후를 치료하는데 적합하다.

본 방제는 通過 益氣養血安胎한 효능을 통해서 胎有所養하고 胞有所系하게 하면 胎元이 마치 태산처럼 튼튼하고, 반석처럼 견고해서 유산할 우려가 없게 된다. 따라서 "泰山磐石散"라고 부른다.

【類似方比較】 본 방제와 八珍湯·十全大補湯·內補黃芪湯·人蔘養榮湯은 모두 四君子湯에 四物湯을 합해서 변화해 온 것으로, 모두 氣血雙補 작용을 하며 氣血兩虛한 증상을 치료한다. 이 중 八珍湯은 四君子湯에 四物湯을 합해서 만든 것으로, 益氣養血의 代表方이 되며, 넣고 빼서 여러 종류의 氣血虛弱한 病證을 치료하는데 광범위하게 사용할 수 있다. 八珍湯에 비해 十全大補湯은 黃芪와 肉桂 두 가지 약이 더 들어있어서 補益氣血한 효능이 더욱 뛰어나며 偏寒한 증상을 동반하는 氣血虛弱한 重證을 치료한다. 內補黃芪湯은 白朮은 빼고 黃芪·肉桂·麥冬·遠志를 넣었기 때문

에 補脾한 효력이 조금 약하며 養陰淸熱하고 寧心安神한 효력이 증대되어서 외과의 瘡瘍으로 氣血兩虛한 증상을 치료하는 전문 방제가 된다. 人蔘養榮湯은 川芎를 빼고 黃芪·肉桂·遠志·五味子·橘皮를 넣어서, 補血한 효력이 더욱 강해지고, 安神한 효능 역시 뛰어나다. 게다가 白芍를 重用해서 淸熱한 효능을 겸하기 때문에 偏熱한 증상을 동반하는 氣血大虛하고 心神失寧 증후를 치료한다. 반면 본 방제는 茯苓을 빼고 黃芪·黃芩·砂仁·續斷·糯米 등의 安胎固胎한 효능의 약을 넣어서 여성의 妊娠으로 氣血虛弱하고 胎動不安하고 이로 인해 발생한 滑胎·墮胎을 치료하는 要方이 된다.

【臨床應用】

1. 證治要點: 본 방제는 妊娠胎動不安을 치료하는 常用方劑이며, 임상에서 운용할 때 倦怠乏力, 腰酸神疲, 舌淡, 脈滑無力한 증상을 치료의 요점으로 삼는다.

2. 加減法: 熱이 많은 환자의 경우에는 黃芩를 倍用해서 淸熱安胎하게 하고, 砂仁을 적게 사용해서 辛溫助熱을 예방한다. 胃가 약한 환자의 경우에는 砂仁을 많이 넣고 脾胃의 運化를 돕고, 黃芩을 조금 넣고 苦寒에 胃를 상하는 것을 예방한다.

3. 泰山磐石散은 다음 한국표준질병사인분류(KCD)에 해당하는 환자가 氣血虛弱證으로 辨證되는 경우 본 처방의 사용을 고려해볼 수 있다.

처방 목표	한국표준질병사인분류(KCD)
氣血兩虛	N96 습관적 유산자

【注意事項】 欲事惱怒를 금하고, 酒醋와 辛熱한 성질의 음식은 멀리 한다.

【變遷史】 본 방제의 原名은 "太山磐石散"으로, 『古今醫統大全』에서 나왔다. "太"의 通字는 "泰"이기 때문에, 따라서 『景岳全書』卷61에서 본 방제를 기록할 때 "泰山磐石散"라고 하였다. 본 방제의 근원을 거슬러 올라가 보면, 마땅히 八珍湯에서 茯苓는 빼고 黃芪·黃芩·續斷·砂仁·糯米를 넣어서 구성한 것으로 간주된다. 단 茯苓의 淡滲한 성질은 津液을 배출하도록 하기 때문에 養胎에 不利하므로 去한 것이다. 黃芪를 넣으면 益氣升陽해서 胎元之固를 돕게 된다. 黃芩·續斷·砂仁를 넣으면 安胎의 要藥이 되어서 본 방제에서 保胎의 기능을 맡게 된다. 糯米를 넣는 것은 본 방제의 補中한 효력을 도와서 하나의 단순한 補益氣血의 방제를 婦科 安胎의 좋은 방제(良方)로 변화시키고 또한 후세 의학자들의 찬사를 받으며 널리 사용됐다. 본 방제가 補氣血, 健脾胃, 養肝腎한 효능을 갖기 때문에, 현대 임상에서 또한 혈소판 감소성 紫癜·요근 좌상 등의 질병을 치료하는 데 그 응용 범위를 넓히고 있으며, 또한 좋은 치료 효과를 거두었다.[1)]

【副方】 保産無憂散(『增補內經拾遺方論』卷4에 수재됨. 原名은 "無憂散"이다): 菟絲餅 一錢五分(5 g) 當歸 酒洗 一錢五分(5 g) 川芎 一錢三分(5 g) 白芍 一錢二分(4 g) 冬月只用 一錢 甘草 五分(1.5 g) 荆芥穗 八分(2.5 g) 黃芪 炙 八分(2.5 g) 厚朴 薑汁炒 七分(2 g) 枳殼 六分(2 g) 艾葉 五分(1.5 g) 眞貝母 去心 一錢五分(5 g) 羌活 五分(1.5 g) 甘草 五分(1.5 g)

- 用法: 위의 약은 방제에 따라 넣고 뺀다. 眞川貝는 따로 고운 분말로 갈고, 다른 약이 다 달여지면 함께 타서 복용한다. 약 8첩을 격일마다 1첩씩 복용한다.
- 作用: 益氣養血, 理氣安胎, 順産.
- 適應症: 妊娠胎動, 腰疼腹痛, 勢欲小産, 或臨産時, 交骨不開, 橫生逆下, 或子死腹中한 증상을 主治한다.

본 방제는 원래 臨産催生의 방제이다. 따라서 黃芪·當歸·白芍의 益氣補血한 성질로 養胎하고, 菟絲子·艾葉으로 溫經暖宮하게 하고, 芥穗·羌活로 辛溫通行血脈하게 하고, 川芎·厚朴·枳殼으로 行氣活血催生하게 하고, 貝母로 淸熱散結催生하게 하고, 甘草로 益氣

和中하고 모든 약을 조화롭게 한다. 여러 가지 약을 함께 배합하면 益氣養血하고 理氣催生한 효능을 갖게 된다. 본 방제는 補虛培本하고 調和血脈하는 효능을 갖기 때문에 따라서 임산부가 氣血失和로 인해서 발생하는 胎動不安을 치료하는 데도 사용할 수 있다. 따라서 출산전에는 安하게 하고, 출산에 임박했을 때는 催하게 하는 효능을 갖는다.

본 방제의 原名은 "無憂散"으로, 『增補內經拾遺方論』에서 처음으로 보여졌으며, 催生하는 데 주로 사용하고, 즉 "令産時不疼即下"한다. 『傅靑主女科』·「産後編」卷下에서 方名을 "保産無憂散"라고 바꾸고 또한 保胎에 사용하였으며, "임산부가 우연히 胎氣를 다쳐서, 허리와 배가 아프고, 심지어 見紅이 멎지 않고, 小産을 하려고 했다"라고 말하며 본 방제의 운용범위가 또한 확대되었다.

본 방제와 泰山磐石散은 모두 婦科安胎의 방제이며 墮胎를 치료할 수 있다. 이중 泰山磐石散은 益氣養血한 효력이 비교적 강하며 砂仁·黃芩·續斷 등의 安胎固胎한 성질의 약을 넣어서 益氣健脾하고 養血安胎한 효능을 갖는다. 따라서 氣血兩虛하고 胞宮不固하며 胎元失養한 여러 차례 墮胎의 경험이 있는 환자를 치료하는데 적합하다. 본 방제는 益氣養血한 효력은 약하지만 溫通의 효력이 비교적 뛰어나고, 또한 理氣順産의 작용을 하기 때문에 임산부가 우연히 胎氣를 상하거나, 氣血失和로 인한 胎動不安과 臨産催生을 다스리는 要方이 된다.

【參考文獻】

1) 錢裔勤. 泰山磐石散的引伸運用. 中成藥研究. 1985;(9):34.

第四節 補陰劑

六味地黃丸(地黃丸)

(『小兒藥證直訣』卷下)

【異名】 補腎地黃丸(『集驗方』,『幼幼新書』卷6)·補肝腎地黃丸(『奇效良方』卷64)·六味丸(『校注婦人良方』卷24)·地黃丸(『明醫雜著』卷6).

【組成】 熟地黃 八錢(24 g) 山茰肉 乾山藥 各四錢(12 g) 澤瀉 牡丹皮 白茯苓 去皮 各三錢(9 g)

【用法】 위의 약을 분말로 갈고 煉蜜을 넣고 반죽해서 벽오동 열매 크기의 丸으로 빚는다. 매번 三丸씩 공복에 따뜻한 물로 복용한다. 또한 물로 달여서 복용할 수 있다.

【效能】 滋陰補腎.

【主治】 腎陰虛證. 주로 腰膝酸軟, 頭暈目眩, 耳鳴耳聾, 盜汗, 遺精, 消渴, 骨蒸潮熱, 手足心熱, 舌燥咽痛, 牙齒動搖, 足跟作痛하거나 小兒囟門不合, 舌紅少苔, 脈沉細數한 증상을 치료한다.

【病機分析】 腎은 先天의 本이 되며, 腎陰은 전신陰液의 근본이 된다. 따라서 腎陰不足은 모든 陰虛證 가운데 가장 중요하며, 또한 종종 여러 가지 증상으로 변하기 때문에 임상에서 나타나는 증상은 매우 복잡하다. 따라서 '五臟之傷, 腎爲最重'(『醫碥』卷2)이라는 주장이 있다. 腰는 腎의 府가 되고, 腎은 骨을 주관하고 髓를 생기게 하며, 齒는 骨의 나머지가 된다. 腎陰이 부족하면 精虧髓少해서 骨을 滋養하지 못해서 腰膝酸軟無力하고 牙齒가 흔들리게 된다. 腦는 髓의 바다

가 되기 때문에, 腎陰이 虧損되면, 髓海가 허해져서 頭暈目眩한 증상이 나타난다. 腎은 耳에 開竅하므로, 腎陰이 부족하면 精이 위로 올라가지 못해서 耳鳴耳聾한 증상이 나타난다. 腎은 精을 저장하고, 封藏의 근본이 되므로 腎陰이 虛損되면, 水가 火를 억제하지 못하고, 相火가 精室을 內擾해서 遺精으로 나타난다. 陰虛하면 체내에 內熱이 생기고, 심하면 虛火가 上炎하여, 骨蒸潮熱, 消渴, 盜汗, 舌紅少苔, 脈沉細數 등의 증상이 나타난다. 소아의 囟門이 오랫동안 閉合하지 않는 증상 역시 腎虛하여 骨을 生하지 못하여 발생한 것이다. 위에서 볼 수 있듯이, 본 방제의 증상은 임상에서 비록 복잡하게 나타나지만, 모두 腎虛精虧, 虛火內擾라는 기본 病機를 벗어나지 않으며, 또한 陰虛을 本으로 하고 火動을 標로 한다.

【配伍分析】 본 방제는 腎陰虧損과 虛火內擾한 증상을 위한 것이다. 따라서 滋陰補腎의 치법을 따라서 '壯水之主, 以制陽光'해야 한다. 방제에서 熟地黃은 性味가 甘하고 純陰으로 주로 腎으로 들어가서 滋陰補腎하고 填精益髓하는 효능이 뛰어나 重用하여 본 방제에서 君藥이 된다. 山茱萸은 性味가 酸하고 溫하여 주로 肝으로 들어가며, 滋補肝腎하고, 秘澀精氣하고 益肝血해서 生腎精하게 한다. 山藥은 性味가 甘하고 平하여 주로 脾로 들어가고, '健脾補虛, 澀精固腎'(『景岳全書』卷49)하며, 後天을 補해서 先天을 충만하게 하므로, 이 두 약은 모두 臣藥이 된다. 君臣이 함께 조화를 이루면, 滋陰益腎하는 효능이 더욱 강해지고, 또한 養肝補脾하는 효능을 겸하게 된다. 腎은 水臟이 되므로, 腎元虛損하면 항상 水濁內停하게 된다. 따라서 澤瀉로 利濕泄濁하게 하고, 또한 熟地黃의 滋膩戀邪를 예방한다. 陰虛해서 陽失所制하면 牡丹皮로 清泄相火하고, 동시에 山茱萸의 溫한 성질을 억제한다. 茯苓은 淡滲脾濕하여, 澤瀉를 도와서 腎濁을 泄하게 할 뿐만 아니라 또한 山藥의 健運을 도와서 後天의 근본을 充養하게 한다. 이 세 약을 함께 배오하면, 첫째는 濕濁을 배출하고 虛熱을 내리고, 偏勝한 성질을 가라앉혀서 腎虛에서 생긴 病理產物을 제거한다. 둘째는 위의 滋補하는 약의 부작용을 억제해서 補하되 氣를 滯하지 않게 하고, 澀하되 戀邪하지 않게 하므로 모두 佐藥이 된다. 이와 같이 세 가지 補藥과 세 가지의 瀉藥을 配伍하면, 또한 瀉하는 가운데 補하고, 補하는 가운데 瀉하게 되어 결국에는 補하지만 邪를 없애는 것을 방해하지 않고, 瀉하지만 正氣를 손상시키지 않게 되어서 함께 腎陰을 平補하는 효과가 있다.

본 방제의 配伍 특징은 두 가지가 있다. 첫째는 三補三瀉로, 補가 主가 된다. 둘째는 肝脾腎의 三陰을 함께 補하며, 腎陰을 補하는 것이 主가 된다.

본 방제는 여섯 가지의 약재로 구성되며, 熟地黃이 君藥이기 때문에, '六味地黃丸'이라고 부른다.

【臨床應用】

1. 證治要點: 腎陰虛證을 치료하는 基本方이 된다. 임상에서 腰膝酸軟, 頭暈目眩, 口燥咽乾, 舌紅少苔, 脈沉細數한 증상을 치료의 요점이다.

2. 加減法: 陰虛하면서 火盛한 경우에는 知母·玄參·黃柏 등을 넣어 清熱降火의 효능을 강화시키고, 納差腹脹을 동반한 경우에는 焦白朮·砂仁·陳皮 등을 넣어 滯氣礙脾를 방지한다.

3. 六味地黃丸은 다음 한국표준질병사인분류(KCD)에 해당하는 환자가 腎陰虛證으로 辨證되는 경우 본 처방의 사용을 고려해볼 수 있다.

처방 목표	한국표준질병사인분류(KCD)
慢性腎炎	N03 만성 신염증후군
高血壓病	I10 본태성(원발성) 고혈압
	I15 이차성 고혈압
糖尿病	E10~E14 당뇨병
肺結核	A15 세균학적 및 조직학적으로 확인된 호흡기결핵
	A16 세균학적으로나 조직학적으로 확인되지 않은 호흡기결핵

처방 목표	한국표준질병사인분류(KCD)
甲狀腺基能亢進	E05 갑상선독증[갑상선기능항진증]
中心性視網膜炎	H30 맥락망막염증
無排卵性 機能性 子宮出血	N93.8 기타 명시된 이상 자궁 및 질 출혈_기능성자궁출혈
更年期綜合征	N95.1 폐경 및 여성의 갱년기상태

【注意事項】 본 방제에는 비록 山藥·茯苓의 補脾助運하는 약을 포함하지만, 어디까지나 熟地黃은 性味가 厚滋膩하여 運化 기능에 장애를 주기 때문에, 脾虛食少 및 便溏한 증상에는 본 방제를 신중하게 사용해야 한다.

【變遷史】 본 방제는 北宋때 저명한 小兒科 의학자인 錢乙의 『金匱要略』에 있는 '腎氣丸'에서 桂枝·附子를 빼고 구성한 것이다. 腎氣丸은 仲景이 腎陽不足한 증상을 치료하기 위해서 만든 것으로, 錢乙은 이 방제의 八味藥에서 溫陽補火하는 桂枝·附子를 빼고, 나머지 약과 그 용량의 비율은 모두 原方을 그대로 따르고 있다. 그래서 비록 溫補腎陽의 방제에 변화를 주어 滋補腎陰한 방제로 만들었지만 補通開合의 配伍하는 이치는 여전히 仲景의 心法을 따르고 있어서, 옛것을 본받지만 옛것에 얽매이지 않고, 변화하지만 근본을 벗어나지 않아서, 후세 역대 의학자들의 칭송을 받고 있다고 할 수 있다. 본 방제는 원래 소아의 '腎怯失音, 囟開不合, 神不足, 目中白睛多, 面色白'한 '五遲'증후를 치료하지만, 明代의 임상 대가인 薛己는 본 방제의 사용범위를 성인의 腎陰不足證까지 확장시켜, 본 방제에는 '壯水制火'하는 효능이 있다고 분명히 밝혀, 무릇 "腎經陰精不足, 陽無所化, 虛火妄動, 以致前症(指陰虛火旺, 咳嗽咯血)者, 宜用六味地黃丸補之, 使陰旺則陽化"(『明醫雜著』卷1) 한다고 주장했다. 또한, 본 방제가 적용되는 증후의 임상 결과에 대해 비교적 상세하게 기술하여 "腎虛發熱作渴, 小便淋秘, 痰壅失音, 咳嗽吐血, 頭目眩暈, 眼花耳聾, 咽喉燥痛, 口舌瘡裂, 齒不堅固, 腰腿萎軟, 五臟虧損, 自汗盜汗, 便血諸血"(『校注婦人良方』卷24)이라고 하였다. 이로부터 본 방제가 점차적으로 후세 의학자들에게 널리 사용되면서 임상에서 滋補腎陰의 代表方劑가 되었으며, 또한 본 방제를 기초로 하여 증상에 따라 더하고 빼서 변화하고 발전하여 수많은 유명한 補腎方劑가 생겨났으며, 腎陰虧損을 주요 병리 변화로 하는 여러 종류의 증후를 치료하는데 사용하게 되었다. 예를 들면 知柏地黃丸·杞菊地黃丸·麥味地黃丸·都氣丸 등이 있으며, 본 방제가 후세의 滋補腎陰法에 지대한 영향을 끼쳤다는 것을 충분히 알 수 있다. 『四庫全書目錄提要』에는 일찍이 본 방제의 유래 및 운용에 대해 다음과 같이 요약한 바 있다. "六味丸方, 本後漢張機『金匱要略』所載崔氏八味丸, 乙以爲小兒純陽, 無須益火, 除去肉桂·附子二味, 以爲幼科補劑, 明薛己承用其方, 遂爲直補眞陰之聖藥, 其斟酌通變, 動契精微, 亦可以槪見矣."라고 하였다.

후세의 적지 않은 의학자들이 본 방제를 湯劑로 바꾸어, '六味地黃湯'(『景岳全書』卷53참고)·'地黃湯'(『證治寶鑑』卷3참고) 혹은 '六味湯'(『醫學心悟』卷6참고) 등으로 불렀다.

【難題解說】

1. 본 방제의 三陰幷補에 대한 인식: 본 방제는 腎陰不足證을 치료하며, 이 중 사용하는 熟地黃·山茱萸·山藥은 각각 腎·肝·脾의 三經으로 들어가기 때문에 '三陰幷補'한다는 주장이 있다. 예를 들면 費伯雄이 '此方非但治肝腎不足, 實三陰并治之劑'(『醫方論』卷1)라고 하였고, 張秉成 또한 '此方大補肝脾腎三臟'(『成方便讀』卷1)이라고 하였다. 하지만 본 방제가 吳茱萸·山藥을 配伍하는 주요한 목적은 결코 肝脾의 陰을 補益하기 위한 것이 아니라,臟腑가 상생하는 관계에서 滋補腎陰의 효력을 강화시키는 것임을 밝혀야 한다. 肝은 藏血을 주관하고, 腎은 藏精을 주관하므로, 精血이 상생하고, 肝과 腎은 근원이 같기 때문에 肝血이 충족되면 아래의 腎陰도 충족되므로, 따라서 傅仁宇가 "山茱萸味酸歸肝, 乙癸同治之義, 且腎主閉藏, 而酸斂之性正與之宜也"(『審視瑤函』卷5)라고 하였다. 脾는 後天의

근본이고, 氣血生化의 근원이며, 後天을 補해서 先天을 實하게 할 수 있다. 그리하여 腎陰의 회복을 돕게 된다. 이는 바로 龔居中이 "山藥者, 則補脾之要品, 以脾氣實則能運化水穀之精微, 輸轉腎臟而充精氣, 故有補土益水之功也"(『紅爐點雪』卷3)라고 한 것과 같다. 본 방제에서 熟地黃을 重用해서 직접적으로 腎陰을 滋補하는 것을 주로 하고, 다시 山茱萸·山藥을 사용해서 간접적으로 서로 협조하여 補益하게 하면, 함께 腎陰을 滋補하는 방제가 된다. 본 방제는 겸하여 肝脾의 陰을 補 하는 것으로, 또한 腎陰이 부족하고 肝陰이나 脾陰이 허한 증상을 치료하는데 적합하다. 하지만 임상에서 본 방제를 운용할 때 우선순위를 명확하게 가려야 하며, 腎陰不足을 위주로 해야 한다. 따라서 소위 '三陰幷補'는 실로 補腎이 主가 되고 肝脾를 補하는 것을 겸한다. 秦伯未가 "六味地黃丸主要是治腎陰虧損引起的瘦弱腰痛等證. 雖然書上說治肝腎不足, 也有說三陰并治, 并謂自汗盜汗, 水泛爲痰, 遺精便血, 喉痛, 牙痛, ……都能治療, 畢竟要認淸主因·主臟·主證, 根据具體病情而加減.假如認爲陰虛證都能通治, 對所有陰虛證都用六味地黃丸, 肯定是療效不高的"(『謙齋醫學講稿』)이라고 하였다. 秦伯未의 논술은 임상에서 본 방제를 운용하는데 있어 전도적 의미가 매우 크다.

2. '三瀉' 약재의 配伍의의에 대하여: 正氣虛弱證을 치료하는데 있어서는 당연히 그 부족한 것을 보충해야 하는데, 본 방제는 어째서 補陰劑에 세 가지의 '瀉'하는 藥을 配伍하였는가? 그 이치를 분석하고 탐구하는데, 주로 세 가지로 나누어 볼 수 있다. 첫째, 본 방제는 『金匱要略』의 腎氣丸에서 유래한 것으로, 錢乙이 原方에서 益火助陽하는 桂枝·附子만 빼고, 나머지약의 補瀉配伍하는 治法은 여전히 仲景의 이론을 따르고 있으나, 반면, 腎氣丸은 '虛勞腰痛, 少腹拘急, 小便不利' 및 '消渴', '痰飮', '轉胞' 등의 증상을 치료하기 위해 만든 것으로, 임상에서 나타나는 증상은 비록 다르지만, 모두 腎中의 陽氣不足과 水液代謝의 기능 상실로 발생한 것이다. 따라서 澤瀉·茯苓·牡丹皮 등의 약을 配伍해서 滲利水濕하고 泄導腎濁하게 한다. 腎은 水臟이 되므로, 腎陽이 虛損되면 水濕이 停蓄하기 쉽고, 腎陰不足하면 역시 濕이 생길 수 있다. 둘째, 陰虛하면 水不濟火해서 자주 虛火內動하게 된다. 牡丹皮의 淸熱瀉火하는 효능이 바로 그 메커니즘에 해당한다. 셋째, 세 가지 약은 모두 通利하는 약으로, 滋補藥에서 陰柔膩滯한 성질을 빼고 사용한다. 龔居中이 일찍이 "古人用補藥, 必兼瀉邪, 邪去則補藥得力.一辟一闔, 此乃玄妙. 後世不知此理, 專一于補, 所以久服必致偏勝之害, 六味之設, 何其神哉!"(『紅爐點雪』卷3)라고 하였다. 滋補하는 가운데 通瀉하면 비록 補하는 효능이 純甘壯水하는 치법에는 못미치지만, 補하되 膩滯하지 않고, 瀉하되 正氣를 傷하지 않으며, 補通開合하고 平補腎陰하는 방제로 오랫동안 복용해도 偏勝할 우려가 없게 된다는 것을 알 수 있다. 이러한 配伍 방법은 상당히 심오해서, 깊이 새겨볼만 하고, 수많은 補陰方劑 가운에 독보적이라고 말할 수 있다.

【醫案】

1. 慢驚後不語『小兒藥證直訣』卷中: 東都 王氏의 아들이 吐瀉하여, 여러 의학자가 처방한 약을 복용하였으나, 몸이 매우 虛해지더니 慢驚으로 변했다. 그 후에는 또 말을 하지 못해서 여러 의학자들이 失音으로 치료했다. 錢乙이 말하기를 '失音하고, 눈은 떠서 음식을 먹을 수는 있지만 또한 이를 꽉 물지 못해서 입도 다물지 못하였으나, 여러 의학자들이 그 영문을 몰랐다.'고 하였다. 錢乙이 地黃丸으로 補腎하고, 15일 동안 치료한 후 환자는 말을 할 수 있게 되었고, 1개월 동안 치료한 다음에는 증상이 다 나았다.

2. 血痢『明醫雜著』卷2薛己注: 祠部인 李宜散은 血痢를 앓아서, 胸腹이 膨脹하고 대변을 보고 싶지만 나오지 않고, 肢體殊倦했다. 나는 脾氣가 허약하면 攝血歸原할 수 없다고 여기고, 補中益氣湯에 茯苓, 半夏를 넣어 치료하였더니 점점 나았다. 그 후에 화를 내자 前症이 재발하였고, 左關脈이 弦浮하고 맥을 按之하니 微弱했다. 이는 肝氣가 虛해서 藏血을 할 수 없는 것이므로 六味丸으로 치료하였더니 나았다.

3. 糖尿病『中華醫學雜誌』(1956, 6:49): 六味地黃丸을 湯劑로 하여 糖尿病 환자 2례를 치료했다. 첫 번째 病例는 입원 당시 혼수상태였고, 인슐린 치료를 받은 후 정신이 맑아졌다. 식이요법을 통해서는 尿糖을 일정하게 조절하기 어려웠다. 환자가 六味地黃湯을 4일 동안 복용한 후, 多飮·多食·多尿 및 소화 등의 임상 증상이 호전되었을 뿐만 아니라, 요당 또한 없어지고, 혈당 역시 점점 정상으로 회복되었고, 체중이 나날이 늘고 있다고 말했다. 두 번째 病例는 입원 당시 극도로 마르고, 肺結核을 합병증으로 앓고 있었고, 기침이 심해서 수면에 영향을 줄 정도 였으며, 체력이 매우 쇠약하였다. 六味地黃丸을 복용하게 한 후, 기침이 빠르게 멎고 정신이 맑아졌으며, 多飮·多食·多尿 등의 증상이 현저히 개선되었고, 밤중에는 소변을 1회만 보았고 1주일 후 체중이 4 kg이 늘었으며, 요당이 조금씩 없어졌고 혈당만 정상으로 돌아오지 않았다.

考察: 醫案1은 慢驚을 오랫동안 앓아서 腎陰이 점점 손상되고 腎水가 肺金까지 上潤하지 못해서 失音을 일으킨 것이다. 六味地黃丸을 처방해서 益腎養陰하고 滋水生金한 후에 완치되었다. 醫案2는 血痢가 오랫동안 낫지 않아서 脾를 傷하고, 또한 크게 화를 낸 후 肝이 虛해서 藏血할 수 없어서 痢가 다시 발생한 것이다. "虛則補其母"의 교훈을 따라서 六味地黃丸을 처방해서 滋水涵木하게한 후 완치되었다. 醫案3에서 糖尿病의 消渴은 腎陰이 부족해서 발병한 것으로 六味地黃丸을 처방해서 치료 한 후 역시 좋은 효과를 보았다.

【副方】

1. 知柏地黃丸(『醫方考』卷5 原名은 '六味地黃丸加黃柏知母方'이다.): 六味地黃丸에 知母 鹽炒 黃柏 鹽炒 各二錢(6 g)을 넣는다.

- 用法: 위의 약을 곱게 분말로 갈고 煉蜜을 넣고 반죽해서 벽오동 열매 크기의 丸으로 빚는다. 매회 二錢(6 g)씩 따뜻한 물로 복용한다.
- 作用: 滋陰降火
- 適應症: 陰虛火旺證. 骨蒸潮熱, 虛煩盜汗, 腰脊酸痛, 遺精 등을 치료한다

2. 杞菊地黃丸(『麻疹全書』, 原名은 '杞菊六味丸'이다): 六味地黃丸에 枸杞子와 菊花 各三錢(9 g)씩 넣는다.

- 用法 : 위의 약을 분말로 곱게 갈고 煉蜜을 넣고 반죽해서 벽오동 열매 크기의 丸으로 빚는다. 매 번 三錢(9 g)씩 공복에 복용한다.
- 作用: 滋腎養肝明目
- 適應症: 肝腎陰虛證을 치료한다. 증상은 兩目昏花, 視物模糊하거나 眼睛乾澀, 迎風流淚 등이 있다.

3. 都氣丸(『症因脈治』卷3): 六味地黃丸에 五味子 二錢(6 g)을 넣는다.

- 用法 : 위의 방법과 동일하게 제조한다.
- 作用: 滋腎納氣
- 適應症: 腎虛氣喘하거나 呃逆을 치료한다.

4. 麥味地黃丸(『體仁汇編』, 『醫部全錄』卷331에서 발췌함. 原名은 '八味地黃丸'이다.): 熟地黃 酒蒸 山茱萸 酒浸, 去核, 取淨肉 各八錢(24 g) 牡丹皮 澤瀉 各二錢(6 g) 白茯神 去皮·木 山藥 蒸 各四錢(12 g) 五味子 去梗 麥門冬 去心 各五錢(15 g)

- 用法: 위의 약을 분말로 곱게 갈고 煉蜜을 넣고 반죽하여 丸으로 빚는다. 매일 70丸을 공복에 白湯으로 복용한다. 겨울철에는 술로 복용해도 된다.
- 作用: 滋補肺腎
- 適應症: 肺腎陰虛해서 喘이나 咳하는 증상을 치료한다.

이상의 네 가지 방제는 모두 六味地黃丸에 넣고 빼서 만들어진 것으로 여러 종류의 腎陰不足증후에 사용한다. 이 중 知柏地黃丸은 淸熱瀉火하는 知母·黃柏을

넣어서 滋陰瀉火하여서 腎陰虛火旺하여 骨蒸潮熱하고 遺精盜汗한 증상을 치료하는데 적합하다. 杞菊地黃丸은 滋陰養肝하는 枸杞子와 淸肝明目하는 菊花를 넣어 滋陰明目하여 肝腎陰虛로 兩目昏花하고 視物模糊한 증상을 치료하는데 적합하며, 현대 의학에서 또한 肝腎陰虛에 해당하는 고혈압증을 치료하는데 주로 사용한다. 都氣丸은 斂肺止咳하는 五味子를 넣어 補腎納氣한 효능이 있어서 腎陰虧損하고, 腎不納氣하는 喘咳氣逆하는 증상을 치료하는데 적합하다. 麥味地黃丸의 原名은 八味地黃丸인데, 후세 의학 저서에서 인용할 때 여러 가지 이름이 붙여졌다. 예를 들면 加味地黃丸·八仙長壽丸(『痘疹傳心錄』卷15)·冬味地黃丸(『胎産心法』卷上)·八仙長壽丹(『醫鈔類編』卷13)·麥味丸(『全國中藥成藥處方集』) 등이 있으며, 본 방제는 六味地黃丸을 기초로 하여 潤肺養陰하는 麥門冬을 넣고, 斂肺止咳하는 五味子를 넣어 滋補肺腎하고 止咳平喘하는 효능이 있어서 肺腎陰虛한 喘嗽을 치료하는데 적합하다.

左歸丸

(『景岳全書』卷51)

【組成】 大懷熟地黃 八兩(240 g) 山藥 炒 四兩(120 g) 枸杞子 四兩(120 g) 山茱萸肉 四兩(120 g) 川牛膝 酒洗, 蒸熟 三兩(120 g) 菟絲子 製 四兩(120 g) 鹿角膠 敲碎, 炒珠 四兩(120 g) 龜板膠 切碎, 炒珠 四兩(120 g)

【用法】 위의 약 중에 먼저 熟地黃을 물렁해질 때까지 쪄서 절구로 찧어 膏로 만들고 煉蜜을 넣고 반죽해서 벽오동 열매 크기의 丸으로 빚는다. 매번 100여 개의 丸을 식전에 뜨거운 물이나 연하게 소금을 넣고 끓인 물에 복용한다. 또한 물을 넣고 달여서 복용해도 되며, 용량은 原方의 비율에 따라 참작한다.

【效能】 滋陰補腎, 塡精益髓.

【主治】 眞陰不足證을 치료한다. 증상은 腰酸腿軟, 頭暈眼花, 耳聾失眠, 遺精滑泄, 自汗盜汗, 口燥舌乾, 舌紅少苔, 脈細 등이다.

【病機分析】 腎은 精을 저장하며, 骨을 주관하고 髓를 만들고 腦를 가득차게 한다. 만약 腎陰이 손상을 받아서, 精髓가 가득하지 않고 封藏의 기능을 상실하면, 頭目眩暈, 腰酸腿軟, 遺精滑泄한 증상으로 나타나고, 陰虛陽失所制, 淸竅失濡하면 自汗盜汗, 口燥舌乾하고 아울러 舌紅少苔, 脈細 등의 陰虛한 증상을 보이게 된다.

【配伍分析】 본 방제가 치료하는 증상은 眞陰이 부족해서 精髓가 손상을 받아서 발생한 것으로 滋補腎陰하고 益髓塡精하는 治法으로 증상을 치료해야 한다. 方劑 중의 熟地黃은 性味가 甘溫하므로, 滋補腎陰하는 要藥이 된다. 張景岳이 이에 대하여 "能補五臟之眞陰, ……諸經之陰血虛者, 非熟地不可, ……陰虛而神散者, 非熟地之守不足以聚之. 陰虛而火升者, 非熟地之重不足以降之. 陰虛而躁動者, 非熟地之静不足以鎭之. 陰虛而剛急者, 非熟地之甘不足以緩之"(『景岳全書』「本草正」卷上)라고 하였다. 따라서 重用하여 君藥으로 삼는다. 山茱萸는 養肝滋腎하고 澀精斂汗하며, 山藥은 補脾益陰하고 滋腎固精하며, 枸杞子는 補腎益精하고 養肝明目한다. 또한, 血肉有情한 약인 龜板鹿角二膠를 넣어 峻補精髓하게 한다. 이 중 龜板膠는 맛이 甘鹹하고 寒한 성질을 갖고 있어서, 肝腎의 陰을 補하는데 뛰어나고 또한 潛陽할 수 있으며, 鹿角膠는 性味가 甘鹹微溫하여 益精補血하는 가운데 또한 溫補腎陽할 수 있어서, 여러 滋補腎陰하는 약과 함께 配伍하면 또한 '陽中求陰'하는 효과가 있다. 炒珠해서 복용하면 滋膩礙胃할 우려를 없애준다. 이상의 약은 모두 臣藥이 된다. 菟絲子를 넣으면 腎의 陰陽을 平補하고, 固腎澀精하며, 또한 諸藥의 補腎固精하는 효능을 돕는다. 川牛膝은 益肝腎하고 腰膝를 튼튼하게 하고 筋骨을 강하게 하지만, 성질이 走泄하여 封藏의 기능을 잃어버려서 遺精滑泄하는 경우에는 懷牛膝

로 바꿔서 사용해야 한다. 그리하여, 두 약은 佐藥이 된다. 모든 약을 함께 配伍하면, 益腎滋陰하고, 精髓를 보충하고 그 효능이 특히 뛰어나서 峻補眞陰하고 純甘壯水하는 代表方劑가 된다.

『難經』「三十六難」에서 "腎兩者, 非皆腎也. 其左者爲腎, 右者爲命門."라고 했다. 본 방제는 "壯水之主, 以培左腎之元陰"(『景岳全書』卷51)하는 효능을 갖기 때문에 '左歸'이라고 부른다.

【類似方比較】 본 방제와 六味地黃丸에는 모두 熟地黃·山茱萸·山藥을 포함하고 있으며, 滋陰補腎의 방제에 해당한다. 다만 六味地黃丸은 또한 澤瀉·牡丹皮·茯苓을 配伍해서 補하는 가운데 瀉하기 때문에 補力平和하는 효능을 갖게 되어 腎陰虛가 심하지 않으면서 동시에 內熱을 동반하는 증상을 치료하는데 적합하고, 반면 左歸丸은 枸杞子·龜板膠·鹿角膠·菟絲子·川牛膝 등의 약을 配伍해서, 전적으로 補할 뿐 瀉하지 않아서 補의 효력이 비교적 강하기 때문에, "育陰以涵陽, 不是壯水以制火"(『王旭高醫書六種』「醫方證治汇編歌訣」) 한 뜻을 갖게 되므로 眞陰이 부족하고 精髓에 손상을 입은 증상을 치료하는데 적합하다.

【臨床應用】

1. 證治要點: 본 방제는 眞陰不足證을 치료하는 常用方이다. 임상에서 頭目眩暈, 腰酸腿軟, 舌紅少苔, 脈細한 증상을 변증의 요점으로 삼는다.

2. 加減法: 滑精한 경우에는 川牛膝을 빼고, 火象이 보이지 않는 경우에는 龜板膠를 빼고, 眞陰不足하고 虛火上炎한 경우에는 枸杞子·鹿角膠는 빼고 女貞子·麥門冬을 넣어서 養陰淸熱하게 하고, 火爍肺金하고 乾咳少痰한 경우에는 百合을 넣어서 潤肺止咳하게 하며, 夜熱骨蒸한 경우에는 地骨皮를 넣어 虛熱을 내리고, 骨蒸을 제거하며, 小便不利한 경우에는 茯苓을 넣어 利水滲濕하게 하고, 大便燥結한 경우에는 菟絲子는 빼고, 肉蓯蓉을 넣어서 潤腸通便하게 하고, 氣虛한 경우에는 人蔘을 넣어 補氣한다.

3. 左歸丸은 다음 한국표준질병사인분류(KCD)에 해당하는 환자가 眞陰不足證으로 辨證되는 경우 본 처방의 사용을 고려해볼 수 있다.

처방 목표	한국표준질병사인분류(KCD)
老人性慢性氣管支炎	J41 단순성 및 점액화농성 만성 기관지염
	J42 상세불명의 만성 기관지염
慢性腎臟炎	N03 만성 신염증후군
高血壓	I10 본태성(원발성) 고혈압
	I15 이차성 고혈압
老人性癡呆	F03 상세불명의 치매
腰肌勞損	M54.5 요통
	S33.5 요추의 염좌 및 긴장
不妊症	N46 남성불임
	N97 여성불임

【注意事項】 본 방제는 陰柔滋潤한 약이 主가 되어, 장기 복용하거나 자주 복용하면 모두 滯脾礙胃하기 때문에 脾虛泄瀉者의 경우 신중하게 사용한다.

【變遷史】 본 방제는 明代 溫補의 대가인 張介賓에 의해 만들어진 것으로 眞陰不足한 증후를 치료하기 위해서 만들어진 代表方劑이다. 張介賓은 학술적으로 "陽非有餘, 陰常不足"이라고 주장하면서 眞陰은 본디 有餘가 없으며, 그 병은 대부분 不足해서 발생하는 것이기 때문에 眞陰病을 치료할 때는 培補에 중점을 두어야 하며, 기존의 사람들이 습관적으로 사용하던 六味丸과 八味丸에 대해서는 상당한 불만을 가지고 "眞陰既虛, 則不宜再泄, 二方俱用茯苓·澤瀉, 滲利太過, 即仲景『金匱』, 亦爲利水而設. 雖曰于大補之中, 如此何害? 然未免減去補力, 而奏功爲難矣"(『類經附翼』「眞陰論」)라고 말했다. 따라서 錢乙의 六味地黃丸에서 '三瀉'하는 藥은 빼고, 다시 龜板鹿角二膠 등의 滋陰補腎하는 약을 넣어서 左歸丸을 만들고, 平補腎陰하는 방제를 峻補眞陰하는 방제로 바꾸면서 또 하나의

滋補腎陰하는 大法을 창조하였으며, 아울러 이에 대해 깊이 이해하여 “餘及中年, 方悟補陰之理, 因推廣其義而制左歸丸·飮, 但用六味之義, 而不用六味之方, 活人應手之效, 不能盡述”(『顧松園醫鏡』卷11)이라고 하였다. 『何氏虛勞心傳』에서는 본 방제의 補腎하는 효능에 대해 찬사를 아끼지 않았으며, 동시에 六味地黃丸에 대해서는 ‘三補’와 ‘三瀉’를 합한 治法이라고 이의를 제기하며, 眞陰虧損證을 치료하는 데 있어서 설령 “純補猶嫌不足, 若加苓·澤滲利, 未免減去補力”이라고 하더라도 본 방제는 “群隊補陰藥中更加龜·鹿二膠, 取其爲血氣之屬, 補之效捷耳”라고 하였다. 張介賓은 특히 腎의 陰陽이 상호의존하고 자생(滋生)하는 관계를 중시하면서 陰은 陽이 없으면 생겨날 수 없고, 氣가 없으면 形을 생기게 할 수 없다고 주장하였으며, 창조적으로 眞陰의 질병을 치료하는데 있어서 補陰藥에 補陽藥을 配伍해야 한다고 말하면서 “善補陰者, 必于陽中求陰, 則陰得陽升而源泉不竭”(『類經』卷14)라고 했다. 張介賓의 이론은 韓醫 補法의 내용을 풍부하게 만들었으며, 오늘날까지도 左歸丸에서 구현된 純甘壯水의 治法은 임상에서 眞陰虧損證을 치료하는데 있어 본보기가 되고 있고, '陽中求陰'의 配伍방법은 후세의 滋補腎陰方濟 운용에 지대한 영향을 미쳤다. 이로 인해 張介賓은 또한 陰陽兩補의 거장으로 불린다.

【難題解說】 張介賓 등의 六味地黃丸 평가에 대한 인식을 위에서 알 수 있듯이, 張介賓 등의 의학자들은 六味地黃丸에 滲利하는 약을 配伍해서 補하는 힘이 부족하기 때문에 腎陰不足證 치료에는 빠른 효과를 보기 어렵다고 주장했다. 이러한 주장은 張介賓이 학문적으로 주로 眞陰을 중시하고, 眞陰과 관련된 질병은 대부분 不足에서 기인한 것이라고 강조한 점이 반영된 것이다. 객관적으로 말하자면, 六味地黃丸의 配伍는 補하는 가운데 瀉하는 약을 포함하고 있기 때문에 補하는 힘이 左歸丸·飮에 못미치는 것은 사실이다. 하지만 補하되 膩하지 않기 때문에 六味地黃丸은 平補腎陰하는 좋은 방제가 된다. 左歸丸은 비록 眞陰을 크게 補해서 그 효과가 뛰어나지만, 다른 한편으로는 또한 滋膩하여 脾의 기능을 방해 할 우려가 있다. 두 가지 治法에 각자 타당함이 있음을 알 수 있다. 六味地黃丸은 腎陰에 손상을 입은 輕證이나 內熱을 동반한 경우에 사용하는 것이 적합하며, 오랜 기간 동안 복용해도 이상반응이 뚜렷하게 나타나지 않는다. 반면 左歸丸은 眞陰이 크게 虛한 경우에 사용하며, 오랜 기간 동안 복용하면 滋膩하여 胃의 기능을 방해할 우려가 크다.

【醫案】

1. 癉疾『掃葉莊醫案』: 脈左數搏한 것은 선천적으로 眞陰難充한 것으로 內熱이 생기고, 癉熱이 다시 陰을 상하게 한 것으로 滋養甘藥을 처방해서 陰을 보충했다. 左歸丸에서 枸杞子, 牛膝은 빼고, 天門冬, 女貞子를 넣는다.

2. 腰肌勞損『江蘇中醫雜誌』(1982, 1:35): 남자, 42세. 환자는 腰肌勞損으로 腰痛이 생긴지 2년이 되었으며, 經用 封閉·推拿·針灸 등의 치료를 받았으나 효과가 뚜렷하지 않았다. 환자는 腰脊酸痛과 頭暈·失眠·咽乾·遺精 등의 증상을 함께 보였으며, 맥을 짚어보니 弦細하고, 兩尺脈이 특히 약했다. 苔薄中裂, 舌質較紅, 良由腎水不足, 精髓內虧한 증상을 보이므로 育陰補腎을 주로 해서 左歸丸에 넣고 빼서 鹿角片 12 g, 熟地黃 12 g, 炙龜甲 12 g, 枸杞子 12 g, 净萸肉 12 g, 菟絲子 12 g, 淮山藥 12 g, 懷牛膝 9 g, 川石斛 9 g, 川杜仲 9 g, 桑寄生 9 g으로 구성하고, 13첩 정도 복용하니, 腰通이 크게 줄었으며 편하게 잠을 잘 수 있게 되었고, 眩暈·咽乾 등의 증상이 이어서 사라졌다. 그 후에 계속해서 靑娥丸으로 치료하고 조리했다.

考察: 醫案1의 癉疾은 평소 몸이 眞陰虧損, 陰不制陽한 데다가 또한 癉熱로 다시 陰이 손상을 입어서 결국에는 眞陰不足하고 陰虛內熱한 증상으로 나타난 것으로 滋補眞陰하고 虛熱을 제거하는 治法을 겸해서 치료한다. 따라서 左歸丸을 처방하고 養肝明目하고 强壯筋骨하는 효능이 있는 枸杞子·牛膝은 빼고, 약성이

寒凉하고 滋陰退熱하는 天門冬·女貞子를 넣는다. "腰爲腎之府"이기 때문에, 醫案2의 腰痛이 오래 되고 또한 頭暈失眠, 咽乾遺精 등의 증상은 育陰補腎을 위주로 해서 치료하며, 방제는 左歸丸에 杜仲·桑寄生·石斛 등을 넣어 補腎强腰, 益胃生津하게 하여, 10첩 정도 복용하게 하니 1년쯤 지나서 증상이 거의 나아서 다시 青娥丸을 처방해서 補腎强筋하게한 후 완치되었다.

【副方】 左歸飮(『景岳全書』卷51): 熟地黃 二~三錢 혹은 一~二兩까지(9~30 g) 山藥 二錢(6 g) 枸杞子 二錢(6 g) 炙甘草 一錢(3 g) 茯苓 一錢半(4.5 g) 山茱萸 一~二錢(3~6 g) 畏酸者少用之.

- 用法: 물 二鍾을 넣고 10분의 7이 되게 달여서 공복에 복용한다.
- 作用: 補益腎陰
- 適應症: 眞陰不足證을 치료한다. 증상은 주로 腰酸遺泄, 盜汗, 口燥咽乾, 口渴欲飮, 舌尖紅, 脈細數으로 나타난다.

본 방제는 六味地黃丸에서 澤瀉·牡丹皮는 빼고, 枸杞子·甘草를 넣고 만든 것이다. 枸杞子는 補肝腎明目하는 要藥으로 본 방제에서 枸杞子를 넣고 두 가지의 '瀉藥'를 빼고 나면 三陰幷補의 효능이 남게 되고 또한 補의 효력이 더욱 강해진다. '三瀉'하는 약은 茯苓만 남아 있고 또한 補脾和中의 炙甘草를 넣기 때문에, 補脾助運하는 효능이 더욱 강해진다. 모든 약을 配伍하면 함께 滋補腎陰하는 효능을 갖게 된다.

左歸飮과 左歸丸은 모두 전적으로 補하는 방제이며, 함께 腎陰不足證을 치료한다. 하지만 左歸飮은 모두 純甘壯水한 약을 사용해서 滋陰填精하고, 補力이 비교적 완만하기 때문에 左歸飮으로 急治하고자 하면 비교적 가벼운 腎陰不足證을 치료하는데 적합하다. 반면 左歸丸은 滋陰하는 가운데 또한 肉血有情한 맛과 助陽하는 약을 配伍해서 補하는 힘이 비교적 뛰어나게 때문에 腎陰虧損이 비교적 심한 환자에게 자주 사용하며 丸劑로 천천히 치유하려는 것이다.

大補陰丸(大補丸)

(『丹溪心法』卷3)

【異名】 補陰丸(『本草鋼目』卷45)

【組成】 黃柏 炒褐色 知母 酒浸, 炒 各四兩(120 g) 熟地黃 酒蒸 龜甲 酥炙 各六兩(180 g)

【用法】 위의 약을 분말로 갈고, 猪脊髓와 蜜을 넣고 丸으로 빚어서 매회 70丸씩 공복에 鹽白湯으로 복용한다.

【效能】 滋陰降火.

【主治】 陰虛火旺證을 치료한다. 증상은 주로 骨蒸潮熱, 盜汗遺精, 咳嗽咯血, 心煩易怒, 足膝疼熱, 舌紅少苔, 尺脈數而有力하다.

【病機分析】 腎은 下焦에 있으며, 안에서 相火에 의지하는데, 일단, 陰精이 휴손되면 陰이 陽을 제어하지 못하여, 相火가 妄動하고 陰陽이 균형을 잃고 水火가 서로 소통하지 못해서 결국에는 陰虛火旺證이 된다. 그리하여 骨蒸潮熱, 盜汗遺精, 足膝疼熱, 舌紅少苔, 尺脈數而有力 등의 증상을 보이게 된다. 腎陰은 온몸에 있는 陰液의 근본이며, 腎陰이 虧虛하면 종종 다른 장기까지 영향을 미치게 된다. 만약 어머니의 병이 자식에게 미치면 肝陰을 손상시키고, 肝陽이 偏亢해서 疏泄의 기능을 잃게 되어서, 환자는 마음이 번거롭고 안정이 되지 않으며, 조급해 하고 쉽게 화를 내게 된다. 만약 腎水가 위로 올라가 肺金을 滋養하지 못하고, 더불어 虛火가 灼肺해서 肺絡을 손상시키면 咳嗽咯血한 증상이 발생하게 된다. 이 증상은 陰虛를 本으로 하

고, 火旺은 標가 되며, 또한 陰이 虛할수록 火가 치성하고, 火가 치성할수록 陰이 손상되게 되므로 이 둘은 서로 인과관계가 된다.

【配伍分析】 본 陰虛火旺證은 水虧火炎하고 火灼陰傷해서 발생하는 것이기 때문에, 만약 滋陰할 뿐 降火하지 않으면 虛火가 제거되기 어렵다. 만약 降火할 뿐 滋陰하지 않으면, 火勢가 잠시 줄어든다 하더라도 다시 생겨나기 때문에, 따라서 滋陰과 降火를 병행해야 한다. 方劑 중의 熟地黃은 性味가 甘溫하기 때문에 眞陰을 大補하고, 益髓塡精하며, 龜甲은 性味가 鹹寒해서 血肉有情한 약이 되므로 精血을 補하는데 뛰어나고, 또한, 甲殼에 해당하므로 潛陽하는 효능이 있다. 본 방제는 두 약을 重用하는데, 眞陰을 크게 補하고 壯水制火해서 培本하므로, 모두 君藥이 된다. 黃柏은 性味가 苦寒해서 腎火를 제거하는 데 뛰어나고, 知母는 맛이 苦甘하고 성질이 寒해서 滋腎水하고 潤肺陰하며 降虛火하는 要藥이 된다. 張秉成이 이에 대해 "火有餘則少火化爲壯火, 壯火食氣, 若仅以滋水配陽之法, 何足以導其猖厥之勢, 故必須黃柏·知母之苦寒入腎, 能直淸下焦之火者, 以折服之"(『成方便讀』卷1)라고 하였다. 따라서 두 약은 서로 보완하여 瀉火保陰해서 標를 치료하고, 또한 君藥의 滋潤하는 효능을 도와서 臣藥이 된다. 게다가 猪脊髓·蜂蜜를 넣고 빚어서 血肉甘潤한 性味로 한편으로는 君藥의 滋補精髓를 돕고, 다른 한편으로는 黃柏의 苦燥한 性味를 억제해서 모두 佐使藥이 된다. 모든 약을 함께 사용하면, 水가 충족되어 항진된 陽을 억제하고, 火가 降하여 陰液이 점차적으로 회복되며, 標本兼顧하게 되어, 서로 보완하고 도와서 함께 滋陰塡精하고 淸降虛火하는 효능을 거두게 된다.

본 방제의 配伍 특징은 滋陰藥과 淸熱降火藥을 함께 配伍하고, 標本을 같이 다스리는 것이다. 또한 滋陰하는 熟地黃과 龜甲을 重用하는데, 두 약의 용량과 黃柏·知母의 비율은 3:2로 한다. 본 방제는 滋陰培本이 主가 되고 淸熱降火는 그 다음이다. 朱震亨이 이에 대해 "陰常不足, 陽常有餘, 宜常養其陰, 陰與陽齊, 則水能制火, 斯無病矣"(錄自『醫宗金鑑』卷27)라고 하였다.

본 방제는 滋陰하는 약을 重用하고, 또한 血肉有情한 약을 配伍해서 滋陰의 효력이 비교적 뛰어나다. 따라서 '大補陰丸'이라고 부른다.

【類似方比較】 大補陰丸과 六味地黃丸은 모두 滋陰降火할 수 있지만, 후자의 경우에는 三陰을 함께 補하기는 하나 腎陰을 補하는 데 중점을 두어, 淸熱之力은 부족하여, 주로 腎陰虛하면서 內熱이 두드러지지 않는 증상을 치료한다. 전자의 경우에는 眞陰을 大補하고, 또한 滋陰과 降火하는 효능 모두가 전자에 비해 뛰어나기 때문에 陰虛하되 火旺이 심한 환자를 치료하는데 사용한다. 이는 바로 『醫宗金鑑』卷27에서 말한 "是方能驟補眞陰, 承制相火, 較之六味功效尤捷"과 같다.

본 방제와 知柏地黃丸은 모두 滋補肝腎하는 熟地黃이 君藥이 되며, 아울러 下焦相火를 제거하는데 뛰어난 知母·黃柏을 사용하였기 때문에 모두 滋陰降火하여서 陰虛火旺證을 치료하는데 알맞다. 하지만, 본 방제는 龜甲·猪脊髓 등의 血肉有情한 약과 熟地黃을 함께 配伍해서 眞陰을 補하는데 뛰어나고, 益髓塡精하는 효능이 강하지만 비교적 滋膩한 성질 때문에 쉽게 胃를 손상시킨다. 반면, 知柏地黃丸에는 山茱萸·山藥과 熟地黃을 함께 配伍하여 滋陰하는 효능은 비교적 약하지만, 三陰을 함께 補해서 補性이 안정되고, 牡丹皮·澤瀉·茯苓 등이 있어서 淸熱利濕泄濁하는 효능이 비교적 뛰어나다. 두 방제는 각각 뛰어난 점이 있으므로 임상에서 응용할 때 증상에 맞게 참작해서 선택해야 한다.

【臨床應用】

1. 證治要點: 본 방제는 滋陰降火의 常用方이 된다. 임상에서 骨蒸潮熱, 舌紅少苔하고 尺脈이 數하되 힘이 있는 증상이 치료의 요점이 된다.

2. 加減法: 陰虛가 비교적 심한 경우에는 天門冬·麥門冬을 넣어 潤燥養陰하게 하고, 陰虛盜汗한 경우에는 地骨皮를 넣어 退熱除蒸하게 하고, 咯血·吐血 증상이 나타나는 경우에는 仙鶴草·旱蓮草·白茅根을 넣어 凉血止血하게 하고, 遺精이 있는 경우에는 金櫻子·芡實·桑螵蛸·潼蒺藜를 넣어 固精止遺하게 한다.

3. 大補陰丸은 다음 한국표준질병사인분류(KCD)에 해당하는 환자가 陰虛火旺證으로 辨證되는 경우 본 처방의 사용을 고려해볼 수 있다.

처방 목표	한국표준질병사인분류(KCD)
肺結核	A15 세균학적 및 조직학적으로 확인된 호흡기결핵
	A16 세균학적으로나 조직학적으로 확인되지 않은 호흡기결핵
腎結核	A18.10 신장의 결핵(N29.1)
甲狀腺機能亢進	E05 갑상선독증[갑상선기능항진증]
糖尿病	E10~E14 당뇨병

【注意事項】 脾胃虛弱하고 食少便溏하며 火熱이 實證에 속하는 경우에는 본 방제의 사용을 금한다.

【變遷史】 본 방제의 저자인 朱震亨은 劉完素의 재전제자(再傳弟子)이며, 그는 完素의 火熱論의 계시를 받고, 또한 자신의 실전 경험을 결합해서 "陽有餘而陰不足"이라는 저명한 이론을 제시했다. 朱震亨은 인체의 腎에 저장되어 있는 陰精은 부족해지기 쉽고 만들어지기는 어려우며, 肝腎의 相火는 또한 쉽게 妄動하고, 相火가 妄動하면 陰精이 쉽게 상하기 때문에 치료할 때 相火를 억제하고, 陰精을 보호하는 것을 중요시해야 한다고 주장하였으며, 이를 바탕으로 본 방제를 대표로 하여 수많은 滋陰降火하는 방제를 만들었다. 본 방제의 原名은 '大補丸'이며, 『醫學正傳』卷3에서는 滋陰保精을 위주로 한다고 하여 이름을 '大補陰丸'으로 바꾸어 지금까지 사용하고 있다. 朱丹溪의 이러한 治法은 후세의 滋陰降火法 운용에 지대한 영향을 주었으며, 대체로 腎陰虛火旺한 증상을 치료하는데 있어서, 본 방제의 配伍에서 전수받지 않은 것이 없다. 滋陰에는 항상 熟地黃과 같은 종류를 사용하고, 瀉火에는 반드시 知母·黃柏과 같은 종류를 사용해야 한다. 따라서 陳念祖는 본 방제를 일컬어 "治陰虛發熱之恒法也. …… 較之六味地黃丸之力更優. 李士材·薛立齋·張景岳輩以苦寒而置之, 猶未參透造化陰陽之妙也"(『時方歌括』卷上)라고 하였다. 본 방제는 비교적 滋膩하기 때문에, 淸代의 『醫宗金鑑』卷27에서는 방제에 知母·黃柏과 六味地黃丸을 함께 배합해서 知柏地黃丸을 만들어서 淸瀉相火하는 효능을 가지고 있고, 또한, 滋膩하여 胃를 손상시키는 폐단을 줄여, 참으로 古方을 잘 사용하고, 그 묘미를 잘 살렸다고 할 만 하며, 大補陰丸에 비해서 더욱더 후세 의학자들의 주목을 받게 되었으며, 腎陰虛火旺증후를 치료하는 常用方劑가 되었다.

【難題解說】 본 방제의 주치 증후의 病位에 관하여: 본 방제는 陰虛火旺證을 치료하기 위해 만들어진 것이지만, 이 증상은 '腎陰虛'하거나 '肝腎陰虛'에 해당하며, 고금에 서술한 바가 서로 다르다. 고대의 문헌에 기록된 본 방제는 대부분 '腎陰虛火旺'을 치료한다고 하였으며, 예를 들면 『明醫指掌』卷6에서 본 방제는'腎虛腰痛'을 치료한다고 하였고, 『醫方集解』「補養之劑」에서는 '水虧火炎, 耳鳴耳聾, 咳逆虛熱'한 증상을 치료한다고 하였고, 『羅氏會約醫鏡』卷12에는 '腎水虧敗, 小便淋濁如膏, 陰火上炎'을 치료한다고 하였다. 張秉成은 또한 본 방제가 "治腎水虧極, 相火獨旺, 而爲梦遺·骨蒸·癆瘵等證. 夫相火之有餘, 皆由腎水之不足"(『成方便讀』卷1)이라고 확실하게 지적하였다. 반면『丹溪心法』卷3에서는 또한 일찍이 이미 본 방제가 "降陰火, 補腎水"라고 명확히 밝힌 바 있어서, 大補陰丸은 본디 補腎陰降虛火하는 방제로 여기는 것이 마땅하다. 하지만 오늘날의 저명한 논술(각 판본의 교재를 포함함)에서 대부분 본 방제가 '肝腎陰虛, 相火妄動'한 증상을 치료한다고 말했다. 腎陰이 다른 臟腑의 陰液에 대하여 滋養작용을 하기 때문에, 또한 "五臟之陰液非此不能滋"라는 말이 있듯이, 腎陰虛損 또한 종종 다

른 장부에까지 영향을 미치는데, 예를 들면 본 방제는 하나의 腎陰虛弱한 증상이 나타나는 가운데 肝이 火旺하고 肺陰虛한 증상을 동반하지만 그 병의 근본은 實하면서 腎陰虧虛하고 相火妄動한 것으로, 본 방제의 치법 확립과 選藥 역시 補腎陰과 淸相火를 위주로 한다. 따라서 大補陰丸의 立方 의의 및 표현을 엄격하고 정확하게하면 그 주치증은 당연히 '腎陰虛火旺'으로 개괄할 수 있다.

【醫案】

1. 肺癆『湖南中醫學院學報』(1986, 4:38): 남자, 32세. 咳嗽 증상이 나타난 지 1년 정도 되었으며, 제때에 치료를 받지 않아서 지금까지 계속되고 있고, 潮熱·咳血로 X-선 검사 결과 浸潤형 폐결핵으로 진단받았다. 증상은 潮熱, 咳嗽, 咳血, 痰少血多하고 얼굴색이 초췌하고 누렇고 두 광대에는 붉은 기를 띠었다. 밤이 되면 心煩少寐하고 자주 盜汗을 흘리고 遺精 증상이 나타나며, 形體瘦削, 口燥咽乾, 溲黃便秘, 舌紅苔薄黃하고 六脈이 弦細하면서 數하게 나타났다. 脈證을 함께 진찰해 보니, 본 증상은 肺腎陰虛하고 相火妄動했다. 咳嗽·咳血·潮熱·盜汗이 4대 주요 증상으로 보여졌으며, 肺癆가 이미 시작되어서 증상이 경미하지 않았다. 치료는 滋腎潤肺하고 養陰淸熱해야 한다. 大補陰丸에 넣고빼서, 방제는 生地黃 15 g, 黃柏 8 g, 知母 8 g, 龜甲 15 g, 旱蓮草 15 g, 側柏葉 12 g, 浮麥 15 g, 龍骨 12 g, 牡蠣 12 g으로 구성한다. 약 5첩을 복용하게 한 후 咳血이 멎었고, 10첩을 복용한 후 潮熱 역시 내렸으며, 마지막으로 甘寒養陰하고 平補氣血하는 治法으로 15일 동안 치료한 후 점차적으로 건강을 회복했다.

考察: 본 증상은 肺腎陰虛하여 相火妄動하고 灼傷血絡한 것이기 때문에 滋補腎陰하고 淸降虛火하는 효능이 뛰어난 大補陰丸을 주요 방제로 삼는다. 방제를 응용할 때 熟地黃을 生地黃으로 바꾼 다음에 旱蓮草·側柏葉을 넣어 涼血止血하게 하고, 浮小麥으로 斂陰止汗하게 하고, 龍骨·牡蠣로 固腎澀精하게 하면 약과 증상이 서로 잘 맞아서 빠른 약효를 보게 된다.

2. 陰汗『山東中醫雜誌』(1992, 6:54): 남자, 49세. 陰部多汗 증상이 발생한지 2년 정도 되었으며, 한밤중이 되면 특히 陰部에 땀이 많이 나고, 陽强易擧하며, 腰膝酸軟하고, 五心煩熱하여 손발바닥에 땀이 흐르고, 舌紅, 少苔, 脈細略數해서 陰汗病으로 진단받았다. 본 증상은 陰虛火旺으로 大補陰丸에 넣고 뺀다. 處方은 熟地黃 24 g, 龜甲 20 g, 白芍藥 15 g, 知母 9 g, 黃柏 9 g, 玄參 12 g, 地骨皮 12 g으로 구성한다. 약을 12첩 복용한 후 陰汗이 줄어 들고, 나머지 증상이 거의 사라져서, 위의 방제에 生牡蠣 30 g을 넣고 계속해서 약 10첩을 복용한 후 완치되었다.

考察: 腎은 二陰을 주관하고, 肝脈은 陰器를 순환한다. 肝腎의 陰이 손상되면 相火가 왕성해지고, 火邪가 內擾하고, 陰津이 外泄되어 결국에는 본 증상이 발병하게 된다. 大補陰丸을 처방하고 白芍藥·玄參·地骨皮를 넣었다. 두 번째 진찰에서 또 潛陽平肝하는 효능이 뛰어난 生牡蠣를 넣고 肝腎의 陰을 滋補해서 下焦相火를 淸泄하는 효능을 강화했다. 滋陰해서 制火하게 하고, 瀉火해서 堅陰하게 하면, 相火가 제거되어서 땀이 멎게 된다.

虎潛丸

(『丹溪心法』卷3)

【異名】 健步虎潛丸(『飼鶴亭集方』)

【組成】 黃柏 酒炒 半斤(240 g) 龜甲 酒炙 四兩(120 g) 知母 酒炒 二兩(60 g) 熟地黃 陳皮 白芍藥 各二兩(60 g) 鎖陽 一兩半(45 g) 虎骨 炙 一兩(30 g) 乾薑 半兩(15 g) (一方은 金箔 一片을 넣고, 一方을 生地黃을 쓰고, 一方은 乾薑이 없다)

【用法】 위의 약을 분말로 해서 술을 넣고 풀이나 죽으로 丸을 빚는다(현대용법: 위의 약을 고운 분말로 갈고 煉蜜을 넣고 반죽해서 각 9 g의 丸으로 빚어서 매회 一丸씩 매일 2회 연하게 소금을 넣고 끓인 물이나 따뜻한 물에 복용한다. 또한 물을 넣고 달여서 복용할 수 있으며, 용량은 原方의 비율에 맞게 참작한다).

【效能】 滋陰降火, 强壯筋骨.

【主治】 肝腎不足하고 陰虛內熱한 痿證을 치료한다. 증상은 腰膝酸軟, 筋骨痿弱, 步履乏力, 或眩暈, 耳鳴, 遺精, 遺尿, 舌紅少苔, 脈細弱한다.

【病機分析】 肝은 筋을 주관하고, 腎은 骨을 주관하므로, 만약 病이 오래 돼서 體虛하면 正氣가 虧損되거나, 혹은 房勞過度로 인하여 肝腎을 상하고, 腎精과 肝血이 虧損되면, 筋脈이 營養을 받지 못하고, 筋骨의 濡潤함을 잃어버려서, 肢體筋脈이 이완되어 약하고 힘이 없어 점차적으로 痿證이 된다. 陰精이 부족하면 陽을 억제되지 못하고 虛熱內生하고 津液을 말리고 소모해서 筋骨經脈이 더욱더 滋養받지 못하게 된다. 따라서 『素問』「痿論」에서 "肝氣熱則膽泄口苦, 筋膜乾; 筋膜乾則筋急而攣, 發爲筋痿……腎氣熱, 則腰脊不擧, 骨枯而髓減, 發爲骨痿"라고 하였다. 腎은 精을 저장하며 精髓가 부족하면 腰脊를 滋養하지 못해서 腰膝酸軟하게 된다. 髓海가 충분하지 않으면 頭暈耳鳴하게 된다. 封藏의 기능을 잃으면 遺精遺尿하게 된다. 舌紅少苔하고 脈細弱한 것은 陰虛有熱한 증거이다. 따라서 본 方證은 肝腎陰虛하고 筋骨失養한 것이 本이 되고, 虛火內擾하고 灼精耗血한 것이 標가 된다.

【配伍分析】 본 방제는 肝腎精血이 부족하고, 陰虛內熱해서 筋骨을 濡養하지 못해서 발생하는 痿證을 치료한다. 따라서 補養肝腎하고 滋陰降火하며 强筋壯骨하는 治法을 사용해야 한다. 方劑 중의 黃柏은 性味가 苦寒하고 腎으로 들어가서 下焦相火를 제거하는데 뛰어나고, 龜甲은 맛은 甘鹹하고 성질은 寒하며 血肉有情한 약재로 滋陰潛陽하고 益髓塡精하며, 補腎健骨할 수 있으므로 본 방제에서 두 약을 重用하면, 肝腎精血의 부족한 것을 補할 뿐만 아니라 또한 肝腎虛火의 內擾을 제거할 수 있으므로, 標本을 함께 치료하여, 모두 君藥이 된다. 熟地黃을 配伍해서 滋腎益精하고, 白芍藥을 配伍해서 養血柔肝하며, 龜甲과 함께 사용해서 滋陰하는 효능을 더욱 뛰어나게 한다. 知母는 맛이 苦寒하고 성질이 潤하며, 滋陰淸熱하는 효능이 있어서 黃柏와 함께 배오하면 淸熱의 효력이 더욱 뛰어나게 된다. 그리하여 이 세 약물은 모두 臣藥이 된다. 虎骨은 强筋健骨하여 筋骨痿軟과 脚弱無力한 증상을 치료하는 要藥이 된다. 鎖陽은 맛이 甘溫하고 성질이 潤하여, 첫째, 益精養血해서 모든 약의 滋陰하는 효력을 돕고, 둘째, 補腎壯陽해서 '陽中求陰' 한다. 乾薑·陳皮는 溫中暖脾하고 理氣和胃하여 黃柏·知母가 苦寒하여 胃를 손상할 우려를 예방할 수 있을 뿐만 아니라, 또한 모든 陰柔한 성질의 약이 滋하되 膩하지 않고, 補하되 滯하지 않게 함으로, 모두 佐藥이 된다. 모든 약을 함께 사용하면, 肝腎을 함께補하고, 補瀉를 겸하여 精血이 채워져서 筋骨肌肉이 濡養하게 되고, 虛火가 내려가서 精血津液이 소모될 이유가 없고, 筋骨이 점차 강해지고, 조금씩 건강을 회복해서 모든 증상이 낫게 된다.

본 방제의 配伍특징은 세 가지이다. 첫째는 滋陰藥에 降火藥을 配伍해서 標本을 함께 치료하였다. 둘째는 다량의 滋陰藥에 補陽하는 약을 넣어서 '陽中求陰' 하였다. 셋째는 溫中和胃理氣하는 약을 配伍해서 補하되 滯하지 않게 하였다.

【類似方比較】 본 방제와 大補陰丸은 모두 熟地黃·龜甲·黃柏·知母를 포함하고 있어서 肝腎의 陰을 滋補하고, 淸降虛火하는 효능이 있으며, 肝腎陰虛火旺證을 치료하는데 사용한다. 반면 大補陰丸은 猪脊髓·蜂蜜을 넣고 빚어서 丸으로 만들었기 때문에 滋補精血하는 효능이 조금 더 뛰어나다. 본 방제는 또한, 鎖陽·虎骨·白芍藥·乾薑·陳皮를 포함하고 있기 때문에 補血

養肝하는 효능이 비교적 뛰어나고, 强筋壯骨하는 효능이 뛰어나서, 補하되 滯하지 않으므로 痿證을 치료하는 전문방제가 된다.

【臨床應用】

1. 證治要點: 본 방제는 肝腎陰虧, 下肢痿弱을 치료하는 常用方劑이며, 임상에서 筋骨痿軟, 舌紅少苔, 脈細弱한 증상이 치료의 요점이다.

2. 加減法: 만약 虛火上炎, 擾及心神, 煩躁不安한 경우에는 原方에 金箔 一片을 넣으면 鎭心安神 한다고 주를 달아 놓았다. 虛火가 비교적 심하고 骨蒸盜汗이 나는 경우에는 溫燥한 성질의 乾薑을 빼고, 熟地黃을 生地黃으로 바꿔서 淸熱하는 효력을 강화하였다. 面色萎黃, 心悸怔忡, 舌淡脈細한 경우에는 黃芪·黨參·當歸 등을 넣고 補養氣血한다. 久病으로 陰損及陽하여 怕冷, 陽痿, 小便淸長, 舌淡한 경우에는 知母·黃柏은 빼고 鹿角片·補骨脂·淫羊藿·巴戟天·附子·肉桂 등을 넣어 補腎助陽한다. 方 중의 虎骨은 狗骨이나 豹骨로 대체할 수 있다.

3. 虎潛丸은 다음 한국표준질병사인분류(KCD)에 해당하는 환자가 肝腎不足, 陰虛內熱證으로 辨證되는 경우 본 처방의 사용을 고려해볼 수 있다.

처방 목표	한국표준질병사인분류(KCD)
小兒麻痺後遺症	G14 소아마비후증후군
膝關節結核筋骨痿軟	A18.0 골 및 관절의 결핵

【注意事項】 濕熱이 筋脈을 浸淫해서 발병한 痿證에 본 방제를 사용하는 것은 적합하지 않다.

【變遷史】 본 방제는 朱震亨의 滋陰降火하는 여러 방제 가운데 하나로, 구성 配伍 또한 朱震亨의 '陽有餘而陰不足'한 학술 사상을 구현했다. 방제에서 黃柏·知母를 사용해서 降火하게 하고, 熟地黃·龜甲을사용해서 滋陰하는 것은 大補陰丸과 같지만, 虎骨을 配伍해서 넣었기 때문에 滋補肝腎하고 强筋壯骨하는 전문방제가 되었다. 朱丹溪는 본 방제를 '痿厥之重者'를 치료하는 데 사용하였으며, 후세 의학자들은 그의 뜻을 따라서 본 방제를 肝腎陰虛內熱을 원인으로 하는 痿證을 치료하는 대표 방제로 삼았다. 또한, 본 방제를 운용하는 데 있어서 역대 의학자들은 각자의 경험을 토대로 방제를 구성하여 더욱 더 임상 현실에 부합하게 하였다. 예를 들면 明·吳昆은 본 방제에 當歸를 넣어 養血하고, 羊肉을 넣어 補精하고, 牛膝을 넣어 壯骨하여서, 補血强筋의 효능을 더욱 강화해서 肝腎陰虧가 비교적 심한 痿證을 치료하는데 사용했다. 淸의 程國彭은 杜仲을 더 넣어 補腎壯骨의 효능을 도왔다(『醫學心悟』卷3참조) 淸·李文炳은 오히려 原方에 人蔘·黃芪·茯苓 등을 넣어 益氣生血, 脾腎雙補하게 했다(『仙拈集』卷3참조). 이를 통해 알 수 있듯이, 虎潛丸은 원래 肝腎陰虧로 인한 痿證을 치료하는 최초의 방제로, 그 組方配伍는 후세에 널리 본받아 사용되고 있으며, 지금까지도 임상에서 중요한 중추적 역할을 하고 있다.

【難題解說】

1. 본 방제의 君藥에 대한 인식: 본 방제에서 어떤 약을 君藥으로 삼아야 하는지에 대해서는 대대로 그 주장하는 바가 다르다. 各 인쇄판 교재에서는 이 문제에 대해 종종 회피하고 있다. 方論選錄을 보면 王又原은 黃柏을 君藥으로 보아야 한다고 하였고, 汪昂은 龜甲을 君藥으로 보아야 한다고 주장했다. 반면 葉仲堅은 黃柏·龜甲 모두가 君藥이 되어야한다고 주장했다. 본 방제의 用藥을 분석해 보았을 때, 黃柏과 龜甲의 용량은 모두 다른 약에 비해서 현저하게 많다. 따라서 본 방제의 조성 목적은 滋陰降火를 위주로 한다는 것을 알 수 있다. 게다가 본 방제로 치료하는 痿證은 肝腎不足하고 陰虛內熱해서 발병하는 것이기 때문에 滋陰하는 龜甲과 降火하는 黃柏을 함께 君藥으로 보는 것이 이치에 맞다.

2. 본 방제의 方名이 함축하고 있는 뜻에 대하여: 본 방제의 方名인 '虎潛'의 의미에 대해서 주석가(注釋

家)들은 다양한 해석을 내놓았으며, 요약해 보면 대체적으로 네 가지가 있다. 첫째는 吳昆이 논술한 것으로 "虎, 陰也;潛, 藏也. 是方欲封閉精血, 故曰虎潛"(『醫方考』卷3)이라는 것이다. 王又原·汪昂·馮兆張·王子接 등은 모두 이 주장을 따르고, '虎潛'을 본 방제가 滋補精血하여 陰精이 체내에 潛藏해서 壯筋骨하게 하는 효능에 비유했다. 둘째는 張璐가 말한 것으로 "虎體陰性, 剛而好動, 故欲其潛, 使補陰藥咸隨其性, 潛伏不動, 得以振剛勁之力, 則下體受蔭矣"(『張氏醫通』卷16)라고 하여, 陰來에 해당하는 虎體에 補陰藥이 몸속에 스며들어 滋補肝腎하는 효능에 비유한다고 했다. 셋째는 葉仲堅이 말한 것으로"是方以虎名者, 虎于獸中禀金氣之至剛, 風生一啸, 特爲肺金取象焉. 其潛之云者, 金從水養, 母隐子胎, 故生金者必麗水, 意在納氣歸腎也"(『古今名醫方論』卷4)라고 하여, '虎'는 肺金을 가리키고, '潛'은 '金從水養, 母隐子胎'를 말하는 것으로, '虎潛'의 의미가 본 방제가 水를 적셔서 肺金을 기르는 효능을 비유하는 것이라고 하였다. 넷째는 費伯雄이 말한 것으로 "虎潛丸息肝腎之虛風, 風從虎, 虎潛則風息也"(『醫方論』卷1)라고하여, '虎潛'은 바로 息風에 비유한다고 주장했다. 이상의 여러 가지 관점의 차이를 분석해 보면, 주로 '虎'자에 대해 다른 해석을 한 곳이 있다. 虎를 陰獸라고 여겨서 '陰精'이나 '補陰藥'을 상징한다고 여기거나, 虎는 金에 해당하기 때문에 '肺金'을 대표한다고 여기거나, 虎啸風生하기 때문에 '風'으로 비유한다고 주장하기도 했다. 하지만 '潛'는 모두 '潛藏'의 이론에 근거했다. 본 방제가 치료하는 肝腎精血이 부족하여, 筋骨을 滋養하는 기능을 잃어버리고, 虛火内擾한 증상은, 滋陰降火하고 强壯筋骨해야 한다는 치법을 근거로 하는데, 병리적으로 보면 '虛風內動'·'金失水養'의 病機가 뚜렷하지 않다. 따라서 위에서 언급한 논술은 吳昆 등의 논술이 가장 뛰어나다.

一貫煎

(『續名醫類案』卷18)

【組成】 北沙蔘 麥門冬 當歸 各三錢(9 g) 生地黃 六~一兩五錢(18~30 g) 枸杞子 三~六錢(9~18 g) 川楝子 一錢半(4.5 g)(본 방제의 原書에는 用量이 표기되지 않았으며, 『方劑學』을 근거로 보충했다)

【用法】 물을 넣고 달여서 복용한다.

【效能】 滋陰疏肝.

【主治】 陰虛肝鬱證을 치료한다. 증상은 胸脘脇痛, 呑酸吐苦, 咽乾口燥, 舌紅少津, 脈細弱或虛弦하거나 또한 疝氣瘕聚이다.

【病機分析】 肝은 血을 저장하고, 條達을 좋아하며, 疏泄의 기능이 있다. 따라서 '體陰用陽'이라고 한다. 만약 情志不遂하여 氣火內鬱하거나 肝病이 오랫동안 낫지 않으면 肝陰이 점차적으로 耗損하게 된다. 肝陰이 虧虛하면, 肝絡을 滋養하지 못해서 胸脇隱通이 계속해서 멎지않게 된다. 肝이 條達의 기능을 잃어버리면 氣鬱하고, 오랜 시간이 지나서 疝氣·瘕聚가 되고, 橫逆해서 胃를 침범하여 胃氣가 조화를 잃게 되면, 胃脘作痛하고 呑酸吐苦한다. 陰虛해서 津液이 위로 올라가지 못하면 咽乾口燥하고 舌紅少津하게 되고, 脈이 細弱하거나 虛弦하면 이 또한 肝陰不足證이다.

【配伍分析】 본 방제가 치료하는 증상은 肝陰不足하고 氣機鬱滯해서 발생한 것으로 肝陰을 滋養해서 肝氣를 펼치게해야 한다. 方劑 중의 枸杞子는 性味가 甘平하고, 肝腎의 二經으로 들어가기 때문에 특히 滋陰補肝하는 효능이 뛰어나서 君藥이 된다. 肝는 血을 저장하고, 腎은 精을 저장하여, 乙癸의 근원이 같으며, 精血이 함께 생겨나기 때문에 生地黃의 滋腎養陰하는

효능을 配伍해서 넣으면 腎水를 보충해서 肝木를 涵養하게 하고, 또한 虛熱을 제거해서 津液이 생겨나게 할 수 있다. 當歸는 養血補肝의 효능이 뛰어나며, 血中氣藥에 해당하기 때문에 養血하는 가운데 調血하는 기능이 있고, 補肝하는 가운데 疏達하는 효능이 있다. 이 두 약과 枸杞子를 함께 配伍하면 補肝陰, 養肝血하는 효능이 더욱 강해지므로 모두 臣藥이 된다. 北沙蔘·麥門冬을 넣으면 養胃生津하고, 潤燥止渴하게 된다. 川楝子의 苦寒한 性味는 疏肝泄熱하고 行氣止痛하므로 肝氣鬱滯하여 통증과 열이 있는 환자는 疏鬱하는 要藥으로 여기며, 다량의 甘寒하고 滋陰養血하는 약재와 配伍하면, 苦燥傷陰할 우려가 없을 뿐만 아니라, 또한 모든 약들을 肝經에 이르게 하기 때문에, 佐使藥이 된다. 모든 약을 함께 배합하면, 肝體가 길러져서 陰血이 점점 회복되게 하고, 肝氣가 소설하면 모든 통증이 제거되므로, 陰虛血燥하고 肝鬱氣滯한 증후를 치료하는 효과적인 방제가 된다.

본 방제의 配伍 특징은 다량의 甘凉柔潤하고 滋陰養血하는 약에 川楝子를 조금 넣어 疏肝理氣하게 하고, 肝體를 기르는 것을 위주로 하고 겸해서 和肝하는데, 이로 인해 滋陰養血하되 氣機가 정체되는 것을 막아서 疏肝理氣하고 또한 陰血이 耗傷되지 않게 된다.

【類似方比較】 본 방제와 逍遙散은 모두 疏肝理氣의 작용을 하며, 肝鬱이 不舒해서 발생하는 脇痛을 치료한다. 차이점은 逍遙散은 養血健脾하는 약과 疏肝理氣藥을 함께 配伍하기 때문에 肝鬱血虛한 脇痛을 치료하고, 또한 神疲食少와 舌淡而潤 등을 동반하는 脾虛한 증상을 치료하고, 본 방제는 滋補肝腎陰精한 약과 疏肝理氣한 약을 함께 配伍하기 때문에 陰虛肝鬱한 脇痛을 치료하고, 또한 咽乾口燥와 舌紅而乾 등을 동반하는 陰虛津少한 증상을 치료한다.

【臨床應用】

1. 證治要點: 본 방제는 陰虛肝鬱로 인해 발병한 脇脘疼痛을 치료하는 常用方劑가 된다. 임상에서 脇肋疼痛, 呑酸吐苦, 舌紅少津, 脈虛弦을 치료의 요점으로 삼는다.

2. 加減法: 『柳洲醫話』; 口苦燥한 경우에는 酒炒한 川連子를 3~五分 넣고, 大便秘結한 경우에는 瓜蔞仁을 넣고, 虛熱이 있거나 땀이 많이 나는 경우에는 地骨皮를 넣고, 痰이 많은 경우에는 貝母를 넣고, 舌이 붉고 건조하며, 陰虧가 심한 경우에는 石斛을 넣고, 脇脹痛이 나타나고 환부를 눌렀을 때 딱딱한 경우에는 鱉甲을 넣고, 煩熱과 갈증이 있는 경우에는 知母·石膏를 넣고, 腹痛이 있는 경우에는 芍藥·甘草를 넣고, 脚弱한 경우에는 牛膝·苡米仁을 넣고, 不寐 증상이 있는 경우에는 酸棗仁을 넣고, 口苦燥한 경우에는 黃連을 3~五分 넣는다. 이 밖에도 만약 脇痛이 심한 경우에는 合歡花·玫瑰花·白蒺藜 등을 넣어 舒肝調氣하게 하고, 頭目昏暈한 경우에는 女貞子·桑椹 등을 넣어 補益肝腎하게 한다.

3. 一貫煎은 다음 한국표준질병사인분류(KCD)에 해당하는 환자가 陰虛肝鬱證으로 辨證되는 경우 본 처방의 사용을 고려해볼 수 있다.

처방 목표	한국표준질병사인분류(KCD)
慢性肝炎	K73 달리 분류되지 않은 만성 간염
	B18 만성 바이러스간염
慢性胃炎	K29.3 만성 표재성 위염
	K29.4 만성 위축성 위염
	K29.5 상세불명의 만성 위염
胃及十二指腸潰瘍	K25 위궤양
	K26 십이지장궤양
肋間神經痛	G58.0 늑간신경병증
神經官能症	F00~F99 V. 정신 및 행동 장애

【注意事項】 본 방제에는 滋膩한 성질의 약이 비교적 많기 때문에 停痰積飮하면서 舌苔白膩, 脈沉弦한 증상이 나타나는 경우에는 사용하지 않는다.

【變遷史】본 방제는 清代의 名醫인 魏玉璜이 만든 것으로『續名醫類案』卷18의 高鼓峰·呂東莊胃痛治驗의 考察에 실려 있다. 魏玉璜이 "此病外間多用四磨·五香·六鬱·逍遥, 新病多效, 久服則殺人矣"이며, "高·呂二案, 持論略同, 而俱用滋水生(淸)肝飮, 予早年亦尝用此, 却不甚應, 乃自創一方, 名一貫煎, 用北沙參·麥冬·地黃·當歸·杞子·川楝六味, 出入加減, 投之應如桴鼓"라고 하여 본 방제가 "脇痛·呑酸吐酸·疝瘕·一切肝病을 치료할 수 있다"고 하였다. 王孟英은 치법의 확립과 用藥에 칭찬을 아끼지 않고 이를『柳州醫話』에 수록하였으며, 널리 퍼뜨려서 오늘날까지 계속해서 사용되고 있다. 본 방제의 配伍를 종합해 보면, 魏玉璜은 滋補柔潤하는 가운데 疏達을 겸하여, 증후를 판별할 줄 모르고 脇痛氣滯한 증상을 보고 바로 급하게 大劑의 香燥行氣하는 약을 투약해서 肝陰이 손상되고 血燥氣鬱하여 통증이 더욱 심해지는 경우에 비해 확실히 독창적인 면이 있다고 하였다. 따라서 후세 의학자들에게 널리 호평을 받았다. 張山雷는 一貫煎을 "乃養陰方中之別出機杼者"라고 하고, "凡血液不充, 絡脈窒滞, 肝膽不馴, 而變生諸病者, 皆可用之, 苟無停痰積飮, 此方最有奇功"이라고 말했다.

【難題解說】

1. 본 방제의 적응증과 君藥에 대하여: 一貫煎을 적용하는 증상은 다수의『方劑學』저서와 교재에서 모두 '肝腎陰虛, 肝氣不舒'한 것이라고 했다. 위에서 알 수 있듯이 魏玉璜의 치법 확립의 본래 목적은 '一切肝病'을 치료하는데 있으며, 임상에서 본 방제를 운용할 때는 역시 晥脇疼痛·舌紅少津·脈弦而虛 등의 肝陰不足과 肝失疏泄한 증상을 변증 요점으로 했다. 乙癸의 근원이 같으며, 精血이 함께 생겨나기 때문에 방제에서 生地黃의 滋水涵木한 성질을 配伍하는 것 또한 肝陰의 회복을 돕는다. 따라서 본 방제의 변증 證候의 핵심은 사실상 "肝陰不足, 肝氣失疏"이다. 肝陰不足이 오랫동안 지속되면 腎에 영향을 미칠 수 있기 때문에 본 方證은 또한 腎虛한 증상을 동반할 수 있다. 이러한 우선순위의 구분은 方劑 중의 君藥을 滋補肝陰에 능한 약이 담당해야 한다는 것이다. 하지만 종래의『方劑學』교재는 본 방제의 配伍에 대해 논할 때, 君臣藥을 가리지 않거나, 方劑 중의 生地黃의 용량이 비교적 많기 때문에 君藥으로 여겨야 한다고 논하였다. 魏玉璜가 만든 原方에는 약의 용량이 명시되어 있지 않기 때문에 당대 저술에 기록된 용량은 후세 사람들이 추가한 것으로 반드시 저자의 본래 목적에 부합되는 것은 아니다. 더구나 방제의 君藥을 분석할 때, 만약 약재 용량의 輕重만을 따져보고 치료 증후의 우선순위를 고려하지 않는 것은 분명 적절치 못하다. 方劑 중의 滋陰하는 약재를 종합해 보면, 滋補肝陰하는 효능이 있는 주요한 약재는 枸杞子로 봐야 하는 것이 마땅하며, 따라서 이를 君藥으로 삼는 것이 비교적 타당하다.

2. 본 방제의 配伍의의에 대하여: 본 방제는 肝陰虧虛하고 肝氣不舒한 증상을 치료하기 위해 만들어진 것이다. 그중 枸杞子·當歸는 補肝養血의 要藥으로 肝의 陰血不足을 직접적으로 補益한다. 반면 生地黃·北沙蔘·麥門冬 이 세 약은 비록 滋陰하는 약이지만 모두 주로 肝으로 들어가므로, 그 配伍의의에 대해 일부의 의학자들은 五行生克制化로 상세히 논술하고, 본 방제의 특징은 "是以臟腑制化關係來作爲遣藥立法的依据. 本方主治是肝病, 腎爲肝之母, 滋水即能生木, 以柔其剛悍之性, 故以地黃·杞子滋水益腎爲君. 肺主一身之氣, 肺氣淸肅, 則治節有權, 諸臟皆滋其灌漑, 而且養金即能制木, 以平其橫逆之威; 胃爲陽土, 本受木克, 但土旺則不受其侮, 故以沙參·麥冬淸肺益胃, 二者爲臣. ……合爲滋水涵木, 疏土生金的良方"[1)]라고 주장했다. 본 方劑 중의 滋陰藥物의 配伍작용을 분석하면 生地黃을 滋水涵木하는데 사용하는 것은 의심의 여지가 없지만, 沙蔘·麥門冬을 사용하는 것은 깊이 검토할 필요가 있다. 魏玉璜가 말한 '大便秘結加蔞仁, 舌紅而乾·陰虧過甚加石斛' 등의 加減法 및 張山雷가 임상에서 구현한 '方下舌無津液四字, 最宜注意'에서 보았을 때, 본 方證은 또한 胃陰不足을 동반하기 때문에, 따라서 본 방제에 麥門冬·沙蔘을 配伍해서 넣는 것은 분명히 益胃生津潤燥의 목적이 있다. '養金制木

('淸金制木'이라고 하기도 한다)'·'實土以防木乘'(培土抑木)의 논술에 대해서도 참고할 만한 가치가 있다.

3. 본 방제의 方名의 涵義에 대하여: 一貫이라는 말은 『論語』「裏仁」에서 나왔다. 原文에서 "子曰: '參乎!吾道一以貫之.' 曾子曰: '唯'!子出, 門人問曰: '何謂也?'曾子曰: '夫子之道, 忠恕而已矣.'"라고 하였다. 소위 '一以貫之'라고 하는 것은, 하나의 도리로 모든 사물의 이치를 일관되게 정리하는 것을 가리킨다. 그렇다면 본 방제에서 약을 쓰고 配伍하는 '道理'를 일관되게 하는 것은 무엇인가? 일반적으로 두 가지 해석이 있다. 첫째는 본 방제는 理氣疏肝하는 川楝子 한 가지 약을 다량의 滋補柔潤藥에 넣어서 補하는 가운데 疏하게 하고, 補하되 滯하지 않게 하며, 아울러 모든 滋陰하는 약이 肝脈에 바로 도달하게 해서, 養肝體하고 補陰血하는 효능이 더욱 강해지게 한다. 즉 滋陰補肝하는 가운데 疏肝의 이치가 일관되게 하는 것이다. 둘째는 본 방제에서 사용하는 滋陰하는 약은 비록 모두 肝으로 들어가는 것은 아니지만, 그 사용 목적이 滋水涵木하거나, 淸金制木하거나, 培土抑木하는 등 모두 滋補肝陰의 大法을 벗어나지 않으며, 肝虛의 本을 위주로 해서 肝을 치료하는 이치를 전체 방제의 약재에 일관하고 있다. 이 두 가지 주장은 각기 합리적인 부분이 있으며, 모두 어느 정도 참고할 만한 가치가 있다.

【醫案】

1. 疝氣 『續名醫類案』卷26: 鮑二官은 67세 때 갑자기 복통과 열이 났는데, 밤에는 통증이 특히 더욱 심해졌다. 어떤 사람이 風寒이라고 해서, 發散치료했으나 효과가 없었다. 또 어떤 사람이 生冷이라고 하여 消導시켰으나 효과가 없었다. 진찰 당시 환자는 얼굴색이 하얗고 약간 푸른 기운이 있었다. 虛裏를 짚어보니 세차게 박동했다. 어느 곳이 아픈지 물으니 아랫배가 아프다고 하였으며, 囊을 검사하니 양쪽의 睾丸이 없었다. 내가 말하기를'이는 疝痛입니다. 生地黃·枸杞子·沙蔘·麥門冬·川楝子·米仁을 넣고 달여서 약 2첩을 복용하면 치유 됩니다.

2. 脇痛 『遼寧中醫雜誌』(1989, 9:1): 여자, 36세. 3개월 전 남편과 다툼이 있은 이후에 精神抑鬱이 나타났고, 양쪽 옆구리에 은근한 통증이 있더니, 심할 때는 밤에 잠을 이루지 못하고, 口燥咽乾, 心煩頭暈, 舌紅少津, 脈弦細했다. 본 증상은 肝血不足하고 絡脈을 滋養하지 못해서 발생한 것으로 養血柔肝하게 치료하면 통증이 멎게 된다. 약재는 沙蔘 25 g, 枸杞子·生地黃 各 20 g, 川楝子 15 g, 荔枝核 30 g, 白芍藥 20 g, 甘草 10 g을 넣고, 약을 6첩 복용한 후, 脇痛이 반 이상 줄었으며, 나머지 증상도 모두 줄었다. 口乾食少해서 天花粉 20 g, 鷄內金 20 g을 넣고 계속해서 약 6첩을 복용한 후 모든 증상이 사라졌다.

『山東中醫學院學報』(1979, 3:12): 여자, 40세. 慢性肝炎을 앓은지 여러해 되었으며, 간기능이 반복하여 비정상으로 증상은 더했다가 심했다가를 반복하며, 고된 일로 피로가 누적될 때마다 증상이 심해져서, 오랜 시간, 한약(韓藥)과 양약(洋藥)을 복용해도 낫지 않았다. 진찰 당시 환자는 肝부위에 은근한 통증이 나타나고, 腹脹, 食欲不振, 失眠多夢, 온몸에 힘이 없으며 오후가 되면 下肢가 약간 붓고, 열이 있는 것처럼 느껴지고, 어떤 때는 오후에 미열이 있고, 月經量이 적었다. 舌紅苔少, 脈은 沉細少數했다. 肝肋의 아래는 서로 영향을 줄 수 있으며, 觸痛이 있고 통증의 정도는 中等이었다. 단백질 전기영동(蛋白電泳)은 γ25%이다. 본 증상은 肝腎陰虛하고 열이 있는 증상으로 판단했다. 一貫煎에 丹參 30 g을 넣고 처방해서, 活血·行血·凉血하게 하고 瘀를 제거하고 새로운 血을 생기게 해서 通하게 함으로써 補했다. 환자는 약 27첩을 복용한 후 증상이 모두 사라졌다. 두 번째 진료 당시 肝功·電泳 모두 정상으로 돌아왔고, 업무에 복귀했으며, 1년 동안의 방문조사에서 재발하지 않았다.

3. 瘕聚 『湖北中醫雜誌』(1985, 2:40): 남자, 44세. 양쪽 옆구리에 은근한 통증이 느껴졌고, 오른쪽 옆구리가 특히 심한 지 1년 정도 되었다. 검사 결과 肝이 비대해서 옆구리 아래로 2.5~3 cm 정도 내려와 있었으며,

腹脹滿하고 권태하고 힘이 없는 증상이 함께 나타나서 疏肝理氣하고 化濕祛瘀의 효능이 있는 여러 방제를 복용했는 데 치료 효과가 뚜렷하지 않았다. 내가 진찰 당시 두 옆구리의 통증이 심했고 大便秘結, 腹脹尤甚, 眩暈不寐, 口燥咽乾, 形體消瘦, 舌體苔薄而燥하였으며 게다가 裂紋 증상이 함께 있었다. 이는 陰虛肝鬱한 一貫煎證에 해당하므로 淸滋柔潤하게 치료해야 한다. 北沙蔘·生地黃·麥門冬·酸棗仁·柏子仁·枸杞子 各 12g, 當歸·煨川楝子 各 4.5 g, 川連子 1 g, 生麥芽 50 g, 瓜蔞仁 15 g을 넣고 달여서, 처음에는 5첩 정도 복용한 후 증상이 크게 줄었으며, 약과 증상이 맞아서 原方을 그대로 해서 15일 정도 치료한 후 임상 증상이 사라지고, 肝이 옆구리 아래 0.5 cm 정도로 줄어들었다.

考察: 足厥陰肝經絡은 陰器를 돌아 위로는 아랫배를 떠받치고 있다. 따라서 이르길 "治疝皆歸肝經"(『儒門事親』卷2)이라고 하였다. 醫案1은 一貫煎을 주요 방제로 하며 當歸의 溫한 성질은 빼고, 薏苡仁을 넣어 下焦를 滲利하게 하였으며, 약과 증상이 잘 맞아서 빠른 효과를 보게 되었다. 醫案2의 脇痛은 두 환자 모두 肝陰不足하면서 肝氣失舒한 증상에 해당하므로 一貫煎을 처방해서 치료했다. 前者의 경우 병의 기간이 비교적 짧아서 陰傷이두드러지지 않았으므로 麥門冬·當歸의 滋補하는 성질은 빼고, 行氣散結 하는 荔枝核과 緩急止痛하는 효능이 있는 白芍藥·甘草를 넣고 달여서 6첩 정도 복용하게 한 후 증상이 완화되었다. 後者의 경우에는 옆구리 통증이 비교적 심하고 발병 부위가 固定不移하기 때문에 丹參을 넣어 活血止痛하는 효능을 도와서 또한 좋은 효과를 보았다. 醫案3의 瘕聚 역시 陰虛肝鬱로 인해 발병한 것으로, 환자는 腹脹이 특히 심하고 옆구리에 은근한 통증이 나타나서, 여러차례 理氣活血하고 化濕滲利하는 방제를 사용하였으나 陰을 더욱 소모하게 하고 또한 心神失寧하고 腸燥津枯한 증상이 더욱 심해졌다. 따라서 一貫煎에 酸棗仁·柏子仁을 넣어 養心安神하게 하고, 瓜蔞仁을 넣어 潤腸通便하게 하고, 生麥芽을 넣어 疏肝和胃하게 하고, 黃連을 약간 넣어 熱을 제거해서, 淸滋柔潤하는 治法을 함께 사용해서 좋은 효과를 거두었다.

【參考文獻】

1) 陳幼淸, 一貫煎在臨床上的應用. 中醫雜誌. 1963;(10):18.

二至丸(女貞丹)

(『扶壽精方』)

【組成】 冬青子 去梗葉, 酒浸一晝夜, 粗布袋擦去皮, 晒乾爲末

【用法】 旱蓮草가 나올 때 여러 번 찧어서 얻은 즙을 달여서 만든 농축액을 위의 분말을 섞어서 벽오동 열매 크기의 환으로 빚는다. 매일 저녁 술로 100개의 환을 복용한다(현대용법: 女貞子를 고운 분말로 갈고 체로 거른다. 墨旱蓮草에 물을 넣고 2회 달인 다음 두 煎液를 합하고 다시 걸러서 적당량이 될 때 까지 졸인다. 煉蜜 60 g과 적당량의 물을 넣고 위의 분말을 섞어서 丸으로 빚은 다음 건조하면 완성된다. 매번 9 g씩 따뜻한 물에 하루 2회 복용한다).

【效能】 補肝益腎, 滋陰止血.

【主治】 肝腎陰虛證을 치료한다. 증상은 眩暈耳鳴, 失眠多梦, 口苦咽乾, 腰膝酸痛, 下肢痿軟, 鬚髮早白, 月經量多, 舌紅苔少, 脈細或細數하게 나타난다.

【病機分析】 腎은 精을 저장하고, 肝은 血을 저장한다. 肝腎이 陰虛하면, 精血이 上榮하지 못하고 髓海가 부족해지기 때문에 眩暈耳鳴, 鬚髮早白한 증상이 나타난다. 肝은 筋을 주관하고, 腎은 骨을 주관한다. 肝腎이 부족하면 筋骨이 건강하지 못하게 되기 때문에 腰膝酸痛, 下肢痿軟한 증상이 나타난다. 陰精이 부족하면 몸속에 虛熱이 생겨나기 때문에 咽乾口苦한 증상이 나타나고, 만약 熱擾心神하면 失眠·多夢한 증상

이 나타나고, 迫血妄行하면 월경량이 많아지게 된다. 舌紅苔少하고 脈이 細數한 등의 증상은 모두 肝腎陰虛한 증거이다.

【配伍分析】 본 방제는 肝腎陰虛한 증상을 치료하기 위해서 만들어진 것으로, 肝腎의 陰을 補益해야 한다. 方劑 중의 女貞子는 性味가 甘苦而凉하고 肝腎의 陰을 滋補하기 때문에 "益肝腎, 安五臟, 强腰膝, 明耳目, 烏鬚髮"(『本草備要』卷3)할 수 있다. 墨旱蓮草는 性味가 甘酸而寒하고 肝腎의 陰을 滋養하는데 뛰어나고, 또한 凉血止血하는 효능을 겸한다. 두 약은 모두 淸凉平補하는 약이므로 함께 사용하면 補肝益腎하고 滋陰止血하는 효능이 있다.

본 방제의 配伍 특징은 甘凉平補한 性味의 약재로 구성되어 補하되 滯하지 않고, 潤하되 膩하지 않아서 오랜 기간 동안 복용하는 것이 타당하다.

본 方劑 중의 女貞子는 동지에 수확한 것이 가장 좋고, 墨旱蓮은 하지에 수확한 것이 가장 좋다. 두 절기에 채집한 약을 丸劑로 만들기 때문에 방제에서 이를 '二至丸'이라고 부른다.

【臨床應用】

1. 證治要點: 본 방제는 平補肝腎의 代表方으로 임상에서 응용할 때 腰膝酸軟, 眩暈耳鳴, 舌紅苔少, 脈細한 증상이 치료의 요점이다.

2. 加減法: 만약 방제에 桑椹子를 더 넣고 滋陰補血하게 하면 滋腎益肝의 효능이 특히 뚜렷해 진다. 본 방제는 藥力이 순해서 또한 자주 다른 滋補肝腎하는 성질의 약을 방제에 추가해서 滋陰하는 효력을 강화한다.

3. 二至丸은 다음 한국표준질병사인분류(KCD)에 해당하는 환자가 肝腎陰虛證으로 辨證되는 경우 본 처방의 사용을 고려해볼 수 있다.

처방 목표	한국표준질병사인분류(KCD)
神經衰弱	F48.0 신경무력증
	F48.8 기타 명시된 신경증성 장애
	F48.9 상세불명의 신경증성 장애
吐血	K92.0 토혈
便血	(질병명 특정곤란)
	K92.1 흑색변
	K92.2 상세불명의 위장출혈
尿血	(질병명 특정곤란)
	R31 상세불명의 혈뇨
月經過多	N92 과다, 빈발 및 불규칙 월경

【注意事項】 두 약의 성질은 寒凉에 치우쳐 있기 때문에 脾胃虛弱한 환자에게는 신중하게 사용해야 한다. 본 방제는 淸補하는 방제에 해당하기 때문에 반드시 오랜 기간 동안 복용해야 약효를 볼 수 있으며, 『本草新編』에서 "女貞子緩則有功, 而速則寡效, 故用之速, 實不能取勝于一時, 而用之緩, 實能延生于永久, 亦在人之用之得宜耳"와 같다.

【變遷史】 본 방제의 原名은 '女貞丹'으로 『扶壽精方』에 기재되어 있으며 "烏髮, 强腰膝, 强陰不足"에 사용된다. 明代의 王三才는 『醫便』에서 처음으로 方劑 중의 약재는 두 절기에 수확한 것을 사용하는 것이 가장 좋으며, 또한 명칭을 '二至丸'으로 바꾸고 '淸上補下'를 치료하는데 사용했다. 본 방제는 『中國藥典』의 여러 인쇄판본에 수록되어 있으며 肝腎의 陰을 平補하는 代表方劑로 여겨진다.

【難題解說】 본 방제의 출처에 관하여: 모든 인쇄 판본의 『方劑學』 교재에서 모두 二至丸이 『醫方集解』에서 유래되었다고 했다. 汪昂의 『醫方集解』는 1682년에 책으로 완성되었으며 『醫便』(1569년)과 『扶壽精方』(1534년)에 비해 각각 113년과 148년씩 늦다. 따라서 본 방제는 『扶壽精方』에서 유래되었다고 바꾸는 것이 알맞다.

【副方】桑麻丸(胡僧方은 『壽世保元』卷4. 또한 扶桑至寶丹·扶桑丸이라고도 부른다): 嫩桑葉(연한 뽕잎) 采數十斤, 擇家園中嫩而存樹者, 長流水洗, 摘去蒂, 曬乾 一斤(500 g) 巨勝子即黑脂麻 四兩(120 g) 白蜜 一斤(500 g)(본방제는 原書에는 용량이 표기되어 있지 않으며, 『醫方集解』를 바탕으로 보충했다.)

- 用法: 위의 약을 분말로 갈고 煉蜜을 넣고 반죽해서 벽오동 나무 열매 크기로 빚는다. 한번에 100丸을 끓인 물에 매일 2회 복용한다. 3개월 후 몸에 疹粟이 돋아났다. 이는 藥力에 의한 것으로, 놀라지 않도록 조심하고, 전신이 기름덩어리처럼 피부가 희고 매끄러운 광택이 돌고, 6개월 동안 계속 복용하니 精力이 다시 돌아오고 모든 질병이 재발하지 않았으며, 오랫동안 멈추지 않고 복용하니 장수하게 되었다(『醫方集解』에서 본 방제의 용법은 脂麻를 찧어서 진한 즙으로 달이고 蜜을 끓여서 물에 떨어뜨렸을 때 구슬 형태가 될 때까지 달여서 桑葉 가루를 넣고 丸으로 빚는다. 아침에는 소금을 넣고 끓인 물에 저녁에는 술에 복용한다.).
- 作用: 滋肝腎, 淸頭目, 除風痺
- 適應症: 주로 陰虛血燥, 頭暈眼花, 久咳不愈, 津枯便秘, 風邪久羁, 肢體麻痹, 肌膚乾燥 등을 치료한다.

본 방제는 黑脂麻를 사용해서 滋補肝腎, 潤燥益精하고, 桑葉을 사용해서 淸利頭目, 祛風明目 한다. 두 약을 함께 배합하면 滋養肝腎, 益精明目, 祛風除痹한다. 본 방제와 二至丸은 모두 滋補肝腎하여 肝腎의 陰血이 부족한 증상을 치료한다. 반면 二至丸은 滋陰하는 효능이 뛰어나고, 또한 凉血止血 하는 작용을 하며, 본 방제는 養血하는 효능이 뛰어나고 祛風明目하는 효능을 겸한다. 따라서 전자의 경우 肝腎陰虛, 眩暈耳鳴, 鬚髮早白 등과 같은 증상을 치료하는, 반면, 후자의 경우에는 陰虛血燥, 頭暈眼花, 肌膚乾

百合固金湯

(『愼齋遺書』卷7)

【組成】熟地黃 生地黃 當歸身 各三錢(9 g) 白芍藥 甘草 各一錢(3 g) 桔梗 玄參 各八分(6 g) 貝母 麥門冬 百合 各一錢半(4.5 g)

【用法】물을 넣고 달여서 복용한다(본 방제의 原書에는 用法이 기록되어 있지 않다).

【效能】滋腎補肺, 止咳化痰.

【主治】肺腎陰虧하고 虛火上炎한 증상을 치료한다. 증상은 咳嗽氣喘, 痰中帶血, 咽喉燥痛, 眩暈耳鳴, 骨蒸盜汗, 舌紅少苔, 脈細數이다.

【病機分析】肺腎의 陰液이 서로 滋養하면, 肺津이 敷布하여 내려가서 腎水를 보충하고, 腎陰이 왕성하면 위로 올라가서 肺金을 滋養하므로, 따라서 '金水相生'이라는 주장이 있다. 만약 肺陰이 부족하면 그 근원인 腎水도 없고 腎陰이 점점 虧하게 된다. 즉 『辨證錄』卷6에서 "腎水不能自生, 肺金乃腎之母, 肺潤則易于生水, 肺衰則難于生水"와 같으며, 반대로 腎水가 부족하면 위로 올라가 肺金을 滋養하지 못하고 오랜 시간이 지나면 肺陰도 虛하게 된다. 따라서 『景岳全書』卷19에서 "肺金之虛, 多由腎水之涸, 正以子令母虛也"라고 했다. 따라서 肺腎陰津의 虛는 어느 때를 막론하고 결국에는 두 장기의 陰을 모두 虛하게 할 수 있다. 肺陰이 부족하여 淸肅의 기능을 잃어버리면 咳嗽氣喘한 증상으로 나타나고, 陰不制陽하면 虛火가 체내에 생겨나고, 졸여진 津液이 痰이 되어 咳痰의 양이 적으면서 黏稠하게 되고, 虛火가 肺絡을 灼傷하여, 미세 혈관을 손상시켜 血溢하게 되어 痰 속에 血이 보이고, 津液이 위를 적시지 못하면 咽喉가 건조하면서 아프고, 腎水가 부족하면 相火를 적시지 못하고 偏亢해서 虛熱內

蒸하고 熱이 營陰을 방해해서 骨蒸潮熱, 盜汗한 증상으로 나타난다. 舌紅少苔하고 脈細數한 것은 모두 陰虛內熱하다는 표현이다. 위에서 알 수 있듯이 肺腎陰虛하여 虛火가 灼津煉液하게 되는 것은 본 病證의 기본적인 病機이다.

【配伍分析】 방제가 치료하는 모든 증상은 肺腎陰虧하여 虛火上炎해서 발병한 것으로 標本兼顧하고 肺腎의 陰을 滋養하는 治法을 주로 하여, 淸熱化痰·凉血止血한다. 方劑 중의 百合은 맛이 甘하고 성질은 微寒해서 養陰潤肺止咳의 要藥이 되며, 微苦한 맛은 泄하고 또한 淸降虛火한다. 生地黃과 熟地黃을 함께 쓰면 滋腎壯水하는데, 이 중 生地黃은 性味가 甘寒해서 滋陰降火하고 凉血止血하는 효능이 뛰어나다. 熟地黃은 性味가 甘溫해서 滋養腎陰하고 塡精補血하는데 의의가 있다. 세 약을 함께 配伍하면, 潤肺滋腎하고 金水가 아울러 보충되기 때문에 모두 君藥이 된다. 麥門冬은 性味가 甘寒해서 百合을 도와서 滋陰淸熱하고潤肺止咳하며, 玄參은 性味가 鹹寒해서 生地黃과 熟地黃을 도와서 滋陰益腎하고 淸熱凉血하기 때문에 모두 臣藥이 된다. 咳痰에 血이 섞이고 오랫동안 營血이 虧損되면 當歸·白芍藥을 넣고 養血斂陰하게 하고 當歸를 넣어서 '咳逆上氣'(『神農本草經』卷2)를 멈추게 하는 치법을 겸해야 한다. 貝母는 淸潤肺金, 化痰止咳하는 효능이 있다. 또한 桔梗를 配伍해서 宣利肺氣하여 祛痰하고, 아울러 위로 올리는 작용이 있어서, 모든 養陰하는 약을 싣고 위로 올라가 肺를 滋養하며, 生甘草와 함께 배오하면 또한 利咽止痛하는 효능이 뛰어나게 된다. 生甘草는 淸熱瀉火하고 潤肺止咳하며 모든 약을 조화롭게 하여, 두 약은 모두 佐使의 효능을 겸한다. 전체 방제의 효능이 합해지면 肺腎을 滋養하게 하고, 陰血을 보충하고, 虛火가 내려가고 痰血이 멈추게 되어, 모든 증상이 결국에는 치유된다.

본 방제의 配伍 특징은 두 가지가 있다. 첫째는 金水를 함께 보충하여, 潤肺하고 滋腎하는 효능이 있지만, 특히 潤肺止咳가 主가 된다. 둘째는 標本兼顧하여 滋養 하는 가운데 淸熱凉血·宣肺化痰하는 효능을 겸하지만, 治本이 主가 된다.

본 방제는 百合의 潤肺하는 효능이 주가 되므로, 약을 복용한 후에는 陰血이 점차적으로 보충되고, 虛火가 저절로 내려가며, 痰을 삭이고 기침이 멎게 되어 固護肺陰하는 효과를 거두게 된다. 따라서 '百合固金湯'이라고 부른다.

【臨床應用】

1. 證治要點: 본 방제는 肺腎陰虧, 虛火上炎으로 인한 咳嗽痰血證을 치료하는 常用方劑가 되며, 임상에서 咳嗽, 咽喉燥痛, 舌紅少苔, 脈細數한 증상이 치료의 요점이다.

2. 加減法: 痰이 많고 누런 색을 띠는 경우에는 膽南星·黃芩·瓜蔞皮를 넣어 淸肺化痰하고, 咳喘이 심한 경우에는 杏仁·五味子·款冬花를 넣어 止咳平喘하게 하고, 咳血 증상이 심한 경우에는 桔梗의 升提하는 성질을 빼거나 白及·白茅根·仙鶴草를 넣어 止血하는 효능을 강화하며, 納差食少한 증상을 동반하는 경우에는 砂仁 3 g과 拌炒한 熟地黃을 사용하거나 陳皮를 더 넣어 理氣和胃한다.

3. 百合固金湯은 다음 한국표준질병사인분류(KCD)에 해당하는 환자가 肺腎陰虧, 虛火上炎證으로 辨證되는 경우 본 처방의 사용을 고려해볼 수 있다.

처방 목표	한국표준질병사인분류(KCD)
肺結核	A15 세균학적 및 조직학적으로 확인된 호흡기결핵
	A16 세균학적으로나 조직학적으로 확인되지 않은 호흡기결핵
慢性支氣管炎	J41 단순성 및 점액화농성 만성 기관지염
	J42 상세불명의 만성 기관지염
支氣管哮喘	J45 천식
支氣管擴張咯血	J47 기관지확장증

처방 목표	한국표준질병사인분류(KCD)
慢性咽喉炎	J31.2 만성 인두염
	J37.0 만성 후두염
自發性氣胸	J93.0 자발성 긴장기흉
	J93.1 기타 자발성 기흉

【注意事項】 본 방제의 약재는 대부분 甘寒滋潤한 性味의 약에 속하므로 脾虛便溏, 飮食減少한 경우에는 신중하게 사용하거나 사용을 금한다. 본 방제를 복용할 때는 날음식과 찬 음식, 매운 음식, 기름진 음식은 피한다.

【變遷史】 본 방제는 明代의 저명한 의학자인 周愼齋가 만든 것으로 "手太陰肺病, 因悲哀傷肺, 背心·前胸·肺募間熱, 咳嗽咽痛, 咯血惡寒, 手大拇指循白肉際間上肩房至胸前如火烙"한 증상을 치료한다. 원서에서 周愼齋가 논술한 내용은 비교적 간단하지만 이는 또한 본 病證이 肺熱과 관련이 있다는 것을 알 수 있다. 淸代에 이르러서 汪昂은 본 방제에 "助腎滋水, 保肺安神, 淸熱潤燥, 除痰養血"하는 효능이 있다고 명시하였으며, 肺腎陰虛하고 虛火上炎해서 발병한 '肺傷咽痛, 咳嗽痰血'(『醫方集解』「補養之劑」)한 증상을 치료했다. 汪昂은 또한 본 病證이 발생하는 것은 '金不生水, 火炎水乾'에서 비롯되었으며, 方劑 중의 生地黃과 熟地黃·玄參을 配伍하는 것은 滋水해서 生金하고, '肺腎爲子母之臟, 故補肺者, 多兼滋腎'(『醫方集解』「補養之劑」)이라고 하며 본 방제를 운용할 때 肺陰의 虛를 주로 해서 치료해야 한다고 주장했다. 汪昂의 논술은 후세 의학자들에게 폭넓은 공감대를 형성해서 본 방제가 지금까지 사용되어 오고 있으며, 임상에서 陰虛肺燥로 인한 咳嗽痰血證을 치료하는데 있어 우선적으로 선택해서 사용하는 방제가 되었다. 본 방제를 사용할 때 또한 肺腎 두 장기의 陰虛의 主次輕重을 따져보고, 방제의 潤肺滋腎하는 효능의 약재 비율을 참작하여 조절할 수 있다.

후세에는 본 방제를 丸劑로 바꾸고 이름을 '百合固金丸'(『醫鈔類編』卷7)라고 부르거나 또한 '固金丸'(『中藥成方配本』)이라고 부르는 사람도 있다.

【難題解說】

1. 본 방제의 분류(隷屬歸類)에 대한 연혁: 본 방제는 고대의 방론저서에서 모두 補益類의 방제로 구분되어 있다. 예를 들면 汪昂의 『醫方集解』, 張秉成의 『成方便讀』 등에는 모두 '補養之劑'로 분류하고 있으며, 반면 오늘날의 대다수의 방제학 저서 및 각 인쇄판 『方劑學』 교재(제2·4·5인쇄판 등)에서는 '治燥劑'의 滋陰潤燥劑로 분류하고 있으며, 최근 출판된 일반 고등교육 중 한약류 기획 교재인 『方劑學』에서는 본 방제를 다시 '補益劑'中 補陰劑로 분류하였다. 앞서 서술한 바에 의하면, 본 방제는 肺腎陰虛, 虛火上炎한 증상을 치료하며, 이러한 증상은 陰虛證의 범주에 해당한다. 하지만 그 病機변화와 임상에서 나타나는 증상은 또한 內燥證의 上燥證과 유사하다. 또한 방제가 滋補甘潤한 성질의 약으로 주로 組成되어 있어 滋養肺腎하고 滋陰潤燥 한다. 補陰劑와 滋陰潤燥劑는 개념에 있어서 겹치는 부분이 있기 때문에 본 방제는 조성·작용·치료에 있어서 위의 두 방제의 특성을 겸한다는 것을 알 수 있다. 따라서 '補陰劑'에 해당하는지 '治燥劑'에 해당하는지는 각각의 이론 근거에 따라야 하지만 현재로서는 이 두 가지 분류 방법에 있어 어느 것이 더 나은지 평가하기 어렵다. 그러나 補陰法의 체계성을 구현하기 위해서는 '補陰劑'에서 부족한 補肺陰하는 방제 부분을 보완하여, 본 방제를 補陰劑로 분류하는 것 또한 일리가 있다.

2. 본 방제의 君藥에 대한 인식: 본 방제의 君藥은 각 인쇄판 교재 마다 논하는 바가 다르다. 이중 生地黃과 熟地黃를 君藥으로 여기는 경우는 (2·5인쇄판 교재)이고, 또한 生地黃과 熟地黃와 百合을 모두 君藥으로 여기는 경우는 (4인쇄판 및 기획교재)이다. 生地黃과 熟地黃이 君藥이 된다는 주장은 汪昂의 『醫方集解』에서 처음으로 나왔다. 汪昂은 본 方證은 '金下生水, 火炎水乾'으로 인한 것이기 때문에, 방제에서 生地黃과 熟地黃를 重用해서 腎을 도와 滋水退熱하여 君藥으

로 삼는다고 하였다. 하지만 본 방제가 치료하는 증후가 肺陰虛 및 腎水인 만큼 치료할 때 滋陰潤肺를 위주로 해야 한다. 生地黃과 熟地黃은 물론 滋水生金하는 효능이 있지만 어디까지나 간접적인 補益法에 해당한다. 반면 方劑 중의 百合은 養陰潤肺하는 要藥이고, 게다가 본 방제의 方名은 '百合固金湯'이 된다. 이는 百合의 甘潤補肺하는 효능을 강조하고, 치료에 있어 滋陰補肺에 중점을 둔 의도를 반영하고 있음을 보여준다. 따라서 百合을 君藥으로 삼지 않는 것은 이치에 맞지 않으며, 게다가 본 方證은 肺腎陰虛에 해당하기 때문에 生地黃과 熟地黃과 百合을 모두 君藥으로 본다는 주장이 비교적 타당하다.

【醫案】

肺結核咯血『浙江中醫雜誌』(1986, 1:31): 여자, 34세. 환자는 結核病을 앓은지 여러 해 되어 몸이 여위었다. 최근 寒溫의 失調로 인해 기침을 하고 咯血을 자주 토하며, 大便秘結, 舌質紅, 苔薄黃, 脈沉細數한 증상을 보였다. 젠타마이신(gentamicin), 페니실린·스트렙토마이신(penicillin·streptomycin) 및 카르바조크롬(carbazochrome) 등을 사용해서 치료했으나 증세가 나아지지 않았다. 한의학(韓醫學)에서는 肺火가 안정되지 않아서 痰熱擾絡한 것으로 보고 치료한 경우도 있고, 木火刑金으로 絡傷血溢한 것으로 보고 치료한 경우도 있으나 모두 효과가 없었다. 治法을 바꿔서 肺腎陰虛하여, 虛火上炎한 것으로 보고 淸金保肺하고 養陰滋腎하는 治法으로 百合固金湯에 넣고 빼서 치료했다. 百合·熟地黃·生地黃·玄參·麥門冬·炒白芍藥 各 12 g, 川貝 10 g, 當歸 6 g, 桔梗 8 g, 甘草 2 g, 生大黃 5 g을 넣고, 3첩 정도 복용하게 한 후 咯血이 점차적으로 멎었으나 기침은 안정되지 않았으며, 나머지 증상은 모두 호전되었다. 계속해서 2첩 정도 복용하게 한 후 咯血이 모두 그쳤다.

考察: 본 증상인 咳嗽咯血, 形體羸瘦, 舌紅, 脈細數은 肺腎陰虛하여 虛火上炎하다는 증거이며, 또한 便秘, 苔黃을 동반하고, 게다가 咯血量이 많은 것은 肺火內熾하여 肺絡損傷 또한 심해서 腑氣가 통하지 않는 것을 말해준다. 방제는 百合固金湯을 처방해서 滋陰保肺하고 壯水制火한다. 肺와 大腸은 서로 表裏의 관계에 있기 때문에, 방제에 또한 生大黃을 넣으면 通腑泄熱하여 肺熱을 아래로 끌고 내려가게하며 또한 淸降凉血止血하는 효능을 갖는다. 補瀉의 治法을 함께 시행하고 標本을 동시에 치료하면 더욱 빠른 치료 효과를 거두게 된다.

【副方】 益氣淸金湯(『醫宗金鑑』卷66): 苦桔梗 三錢(9 g) 黃芩 二錢(6 g) 浙貝母 去心, 研 麥門冬 去心 牛蒡子 炒, 研 各一錢五分(5 g) 人蔘 白茯苓 陳皮 生梔子 研 薄荷 生甘草 各一錢(3 g) 紫蘇葉 五分(1.5 g) 竹葉 三十片

- 用法: 물을 넣고 달인다.
- 作用: 淸肺利咽, 化痰散結
- 適應症: 肺經鬱熱, 多語損氣한 喉瘤를 치료한다.

『醫宗金鑑』은 본 방제로 치료하는 喉瘤에 대해 상세하게 기술하며 "形如圓眼, 紅絲相裹, 或單或雙, 生于喉旁. 亦有頂大蒂小者, 不犯不痛, 或醇酒炙煿, 或因怒氣喊叫, 犯之即痛"이라고 하였다. 吳謙 등이 묘사한 증상을 보면 '喉蛾'와 유사한 것으로 보이며, 더 나아가 본 방제의 치법확립과 방제의 조성 역시 扁桃體의 만성 염증을 치료하기 위해서 만들어진 것으로, 증상은 평소에 氣가 약하고 風熱이 襲肺해서 肺가 淸肅의 기능을 잃어버리고 痰이 咽을 막는 증상으로 나타난다. 方劑 중의 黃芩은 淸肺解毒하고, 桔梗은 宣肺化痰하고 利咽開音하여 모두 君藥이 된다. 牛蒡子·薄荷는 疏散風熱, 利咽消腫하고, 梔子·竹葉은 淸熱解毒하여 모두 臣藥이 된다. 浙貝母·麥門冬은 潤肺化痰하고 淸熱散結하며, 紫蘇葉은 疏風散邪하고, 人蔘·茯苓·陳皮는 益氣健脾하고 理氣化痰하여 모두 佐藥이 된다. 甘草는 모든 약의 약성을 조화롭게 하고, 桔梗과 배오하면 또한 利咽하는 要藥이 되므로 佐使藥이 된다. 모든 약을 함께 배오하면, 淸肺化痰하고 利咽消腫하는 효능이 있다.

본 방제와 百合固金湯은 모두 潤肺清熱하는 효능이 있다. 다만 百合固金湯은 潤肺養陰하고 壯水制火하며 겸하면 宣肺化痰을 하여서, 補肺하는 것이 主가 되어 肺腎陰虛하여 咳嗽痰血한 증상을 치료한다. 반면 본 방제는 淸肺解毒하고 利咽化痰하여 散結消腫하여 겸하여 益氣養陰하여 淸肺解毒하는 것이 主가 되어 咽喉에 熱毒으로 인해 痰이 울결된 증상을 치료한다. 두 방제의 補瀉하는 효능이 판이하게 다르고 치료에 있어서도 또한 虛實의 구별이 있다.

補肺阿膠湯(阿膠散)

(『小兒藥證直訣』卷下)

【異名】 補肺散(『小兒藥證直訣』卷下)·補肺阿膠散(『本草鋼目』卷18)·淸肺飮(『治痘全書』卷13).

【組成】 阿膠 麸炒 一兩五錢(9 g) 鼠黏子 炒香 甘草炙 各二錢五分(各 3 g) 馬兜鈴 焙 五錢(6 g) 杏仁 去皮尖, 炒 七个(6 g) 糯米 炒 一兩(6 g)

【用法】 위의 약을 분말로 갈고 매회 一~二錢씩 물 一盞을 넣고 10분의 6이 되게 달여서 식후에 따뜻하게 복용한다.

【效能】 養陰補肺, 淸熱止血.

【主治】 肺陰虛로 인해 熱이 나는 증상을 치료한다. 증상은 咳嗽氣喘, 咽喉乾燥, 喉中有聲, 或痰中帶血, 舌紅少苔, 脈細數하다.

【病機分析】 본 방제는 원래 小兒의 肺虛로 인해 熱이 나는 증상을 치료하기 위해 만들어 졌다. 肺는 嬌臟이고 게다가 小兒는 여린한 신체를 가지고 있기 때문에 만약 風熱이 肺를 공격해서 오랫동안 없어지지 않으면 肺陰의 손상을 가져오고 게다가 熱毒이 제거되지 않아 陰虛蘊熱한 증상이 발생하게 된다. 肺가 淸肅順降하는 기능을 잃어버리면 氣逆해서 咳嗽氣喘하고 喉中에서 소리가 나게 되고, 虛火熱毒이 진액을 말려서 痰이 되어서 咯痰은 많지 않고 咽喉는 건조하다. 오랜 기침으로 肺를 상하면 肺絡이 손상되어 痰 속에 血이 섞여 나오고, 舌紅少苔, 脈浮細數하는데 이 역시 陰虛有熱한 증상이다.

【配伍分析】 이 證의 병기는 肺氣不足에 熱毒痰滯를 겸하고 있어 淸肅하게 하지 못하여 氣機가 上逆하는 것이므로 養陰補肺하는 것을 주로 하고 淸熱解毒과 肅肺化痰하는 것을 輔助로 하여 치료하여야 한다. 방제 중의 阿膠는 甘平味厚質膩하고 용량을 유독 많이 사용하여 滋陰潤燥, 養血止血하는 효능이 있고 또 麩炒하여 그 滋膩한 성질을 줄여서 君藥이 된다. 馬兜鈴은 찬 약성으로 淸熱하고, 쓴 맛의 약성으로 폐의 기운을 내려, 淸肺化痰과 止咳平喘의 장점이 있다. 牛蒡子는 "能升能降 力解熱毒 味苦能淸火 帶辛能疏風"(『藥品化義』)하고 아울러 利咽止痛을 할 수 있어 두 약을 함께 쓰면 내리는 가운데 올릴 수 있어(降中寓升), 宣降肺氣하고 解毒散邪하여 모두 臣藥이 된다. 杏仁은 降泄肺氣, 止咳平喘하는 효능으로 馬兜鈴을 도와서 肅降肺氣한다. 糯米·甘草는 補脾益肺하고 培土生金해서 肺를 보호하고, 阿膠와 함께 배오하면 補肺하는 효능이 더욱 강해지고, 또한 두 약은 甘緩하여 모든 약을 조화롭게 할 수 있기 때문에 佐使藥의 효능을 겸한다. 여섯 가지 약을 配伍하면, 潤肺補肺할 수 있을 뿐만 아니라 淸肺解毒하고 寧嗽止血할 수 있기 때문에, 肺陰虛로 인해 熱이 나고 오랫동안 기침을 계속하여 痰이 끈적끈적해져서 쉽게 뱉지 못하거나 痰에 血이 섞여있는 경우에는 소아나 성인이나 모두 본 방제를 사용할 수 있다.

본 방제의 配伍특징은 세 가지가 있다. 첫째는 虛實을 함께 치료하며, 補瀉의 治法을 겸하여, 滋陰潤肺하고 淸降肺熱하여 補를 위주로 한다. 둘째는 補脾益

肺하고, 培土生金하여 肺를 보호한다. 셋째는 방제의 藥性이 平和한 것은 본 방제가 원래 소아의 陰虛肺熱證을 치료하기 위해 만든 것으로 방제에서 약성이 비교적 平和한 것을 골라서 사용하였으며, 게다가 方劑 중의 모든 약은 볶아서 넣었기 때문에 苦寒傷中하거나 滋膩礙脾하는 성질이 모두 감소했다.

본 방제는 阿膠가 君藥이 되어 養陰補肺하기 때문에 '補肺阿膠湯'이라고 부른다.

【類似方比較】 본 방제와 百合固金湯은 모두 滋陰潤肺하고 淸熱止咳하는 방제가 되며 肺陰不足, 咳嗽痰少하거나 痰 중에 血이 섞여 있는 증상을 치료한다. 百合固金湯은 肺腎雙補하고 滋水生金하며, 게다가 滋陰養血하는 효능이 비교적 강해서 內傷病 중에 陰虛가 비교적 심한 증상과 虛火上炎으로 인한 咳嗽痰血證을 치료하는 常用方劑가 된다. 반면 본 방제는 脾肺雙補, 培土生金하고 補力이 平和하며, 또한 方劑 중에 馬兜鈴·杏仁과 牛蒡子를 配伍해서, 降하는 가운데 升하게 하고 宣降肺氣, 瀉肺止咳平喘하는 효능이 비교적 강하고 解毒疏風하는 효능을 겸한다. 본 방제는 補瀉의 치법을 겸하고 虛實을 함께 다스리기 때문에 특히 風熱이 肺를 공격해서 기침이 오랫동안 그치지 않고 肺陰이 손상되거나, 몸이 허약하고 陰虛하여 外感風熱 등의 內,外傷이 동반되어 발생하는 咳逆氣喘證을 치료하는데 적합하다.

【臨床應用】

1. 證治要點: 본 방제는 小兒의 肺陰不足과 陰虛로 인해 熱이 나는 咳喘 뿐만 아니라 성인에게도 사용할 수 있다. 특히 風熱이 肺를 공격해서 淸肅의 기능이 제대로 안되어 肺陰이 점점 손상되고, 熱毒이 제거되지 않은 咳嗽氣喘한 증후를 치료하는데 적합하다. 임상에서는 咳嗽氣喘, 咽喉乾燥, 舌紅少苔, 脈浮細數한 증상이 치료의 요점이다.

2. 加減法: 咽乾口燥가 비교적 심하고 舌紅少津한 경우에는 沙蔘·麥門冬을 넣어 養陰潤肺하는 효능을 강화하고, 咽喉에 통증이 있는 경우에는 桔梗·玄參을 넣어 宣肺利咽하고, 痰이 끈적하면서 누런 색을 띠는 경우에는 黃芩·魚腥草를 넣어 淸肺化痰하는 효능을 돕는다. 咯血量이 많은 경우에는 白茅根·生地黃·仙鶴草를 넣어 凉血止血한다.

3. 補肺阿膠湯은 다음 한국표준질병사인분류(KCD)에 해당하는 환자가 肺陰不足, 陰虛發熱證으로 辨證되는 경우 본 처방의 사용을 고려해볼 수 있다.

처방 목표	한국표준질병사인분류(KCD)
慢性支氣管炎	J41 단순성 및 점액화농성 만성 기관지염
	J42 상세불명의 만성 기관지염
支氣管擴張症咯血	J47 기관지확장증

【注意事項】 肺가 虛하지만 열이 나지 않거나, 겉으로는 表寒하고, 속으로는 痰濁이 있는 경우에는 모두 본 방제를 사용하지 않는다.

【變遷史】 본 방제는 北宋의 兒科의 유명한 소아과 의사인 錢乙이 만든 것으로 '小兒肺虛氣粗喘促'(『小兒藥證直訣』卷下)을 치료하는데 사용한다. 후세에는 본 방제의 養陰補肺, 寧嗽止血하는 효능을 바탕으로 하고, 또한 사용 범위를 성인 陰虛肺熱에 의한 咳嗽氣喘證을 치료하는 데까지 확대해서 사용하였는데, 이는 吳昆이 말한 "肺虛有火, 嗽無津液, 咳而哽氣者, 此方主之"와 같다. 하지만 역대 의학자들이 본 방제를 운용하는데 있어서 肺虛咳喘 치료에 얽매이지 않고, 또한 陰虛肺熱로 인한 여러 질병을 치료하는데 사용하는데, 예를 들면『全生指迷方』卷2에서는 '衄血吐血, 發作無時, 肌肉減少'를 치료하는데 사용하였으며,『幼科折衷』에서는 小兒의 '肺虛有汗' 등을 치료하는데 사용했다. 이러한 논술은 임상에서 본 방제를 운용하는데 있어서 한층 더 사고의 폭을 넓혔으며, 이는 어느 정도 깨우치려는 의미가 있다.

【難題解說】본 방제의 치료 증후에 관한 인식: 明代 吳昆은 처음으로 본 방제의 치료 증후의 病理를 '肺虛有火'라고 명확하게 밝히고, 또한 '燥者潤之, 金鬱則泄之, 虛者補其母' 등의 이론을 바탕으로 配伍의의에 대해 상세하게 논술하였다. 후세의 의학자들은 대부분 吳昆의 논술을 계승하였고, 과거에 출판된『方劑學』교재에서도 또한 모두 본 방제를 肺陰不足과 陰虛生熱을 치료하는 방제로 여겼다. 본 방제에서 사용하는 약재를 보면 阿膠·糯米·甘草는 補脾潤肺하는약재이고, 淸火降氣하는 약재로는 馬兜鈴·牛蒡子·杏仁과 같은 종류를 사용했다. 馬兜鈴·牛蒡子는 모두 성질이 寒하고 맛은 苦해서 淸熱解毒, 散邪利咽하는 효능이 뛰어나서 風熱犯肺한 증상을 치료하는데 주로 사용한다. 따라서 李畴人은 "鼠黏子利膈滑痰, 佐以杏仁, 究是泄肺·開肺之品, 更兼馬兜鈴之苦降淸肺熱, ……治肺陰素虛而有痰熱·風溫壅阻其中者宜之. 若全屬肺虛生熱, 而胃氣不旺, 穀食不多者, 非所宜也. 蓋兜鈴之苦異常, 最傷胃耳, 名爲補肺, 實瀉肺多耳"(『醫學概要』卷3)라고 하였다. 하물며 본 방제는 원래 小兒肺熱證을 치료하기 위해 만들어진 것으로, 小兒肺病은 대부분 外感에 해당하며, 陰虛해도 매번 外感風熱하고 肺熱이 오랫동안 계속되어 발병하는 것이다. 따라서 補肺阿膠湯의 組方配伍에서 보았을 때 주로 風熱이 肺에 들어가서 淸肅의 기능을 잃어버려 肺陰이 점차적으로 소모되고, 熱毒이 아직 제거되지 않은 咳嗽氣喘證을 치료하는데 사용하지만, 순수하게 內傷으로 인한 陰虛肺燥, 咳嗽氣喘, 咳痰帶血과 같은 증상에는 결코 사용하지 않는다.

【醫案】

1. 哮喘『黑龍江中醫藥』(1986, 4:20): 여자, 8세. 환아(患兒)는 어려서부터 哮喘을 앓아 여러차례 치료를 받았으나 치유되지 못했다. 매 번 발병할 때마다 胸悶氣粗하고 喘促 때문에 심할 때는 매우 고통스러웠다. 자주 발병할 때는 1개월 내에 두 번 발병하고, 한 번 발병하면 10일 정도 지나야 완화될 수 있었다. 이번에는 감기로 인해서 발병한 지 5일이 되었다. 현재 호흡이 가빠지고 喉中에서 쌕쌕거리는 소리가 나며, 기침을 할 때 약간의 누런색 가래를 토하고, 舌質紅, 苔薄黃, 脈細滑數했다. 補肺阿膠湯에 眞阿膠(烊化沖服) 10 g, 杏仁 6 g, 馬兜鈴 6 g, 牛蒡子 10 g, 炙甘草 6 g, 麻黃 6 g, 石膏 10 g, 款冬花 10 g을 넣은 것을 3첩 정도 복용하게 했다. 두 번째 진료 당시, 위의 방제를 그대로 복용하게 한 후 喘促과 胸悶 증상이 줄어들었고, 喉中의 쌕쌕거리는 소리도 사라졌다. 黃苔는 이미 없어졌지만 脈은 전과 같아서 原方에서 麻黃과 石膏는 빼고 淮山藥 10 g, 百合 10 g을 넣어 계속해서 9첩 정도 복용한 후에 다 나았다. 4년 후 방문 조사에서 재발하지 않았다.

2. 만성기관지염(慢性支氣管炎)『黑龍江中醫藥』(1986, 4:20): 여자, 48세. 咳嗽를 앓은 지 10여 년 되었으며, 최근 2년 사이에 증세가 심해졌다. 현재 咳嗽를 하면 胸部에 은근한 통증이 있고 자주 지속성 乾咳가 나타나며, 때로는 약간의 乾痰을 뱉고, 간헐적으로 痰 속에 血이 섞여 나왔다. 咳嗽는 밤중이나 새벽이 되면 심해졌고, 咳嗽가 심할 때는 하루에 겨우 2~3시간 잠을 잘 수 있고, 身熱,盜汗 증상을 동반했다. 초기에 結核으로 의심받았으나, 흉부와 폐 부위 X-선 검사를 통해 결핵이 아니라는 것이 증명되었으며, 舌質紅, 脈細數했다. 補肺阿膠湯을 처방해서 眞阿膠(烊化沖服) 15 g, 牛蒡子 10 g, 杏仁 10 g, 馬兜鈴 10 g, 炙甘草 6 g, 淮山藥 10 g, 款冬花 10 g, 桑白皮 10 g, 地骨皮 10 g을 넣고 구성해서 약 3첩을 복용하게 했다. 두 번째 진료 당시, 약을 복용한 후 身熱과 盜汗이 그치고 痰 속에 血이 섞여 나오는 증상이 사라졌으며, 咳嗽와 胸痛이 줄어서 밤중에 편안하게 잠을 이룰 수 있게 되었다. 原方에서 地骨皮는 빼고 熟地黃 10 g, 百合 10 g을 넣고 계속해서 약 12첩을 복용한 후 다 나았다. 1년 후 감기 때문에 진료를 받으러 방문했을 당시, 환자는 咳嗽 증상이 1년 동안 재발하지 않았다고 했다.

3. 만성 편도선염(慢性扁桃體炎)『黑龍江中醫藥』(1986, 4:20): 남자, 25세. 咽部가 불편하고 마치 목구멍에 딱딱한 이물질이 걸려 있는 것 같고 灼熱感이 있고

약간의 통증이 있으며, 喉痒하고 乾咳하고 때로는 惡心이 있는데 생긴지 4년이 되었다. 이비인후과(五官科) 검사에서 만성 편도선염으로 진단 받았으며, 진료 당시 환자는 舌質嫩紅, 脈象細數했다. 본 증상은 肺陰不足, 虛火上炎한 것으로 養陰潤肺, 淸熱利咽하게 해서 치료해야 하며, 방제는 補肺阿膠湯에 眞阿膠(烊化冲服) 10 g, 牛蒡子 10 g, 杏仁 10 g, 馬兜鈴 6 g, 炙甘草 6 g, 玄參 10 g, 麥冬 10 g, 土牛膝 3 g을 넣어 구성해서 약 3첩을 복용하게 했다. 두 번째 진료 당시, 약을 복용한 후 喉痒乾咳와 灼熱微痛이 줄어들어서 原方을 계속해서 6첩 복용하게 한 후 다 나았다.

考察: 醫案1의 환아(患兒)는 어려서부터 哮喘을 앓고 반복적으로 발병했기 때문에 肺陰이 虧虛하고 痰熱이 울체된 것으로 치료는 養陰淸肺, 止咳化痰해야 한다. 外邪의 感受를 동반하였기 때문에 처음에는 본 방제에 麻杏石甘湯을 넣어 表裏를 함께 치료했고, 계속해서 養陰淸肺하고 止咳化痰하여 치료하였다. 오랫동안 앓아온 고질병으로 약을 12첩 복용한 후 다 나았다. 醫案2 역시 肺陰이 虧虛하고 痰熱이 울체되고 肅降의 기능을 정상적으로 수행하지 못해서 발생한 증상이기 때문에 補肺阿膠湯에 淮山藥을 넣어 培土生金하여 치료하고, 款冬花·桑白皮·地骨皮를 넣어 肅肺淸熱止咳하게 하며, 모든 약을 함께 사용하면 淸肺養陰, 潤肺化痰, 理氣止咳하는 효능이 있어서 약 3첩을 복용하여 효과를 보았다. 두 번째 진료 당시 肺熱이 점차 사라졌기 때문에 地淸瀉하는 地骨皮는 빼고 潤養하는 熟地黃·百合을넣어 계속해서 약 10여 첩을 복용한 후 뛰어난 치료 효과를 보았다. 咽喉는 肺의 관문이 되기 때문에 醫案3의 肺陰不足, 虛火上炎한 증상에 補肺阿膠湯을 처방해도 효과가 있었다.

【副方】 月華丸(『醫學心悟』卷3): 天門冬 去心, 蒸 麥門冬 去心, 蒸 生地黃 酒洗 熟地黃 九蒸晒 山藥 乳蒸 百部根 蒸 沙蔘 蒸 川貝母 去心, 蒸 眞阿膠 各一兩(30 g) 茯苓 乳蒸 獺肝 廣三七根 各五錢(15 g) 白菊花 去蒂 二兩(60 g) 桑葉 經霜者 二兩(60 g)

- 用法: 위의 약을 달여서 膏로 만들고, 阿膠를 녹여서 膏에 넣어 藥과 섞고 煉蜜을 조금 넣어서 탄환 크기의 환(每丸可重 15 g)으로 빚어서 한번에 一丸씩 입에 넣고 녹여서 매일 3회 복용한다.
- 作用: 滋陰降火, 消痰祛瘀, 止咳定喘, 保肺平肝, 消風熱, 殺尸虫
- 適應症: 肺腎陰虛한 증상을 치료한다. 久咳하거나 痰속에 血이 섞이거나, 勞瘵로 인한 久嗽를 치료한다. 현대 의학에서는 주로 폐결핵의 중·말기에 발생하는 潮熱時作, 五心煩熱, 形體羸瘦, 乾咳無痰하거나 咯痰에 血이 섞이거나, 口燥咽乾, 舌紅少津, 胸悶食減, 少氣懶言, 大便難, 小便短少 등의 증상을 치료한다.

본 방제는 肺腎陰虛하고 勞瘵久嗽로 인한 증상을 치료하기 위해 만들어졌으며, 滋陰降火해서 肺를 보호하는 治法을 위주로 하며, 寧嗽止血하는 치법으로 보조한다. 方劑 중의 沙蔘·麥門冬·天門冬·阿膠·生地黃·熟地黃은 益腎潤肺, 滋陰淸熱, 養血止血하고 百部根·川貝母·獺肝은 潤肺化痰, 止咳殺虫하며, 三七根은 止血和營하는 효능이 있어서 血을 멈추게 하나 瘀血을 머물지 않게 하고, 山藥·茯苓은 益氣健脾하여 培土生金하며, 桑葉·菊花는 疏風宣肺하는 효능이 있어서 降하는 가운데 升하게 한다. 이 모든 약을 함께 사용하면 滋陰潤肺, 化痰寧嗽, 淸熱止血하는 효능이 있다.

본 방제와 補肺阿膠湯은 모두 肺陰이 부족하고 咳嗽로 인해 痰 속에 血이 섞여 나오는 증상을 치료한다. 하지만 본 방제는 滋補養陰하는 효능이 매우 뛰어나기 때문에 肺腎陰虛, 勞瘵久嗽한 증상을 치료하는 要方이 되며, 補肺阿膠湯은 補力이 완만하고, 淸肺解毒하는 효능이 비교적 강하기 때문에 陰傷이 두드러지지 않고, 肺熱氣逆은 비교적 심하여 咳喘과 痰中帶血한 증상을 치료한다.

본 방제와 百合固金湯은 모두 滋腎補肺하는 효능이 있어서 肺腎陰虛, 咳嗽痰中帶血한 증상을 치료한다. 하지만 전자는 滋補하는 약재가 상당히 많기 때문에 補益하는 효능이 본 방제에 비해 뛰어나고, 치료해야 하는 증후의 허손 정도 또한 비교적 심하다. 후자는 滋陰養血하는 효능이 비교적 떨어지기 때문에 치료해야 하는 肺腎陰虛한 증후도 역시 비교적 덜하다. 간단히 말해서, 두 방제의 차이는 주로 補益하는 효력의 峻緩에 있고, 치료해야 하는 증상의 虛의 輕重에 있다.

石斛夜光丸(夜光丸)

(『瑞竹堂經驗方』卷3)

【組成】 天門冬 去心, 焙 麥門冬 去心, 焙 生地黃 懷州道地 熟地黃 懷州道地 新羅蔘 去蘆 白茯苓 去黑皮 乾山藥 各一兩(30 g) 枸杞子 揀淨 牛膝 酒浸, 另搗 金釵石斛 酒浸, 焙乾, 另搗 草決明 炒 杏仁 去皮尖, 炒 甘菊 揀淨 菟絲子 酒浸, 焙乾另搗 羚羊角 鎊 各七錢半(21 g) 肉蓯蓉 酒浸, 焙乾, 另搗 五味子 炒 防風 去蘆 甘草 炙赤色, 銼 沙苑蒺藜 炒 黃連 去鬚 枳殼 去瓤, 麩炒 川芎 生烏犀 鎊 靑葙子 各半兩(15 g)

【用法】 위의 약 중에서 따로 빻은 것 이외에 나머지 약을 아주 곱게 갈아서 煉蜜을 넣고 벽오동 열매 크기의 丸으로 빚는다. 매회 三十~五十丸(10~15 g)을 공복에 따뜻한 술로 복용한다. 소금을 넣고 끓인 물에 복용해도 된다(현대용법: 위의 방법으로 반죽해서 개당 10 g 무게의 蜜丸으로 빚어서 아침 저녁으로 각각 1개씩 연하게 소금을 넣고 끓인 물에 복용한다).

【效能】 滋補肝腎, 淸熱明目.

【主治】 肝腎不足, 虛火上擾한 증상을 치료한다. 증상은 瞳神散大, 視物昏花, 羞明流泪, 頭暈目眩하고 內障 등이다.

【病機分析】 본 방제는 부속한방병원 안과에서 內障을 치료하는 常用方劑이다. 內障은 瞳神의 질병으로, 瞳神은 水輪에 해당하며 안으로 腎과 통하기 때문에, 腎精이 왕성해서 위로 올라가 눈을 潤養하면, 目視가 깨끗하고 밝아지며, 肝은 눈에 開竅하여 "足厥陰之脈. ……連目系"(『靈樞』「經脈」)하고, "肝氣通于目, 肝和則目能辨五色矣"(『靈樞』「脈度」)하게 된다. 肝腎乙癸는 근원이 같고, 精血이 함께 생겨나기 때문에, 따라서 비록 "五臟六腑之精氣, 皆上注于目而爲之精"(『靈樞』「大惑論」)이라고 할지라도 目視의 효력과 肝腎 두 臟器는 매우 밀접한 관계가 있다. 이는 바로 『羅氏會約醫鏡』卷6에서 말한 "所重則在乎瞳人, 而其竅則出于肝也. 腎屬水, 肝屬木, 水能生木, 子母豈能相離乎? 故肝腎之氣充, 則精彩光明; 肝腎之氣衰, 則昏蒙眩暈"과 같다. 만약 肝腎不足으로 精血이 虧虛해서 눈으로 올라가지 못하면, 目竅睛珠가 濡養의 기능을 상실해서 사물이 뚜렷하게 보이지 않고, 瞳神散大되고 눈이 어두워지는 內障이 발병하는데, 눈물은 肝의 津液이고 腎은 五液을 주관하므로, 肝腎이 허약해지면 津液을 억제하지 못해서 눈물이 흐르고 羞明 증상이 나타나게 된다. 肝腎陰이 虧하고 髓海가 충전되지 않으며 게다가 陰이 陽을 억제하지 못하고, 虛火가 上擾하면, 頭暈目眩하게 된다.

【配伍分析】 본 방제가 치료하는 目疾은 肝腎不足·精血虛損이 本이 되고, 陰不制陽·虛火上擾가 標가 되므로, 따라서 滋補肝腎, 淸熱明目이 治法이 된다. 方劑 중에서 生地黃·熟地黃·枸杞子는 補腎益精, 養肝明目하여 肝腎精血不足한 本을 滋養함으로, 모두 君藥이 된다. 天麥門·石斛은 甘凉濡潤, 養心益胃하며, 菟絲子·肉蓯蓉·潼蒺藜은 補腎固精, 養肝明目, 甘溫而潤, 陽中求陰하는데 이 다섯 가지 약을 치료에 사용하면, 滋補精血하고 養肝明目하여 효과가 서로 보완해서 더욱 뛰어나게 된다. 五臟六腑의 精氣는 모두 脾에서 稟受하고 눈으로 올라간다. 따라서 人蔘·山藥·茯苓·甘草의 甘溫하고 補脾益肺하는 효능으로서 氣血을 資生하고, 精血을 目으로 올라가게 하며, 君藥의 滋補하

는 효능을 도와서 또한 臣藥이 된다. 陰이 陽을 억제하지 못해서 肝火上擾하면 黃連·草決明·靑葙子·犀角·羚羊角을 사용해서 淸肝潛陽하고 明目退翳하게 하고, 風氣가 肝으로 통해서 肝의 陰血이 虛乏하면 風熱이 쉽게 침범하기 때문에 또한 川芎·防風·甘菊花 등을 넣어서 肝經의 風熱을 疏散시키고, 아울러 모든 약의 升散하는 성질은 肝氣를 條達하고 和血通脈하며, 모든 養血補肝하는 약재와 함께 配伍하면, 體用兼顧하여 肝和目明하게 하며, 杏仁·枳殼의 寬胸理氣하고, 肺氣宣暢해서 精微를 敷布한다. 牛膝은 强腎益精하여 虛火를 내려가게 하고, 五味子는 酸味로 收斂固澀하며, 五臟의 精을 거두어서 눈으로 올라가게 할 뿐만 아니라, 또한 모든 약과 함께 配伍해서 酸甘味로 化陰함으로 모두 佐藥이 된다. 甘草는 모든 약을 조화롭게 하고, 使藥을 겸한다. 모든 약을 함께 配伍하면, 肝腎脾肺心을 동시에 補하기 때문에, 補斂淸散을 함께해서 五臟의 精氣가 왕성해져서 눈을 滋養하고, 上擾한 虛火를 아래로 내려오게 해서 사물을 선명하게 볼 수 있게 된다.

본 방제의 配伍특징은 세 가지가 있다. 첫째는 補瀉를 함께 시행하고 標本兼顧하여 補虛治本을 주로 한다. 둘째는 五臟을 함께 補하며 특히, 滋補肝腎을 주로 하고, 또한, 補陰藥 가운데 溫陽하는 맛의 약재를 配伍하고, 滋養藥 가운데 斂澀한 성질의 약을 配伍해서, 陽中求陰하고 精血固秘하여 補力이 더욱 강해진다. 셋째는 淸하고 散하는 방제를 합해서 몸속에서 肝火를 내리고 風熱을 몸 밖으로 발산하게 해서 몸 속과 몸 밖의 열을 모두 안정시킨다.

본 방제는 두 눈이 침침하고 사물이 명확하게 보이지 않는 증상을 치료하며, 약을 복용한 후에는 밤에도 사물을 밝게 볼 수 있기 때문에 따라서 '夜光丸'이라고 부르는데, 이것은 본 방제가 눈을 밝게 하는 좋은 효과에 비유하여 후세의 의학자들이 본 방제를 재인용할 때 다시 方名을 '石斛夜光丸'으로 바꾸었다.

【臨床應用】

1. 證治要點: 본 방제는 肝腎不足으로 인한 內眼疾病을 치료하는 常用方劑가 되며, 임상에서 瞳神散大, 視物昏花하거나 老年內障, 腰膝酸軟, 舌紅少苔한 증상이 치료의 요점이 된다.

2. 加減法: 본 방제의 組成은 비교적 복잡하며, 증상치료에 있어 湯劑를 제조할 때 환자의 陰虛內熱의 輕重의 우선순위에 따라 참작해서 넣고 뺄 수 있다. 이 밖에도, 만약 舌苔膩한 경우에는 陳皮·砂仁 등을 넣어 理氣和胃化痰하게 할 수 있다.

3. 石斛夜光丸은 다음 한국표준질병사인분류(KCD)에 해당하는 환자가 肝腎不足, 虛火上擾證으로 辨證되는 경우 본 처방의 사용을 고려해볼 수 있다.

처방 목표	한국표준질병사인분류(KCD)
白內障	H25 노년백내장
	H26 기타 백내장
	H28 달리 분류된 질환에서의 백내장 및 수정체의 기타 장애
靑光眼	H40 녹내장
視網膜炎	H30 맥락망막염증
脈絡膜炎	H30 맥락망막염증
神經性頭痛	G44.2 긴장형두통
	G44.1 달리 분류되지 않은 혈관성 두통
高血壓病	I10 본태성(원발성) 고혈압
	I15 이차성 고혈압

【注意事項】 본 방제의 藥性은 偏涼하고, 또한 비교적 滋膩하기 때문에 陽虛畏寒한 증상이 나타나는 환자의 경우에는 사용을 금하고, 脾虛便溏한 증상이 나타나는 환자의 경우에도 신중하게 사용해야 한다.

【變遷史】 본 방제의 原名은 '夜光丸'으로 元代의 沙圖穆蘇가 편찬한 『瑞竹堂經驗方』에서 처음으로 보여졌으며, '腎虛血弱, 風毒上攻眼目, 視物昏花不明, 久

而漸變內障'한 증상을 치료하는데 사용된 것으로 보아, 본 방제는 원래 腎虛해서 風熱上攻으로 인한 眼疾을 치료하기 위해 만들었다는 것을 알 수 있다. 元末明初 眼科의 유명한 의학자인 倪維德은 본 방제를 그의 저서인『原機啓微』卷2에 수록하고 또한 '石斛夜光丸'으로 이름을 바꾸고 '神水寬大漸散, 昏如霧露中行, 漸空中有黑花, 漸睹物成二體, 久則光不收, 及內障, 神水淡綠色, 淡白色者' 등의 瞳神과 관련된 질병을 치료하는데 사용했다. 본 방제는 補·淸·散 이 세 가지 治法을 융합해서 하나의 방제에 담았으며, 방제에 포함된 塡精補血·益腎養肝·滋陰淸熱·祛風明目 등의 치법은 韓醫에서 안과질환을 치료하는 常用大法을 구현한 것이다. 따라서 약재 구성과 配伍형식이 후세의 안과 방제의 組方配伍에 지대한 영향을 미쳤다. 明代의 周祥卿은 이를 기초로 해서 杏仁은 빼고 穀精草·密蒙花·當歸 등을 넣고 더욱 더 明目去翳하는 효능을 증대해서 內障으로 視物不明(『醫方類聚』卷70참조)한 증상을 치료하는데 사용하였으며, 淸代의 의학자인 吳世昌이 편찬한『奇方類編』卷上에서는 본 방제의 配伍用藥의 방법을 계승하였다, 그중의 冗繁龐雜한 맛을 빼고, 滋補肝腎, 淸肝明目하는 일곱 가지 맛의 주요 약재(生地黃·熟地黃·枸杞子·菟絲子·牛膝·菊花·枳殼)만을 사용해서 基本方으로 하고 조금 化裁해서 '養血滋腎, 久服明目'하는 '夜光丸'을 만들었다. 石斛夜光丸은 滋補精血하고 凉肝息風하는 효능을 갖추고 있기 때문에 근대에도 또한 陰虛陽亢에 의한 頭痛頭暈·耳鳴·耳聾을 치료하는데 사용해서 본 방제의 응용 범위를 확대했다.

【難題解說】

1. 본 방제의 출처에 관하여: 본 방제의 유래에 있어서 과거의 韓醫 方劑學이나 眼科 저서에서는 대부분『原機啓微』(1370년에 발간됨)에서 나왔다고 하거나, 혹은『审視瑤函』(淸傅仁宇이 1644년에 편찬함)에서 나왔다고 했다. 위에서 서술한 바와 같이, 일찍이 元代에 간행한『瑞竹堂經驗方』(1326년에 발간됨)에는 이미 본 방제에 대한 기록이 있으며, 가장 처음 '夜光丸'이라고 불렀다. 明初의 倪維德氏가 이름을 '石斛夜光丸'이라고 바꾸었으며, 이후에 또한 여러 종류의 안과 저서에서 재인용되면서 韓醫의 眼科에서 후세로 전해진 名方이 되었다. 따라서 본 방제는『瑞竹堂經驗方』에서 유래되었다고 보아야 한다.

2. 본 방제가 치료하는 '內障'에 대해서: '障'은, 가리는 것이며, 內障은 곧 안에서 가려졌다는 뜻이 있다. 內障은 넓은 의미와 좁은 의미가 있다. 좁은 의미의 內障은 瞳神에 翳障이 생긴 것을 전문적으로 가리키며, 주로 病變이 수정체에 나타나며, 반면, 넓은 의미의 內障은 오히려 일반적으로 瞳神 질병을 가리키며, 즉, 瞳神 및 그 뒤 모든 眼內 조직에서 발생한 病變을 포함한다. 內障은 대부분 七情이 손상된 것으로 視力을 과도하게 사용하였거나 과도한 노동으로 피로가 누적되어서 나타나며, 精氣耗損, 血脈阻滯, 臟腑經絡 혹은 氣血 기능의 실조로 인해서 일어날 수 있으며, 또한 外傷에 의해서도 발생하게 된다. 위에서 말한 고금에서 본 방제의 치료 증후에 대한 묘사에서 알 수 있듯이, 넓은 의미의 內障을 가리키지만, 문장에서 언급한 '內障'은 오히려 좁은 의미의 內障을 가리킨다. 어떤 종류의 內障이든 간에 肝腎陰虧, 虛火上擾한 환자의 경우에는 모두 본 방제를 사용해서 치료할 수 있다.

3. 본 방제의 구성 약재에 관하여: 본 방제는 25가지 약재로 구성되며, 비록 여러 가지 治法을 함께 사용해서 약효가 강하지만 肝腎陰虧, 肝陽上亢, 虛火上擾로 인한 視物昏花, 瞳神散大한 증상을 치료하는데 좋은 효과가 있다. 하지만 약의 종류가 복잡해서 번잡함을 면치 못한다. 따라서 湯劑로 만들어서 복용할 때 病機의 변화에 따라 各 방면의 우선순위를 고려해서 유연성 있게 증감해야 한다. 바로 張秉成이 말한 "藥味龐雜, 學者不可執一用之"(『成方便讀』卷4)와 같다.

【醫案】 急性視網膜色素上皮炎『中醫雜誌』(1989, 7:25): 남자, 30세. 오른쪽 눈에 물체가 변형되어 보인지 2개월이 되었다. 검사 결과, 오른쪽 눈은 시력이 0.6이고, 오른쪽 눈은 黃斑區에 여러 무더기의 짙은 회색의

둥근 반점이 배어나와 있고, 주변에는 옅은 색의 고리가 있고 중심부는 반사되어 보이지 않았다. 형광안저조영술(fluorescein fundus angiography) 보고에 따르면, 오른쪽 눈 黃斑區에 두 무더기의 熒光색을 띤 작은 반점이 黃斑 중앙의 들어간 위쪽이나 코의 위쪽에 위치해 있으며 말기에서 染料가 새어나와 두 개의 泡狀 망막박리(retina detachment) 부위가 형성되었다. 진단은 왼쪽 눈에 급성 상피색소 상피염증(acute retinal pigment epithelitis)을 보이며, 泡狀 망막박리(retina detachment)가 합병증으로 나타난 것으로 판단하였다. 舌質淡紅·苔薄白, 脈弦細한 증상으로 나타났다. 그 脈證을 바탕으로 진찰한 결과 肝腎陰虛, 津液短少, 內有鬱熱, 熱鬱阻絡한 것으로 판단되었다. 滋養肝腎, 解鬱明目하게 치료해야 하며 石斛夜光丸에 넣고 빼서 사용한다. 방제: 熟地黃·麥門冬·天門冬·枸杞子·茯苓·牛膝·草決明·白蒺藜·石斛·五味子·靑葙子·白朮·龍膽草 各 10 g, 石決明 15 g, 生地黃 12 g, 甘草 3 g을 넣는다. 물을 넣고 달여서 매일 1첩씩 복용하게 했다. 약을 2개월 동안 복용한 후, 오른쪽 눈은 원시시력(遠視力) 1.2, 근시시력(近視力)1.5이었다. 오른쪽 눈의 黃斑 부위의 옅은 색 고리가 완전히 사라지고, 점 모양의 미세한 침출물과 색소가 흩어져 있고, 中心窩의 反射가 나타났다. 약 67첩을 복용한 후, 증상이 완치되어 퇴원했다.

考察: 본 醫案은 韓醫 眼科의 '視惑證'과 유사하며, 본 증상은 肝腎陰虛, 內有鬱熱에 해당한다. 따라서 滋補肝腎하고 淸熱明目하는 효능이 뛰어난 石斛夜光丸을 넣고 빼서 치료했으며, 益氣祛風理氣하는 약재는 빼고 龍膽草·石決明을 넣어 淸肝하는 효능을 강화해서, 구성하는 약은 간단하지만 그 효력이 뛰어나게 하였다. 또한 丸劑를 湯劑로 바꿔서 약효와 증상이 서로 잘 맞게 되어 고질병이 바로 다 나았다.

益胃湯

(『溫病條辨』卷2)

【組成】 沙參 三錢(9 g) 麥門冬 五錢(15 g) 冰糖 一錢(3 g) 細生地黃 五錢(15 g) 玉竹 炒香 一錢五分(4.5 g)

【用法】 물 5잔을 넣고 2잔이 될 때까지 달여서 2회에 나누어서 복용하고, 찌꺼기는 다시 1잔이 되도록 달여서 복용한다.

【效能】 養陰益胃.

【主治】 胃陰虛證을 주치한다. 증상은 胃脘에 灼熱隱痛이 있고, 飢不欲食, 口乾咽燥, 大便秘結하거나 乾嘔·呃逆, 舌紅少津, 脈細數한다.

【病機分析】 胃는 水穀를 受納하고, 腐熟하는 기능을 주관하며, 潤한 것을 좋아하고 燥한 것을 싫어하며, 胃氣는 아래로 내려가는 것이 순리이다. 만약 胃病이 오랫동안 낫지 않거나 熱病이 陰液을 消灼하거나 평소에 매운 음식을 좋아하거나 吐劑나 下劑를 과용하면 항상 胃陰을 耗損시켜서 虛熱이 몸 안에 생기게 된다. 胃陰不足으로 絡脈이 失潤하게 되면 胃脘이 은은하게 통증이 있고, 灼熱하여 편하지 않으며, 胃陰不足하면 水穀의 受納과 腐熟에 영향을 미쳐서 배가 고파도 식욕이 없게 된다. 唐宗海가 이에 대해 말하기를 "人之所以能化食·思食者, 全賴胃中之津液"라고 하고, "有津液則能化食·能納食, 無津液則食停不化"(『血證論』卷6)라고 하였다. 胃陰이 虧虛하고 津液이 부족하여 위로 올라가 口腔을 滋潤하지 못하면 口乾하고, 아래로 내려가 大腸을 濡潤하지 못하면 便結하게 된다. 胃가 濡潤의 기능을 제대로 수행하지 못해서, 氣機가 上逆하면 乾嘔·呃逆으로 나타난다. 舌紅少津하고 脈象細數한 것 역시 陰虛內熱한 것이다.

【配伍分析】 본 방제가 치료하는 여러 증상은 모두 胃陰不足으로 인해 발병하는 것이므로, 滋陰益胃生津해서 치료해야 한다. 方劑 중의 生地黃·麥門冬을 重用하면 맛이 甘하고 성질이 寒하여 養陰淸熱, 生津潤燥하는 효능이 뛰어나고, 甘凉하여 益胃에 좋은 약(上品)으로 여겨, 모두 君藥이 된다. 北沙蔘과 玉竹을 配伍하면 養陰生津하고, 君藥의 益胃養陰하는 효능을 돕기 때문에, 모두 臣藥이 된다. 冰糖은 潤肺養胃하고, 藥性을 조화하여 佐使藥이 된다. 이 다섯 가지 약은 甘凉하고 淸潤하는데 淸하되 寒하지 않고, 潤하되 膩하지 않아서, 구성하는 약은 간단하지만 그 효능은 뛰어나서, 모두 養陰益胃하게 한다.

【臨床應用】

1. 證治要點: 본 방제는 滋養胃陰의 代表方劑이다. 임상에서 飢不欲食, 口乾咽燥, 舌紅少苔, 脈細數이 치료의 요점이 된다.

2. 加減法: 汗多, 氣短하고 氣虛를 동반하는 경우에는 黨參·五味子(혹은 生脈散과 배합해서 사용한다)를 넣어 益氣斂汗하게 하고, 식후에 脘脹한 경우에는 陳皮·神曲을 넣어서 理氣消食하게 하고, 嘔逆이 심한 경우에는 枇杷葉·半夏(소량)·柿蒂를 넣어 降逆和胃하게 한다.

3. 益胃湯은 다음 한국표준질병사인분류(KCD)에 해당하는 환자가 胃陰虛證으로 辨證되는 경우 본 처방의 사용을 고려해볼 수 있다.

처방 목표	한국표준질병사인분류(KCD)
慢性胃炎	K29.3 만성 표재성 위염
	K29.4 만성 위축성 위염
	K29.5 상세불명의 만성 위염
糖尿病	E10~E14 당뇨병
小兒厭食症	F98.2 영아기 또는 소아기의 급식장애
	F50.0 신경성 식욕부진
	R63.0 식욕부진

처방 목표	한국표준질병사인분류(KCD)
熱病후 胃陰이 회복되지 않고, 胃氣不和, 飮不能食, 口燥咽乾한 증상	(질병명 특정곤란)
	B94.8 기타 명시된 감염성 및 기생충성 질환의 후유증
	G09 중추신경계통의 염증성 질환의 후유증
	R53 병감 및 피로

【注意事項】 본 방제는 甘凉하고 그 성질이 滋潤하여, 만약 脘痞苔膩한 환자의 경우에는 사용을 금한다.

【變遷史】 본 방제는 淸代의 온병학자(溫病學家)인 吳瑭이 만든 것으로 '陽明溫病, 下後汗出, 胃陰受傷'한 증상을 치료하는데 사용한다. 溫邪를 外感하면 病이 熱化해서 陰液을 쉽게 손상시키기 때문에, 따라서 滋陰生津하는 것이 溫病의 주요한 치법이 되었으며, 또한, 滋陰劑을 잘 쓰는 것은 온병학파(溫病學派) 특징 중의 하나이다. 吳瑭은 비록 溫病의 대가(大家)이지만, 傷寒學에 매우 정통하여, 張仲景의 『傷寒論』 연구에 조예가 깊으며, 사용되고 있는 여러 滋陰 방제는 대부분 炙甘草湯에서 나온 것이며, 동시에 치료 대상이 되는 증후의 특징에 맞게 융통성있게 조절했다. 예를 들면, 燥傷肺陰한 경우에는 沙參·麥門冬·天花粉을 위주로 하고, 熱傷胃陰한 경우에는 麥門冬·生地黃·玉竹을 위주로 하고, 腸燥津傷한 경우에는 麥門冬·生地黃·玄參을 위주로 하고, 眞陰大虧한 경우에는 麥門冬·生地黃·阿膠·麻仁을 위주로 하였다. 선인의 방제를 계승하는데 있어 옛것을 본받지만 옛것에 구애되지 않고, 증상에 맞게 참작해서 사용하여 후세 의학자들에게 널리 칭송을 받았다. 본 방제는 甘凉하고 滋潤한 성질로, 구성하는 약재는 간단하지만 그 효능이 뛰어난데, 특히, 益胃生津하는 효능이 뛰어나다. 따라서 오늘날 임상에서 운용할 때, 종종 外感·內傷에 구애받지 않고, 모든 胃陰不足에 해당하는 증상에 넣고 빼서 치료하므로, 따라서 본 방제는 益胃養陰生津의 대표적인 방제가 된다.

第五節 補陽劑

腎氣丸
(『金匱要略』)

【異名】八味腎氣丸(『金匱要略』卷下)·地黃丸(『太平聖惠方』卷98)·八仙丸(『養老奉親書』)·補腎八味丸(『聖濟總錄』卷51)·八味丸(『如宜方』, 『普濟方』卷401에 수록됨)·八味地黃丸(『小兒痘疹方論』)·附子八味丸(『證治要訣類方』卷4)·金匱腎氣丸(『赤水玄珠全集』卷7)·桂附八味丸(『簡明醫彀』卷4)·桂附地黃丸(『簡明醫彀』卷8)·附桂八味丸(『醫方論』卷1)·桂附八味地黃丸(『胎產心法』卷1).

【組成】乾地黃 八兩(240 g) 薯蕷(山藥) 四兩(120 g) 山茱萸 四兩(120 g) 澤瀉 三兩(90 g) 茯苓 三兩(90 g) 牡丹皮 三兩(90 g) 桂枝 附子 炮 各一兩(30 g)

【用法】위의 약을 분말로 갈고 煉蜜을 넣어서 벽오동 열매 크기의 환으로 빚는다. 매회 15丸(6 g)씩 많게는 25丸(10 g)까지 늘려서, 술에 매일 2회씩 복용한다. 湯劑로도 만들 수 있으며, 용량은 原方의 비율에 맞게 참작한다.

【效能】補腎助陽.

【主治】腎陽不足證을 主治한다. 증상은 腰痛脚軟하고 하반신에 자주 冷感이 느껴지고, 少腹拘急해서 小便不利하거나 반대로 小便이 많아지고 밤이 되면 특히 심해지고, 陽痿早泄, 舌淡而胖하며, 脈虛弱, 尺部沉細하고 痰飮, 水腫, 消渴, 脚氣, 轉胞 등으로 나타난다.

【病機分析】腎은 先天之本이 되며 腎陽은 몸의 陽氣의 根本이 된다. 만약 腎病이 오랫동안 지속되어 傷陽하거나 다른 臟器가 陽虛해서 腎에 누를 끼치거나 고령으로 腎虧하고 과도하게 房勞하는 등은 모두 腎陽不足을 초래할 수 있다. 腎는 腰部에 위치해 있으며 脈은 脊脛을 관통하므로, 腎陽이 몹시 허약해지면, 經脈이 滋養의 기능을 잃게 되어 腰脊膝脛에 酸痛이 있고 힘이 없게 된다. 腎陽이 부족하면 下焦를 溫養할 수 없게 되어 하반신에 항상 冷感이 느껴지게 된다. 腎과 膀胱은 서로 表裏의 관계에 있으므로, 腎陽虛하면 化氣利水할 수 없어서 水이 몸속에 머물게 되며, 결국에는 小便不利하고 少腹拘急해서 불편하고, 심할 때는 水腫·脚氣으로 나타난다. 腎陽이 虛餒해서 膀胱이 통제되지 않으면, 小便이 오히려 많아져서 밤이 되면 陽이 줄고 陰이 늘게 되므로, 결국에는 夜尿를 특히 자주 보게 된다. 腎陽이 부족하면, 水液이 蒸化되지 못하고, 津液이 올라갈 수 없게 되어, 口渴이 멎지 않고 진액이 모여서 痰을 만들고 痰飮 증상이 나타나게 된다. 舌質은 옅고 살이 찌고, 脈이 虛弱하게 짚어지고 尺部가 沉細한 것은 모두 腎陽虛弱한 증거이다. 따라서 腎陽이 부족하고 氣化의 기능을 상실하고 水液代謝의 기능 장애는 본 증상의 基本病機라고 볼 수 있다.

【配伍分析】본 방제는 腎陽不足한 증상을 치료하기 위해 만들어진 것이기 때문에 補腎助陽을 治法으로 삼아서, "益火之源, 以消陰翳"하게 하고, 利水滲濕으로 보조한다. 방제에서 附子는 大辛大熱한 性味를 띠며 모든 약을 溫陽하게 하는 으뜸이 되며, 桂枝의 辛甘한 맛과 溫한 성질은, 溫通陽氣하는 要藥이 되므로, 두 가지 약을 함께 배합해서, 腎陽의 虛를 補하고 氣化의 회복을 도와서 모두 君藥이 된다. 반면 腎은 水火의 보관하는 장소이기 때문에, 眞陰과 眞陽이 안에 함께 있어, 陽氣에 陰이 없으면 不化하고, "善補陽者, 必于陰中求陽, 則陽得陰助, 而生化無窮"(『類經』卷14)하므로, 따라서 乾地黃의 滋陰補腎한 성질을 重用하고, 山茱萸·山藥의 補肝脾하고 益精血하는 성질을 配伍하며, 모두 臣藥이 된다. 君臣藥을 함께 配伍하면

補腎塡精하고 溫腎助陽한 작용을 하므로, 陰中求陽해서 補陽의 효력을 강화할 수 있을 뿐만 아니라, 또한 陽藥에 陰藥의 柔潤한 성질을 더해서 溫하되 燥하지 않게 하고, 陰藥에 陽藥의 溫通한 성질을 더해서 滋하되 膩하지 않게 하면, 두 약이 서로 조화를 이루어서 약효가 더욱 강화된다. 방제에서 補陽한 효능의 약이 적고 滋陰한 효능의 약이 많은 것에서 볼 때, 본 방제의 立方 목적이 결코 元陽을 峻補하는 것이 아니라 조금씩 生火해서 腎氣를 鼓舞하는 것으로, "少火生氣"의 뜻을 갖는다. 이는 바로 柯琴이 말한: "此腎氣丸納桂·附于滋陰劑中十倍之一, 意不在補火, 而在微微生火, 即生腎氣也"(錄自『醫宗金鑑·删補名醫方論』卷27)와 같다. 게다가 澤瀉·茯苓의 利水滲濕을 사용하고, 桂枝를 配伍해서 溫化痰飮의 효능이 뛰어나고, 丹皮는 맛이 苦辛하고 성질이 寒해서, 血分으로 쉽게 들어가고, 桂枝를 배오하면 血分의 막힌 것을 조절할 수 있으므로 세 가지 약은 補하는 가운데 瀉하기 때문에 邪를 제거하면서 補하는 약의 효력을 갖게 되며, 게다가 모든 滋陰藥이 助濕碍邪할 수 있는 우려를 억제한다. 모든 약을 함께 사용하면 陽의 弱을 도와서 化水하게 하고, 陰의 虛를 慈養해서 生氣하게 하며, 腎陽이 왕성해지고 氣化가 정상으로 회복하면 모든 증상이 저절로 낫게 된다.

본 방제의 配伍특징은 두 가지가 있다: 첫째는 補陽하는 가운데 滋陰한 효능의 약을 配伍해서 陰中求陽하고 陽有所化하게 하고, 둘째는 소량의 補陽藥과 대량의 滋陰藥을 配伍하는 것은 조금씩 生火해서 少火生氣하게 하는데 있다.

본 방제의 효능은 주로 溫補腎氣에 있으며, 또한 丸으로 만들어 복용하기 때문에 "腎氣丸"이라고 부른다.

【類似方比較】 본 방제와 六味地黃丸에는 모두 地黃·山茱萸·山藥·澤瀉·丹皮·茯苓의 여섯 가지 약을 포함하며 補腎의 상용 방제가 된다. 이중 六味地黃丸의 地黃은 熟地黃으로, 滋補腎陰의 대표적인 방제가 되며 腎陰不足한 증상을 치료하는데 사용한다. 본 방제의 地黃은 乾地黃(즉 生地黃)이며, 또한 溫陽補火의 약인 두 가지 桂枝·附子를 넣었기 때문에 陰中求陽하고 少火生氣의 방제가 되며 腎에 陽氣가 부족한 증상을 치료하는데 사용하며, 또한 腎의 陰陽兩虛한 증상을 치료하는데에도 사용한다.

【臨床應用】

1. 證治要點: 본 방제는 補腎助陽의 常用方劑가 된다. 임상에서 腰痛脚軟, 小便이 不利하거나 反多하고, 舌淡而胖, 脈虛弱하고 尺部沉細한 증상을 치료의 요점으로 삼는다.

2. 加減法: 畏寒肢冷한 경우에는 桂枝를 肉桂로 바꾸고, 또한 桂·附의 용량을 늘려서 溫補腎陽의 효력을 늘리고, 만약 陽痿에 사용하는 경우에는 또한 淫羊藿·補骨脂·巴戟天 등을 추가해서 壯陽起痿의 효력을 강화해야 한다. 痰飮咳喘한 경우에는 乾薑·細辛·半夏 등을 넣고 溫肺化飮하게 한다.

3. 腎氣丸은 다음 한국표준질병사인분류(KCD)에 해당하는 환자가 腎陽不足證으로 辨證되는 경우 본 처방의 사용을 고려해볼 수 있다.

처방 목표	한국표준질병사인분류(KCD)
慢性腎臟炎	N03 만성 신염증후군
糖尿病	E10~E14 당뇨병
알도스테론過多症	E26 고알도스테론증
甲狀腺機能低下症	E03 기타 갑상선기능저하증
神經性虛弱	F48.0 신경무력증
副腎皮質機 減退	E27 부신의 기타 장애
慢性氣管支 哮喘	J45 천식
更年期綜合征	N95.1 폐경 및 여성의 갱년기상태

【注意事項】 腎陰不足으로 虛火上炎으로 인해 발생한 咽乾口燥, 舌紅少苔한 증상의 경우에는 본 방제를 응용하지 않는다.

【變遷史】 腎氣丸은 東漢의 저명한 의학자인 張仲景이 腎虛腰痛·小便不利·痰飮·消渴·脚氣·轉胞 등의 증상을 치료하기 위해서 만든 것으로 현존하는 중국 의학 문헌 중에서 최초로 기록된 補腎方劑이다. 본 방제의 配伍는 빈틈이 없고, 치료 효과가 탁월하기 때문에 역대 의학자들의 높은 추앙을 받았으며, 2000년 동안 계속해서 사용해 오면서 쇠퇴하지 않았다. 임상 실천 경험의 누적과 본 방제의 配伍작용에 대한 인식이 깊어짐에 따라서 치료 범위 또한 계속해서 확대되었으며, 內·外·婦·兒·五官 各 과의 病證에 관계없이 腎陽不足으로 인해 발생한 모든 증상에 있어서 본 방제를 사용해서 치료하는 경우가 많다. 예를 들면『聖濟總錄』卷51에서는 본 방제를 사용해서 "腎氣內奪, 舌喑足廢"를 치료하였으며,『普濟方』卷401에서 인용한『如宜方』에서는 "禀氣虛, 骨弱, 七八岁不能行立"를 치료하였으며,『仁齋直指方論』卷21에서는 "冷證齒痛"을 치료하였고,『症因脈治』卷2에서는 "眞陽不足, 脾腎虛寒, 土不生金, 肺金虧損, 肺氣虛不能攝血, 面色萎黃, 時或咳嗽見血, 脈多空大無力"한 증상을 치료하였다. 清代의 의학자들은 또한 본 방제를 "命門火衰, 不能生土, 以致脾胃虛寒而患流注·鶴膝等證, 不能消潰收斂"(『瘍科心得集』·「方汇」卷上에 수재됨) 등의 외과 陰疽證을 치료하는 데 사용해서, 임상에서 사용 범위가 가장 광범위한 溫補腎陽方劑가 되었다. 宋代 이후, 腎氣丸은 또한 당시 사람들에게 駐顔延年하고 抗老防衰에 좋은 방제로 받들어 졌으며, "益顔色, 壯筋骨"(『太平聖惠方』卷98에 수재됨)하고 "補老人元臟虛弱, ……益顔容, 固精髓"(『養老奉親書』에 수재됨)하고 "活血駐顔, 强志輕身"(『太平惠民和劑局方』卷5에 수재됨)하게 치료하는데 사용하였으며, 현대 임상과 실천 연구는 본 방제의 항노화 작용 메커니즘을 한 층 더 밝혀서, 腎氣丸이 노인성 질환을 예방 치료할 수 있다는 폭넓은 전망을 보여주고 있다. 본 방제의 配伍 방법은 후세에 지대한 영향을 미쳤으며, 역대 補腎法을 종합해 보면, 溫補腎陽의 방제는 모두 본 방제를 化裁해서 만들었을 뿐만 아니라, 滋補腎陰의 방제 역시 본 방제에서 변화해서 나온 것이라는 것을 알수 있다. 유명한 宋代 嚴用和의 "加味腎氣丸"은, 腎氣丸에 車前子·牛膝 두 약을 넣고, 原方에 澤瀉·茯苓를 넣고 함께 배합해서 利水滲濕의 효력이 더욱 강화되었고, 腎陽不足, 水濕停蓄에 의한 水腫·小便不利를 치료하는데 사용한다. 두 방제는 비록 모두 溫補腎陽하고 化氣利水한 효능을 갖지만 補瀉하는 가운데 각자 중점을 두는 부분이 다르며, 이것으로 嚴氏가 腎氣丸의 用藥配伍에 대한 心法에 있어서 깨달은 바가 크다는 것을 알 수 있다. 예를 들면 北宋의 兒科 大家인 錢乙은 腎氣丸에서 桂·附를 줄여서 "六味地黃丸"을 만들고 腎陰不足證을 치료하는데 사용했다. 錢氏는 澤瀉·茯苓·丹皮 등의 약이 滲利攻伐하다고 해서 결코 빼지 않았으며, 이와 같이 三補와 三瀉을 함께 사용해서 결국에는 대대로 전해지는 平補腎陰의 효능이 있는 좋은 방제가 되었으며, 仲景의 "補中寓瀉"의 정수를 통달했다고 말할 수 있다. 明代의 의학자인 張介賓은 비록 腎虛證을 치료하고 효력이 주로 溫補하고 滲利攻伐을 피하지만, 또한 腎氣丸의 "陰中求陽"한 配伍 이치를 매우 추앙하고 더 나아가서는 "右歸丸"과 "右歸飮" 등의 元陽을 峻補하는 방제를 만들어서 溫補腎陽의 또 다른 法門을 열었다.『攝生衆妙方』卷11은 본 방제에 補陰藥과 補陽藥을 넣고 하나의 방제로 만들고, 또한 본 방제에 "陰陽雙補"한 효능이 있어서, 腎陰陽兩虛한 증상을 치료한다고 했다. 따라서 腎氣丸을 "補腎 諸方의 조상"라고 할 만큼 張璐는 "資生之至寶, 固本之神丹"(『千金方衍義』卷19에 수재됨)라고 칭송한 것은 실로 과찬은 아니다.

후세에 수많은 의학자들이 본 방제를 운용할 때 주로 湯劑로 바꾸고, 이름을 "腎氣湯"(『普濟方』卷345 참고)·"八味地黃湯"(『辨證錄』卷2 참고)·"八味飮"(『西塘感證』卷上 참고)·"加味地黃湯"·"桂附地黃湯"(『醫宗金鑑』卷48 참고)·"八味湯"(『雜症會心錄』卷上 참고)·"陽八味湯"(『醫門補要』卷中 참고)·"桂附八味湯"(『喉科種福』卷4 참고) 등으로 불렀다. 현대 의학에서는 또한 腎氣丸을 片劑·口服液 등으로 바꾸고 "桂附地黃片"·"金匱腎氣片"(『全國醫藥産品大全』 참고)·"桂附地黃口服液"(見『中藥辞海』卷2) 등으로 부른다.

【難題解說】

1. 본 방제의 君藥에 대해서: 본 방제의 君藥에 대한 인식은 예로부터 다른 견해를 가지고 있으며 요약하면 다음과 같다: 첫째는 乾地黃을 君藥으로 삼는다. 예를 들면 王履가 이르길: "愚謂八味丸以地黃爲君, 而以餘藥佐之"(『醫經溯洄集』에 수재됨)라고 하였고, 高等醫藥院校 교재인 『方劑學』1979년판(4판) 및 1995년판(6판)에서 모두 본 주장을 따른다. 둘째는 附子·桂枝를 君藥으로 삼는다. 예를 들면 吳儀洛이 이르길: "八味地黃丸主用之味爲桂·附"(『成方切用』卷2에 수재됨)라고 하였고, 이에 동의하는 경우는 中醫 기초 계열 교재인 『方劑學』(李飛 지음, 上海科學技术出版社, 1989년 출판)등이 있다. 乾地黃은 방제에서 用量이 특히 많기 때문에, 약효가 상당하기 때문에 없어서는 안되지만, 본 방제는 溫補腎陽한 방제에 속하므로 乾地黃을 君藥으로 삼는 것은 분명히 본 방제와 같은 종류의 정의에 어긋난다. 방제의 附子·桂枝는 비록 溫補腎陽의 治法을 구현했지만, 劑量이 滋陰藥物의 "10분의 1"에 불과하기 때문에, 만약 이를 君藥으로 삼고, 劑量이 桂·附의 4배가 넘게 重用하는 地黃이 臣藥으로 삼는 것은 또한 타당하지 않은 것 같다. 교재가 앞뒤 모순되고·서로 대립되는 것을 피하기 위해서, 회피적인 태도를 취하는 사람도 있었다~예를 들면 高等醫藥院校 교재인 『方劑學』 1964년판(2판) 및 1985년판(5판)에서는 방제 약물의 君臣佐使의 관계에 대해서 회피하고 논하지 않았다. 위에서 언급한 이견의 원인은 주로 君藥을 따지는 기준이 다르기 때문이다. 만약 主證에 대한 주된 치료 작용을 하는 것을 君藥으로 삼는다면, 桂枝·附子를 으뜸으로 삼아야 하며, 반면 劑量이 가장 많은 약을 君藥으로 삼는다면, 乾地黃이 아니면 안 된다. 따라서 위의 문제를 다음과 같이 간략하게 정리할 수 있다: 君藥에 관한 기준은 도대체 어느 것이 필수적으로 꼽아야 하는가? 의심할 여지 없이, "主病이나 主證에 대한 주요 치료 작용은 방제의 組成에 있어서 없어서는 안될 主藥"으로 이는 君藥의 필수 조건이 될 뿐만 아니라, 君藥을 판단하는 우선적인 기준이 되며, 본 방제를 분석할 때도 예외는 아니다. 다음과 같이 물어 보자: 腎氣丸이 치료하는 주증(主證)은 陰虛 인가, 陽虛 인가? 방제에서 빼질 수 없는 主藥은 地黃인가, 附·桂 인가? 답은 매우 명확하다. 본 방제가 치료하는 陽虛證은 桂·附만 溫補腎陽의 주요 치료 작용을 하며, 만약 두 가지 약을 빼면 原方의 효능이 본질적으로 바뀌게 되며, 예를 들면 잘 알려진 滋補腎陰의 良方인 "六味地黃丸"은 바로 본 방제에서 桂·附를 빼고 만들 것이다. 반면 약물 劑量의 많고 적음은 어떤 약이 君藥인지 아닌지에 대해 참고만 할 수 있을 뿐, 결코 결정적인 역할을 하지는 않는다. 예를 들면 大承氣湯에서 厚朴을 獨重하며 君藥인 大黃의 두배가 되고, 黃芪桂枝五物湯에서 生薑을 獨重하며 君藥인 黃芪의 두 배가 되며, 十棗湯에서 大棗의 용량은 三味逐水藥의 劑量을 합한 것 보다 훨씬 많지만, 모두 君藥이 아니다. 白頭翁湯의 白頭翁과 旋覆代赭湯의 旋覆花는 劑量로만 판단해서는 결코 君藥이 아니며, 심지어 諸藥 중에서 가장 적게 사용하는 경우임에도 불구하고 처방의 주요한 약물로 여긴다. 따라서 腎氣丸에서 乾地黃의 劑量이 모든 약물 중에 가장 많이 사용한다고 하더라도 君藥의 기능을 수행하기에는 부족하고, 桂·附의 사용 비율이 이해할 수 없을 정도로 적다 하더라도, 溫陽의 효능은 다른 약물(용량이 얼마가 되든)로는 대체할 수 없다. 따라서 다량의 滋陰한 약은 桂·附의 補陽한 효능에 단지 시너지 효과~"陰中求陽"를 발휘할 뿐, 함께 "少火生氣"의 방제가 된다.

2. 방제의 桂枝의 配伍작용에 관하여: 앞서 말한 바와 같이 仲景의 腎氣丸이 치료하는 증상은 비록 많지만, 腎陽이 부족하고 氣化의 기능을 상실하고 水液代謝의 기능 장애가 본 증상의 基本病機로 나타난다. 桂枝는 맛이 辛甘하고 성질이 溫하기 때문에 解表散寒한 효능이 뛰어나서 通陽을 더욱 원활하게 할 뿐만 아니라, 大辛大熱한 性味의 附子와 함께 배오하면 補火助陽해서 培本하게 할 수 있고, 또한 通陽化氣할 수 있어서 小便이 잘 나오고·水飮을 제거해서 標를 다스린다. 이처럼 溫陽하는 가운데 通達의 힘이 생기면 水飮이 점점 제거되고, 通陽하는 가운데 溫補의 효능이 생

기면, 병이 근본적으로 낫게 되어, 두 가지 효능이 서로 도와서 좋은 치료 효과를 볼 수 있게 된다. 吳儀洛이 지적하길: "桂逢陽藥, 則爲汗散; 逢血藥, 即爲溫行; 逢泄藥, 即爲滲利, 與腎更疏, 亦必八味丸之桂, 乃補腎也. 故曰當論方, 不當論藥, 當就方以論藥, 不當執藥以論方"(『成方切用』卷2에 수재됨)라고 하며 桂枝가 본 방제에서 溫補腎陽의 효능을 갖는다고 여겼으며, 藥物配伍 후의 작용은 결코 단미약(單味藥)의 효능을 단순하게 합한 것이 아니라고 강조하였다. 이와 같은 立論은 통찰력있고 핵심을 찌르므로 사람들에게 많은 깨우침을 주었다. 하지만 역대의 많은 의학자 중 王履·吳昆·趙献可·王子接·唐宗海 등은 모두 腎氣丸에서 桂枝를 肉桂나 官桂로 바꾸었고, 본 방제의 현대 中成藥制劑에 있어서 또한 이를 따르고 있다. 이처럼 비록 본 방제의 溫補腎陽한 효력은 증대되었으나, 이미 仲景의 制方 본의(本意)를 잃었다. 桂枝는 通을 주관하고 肉桂는 溫을 주관하기 때문에 두 약은 각기 다른 장점을 가지고 있으며, 임상에서 본 방제를 운용할 때 역시 主治 증후의 병리 변화에 따라 참작하고 선택할 수 있다.

3. 처방의 乾地黃과 薯蕷(山藥)에 관하여: 신선한 地黃을 말리거나 구워서 80%까지 건조한 것을 "乾地黃"이라고 부른다. 후세에 본 방제를 운용할 때 대부분 乾地黃을 熟地黃으로 바꿔서 滋補의 효력을 강화했다. 宋代의 嚴用和는 본 방제를 기초로 하고 化裁해서 만든 "加味腎氣丸"·"十補丸" 등에서도 모두 乾地黃을 熟地黃으로 바꿔서 사용했다. 그러나 腎氣丸은 원래 水飮內停證을 치료하는 방제로, 熟地의 藥性은 滋膩하고 助濕碍邪하지만 乾地黃과 비교했을 때 鮮地黃의 凉한 성질이 이미 줄었고, 또한 熟地黃의 黏膩한 質地이 같지 않으며, 두 약은 각기 다른 장점을 가지고 있으므로, 만약 乾地黃을 熟地黃으로 바꾸어 본 방제의 補腎하는 효능을 강화할 수 있다고 주장하는 것은 일방적인 견해에 지나지 않는다. 薯蕷(山藥)는 薯蕷科 식물인 薯蕷의 뿌리이며, 山藥의 原名으로 『神農本草經』卷1에서 上品으로 구분해 놓았다. 唐代의 宗名이 豫이기 때문에, 이름을 "薯藥"로 바꾸고, 그후 또한 宋의 英宗이 曙자를 꺼려서 결국에는 "山藥"으로 바꿨다.

【醫案】

1. 痞結泄瀉: 『內科摘要』卷上: 한 사람이 오래 앉아 있다가 일어나면 手足이 뻣뻣하고 마비되고 비록 여름철에도 발이 얼음처럼 차가워 지지만, 반복해서 술에 취해서 잠을 자다가 일어나서 물을 마시고 다시 자면 오른쪽 배가 더부룩하고 그득하면서 아프고, 문지르면 배에서 소리가 나고, 따뜻하게 문지르면 氣泄해서 소리가 멎고, 음식을 조금 많이 먹으면 痛泄을 했다. 본 증상은 脾胃病이 아니고, 命門火衰해서 生土할 수 없으며 이는 虛寒으로 인한 것이기 때문에 八味丸을 복용한 후 완치되었다.

2. 腰胯痛: 『古方新用』: 남자, 72세. 1개월 전 오른쪽 腰胯에 통증이 느껴지고 다리쪽으로는 통증이 전달되지 않았았으며 날이 추워지면 증상이 심해졌지만 걷는데는 영향을 주지 않았다. 증상은 舌體胖, 苔薄白, 脈沉滑하게 나타났다. 腰胯弛痛은 少陰裏證으로, 腎陽虛로 인해서 化水를 할 수 없어서 발병하는 것이기 때문에 金匱腎氣丸을 湯劑로 바꿔서 치료했다. 生地 24 g, 山藥·山茱萸 各 12 g, 澤瀉 10 g, 茯苓·丹皮 各 9 g, 附子·桂枝 各 3 g에 물을 넣고 달여서 2회에 나누어서 복용했다. 약 三劑를 복용한 후 腰胯疼痛이 사라졌으며, 약 五劑를 다 복용한 후 허리 부분이 가볍게 느껴지고, 정신도 호전되어서 진료를 멈추고 관찰해다.

3. 寒性蕁麻疹: 『上海中醫雜誌』(1988, 9:33): 여자, 23세. 12세부터 寒凉을 感受하거나 찬물에 닿을 때마다 蕁麻疹을 일으켰으며, 가을에서 겨울로 넘어갈 때와 겨울에서 봄으로 넘어갈 때 빈번하게 발생했으며, 평균 2~5일에 1회 발병했다. 본 증상은 갑자기 발병하고 손·발과 무릎부위가 심하게 가렵고, 긁은 후에는 바로 크기가 균일하지 않은 옅은 홍색의 風疹塊가 나고, 보통 1~2일이 지나면 회복되고, 다 다은 후에는 흉터

가 남지 않았다. 알레르기 피부검사(皮膚劃痕試驗)에서 양성으로 나타났다. 예전에 Chlorphenamine Maleate tablets·칼슘제 및 복합비타민을 여러 차례 복용해서 증상이 어느 정도 개선되었지만 근본적인 치료는 되지 않았다. 최근 疹塊이 자주 일어나 간지럽고 얼굴색이 하얗고 팔다리가 차갑고 추위를 타며 등 부분이 특히 차고 舌는 淡하고 齒印이 생기고, 脈은 沉弱하고 兩尺이 특히 두드러 졌다. 金匱腎氣丸 2 g을 매일 2회씩 연속해서 2개월 정도 복용하게 한 후 疹塊가 다시 나지 않고 腎陽虛 증상이 호전되었으며, 알레르기 피부검사 결과 음성으로 바뀌었다. 치료 효과를 안정시키기 위해서 증상이 발병하는 계절이 되면 계속해서 약을 복용하게 하였으며 1년 정도의 방문 조사에서 재발하지 않았다.

4. 反胃:『齊氏醫案』: 예전에 富商인 湯名揚을 치료한 적이 있는데, 환자가 말하길 몸이 튼튼하고 酒色이 무절제 하고 당시 나이는 40세가 되었다고 했다. 식사량이 점차 줄고 몸과 마음이 약해져서 누군가가 매일 아침마다 牛乳酒를 마시라고 알려 줘서, 처음 먹을 때는 괜찮은 듯 하였으나 아침 식사를 하고 저녁때가 되었을 때 양동 모양의 酒乳를 하나 하나 다 토했으며, 대소변은 밤낮으로 몇 방울에 지나지 않고 찌꺼기가 전혀 아래로 내려가지 않고, 침대에서 일어나지 못해서 급히 왕진을 요청했다. 맥을 짚었을 때 양쪽의 尺의 맥이 실처럼 미약하게 뛰고 右關이 弦緊하며 갑자기 있다가 갑자기 없다가 하고, 약쪽의 寸과 左關이 洪大하면서 散했다. 내가 말하길: 발밑의 사마귀라하더라도 질병의 뿌리를 먼저 뽑아야 하고(足下之恙, 乃本實先撥), 先天의 陰虛는 마땅히 補水해야 하고, 先天의 陽虛는 마땅히 補火해야 하므로, 水火既濟, 庶可得生하게 된다. 즉 熟地一兩, 山茱·山藥 各四錢, 茯苓·澤瀉·丹皮·肉桂·附子 各三錢에 물을 넣고 달여서 약 一劑를 복용하게 한 다음날 아침에 牛乳酒를 마시게 하였으며, 저녁이 되었을 때 下行하고 토하지 않아서 연속해서 十劑를 복용한 후 음식을 조금씩 먹을 수 있게 되었다. 계속해서 위의 방제를 丸劑로 바꿔서 만들어 매일 2회씩 복용며 酒色을 끊으라고 당부하고 반년 뒤 건강을 회복했다.

考察: 醫案1은 腎陽虛衰하니 火不暖土해서 생긴 腹脹痛泄이고, 醫案2는 腎陽虛弱하니 腰府失溫해서 생긴 腰膀疼痛으로 모두 腎氣丸을 주고 溫腎助陽해서 완치했다. 腎陽은 몸의 陽氣의 근본이 되고, 腎陽이 부족하면, 衛陽 또한 지치게 되어 風寒이 쉽게 침범하게 된다. 예를 들면 醫案3의 風疹이 빈번하게 발생해서 가려운 것은 命火之虛에 기초하고 있어 10여년 동안 낫지 않은 것으로 腎氣丸을 사용해서 溫腎固本하게 하였으며 風을 치료하지 않고도 風疾이 제거되었다. 위의 세 가지 醫案은 모두 腎陽虛弱證으로 腎氣丸을 사용해서 溫腎補火하게 치료하면, 다른 종류의 病證을 함께 치료하게 된다. 醫案4의 反胃는 酒色이 과해서 腎之陰陽 모두가 손상되어서 발생한 것으로, 이 또한 腎氣丸을 처방해서 효과를 보았다. 본 방제는 腎의 陽을 溫하게 할 뿐만 아니라 또한 腎의 陰을 滋할 수 있다는 것을 알 수 있다.

【副方】

1. 十補丸(『嚴氏濟生方』卷1): 附子 炮, 去皮·臍 五味子 各二兩(9 g) 山茱萸 取肉 山藥 剉, 炒 牡丹皮 去木 (各 9 g) 鹿茸 去毛, 酒蒸 (3 g) 熟地黃 洗, 酒蒸 (9 g) 肉桂 去皮, 不見火 (3 g) 白茯苓 去皮 澤瀉 各一兩(6 g)

- 用法: 위의 약을 고운 분말로 갈고 煉蜜을 넣어서 벽오동 열매 크기로 빚어서 매번 70丸(9 g)씩 공복에 소금을 넣은 술, 소금을 넣고 끓인 물에 복용한다.
- 作用: 補腎陽, 益精血.
- 適應症: 腎陽虛損, 精血不足한 증상을 치료한다. 증상은 面色黧黑, 足冷足腫, 耳鳴耳聾, 肢體羸瘦, 足膝軟弱, 小便不利, 腰脊疼痛하게 나타난다.

본 방제는 腎氣丸에 溫腎壯陽·益精血·强筋骨한 성질을 띈 鹿茸과 斂氣固精한 성질을 띈 五味子를 넣어서 조성한 것이다. 본 방제는 附子를 重用하고, 또한

鹿茸을 넣고 原方의 桂枝를 肉桂로 바꾸었기 때문에 溫腎壯陽의 효능이 腎氣丸에 비해 더욱 뛰어나다. 또한 原方의 生地를 熟地로 바꾸고, 益精壯骨한 성질의 鹿茸을 배합했기 때문에 滋補陰精한 효력 역시 腎氣丸에 비해 뛰어나다. 따라서 본 방제는 溫腎壯陽, 補養精血한 효력이 비교적 강하고, 또한 納氣平喘하기 때문에 腎陰陽兩虛가 심하거나 腎不納氣로 인한 咳嗽·氣喘을 동반하는 환자를 치료하는데 적합하다.

2. 青娥丸(『太平惠民和劑局方』卷5 寶慶新增方): 胡桃 去皮·膜 二十个(150 g) 蒜 熬膏 四兩(120 g) 破故紙 酒浸, 炒 八兩(240 g) 杜仲 去皮, 薑汁浸, 炒 十六兩(500 g)

- 用法: 위의 약을 고운 분말로 갈고 蒜膏와 섞어서 丸으로 빚고, 매회 30丸씩 공복에 따뜻한 술에 복용하고, 성인 여성(婦人)의 경우에는 淡醋湯에 복용한다.
- 作用: 溫腎壯陽, 强腰固精.
- 適應症: 腎虛爲風寒濕邪所傷, 或墜墮傷損所引起的腰痛, 頭暈耳鳴, 溺有餘瀝, 婦女白帶.

방제의 杜仲은 性味가 甘溫하고 肝腎으로 入經해서 補益肝腎, 强腰膝, 壯筋骨한 효능을 띠며 腎虛腰痛을 치료하는 要藥이 된다. 따라서 본 방제에서 重用하고 君藥으로 삼는다. 補骨脂는 성질이 溫하고 助陽한 효능을 띠며, 溫補命門하게 치료해서 補腎强腰하고 壯陽固精하게 할 수 있으며 腎虛腰痛을 치료하는데 뛰어나다. 杜仲과 함께 사용하면, 溫腎陽, 强腰膝한 효능이 더욱 뛰어나게 되고, 본 방제에서 臣藥으로 삼는다. 胡桃肉은 性味가 甘溫하고 腎으로 入經하여 命門을 통하게 하고, 腎陽을 補하고, 腰膝을 튼튼하게 하는 효능이 있고, 杜仲을 돕고·骨脂를 보충하면 補腎强腰의 효능이 더욱 뛰어나게 된다. 大蒜은 性味가 辛溫하고 走竄한 성질을 띄므로 五臟을 통하게 하고 모든 竅에 도달해서 寒濕을 제거하면, 통증이 완화될 수 있으며, 또한 佐藥이 된다. 모든 약을 함께 配伍하면 溫腎壯陽, 强腰固精한 효능을 갖게 된다.

본 방제는 여러 補腎强腰한 효능의 약을 하나의 방제에 모았기 때문에 補腎强筋壯骨의 효능이 비교적 강하며, 腎虛腰痛에 의한 증상을 치료하는 전문 방제가 된다. 腎氣丸은 少火生氣하고 溫腎壯陽한 효력이 떨어지고, 또한 化氣行水한 효능이 뛰어나기 때문에 腎氣虛餒하고 水液內停한 증상을 치료하는데 사용한다.

加味腎氣丸

(『嚴氏濟生方』卷4)

【異名】 金匱加減腎氣丸(『保嬰撮要』卷5)·加味八味丸(『醫學入門』卷7)·腎氣丸(『醫方集解』·「補養之劑」)·金匱腎氣丸(『馮氏錦囊秘錄』卷11)·濟生腎氣丸(『張氏醫通』卷16).

【組成】 附子 炮 二個(15 g) 白茯苓 澤瀉 山茱萸 取肉 山藥 炒 車前子 酒蒸 牡丹皮 去木 各一兩(30 g) 官桂 不見火 川牛膝 去蘆, 酒浸 熟地黃 各半兩(15 g)

【用法】 위의 약을 고운 분말로 갈고 煉蜜을 넣고 반죽해서 벽오동 열매 크기의 丸으로 빚어서 매회 70丸씩 공복에 米飮으로 복용한다. 또한 물을 넣고 달일 수 있으며 用量은 原方의 비율에 따라 참작한다.

【效能】 溫補腎陽, 利水消腫.

【主治】 腎陽不足, 水濕內停한 증상을 主治한다. 증상은 水腫, 小便不利하게 나타난다.

【病機分析】 "腎者水臟, 主津液"(『素問』·「逆調論」에 수재됨)하며, 水液을 주관하는 대사기능이 정상적으로 발휘되려면 腎中陽氣의 기능이 제대로 작용해야 한다. 만약 腎陽이 부족해서 溫化되지 못하면 水液이 정체하게 되며, 外溢肌膚하면 온몸이 붓고 허리 아래 부분

이 특히 심해지고, 腎과 膀胱은 서로 表裏의 관계에 있으므로, 腎陽이 허약해지면 膀胱이 氣化의 기능을 제대로 수행하지 못하고 水濕이 정체해서 小便不利 증상이 나타나게 되며, 심한 경우에는 癃閉로 발전하게 된다.

【配伍分析】 본 방제는 腎陽不足하고 水濕內停한 증상을 치료하기 위해 만들어 졌으며 溫腎助陽, 利水消腫한 治法을 사용한다. 방제에서 大辛大熱한 성질의 附子를 重用하며, 溫腎助陽하게 해서 陰翳를 제거하며 君藥으로 삼는다. 官桂는 辛熱純陽한 性味를 띠며, 溫腎補火의 효능이 있어서 "治沉寒痼冷"(『本草汇言』卷5에 수재됨)에 뛰어나며, 또한 膀胱의 氣化를 돕고 附子와 함께 사용하면 溫陽補腎한 효능이 더욱 뛰어나게 된다. 澤瀉·車前子는 利水滲濕한 효능이 뛰어나며 水腫·小便不利를 치료하는 좋은 약(良藥)이 되며, 桂·附와 배합하면 溫陽利水한 효능을 갖게 되어 標本을 함께 치료하며 모두 臣藥이 된다. 茯苓·山藥은 益氣健脾, 崇土制水한 효능을 갖고, 熟地黃은 滋腎填精의 要藥으로 桂·附를 도와서 "陰中求陽"한 효능을 띄게 할 뿐만 아니라, 또한 柔潤한 성질로 桂·附의 유독 溫燥한 성질을 억제할 수 있다. 山茱萸은 性味가 酸溫質潤하며 補精助陽의 효능이 뛰어나기 때문에 益腎하여 치료하는 上品으로 여겨지며, 熟地과 배합하면 滋潤한 효능을 강화할 수 있고, 桂·附와 配合하면 溫腎의 효력을 도울 수 있다. 牛膝은 益肝腎해서 滑利下行하게 하고, 澤·車·苓을 배합하면 利水消腫의 효능이 더욱 뛰어나게 된다. 丹皮는 寒凉清泄한 性味를 띠며, 또한 桂·附의 매우 溫燥한 성질을 억제하므로, 모두 佐藥이 된다. 모든 약을 함께 配伍하면 補하되 滯하지 않고, 利하되 峻하지 않아서, 腎陽을 회복하게 해서 水濕을 化하게 하고 腫脹을 제거하면, 모든 증상이 낫게 된다.

본 방제의 配伍 특징은 두 가지이다: 첫째는 溫補腎陽한 약과 利水滲濕한 약을 함께 配伍하고, 標本을 함께 다스리고, 補瀉의 치법을 함께 시행해서, 補하되 碍邪하지 않고, 瀉하되 傷正하지 않게 된다. 둘째는 補陽藥에 補陰한 약을 配伍하면, "陰中求陽"하게 되므로 補腎의 효능이 더욱 뛰어나게 된다.

본 방제는 『金匱要略』의 腎氣丸에 車前子·牛膝을 넣고 조성한 것으로, 加味腎氣丸이라고 부른다.

【類似方比較】 본 방제와 腎氣丸은 모두 腎中陽氣不足에 의한 水腫證을 치료한다. 그러나 본 방제는 腎氣丸에 비해 牛膝와 車前子 두 가지 약이 더 많고, 게다가 藥量에 있어서도 큰 변화가 있다. 예를 들면 腎氣丸은 熟地 등의 滋陰한 성질의 약을 重用하고, 소량의 溫陽한 성질의 약을 配伍했으며, 두 약의 비율은 대략 8:1이 된다. 반면 본 방제는 原方에서 滋陰藥의 용량을 크게 줄였으며, 특히 熟地黃을 八兩에서 반兩까지 줄이고, 반대로 溫陽한 성질의 약의 劑量을 현저히 늘렸다. 예를 들어 附子를 二枚사용하고, 肉桂는 官桂로 바꾸고 용량 또한 熟地의 두배를 사용하며, 萸·藥 등과 함께 常用量 이상의 용량을 사용하고, 全方에서 溫陽藥과 滋陰藥의 비중은 거의 비슷하다. 따라서 腎氣丸에서 桂·附를 대량의 滋陰藥에 넣는 것은 "少火生氣"하고자 하는 뜻으로, 여러 가지 腎氣虛弱한 증상을 치료하는데 적합하다. 반면 본 방제는 附子를 重用해서 君藥으로 삼고 助陽破陰한 효능을 갖고, 또한 車前子를 넣고 利水하게 하고, 牛膝을 넣어서 導下하기 때문에 溫陽利水한 효능을 위주로 해서 水濕泛溢하고 陰盛陽微한 증상을 치료하는데 적합하다. 이는 바로 汪紱이 요약한: "此臣佐分兩輕重, 皆與前有不同, 以主于治濕故也"(『醫林纂要探源』卷6에 수재됨)와 같다.

【臨床應用】

1. 證治要點: 본 방제는 腎陽不足, 水濕內停으로 인한 水腫證을 치료하는 상용방제(常用方)로, 임상에서 보여지는 腰膝酸軟, 浮腫, 小便不利, 畏寒肢冷한 증상을 치료의 요점으로 삼는다.

2. 加減法: 陽氣虛弱하고 畏寒肢冷한 증상이 비교

적 심한 경우에는 丹皮의 寒한 성질을 빼거나 葫蘆巴·巴戟天를 넣고 溫陽의 효력을 높이고, 水腫腹水, 腹脹喘滿한 경우에는 大腹皮·厚朴를 넣고 行氣除滿하고, 氣行하게 하면 濕有去路하게 된다. 腎不納氣하고 動則氣喘한 경우에는 五味子·沉香를 넣고 納氣歸腎을 돕고, 精神萎靡, 納差便溏한 경우에는 黨參·白朮을 넣고 脾腎을 함께 補한다.

3. 加味腎氣丸은 다음 한국표준질병사인분류(KCD)에 해당하는 환자가 腎陽不足, 水濕內停證으로 辨證되는 경우 본 처방의 사용을 고려해볼 수 있다.

처방 목표	한국표준질병사인분류(KCD)
慢性腎炎	N03 만성 신염증후군
肝硬化	K74.1 간경화증
알도스테론過多症	E26 고알도스테론증

【注意事項】 본 방제는 溫腎利水, 脾陽虛로 인한 水腫이나 腎陽虛衰하되 水濕 증상을 보이지 않는 경우에는 사용을 금한다. 방제의 牛膝은 滑利下行한 효능이 있기 때문에 腎虛遺精한 환자의 경우에도 본 방제의 사용을 금한다.

【變遷史】 본 방제는 宋代 의학자인 嚴用和가 『金匱要略』의 腎氣丸을 기초로 하고 車前子·牛膝를 넣고 組成한 것으로, 嚴氏가 편찬한 『濟生方』에 처음으로 기록했기 때문에, 후세에 또한 "濟生腎氣丸"이라고 불렸다. 仲景의 腎氣丸은 원래 腎氣虛弱으로 인해 氣化의 기능을 원활하게 수행하지 못하는 증상을 치료하기 위해 만든 것으로 "少火生氣"한 방제에 속하기 때문에 溫陽의 효력이 부족하다. 嚴氏는 방제에서 溫陽藥과 滋陰藥의 비율을 조절한 다음에 車前子·牛膝을 넣고 滲利導下한 효능을 갖게 해서, 原方의 "陰中求陽"한 제조법을 그대로 두면서 溫陽利水의 효능을 보충해서 腎陽虛水腫을 치료하는 전문방제(專方)가 되었다. 후세의 의학자들이 본 방제의 溫腎利水한 효능에 대해 극찬했고, 張介賓은 이를 더욱 칭찬하며 말하길: "補而不滯, 利而不伐, 治水諸方, 更無有出其右者"(『古今名醫方論』卷4에서 발췌함)라고 하였다. 후세의 많은 의학자들이 본 방제를 湯劑로 바꾸고, 方名을 "金匱腎氣湯"(『證因方論集要』卷2참고)·"腎氣湯"(『醫林纂要大全』卷10참고)·"加減金匱腎氣湯"(『醫門八法』卷3참고) 등으로 불렀다.

右歸丸

(『景岳全書』卷51)

【組成】 大懷熟地 八兩(240 g) 山藥 炒 四兩(120 g) 山茱萸 微炒 三兩(90 g) 枸杞 微炒 四兩(120 g) 鹿角膠 炒珠 四兩(120 g) 菟絲子 製 四兩(120 g) 杜仲 薑湯炒 四兩(120 g) 當歸 三兩(90 g) 肉桂 二兩, 漸可加至 四兩(60~120 g) 製附子 二兩, 漸可加至 五六兩(60~180 g)

【用法】 위의 약 중에서 熟地를 먼저 무를 때 까지 푹 끓여서 찧어서 膏를 만든 다음에 煉蜜을 넣고 벽오동 열매 크기의 환으로 빚는다. 매회 백여 개의 丸을 식전에 끓인 물(滾湯)이나 연하게 소금을 넣고 끓인 물에 복용하거나; 탄환 크기의 丸으로 빚어서, 2~3개의 丸을 씹어서 끓인 물과 함께 복용한다. 또한 물을 넣고 달여도 되며, 용량은 原方의 비율에 맞게 참작한다.

【效能】 溫補腎陽, 塡精益髓.

【主治】 腎陽不足, 命門火衰한 증상을 主治한다. 증상은 고령이나 오랜 병으로 氣衰神疲하고 畏寒肢冷, 腰膝軟弱하며, 陽痿遺精하거나 陽衰無子하고, 飮食減少해서 大便不實하거나 小便自遺하고, 舌淡苔白, 脈沉而遲하게 나타난다.

【病機分析】 腎은 先天之本이 되며 腎陽은 몸의 陽氣의 根本이 되므로, 또한 "命門之火"라고 부른다. 만

약 오랜 병으로 腎陽이 손상되거나 다른 臟器의 陽이 허약해서 腎臟에 누를 끼치거나, 혹은 고령으로 腎虧·과도한 房勞 등의 원인은 모두 腎의 陽氣가 虛衰해 질 수 있다. 腎陽이 虧虛하면, 오장 육부(臟腑)의 조직이 溫煦濡養하지 못하고 火不生土하게 되어서 결국에는 氣衰神疲, 畏寒肢冷, 飮食減少, 大便不實한 증상으로 나타난다. 命門火衰하고 精氣虛冷해서 封藏의 기능을 원활하게 수행하지 못하면 腰膝軟弱하고 陽痿遺精하거나 陽衰無子하게 된다. 腎과 膀胱은 서로 表裏의 관계에 있으며, 腎陽이 허약하면 膀胱失約하게 되어서 小便淸長 증상을 보이고 심한 경우에는 自遺하게 된다. 舌淡苔白하고 脈이 沉하면서 遲한 것은 腎陽虛衰에서 자주 보이는 증상이다.

【配伍分析】 본 방제가 치료하는 여러 가지 病症은 모두 腎陽不足, 命門火衰으로 인한 것으로 "益火之源, 以培右腎之元陽"(『景岳全書』卷51에 수재됨)하게 치료해야 한다. 방제에서 附子·肉桂는 性味가 辛熱하고 腎으로 入經하며, 溫壯元陽한 효능이 뛰어나서 命門之火를 補한다. 鹿角膠는 性味가 甘咸微溫하고 補腎溫陽하고 益精養血한 효능을 띠며, 세 가지 약의 약효가 서로 돕고 조화를 이루면 腎中元陽을 培補하며, 모두 君藥으로 삼는다. 熟地黃·山茱萸·枸杞子·山藥은 모두 甘潤滋補한 性味를 띄는 약으로 滋陰益腎, 養肝補脾, 塡精補髓할 수 있으며, 桂·附·鹿膠와 함께 配伍하면 "陰中求陽"의 효능을 띄게 되며, 모두 臣藥으로 삼는다. 菟絲子·杜仲은 肝腎을 補하고, 腰膝을 强하게 하고, 當歸는 養血和血한 효능을 띠며 鹿角膠를 도와서 補養精血하게 하고, 또한 補하되 滯하지 않게 한다. 모든 약을 함께 사용하면 補腎하는 가운데 養肝益脾를 아울러 돌볼 수 있고, 腎精이 다른 臟器의 化育을 받아서 虛損이 쉽게 회복될 수 있다. 溫陽하는 가운데 滋陰塡精하게 해서 陽氣가 陰精의 滋養을 받아서 끊임없이 生化하게 되므로, 모두 溫補腎陽, 塡精益髓한 효능을 띄게 된다.

본 방제의 配伍 특징은 두 가지가 있다: 첫째는 補陽藥과 補陰藥을 配伍하면, "陰中求陽"해서 補陽의 효능을 빠르게 볼 수 있고, 둘째는 전적으로 補法만을 사용하고 瀉法을 사용하지 않기 때문에, 滋補의 효능이 있는 약을 모으면 益腎의 효능이 특히 강해진다.

본 방제는 "益火之原, 以培右腎之元陽"한 것을 立法의 근거로 삼으며, 방제의 諸藥은 모두 右腎으로 돌아가서 元陽을 북돋게 하므로, "右歸丸"이라고 부른다.

【類似方比較】 본 방제와 腎氣丸은 모두 溫補腎陽의 효능을 띠며, 腎陽不足證을 치료하는데 사용한다. 본 방제는 腎氣丸에서 "三瀉"(澤瀉·丹皮·茯苓)한 약을 빼고 溫腎益精한 성질을 띄는 鹿角膠·菟絲子·杜仲·枸杞子·當歸를 넣고 조성한 것으로, 補腎의 효능이 있는 약들(群藥)을 모아놓고, 전체 방제(全方)에서 전적으로 補法만을 사용하고 瀉法을 사용하지 않았기 때문에 壯陽益腎한 효력이 매우 뛰어나서 峻補元陽의 방제가 되며, 腎陽不足하고 命門火衰한 증상을 치료하는데 사용한다. 반면 腎氣丸은 "少火生氣"를 立法의 근거로 삼고, 또한 補하는 가운데 瀉하고, 補力平和하기 때문에 腎에 陽氣가 부족하고 水濕·痰飮이 內停하는 증상을 치료하는데 적합하다.

【臨床應用】

1. 證治要點: 본 방제는 腎陽不足, 命門火衰을 치료하는 常用方이다. 임상에서 神疲乏力, 畏寒肢冷, 腰膝酸軟, 脈沉遲한 증상을 치료의 요점으로 삼는다.

2. 加減法: 原書에서 이르길: "如陽衰氣虛, 必加人蔘以爲之主, 或二三兩·或五六兩, 隨人虛實以爲增減: 如陽虛精滑, 或帶濁便溏, 加補骨脂(酒炒)三兩; 如飱泄腎泄不止, 加北五味子三兩·肉豆蔻三兩(面炒, 去油用); 如飮食減少, 或不易化, 或嘔惡呑酸, 皆脾胃虛寒之證, 加乾薑三四兩(炒黃用); 如腹痛不止, 加吳茱萸二兩(湯泡半日, 炒用); 如腰膝酸痛, 加胡桃肉(連皮)四兩; 如陰虛陽萎, 加巴戟肉四兩·肉蓯蓉三兩, 或加黃狗

外腎十二付, 以酒煮爛搗入之."(『景岳全書』卷51에 수재됨)라고 하였으며, 이밖에도 便溏 증상이 나타나는 경우에는 當歸를 빼도 된다.

3. 右歸丸은 다음 한국표준질병사인분류(KCD)에 해당하는 환자가 腎陽不足, 命門火衰證으로 辨證되는 경우 본 처방의 사용을 고려해볼 수 있다.

처방 목표	한국표준질병사인분류(KCD)
腎病綜合征	N04 신증후군
老人性 骨多孔症	M80 병적 골절을 동반한 골다공증
	M81 병적 골절이 없는 골다공증
精子減少症	N46 남성불임
貧血	D50~D53 영양성 빈혈
	D55~D59 용혈성 빈혈
	D60~D64 무형성 및 기타 빈혈
白血球減少症	D70 무과립구증
	D72.8 기타 명시된 백혈구의 장애

【注意事項】 전적으로 補法만을 사용하고 瀉法을 사용하지 않았기 때문에 腎虛하면서 濕濁 증상이 나타나는 환자에게는 사용하지 않는다.

【變遷史】 본 방제는 明代의 의학자인 張介賓이 만든 것으로 "治元陽不足或先天禀衰, 或勞傷過度, 以致命門火衰, 不能生土, 而爲脾胃虛寒飮食少進; 或嘔惡膨脹; 或翻胃噎膈; 或怯寒畏冷; 或臍腹多痛; 或大便不實, 瀉痢頻作; 或小水自遺, 虛淋寒疝; 或寒侵谿穀, 而肢節痹痛; 或寒在下焦, 而水邪浮腫, 總之, 眞陽不足者, 必神疲氣怯, 或心跳不寧, 或四體不收, 或眼見邪祟, 或陽衰無子等證. 俱速宜益火之原, 以培右腎之元陽, 而神氣自强矣, 此方主之"(『景岳全書』卷51에 수재됨)하다. 약물 조성에서 보면, 본 방제는『金匱要略』의 腎氣丸에서 변화 발전해 온 것으로, 腎氣丸에서 "三瀉"의 약을 줄이고 여러 가지의 溫腎益精한 약을 넣고 補腎의 효력을 강화하고, 이로써 補中寓瀉하고 溫補腎氣한 방제를 변화시켜서 峻補元陽, 益精補髓한 방제로 만들고, 溫補腎陽의 또 다른 法門을 열었으며, 元陽虛衰한 病證을 효과적으로 치료하는 좋을 방제가 되었다.『醫略六書』卷30에서 腎陽虛衰, 中土失溫, 胃寒氣逆으로 인한 呃逆不止, 脈沉細한 증상을 主治할 때에도 본 방제를 기초로 하고 補腎의 약을 조금 줄이고 茯苓·丁香·沉香을 넣어서 和胃降逆하게 치료한다. 命火虛衰하면서 또한 다른 病機의 변화를 동반하는 환자의 경우에는 본 방제에 넣고 빼고 化裁하면 적은 노력으로 큰 효과를 거둘 수 있음을 알 수 있다.

【醫案】

1. 백혈구감소증(白血球減少症):『河南中醫』(1984, 2:34): 남자, 50세. 머리가 어지럽고 잠이 오지 않으며 전신이 무기력한지 10년이 지났으며, 여러 차례 검사 결과 백혈구가 수치가 4,000/mm^3 이하인 것으로 나타났다. 당시 환자의 증상은: 形體消瘦, 面色萎黃, 頭昏目澀, 口乾不喜飮, 納穀不馨, 食後脘脹, 大便時溏, 夜寐不實, 舌淡, 苔薄白, 脈沉細하였으며, 혈액 검사 결과 백혈구 수치는 2500/mm^3로 나타났다. 처음에 歸脾湯을 사용해서 치료했을 때, 腹脹便溏이 호전되었으나, 환자가 여전히 머리가 어지럽고 무기력하다고 호소해서, 腎命火衰, 精血不足의 治法으로 바꾸고 방제는 右歸丸의 제형을 湯劑로 바꿔 달인 후 복용하게 했다. 處方은: 熟地黃 20 g, 菟絲子·淮山藥·枸杞子·山萸肉·仙靈脾 各 10 g, 全當歸·杜仲 各 12 g, 鹿角膠(烊沖) 6 g, 上肉桂 4 g, 熟附片 3 g으로 구성한다. 약 7첩을 복용한 후 전신이 약 복용 전보다 힘이 있다고 느껴지고, 頭昏耳鳴 증상이 줄었으며 밤에도 편안하게 잠을 이룰 수 있다고 했다. 다만 口乾 증상은 여전히 남아 있어서, 한여름(음력 6월)이 되었을 때는 본 방제에서 附子를 빼고 나머지 약을 달여서 계속 복용하게 했다. 약 十五劑를 복용한 이후, 2회의 헬액검사 결과 백혈구 수치는 각각 3,700·4,400/mm^3로 나타났으며, 임상 증상이 점차적으로 개선되어서 퇴원했다.

考察:命門火衰, 精血無陽以化한데다가 火不暖土가 더해져서 본 증상으로 나타나는 것이다. 右歸丸을 사용해서 溫補元陽, 塡精補血하게 치료하고, 또한 仙靈脾를 넣고 命門眞火의 蒸化를 도우면 補한 효능이 더욱 강해지므로, 약 7첩을 복용하게 한 후 모든 증상이 크게 완화되었다. 한여름(음력 6월)이 되면 무더위가 한창일 때, 더위가 겹쳐서 온기가 밀려 들어가면 陰液의 소모를 피하기 어렵기 때문에, 환자가 약을 복용한 후에 口乾을 느끼고 元陽이 점점 차오르기 때문에 두 번째 진찰 당시 辛燥한 性味의 附子를 빼고 계속해서 여러 劑 복용하게 해서 뚜렷한 효과를 보았다.

2. 유전성 소뇌 운동실조증(遺傳性小腦型共濟失調):『上海中醫藥雜誌』(1984, 2:35): 여자, 20세. 소뇌 운동실조증을 앓은지 4년이 지났으며, 최근 몇 개월 동안 병세가 심해져서, 걸음을 걸을 때 비틀거리며 좌우로 흔들흔들 움직이고, 頭昏耳鳴하며 기억력이 감퇴되고, 몸이 차고 腰膝에 힘이 없으며, 苔薄舌質偏淡하고 혀 끝에 齒印이 생기고, 脈細하고 兩尺이 沉하면서 힘이 없게 나타났다. 溫腎補督, 益精養髓한 治法을 사용하며, 방제는 景岳右歸丸으로 넣고 빼서: 淡附片 6 g, 上肉桂 4 g, 鹿角霜·杜仲·淮山藥·懷牛膝·全當歸 各 9 g, 菟絲子·龜甲·杞子·熟地·制首烏 各 12 g으로 구성했다. 약을 20劑 복용한 후 환자는 정신이 호전되었다고 느끼고, 걸음을 걸을 때 약 복용 전에 비해 다리와 무릎에 힘이 생기고 안정적이지만, 다만 頭暈 증상은 여전히 남아있고, 口渴欲飮, 苔薄脈細했다. 위의 방제를 그대로 하고 生地 12 g을 추가해서 약을 50劑 복용하게 한 후 증상이 눈에 띄게 호전되었다. 가족들의 부축을 받으며 매일 90여 바퀴씩 약 50 m 정도 병동 복도를 걸어 다녔다. 혼자 걸었을 때 약 복용 전보다 걸음걸이가 안정적인 것으로 보여졌다. 현재 방문 조사 치료를 받은지 5개월 남짓 되어 병세가 안정되고, 계속해서 개선되어 이제는 계단을 오르락 내리락 할 수 있게 되었으며, 혼자 걸을 수 있게 되었지만, 여전히 의사의 처방에 따라 계속해서 휴식하면서 조리해서 치료 효과를 안정시키게 했다.

考察:命門火衰, 精髓無陽以化한데다가 髓海가 넉넉하지 못하고 骨이 慈養받지 못해서 腰膝에 힘이 없고 걸음을 걸을 때 비틀거리는 것으로, 본 증상은 頑症痼疾에 해당하며 빠른 치료효과를 보기는 어렵다. 따라서 右歸丸에 龜甲·牛膝·首烏을 넣고 益精養血, 補腎健骨한 효력을 증대하였으며, 두 번째 진료 당시 甘寒養陰生津의 性味를 띈 生地를 추가해서 渴을 멎게 하고, 약 20劑를 복용하게 한 후 증상이 완화되었으며, 방제를 그대로 해서 5개월 동안 계속 복용한 후 좋은 효과를 거두었다.

3. 대하(帶下):『浙江中醫學院學報』(1982, 6:27): 여자, 30세. 腰酸脊痛하고 帶下가 끊임없이 분비되고 달걀 흰자위 같은 색을 띠며, 아랫배가 더부룩하고 頭昏耳鳴한 증상이 2년이 지나도록 낫지 않았다. 진료 당시 환자는 월경량이 적고 옅은 색을 띠며, 월경통이 없으며 매일 아침 일어나면 얼굴이 부었다. 임신 4개월에 “인공유산”을 2회한 경험이 있으며, 舌淡苔白, 脈濡細했다. 腎陽不足하고 陽虛內寒해서 帶脈이 失約하고 任脈이 견고하지 못한 것으로 진단하고, 帶脈과 任脈을 보충하고 補攝해서 帶下를 안정시켜야 한다. 熟地黃·淮山藥·菟絲子·覆盆子 各 15 g, 枸杞子·山萸肉·鹿角霜·炒杜仲 各 12 g, 熟附塊·肉桂 各 3 g, 當歸·炒白朮 各 10 g, 紅棗 6개를 넣고 달여서 약 七劑를 복용하게 한 후 帶下가 눈에 띄게 줄고, 나머지 증상이 크게 완화되었다. 苔脈은 약 복용 전과 같아서 原方을 그래로 15일 동안 계속해서 복용하게 하였으며, 몇 개월 동안의 방문 조사에서 재발하지 않았다.

考察: 성인 여성이 多産衆乳해서 眞元耗損, 腎陽不足, 帶脈失約, 濕濁下注해서 帶下로 나타난 것으로 溫補腎陽, 燥濕止帶의 治法으로 치료해야 한다. 따라서 右歸丸을 主方으로 삼고, 補腎澀精한 성질의 覆盆子·健脾燥濕한 성질의 白朮을 넣고 약효가 증상에 잘 맞아서 약을 七劑만 복용하고도 여러해 동안 앓아온 질병이 크게 완화되었다.

【副方】

1. 右歸飮(『景岳全書』卷51): 熟地二三錢或加至一二兩(9~30 g) 山藥 炒 二錢(6 g) 山茱萸 一錢(3 g) 枸杞 二錢(6 g) 甘草 炙 一二錢(3~6 g) 杜仲 薑製 二錢(6 g) 肉桂 一二錢(3~6 g) 製附子 一至三錢(3~9 g)

- 用法: 위의 약을 물 二鍾을 넣고 10분의 7이 되게 달여서 공복에 따뜻하게 복용한다.
- 作用: 溫補腎陽, 塡精補血.
- 適應症: 腎陽不足證을 主治한다. 氣怯神疲, 腹痛腰酸, 手足不溫 및 陽萎遺精, 大便溏薄, 小便頻多, 舌淡苔薄, 脈來虛細하거나 陰盛格陽, 眞寒假熱한 증상으로 나타난다.

본 방제는 또한 腎陽不足證을 치료하기 위해 만든 것이다. 방제에서 附子·肉桂·杜仲는 溫補元陽하고 强筋健骨하게 하며, 熟地·枸杞子·山茱萸·山藥은 益髓塡精해서 "陰中求陽"하며, 山藥·炙甘草는 益氣補脾하고 모든 약을 조화롭게 한다. 諸藥의 효력을 합하면 溫補腎陽, 塡精補血한 효능을 갖게 된다.

본 방제와 右歸丸은 모두 張介賓이 만든 溫補腎陽한 효능을 띈 名方으로, 두 방제의 組成에는 모두 附子·肉桂·杜仲·熟地·山茱萸·枸杞子·山藥 7가지 약을 포함한다. 右歸飮은 또한 甘草를 포함해서 補脾和中의 효력이 조금 강하고, 반면에 右歸丸은 鹿角膠·菟絲子·當歸를 추가해서 溫腎益精한 효력이 비교적 뛰어나다. 따라서 두 방제는 비록 溫補腎陽, 塡精補血한 방제가 되지만 치료의 대상이 되는 腎陽虛衰한 증후는 여전히 輕重의 차이가 있다.

2. 贊育丹(『景岳全書』卷51): 熟地 蒸, 搗 八兩 白朮 八兩(240 g) 當歸 枸杞 各六兩(180 g) 杜仲 酒炒 仙茅 酒蒸一日 巴戟肉 甘草湯炒 山茱萸 淫羊藿 羊脂拌炒 肉蓯蓉 酒洗, 去甲 韭子 炒黃 各四兩(120 g) 蛇床子 微炒 附子 製 肉桂 各二兩(60 g)

- 用法: 위의 약을 분말로 갈아서 煉蜜을 넣고 丸으로 빚어서 복용한다. 만약 湯劑로 제조할 경우에는 용량은 原方의 비율에 맞게 참작한다. 陽氣大虛한 경우에는 人蔘·鹿茸을 넣는다.
- 作用: 溫腎壯陽, 益精補血.
- 適應症: 腎陽不足, 陽萎精衰, 虛寒無子한 증상을 치료한다.

본 방제는 또한 張介賓이 만든 유명한 補腎 방제가 되며, 下元虛寒, 陽萎精衰無子한 증상을 치료하는 데 사용한다. 방제에서 附子·肉桂·杜仲·仙茅·巴戟·淫羊藿·肉蓯蓉·韭子·蛇床子 등의 대량의 性味가 辛熱하고 腎으로 入經하며 壯陽한 효능을 띤 약을 모아서 溫壯元陽, 補益命火하게 하고, 또한 熟地·當歸·枸杞子·山茱萸 등을 또 배오하여 塡精補血, "陰中求陽"하며, 陽藥의 溫燥한 성질을 억제하고, 白朮이 있어 益氣健脾하기 때문에 先後天을 함께 補한다. 모든 약을 配伍하면 溫壯腎陽, 塡精補血한 효능을 갖게 된다.

본 방제와 右歸丸은 飮用과 효능이 유사하지만 다량의 辛熱한 성질의 약을 配伍하기 때문에 溫腎壯陽한 효능이 특히 뛰어나게 되어서 腎陽不足, 命門火衰, 陽萎無子한 증상을 치료하는 전문처방이 된다.

第六節 陰陽并補劑

地黃飮子(地黃飮)

(『聖濟總錄』卷51)

【組成】 熟乾地黃 焙 巴戟天 去心 山茱萸 炒 肉蓯蓉 酒浸, 切, 焙 附子 炮裂, 去皮·臍 石斛 去根 五味子 炒 桂 去粗皮 白茯苓 去黑皮 各一兩(30 g) 麥門冬 去心, 焙 遠志 去心 菖蒲 各半兩(15 g)

【用法】 위의 약을 얇게 저며서 마두(麻豆) 크기로 빚는다. 매회 三錢匕(9~15 g)의 양을 물 一盞에 生薑 3조각 大棗 2개를 함께 넣고 10분의 7로 달여서 찌꺼기는 제거하고 식전에 따뜻하게 복용한다.

【效能】 滋腎陰, 補腎陽, 開竅化痰.

【主治】 瘖痱를 主治한다. 증상은 舌强不能言, 足廢不能用, 口乾不欲飮, 足冷面赤, 脈沉細弱하게 나타난다.

【病機分析】 瘖이라는 것은 혀가 뻣뻣하게 굳어져 말을 할 수 없는 것이다. 痱라는 것은 발에 장애가 있어 걸을 수 없는 것이다. 瘖痱라는 질병은 下元이 虛衰해서 虛陽上浮하고 痰濁이 이를 따라 올라와서 竅道를 가로막아서 발병하는 것이다. 腎은 骨을 주관하며, 下元이 虛衰하면 筋骨이 痿軟하고 힘이 없으며 심할 때는 발에 장애가 생겨 걸을 수 없게 되며, 足少陰腎의 脈에 舌本을 겸하면, 腎虛해서 精氣가 위로 올라오지 못하고 舌本失榮하고, 게다가 虛陽上浮하고 痰濁이 이를 따라 올라와서 心의 竅道가 막혀서 결국에서 혀가 뻣뻣하게 굳어지고 말을 할 수 없게 된다. 口乾不欲飮, 足冷面赤, 脈이 沉細하면서 弱한 등의 증상으로 나타나고, 모두 腎陰不足, 虛陽浮越한 증거이다. 본 病證은 비록 本虛標實, 上實下虛하지만 下元虛衰를 위주로 해서 치료한다.

【配伍分析】 본 방제가 치료하는 증상은 腎陰陽兩虛하고 痰濁이 위로 올라가서 機竅가 통하지 않는 것은 기본적인 病機變化로 삼으며, 따라서 본 방제를 立法하는데 있어 溫補下元을 위주로 하고 開竅化痰을 겸한다. 방제에서 熟地는 性味가 甘溫해서 滋腎塡精益髓의 要藥이 되며, 山茱萸는 성미가 酸溫하면서 澀하기 때문에 補肝腎, 益精氣의 효능이 뛰어나다. 두 약이 서로 돕고 조화를 이루면, 滋腎益精의 효력이 더욱 뛰어나게 된다. 肉蓯蓉은 性味가 甘溫하면서 潤하고, 補하되 膩하지 않고, 溫하되 燥하기 않기 때문에, 補腎陽, 益精血, 起陽痿, 暖腰膝한 효능이 뛰어나다. 巴戟天은 溫補腎陽하고 또한 성질이 潤하되 燥하지 않기 때문에, 壯陽益精하고 强筋壯骨한 작용을 할 수 있으므로, 두 약을 함께 사용하면 溫腎補精의 효능이 더욱 뛰어나게 된다. 네 가지 약을 配伍해서 下元虛衰한 근본을 치료하며, 모두 君藥이 된다. 附子·肉桂는 大辛大熱한 性味를 띠며 助陽益火에 뛰어나고, 肉蓯蓉·巴戟天의 溫暖下元하는 효능에 협조하고, 補腎壯陽하며, 또한 攝納浮陽해서 引火歸原하게 할 수 있으며, 石斛·麥冬은 甘寒滋陰益胃한 性味를 띠며, 後天을 補해서 先天을 充養하고, 五味子는 性味가 酸澀하여 收斂의 효능이 있으며, 山茱萸와 배합하면 固腎澀精하게 할 수 있고, 肉桂와 配伍하면 攝納浮陽하고 納氣歸腎하게 할 수 있으며, 다섯 가지 약을 함께 사용하면 君藥의 滋陰溫陽으로 本을 치료하는 효능을 도우며, 모두 臣藥에 속한다. 石菖蒲는 "辛苦而溫, 芳香而散, 開心孔, 利九竅, 明耳目, 發聲音"(『本草從新』卷6에 수재됨)하므로 痰濁을 제거하면서 心竅를 여는 良藥이 되며, 遠志는 주로 心으로 入經하며 化痰安神한 효능이 뛰어나고, 茯苓은 健脾滲濕한 효능을 띠며 生痰의 근본을 치료하고, 또한 補하되 膩하지 않게 할 수 있다. 세 가지 약은 開竅化痰한 효능을 띠며 여러 補腎藥과 함께 配伍하면 또한 交通心腎하기 때문에 痰濁阻竅한 標를 치료

하며, 佐藥이 된다. 약을 달일 때 薑·棗을 조금 넣고 和胃補中, 調和藥性하게 하며, 『黃帝素問宣明論方』卷2에서 본 방제를 수재할 때는 薄荷 여러 잎을 추가해서 疏鬱利咽하게 하고, 또한 본 방제의 輕淸上行宣竅의 효력을 강화시켰다. 모든 약을 함께 配伍하면 下元이 補養하게 되고, 浮陽이 攝納하게 되고, 水火相濟, 痰化竅開하게 되어서 瘖痱이 나을 수 있게 된다.

본 방제의 配伍 특징은 세 가지가 있다: 첫째는 陰陽을 함께 補養하고 上下를 兼治하고 標本을 함께 도모하며, 특히 滋陰으로 治下治本을 위주로 한다. 둘째는 補하는 가운데 斂하고, 澀하는 가운데 通하게 하기 때문에 補通開合의 방제가 된다. 셋째는 潤하되 膩하지 않고, 溫하되 燥하지 않기 때문에 腎陰腎陽을 平補하는 방제가 된다.

본 방제에서 熟地黃을 사용해서 滋腎塡精, 益髓壯骨한 효능을 띠며 湯劑로 제조해서 복용하기 때문에 "地黃飮子"라고 부른다.

【臨床應用】

1. 證治要點: 본 방제는 腎虛瘖痱를 치료하는 主方이 된다. 舌瘖不語, 足廢不用한 증상을 치료의 요점으로 삼는다.

2. 加減法: 만약 腎虛之痱證을 치료하는데 사용하려면 石菖蒲·遠志 등의 宣通開竅한 성질의 약을 빼고, 瘖痱가 陰虛를 위주로 하지만 痰火가 심한 경우에는 溫燥한 성질의 附·桂를 넣고, 川貝母·竹瀝·陳膽星·天竹黃 등의 淸化痰熱한 성질의 약을 첨가하고, 氣虛를 동반하는 경우에는 黃芪·人蔘를 넣고 益氣하게 치료해야 한다.

3. 地黃飮子는 다음 한국표준질병사인분류(KCD)에 해당하는 환자가 瘖痱, 腎陰陽兩虛證으로 辨證되는 경우 본 처방의 사용을 고려해볼 수 있다.

처방 목표	한국표준질병사인분류(KCD)
高血壓	I10 본태성(원발성) 고혈압
	I15 이차성 고혈압
腦動脈硬化症	I67.2 대뇌죽상경화증
中風 後遺症	U23.4 중풍후유증(中風後遺證)
脊髓炎	G04 뇌염, 척수염 및 뇌척수염

【注意事項】 본 방제는 溫補의 효능이 강하기 때문에 氣火上升, 肝陽偏亢한 증상 치료에는 적합하지 않다.

【變遷史】 본 방제는 『聖濟總錄』卷51의 "瘖痱"에서 처음으로 보여졌으며, 原名은 "地黃飮"으로 "腎氣虛厥, 語聲不出, 足廢不用"을 치료하는 데 사용했다. 金代의 劉完素은 본 방제를 그가 편찬한 『黃帝素問宣明論方』卷2의 "諸證"에 수록하고, 또한 이름을 "地黃飮子"라고 바꾸고, 말하길: "瘖痱證, 主腎虛, 內奪而厥, 舌瘖不能言, 二足廢不爲用, 腎臟虛弱, 其氣厥不至, 舌不仁. 經云: 瘖痱足不履用, 音聲不出者, 地黃飮子主之. 治瘖痱, 腎氣虛弱厥逆, 語聲不出, 足廢不用"라고 하였다. 더 나아가서는 瘖痱證의 기본 病機가 "腎虛厥逆"이 되며, 또한 달일 때 薄荷 5·7잎을 넣으면, 본 방제의 淸輕上行宣竅한 효력이 강해진다고 명확하게 밝히고 있기 때문에 현행 중국 대학 의약원(高等醫藥院校)의 교재인 『方劑學』에 수록된 본 방제의 용법은 모두 劉氏의 방법을 따르고 있다. 『證治寶鑑』卷1에서 또한 본 방제는 "中風腎虛"를 치료하는데 사용하고, 『胎産心法』卷3에서는 본 방제를 사용해서 "産後麻瞀"를 치료하는데 사용하였으며, 현대에는 사용 범위게 더욱 확대되어, 본 방제를 사용해서 넣고 빼서 失眠·水腫·多尿·皮膚瘙痒症 등의 腎陰陽兩虛에 속하는 여러 종류의 질병을 치료하는데 사용해서 陰陽并補法의 代表方劑로 활용되고 있으며, 『飼鶴亭集方』에서는 제형을 丸劑로 바꾸고 "地黃丸"라고 부른다.

【難題解說】

1. 본 방제의 출처에 관하여: 본 방제의 유래는 역대 교재에서 모두 『黃帝素問宣明論方』라고 기록하고

있지만, 사실『聖濟總錄』(南宋의 政和年間에 편찬되었으며, 약 서기 1111~1117년이다)에 이미 본 방제의 기록이 있다.『宣明論方』은 金大定 12년(서기 1172년)에 책으로 완성되었으며, 책 속에 기록된 地黃飮子는『聖濟總錄』의 "地黃飮"과 비교해 薄荷의 유무 외에는 조성이 같고, 主治 증후에 관한 묘사도 같으므로, 따라서 본 방제의 출처는『聖濟總錄』으로 보아야 한다.

2. 본 방제의 분류(隸屬歸類)에 관하여: 瘖痱라는 病證은, 선인들도 "風痱"라고 불렀다. 예를 들면 汪昂이 이르길: "中風舌瘖不能言, 足廢不能行, 此少陰氣厥不至, 名曰風痱"(『醫方集解』·「祛風之劑」에 수재됨)라고 하고, 또한 地黃飮子를 "祛風之劑"에 수록했다. 과거의 역대『方劑學』교재에서 모두 汪氏의 주장에 따라 地黃飮子를 治風劑의 "平息內風"방제에 분류해 놓았다. 하지만 본 방제의 證治를 자세히 분석해 보면, 방제에서 사용하는 君藥(熟地·山茱萸·肉蓯蓉·巴戟天 등)은 모두 滋腎壯陽한 효능을 띄는 약으로, 諸藥과 配伍했을 때 平肝息風한 성질의 약이 하나도 없다. 또한 主治病機 역시 腎虛失養을 위주로 하기 때문에 肝風內動의 징후는 나타나지 않는다는 것을 알 수 있다. 따라서 본 방제를 平息內風의 방제로 보는 것은 부적절하다. 6판 교재는 본 방제의 立法과 配伍를 바탕으로 해서 補益劑의 "陰陽并補"한 방제로 구분하고 있으며, 이러한 분류가 理法이 비교적 잘 맞는다.

【醫案】

1. 瘖『校注婦人良方』卷3: 기혼 여성이 한 명이 갑자기 말을 하지 못한지 반년이 되었으며, 모든 약이 듣지 않고, 兩尺의 맥이 浮數해서, 우선 六味丸에 肉桂을 넣고 여러제 복용하게 하였더니 증상이 완화되었다. 이어서 地黃飮子을 30여 제 복용하게 한후 완치했다.

2. 瘖痱『洄溪醫案』: 新郭瀋은 어린 신부와 재혼 후 房事不節하여, 갑자기氣喘하고, 厥逆·語澀·神昏, 手足不擧한 증상이 나타났다. 의사가 中風으로 진단하고 치료하였으나, 증상은 더욱 심해졌다. 내가 이에 대해 말하길: 본 증상은『內經』에서 말하는 痱證이다. 少陰이 虛하면 精氣가 지속되지 않으므로 대개 中風·中風·痰厥·風厥 등의 질병과는 결코 유사하지 않다. 劉河間이 立法한 地黃飮子는 바로 본 증상을 치료하기 위해 만들었다는 것에 대해 어떤 의학자가 꺼리겠는가? 一劑를 복용한 후 喘逆이 안정되고, 神氣가 맑아지고, 목소리가 나오기 시작하고, 四肢가 떨리는 증상이 나타났다. 三劑를 복용하고 나서 증상이 대부분 사라졌으며, 養精益氣한 약으로 조리한 후 다 나았다.

3. 中風『遼寧中醫雜誌』(1980, 4:23): 한 노인이 갑자기 실신하여 제정신이 아니고 오른쪽 다리가 심하게 마비되고 소변이 절로 나오고 땀이 났다. 西醫에서 腦溢血로 진단하고, 中醫에서 말하는 陰陽兩虧, 元氣欲脫한 臟腑脫證으로, 地黃飮子를 급히 사용해서 茯苓·麥冬·石斛를 빼고 치료한다. 약 三劑를 복용한 후 모든 증상이 호전되었고 계속해서 본 방제를 복용한 후 병세가 완화되고 기본적으로 위험에서 벗어났다.

4. 神經衰弱『浙江中醫雜誌』(1982, 3:125): 남자, 45세. 오랫동안 긴장한 탓에 心悸不寧, 頭暈, 腰酸, 失眠이 생겨서 매일 밤 수면제를 복용해야 했다. 그 후에 병세가 심해져서 精神恍惚하고, 기억력이 감퇴하고 耳鳴, 心煩, 畏冷, 夜尿頻淸, 面熱, 舌質紅苔薄, 脈細弱稍數 등으로 나타났으며, 이는 腎陰이 虧虛하면 陰이 陽을 손상시키고 陰陽이 균형을 잃어서 心腎失交한 증상이다. 處方는: 生熟地·蓯蓉 各 15 g, 山茱萸·石斛·麥冬·巴戟天·柏子仁 各 10 g, 五味子 8 g, 肉桂粉 3 g (呑), 制附子·炙遠志·石菖蒲 各 5 g, 白茯苓 30 g, 龍眼肉 三枚로 구성한다. 약 五劑를 복용한 후 호전되었으며, 방제에서 넣고 빼서 이어서 처방하고 총 五十劑를 복용한 후 완치했다.

考察: 醫案1의 瘖과 醫案2의 痱는 地黃飮子와 잘 맞아서 좋은 효과를 거두게 되었다. 이 중 醫案1에서 서술한 내용은 비교적 간단하며, 藥으로 病證을 판단해 보면, 먼저 六味地黃丸에 肉桂를 넣으면 증상이 조금 늦게 완화되지만 補陽의 효력이 부족하기 때문에 地黃飮子로 바꿔서 복용하게 한 후 陰陽을 함께 補하게 되어서 효과를 거두었다. 醫案2의 瘖痱은 腎의 陰陽兩虛, 痰濁上泛로 인해서 발병한 것이며, 예전의 의사가 中風으로 오진해서, 平肝息風한 방제를 처방제를 처방한 것으로 추정되며, 결국에는 효과를 보지 못했다. 증상을 자세하게 살펴본 후 地黃飮子으로 바꿔서 처방하니, 약과 증상이 잘 맞아서 뛰어난 효과를 거두게 되었다. 醫案3의 中風·醫案4의 神經衰弱으로 인한 失眠·心悸는 모두 임상에서 나타나는 결과는 다르지만, 증상을 판단해 보았을 때 모두 腎의 陰陽兩虧로 인해 발병한 것이다. 따라서 모두 地黃飮子에 넣고 빼서 처방했다. 전자의 경우에는 補腎을 위주로 해서 치료하므로 麥冬·石斛·茯苓 등의 脾胃經藥을 빼고, 후자의 경우에는 또한 養心을 겸하기 때문에 柏子仁·龍眼肉 등을 넣고 寧心安神의 효능을 강화한다.

龜鹿二仙膠

(『醫便』卷1)

【異名】 龜鹿二仙膏(『攝生秘剖』卷4)·二仙膠(『雜病源流犀燭』卷8)·龜鹿二膠(『全國中藥成藥處方集』瀋陽方).

【組成】 鹿角은 신선한 麋鹿의 뿔을 자르고, 解한 것은 사용하지 않으며 馬鹿角은 사용하지 않는다. 뿔을 자를 때는 腦梢骨의 二寸 부분을 절단해서 자르고, 깨끗하게 씻어서 十斤(5,000 g)을 사용하며 龜甲은 弦을 제거하고 깨끗하게 씻어서 五斤(2,500 g)을 방망이로 두드려 조각낸다 人蔘 十五兩(450 g) 枸杞子 三十兩(900 g)

【用法】 위의 세 약을 주머니에 담고 흐르는 물에 3일 동안 담가둔 후, 鹿角과 龜版을 얇게 잘라서 壇(항아리) 안에 넣고 물을 三五寸 높이가 되게 잠기게 하고, 黃蠟 三兩으로 주둥이를 하고 나서 큰 솥(鍋)에 넣고 뽕나무 숯불에 7일밤 동안 달인다. 달일 때는 壇(항아리)안에 하루 한 번씩 물을 추가해서 끓어 넘치는 일이 없도록 하고, 솥(鍋)에는 하루 5번씩 물을 추가한다. 鹿角이 酥가 될 때까지 달여서 꺼내서 깨끗하게 여과하고, 찌꺼기는 걸러서 제거하면, 그 찌꺼기가 바로 鹿角霜·龜甲霜이 된다. 맑은 즙은 따로 놔두고, 이밖에 人蔘·枸杞子를 동솥(銅鍋)에 물 36그릇을 부어서 藥面에 물이 없어질 때까지 달이고, 새 천으로 짜서 맑은 즙(淸汁)을 얻고, 찌꺼기는 돌절구에 물을 넣고 찧어서, 물 24그릇을 넣고 위와 같이 다시 달인다. 거르고 찧고 달이기의 세 가지 방법으로 찌꺼기에서 맛이 우러나오지 않을 때까지 반복한다. 위의 龜·鹿汁에 參·杞汁을 함께 솥에 넣고 약한 불에 달여서 물에 떨어뜨렸을 때 방울져 흩어지지 않을 때까지 끓이면 膠가 된다. 초열흘날부터 열이레까지 꽉 찬 7일 밤 동안 볕에 쐬고 밤 이슬을 맞게 해서 日精月華한 氣를 받게 하고, 만약 이번달에 흐리고 비가 와서 날짜가 모자라면 다음 달에는 서늘한 곳에 놓고 바람에 건조한다. 복용할 때마다 처음에는 一錢 五分씩 복용하고, 10일에 五分씩 더해서 三錢까지 늘린다. 공복에 술로 복용하게 하며, 자주 복용하면 된다. (현대용법: 위의 약을 항아리를 사용해서 膠로 졸여서, 처음에는 4.5 g씩 술로 복용하고, 점차 9 g까지 늘려서 공복에 복용한다).

【效能】 滋陰塡精, 益氣壯陽.

【主治】 眞元虛損, 精血不足證을 主治한다. 증상은 全身瘦削, 陽痿遺精, 兩目昏花, 腰膝酸軟, 久不孕育하게 나타난다.

【病機分析】 腎臟의 精은 부모에게 물려 받은 先天적인 것으로 인체 생명의 근본이 된다. 따라서 『靈樞』·「經脈」에서 이르길: "人始生, 先成精"라고 하고, 『素問』·「金匱眞言論」에서 또한 이르길: "夫精者, 生之本也"라고 하였다. 만약 先天적으로 받은 것이 부족하거나 後天적으로 적절하게 調養하지 못해서 酒色過度하

거나 病久傷腎 등의 증상은 모두 腎精不足을 초래할 수 있다. 腎는 生殖을 주관하므로 腎精이 虧虛하면, 남자의 경우는 精少不育하고, 여자의 경우는 經閉不孕하게 된다. 인체의 筋骨은 精氣에 의지해서 濡養하게 되며, 精充하면 筋骨隆盛, 動作矫健하게 되고 精損하면 筋骨疲憊, 轉摇不能하며 허리와 무릎이 시큰거리고 힘이 없게 된다. 精血이 부족하고, 形體가 충전되지 않으면 근육이 몹시 여위게 된다. 肝腎精血은 근원이 같아서, 눈에 혈액 공급이 원활하게 될 때 맑게 잘 볼 수 있으며, 精血이 虧하면, 上竅을 滋養하지 못해서 물체가 뚜렷하게 보이지 않는다. 腎은 陰陽이 서로 뿌리를 이루는 곳으로, 腎精이 虧虛해서 陽氣陰血이 모두 化育하지 못하고 오랫동안 精血陰陽이 모두 지치면 陽痿遺精·發脫齒搖·未老先衰한 증상으로 나타나게 되며, 이와 같이 諸虛百損한 증상은 일일이 다 열거할 수 없다. 상술한 바를 종합하면, 腎元虛損하고 精血陰陽이 부족한 것은 본 病證의 기본 病機가 된다.

【配伍分析】 본 방제는 腎虛로 인해 精血陰陽이 부족한 증상을 위해서 만든 것으로 立法에 있어서 陰陽을 함께 補한다. 방제에서 鹿角膠는 性味가 甘鹹微溫하고 溫腎壯陽, 益精養血한 효능이 뛰어나다.

龜甲膠는 性味가 甘鹹而寒하며 填精補髓, 滋陰養血한 효능이 뛰어나며, 두 약은 모두 血肉有情한 약이 되며, 精髓를 峻補할 뿐만 아니라, "精不足者, 補之以味"의 뜻에 부합하며, 또한 滋陰하는 가운데 溫陽의 효력을 띠며, 한편으로는 虛憊한 陽氣를 補하고, 다른 한편으로는 "陽中求陰"의 효능을 蘊해서 모두 君藥이 된다. 人蔘은 甘苦하면서 溫한 性味를 띠고 元氣를 補는 要藥이 되며, 鹿·龜二膠와 함께 配伍하면, 補氣生精해서 陽生陰長의 효능을 갖을 뿐만 아니라 또한 鹿角膠의 溫한 성질과 합해져서 壯陽의 효력을 돕고, 게다가 後天적인 脾胃의 中氣를 補해서 氣血生化의 근원을 돕는다. 枸杞子는 맛이 甘하고 성질이 平해서 補腎益精하고 養肝明目의 良藥이 되며, 君藥의 滋補肝腎과 精血不足을 도와서 두 약은 모두 臣藥이 된다. 네 가지 약을 함께 配伍하면, 陰陽氣血을 함께 補하고, 先天後天을 함께 돌봐서 약 종류는 적지만 약효가 뛰어나서, 함께 峻補精髓, 益氣壯陽의 효능을 갖게 되어 眞元不足, 諸虛百損을 치료할 수 있을 뿐만 아니라 노화를 방지하고 수명을 연장할 수 있다.

본 방제의 配伍 특증은 두 가지가 있다: 첫째는 鹿·龜二膠 등의 血肉有情한 약을 重用해서 精髓을 峻補하는 치법을 위주로 한다. 둘째는 補氣助陽生精해서 陽氣生하면서 精髓長하게 하고, 後天을 補해서 先天을 養하면 精血의 虛化가 근원이 생기게 되어 陰陽氣血을 함께 補하는 방제가 된다.

본 방제는 鹿角와 龜甲을 重用해서 膠로 제조해서 복용하고, 精氣陰陽을 함께 補하며, "由是精生而氣旺, 氣旺而神昌, 庶几龜鹿之年矣, 故曰二仙"(『古今名醫方論』卷4에 수재됨)한 효능을 갖기 때문에, "龜鹿二仙膠"라는 이름이 있다.

【類似方比較】 본 방제와 左歸丸은 모두 鹿角膠·龜甲膠·枸杞子 세 가지 약을 포함하고 있어서 填精益髓한 효능을 띠며 眞元虛損한 증상을 치료한다. 하지만 左歸丸은 熟地黃을 重用해서 君藥으로 삼고, 龜·鹿二膠는 臣藥으로 삼지만, 본 방제는 龜·鹿二膠를 重用해서 君藥으로 삼고, 또한 大補元氣한 성질의 人蔘을 配伍한다. 따라서 滋補精髓한 효력이 左歸丸에 비해 강할 뿐만 아니라, 또한 溫壯陽氣한 효능을 겸한다. 左歸丸은 眞陰不足證을 치료하는데 적합하지만, 반면 본 방제는 腎精元陽이 모두 虛한 증상을 치료하는데 적합하다.

地黃飮子와 본 방제는 모두 陰陽을 함께 補하는 방제이며, 腎의 陰陽兩虛한 증후를 主治한다. 하지만 본 방제는 血肉有情한 약을 重用해서 精髓를 峻補하므로 填精補髓한 효능이 비교적 뛰어나고, 반면 地黃飮子는 大辛大熱한 성질의 附·桂를 配伍해서 補火助陽의 효력이 뛰어나다. 게다가 地黃飮子는 또한 石菖

蒲·茯苓·遠志 등의 開竅化痰한 약을 配伍해서 넣으므로 陰陽兩虛하고 痰濁上泛, 阻塞竅道 때문에 발병한 喑痱證 치료에 뛰어나다. 반면 본 방제는 補虛를 위주로 하므로 眞元이 부족하고 精氣陰陽이 모두 손상된 증후를 치료하는 要方이 된다.

【臨床應用】

1. 證治要點: 본 방제는 滋養陰陽氣血의 방제가 된다. 임상에서 腰膝酸軟, 兩目昏花, 陽痿遺精한 증상을 치료의 요점으로 삼는다.

2. 加減法: 頭暈目眩한 경우에는 杭菊花·明天麻를 넣고 息風止眩하게 하고, 遺精이 빈번하게 발생하는 경우에는 金櫻子·潼蒺藜를 넣고 補腎固精하게 한다.

3. 龜鹿二仙膠는 다음 한국표준질병사인분류(KCD)에 해당하는 환자가 眞元虛損, 精血不足證으로 辨證되는 경우 본 처방의 사용을 고려해볼 수 있다.

처방 목표	한국표준질병사인분류(KCD)
內分泌攪亂로 인한 發育不良	E23.0 뇌하수체기능저하
重症貧血	D50~D53 영양성 빈혈
	D55~D59 용혈성 빈혈
	D60~D64 무형성 및 기타 빈혈
神經衰弱	F48.0 신경무력증
	F48.8 기타 명시된 신경증성 장애
	F48.9 상세불명의 신경증성 장애
性機能 減退	F52.0 성욕감퇴 또는 상실
	F52.2 생식기반응의 부전

【注意事項】본 방제는 味厚滋膩하기 때문에 脾胃虛弱하면서 食少便溏한 환자를 치료하는데 적합하지 않다. 본 방제의 藥性은 溫한 성질이 강하기 때문에 陰虛하면서 內熱한 증상을 띠는 경우에 사용하는 것도 적절하지 않다.

【變遷史】龜鹿二仙膠는 明代의 의학자인 王三才가 만든 것으로, 『醫便』에서 가장 먼저 수재되었으며, 그 출처는 당분간 고증할 방법이 없다. 본 방제는 血肉有情의 약을 重用해서 腎精元陽을 大補하며, 동시대의 조금 늦은 張介賓이 만든 左歸丸과 유사하며, 두 방제의 純甘壯水·填精益髓한 治法은 매우 비슷하지만, 이때부터 補腎의 治法이 仲景의 寓瀉于補한 논리의 治法과 함께 둘로 나뉘기 시작했다. 『全國中藥成藥處方集』(福州方)에는 본 방제를 丸劑로 바꾸고 "龜鹿二仙丸"라고 부른다.

【難題解說】본 방제의 출처와 분류(隸屬歸類)에 관하여: 본 방제는 1985년부터 대학 의약원(高等醫藥院校) 교재인 『方劑學』(即5版教材)에 수록되기 시작했으며, 補益劑 가운데 "補陰劑"로 분류하고, 그 출처는 『醫方考』가 된다. 『醫方考』는 明代의 의학자인 吳昆의 저서로 1584년에 책으로 완성되었지만, 吳氏와는 동시대이지만 다소 이른 시기의 의학자인 王三才이 편찬한 『醫便』(1569년에 책으로 완성됨)에 이미 龜鹿二仙膠에 대한 기록이 있다. 따라서 1995년에 출판된 보통 고등교육 중의약류(普通高等教育中醫藥類) 기획교재인 『方劑學』에서 본 방제가 『醫便』에서 유래되었다고 수정하고, 아울러 본 방제의 滋髓填精에 근거하고, 또한 溫壯陽氣의 기능적인 특성을 겸하여 본 방제를 補陰劑에서 분리하여 신설된 "陰陽并補劑"에 포함시켰다. 이와 같은 변동은 본 방제의 효능과 主治 증후와 더욱 부합한다.

七寶美髯丹

(『積善堂方』, 『本草鋼目』卷18에 수록됨)

【異名】七珍至寶丹·烏鬚健陽丹(『扶壽精方』)·美髯丹(『醫級』卷8)·七寶美髯丸(『全國中藥成藥處方集』武漢方)·首烏補益丸(『實用中成藥手冊』).

【組成】 赤·白何首烏 米泔水浸三四日, 瓷片刮去皮, 用淘净黑豆二升, 以砂鍋木甑, 铺豆及首烏, 重重铺蓋蒸之, 豆熟取出, 去豆曬乾, 換豆再蒸, 如此九次, 曬乾, 爲末 各一斤(500 g) 赤·白茯苓 去皮, 研末, 以水淘去筋膜及浮者, 取沉者捻塊, 以人乳十碗浸匀, 曬乾, 研末 各一斤(500 g) 牛膝 去苗, 酒浸一日, 同何首烏第七次蒸之, 至第九次止, 曬乾 八兩 當歸 酒浸, 曬 八兩 枸杞子 酒浸, 曬 八兩 菟絲子 酒浸生芽, 研爛, 曬 八兩(250 g) 補骨脂 以黑脂麻炒香 四兩(120 g)

【用法】 위의 약을 분말로 갈아서 煉蜜을 넣고 탄환 크기의 丸으로 총 150개를 빚어서 매일 3개의 丸을 이른 아침에는 따뜻한 술에 복용하고, 점심에는 薑湯에 복용하고, 취침 전에는 소금을 넣고 끓인 물에 복용한다.

【效能】 補益肝腎, 烏發壯骨.

【主治】 肝腎不足證을 主治한다. 증상은 須鬚髮早白, 脫髮, 齒牙動搖, 腰膝酸軟, 梦遺滑精, 腎虛不育 등으로 나타난다.

【病機分析】 肝은 血을 저장하고, 腎은 精을 저장하며 精血이 생겨나는 肝과 腎은 근원이 동일하다. 머리카락은 혈액의 여분이 되고, 腎華在髮하며, 肝腎의 精血이 充盈하면, 머리카락이 검고 머리숫이 많으며 윤기가 흐르게 된다. 만약 肝腎의 精血이 부족하게 되면, 가벼운 경우에는 髮黃해서 윤기가 없고, 심한 경우에는 일찍 머리가 세거나 탈모 증상이 나타나게 된다. 치아는 뼈의 여분으로, 뼈는 髓을 따라 滋養하며, 髓이 精化되면, 腎안의 精氣가 充盛하게 되어서 치아가 튼튼해 지고 잘 빠지지 않게 된다. 만약 腎虛精虧해서 生髓養骨하지 못하면, 치아가 흔들리거나 심한 경우에는 早脫하게 된다. 腎은 生殖을 주관하며, 腎精이 虧虛하면 남자의 경우 精少不育하고, 精虛가 오랫 동안 지속되면 腎陽 역시 쇠약해져서 精關失固하게 되어 梦遺滑精, 腰膝酸軟한 증상이 나타나게 된다. 이를 통해 알 수 있듯이, 일단 肝腎이 虧損하고 精血이 부족해지면 노화의 징후가 이를 따라 함께 나타나게 된다.

【配伍分析】 본 방제가 치료하는 증상은 肝腎精血虧虛, 元陽不足을 기본 病機로 하므로 滋補肝腎, 溫壯元陽한 治法으로 치료한다. 방제에서 赤白何首烏를 함께 사용하면, "白者入氣分, 赤者入血分, 腎主閉藏, 肝主疏泄, 此物氣溫·味苦澀, 苦補腎, 溫補肝, 澀能收斂精氣, 所以能養血益肝, 固精益腎, 健筋骨, 烏髭發, 爲滋補良藥. 不寒不燥, 功在地黃·天門冬諸藥之上"(『本草綱目』卷18에 수재됨)하기 때문에 重用하고 君藥으로 삼아서 肝腎을 補하고, 精血을 補益하게 해서 須髮을 검게 하고 筋骨을 튼튼하게 한다. 枸杞子·當歸를 配伍해서 滋腎益精, 補肝養血하게 하고, 菟絲子·補骨脂를 配伍해서 溫腎强腰, 壯陽固精하게 하며, 모두 臣藥이 된다. 牛膝은 補肝腎, 堅筋骨, 活血脈하며, 赤白茯苓을 함께 사용하면 健脾運, 滲濕濁하게 해서, 補하는 가운데 行하게 하고, 補하는 가운데 瀉하게 하고, 補하되 滯하지 않으므로, 모두 佐藥이 된다. 모든 약을 함께 사용하면, 精髓가 생겨나게 해서 陰血을 보충하고, 元陽을 회복시켜서 命火를 왕성하게 하면, 치아와 모발을 滋養하고, 腎精이 固秘하게 되면, 모든 질병을 낫게 할 뿐만 아니라, 또한 수명을 연장해서 장수하게 하는 효능을 갖는다.

본 방제의 配伍 특징은 세 가지가 있다: 첫째는 陰陽을 함께 補하며, 補陰益精을 위주로 한다. 둘째는 肝脾腎을 함께 치료하며 精血을 동시에 滋養하고 先後天을 함께 돌보며, 특히 補腎益精을 위주로 한다. 셋째는 補하는 가운데 瀉하고, 補하되 滯하지 않게 한다.

본 방제는 何首烏 등의 일곱 가지 약으로 구성되며, 溫養肝腎, 益精補血한 효능이 鬚髮를 滋養해서 검고 화려하며 아름답게 하기 때문에, "七寶美髯丹"이라고 부른다. 髯은 頰鬚를 가리키며, 이는 넓은 의미의 鬚髮를 나타낸다.

【類似方比較】본 방제와 龜鹿二仙膠는 모두 陰陽을 함께 補하고 養生抗老防衰의 방제가 된다. 이중 龜鹿二仙膠는 血肉有情한 성질의 龜甲膠·鹿角膠으로 填精補髓하며 君藥으로 삼고, 또한 人蔘의 大補元氣한 성질을 配伍해서 精氣陰陽을 峻補하는 방제에 속하며, 반면 본 방제는 擅長 益精血·烏鬚髮에 뛰어난 何首烏를 重用하고, 配伍한 약 역시 대부분 滋하되 膩하지 않고, 溫하되 燥하지 않다. 따라서 滋補의 효력이 龜鹿二仙膠에 미치지 못하지만 補하는 가운데 通하고, 補하되 滯하지 않기 때문에 肝腎精血을 平補하는 방제가 되며, 오랫 동안 복용해도 偏勝할 우려가 없다.

【臨床應用】

1. 證治要點: 본 방제는 平補肝腎, 烏鬚固齒의 名方이 된다. 임상에서 鬚髮早白, 脫髮, 齒牙動搖, 腰膝酸軟한 증상을 치료의 요점으로 삼는다.

2. 加減法: 腰膝酸軟하고 畏寒이 심한 경우에는 巴戟天·仙茅·仙靈脾 등을 넣고 溫腎壯陽한 효력을 강화하고, 面色無華, 頭暈目眩한 경우에는 熟地·白芍 등을 넣고 滋陰補血의 효능을 돕고, 遺精이 심한 경우에는 沙苑蒺藜·芡實·煅龍牡 등을 넣으면 補腎固精한 효능을 갖게 된다.

3. 七寶美髯丹은 다음 한국표준질병사인분류(KCD)에 해당하는 환자가 肝腎不足證으로 辨證되는 경우 본 처방의 사용을 고려해볼 수 있다.

처방 목표	한국표준질병사인분류(KCD)
中年早衰로 인한 白髮	L67.1 모발색의 변화
脫毛	L63 원형 탈모증
	L64 안드로젠탈모증
	L65 기타 비흉터성 모발손실
齒周炎	K05.2 급성 치주염
	K05.3 만성 치주염
男性不慾症	N46 남성불임

【注意事項】본 방제를 配伍해서 제조할 때 철제 용기의 사용을 피한다.

【變遷史】본 방제는 『本草鋼目』에 따르면 『積善堂方』에서 처음으로 기록되었으나 原書는 이미 산실되었다. 明代의 吳旻의 『扶壽精方』에도 이에 대한 기록이 있기 때문에 따라서 본 방제가 당시에 비교적 널리 대대로 전해져 오는 방제로 추정된다. 吳氏는 또한 본 방제를 복용한 후의 치료 효과에 대해 다음과 같이 상세하게 기록했다: "初服三四日, 小便多或雜色, 是五臟中雜病出; 二七日唇紅生津液, 再不夜起, 若微有腹痛, 勿惧, 是搜病也; 三七日身體輕便, 兩乳紅潤; 一月鼻覺辛酸, 是諸風百病皆出; 四十九日補血生精, 瀉火益水, 强筋骨, 黑鬚髮". 본 방제는 精血을 함께 補하고, 先後天을 함게 돌보며, 또한 補하되 滯하지 않으며, 노화방지 방제의 기본적인 大法을 구현했으며, 노인병 예방치료와 노화 방지 방제에 대한 연구는 시사하는 바가 있다.

【難題解說】

1. 본 방제에서 何首烏의 운용에 관하여: 何首烏는 赤何首烏와 白何首烏로 구분하며, 『開寶本草』에서 처음으로 기록했다. 그중 赤首烏爲는 마디풀과 何首烏(*Polygonum multiflorum* Thumb.)의 덩이뿌리이며, 白首烏는 박주가리과 은조롱(*Cynanchum wilfordii* Hemsley)의 덩이뿌리이며, 전자가 何首烏의 정품이다. 두 약의 性味·歸經과 효능은 유사하여, 『本草鋼目』에는 "白者入氣分, 赤者入血分"라는 주장이 있고, 또한 『山東中藥』의 기록에 의하면, 白首烏의 허약성 질병의 强壯작용에 있어서 赤首烏에 비해 뛰어나다. 본 방제는 赤·白首烏를 함께 사용하며 相須한 효능으로 肝腎精血을 滋補하고·烏鬚固齒한 효능을 강화하고자 하는 뜻이 있다. 게다게 방제에서 何首烏는 검은 콩을 섞어서 찐 후 복용하며, 이는 바로 "制首烏"라는 것으로, 補肝腎, 益精血한 효능이 뛰어나며, 동시에 收斂精氣한 효능을 겸하고, 不寒不燥한 성질을 띠며, 이는 또한 熟地의 滋膩한 성질과는 다르기 때문에, 그래서 李時珍이 본 방

제를 滋補의 良藥이라고 불렀다.

2. 본 방제에서 茯苓의 작용에 대하여: 茯苓에서 겉껍집을 제거한 후의 外層의 옅은 홍색 부위를 赤茯苓이라고 부르고, 內層의 흰색을 白茯苓이라고 부른다. 보통 赤茯苓은 利濕의 治法을 위주로 하고, 白茯苓은 健脾의 治法을 위주로 하는 것으로 여긴다. 본 방제에서 赤·白茯苓을 함께 사용하는 것은 健脾利濕한 효능을 응용하고자 하는 것이고, 配伍에 있어 六味地黃丸의 것과 유사한 작용을 하며, 健脾助運하고 補하는 가운데 行하게 하고 또한 모든 약의 滋膩 성질을 억제해서, 補하되 滯하지 않게 한다. 赤茯苓과 白茯苓은 실제로 하나의 菌核에서 취한 것이기 때문에, 임상에서 이 둘을 구분하지 않으며, 처방에서 "茯苓"이라 통칭한다.

【醫案】 腎虛乏嗣 『本草鋼目』은 『積善堂方』를 인용했다: 嘉靖 초년에 邵應節이 七寶美髯丹 방제를 진상했는데, 世宗肅皇帝가 복용한 후 효과를 보고, 연이어서 황태자를 보았다.

考察: 七寶美髯丹은 肝腎精血을 滋補하는데 뛰어나므로, 肝腎精血不足으로 인한 남성 발기부전증에 확실히 뛰어난 효과가 있다.

第九章

固澀劑

收澀藥 위주로 구성되어 있으며 收斂固澀 작용을 한다. 氣·血·精·津液의 滑脫散失 증상을 치료하는 방제이기에 固澀劑라고 부른다. 固澀劑는 "十劑" 중의 "澀可固脫"의 범주에 속한다.

固澀劑가 형성되고 발전하기까지 오랜 세월이 지나왔다. 『素問』·「至眞要大論」의 "散者收之"는 치료 원칙을 세우기 위한 이론 근거를 확립시켰다. 固澀劑는 초창기 大便이 滑脫不禁한 증상을 치료하는데 사용됐다. 東漢·張仲景의 『傷寒雜病論』에 수재된 桃花湯과 赤石脂禹餘糧丸은 下利·便膿血한 증상을 치료하는데 사용됐으며 최초의 固澀劑로 간주되고 있다. 그리고 桃花湯은 收澀止利의 代表方으로 여겨지고 있다. 唐·『外臺秘要』에서 인용하고 있는 『延年秘錄』의 駐車丸, 宋·錢乙 『小兒藥證直訣』의 益黃散은 모두 正虛腸滑과 濕熱·積滯未盡한 증상을 고려해서 澀補相兼하고 扶正祛邪하는 方劑였다. 이 때까지 澀腸固脫劑는 나날이 성숙해왔다. 이후 固澀劑는 임상에서 전면적으로 발전하고 혁신하는 시대에 돌입했으며, 그 범위 역시 二便失禁·自汗盜汗·婦人崩帶 등의 各 방면으로 확대되었다. 收斂固澀과 益氣固表·交通心·滋陰潛陽·固精縮尿·暖宮化瘀 등의 治法이 滲透해들어와 물과 젖처럼 서로 긴밀하게 섞이게 되었으며, 『太平惠民和劑局方』의 眞人養臟湯·牡蠣散·震靈丹 및 『本草衍義』의 桑螵蛸散·『魏氏家藏方』의 縮泉丸 등의 방제들이 각각의 특색을 지니며 表虛不固, 腎失封藏, 衝任不固를 치료하는 固表止汗劑·澀精止遺劑 그리고 固崩止帶劑로서 방제의 기초를 다졌다. 南宋 말기의 저서인 『聖濟經』은 唐·『本草拾遺』 중의 藥性 "十劑"를 언급하며, 方劑 영역으로 끌고 들어와 "澀劑"라고 부르기 시작했다. 『聖濟經』 卷10의 "審劑篇"에서는 "滑則氣脫, 欲其收也, 如開腸洞泄, 便溺遺失, 澀劑所以收之."라고 하며 첫 번째로 固澀劑의 작용에 대한 연구 토론을 진행했다. 金·元시대에 이르러서 學術 토론이 전에 없이 활발하게 진행되며 固澀劑의 발전을 힘있게 촉진시켰다. 劉完素는 『素問病機氣宜保命集』卷上에서 처음으로 "寧神·寧聖散之類"의 "澀劑"를 제시했다. 劉完素의 寧神散·張從正의 齑汁烏梅煎(『儒門事親』 卷1)에서 부터 太醫王子昭의 九仙散에 이르기까지, 斂肺止咳劑는 점차 임상 의가들로부터 폭넓은 인정을 받았다. 朱震亨은 固經丸이 滋陰降火와 固經止血를 하나의 화로 중에 융합시켰다고 비유하며 四物湯 류의 방제로 崩漏을 치료하는 틀을 뛰어 넘으려 했다. 가장 먼저 "澀劑"를 方劑學에서 단독으로 열거한 저서는 당연히 『河間十八劑』일 것으로 보이지만 안타깝게도 原書는 이미 소실되고 없다. 明·『心印紺珠經』 卷下의 "十八劑"에 "澀劑"의 附方으로 오직 "胃風湯"만 실려 있는 것으로 볼 때, "十八劑" 중의 "澀劑"는 그저 초보적인 형태만을 갖추었을 뿐이라고 말할 수 있다. 明·薛己는 古方을 化裁하며 四神丸으로 腎泄을 치료하는 것을 빗대 溫命門의 방법으로 暖脾土하는 치료 방법의 문호를 열어젖히고 固腸止瀉의 방제 중에서 홀로 새로운 기치를 높이 세웠다. 이후 腎命學說이 발전하기 시작해 淸·汪昂이 金鎖固精丸으로 補腎澀精하고, 傅山이 易黃湯으로 補腎止帶하고, 張錫純이 固衝湯으로 固衝攝血하도록 立法組方 함에 많거나 적은 정도의 영향을 주었다. 明·張景岳은『景岳全書』의 "新方八陣"과 "古方八陣"에서 "固陣"을 열거했으며, 婦科·兒科·外科 외에 역대의 固澀方 76首를 수록했고, 淸·汪昂의『醫方集解』"收澀之劑"에는 桃花湯·眞人養臟湯·牡蠣散·桑螵蛸散 등 임상常用方 13首를 수재했다. 明·淸 두 시대 의학자들의 固澀劑에 대한 총 결산은 과거 성과를 계승하고 후대의 발전을 계발하는 작용을 일으켰다. 과학 기술의 발전과 의약 위생 사업이 발전을 따라 固澀劑는 이론 연구·임상 응용과 약리 작용 등의 분야에서 모두 장족의 발전을 이루었다.

氣·血·精·津液은 인체를 운영하고 자양하는 귀중한 물질이다.『靈樞』·「本臟」에서 "人之血氣精神者, 所以奉生而周于性命者也."라고 한 것 같다. 정상 상태에서 인체의 氣·血·精·津液은 끊임없이 소모될 뿐 아니라 끊임없이 보충되고, 채워졌다가 줄어들었다가 사라졌다가 늘어났다가 하며, 온몸을 돌았다가도 다시 돌아간다. 만약 과도하게 소진되어 滑脫不禁, 散失不收 한 상태에 이르게 되면 심한 경우 생명을 위협할 수도 있다. 氣·血·精·津液이 滑脫散失한 증상은 病因과 病變 부위가 다르기 때문에 임상에서 自汗盜汗·肺虛久咳·久瀉久痢·遺精滑泄·小便失禁·崩漏帶下 등의 증상으로 나타난다. 기본 病機는 모두 久病體虛, 正氣不固에 의한 것이다. 따라서 "散者收之"(『素問』·「至眞要大論」)·"澀可去脫"(『經史證類备用本草』에서『本草拾遺』를 인용)의 치료원칙에 근거해 收斂固澀의 치료 방법을 채용함으로써 病變의 발전을 억제해야 한다. 固澀劑는 치료 중점의 차이에 따라 固表止汗·斂肺止咳·澀腸固脫·澀精止遺·固崩止帶의 다섯 가지로 분류할 수 있다.

固表止汗劑는 衛氣不固에 의한 自汗 증상이나 陰虛不守에 의한 盜汗 증상을 치료하는데 적용된다. 주로 自汗出, 夜卧尤甚, 心悸氣短 등의 증상으로 나타난다. 자주 사용하는 固表止汗藥은 牡蠣·黃芪·麻黃根 등을 위주로 조성된다. 常用配伍: ① 健脾益氣하는 약물을 配伍한다. 白朮로 益氣固表의 효력을 강화한다. ② 甘涼入心하는 약물을 配伍한다. 小麥으로 養心淸熱한다. ③ 疏風解表하는 약물을 配伍한다. 防風으로 走表袪風한다. 代表方으로는 牡蠣散·玉屛風散(補益劑를 참고)이 있다.

斂肺止咳劑는 久咳肺虛하고 氣陰耗傷한 증상 치료에 적용된다. 咳喘自汗, 痰少而黏, 脈象虛數 등의 증상이 나타난다. 자주 사용하는 斂肺止咳藥은 罌粟殼·五味子·烏梅 등을 위주로 조성된다. 常用配伍: ① 人蔘·阿膠 등을 配伍해 益氣養陰한다. ② 款冬花·貝母 등을 配伍해 化痰止咳한다. ③ 桔梗을 配伍해 宣肺祛痰한다. 降中寓升하게 하면 肺氣宣降이 정상을 회복한다. 代表方으로는 九仙散이 있다.

澀腸固脫劑는 脾腎虛寒에 의한 瀉痢日久, 滑脫不禁을 치료한다. 瀉痢不禁, 腹痛喜溫喜按, 神疲乏力, 飮食減少, 舌淡苔白, 脈沉遲 등의 증상이 나타난다. 자주 사용하는 澀腸止瀉藥은 赤石脂·肉豆蔻·訶子·五味子 등을 위주로 조성된다. 常用配伍: ① 乾薑·肉桂·吳茱萸 등 辛熱한 性味의 약물을 配伍해 溫裏散寒한다. ② 人蔘·白朮 등의 性味가 甘溫한 약물을 配伍해 健脾益氣한다. ③ 當歸·阿膠 등의 性味가 濡潤한 약물을 配伍해 滋陰養血한다. ④ 陳皮·靑皮·丁香 등 性味가 芳香辛散한 약물을 配伍해 理氣化濕한다. 代表方으로는 眞人養臟湯·四神丸·桃花湯이 있다.

澀精止遺劑은 腎虛失藏하고, 精關不固에 의한 遺精滑泄 혹은 腎虛不攝, 膀胱失約에 의한 遺尿·尿頻 증상을 치료한다. 遺精滑泄, 遺尿, 尿頻, 耳鳴, 腰酸, 舌淡, 脈弱과 같은 증상으로 나타난다. 자주 사용하는 固精縮尿藥은 龍骨·牡蠣·沙苑蒺藜·蓮鬚·桑螵蛸 등을 위주로 조성된다. 常用配伍: ① 安神定志하는 약물을 배

오한다. 茯神·菖蒲·人蔘 등으로 交通心腎한다. ② 補益脾腎하는 약물을 배오한다. 蓮肉·山藥 등으로 固澀精氣한다. ③ 溫腎散寒하는 약물을 배오한다. 烏藥으로 膀胱氣化를 보조한다. 代表方으로는 金鎖固精丸·桑螵蛸散·縮泉丸이 있다.

固崩止帶劑는 성인 여성의 下元不固에 의한 崩漏·帶下 치료에 적용한다. 崩中漏下不止, 帶下淋漓不斷, 心悸氣短, 腰酸乏力, 舌淡, 脈虛細弱과 같은 증상으로 나타난다. 자주 사용하는 固崩止帶藥은 椿根皮·龍骨·牡蠣·赤石脂·芡實·白果 등을 위주로 조성된다. 常用配伍: ① 甘溫補益하는 약물을 배오한다. 黃芪·白朮 등으로 健脾益氣하고 固攝衝任한다. ② 辛溫芳香하는 약물을 배오한다. 蒼朮·陳皮 등으로 健脾化濕한다. ③ 酸斂益陰하는 약물을 배오한다. 山萸肉·白芍으로 補益肝腎하고 固澀收斂한다. ④ 苦寒한 성질의 약물을 배오한다. 黃芩·黃柏 등으로 淸熱瀉火한다. ⑤ 寒凉淸利하는 약물을 배오한다. 車前子 등으로 淸熱滲濕한다; ⑥ 升發行散하는 약물을 배오한다. 柴胡 등으로 疏肝理氣한다. ⑦ 收澀止血하는 약물을 배오한다. 棕櫚炭·五倍子 등으로 止血 효과를 강화한다. ⑧ 祛瘀止血하는 약물을 배오한다. 海螵蛸·茜草 등으로 血止하더라도 不留瘀하도록 한다. 代表方으로는 固經丸·易黃湯·固衝湯이 있다.

固澀劑이 치료하는 耗散滑脫한 증상은 모두 正氣虧虛에 의한 것이다. 그러나, 元氣大虛하고 亡陽欲脫에 의한 大汗淋漓, 小便失禁 혹은 崩中不止한 증상이 나타난다면, 마땅히 大劑로 參附와 같은 약물을 급히 사용해 回陽固脫해야 하며 固澀만을 단독으로 사용해 치료해서는 안 된다. 實邪에 의해 발생한 熱病汗出, 痰飮咳嗽, 火擾精泄, 熱痢初起, 食滯泄瀉, 實熱崩帶 등의 증상을 이 방제로 치료하는 것은 적절하지 않다. 증상이 實에서 虛로 전환되었지만 邪氣未盡한 경우라면, 너무 빨리 收澀의 치료 방법을 사용해서는 안 된다. "閉門留寇"를 피하기 위해서이다.

第一節 固表止汗劑

牡蠣散

(『太平惠民和劑局方』卷8)

【異名】 麥煎湯(東垣方, 『醫學正傳』卷5)·麥煎散(『衛生寶鑑』卷5)·黃芪散(『德生堂方』, 『普濟方』卷226에 수록됨)·牡蠣飮(『不知醫必要』卷1).

【組成】 黃芪 去苗土 麻黃根 洗 牡蠣 米泔浸, 刷去土, 火燒通赤 各一兩(各 30 g)

【用法】 위의 세 가지 약물을 거칠게 가루 낸다. 매회 三錢(9 g)씩 물 1잔 반에 小麥 백여 알(30 g)을 넣고 八分이 될 때까지 달인다. 건더기는 제거하고 하루 2회 시간 제한 없이 따뜻하게 복용한다(현대용법: 거칠게 갈아 매회 9 g씩 복용한다. 小麥 30 g을 물에 넣고 달인다. 原方 비율에 따라 용량을 조절하고 小麥 30 g을 추가로 넣은 뒤 물에 달여 복용할 수 있다).

【效能】 益氣固表, 斂陰止汗.

【主治】 自汗, 盜汗. 자주 自汗이 발생하고, 밤에 누우면 더욱 심해진다. 心悸驚惕, 短氣煩倦, 舌淡紅, 脈細弱한 증상으로 나타난다.

【病機分析】 『素問』·「陰陽應象大論」에서는 "陰在內, 陽之守也; 陽在外, 陰之使也"라고 했다. 陰津內守는 전적으로 陽氣固護에 의거한다. 만약 陽氣虧虛하여 衛外固密할 수 없으면 陰液外泄해서 자주 自汗을 흘리게 된다. 液은 陰에 속한다. 汗을 과도하게 흘리면 心陰不足하고 陽不潛藏하여 虛熱內生하게 된다. 따라서 밤에 잠들 때 더욱 심하게 汗을 흘리게 된다. 汗은

心液이 된다. 汗을 과도하게 흘리게 되면 心陰受損할 뿐만 아니라 心氣耗傷하여 결국에는 心悸驚惕하고 短氣煩倦하게 된다.

【配伍分析】 본 방제는 體虛衛外不固하고 또 心陽不潛하여 발생한 自汗·盜汗을 치료하기 위해 만들어졌다. 『素問』·「至眞要大論」의 "散者收之" 및 『素問』·「三部九候論」의 "虛則補之" 치료원칙에 근거해 益氣固表, 斂陰止汗하는 것을 治法으로 선정했다. 방제 중의 煅牡蠣는 鹹澀微寒하고 斂陰潛陽하기 때문에 收澀止汗하는데 뛰어나다. 內服·外用 치료에 모두 효과가 있기 때문에 君藥이 된다. 生黃芪는 맛이 甘하고 微溫하며 益氣實衛하여 固表止汗하므로 臣藥이 된다. 黃芪가 牡蠣와 配伍되면, 한 가지는 實衛하고, 다른 한 가지는 固營한다. 모두 益氣固表하고 斂汗潛陽하는 작용을 수행한다. 麻黃根은 性味가 甘平하고 "其性能行周身肌表, 故能引諸藥外至衛分而固腠理也"(『本草綱目』卷15)하며 그 주된 효능은 止汗이다. 小麥은 性味가 甘凉하고 心經으로 專入해 養心氣하고 退虛熱한다. "陳者煎湯飮, 止虛汗"(『本草綱目』 卷22)한다. 두 약물은 모두 佐藥이 된다. 모든 약물들이 합해져 방제를 구성하면 益氣固表하고 斂陰止汗한다. 氣陰得復하여 땀이 나는 것이 멈춰질 수 있는 것이다.

방제의 配伍 특징: 止汗하는 효능의 약물을 한 개 방제에 모아두었다. 益氣固表, 斂陰潛陽, 收澀止汗의 각 부분을 동시에 살피고, 澀補를 함께 사용한다. 固澀 위주이다. 방제의 군약은 牡蠣이고, 제형은 散劑이므로 "牡蠣散"라고 부른다.

【類似方比較】 본 방제와 當歸六黃湯·玉屛風散은 모두 黃芪를 사용해 止汗하는 치료 효과가 있어 自汗·盜汗을 치료하는 常用方劑이다. 다만 본 방제는 牡蠣가 君藥이 되어, 모든 止汗藥을 하나의 방제에 모아 益氣固表하고 斂陰潛陽하며 收澀止汗하는 효능을 兼顧한다. 固澀의 치료법을 위주로 收斂止汗하는 대표 방제이다. 體虛衛外不固하고 또 心陽不潛에 의한 自汗·盜汗한 증상에 적용한다. 當歸六黃湯은 當歸·生地·熟地가 君藥이 되어 滋陰瀉火한 효능이 있는 약품을 重用한다. 滋陰淸熱을 주로 활용하고 固表止汗으로 보조하므로 淸熱劑에 속한다. 陰虛火旺으로 인한 盜汗을 치료한다. 玉屛風散은 黃芪가 君藥이 되어 補氣固表하는 약물을 重用한다. 益氣扶正하여 氣旺表實하도록 함으로써 汗이 절로 멎게 한다. 補益劑에 속한다. 氣虛衛表不固로 인한 自汗을 치료한다.

【臨床應用】

1. 證治要點: 본 방제는 體虛衛外不固하고 또 心陽不潛하여 발생한 自汗·盜汗 증상을 치료에 사용한다. 汗出, 心悸, 短氣, 舌淡, 脈細弱을 증상 치료 요점으로 삼는다.

2. 加減法: 畏寒肢冷한 경우에는 附子를 넣어 溫陽할 수 있다. 만약 氣虛가 위중한 경우에는 人蔘·白朮을 넣어 益氣實表의 효력을 강화할 수 있다. 陰虛를 兼한 경우에는 生地·白芍을 넣어 養陰할 수 있다. 血虛을 兼한 경우에는 熟地·首烏를 넣어 滋養陰血할 수 있다. 自汗의 경우에는 黃芪를 重用하고 또 白朮을 넣어 固表할 수 있다. 盜汗의 경우에는 穞豆衣·糯稻根을 추가로 넣어 止汗할 수 있다.

3. 牡蠣散은 다음 한국표준질병사인분류(KCD)에 해당하는 환자가 衛外不固證泄로 辨證되는 경우 본 처방의 사용을 고려해볼 수 있다.

처방 목표	한국표준질병사인분류(KCD)
體虛	(질병명 특정곤란)
	R53 병감 및 피로
病後·手術後·産後· 自律神經失調症	G90 자율신경계통의 장애
	Z54.8 기타 치료후 회복기
	Z54.0 수술후 회복기
	O99.8 임신, 출산 및 산후기에 합병된 기타 명시된 질환 및 병태

처방 목표	한국표준질병사인분류(KCD)
肺結核 등에 의한 自汗·盜汗	A15 세균학적 및 조직학적으로 확인된 호흡기결핵
	A16 세균학적으로나 조직학적으로 확인되지 않은 호흡기결핵
自汗·盜汗	(질병명 특정곤란)
	R61 다한증

【注意事項】 陰虛火旺에 의해 유발된 盜汗에 본 방제를 응용하는 것은 적절치 않다. 大汗淋漓이 멈추지 않아 陽虛欲脫한 경우에는 본 방제의 사용을 금한다.

【變遷史】 본 방제는 宋·『太平惠民和劑局方』에서 유래했다. 卷8에서 "治諸虛不足, 及新病暴虛, 津液不固, 體常自汗, 夜卧即甚, 久而不止, 羸瘠枯瘦, 心忪驚惕, 短氣煩倦."라고 했다. 牡蠣散의 止汗 효능은 예로부터 의학자들의 중시를 받았다. 예를 들어 『中醫方劑大辞典』에는 역대 牡蠣散의 同名方 총 69개가 모여져 있으며, 그중 内服으로 止汗하게 하는 방제는 12개다. 宋·『太平聖惠方』 卷29의 牡蠣散과 본 방제를 비교해보면, 小麥을 빼고 杜仲·白茯苓·敗蒲扇灰을 더해 虛勞盜汗을 치료한다. 본 방제가 나온 후 牡蠣散類의 방제들은 주로 다음 두 가지로 구분된다. ① 補氣固表에 치중되어 있는 경우. 예를 들어 『醫方類聚』卷159의 牡蠣散은 본 방제에서 麻黃根을 빼고 白朮·防風을 넣어서 氣虛하고 夜多盜汗한 증상을 치료한다. 『仁齋直指方』 卷9의 牡蠣散은 본 방제에서 白朮·甘草을 넣어서 諸虛로 인해 몸에 항상 自汗이 있고 驚惕不寧한 증상을 치료한다. ② 滋陰淸熱에 치중되어 있는 경우. 예를 들어 『普濟方』卷390의 牡蠣散은 본 방제에 生地黃을 넣고 小兒盜汗自汗을 치료한다. 『仙拈集』卷2의 牡蠣散은 牡蠣·小麥面·猪膽汁을 사용해 여러 가지 종류의 汗을 치료한다.

【難題解說】 본 방제의 君藥에 관하여: 어떤 약물이 본 방제의 君藥이 되는가에 대해서는 諸家들마다 다른 견해를 갖고 있다. 『方劑學』(공통교재 4~6판)에서는 牡蠣를 君藥으로 간주하고 있지만 『中醫學解難』에서는 黃芪가 君藥이 된다. 본 방제를 살펴 諸虛不足에 의한 衛氣不固, 心陽不潜를 치료하기 위해 만들어진 收斂止汗의 전문 방제로 보았기 때문에 固澀劑에 배속했다. 黃芪는 甘微溫하여 補氣의 要藥이 된다. "專通營衛二氣……黃芪非止汗也, 亦非發汗也, 止汗如所謂營衛和, 汗自止是矣"(『本經疏證』 卷3)하기 때문에 이를 君藥으로 보는 것은 타당하지 않다. "陽加于陰謂之汗"하고, 煅牡蠣은 鹹澀微寒하여 收斂固澀에 뛰어나다. 潜陽해서 降火하게 하고 또한 固營해서 斂陰하게 하므로 止汗의 효과가 뛰어나다. 또 이 방제의 명칭을 이렇게 붙인 것은 방제 중의 이 약물을 부각시켜서 주로 드러내고자 한 것이므로 牡蠣를 君藥으로 보는 것이 마땅하다.

第二節 斂肺止咳劑

九仙散

(王子昭方, 『衛生寶鑑』卷12)

【異名】 九味散(『中藥方劑學』 下冊).

【組成】 人蔘 款冬花 桑白皮 桔梗 五味子 阿膠 烏梅 各一兩(各 30 g) 貝母 半兩(15 g) 御米殼 去頂, 蜜炒黃 八兩(240 g)

【用法】 위의 약물을 곱게 간다. 매회 三錢(9 g)씩 白湯에 타서 복용한다. 기침이 멈추면 복용을 멈춘다(현대용법: 물로 달여도 좋다. 用量은 原方의 비율을 참작하여 결정한다).

【效能】斂肺止咳, 益氣養陰.

【主治】久咳肺虛證. 久咳不已, 기침이 심해지면 氣喘自汗하고, 痰少而黏, 脈虛數하다.

【病機分析】久咳傷肺하면 肺氣虛損하여 반드시 咳嗽가 멎지 않게 된다. 심해지면 氣喘한다. 肺는 氣를 주관하며 衛에 속한다. 肺氣虛損하면 衛外不固하여 自汗하게 된다. 久咳하면 肺氣가 손상될 뿐 아니라 肺陰도 소모된다. 肺陰虧損하면 虛熱內生하고 煉液成痰하여 痰의 양은 적지만 黏하게 되고, 脈虛數하게 된다.

【配伍分析】본 방제는 오랜 기침이 낫지 않아 肺氣耗散하고 肺陰虧損한 증상을 주로 치료한다. 『素問』·「至眞要大論」의 "散者收之"와 『素問』·「三部九候論」의 "虛則補之"라는 치료원칙에 근거해 斂肺止咳하고 益氣養陰을 治法으로 선정한다. 방제 중의 御米殼은 罌粟殼이다. 그 味는 酸澀하며 斂肺止咳하는 효능이 뛰어나다. 『本草綱目』 卷23에서는 "咳嗽諸病既久, 則氣散不收而肺脹痛劇, 故俱宜此澀之·固之·收之·斂之"라고 했다. 蜜制하면 潤肺化痰의 효과를 겸하여내기 때문에 용량을 獨重하여 君藥으로 삼는다. 五味子·烏梅는 모두 酸澀한 약물로 斂肺止咳生津한다. 五味子는 耗散된 肺氣를 收斂하는 要藥이다. 두 약물은 君藥을 도와 斂肺止咳하므로 臣藥이 된다. 烏梅는 罌粟殼의 偏性을 억제할 수 있다. 李時珍은 일찍이 "粟殼得醋·烏梅·陳皮良"(『本草綱目』 卷23)이라고 했다. 人蔘은 補益肺氣하고, 阿膠는 滋養肺陰하고, 款冬花·桑白皮는 降氣化痰하고 止咳平喘 한다. 貝母는 止咳化痰하며 桑白皮와 配伍해 淸肺熱한다. 이상의 약물이 모두 佐藥이 된다. 桔梗은 宣肺祛痰하며, 載藥上行하여 곧장 病所에 도달한다. 또한 斂中有升 하여, 升降에 순서가 있도록 한다. 使藥이 된다. 모든 약물을 配伍해 斂肺止咳하고 益氣養陰한다.

본 방제의 配伍 특징은 다음 두 가지다. 첫째, 收斂固澀과 益氣養陰의 작용을 함께 사용한다. 그러나 斂澀 위주이다. 둘째, 대량의 收斂藥 중에 소량의 升散하는 약물을 더해 斂中有散하고 降中寓升하게 한다. 그러나 降·收 위주이다.

본 방제는 9가지 약물을 사용한다. 劑型은 散劑이고, 久咳 치료에 효과가 신묘해 "九仙散"이라고 부른다.

【類似方比較】본 방제와 補肺阿膠湯은 모두 益肺養陰의 작용을 지닌다. 모두 咳喘에 사용할 수 있다. 다만 본 방제는 罌粟殼을 重用해서 君藥으로 삼고, 五味子·烏梅를 臣藥으로 삼는다. 收斂하는 효력이 뛰어나 固澀劑에 속한다. 斂肺止咳하는 효능이 뛰어나며 益氣養陰을 겸해 久咳傷肺, 氣陰耗散에 의한 咳喘, 自汗, 脈虛數한 병증에 적용한다. 補肺阿膠湯은 阿膠를 重用해서 君藥으로 삼고 馬兜鈴·牛蒡子가 臣藥이 된다. 益肺하는 작용이 두드러져 補益劑에 속한다. 그 효능은 滋陰補肺하는데 뛰어나며 겸하여 淸熱止血한다. 肺陰不足, 陰虛有熱에 의한 咳喘, 咽喉乾燥 혹은 痰中帶血, 舌紅少苔, 脈浮細한 경우에 적용한다.

【臨床應用】

1. 證治要點: 본 방제는 久咳傷肺하고 氣陰兩虛한 증상을 치료하기 위해 만들어졌다. 久咳不已, 氣喘自汗, 脈虛數한 것을 증상 치료의 요점으로 삼는다.

2. 加減法: 氣虛가 심하면 黃芪를 더해 補肺益氣한다. 肺陰虛가 심하면 天冬·麥冬을 더해 養陰潤肺한다. 기침이 심하면 蘇子·杏仁을 넣어 平喘한다.

3. 九仙散은 다음 한국표준질병사인분류(KCD)에 해당하는 환자가 久咳傷肺하고 氣陰兩虛證으로 辨證되는 경우 본 처방의 사용을 고려해볼 수 있다.

처방 목표	한국표준질병사인분류(KCD)
慢性咽頭炎	J31.2 만성 인두염
慢性咽喉炎	J37.0 만성 후두염
上呼吸道感染	J00~J06 급성 상기도감염

처방 목표	한국표준질병사인분류(KCD)
慢性氣管炎	J41 단순성 및 점액화농성 만성 기관지염
	J42 상세불명의 만성 기관지염
支氣管哮喘	J45 천식
百日咳	A37 백일해
肺氣腫	J43 폐기종
ACEi 副作用에 의한 起寢	Y52.4 안지오텐신전환효소억제제
起寢	R05 기침
	R06 호흡곤란
自汗·盜汗	(질병명 특정곤란)
	R61 다한증

【注意事項】

1. 오랜 기침으로 痰涎이 많거나, 咳嗽하면서 表證을 동반하는 경우에는 사용을 꺼린다. 邪氣가 머무르는 것에 대한 걱정을 피하기 위해서이다.

2. 방제 중의 罌粟殼은 毒이 있으므로 많은 양을 복용하거나, 오랜 기간 동안 복용하는 것은 적절치 않다. 방제의 後注에서도 "嗽住止後服"이라고 했다.

【變遷史】 본 방제는 元·羅天益 『衛生寶鑑』卷12에 처음 보인다. 본 저서에서는, "九仙散: 治一切咳嗽, 太醫王子昭傳, 甚效. 此方得之于河中府姜管勾."라고 했다. 후세에는 본 방제를 斂肺止咳의 代表方으로 받들며 久咳肺虛에 의한 氣陰兩傷을 치료하는데 주로 사용했다. 金·劉完素 『黃帝素問宣明論方』卷9에는 罌粟神聖散이 실려 있다. 해당 방제에서는 御米殼을 重用하고 있으며, 烏梅肉·人蔘·訶子肉·葶藶·桑白皮를 配伍해서 밤낮으로 咳嗽不止한지 얼마 지나지 않은 증상에 사용한다. 이상 두 방제의 立法·用藥·主治 및 方名 분석에서 볼 때, 九仙散은 劉完素의 罌粟神聖散으로부터 변화 발전해 온 것으로 추측된다.

【難題解說】

1. 본 방제의 출처에 대해: 다수 의학 서적들의 견해는 일치하지 않는다. 공통교재 『方劑學』(1~5판) 및 上海中醫學院 편 『中醫方劑臨床手冊』·成都中醫學院 편 『中醫治法與方劑』·『古今名方』 등에서는 모두 본 방제의 출처를 『醫學正傳』이라고 했고, 『中醫大辭典·方劑分冊』(1983년판)·『中國醫學百科全書』·「方劑學」과 공통교재 『方劑學』(6판)에서는 그 출처를 『衛生寶鑑』이라고 했다. 『醫學正傳』에 수재된 九仙散을 살펴보니 『衛生寶鑑』에 수재된 방제와 구성이 동일한 뿐 아니라 藥物 배열 순서 및 主治 또한 기본적으로 일치했다. 藥量·劑型이 차이를 보일 뿐이었다. 『醫學正傳』은 明·虞摶의 저술로 明·正德 10년(1515년)에 책으로 쓰여졌다. 『衛生寶鑑』은 元·羅天益의 저술로 元·至元 18년(1281년)에 쓰여져 『醫學正傳』에 비해 230여 년 이르다. 따라서 본 방제는 가장 먼저 元·『衛生寶鑑』에 기록되었으며 太醫王子昭에 의해 전해진 것으로 보인다.

2. 罌粟殼에 대해: 본 방제는 罌粟殼·烏梅·五味子 등 斂澀하는 약물을 방제 중에 모아두었기 때문에 收澀의 효능이 매우 강력하다. 특히 罌粟殼의 用量이 八兩에 달해 전체 방제 용량의 절반 이상을 차지하므로, 病邪가 없어질 것 같지 않고 氣陰已虛하여 肺氣를 斂降할 수 없는 경우 함부로 사용해서는 안 된다. 바로 朱震亨이 이야기한 "治嗽痢者, 多用粟殼, 不必疑, 但要先去病根, 此乃收後藥也"(『丹溪治法心要』 卷1)에 해당한다. 그렇지 않으면 "治病之功雖急, 殺人如劍"(『本草衍義補遺』)하게 된다.

【醫案】

1. 咳喘 『四川中醫』(1988, 4:28): 남자, 61세, 1985년 7월 28일 진료. 咳喘을 20년 넘게 앓아 여러 곳에서 치료를 받았으나 증상을 완화시킬 뿐 재발을 막지는 못했다고 말했다. 증상이 나타나면 咳喘이 비교적 심했고, 목구멍에서 소리가 나며, 呼多吸少, 喘息抬肩, 움직이면 더욱 심해졌다. 面目虛浮, 神疲體倦, 少氣, 尿頻, 묽은 대변을 하루에 3~4회는 보았고, 舌淡苔薄白, 脈細滑했다. 脾·肺·腎 세 臟이 모두 虛해서 발생한 咳喘이라고 판단해 九仙散을 주고 매일 1제씩 복용하게

했다. 3제를 복용한 뒤 정신이 맑아지고 咳喘 증상이 크게 줄어들었으며 대변이 걸쭉해지고 횟수도 줄어들었다. 계속해서 9제를 복용한 뒤 咳喘이 가라앉고 대변은 정상적인 형태를 찾았다. 최근 2년 동안 겨울과 여름에 모두 재발하지 않았다.

2. 泄瀉 『四川中醫』(1988, 4:28): 남자, 49세, 1985년 9월 10일 진료. 泄瀉를 8년 넘게 앓았다. 증상이 반복되며 낫지 않았다. 평소 대변 稀薄하며 매일 3회 설사를 했다. 날 음식과 차가운 음식·기름진 음식을 조금만 먹어도 설사 횟수가 5회로 늘었다. 증상: 面色萎黃, 頭暈目眩, 神疲倦怠, 식후 위장 부위가 답답하고 편하지 않다고 했으며, 새벽에 일어나자마자 설사를 했다. 腰膝酸軟, 舌淡苔白, 脈沉細 했다. 맥과 증상을 함께 살펴보니, 脾腎兩虛로 인한 오랜 설사에 속했다. 九仙散에 白朮·山藥을 더하고 款冬花·桑白皮를 줄였다. 3제를 복용했을 뿐인데 정신이 맑아지고 어지러운 증상이 줄어들었으며 대변은 기본적으로 정상 형태를 되찾았다. 하루 2회 대변을 보았다. 계속해서 9제를 복용토록 하자 완치됐다. 추후 방문했을 때 살펴보니 지금까지 재발하지 않았다.

考察: 九仙散은 원래 久嗽를 치료한다. 방제 중의 罌粟殼·五味子와 烏梅는 모두 斂肺澀腸 할 수 있다. 款冬花·桑白皮는 止咳平喘하고 桔梗은 宣肺한다. 肺와 大腸은 서로 表裏에 해당하므로 肺氣得理하여 宣肅復常하면, 大腸의 정상적인 傳導 작용을 돕는다. 따라서 위의 두 醫案에서는 본 방제를 응용해 耗散·滑脫에 속하는 咳喘·泄瀉에 사용했고 모두 효과를 거두었다.

第三節 澀腸固脫劑

眞人養臟湯 (純陽眞人養臟湯)

(『太平惠民和劑局方』卷6 紹興續添方)

【異名】 養臟湯(『仁齋直指小兒方論』卷4)·眞人養臟散(『全國中藥成藥處方集』吉林方)·養臟散(『全國中藥成藥處方集』吉林方).

【組成】 人蔘 當歸 去蘆 白朮 焙 各六錢(18 g) 肉豆蔻 面裹, 煨 半兩(15 g) 肉桂 去粗皮 甘草 炙 各八錢(各 24 g) 白芍藥 一兩六錢(48 g) 木香 不見火 一兩四錢(42 g) 訶子 去核 一兩二錢(36 g) 罌粟殼 去蒂萼, 蜜炙 三兩六錢(108 g)

【用法】 위의 약물을 꺾어 거칠게 가루낸다. 매일 二大錢(6 g)을 물 一盞半에 넣고 八分이 되도록 달여 찌꺼기를 제거하고 식전에 따뜻하게 복용한다(현대용법: 물로 달여 복용한다. 用量은 原方의 비율을 참작해 조정한다).

【效能】 澀腸止瀉, 溫中補虛.

【主治】 오래된 瀉痢, 脾腎虛寒證. 瀉痢無度하고 滑脫不禁하며 심지어 脫肛墜下한다. 臍腹疼痛, 不思飮食, 舌淡苔白, 脈遲細하다.

【病機分析】 『景岳全書』卷24에서는 "泄瀉之本, 無不由于脾胃, 蓋胃爲水穀之海, 而脾主運化, 使脾健胃和, 則水穀腐熟而化氣化血, 以行營衛. 若飮食失節, 起居不時, 以致脾胃受傷, 則水反爲濕, 穀反爲滯, 精

華之氣不能輸化, 乃致合汚下降, 而瀉痢作矣."라고 했다. 瀉痢 初起에는 邪實多熱하지만 久瀉久痢하면 脾에 대한 손상이 腎에까지 이르러 虛나 寒에 속하게 된다. 病이 오래되어 脾虛中寒하면 化源不足하여 腎을 下充할 수 없으므로 腎陽 역시 虛하게 된다. 또 腎陽은 陽氣의 근원이므로 泄久遷延하면 반드시 腎陽이 손상을 받게 되어 결국 脾腎虛寒한 증상을 이루게 된다. 腎은 開闔 작용을 담당해 胃의 關이 되고 二陰에서 開竅해 있다. 脾腎虛寒하면 關門不固하여 瀉痢 조절이 안되고, 滑脫不禁하게 된다. 脾虛하면 中氣가 부족해져 脫肛墜下하고, 脾失健運하면 不思飮食하게 되고, 脾腎陽虛하여 陰寒凝聚하면 臍腹疼痛한다. 舌淡苔白, 脈遲細는 모두 虛寒의 증상이다.

【配伍分析】 본 방제는 오래된 瀉痢, 滑脫不禁을 치료하기 위해 만들어졌다. 증상은 脾腎虛寒에 속하나 脾虛 위주이다. 『素問』·「至眞要大論」편에서 이야기한 "散者收之"와 "寒者溫之" 및 『素問』·「三部九候論」편에서 이야기한 "虛則補之"의 치료원칙에 근거해 澀腸固脫, 溫中補虛를 治法으로 선정했다. 瀉痢로 滑脫不禁하여 精微外泄하고 臟氣가 이미 虛해져 있다면, 마땅히 "滑者澀之"의 방법으로 急則治標한다. 방제 중의 罌粟殼은 固澀收斂을 잘한다. 『本草求眞』卷2에서는 "功專斂肺澀腸固腎, 凡久瀉久痢脫肛·久嗽氣乏, 幷心腹筋骨諸痛者最宜"라고 했다. 澀腸固脫의 효능을 중용해 君藥으로 삼는다. 訶子는 苦酸溫澀하고 "止腸澼久泄·赤白痢"(『四聲本草』)한다. 肉豆蔻는 辛溫而澀하고 "暖脾胃, 固大腸"(『本草綱目』 卷14), "調中下氣止瀉痢"(『日華子本草』)한다. 두 약물은 澀腸固脫하고 溫脾止瀉하므로 모두 臣藥이 된다. 脾腎虛寒하므로 宜溫宜補해야 한다. 방제 중의 人蔘은 大補元氣하고 補脾益肺하여 補氣의 要藥이 된다. "補五臟, 安精神"(『神農本草經』卷上)한다. 白朮은 補脾益氣하고 燥濕利水하여 "爲脾臟補氣第一要藥"(『本草求眞』 卷1)이 된다. 肉桂은 溫中補陽하고 益火消陰하며 散寒止痛한다. "療一切裏虛陰寒沉痼之病"(『本草述鉤元』 卷22)한다. 세 가지는 모두 맛이 甘하고 溫熱한 성질의 약물로 溫補脾腎陽氣하지만 健脾補中 위주이다. 脾氣健運하여 固攝有司하면 瀉痢가 낫게 된다. 瀉痢가 오래 되면 반드시 陰血虧虛하므로 調補陰血해야 한다. 當歸에 대해서는 "其味甘而重, 故專能補血; 其氣輕而辛, 故又能行血, 補中有動, 行中有補, 誠血中之氣藥, 亦血中之聖藥也"(『景岳全書』卷48)라고 했고, 白芍에 대해서는 "補血, 瀉肝, 益脾, 斂陰……治血虛之腹痛"(『本草备要』卷1)라고 했다. 두 약물을 함께 사용하면 一行一斂하여 補血和陰한다. 脾虛하여 運化의 힘이 부족해지면 虛로 인해 滯하기 쉽다. 대량으로 사용되는 固澀溫補의 약물들은 쉽게 氣機壅滯를 유발한다. 따라서 木香을 사용해 醒脾理氣함으로써 모든 補澀한 약물들이 氣機를 壅滯시키지 않도록 해야 한다. 『本草綱目』卷14에서는 "木香乃三焦氣分之藥, 能升降諸氣"라고 했다. 溫補脾胃한 약물과 함께 配伍하면 脾胃運化를 촉진시킬 수 있고, 澀腸固脫한 성질의 약물과 함께 사용하면 澀而不滯하도록 할 수 있다. 위의 6가지 약물이 모두 佐藥이 된다. 甘草는 益氣健脾하고 緩急止痛한다. "炙用溫而補中, 主脾虛滑泄"(『藥品化義』卷5)하다. 人蔘·白朮과 배합되면 補中益氣하고, 芍藥과 배합되면 緩急止痛한다. 調和諸藥하므로 使藥이 된다. 위에서 말한 모든 약물들을 합해 사용하면 澀腸止瀉, 溫中補虛, 脾腎幷治하여 標本兼顧하므로 "于久病正虛者尤宜"(『醫方論』 卷4)하다.

본 방제의 配伍 특징: 固澀와 溫補·辛散한 약물을 配伍해 固澀하지만 壅滯하지 않게 하고 溫補하지만 脾胃를 방해하지 않도록 한다. 澀腸止瀉에 치중되어 있다.

唐代의 純陽眞人에 의해 전수되었다고 전해지고 있다. 固澀滑泄하여 葆養臟氣하며 제형은 湯劑이기 때문에 "眞人養臟湯"이라고 부른다.

【臨床應用】

1. 證治要點: 본 방제는 脾腎虛寒하고 瀉痢가 오랫동안 멎지 않는 증상을 치료하기 위해 구성되었다. 瀉痢가 滑脫不禁하거나, 腹痛, 食少, 舌淡苔白, 脈遲細

한 것을 증상 치료의 요점으로 삼는다.

2. 加減法: 原書에서는 "如臟腑滑泄夜起久不瘥者, 可加炮附子三·四片煎服."이라고 했다. 만약 脾腎虛寒이 비교적 심하고, 下利로 完穀不化하며, 洞泄이 조절되지 않고, 四肢가 따뜻하지 않으며, 脈沉微한 경우에는 附子·乾薑을 넣어 溫腎暖脾하는 것이 좋다. 脫肛墜下한 경우에는 黃芪·升麻를 넣어 益氣升陷한다.

3. 眞人養臟湯은 다음 한국표준질병사인분류(KCD)에 해당하는 환자가 脾腎虛寒證으로 辨證되는 경우 본 처방의 사용을 고려해볼 수 있다.

처방 목표	한국표준질병사인분류(KCD)
慢性腹瀉	(특정곤란)
	K59.1 기능성 설사
	K52.9 상세불명의 비감염성 위장염 및 결장염
慢性腸炎	K52 기타 비감염성 위장염 및 결장염
潰瘍性結腸炎	K51 궤양성 대장염
腸結核	A18.3 장, 복막 및 장간막 림프절의 결핵
慢性痢疾	A03 시겔라증
	A06.1 만성 장아메바증
痢疾後綜合徵	(질병명 특정곤란)
	M02.1 이질후관절병증
	R53 병감 및 피로
糖尿病頑固性腹瀉	E10~E14 당뇨병
晩期肝硬化慢性腹瀉	K74 간의 섬유증 및 경변증
放射性直腸炎	K62.7 방사선직장염
脫肛	K62.2 항문탈출
	K62.3 직장탈출

【注意事項】

1. 瀉痢 혹은 泄瀉 초기, 濕熱積滯가 아직 제거되지 않은 경우에는 본 방제의 복용을 금한다.

2. 慢性菌痢로 膿血便을 동반되는 경우에는 본 방제를 신중히 사용한다.

3. 본 방제를 복용하는 기간에는 술·면·날 음식과 차가운 음식·생선회(魚腥)·기름진 음식은 피한다.

【變遷史】 본 방제는 宋·『太平惠民和劑局方』卷6의 紹興續添方에서 처음 보인다. 명칭은 純陽眞人養臟湯이며 "治大人小兒腸胃虛弱, 冷熱不調, 臟腑受寒, 下痢赤白, 或便膿血, 有如魚腦, 裏急後重, 臍腹絞痛, 日夜無度, 胸膈痞悶, 脇肋脹滿, 全不思食, 及治脫肛墜下, 酒毒便血, 諸藥不效者, 幷皆治之"라고 했다. 『仁齋直指方論』卷13에서 眞人養臟湯이라고 부른 이래 후세에도 계속해서 사용되고 있다.

본 방제는 腸胃虛弱하고 臟腑受寒해서 瀉痢가 밤낮을 가리지 않고 조절되지 않는 등의 증상이 초래되었고 諸藥을 복용해도 효과가 없을 때 확실히 좋은 효과를 보인다. 따라서 역대 의학자들이 오랜 기간 동안 자주 사용했을 뿐 아니라 치료 證候의 標本緩急에 초점을 두고 융통성 있게 가감해 변화시켰다. 衍化方은 대체적으로 아래 세 종류가 있다. ① 祛邪治標가 두드러지는 경우. 본 방제에서 肉桂·白朮을 빼고, 茯苓·陳皮 등을 넣어 中焦虛寒, 瀉痢腸滑에 사용한다. 『是齋百一選方』卷6의 眞人養臟湯은 본 방제에서 白朮·肉桂·甘草를 빼고 白茯苓·棟草·烏梅肉·酸石榴皮·陳皮·赤芍藥·黃連·厚朴·乾薑·阿膠·地榆를 더했다. ② 溫補培本이 두드러지는 경우. 본 방제에서 薑·附 등의 溫補脾腎 약물을 추가해 본 방제의 치료 病證인 脾腎虛寒이 비교적 심한 경우를 치료한다. 예를 들어 『證治準繩·幼科』卷7의 養臟湯에서는 본 방제에서 當歸를 빼고 生薑·大棗를 넣는다. ③ 理氣調中이 두드러지는 경우. 본 방제의 치료 病證에 氣滯가 동반된 것을 치료한다. 예를 들어 『三因極一病證方論』卷12의 固腸丸은 본 방제에서 白朮·肉豆蔻·肉桂를 빼고 枳殼·橘紅·炮薑을 넣는다.

『全國中藥成藥處方集』(吉林方)에서는 본 방제의 제

형을 散劑로 바꿔 사용하였으며 그 명칭을 眞人養臟散·養臟散이라고 부른다.

【難題解說】

1. 본 방제의 君藥에 대해: 본 방제는 溫補와 固澀을 함께 사용하기 때문에 어떤 치료법을 위주로 해야 하는지 어떤 약물을 君藥으로 삼아야 하는지에 대해 諸家의 의견이 분분하다. 『醫方發揮』·『方劑學』(공통교재 4판) 등에서는 人蔘·白朮과 같은 益氣健脾하는 약물을 君藥으로 삼았고, 『方劑學』(공통교재 5판)에서는 罌粟殼·肉桂를 君藥으로 삼았으며, 『方劑學』(공통교재 6판)에서는 罌粟殼을 君藥으로 삼았다. 瀉痢가 오래되었고, 積滯가 이미 제거되었으며, 關門이 不固한 경우에는 반드시 固澀을 위주로 치료해야만 滑脫을 멈출 수 있다. 補益을 하면 빠른 효과를 보기 어렵다. 그래서 다수의 方書들이 본 방제를 收斂固澀劑 중에 실어 놓은 것이다. 본 방제는 罌粟殼·訶子·肉豆蔻 등 다수의 斂澀 효능이 있는 약물을 모아 놓았으며, 그중 罌粟殼의 용량이 가장 많기 때문에 마땅히 君藥이 되고 訶子·肉豆蔻는 臣藥이 된다. 이 세 가지 약물은 固澀滑脫하며, 急則治標한다. 人蔘·白朮·肉桂·當歸 등 溫補養血 효능이 있는 약물은 佐藥이 된다. 이렇게 配伍하면 "君一·臣三·佐五, 制之中也"(『素問』·「至眞要大論」)의 制方法度에 가까워진다.

2. 본 방제의 주료 치료 대상인 脫肛에 대해: 脫肛은 寒熱虛實의 구분이 있다. 본 방제가 主治하는 脫肛은 "下痢日久, 赤白已盡, 虛寒脫肛"(『醫方考』卷2)한 것으로 오랜 설사가 그치지 않아 脾腎虛寒하며 臟器不固하여 발생한 증상이다. 만약 전적으로 氣虛下陷과 연관되어 발생한 脫肛, 혹은 津虧燥結인데 배변하려 애쓰다가 발생한 脫肛에 본 방제는 적절하지 않다.

3. 본 방제의 명칭에 대해: 본 방제는 臟腑虛寒하고, 滑泄이 그치지 않는 것을 주로 치료한다. 臟氣가 大傷했으므로 시급히 臟의 安和를 보존해야 하고 臟之精源을 자양해야 한다. 그래서 "養臟"이라고 부른다. 전해지는 바에 따르면 본 방제는 唐代의 純陽眞人 呂洞賓에 의해 전수되었다. 그래서 방제 명칭도 "純陽眞人養臟湯"이라고 한다.1)

【醫案】

1. 腸結核『四川中醫』(1991, 2:23): 남자, 34세, 1988년 9월 13일 진료. 환자는 복부가 은은하게 아프고, 매번 대변을 보고 싶을 때마다 肛門이 墜脹해 불편함을 느꼈다. 便秘·稀溏이 뒤섞인지 5년이 지났다. 補益脾胃·養陰止瀉 등의 약물을 수첩 복용했지만 효력이 없었다. 후에 한 시의원에서 腸結核을 진단받아 항결핵약으로 1년 넘게 치료했지만 病症은 줄어들지 않았다. 증상은 形體消瘦, 精神委靡, 腰腹酸冷, 大便不爽, 泄下稀便, 少腹硬而拒按, 按則欲排便, 舌苔白, 脈沉細했다. 眞人養臟湯을 가감해 人蔘·甘草·附片·白朮·肉桂·當歸·木香·白芍·大黃을 사용했다. 6첩 복용 후 大便 횟수가 증가했으며, 비릿한 냄새가 나는 혼탁한 분비물을 많이 쏟아냈다. 손과 발은 점점 따뜻해지고, 腰腹도 점점 따뜻해졌으며, 腹痛은 약 간 감소했다. 계속해서 위의 방제에 肉豆蔻·訶子肉·罌粟殼을 넣고 8첩을 복용하자 모든 증상이 사라졌다. 치료 효과를 공고히 하기 위해 위의 방제에서 附片·大黃을 빼고 黃連·肉蓯蓉을 추가해 6첩 복용하자 호전되었다. 6개월 뒤 방문했을 때 살펴보니 병증이 아직 재발하지 않았다.

考察: 이 醫案에서는 便秘와 溏瀉가 함께 나타난지 오래 되어 虛實夾雜한 증상에 속했다. 脾腎虛寒으로 滑脫不禁 했으며 또 寒滯冷積이 있었다. 따라서 우선 眞人養臟湯을 조절해 溫補에 중점을 두면서 瀉下痼積을 겸했다. 두 번째로는 眞人養臟湯을 사용하되 固澀에 중점을 두면서 瀉下를 겸했다. 세 번째 사용한 眞人養臟湯의 목적은 溫補固澀에 있었다. 모두 하나의 방제를 조정한 것이지만, 그 의도는 저마다 달랐다.

2. 黑帶『新中醫』(2002, 10:67): 여자, 40세, 기혼, 2000년 4월 12일 초진. 환자가 白帶가 많고, 月經量이 적어진지 2년이 넘었다. 2개월 전에 과도한 노동을 하고

서늘한 기운을 쐰 뒤 갑자기 帶下의 색이 검게 되며 쏟아져 내렸다. 계속해서 작은 피덩어리가 동반되었다. 비릿하고 더러운 냄새가 나며 묽었고 양이 많은 것이 마치 검은 콩즙과 같았다. 계속해서 쏟았으며 흘러내리는 것이 멈추지 않았다. 淸熱止血藥을 여러 차례 사용했지만 효과가 없었다. 진료 당시 帶下不止, 伴腰酸困, 少腹冷痛, 倦怠乏力, 食少便溏, 面色晦暗, 舌淡苔白滑, 脈沉細緩한 증상을 보였다. 본 증상은 脾腎陽虛, 寒濕凝聚于下焦, 帶脈失約, 任脈不固에 속했다. 치료는 溫補脾腎하고 固澀止帶해야만 했다. 방제는 眞人養臟湯에 生黃芪를 추가해 사용했다. 3첩을 복용하자 腰酸痛·少腹冷痛이 줄어들었고 黑帶도 뚜렷하게 감소했으며 大便은 정상이 되었다. 위의 방제에 淫羊藿을 넣고 계속해서 5첩 복용하자 모든 증상들이 크게 줄어들었고 少腹의 통증이 사라졌다. 그저 소량의 白帶만 남아 있을 뿐이었다. 연달아 5첩 복용한 뒤 증상이 사라졌다.

考察: 黑帶는 대부분 濕論에 의거해 치료한다. 본 病例는 과로한 상황에서 感寒하여 시작됐다. 앞선 의사들이 火熱이라고 간주하고 치료하며 寒凉한 약물을 오용하는 바람에 脾腎이 重傷을 입었다. 眞人養臟湯을 사용하는 목적은 溫補脾腎, 固攝收斂하여 標本兼治하는데 있었다.

3. 陰吹『新中醫』(2002, 10:67): 여자, 42세, 기혼, 2001년 5월 10일 초진. 1개월 전 밤중에 밭에서 일할 때 小腹冷痛이 느껴지며 下墜感이 있었다. 白帶淸稀하다가 계속해서 陰户에서 방귀가 나왔다. 때로 나오지 않았다가 나왔다가 했는데, 방귀를 뀌는 것처럼 쏴쏴하는 소리를 냈다. 매일 많게는 5~6차례 정도 있었다. 面色晄白, 神疲乏力, 不思飮食, 腰膝酸軟, 手足不溫, 氣短頭暈, 晨起大便溏瀉, 舌淡苔白, 脈細緩 했다. 본 증상은 脾腎陽虛, 中氣下陷에 속했다. 溫補脾腎, 固澀升提하는 방법으로 치료하기 위해 眞人養臟湯에 生黃芪을 넣고 사용했다. 5첩을 복용하자 矢氣가 사라지고 小腹寒冷 및 白帶가 모두 줄어들었다. 본 방제에서 罌粟殼를 빼고 15첩을 계속 복용하자 완치됐다.

考察: 陰吹은 虛實로 구분한다. 본 病例는 體虛過勞하고 寒凝下焦해서 발병한 것이다. 眞人養臟湯加味를 사용한 목적은 溫補脾腎하고 固澀升提하기 위함이다.

【参考文獻】

1) 趙存義. 『中醫古方方名考』. 北京: 中國中醫藥出版社, 1994: 246-248.

四神丸

(『内科摘要』卷下)

【異名】 久瀉丸(『全國中藥成藥處方集』昆明方)·故紙四神丸(『全國中藥成藥處方集』 吉林·哈爾濱方)·溫腎止瀉丸(『中藥方劑學』下冊).

【組成】 肉豆蔻 二兩(60 g) 補骨脂 四兩(120 g) 五味子 二兩(60 g) 吳茱萸 浸, 炒 一兩(30 g)

【用法】 위의 약물을 가루내고, 물 한 그릇에 生薑 四兩(120 g), 紅棗 50개를 넣고 끓인다. 물기가 마르면 대추 살을 취해 벽오동 씨앗 크기로 丸을 만든다. 매회 50~70개(6~9 g)를 공복 식전에 복용한다(현대용법: 자기 전에 담담한 소금물이나 끓는 물로 복용한다. 물에 달일 때는 용량을 原方 비율에 따라 조정한다).

【效能】 溫腎暖脾, 固腸止瀉.

【主治】 脾腎陽虛에 의한 腎泄證. 五更泄瀉, 不思飮食, 食不消化, 或久瀉不愈, 腹痛肢冷, 神疲乏力, 舌淡, 苔薄白, 脈沉遲無力하다.

【病機分析】 腎泄은 五更泄·鷄鳴瀉·晨泄라고도 부른다. 『素問』·「金匱眞言論」편에서는 "鷄鳴至平旦, 天之陰, 陰中之陽也, 故人亦應之."라고 했다. 腎은 陽氣의 뿌리가 되어 溫煦脾土할 수 있다. 五更은 陰氣는 가장 왕성하고 陽氣는 싹트는 때이다. 命門火衰하고 脾腎陽虛하여 陰寒內生하므로 陽氣가 발생해야 함에도 발생하지 못하고, 陰氣가 극성한 상태에서 하행하여 泄瀉를 발생시킨다. 腎陽虛衰하면 命門之火가 上溫脾土하지 못하고 脾失健運하여 식욕이 없고, 음식을 소화시키지 못한다. 脾腎陽虛하면 몸 속에서 陰寒凝聚하여 복통을 일으키고, 四肢를 溫養하지 못해 肢冷하게 된다. 『素問』·「生氣通天論」편에서는 "陽氣者, 精則養神"이라고 했다. 脾腎陽虛하면 陽氣가 精微로 변해 養神하지 못하고, 神疲乏力하게 된다. 脾腎의 陽氣가 虛衰하면, 下元不固하여 大腸滑脫하므로 久瀉가 발생한다. 그러나 설사가 오랫동안 멎지 않으면 또 반드시 脾腎陽虛하게 된다. 舌淡, 苔薄白, 脈沉遲無力한 것은 모두 脾腎陽虛의 증상 표현이다.

【配伍分析】 본 방제는 命門火衰하여 溫煦脾土 하지 못해 발생한 腎泄을 치료하기 위해 만들어 졌다. 증상은 脾腎陽虛에 속한다. 『素問』·「至眞要大論」의 "寒者溫之"와 "散者收之"의 치료원칙에 근거해 溫腎暖脾, 固腸止瀉를 治法으로 삼는다. 방제 중의 補骨脂는 맛이 辛苦하고 성질이 大溫하므로 溫補腎陽하고 補命門之火하여 溫養脾土할 수 있다. 『本草綱目』卷14에서는 이를 "治腎泄, 通命門, 暖丹田, 斂精神"이라고 했다. 『玉楸藥解』卷1에서는 "溫暖水土, 消化飮食, 升達肝脾, 收斂滑泄, 遺精·帶下·溺多·便滑諸證, 甚有功效"라고 했다. 重用하여 君藥으로 삼는다. 肉豆蔻는 맛이 辛하고 성질이 溫하며 그 향기가 芬芳하여 溫脾暖胃하고 澀腸止瀉 한다. 『玉楸藥解』卷1에서 이를 "調和脾胃, 升淸降濁, 消納水穀, 分理便溺, 至爲妙品, 而氣香燥, 善行宿滯, 其質收斂, 專固大腸, 消食止泄, 此爲第一"이라고 했다. 補骨脂와 배합하면 溫腎暖脾하고 固澀止瀉의 효능이 더욱 두드러진다. 臣藥이 된다. 五味子는 맛이 酸하고 성질이 溫해서 固腎益氣하고 澀精止瀉한다. 李杲은 이를 "治瀉痢, 補元氣不足"(『中藥大辭典』에 기록됨)이라고 했다. 吳茱萸는 맛이 辛苦하고 성질이 大熱해서 肝脾腎을 溫暖하고 散陰寒한다. 『本草綱目』卷32에서는 "茱萸辛熱能散能溫, 苦熱能燥能堅, 故其所治之症, 皆取其散寒溫中, 燥濕解鬱之功"이라고 했다. 두 약물을 配伍하면 腎泄 치료에 뛰어나며 모두 佐藥이 된다. 生薑은 中焦를 따뜻하게 해서 水濕을 散한다. 大棗는 脾胃를 滋하게 해서 虛損을 補한다. 이것으로 환약을 빚으면 위의 네가지 약물을 도와 溫補의 효능을 강화시킨다. 모두 使藥이 된다. 모든 약물을 함께 사용하면 溫腎暖脾하고 固澀止瀉하여 火旺土强하게하므로 腎泄은 저절로 치유된다.

본 방제의 配伍 특징: 溫補와 酸澀를 함께 사용하되 溫補治本을 위주로 한다. 水土兼顧하지만 주로 命門을 補해서 脾土를 暖한다.

네 가지 약물은 "治腎泄有神功"(『絳雪園古方選注』卷中)하고 劑型은 丸劑이기 때문에 "四神丸"이라고 부른다.

【類似方比較】 본 방제는 眞人養臟湯과 함께 固澀止瀉하는 방제로 脾腎幷補하지만 치료 방법에는 차이가 있다. 본 방제는 補骨脂을 重用해 君藥으로 삼는다. 溫腎을 위주로 하며 命門을 補해서 脾土를 暖하게 하며, 겸하여 酸澀固腸한다. 주로 命門火衰, 火不生土로 발생한 腎泄을 치료한다. 眞人養臟湯은 罌粟殼을 重用해 君藥으로 삼는다. 溫中澀腸하는 肉豆蔻·訶子를 配伍해 臣藥으로 삼는다. 澀腸固脫의 효력이 강하고, 溫補脾腎하는 효력은 약해, 瀉痢가 오랫동안 멎지 않는 滑脫을 주로 치료한다. 脾腎虛寒을 치료하지만, 그중에서도 脾虛 위주이다.

【臨床應用】

1. 證治要點: 본 방제는 임상에서 五更泄瀉, 不思飮食, 舌淡苔白, 脈沉遲無力한 것을 증상 치료의 요점으로 삼는다.

2. 加減法: 물을 쏟듯이 瀉下하는 경우에는 罌粟殼·訶子를 더해 收斂固澀할 수 있다. 久瀉脫肛에는 黃芪·升麻를 더해 升陽益氣할 수 있다. 腰酸肢冷이 비교적 심한 경우에는 附子·肉桂를 더해 溫陽補腎할 수 있다. 氣滯作脹에는 木香·小茴香과 같은 약물을 더해 調理氣機할 수 있다.

3. 四神丸은 다음 한국표준질병사인분류(KCD)에 해당하는 환자가 脾腎陽虛證으로 辨證되는 경우 본 처방의 사용을 고려해볼 수 있다.

처방 목표	한국표준질병사인분류(KCD)
慢性腹瀉	(특정곤란)
	K59.1 기능성 설사
	K52.9 상세불명의 비감염성 위장염 및 결장염
五更瀉	(질병명 특정곤란)
	K59.1 기능성 설사
	K59.9 상세불명의 기능성 장장애
慢性腸炎	K52 기타 비감염성 위장염 및 결장염
腸道易激綜合徵	K58 과민대장증후군
痢疾	A03 시겔라증
	A00~A09 장감염질환
腸結核	A18.3 장, 복막 및 장간막 림프절의 결핵
神經性尿頻	F45.3 신체형자율신경기능장애
遺尿	(질병명 특정곤란)
	F98.0 비기질성 유뇨증
	R32 상세불명의 요실금
過敏性鼻炎	J30.1 화분에 의한 알레르기비염
	J30.2 기타 계절성 알레르기비염
	J30.3 기타 알레르기비염
	J30.4 상세불명의 알레르기비염
大便出血	(질병명 특정곤란)
	K92.1 흑색변
	K92.2 상세불명의 위장출혈
自汗·盜汗	(질병명 특정곤란)
	R61 다한증

【注意事項】

1. 腸胃의 積滯가 제거되지 않아서 泄瀉하는 경우에는 사용을 금한다.

2. 생음식, 냉음식, 기름진 음식의 복용을 금한다.

【變遷史】 본 방제는 明·薛己의 『內科摘要』卷下에 "治脾腎虛弱, 大便不實, 飮食不思."를 치료한다고 하며 처음 등장했다. 薛己는 증상을 대할 때 臟腑辨證을 강조했으며, 治病할 때는 반드시 그 근원을 탐구해야 한다고 주장했다. 元氣, 脾胃, 腎中水火를 중시하였으며 특히 脾와 腎의 관계에 중점을 두었다. 본 방제는 이러한 脾腎幷重의 학술 사상을 구현하고 있다. 薛氏는 許叔微의 『普濟本事方』卷2에 나오는 二神丸(肉豆蔻·補骨脂, 薑棗로 환을 빚는다)과 卷4의 五味子散(五味子·吳茱萸), 두 방제를 합해서 四神丸을 組成했다. 二神丸은 "主治脾腎虛弱, 全不進食"하고, 五味子散은 "治腎泄"을 전문적으로 치료한다. 이제 두 방제를 합하고 나니 補腎하여 暖脾하고, 澀腸하여 止瀉한다. 역대 의학자들에 의해 腎泄을 치료하는 대표 방제로 받들어졌으며 지금까지 계속해서 활발하게 사용되고 있다. 原書 중에는 肉豆蔻·補骨脂·五味子·吳茱萸의 劑量이 모두 기록되어 있지 않다. 후세의 方書에서들은 이 네 종류 약물 劑量은 대부분을 『證治準繩·類方』卷6 四神丸을 참조해서 정했다.

四神丸의 衍化方은 주로 아래의 세 가지 종류가 있다. ① 본 방제에 溫腎益火의 약물을 더한 뒤腎陽虛가 더욱 심해진 것을 본 방제의 병증으로 사용하는 경우. 예를 들면 『景岳全書·新方八陣』卷51의 九氣丹은 본 방제에 熟地·制附子·炮薑·蓽撥·甘草를 더했다. 『溫疫論補注』卷上의 七成湯은 본 방제에 吳萸·肉蔻를 빼고 熟附子·茯苓·人蔘·甘草를 더했다. 『醫學衷中參西錄』上冊의 加味四神丸은 본 방제에 花椒·硫磺을 더했다. ② 본 방제에 溫中散寒하는 약물을 넣고 脾虛가 비교적 해진 것을 본 방제의 병증으로 사용하는 경우. 예를 들면 『景岳全書·新方八陣』卷51의 五德丸은 본 방제를 가감하며 乾薑·木香 등을 더했다; 『蘭臺規範』卷8의 四神丸은 生薑·紅棗를 두배로 사용했다. ③ 본 방제에 溫腎補脾 하는 약물을 넣고 병세가 비교적 심한 것을 이 방제의 병증으로 삼은 경우. 예를 들면 『證治準繩·類方』卷6의 五味子丸은 본 방제에 人蔘·白朮·炒山藥·茯苓·巴戟天·煅龍骨을 더했다.

【難題解說】

1. 본 방제의 方源에 대해: 다양한 『方劑學』 교재들 및 기타 方書들에서 모두 본 방제의 유래를 다르게 표기하고 있다. 『中醫方劑學講義』(南京中醫學院 주편)·『中藥方劑學』(山東中醫學院 주편)·『中醫方劑學』(王衍生 주편)·『方劑學』(李飛 주편)·『中醫方劑大辭典』와 『方劑學』(공통교재 6판) 등에서는 『內科摘要』에서 유래했다고 한 반면, 『醫方發揮』·『古今名方發微』·『中醫治法與方劑』·『方劑學』(공통교재 4판·5판) 등에서는 『證治準繩』에서 유래했다고 했고, 『簡明中醫辭典』 등에서는 『婦人良方』, 『簡明方劑辭典』과 『中成藥與名方藥理及臨床應用』 등에서는 『校注婦人良方』에서 유래했다고 했다. 『婦人良方』과 『校注婦人良方』을 살펴보니 모두 본 방제를 수재해 두지 않았으며, 明·王肯堂의 『證治準繩·類方』卷6과 明·薛己의 『內科摘要』卷下에서 본 방제를 수재하고 있었다. 薛己(1488~1558)가 1529년 저술한 『內科摘要』는 확실히 1602년 완성된 『證治準繩』보다 앞선다. 따라서 四神丸은 『內科摘要』에서 가장 먼저 등장한 것으로 보아야하고, 방제의 연원 역시 이 책으로 간주하는 것이 맞다.

2. 본 방제의 適應證에 관해: 많은 方書들이 모두 이 방제가 五更泄을 치료한다고 한다. 『簡明中醫辭典』 五更泄을 살펴보니 "指黎明前作泄, 多因腎虛所致, 故一般認爲五更泄即腎泄. 但五更泄也有因食積·酒積·肝火等因素所致者."라고 했다. 본 방제가 主治하는 五更泄은 命門火衰하여 溫煦脾土 하지 못해 발생하는 것으로 食積·酒積·肝火 등에 의해 발생하는 것은 포괄하지 않는다.

3. 吳茱萸를 사용하는 의미에 대해: 본 방제의 적용 병증은 脾腎陽虛에 속하지만 肝經虛寒과도 관계가 있다. 肝木之氣는 12 時辰 중에서 丑時에 왕성하다. 바로 동이 트기 직전이다. 五更은 동이 트기 직전에 陽氣初生하고 木氣萌動하는 때이다. 命門火衰하고 陰寒內盛하여 肝經受寒하면 첫 번째 疏泄失司하여 助脾升淸을 할 수 없다. 두 번째 肝經脈이 少腹을 지나가므로 寒이 經脈을 막아 운행이 원활하게 이뤄지지 않으면 痛과 瀉가 동시에 나타난다. 吳茱萸는 辛香燥熱하여 肝을 치료하는 주요 약물이기 때문에 본 방제에 佐入했다. 肝脾腎을 溫暖하여 陰寒을 散할 수 있을 뿐만 아니라 宣散鬱結하게 하여 木不克土하고 脾氣升淸하게 하니 一擧兩得이다.

4. 본 방제의 服藥 시간에 관해: 滑伯仁은 "晨瀉, 空心服藥不效, 令至晩服即效. 以暖藥一夜在腹, 可勝陰氣也"(『醫述』卷9 재인용)라고 했다. 본 방제를 밤에 복용하면, 命門을 따뜻하게 덥혀 脾土가 따뜻해지도록 한다. 子時 이후에 陽氣萌發 하는 것을 도우면 五更에는 陽氣健旺하고 陰霾自消한다. 泄瀉가 아직 발생하지 않았을 때 먼저 固澀해 機先에 증상을 제어하면 설사는 절로 치료된다. 임상 보고에 따르면, 四神丸과 四君子湯을 각각 1첩씩, 일정 시간에 복약하도록 해 五更泄 40례를 치료했다. 四君子湯은 매일 오전에 頓服하고, 四神丸은 저녁 취침 전에 頓服했다. 동시에 무작위로 대조군 40례를 설정해 위의 두 약을 함께 달여 3번씩 나누어 복용시켰다. 치료군에서 치료 효과는 유의하였으며, 두 그룹의 차이는 뚜렷했다.1) 이 연구결과는 본 방제는 저녁 취침 전에 頓服하는 것이 효과적임을 보여준다.

【醫案】

1. 晨泄 『臨證指南醫案』卷6: 徐모씨, 59세, 晨泄을 하여 병이 腎에 있었다. 少腹에 瘕가 있었는데 역시 陰邪에 의한 것이었다. 葷腥厚味를 섭취하면 갑자기 발병했다. 陽氣積衰한 것이었으므로 상의해서 四神丸을 사용했다.

2. 瘕泄『臨證指南醫案』卷6: 龔모씨, 25세, 진찰해 보니 脈兩關緩弱, 尺動下垂했다. 아침밥을 먹지 않았음에도 心下懊憹했다. 음식을 먹어도 잘 소화되지 않았다. 脾陽이 미약해지면 中焦聚濕해서 運化의 기능이 저하되고, 腎陰이 쇠약해지면 固攝失司해서 瘕泄하기 때문이었다. 중초는 적절하게 돌려주면 운행이 되고, 하초는 적절하게 막아주면 저장을 하게 된다. 이것이 治療의 지당한 이치이다. 상의한 뒤 오전에는 중초를 치료하는 방법을 활용하고, 저녁에는 四神丸을 사용했다.

考察: 醫案1·醫案2은 모두 瘕를 언급하고 있다. 陰寒凝聚하기 때문에 四神丸을 사용해 溫先天命火함으로써 散陰寒하고, 腎이 封藏할 수 있도록 한다. 醫案2는 脾陽微弱해 完穀不化한다. 본 방제만 단독으로 사용하면 효능이 미치지 못할까 두려워해 중초를 치료하는 방법을 함께 써서 健脾運하도록 했다.

3. 久瀉變證『溫病淺說』·「溫氏醫案」: 친구 劉星圃가 泄瀉 病症을 앓았는데, 의사가 잘못 치료해 痢疾이 되고 말았다. 小便不通이 한 달 동안 계속되자 한 의사가 水結이라고 진단한 뒤 함부로 甘遂·甘草와 다른 약물 10여 종을 섞어 1첩을 주었다. 환자가 甘遂와 甘草는 성질이 상반된다고 하던데 저처럼 이렇게 虛한 와중에도 함께 복용할 수 있겠습니까라고 물었다. 의사가 이것은 유명한 經方이며 이것이 아니면 효과를 보지 못한다고 했다. 의사의 말을 믿고 복용했지만 1첩을 먹자마자 곧장 설사가 시작해 멎지 않고 계속됐으며 거의 氣脫하는 것 같았다. 병세가 심하고 매우 위태로웠다. 비로소 나를 찾아와 진찰을 받기 시작했다. 환자 상태를 살펴보니 금방이라도 숨이 끊어질 것 같았고, 六脈沉細無力하고, 左尺浮芤하며, 右尺沉伏했다. 내가 말했다. 腎命火衰하여 水泛無歸했기 때문에 병이 발생했는데, 최근에 또 함부로 설사를 시켜 腎命之火가 더욱 쇠약해졌다. 급하게 溫固해야 했다. 그리고는 四神丸을 사용해 腎을 따뜻하게 덥혔다. 1제를 쓰자 설사가 멎고 소변이 통했고 그 다음에는 眞武湯을 사용해 回陽鎮水했다. 연이어 健脾補火하는 약물을 사용하자 호전의 기미가 있었으며, 매 끼니 밥 한 그릇을 먹을 수 있게 되었다.

考察: 瀉痢하면서 小便不通을 동반하면 水走腸間에 의해 津液匱乏하거나 혹은 脾腎陽虛에 의해 氣不化水한 것이므로 우선 止痢하는 것이 마땅하다. 환자는 원래부터 虛했는데, 의사가 峻下를 잘못 사용해 허약한 것을 더욱 허약하게 만들고 말았다. 그 결과 陽氣大虛하여 병세가 더욱 위중해졌다. 四神丸 1제를 써서 瀉止溺通하게 했다. "病由腎命火衰, 水泛無歸"하면 氣不施化한다는 것을 보여준다.

4. 休息痢『溫病淺說·溫氏醫案』: 涪州의 鄉紳 陳小霞가 瀉를 앓았는데 의사의 잘못된 치료로 休息痢가 발생한지 16년이 다되어갔다. 나에게 치료를 요청했다. 귀주에서 후보(候補)로 있을 때 이 병을 얻어 휴가를 내고 사천으로 돌아와 의사를 바꿔가며 무수히 치료를 받았다. 모두 濕熱에 의한 질환이라고 하며 清熱利濕한 약물을 복용하게 했지만 효과를 거두지 못했다. 듣기에 당신이 뛰어난 의사라고 하니 특별히 진료를 부탁한다고 했다. 六脈을 살펴보니 沉遲했으며 兩尺이 특히 심했다. 내가 말했다. 濕熱이 결코 아니며 陳寒冷積이 下焦에 뒤엉켜 있기 때문이다. 실제 원인은 腎命火衰하여 蒸化하지 못하기 때문에 단단하게 뭉쳐 풀어지지 않고 있는 것이다. 다만 이 병은 시간이 오래 지났고 뿌리가 깊게 박혀 있어서 여러 첩을 복용하더라도 낫지 않을 것이다. 四神丸에 薑·附를 더해 따뜻하게 덥혔다. 5첩을 복용하자 증상이 절반으로 줄어들었다. 환제로 바꿔서 반년 동안 복용토록 하자 비로소 나을 수 있었다.

考察: 얼마 되지 않은 痢는 대부분 濕熱에 해당하지만, 久痢는 대부분 寒濕에 해당한다. 본 醫案은 眞寒假熱이었지만 前醫들의 증상 판단이 분명치 않아 苦寒清利하는 방제를 여러 차례 투여하는 바람에 치료되지 못하는 고질병이 되고 말았다. 後醫는 脈이 沉

遲한데 兩尺이 특히 심한 것을 잡아내어 沉寒痼冷으로 진단했다. 이 방제를 처방하면서도 효력이 미치지 못할 것을 두려워해 四神丸에 薑·附를 추가하여 따뜻해지도록 하자 바로 효과가 났다. 張景岳은 일찍이 "凡治痢之法, 其要在虛實寒熱. 得其要, 則萬無一失, 失其要, 則爲害最多"(『景岳全書』 卷24)라고 했다. 듣는 이들이 마땅히 경계해야 할 것이다.

5. 矢氣過頻 『新中醫』(1994, 2:55): 남자, 38세. 3개월 전부터 원인불명으로 矢氣가 과도하게 배출되고, 또 스스로 조절하기 어려워했다. 치료를 받았지만 효과가 없어 진료를 받으러 왔다. 진찰: 面色萎黃, 神疲乏力, 腸鳴, 腹微脹, 舌淡, 脈沉하고 無力했다. 四神丸에 陳皮를 더해 투여하고, 물에 달여 매일 1첩씩 아침 저녁으로 복용토록 했다. 5첩을 복용하자 확연하게 좋아졌다.

考察: 腎은 陰陽의 根으로, 二陰에 開竅한다. 腎氣不固하면 閉藏 기능을 잃게 된다. 脾陽에 根이 사라지면 穀氣下陷한다. 脾腎陽虛하면, 위로 끌어 올리려 해도 끌어 올릴 수 없고, 고정하려 해도 고정할 수 없다. 氣가 항문으로 달려가 失氣가 빈번하게 배출된다. 본 방제에 溫腎暖脾하는 약물을 가미하자 病機에 적절하게 들어맞았다.

6. 陰吹 『新中醫』(1994, 2:55): 여자, 30세. 2년 전 아들 1명을 낳은 뒤 咳嗽을 하거나 힘을 줄 때 마다 氣體가 陰道를 통해 배출되는 느낌을 있었다. 마치 矢氣와도 같았다. 어떤 의사가 疏肝理氣藥 10여 첩을 처방했지만 효과가 없었다. 舌淡하고, 가장자리에 齒痕이 있었다. 苔薄白, 脈沉遲했다. 나는 四神丸에 當歸·升麻·黃芪를 더해 주었다. 물에 달여 매일 1첩씩 아침 저녁으로 나누어 복용시켰다. 5첩을 복용하자 陰道에서 排氣되는 횟수가 줄어들었다. 효과가 있어 처방을 바꾸지 않은 채 10여 첩을 더 복용시키자 모든 증상들이 사라졌다. 반년 동안의 방문에서도 재발하지 않았다.

考察: 본 증상은 脾腎陽氣가 虛弱하고 淸陽下陷해서 발생한 것이다. 腎氣不固하면 閉藏失職하여 "胃氣下泄, 陰吹而正喧"하게 된다. 四神丸에 溫補脾腎하는 약물을 가미해 升提陽氣하자 陰吹가 절로 제거됐다.

7. 便血 『新中醫』(1994, 2:55): 남자, 46세. 脘腹脹痛, 納呆한지 1년 남짓 되었다. 최근 반년 동안 大便이 늘 柏油 모양이었다. 西醫에서는 十二指腸潰瘍으로 진단했다. 中西醫藥物 치료를 받은 뒤 통증은 줄어들었으나 便血은 여전했다. 병력을 자세히 물으니, 便血 전에 腰膝酸軟, 성욕감퇴가 있었지만 치료하지 않았다고 했다. 진찰 결과: 面色白, 神疲乏力, 四肢不溫, 脘腹隱痛, 大便稀, 柏油 모양의 대변, 잠혈검사(+++), 舌淡, 苔白, 脈沉細無力. 四神丸에 地榆炭·阿膠(烊)을 넣어 투여했다. 5첩을 복용하자 모든 증상이 줄어들었고, 대변 잠혈검사(+)이었다. 위의 방제에 益智仁·菟絲子를 더해 반년 동안 복용시키자 치료됐다. 반년 동안의 방문에서도 재발하지 않았다.

考察: 『經』에서는 "治病必求于本."이라고 했다. 본 醫案은 腎虛가 먼저이고 脾虛가 나중이다. 腎陽虛衰가 中土失煦, 脾不攝血로 이어진 것이다. 따라서 본 방제에 溫補脾腎, 固澀止血하는 약물을 가미해 標本兼治했다.

8. 滑精 『成都中醫學院學報』(1990, 1:33): 남자, 37세. 主因은 5년 동안의 遺精, 3개월 간의 滑精이었으며 최근 7일 동안 정도가 심해져서 진료를 받으러 왔다. 滑精 횟수가 가장 많을 때는 하루에 6회에 달했다. 연속해서 龍膽瀉肝湯·腎氣丸·桂枝加龍骨牡蠣湯·補中益氣湯·金鎖固精丸 등으로 치료했지만 눈에 띄는 호전은 없었다. 진찰: 面色無華, 神疲乏力, 頭暈耳鳴, 腰膝酸軟, 滑精頻繁, 舌質淡嫩, 苔白滑, 脈沉無力. 溫腎暖脾하고 斂肝澀精의 방법으로 치료했다. 본 방제에 山萸肉·白芍을 더해 15첩을 복용시키자 滑精이 멎었다. 계속해서 黃芪建中湯으로 뒤를 조리했다. 1년 동안의 방문에서도 재발하지 않았다.

考察: 본 醫案은 脾腎陽氣가 虛弱하여 精關不固한 결과 발생했다. 먼저 본 방제에 溫補脾腎하고 收斂固澀하는 약물을 가미한 뒤 계속해서 黃芪建中湯을 사용해 효과를 거뒀다.

9. 五更汗『中醫雜誌』(1987, 12:62): 여자, 47세, 1986년 4월 3일 초진. 3년 전 급성 바이러스성 감염을 앓았다. 병이 나은 뒤 동틀 무렵마다 汗出이 있었으며 머리 부분이 가장 심했다. 아침이 되면 바로 멎었다. 西藥인 아트로핀(阿托品) 및 中藥인 玉屏風散으로 치료를 했지만 증상이 때때로 반복됐다. 최근 반년 동안 汗出이 심해졌다. 환자는 神疲乏力, 心悸氣短, 頭暈失眠, 面色無華, 食少納呆, 口淡無味, 四肢不溫, 大便溏薄, 夾雜不消化食物, 小便淸長, 舌淡紅, 苔薄白, 脈沉遲했다. 본 증상은 脾腎陽虛, 腠理失密, 陰陽不調하다. 溫腎暖脾, 調和陰陽, 收斂止汗의 방법으로 치료해야 했으며, 四神丸에 白扁豆·山藥·麻黃根을 더해 2일에 1첩씩 복용토록 했다. 3첩을 복용한 뒤 汗出이 감소했으며 夜卧安寐하고 食納漸进했다. 계속해서 5첩을 복용하자 모든 증상이 사라졌다. 1년 동안의 방문 결과 재발하지 않았다.

考察: 自汗·盜汗은 대부분 氣虛 혹은 陰虛에 의한 것이다. 지금은 汗出이 정해진 시간에, 매일 동이 트기 전에 발생하며, 또 숨이 짧고 힘이 없는 증상이 동반되고 食少便溏하고 있다. 脾腎陽虛하기 때문이다. 腎은 水를 주관하며 封藏의 本이 되는데, 腎陽虛弱하면 脾土失溫하여 이와 같은 증상이 발생한다. 四神丸을 加味해 溫腎暖脾하고 收斂止汗하자 효과를 보았다.

【參考文獻】

1) 周漢淸. 運用『內經』時間醫學治療五更瀉臨床觀察. 新中醫. 1994;26(11):20-21.

桃花湯

(『傷寒論』)

【異名】 三物桃花湯(『杏苑生春』卷3).

【組成】 赤石脂 一半全用, 一半篩末 一斤(30 g) 乾薑 一兩(3 g) 粳米 一升(30 g)

【用法】 위의 세 가지 약물을 물 七升으로 끓여 쌀이 익으면, 찌꺼기는 버리고, 赤石脂 가루를 方寸匕씩 타서, 七合씩 매일 3회 溫服한다. 만약 1회 복용하고 나으면 남은 약은 복용하지 않는다.

【效能】 溫中祛寒, 澀腸止痢.

【主治】 虛寒痢. 下痢가 오랫동안 멎지 않고, 便膿血, 色黯不鮮, 腹痛喜溫喜按, 小便不利, 舌淡苔白, 脈遲弱 혹은 微細하다.

【病機分析】 下利·便膿血은 新久寒熱의 구분이 있다. 초기에는 대부분 濕熱에 해당하지만, 오랫동안 낫지 않으면 陽氣를 쉽게 손상시켜 虛寒滑脫한 증상으로 변하게 된다. 본 증상이 바로 오랫동안 痢가 멎지 않아서 야기된 脾腎陽虛, 滑泄不禁의 경우이다. 脾는 後天의 근본(本)이 되고 腎은 先天의 근본(本)이 되어, 脾腎의 陽氣가 서로 資生함으로써 溫煦肢體하고 水穀精微를 運化한다. 오랫동안 痢가 멎지 않으면 脾虛中寒하여 化源不足을 초래하고, 나아가 腎陽 역시 虛해진다. 또한 腎은 胃關으로 二陰에서 開竅하고 있기 때문에 痢가 오래되면 腎이 손상되지 않은 경우가 없다. 脾腎陽虛하면, 陰寒이 腹中에 뭉쳐 복통이 끊이지 않고 喜溫喜按하게 된다. 中陽不振하고 下焦無火하면, 정상적으로 水穀精微를 運化할 수 없을 뿐만 아니라 水濕을 蒸騰하거나 運化하지 못하게 되어 寒濕內停, 氣滯血凝, 腸絡損傷하여 下痢膿血을 보이게 된다. 瀉痢가 오

랫동안 멎지 않으면 증상이 虛寒에 속하기 때문에 膿血便이 色黯不鮮하게 된다. 腎陽虛弱하면 氣不化水한다. 痢가 멎지 않으면 水走腸間, 津液匱乏하여 小便不利하게 된다. 脾腎陽虛, 固攝無權, 腸道不固한 채로 오랫동안 치료되지 않으면 滑脫不禁해진다. 舌質淡, 苔白, 脈遲弱 혹은 微細는 모두 虛寒한 徵象이다.

【配伍分析】 이 방제는 久痢不愈, 脾腎陽虛한 증상을 치료하기 위해 만들어졌다. 『素問』·「至眞要大論」편에서 이야기한 "散者收之"·"寒者熱之" 및 『素問』·「三部九候論」편에서 이야기한 "虛則補之"의 치료원칙에 근거해 固攝溫補를 치료 방법으로 설정했다. 久痢滑脫不禁에는 마땅히 固澀이 우선해야 한다. 따라서 방제에 澀腸固脫하는 赤石脂를 重用해 君藥으로 삼았다. 이 약은 溫澀의 성질이 있으며 大腸經으로 들어간다. 『本經逢原』卷1에서는 "赤石脂功專止血固下. 仲景桃花湯治下痢便膿血者, 取石脂之重澀, 入下焦血分而固脫"이라고 했고, 『神農本草經』卷1에서는 "泄痢, 腸澼膿血"을 주관한다고 했으며, 『醫學衷中參西錄』下冊에서도 "石脂原爲土質, 其性微溫, 故善溫養脾胃, 爲其具有土質, 頗有黏澀之力, 故又善治腸澼下膿血."라고 했다. 하지만 久痢滑脫은 病之標이고, 脾腎陽虛가 病之本이다. 따라서 澀腸固脫하면서 동시에 溫補脾腎하는 약물을 配伍해야 한다. 溫中祛寒하는 乾薑을 臣藥으로 삼는다. 乾薑은 辛熱한 성질의 약물로 中焦로 들어가 溫補脾胃하고, 더불어 元陽을 보조해 裏寒을 제거하므로 溫裏의 要藥이 된다. "去臟腑沉寒痼冷, 發諸經之寒氣, 治感寒腹痛"(『本草述鉤元』卷15) 한다. 이 방제에서는 乾薑으로 脾腎陽氣를 溫運하여 그 溫煦運化와 統攝하는 효능을 회복시킴으로써 근본(本)을 다스린다. 張錫純 또한 "因此證其氣血因寒而瘀, 是以化爲膿血, 乾薑之熱既善祛寒, 乾薑之辛又善開瘀也"(『醫學衷中參西錄』下冊)이라고 했다. 粳米는 맛은 甘하고 성질은 緩平해서 養胃和中한다. 『本草思辨錄』卷2에서는 "粳米平調五臟, 補益中氣"한다고 했다. 본 방제에서는 粳米를 사용해 脾胃을 補하고, 五臟을 養하고, 虛損을 치료한다. 또 赤石脂의 金石 성질을 완화시켜서 胃를 방해하지 않도록 한다. 佐藥이 된다. 세 약물을 함께 사용하면 溫中祛寒하고 澀腸止痢하는 효능을 얻게 된다.

본 방제의 配伍 특징: 斂澀固脫과 辛熱溫散을 配伍하고 澀溫을 동시에 사용하되 澀을 위주로 치료한다. 溫裏散寒하면 脾腎陽复하고 固攝有司하고, 澀腸固脫하면 氣血不失하고 脾腎得養한다. 서로 보완하며 효능을 이뤄내므로 함께 사용하면 더욱 이롭다.

방제에서 君藥으로 쓰이는 赤石脂는 桃花石라고도 부른다. 그 색이 복숭아꽃처럼 붉고, 春和의 뜻이 있기 때문에 "桃花湯"이라고 부른다.

【類似方比較】 眞人養臟湯·四神丸·桃花湯 세 방제는 모두 溫澀한 성질을 갖고 있어서 澀腸固脫하는 효능이 있다. 위의 방제를 사용하면 虛寒瀉痢가 오래되어 滑脫不禁하는 증상을 치료한다. 하지만 四神丸은 補骨脂를 重用해서 君藥으로 사용하며, 溫腎 위주이다. 命門을 補해서 脾土를 따뜻하게 하며 겸하여 酸澀固腸한다. 腎陽虛衰하고 火不暖土 해서 발생하는 五更泄瀉를 치료하는 대표방제이다. 眞人養臟湯과 桃花湯은 溫補脾陽와 澀腸止瀉에 치중되어, 久痢傷脾하거나 腸失固澀으로 인한 瀉痢不止를 치료하기에 적합하다. 그중 眞人養臟湯은 罌粟殼을 중용해서 君藥으로 활용하고, 肉豆蔻·訶子·人蔘·白朮등으로 보조해서 澀腸固脫의 치료 효과가 비교적 강력하다. 겸하여 益氣健脾하고 養血和血하기 때문에 脾虛氣弱한 증상이 오래되어 그 영향이 腎에 까지 이른 증상을 치료하는데 사용한다. 또한 脾虛 위주로 발생한 泄痢無度와 滑脫不禁, 심지어 脫肛不收한 증상을 치료하는데도 사용한다. 桃花湯은 赤石脂를 重用해 君藥으로 사용한다. 溫中澀腸에 치우쳐 脾胃虛寒에 의한 下痢膿血에 적용된다.

【臨床應用】

1. 證治要點: 본 방제는 전적으로 溫中澀腸 하여, 虛寒血痢를 主治한다. 久痢不愈, 便膿血, 色黯不鮮,

腹痛喜溫喜按, 舌淡苔白, 脈遲弱을 증상 치료의 요점으로 삼는다.

2. 加減法: 手足厥逆하고 脈沉微하여 脾腎이 모두 虛하고, 陰寒內盛한 경우에는 附子·肉桂를 더해 溫腎暖脾의 효능을 강화한다. 氣虛한 경우에는 黨參·白朮을 더해 補氣健脾한다. 血虛한 경우에는 當歸를 더해 補血한다. 久瀉滑脫이 심한 경우에는 煨豆蔻를 넣고 澀腸固脫한다. 腸風下血이 오래도록 멎지 않아 中焦虛寒에 이른 경우에는 乾薑을 炮薑로 바꿔 血分으로 들어가 止血하도록 한다. 腹痛이 심한 경우에는 白芍을 더해 緩急止痛한다.

3. 桃花湯은 다음 한국표준질병사인분류(KCD)에 해당하는 환자가 脾腎虛寒證으로 辨證되는 경우 본 처방의 사용을 고려해볼 수 있다.

처방 목표	한국표준질병사인분류(KCD)
慢性阿米巴痢疾	A06.1 만성 장아메바증
慢性細菌性痢	A03 시겔라증
	A06.1 만성 장아메바증
慢性腸炎	K52 기타 비감염성 위장염 및 결장염
結腸過敏	K52.2 알레르기성 또는 식사성의 위장염 및 결장염
傷寒腸出血	A01.0 장티푸스
胃及十二指腸潰瘍	K25 위궤양
	K26 십이지장궤양
上消化道出血	K20~K31 식도, 위 및 십이지장의 질환
	K92 소화계통의 기타 질환
功能性子宮出血	N93.8 기타 명시된 이상 자궁 및 질 출혈_기능성자궁출혈
帶下	N89.8 질의 기타 명시된 비염증성 장애
潰瘍性結腸炎	K51 궤양성결장염
膿血	(질병명 특정곤란)
	K92.1 흑색변
	K92.2 상세불명의 위장출혈

【注意事項】 본 방제는 溫澀止痢 하므로 虛寒久痢에 적용한다. 瀉痢가 처음 나타났을 때 積滯 증상이 있으면 사용을 금한다. 혹은 久痢가 있더라도 濕熱에 속하는 경우에는 단독 응용이 적합하지 않다.

【變遷史】 桃花湯은 東漢·張仲景의 『傷寒論』에 처음 등장했다. 『傷寒論』·「辨少陰病脈證幷治」에서는 "少陰病, 下利, 便膿血者, 桃花湯主之."라고 했다. 仲景은 六經辨證으로 傷寒을 치료했으며, 少陰病은 六經病 중의 하나이다. 少陰病은 心腎虛衰를 주요 특징으로 한다. 陽氣虛衰하고 陰血不足하면 전신의 질병에 대한 저항 기능이 확연하게 감소하기 때문에 자주 질병이 위중한 상태에 이르게 된다. 이때 下利·便膿血이 나타나면 脾腎虛寒하고 下焦不固하여 大腸滑脫에 이르게 된 것이므로 이 방제를 응용해 固澀溫補한다. 후세의 의가들은 이 방제를 收澀止利의 대표 방제로 받들며 널리 응용하고 부단히 혁신했다. 『備急千金要方』卷15 의 大桃花湯은 본 방제에서 粳米를 빼고 當歸·龍骨·牡蠣·附子·白朮·甘草·芍藥·人蔘을 더해 久痢不愈하여 氣血虛弱한 경우를 치료한다. 또 桃花丸은 본 방제에서 粳米를 빼고 湯劑를 丸劑로 바꾸어 역대로 胃腸虛冷, 腹痛下痢, 腸滑不禁한 증상의 치료에 많이 응용되어 왔다. 淸·吳瑭은 본 방제를 加減化裁하고 溫을 補로 바꾸어서 溫病 치료에 응용했다. 『溫病條辨』卷2의 人蔘石脂湯은 炮薑로 乾薑으로 바꾸고 人蔘을 더해 久痢로 陽明不闔한 증상을 치료했다. 『溫病條辨』卷3에 수록된 桃花粥은 본 방제에서 乾薑을 빼고 人蔘·炙甘草를 더한다. 溫熱病 후기, 餘熱이 아직 남아 있지만 正氣不支하고 脾胃虛極하며 闔闢不藏하는 경우 脾胃之陽을 大補해 收斂澀閉한다.

【難題解說】

1. 방제명칭에 대해: 張志聰은 "赤石脂色如桃花, 故名桃花湯."(『傷寒論集注』卷4)이라고 했다. 王子接은 "桃花湯, 非名其色也, 腎臟陽虛用之, 一若寒穀有陽和之致, 故名"(『絳雪園古方選注』卷上)이라고 했다. 李時珍은 『唐本草』에 수재되어 있는 桃花石이 赤石脂라

며 "此即赤白石脂之不粘舌, 堅而有花點者, 非别一物也, 故其氣味功用皆同石脂. 昔張仲景治痢, 用赤石脂, 名桃花湯"(『本草綱目』卷9)라고 주장했다. 諸家의 말이 각각 근거가 있으니 마땅히 취합하여 참조해야 한다.

2. 본 방제가 치료하는 "少陰病, 下利, 便膿血" 등 증상의 病機에 대한 인식: 『傷寒論』 원문의 해당 증상에 대한 서술이 간략하기 때문에 후대 의가들의 이 병증 病機에 대한 인식은 자못 일치하지 않는다. 주요 의견은 다음 두 가지로 간추려 볼 수 있다. 한 가지는 下焦虛寒하여 不能固攝하기 때문에 발생하는 것이라는 의견이다. 成無己가 대표적이다. 成氏는 "少陰病下利便膿血者, 下焦不約而裏寒也. 與桃花湯, 固下散寒"(『注解傷寒論』卷6)이라고 했다. 다른 한 가지는 少陰經에 傳經熱邪해서 발생한다는 것으로 吳昆이 대표적이다. 吳氏는 "此證自三陽傳來者, 純是熱證……蓋少陰腎水也, 主禁固二便, 腎水爲火所灼, 不能濟火, 火熱克伐大腸金, 故下利且便膿血"(『醫方考』卷1)이라고 했다.

下利便膿血이 熱證에 속하는 경우도 많지만 下焦虛寒不固해서 便膿血하는 경우 역시 적지 않다. 熱證便膿血에 대해 仲景은 명확하게 下重이 있거나 渴欲飮水 등의 증상이 보이면 감별할 수 있다고 했다. 예를 들어 白頭翁湯證에서 "熱利, 下重者, 白頭翁湯主之" 하고, "下利, 欲飮水者, 以有熱故也, 白頭翁湯主之"한다고 했다. 반면 桃花湯證은 少陰病에서 나타나며, 2~3일에서 4~5일 사이에 下利不止가 나타나지만 裏急下重이 없고, 渴欲飮水한 熱症도 없어 熱利에 해당하지 않는다. 본 방제의 약물 구성을 분석해 방제로써 증상을 판별해보면, 少陰虛寒으로 인한 滑脫로 보는 것이 맞다. 방제에서는 赤石脂를 重用해 固腸胃하고 乾薑으로 輔해서 散寒溫裏한다. 粳米는 佐藥으로 性味가 甘緩補中한다. 모두 溫補澀腸의 효능을 지니고 있으므로 이 방제의 적용 증상이 虛寒에 속해 있음을 알 수 있다. 汪昂은 "窃謂便膿血者, 固多屬熱, 然豈無下焦虛寒, 腸胃不固, 而亦便膿血乎? 若以此爲傳經熱邪, 仲景當用寒劑以散其熱, 而反用石脂固澀之藥, 使熱閉于內而不得泄, 豈非關門養盜, 自貽伊戚也耶"(『醫方集解·收澀之劑』)라고 했다. 이 논술에 일리가 있다.

3. 본 방제의 임상응용에 대해: 『傷寒論』에서는 이 방제를 "少陰病, 下利, 便膿血者", "少陰病二三日至四五日, 腹痛, 小便不利, 下利不止, 便膿血"한 경우에 사용한다고 한다. 단순하게 "下利, 便膿血"만을 이야기하며 桃花湯을 응용하는 것은 매우 편파적인 것일 수 있다. 腹痛·小便不利 또한 소홀히 해서는 안 된다. 이러한 증상들은 진단 및 감별진단에 있어서의 중요한 근거일 뿐 아니라 어떤 상황에서는 腹痛·小便不利가 桃花湯證의 주요 증상이 되기도 한다. 임상에서 자주 보이는 드물지 않은 증상이다. 관건은 脾腎虛寒, 下元不固라는 주요 病機를 파악하는 것이다. 矢數道明은 桃花湯에 대해 "用于裏有濕邪而引起下黏液·血液·膿汁·腹痛·小便不利疲勞者; ……亦可用于直腸潰瘍·直腸癌·痔瘻·肛門周圍炎·肛門部潰瘍·肛門痈疽等屬虛寒證者"(『臨床應用漢方處方解說·正篇』)라고 했다. 경험에 따른 논의만은 아니다.

4. 본 방제의 분류(歸類)에 대해: 대부분의 方書는 桃花湯을 固澀劑로 분류한다. 하지만 다른 의견도 있다. 赤石脂·粳米는 補益脾土 하고 乾薑은 溫中固腎 하는 치료 효과가 있으며, 방제 전체적으로 脾腎陽氣를 溫運하고 中下焦氣機를 樞轉하는 효능이 있다. 임상의 관점에서 보더라도 이 방제는 下痢·便膿血 치료에 제한되어 있지 않을 뿐만 아니라, 癃閉·腹脹 치료에 사용하더라도 便秘 증상을 초래하지 않는다. 따라서 溫裏劑로 분류하는 것이 더욱 타당하다는 것이다.[1)] 桃花湯證을 살펴보면 脾腎陽虛不固로 인해 久痢滑脫을 초래한다. 따라서 溫裏와 固澀을 겸용해서 치료 할 수 있다. 赤石脂는 固澀止痢에 뛰어나지만, 溫裏의 효능이 뛰어나지 않다. 그럼에도 사용량은 1斤에 달한다. 반면 溫裏의 효능이 뛰어난 乾薑은 겨우 一兩만을 사용한다. 固澀와 溫裏 중에 어떤 것이 위주인지는 말하지 않아도 알 수 있다. 仲景 또한 方後 설명에서 "若一服愈, 餘勿服"라고 분명히 이야기했다. 만약 방제가 溫裏

를 목적으로 만들어졌다면, 한 첩만 쓰고 효과를 보면 사용을 그치라는 이야기는 하지 않았을 것이다. 이 방제를 재차 사용하지 말라고 한 것은 固澀을 과도하게 사용하여 閉門留寇의 잘못을 범할 것을 우려했기 때문이다. 후세 의학자들 역시 脾腎虛寒으로 인한 久痢滑脫에 주로 사용했다. 따라서 이 방제는 固澀劑로 분류하는 것이 더욱 타당하다.

5. 粳米의 작용에 대해: 『本草蒙筌』卷5에서 이르길: "傷寒方中, 亦多加入, 各有取義, 未嘗一拘. 少陰證, 桃花湯每加, 取甘以補正氣也."라고 했다. 현대의 연구에 따르면, 설사를 하면 다량의 수분과 전해질(주로 나트륨)의 유실을 초래해 탈수와 전해질 교란 증상을 일으킬 수 있다. 반면 腸腔液에서 일정량의 녹말이 포도당으로 가수분해 되면, 나트륨·수분의 흡수를 3배 가량 증가시켜, 이를 통해 수분·나트륨의 과도한 유실을 효과적으로 막아낼 수 있다. 또한 설사로 영양 불량 상태가 나타나는 것도 막을 수 있다. 임상에서도 전분을 포함한 곡물로 약물을 대체해 설사를 치료했다는 보고가 증가하고 있다. WHO에서는 米湯의 설사 치료 작용이 포도당 전해질 용액 보다 뛰어나다고 추천하기도 했다.[2] 仲景은 이 방제에서 粳米를 一升이 넘게 사용하며 그 의도가 현대 의학의 그것과 우연히 일치시키고 있다. 후세 의가들이 이 방제를 사용해 腸胃虛寒으로 冷痢滑脫한 증상을 치료하고자 할 때 자주 粳米를 제거했는데, 이것은 仲景의 본뜻을 잃어버린 것이다. 寧原은 『食鑑本草』에서 粳米에 대해 "補脾, 益五臟, 壯氣力, 止泄痢, 惟粳米之功爲第一耳"(『中藥大辞典』에 수록됨)라고 칭송했다.

【醫案】

1. 下痢

⑴ 痢 『臨證指南醫案』卷7: 모씨. 脈微細, 肢厥, 下痢無度했다. 吳茱萸湯을 쓰자 통증은 멎었지만 여전히 식사는 하지 못했다. 陽敗陰濁, 腑氣欲絶한 경우였으므로 桃花湯, 赤石脂·乾薑·粳米를 사용했다.

考察: 下痢無度, 肢厥, 脈微細는 少陰 병증에 속한다. 吳茱萸湯과 桃花湯은 모두 少陰下痢에 사용할 수 있다. 다만, 吳茱萸湯은 中陽虛衰하고 升降失常한 경우에 사용한다. 본 醫案은 陽敗陰濁, 腑氣欲絶, 闕門不固한 것으로 급히 固澀滑脫해야 했으므로 桃花湯을 사용한다.

⑵ 痢疾 『河南中醫』(1995, 1:15): 여자, 59세, 1989년 가을 발병했다. 發熱, 腹痛, 下利赤白黏凍 증상이 밤낮으로 10여 차례 나타났다. 증상 발생 다음날 입원해서 chloramphenicol, gentamicin, noroxin 및 수액으로 치료했다. 4일 후 열이 내리고, 精神이 호전되었으나 泄瀉 횟수는 줄지 않고, 膿血便을 보았다. 血은 많고 膿이 적으며 糞便은 전혀 없었다. 또한 음식을 먹기 싫어하고, 배꼽 주변 통증이 동반됐다. 관찰 결과: 腹軟, 舌質乾絳, 苔黃乾, 脈沉細數했다. 仲景이 桃花湯으로 下利便膿血을 치료한 것을 교훈 삼아 桃花湯 原方을 사용해 물로 달여 복용하게 했다. 이밖에도 赤石脂 3g을 곱게 가루내어 뜨거운 물에 타서 마시게 했다. 모든 西藥 복용을 잠시 멈추게 했다. 1첩을 복용하게 한 그날 밤에는 下利가 단 2회 나타났으며, 膿血이 뚜렷이 감소했다. 다음날 原方을 다시한번 1첩 복용하자 下利가 바로 멎었다. 계속해서 健胃消食의 방제를 복용하게 하면서 2일 동안 관찰한 뒤 퇴원시켰다. 1년 동안의 방문조사에서 다시 발생하지 않았다.

2. 飧泄 『吳鞠通醫案』卷4: 田모씨, 14세, 暑溫에 誤下했다. 寒凉한 성질의 약물을 너무 많이 복용했는지 洞泄 이후 항문이 닫히지 않았다. 먹자마자 대변을 보았으며 음식물이 소화되지 않은 채 실처럼 나왔다. 脈弦했다. 桃花湯을 죽으로 만들어 주었다. 人蔘·赤石脂(가루)·乾薑·甘草(구움)·禹餘糧(고운 가루)·粳米를 사용했다. 먼저 人蔘·甘草·乾薑, 세 가지 약물을 달여서 건더기는 버리고, 그 湯으로 죽을 끓였다. 이후 赤石脂·禹餘糧 분말을 넣었다. 완치된 후에는 脾陽을 補해서 튼튼해지도록 했다.

考察: 『溫病條辨』卷3: "溫病七·八日以後, 脈虛數, 舌絳苔少, 下利日數十行, 完穀不化, 身雖熱者, 桃花粥主之."라고 기록되어 있다. 방제의 注에서 "改桃花湯爲粥, 取其逗留中焦之意, 此條认定完穀不化四字要紧."라고 했으니 참고할 만하다. 본 醫案은 溫熱病後期에 脾胃虛極, 脾失健運, 關闇不藏한 경우에 桃花湯을 加味해서 粥으로 바꿔 만들어 溫補固澀한 것이다.

3. 便血 『臨證指南醫案』卷7: 蔡모씨, 38세, 脈濡小, 食少氣衰한데, 봄철에 便血을 보았다. 大便이 때로는 엉겼다가 때로는 묽었다가 했다. 생각해보니 春夏에는 陽升하기 때문에 陰弱少攝할 수 있었고, 東垣의 益氣하는 방제들은 升陽에 속하기 때문에 陰液을 더욱 손상시킬 우려가 있었다. 甘酸固澀, 闔陽明을 治法으로 사용하기로 했고, 人蔘·炒粳米·禹粮石·赤石脂·木瓜·炒烏梅를 넣었다.

考察: 본 醫案은 便血을 치료한 사례이다. 脾腎陽氣虛弱한 증후가 있더라도 春夏가 교차하는 시기이기 때문에 溫補益氣하는 방제를 사용하면 陽升火動, 重傷陰血할 수 있다. 그래서 溫澀甘酸하는 약물을 共用한다. 葉桂는 시기와 형세를 잘 파악했으며 대담하면서도 세심했다. 위의 사례를 통해 짐작해볼 수 있다.

4. 吐血 『浙江中醫雜誌』(1982, 8:378): 남자, 원래 胃潰瘍病이 있었다. 술을 마신 후에 呕血를 약 500 mL 했고 치료 후에는 大吐血이 간헐성 吐血로 바뀌었다. 증상 검사 소견: 간헐적인 吐血을 매번 10~15 mL씩 했으며 色淡했다. 面色蒼白, 精神萎靡, 胃中覺冷, 不欲飮食, 腹痛綿綿했다. 묽은 泄瀉를 매일 4~5회씩 보았으며, 舌淡苔白, 脈沉弱無力했다. 이 증상은 中焦虛寒, 統攝無權에 해당한다. 桃花湯에 黃芪·黨參을 넣고 2첩 복용시키자 吐血이 줄어들었고 5첩을 더 복용시키자 吐血이 멎었다.

考察: 본 醫案은 中焦虛寒, 統攝無權에 해당하는 吐血이다. 桃花湯은 固澀止血하게 할 수 있으나, 溫補中焦의 힘은 부족하다. 따라서 參·芪를 더해 溫補中氣한다. 氣가 攝血하면 吐血이 멎게 된다.

5. 慢性腸炎 『浙江中醫雜誌』(1982, 8:378): 여자, 52세, 1981년 4월 21일. 환자는 오랫동안 慢性腸炎을 앓았다. 大便溏薄하고, 腹痛이 끊이지 않았다. 올해 음력 1월 4일 기름진 음식을 먹은 뒤 下利가 멎지 않았다. Furazolidone 등의 약을 복용하자 泄利가 조금 줄어들었지만, 여전히 하루에 10차례 설사를 했으며 白色膿黏狀이었다. 小便不利, 腹部冷痛, 肢冷, 面黃, 口淡不渴, 舌淡苔白, 脈沉無力이 동반됐다. 이 증상은 脾陽虛衰, 下元失固에 해당하며, 補脾回陽, 溫中固澀하는 것이 적절하므로 桃花湯을 사용했다. 6첩 복용하자 大便이 정상으로 돌아오고 腹痛이 사라졌다.

6. 腹痛 『續名醫類案』卷19: 示吉이 말했다. 毛方來가 갑자기 眞寒症을 앓았다. 腹痛自汗, 四肢厥冷했으나 여러 의사들이 어찌할 바를 몰라해 내가 回陽湯을 주고 급한 불을 껐다. 吳石虹이 말했다. 증상이 잠깐 좋아진 것이니 나중에 반드시 下膿血하며 위급해 질 것이다. 며칠 후 과연 魚腦와 같은 下利를 하며 전혀 냄새가 나지 않았다. 參附가 있는 방제를 투여했지만 효과가 없었다. 문득 仲景의 治法인 三物桃花湯이 생각나서 丸으로 주었더니 3~4회 복용하고 나았다.

考察: 桃花湯證의 腹痛은 일반적으로 腹痛이 은은하게 끊이지 않고, 腹部虛滿하며, 按之柔軟, 喜得溫按하다. 본 醫案은 복통이 肢厥汗出의 상황에 까지 이른 것으로 결국 桃花湯을 사용해 치료했다. 臍腹絞痛한 것은 下利의 징조이다. 回陽湯으로 발등에 떨어진 불은 끌 수 있지만 결국 증상에 맞는 약이 될 수 없다.

7. 腹脹 『中醫雜誌』(1984, 7:18): 여자, 48세, 1978년 4월 2일 진료. 환자가 말하길 2년 전 외상으로 3번 요추를 다친 뒤 체질이 점점 쇠약해졌고, 그 후 북처럼 팽창되는 腹脹이 생겼지만 대소변 배출은 가능하고 했다. 福州·上海의 2개 병원에서 살펴보았지만 肝脾가 종

대되지 않았고, 腹水의 징조도 나타나지 않았다. 常規·生化 및 物理 검사에서 이상 증상이 발견되지 않아, "외상으로 인한 자율 신경 문란"으로 진단을 받았다. 中醫에서 寬中下氣消腫하는 방제를 사용했지만 효과는 없었다. 환자를 살펴보니 面色黯晦, 精神萎靡, 厚衣被, 腹脹如鼓했지만 피부색에는 변화가 없었다. 요통이 있었으며, 상처 부위를 눌러 보니 麻痹感이 있었다. 寐差, 二便可, 苔薄白, 脈微細했다. 본 증상은 督脈이 외부로부터 손상을 받았는데 적절한 치료를 방지 못하는 바람에 오랫동안 脾腎陽氣가 不運해 氣化失司한 경우이다. 治法은 溫運脾腎하고 通調任督 해야 한다. 桃花湯에 骨片鹿茸·人乳·老酒를 넣고, 10일 동안 복용시키자 腹脹膨隆이 점점 줄어들고, 허리 통증이 사라졌으며, 행동이 자유롭고, 식사량이 늘었다. 얼굴색도 紅潤하게 변하고, 정신이 맑아졌다. 15일 후 腹脹膨隆이 모두 사라졌으며, 脈轉緩和했다. 계속해서 龜鹿二仙湯을 투여하자 편안해졌다.

8. 崩漏 『江蘇中醫雜誌』(1987, 5:17): 여자, 47세, 1985년 11월 초 진료. 2월부터 월경을 했는데 淋漓하며 그치지 않았다. 色淡不鮮하고 때때로 清稀한 분비물이 함께 나왔다. 부인과 검사 결과: 자궁에는 이상 증상이 없었고, 宮頸에 중등도의 糜爛이 보였다. 한약과 양약, 지혈약을 복용했지만 효과는 없었다. 桃花散 12 g을 3번 나누어 식전에 복용하도록 했고, 매번 紅參 6 g, 血餘炭 10 g을 끓인 물에 沖服했다. 2첩을 복용한 뒤 崩漏가 멎었고 이후 人蔘養營湯으로 조리했다.

9. 帶下 『江蘇中醫雜誌』(1987, 5:17): 여자, 46세, 1982년 7월 초 진료. 환자는 최근 반년 동안 白帶 증상이 발생했다. 清稀腥臭, 時時淋出, 舌淡苔白, 脈沉滑해서 한약과 양약 치료를 받았으나 좋아졌다 나빠졌다를 반복했다. 桃花散 10 g을 3회에 나누어 식전에 복용하게 하고, 蒼术 5 g·薏苡仁 10 g을 煎湯해 5일 동안 복용토록 하자 완치됐다. 3개월 동안의 방문조사에서 재발하지 않았다.

考察: 醫案8·醫案9에서 사용한 桃花散은 赤石脂 100 g, 乾薑60 g을 구분해 매우 곱게 가루낸 뒤 섞어서 제조한 것으로 병에 담아 보관한다.

【副方】 赤石脂禹餘糧湯(『傷寒論』): 赤石脂 碎 一斤(12 g) 太一禹餘糧 碎 一斤(12 g)

- 用法: 위의 두 가지 약물을 물 六升을 넣고 끓여 三升을 취한다. 찌꺼기를 제거하고 3회로 나누어 溫服한다.
- 作用: 收斂·澀腸·止瀉.
- 適應症: 瀉利日久, 滑泄不禁, 脫肛 등

이 방제는 張仲景의 『傷寒論』에서 기원했다. 『傷寒論』·「辨太陽脈證并治」에는 "傷寒, 服湯藥, 下利不止, 心下痞硬. 服瀉心湯已, 复以他藥下之, 利不止. 醫以理中與之, 利益甚. 理中者, 理中焦, 此利在下焦, 赤石脂禹餘糧湯主之. 復不止者, 當利其小便."라고 실려 있다.

방제 중의 赤石脂는 性味가 甘溫하고 收斂固脫한다. 禹餘糧은 性味가 甘平하고 澀腸止瀉하며 또 止血한다. 두 약물을 配伍하면 下焦를 固하게 해서 久瀉·脫肛을 치료할 수 있다. 柯琴은 "二石皆土之精氣所結, 石脂色赤入丙, 助火以生土, 餘粮色黃入戊, 實胃而澀腸, 急以治下焦之標者, 實以培中宮之本也. 要知此證, 土虛而火不虛, 故不宜于薑·附. 仲景曰: 復利不止者, 當利其小便. 可知與桃花湯別成一局矣"(『古今名醫方論』卷3에 수록됨)라고 했다.

【參考文獻】

1) 林上卿, 李聲國, 陳開煌. 運用仲景桃花湯的體會. 中醫雜誌. 1984;25(7):18-19.
2) 申好眞. 仲景治腹瀉用粳米之現代醫學機理初探. 浙江中醫雜誌. 1987;22(7):422.

駐車丸

(『延年秘錄』, 錄自『外臺秘要』卷25)

【異名】 小連丸(『幼科類萃』卷8)·小駐車丸(『醫學入門』卷6).

【組成】 黃連 六兩(180 g) 乾薑 二兩(60 g) 當歸 三兩(90g) 阿膠 炙 三兩(90 g)

【用法】 위의 약물을 빻아 체로 거른다. 3년 된 酢八合으로 아교를 녹여 함께 섞은 뒤 콩 크기의 환을 빚는다. 매회 30개의 환을 물로 하루 2회 복용한다(현대 용법: 위의 약물을 환으로 빚어서 매회 6~9 g씩 하루 2~3회 공복에 米湯이나 따뜻한 물로 삼킨다. 또 물에 달여 복용한다. 용량은 原方의 비율에 따라 조정한다).

【效能】 淸熱燥濕, 養陰止痢.

【主治】 久痢赤白, 休息痢. 便下膿血, 赤白相兼 혹은 時作時止, 裏急後重, 腹痛綿綿, 心中煩熱, 舌紅少苔, 脈細數하다.

【病機分析】 方證은 痢疾이 오래 끌면서 낫지 않아 발생한 것으로 濕熱이 未盡하고 오랫동안 傷陰한 결과이다. 久痢하게 되면 濕熱羈留하고 氣血瘀滯가 서로 맞물리면서 便下膿血하고 赤白相兼하며 裏急後重한다. 痢가 오랫동안 낫지 않거나 발생했다 그쳤다를 반복하면 반드시 陰血을 상해 虛熱內擾하고 心中煩熱하게 된다. 痢가 오랫동안 낫지 않으면 脾陽 역시 손상되어 腹痛이 끊이지 않는다. 舌紅少苔, 脈細數은 모두 虛熱의 증상이다.

【配伍分析】 본 방제는 久痢 및 休息痢를 치료하기 위해 만들어졌다. 濕熱이 오랫동안 체류하고 있고 陰血은 이미 손상됐으니 虛中夾實한 증상이다. 『素問』·「至眞要大論」의 "熱者寒之"·"結者散之"·"散者收之", 『素問』·「三部九候論」의 "虛則補之" 치료원칙에 근거해 淸熱燥濕, 養陰止痢를 治法으로 선정했다. 黃連은 苦寒하며 淸熱燥濕한 성질을 가진 약물로 "腸澼腹痛下痢"(『神農本草經』卷1)의 증상을 주관하는 痢 치료의 주요 약물이다. 이를 중용해 君藥으로 삼는다. 阿膠는 滋陰養血하여 "腸風, 下痢"(『本草綱目』卷50)를 치료한다. 當歸는 養血和血하여 "止熱痢腹痛"(『本草述鉤元』卷8)한다. 두 약물은 養陰扶正하면서 苦寒한 성미의 黃連을 억제해 傷陰의 우려를 제거한다. 모두 臣藥이다. 약간의 乾薑을 좌약으로 활용하는 것은 溫中·祛濕·止痛하여 정기를 북돋으면서 黃連과 配伍해 苦降辛開하려는 것이다. 또 黃連의 苦寒한 性味가 中陽을 손상시킬 것을 방지하기도 한다. 오래 묵은 醋로 환을 빚어 酸收斂陰한다. 使藥이 된다.

본 방제의 配伍 특징: 苦寒한 性味의 약물을 重用하되 辛熱·濡潤·酸斂하는 약물을 배오해 淸熱하되 陽氣가 손상되지 않도록 하고, 燥濕하되 陰氣가 빼앗기지 않도록 한다. 그 의미는 扶正祛邪에 있다.

張璐는 "平人失其常度而患下痢崩脫, 良由鹿車過駛趲動; 羊車過度, 以致精血不藏; 牛車過度, 不能隨鹿車之弛驟, 以致水穀不充"(『千金方衍義』卷15)하다고 했다. 이 방제는 扶正祛邪하고 下痢崩脫을 멎게 해서 精氣神을 관장하는 三車의 작용을 회복시키는데 있다. 그래서 "駐車丸"이라고 부른다.

【類似方比較】 본 방제와 桃花湯은 모두 乾薑을 配伍해서 久痢 치료에 사용한다. 그러나 두 방제의 立法·配伍, 主治證의 病機는 모두 다르다. 이 방제는 黃連를 重用해 君藥으로 사용한다. 淸熱燥濕을 위주로 하여 久痢로 인한 濕熱未盡, 陰血已傷의 증상을 치료한다. 桃花湯은 赤石脂를 重用해서 君藥으로 활용해 주로 溫中澀腸한다. 脾腎陽虛로 인한 虛寒久痢를 치료한다.

【臨床應用】

1. 證治要點: 본 방제는 痢久傷陰, 濕熱未盡한 경우에 사용한다. 대변이 배출될 때 赤白相兼하거나, 裏急後重, 腹痛綿綿, 心中煩熱, 舌紅少苔, 脈細數한 것을 증상 치료의 요점으로 삼는다.

2. 加減法: 腹痛이 심한 경우 白芍·木香을 넣어 行氣和血止痛한다.

3. 駐車丸은 다음 한국표준질병사인분류(KCD)에 해당하는 환자가 濕熱未盡, 陰血已傷證으로 辨證되는 경우 본 처방의 사용을 고려해볼 수 있다.

처방 목표	한국표준질병사인분류(KCD)
潰瘍性結腸炎	K51 궤양성 대장염
細菌性痢疾	A03 시겔라증
	A00~A09 장감염질환
膿血	(질병명 특정곤란)
	K92.1 흑색변
	K92.2 상세불명의 위장출혈

【注意事項】

1. 痢疾初起의 환자는 사용을 금한다.

2. 原書에서는 "忌猪肉·冷水·黏膩等物"이라고 했다. 복약 기간 동안 날 음식이나 찬 음식·기름지고 맵고 자극적인 음식은 피한다.

【變遷史】 본 방제는 『備急千金要方』卷15에서 처음으로 보인다. 여기서는 출처를 밝혀두지 않았고, 조금 뒤 『外臺秘要』卷25에서 본 방제가 『延年秘錄』에서 인용되었다고 기재했다. 『備急千金要方』에서는 "駐車丸治大冷洞痢腸滑, 下赤白如魚腦, 日夜無節度, 腹痛不可堪忍者方."이라고 했다. 본 방제는 『傷寒論』의 半夏瀉心湯에서 黃連과 乾薑을 함께 配伍해 苦降辛開하는 방법 및 『金匱要略』에서 산후 下利虛極을 치료하기 위해 白頭翁湯에 甘草阿膠湯을 더해 淸熱燥濕과 滋養陰血을 병용하는 配伍 방법에서 취했다. 이밖에도 『外臺秘要』卷25에서는 『深師方』을 인용해서 赤白下痢에 黃連·黃柏·乾薑·石榴皮·阿膠·炙甘草로 방제를 조합한다. 그 配伍의 의미 역시 이 방제와 유사하다.

이 방제의 후대 衍化方은 아래 두 종류다: ① 收澀藥을 넣어 收澀작용을 강화해 久痢不愈에 사용한다. 예를 들면 『太平惠民和劑局方』卷10의 小駐車丸은 본 방제에 訶子를 더한다. 『醫方類聚』卷140에서는 본 방제에 烏梅를 더한 『御醫撮要』의 駐車丸을 인용해두었다. ② 溫熱藥을 줄여서 濕熱久痢로 耗傷陰血한 것을 치료한다. 『萬病回春』卷4의 駐車丸에서는 본 방제에 赤茯苓, 乾薑炒黑을 더한다. 『證治準繩·類方』卷6의 神效散에서는 본 방제에 乾薑을 빼고 烏梅肉을 더한다.

【難題解說】

1. 본 방제의 출처에 관해: 『中醫方劑大辭典』에서는 이 방제가 『外臺秘要』卷25가 인용한 『延年秘錄』에서 나왔다고 했고, 『中國醫學百科全書』·「方劑學」편에서는 이 방제가 『備急千金要方』卷15에서 나왔다고 했다. 『備急千金要方』卷15와 『外臺秘要』卷25를 살펴보니 두 저서 중의 駐車丸은 약물 구성은 같고 단지 當歸의 용량만 다를 뿐이었다. 『備急千金要方』이 완성된 시기는 서기 650년이고, 『外臺秘要』은 752년에 편찬됐다. 모두 唐代에 완성되었다. 『中國分省醫籍考』에 따르면 『延年秘錄』은 北魏·張湛에 의해 편찬되어 『備急千金要方』과 『外臺秘要』보다 일찍 완성됐다. 또한 『備急千金要方』에서도 『延年秘錄』의 내용을 인용하고 있으므로 이 방제의 方源은 『延年秘錄』이 되어야 한다. 『外臺秘要』卷25에 기록되어 있다.

2. 본 방제의 適應證에 대해: 아래와 같은 몇 가지 다른 견해가 있다. ① 冷痢. 『備急千金要方』에서는 "大冷洞痢腸滑"를 치료한다고 했다. ② 虛熱痢. 『成方便讀』에서는 "陰虛下痢發熱, 膿血黏稠, 及休息痢"를 치료한다고 했다. 『中醫方劑大辭典』에서는 "久痢傷陰, 濕熱未盡, 亦治休息痢"를 치료한다고 했다. ③ 冷熱

痢.『外臺秘要』에서는 “赤白冷熱痢”를 치료한다고 했다.『聖濟總錄』에서는 “産後冷熱痢”를 치료한다고 했다. ④ 一切下痢.『太平惠民和劑局方』에서는 “一切下痢, 無問新久”를 치료한다고 했다. 방제 중에서 黃連의 用量이 가장 많고 阿膠·當歸·乾薑이 配伍되어 있는 것으로 볼 때, 濕熱未盡, 陰血已傷, 脾陽受損, 腸滑不固하여, 標는 濕熱에 속하지만 本에는 이미 寒이 존재하는, 邪氣가 아직 사라지지 않았는데 正氣가 이미 虛해진 寒熱虛實이 뒤섞인 증상이다. 본 방제는 久痢滑脫에 餘邪가 아직 다하지 않았고 陰血은 이미 손상되었으며 臟寒이 이미 드러난 경우의 치료에 적합하다.

【醫案】

1. 便血『臨證指南醫案』卷7: 葉모씨. 嗔怒動肝하여 絡血乃下한다. 손으로 누르면 통증이 줄어들므로 虛하다. 肝木이 위로 올라가면 胃口를 침범해 팽창되며 구역하고 싶어진다. 淸陽下陷하면 門户失藏해서 裏急하고 便血이 나오게 된다. 參·朮·炮薑은 辛甘溫暖해서 太陰脾藥이 되며 肝胃를 조화롭게 할 수 있다. 丹溪는 上升의 氣가 肝으로부터 나오면 冷하다고 自覺해도 진짜로 冷한 것이 아니라고 했다. 駐車丸 二錢을 복용해야 한다.

考察: 환자는 嗔怒하는 바람에 動火했고, 便血을 보아서 傷陰했다. 손으로 눌러 봤을 때 통증이 줄어드는 것은 裏虛하기 때문이다. 門户不藏하므로 마땅히 收斂해야 한다. 駐車丸은 淸熱瀉火, 養血滋陰, 固澀收斂한다. 또 阿膠로 止血하고, 當歸로 舒肝한다. 올바른 치료법이다.

2. 痢疾『淸代名醫醫案精華·王旭高醫案』:『脈經』에서 代하면 氣衰하고, 細하면 氣少한다고 했다. 이는 대부분 陽氣를 가리키는 것이다. 지금 下痢를 하고 있는 환자에게서 이런 맥이 나타났으니 脾腎之陽의 미약함이 특히 두드러진 것이다. 어찌 形衰畏冷하고 小便淸長하지 않을 수 있겠는가? 下痢가 赤한 경우에만 血分에 속한 것이고, 腹中痛의 경우에는 積이 있어 그러한 것이니 처방을 낼 때 이것을 염두에 두어야 한다. 결함을 찾아 通하게 하고 補하게 하는 것이 병증을 치료하는 묘한 이치이다. 駐車丸을 附子枳實理中湯에 복용하게 한다.

考察: 赤痢濕熱이 아직 사라지지 않았는데 陽氣가 이미 쇠약해져 있다. 駐車丸에 비록 乾薑이 있더라도 溫裏에는 효과를 보이지 못하므로 附子枳實理中湯을 함께 응용한다.

益黃散

(『小兒藥證直訣』卷下)

【異名】 補脾散(『小兒藥證直訣』卷下)·益黃湯(『集驗良方』卷5)·錢氏益黃散(『醫方考』卷4)·益脾散(『中藥方劑學』下冊).

【組成】 陳皮 去白 一兩(30 g) 丁香 二錢(6g)(一方用木香) 訶子 炮, 去核 靑皮 去白 甘草 炙 各五錢(各 15 g)

【用法】 위의 약물을 가루낸다. 3세 아이는 一錢 반에 물 반잔을 넣고 30%가 남도록 끓여 식전에 복용한다(현대용법: 모두 곱게 가루 내 연령에 맞게 1.5~6 g을 조정하여 하루 2회 따뜻한 물이나 설탕물에 타서 복용한다. 물로 달여 복용할 수 있다. 용량은 原方의 비율에 따라 조정한다).

【效能】 健脾和胃, 調中止瀉.

【主治】

1. 소아가 脾胃虛弱, 腹痛腹脹, 嘔吐瀉利, 不思乳食한 경우.

2. 소아가 疳積, 神倦面黃, 臍腹膨大, 身形瘦削한 경우.

【病機分析】 소아가 脾胃虛弱하여 運化에 장애가 생기면, 체내에 乳食이 積滯되어 氣機受阻하고 升降균형을 잃게 된다. 결국 腹痛腹脹, 嘔吐泄瀉, 不思乳食하며 乳食을 소화시키지 못하게 된다. 泄瀉가 오랫동안 멎지 않으면 脾胃가 더욱 손상되어 運化無力하고 積滯內停해서 疳證을 이루게 된다. 결국 臍腹膨大, 神倦面黃, 身形瘦削하게 된다.

【配伍分析】 본 방제는 소아의 腹痛吐瀉, 不思乳食, 脾疳을 치료하기 위해 만들어졌으며 그 증상은 脾胃虛弱에 속한다. 『素問』·「三部九候論」의 "虛則補之" 및 『素問』·「至眞要大論」의 "散者收之", "結者散之", "寒者溫之"의 치료원칙과 소아의 "臟腑柔弱, 易虛易實, 易寒易熱"(『小兒藥證直訣』·「序」)한 생리 및 병리 특징을 고려하여 健脾和胃, 調中止瀉를 治法으로 삼는다. 방제 중의 陳皮는 辛散理氣하고 苦溫燥濕하기 때문에 調中健脾한 치료 효과가 뛰어나다. "東垣曰: 夫人以脾胃爲主, 而治病以調氣爲先, 如欲調氣健脾者, 橘皮之功居其首焉"(『中藥大辭典』 수록)라고 했다. 陳皮를 중용하여 君藥으로 삼는다. 青皮는 맛이 苦辛하고 성질이 溫해서 理氣舒肝함으로써 肝木이 橫克脾土하지 못하도록 하고, 또 消積化滯해서 脾胃健運할 수 있도록 돕는다. "小兒消積, 多用青皮"(『本草綱目』卷30)한다. 甘草는 甘緩補中하고 益氣健脾한다. "炙用, 治脾胃虛弱, 食少, 腹痛便溏"(『中藥大辭典』)한다. 炮訶子는 酸澀收斂, 調中止瀉, 暖胃固腸한다. "主腹脹滿, 飮食不下"(『衛生寶鑑』卷21)한다. 위의 세 약물은 모두 臣藥이 된다. 丁香은 性味가 辛溫해서 溫中散寒하고 降逆止嘔한다. "治虛噦, 小兒吐瀉"(『本草綱目』 卷34)하며 佐藥이 된다. 또 방제 중의 陳皮·青皮·丁香은 芳香悅脾하고 健胃消食 한다. 陳皮·訶子·丁香은 調理氣機하고 止嘔止瀉 한다. 甘草는 모든 調氣하는 약물들을 아우르며 緩急止痛하는 효력이 특히 뛰어나다. 모든 약물을 함께 사용하면 健脾和胃하고 調中止瀉하기 때문에 본 방제는 "益黃散", "補脾散"이라고 불린다.

본 방제의 配伍 특징. 辛溫香散을 위주로 하고 酸澀收斂으로 보조해서 行氣·健脾·溫中·消積·澀腸을 함께 兼顧한다. 運化의 효능 중에 補益의 효능이 깃들여 있다.

【臨床應用】

1. 證治要點: 본 방제는 소아의 脾胃虛弱 및 脾疳을 치료한다. 腹痛, 吐瀉, 不思乳食이 증상 치료의 요점이다.

2. 加減法: 積滯가 비교적 심한 경우에는 鷄內金·麥芽를 더해 消食化積한다. 脾胃虛가 심한 경우에는 人蔘·白朮을 더해 補氣健脾한다.

3. 益黃散은 다음 한국표준질병사인분류(KCD)에 해당하는 환자가 脾疳, 脾胃虛弱證으로 辨證되는 경우 본 처방의 사용을 고려해볼 수 있다.

처방 목표	한국표준질병사인분류(KCD)
慢性胃炎	K29.3 만성 표재성 위염
	K29.4 만성 위축성 위염
	K29.5 상세불명의 만성 위염
慢性腸炎	K52 기타 비감염성 위장염 및 결장염
消化不良	(질병명 특정곤란)
	K30 기능성 소화불량_소화불량
	F45.3 신체형자율신경기능장애_소화불량
	R10.19 상세불명의 상복부통증_소화불량 NOS
賁門 弛緩	K31.0 위의 급성 확장
驚癎	G40 뇌전증

【注意事項】 熱性下痢하는 경우 본 방제의 사용은 적합하지 않다.

【變遷史】본 방제는 宋·錢乙의『小兒藥證直訣』에서 유래했다. 본 저서 卷下에서는 "益黃散(又名補脾散), 治脾胃虛弱, 及治脾疳, 腹大身瘦."이라고 했다. 錢乙는 소아과 질병 치료를 논의하며 五臟辨證을 綱領으로 삼아 五臟補瀉하는 諸方을 기본 방제로 세웠다. 이 방제는 補脾의 대표방제가 된다. 錢氏는 脾胃를 調治할 것을 중시했다. 虛羸·積·疳·傷食·吐瀉·腹脹·慢驚·虫症 등의 질병을 脾胃로부터 치료할 것에 대해 논의했을 뿐 아니라 瘡疹·咳嗽·黃疸·腫病·夜啼 등의 질병 또한 脾胃와 관련되어 있기 때문에 脾胃로부터 치료를 논할 수 있다고 했다. 이러한 관점이 본 방제에서 드러나고 있다. 錢氏는 이 방제가 補脾·和脾·補胃·和胃·調氣를 할 수 있어 脾胃虛弱 등 10여 개 증상을 치료할 수 있다고 생각했다. 예를 들어 肝病勝肺, 저녁 및 한밤중에 나타나는 發搐, 傷風에 의한 手足冷, 傷風에 의한 自利, 태어난지 3일 내 발생한 吐瀉, 壯熱, 不思乳食, 乳食이 소화되지 않은 대변 또는 大便白色; 태어난지 3일에서 10일 사이에 발생한 吐瀉, 身溫凉, 不思乳食, 大便青白色, 乳食이 소화되지 않음; 傷風에 의한 吐瀉身溫, 잠깐 동안 추워했다가 잠깐동안 열이 남, 睡多氣粗, 大便黃白色, 嘔吐, 乳食이 소화되지 않고, 종종 咳嗽함; 傷風에 의한 吐瀉, 身凉, 吐沫, 青白色 대변 설사, 悶亂不渴, 哽氣, 長出氣, 睡露睛; 여름과 가을에 吐瀉, 음식과 젖을 먹지 못하고, 乾噦; 脾疳, 體黃腹大하고, 食泥土; 胃氣가 조화를 이루지 못해 얼굴이 창백하고, 精光이 없으며, 입속에 冷氣가 있고, 不思食하고, 吐水함; 胃虛冷하여 얼굴이 희고 창백하며, 腹痛으로 不思食함; 氣不和하여 입을 자주 오물거림; 脾胃가 冷하여 음식을 소화하지 못함; 胃怯汗으로 위로는 머리, 아래로는 배꼽까지 땀이 남 등.

본 방제의 영향력은 소아과의 범위를 넘어서 있다. 예를 들어 張元素는『醫學启源』卷上의 "五臟補瀉法"에서 益黃散을 補脾의 표준방제로 열거했다;『徐大椿醫書全集』·「女科指要」卷3에서 본 방제의 用量을 조금 늘려 "治孕婦腹痛泄瀉, 脈緊者"한다고 했다. 본 방제의 類方은 주로 소아과 저서에서 보이며 치료 방법은 거의 비슷하다. 예를 들어『活幼心書』卷下의 益黃散에서는 본 방제에서 青皮를 빼고 脾虛受冷, 水穀不化, 泄瀉注下, 盜汗 등의 증상을 치료한다.『痘治理辨』의 益黃散은 본 방제에 정향, 목향을 함께 쓰고 訶子·甘草을 제거한 뒤 胃冷嘔吐, 脾虛泄瀉, 혹은 瘡에 의한 煩躁, 찬 물을 많이 마셔서 脾胃가 손상된 증상을 치료한다.『幼科類萃』卷5의 益黃散은 본 방제에서 丁香를 빼고 小兒의 脾疳을 치료한다.『醫方考』卷2의 益黃散에서는 丁香·木香을 함께 쓰고 甘草를 제거한 뒤 胃寒泄瀉하고 脈遲한 증상을 치료한다.

【難題解說】

1. "益黃"·"補脾"에 내포된 뜻: 이 방제는 正補하는 약물을 하나도 사용하지 않고 있음에도 益黃散·補脾散이라고 이름을 붙였고 또 補脾하는 주요 방제이므로 내포된 의미가 자못 깊다. 먼저 이 방제는 단순히 脾虛를 치료하기 위해 만든 것이 아니라, 脾虛 위주에 胃弱을 겸해서 食乳不消 등 脾虛不運한 증상이 나타나거나 嘔吐瀉利 등 脾胃升降失常의 증상이 나타나는 것을 치료한다. 補脾를 위주로 만들어졌지만 和胃를 겸하고 있다. 두 번째, 이 방제는 소아의 생리·병리 특징에 입각해서 만들어 졌다. 脾胃柔弱 하기에 負擔沉重하면 쉽게 虛損해지지만 生機旺盛하고 臟氣輕靈하므로 일단 調治得法하면 쉽게 또 빠르게 건강을 회복한다. 따라서 溫補한 약물을 과도하게 사용하는 것은 옳지 않다. 錢乙이 말한 것처럼 "小兒易爲虛實, 脾虛不受寒溫, 服寒則生冷, 服溫則生熱, 當識此勿誤也"(『小兒藥證直訣』卷上)하다. 셋째, 脾胃 기능의 회복에 주안점을 두고 있다. 脾胃는 健한 것을 補로 삼는다. 이 방제는 行氣燥濕, 溫中澀腸, 消食化積, 健脾和中해서 脾運强健하게 한다. 脾胃는 氣血生化의 근원이 되니 虛損이 절로 좋아지면 補脾는 이미 그 안에 있게 된다.

2. 訶子에 관해: 訶子는 苦澀斂降한다. 消積理氣하는 약물과 配伍하면 氣暢積消하는데 유리하고 補氣健脾하는 약물과 配伍하면 氣生脾暢에 유리하다.『長沙藥解』卷3에서는 "訶黎勒, 苦善泄而酸善納, 苦以破

其壅滯, 使上無所格, 下無所碍; 酸以益其收斂, 使逆者自降, 而陷者自升."이라고 했다. 이 방제는 辛散·苦降·甘緩한 약물 중에 酸澀收斂한 訶子를 配伍해 調節氣機하고 調和脾胃하며 脾胃健運을 보조한다. 泄瀉가 없더라도 꼭 訶子를 제거할 필요는 없다.

【醫案】

1. 慢驚『小兒藥證直訣』卷中: 東都에 거주하는 王氏의 아들이 吐瀉 증상을 보였다. 여러 의사들이 처방했지만 虛해지만 했고 또 慢驚으로 변해갔다. 잠을 잘 때 눈동자가 감기질 않았고, 手足瘛瘲에 身冷했다. 錢氏는 "이것은 慢驚이니 栝蔞湯을 주어야 한다. 胃氣實하기 때문에 눈을 감지 못하고 있고 몸은 따뜻한 것이다." 王氏는 아들이 대소변을 잘 보지 못하는 것을 의심해 여러 의사들에게 약으로 배출시키도록 했다. 의사들이 八正散 등을 여러 차례 복용시켰지만, 배출되지는 않고 몸만 다시 차가워져 갔다. 錢氏에게 소변을 볼 수 있도록 해달라고 했다. 錢氏는 "소변을 억지로 배출시키면 안됩니다. 배출시키면 반드시 몸이 차가워지게 마련입니다"라고 말했다. 王氏는 "이미 몸은 차가워져 있습니다. 안아서 바깥으로 끌고 나와야 합니다"라고 말했다. 錢氏는 "먹지 못해서 胃가 虛해져 있는데, 대소변을 배출시키게 되면 죽게 될 수도 있습니다. 병증이 오래되어 脾胃가 모두 虛해져있고, 身冷하니 閉目하게 된 것입니다. 다행히 胎氣가 충실해서 쉽게 쇠약해지고 있지는 않습니다"라고 말했다. 錢씨가 益黃散·使君子丸을 4차례 복용시키자 약간씩 음식을 먹을 수 있었고, 한낮에 이르러서는 식사를 할 수 있게 되었다. 이렇게 되었으니 大小便을 배출시켜 脾胃가 虛寒해지면 마땅히 補脾를 해야지 공격해서는 안 된다.

考察: 吐瀉는 脾胃와 관계되지 않을 수 없다. 잘못 배출시키면 脾胃를 더욱 손상시켜 氣血津液이 부족하게 되고 慢驚으로 그 증상이 변하게 된다. 身冷하거나, 음식을 먹지 못하거나, 대소변을 잘 보지 못하는 것은 脾胃가 虛寒해진 것으로 더 이상 잘못된 치료를 제공해서는 안 된다. 그렇기에 "만약 대소변을 배출시키면 죽을 수도 있습니다"라고 말했던 것이다. 錢乙은 益黃散과 使君子丸을 함께 사용해 健脾養胃했다. 後天이 보충을 받고 胃氣가 회복을 이루자 氣血生化의 원천이 생겨 병증은 저절로 낫게 되었다.

2. 自汗『小兒藥證直訣』卷中: 張氏의 세 아들이 병에 걸렸다. 첫째 아들은 온몸에서 땀이 났고, 둘째 아들은 머리부터 가슴까지 땀이 났으며, 셋째는 이마에서만 땀이 났다. 여러 의사들이 麥煎散으로 치료했지만 효과가 없었다. 錢乙이 말했다. "첫째에게는 香瓜丸을 주고, 둘째에게는 益黃散을 주고, 셋째에게는 石膏湯을 줍시다." 각각 5일 만에 치료됐다.

考察: 『小兒藥證直訣』卷上에서는 "胃怯汗: 上至頂, 下至臍, 此胃虛, 當補胃, 益黃散主之."라고 했다. 본 醫案은 세 명의 小兒 환자가 동시에 自汗을 앓았지만 땀이 배출되는 부위가 달랐다. 錢氏의 치료 원칙과 그에 따른 처방이 각각 다르게 나타나는 것을 통해 辨證의 정밀함을 살펴볼 수 있다.

3. 內釣『薛氏醫案選·保嬰撮要』卷3: 한 아이가 乾啼作瀉, 睡中搐, 手足冷했다. 이것은 脾土虛寒한데 肝木侮之해서 發搐한 것으로 內釣이었다. 益黃散 1제를 쓰자 안정을 되찾았다. 四君子에 柴胡·升麻를 더해 사용하자 乳食이 점차 늘어나면서 편안해졌다.

考察: 內釣은 대부분 風에 감수되거나 驚하게 되어 발생한다. 『薛氏醫案選·保嬰撮要』卷3에서는 "肝, 木也, 盛則必傳克于脾, 脾土既衰, 則乳食不化, 水道不開, 故泄瀉色靑, 或兼發搐者, 蓋靑乃肝之色, 搐乃肝之症也."라고 했다. 수면 중에 발병하거나 手足冷한 것은 모두 脾土虛寒의 증후이다. 補脾制肝해야 하므로 補脾하기 위해 益黃散·四君子湯을 사용하고 制肝하기 위해 柴胡·升麻를 사용했다.

4. 胃氣虛寒『薛氏醫案選·保嬰撮要』卷9: 한 아이가 손발이 항상 冷하고 腹中에 통증이 있어 음식을 소

화시키기 어려웠다. 내가 "胃氣虛寒하기 때문입니다."라고 말한 뒤, 먼저 益黃散을 2차례 복용시켰더니 통증이 멎었다. 이어서 六君子湯을 사용하자 여러 첩을 복용하고 나았다.

考察: 患兒는 손발이 항상 冷하면서 복통이 있어 脾胃虛寒한 증상이 오래 되었음을 보여준다. 먼저 益黃散을 사용해 溫中調氣시키자 통증이 멎었다. 계속해서 六君子湯을 사용해 補氣健脾하고 효과를 보았다.

5. 분문이완증『浙江中醫雜誌』(1994, 4:176): 여자, 생후 30일. 출생 후 3일째 되는 날 嘔吐가 잦았고 먹으면 잠시 뒤에 바로 토했다. 口乾欲飮, 大便乾燥, 神情萎頓, 形體消瘦, 舌質淡紅, 苔薄했다. 바륨 죽 복용 후 소화관 검사: 식도 중하단에 경도의 확장이 있었으나, 바륨 조영제는 순조롭게 들어갔다. 분문이완증으로 진단됐으며, Ⅲ도 영양 불량이었다. 수액 및 돔페리돈(Domperidone) 등으로 치료했지만 효과는 없었다. 陰虛胃逆임을 감안해 仲景의 麥門冬湯을 모방해 치료했지만 역시 효과는 없었다. 나중에 자세히 생각해 보니 이 아이가 태어나면서 부모의 氣를 품부 받았지만 脾胃運化不健, 寒邪中胃, 胃氣上逆해서 嘔吐가 잦은 것이었다. 錢氏益黃散에 太子參을 넣어 溫運脾胃, 降逆止嘔, 益氣養陰했다. 복약 이후 증상이 줄어들어 3첩 복용한 뒤에는 가끔씩 嘔吐가 발생했다. 위의 방제에 白朮을 더해 10일 동안 치료했고 아직 嘔吐가 발생하지 않았다.

考察: 『景岳全書』卷41에서는 "小兒吐瀉證, 虛寒者居其八九……不得妄用涼藥."이라고 했다. 아기가 갓 태어나면 脾胃가 虛弱하다. 調養을 적절히 하지 않으면 脾胃가 손상되어 中焦虛寒하거나 심한 경우 쉽게 吐瀉하게 된다. 이 증상이 오랫동안 치료되지 않으면 脾胃와 같은 後天의 기운을 만들어내는 기관이 자양을 받지 못해 疳症을 초래한다. 益黃散은 溫中理氣하고 收斂降逆하여 標本兼治한다. 대증 치료하는 방제다.

6. 中毒性腸麻痹『浙江中醫雜誌』(1994, 4:176): 남자, 생후 6개월. 1개월 전에 痢疾을 앓았고 지금은 북처럼 불룩하게 腹脹하고, 울고불며 안정을 찾지 못한다. 惡心嘔吐, 泄瀉稀便, 面白浮胖, 舌質淡, 苔白膩했다. 진료 결과: 혈액 중의 칼슘 이온 수치는 정상이었고, 복부 엑스레이 촬영 검사 결과 가스가 대량 축적되어 있었지만 수분 음영이 뚜렷하지 않았다. 中毒性腸麻痹라고 진단했다. 수액·금식·칼슘 이온 보충·위장감압술 등의 치료를 통해 腹脹이 잠시 완화되었으나 胃腸減壓을 멈추자 다시 腹脹이 나타났다. 脾寒不運하고 氣機鬱滯하기 때문이었다. 益黃散에 蝎尾를 넣고 2첩 복용시키자 腹脹이 확연하게 줄어 들었고 계속해서 3제 복용하자 완치됐다.

考察: 『小兒藥證直訣』卷上에서는 "治虛腹脹, 先服塌氣丸"이라고 했지만, 補脾도 함께 진행해야 한다. 塌氣丸은 胡椒·蝎尾로 구성되어 있다. 이 의안은 痢를 앓은 뒤 조양을 잘 하지 못해 脾胃虛寒한 것으로 益黃散에 蝎尾를 더해 치료한다. 錢氏의 뜻을 깊이 있게 이해한 사례이다.

7. 腹型癲癇『浙江中醫雜誌』(1994, 4:176): 남자, 5세. 환아는 3세부터 늘 腹痛이 있었으며 반복해서 발작했다. 요번 달에 들어 빈번하게 발작했으며 심한 경우 하루에 여러 차례 발작했다. 발작이 시작되면 간헐적으로 복통이 있었고 그 부위는 배꼽 주변으로 집중됐다. 갑자기 발생했다 갑자기 멈췄다를 반복했다. 통증은 칼로 후벼 내는 듯했고 바닥에 데굴데굴 굴렀다. 뇌파 검사에서 간헐적인 첨파(尖波)와 극만파(棘漫波)가 나타나 腹型癲癇으로 진단했다. 輸液·抗菌·解痙·止痛·驅虫 치료를 받았으나 효과가 없었다. 진료 결과: 舌質淡紅, 苔薄白, 脈緩했다. 이는 頑痰風冷이 痹阻腸間하고 氣滯痰阻하여 발생한 통증이다. 散寒運脾하고 理氣止痛하여 치료한다. 益黃散에 延胡索·鬱金을 더해 복용시켰다. 5첩을 복용하자 복통은 바로 감소했다. 散劑로 바꿔 투여해 효과가 공고히 나타나도록 했다. 약을 복용한 뒤 복통은 아직 발생하지 않았고 뇌파

검사에서도 이상 파형이 확인되지 않았다.

考察: 『諸病源候論』卷16에서는 "久腹痛者, 臟腑虛而有寒, 客于腹內, 連滯不歇, 發作有時, 發則腸鳴而腹絞痛, 謂之寒中."라고 했다. 본 醫案은 散寒益脾·理氣止痛의 방법으로 치료에 착수했다. 丁香을 重用해서 溫中散寒하고, 延胡索·靑皮를 配伍해서 理氣止痛하며, 陳皮·訶子·鬱金을 配伍해서 運脾化痰했다. 방제와 약물이 증상에 합치되었기 때문에 손을 대자마자 바로 효과가 나타났다.

第四節 澀精止遺劑

金鎖固精丸

(『醫方集解』「收澀之劑」)

【異名】 固精丸(『中藥處方的應用』).

【組成】 沙苑蒺藜 炒 芡實 蒸 蓮鬚 各二兩(各 60 g) 龍骨 酥炙 牡蠣 鹽水煮一日一夜, 煅粉 各一兩(各 30 g)

【用法】 蓮子粉을 糊로 丸을 빚어 소금물로 복용한다(현대용법: 매일 1~2회, 매회 9 g씩 淡鹽湯이나 따뜻한 물로 복용한다. 또 蓮子肉을 넣고 물로 달여 복용해도 좋다. 용량은 原方의 비율에 따라 조정한다).

【效能】 澀精補腎.

【主治】 腎虛不固에 의한 遺精. 遺精滑泄, 神疲乏力, 四肢酸軟, 腰痛, 耳鳴, 舌淡苔白, 脈細弱.

【病機分析】 遺精滑泄은 心·肝·脾·腎의 四臟과 밀접히 관련되어 있다. 특히 腎虛不固와 가장 밀접하다. 이 방제는 腎虛로 인한 精關不固를 치료한다. 『素問』·「六節藏象論」에서는 "腎者主蟄, 封藏之本, 精之處也."라고 했다. 腎虛하면 封藏失職, 精關不固하여 결국 遺精滑泄하게 된다. 腎虛精虧하면 氣弱해져 神疲乏力하고 四肢酸軟하게 된다. 腰는 腎之府이기 때문에 腎精虧虛하면 腰痛이 발생한다. 耳는 腎之竅로 "腎氣通于耳, 腎和則耳能聞五音"(『靈樞』·「脈度篇」)하기 때문에 腎虛하면 耳鳴하게 된다. 舌淡苔白하고 脈細弱한 것은 모두 腎虛의 징조다.

【配伍分析】 이 방제는 腎虛不固에 의한 遺精滑泄을 치료하기 위해 만들어졌다. 『素問』·「至眞要大論」에서 이야기한 "散者收之" 및 『素問』·「三部九候論」편에서 이야기한 "虛則補之" 치료원칙에 근거해 澀精補腎을 治法으로 선정했다. 沙苑蒺藜는 性味가 甘溫하고 補腎固精止遺에 뛰어나다. 『本經逢原』卷2에서는 "益腎, 治腰痛, 爲泄精虛勞要藥, 最能固精"이라고 했다. 君藥이 된다. 蓮肉·芡實·蓮鬚는 모두 水生之物로 甘澀質潤하며 固腎澀精할 수 있다. 蓮肉·芡實은 脾氣를 兼補함으로써 充養先天하고 腎精을 충족시킨다. 蓮子·蓮鬚는 交通心腎하고 養心安神하여 精室이 淫欲에 흔들리지 않게 한다. 君藥과 배합해서 固腎澀精의 효력을 강화시킨다. 이들 세 약물은 모두 臣藥이 된다. 龍骨은 甘澀而平하며 鎭驚, 安神, 固精하고, 牡蠣는 鹹平微寒하며 斂陰, 潛陽, 澀精한다. 두 약물은 淸降鎭潛, 收澀止遺하고, 겸하여 平肝潛陽하여 相火妄動하지 않도록 한다. 두 약물은 모두 佐藥이 된다. 모든 약물을 함께 사용하면 澀精補腎한다.

이 방제의 配伍 특징은 모든 "澀精秘氣"의 약물을 하나의 방제에 모은 것으로 固精을 위주로 하되 補腎을 겸하여 標本兼顧한다. 固澀滑脫하는 標에 대한 치료 위주다. 이 방제는 固秘精關 하여 腎復封藏하고 精無外泄하게 한다. 귀중한 金鎖와도 같기 때문에 "金鎖固精丸"이라고 부른다.

【臨床應用】

1. 證治要點: 본 방제는 腎虧精關不固를 치료하기 위해 구성됐다. 遺精滑泄, 腰痛耳鳴, 舌淡苔白, 脈細弱을 증상 치료의 요점으로 삼는다.

2. 加減法: 腎陰虛한 경우에는 女貞子·龜甲 등을 더해 滋養腎陰한다. 陰虛火旺한 경우에는 生地·丹皮·知母·黃柏을 더해 滋陰降火한다. 腎陽虛損한 경우에는 鹿角霜·補骨脂·巴戟天을 더해 溫腎固澀한다. 腎精虧虛한 경우에는 熟地·紫河車를 더해 填補腎精한다. 肝陽偏亢한 경우에는 石决明·代赭石·白芍 등을 더해 平肝潛陽한다. 心火偏旺한 경우에는 黃連·麥冬 등을 더해 淸心安神한다. 脾氣虛弱한 경우에는 黨參·白朮·山藥 등을 더해 健脾補氣한다. 腰膝酸痛한 경우에는 杜仲·續斷을 더해 補腎壯腰한다. 陽痿가 동반되는 경우에는 鎖陽·淫羊藿 등을 더해 壯陽補腎 할 수 있다. 大便乾結한 경우에는 熟地·肉蓯蓉을 더해 補精血하고 通大便한다. 大便溏泄한 경우에는 補骨脂·五味子를 더해 固腎止瀉한다. 固澀의 효력을 강화하고 싶으면 五味子·金櫻子·菟絲子와 같은 약물을 더한다.

3. 金鎖固精丸은 다음 한국표준질병사인분류(KCD)에 해당하는 환자가 腎虛不固證으로 辨證되는 경우 본 처방의 사용을 고려해볼 수 있다.

처방 목표	한국표준질병사인분류(KCD)
慢性前列腺炎	N41.1 만성 전립선염
精囊炎	N49.0 정낭의 염증성 장애
神經衰弱	F48.0 신경무력증
	F48.8 기타 명시된 신경증성 장애
	F48.9 상세불명의 신경증성 장애
慢性消耗性疾病	E40~E46 영양실조
慢性功能衰退性疾病	F52.0 성욕감퇴 또는 상실
	F52.2 생식기반응의 부전
遺尿	(질병명 특정곤란)
	F98.0 비기질성 유뇨증
	R32 상세불명의 요실금
乳糜尿	(질병명 특정곤란)
	B74 사상충증
	A18.1 비뇨생식계통의 결핵
	R80 고립된 단백뇨
蛋白尿	(질병명 특정곤란)
	N06 명시된 형태학적 병변을 동반한 고립된 단백뇨
	N39.1 상세불명의 지속성 단백뇨
	N39.2 상세불명의 기립성 단백뇨
	R80.8 기타 및 상세불명 고립성 단백뇨
泄瀉	(질병명 특정곤란)
	K59.1 기능성 설사
	K52.9 상세불명의 비감염성 위장염 및 결장염
女子帶下	N89.8 질의 기타 명시된 비염증성 장애
崩漏	N93.9 상세불명의 이상 자궁 및 질 출혈_붕루
産後病	O85~O92 주로 산후기에 관련된 합병증
前列腺切除術後逆行射精	T88 달리 분류되지 않은 외과적 및 내과적 치료의 기타 합병증
男性不育	F52.2 생식기반응의 부전
	N48.4 기질적 원인에 의한 발기부전
前列腺炎	N41 전립선의 염증성 질환
骨折遲緩愈合	M84.2 골절의 지연유합
自汗·盜汗	(질병명 특정곤란)
	R61 다한증
重症筋無力症	G70 중증근무력증 및 기타 근신경장애

【注意事項】

1. 下焦가 濕熱에 의해 간섭을 받아 遺精帶下한 경우에는 이 방제의 사용을 금한다. 相火가 한쪽으로 치우쳐 夢遺가 나타나는 경우 역시 이 방제로 치료하지 않는다.

2. 이 방제는 收斂固澀하기 때문에 邪氣를 남겨두는 폐단이 있다. 外感發熱이 있는 경우에는 반드시 복용을 멈춘다.

3. 복약 기간 동안 맵고 자극이 있는 음식 섭취는 금한다.

4. 복약 기간 동안 房事를 절제한다.

【變遷史】 이 방제는 淸·汪昂의 『醫方集解』「收澀之劑」에 처음 수록됐으며 "治精滑不禁"에 사용됐다. 『醫方集解』는 汪氏가 "采輯古方"(『醫方集解』「凡例」)해서 완성한 것이기에 본 방제의 기원에 대해서는 고찰할 길이 없다. 淸代 이전, "金鎖丸"·"固精丸"이라고 명명되며 補腎固精의 효능으로 遺精滑泄을 치료하는 방제는 셀 수 없이 많다. 비교적 영향력이 있는 방제로는 『聖濟總錄』의 金鎖丸(數方)과 『萬氏家抄方』卷2의 固精丸이 있다. 한편 이 방제는 세상에 소개된 뒤 단기간에 腎虛精關不固를 치료하는 代表方劑로 자리 매김하며 근대 의가들의 중시를 받았다. 이후 일련의 효과가 있는 衍化方들이 탄생됐다. 예를 들어 『鱗爪集』卷2의 金鎖固精丸은 이 방제에서 沙苑子·蓮子를 빼고 鎖陽·菝蓉·鹿角霜·巴戟·茯苓을 더해 補腎助陽의 효능을 크게 증대시켰다. 『四川省藥品標准』(1983년판)의 固精丸은 본 방제에서 沙苑蒺藜를 빼고 菟絲子·金櫻子를 더해 收澀의 효능을 더욱 두드러지도록 했다. 『北京中藥成方選集』의 金鎖固精丸은 본 방제에서 蓮鬚를 빼고 熟地·山藥·茯苓·丹皮·菟絲子·山萸肉·補骨脂·巴戟肉·杜仲炭·人蔘·龜甲膠·鹿茸·澤瀉를 더해 陰陽을 모두 보충하며 培本에 중점을 두었다.

【難題解說】

1. 본 방제의 功用과 主治에 대해: 대다수의 방제학자들은 본 방제에 益腎固精의 효능이 있으며 腎虛精關不固에 의한 遺精滑泄을 주로 치료한다고 주장한다. 그러나 다른 견해도 있다. 예를 들어 『中醫方劑大辭典』에서는 이 방제의 효능에 대해 "補腎益精, 固澀滑脫, 交通心腎"이라고 했고, 『中國醫學大辭典』에서는 이 방제가 "眞元虧損, 心腎不交, 夢遺滑精……"를 주로 치료한다고 했다. 모두 이 방제가 交通心腎 할 수 있어 心腎不交에 의한 夢遺滑精 치료에 사용할 수 있다고 생각하는 것이다. 또 어떤 의가는 "本方具有益腎固精·平肝澀精·安神寧精·健脾攝精之功, 可用于治療因腎虛陰虧, 精關失固; 或肝陽偏亢, 疏泄失常; 或心淫意亂, 精關受擾; 或脾虛氣弱, 精失統攝所致的遺精證. 故臨床所見遺精滑泄, 腰膝酸軟, 頭暈耳鳴, 心煩失眠, 不思飮食, 神疲乏力, 舌紅·少苔, 脈細弱或弦等, 均屬其主治症. 只要符合上述病機, 又見相應症狀者, 均可使用本方. 本方調補腎·肝·心·脾以治遺精, 只是示以大法, 用之臨床, 必須根据病位偏于何臟, 以及病情的輕重而加味"[1)]라고 주장했다. 『醫方集解』를 살펴보니 방제를 설명하며 "治精滑不禁"이라고 하고 後注에서는 "精滑者, 火炎上而水趨下, 心腎不交也."라고 했다. 그리고 方解의 첫머리에서는 "此足少陰藥也"라고 했고, 마지막에는 "皆澀精秘氣之品, 以止滑脫也"라고 했다. 이를 통해 汪氏의 본래 의도를 파악해 볼 수 있다. 精滑은 대부분 心腎不交에 의한 것으로 오랫동안 滑脫不禁하면 腎虛不固에 속한다. 마땅히 "足少陰藥", "澀精秘氣之品"을 주어 固澀滑脫해야 한다. 비록 방제 중의 蓮子·蓮鬚가 交通心腎 할 수 있고, 龍骨이 鎭驚安神 할 수 있으며, 蓮肉·芡實이 健脾止瀉 할 수 있고, 龍骨·牡蠣가 平肝潛陽 할 수 있다고 하지만 이들 약물은 대부분 澀精益腎의 효능을 지니고 있다. 따라서 본 방제의 전체적인 효능은 여전히 澀精益腎이며, 일부의 약물이 지니고 있는 어떠한 작용 때문에 그 방제가 그러한 작용을 지니고 있다고 할 수는 없다. 이론상 이 방제가 지니고 있는 交通心腎·健脾攝精·平肝潛陽의 효능은 모두 비교적 약한편이다. 특히 뒤의 두 가지 효능은 더욱 약하다. 이 방제만을 단독으로 사용해 心腎不交·脾虛不攝·肝陽偏亢 등이 일으킨 遺精滑泄을 치료하고자 하면 아마도 힘이 미치지 못할 수 있다. 이후 임상에서 한 걸음 나아간 증명이 이뤄지길 기다려 본다.

2. 본 방제의 방제 명칭에 대해: 金鎖은 귀중하면서도 또한 견고한 "대문의 빗장"을 가리킨다. 固는 사방의 울타리가 빽빽하게 쳐져 있어서 갈라터진 곳이 없다는 의미다. 본 방제의 효능은 귀중한 金鎖로 精關을 잠그는 것처럼 腎의 四方을 가득 채우고 外漏할 틈이 없도록 함으로써 腎主閉藏의 효능을 다시 회복시키는 것이다. 그래서 그 명칭을 "金鎖固精丸"[2)]이라고 했다.

【醫案】

1. 盜汗『湖南中醫雜誌』(1987, 3:46): 남자, 30세, 회계사, 1984년 6월 20일 진료. 환자가 盜汗 증상을 보인 지 3년째이다. 밤만 되면 증상이 나타났다. 當歸六黃湯·知柏地黃湯·玉屛風散 등을 복용하며 1년 남짓 치료했으나 낫지 않았다. 최근 몇 년간 房事를 꺼렸으며 생식기의 발기 정도가 단단하지 않았다. 早泄과 遺精이 동반됐다. 補腎强身片을 복용했지만 효과가 없었다. 기왕력을 살펴보니 환자는 결혼 전부터 頭昏, 腰酸, 神疲 등의 증상을 지니고 있었다. 固澀精關하는 것이 급선무라고 판단해 金鎖固精丸을 매일 3회, 매회 15알씩 복용하도록 했으며, 성생활을 피하고 靜養하도록 했다. 자주 수퇘지의 腎을 먹고, 도중에 복약을 멈추지 말라고 했다. 한 달이 지나 재진을 했다. 환자가 말하길 遺精이 확연히 감소하였으며 頭昏腰酸 증상이 나타나지 않았다고 했다. 고질병인 盜汗 역시 절반 정도는 사라졌다고 했다. 계속해서 원래 처방을 1개월 동안 복용시키자 盜汗이 완전히 멈췄다. 여전히 생식기가 발기되더라도 힘이 없어 아침에는 金鎖固精丸을 복용하고 저녁에는 健身全鹿丸을 복용하게 한다. 2달 동안 복용하자 모든 증상이 편안해졌다.

考察: 盜汗은 대부분 陰虛火旺한 경우에 나타나지만 陽氣不足해 衛表不固한 경우에 나타나기도 한다. 腎陽은 陽氣의 뿌리가 된다. 이번 환자는 腎陽虧虛하기에 金鎖固精丸으로 補腎固精했다. 精無外泄하자 陽氣自充하여 盜汗이 멈췄다.

2. 下消『湖南中醫雜誌』(1997, 1:40): 남자, 63세, 尿多·體瘦·遺精이 보름 동안 지속되어 1995년 7월 6일 진료 받으러 왔다. 1981년에 多食易飢, 多飮多尿해서 T3·T4 검사를 받은 뒤 갑상선기능항진증 진단을 받았다. 1988년에 재발했다. 두 번 모두 甲基硫氧嘧啶(Methylthiouracilum)·丙基硫氧嘧啶(Propylthiouracil)·心得安(Propranolol) 등의 약을 1년 남짓 복용했다. 갑상선기능항진증은 억제됐지만 심각한 과립구(粒細胞) 감소·黃疸 등의 불량 반응을 초래됐다. 보름 전부터 尿多한 증상이 나타났으며, 밤중에 소변을 자주 오랫동안 보았다. 한여름에 매일 밤 4~5회 소변을 보는 바람에 편안하게 잠을 이루지 못했으며 체중이 2 kg 정도 줄어들었다. 遺精, 汗多, 口渴舌焦, 頭暈眼花, 腰膝酸軟, 心煩易怒, 舌紅, 苔薄白, 脈細數했다. 肝腎不足, 下元虛憊에 속한 증상이었다. 滋養肝腎하고 固精縮尿하는 방법으로 치료하기 위해 金鎖固精丸에 女貞子·炙龜甲을 더해 처방했다. 3첩을 복용하자 夜尿가 2회로 줄어들었고 口潤有津하며 모든 증상들이 감소했다. 위의 방제를 계속해서 10첩 복용시키자 소변이 정상으로 회복됐고 갈증이 느껴지지 않았다. 다만 頭暈眼花, 腰膝酸軟한 증상은 있었다. 이어 麥味地黃湯으로 한 달 동안 조리토록 하자 神旺體健하고 飮食二便이 정상으로 돌아왔다. 1년 동안의 방문조사에서 재발하지 않았다.

考察: 下消의 근본 원인은 腎에 있다. 腎陰虧虛하거나 陰陽兩虛한 경우이다. 이 환자는 60세가 넘었고, 오래되어 낫기 어려웠다. 正氣大虧하여 多尿·遺精했다. 腎虛가 滑脫不禁의 병세를 이룬 상태였다. 따라서 위의 방제에 固脫益腎하는 약물을 加味해 標本兼顧했다.

3. 慢性腎炎蛋白尿『江西中醫藥』(2006, 9: 26): 여자, 39세, 2005년 6월 9일 진료. 환자는 2년 전 급성 신장염으로 병원 입원 치료를 받았으며 거의 완치됐다. 이후 뇨단백이 장기간 계속되어(+~++) 다방면으로 치료를 받았지만 효과가 없었다. 이곳으로 진료를 받으러 왔다. 진찰 결과: 面色萎黃, 神疲倦怠, 納穀欠佳, 腰

酸背痛, 夜夢較多, 脈細弱, 舌淡苔白하다. 본 증상은 脾失輸布로 인한 腎虧封藏失職으로 精微外泄한 경우였다. 補益脾腎하면서 固澀精氣해야 했다. 金鎖固精丸을 탕제로 바꿔서 매일 1첩씩 복용하도록 했다. 30첩을 복용한 뒤 뇨단백은 점차 사라졌다. 계속해서 30여 첩을 복용하자 소변이 정상 상태로 회복됐다. 환제로 바꿔 1개월을 추가 복용시키며 효과가 공고해지도록 했다. 이후 소변 검사를 반복적으로 해보았지만, 모두 정상이었다.

考察: 위의 사례는 뇨단백이 오랜 기간 동안 지속되며 표준 수치를 넘었다. 腎失封藏하고 精微外泄한 경우에 속했다. 위의 방제를 투여해 固腎澀精 했다.

4. 重症肌無力『新中醫』(1973, 5:30): 남자, 45세. 오른쪽 눈 상안검 부분이 완전히 아래로 처졌다. 사지에 힘이 없으며, 몸을 웅크린채 엎드려 일어나지 못했다. 씹기가 어려웠으며, 呼吸喘息하고 氣短해서, Neostigmine 근육 주사 테스트 결과 重症肌無力으로 진단받았다. 補中益氣湯·歸脾湯·杞菊地黃丸 등 中西 약물로 치료했지만 효과를 거두지 못했다. 환자가 失眠·遺精·腰酸痛·腿冷·舌質紅·少苔 등의 陰虛 증상이 있는 것을 고려해 金鎖固精丸으로 바꿔서 매번 12 g씩 매일 3회 淡鹽水로 복용하게 했다. 2주 후 병세가 뚜렷하게 호전되었으며, 사지에 힘이 생기고 걸을 수 있게 됐다. 계속해서 金鎖固精丸 36병을 복용시켰다. 복약을 멈추기 전, 눈 깜빡임 테스트를 한 결과 정상이었다. 연속해서 6년 동안 관찰했지만 근무력 증상은 재발하지 않았다.

考察: 腎은 蟄을 주관하고, 五臟六腑의 精을 받아들여 간직한다. 신체의 모든 氣의 근본이 된다. 위의 사례는 精氣가 모두 휴손되어 補中益氣湯과 같은 방제의 효력은 미치지 못했기에 위의 방제로 澀과 補의 치료를 함께 사용하며 標本兼治했다. 이 의가만의 특별한 견해였다고 평가할 수 있다.

5. 行經泄瀉『新中醫』(1990, 2:48): 여자, 31세, 1982년 11월 3일 진료. 五更瀉를 앓은지 이미 여러 해가 되었다. 四神丸 등 약을 복용했지만 병세는 덜해졌다 심해졌다를 반복했다. 최근 몇 년간 월경이 제때에 이르질 않았고 색은 흐리고 묽었다. 매번 월경을 할 때마다 하루에 5~7회 설사를 했다. 이번 월경 때는 하루에 10여 차례 설사를 했으며 頭暈神疲, 腰酸肢冷, 舌淡紅·苔薄白, 脈沉遲細弱이 동반됐다. 이 증상은 腎氣虧虛하여 固攝되지 않아 발생한 것이다. 溫腎暖脾하고 固攝澀腸하는 방법으로 치료하는 것이 적절해 金鎖固精丸에 肉豆蔻·補骨脂·五味子·制附片을 넣고 매일 1첩씩 물로 달여 3회 따뜻하게 복용했다. 1첩을 복용하자 증상이 감소했고, 2제를 복용하자 설사가 멈췄다. 재차 15첩을 복용시키자 五更瀉가 나았다. 지금까지 5년 동안 다시 재발하지 않았다.

考察: 五更瀉가 오랫동안 멈추지 않는 것은 脾腎陽虛한 것이다. 월경을 할 때는 腎氣가 더욱 휴손되어 固攝無權하므로 泄瀉가 심해진다. 四神丸만으로는 補腎固攝의 효력이 부족하기 때문에 이 방제와 합해 補腎暖脾, 澀腸하여 고질병을 했다.

6. 崩漏『湖北中醫雜誌』(1985, 2:41): 여자, 21세, 농민, 미혼. 1982년 7월 14일 진료. 환자는 1978년 2월에 초경을 했고 월경량은 비교적 많은 편이었다. 이후 월경량이 점차 증가했으며 색깔은 선홍빛이었지만 월경주기가 정확하지 않아 병원에 진료를 요청했다. 膠艾四物湯·十灰散 류의 방제를 복용했지만 효과는 미미했다. 진찰 결과: 心慌體倦, 腰腹脹痛, 手足心熱而沾濡, 渴不多飮, 顔面泛紅, 舌質紅瘦, 苔薄白欠潤, 脈弦細而數했다. 이 증상은 陰虛內熱하고 衝任失固한 경우에 속하므로 金鎖固精丸에 蓮子를 제거하고 각각의 약물을 30 g씩 사용해 물에 넣고 달였다. 5첩을 복용하자 병세가 완화됐다. 二至丸을 합해 재차 5첩 복용하자 병세가 점차 안정됐다. 다만 精力疲乏하다고 여겨져 다시 歸脾丸을 2년가량 복용했다. 위의 증상이 다시 나타나지는 않았다.

考察: 일반적으로 여성은 14세가 되면 월경을 하지만, 이 환자는 17세가 되어 월경을 시작했고 또 월경량이 비교적 많은 편이었다. 이것은 先天不足, 腎氣不固에 의한 것이었다. 膠艾四物湯·十灰散 류의 방제는 止血을 하기 하는 겉에 드러난 병증만을 치료하는 治標劑였기 때문에 치료 효과가 뛰어난 편이 아니었다. 金鎖固精丸을 사용하면 培補先天 할 수도 있고 固澀收斂 할 수도 있어 標本兼治한다. 다시 歸脾丸으로 後天을 보충해 先天을 길러줌으로써 치료를 마무리 했다.

7. 産後惡露不絶『新中醫』(1991, 1:47): 여자, 24세, 1987년 7월 22일 진료. 환자는 올해 4월 출산했다. 분만 당시 출혈이 심했으며 퇴원 후에도 계속 陰道流血이 그치지 않았다. 출혈량은 많았다 적었다를 반복했으며 소량의 피 덩어리가 끼어 있었다. 가족들이 瘀血이 체내에 머물러 있어 그러한 것으로 여기고 산모에게 三七粉을 매회 1티스分씩 2회에 걸쳐 물에 타 마시게 했다. 다음날 출혈량이 더욱 늘어났다. 血色은 선홍색이었고 腰酸膝軟, 心慌氣短, 汗出不止가 동반되어 진료를 받으러 왔다. 진찰을 해보니 面色白, 精神萎靡, 氣短, 語聲低微, 四肢冰涼, 舌淡無苔, 脈沉細無力 했다. 脾腎俱虛로 인한 氣血失其統攝에 속한 증상이었다. 치료는 健脾補腎하고 益氣攝血해야 했다. 金鎖固精丸에서 蓮鬚를 제거하고 續斷·炒地楡·黃芪·炒艾葉을 더해 사용했다. 2첩을 복용하자 陰道出血이 멎었고 모든 증상이 감소했다. 위의 방제에 白朮을 더해 계속해서 6첩을 복용하자 증상이 호전됐다. 3개월 후 다시 살펴보니 건강했다.

8. 産後泄瀉『新中醫』(1991, 1:47): 여자, 29세, 1983년 5월 22일 진료. 환자는 4월 초 분만 당시 출혈 과다의 증상을 보였다. 게다가 산후에 휴식을 잘 취하지 못했고 음식 조절에도 실패했다. 그 결과 자주 腸鳴腹瀉가 발생했다. 설사 전에 腹痛이 있다가 설사 후에는 통증이 조금 줄어들었다. 묽은 大便을 매일 5~6차례 보았으며, 그중에 소화되지 않은 음식물이 섞여 있었다. 脘腹悶脹, 四肢乏力이 동반됐다. 항생제 치료도 해보았지만 효과는 좋지 않았다. 최근에 증상이 가중되어 밤중에도 때로 대변을 1~2차례씩 보았다. 心慌氣短, 小便淸長, 얼굴 및 下肢 水腫, 精神困倦, 面色萎黃, 納食無味, 四肢不溫, 腰膝酸軟無力, 아랫배의 下墜感이 동반되었고, 舌淡白無苔, 脈沉細無力했다. 脾腎陽虛로 인한 寒濕泄瀉에 속했다. 補益脾腎, 除濕止瀉의 방법으로 치료하는 것이 마땅하기에 金鎖固精丸에서 蓮鬚를 제거하고 白朮·茯苓·炮薑·肉桂를 더한 방제를 선택했다. 5첩 복용하자 腹瀉가 멎었고 대변이 형태를 지녔다. 매일 1회씩 복용하자 나머지 증상들도 모두 줄어들었고 계속해서 위의 방제를 가감해 4첩을 복용하자 완치됐다.

9. 産後尿失禁『新中醫』(1990, 2:48): 여자, 32세, 1981년 4월 27일 진료. 환자는 妊娠 후기부터 腰酸과 遺尿가 시작됐으나 치료를 받지 않았다. 2월 21일 분만 후 尿失禁이 시작되었고 지금까지 2개월 남짓 되었다. 縮泉丸을 15일 동안 복용했지만 효과는 없었다. 진찰을 해보니 氣短, 乏力, 神疲, 舌淡·苔薄白, 脈沉細弱했다. 이 증상은 腎氣虧虛하고 固攝無權해서 발생한 膀胱失約이었다. 치료는 補腎縮尿固脬로 이뤄져야 했다. 金鎖固精丸에 桑螵蛸·益智仁·烏藥을 더해 매일 1첩씩 물로 달여 3회 복용토록 했다. 2첩을 복용하자 증상이 감소했고, 계속해서 5첩을 복용한 뒤 나았다.

10. 産後自汗『新中醫』(1990, 2:48): 여자, 37세, 1984년 12월 6일 진료. 출산 후 自汗不止가 나타났고 움직이면 더욱 심해졌다. 이미 7주차였으며 玉屛風散을 복용했지만 효과는 없었다. 진찰 결과 : 面色㿠白, 氣短乏力, 語聲低怯, 腰膝酸軟, 舌淡苔薄, 脈虛弱했다. 이 증상은 肺腎氣虛에 속하며 그 원인은 腎에 있었다. 치료는 補腎攝納을 위주로 하면서 益肺固表를 겸해야 했다. 金鎖固精丸에 炙黃芪·五味子·炙甘草를 더해 매일 1첩씩 물로 달여 3차례 복용토록 했다. 3첩을 복용하자 自汗이 멎었고, 계속해서 7첩을 복용시켜 효과가 공고해지도록 했다.

考察: 衝脈은 血海가 된다. 任脈은 胞胎를 주관한다. 산후병은 주로 衝任損傷, 氣血不足과 관련되어 있다. 腎은 生殖을 주관해서 封藏의 근본이 되며 대소변을 주관한다. 衝任은 肝腎에 예속되어 있다. 본래 腎虛했다면 출산할 때 거듭 腎氣를 손상 받게 된다. 산후병을 치료하지 않거나 잘못 치료하면 腎氣가 손상된다. 출산 이후 조리를 잘못하거나 오랜 병으로 腎이 영향을 받으면 腎氣虧虛, 攝納無權 하여 惡露不絶·泄瀉·尿失禁·自汗 등 滑脫不禁과 관련된 증상들이 발생한다. 의안 7은 失血過多로 氣血大傷한데다가 적절한 치료를 받지 못해 脾腎陽氣가 虛損되고, 血이 統攝을 받지 못해 氣血 모두가 사라질 징조를 보인다. 원방에 가감을 했으며 그 의도는 補腎益氣, 固澀滑脫이었다. 의안 8은 분만 당시 출혈이 과다했고 출산 후 조리를 잘 하지 못한 경우로 脾腎陽虛 증상에 속한다. 원방에 가감해서 脾腎 모두를 補하며 澀腸固脫했다. 의안 9는 본래 腎虛한데 출산 후 腎氣更虧, 膀胱失約 해서 小便失禁한 경우이다. 縮泉丸을 사용했지만 효과가 없었다. 병증은 위중한데 약이 가벼웠기 때문이다. 원방을 가감해서 사용했더니 치료됐다. 의안 10은 출산 후 발생한 自汗으로, 自汗은 많은 경우 氣虛表衛不固에 의한 것이다. 玉屛風散을 사용했지만 효과가 없었을 뿐만 아니라 腎氣가 더욱 휴손되었다. 肺는 氣의 主, 腎은 氣의 根이 된다. 원방을 가미해 투여했으며 그 의도는 補腎益肺, 收澀固表였다. 위의 네 개 의안은 모두 출산 후 질병을 다루는 것으로 이환기간은 7주에서 3개월에 이른다. 모두 다른 치료법과 방제를 사용했지만 효과가 없었다. 이것은 출산 후 滑脫不禁 증상을 보이는 만성질병에 다른 방제로 치료해도 효과가 없을 경우 腎虛不固 할 수 있으므로 이 방제를 시험 삼아 투여해 만족스러운 치료 효과를 거둘 수 있음을 말해준다.

【參考文獻】

1) 關德生. 金鎖固精丸止遺功用探析. 新中醫. 1993;25(7): 7-8.

2) 趙存義. 『中醫古方方名考』. 北京: 中國中醫藥出版社, 1994: 270-271.

桑螵蛸散

(『本草衍義』 卷17)

【組成】 桑螵蛸 遠志 菖蒲 龍骨 人蔘 茯神 當歸 龜甲 酥炙 以上 各一兩(各 30 g)

【用法】 위의 약물을 가루 내 취침 전 人蔘湯 二錢(6 g)에 섞어 복용한다(현대용법: 가루를 내어 취침 전 黨參湯 6 g에 섞어서 복용한다. 맹물에 타서 복용해도 된다).

【效能】 調補心腎, 澀精止遺.

【主治】 心腎兩虛證. 小便頻數, 소변이 쌀뜨물 색처럼 뿌옇거나 遺尿·滑精, 心神恍惚, 健忘, 舌淡苔白, 脈細弱.

【病機分析】 이 방제의 주요 치료 병증은 心氣不足, 腎虛不攝, 水火不交로 인해 발생한 것이다. 腎는 精을 藏하고, 水를 주관하며, 膀胱과 서로 表裏 관계가 된다. 腎氣는 膀胱氣化를 도와 膀胱을 開合함으로써 尿液을 約束하는 작용이 있다. 腎虛不攝하면 膀胱失約하여 小便頻數하거나 소변 색이 쌀뜨물처럼 뿌옇거나 심지어 遺尿가 발생하기도 한다. 腎虛하여 精關不固하면 遺精이 발생한다. 心은 神을 藏하기 때문에 心氣不足하면 心神不寧한다. 또한 腎精不足 하면 上濟于心을 하지 못해 心神失養하여 心神恍惚, 健忘하게 된다. 舌淡·脈細弱한 것 역시 心腎兩虛하기 때문에 그러한 것이다.

【配伍分析】 이 방제는 尿頻·遺尿·滑精을 치료하기 위해 만들어졌다. 증상은 心腎兩虛에 속하며 腎虛不攝 위주이다. 『素問』·「至眞要大論」에서 이야기한 "散者收之" 및 『素問』·「三部九候論」에서 이야기한 "虛則補之"의 치료원칙에 근거해 調補心腎, 澀精止遺을 治法

으로 정한다. 방제 중의 桑螵蛸는 甘鹹而平해서 "肝腎命門藥也, 功專收澀, 故男子虛損, 腎衰陽痿, 夢中失精, 遺溺白濁方多用之"(『本經逢原』卷4)이 된다. 이 약물은 補腎助陽할 뿐 아니라 固精止遺할 수 있어 標本兼顧한다. 君藥이 된다. 龍骨은 甘澀收斂하여 鎭驚安神하고 縮尿固精 할 수 있다. 『本經逢原』卷4에서는 "益腎鎭心, 爲收斂精氣要藥"이라고 했다. 龜甲은 鹹甘性平해서 滋陰·潛陽·補腎 할 수 있으며 "能通心入腎以滋陰"(『本草經疏』卷20)한다. 龜甲은 龍骨을 만나면 益陰潛陽安神의 효능이 더욱 두드러진다. 두 약물은 交通心腎하며 모두 臣藥이 된다. 또 桑螵蛸가 龍骨을 얻으면 固澀止遺의 효력이 증가하고, 龜甲을 얻으면 補腎固本의 효능이 뚜렷해진다. 人蔘은 大補元氣하여 補心安神한다. 茯神은 寧心安神한다. 人蔘과 配伍되면 養心安神의 효력이 두드러진다. 菖蒲는 善開心竅하여 寧心安神한다. 遠志는 安神强志하여 腎氣를 소통시켜 心에 上達하게 한다. 菖蒲와 합해지면 交通心腎해서 益腎寧神의 효력을 증강시킨다. 當歸는 補養心血한다. 人蔘을 얻으면 補氣生血한다. 이상 다섯 가지 약물은 모두 佐藥이 된다. 약물 모두를 함께 사용하면 調補心腎하고 補益氣血하며 澀精止遺하는 효능을 갖게 된다.

이 방제의 配伍 특징은 固精補腎과 安神補心하는 약물을 병용해 交通心腎하는 것이다.

이 방제는 桑螵蛸가 君藥이 되고 散劑이므로 "桑螵蛸散"라고 부른다.

【類似方比較】 이 방제와 金鎖固精丸은 모두 澀精止遺한다. 金鎖固精丸은 澀精補腎하는 약물로만 조성되어 있으며 腎虛精關不固로 인한 遺精滑泄을 전적으로 치료한다. 이 방제는 澀精止遺하는 약물에 기반을 둔 채 交通心腎하는 약물을 配伍하여 心腎相交, 神志安寧하여 腎自固하도록 한다. 心腎兩虛에 의한 尿頻·遺尿·滑精을 주로 치료한다.

【臨床應用】

1. 證治要點: 이 방제는 心腎不足으로 인한 小便頻數·遺尿 혹은 失精을 치료한다. 특히 遺尿 또는 갑자기 소변 마려워하며 참지 못하는 腎虧에 해당하는 병증을 치료한다. 尿頻, 遺尿, 滑精, 心神恍惚, 舌淡苔白, 脈細弱한 것을 증상 치료의 요점이다.

2. 加減法: 腎陽이 虛한 경우에는 巴戟天·補骨脂·菟絲子를 더해 溫補腎陽한다. 遺精, 脈細弱한 경우에는 山萸肉·沙苑蒺藜를 더해 固腎澀精한다. 糖尿病에 의한 小便頻數의 경우에는 淮山藥·山萸肉을 더해 固腎塡精할 수 있다. 神經衰弱으로 인한 滑精·健忘·心悸·失眠 등의 경우에는 五味子·酸棗仁 등을 더해 養心安神한다.

3. 桑螵蛸散은 다음 한국표준질병사인분류(KCD)에 해당하는 환자가 心腎兩虛證으로 辨證되는 경우 본 처방의 사용을 고려해볼 수 있다.

처방 목표	한국표준질병사인분류(KCD)
尿頻	(질병명 특정곤란)
	R35.0 빈번한 배뇨
小兒遺尿	(질병명 특정곤란)
	R32 상세불명의 요실금_유뇨증 NOS
尿道綜合徵	N34.3 상세불명의 요도증후군
神經原性膀胱	G83.4 말총증후군
	G95.8 척수의 기타 명시된 질환
	N31 달리 분류되지 않은 방광의 신경근육기능장애
前列腺术後尿失禁	T88 달리 분류되지 않은 외과적 및 내과적 치료의 기타 합병증
子宮外脫	N81 여성생식기탈출
夢遺滑精	U71 신병증(腎病證)
老人性 便祕	K59.0 변비

【注意事項】 만약 下焦濕熱에 의한 小便頻數, 溺赤澀痛이거나 혹은 脾腎陽虛에 의한 尿頻失禁이라면 이

방제의 사용을 금한다.

【變遷史】 이 방제는 宋·『本草衍義』에서 유래됐다. 卷17에서는 "安神魂, 定心志, 治健忘·小便數, 補心氣. 桑螵蛸·遠志·菖蒲·龍骨·人蔘·茯神·當歸·龜甲醋炙, 以上各一兩, 爲末, 夜卧人蔘湯調下二錢. 如無桑螵蛸者, 即用餘者, 仍须以炙桑白皮佐之, 量多少可也, 蓋桑白皮行水, 意以接螵蛸就腎經. 用桑螵蛸之意如此, 然治男女虛損·遺精·陰痿·夢失精·遺溺·疝瘕·小便白濁, 腎衰不可厥也."라고 했다. 근원을 거슬러 올라가보면 이 방제는 『備急千金要方』의 茯神散(人蔘·茯神·遠志·菖蒲)과 孔子大聖枕中方(龜甲·遠志·菖蒲·龍骨) 등을 加味해서 이뤄졌다. 『仁齋直指方』卷10의 桑螵蛸散은 이 방제에 炙甘草를 넣었으며 치료 대상은 동일하다. 『臨證指南醫案』卷3 許氏를 치료하는 의안에서는 환자가 納少胃弱하기 때문에 이 방제를 蜜丸으로 바꿔서 사용했다. 이 방제는 현대에 주로 尿頻·遺尿·遺精 등의 증상을 치료하는데 사용한다.

【醫案】

1. 小便頻數 『本草衍義』卷17: 이웃집의 한 남자가 小便을 하루에 수십 번 보았다. 소변은 마치 쌀뜨물처럼 혼탁했으며 색깔은 흰색이었다. 心神恍惚하고 瘦瘁食減했는데, 성관계를 지나치게 가진 뒤 발생한 병증이었다. 桑螵蛸散을 복용하게 하자 1제를 다 먹기도 전에 치료됐다.

2. 遺精 『臨證指南醫案』卷3: 華모씨, 18세. 위쪽에서는 神傷하고 아래쪽에서는 精敗하여 心腎이 交通하지 못했다. 오랫동안 精氣가 손상되어 회복되지 못할 경우 이를 損이라고 한다. 『內經』에서 五臟의 損을 치료하는데 있어서는 각각의 治法이 다르다. 秦越人은 上損從陽, 下損從陰이라고 했다. 그러나 반드시 納穀資生하여 脾胃가 後天으로서 得振하여야 精氣가 穀食에서 생겨나기를 바랄 수 있다. 上秋부터 지금까지 나날이 심해져 裏眞無藏한 상황이다. 봄이 되어 泄越해야 함에도 生氣不至하여 점차 離散하려고 한다. 精血은 본래 형체를 지니고 있으니 藥餌가 어떻게 갑작스럽게 充長할 수 있단 말인가. 공격적으로 병을 치료하기 위해서는 客邪를 주로 다뤄야하며 以偏治偏해야 한다. 東垣·丹溪의 서적을 살펴보니 손상되어 회복의 기미가 보이지 않을 때 參·术을 대량으로 심지어 몇 斤까지도 넣었다. 有形의 精血은 생겨나기 어려우므로, 無形의 元氣를 시급히 채워넣을 뿐이라는 것이었다. 上下交損한 상태이므로 마땅히 그 가운데를 치료해야 한다. 중기가 깨어나게 되면 곡물을 더해주고, 연이어 攝納, 填精, 斂神하는 약물들을 연달아 투여해야 한다. 이제 몸이 되어 목의 기운이 크게 발출되고 온갖 꽃들이 피어나고 있으니 사람의 몸 역시 이에 대응할 것이다. 이번 한달 중에 급히 치료해야 할 것이며 게으르게 대처하지 말아야 한다. 參朮膏를 미음에 섞어 복용하도록 했다. 이어 寇氏桑螵蛸散에서 當歸를 제거한 뒤 복용시켰다. 寧神固精, 收攝散亡 하여 澀以治脫하는 治法이다. 15일 동안 桑螵蛸散으로 固下하고, 參术膏로 益中하자 遺滑이 멎었다. 下關은 收攝되는 기미를 자못 보였지만 유독 밤낮에 잠이 들면 마음 속에서 여러 가지 일들이 분분하게 떠올라서 혼란스러웠다. 神이 손상되어 넘쳐나면 수렴해내기 매우 어렵다. 또 고민하고 근심하면 피로가 쌓여 心脾의 營血이 暗損하여 血不內涵하게 되어 神乃孤獨하게 된다. 嚴氏濟生歸脾方을 사용해야 한다.

考察: 이 의안은 上下交損한 경우에 해당하므로 固下益中하는 방법으로 치료했다. 15일이 지나자 精關이 수렴되어 잡아줄 수 있게 됐다. 선인이 이르길: "心爲情志之府"라고 했다. 淫欲常擾해서 精室不安하면 遺泄難止하므로 마지막에는 歸脾湯을 써서 寧心健脾의 치료 효과를 얻었다.

縮泉丸(固眞丹)

(『魏氏家藏方』 卷6)

【組成】天台烏藥 細銼 益智子 大者, 去皮, 炒 各等分.

【用法】위의 약물을 가루 내되, 山藥은 따로 炒黃해서 가루낸다. 풀을 쒀서 벽오동 열매 크기로 丸을 만든 후 강한 햇볕에 말린다. 매회 50알씩 복용한다. 茴香 수십 알을 씹어 소금물이나 소금을 탄 술에 복용한다(현대용법: 매일 1~2회, 매번 6 g씩 따뜻한 물로 복용한다).

【效能】溫腎祛寒, 縮尿止遺.

【主治】下元虛寒證. 小便頻數, 遺尿不止하거나 小便淸長하거나 溺有餘瀝하다. 舌淡, 脈沉弱하다.

【病機分析】이 방제가 주로 치료하는 증상은 下元虛寒에 의한 것이다. 『素問』·「脈要精微論」에서는 "水泉不止者, 是膀胱不藏也."라고 했다. 膀胱은 腎과 서로 表裏가 된다. 腎氣가 부족하면 下元虛冷하고 膀胱虛寒하면 水液을 約束할 수 없어 尿頻·遺尿·小便淸長 혹은 溺有餘瀝 등의 증상이 발생한다.

【配伍分析】본 방제는 下元虛寒에 의한 小便頻數을 치료하기 위해 만들어졌다. 『素問』·「至眞要大論」에서 이야기한 "散者收之"·"寒者熱之" 및 『素問』·「三部九候論」에서 이야기한 "虛則補之"의 치료 원칙에 근거해 溫腎祛寒, 縮尿止遺를 治法으로 수립한다. 방제 중의 益智仁은 性味가 辛溫해서 "行陽退陰之藥, 三焦命門氣弱者宜之"(『本草綱目』卷14)한다. 溫補腎陽하고 固澀精氣하며 小便이 收縮되도록 하므로 君藥이 된다. 烏藥은 性味가 辛溫하고 善理元氣한다. "固非補氣, 亦不耗氣, 實有理其氣之元, 致其氣之用者"(『本草述鉤元』卷22)하므로 調氣散寒하고 膀胱腎間의 冷氣를 제거해서 小便頻數을 멎게 할 수 있다. 益智仁과 배합하면 收散有序하고 開合有度하여 澀而不滯하도록 한다. 臣藥이 된다. 또한 山藥으로 糊丸을 만들어 甘平한 性味를 취했다. 健脾補腎하고 固澀精氣하므로 佐藥이 된다. 茴香은 辛香發散하고 腎·膀胱으로 入經한다. 수십 알을 복용해 인경약으로 사용하고 약물들의 溫腎祛寒하는 효력을 보조해 下焦得溫하여 寒去하도록 한다. 膀胱氣化 작용이 정상적으로 회복되고 約束有權하면 溺頻遺尿는 저절로 완치될 수 있을 것이다.

본 방제의 配伍 특징: 溫腎固攝을 기초로 해서 調氣散寒하고 寓收于散하며 寓合于開한다. 氣化가 정상적으로 회복되도록 하고 津液得斂하도록 한다.

본 방제는 止尿頻, 縮小便의 효능이 있으며 제형은 丸이기 때문에 "縮泉丸"이라고 부른다.

【類似方比較】본 방제와 桑螵蛸散은 모두 固澀劑에 속해 固澀止遺의 작용을 지녀 小便頻數 혹은 遺尿 치료에 사용할 수 있다. 다만 이 방제는 益智仁와 烏藥 등의 약물을 配伍해 溫腎祛寒에 중점을 두면서 下元虛寒에 의한 증상을 치료한다. 반면 桑螵蛸散은 桑螵蛸와 龜甲·龍骨·茯神·遠志 등을 配伍해서 調補心腎에 치우쳐 있으며 心腎兩虛에 의한 증상을 치료한다.

【臨床應用】

1. 證治要點: 본 방제 주로 下元虛寒證을 치료한다. 尿頻 또는 遺尿, 舌淡, 脈沉弱이 증상 치료의 요점이다.

2. 加減法: 腎精不足한 경우에는 鹿角膠·菟絲子를 더해 補腎塡精한다. 腎陽虛한 경우에는 仙靈脾·山萸肉를 더해 溫腎助陽한다. 腎陰虛한 경우에는 熟地·龜甲을 더해 滋陰潛陽한다. 氣虛한 경우에는 黃芪·白朮을 더해 益氣한다. 만약 固澀 효력이 부족하다고 의심되면 鹿角霜·桑螵蛸·烏賊骨·牡蠣 등의 斂澀하는 약물을 조정하여 더한다.

3. 縮泉丸은 다음 한국표준질병사인분류(KCD)에 해당하는 환자가 下元虛寒證으로 辨證되는 경우 본 처방의 사용을 고려해볼 수 있다.

처방 목표	한국표준질병사인분류(KCD)
尿頻	(질병명 특정곤란)
	R35.0 빈번한 배뇨
尿失禁	(질병명 특정곤란)
	N39.40 절박요실금
	R32 상세불명의 요실금
尿崩症	E23.2 요붕증
	N25.1 신장성 요붕증
淋症	A54 임균감염
尿道綜合徵	N34.3 상세불명의 요도증후군
多涕	H04.2 눈물흘림
多涎	K11.7 침분비의 장애
冷淚	N89.8 질의 기타 명시된 비염증성 장애
乳泣	N64.3 출산과 관련되지 않은 유루
	O26.9 상세불명의 임신과 관련된 병태
	E22.1 고프로락틴혈증
泄瀉	(질병명 특정곤란)
	K59.1 기능성 설사
	K52.9 상세불명의 비감염성 위장염 및 결장염
遺精	U71.0 신기허증(腎氣虛證)
慢性前列腺炎	N41.1 만성 전립선염
帶下病	N89.8 질의 기타 명시된 비염증성 장애
崩漏	N93.9 상세불명의 이상 자궁 및 질 출혈_붕루

【注意事項】 맵고 자극적인 음식 섭취는 금한다. 이 방제는 약물이 간단하고 효력이 약하다. 병세가 비교적 위중하다면 溫補固澀의 약물을 조정하여 추가해야 한다.

【變遷史】 이 방제는 宋·『魏氏家藏方』卷6에서 유래했으며 原名은 固眞丹이다. 腎經虛寒하고 小便滑數 및 白濁 등의 질병을 치료한다. 『魏氏家藏方』은 南宋의 의가 魏峴 집안에서 전승되고 있던 그리고 스스로 직접 효과를 보았던 驗方을 모아서 완성됐다. 이 책에는 또다른 縮泉丸이 실려 있는데 烏藥·益智仁·吳茱萸·川椒 네 가지 약물로 구성되어 脬氣不足, 小便頻多 및 노인 陽虛遺溺 등의 증상 치료에 사용한다. 후대 의가들이 固眞丹의 방제를 사용해 縮泉丸이라고 이름 붙였던 것이다. 『世醫得效方』卷7에는 三仙丸이 있다. 이 방제와 비교해보면 약물 용량에 조금 차이가 있다. 朱砂로 옷을 입혀 鎭心安神하려고 했다. 下元虛冷, 精關不固, 心腎不交, 夢遺泄精의 증상을 치료하는데 사용한다. 요즘은 遺尿 등의 증상을 치료할 때 자주 이 방제를 토대로 약물을 가미해 방제를 구성한다.

【難題解說】

1. 방제의 출처에 대해: 이 방제의 출처에 대해서는 의학 서적들마다 標注가 일치하지 않으며 이견이 많다. 『中醫治法與方劑』는 『集驗方』에서 나왔다고 했고, 『簡明中醫詞典』·공통교재 5版 『方劑學』 등에서는 『婦人良方』에서 나왔다고 했다. 『古今名方發微』·『中醫方劑大辭典』·「方劑分冊」 등에서는 『校注婦人良方』, 『女科方萃』에서는 『證治準繩』에서 나왔다고 했다. 현재 존재하는 자료에 따르면 위의 몇 가지 주장은 잘못됐다.

烏藥·山藥·益智仁 세 약물로 조성되어 縮泉丸이라고 불리는 방제는 『醫方類聚』가 인용하고 있는 『濟生續方』에서 처음 보인다. 이후 『世醫得效方』·『類編朱氏集驗醫方』·『校注婦人良方』·『古今醫鑑』·『證治準繩』등이 모두 이 방제를 수록했다.

고대 의서 중 『集驗方』라고 불리는 서적으로는 北周 姚僧垣의 저작이 가장 빠르다. 이외에 唐代 楊歸厚의 『楊氏産乳集驗方』과 明代의 鄒福의 『經驗良方』도 후세에 『集驗方』이라고 불려졌다. 이 세 서적은 모두 산실되어 남아있지 않다. 아마도 어떤 사람이 唐·宋의 여러 方藥書에서 『集驗方』이라고 인용되고 있는 方藥을 다시 편집하고 수정해 『集驗方』을 편찬했던 것으로 보인다. 그러나 그중에는 縮泉丸이 실려 있지 않다. 『婦人良方』은 宋의 陳自明이 저술한 것으로 그중에 縮泉

丸은 없다. 明의 王肯堂이 저술한 『證治準繩』과 薛己의 『校注婦人良方』에는 모두 縮泉丸이 실려 있고 약물 조성·炮制·복용법이 동일하다. 그러나 『校注婦人良方』이 완성된 때가(1547년) 『證治準繩』(1602년)보다 현저하게 앞서지만 『濟生續方』(1253년 책으로 완성됨)보다 느리다. 따라서 『醫方類聚』에서 인용하고 있는 『濟生續方』이 縮泉丸이라는 方名의 가장 이른 출처가 된다고 확정할 수 있다. 하지만 『醫方類聚』에서 인용하고 있는 『濟生續方』은 縮泉丸이라는 방제 명칭의 가장 이른 출처가 될 뿐 縮泉丸이라는 방제의 근원이 될 수는 없다. 이 방제의 기원은 『魏氏家藏方』(1227년 완성)이며 본래의 명칭은 固眞丹이다. 후대에는 모두 縮泉丸이라 불렀다.[1)]

2. 본 방제의 適應證에 대해: 尿頻·遺尿 이외에 현대에는 尿崩·流涎·乳泣·多涕·帶下·崩漏 등의 증상 치료에도 사용한다. 『素問』·「逆調論」에서는 "腎者水臟, 主津液."이라고 했고, 『類經附翼』卷3에서는 "腎者主水, 受五臟六腑之精而藏之. 故五液皆歸于精, 而五精皆統于腎."이라고 했다. 腎은 開闔을 관장하며 封藏之本이 된다. 腎 중의 精氣는 蒸騰氣化 하여 몸 전체의 水液代謝를 주재한다. 예를 들어 腎氣虧虛하여 氣化失常한 결과 固攝無權하면 尿液·涎唾·淚液·乳汁·汗液·精液 등 水液이 滑脫해서 스스로 멈춰지지 못하게 된다. 심한 경우 泄瀉·帶下·崩漏 등의 증상이 나타날 수도 있다. 이 방제는 益智仁을 사용해 脾腎을 따뜻하게 덥히고 津液을 붙잡아 둔다. 烏藥은 元氣를 조절하고 氣化작용을 돕는다. 山藥은 腎氣을 단단하게 고정하고 脾肺를 보충한다. 모두 합해지면 補腎溫陽化氣, 固攝水液滑脫 하는 방제가 된다. 따라서 腎氣虧虛하고 固攝無權하여 水液滑脫不禁에 속하는 증상들, 특히 尿頻·遺尿·小便淸長한 경우에는 모두 이 방제에 약물을 가감해 치료할 수 있다.

3. 方名의 含意에 대해: 縮은 收斂하고 減縮한다는 의미다. 泉은 본래 땅에서 물이 나온다는 것으로 小便을 비유한 것이다. "縮泉"이라고 명명해 이 방제에 縮斂小便하는 작용이 있음을 설명했다.

4. 益智仁에 대해: 益智仁은 辛溫한 약물로 行氣溫陽 할 수 있다. 酸澀하지 않아 斂攝의 성질을 지닌다. 『本草經疏』卷14에서는 "益智子仁, 以其斂攝, 故治遺精虛漏, 及小便餘瀝, 此皆腎氣不固之證也. 腎主納氣, 虛則不能納矣. 又主五液, 涎乃脾之所統, 脾腎氣虛, 二臟失職, 是腎不能納, 脾不能攝, 故主氣逆上浮, 涎穢泛濫而上溢也, 斂攝脾腎之氣, 則逆氣歸元, 涎穢下行."이라고 했다. 『本草求眞』卷3에서는 "益智, 氣味辛熱, 功專燥脾溫胃, 及斂脾腎氣逆, 藏納歸源, 故又號爲補心補命之劑. 是以胃冷而見涎唾, 則用此以收攝; 脾虛而見不食, 則用此溫理; 腎氣不溫, 而見小便不縮, 則用此鹽炒, 與烏藥等分爲末, 酒煮山藥粉爲丸, 鹽湯下, 名縮泉丸以投. 與夫心腎不足, 而見夢遺崩帶, 則用此以爲秘精固氣."라고 했다. 정리하자면 이 약물은 脾腎氣虛하고 腎氣不固한 증상에 대해 脾腎之氣를 斂攝하여 藏納歸源하게 하므로 流涎·遺尿·遺精·崩漏·泄瀉 등의 증상 치료에 자주 사용한다. 固脾腎·攝水液하는 중요 약물이라고 말할 수 있다.

【醫案】

1. 排便流淚症 『四川中醫』(1995, 8:53): 남자, 6세, 1992년 3월 10일 초진. 그의 부친이 대신 말하길, 아들이 대변이나 소변을 볼 때마다 마치 우는 것처럼 눈물을 흘린지 2달이 되었다. 진찰: 두 눈의 눈물 샘(淚道)은 모두 잘 뚫려 있었고, 결막은 充血되지 않았으며, 각막(–), 舌脈에 이상은 없었다. 腎氣虧虛으로 진단하고 이어서 縮泉丸에 山萸肉·枸杞·川斷을 추가했다. 5첩을 복용한 뒤 배변을 하며 눈물을 흘리는 증상이 절반으로 줄었다. 原方에 菟絲子를 추가해서 3첩을 더 복용시켰더니 치료됐다.

考察: 排便流淚症은 현대 의학에서도 별도의 병명이 없다. 眼科 전적에서도 관련 기록을 발견하지 못했다. 腎은 水을 주관하며 封藏의 근본이 된다. 五液을 주관하고, 二便도 주관한다. 정상적인 排便은 腎의 氣

化와 固攝 작용에 의지한다. 현재 腎氣虧虛해서 固攝할 수 없는 상태이기 때문에 배변을 할 때면 증상이 더욱 심해져 눈물이 대소변과 함께 나오는 것이다. 縮泉丸에 加味하여 溫補腎氣하고 收斂固澀하자 효과를 볼 수 있었다.

2. 多涕症『江蘇中醫雜誌』(1985, 4:47): 남자, 37세, 鼻病을 앓은지 반년이 되었다. 하루 종일 콧물을 흘렸다. 맑은 콧물이 줄줄 흘러 제어가 되지 않았다. 또 재채기를 심하게 했다. 치료를 받았지만 뚜렷한 효과는 없었다. 검사 결과 鼻腔에는 이상 증후가 없었다. 舌淡苔薄, 脈細했다. 이 증상은 腎氣不固해서 難攝涕液한 것이다. 溫腎固澀하는 것이 적절했기에 縮泉丸에 黃芪·白朮·烏梅를 추가했다. 5첩 복용하자 맑은 콧물이 바로 줄어들었고 연달아 15첩 복용하자 맑은 콧물이 흔적도 없이 사라졌다.

考察: "腎爲欠爲嚏"(『素問·宣明五氣篇』)하고 또 "夫津液涕唾, 得熱即干燥, 得冷則流溢, 不能自收"(『諸病源候論』卷29)하다. 콧물을 많이 흘리는 증상에 본 방제를 사용해 溫腎收澀하고 黃芪·白朮을 더해 補益肺氣했으며 烏梅로는 酸斂固澀했다. 標本兼顧했다.

3. 涎瘻『浙江中醫雜誌』(1987, 7:308): 남자, 27세, 입가에 침을 흘린지 15년이 되었다. 환자가 수술 치료를 원하지 않아서 中西 의학의 약물을 복용했지만 효과는 없었다. 최근 6개월 동안 병세가 더욱 심해져 말할 때마다 입가에서 침이 흘러나왔다. 面色少華, 脈沉遲, 舌邊有齒痕, 苔薄白滑했다. 증상은 脾腎陽虛, 氣化無權에 속한다. 縮泉丸을 매회 10 g, 하루 3회 복용하도록 했다. 3개월 동안 복용하게 했더니 흘리던 침이 마침내 멎었다. 1개월 동안 계속해서 복용시켜 치료 효과를 공고히 했다. 1년 후 방문에서 재발하지 않았음을 확인했다.

考察: 涎은 脾液이지만, 腎에 의해 관장된다. 또 "久病入腎"한다. 이 방제로 補腎固澀하고 溫脾攝涎한 결과 드디어 痼疾을 완치할 수 있었다.

4. 乳泣『陝西中醫』(1991, 12:550): 여자, 38세, 1987년 10월 30일 진료. 결혼한 지 10여년이 되었고, 평소 월경은 균일하게 진행됐다. 아들 1명, 현재 9살이었다. 1년 전 乳汁이 저절로 흘러나왔다. 양은 적었다. 어떤 의사에게 補中益氣의 방법으로 치료를 받은 후 멎었다. 2개월 간격을 두고 다시 乳汁이 저절로 흘러 나왔다. 다시 補中益氣의 방법으로 치료를 했지만 효과가 없었다. Estrogen·progesterone 등을 사용해 疏肝斂乳法으로 치료했지만 모두 뚜렷한 효과는 없었다. 여전히 乳汁이 종일 동안 멈추지 않고 줄줄 흘러서 옷을 흠뻑 적셨다. 겨울과 여름 모두 그러했다. 腰膝酸軟, 畏寒, 尿頻淸長, 性欲이 확연하게 감퇴되었고, 舌淡, 脈沉細했다. 이것은 下元虛寒, 衝任不固, 水泉失約해서 초래된 것이다. 縮泉丸(湯劑로 바꿈)에 桑螵蛸·仙靈脾·焦麥芽를 더했다. 12첩을 복용하자 乳汁이 뚜렷하게 감소했고 腰酸尿頻이 모두 호전됐다. 다시 5첩을 복용하자 乳汁이 바로 멈췄다. 六味地黃丸을 주어 뒷마무리를 했다. 3년 동안의 재방문 결과 아직 재발하지 않았다.

考察: 『女科經論』卷6에서 이르길: "若未産而乳自出者, 謂之乳泣."라고 했다. 乳는 陰血이 化한 것으로, 脾胃에서 生하고, 衝任에서 攝한다. 腎의 封藏·肝의 疏泄에 의지해서 조절한다. 본 증상은 腎氣虛寒하고 衝任不固하고 封藏失職해서 발생한 乳泣 증상이다. 따라서 縮泉丸加味 방제로 溫腎收澀하자 出奇制勝했다.

5. 泄瀉『湖北中醫雜誌』(1988, 5:51): 여자, 6개월, 1987년 6월 26일 초진. 泄瀉를 15일째 매일 3~5회씩 하고 있다. 대변은 죽과 같은 형상이었다. 처음 발생했을 때는 정신 상태나 음식 섭취에 문제가 없었다. 葛根芩連湯·藿香正氣散·附子理中湯 등을 복용했지만 효과가 없었다. 최근 병세가 심해져 대변을 하루에 15회 이상 보았고, 대변 색깔은 푸른색을 띠었으며 물설사를 했다. 정신은 파리했고, 안색은 창백했으며, 두 눈은 움푹 꺼졌고, 舌淡苔白했다. 두 번째 손가락 指紋은 담

홍색이 깊고 가늘게 氣關에까지 도달했다. 이 증상은 脾腎陽虛의 경우에 속하므로 溫攝化氣를 위주로 하면서 利濕和胃를 겸해 치료해야 한다. 縮泉丸에 蒼朮·茯苓·檳榔·炙甘草를 더해 주었다. 1첩을 복용하자 증상이 감소했으며 그대로 2첩 복용시키자 완치되었다.

考察: 腎은 水를 주관하고, 胃의 關이 된다. 腎氣虧虛하여 氣化를 관장하지 못하자, 수(水)가 장(腸) 사이로 들어가게 됐다. 關閘不藏하여 洞泄이 조절되지 않게 된 것이다. 본 방제에 加味해서 溫攝化氣하며 利濕和胃를 겸하자 효과를 보았다.

6. 帶下『陝西中醫』(1991, 12:550): 여자, 46세, 帶下가 계속 이어진지 벌써 6개월이 넘었다. 산부인과 검사 후 "자궁 경부 미란"으로 진단을 받았다. 양약을 外用하고 中藥으로 完帶湯·易黃湯 등 사용해 치료했지만 모두 뚜렷한 효과를 내지 못했다. 진찰 결과: 帶下의 양이 많고 물처럼 묽었으며 냄새는 없었다. 陰部濕冷, 腰尻酸重, 畏寒肢冷, 尿頻淸長, 性欲減退, 舌淡胖, 脈沉細했다. 이것은 下元虛寒하여 帶脈失約한 경우였다. 縮泉丸에 鹿角霜·烏賊骨·煅牡蠣을 넣고 물에 달여 복용하도록 했으며 약 건더기는 다시 달여 좌욕하도록 했다. 9첩만에 증상이 크게 감소했다. 계속해서 5첩 복용시켰더니 나았다. 방문 조사 2년 동안 재발하지 않았다.

考察: 帶脈은 肝腎에 속한다. "下焦腎氣虛損, 帶脈漏下"(『女科經綸』卷7)하다. 본 醫案은 腎氣虛損하여 帶脈失約한 경우이므로 본 방제에 加味해서 溫腎祛寒하고 固澀收斂했다.

7. 崩漏『陝西中醫』(1991, 12:550): 여자, 34세, 월경이 멈추지 않고 줄줄 흐른지 이미 3개월이 지났다. 중약 양약 치료를 모두 받았지만 효과는 분명하지 않았다. 현재 經血淋瀝不盡, 色淡質稀, 少腹冷痛, 喜溫喜按, 腰尻酸重, 畏寒怕冷, 尿頻, 舌淡胖, 脈沉細하다. 이것은 下元虛寒, 衝任不固, 血海不藏, 水泉失約 한 것이었다. 縮泉丸에 益智仁을 重用하고 鹿角膠·烏賊骨·茜草炭·炮薑炭을 더했다. 5첩을 복용하자 血量이 뚜렷하게 감소했고, 모든 증상이 전반적으로 줄어들었다. 계속해서 3첩을 복용하자 출혈이 멎었다. 이후 六味地黃丸으로 마무리를 했다. 1년 동안의 방문조사에서 월경이 정상으로 유지됐다.

考察: 崩漏에 縮泉丸 등을 사용하는 이유는 補腎固攝, 塞流蓄液에 있다. 『經效産寶』에서는 益智仁 만을 사용해 "婦人崩中"(『中藥大辭典』)을 치료하기도 했다. 그래서 益智仁을 중용했다.

8. 逆行射精『男科學報』(1999; 9:183): 남자, 31세, 1994년 4월 초진. 주소증은 결혼한지 3년이 되었는데도 아이가 없는 것이었다. 부부 관계를 할 때면 절정기는 있었지만 정액이 배출되지는 않았다. 부부 관계 이후 尿液에서 대량의 精子를 찾아 볼 수 있어 逆行射精으로 진단했다. 환자는 비뇨기 계통에 외상으로 인한 수술을 받거나 감염된 적이 없었다고 했다. 다만 어렸을 때 오줌을 싼 경험은 있다고 했다. 舌質淡紅, 舌體略胖, 邊有齒痕, 苔薄白, 尺脈沉했다. 선천적인 禀賦가 부족하고, 脾腎虧虛하여, 固攝失權하고 膀胱不約 한 증상에 속했다. 치료는 溫腎健脾, 固攝通精으로 이뤄졌다. 縮泉丸 240 g을 6 g씩 매일 3회 복용하도록 했다. 2주 후 이뤄진 재진에서 精液이 정상 배출됐다고 했다. 6개월 후 그의 아내가 임신했음을 알게 됐다.

考察: 의사들이 縮泉丸으로 위의 병증을 치료한 2례를 보고한 바 있다. 환자는 모두 선천적인 禀賦가 부족하고, 脾腎虧虛하여, 固攝失權, 膀胱不約 한 것으로 小兒遺尿의 病機와 비슷했다. 위의 약을 증상에 맞게 활용해 치료했다.

【參考文獻】

1) 孫世發. 縮泉丸方來源淺析. 中醫雜誌. 1994;35(7):439.

第五節 固崩止帶劑

固衝湯

(『醫學衷中參西錄』上冊)

【組成】白朮 炒 一兩(30 g) 生黃芪 六錢(18 g) 龍骨 煅, 搗細 八錢(24 g) 牡蠣 煅, 搗細 八錢(24 g) 萸肉 去净核 八錢(24 g) 生杭芍 四錢(12 g) 海螵蛸 搗細 四錢(12g) 茜草 三錢(9 g) 棕邊炭 二錢(6 g) 五倍子 軋細, 藥汁送服 五分(1.5 g)

【用法】물에 달여 복용한다.

【效能】固衝攝血, 健脾益氣.

【主治】衝脈滑脫에 의한 崩漏를 치료한다. 갑자기 血崩이 발생하거나 漏下不止하고, 頭暈肢冷, 神疲氣短한다. 脈象은 微弱하거나 微細하고 힘이 없다.

【病機分析】張錫純은 "女子血崩, 因腎臟氣化不固, 而衝任滑脫也"(『醫學衷中參西錄』 中冊), "人之血海, 其名曰衝. 在血室之兩旁, 與血室相通. 上隶于胃陽明經, 下連于腎少陰經. 有任脈以爲之担任, 督脈爲之督攝, 帶脈爲之約束"(『醫學衷中參西錄』上冊에 수재됨)이라고 했다. 만약 脾胃가 튼튼하고 왕성하며, 氣血生化에 원천이 있으면 衝脈이 盛하고, 血海가 盈하게 된다. 腎氣健固, 封藏有司하면 月事가 때를 맞춰 나오게 된다. 지금은 腎氣不固하고, 衝脈滑脫하여 血下如崩하거나 漏下難止한 것이다. 氣는 血之帥가 되고, 血는 氣之母가 되므로, "當其血大下之後, 血脫而氣亦隨之下脫"(『醫學衷中參西錄』 上冊)하여 頭暈, 肢冷, 氣短한 것이다. 神은 血氣之性으로 氣血이 모두 손상을 받으면 心神失養해서 精神疲憊하게 된다.

【配伍分析】본 방제는 腎氣不固하고 衝脈滑脫한 崩漏 증상을 치료하기 위해 설정됐다. "然當其血大下之後, 血脫而氣亦隨之下脫……此證誠至危急之病也"(『醫學衷中參西錄』上冊)하니 위급한 경우에는 마땅히 표면에 드러난 병증을 치료해야 한다. 『素問』·「至眞要大論」의 "散者收之, 損者溫之" 및 『素問』·「三部九候論」의 "虛則補之" 치료 원칙에 근거해 固澀溫補를 治法으로 삼고 "氣化不固者固攝之"(『醫學衷中參西錄』上冊)를 위주로 치료한다. 腎氣不固하고 崩漏不止하면 元氣가 그것을 따라 매우 쉽게 滑脫하게 된다. 山萸肉은 性味가 甘酸하고 溫해서 補益肝腎 할 뿐 아니라 收斂固澀하여 衝任을 묶어둘 수 있다. "大能收斂元氣, 振作精神, 固澀滑脫"(『醫學衷中參西錄』中冊)하므로 이를 重用해서 君藥으로 삼는다. 龍骨은 甘澀해서 "能收斂元氣·鎭安精神·固澀滑脫", "治女子崩帶"(『醫學衷中參西錄』中冊) 할 수 있다. 牡蠣는 鹹澀收斂해서 "固精氣, 治女子崩帶"(『醫學衷中參西錄』中冊) 할 수 있다. 또한 龍骨·牡蠣를 煅用하면 "收澀之力較大, 欲借之以收一時之功也"(『醫學衷中參西錄』上冊)하게 된다. 모두 君藥을 보조해서 固澀滑脫하므로 臣藥이 된다. 錫純은 매 번 위의 세 가지 약물을 함께 사용해 收斂止血하거나 元氣가 사라지려는 것을 구원했다. 脾는 主統血하고 後天之本이 되기 때문에 氣隨血脫하므로 益氣攝血해야 한다. 白朮은 補脾益氣하여 "爲後天資生之要藥"(『醫學衷中參西錄』中冊)이 되고, 中焦氣化를 도와서 健運統攝한다. 나아가 鞏固下焦 할 수 있다. 黃芪는 "既善補氣, 又善升氣", "黃芪升補之力, 尤善治流産崩滯"(『醫學衷中參西錄』中冊)한다. 두 약물은 甘溫補氣한다. 脾氣健旺해지면 統攝有權하며 또한 臣藥이 된다. 生白芍은 味酸收斂해서 補益肝腎하고 養血斂陰하니 "能斂外散之氣以返于裏者也"(『本草思辨錄』卷1)라고 했다. 棕櫚炭·五倍子는 味澀收斂해서 收澀止血에 뛰어나다. 또 海螵蛸·茜草 두 약과 配伍되면, "兩藥大能固澀下焦, 爲治崩之主藥也"(『醫學衷中參西錄』上冊)하니 化瘀止血을 잘해 출혈은 멎더라도 瘀血이 머물러 있는 폐단은 발생하지 않도록 한다. 이상은 모두 佐藥이 된다. 위의 모든 약물을 함께 사용하면 固衝攝

血하고 益氣健脾한다.

본 방제의 配伍 특징은 다음의 두 가지다. 첫 번째, 여러 가지 斂澀藥을 사용해 固澀滑脫을 위주로 하면서 두 가지 補氣藥을 配伍해 固攝을 보조한다. 澀補를 겸하고 있는데 그 의도는 急則治標에 있다. 두 번째, 대량의 收澀止血藥에 소량의 化瘀止血하는 약물을 配伍하여 출혈이 멎더라도 瘀血은 남아있지 않게 한다.

본 방제는 固衝攝血의 작용이 있으므로 "固衝湯"이라고 부른다.

【臨床應用】

1. 證治要點: 본 방제는 衝脈滑脫에 의해 발생한 崩漏에 사용한다. 갑자기 血崩하거나 漏下한 증상이 멎지 않고, 頭暈肢冷, 神疲氣短, 脈象微弱한 것이 증상 치료의 요점이다.

2. 加減法: "脈象熱者加大生地一兩; 凉者加烏附子二錢; 大怒之後, 因肝氣衝激血崩者, 加柴胡二錢. 若服兩劑不愈, 去棕邊炭, 加眞阿膠五錢, 另炖同服. 服藥覺熱者宜酌加生地"(『醫學衷中參西錄』中冊)라고 했다. 이밖에 氣虛가 심한 경우에는 黨參을 더해 益氣하고, 氣虛下陷한 경우에는 黃芪를 重用하고 升麻·柴胡를 더해 升陽擧陷한다. 만약 神志萎靡·面色蒼白·身冷汗出, 脈微欲絶 증상을 겸해 陽脫의 증상을 보인다면 반드시 黃芪를 중용하고 參附湯과 배합해 益氣回陽救脫 해야 한다.

3. 固衝湯은 다음 한국표준질병사인분류(KCD)에 해당하는 환자가 衝脈滑脫證으로 辨證되는 경우 본 처방의 사용을 고려해볼 수 있다.

처방 목표	한국표준질병사인분류(KCD)
功能性子宮出血	N93.8 기타 명시된 이상 자궁 및 질 출혈_기능성자궁출혈

처방 목표	한국표준질병사인분류(KCD)
産後出血過多	O72 분만후 출혈
	O86 기타 산후기감염
	O90 달리 분류되지 않은 산후기의 합병증
流産後持續出血	O08.1 유산, 자궁외임신 및 기태임신에 따른 지연 또는 심한 출혈
潰瘍病	(질병명 특정곤란)
崩漏	N93.9 상세불명의 이상 자궁 및 질 출혈_붕루

【注意事項】 血熱妄行한 경우에는 사용을 금한다. 본 방제는 겉으로 드러난 병증을 치료하는 방제로 출혈이 멎게 되면 반드시 병의 근원을 찾아 그 뿌리를 제거하거나 근본적인 허약함을 배양해 과거의 상태로 복구시켜야 한다.

【變遷史】 이 방제는 張錫純의 『醫學衷中參西錄』에서 유래했다. 그중 "治女科方"에서 "固衝湯: 治婦女血崩."라고 했다. 張氏는 淸末과 中華民國 初期의 의학자다. 『醫學衷中參西錄』은 그의 일생에 걸친 임상 경험의 총결로 독창적인 견해가 다수 포함되어 있다. 張氏는 『素問』·「上古天眞論」의 "太衝脈盛, 月事以時下, 故有子"에서 영감을 얻어 월경 출산과 관련된 모든 병증에 衝脈을 중요하게 여겼으며, 溫衝湯 조문 하단 중에 "女子不育, 多責之衝脈. 鬱者理之, 虛者補之, 風襲者祛之, 濕勝者滲之, 氣化不固者固攝之, 陰陽偏勝者調劑之"(『醫學衷中參西錄』上冊)라고 하여 衝脈을 치료하는 모든 치료법을 확립했다. 이어 理衝湯·安衝湯·溫衝湯 등 衝脈을 치료하는 관련 방제들을 제시했다. 이 방제가 바로 그중의 하나다. "衝脈滑脫"(『醫學衷中參西錄』中冊)에 의한 崩中漏下 치료에 사용한다. 이 방제는 후세 의학자들에 의해 崩漏를 치료하는 대표 방제로 받들어졌으며, 현재 임상에서는 基本方로써 자주 활용되고 있다. 증상에 맞게 가감한다.

어떤 의학자는 본 방제에 대해 『內經』의 四烏賊骨一茹丸에서 변화 발전되어 온 것이라고 했다(『中國醫學

百科全書』「方劑學」). 그러나 본 방제의 수립 원칙, 사용 방법을 분석해보면 李時珍의 영향을 받은 것 같다. 李時珍은 『本草綱目』卷1에서 "澀劑"에 대해 논술하며, "……崩中暴下……皆血脫也. 牡蠣·龍骨·海螵蛸·五倍子……棕炭……之類, 皆澀藥也. 氣脫兼以氣藥, 血脫兼以血藥及兼氣藥, 氣者血之帥也."라고 말했다. 이것으로 固衝湯을 풀이하면 모든 것이 빈틈이 풀이된다. 血脫은 氣를 따라 발생한 脫에 해당하므로 "澀補"로써 치료해야 한다. "澀藥"을 위주로 삼아 "血藥" 및 "氣藥"을 약간 넣고 조금 조절하면 본 방제가 된다.

【難題解說】

1. 본 방제의 主治에 대해: 張錫純은 原方 뒤에 證候에 대해 별다른 서술을 하지 않았다. 또 방제 중의 白朮 용량이 一兩에 달하기 때문에, 후세의 많은 의가들은 脾虛에 입각해 본 방제의 치료 증상을 설명했다. 예를 들어 『方劑學』(공통교재 6판)에서는 본 방제의 主治를 "脾氣虛弱, 衝脈不固證. 血崩或月經過多, 色淡質稀, 心悸氣短, 腰膝酸軟, 舌淡·脈微弱者."라고 했다. 『醫學衷中參西錄』에 기록된 "論血崩治法"을 살펴보면 "女子血崩, 因腎臟氣化不固, 而衝任滑脫也. 曾拟有固衝湯, 脈象熱者加大生地一兩……"(『醫學衷中參西錄』中冊)이다. 이를 통해 張氏는 衝脈滑脫로 인한 血崩이 腎氣不固에 해당할 경우 이 방제를 활용했음을 알 수 있다. 『醫學衷中參西錄』에 기록된 固衝湯 醫案 6개 중 張錫純이 치료한 것이 1례, 그의 아들이 치료한 것이 2례, 다른 의사가 치료한 것이 3례이다. 임상에서 나타나는 증상은, 갑자기 下血을 하더니 이틀 동안 멎지 않고, 정신이 흐리멍텅해져서 말을 잊지 못하고(昏憒不語) 온몸이 싸늘해지고(周身皆凉) 脈이 微弱하고 遲하다. 혹은 下血證이 갑자기 위중해져 한나절 만에 숨이 곧 멎을 것 같고(氣息奄奄) 정신을 잃어 혼미한 상태에 빠지며(不省人事) 右寸關의 脈이 물 위에 셀 수 없을 만큼의 참깨가 떠 있는 듯 미약하게 나타나고 좌측 부위의 脈은 나타나지 않는다. 生黃芪를 灌服한 뒤 숨이 밖으로 내쉬어지지 않고 간혹 大便을 보고 싶은 느낌이 들거나 脈이 비정상적으로 微細하다. 혹은 血崩이 갑자기 심해진다. 혹은 小産 후 출혈이 멎지 않고 한 달 넘게 길어진다. 여러 의사들에게 치료를 받았으나 효과가 없고, 脈微細而數하다. 혹은 月經이 기간이 지났음에도 멎지 않고 어떤 치료를 받아도 효과가 없으며 脈微細無力하다. 혹은 유산한지 10일이 지났음에도 갑자기 下血을 심하게 하고, 頭暈腹脹하며, 脈小無力한다. 정리하자면 病勢가 위독한 血崩이 발생하거나 혹은 오랫동안 치료되지 않는 漏下가 있으며, 頭暈身冷하고, 숨이 밖으로 내쉬어지지 않고, 심할 때는 숨이 곧 멎을 것 같고(氣息奄奄), 정신이 흐리멍텅해져 말을 잊지 못한다(昏憒不語). 脈象은 微弱하거나 微細無力 하는 등 氣血欲脫의 표현을 나타낸다. 위의 여러 醫案에서 기재된 증상을 종합하면 본 방제의 主治 대상에 가장 부합하는 증상은 衝脈滑脫에 의한 崩漏으로 갑자기 血崩이 발생하거나 漏下不止하고 頭暈肢冷하고 神疲氣短하며 脈象微弱하거나 微細無力한 것이다.

2. 본 방제의 君藥에 대해서: 『古今名方發微』·『醫方發揮』·『方劑學』(공통교재 4版·6版) 등의 당대의 여러 방제학 저작들은 모두 白朮·黃芪를 君藥으로 삼았다. 이것은 張錫純의 본의를 상실한 것이다. 이 방제를 살펴보면 腎氣不固하고 衝脈滑脫한 증상을 치료하기 위해 만들어졌다. 張氏는 "氣化不固者固攝之"하기 때문에 "玆方中多用澀補之品"한다고 했다. "固攝"는 固澀收攝하고 固衝攝血하는 것으로 "固"를 우선한다. "澀補"는 固澀補益으로 澀補相兼하지만 "澀" 위주다. 張氏는 方後의 해석 중에서 "若其證初得, 且不甚劇, 又實系肝氣下衝者, 亦可用升肝理氣之藥爲主, 而以收補下元之藥輔之也."라고 했다. 그 약물들을 자세히 살펴보면 만약 血崩이 갑자기 심해지거나 漏下가 오랫동안 멎지 않을 경우에는 "收補下元之藥"을 위주로 방제를 구성해야 한다. 따라서 본 방제의 君藥은 固澀의 성질을 지니고 있고 "收補下元"할 수 있어야 한다. 방제를 살펴보면 白朮의 용량이 가장 많고, 龍骨·牡蠣·山萸肉의 용량은 그 다음이다. 常用量과 비교해보면 白朮·山萸肉은 모두 重用하고 있는 편에 속한다. 白朮은 "善健脾胃, 消痰水, 止泄瀉……爲後天資生之要藥"(『醫學

衷中參西錄』中冊)하지만 斂澀의 성질은 지니고 있지 않다. 張氏가 예전에 한 여인을 치료한 적이 있었는데, 行經下血이 멎지 않고, 약을 복용한 지 열흘이 지나도 효과는 없고 증세는 더욱 심해져 위태로울 지경이었다. 飮食不消하여 大便이 滑瀉했기 때문에 "知其脾胃虛甚, 中焦之氣化不能健運統攝, 下焦之氣化因之不固也" 하여 下血을 치료하는 약물 중에 白朮 등을 넣고 1첩 복용하도록 했더니 출혈이 바로 멎었다(『醫學衷中參西錄』中冊). 이로 미루어 볼 때 白朮을 崩漏 치료에 사용하는 것은 中焦氣化가 健運統攝하는 것을 보조해서 간접적으로 下焦를 튼튼하게 만들려는 것이 그 목적이며 이것이 바로 白朮이 본 방제에서 수행하는 작용이다. 따라서 白朮은 君藥으로 보기에 적합하지 않다. 黃芪는 收斂下元 작용을 지니고 있지 않다. 張氏는 黃芪를 사용해 자주 "胸中大氣下陷" 또는 "氣虛下陷"으로 인한 崩漏·帶下를 치료했다. 이 또한 君藥으로 적합하지 않다. 반면 山萸肉은 곧장 下焦肝腎을 補할 수 있고 또 收斂固澀에 뛰어나다. 張錫純은 "山萸肉味酸性溫, 大能收斂元氣, 振作精神, 固澀滑脫"; "山萸肉之性, 又善治內部血管或肺絡破裂, 以致咳血·吐血久不愈者"(『醫學衷中參西錄』中冊)하다고 했다. 따라서 마땅히 山萸肉이 君藥이 되어야 한다. 이밖에도 張氏는 "元氣詮" 중에서 "救元氣之將脫, 但服補氣藥不足恃, 惟以收澀之藥爲主, 若萸肉·龍骨·牡蠣之類, 而以補氣之藥輔之……其下脫者, 宜輔以人蔘·黃芪; 若下焦泄瀉不止, 更宜加白朮以止瀉. 此乃臨時救急之法"(『醫學衷中參西錄』中冊)이라고 했다. 張氏가 여러 醫案에서 이야기했던 氣血兩脫에 대한 논술과 본 方證의 病機를 연관시켜볼 때 본 방제에서 山萸肉를 사용하는 목직이 "收斂元氣, 振作精神, 固澀滑脫"에 있음은 어렵지 않게 찾아볼 수 있다.

3. 본 방제의 유래에 대해서: 張錫純은 "論血崩治法" 중에서 四烏賊骨一茹丸은 "原治傷肝之病, 時時前後血, 固衝湯中用此, 實遵『內經』之旨也"(『醫學衷中參西錄』中冊)라고 했다. 이 설명에 따르면 固澀止血 작용이 매우 강한 또 많은 약물들로 구성된 固衝湯이 완전히 四烏賊骨一茹丸에서 유래된 것으로 설명되지만, 중간에 마치 어떠한 필요한 부분이 빠진 것 같다. 李時珍은『本草綱目』卷1에서 "澀劑"에 대해 "下血不已, 崩中暴下, 諸大亡血, 皆血脫也. 牡蠣·龍骨·海螵蛸·五倍子·五味子·烏梅·榴皮·訶黎勒·罌粟殼·蓮房·棕炭·赤石脂·麻黃根之類, 皆澀藥也. 氣脫兼以氣藥, 血脫兼以血藥及兼氣藥, 氣者血之帥也."라고 했다. 張氏가 주장한 "血脫而氣亦隨之下脫", "玆方中多用澀補之品"과 "澀藥"을 重用하는 것과 연결시켜보면, 이 방제는 위에서 언급한 "澀藥"으로 주로 止血을 하면서 "血藥"인 芍藥과 "氣藥"인 白朮과 黃芪로 斂攝升補 작용을 보충하는 방식으로 組成되어 있다. 어렵지 않게 두 가지 논의가 일맥상통하고 있음을 알 수 있다. 이렇게 논의해보면 본 방제는 李時珍의 논술과 매우 깊은 淵源관계에 있다.

【醫案】

1. 血崩『醫學衷中參西錄』上冊: 부인, 30여 세. 갑자기 下血을 하더니 이틀째 멎지 않았다. 진찰을 해보니 이미 정신이 흐리멍텅해져 말을 잇지 못했고(昏憒不語), 온몸이 싸늘하고(周身皆涼), 脈이 微弱하고 遲했다. 氣血이 장차 脫하려 하고 있고, 元陽 역시 脫하려 한다는 것을 알 수 있었다. 급히 固衝湯을 사용했다. 白芍은 제거하고 野台參 八錢, 烏附子 三錢을 추가했다. 1첩을 복용하자 출혈이 멈추고 전신에서 열이 나며 精神이 회복됐다. 白芍을 더해 다시 1첩을 복용시켜 뒷마무리를 했다. 첫째 아들(長子) 음조(蔭潮)가 한 부인을 치료했는데 40여 세 가량이었다. 갑작스럽게 下血證을 얻었고 몹시 위중했다. 한나절 만에 숨이 곧 멎을 것 같았고(氣息奄奄), 정신을 잃어 혼미한 상태였다(不省人事). 환자의 脈은 右寸關에서 미약하게 나타났으며 마치 셀 수 없을 만큼의 참깨가 물위에 떠있는 것 같았다. 좌측 부위의 脈은 모두 나타나지 않았다. 生黃芪 一兩을 급히 써서, 센 불로 여러 차례 끓어오르도록 달여 복용시키자 六部脈이 모두 나타났다. 여전히 비정상적으로 脈微細하고 출혈이 멎지 않았다. 환자의 상태를 살펴보니, 숨이 밖으로 내쉬어지지 않고 간혹 大便을 보고 싶은 느낌이 들어 大氣下陷에 의한 것임

을 알 수 있었다. 바로 固衝湯을 처방하고 黃芪를 一兩으로 바꿔 사용했다. 오전 11시에 약을 복용했고 밤 3시가 되자 평소와 같이 나았다.

考察: 위의 두 醫案은 모두 崩中重症이었기에 이 방제를 사용해서 치료 효과를 보았다. 첫 번째 醫案에서는 이미 陽氣虛脫한 상황이었기에 參附湯을 더해 급히 回陽했다. 두 번째 醫案에서는 大氣陷下 했기에 黃芪를 重用해서 升提陽氣했다.

2. 漏下『醫學衷中參西錄』中冊: 天津 張華亭君의 부인, 24세. 小産 후 출혈이 멎지 않은지 한 달이 넘었다. 여러 차례 의사의 치료를 받았지만 효과가 없었다. 脈象을 살펴보니, 微細而數해서 固衝湯을 처방했다. 脈數하기 때문에 生地 一兩을 추가했다. 복약 후 병증이 조금 덜해지는 것 같았지만 큰 효과를 보지는 못했다. 반복해서 생각해도 그 이유를 알 수 없었다. 약의 가격이 지나치게 싼 것에 대해 자세히 물어보다가 이 지역 약방에서 판매하는 黃芪에 진품이 있고 위품이 있다는 말이 문득 떠올랐다. 이 방제로 효과를 보지 못한 것이 아무래도 黃芪의 품질이 나빠서였던 것 같았다. 北黃芪로 바꾸고 연속해서 2첩 복용시키자 완치되었다.

考察: 小産 후 漏下不止한 증상에 본 방제를 사용했지만 치료 효과를 보지 못했다. 방제가 증상에 맞지 않았던 것이 아니라 약이 위품이어서 질이 나빴기 때문이었다. 北黃芪로 바꾸자 바로 치료됐다. 이를 통해 黃芪의 益氣攝血 효력이 매우 강함을 알 수 있다.

3. 陰吹『甘肅中醫學院學報』(1995, 4:18): 여자, 28세, 1982년 9월 15일 초진. 2개월 전에 아이를 처음 출산했다. 출산 후 점점 기운이 陰户 쪽으로 내려간다고 느껴졌으며, 소리가 계속해서 발생했다. 마치 방귀를 뀌는 것 같았지만 냄새는 나지 않았고 움직일수록 그 정도가 더해졌다. 전에 十全大補·補中益氣 류의 방제를 약 50여첩 복용했지만 아직 낫지 않았다. 진찰을 해보니, 다음과 같았다. 精神不振, 少氣懶言, 心悸, 自汗, 嗜臥, 腰膝酸軟, 大便時乾時溏, 帶多質稠, 間夾血縷, 舌淡苔白, 脈沉細. 출산 후 脾腎虛憊하고 衝任失固한 경우에 해당했다. 益氣健脾하고 補腎固衝하는 방법으로 치료했다. 固衝湯에 升麻·柴胡를 더해 3첩 투여했다. 두 번째 진찰에서 환자가 陰戶에서 나는 소리가 분명하게 줄어들었고, 발생 횟수도 뚜렷하게 감소했다고 말했다. 精神 상태도 약간 좋아지고 帶下血縷도 멎었다고 했다. 약이 병증에 적중해 효과를 내면 방제를 바꾸지 않는다. 계속해서 6첩을 복용하고 완전히 나았다. 3년 동안의 방문에서 재발하지 않았다.

考察: 출산 후 脾腎虛憊하고 衝任不固 했기에 본 방제에 升麻·柴胡를 더했다. 補益固攝 했을 뿐 아니라 升提陽氣도 겸했다.

固經丸

(『丹溪心法』卷5)

【異名】 樗白固經丸(『簡明醫彀』卷7)·固經湯(『葉熙春醫案』).

【組成】 黃芩 炒 白芍 炒 龜甲 炙 各一兩(各 30 g) 黃柏 炒 三錢(9 g) 椿樹根皮 七錢半(22.5 g) 香附子 二錢半(7.5 g)

【用法】 위의 약물을 가루 내어 풀에 술을 섞어 벽오동 열매 크기의 환을 빚는다. 매번 50알씩(6 g) 공복에 溫酒나 白湯으로 복용한다.

【效能】 滋陰淸熱, 固經止血.

【主治】 崩中漏下. 經水가 월경 주기가 지났는데도 멎지 않거나, 下血量이 과하게 많거나, 月經 주기가 앞당겨 지거나, 血色이 深紅이거나 紫黑하면서 稠黏하

며, 手足心熱, 腰膝酸軟, 舌紅, 脈弦數하다.

【病機分析】 본 방제가 치료하는 崩中漏下는 陰虛內熱에 의한 것이다. 肝腎陰虛하면, 相火가 熾盛해서, 衝任이 손상을 받고, 迫血妄行해서, 經水가 월경 주기가 지났는데도 멎지 않게 된다. 또는 下血量이 많거나, 月經 주기가 앞당겨 지거나, 血色이 深紅이나 紫黑하면서 稠黏하다. 『素問』·「陰陽別論」에서 이야기한 것처럼 "陰虛陽搏謂之崩."한다. 陰虛火旺하면 手足心熱하고 腰膝酸軟한다.

【配伍分析】 본 방제는 陰虛火旺으로 崩中漏下하는 것을 치료하기 위해 만들어 졌다. 『素問』·「三部九候論」에서 이야기한 "虛則補之" 및 『素問』·「至眞要大論」에서 이야기한 "熱者寒之"·"散者收之"의 치료원칙에 근거해 滋陰淸熱, 固經止血을 治法으로 선정했다. 방제 중의 龜甲은 맛은 鹹甘하고 성질은 平해서 益腎滋陰而降火하게 한다. 朱震亨은 "龜甲補陰, 乃陰中之至陰也"(『丹溪心法』卷1)라고 했고, 『神農本草經』卷1에서는 "主漏下赤白"이라고 했다. 白芍은 苦酸微寒해서 斂陰益血하여 養肝한다. 두 약물을 重用해 君藥으로 삼는다. 黃芩은 苦寒해여 淸熱止血한다. 黃柏은 苦寒하여 瀉火堅陰한다. 모두 臣藥이 된다. 黃芩·黃柏은 "降火, 非陰中之火不可用"(『丹溪心法』卷1)하다. 椿根皮는 苦澀而凉해서 淸熱固經하고 收澀止血한다. 香附는 辛苦微溫해서 舒肝解鬱하고 理氣調經하는 효능이 뛰어나다. 소량을 방제에 넣고 보좌하면 寒凉한 성질이 태과해 止血留瘀 하는 우려가 없게 된다. 두 약물을 모두 佐藥으로 삼는다. 酒를 넣고 개어서 환을 빚거나 溫酒로 복용하면 약물들을 導引하고 藥勢를 조절한다. 使藥이 된다. 모든 약물을 함께 사용하면 陰血을 자양할 수 있고, 火熱을 식힐 수 있다. 氣血調暢하면 모든 증상이 저절로 치유된다.

본 방제의 配伍 특징은 두 가지다. 첫째는 甘寒滋養 하되 苦寒淸泄로 보조한다. 그 의도는 壯水制火에 있다. 둘째는 苦澀寒凉 하되 辛溫行散을 佐使한다. 그 효능은 澀而不滯이다.

본 방제는 崩漏에 사용하며 固經止血하므로 "固經丸"이라고 부른다.

【類似方比較】 이 방제와 固衝湯은 모두 固崩止帶劑에 속하며, 固澀止血의 작용이 있어 崩漏下血 치료에 사용할 수 있다. 이 방제의 약물은 대부분 苦寒해서 淸熱滋陰한 효능이 뛰어나다. 收澀하는 효력은 비교적 약학 편이어서 陰虛火旺하고 迫血妄行한 崩中漏下에 사용한다. 固衝湯은 澀과 補를 병용한다. 斂澀하는 힘이 비교적 강한편이다. 益氣健脾의 치료 효과를 兼하고 있다. 腎氣不固하고 衝脈滑脫하여 발생한 崩漏下血의 치료에 사용한다.

【臨床應用】

1. 證治要點: 본 방제는 陰虛火旺하고 經行不止하는 것을 치료하는 常用方劑이다. 血色이 深紅한 것이 심하거나 紫黑稠黏하며, 舌紅, 脈弦數한 것을 증상 치료의 요점으로 삼는다.

2. 加減法: 陰虛內熱이 심하지 않은 경우에는 黃柏을 제거하고 女貞子·墨旱蓮을 酌加해서 養陰凉血止血한다. 出血이 오랫동안 멎지 않은 경우에는 龍骨·牡蠣·烏賊骨·茜草炭을 酌加해서 固澀止血한다.

3. 固經丸은 다음 한국표준질병사인분류(KCD)에 해당하는 환자가 陰虛內熱證으로 辨證되는 경우 본 처방의 사용을 고려해볼 수 있다.

처방 목표	한국표준질병사인분류(KCD)
功能性子宮出血	N93.8 기타 명시된 이상 자궁 및 질 출혈_기능성자궁출혈
人流術後月經過多	O08.1 유산, 자궁외임신 및 기태임신에 따른 지연 또는 심한 출혈
慢性附件炎이 일으킨 月經過多	N70.1 만성 난관염 및 난소염

처방 목표	한국표준질병사인분류(KCD)
赤白帶下	N89.8 질의 기타 명시된 비염증성 장애
痢疾	A03 시겔라증
	A00~A09 장감염질환
遺精	U71.0 신기허증(腎氣虛證)
崩漏	N93.9 상세불명의 이상 자궁 및 질 출혈_붕루
泄瀉	(질병명 특정곤란)
	K59.1 기능성 설사
	K52.9 상세불명의 비감염성 위장염 및 결장염

【注意事項】 血瘀에 속하는 經漏에 이 방제를 사용하는 것은 옳지 않다.

【變遷史】 본 방제는 元·朱震亨의 『丹溪心法』卷5 "治經水過多"에서 유래했다. 하지만 原書에는 方名이 없다. 方名은 『醫方類聚』卷210에서 인용한 『新效方』에서 처음 보인다. 朱震亨은 劉完素의 再傳弟子로 劉氏의 火熱論에 영향을 받아 "陰不足而陽有餘"(『格致餘論』·「序」)를 제창하며, 腎精은 만들어지기는 어렵지만 손상되기 쉽고, 肝腎의 相火하는 妄動하기 쉬워 "由腎水眞陰虛, 不能鎭守胞絡相火, 故血走而崩"(『丹溪手鏡』卷下)한다고 주장했다. 邪火亢盛하고 陰精不足한 증상에 滋陰降火하는 방제를 습관적으로 사용했으며 이 방제는 朱氏의 이러한 學術思想을 보여주고 있다. 후대에 陰虛火旺에 의한 崩中漏下를 치료하는 많은 방제들이 이 방제로부터 나왔다. 이들 衍化方은 주로 다음 두 종류로 나눠 볼 수 있다. ① 經水過多를 치료한다.『醫學便覽』卷4의 固經丸은 본 방제에 生地·白朮을 더해 부인의 經水過多, 淋漓不止를 치료한다. 『醫級』卷9의 固經丸은 본 방제에 黃芪·當歸·生地를 더해 부인의 陰虛火動爍陰, 經水過多, 潮熱眩暈, 燥渴盜汗을 치료한다. ② 帶下를 치료한다. 『萬病回春』卷6의 固經丸은 본 방제에서 黃芩을 제거하고 山梔·苦參·白朮·山茱萸·貝母·乾薑을 더한 뒤 濕熱帶下를 치료한다. 『中國藥典』(1995년판)의 白帶丸은 본 방제에서 黃芩·龜甲을 제거하고 當歸를 더한 뒤 濕熱下注, 赤白帶下를 치료한다.

【難題解說】

1. 본 방제의 유래에 대해: 『醫方集解』 및 『中醫婦科學』(공통교재 4판)에서는 모두 이 방제가 宋·陳自明의 『婦人大全良方』에서 유래되었다고 했고, 中醫方劑學講義』(南京中醫學院 주편) 및 『醫方發揮』에서는 모두 明·李梴『醫學入門』에서 유래했다고 했으며, 『中醫方劑大辭典』(1996년판)에서는 본 방제가 元·朱震亨의 『丹溪心法』卷5에서 유래했지만 方名은 『醫方類聚』卷210에서 인용한 『新效方』에서 확인된다고 했다. 고찰 결과 『中醫方劑大辭典』의 설명이 맞았다.

2. 香附를 配伍하는 의의: 香附은 辛溫香燥하며 이 방제를 사용되는 목적은 다음 세 가지가 있다. 첫째, 理氣解鬱 한다. "丹溪之治病也, 總不出乎氣·血·痰三者, 三者之中, 又多兼鬱"(『質疑錄』)하므로 모든 방제에 香附를 더해 理氣解鬱한다. 둘째, 朱氏는 "氣有餘便是火"(『丹溪心法』卷1)를 제창했다. 汪紱은 이를 해석해 "肝氣不鬱則無火, 火, 肝氣鬱也, 故香附以破之"(『醫林纂要探源』卷8)라고 했다. 셋째, 소량을 넣고 보좌하도록 하면 寒凉한 약물을 과용할 경우 나타나는 止血留瘀를 예방할 수 있다.

3. 술을 사용하는 의의에 대해: 술은 辛溫한 약물로 陰虛·失血 및 濕熱이 심한 경우에는 복용을 꺼린다. 이 방제는 陰虛火旺에 의한 증상을 주로 치료하며, 술을 넣고 풀을 쒀서 만든 환만으로는 부족할 것을 우려해 다시 溫酒로 送服한다. 助熱傷陰을 고려하고 있지 않으니 곰곰이 새겨볼 만하다. 朱震亨은 술에 대해 "方藥所用行藥勢故也"(『本草衍義補遺』)라고 했고, 『本經疏證』卷9에서는 "補陰劑中, 以此通藥性之遲滯"라고 했다. 본 방제에서 술을 사용하면 藥力行散을 도울 뿐 아니라 寒凝澀滯를 예방할 수도 있다.

【醫案】

1. 經漏『葉熙春醫案』: 여자, 38세. 월경이 15일 동안 멎지 않았고, 월경량은 많고 색은 검붉었다. 午後潮熱하고, 掌心如灼, 心悸, 頭暈, 夜寐不安, 口乾心煩, 足跟隐痛, 脈來虛數, 舌紅에 裂紋이 있었다. 肝腎之陰 부족, 虛火内擾, 衝任失固로 진단했다. 固經湯에 側柏炭·地楡炭·仙鶴草·生地炭·地骨皮를 더해 치료했더니 經漏가 멎고 心悸·頭暈이 줄었으며, 夜寐가 비교적 편안해 졌다. 계속해서 위의 방제에서 側柏炭·地楡炭·仙鶴草를 제거하고, 旱蓮草·女貞子를 더해 6첩 복용하자 치료됐다.

考察: 환자는 陰虛火旺으로 인해 經行難止하다. 본 방제에 加味해 急則治標한다. 복용한 후 漏下得止했으며, 斂澀하는 약물은 줄이고, 二至丸을 합해 緩則培本했다.

2. 五心煩熱『新中醫』(1992, 4:44): 여자, 25세, 1990년 1월 15일 초진. 手足心熱하고 心胸煩熱한지 1년이 되었음을 호소했다. 다른 의사들이 여러 차례 梔·芩·連·柏을 복용시켰지만 복용할수록 증상은 더욱 심해져 갔다. 진찰 결과: 手足心熱은 마치 물속에 담그고 싶을 정도였고, 心胸煩熱은 불속에서 타들어가는듯 했다. 寒冬臘月에도 낮에는 홑겹의 옷을 입고 밤에는 차가운 바닥에 누워워있었다. 그렇지 않으면 煩熱로 죽을 것 같고 밤새도록 잠을 이루기 어려웠다. 頭昏目脹, 雙膝酸軟했다. 月經이 끝날 무렵에는 瘀块가 섞여 있었다. 形體消瘦하고, 顴紅唇赤하며, 舌紅하고 瘀斑이 있었다. 脈沉細數했다. 이 증상은 陰虛火旺에 의한 瘀熱互結에 속했다. 固經丸에서 椿根皮를 제거하고 桃仁·赤芍·丹皮를 더했다. 5첩을 복용하자 五心煩熱 갑자기 풀려, 낮에는 두꺼운 옷을 입고, 밤에는 이불을 덮을 수 있었다. 혀에 생긴 瘀斑도 사라졌다. 위의 방제를 그대로 고수하며 20첩을 계속 복용하자 병증이 완치됐다고 했다.

考察: 본 醫案은 陰虛火旺하고 瘀熱互結해 발생한 煩熱證이다. 본 방제에서 滋陰清熱한 효능을 취했으며 椿皮의 固澀止血하는 효능은 제거했다. 活血藥을 더하고 香附를 배합해 化瘀하도록 했다.

3. 久痢『新中醫』(1992, 4:44): 남자, 50세, 1986년 6월 8일 초진. 만성 痢疾을 앓은지 3년이 되었으며, 노동을 하면 즉시 발병했다. 항생제(腸道抗生素)를 여러 차례 바꿔가며 치료했지만 근본적인 치료는 이뤄지지 않았다. 근래 노동을 했더니 다시 발병해 下痢膿血, 赤多白少한 증상이 10일 남짓 계속 되었다. 虛坐努責, 頭昏耳鳴, 巓頂陳陳烘熱, 腰膝酸軟, 五心煩熱, 形瘦神疲, 發熱夜甚, 口乾舌燥, 脈細數했다. 大便常規: Phagocytes(+), Red blood cells(+). 이 증상은 陰虛内熱에 속하므로 治法은 堅陰止痢해야 했다. 固經丸方에 香附를 제거하고 烏梅肉을 더해 3첩 복용했다. 12일 두 번째 진찰을 해보니 瀉痢가 하루에 3~4회 나타났고 膿血이 감소했으며 모든 증상이 경감했다. 발열 역시 사라졌다. 방제를 그대로 유지하며 10첩을 더 복용하도록 하자 모든 病症들이 사라졌다. 3년 동안의 방문 결과 1990년 여름에 1회 발병했다. 原方 그대로에 따라 스스로 5첩을 복용한 뒤 치료됐으며 지금까지 재발하지 않았다.

考察: 痢가 오래도록 유지되며 邪熱이 제거되지 않으면 下焦의 肝腎陰血을 손상시킨다. 이 바아제는 滋陰清熱할 뿐 아니라 방제 중의 芩·柏·椿皮 모두 清熱燥濕止痢에 뛰어나다. 따라서 濕熱傷陰에 의한 痢疾에 또한 본 방제를 사용해서 異病同治할 수 있다.

4. 遺精『新中醫』(1992, 4:44): 남자, 30세, 기혼, 1987년 10월 18일 초진. 夢中遺精 증상이 나타난지 1년 가까이 되었고, 매주 3~4회, 힘들 때면 더욱 심해졌다. 心煩易怒, 失眠多夢, 手足心熱, 頭目昏脹, 巓頂常有熱感, 時有盜汗, 雙膝酸軟, 舌紅偏瘦, 脈細數했다. 前方을 두루 고찰해 보니 모두 知柏地黃·金鎖固精류의 방제들이었다. 치료 효과가 없는 이유를 생각해 보니 補澀有餘하고 瀉火不足하기 때문이었다. 水虧火旺하고 精室受擾하다고 판단해 固經丸에 香附·椿根皮

를 제거하고 砂仁·甘草를 더해 5첩 복용하도록 했다. 두 번째 진찰 결과 頭目淸爽하고 五心煩熱은 감소했으며 遺精은 3일에 1번 나타난다고 했다. 위의 방제를 10첩 더 복용하도록 하자 遺精이 거의 멈췄고 나머지 증상들도 크게 줄었다. 이후 原方에 丸劑 1料를 配伍해 계속 복용하도록 했다. 1년 후 방문조사에서 재발하지 않았다.

考察: 본 醫案은 陰精虧損하고 相火擾動하기 때문이다. 본 방제를 가감하되 淸熱瀉火에 중점을 두어 相火는 得淸하고 精室은 安然하도록 했다. 방제 중의 龜甲은 潛陽益腎 하고, 黃柏은 相火妄動을 제압하며, 椿皮는 澀精止遺 한다. 따라서 陰虛火旺하거나 濕熱下注·陰精不足한 遺精의 치료에 이 방제를 사용할 수 있다.

震靈丹

(『太平惠民和劑局方』卷5 吳直閣增諸家名方)

【異名】 紫金丹(『太平惠民和劑局方』卷5).

【組成】 禹餘糧 火煅, 醋淬, 不計遍次, 以手捻得碎爲度 紫石英 赤石脂 代赭石 如禹餘糧炮制 各四兩(各 120 g) 以上四味, 幷作小塊, 入坩堝內, 鹽泥固濟, 候乾, 用炭十斤煅通紅, 火盡爲度, 入地坑埋二宿, 出火毒 滴乳香 別研 五靈脂 去砂石, 研 沒藥 去砂石, 研 各二兩(各 60 g) 朱砂 水飛過 一兩(30 g)

【用法】 위의 약물을 곱게 가루 내어 찹쌀가루를 끓여 풀을 쑨 뒤 병아리 머리 크기의 환으로 빚은 다음 햇빛에 말린다. 매번 1알 씩 빈속에 溫酒로 복용한다. 냉수로 복용해도 좋다. 婦人은 醋湯에 복용한다(현대 용법: 매회 3~12 g을 하루에 1~2회, 따뜻한 물로 복용한다. 천 주머니에 넣고 其他方劑와 함께 달여 복용할 수도 있다).

【效能】 固崩止帶, 暖宮化瘀.

【主治】 衝任不固, 瘀阻胞宮證. 婦女의 崩漏 또는 오랫동안 멎지 않는 白帶, 精神恍惚, 頭昏眼花, 少腹疼痛, 脈沉細弦.

【病機分析】 이 증상은 대부분 氣血不足하고 下元虛冷에 기인한 것으로 衝任不固를 유발시켜 발생했다. 氣血不足하고 下元虛冷하면 衝任不得溫養하고 固攝無權하면 崩漏가 발생하고 帶下가 오랫동안 멎지 않게 된다. 氣血不足하고 心神失養하면 精神恍惚하게 된다. 上榮頭目을 하지 못하면 頭暈眼花하게 된다. 下元虛冷하고 經脈瘀阻하면 少腹疼痛이 나타난다. 脈沉細弦은 下元虛冷 하고 겸하여 瘀阻한 증상이다.

【配伍分析】 본 방제가 치료하는 崩漏·帶下가 오랫동안 낫지 않는 증상은 下元虛冷, 衝任不固, 瘀阻胞宮에 속한다. 『素問』「至眞要大論」의 "散者收之"·"寒者熱之"와 "結者散之"의 치료 원칙에 근거해 溫固收澀을 위주로 하면서 겸하여 散瘀한다. 急則治標한다. 방제 중의 赤石脂는 性味가 溫澀하고 收斂止血에 뛰어나다. 『日華子本草』卷2에서 "血崩, 帶下"를 치료한다고 했다. 禹餘糧은 澀平하고 收澀止血에 뛰어나다. 『藥性論』卷1에서는 "主治崩中"을 한다고 했다. 帶下 치료에 사용할 수도 있다. 두 약물을 相須로써 사용하면 固澀止血하고 收斂止帶한다. 君藥이 된다. 代赭石은 平肝潛陽하고 降逆止血한다. 『神農本草經』卷3에서는 "赤沃帶下"를 치료한다고 했다. 紫石英은 鎭心安神, 暖子宮, 溫衝任 한다. 두 약물은 "重可鎭怯" 하여 心神不安을 안정시키고 頭目眩暈이 그치도록 한다. 모두 臣藥이 된다. 이상의 네 가지 약물을 모두 煅하면 溫澀의 성질은 더욱 증대고 暖宮固下의 효력이 더욱 강력해진다. 五靈脂는 性味가 苦溫해서 能止能行하고 散瘀止痛 할 수 있다. 『本草綱目』卷48에서는 "止婦人經水過多, 赤帶不絶"한다고 했다. 乳香·沒藥은 모두 活

血止痛하고 祛瘀生新하는 약물이다. 朱砂는 安神定驚한다. 이상은 모두 佐藥이 된다. 糯米는 甘溫하고 補中益氣한다. 가루를 끓여 풀을 쑤어 환으로 빚으면 氣血化生의 근원을 자양해 그 근본적인 치료를 도모할 수 있다. 佐藥이 된다. 이상의 모든 약을 함께 사용하면 固崩止帶하고 暖宮化瘀하게 된다.

본 방제의 配伍 특징: 金石重鎭하는 약물을 重用해 病所에 직접 도달하도록 한다. 그 의도는 固脫鎭怯에 있다. 活血化瘀하는 약물을 약간 더해 澀中寓通하도록 한다.

본 방제는 固崩止帶에 뛰어나 婦人懷孕하도록 한다. 그래서 "震靈丹"이라고 부른다.

【類似方比較】 본 방제와 固衝湯·固經丸은 모두 固澀止血하는 작용을 지녀 固崩止帶의 방제에 속하고 崩漏 치료에 사용할 수 있다. 固衝湯은 대량의 收斂止血藥을 모으고 益氣攝血의 약물로 보조해 澀補兼施한다. 澀 위주이다. 收斂止血의 작용이 비교적 강한편이며 겸하여 益氣健脾한다. 氣隨血脫에 속하는 衝脈滑脫로 인한 崩漏重證의 치료에 더욱 적합하다. 固經丸은 구성 약물이 대부분 苦寒하며 淸補幷用한다. 滋陰淸熱에 뛰어나며 收澀止血의 효능이 비교적 약한편이다. 陰虛火旺하고 迫血妄行하여 발생한 崩漏 치료에 적용할 수 있으며 陰虛濕熱에 속하는 赤白帶下에 사용할 수 있다. 이 방제는 金石藥을 重用해서 固脫鎭怯한다. 소량의 活血化瘀하는 약물을 배합해 澀中寓通하지만 收澀을 위주로 하여 下元虛寒, 衝任不固, 瘀阻胞宮에 속하는 崩漏·오랫동안 낫지 않은 帶下에 적용한다.

【臨床應用】

1. 證治要點: 본 방제는 성인 여성의 血氣不足, 崩漏나 帶下 치료를 위해 구성됐다. 임상에서 崩漏가 있거나 白帶가 오랫동안 멎지 않거나, 少腹疼痛, 脈沈細弦를 증상 치료의 요점으로 삼는다.

2. 加減法: 心悸한 경우에는 朱砂를 重用해서 安神한다. 崩漏가 있고 腰脊酸楚한 경우에는 炒杜仲·川斷을 더해 補腎壯腰한다. 帶下에 脾腎虧虛를 兼한 경우에는 菟絲子·芡實·山藥을 더해 補脾益腎한다.

3. 震靈丹은 다음 한국표준질병사인분류(KCD)에 해당하는 환자가 衝任不固, 瘀阻胞宮證으로 辨證되는 경우 본 처방의 사용을 고려해볼 수 있다.

처방 목표	한국표준질병사인분류(KCD)
崩漏	N93.9 상세불명의 이상 자궁 및 질 출혈_붕루
帶下	N89.8 질의 기타 명시된 비염증성 장애
産後惡露不絶	(질병명 특정곤란)
	O86 기타 산후기감염
	O90 달리 분류되지 않은 산후기의 합병증
泄瀉	(질병명 특정곤란)
	K59.1 기능성 설사
	K52.9 상세불명의 비감염성 위장염 및 결장염
血尿	R31. 상세불명의 혈뇨

【注意事項】

1. 眞元虛衰해서 瘀滯가 없는 경우에는 사용이 적절치 않다. 임산부는 사용을 꺼린다. 본 방제는 固澀의 효력이 비교적 강한편이다. 藥性이 偏溫하므로 瘀阻가 비교적 심한편이거나 瘀而有熱한 경우에는 사용을 금한다.

2. 본 방제를 구성하는 약물은 대부분 金石之品으로 위장 장애를 일으키기 쉬우므로 오랫동안 복용하는 것은 적절하지 않다.

【變遷史】 본 방제는 宋·『太平惠民和劑局方』에서 처음 보인다. 卷5 "治痼冷"에 吳直閣增諸家名方으로 수록되어 있다. "紫府元君南岳魏夫人方, 出『道藏』, 一名紫金丹. 此丹不犯金石飛走有性之藥, 不僭不燥, 奪衝和造化之功. 大治男子眞元衰憊, 五勞七傷, 臍腹冷疼, 肢體酸痛, 上盛下虛, 頭目暈眩, 心神恍惚, 血氣衰微;

及中風癱緩, 手足不遂, 筋骨拘攣, 腰膝沉重, 容枯肌瘦, 目暗耳聾, 口苦舌干, 飮食無味; 心腎不足, 精滑夢遺, 膀胱疝墜, 小腸淋瀝, 夜多盜汗; 久瀉久痢, 嘔吐不食; 八風五痹, 一切沉寒痼冷, 服之如神; 及治婦人血氣不足, 崩漏虛損, 帶下久冷, 胎臟無子, 服之無不愈者……常服鎭心神, 駐顔色, 暖脾腎, 理腰膝, 除尸疰蛊毒, 辟鬼魅邪疠."이라고 기록되어 있다. 『三因極一病證方論』의 震靈丹은 본 방제에서 朱砂를 제거하고, 眞氣虛惫諸症, 婦人崩中帶下三十六病, 小兒驚疳 및 모든 痼冷風虛를 치료하는데 사용한다. 『婦科大略』의 震靈丹은 본 방제에서 代赭石·紫石英·赤石脂를 제거하고 부인들의 氣血不足으로 인한 崩漏, 虛損帶下, 子宮寒冷으로 자식이 없는 증상을 치료하는데 사용한다. 이 방제는 처음에는 남자 여자의 雜病을 치료하는데 광범위하게 사용됐지만 이후 점차 崩·帶·無子 등을 치료하는 부인과 전용 방제로 변화해갔다. 현대 임상에서는 주로 血瘀型 崩漏에 사용한다.

【難題解說】 본 방제의 方名에 대해: 道教經典에서 유래했기 때문에 方名에 짙은 道家적 색채를 띠고 있다. 紫金丹은 古代의 方士들이 복용하면 장수할 수 있다고 이야기 하던 丹藥이다. 이 방제는 원래 男子의 五勞七傷·中風癱緩·心腎不足·久瀉久痢·五風八痹, 沉寒痼冷 및 女子의 崩帶無子를 치료에 사용됐으며 그 효능이 신통해 "紫金丹"이라고 이름 붙여졌다. 진귀하다는 것을 비유한 표현이다. 이후 임상 실천 과정 중에서 사용의 중점이 男婦雜病에서 婦科專病으로 전환됐다. 특히 血氣不足하고 下元虛冷하며 衝任不固한 崩漏帶下·胎臟無子한 경우 "服之無不愈者"라고 불려지며 그 명칭도 그에 상응하는 震靈丹으로 바뀌었다. 震은 "娠"과 통해 임신을 가리킨다. "shēn"으로 읽는다. 靈丹은 古代 道士가 단련하던 일종의 丹藥이다. 전해지는 말에 의하면 만병을 제거해서 불로장생하도록 한다. 方名을 "震靈丹"라고 한 것은 그 효과가 탁월함을 말하는 것으로 특히 固崩止帶에 뛰어나 부인들이 임신할 수 있도록 한다.

【醫案】

1. 瘕泄 『臨證指南醫案』 卷6: 모씨, 腎虛瘕泄한다. 下焦不攝하기 때문이다. 純剛한 약물을 사용하면 陰液 손상을 걱정해야 한다. 腎은 惡燥하기 때문이다. 아침에는 震靈丹 20알, 저녁에는 米飮湯에 參苓白朮散 二錢을 섞어 두 약을 20일 동안 복용하게 했다.

考察: 陰寒이 凝聚해서 瘕가 됐고, 下焦不攝하기에 泄이 발생했다. 腎惡燥하기 때문에 純剛한 약물은 견뎌내지 못한다. 따라서 震靈丹을 사용해 溫固下焦하고 겸하여 化瘀散邪 했다. 계속해서 參苓白朮散을 합해 健脾止瀉했더니 後天을 보충해 先天을 치료할 수 있었다.

2. 淋帶 『臨證指南醫案』 卷9: 모씨, 부인들의 병은 남자에 비해 다양하다. 胎·産·調經이 주요한 치료 방법이다. 淋帶·瘕泄하여 奇脈虛空하였고 腰背脊膂이 밑으로 빠질 듯 잡아당겨졌다. 반면 熱氣는 거꾸로 위쪽으로 올라갔다. 왼쪽에서부터 시작됐다. 여자는 肝을 先天으로 삼는다. 의사들이 八脈의 이치를 헤아리지 못해 그 虛한 것만을 지목했다. 桂·附같이 剛하고 地·味같이 柔한 것으로는 奇經의 治法이 되지 못한다. 먼저 震靈丹을 사용해 고정시켜야 한다. 매일 一錢 五分씩 복용하도록 했다.

考察: 환자는 淋帶·瘕泄했다. 腰背脊膂이 밑으로 빠질 듯 잡아당겨졌으며 종종 熱氣上攻했다. 이 증상은 奇經空虛, 下元不固에 속하기 때문에 震靈丹으로 固澀下元하며 急則治標 해야 한다.

3. 産後漏經 『臨證指南醫案』 卷9: 鄒모씨, 32세, 陽不入陰하여 잠을 이루지 못하고 땀이 난다. 출산으로 陰血이 손상을 받았고 연이어 奇經도 손상을 받았다. 우선 溫養柔補를 위주로 치료해야 한다. 음혈이 상하면 桂·附의 剛猛한 성질을 받아들일 수 없다. 병증 정황을 살펴보니 모두 陰虛陽浮 했다. 漏經이 거의 1개월 동안 계속되어 급히 치료해야 했다. 밤중에 『局

方』의 震靈丹 50알을 복용시켰다. 앞의 방제에 다시 凉肝·抑陰配陽하는 두 가지를 法則으로 삼았다. 人蔘·麋茸·枸杞·天冬·茯神·沙苑을 넣었다.

考察: 産後에는 陰血驟虛하여 陽氣易浮한다. 더구나 일찍이 産傷을 받은 적이 있어 奇經이 손상된 상태였다. 그래서 漏經難止하고 陽不入陰한 것이었다. 급히 震靈丹을 복용시켜 固澀收斂했고, 다시 益陰配陽하는 약재를 더해 標本兩治를 도모했다.

4. 崩漏『浙江中醫雜誌』(1987, 10:449): 여자, 16세. 첫 월경을 한지 2년이 지났지만, 월경을 규칙적으로 하지 않았다. 최근 4개월 동안 陰道에서 불규칙적으로 출혈이 있었다. 혈색은 붉었지만 혈괴는 없었다. 西藥 및 호르몬 치료를 받았으나, 여전히 淋瀝하여 깨끗하지 않았고, 少腹疼痛, 頭目昏暈, 腰脊酸楚, 心悸陣作, 舌淡紅, 脈細했다. 震靈丹에 乳香·没藥·糯米를 제거하고 小牛角腮·炒杜仲·川斷을 더해 주었다. 3첩을 복용하자 陰道 출혈이 점차 멎었고 腰酸 또한 감소했다. 나머지 증상들도 줄어들었지만 완전히 사라지지는 않았다. 계속해서 原方에 五靈脂를 제거하고 旱蓮草를 더해 연속으로 4첩을 복용시켰다. 이후 出血이 멎고, 精神이 호전되었으며, 여러 증상들이 모두 안정됐다. 차후 방문에서 月經正常임을 확인했다.

考察: 미혼 여성의 崩漏不止는 대부분 腎精未實하고 腎氣未充해서 封藏失職한 경우이므로 補益肝腎, 固攝衝任하는 방법으로 치료하는 것이 적절한다. 이번 醫案에서는 본 방제에서 化瘀하는 乳·没을 빼고, 補益肝腎·固經止血하는 약물을 더했다. 방제와 증상이 합치되어 약물로써 병을 제거할 수 있었다.

5. 惡露不絶『浙江中醫雜誌』(1987, 10:449): 여자, 28세. 출산 후 40일 남짓 되었다. 惡露가 계속되서 멎질 않았고, 色紫紅, 夾小血块했으며, 少腹에 종종 脹痛이 있었다. Carbazochrome 및 비타민 K로 치료했지만 효과는 만족스럽지 못했다. 진찰을 해보니 頭目昏暈, 心悸乏力, 腰酸肢楚, 舌淡紅, 苔薄, 脈細澀했다. 瘀血内阻, 衝任不固에 해당했기에 震靈丹에서 代赭石·糯米를 제거하고, 炒當歸·貫衆炭을 더했다. 3첩 복용하자 惡露가 차차 멎었고 腹痛은 나아갔다. 계속해서 原方에서 制乳·没을 제거하고, 太子參·綿黃芪를 더해 연속해서 4첩 복용하도록 했다. 惡露가 완전히 멎고, 모든 증상이 안정됐다.

考察: 産後에는 百脈空虛, 瘀血内阻, 衝任失調해서 惡露不絶를 초래한다. 본 방제를 가감해 固攝衝任, 止血化瘀, 推陳致新하자 약물과 증상이 서로 들어맞아 惡露가 멎게 되었다.

6. 血尿『中醫雜誌』(1981, 1:65): 여자, 45세. 血尿를 앓은지 10여 년이었다. 육안으로 血尿가 있음을 밤낮 확인할 수 있었다. 소변이 쌀뜨물처럼 혼탁하고, 자주 혈괴가 끼어 있었다. 자주 腰部刺痛했다. 舌淡潤, 苔薄膩, 脈細弦했다. 西醫 진단: 신장 내 모세혈관 파열에 의한 출혈. 補氣·養血·止血하는 방약으로 치료했지만 효과가 없었다. 대량의 호르몬·지혈약(止血藥片)을 복용하면 초반에는 효과를 보였지만 나중에는 효과가 사라졌다. 이에 震靈丹 15 g을 매일 1회 끓인 물로 복용하도록 했다. 연속으로 15일 동안 복용한 뒤 尿血이 멎었다. 다시 2개월 동안 복용했다. 血尿가 재발하지 않았으며, 소변검사 결과는 정상이었고, 腰痛 역시 점차 감소했다. 이후 震靈丹 10 g에 人蔘鼈甲煎丸 10 g을 배합해 매일 1회씩 복용하도록 했다. 반년 동안 관찰한 결과 재발하지 않았다.

考察: 본 환자는 尿血이 멎지 않고, 小便混濁하고 腰部刺痛했다. 腎虛血瘀하여 攻補가 모두 어려운 상황이었다. 震靈丹은 溫腎固澀 할 뿐 아니라 化瘀止痛할 수도 있어 寓通于澀 한다. 딱 들어맞는 치료방법이다. 그러나 震靈丹은 金石藥을 위주로 구성되어 있고, 방제 중의 朱砂에는 독성이 함유되어 있으므로 오랫동안 과도하게 복용하는 것은 적절하지 않다.

【副方】 樗皮丸(『醫學綱目』卷34)

- 異名: 樗樹根丸(『攝生衆妙方』卷7)·固下丸(『李氏醫鑑』卷8)·樗根皮丸(『飼鶴亭集方』)·椿皮丸(『絳雪園古方選注』卷下): 芍藥 五錢(15 g) 良薑 燒灰 3 錢(9 g) 黃柏 炒成炭 二錢(6 g) 樗根皮 一兩半(45 g)
- 用法: 위의 약물을 모두 곱게 가루 내고 죽으로 환을 빚어 녹두알 크기로 만든다. 매회 30~50알(6~9 g)을 하루에 2차례씩 공복에 米飮으로 呑服한다.
- 作用: 淸利濕熱, 收斂止帶.
- 適應症: 赤白帶에 濕熱이 있는 경우. 증상은 赤白帶下, 淋漓腥臭, 小便黃赤, 혹은 溺時刺痛, 舌紅苔黃膩, 脈滑數.

이것은 凉澀에 속하는 방제로, 방제 중의 樗根皮는 苦澀而凉해서 淸濕熱하면서도 固澀한다. 重用하여 君藥으로 삼는다. 黃柏의 淸熱燥濕과 白芍의 疏泄和營을 배합한다. 모두 臣藥이 된다. 良薑은 反佐藥에 속한다. 첫 번째 苦寒한 약물들이 胃를 상하지 않게 하고, 두 번째 澀中有散하게 해서 淸熱하되 濕이 머물지 않게 한다. 방제 중의 黃柏用炭·良薑炒灰은 한열의 성질을 모두 감소시키면서 固澀收斂의 효력을 증대시킨 것이다. 위의 약물을 함께 사용하면 淸熱燥濕하면서 收斂止帶한다. 현대에는 濕熱下注에 속하는 盆腔炎·附件炎·宮頸糜爛·滴虫性陰道炎 등에서 나타나는 帶下赤白腥臭에 이 방제를 가감해 치료한다.

完帶湯

(『傅靑主女科』卷上)

【組成】 白朮 土炒 一兩(30 g) 山藥 炒 一兩(30 g) 人蔘 二錢(6 g) 白芍 酒炒 五錢(15 g) 車前子 酒炒 三錢(9 g) 蒼朮 製 三錢(9 g) 甘草 一錢(3 g) 陳皮 五分(1.5 g) 黑芥穗 五分(1.5 g) 柴胡 六分(1.8 g)

【用法】 물에 달여 복용한다.

【效能】 補中健脾, 化濕止帶.

【主治】 脾虛肝鬱, 濕濁下注에 의한 帶下. 帶下色白 또는 淡黃, 淸稀無臭, 面色白, 倦怠便溏, 舌淡苔白, 脈緩或濡弱.

【病機分析】 본 방제가 치료하는 白帶는 脾虛肝鬱하여 濕濁下注한 결과 초래된 것이다. 傅山은 "夫白帶乃濕盛而火衰, 肝鬱而氣弱, 則脾土受傷, 濕土之氣下陷, 是以脾精不守, 不能化榮血以爲經水, 反變成白滑之物, 由陰門直下, 欲自禁而不可得也"(『傅靑主女科』卷上)라고 했다. 肝鬱傷脾하면, 脾虛해서 濕이 생겨나고, 이로 인해 濕濁下注, 帶脈不固하게 된다. 따라서 帶下色白 또는 淡黃하고, 淸稀無臭하게 된다. 面色㿠白, 倦怠便溏, 舌淡苔白, 脈緩 또는 濡弱 등의 증상은 모두 脾虛濕盛한 象이다.

【配伍分析】 본 방제의 적용 증상은 脾虛不運, 肝氣不舒, 帶脈不固하여 濕濁下注한 결과 만들어졌다. 『素問』·「三部九候論」의 "虛則補之", 『素問』·「六元正紀大論」의 "木鬱達之", 『素問』·「至眞要大論」의 "散者收之" 치료 원칙에 근거해 "治法宜大補脾胃之氣, 稍佐以舒肝之品"(『傅靑主女科』卷上)해야 한다. 補脾益氣, 疏肝解鬱, 化濕止帶를 治法으로 선정했다. 방제 중의 白朮은 性味가 苦甘溫해서 "爲脾臟補氣第一要藥"(『本草求眞』卷1)이 된다. 補脾益氣하고 燥濕利水한다. 山藥은 性味가 甘平해서 健脾補中하고, "專補任脈之虛, 又能利水"(『傅靑主女科』卷上)한다. 또 補腎함으로써 帶脈을 고정한다. 帶脈을 約束하면 帶下를 멎게 할 수 있다. 두 개 약물을 土炒하고 重用해서 君藥으로 삼는다. 그 목적은 補脾祛濕해서 脾氣健運하고, 濕濁得消하는데 있다. 人蔘은 大補元氣하고 補中健脾하며 君藥의 補脾하는 효력을 보조한다. 蒼朮은 燥濕運脾하여 君藥의 祛濕化濁하는 효력을 보조한다. 車前子는 利濕淸熱하여 濕濁이 소변을 통해 배출되게 한다. 白

芍은 柔肝理脾하여 木達을 통해 脾土가 절로 강건해지도록 한다. 이상 네 가지 약물이 臣藥이 된다. 陳皮는 健脾燥濕하고 理氣에 뛰어나다. 『徐大椿醫書全集』·「本草經百種錄」에서는 "凡肝氣不舒, 克賊脾土之疾, 皆能已之"라고 했으니 君藥으로 하여금 補而不滯하도록 한다. 柴胡는 疏肝解鬱해서 升擧陽氣한다. 黑芥穗는 引血歸經하고 和血順氣 한다. 이상 세 가지 약물은 모두 소량을 사용해서 舒肝理氣解鬱하여 肝木으로 하여금 下克脾土하지 못하도록 하고 脾健濕消하도록 한다. 모두 佐藥이 된다. 甘草는 益氣補中하고 調和諸藥하여 佐使藥이 된다. 모든 약물을 함께 配伍해 培土疏木, 祛濕化濁하면 脾氣健旺, 肝氣條達하여 淸陽得升, 濕濁得化하므로 帶下가 절로 멎게 된다.

본 방제의 配伍 특징은 대량의 補脾藥物을 기초로 하면서 소량의 舒肝하는 약물을 配伍한 것이다. 補散의 치료 방법을 함께 쓰되, 散하는 중에 補가 깃들어 승擧陽氣한다. 黑芥穗는 引血歸經하고 和血順氣한다.

본 방제는 脾健濕消 해서 帶下를 멎게 하며 조금의 남김도 없게 한다. 따라서 "完帶湯"이라고 이름했다.

【臨床應用】

1. 證治要點: 이 방제는 脾虛白帶를 치료하는 常用方劑이다. 임상에서 帶下가 끊임없이 이어지고, 淸稀色白無臭, 舌淡苔白, 脈濡緩한 것을 증상 치료의 요점으로 삼는다.

2. 加減法: 濕熱을 兼하거나, 帶下가 黃色을 띄는 경우에는 黃柏·膽草를 더해 淸熱燥濕한다. 寒濕을 兼하고 小腹疼痛한 경우에는 肉桂·盐茴를 더해 溫經散寒止痛한다. 腰膝酸軟한 경우에는 杜仲·續斷을 더해 補腎强腰한다. 병증이 오래되었고 白帶가 마치 서리와 같이 흰 빛을 띠면 鹿角霜을 더해 溫腎澁帶한다. 오랫동안 病涉滑脫하는 경우에는 龍骨·牡蠣를 더해 固澁止帶한다.

3. 完帶湯은 다음 한국표준질병사인분류(KCD)에 해당하는 환자가 脾虛肝鬱, 濕濁下注證으로 辨證되는 경우 본 처방의 사용을 고려해볼 수 있다.

처방 목표	한국표준질병사인분류(KCD)
子宮內膜炎	N71 자궁경부를 제외한 자궁의 염증성 질환
宮頸炎	N72 자궁경부의 염증성 질환
陰道炎	N76 질 및 외음부의 기타 염증
	N77 달리 분류된 질환에서의 외음질의 궤양 및 염증
	O86.1 분만에 따른 생식관의 기타 감염
慢性盆腔炎	N73 기타 여성골반염증질환
	R10 복부 및 골반 통증
慢性胃炎	K29.3 만성 표재성 위염
	K29.4 만성 위축성 위염
	K29.5 상세불명의 만성 위염
慢性結腸炎	K52 기타 비감염성 위장염 및 결장염
	A09 감염성 및 상세불명 기원의 기타 위장염 및 결장염
腸易激綜合徵	K58 과민대장증후군
慢性細菌性痢疾	A03 시겔라증
	A06.1 만성 장아메바증
慢性肝炎	K73 달리 분류되지 않은 만성 간염
	B18 만성 바이러스간염
慢性腎炎	N03 만성 신염증후군
慢性腎盂腎炎	N11 만성 세뇨관~간질신장염
蛋白尿	(질병명 특정곤란)
	N06 명시된 형태학적 병변을 동반한 고립된 단백뇨
	N39.1 상세불명의 지속성 단백뇨
	N39.2 상세불명의 기립성 단백뇨
	R80.8 기타 및 상세불명 고립성 단백뇨
乳糜尿	(질병명 특정곤란)
	B74 사상충증
	A18.1 비뇨생식계통의 결핵
	R80 고립된 단백뇨
腎積水	N13 폐색성 및 역류성 요로병증_수신증

처방 목표	한국표준질병사인분류(KCD)
慢性前列腺炎	N41.1 만성 전립선염
睾丸鞘膜積液	N43 음낭수종 및 정액류
硬腦膜外血腫	S06.4 경막외출혈
	I62.1 비외상성 경막외출혈
月經不調	N91 무월경, 소량 및 희발 월경
	N92 과다, 빈발 및 불규칙 월경
泄瀉	(질병명 특정곤란)
	K59.1 기능성 설사
	K52.9 상세불명의 비감염성 위장염 및 결장염
眩暈	(질병명 특정곤란)
	G90 자율신경계통의 장애
	R42 어지럼증 및 어지럼
鼻淵	J30.1 화분에 의한 알레르기비염
	J30.2 기타 계절성 알레르기비염
	J30.3 기타 알레르기비염
	J30.4 상세불명의 알레르기비염
水腫	(질병명 특정곤란)
	R60 달리 분류되지 않은 부종
妊娠腫脹	O12.0 임신부종
陽痿	F52.2 생식기반응의 부전
	N48.4 기질적 원인에 의한 발기부전
耳鳴	H93.1 이명

【注意事項】 본 방제는 脾虛白帶를 치료하기 위해 만들어졌다. 만약 帶下가 赤白하거나 赤黃하고, 稠黏臭穢, 苔黃脈數하여 濕熱下注에 해당하는 경우라면 이 방제를 사용하는 것은 적절치 않다.

【變遷史】 본 방제는 明末淸初의 傅山이 저술한 『傅靑主女科』卷上에서 유래했다. 傅山은 "夫白帶乃濕盛而火衰, 肝鬱而氣弱……治法宜大補脾胃之氣, 稍佐以舒肝之品, 使風木不閉塞于地中, 則地氣自升騰于天上, 脾氣健而濕氣消, 自無白帶之患矣. 方用完帶湯."라고 했다. 傅氏는 婦科 치료에 뛰어났으며 변증을 함에 있어 주로 肝·脾·腎으로 立論하여 調理氣血하는 것에 중점을 두었다. "帶下俱是濕症", "因帶脈不能約束而病此患"라고 하여 帶脈이 損傷되고, "加之以脾氣之虛, 肝氣之鬱, 濕氣之侵, 熱氣之逼"하는 것을 주요 病機로 여겨 임상에서는 白帶·黃帶·靑帶·赤帶·黑帶로 분류해 치료를 진행했다. 이 방제는 白帶를 치료하기 위해 만들어진 것이다.

金元 이후 脾虛白帶를 치료하기 위해 습관적으로 補中益氣湯을 사용했다. 補中益氣湯은 결코 白帶를 치료하는 전용방제가 될 수 없다. 明·繆希雍은 선인들의 경험을 정리하고 본인의 소감을 융합해 "白帶多是脾虛, 蓋肝氣鬱則脾受傷, 脾傷則濕土之氣下陷, 是脾精不守, 不能輸爲榮血, 而下白滑之物, 皆由風木鬱于地中使然耳! 法當開提肝氣, 補助脾元. 宜以補中益氣湯加酸棗仁·茯苓·山藥·黃柏·蒼朮·麥冬之類"(『先醒齋醫學廣笔記』卷2)라고 서술했다. 傅山은 繆氏의 脾虛肝鬱의 논의를 계승 발전시켜 "開提肝氣, 補助脾元"을 "大補脾胃之氣, 稍佐以舒肝之品"으로 변화시켰다. 繆方 중의 복잡한 내용은 버리고 간략함을 좇아 黃芪·當歸·酸棗仁·茯苓·黃柏·麥冬은 제거하고 車前子·黑芥穗·白芍을 더해 化濕止帶의 專方을 이뤄냈다. 傅氏의 "寓補于散之中, 寄消于升之内"라는 설명은 사실 補中益氣湯으로 補中升陽하는 것의 變法이 된다; "開提肝木之氣, 則肝血不燥, 何至下克脾土? 補益脾土之元, 則脾氣不濕, 何難分消水氣"라고 한 것이 바로 繆氏의 "開提肝氣, 補助脾元"의 주장을 더욱 발전시킨 것이다. 이 이후로 후대 의학자들이 脾虛白帶에 대해 논의하고 치료할 때는 대부분 傅氏를 좇아 完帶湯을 主方으로 삼았다. 『辨證錄』卷11에도 完帶湯이 실려있다. 그 중에서는 黑芥穗를 荊芥으로 바꾸고, 半夏를 더했다. 治法은 동일하다.

【難題解說】 黑芥穗에 대해: 본 방제는 黑芥穗五分을 사용하고 있다. 그 작용의 오묘함에 대해 여러 의학자들이 다양한 견해를 제시하고 있다. 어떤 의가는 "黑芥穗用以收澀止帶, 并有引血歸經作用"(『岳美中醫話集』)이라고 했고, 어떤 의가는 "荊芥穗收斂止帶"(『新編中醫方劑學』)라고 했으며, 또 어떤 의가는 "荊芥勝

濕”(『中醫學解難』)이라고 주장하기도 했다. 『傅靑主女科』를 살펴보니 부인과 질환과 관련하여 黑芥穗를 사용하는 경우가 가장 많아 14곳에 달했다. 帶下·血崩·調經·小産·難産·正産 및 産後의 모든 병증에 사용했다. 그중에는 子死産門難産·正産胞衣不下·正産氣虛血暈·産後瘀血少腹疼 등과 비출혈성질병들도 있었다. 傅氏는 저서 중에서 거듭 “用荆芥炭引血歸經”이라고 강조했다. 平肝開鬱止血湯의 條下에서는 “荆芥通經絡, 則血有歸還之樂”이라고 했고, 加減四物湯의 條下에서는 “加白朮·荊芥, 補中有利”라고 했다. 이를 통해 傅氏가 이 약물에 대해 引血歸經하고 疏通經絡하여 能收能利하게 한다고 인식했음을 알 수 있다. 傅氏는 氣血關系를 중시했으며, 氣血관계를 조절해서 婦科疾病을 치료하는데 뛰어났다. 氣는 行血할 수 있고, 血은 載氣하므로 氣病이 血에 영향을 미칠 수도 있고, 血病이 氣에 영향을 미칠 수도 있기 때문이다. 이 둘은 서로 영향을 주고 받는다. 傅氏는 順經湯의 條下에서 “用引血歸經之品, 是和血之法, 實寓順氣之法也”한다고 했고, 引氣歸血湯의 條下에서는 “此方名引氣, 其實仍是引血也, 引血亦所以引氣, 氣歸于肝之中, 血亦歸于肝之內, 氣血兩歸”한다고 했다. 이를 통해 이 약물을 자주 사용한 것이 引血和血해서 調氣에 도달하려는 목적이었음을 알 수 있다. 傅氏는 본 방제의 수립 원칙에 대해 “大補脾胃之氣, 稍佐以舒肝之品”라고 스스로 풀이하고 있으며 실제 방제에서도 白朮·山藥을 一兩에 달할 정도로 重用하고 있는 반면 柴胡·陳皮와 黑芥穗의 用量은 모두 몇 分에 지나지 않는다. 傅氏의 본래 의도가 이 약물을 사용해 調理肝氣히려 했음을 어렵지 않게 파악할 수 있다.

【醫案】

1. 乳糜尿『浙江中醫雜誌』(1987, 5:214): 남자, 48세. 乳糜尿를 여러 해 동안 앓고 있다. 여러 차례 치료했지만 효과를 보지 못했으며 최근에 증상이 악화됐다. 소변이 마치 脂膏와 같고, 倦怠乏力, 脸色萎黃, 納呆腹脹, 舌淡, 苔膩微黃, 脈象濡滑했다. 소변 검사 결과 뇨단백(+++), 백혈구(+), chyluria 정성시험 결과 양성이었다. 앞선 치료에서 萆薢分淸飮·知柏地黃湯 류의 방제를 사용했지만 효과가 없었기에 完帶湯으로 바꿔 石菖蒲·萆薢·生黃芪를 더했다. 8첩을 복용하자 腹脹이 사라지고 尿淸, 苔膩가 감소했다. 다만 腰酸痛하고 脈沉緩했다. 소변 검사 결과 蛋白(++), 乳糜尿(++)했다. 계속해서 原方에서 蒼朮을 제거하고 桑寄生을 더해 5첩 복용하자 소변 검사 수치가 정상으로 돌아왔다. 자각 증상도 기본적으로 사라졌다. 계속해서 原方을 5첩 복용해 치료를 공공히 시켰다. 3년간의 방문조사에서 재발하지 않았다.

2. 厭食證『陝西中醫』(1990, 1:28): 남자, 4세, 1988년 8월 5일 초진. 보호자가 환자를 대신해서 말하기를 患兒는 밥을 먹지 않고, 과일 등과 같은 간식 먹기만을 좋아한다고 한다. 먹고 나면 腹脹해지고 大便은 매일 2~3회 정도 보았으며, 수면 당시 눈동자가 노출됐다. 진찰 결과: 面黃肌瘦, 舌淡, 苔白膩, 脈緩弱無力했다. 변증 결과 脾虛夾濕한 것에 속해 完帶湯에 茯苓을 더했다. 연속해서 5첩 복용한 뒤 식사량이 점차 증가했다. 위의 방제를 계속해서 5첩 복용시키자 식사량이 전에 비해 눈에 띄게 증가했다.

考察: 위의 두 醫案은 모두 帶下가 아니다. 모두 脾虛不運, 濕濁內生한 것에 해당되어 위의 방제로 가감해 효과를 보았다. 醫案1은 濕濁下注에 의한 것으로 본 방제에 加味해서 健脾化濕하고 겸하여 泌別淸濁했다. 醫案2는 脾虛濕困에 의한 것으로 본 방제에 健脾化濕하고 理氣健胃했다.

3. 妊娠腫脹『新中醫』(1992, 3:46): 여자, 25세, 1989년 10월 25일 초진. 환자는 임신 6개월로 최근 1개월 동안 頭面四肢水腫이 점차 심해졌다. 胸悶氣短, 神疲懶言, 口淡無味, 納少便溏, 肤色皖白, 舌質胖嫩, 苔薄膩, 脈滑無力했다. 脾虛子腫에 속해 健脾利水化濕하면서 겸하여 理氣했다. 방제는 完帶湯에 茯苓皮·大腹皮·生薑皮·砂仁을 더해 사용했다. 연속해서 3첩을 복용하자 腫脹이 크게 줄고 모든 증상이 호전됐다. 계

속해서 5첩을 복용한 뒤 水腫이 모두 사라졌다. 산달이 되어 아들 한 명을 순산했다.

考察: 환자는 素體脾虛하다. 임신 때문에 重虛해서 運化 기능에 장애가 왔고, 水濕이 근육과 피부로 넘쳐 子腫이 발생했다. 그래서 完帶湯에 五皮飮을 합해 사용했다. 그 의도는 健脾化濕, 利水消腫에 있었다.

4. 嗜睡『中醫雜誌』(1993, 9:550): 여자, 35세, 1990년 5월 6일 진료. 환자는 2개월 전 비를 맞고 난 후 몸에서 열이 나고 통증을 느꼈다. 치료를 받은 뒤 열이 떨어지고 통증도 줄었지만 昏沉嗜睡, 頭身困重, 食少, 口淡不渴, 大便溏軟, 小便淸長, 帶下淸稀, 舌淡, 苔薄白, 脈濡緩했다. 脾胃虛弱하고 濕困脾陽한 증상에 속해 補中健脾, 化濕通陽으로 치료하는 것이 적절하다. 完帶湯에서 白芍·芥穗를 제거하고, 茯苓·桂枝·防風·石菖蒲를 더한 뒤 물에 달여 복용했다. 3첩 복용한 뒤 모든 증상이 줄어 들고 정신이 맑아졌다. 계속해서 3첩 복용하자 증상이 사라져 다 나았다고 했다.

5. 嘔吐『四川中醫』(1987, 12:22): 여자, 36세, 嘔吐에 白帶가 동반된 지 1년이 넘었다. 어쩌다 한 번씩 치료를 받아 증상이 때는 심해졌다가 가벼워졌다가 했다. 최근 최근에는 嘔吐 증상이 가중됐다. 진찰 결과: 嘔吐涎沫이 하루에도 수차례 발생했다. 白帶의 양이 많고 끈적끈적했으며 악취는 없었다. 嘔吐와 白帶는 거의 정비례하여 늘어날 때는 같이 늘어나고 줄어들 때는 함께 줄어들었다. 胸脘痞悶, 神疲納差, 身軟乏力, 嗜睡, 面色白, 苔薄白, 脈沉細無力이 수반됐다. 변증 결과 脾胃虛弱하고 升降失調하여 脾津下陷한 결과 帶가 되었으며, 濁陰上泛하여 吐涎하는 것이었다. 調理中州하여 脾의 升淸과 胃의 降濁 작용을 회복하고 升降有序하도록 하는 것이 적절했다. 完帶湯에 芡實·半夏·生薑·丁香을 더했다. 원 방제를 유지하면서 약간씩 넣고 빼 연속 10첩 복용한 뒤 모든 증상이 가라앉았다. 최근 방문 조사에서 환자는 건강했고 재발하지 않았다.

6. 經行泄瀉『福建中醫藥』(1986, 4:54): 여자, 40세. 병력은 2년가량 되었다. 매번 월경을 할 때마다 腹瀉를 하루에 3~4회씩 했다. 치료를 받았지만 좋았다 나빴다를 반복했다. 월경 주기는 32일이며, 4일 동안 월경을 하고 출혈량은 많고 색은 옅었다. 안색이 萎黃虛浮하고 不思飮食, 神疲肢軟, 帶下淋漓, 腰酸背痛, 舌胖苔白, 脈沉緩했다. 脾腎陽虛하고 濕濡中焦해서 발생한 것으로 여겨졌다. 健脾溫腎, 調中勝濕해야 했다. 完帶湯에서 車前子를 제거하고, 巴戟·炒苡仁·茯苓을 더해 넣고 9첩 복용하자 식사량은 점차 증가하고, 帶下가 줄어들어 모든 증상이 좋아졌다. 매 월경 전 10일 동안 위의 방제 6첩을 복용하도록 당부했다. 이처럼 치료한 지 3개월만에 다 나았다.

7. 腎盂腎炎『吉林中醫藥』(1987, 6:27): 여자, 58세, 1982년 7월 25일 진료. 이 환자는 腎盂腎炎 때문에 다른 병원에서 1개월 동안 입원 치료를 받았지만 효과가 없었다. 현재 증상: 腰痛, 尿頻, 尿少, 納差, 乏力, 頭暈. 검사 결과: 神情呆滯, 水腫, 舌苔淡黃微膩, 脈細弱微數. 우선 猪苓湯加味 방제를 투여했지만 효과가 없었다. 자세히 살펴본 뒤에 환자가 白帶가 상당히 많고 質薄하며 비릿한 냄새가 나고 있음을 알 수 있었다. 소변 검사 결과: 蛋白(++)·膿細胞(+++), 현미경 검사 결과 소수의 紅白細胞 및 上皮細胞를 볼 수 있었다. 혈액 검사: 血紅蛋白 7 g, 白細胞 13,000/mm^3, 中性 78%, 淋巴 22%. 勞淋·帶下로 진단했다. 脾腎兩虛, 濕濁下注에 속한 증상이었기에 完帶湯에 滑石·梔子·黃柏을 더해 치료했다. 8첩을 복용하자 소변이 시원하게 배출되었으며 白帶가 현저하게 감소했다. 정신이 맑아지고 소변 검사 수치도 정상으로 돌아왔다. 계속해서 위의 방제를 가감해 14첩 복용시키자 모든 증상이 좋아졌다. 혈액 검사 결과: 血紅蛋白 9 g, 白細胞 정상이었다.

考察: 醫案4~7은 모두 帶下病을 겸하고 있으며 脾虛濕盛에 속한다. 醫案4는 外感 후에 濕邪流連하여 脾陽을 손상시킨 결과 淸陽不升하여 嗜睡하고 濕濁下注하여 帶下하게 된 것이다. 본 방제에 通陽化氣하는 약물을 더했다. 醫案5은 脾失健運, 水停胃腑하여 水飮上逆한 결과 嘔吐涎沫하고, 濕濁下注하여 帶下가 나타났다. 본 방제에 半夏 등을 더해 降逆蠲飮 하고, 芡實을 더해 收濕止帶했다. 醫案6은 본 방제와 健固湯을 합해 健脾化濕의 효력이 더욱 두드러지도록 했다. 健固湯(人蔘·白芍·茯苓·薏苡仁·巴戟)은 傅山이 經前泄水를 치료하던 유효 방제로 "脾氣日盛, 自能運化其濕, 濕既化爲烏有, 自然經水調和, 又何至經前作泄哉"(『傅靑主女科』卷上)하도록 할 수 있다. 醫案7은 脾腎俱虛하고 濕鬱化熱를 겸하고 있기 때문에 본 방제에 淸熱利濕한 약물을 더해 標本兼治했다.

8. 陽痿『新中醫』(1992, 3:46): 남자, 38세, 1989년 4월 2일 진료. 陽痿를 앓은 지 2년 남짓 되었다. 여러 차례 補腎壯陽하는 약물을 투여했지만 효과가 없었으며 頭昏乏力, 精神萎靡, 面色晦滯, 陰部濕冷, 食少便溏, 舌淡, 苔灰白滑膩, 脈細而滑했다. 이것은 脾虛濕濁內盛, 宗筋弛縱한 경우었다. 치료는 마땅히 健脾利濕化濁으로 이뤄져야 한다. 完帶湯에 九香虫·蜈蚣을 넣고 매일 1첩씩 물에 달여 복용토록 했다. 5첩을 복용하자 陽事가 점차적으로 회복되었고 15제를 복용하자 완치됐다고 했다.

考察: 본 醫案은 陽痿가 오랫동안 지속되었다. 補腎興陽하는 방제를 연달아 복용했지만 효과가 없어 命火不足에 의한 것이 아님을 알 수 있다. 陰部濕冷, 納少便溏, 舌苔白膩하므로 脾虛濕濁下注, 痹阻氣機, 損傷陽氣해서 宗筋弛縱한 것이다. 完帶湯加味 방제를 사용해 脾健濕去 하고 陽氣宣通하자 저절로 낫게 되었다.

9. 慢性痢疾『新中醫』(1991, 1:48): 남자, 50세, 1988년 9월 8일 초진. 환자가 3월 전에 下利를 하고 裏急後重의 증상을 보여서 "菌痢"로 진단받았다. 中西醫 약물로 치료를 했으나, 여전히 大便稀溏하고 경미한 裏急後重을 보였다. 복약할 때는 호전되는 듯 했지만 복용을 멈추면 증상이 심해졌다. 진찰 결과 : 面色無華, 四肢困倦, 頭暈心悸, 胸悶脘痞, 口淡納差, 大便稀溏有黏液, 裏急後重, 入夜尤甚, 尿淸, 舌淡, 苔白膩, 脈濡緩했다. 대변 검사: 紅細胞(0~1), 膿細胞(0~3)이다. 脾虛濕滯에 의한 久痢로 판단했다. 健脾祛濕, 化氣行滯의 방법으로 치료해야 하므로 完帶湯에 焦山楂를 더해 치료했다. 우선 6첩을 복용하자 모든 증상들이 크게 줄어들고 대변 검사 결과는 음성으로 바뀌었다. 계속해서 原方 그대로를 15첩 복용했다. 모든 증상들이 화살이 날아가듯 사라져 아직 재발하지 않았다.

考察: 痢가 오래되어 잘 낫지 않으면 脾虛不運하고 濕濁阻滯하게 된다. "初痢宜通, 久痢當補"해야 한다. 본 방제에 加味해서 健脾化濕行滯했다. 20첩 남짓 사용하자 치료됐다.

10. 慢性肝炎『吉林中醫藥』(1987, 6:27): 남자, 46세, 1985년 5월 6일 초진. 1979년 "慢性肝炎"으로 진단받았다. 수년간 右脇隱痛하고 納差乏力하여 여러 차례 치료받았지만 낫지 않았다. 최근 반년가량 口淡乏味, 納呆, 氣短乏力, 嗜臥, 腹脹했으며 하루에 3~4차례 설사를 하고, 小便淡黃短少했다. 때로 鼻衄이 있고, 두 足踝은 微腫했으며, 안색이 창백하고 핼쑥하고, 神情悒鬱, 形體消瘦, 脈虛緩無力, 舌淡苔薄白而潤했다. 검사 결과 ALT(穀丙轉氨酶) 180단위, TTT (Thymol Turbity Test, 麝濁) 18단위(單位), ZTT (zinc sulphate turbidity test, 鋅濁) 20단위, TFT (麝絮, +++), HBsAg 양성이었다. 과거 逍遙散加減를 다용했었지만 효과는 미약했다. 본 증상은 오랫동안 脾胃大虛해서 運化無力하고 肝鬱濕滯한 경우이기 때문에 完帶湯에 茅根·炒鷄內金을 더해 치료했다. 15첩 복용한 뒤 腹脹·鼻衄·水腫이 모두 사라지고 식사량이 조금 늘었으며, 大便은 하루에 1회 보고 小便淸長했다. 본 방제를 가감해 총 60여 첩 복용하자 모든 증상들이 사라졌다. 검사 결과 ALT(穀丙轉氨酶) 32단위, TTT (Thymol Turbity Test, 麝濁) 10단위, ZTT (zinc sulphate turbidity test, 鋅濁) 8단위, TFT(麝絮)(+), HBsAg 음성이었다. 이미 출근해서 일을 하고 있으며 아직 재발하지 않았다.

考察: 慢性肝炎은 肝鬱脾虛한 증상과 함께 나타나는 경우가 비교적 많은 편이다. 다만 임상에서는 각각 치중되는 바가 있어 肝鬱을 위주로 나타나거나 脾虛를 위주로 나타난다. 이 의안은 오랫동안 脾胃虛가 심하고 여러 가지 증상이 동시에 발생한 경우로 逍遥散으로 舒肝解鬱에 치중했지만 치료되지 못했다. 이 방제로 바꿔 健脾化濕을 위주로 하고 舒肝解鬱로 보조했더니 결국 좋은 효과를 얻을 수 있었다.

11. 流涎『新中醫』(1991, 3:46): 남자, 4세, 1986년 12월 20일 초진. 流涎을 보인 지 1년 정도 되었으며, 최근 1개월 동안 증세가 심해졌다. 쉽게 感冒에 걸리고, 大便溏爛했다. 中西藥 치료를 번갈아 진행했지만 효과는 없었다. 증상을 관찰한 결과 流涎量이 많고, 턱 부분에 홍조를 띠며 糜爛했다. 가슴 부분의 옷은 축축하게 젖어 있었다. 面色無華, 食慾不振, 鼻流濁涕, 唇舌淡白, 苔薄白, 脈虛無力했다. 이것은 脾胃虛弱하고 運化失常하여 水濕이 위쪽 입으로 넘친 경우였다. 치료는 補益脾胃, 燥脾利濕해야 한다. 完帶湯을 選用해서 白芍은 제거하고 乾薑·鷄內金은 더했다. 3첩을 복용하자 流涎 증상이 분명하게 줄어들었으며 콧물 흘리는 증상도 사라졌다. 食慾增加, 大便成形했다. 계속해서 6첩을 복용하자 모든 증상이 사라졌다. 3년 동안의 방문조사에서 아직 재발하지 않았다.

考察: 脾主運化한다. 液으로는 涎이 된다. 脾胃虛弱하여 運化無力하면 四布津液, 固攝無權 할 수 없어 水濕이 위쪽 입에까지 넘쳐나게 된다. 본 방제에 가감하는 목적은 健運脾氣하고 化濕攝液하는데 있다.

12. 膿耳『新中醫』(1991, 3:46): 남자, 10세, 왼쪽 귀에서 반복적으로 膿이 흐른 지 4년 남짓 되었으며, 膿液은 淸稀하고 양이 많았다. 面色萎黃, 納呆, 乏力, 便溏, 唇舌淡白, 苔白滑, 脈虛無力했다. 耳科 검사 결과: 左耳道에 비교적 많은 묽은 분비물이 있었으며, 鼓膜 중앙에 穿孔이 있었다. 中耳黏膜은 옅은 홍색을 띠고 肉芽增生을 보이지 않았다. 본 증상은 脾胃虛弱해서 運化無力하고 水濕流滯耳竅한 경우에 속한다. 補氣健脾利濕, 解毒排膿의 방법으로 치료해야 하므로 完帶湯에 黃芪·土茯苓·炮山甲을 더해 사용했다. 4첩을 복용한 뒤 耳流膿이 감소했으며, 음식 섭취량이 증가하고 대변에 형체가 생겼다. 계속해서 6첩을 복용하자 임상 증상이 사라졌고, 왼쪽 귀를 검사해 보니 깨끗하게 말라있었다. 4년 동안의 방문조사에서 재발하지 않았다.

考察: 환자는 오랫동안 병을 앓아 正氣는 허약한데 邪氣는 머무르고 있는 상황이었다. 脾虛濕阻, 水濕停滯耳竅하므로 이 방제를 사용해 健脾利濕하게 치료하고 托裏排膿解毒하는 약물을 추가했다. 약과 증상이 들어맞아 효과를 낼 수 있었다.

13. 鼻淵『新中醫』(1990, 8:44): 여자, 16세, 1987년 12월 2일 진료. 코가 막히고 濁涕를 흘리며 頭痛이 동반된 지 1년가량 되었다. 최근 2개월 동안 감기에 걸려 병세가 심해지더니, 嗅覺減退, 體倦納呆, 頭部悶脹했다. 검사 결과: 양쪽 코 주변에서 壓痛이 있고, 좌측 鼻腔은 확산성(弥散性) 만성 充血腫脹이 있었으며, 양쪽 中鼻道 및 鼻咽 부위에 膿液이 있었다. 舌淡·苔白厚, 脈沉細했다. X-선 촬영 검사 결과 "만성 상악동염" 진단을 받았다. 처음에는 陳氏取淵湯을 주어 5첩 복용시켰지만 효과가 없었다. 病情을 자세히 살펴보니 脾虛濕濁에 근거해 치료해야 했다. 完帶湯에서 甘草를 제거하고 桔梗을 더해 5첩 복용시키자 증상이 크게 감소했다. 계속해서 5제를 복용하도록 한 뒤 X-선 촬영을 했다. 검사 결과: 양측 상악동의 음영 밀도가 비교적 높았지만 積液은 소실되어 있었다. 재차 10첩을 복용시키자 증상은 사라졌고 1년간의 방문조사에서 재발하지 않았다.

考察: 鼻淵이 발생한 지 얼마 되지 않았을 경우에는 실증이 많다. 風濕熱에 의해 발생한다. 증상이 오래되면 허증이 많아져 脾肺氣虛하게 된다. 본 醫案은 脾虛不運하고 濕濁內聚해서 循經上達竇竅한 경우이다. 본 방제를 사용해서 健脾化濕했다.

14. 耳鳴『新中醫』(1998, 2:57): 남자, 35세, 1996년 6월 13일 진료. 耳鳴이 마치 매미 울음소리 같았으며 청력 감퇴를 동반한지 1년이 되었다. 西醫에서 신경성 耳鳴으로 진단하고 비타민 B1·B12 등의 약물로 치료했지만 효과가 없었다. 진찰 결과: 하루 종일 耳鳴이 마치 매미 울음소리 같았으며, 聽力減退, 倦怠乏力, 神疲納少, 頭昏如蒙, 大便時溏, 面色黃白, 舌淡胖邊有齒痕, 苔白膩, 脈濡細했다. 이 증상은 脾氣虛弱, 淸氣不升, 濕阻淸竅에 속했다. 치료는 益氣升淸하고 化濕通竅하는 방법으로 이뤄져야 했다. 完帶湯에서 芥穗를 빼고, 人蔘은 黨參으로 바꾼 뒤, 石菖蒲를 더했다. 5첩 복용한 뒤 耳鳴이 줄어들었다. 앞의 방제에서 車前子는 제거하고 葛根을 더해 계속해서 5첩을 복용시키자 耳鳴이 때로 들렸다가 들리지 않았다가 했다. 鳴聲도 줄어들었다. 원래의 방제를 그대로 유지하며 黃芪를 더해 1개월 동안 연달아 복용토록 하자 耳鳴이 사라지고 청력이 정상으로 회복됐다. 6개월 동안의 방문조사에서 재발하지 않았다.

考察: 『靈樞』「口問」에서는 "上氣不足, 腦爲之不滿, 耳爲之苦鳴."이라고 했다. 이 醫案은 脾虛濕阻, 淸氣不升한 경우이다. 完帶湯加減 방제를 활용해 健脾를 위주로 하고 祛濕으로 보조하며 升陽을 겸했다. 脾健淸升하고 濁降竅通하도록 하자 耳鳴이 치료됐다.

易黃湯

(『傅靑主女科』卷上)

【異名】 退黃湯(『辨證奇聞』 卷11).

【組成】 山藥 炒 一兩(30 g) 芡實 炒 一兩(30 g) 黃柏 鹽水炒 二錢(6 g) 車前子 酒炒 一錢(3 g) 白果 碎 十枚(12 g)

【用法】 물로 달여 복용한다.

【效能】 補腎淸熱, 祛濕止帶.

【主治】 濕熱帶下를 치료한다. 帶下가 稠黏量多하고, 색이 노란 것이 마치 진하게 우려낸 차와 같다. 그 냄새는 腥穢하고 舌紅, 苔黃膩하다.

【病機分析】 傅山은 "夫黃帶乃任脈之濕熱也", "熱邪存于下焦之間, 則津液不能化精, 而反化濕也"(『傅靑主女科』卷上)라고 했다. 腎과 任脈은 서로 통하므로 腎虛有熱하면 損及任脈하고 氣不化津하면 津液은 오히려 濕으로 변해 경맥을 따라 前陰으로 흘러내려온다. 그래서 帶下色黃, 稠黏量多, 其氣腥穢한다.

【配伍分析】 이 방제의 적용 증상은 腎虛有熱, 損及任脈, 濕熱下注로 인해 만들어졌다. 『素問』·「三部九候論」의 "虛則補之" 및 『素問』·「至眞要大論」의 "熱者寒之", "散者收之"의 치료 원칙에 근거해 "法宜補任脈之虛, 而淸腎火之炎"(『傅靑主女科』 卷上)해야 하므로 補腎淸熱, 祛濕止帶을 治法으로 선정했다. 방제 중에서는 炒山藥·炒芡實을 重用해서 補脾益腎, 固澀止帶 한다. "山藥之陰, 本有過于芡實, 而芡實之澀, 更有甚于山藥"(『本草求眞』 卷2)한다. 두 약물은 "專補任脈之虛, 又能利水"(『傅靑主女科』 卷上)하여 모두 君藥이 된다. 白果은 收澀止帶하고 겸하여 濕熱을 제거하므로 臣藥이 된다. 소량의 黃柏이 지닌 苦寒한 性味가 入腎하여 淸熱燥濕 하고 車前子의 甘寒한 性味는 淸熱利濕하므로 모두 佐藥이 된다. 모든 약물을 함께 사용하여 腎虛得補하고 任脈得復하면 濕熱得淸하여 帶下가 멎게 된다.

이 방제의 配伍 특징은 補虛收澀과 淸熱利濕을 幷用하는 것이다. 補澀을 중용하되 淸利로 보조해서 標本兼顧 한다.

본 방제는 黃帶를 치료하기 위해 만들어졌기 때문에 "易黃湯"이라고 부른다.

【類似方比較】 完帶湯과 본 방제는 모두 傅山이 만들어낸 것으로 부인의 帶下不止를 치료한다. 完帶湯은 脾虛肝鬱로 인한 白帶를 치료하기 위해 만들어졌다. 방제 중의 白朮·山藥을 重用해 君藥으로 삼는다. 柴胡 등 舒肝하는 약물로 약간 보좌한다. 補와 散을 병용하지만 補中健脾에 중점을 두어 帶下가 멎도록 한다. 帶下清稀, 色白無臭, 舌淡苔白, 脈濡緩에 사용한다. 이 방제는 腎虛下焦濕熱에 의한 黃帶를 치료하기 위해 만들어졌다. 山藥·芡實을 重用해 君藥으로 삼는다. 白果·黃柏으로 輔佐해서, 補澀과 淸利를 병용한다. 補腎淸熱과 祛濕止帶를 위주로 삼아 帶下稠黏, 色黃腥穢, 舌紅, 苔黃膩에 적용한다.

【臨床應用】

1. 證治要點: 본 방제는 濕熱帶下를 치료하기 위해 만들어졌다. 帶下色黃, 其氣腥穢, 舌苔黃膩를 증상 치료의 요점으로 삼는다.

2. 加減法: 濕熱은 重하지만 虛한 증상이 없을 경우에는 黃柏·車前子의 用量을 늘리고, 山藥·芡實을 적절하게 줄인다. 濕이 심한 경우에는 土茯苓·薏苡仁을 더해 祛濕하고, 熱이 심한 경우에는 苦參·敗醬草·蒲公英을 더해 淸熱解毒한다. 帶下가 멎지 않는 경우에는 鷄冠花·墓頭回를 더해 帶下를 멎게 한다.

3. 易黃湯은 다음 한국표준질병사인분류(KCD)에 해당하는 환자가 腎虛濕熱下注證으로 辨證되는 경우 본 처방의 사용을 고려해볼 수 있다.

처방 목표	한국표준질병사인분류(KCD)
宮頸炎	N72 자궁경부의 염증성 질환
宮頸糜爛	N72 자궁경부의 염증성 질환
陰道炎	N76.0 급성 질염
	N76.1 아급성 및 만성 질염
急性盆腔炎	(질병명 특정곤란)
	N73 기타 여성골반염증질환
	R10 복부 및 골반 통증
慢性盆腔炎	N73 기타 여성골반염증질환
	R10 복부 및 골반 통증
濕熱帶下	N89.8 질의 기타 명시된 비염증성 장애
陰痒	L29.2 외음가려움
淋症	(질병명 특정곤란)
	R30.0즐겨찾기 배뇨통
蛋白尿	(질병명 특정곤란)
	N06 명시된 형태학적 병변을 동반한 고립된 단백뇨
	N39.1 상세불명의 지속성 단백뇨
	N39.2 상세불명의 기립성 단백뇨
	R80.8 기타 및 상세불명 고립성 단백뇨
排卵期出血	N92.3 배란출혈
慢性前列腺炎	N41.1 만성 전립선염

【注意事項】 이 방제는 斂澀하는 성질이 비교적 강한편이다. 부인이 월경을 시작하려 하거나 월경 기간 중일 때는 신중하게 사용해야 한다.

【變遷史】 본 방제는 清·傅山『傅靑主女科』卷上에서 유래했다. 傅山은 "夫黃帶乃任脈之濕熱也. 任脈本不能容水, 濕氣安得而入化爲黃帶乎? 不知帶脈橫生, 通于任脈, 任脈直上, 走于唇齒. 唇齒之間, 原有不斷之泉下貫于任脈以化精, 使任脈無熱氣之繞, 則口中之津液盡化爲精, 以入于腎矣. 惟有熱邪存于下焦之間, 則津液不能化精, 而反化濕也……此乃不從水火之化, 而從濕化也. 所以世之人有以黃帶爲脾之濕熱, 單去治脾而不得痊者, 是不知眞水·眞火合成丹邪·元邪, 繞于任脈·胞胎之間, 而化此色也. 單治脾何能痊乎! 法宜補任脈之虛, 而清腎火之炎, 則庶几矣. 方用易黃湯."라고 했다. 傅氏는 부인과 병증을 변별하면서 주로 肝·脾·腎으로부터 立論했으며 奇經을 조리하는 것을 중시했다. 그는 世醫들이 黃帶를 치료할 때 脾의 濕熱下注論에만 집중하고 腎 중의 水火 및 奇經의 손상을 홀시한다고 여겨 이 방제를 만들었다. 조금 뒤에 나온『辨證錄』卷11의 退黃湯은 白果를 一枚를 사용하였을 뿐 나

머지 약물은 모두 본 방제와 동일하다. 서로 간의 논술 역시 차이가 없다. 이후 黃帶를 치료할 때 대부분 傅氏의 논술을 계승해서 본 방제를 주요 방제로 삼았다. 현재의 임상에서는 이 방제를 脾腎兩虛, 濕熱下注에 의해 발생한 帶下病에 사용한다.

【難題解說】 使用注意에 대해: 여성의 월경이 周期性·規律性 있게 이뤄지는 것은 주로 肝主疏泄 및 肝藏血과 관련되어 있다. 이 방제는 芡實·白果 등 收斂固澀하는 효능의 약물을 重用한다. 黃柏·車前子의 淸利 작용으로 약간 보좌하지만 여전히 비교적 강력한 收斂固澀을 지니고 있다. 그 사용이 적절치 않으면, 肝氣疏泄에 영향을 미쳐 氣機阻滯, 氣滯血瘀 하도록 하고 그 결과 經水가 시작되어야 하는데 시작하지 못하거나 방울방울 떨어지며 그치지 않거나 經行이 원활하게 이뤄지지 않아 또다른 變證을 일으키게 된다. 따라서 월경 기간이 다가오거나 월경 기간 중일 때는 신중하게 사용해야 한다. 그렇지 않으면 變證이 생긴다(또는 일어난다).[1)]

【醫案】

1. 膏淋『中醫雜誌』(1989, 2:19): 남자, 49세, 1983년 5월 26일 진료. 膏淋을 앓은지 반년 남짓 되었다. 小便이 혼탁하고 맑지 않아 마치 쌀뜨물같이 하얗고, 심할 때는 소변 중에 濁塊가 나오고 위에는 기름이 떠 있고 尿道에 타는듯한 통증이 있었다. 頭目昏眩, 面黃肢倦, 舌苔膩黃, 脈象細緩이 수반된다. 소변 乳糜 검사에서 양성 반응을 보였고, 혈액 검사에서는 微絲蚴(microfilaria)를 검출되지 않았다. 흉부 X-선 검사: 양쪽 폐 모두 깨끗했다. 병증이 오래되어 脾虛한 상황에서 濕熱之邪가 留戀下焦하여 淸濁互混하고 脂液外流한 상황이다. 益氣健脾하고 淸熱除濕하는 방법으로 치료했다. 易黃湯에 薏仁·太子參·川萆薢·茯苓를 더하고 연속으로 12첩 복용했더니 小便乳白이 감소했다. 24첩을 복용한 뒤 小便이 맑아졌고 頭昏肢倦한 증상이 사라졌다. 재차 乳糜 검사를 시행한 결과 음성으로 나와 완치했다고 말했다.

考察: chyluria(乳糜尿證)의 경우 임상에서 별다른 治法이 존재하지 않는다. 주로 膏淋으로 변증에 치료하며 대부분 腎虛하고 膀胱有熱 경우에 속한다. 이 의안은 오랫동안 병증을 앓아 脾虛한 경우이다. 易黃湯은 健脾補中하는 효력이 약해 健脾利濕하고 分淸化濁하는 약물을 추가한 뒤 효과를 보았다.

2. 熱淋『中醫雜誌』(1989, 2:19): 여자, 37세, 1978년 7월 25일 진료. 熱淋을 앓은지 4개월 남짓 되었으며, 최근에 차가운 기후를 쐰 뒤 유발됐다. 진료 당시 小便頻數, 溲時不爽, 尿道澀痛, 小腹脹滿時痛, 伴有帶下, 腰酸腿軟, 納少乏力, 小便黃, 大便干, 苔膩微黃, 脈濡數했다. 소변 검사: 蛋白(+), 膿細胞(++), 紅細胞(+)였다. 脾腎兩虛하고 濕熱下注膀胱하여 氣化失司, 水道不利한 것이었다. 淸熱利濕하고 通淋하는 방법으로 치루기 위해 易黃湯에 甘草梢·石韋·萹蓄·生地黃·生大黃을 더했다. 3첩을 복용하자 尿頻·尿痛이 호전되고 小便通利했다. 12첩을 복용한 뒤 모든 증상이 사라졌고, 소변 검사 결과 역시 정상으로 회복됐다.

考察: 본 醫案은 淋證·帶下를 겸한 경우로 病機는 腎虛下焦濕熱를 위주이다. 본 방제를 加味했으며 補腎淸熱除濕하는 약물을 重用했다.

3. 蛋白尿『中醫雜誌』(1989, 2:19): 여자, 29세, 1980년 7월 31일 진료. 환자는 1년 동안 자주 水腫, 腰痛, 小便短少했다. 補腎藥을 복용한 뒤 水腫은 점차 사라졌지만 蛋白尿는 여전히 종종 나타났다. 소변 검사 결과: 蛋白(+++)였다. 肢困乏力, 面色少華, 目胞晨起微腫, 納穀不香, 苔膩微黃, 脈弦緩했다. 脾腎兩虛, 濕熱內蘊, 精微下滲한 경우였다. 健脾補腎하고 利濕淸熱하는 방법으로 치료하기 위해 易黃湯에 山萸肉·茯苓를 더했다. 12첩을 복용한 뒤 소변 검사를 해보니 尿蛋白(+)이고, 腰痛은 감소했으며, 식사량이 증가했다. 原方을 계속해서 10첩 복용하고, 재검사를 실시한 결과 尿蛋白은 음성이었다. 이후 六味地黃丸으로 조리했다.

考察: 蛋白尿는 대부분 脾腎兩虛하여 脾不升淸하고 固攝無權하여 淸濁이 모두 아래로 배출되는 것이다. 腎氣不固하고 封藏失職하면 精微外泄한다. 본 방제 중의 山藥·芡實은 脾腎雙補하고 固澀精氣하는 약물이다. 白果의 收斂, 黃柏의 瀉火堅陰, 車前의 淸熱利水 하는 약물을 배오해 本證에 사용한다. 標本兼治의 효능을 갖게 한다.

【副方】淸帶湯(『醫學衷中參西錄』上冊): 生山藥 一兩(30 g) 生龍骨 搗細 六錢(18 g) 生牡蠣 搗細 六錢(18 g) 海螵蛸 去淨甲搗 四錢(12 g) 茜草 三錢(9 g)

• 用法: 물에 달여 복용한다.
• 作用: 滋陰收澀, 化瘀止帶.
• 適應症: 부인의 赤白帶下가 綿綿不絶한 경우.

본 방제는 帶脈失約하고 衝任滑脫하며 겸하여 瘀滯를 지니고 있는 帶下赤白을 치료하기 위해 만들어졌다. 방제 중에 山藥을 重用해서 滋眞陰하고 固元氣한다. 君藥이 된다. 生龍骨·生牡蠣는 滋陰潛陽하고 收斂固脫하여 臣藥이 된다. 海螵蛸·茜草는 化滯祛瘀 할 뿐 아니라 收斂固澀 할 수 있어 佐藥이 된다. "四藥滙集成方, 其能開通者, 兼能收澀, 能收澀者, 兼能開通, 相助爲理, 相得益彰"(『醫學衷中參西錄』 上冊)하며 淸帶하는 효능을 지닌다. 原方을 가감할 경우, "單赤帶, 加白芍·苦參各二錢; 單白帶, 加鹿角霜·白朮各三錢"(『醫學衷中參西錄』上冊)하고, "證偏熱者, 加生杭芍·生地黃; 熱甚者, 加苦參·黃柏, 或兼用防腐之藥, 若金銀花·旱三七·鴉膽子仁皆可酌用; 證偏凉者, 加白朮·鹿角膠; 凉甚者, 加乾薑·桂·附·小茴香"(『醫學衷中參西錄』中冊)한다.

易黃湯·淸帶湯 두 방제는 모두 帶下를 치료한다. 모두 補腎固澀하는 山藥을 重用해서 君藥으로 삼는다. 다만 易黃湯은 淸熱祛濕하는 黃柏·車前子를 配伍해서 腎虛濕熱下注에 의한 黃帶를 치료한다. 한편 淸帶湯은 龍骨·牡蠣와 化瘀작용의 海螵蛸·茜草를 配伍해서 滑脫不禁하고 瘀滯를 兼하고 있는 赤白帶下를 치료한다.

【參考文獻】

1) 劉銀貴. 婦女月經將至愼用易黃湯. 中醫雜誌. 1997; 38(3):186.

第十章

安神劑

安神劑는 安神藥 위주로 구성되며, 安神定志 작용을 한다. 정신 불안에 쓰이며, 安神劑라고 부른다. 안신제의 역사는 오래되었다. 일찍이 『神農本草經』에 朱砂·棗仁 등의 安神 약물의 기록이 있을 뿐만 아니라 이를 최상품의 약제로 분류하고 있다. 安神劑의 발전은 약물학의 기초를 정립시켰다. 『素問』·「至眞要大論」에서는 "驚者平之", "虛者補之", "損者溫之"라 하여 안신제를 구성하기 위한 治法의 기초를 정립했고 안신제 관련 논의를 확립하기 위한 근거를 마련하였다. 東漢『傷寒論』의 黃連阿膠湯과 『金匱要略』의 酸棗仁湯·甘麥大棗湯은 지금까지 임상에서 주로 쓰이는 補養安神劑이다. 唐代 『備急千金要方』卷6의 神曲丸(『原機啓微』卷下에서 千金磁朱丸이라 부른다)은 같은 책 卷12에서는 千里流水湯으로 기재되어 있다. 神曲丸은 마음을 안정시키고 눈을 밝게 하는 효능으로 眼目昏花하고 耳鳴耳聾하며 心悸失眠과 癲癎치료한다(『備急千金要方』卷6). 千里流水湯은 補養安神의 효능으로 "虛煩不得眠" 하는 것을 치료한다(『備急千金要方』卷12). 의학의 발전과 함께 안신제는 宋代에도 발전을 이룩했다. 예를 들어 安心丸은 補心·定驚·瀉火의 작용을 하여, 소아의 心虛肝熱과 神志恍惚을 치료한다(『小兒藥證直訣』下卷). 酸紅棗仁丸은 주로 虛勞煩熱하여 不眠하는 증상을 치료한다(『太平聖惠方』 卷27). 平補鎭心丹은 성인 남성 및 여성의 心氣不足, 志意不定, 神情恍惚, 夜多異夢, 忪悸煩鬱 등과 같은 증상을 치료한다(『太平惠民和劑局方』卷5). 珍株母丸은 주로 驚悸失眠 등을 치료한다(『普濟本事方』 卷1). 金元代의 유명한 의학자인 李杲는 치료 경험이 풍부하고 독창적인 사고를 갖고 있어, 朱砂安神丸을 처음으로 만들었고, 이것은 重鎭安神하는 유명한 방제가 되었다. 지금까지도 임상에서 광범위하게 사용하고 있다. 明淸時代에는 역대 선현들의 업적을 바탕으로 자신이 체득한 경험을 더하여 다양하고 새로운 安神劑들이 만들어졌다. 예를 들어 朱砂消痰飮은 心氣痰迷心竅, 驚悸를 치료한다(『醫統正脈』). 棗仁遠志湯은 주로 虛煩으로 인한 不得卧, 眞陽不足, 心神失養 등의 증상을 치료한다(『症因脈治』 卷3). 秘旨安神丸은 주로 心血이 虛하여 睡多驚悸하거나, 驚吓해서 神魂이 불안한 증상을 치료한다(『飼鶴亭集方』). 生鐵落飮은 주로 痰火狂證을 치료한다(『醫學心悟』卷4). 安魂湯은 驚悸不眠 등을 치료한다(『醫學衷中參西錄』上卷). 위의 내용들을 종합해 볼 때, 안신제의 종류는 비교적 많고 그 내용 또한 풍부하다. 사용해 온 기간은 오래되었으나, 淸代 이전까지는 안신제를 별도 항목으로 구분하지 않은 채 안신의 효능을 지는 방제를 다른 항목 중에 분류해 두었다. 예를 들어 磁朱丸은 『備急千金要方』의 七竅 병증 중에 분류되어 있었고, 朱砂安神丸은 『醫方考』怔忡驚悸門 중에, 天王補心丹은 『醫方集解』의 補養門 중에, 酸棗仁湯은 『成方便讀』 和解劑 중에 분류되어 있었다. 정신 질환에 대한 연구가 깊어지면서 安神 작용을 갖고 있는 방제에 대해 체계적인 정리가 이루어졌고, 스스로의 논리 체계를 만들어내면서 '安神劑'라는 명칭으로 불리게 되었다. 安神類의 방제가 별도로 분류되기 시작한 것이다.

안신제는 神志不安 증상을 치료하기 위해 만들어진 방제이다. 神志不安은 心悸失眠과 煩躁驚狂을 주된 임상 증상 표현으로 나타내는 증후의 하나이다.『素問』·「靈蘭秘典論」에서는 "心者, 君主之官, 神明出焉"이라 하였고,『靈樞』·「邪客」에서는 "心者, 五臟六腑之大主也, 精神之所舍也"라 하였다.『靈樞』·「本神」에서 또한 "肝藏血, 血舍魂"하고 "心藏脈, 脈舍神"이며 "腎藏精, 精舍志"라고 하였다. 따라서 神志不安證의 病位는 주로 심장에 놓여 있지만, 肝·腎과도 어느 정도 연관되어 있다. 情志 요소가 심장에 영향을 미치면 心神失藏에 상태에 이르러, 心悸不安과 失眠煩躁 증상을 일으킬 수 있다. 심지어 神識이 恍惚하거나 狂亂하는 등의 神志不安證을 야기할 수 있다. 만약 情志不遂, 肝鬱氣結, 氣鬱化火, 耗傷陰血로 인해, 心肝에 陰血이 부족하고, 魂不守舍하다면 虛煩不眠, 心悸健忘證과 같은 증상이 나타날 수 있다. 중의학에서는 心과 腎이 생리학적으로 밀접한 관계에 놓여져 있다고 간주한다. 예를 들어 心陰·心陽과 腎陰·腎陽은 서로 의존하며 또한 서로 제약하는 관계이다. 心腎 기능이 정상적으로 이뤄지면서, 서로 협조하고, 動態平衡의 상태를 유지하면, 心腎이 相交하게 된다. 이를 "水火既濟"라고도 부른다. 만약 心이 병들어 腎과 下交하지 못하고, 腎이 병들어 心과 上交하지 못하면 "心腎不交" 혹은 "水火不濟"의 상태에 이르게 된다. 만약 腎陰이 虧損되어 心陰을 上滋하지 못하면, 心火가 偏亢하여, 失眠, 心悸, 健忘 등의 神志不安證이 나타나게 된다. 따라서 神志不安의 발생은 주로 心, 肝, 腎 이 세 장기의 陰陽盛衰, 상호관계에서의 불균형과 서로 밀접한 관계가 있다. 그 기본적인 病機는 陽亢火動하여 心神을 內擾하게 하거나, 陰血 부족으로 心神을 失養하는 것이다. 火盛하면 쉽게 陰傷을 일으키고, 陰虛하면 쉽게 陽亢에 이른다. 따라서 病機는 줄곧 虛實이 뒤섞이고, 서로 인과 관계를 갖게 된다. 임상 증상 표현에 따라 神志不安證에는 虛實의 구별이 있다. 驚狂善怒하고 躁憂不安한 환자는 주로 實證에 해당하며, 肝에 그 책임이 있다. "驚者平之"(『素問』·「至眞要大論」)라고 했으니, "十劑"의 "重可鎮怯" 치료 원칙에 근거한 치료 방법으로 重鎮安神한다. 心悸健忘하고 虛煩不眠한 환자는 대부분 虛證에 속하며 心에 그 책임이 있다. "虛者補之", "損者溫之"(『素問』·「至眞要大論」)라는 치료 원칙에 근거한 치료 방법으로 補養安神한다. 따라서 본 장의 방제는 重鎮安神과 補養安神의 두 가지로 분류되어 있다.

重鎮安神劑는 心肝陽亢, 火熱擾心을 주된 병리기전 특징으로 삼고 있는 煩亂不寧, 失眠, 癲癇 등의 증상에 사용한다. 朱砂, 磁石, 珍珠母 등의 重鎮安神하는 약물 위주로 방제를 조합한다. 그 配伍 방법은 다음과 같다: ① 淸熱瀉火藥을 配伍한다. 黃連·黃芩·連翹 등이 있다. 神志不安으로 心火亢盛하고 火熱擾心에 이르게 한 것이기 때문에 重鎮安神藥에 淸熱瀉火하는 약물을 配伍해 心火를 淸하게 하고, 心神를 安하게 한다. 예를 들면 朱砂安神丸에 들어있는 黃連과 生鐵落飮에 들어있는 連翹가 있다. ② 滋陰養血藥을 配伍한다. 生地黃·熟地黃·當歸 등이 있다. 心火가 亢盛하면 陰血 불사르기 쉽다. 陰血不足이 부족해지면 虛熱이 內生해 心火가 더욱 왕성해진다. 따라서 滋陰養血하는 약물을 配伍해 陰血의 부족을 보충한다. 滋陰淸火할 수 있으면 心神이 안정을 이룰 수 있다. 예를 들면 朱砂安神丸에 들어있는 生地黃·當歸와 珍珠母丸에 들어있는 熟地黃·當歸가 그것이다. ③ 理氣化痰藥을 配伍한다. 橘紅·貝母와 같은 약물이 있다. 痰火擾心 하여 神志 불안에 이른 경우에는 理氣化痰하는 약물을 配伍해 化痰寧心安神 한다. 生鐵落飮에 들어있는 橘紅·貝母 등이 그것이다. ④ 消導藥를 配伍한다. 神曲·谷芽·麥芽 등이 있다. 重鎮安神劑는 주로 朱砂·生鐵落·滋石 등과 같은 광석류의 약제를 조합하여 방제를 구성하며, 이런 류의 약물은 脾胃를 손상시키기 쉽다. 따라서 消導藥을 配伍하여 重墜하는 약물들이 脾胃를 손상시키는 것을 예방한다. 磁朱丸의 神曲이 그것이다.

補養安神劑는 心肝血虛하고 神魂失養을 주요 病機 특징으로 갖는 虛煩少寐, 心悸怔忡, 健忘夢遺, 舌紅少苔 등의 증상에 적용한다. 酸棗仁·五味子·柏子仁 등과 같은 滋養安神藥物 위주로 방제를 구성한다. 配伍 방법은 아래의 몇 가지로 분류된다. ① 滋陰養血藥을 配伍한다. 生地黃·熟地黃·當歸·阿膠 등이 있다. 神志不安症은 陰血 부족 증상을 겸하기 때문에 滋陰養血藥를 配伍하여 부족한 陰血을 보충한다. 예를 들면 天王補心丹의 生地黃·當歸·麥冬과 黃連阿膠湯의 阿膠 등이 있다. ② 益氣藥을 配伍한다. 人蔘·甘草 류가 있다. 神志不安證에서 心氣不足 증상이 쉽게 나타나기 때문에 益氣藥을 配伍하여 心氣를 보충하고 心神을 보양한다. 예를 들면 天王補心丹의 人蔘과 甘麥大棗湯의 甘草가 있다. ③ 淸熱藥을 配伍한다. 黃連·知母 류가 있다. 陰虧血虛하여 발생한 神志不安證에서는 陰不制陽하여 虛火內動하는 병리적 특징이 빈번하게 발생한다. 따라서 淸熱瀉火藥을 配伍하여 心火를 식혀주고 心神을 안정시킨다. 예를 들면 天王補心丹의 玄參과 酸棗仁湯의 知母, 黃連阿膠湯의 黃連이 그것이다.

安神劑를 응용할 때 주의 사항은 아래와 같다: ① 본 장의 방제에서 重鎭安神劑는 주로 礦物類 약물로 구성되어 있고, 補養安神藥은 주로 滋膩補養한 약물로 구성되어 있다. 이 둘을 장기 복용할 경우 모두 脾胃의 運化에 장애를 가져올 수 있기 때문에 장기간 복용하는 것은 적합하지 않다. 脾胃가 허약한 사람은 각별히 주의해야 한다. 필요할 경우 脾胃를 보호하고 理氣하는 약품과 함께 配伍하여 복용할 수 있다. ② 일부의 安神藥, 예를 들어 朱砂는 "단독으로 복용하거나 다량으로 복용할 경우 환자가 답답함을 느낄 수 있다"(『本草從新』卷13). 현대 연구에서 朱砂는 황화수은(HgS, 硫化汞)을 함유하고 있기 때문에 다량을 지속적으로 복용하지 않아야 중독을 피할 수 있다고 밝히고 있다. ③ 神志 방면의 병증은 정신적인 요인은 밀접한 관계를 지니고 있다. 약물 치료에 적절한 심리 치료를 배합해야 치료 효과의 제고할 수 있다.

第一節 重鎭安神劑

朱砂安神丸

(『內外傷辨惑論』卷中)

【異名】 安神丸(『蘭室秘藏』下卷)·朱砂丸(『普濟方』卷16)·黃連安神丸(『保嬰撮要』卷13)·安寢丸(『胎產指南』卷8)

【組成】 朱砂 另研, 水飛爲衣 五錢(15 g) 甘草 五錢五分(16 g) 黃連 去鬚淨, 酒洗 六錢(18 g) 當歸 去蘆 二錢五分(7 g) 生地黃 一錢五分(5 g)

【用法】 위의 약물 중 朱砂를 뺀 나머지 네 가지를 모두 곱게 갈고 뜨거운 물에 담갔다가 떡처럼 찐다. 기장쌀 크기의 환으로 만들어 朱砂로 옷을 입힌다. 매번 식사 후 15~20개의 환을 침과 함께 삼킨다. 또는 소량의 따뜻한 물 혹은 시원한 물로 복용한다(현대용법: 朱砂는 水飛하거나 분쇄하여 아주 고운 분말로 만든다. 나머지 네 가지는 갈아서 곱게 가루 낸 뒤 체로 거른다. 함께 섞은 뒤 꿀을 첨가해 환을 빚는다. 매번 6~9 g을 자기 전에 따뜻한 물로 복용한다. 湯劑로 제조할 수도 있다. 용량은 原方 비율에 맞춰 상황에 따라 더하고 뺄 수 있다. 水飛한 朱砂는 탕약으로 복용한다).

【效能】 鎭心安神, 淸熱養血.

【主治】 心火上炎과 陰血不足證을 치료한다. 心神煩亂하고 怔忡하여 失眠多夢한다. 舌尖紅, 脈細數.

【病機分析】 이 방제의 치료 병증은 모두 心火上炎하고 灼傷陰血한 결과로 인해 유래한 것이다. 『素問』·「靈蘭秘典論」에서는 "心者, 君主之官, 神明出焉."이라

하였고, 『素問』「六節臟象論」에는 "心者生之本, 神之變也."이라 하였다. 만약 마음을 과도하게 사용하면, 灼傷陰血하고 心火上炎하게 된다. 心火上炎하고 火擾心神하면, 心神煩亂하게 된다. 心의 陰血이 부족해지면, 心失所養하고 神明不安하여 怔忡驚悸하고 失眠多夢하게 된다. 혀는 心之苗이고, 혀끝은 심장에 속한다. 心火內熾하면 心陰受傷하여 舌尖이 붉게 된다. 脈細數하는 것 또한 陰血內耗에 의한 것이다.

【配伍分析】 心火上炎하면 그 火를 淸해야 하고, 灼傷心陰하면 마땅히 그 陰을 補해야 한다. 만약 補하면서 淸하지 않으면, 邪火가 여전히 陰을 손상시키게 되고, 淸하면서 補하지 않으면 陰血이 회복되기 어려워진다. 따라서 鎭心安神하고 淸熱養血하는 방법으로 치료해야 한다. 방제에서 朱砂는 맛은 甘하지만 微寒한 성질을 띠고 있다. 心經으로 들어가 重한 성질로는 鎭怯하고, 寒한 성질로는 淸熱한다. 鎭心安神에 뛰어나고, 또 淸心火한다. "養精神, 安魂魄"(『神農本草經』卷2)이라고 하였고, "瀉心經邪熱, 鎭心定驚"(『本草從新』卷13)이라고 하였으므로 君藥이 된다. 黃連은 맛이 苦하고 성질이 寒하며 心·肝·胃經으로 들어간다. 淸热除煩하는 효능이 있다. "入心瀉火"(『本草從新』卷1)라고 했듯이, 朱砂와 함께 配伍해 重鎭함으로써 神志를 편안하게 하고, 淸心함으로써 煩熱를 제거하므로 臣藥이 된다. 生地黃은 맛이 甘·苦하며 寒한 성질을 가지고 있다. 心·肝·腎經으로 들어가 淸熱瀉火하고 滋陰養血한다. "治驚悸勞劣, 心肺損"(『日華子本草』卷5)한다고 했다. 當歸는 맛이 甘·辛하고 溫한 성질을 가지고 있으며 心·肝·脾經으로 들어가 補血活血한다. "養心血"(『日華子本草』卷7)한다고 했다. 當歸와 生地黃을 함께 사용하면, 첫 번째 助火가 일어나지 않도록 하고, 두번째 被灼한 陰血을 補한다. 모두 佐藥이 된다. 甘草는 맛은 甘하고 성질은 平하다. 心·脾·肺經으로 들어간다. "主五臟六腑寒熱邪氣……倍氣力"(『神農本草經』卷2)하고, 또한 "有補有瀉……生陰血, 瀉心火……協合諸藥."(『本草從新』卷1)이라고 했다. 이 방제에서는 瀉火補心하고 調和諸藥한다. 아울러 黃連의 苦寒한 성질을 제약해 黃連의 苦寒瀉火는 작용이 化燥傷陰에 이르지 못하도록 하므로 使藥이라고 부른다. 諸藥을 함께 사용하여, 重鎭瀉火함으로써 心神을 편안하게 하고, 滋養心陰함으로써 心血을 보충한다. 標本兼治한다. 心火를 내려가게 하고, 陰血를 올라가게 하여, 心煩·失眠·驚悸·怔忡등과 같은 神志不安證을 해결할 수 있다. 따라서 방제 명칭을 "安神丸"이라고 한다.

【臨床應用】

1. 證治要點: 본 방제는 心火上炎하고 陰血이 부족하여 心神이 괴롭고 어지럽거나 怔忡失眠에 이른 증상을 치료하는 좋은 방제이다. 臨床應用에서는 驚悸失眠, 舌尖红, 脈細數한 것을 증상 치료의 요점으로 삼는다.

2. 加減法: 예를 들어 痰热을 끼고 있거나 胸悶苔膩한 환자에게 瓜蔞·竹茹 등을 추가해서 淸熱化痰한다. 悰悸나 失眠이 비교적 위중한 경우에는 龍骨, 牡蠣, 磁石 등을 추가하여 重鎭安神의 힘을 강화한다. 心中이 煩熱하고 懊憹한 환자의 경우 山梔, 蓮子心을 넣어서 淸心降火除煩하는 기능을 강화한다.

3. 朱砂安神丸은 다음 한국표준질병사인분류(KCD)에 해당하는 환자가 心火上炎, 陽血不足證으로 辨證되는 경우 본 처방의 사용을 고려해볼 수 있다.

처방 목표	한국표준질병사인분류(KCD)
精神衰弱	F48.0 신경무력증
	F48.8 기타 명시된 신경증성 장애
	F48.9 상세불명의 신경증성 장애
精神抑鬱症	F30~F39 기분[정동] 장애
心臟病	I20~I25 허혈심장질환
	I30~I52 기타 형태의 심장병
自汗·盜汗	(질병명 특정곤란)
	R61 다한증
不眠	G47.0 수면 개시 및 유지 장애[불면증]
	F51.0 비기질성 불면증

【注意事項】 방제 중의 朱砂는 수은을 함유하고 있어 다량을 복용하거나 혹은 장기 복용 시 수은 중독을 일으킬 수 있다.

【變遷史】 본 방제는『内外傷辨惑論』에서 유래했으며, 원 저작에서는 "氣浮心亂"를 치료한다고 했다.『蘭室秘藏』下卷에서는 安神丸이라 부르며, "鎭陰火之浮行, 以養上焦之原氣"하는 효능으로 "心神煩亂, 怔忡, 兀兀欲吐, 胸中氣亂而有熱, 有似懊憹之狀, 皆膈上血中伏火, 蒸蒸然不安"한 증상을 치료한다고 기록하고 있다. 같은 책 卷下에 또 다른 朱砂安神丸이 수록되어 있는데,『東垣識效方』卷1에서는 黃連安神丸이라고 부른다. 朱砂 四錢, 黃連 五錢, 生甘草 二錢 五分을 사용한다. 구성 약제를 본 방제와 비교해 보면 生地黃과 當歸가 빠져있다. 주요 효능은 重鎭安神과 淸心除煩이며, 주로 心煩懊憹, 心亂怔忡, 上熱胸中氣亂, 心下痞悶, 食入反出한 증상을 치료한다. 이밖에『保嬰撮要』卷8 중의 朱砂安神丸(본 방제에서 當歸를 빼고 蘭香葉·銅靑·輕粉을 넣는다)은 주로 소아의 心疳怔忡과 心中痞悶을 치료하고,『症因脈治』卷2 중의 朱砂安神丸(본 방제에서 麥冬·遠志·白茯苓을 더한다)은 주로 心經咳嗽, 咳則心痛, 喉中介介如梗狀하거나, 심한 경우 舌腫咽痛하고 左寸脈洪數한 환자를 치료한다. 본 방제의 변화와 발전으로 간주할 수 있다.

【難題解說】 방제의 君藥에 대해서: 본 방제의 "治心神煩亂, 怔忡……, 皆膈上血中伏火"에서 病證원인을 분석해 보면, 膈上은 심장의 한 부분이며 心은 血脈을 주관하기 때문에 膈上血中伏火하거나 心有伏火한다. 黃連은 淸心火하는 주요 약물이다. 본 방제에서 이를 사용하여 心中伏火를 쏟아낸다. 心火가 내려가면 心神은 절로 편안해지고, 心悸怔忡은 안정된다. 따라서 본 방제의 저자인 李杲는 黃連을 방제 중의 君藥으로 여겼으며, 이는 시사하는 바가 크다고 할 수 있다. 葉仲堅 등은 이 방제를 풀이하며, 우선적으로 朱砂의 淸熱重鎭의 효능에 대해 논했다. 朱砂에 대해 "具光明之體, 赤色通心, 重能鎭怯, 寒能勝熱, 甘以生津, 抑陰火浮游, 以養上之元氣, 爲安神第一品"이라고 하며 君藥으로 간주했다. 후대 문헌은 또 朱砂와 黃連을 모두 방제의 君藥이라고 보기도 했다. 病機를 분석했을 때, 心火上炎, 灼傷陰血하면 陰血不足, 心失所養, 神志不安하게 된다고 보았기 때문이다.『素問』·「至眞要大論」에서는 "驚者平之"하고 "熱者寒之"해야 한다고 했다. 朱砂는 성질이 重·寒하며 맛이 甘하고 心으로 入經한다. 寒으로는 淸熱할 수 있고 重으로는 鎭怯, 淸心火鎭浮陽 할 수 있다. 黃連은 맛이 苦·寒해서 淸心하고 除煩泄熱하며 心火를 平息内熾하여 安神에 이르도록 한다. 두 약재를 함께 사용하면 곧장 心으로 들어가 하나는 鎭하고 다른 하나는 淸하면서, 서로를 도와가며 서로를 완성시켜준다. 病機에 정확하게 합치되기 때문에 함께 君藥으로 사용된다. 본 방제의 치료를 살펴보면 心火上炎하여 灼傷陰血한 것이기 때문에 마땅히 鎭心安神 위주로 치료하며, 淸熱養血을 배합해야 한다. 朱砂는 그 성질이 重·寒하고 주로 心經으로 들어간다. 重한 성질은 鎭怯할 수 있고, 寒한 성질로는 淸熱할 수 있다. 따라서 朱砂를 君藥으로 삼는다.

【醫案】

1. 失眠『歷代名方精編』: 남자, 24세, 농민. 본 환자는 吸血蟲病으로 인한 질병으로 1973년 10월 해당 지역 병원에서 치료를 받았으며 안티몬(Sb, stibium) 273개를 복용했다. 치료 후반기에 心煩, 心悸, 失眠 등의 증상이 발현하여 나에게 치료를 요청했다. 그 형체를 살펴보니 여전히 건장하지만, 안색은 붉은 편이었고, 혀끝이 붉고, 舌苔는 엷은 누런색이었으며, 맥박이 급하게 뛰었다. 이는 心火上炎과 陽血虧耗에 속한다. 淸心養陰하며 標本兼顧하는 방법으로 치료하는 것이 적절하다. 방제로 生地 15 g, 當歸身 9 g, 黃連 3 g, 生甘草 4.5 g, 白芍 9 g, 辰茯神 12 g, 辰燈心 3束, 朱砂 1 g을 사용했고, 2회에 걸쳐 물에 타서 마시도록 했다. 4첩을 복용한 후 모든 증상이 사라졌다.

考察: 불면증은 病因이 다양하며 치료법은 제각각이다. 본 의안은 心火上炎과 陰血不足으로 인한 病證

에 속하므로, 朱砂安神丸을 사용해 치료한다. 맥박이 數大하고 세게 눌렀을 때 虛脈이 뚜렷하게 나타났기 때문에 白芍과 當歸를 추가해 配伍하여 養血의 효력을 증가시켰다. 鎭心·淸熱·養血이 모두 강력한 방제였기에 효과를 거둘 수 있었다.

2. 夜游症『中醫雜誌』(1981, 11:62): 남자, 14세, 학생. 매번 자다가 깜짝 놀라 일어나 문을 열고 나간다. 들판이나 언덕으로 뛰어다니지만 여전히 깊은 잠에 빠져 있다. 진료 당시 환자의 심리 상태는 평소와 같았으며 心煩, 耳聾 증상을 자각하고 있었다. 밤에 자다가 나갔던 것은 알지 못했으며, 그저 꿈을 많이 꾸고 자주 놀란다고 할 뿐이었다. 舌은 붉고 苔는 누렇고 脈弦數했다. 처방: 生地 60 g, 黃連 18 g, 當歸 30 g, 甘草 15 g, 煅磁石 30 g, 建曲 18 g. 분말 형태로 갈아서 꿀을 넣고 환으로 제조한다. 환은 黃豆 크기로 만들었고 겉에 9g의 朱砂로 옷을 입혔다. 아침, 저녁으로 각각 1회씩 복용하였으며, 매회 30개의 환을 복용했다. 2料의 환약을 모두 복용하고 나서 병증이 마침내 완쾌되었다.

考察: 이 사례는 朱砂安神丸에 磁朱丸을 더해 치료했다. 방제 적용 病證을 통해 病機를 예측할 수 있다. 火熱이 정말로 心肝을 어지럽게 만들어, 神이 자리를 지키지 못하고, 魂이 나돌아 다니는 바람에 꿈을 꾸면서 정신이 흐리멍텅해지고, 종잡을 수 없이 떠돌아다니는 증상이 나타나게 되었다. 朱砂安神丸에 磁朱丸을 넣어 淸心瀉火安神하고 鎭肝定魂하여 효과를 거뒀다.

3. 盜汗症『河南中醫』(1983, 1:6): 남자, 36세. 1981년 12월 4일 진료. 땀이 나되 한밤중에 특히 심하게 나고, 수면이 불안하며, 꿈을 많이 꾸고, 가슴 속에서 煩熱이 일고, 입이 마르고 갈증이 난다고 한다. 舌質는 붉고 설태가 조금 있으며, 脈細數했다. 본 病證은 心火偏亢, 心陰不足, 迫液外出에 속한다. 淸心養陰과 鎭心安神으로 치료하기 위해 朱砂安神丸을 매회 9 g, 매일 3번씩 복용시켰다. 아침과 저녁으로 梔子 10 g을 추가하여 물에 달여서 마시도록 했다. 5일 연속 복용한 후 병이 나았다.

考察: 본 증상은 지나치게 과로하고, 감정이 지나쳐, 化火傷陰, 火邪擾心, 迫液外泄 했기 때문에 발생했다. 心火內動하여 迫液外泄하면 盜汗이 흐른다. 나머지 증상들 또한 心火偏亢하고 心陰不足하여 그러한 것이다. 朱砂安神丸을 사용하여 心火를 淸하고, 心陰을 養하여 镇心安神한다. 본 방제의 朱砂·黃連은 心火를 식혀주고, 心神을 편안해지도록 한다. 當歸·生地는 養血益陰 하며, 炙甘草는 諸藥을 조화롭게 하기도 하고 또한 脾胃를 和하게 하기도 한다. 梔子를 사용하여 淸心火의 기능을 강화시킨다. 藥證이 서로 대등했기 때문에 좋은 효과를 얻었다.

4. 舌體灼熱症『四川中醫』(1986, 9:7): 남자, 72세, 1984년 10월 20일 진료. 한 달 동안 혀가 불에 타는 듯하고 낮에 심하고 밤에는 덜했다. 입이 마르고 써서 입을 벌리고 호흡하거나 찬물을 머금고 있기를 좋아했다. 진료 견해(診見): 코 끝이 빨갛고, 혀 가장자리가 조금 붉으며, 설태는 약간 누렇고, 맥박이 弦數했다. 黃連 9 g, 生地黃 30 g, 當歸 12 g, 生甘草, 竹葉心 各 10 g, 朱砂 2 g(매회 1 g을 물에 타서 음용한다)로 치료했다. 4첩을 복용하고 舌灼熱症이 사라졌다. 반년 후 재발하여 다시 위의 방제 2제를 복용한 뒤 치료됐다. 지금까지 재발하지 않고 있다.

考察: 혀는 心之苗竅이다. 이 사례의 환자는 心陰不足, 心火上炎, 灼其苗竅하게 되었다. 朱砂安神丸으로 心陰을 養하고, 心火를 淸하여, 火勢를 꺾으니 당연히 병이 낫게 되었다.

5. 産后發熱『四川中醫』(1986, 9:7): 여자, 24세, 1981년 6월 8일 초진. 두달 전 남자 아기를 분만했다. 출산 후 몸에 미열이 있고 저절로 땀이 흐르는 증상이 있었다. 惡寒은 나지 않았으며, 얼굴이 붉고, 두통이 있으며, 가슴 두근거림이 있었다. 초기에 燈火灸를 뜨고 뜸을 뜬 뒤 다시 八珍湯을 여러 첩 복용하였으나

한 달이 넘어도 발열이 사라지지 않았다. 보름동안 페니실린을 주사했지만 체온은 여전히 높았다. 진료를 받으러 방문했을 당시 惡露는 이미 깨끗한 상태였지만, 스스로 가슴속에서 煩熱이 일고, 悰悸하여 잠을 이루지 못하며, 갈증이 나서 물을 자주 마신다고 했다. 안색은 조금 붉고 체온은 38.3도였으며 이마에 燈火灸에 의한 여러 개의 흉터가 남아 있었다. 손바닥에서 열이 나며 땀을 흘렸다. 혀는 붉고 건조했으며, 설태는 약간 누렇고 脈數했다. 黃連 15 g, 生地 30 g, 當歸 12 g, 生甘草 15 g, 知母 20 g, 靑蒿 30 g, 梔子 18 g, 地骨皮 12 g, 龍牡 各 30 g, 朱砂 2 g(매회 1 g를 물에 타서 음용한다)를 투여했다. 연달아 6첩을 복용하자 열이 물러나고 몸이 식었으며, 병증이 돌연 사라졌다.

考察: 이 환자는 출산 후 陰血正虛하고 陽氣浮散하였다. 가족들이 燈火灸를 잘못 사용하는 바람에 그 혈이 더욱 손상되었다. 바람이 불을 부채질을 하는 격이어서, 그 불길은 더욱 세차게 일었다. 또 이전의 의사가 惡露가 끝나지 않았는데도 八珍湯으로 補하는 바람에 어혈과 오로가 막히는 바람에 熱勢가 두달 동안 물러나지 않는 결과를 낳고 말았다. 朱砂安神丸에 知母, 靑蒿, 梔子와 같은 諸藥을 넣는 것은 潛陽攝納와 淸熱降火의 효력을 강화시키기 위한 것이다. 惡露가 이미 끝났기 때문에 조금씩 보충하고 채워넣자 陰復火平하게 되었고 그 결과 열이 내려 편안하게 되었다.

6. 經期發狂『四川中醫』(1986, 9:7): 여자, 15세, 학생. 1982년 12월 24일 초진. 5월 이전(五月前) 뜨겁게 내리쬐는 태양 아래서 일을 하다가 마침 초경을 했다. 집에 돌아오자 월경이 멈췄다. 이후 매번 월경을 할 때마다 처음 며칠 동안 열이 나고 잠을 이루지 못했으며, 입이 마르고 썼다. 때로 코피를 흘렸고, 월경을 하는 동안에는 心煩躁擾 하여, 그릇을 부수고 깨뜨렸으며, 흥분해서 말이 많아지고, 집안 사람들에게 욕을 해댔다. 월경이 끝나면 갑자기 보통 사람과 같아졌다. 진료를 받을 당시 마침 월경을 하고 있는 기간이었다. 그 증상을 보니 야위고 얼굴이 붉고 손바닥에서 후끈후끈 열이 나고 머리카락은 헝클어져 있었다. 눈빛이 섬뜩하고 말이 많고 화를 잘 냈으며 앉았다 섰다를 반복하며 불안해했다. 입술은 붉고 이마에는 땀이 흘렀다. 舌은 붉고, 苔은 누렇고, 脈數했다. 黃連 20 g, 生地 30 g, 生甘草 10 g, 當歸 12 g, 梔子 18 g, 朱砂 2 g(매회 1 g을 물에 타서 마신다.)을 처방해주었다. 4첩을 복용한 뒤, 위의 방제를 조금 가감해서 매월 월경 전에 4첩씩 복용토록 했다. 연속해서 3개월 동안 총 16첩를 복용한 뒤 미친 병이 편안해졌다.

考察: 여성이 월경을 하기 전후에는 陰血이 下注하고, 陽氣가 偏亢한다. 이 소녀는 여름에 일을 하는 도중 초경을 하게 되어 자궁이 열리게 되었다. 무더운 여름의 열기가 허한 틈을 타 몸 안으로 들어오게 되었고, 兩陽相轉하여 上攻心竅하여 정신을 교란시켰다. 그래서 월경 기간 중에 미친 증상이 발생하게 되었던 것이다. 위의 방제를 월경 전에 사용해 혈중의 邪熱을 瀉하고, 導火의 근원을 억제했더니, 神明이 안정을 되찾고, 狂病이 절로 편안해지고 되었다.

生鐵落飮

(『醫學心悟』卷4)

【組成】 天冬 去心 麥冬 去心 貝母 各三錢(各 9 g) 膽星 橘紅 遠志肉 石菖蒲 連翹 茯苓 茯神 各一錢(各 3 g) 元蔘 鉤藤 丹蔘 各一錢五分(各 4.5 g) 辰砂 三分(0.9 g)

【用法】 生鐵落(15 g)을 물에 넣어 3시간 동안 졸인다. 이 물을 취해 약을 달인다. 복용 후 마음을 편안히 하고 조용히 잠을 청한다. 놀래키거나 깨지 않도록 한다. 이것을 위반하면 재발하여 다시 치료하기 어렵다(현대용법: 먼저 生鐵落을 45분 동안 달인다. 이 물로 약을 달인다).

【效能】鎭心安神, 滌痰淸火.

【主治】痰火上擾, 急躁發狂證을 치료한다. 병증이 시작하면 급속하게 진행된다. 얼굴과 눈이 붉다. 기뻐했다 분노했다 하는 것이 일정치 않고, 미쳐 날뛰면서도 자각하지 못한다. 욕하고 소리를 지르며, 물건과 부수고 다른 사람을 손상시킨다. 친한 사람과 친하지 않은 사람을 구분하지 않는다. 담을 타고 지붕을 넘어 다닌다. 머리가 아프고, 잠을 이루지 못한다. 두 눈은 매섭게 쏘아보는 듯하고, 舌質紅絳, 苔多黃膩, 脈象弦大滑数하다.

【病機分析】五志化火, 火邪上冲하면, 얼굴과 눈이 붉어지고 두 눈은 매섭게 쏘아보는 듯한 눈빛을 하게 된다. 鼓動陽明痰熱하고, 上擾神明 했기 때문에 頭痛, 失眠, 性情急躁하다. 痰熱이 淸竅을 蒙閉하고, 心神逆亂하여, 失其所主하게 되면 기뻐했다가 성을 냈다가 하는 것이 일정치 않고, 미친 듯이 날뛰지만 자각하지 못하며, 욕하고 소리를 지르면서, 물건을 부수고 다른 사람을 손상시킨다. 친한 사람과 친하지 않은 사람을 구분하지 않는다. 四肢는 諸陽의 근본이 되고, 陽盛하면 四肢는 實하게 된다. 實해졌기 때문에 담을 넘고 지붕 위를 오를 수 있다. 舌은 진홍색을 띠고 苔는 누런색을 띠며, 脈은 弦大滑数하다. 모두 痰火壅盛, 陽氣独亢의 증상에 속한다. 火은 陽에 속하고, 陽은 주동적이다. 따라서 병증이 시작하면 급속하게 진행되며 미친 듯이 날뛰며 멈추지 않는다. "諸躁狂越, 皆属于火"(『素問』·「至眞要大論」)라고 했고, "凡狂病多因于火"(『景岳全書』卷34)라고 했으며, "癲属陰, 多喜. 狂属陽, 多怒……大概多因痰結心胸間"(『丹溪治法心要』卷5)라고 했다. 따라서 痰火上擾가 기본 病機가 된다.

【配伍分析】痰火上擾, 急躁发狂한 환자는 마땅히 鎭心安神과 滌痰淸火로 치료해야 한다. 방제의 生鐵落은 맛이 辛하고 성질이 平하며, 肝으로 入經하며 "平肝祛怯, 治善怒發狂"(『本草綱目』卷8)한다. 朱砂는 맛이 甘하고 성질이 寒하고 重하여 심장으로 入經하여 "瀉心經邪熱, 鎭心定驚"(『本草從新』卷13)한다. 生鐵落과 함께 配伍했을 때 鎭心安神의 효능이 배가된다. 膽南星은 성질이 苦하고 凉하며 肝·肺로 入經하여 "天南星燥濕·祛风痰……治惊癇風眩……得牛膽則燥性減"(『本草從新』卷4)한다. 방제에서 이를 사용하면 淸熱·化痰·定驚한다. 貝母는 맛이 苦하고 甘하며 성질이 凉하며 肺로 入經한다. "瀉心火, 辛散肺鬱"(『本草從新』卷1)라고 했다. 橘紅은 맛이 辛하고 苦하며 성질이 溫하며 脾·肺로 入經한다. "下氣消痰"(『本草綱目』卷30)라고 했다. 膽南星·貝母와 함께 사용하면 淸熱滌痰한다. 遠志는 맛이 辛하고 苦하며 성질이 微溫하며 心·肺로 入經하여 祛痰開竅, 寧心安神한다. 茯苓은 맛이 甘하고 성질이 淡하며 心·脾·肺로 入經하며 滲濕健脾, 寧心安神한다. 茯神은 맛이 甘하고 성질이 淡하고 平하며 心·脾로 入經하여 寧心安神에 뛰어나다. 茯苓과 茯神을 함께 사용하면 治痰하여 安神하는 힘이 더욱 좋아진다. 石菖蒲는 맛이 辛하고 성질이 微溫하며 心·肝으로 入經한다. "開心竅, 補五臟, 通九竅"(『神農本草經』卷2)라고 했다. 鉤藤은 맛이 甘하고 성질이 微寒하며 肝·心으로 入經한다. "除風熱, 定驚"(『本草從新』卷5)라고 했다. 遠志·茯苓·茯神·菖蒲와 합해지면 宣竅安神에 적절하다. 連翘는 맛이 苦하고 성질이 微寒하며 心·肺·膽으로 入經하며 淸心瀉火에 뛰어나다. 丹參은 맛이 苦하고 성질이 微寒하며 心·肝으로 入經한다. 安神凉血하는 약물로 "補心, 養神定志"(『本草從新』卷1)한다고 했다. 連翘와 함께 配伍하여 心火를 淸하게 한다. 天冬은 맛이 甘하고 苦하며 성질이 凉하고 肺·腎으로 入經한다. "滋陰潤燥"(『本草從新』卷5)라고 했다. 麥冬은 맛이 甘하고 微苦하며 성질이 微寒하다. 心·肺·胃로 入經하며 "淸心, 瀉熱除煩"(『本草從新』卷3)라고 했다. 玄參은 맛이 苦하고 甘하며 鹹하다. 성질은 凉하며 心·肺·腎으로 入經한다. "主狂邪, 昏昏不知人"(『名醫別录』卷2)하고 "滋陰降火"(『本草綱目』卷12)한다고 했다. 天冬·麥冬·連翘와 함께 사용하면 滋陰淸火, 除煩安神의 효능이 있다. 전체 방제가 鎭心安神, 滌痰淸火의 효능을 지니고 있어 狂證을 치료할 수 있다.

【類似方比較】 이 방제와 朱砂安神丸은 모두 重鎭安神의 효능을 갖고 있으며 주로 心神不安證을 치료한다. 그러나 이 방제는 鎭心寧神藥인 鐵落·朱砂와 滌痰藥인 膽南星·貝母·橘紅·菖蒲·遠志·鉤藤과 滋陰清熱藥인 天冬·麥冬·玄參 그리고 淸心瀉火藥인 連翹·丹參 등으로 配伍組方하여, 痰滌竅開하고, 火淸神寧한다. 따라서 痰火上擾한 躁狂 치료에 적용된다. 朱砂安神丸은 重鎭安神藥인 朱砂와 淸心養陰藥인 黃連·生地黃·當歸 등으로 配伍組方하여, 心火不亢, 陰血上承, 神志安定 한다. 따라서 心火上炎 증상과 灼傷陰血하는 心煩不安, 失眠諸症에 적용한다.

【臨床應用】

1.證治要點: 이 방제는 痰火上擾와 急躁發狂을 치료한다. 臨床應用할 때는 갑자기 미친 듯이 날뛰지만 자각하지 못하고, 욕하고 소리지르며, 舌紅苔黃膩하고, 脈弦滑数한 것을 증상 치료의 요점으로 삼는다.

2.加減法: 原書에서는 "만약 대변이 막혀 변비에 걸린 경우(便秘結) 우선 滾痰丸을 사용해서 내려가게 한다"고 했다. 또한 生大黃, 玄明粉을 더할 수 있으며, 혹은 芫花를 더해 通腑滌痰한다. 煩熱·渴飮한 경우 生石膏·知母·天花粉을 더해 淸熱生津, 除煩止渴 한다. 心煩不寐하고 痰熱이 심한 경우 黃連·生地·竹茹·枳實을 더해 淸熱·滌痰·安神의 효능을 증가시킨다. 눈이 심하게 붉고, 舌苔에 누런 것이 두껍게 끼어 있는 경우 羚羊角粉을 더해 淸肝瀉火하여 明目한다.

3. 生鐵落飮은 다음 한국표준질병사인분류(KCD)에 해당하는 환자가 痰火上擾, 急躁發狂證으로 辨證되는 경우 본 처방의 사용을 고려해볼 수 있다.

처방 목표	한국표준질병사인분류(KCD)
精神病	F00~F99 V. 정신 및 행동 장애
癲癎	G40 뇌전증
夢遊	F51.3 몽유병

【變遷史】 본 방제는 淸·『醫學心悟』卷4에서 처음 수록되었으며 임상에서 鎭心安神, 滌痰淸火하기 위해 습관적으로 사용하는 중요 방제이다. 그 기원을 유추해보면, 『素問』「病能論」의 生鐵落飮(生鐵落 한 가지다. 주요 효능은 除煩下氣이며, 陽厥怒狂을 주로 치료한다) 및 《證治準繩·類方》卷5의 生鐵落飮(生鐵落·石膏·龍齒·白茯苓·防風·秦艽·玄參 등을 사용하며, 주요 효능은 墜痰鎭心로 狂證을 치료에 사용한다)을 가감하면서 발전 변화해왔다. 현대 임상에서는 자주 이 방제를 가감하여 일부 精神病 및 癲癎을 치료에 비교적 양호한 치료 효과를 얻었다. 『醫略六書』卷22에 실린 生鐵落飮의 구성이 이 방제와 유사하다. 그러나 羚羊角, 龍齒, 眞金箔과 生鐵落을 配伍하여 鎭心安神定志하므로 狂妄하여 脈洪數弦急한 환자에게 사용한다.

珍珠母丸(眞珠丸)

(『普濟本事方』卷1)

【異名】 眞珠母丸(『保嬰撮要』卷10)·眞珠丹(『丹溪心法附餘』卷10).

【組成】 眞珠母 未鑽眞珠也, 研如粉, 同碾 三分(22.5 g) 當歸 洗, 去蘆, 薄切, 焙乾後稱 熟乾地黃 酒灑, 九蒸九曬, 焙乾 各一兩半(各 45 g) 人蔘 去蘆 酸棗仁 微炒, 去皮, 研 柏子仁 各一兩(各 30 g) 犀角 鎊爲細末 茯神 去木 沈香 忌火 龍齒 各半兩(各 15 g)

【用法】 위의 약재들을 곱게 가루 내어 끓인 꿀을 넣고 환으로 제조한다. 환의 크기는 벽오동 열매 크기로 하고 辰砂로 옷을 입힌다. 매회 40~50개의 환을 金·银·薄荷湯과 함께 낮과 밤에 복용한다(현대용법: 위의 약재를 각각 따로 곱게 가루 내어 균일하게 섞는다. 神曲粉으로 풀을 만들어 환을 빚고 朱砂로 옷을 입힌다. 매일 3회, 매회 6 g을 온수와 함께 복용한다.).

【效能】鎭心安神, 平肝潛陽, 滋陰養血.

【主治】心肝陽亢, 陰血不足不寐證. 驚悸失眠, 頭目眩暈, 脈細弦.

【病機分析】본 방제로 치료하는 증상은 그 病因을 살펴보니, 陰血不足, 心肝陽亢, 心神失藏으로 인한 것이다. 陰血不足, 陽失承制, 心肝陽亢하여 上擾하면 머리가 아찔하고 눈앞이 캄캄하고(頭目眩暈), 內動하면 넋을 잃고 공상을 하여(神失守藏) 정신이 맑지 않고(神志不寧) 驚悸失眠하게 된다. 脈細弦은 心과 肝이 陰虛陽亢하는 특징이다.

【配伍分析】心肝陽亢하고 陰血不足한 驚悸失眠證은, 마땅히 重鎭을 위주로 平心肝陽亢하도록 치료하고, 滋陰陽血으로 돕는다. 방제 중의 眞珠母는 그 성질과 맛이 鹹寒하고 肝·心 두 곳으로 入經하여, 平肝潛陽, 淸肝明目, 鎭心安神한다. 『得配本草』卷8에서 "安心定志, 聰耳明目"라고 말했다. 龍齒는 그 맛이 乾澀하고 성질이 凉하다. 또한 心·肝 두 곳으로 入經하여, 鎭驚安神한다. 『得配本草』卷8에는 "鎭心神, 安魂魄"이라고 기록되어 있다. 두 약물을 함께 配伍하면 重鎭安神하고 平肝潛陽하여 陽亢神動을 치료한다. 모두 君藥이 된다. 볶은 棗仁은 맛이 甘·酸하고 성질이 平하며 心·肝·膽으로 入經하여 養心益肝하고 安神한다. 『名醫別錄』卷1에서는 "煩心不得眠……補中益肝氣……助飮氣"를 치료한다고 했다. 柏子仁은 맛이 甘하고 성질이 平하며 心·腎으로 入經하여, 養心安神하고 潤腸腑한다. 『本草綱目』卷34에서 "養心氣, 滋腎燥, 安魂定魄, 益智寧神"한다고 했다. 茯神은 성질이 甘·淡·平하고 寧心安神의 기능을 가지고 있다. 心神不安, 驚悸, 健忘 등의 증상에 전문적으로 사용한다. 볶은 棗仁·柏子仁·茯神 이 세 약제를 함께 쓰면 養心安神하여 重鎭平潛의 기능을 강화할 수 있다. 모두 臣藥이 된다. 人蔘은 맛이 甘·微苦하고 성질이 微溫하여 心·脾·肺으로 入經하여 補氣, 生津, 安神한다. 『神農本草經』卷2에 "補五臟, 安精神……定魂魄, 止驚悸"라고 기록되어 있다. 當歸는 맛이 甘·辛하고 성질이 溫하며 肝·心·脾로 入經하여 補血活血한다. 熟地黃은 맛이 甘하고 성질이 微溫하여 肝·腎으로 入經하여 補血滋陰한다. 人蔘·當歸·熟地黃 이 세 약제를 함께 쓰면 益氣生血하고 養血滋陰하여 陰血不足을 회복하도록 한다. 모두 佐藥이 된다. 犀角은 맛이 苦·鹹하고 성질이 寒하며 心·肝·胃으로 入經하여 安神定驚한다. 『得配本草』卷9에는 "治驚癎心煩"이라고 기록되어 있다. 沈香은 맛이 辛·苦하고 성질이 溫하며 脾·胃·腎으로 歸經하여 溫降調中한다. 『日華子本草』卷11에서 "調中, 補五臟"하고, 『本草經疏』에서는 "治逆氣·氣結, 殊爲要藥"이라 말했다. 犀角·沈香 두 약제를 配伍하여 전자에서 鎭驚의 효능을 취하고, 후자에서 攝納浮陽의 효능을 사용한다. 모두 佐藥이 된다. 朱砂로 옷을 입혀 安神定志하면 安神定志의 힘이 강화되고 약제를 끌고 心으로 入經하므로, 使藥이 된다. 위의 약제를 配伍하면 標本을 고루 돌보아 陰複陽潛, 心肝承制하게 하여 驚悸·少寐의 증상을 점차적으로 치료해간다.

본 방제의 配伍 특징은 鎭心, 平肝과 滋陰養血, 安神을 함께 사용하는 것이다. 그 중 珍珠母·犀角·龍齒·沈香은 鎭心安神하고 平肝潛陽하며 그 標를 치료한다. 人蔘·當歸·熟地는 養血滋陰하고 益氣生血하며 그 本을 치료한다. 이 또한 標本兼顧의 의미를 지니고 있다.

【臨床應用】

1.證治要點: 본 방제는 心肝陽亢, 陰血不足으로 인한 驚悸不寐에 효과가 있는 방제이다. 臨床에서는 驚悸失眠, 頭目眩暈, 脈細弦을 증상 치료의 요점으로 삼는다.

2.加減法: 驚悸失眠이 비교적 위중한 경우에는 磁石·牡蠣·龍骨 등을 넣어서 重鎭安神의 효능을 강화하는 것이 좋다.

3. 珍珠母丸은 다음 한국표준질병사인분류(KCD)에 해당하는 환자가 心肝陽亢, 陰血不足證으로 辨證

되는 경우 본 처방의 사용을 고려해볼 수 있다.

처방 목표	한국표준질병사인분류(KCD)
癲癇	G40 뇌전증
白內障	H25 노년백내장
	H26 기타 백내장
	H28 달리 분류된 질환에서의 백내장 및 수정체의 기타 장애
不眠	G47.0 수면 개시 및 유지 장애[불면증]
	F51.0 비기질성 불면증

【注意事項】 본 방제는 熟地·酸棗仁 등 滋膩酸斂한 약물로 구성되어 있다. 痰濕 혹은 痰火로 인한 驚悸·少寐 등의 증상에 대응할 경우 邪氣를 방해할 수 있음에 방비해야 한다.

【變遷史】 본 방제의 原名은 眞珠丸이다. 宋·許叔微의 『普濟本事方』卷1에서 처음 보이며 "肝經因虛, 內受風邪, 臥則魂散不守, 狀若驚悸"한 증상을 치료한다고 말했다. 『女科百問』卷上에서는 본 방제의 응용에 더 큰 발전을 가져왔는데 "小便赤色, 不痛不澀"에 사용했다. 明·『保嬰撮要』卷10에서 이 방제를 眞珠母丸이라 불렀고 "肝膽二經因虛, 內受風邪, 臥則魂散不守, 狀若驚悸"한 증상을 치료한다고 말했다. 『丹溪心法附余』卷10의 眞珠丹은 본 방제의 異名이다. 유일하게 真珠母의 용량을 三錢으로 늘렸다. 『醫宗必讀』卷10에서 처음으로 본 방제를 珍珠母丸이라고 부르기 시작했다. 珍珠母의 용량을 七錢 五分으로 고쳤고, 주요한 치료법은 모두 동일하다. 『張氏醫通』卷14에서는 "治肝虛不能藏魂, 驚悸不寐"이라고 기록했다. 현대 『中醫臨證備要』중의 珍珠母丸 구성을 분석해보니 본 방제로부터 변화하여 온 것 같다. 珍珠母·生地黃·熟地黃·黨參·當歸·柏子仁·酸棗仁·茯神·龍齒·沈香으로 구성되어 있으며, 養肝息風의 효능을 갖고 있다. 臨床에서는 痴呆, 目光不活, 言語遲鈍, 四肢擧動不便, 脈象遲緩에 頭暈多汗, 心悸, 難寐를 겸한 환자에게 사용한다.

【難題解說】 방제의 眞珠母에 대해서: 본 방제의 原名은 眞珠丸이다. 『張氏醫通』卷14에서 珍珠母丸이라고 바꿔 불렀다. 眞珠와 眞珠母는 효능·주요 치료법 및 약용 가치가 완전히 같지는 않은 두 개 약물이다. 原方에서는 眞珠母를 겨우 三分만 곱게 갈아서 사용하고 있지만, 注에서" 未鑽眞珠也"라고 기록하며 珍珠와의 연관성을 말하고 있다. 그래서 "眞珠"라는 명칭으로 방제를 명명했다. 『張氏醫通』에서 珍珠母丸으로 명칭을 바꿔 부른 후 지금까지 이어지고 있다. 眞珠는 가격이 비교적 비싸서 珍珠母로 대신해서 사용할 수 있지만 마땅히 原方의 약물 활용과 달리해야 한다.

磁朱丸(神麯丸)

(『備急千金要方』卷6)

【異名】 明目磁石丸(『簡要濟衆方』), 錄自『醫方類聚』卷10)·磁石丸(『聖濟總錄』卷109)·千金神麯丸(『三因極一病證方論』卷16)·磁砂丸(『醫學入門』卷7)·內障神方(『惠直堂方』卷2).

【組成】 磁石 二兩(60 g) 朱砂 一兩(30 g) 神麯 四兩(120 g)

【用法】 위의 약물들을 가루내 끓인 꿀로 환을 빚는다. 환의 크기는 벽오동 나무 열매 크기로 한다. 三丸을 매일 3회 복용한다(현대용법: 위의 약물을 갈아 가루낸 뒤 끓인 꿀로 환으로 만든다. 매회 6 g, 매일 2회 뜨거운 물과 함께 복용한다).

【效能】 重鎭安神, 潛陽明目.

【主治】 心腎不交와 神志不安證을 치료한다. 心悸失眠, 耳鳴耳聾, 視物昏花하다. 또 癲癇을 치료한다.

【病機分析】본 방제의 治證病機는 水不濟火, 心陽偏亢, 心腎不交로 빚어진 결과이다. 눈과 귀가 보고 들을 수 있는 것은 五臟六腑의 精氣가 上行灌輸하는 것에 의거한 것이다. 『靈樞』·「大惑論」에서 말한 "五臟六腑之精氣, 皆上注于目而爲之精. ……骨之精爲瞳子."와 같다. 귀는 腎의 外竅로 十二經脈이 灌注하여 안으로는 脑腦와 통한다. 腎은 藏精하고 主骨生髓하며, 腦는 髓海가 된다. "腎者主水, 受五臟六腑之精而藏之"(『素問』·「上古天眞論」)하므로 髓海得濡하면 보고 듣는 것이 정상적으로 이루어진다. 반대로 "髓海不足, 則腦轉耳鳴"(『靈樞』·「海論」)한다. 『素問』·「靈蘭秘典論」에서는 "心者, 君主之官, 神明出焉."이라고 했다. 腎陰이 부족하면 腎水가 上濟心火 하지 못해 心陽獨亢하는 바람에 心神不寧하고 그 결과 心悸失眠이 발생한다. 陽亢風動하면 癲癎이 발병한다.

【配伍分析】본 방제는 水不濟火하여 心陽偏亢, 心腎不交 하는 증상을 치료한다. 하지만 心陽偏亢을 위주이다. 『辨證錄』卷4에서 "心原屬火, 過于熱則火炎于上, 而不能下交于腎; 腎原屬水, 過于寒則水沈于下, 而不能上交于心矣. 然則治法, 使心之熱者不熱, 腎之寒者不寒, 兩相引而自兩相合也."라고 했다. 交通心腎의 방법으로 益陰潛陽하고 重鎭安神하는 치료 방법을 확립했다. 磁石은 맛이 辛寒하고 성질이 重하며 腎으로 入經한다. "養腎臟"하고 "益精, 除煩" 할 수 있어 "小兒驚癎"을 치료하고(『神農本草經』卷1), "治腎家諸病, 而通耳明目"(『本草綱目』卷10)한다. 방제에서 磁石을 사용하는 목적은 養腎益陰潛陽하고 聰耳明目安神하는데 있다. 朱砂는 心으로 入經하며 寒降의 성질을 지니고 있다.『神農本草經』卷1에서는 "養精神, 安魂魄, 益氣明目"할 수 있으며 『本草經疏』卷3에서는 "丹砂爲淸鎭少陰君火之上藥." 이라고 했다. 본 방제에서 이를 사용하면 淸心安神定志한다. 두 약을 配伍하여 모두 君藥이 된다. 益陰潛陽, 交融水火하여 心腎相交하도록 하면 精氣는 上輸하고 心火는 上擾하지 않아 心悸失眠·耳鳴耳聾·視物昏花와 같은 諸證이 모두 사라진다. 그러나 磁石·朱砂는 모두 金石류의 약재로써 위장에 장애를 일으키기 매우 쉽다. 神曲으로 보좌해서 脾와 胃를 건강하게 하여 運化를 도와준다. 다시 말해 본 방제의 治證病機는 水不濟火, 心腎不交이다. 中焦脾胃는 氣機升降의 중추가 되고 神曲의 오묘함은 中焦氣機를 작동시켜 心腎相交와 水火既濟에 도움을 주는 것에 있다. 磁石·朱砂와 함께 配伍하면 그 치료 효과를 강화할 수 있다. 煉蜜로 환을 만들어 미음과 함께 복용하고, 미음과 함께 복용하면 和胃補中하여, 藥物의 運化輸布에 도움을 준다. 방제 전체적으로 配伍가 적절하고, 약물은 간결하지만 효과는 뛰어나다. 重鎭安神, 潛陽明目의 효능을 얻을 수 있다. 『本草綱目』卷10에서에서 본 방제에 대해 논평하길: "磁石治腎家諸病, 而能通耳明目……盖磁石入腎, 鎭養眞精, 使神水不外移; 朱砂入心鎭養心血, 使邪火不上侵, 而佐以神曲化滞氣, 生熟并用, 溫養脾胃生發之氣."라고 말했다. 말은 간결하나 그 뜻은 모두 들어 있다고 할 수 있다.

본 방제는 癲癎을 치료한다. 또 重鎭安神의 작용으로 平肝潛陽息風의 효능을 보인다. 柯琴은 본 방제를 "治癲癎之聖劑"(錄自『古今名醫方論』卷4)라고 평가했다.

【臨床應用】

1.證治要點: 본 방제는 心腎不交를 치료하는 상용 방제이다. 臨床에서는 心悸失眠 혹은 耳鳴, 視物昏花, 舌紅, 脈弦을 증상 치료의 요점으로 삼는다.

2.加減法: 만약 心中煩熱, 失眠이 비교적 심한 경우라면 梔子·蓮子心을 넣어 淸心除煩의 효력을 강화시킨다. 驚悸가 심한 경우에는 生龍骨·紫貝齒 등을 넣어 重鎭安神의 효능을 강화한다. 肝과 腎陰虛를 겸하고 있다면 六味地黃湯을 配伍한 후 送服하여 滋補肝腎하는 것이 좋다.

3. 磁朱丸은 다음 한국표준질병사인분류(KCD)에 해당하는 환자가 心腎不交, 神志不安證으로 辨證되는 경우 본 처방의 사용을 고려해볼 수 있다.

처방 목표	한국표준질병사인분류(KCD)
神經衰弱	F48.0 신경무력증
	F48.8 기타 명시된 신경증성 장애
	F48.9 상세불명의 신경증성 장애
癲癎	G40 뇌전증
精神分裂症	F20 조현병
高血壓	I10 본태성(원발성) 고혈압
	I15 이차성 고혈압
視網膜病變	H30~H36 맥락막 및 망막의 장애
視神經病變	H46~H48 시신경 및 시각경로의 장애
玻璃體病變	H43 유리체의 장애
晶狀體病變	H25~H28 수정체의 장애
房水循環障碍	H40 녹내장
幻聽	(질병명 특정곤란)
	R44.0 환청

【注意事項】

1. 본 방제는 鎭攝之劑로 心腎不交에 속하는 眼耳病 환자에게 적합하다. 肝腎陰虛有火한 경우에는 본 방제만 配伍해서는 효과를 볼 수 없다. 滋補肝腎하는 六味地黃丸과 같은 종류의 방제를 합해 사용하는 것이 적절하다.

2. 胃氣虛弱하고 納穀不佳하고 消化遲緩한 경우 이 방제는 소량 처방하는 것이 알맞다. 그 이유는 重墜의 약은 運化에 영향을 주고 脾胃를 손상시키기 때문이다.

3. 朱砂는 礦物類 약품이다. 황화수은 등의 물질을 함유하고 있어 다량 복용하거나 장기 복용할 경우 중독을 일으킬 수 있다.『本草從新』卷13에서 朱砂는 "獨用多用, 令人呆悶"하다고 말했다. 따라서 본 방제를 활용할 때 용량과 치료 일정에 반드시 주의해야 한다.

【變遷史】 본 방제는『備急千金要方』卷6에서 처음 등장했으며, "神曲丸"이라 불렀다.『原機啓微』卷下에서 처음으로 "磁朱丸"이라 부르기 시작했다.『備急千金要方』에서는 "主明目, 百歲可讀注書", "常服益眼力, 衆方不及, 學者宜知此方神驗不可言, 當秘之."라 했고,『審視瑤函』卷2에서는 "治神水寬大漸散, 昏如雲霧中行, 漸睹空中有黑花, 漸睹成二體, 久則光不收, 及內障神水淡綠色,淡白色者"라고 말했다.『醫學實在易』卷5에서는 그 사용 범위가 확대되었으며 "治耳鳴·耳聾如神. 又治目內障及神水散大等症,爲開瞽第一品方"이라 말했다. 본 방제는 交通心腎, 重鎭潛陽, 安神定志할 수 있기에 후대의 의학자들은 神志不安과 癲癎 등의 病證을 치료할 수 있다며 그 치료 범위를 넓혀두기도 했다. 예를 들어 陳念祖는『醫學實在易』卷5에서 "磁朱丸治癲·狂·癎……如神."이라고 말했다.『醫學衷中參西錄』上册에서는 본 방제에 赭石二兩·淸半夏二兩을 넣고 神曲를 酒曲으로 바꾼 뒤 鐵銹水로 전탕하여 복용한다. 加味磁朱丸이라 부르며 癎風을 치료한다. 현대에 들어서는 神經衰弱·高血壓·精神分裂症 및 안과 視網膜·視神經·晶狀體의 病變 등에 사용한다.

【醫案】 癲癎『江西中醫藥』(2002, 3:24): 邢 모씨, 여자, 48세, 농민, 기혼. 癲癎病을 10여 년 앓았다. 1999년 4월 12일 화를 낸 탓인지 몸이 뻣뻣해져 넘어졌고 시선은 고정됐다. 사지에서 경련이 일었고, 입에서 침을 토해냈으며, 얼굴빛이 검붉게 변하고, 입에서 비명소리를 내며, 오줌을 지렸다. 이 증상이 10분 동안 지속됐다. 1~2일 동안 완화되는 듯 하다가 이어서 또 발병하여 입원했다. 診見: 환자는 얼굴색이 붉었으며 안절부절못하였고, 미친 듯이 소리지르며, 쌍심지를 켜고 노려보았다. 의식이 몽롱하고, 때로는 충동적이고, 멋대로 다른 사람의 이야기를 듣고 멋대로 다른 사람을 쳐다봤다. 대변이 굳어지고, 경련을 일으켰다. 舌質紅, 苔黃膩, 脈弦滑數했다. 입원 후 양약, 항경련제(抗癲癎)를 투여하자 2주 후 神志轉淸하게 되었다. 中醫에서는 이와 같은 증상을 痰火互結, 蒙蔽淸竅이라고 하며 狂癎이라 판단한다. 磁朱丸을 매일 2회, 매회 10알씩 滌痰湯과 함께 調服했으며, 퇴원 후에도 계속해서 90일 동안 복용하였고, 사후 방문조사에 따르면 2년 동안 재

발하지 않았다.

考察: 『丹溪心法』에서 제기한 "無痰不作癎"의 이론에 따르면, 본 病證은 痰火壅蔽上竅에 의한 것이다. 치료를 할 때는 환자의 각기 다른 질병 상태에 초점을 맞춰 湯劑를 알맞게 배합하고 응용해야만 그 치료 효과가 보다 뚜렷하게 나타난다.

第二節 補養安神劑

天王補心丹

(『校注婦人良方』卷6)

【組成】 人蔘 去蘆 茯苓 玄參 丹參 桔梗 遠志 各五錢(各 15 g) 當歸 酒浸 五味子 麥門冬 去心 天門冬 柏子仁 酸棗仁 炒 各一兩(各 30 g) 生地黃 四兩(120 g)

【用法】 위의 약재를 간 뒤 끓인 꿀로 벽오동 열매 크기의 환으로 제조하고 朱砂로 옷을 입힌다. 매회 20~30환(6~9 g)을 잠들기 전 竹葉煎湯과 함께 복용한다(현대용법: 위의 약재를 모두 곱게 갈고, 끓인 꿀로 작은 크기의 환을 빚은 뒤 水飛한 朱砂 9~15 g로 옷을 입힌다. 매회 6~9 g를 온수와 함께 복용하거나 桂圓肉煎湯과 함께 복용한다. 湯劑로 사용할 때는 原方 비율에 맞게 조정한다).

【效能】 滋陰清熱, 養血安神.

【主治】 陰虛血少, 神志不安證. 心悸失眠, 虛煩神疲, 夢遺健忘, 手足心熱, 口舌生瘡, 舌紅少苔, 脈細而數하다.

【病機分析】 본 방제에서 치료하는 病證은 心經陰血 부족, 虛熱內擾, 心失所養에 의한 것이다. 『素問』·「靈蘭秘典論」에서는 "心者, 君主之官, 神明出焉."이라고 하였고, 『靈樞』·「邪客」에서는 "心者, 五臟六腑之大主也, 精神之所舍也."라고 했다. 心神不寧에 따른 疾患은 주로 心에 의해 좌우된다. 『素問』·「痹論」에서는 또한 "陰氣者, 靜則神藏, 躁則消亡."이라고 했다. 만약 素體陰虛 혹은 思慮勞心이 과도하여 心經陰血이 손상되고, 心失所養, 藏神하지 못하면 心悸失眠하게 된다. 心은 血脈을 주관한다. 氣血이 채워지고, 心神이 養育을 얻으면 智力이 민첩하고 精神이 왕성하게 된다. 만약 勞心이 지나쳐 心血이 손상되어 心血이 부족해지면 神疲하게 된다. 陰血이 부족해져 虛熱이 안에서 생기고 心을 요란시키면 虛煩하게 된다. 精室을 擾動하면 夢遺하고, 炎上하면 곧 입과 혀에 瘡이 생긴다. 舌은 心의 苗이기 때문에 心陰이 부족하면 舌紅少苔하게 된다. 脈象이 細而數한 것 또한 陰虧血少와 虛熱內擾의 징후이다.

【配伍分析】 본 방제는 陰虧血少, 虛熱內擾, 神志不安으로 인한 증상을 치료하기 위해 만들어졌다. 『靈樞』·「邪客」 편에서 이야기한 "補其不足, 瀉其有餘, 調其虛實"의 치료 원칙에 근거해 滋陰養血, 補心安神을 治法으로 선정했다. 生地黃을 重用하여 滋陰養血清熱하며, 君藥이 된다. 天冬·麥冬·玄參 모두 맛이 甘하고 성질이 寒한 多液한 약물로 이들로써 君藥을 보조해 養陰清熱한다. 모두 臣藥이 된다. 그중 玄參은 "補虛勞損, (治)心驚煩躁"(『日華子本草』卷7)" 하고, 天冬은 "鎭心, 潤五臟……補五勞七傷"(『日華子本草』卷5)한다. 麥冬은 心으로 入經하여 滋心陰과 清心熱하는데 뛰어나다. "治五勞七傷, 安魂定魄"(『日華子本草』卷5)하고, "生脈保神"(『珍珠囊』卷5)하며, "補心氣不足"(『用藥心法』卷7)한다. 陰血이 부족할 경우 當歸로 陰血을 보충하기도 한다. 『日華子本草』卷7에서는 "補一切勞……養新血"한다고 했고, 『本草綱目』卷14에서는 "和血補血"한다고 했다. 이 방제에서는 生地·當歸를 함께 配伍해 滋陰養血의 효력이 한층 더 드러나도록 한다. 『日華

子本草』卷6에서는 丹參은 "養神定志……補新生血"한다고 했으며, 또 『滇南本草』에서는 "補心定志, 安神寧心, 治健忘怔忡, 驚悸不寐"한다고 했다. 따라서 방제에서는 丹參을 응용하여 養血安神하고, 補血 및 寧心安神의 약물들과 配伍해 心血을 충족시켜 心神이 절로 편안해지도록 한다. 이것이 이 방제 配伍의 妙處이다. 血은 氣에서 생기므로, 補氣하는 것은 곧 生血하는 것이 된다. 따라서 補氣의 要藥인 人蔘으로 "補五臟, 安精神"(『神農本草經』卷1)하고, 茯苓으로 "益脾寧心"(『本草从從新』卷9)한다. 두 가지를 함께 配伍하면 益心氣하고 氣가 왕성해져 血이 생겨나도록 한다. 모두 寧心安神의 효능을 지니고 있다. 血이 心을 기르지 못해 神志가 不安하므로 또 酸棗仁·遠志·柏子仁을 배오해서 養心安神 한다. 그중 酸棗仁은 "主煩心不得眠"(『名醫別錄』)하고, 遠志는 "治驚悸不寐"(『本草從新』卷1)하며, 柏子仁은 "養心氣, 潤腎燥, 益智寧神"(『本草綱目』卷34)한다. 방제에서 이것으로 補心安神 한다. 五味子는 性味가 酸溫하여 "補元氣不足, 收耗散之氣"(『用藥法象』)하여 心氣의 소모를 거둬들인다. 이상의 모든 약물이 佐藥이다. 桔梗은 약물을 싣고 上行하는 使藥이다. 藥力이 胸膈 위에서 작용하고 빨리 아래로 내려가지 않도록 한다. 用法 중에 朱砂로 옷을 입힘으로써 淸熱安神의 효과를 증대시킨다. 이상 모든 약물을 함께 사용하되 적절하게 配伍되어 있으므로 陰虧血少, 虛熱內擾, 神志不安을 치료하는데 효과가 있는 좋은 방제가 된다.

【類似方比較】 天王補心丹과 歸脾湯은 모두 心悸·怔忡·健忘·失眠의 증상에 사용할 수 있다. 그러나 天王補心丹은 生地黃을 重用하여 滋陰淸熱 하고, 玄參·天冬·麥冬·當歸·丹參 등 滋陰養血하는 약물 및 人蔘·五味子·酸棗仁·柏子仁 등 補心安神하는 약물로 방제를 구성해 滋陰淸熱, 養血安神의 효능을 지니고 있다. 주로 心經陰血이 虧虛해서 心悸失眠健忘을 동반하는 증상을 치료한다. 歸脾湯은 人蔘·黃芪·白朮·炙甘草·當歸 등 補氣養血, 健脾養心하는 약물에 茯苓·遠志·棗仁·龍眼肉 등 寧心安神 하는 약물을 配伍해 방제를 구성했다. 따라서 그 효능이 益氣健脾, 補血養心安神에 치중하고 있으며, 주로 心脾氣血 부족으로 인한 心悸怔忡, 健忘失眠 증상을 치료한다.

天王補心丹과 炙甘草湯 모두 心悸를 치료할 수 있다. 하지만 天王補心丹은 滋陰養血하고 겸하여 淸熱安神을 한다. 주로 陰血虧虛, 虛熱擾心으로 인한 心悸失眠, 心煩, 口乾뿐만 아니라 심지어 口舌生瘡 등의 증상을 치료한다. 반면 炙甘草湯은 益氣養血, 滋陰復脈하여 陰血虧虛로 榮養을 상실하는 바람에, 心氣가 衰弱하고 血脈鼓動이 무력해져 발생한 心動悸, 脈結代 등의 病症을 치료한다.

天王補心丹과 酸棗仁汤은 모두 安神의 효능이 있어 心神不寧·虛煩失眠·心悸健忘 등의 病症을 치료한다. 酸棗仁湯의 주된 치료 病機는 肝血不足, 虛熱內擾로 養血補肝, 淸熱除煩 위주로 치료한다. 心悸失眠하면서 頭暈目眩, 虛煩, 脈弦細를 겸하고 있는 경우를 주로 치료한다. 반면 天王補心丹의 주요 치료 病機는 心經陰虧血少, 虛火內擾로 인한 心悸失眠, 夢遺健忘이다. 그 치료의 중점은滋陰養血, 補心安神에 있다.

【臨床應用】

1. 證治要點: 이 방제는 임상에서 心悸失眠, 手足心熱, 舌紅少苔, 脈細數한 것을 증상 치료의 요점으로 삼는다.

2. 加減法: 失眠이 비교적 위중한 경우에는 龍骨·磁石 등을 넣어 重鎭安神의 효력을 증가시킨다. 心悸怔忡, 睡眠不安하면 龍眼肉·夜交藤을 넣어 養心安神의 효능을 강화할 수 있고, 遺精滑泄하면 金櫻子·芡實·牡蠣 등을 넣어 固腎澁精 할 수 있다.

3. 天王補心丹은 다음 한국표준질병사인분류(KCD)에 해당하는 환자가 陰虛血少, 神志不安證으로 辨證되는 경우 본 처방의 사용을 고려해볼 수 있다.

처방 목표	한국표준질병사인분류(KCD)
神經衰弱	F48.0 신경무력증
	F48.8 기타 명시된 신경증성 장애
	F48.9 상세불명의 신경증성 장애
精神分裂症	F20 조현병
心臟病	I20~I25 허혈심장질환
	I30~I52 기타 형태의 심장병
甲狀腺 機能亢進症	E05 갑상선독증[갑상선기능항진증]
精神病	F00~F99 V. 정신 및 행동 장애
慢性肝炎	K73 달리 분류되지 않은 만성 간염
	B18 만성 바이러스간염
不眠	G47.0 수면 개시 및 유지 장애[불면증]
	F51.0 비기질성 불면증

【注意使項】

1. 이 방제의 藥味는 寒凉滋膩에 편중되어 있다. 脾胃가 허약한 경우 신중히 사용한다.

2. 이 방제는 朱砂로 옷을 입히거나 朱砂를 水飛한 후 섞는다. 朱砂는 수은이 포함된 황화물(Sulfide)이다. 朱砂를 함유한 製劑를 장기 복용하면 수은이 축적될 수 있으므로 장기간 복용하는 것은 적절치 않다.

【變遷史】 이 방제는 『校注婦人良方』卷6에 수록되어 있으며 "寧心保神, 益血固精, 壯力强志, 令人不忘; 淸三焦, 化痰涎, 祛煩熱, 除驚悸, 療咽乾, 育養心神"라고 효능을 기술하고 있다. 婦人熱勞, 心經血虛, 心神煩躁, 頰赤頭痛, 眼澁唇乾, 口舌生瘡, 神思昏倦, 四肢壯熱, 食飮無味, 肢體酸疼, 心怔盜汗, 肌膚日瘦, 혹은 寒熱往來를 치료한다. 그 유래를 고찰해 보니 『備急千金要方』卷14의 治健忘方(天冬·遠志·茯苓·地黃)·『千金翼方』卷15의 定志補心湯(遠志·菖蒲·人蔘·茯苓) 및 『太平聖惠方』卷3의 茯神散(茯苓·柏子仁·酸棗仁·黃芪·人蔘·地黃·遠志·五味子)의 세 가지 방제에서 발전 변화해 왔음을 알 수 있다. 후세의 여러 의서들에서 같은 이름의 方劑로 수록하고 있으나 각각 차이가 있다. 예를 들어 이 방제보다 이른 시기에 나온 『陳素庵婦科補解』卷5 중의 天王補心丹은 이 방제보다 杜仲·牡丹皮·石菖蒲·茯神·石蓮肉이 더 들어 있어 養心益腎, 淸熱安神의 작용을 증가시켰다. 産後血虛, 恍惚無主, 似驚非驚, 似悸非悸, 欲安恍惚, 欲靜反擾에 사용하되, 심한 경우 頭旋目眩, 坐卧不常, 夜則更加, 饑則尤劇한다. 『醫方考』卷3에 수록된 天王補心丹은 이 방제의 구성과 기본적으로 일치하지만, 朱砂로 옷을 입히지 않았다. 過勞其心, 忽忽喜忘, 大便難하거나 때때로 溏利, 口內生瘡 경우에 사용한다. 『攝生秘剖』卷1에 수록되어 있는 天王補心丹은 효능과 主治가 이 방제와 기본적으로 일치한다. 다만 용량에 있어 약간의 차이가 있다. 人蔘·丹參·玄參·白茯苓·五味子·遠志·桔梗 各五錢, 當歸身·天門冬·麥門冬·柏子仁·酸棗仁·生地 各四兩을 사용하며, 辰砂 五錢으로 옷을 입힌다. 또 『萬病回春』卷4의 天王補心丹은 이 방제보다 石菖蒲·黃連이 더 많아 淸心開竅, 寧心하는 효력이 더욱 뛰어나다. 健忘을 치료한다고 기록하고 있으며 『症因脈治』卷2에서는 內傷嗽血을 치료한다고 기록하고 있다. 『醫碥』卷6의 天王補心丹은 이 방제에서 人蔘·生地·麥冬·天冬·玄參을 제거해 주로 虛損勞瘵을 치료한다. 이 방제와 관련된 臨傷應用 상의 발전이다.

【難題解說】

1. 方名에 대해서: 『景岳全書』卷53에서는 "此方之傳, 未考所自, 『道藏』偈云: 昔志公和尙日夜講經, 鄧天王憫其勞者也, 賜之此方, 因以名焉."이라고 했고, 『醫方集解·補養之劑』에서는 "終南宣律師, 課誦勞心, 夢天王授以此方, 故名."이라고 했다. 저자들은 당시 사람들을 현혹시킬 수 있는 심리를 이용하면서, 이 방제의 효능이 신묘함을 설명하기 위해, 천왕(天王)에게 매일 마음을 다해 독경했더니 꿈속에서 이 방제를 주었다고 이야기했다. 『降雪園古方選注』卷中에서는 "補心者, 補心之用也……神之爲用不窮矣, 故曰補心." 이라고 했는데, 이 표현은 매우 정확하다.

2. 본 방제의 君藥에 대해서: 어떤 方論에서는 酸棗仁·柏子仁·五味子가 모두 養心安神의 효능을 가지고

있으며, 또한 心氣가 耗散하는 것을 수렴할 수 있어 방제의 주요 조성 부분이 된다고 했다. 그러나 이 방제의 病機는 心經陰虧血少, 虛熱內擾로 인한 것으로, 柯琴이 "補心者必淸其火而神始安"이라고 했듯이 生地黃을 君藥으로 사용해 滋陰補水의 작용을 주로 취한다. 水盛하면 伏火할 수 있다. 既濟之意이다. 또 玄參·麥冬·天冬·當歸·丹參을 配伍해 滋陰養血 작용을 더욱 강화시킨다. 따라서 이것을 君藥으로 간주하는 것이 病機에 더욱 적합하다.

3. 桔梗의 配伍 의의에 대해서: 『攝生秘剖』卷1에서 李中梓는 "以桔梗爲使者, 欲載諸藥入心, 不使之速下也."라고 했고, 『本草綱目』卷12에서는 "主口舌生瘡, 赤目腫痛."라고 했다. 이것은 여러 의학자들이 이 약물을 肺로 入經할 뿐 아니라, 또 心으로 入經하는 약물로 여기고 있었음을 설명한다. 桔梗은 성질이 升浮해, 載藥入心할 수 있다. 『重慶堂随筆』에서는 "桔梗, 開肺氣之結, 宣心氣之鬱."하고 했다.

【醫案】

1.心悸 『柳選四家醫案』「曹仁伯醫案」: 心悸는 처음에는 두렵고 놀람으로 인해 발생하지만 나중에는 습관이 되어 예사로운 일이 된다. 經年不愈, 手振舌糙, 脈芤帶滑, 不耐煩勞한 것은 心血本虛, 痰涎襲入과 관계가 있다. 人蔘·元參·丹參·棗仁·天冬·麥冬·菖蒲·茯苓·茯神·當歸·遠志·五味·桔梗·半夏·生地·橘皮·枳殼·柏仁·炙草를 사용한다.

考察: 이 病證은 心血本虛, 痰涎襲入擾心하여 나타난 心悸不安이다. 방제에서 天王補心丹·二陳湯을 가미한다. 그 목적은 補血養心, 理气化痰하여 휴손된 心血을 滋补할 뿐 아니라 침입해 들어 온 痰涎을 제거하기 위한 것이다. 이와 같이 하면 心神得安, 心悸則愈하게 된다.

2. 頑固性口腔潰瘍 『新中醫』(1986, 11:20): 남자, 40세, 간부. 1980년 3월 초진. 慢性口腔潰瘍 5年, 中西醫치료를 받았지만 효과가 없었다. 이듬해 4월 神倦失眠, 納差, 面色少華 했으며, 혀바닥 및 구강 점막에서 여러 개 궤양이 발견됐다. 舌質淡, 苔薄白, 脈沈細했다. 이것은 陰虛見證으로, 天王補心湯(人蔘은 太子蔘으로 대체하고, 生地·茯苓·當歸·玄參·柏子仁·桔梗·麥門冬 各 15 g, 遠志·石菖蒲·丹參·熟仁棗 各 10 g, 五味子 5 g)을 5제를 복용한 후 임상 증상이 호전되어 조금씩 회복했다. 이후 3년 동안 재발하지 않았다.

考察: 口腔潰瘍은 대부분 心脾二經의 積熱上熏에 의한 것이다. 또 氣血虧損, 思慮過多에 의해 발생하기도 한다. 天王補心湯은 養血寧心安神의 효능이 있어 陰血不足, 心火上炎으로 인한 咽乾口燥, 口舌生瘡 증상을 치료하는데 좋은 효과를 보인다. 이전에 陰血不足, 心火上炎에 해당하는 15례의 頑固性口腔潰瘍證을 치료하며 다른 약을 配伍하지 않았다. 모두 十~十三劑 복용 후 완치됐다.

3.口腔奇癢 『河南中醫』(1988, 3:34): 여자, 31세, 교사. 1984년 11월 2일 초진. 환자는 15일 전 뚜렷한 이유 없이 갑자기 입안이 몹시 가려워 참기 어려워했다. 입천장과 혀가 심했고, 혀에 힘을 줘 비빈 이후에야 가려운 정도가 조금 줄어 들었다. 낮에는 덜하고 밤에는 심해졌으며, 심하면 밤에 잠을 편히 잘 수 없을 정도였다. 매번 칫솔로 살짝 피가 날 때까지 문질러야 편안함을 느꼈다. 일찍이 자율신경기능 실조로 진단받았으며, 양약 치료를 해도 효과가 없어 中醫科에 와서 진료를 받았다. 환자는 간염 병력이 있었고, 평소 십이지장 궤양이 있었다.

증상을 보니 몸이 마르고 허약하며, 안색이 핼쑥하고 누렇고, 입속이 매우 간지러워, 종종 손으로 입속을 긁고 싶을 정도였다. 가슴이 답답하고 입이 마르며, 밤에 편안하게 잠을 이루지 못하고, 피곤해하며 힘이 없었다. 右脇과 胃脘 부위가 은은하게 아프고, 허리가 시큰거리고 힘이 없었다. 舌體瘦小, 質淡尖紅, 苔薄黃, 脈弦細小數했다. 口腔奇癢證으로 진단받았다. 원래

가지고 있던 肝胃病 병력을 분석한 결과, 胃疾이 오래되어 後天不足, 氣血乏源하고, 思慮勞心을 겸해 氣血不足, 心腎失養, 虛火上擾한 상태였다. 舌은 心之苗이고, 腎脈은 舌本을 끼고 咽喉로 돌아서, 血虛熱擾하므로 奇癢이 멈추지 않게 된다. 변증 결과는 心腎不足, 虛火上擾이었다. 養血益氣, 淸熱安神의 방법을 따른다. 처방: 天王補心丹加減. 黨参 12 g, 沙蔘·當歸 各 15 g, 枸杞子·寸冬 各 12 g, 茯神 15 g, 靈磁石 30 g(먼저 달인다), 炒棗仁 18 g, 五味子 9 g, 炒梔子 6 g, 知母 6 g, 肉桂 4.5 g, 炙甘草 6 g을 물을 넣고 달여서 매일 一劑씩 총 二劑를 복용했다. 11월 4일 환자가 기쁘게 내원해서 복약후 奇癢이 사라진 것 같고, 餘症 또한 절반으로 줄었다고 말했다. 약을 달이는 것을 고생스러워해 다시 복용하지 않았다. 1986년 9월 28일 환자가 다시 내원해 최근 일이 고되자, 이전 증상이 다시 발병했으며 心煩失眠, 倦怠乏力, 口舌乾燥, 胃脘隱痛, 腰酸無力, 舌尖紅, 苔薄黃, 脈細數의 증상을 동반된다고 말했다. 病證이 변하지 않았으므로, 방제도 바꾸지 않는다. 원래 방제를 二劑 처방하자 뛰어난 효과를 거두었다.

考察: 口腔奇癢症은 臨床에서 드물게 나타난다. 이 증상을 접했을 때 『内經』"病機十九條"의 "諸痛癢瘡, 皆屬于心" 구절이 떠올라 심장으로부터 치료하는 것을 시도해 보았다.

4. 抽動穢語綜合徵 『北京中醫』(2006, 10:598): 어린이, 남자, 8세, 2006년 2월 20일 초진. 2달 전부터 시작되었으며, 목구멍에서 딸꾹질 소리가 멈추지 않았다. 수업에 방해가 될 정도였다. 심리적으로 긴장했을 때 특히 심해졌으며, 주의력이 떨어져 집중하지 못했고 한자리에 가만히 있지 못하는 등의 증상이 나타났다. 진료 당시 환아는 입이 마르지 않고, 물을 많이 마시지 않았고, 입술이 건조하고 붉었다. 舌略紅, 苔薄白而潤, 舌中有裂紋, 脈細小數했다. 抽動穢語綜合徵(心肝陰虛型)으로 진단해, 다음과 같이 처방했다. 太子蔘 20 g, 沙蔘 30 g, 丹參 20 g, 石菖蒲 10 g, 天竺黄 6 g, 五味子 6 g, 黃連 4 g, 白芍 20 g, 炙甘草 5 g, 淮小麥 20 g, 百合 10 g, 大棗 10 g 七劑를 매일 一劑씩 물에 달여서 복용한다. 일주일 후 다시 진료했을 때 모든 증상이 줄어들었다. 위의 방제를 기초로 가감하여 七劑를 계속해서 복용시키자 딸꾹질 소리는 기본적으로 사라졌으며, 한달 정도 복용했더니 모든 증상이 완전히 사라지고 재발하지 않았다.

考察: 본 방제는 甘麥大棗湯에 天王補心丹을 합해 滋心肝之陰했다. 동시에 白芍·五味子 등의 약을 重用하여 斂陰柔肝 하고, 肝體를 자양함으로써 肝用을 제어했다. 또한 石菖蒲로는 寧心安神을 돕고, 天竺黃으로는 淸心化痰을 도왔으며, 百合의 단 맛과 윤기 있는 성질로는 陰不足 증상을 주관하도록 했다. 仲景의 뜻을 이어 받아 百合으로 淸熱養陰하고 寧心除煩했다.

【副方】

1. 柏子養心丸(『體仁彙編』): 柏子仁 四兩(120 g) 枸杞子 三兩(90 g) 麥門冬 當歸 石菖蒲 茯苓 各一兩(各 30 g) 玄參 熟地黃 各二兩(各 60 g) 甘草 五錢(15 g)

- 用法: 煉蜜로 벽오동 열매 크기의 환을 만든다. 매번 40~50개의 환(9 g)을 복용한다.
- 作用: 養心安神, 滋陰補腎.
- 適應症: 陰血虧虛, 心腎失調로 인한 精神恍惚, 驚悸怔忡, 夜寐多夢, 健忘盜汗, 舌紅少苔, 脈細而數.

2. 孔聖枕中丹(『備急千金要方』卷14, 原名은 孔子大聖枕中方이다): 龜版 龍骨 遠志 菖蒲를 各等分

- 用法: 분말로 갈아서, 方寸匕(3 g)를 1일 3회 술과 함께 복용한다. 자주 복용시 총기 있게 해준다. 또한 꿀과 함께 환으로 만들어 매회 二錢씩 黃酒와 함께 복용한다.
- 作用: 補腎寧心, 益智安神.
- 適應症: 心腎不足으로 인한 健忘失眠, 心神不安.

天王補心丹과 柏子養心丸·孔聖枕中丹은 모두 陰血虧虛한 虛煩不眠을 치료한다. 이들의 차이점은 다음과 같다: 天王補心丹은 補心安神藥과 滋陰清熱養血藥을 配伍하고 있으며, 그중의 生地의 용량이 가장 많다. 또한 二冬·玄參등의 滋陰清熱藥과 함께 配伍되어 있다. 따라서 주로 陰虧內熱 위주의 心神不寧證을 치료한다. 柏子養心丸은 補腎滋陰藥과 養心安神藥을 配伍하고 있으며, 柏子仁과 枸杞子을 중용한다. 滋陰清熱의 힘은 부족하다. 따라서 心腎两虛하고 內熱較輕한 환자를 주로 치료한다. 孔聖枕中丹은 寧心益智藥과 心腎을 통하게 하는 遠志·菖蒲를 配伍하여 心腎부족에 의한 健忘과 失眠 등을 치료한다.

酸棗仁湯(酸棗湯)

(『金匱要略』)

【組成】 酸棗仁 二升(12 g) 甘草 一兩(3 g) 知母 二兩(6 g) 茯苓 二兩(6 g) 川芎 二兩(6 g)

【用法】 위의 五味를 물 八升에 酸棗仁을 넣고 끓여 六升으로 졸인다. 위의 모든 약을 넣고 다시 三升으로 졸여서 3회에 나누어 따뜻하게 복용한다.

【效能】 養血安神, 清熱除煩.

【主治】 虛勞, 虛煩不眠證. 心悸, 盜汗, 頭目眩暈, 咽乾口燥, 舌紅, 脈細弦.

【病機分析】 虛煩不眠한 원인은 매우 많다. 勞傷心脾에 의한 것, 肝血不足, 心神失養에 의한 것, 그리고 外感餘熱未盡하여 熱擾心神 한 것도 있다. 이 방제는 肝血不足, 虛熱內擾, 心神失養에 의한 증상을 치료한다. 肝藏血, 血舍魂, 心主神, 肝藏魂하고, 人卧하면 血歸於肝한다. 尤怡는 "人寤則魂寓于目, 寐則歸于肝"(『金匱要略心典』卷下)라고 했다. 肝血이 充足되어, 魂이 守舍할 수 있으면 밤잠을 편안하게 이룰 수 있다. 『靈樞·邪客』에서는: "陰虛則目不瞑."라고 했다. 虛勞한 사람은 肝氣不榮, 肝血不足하여 魂魄도 守舍할 수 없다. 게다가 肝은 剛臟으로 內寄相火하게 되면 陰血虛而生內熱, 虛熱上擾하여 心神不寧하게 된다. 그래서 밤에 누우면 불안해하며 "虛煩不得眠"한 증상이 나타나는 것이다. 肝·心은 子母之臟의 관계로 肝血不足하면 母令子虛, 心失所養하여, 心悸不安 하게 된다. 肝陰不足, 陰不斂陽하면, 肝陽上亢, 陽升風動, 清空被擾하여 頭目眩暈하게 된다. 陰虛生內熱하면, 虛火上炎하여 咽乾口燥 하게 된다. 陰血不足하면 陰虛內熱, 迫津外泄하여 盜汗이 발생하게 된다. 舌紅, 脈細弦는 모두 肝血不足하고 陰虛內熱함을 의미하는 것이다.

【配伍分析】 본 방제의 치료 병증은 肝血不足, 虛熱內擾, 心神失養에 의한 것이다. 『素問』·「至眞要大論」의 "虛則補之" "損者溫之"의 치료 원칙을 따라 養血補肝, 清熱除煩, 寧心安神을 治法으로 선정한다. 『素問』·「六節臟象論」에서는 "肝者, 罷極之本, 魂之居也……以生血氣, 其味酸."라고 하였고, 『素問』·「五臟生成」에서는 "肝欲酸."라고 하였다. 따라서 방제에서 酸棗仁을 重用한다. 성질이 平하고 맛이 酸하며, 心·肝 두 곳으로 入經하며, 養肝血, 安心神한다. 『名醫別錄』卷1에서는 "主煩心不得眠……虛汗煩渴, 補中, 益肝氣"한다고 했다. 君藥이 된다. 茯苓은 맛이 甘淡하고 성질이 平하며 心脾腎으로 入經한다. "補五勞七傷……開心益智, 止健忘"(『日華子本草』卷11)하여 寧心神한다. 茯苓과 酸棗仁을 함께 配伍하면 寧心安神의 효과를 강화할 수 있다. 臣藥이 된다. 『素問』·「臟氣法時論」에서는 "肝欲散, 急食辛以散之, 用辛補之, 酸瀉之."라고 했다. 따라서 川芎의 辛温한 芳香을 사용하고 주로 肝으로 入經하며 調暢氣機, 疏達肝氣한다. 酸棗仁과 함께 配伍하여, 酸收와 辛散을 병용하면 서로 반대되는 성질로 서로를 이뤄주며 補肝之體, 遂肝之用한다. 養血調肝安神의 효능을 갖게 되는 것이다. 『本草綱目』卷14에서 언급한 川芎은 "血中之氣藥也, 肝苦急以辛補之,

故血虛者宜之. 辛以散之, 故氣鬱者宜之"와 같은 의미이다. 佐藥이 된다. 知母는 맛이 苦甘하고 성질이 寒하며 肺·胃·腎으로 入經한다.『日華子本草』卷7에서 "潤心肺, 補虛乏, 安心止驚悸"라고 말했고,『景岳全書·本草正』卷48에서는 "去火可以保陰, 是即所謂滋陰也. 故潔古·東垣皆以爲滋陰降火之要藥"이라고 말했다. 동시에 또한 川芎의 辛한 맛과 燥한 성질을 억제할 수 있기 때문에 佐藥이 된다. 방제에서 甘草의 용도는 세가지가 있다. 첫째, 補益中氣한다. 茯苓과 함께 配伍해서 脾로 하여금 健運하도록 하며, 資氣血生化의 근원이 된다.『金匱要略』에서 이야기한 "夫肝之病……益用甘味之藥調之"의 의미를 갖는다. 둘째, 和緩肝急하다. 酸棗仁은 酸甘한 맛이 섞여 養肝陰하고, 斂浮陽한다.『素問』·「臟氣法時論」의 "肝苦急, 急食甘以緩之"의 의미와 딱 들어 맞는다. 셋째, 川芎의 辛한 맛과 燥한 성질을 甘緩하여 肝氣가 과도한 疏泄되는 것을 방지한다. 羅美가 언급한 "緩以甘草之甘緩, 防川芎之疏肝泄氣, 所謂以土葆之"(『古今名醫方論』卷1)에 해당된다. 佐使의 쓰임을 갖는다. 전체 방제의 配伍는 養血安神, 清熱除煩의 효능을 이룬다. 이와 같이 하여 陰血得補, 心神得養, 虛熱得清, 虛煩不眠·心悸와 같은 증상을 치료할 수 있다.

본 방제의 配伍 특징은 酸收와 辛散의 약제를 함께 사용하는 동시에, 兼하여 甘平한 약제도 配伍하는 것이다.『內經』에서 간장을 치료하는 酸泄·辛散·甘緩의 치료 원칙을 구현했다.

【類似方比較】 본 방제와 歸脾湯은 모두 養血安神 작용을 지니고 있으며, 心血不足에 의한 失眠·心悸 등의 病證을 치료한다. 하지만 본 방제는 성질이 平하고 맛이 酸한 酸棗仁을 重用하여 養血安神하며, 芳香을 지닌 辛溫한 川芎을 配伍하여 調氣疏肝한다. 酸收와 辛散을 병용하며, 養血調肝하는 오묘함을 지닌 養血安神, 清熱除煩하는 방제가 된다. 주로 肝血不足, 虛火內擾心神에 의한 心煩失眠, 頭暈目眩, 脈弦細 등의 病症을 치료한다. 歸脾湯은 心脾를 함께 치료하지만 脾에 중점을 두고 있다. 脾旺하도록 만들어 氣血生化하는 근원이 되도록 한다. 氣血并補하되 補氣에 중점을 두면서, 生血하는 의미를 지니고 있다. 血이 충족되면 心有所養하게 된다. 주로 心脾兩虛, 氣血不足, 心失所養에 의한 心悸失眠·神疲食少 등의 病症을 치료한다.

【臨床應用】

1. 證治要點: 본 방제는 肝血不足, 虛熱內擾, 心神失養으로 인한 虛煩失眠을 치료하는 중요한 방제이다. 臨床에서 虛煩不眠, 心悸, 盜汗, 頭目眩暈, 舌紅, 脈弦細가 증상 치료의 요점이 된다.

2. 加減法: 만약 心煩不眠이 肝血不足, 陰虛內擾가 비교적 심한 경우에 속한다면, 二至丸을 합하거나 生地黃·玄參·白芍 등을 넣어 養血滋陰清熱 한다. 盜汗 증상이 심하게 겸하여 나타나면 五味子·白芍·浮小麥을 넣어 安神斂汗 한다. 心悸가 비교적 심한 경우에는 龍齒·龜甲·珍珠母 등을 넣어서 鎭驚安神 한다. 心悸多夢하고 時有驚醒, 舌淡, 脈細弦하여 心膽氣虛에 속한 경우에는 黨參·龍齒를 넣어 益氣鎭驚 한다. 精神抑鬱, 心煩不眠이 비교적 심한 경우에는 甘麥大棗湯에 夜交藤·合歡皮를 함께 넣어서 緩肝安神解鬱 한다. 合歡花·夜交藤·石菖蒲·鬱金 등의 解鬱安神의 약제를 넣으면 치료 효과가 배가 된다.

3. 酸棗仁湯은 다음 한국표준질병사인분류(KCD)에 해당하는 환자가 虛勞, 虛煩不眠證으로 辨證되는 경우 본 처방의 사용을 고려해볼 수 있다.

처방 목표	한국표준질병사인분류(KCD)
神經衰弱	F48.0 신경무력증
	F48.8 기타 명시된 신경증성 장애
	F48.9 상세불명의 신경증성 장애
高血壓病	I10 본태성(원발성) 고혈압
	I15 이차성 고혈압
心臟神經官能	F45.3 신체형자율신경기능장애

처방 목표	한국표준질병사인분류(KCD)
陳發性心動過速	I47.2 심실성 빈맥
更年期綜合征	N95.1 폐경 및 여성의 갱년기상태
憂鬱症	F30~F39 기분[정동] 장애
焦慮性神經症	F40 공포성 불안장애
	F41 기타 불안장애
精神分裂症妄想型	F20 조현병
肝豆狀核變性精神障碍	E83.0 구리대사장애
不眠	G47.0 수면 개시 및 유지 장애[불면증]
	F51.0 비기질성 불면증
自汗·盜汗	(질병명 특정곤란)
	R61 다한증
胸痞	R07.3 기타 흉통_흉비(胸痺; 胸痞)
	I20~I25 허혈심장질환

【變遷史】 이 방제는 『金匱要略』「血痹虛勞病脈證并治第六」에서 유래했으며, 원래 명칭은 酸棗湯이다. 『醫門法律』卷6에서 처음으로 酸棗仁湯으로 불리기 시작했는데, 酸棗湯의 異名이었다. 虛勞病 중 虛煩으로 잠을 이루지 못하는 증상을 치료하기 위해 만들어졌다. 方證 病機는 비록 心·肝 두 장기와 관계가 있으나 病變의 핵심은 肝에 있다. 仲景은 『內經』에서 肝을 치료하는 酸泄·辛散·甘緩의 組方 원칙을 따라 약물 사용에 酸辛을 겸비하고, 相反相成, 甘和緩急, 調肝養心하였다. 心悸虛煩不眠을 치료하는데 있어 단순한 養血安神의 방제에 비해 그 配伍 방법이 보다 특색을 보인다. 酸棗仁湯에서 명시한 酸棗仁에 川芎·茯苓·甘草를 配伍한 組方 구조는 후대에 養血調肝安神의 治法을 운용하는데 매우 큰 영향을 미쳤다. 대체로 心肝血虛·心悸失眠한 증후를 치료하는 방제 대부분이 酸棗仁湯의 立意를 따르거나 혹은 이 방제에서 가감하고 변화시켜 이루어진 것이다. 예를 들어 『外臺秘要』卷17에서는 『深師方』은 虛勞不得眠, 煩不可寧을 치료하는 小酸棗湯을 수록하고 있는데, 이 방제에서 生薑二兩를 더한 것이다. 生薑은 "通神明"(『神農本草經』卷上)하고, 또 辛散通達, 暢行氣血하기 때문에 原方의 調肝安神의 효능을 강화했다. 『太平聖惠方』卷3에서 膽虛冷, 精神不寧, 頭目昏眩, 恒多畏恐을 치료하는 酸棗仁散 역시 酸棗仁湯의 의미를 모방했다. 行補兼備的한 當歸는 辛香走散한 川芎으로 바꿨고, 平肝明目한 菊花는 寒涼한 知母로 바꿨다. 人蔘·黃芪·熟地黃·白芍藥으로는 補養氣血하고, 柏子仁으로는 安神定志했다. 質潤不燥한 防風을 復加해서 辛香疏肝하게 하고, 辛散宣達한 羌活로 "瀉肝氣"하도록 했다. 그래서 血虧가 비교적 심하고 虛火不旺한 失眠眩暈의 病證에 더욱더 알맞게 되었다. 『太平聖惠方』卷3에서는 酸棗仁散이 酸棗仁湯을 기초로 계승 발전한 것이라고 기록하고 있다. 방제에서는 酸棗仁과 川芎을 重用하고 있으며, 맛과 성질이 甘寒한 桑白皮는 知母로 대체하고, 羚羊角·菊花을 넣어서 平肝息風止痙하고, 羌活·防風을 넣어서 祛風止痛했다. 防風은 또 疏達肝氣하도록 할 수 있다. 肝風 치료에 활용되며 筋脈拘攣, 四肢疼痛을 보이거나, 心神煩으로 不得眠한 증상에 養血平肝, 祛風止痙하는 효능을 지닌다. 『類證活人書』卷18에서 傷寒, 經吐下後, 虛煩不眠, 心中懊憹를 치료하는 酸棗湯은 본 방제에서 乾薑을 넣어 溫胃和中하고, 麥門冬을 넣어 滋陰增液하게 하며 동시에 乾薑의 溫燥한 성질을 억제하도록 한 것이다.

【難題解說】 酸棗仁을 생으로 사용하느냐 익혀서 사용하느냐 문제에 대하여: 본 방제에서 酸棗仁을 생으로 사용하느냐 아니면 익혀서 사용하느냐 하는 문제는 예로부터 의학자들의 중시를 받아 왔다. 『本草綱目』卷36에서 이르길: "其仁甘而潤, 故熟用療膽虛不得眠……, 生用療膽熱好眠."이라 했고, 『本經逢原』卷3에는 "酸棗仁, 熟則收斂精液, 故療膽虛不得眠, 煩渴虛煩之證."이라고 말했다. 일반적으로 酸棗仁은 볶아서 사용해야 疏肝醒脾, 引血歸肝하고 養心하게 하여 安眠의 효과를 거둘 수 있다고 여겨진다. 棗仁을 생으로 사용하게 되면 嗜睡를 치료한다. 하지만 현재 臨床 응용 상황 및 藥理 실험 연구 결과로 볼 때, 이 둘은 모두 失眠症 치료에 효과가 있다. 그 주요 약효는 함유된 油脂에 있으므로 약간 볶아서 사용하는 것이 적절하

다. 사용할 때는 유효 성분을 용출시키기 위해 빻아서 湯劑에 넣어도 좋다.

【醫案】

1. 失眠『蒲園醫案』: 여자, 32세. 1936년 음력 동지달(음력 11월), 오랫동안 失眠을 앓았고, 모든 약이 효과가 없었다. 환자는 몸이 수척하고, 정신적으로 피곤해 보였다. 가슴은 답답해하며 잠을 이루지 못하고 꿈을 많이 꾸었다. 정신적으로 불안해했다. 마치 무언가를 잃은 듯이 허전해했으며 머리가 어지럽고 눈 앞은 아찔했다. 식욕은 없었다. 舌絳, 脈象弦細하고 두 광대뼈 부위가 약간 붉으스름했다. 이는 곧 원래 素禀陰虛, 營血不足한데, 營虛無以養心, 血虛無以養肝한 결과, 心虛神不內守, 肝虛魂失依附하게 하고, 더욱더 虛陽上升하게 하여, 熱擾淸宮에 이르게 한 것이다. 養心寧神의 治法을 활용해 酸棗仁湯에 人蔘·珍珠母·百合花·白芍·夜交藤을 넣고 물로 달였다. 이외에 老虎目睛 五分을 따로 분말로 간 후 함께 타서 복용했다. 13제를 연달아 복용한 후 바로 편하게 누울 수 있고, 精神內守할 수 있었다. 모든 증상이 해소되었다.

考察: 본 病證은 虛煩不得眠에 의한 것이다. 营陰素虧하기 때문에 內熱躁擾한다. 따라서 방제에서 酸棗仁湯에 珍珠母를 넣어 潛以安魂하도록 했다. 老虎目睛은 靜以定魄하게 하고, 백합꽃은 아침에 피어서 저녁에 지므로, 낮과 밤의 적당한 기전을 갖추고 있다. 夜交藤은 左右相交하므로, 陰陽의 交感을 취한 것이다. 白芍는 斂戢肝陽한다. 木平火降, 神魂不擾하게 하자 夢寐安寧하게 되었다.

『金匱要略指難』: 여자, 49세. 1982년 10월 濕熱病을 앓은 이후에 마음이 불안하고, 밤에 잠에 들기 곤란해 했다. 가슴 속은 답답해하며 열기가 심하게 일었고, 입안이 건조했으며 밤이 되면 더욱더 심해졌다. 몸이 수척하고 음식 섭취량은 줄어들었다. 낮이 되면 정신이 그런대로 괜찮았다. 舌紅苔根薄黃乏津, 脈弦細而數했다. 이는 心肝陰虛에 의한 失眠이다. 滋養心肝陰血하는 酸棗仁湯加減을 사용했다. 酸棗仁 15 g(말리고 볶은 후 고운 분말로 간다. 저녁에 잠들기 전 물에 타서 복용한다), 百合 30 g, 知母 12 g, 甘草 1.5 g, 北沙蔘 15 g, 麥冬 20 g, 丹參 20 g, 生谷芽 20 g. 2~6제를 복용하도록 주문했다. 일주일 뒤 재진했는데, 환자가 위의 방제 2제를 복용한 뒤 잠들 수 있었지만, 쉽게 깨고, 깬 후에는 다시 잠이 들기 어려웠다고 했다. 6제를 복용한 뒤에는 수면과 음식 복용이 정상으로 돌아왔고, 밤중에 煩熱하는 증상 또한 사라졌으며. 단지 대변만 약간 건조하다고 했다. 설맥은 위와 동일했다. 계속해서 위의 방제에 柏子仁 20 g을 넣어서 다시 4제를 복용시켰더니 치료 효과가 공고해졌다.

考察: 본 病例의 경우, 체질은 陰虛하고, 게다가 머리를 사용하고 있었기에, 은연 중에 心肝之陰이 소모됐다. 濕熱證을 앓고 있어서 예전의 의사가 처방한 苦溫化濕한 藿香正氣散加減을 2제를 복용한 뒤 濕邪는 해소되었지만 陰虛內熱은 더욱 심해졌다. 肝陰耗하면 魂不斂하고, 肺陰傷하면 魄不藏하고, 心陰損하면 神不寧한다. 위의 방제를 가감해 사용하자 약이 病機에 들어맞아 효과를 볼 수 있었다.

2. 夜半驚恐『河北中醫』(1984, 4:3): 여자, 40세. 매일 밤 11시부터 이튿날 새벽 3시까지 驚恐不安을 느낀다고 했다. 누가 잡으려고 좇아오는 것 같아 잠을 이룰 수 없었으나, 시간이 지나면 바로 편안해 지며, 보통사람과 같아졌다. 매일 같은 시간에 증상이 나타났고, 10일이 넘게 지속되어 朱砂安神丸 및 양약을 자주 복용하였으나 효과가 없었다. 진료 당시 환자는 面色蒼晦, 頭暈目眩, 神疲乏力, 納呆하였고, 혀 주변이나 혀끝은 붉고, 설태는 조금 있었으며, 脈沉弦細數無力했다. 이는 肝血不足, 膽虛神搖한 病證이었다. 養血柔肝, 益膽寧神을 치료하는 것이 적절했다. 酸棗仁湯을 조절하여 酸棗仁 12 g, 白茯苓·知母 各 10 g, 川芎·甘草 各 6 g, 夜交藤 20 g, 生龍骨·生牡蠣 各 30 g을 넣었다. 물로 달여 2제 복용하자 心神이 조금씩 寧謐함을 느꼈고, 밤잠을 편안하게 잘 수 있었다. 효과가 좋으면 방제를 바

꾸지 않는다. 위의 방제를 계속해서 3제 복용하였더니, 驚恐이 사라지고 밤에 편안하게 잠을 잘 수 있었으며, 어지럽고 눈이 침침한 증상 또한 사라져 치료되었다.

考察: 밤 11시부터 이튿날 새벽 3시까지는 少陽膽과 厥陰肝의 精氣가 주입되는 시간이다. 膽은 肝에 붙어있으며 하나는 陰이되고, 하나는 陽이되어, 서로 表里를 이룬다. 肝은 藏血을 주로 담당하고, 體陰而用陽한다. 膽은 決斷을 주로 담당하고, 中正之官이 된다. 肝血不足하면 곧 膽氣虛怯, 虛無所定, 神無所主하게 된다. 따라서 精氣가 주입될 때 발병하게 되는 것이다. 酸棗仁湯으로 養肝血·補肝陰하여 肝血充盛, 膽氣壯旺하도록 한다. 龍骨·牡蠣·夜交藤으로 鎮靜安神하도록 보좌하면 驚恐不寐, 頭暈目眩 등의 증상이 나을 수 있다.

3. 胸痺(冠心病)『蒲輔周醫療經驗』: 남자, 52세. 전흉부 통증이 빈번하게 발생하여, 2차례 병원에 입원했다. 심전도가 비정상이어서 冠心病으로 확진 받았다. 수면 상태가 좋지 못하여 3~4시간 정도만 잘 수 있었고, 꿈을 많이 꾸고 心煩하며, 잠에서 깬 뒤 오히려 피로함을 느꼈다. 頭痛, 心悸, 氣短했고, 久視할 수 없었으며, 조금만 노동을 해도 바로 胸悶, 隱痛을 느꼈다. 脈沉遲하고 혀 가장자리가 마르고 중간에는 갈라진 금이 있었다. 과도하게 열심히 일을 하고 정신을 지나치게 많이 써서, 肝腎이 점점 쇠약해지고 心肝이 균형을 잃었기 때문이었다. 心肝을 조리하는 치료가 적절했다. 酸棗仁 15 g, 茯神 9 g, 川芎 4.5 g, 知母 4.5 g, 炙甘草 3 g, 天麻 9 g, 桑寄生 9 g, 菊花 3 g. 5제를 복용하자 수면이 호전되고 두통이 감소했다. 脈微弦하고, 왼쪽 맥보다 오른쪽 맥의 박동이 더 왕성했다. 혀는 위와 같았다. 原方에 淡蓯蓉 12 g, 枸杞子 9 g을 추가했다. 재진하자 수면 상태는 호전되고, 心臟도 안정적으로 회복했으며, 心絞痛이 다시 나타나지 않았다. 脈兩寸和緩, 兩關有力, 兩尺弱, 舌下無苔했다. 原方에서 知母·天麻·桑寄生을 빼고, 黃精 12 g, 山萸肉 6 g, 山藥 9 g을 넣어 5제 복용하고, 桑椹膏를 매일 저녁 15 g씩 복용했다. 환약을 만들어 滋養肝腎, 强心補腦함으로써 효능을 공고히 했다. 환제: 人蔘·白朮·菊花·茯苓·茯神·麥冬·廣陳皮 各 9 g, 枸杞子·山藥·山萸肉·肉蓯蓉 各 15 g, 川芎·遠志 各 6 g, 生地黃精 各 30 g. 곱게 갈아 끓인 꿀로 환을 빚었다. 한 개 중량은 9 g 정도였다. 아침 저녁으로 1개씩 따뜻하게 끓인 물로 복용했다.

考察: 본 안의 心絞痛은 지나친 과로로 인해 肝腎이 점차 쇠퇴하고, 心肝이 균형을 잃어 氣血不暢, 心失所養이 나타난 것이다. 그래서 이 방제에서는 酸棗仁湯을 응용해 調養心肝, 疏達血氣하도록 했다. 桑寄生·肉蓯蓉·枸杞子 등을 추가해 滋補肝腎했다. 병세가 안정될 때까지 기다린 뒤 계속해서 滋養肝腎, 强心補腦하는 丸劑로 조리해 치료했다.

4. 自汗『蒲輔周醫案』: 여자, 48세. 환자는 평소에 어지럽고 눈이 아찔하며, 땀을 많이 흘렸다. 일주일 전 갑자기 의식을 잃고 쓰러져서 인사불성이 되었다. 당시 혈압은 80/20 mmHg이었다. 보건소 의사의 응급처치를 받고 바로 깨어났지만, 깨어난 뒤에도 여전히 心慌, 氣短, 頭暈, 目眩, 嗜睡, 汗多과 같은 증상이 나타났다. 밤에는 땀이 더욱 심하게 났으며 식욕은 그럭저럭 괜찮았다. 대소변과 월경은 정상이었다. 2개월 정도 침 치료를 받았고, 歸脾湯에 續斷·巴戟天·牡蠣·浮小麥·枸杞子·小茴香 등을 넣은 약도 복용해 보았으나 뚜렷한 효과를 보지 못했다. 진맥을 해보니 兩尺沉細有力, 兩關弦數 했고, 舌質은 정상적이었으며 설태가 없었다. 肝熱陰虛, 肝陽不潛에 해당하고, 心血不足을 겸한 경우에 속하므로 滋陰潛陽과 養血寧心을 겸해서 치료하는 것이 적절했다. 酸棗仁湯加味: 酸棗仁·白蒺藜·女貞子 各 9 g, 珍珠母(打)·石決明·龜甲(打) 各 12 g, 知母·川芎·炙甘草 各 3 g, 懷山藥·牛膝·地骨皮·茯神 各 6 g. 복용 후 모든 증상이 호전되었다. 땀을 흘리는 것이 크게 줄어들었다. 心慌 및 피로감은 남아 있지만, 식욕과 대소변은 정상으로 돌아왔다. 환제로 변경하여 滋陰養血 위주로 천천히 치료했다. 柏子仁(炒)·乾地黃 各 60 g, 麥冬 24 g, 枸杞子·玄參·地骨皮·炒棗仁 各 30 g, 當歸·石菖蒲·茯神·炙甘草 各 18 g을 곱게 가루되어 끓인 꿀

로 환을 빚었다. 각각의 중량은 9 g이었다. 매일 아침 저녁으로 1개씩 복용했다. 이후 조금씩 호전되어 정상으로 회복됐다.

5. 不孕症『成都中醫學院學报』(1986, 1:24): 여자, 30세. 평소에 몸이 虛하고, 머리가 어지럽고 잠을 이루지 못했다. 결혼 후 6년 동안 임신을 하지 못했다. 월경이 일찍 당겨졌고, 월경량은 적고 어두웠다. 월경전 유방에 은은한 통증이 있고, 가슴이 답답하고 불편했다. 월경이 끝난 뒤 머리가 어지럽고 기력이 없었으며, 가슴이 두근거리고 피곤해했다. 혀는 붉고, 설태는 조금 누런색을 띄었다. 전에 병원에서 원발성 불임증으로 진단받았다. 중약과 양약 치료를 모두 받았지만 효과가 없었다. 陰虛內熱에 氣血鬱滞를 겸한 病證이었다. 滋陰淸熱로 치료하면서, 調氣和血로 보좌하는 것이 적절했다. 방제로 酸棗仁湯加味, 酸棗仁 12 g, 川芎 10 g, 知母·當歸 各 15 g, 川續斷·杜仲 各 12 g, 枳殼 8 g, 茯苓 18 g, 甘草 5 g을 사용했다. 20제 전탕하여 복용하자 자각 증상은 기본적으로 사라졌지만 월경양은 여전히 적었다. 위의 방제를 가감하여 월경 전 3제를 3개월 동안 지속적으로 복용하였더니 월경양은 정상으로 돌아왔고, 6개월 후 임신을 했다. 이후 10달을 채워 남자 아이 한 명을 출산했다.

考察: 婦人은 以血爲本, 冲爲血海, 任主胞胎하고 肝主藏血, 又主疏泄한다. 평소에 陰血不足으로, 血海不充하면, 곧 월경이 균형을 잃게 된다. 월경 전 유방이 은은하게 아프고 가슴이 답답하고 편안하지 않은 것을 통해 有肝鬱不疏之變이 있음을 알 수 있었다. 치료는 마땅히 滋陰養血하고, 調氣和血 해야 한다. 따라서 調肝養血의 효능이 있는 酸棗仁湯加味를 사용해 효과를 얻었다.

6. 夜間譫妄『日東醫誌』(2002, 4:351~356): 여자, 80세. 과거에 녹내장과 당뇨병을 앓았으나 약물 치료를 받지 않았다. 2000년 8월 갑자기 의식불명으로 쓰러져서 좌측 丘腦(thalamus) 출혈 진단을 받고 保守治療를 진행하다가 11월 양로원으로 옮겼다. 두부 CT 결과 腦萎縮·腦室擴大, 좌측 基底部 다발성 梗死吸收灶가 발견되었다. 임상 증후: 왼쪽 눈이 外斜視로 角膜이 혼탁하고, 우측 반신불수, 낮에는 주로 잠을 자고 밤이 되면 헛소리를 하며 안절부절 못하고 밤낮이 바뀌었다. 우선 抑肝散을 3주 동안 복용했으나 효과가 없어서 酸棗仁湯(7.5 g/d)으로 바꿨다. 12일 동안 복용하자 밤에 잠을 잘 수 있어 酸棗仁湯 용량을 하루에 5 g까지 줄여 2차례로 나누어 복용했다. 그러자 낮에 깨어 있고 밤에 잠을 자는 정상 상태로 회복했다.

考察: 노인성 치매에 대해서는 아직 효과적인 치료제가 없다. 필요한 경우 항정신병약물을 제공하지만, 부작용이 비교적 큰 편이다. 자주 椎體外係 증상을 일으킨다. 동물 실험을 통해 酸棗仁湯에는 항 焦慮 효능이 있으며, 단순한 催眠劑가 아님이 밝혀졌다. 臨床에서 酸棗仁湯을 응용할 때는 마땅히 그 조제량劑量을 주의해야 한다. 5 g/d으로 바로 낮과 밤의 覺醒과 睡眠의 균형 효과를 얻을 수 있다. 증상이 심한 환자에게는 적절한 항정신병약물을 배합하면 그 효과가 배가 된다.

【副方】 定志丸(『雜病源流犀燭』卷6) 人蔘 茯苓 茯神 各三兩(各 90 g)菖蒲 薑遠志 各二兩(各 60 g)

- 用法: 위의 약재를 가루내 朱砂 一兩半(45 g)으로 옷을 입히고 꿀로 丸을 빚는다.
- 作用: 補心益智, 鎭怯安神.
- 適應症: 心氣不足, 心怯善恐, 夜臥不安이다.

본 방제가 치료하는 증상은 心氣不足에 의한 것에 속한다. 原書에서는 이를 "治勞心膽冷, 夜臥不寐者"라고 기록하고 있다. 心氣不足, 心神失養하면, 心怯善恐, 夜臥不安하게 된다. 치료는 마땅히 補心益智, 安神定志로 이뤄져야 한다. 주로 人蔘으로 養心安神益智 하고, 茯苓·茯神·遠志를 配伍해서 安神定志 하며, 菖蒲로 開心竅하고, 朱砂로 鎭心安神 한다. 諸藥을 모두 사용하고 있고 配伍가 적절해 補心益智, 安神定

志하는 좋은 방제이다.

본 방제와 酸棗仁湯은 모두 滋養安神의 효능을 갖고 있다. 다만 安志丸은 人蔘·茯苓·茯神을 重用하여 益氣補心을 위주로 하며 心氣不足한 心怯善恐, 夜卧不安한 증상을 치료한다. 酸棗仁湯은 酸棗仁을 重用하여 補肝養血寧心을 위주로 하며 知母를 配伍해 淸熱除煩 함으로써, 肝血不足, 血不養心, 虛熱內擾한 虛煩不眠한 증상을 치료한다.

甘草小麥大棗湯

(『金匱要略』)

【異名】 甘麥大棗湯(『金匱要略』)·大棗湯·麥甘大棗湯(『普濟本事方』卷10)·小麥湯(『三因極一病證方論』卷18)·甘草湯(『婦人大全良方』卷15引『專治婦人方』)·十棗湯(『萬氏女科』卷2)·麥棗湯(『杏苑生春』卷8)·棗麥甘草湯(『羅氏會約醫鏡』卷14)·大棗甘草湯(『一見知醫』卷4).

【組成】 甘草 三兩(9 g) 小麥 一升(15 g) 大棗 十枚(十枚)

【用法】 위의 세 가지 약물을 물 六升으로 달여 三升을 취한다. 3회에 나누어 복용한다.

【效能】 養心安神, 和中緩急.

【主治】 臟躁. 精神恍惚, 喜悲傷欲哭, 不能自主, 心中煩亂, 睡眠不安, 甚則言行失常, 呵欠频作, 舌紅少苔, 脈細數.

【病機分析】 臟躁는 情志로 인한 질병에 속한다. 대부분 과도한 思虑悲哀에 의해 나타난다. 『靈樞』·「本神」에서는 "心怵惕思慮則傷神"라고 하였고, 또 "心藏脈, 脈舍神, 心氣虛則悲", "肝悲哀動中則傷魂"이라고 했다. 이는 "心主身之血脈"(『素問』·「痿論」), "肝藏血"(『素問』·「調經論」), "肝者……魂之居也"(『素問』·「六節臟象論」)하기 때문이다.

『金匱要略』에서는 또 "邪哭使魂魄不安者, 血氣少也, 血氣少者, 属于心, 心氣虛者, 其人則畏, 合目欲眠, 夢遠行而精神離散, 魂魄妄行."라고 하였고, 《金櫃方論衍義』卷1의 주석에서는 "神之所以任物而不亂者, 由氣血维持而之以静也. 若氣血衰少, 則神失所養而不寧. 并神出入者謂之魂, 守神之舍者謂之魄, 神不寧則悲, 悲則魂魄不安矣."라고 하였다. 과도하게 思慮憂傷하면, 耗傷陰血, 心肝失養, 神魂不安하면, 정신이 흐리멍텅하고精神恍惚, 자주 슬퍼서 울고 싶고悲傷欲哭, 스스로 조절하지 못하고不能自主, 마음이 답답하고 혼란스러우며心中煩亂亂, 수면 불안睡眠不安 증상을 보인다. 심하면 말과 행동이 평상시와 달라 "象如神靈所作"(『金櫃要略』)하게 된다. 心肝陰血이 부족하면, 陰不配陽, 陽欲入陰, 上下相引하기 때문에 하품이 잦아지게呵欠频作 된다. 舌紅少苔, 脈象細數은 모두 心肝陰血이 부족하다는 징조이다. 정리하자면, 臟躁는 心肝 두 臟과 밀접한 관계에 있으며, 臟陰不足은 病機의 요점이 된다.

【配伍分析】 이 방제가 치료하는 것은 과도한 思慮悲哀, 心肝失養, 臟陰不足으로 인한 神魂不安證이다. 『素問』·「臟氣法時論」의 "肝苦急, 急食甘以緩之"와 『靈樞』·「五味」의 "心病者, 宜食麥"의 취지를 근거로 하여 甘潤平補하는 약물로 肝을 調하고 心을 養하는 것이 적절하다. 小麥은 맛이 甘하고 성질이 凉하며, 心肝으로 歸經한다. 『名醫別錄』卷2에서는 "養肝氣"라 하였고, 『本草再新』에서는 "養心, 益腎, 和血, 健脾"할 수 있다고 했다. 따라서 본 방제에서 重用하여, 養心補肝, 安神除煩하도록 하며, 君藥이 된다. 甘草는 甘平하고 성질이 緩하여 "補益五臟"(『藥性論』)하고, "安魂定魄, 補五勞七傷, 一切虛損, 惊悸, 煩悶, 健忘. 通九竅, 利百脈, 益精養氣"(『日華子本草』卷5)한다. 본 방제에서

이를 사용하면 補養心氣, 和中緩急, 資助化源 한다. 大棗는 甘平하고 성질이 潤하고 緩하다. 補脾益氣, 補血調营, 養心安神한다. 甘草가 緩急柔肝, 調和陰陽하는 것을 도울 뿐 아니라, 補中益氣, 裕生化之源을 돕는다. 모두 臣藥이다. 전체 방제의 약물은 겨우 세 가지 뿐이며, 甘潤平補, 養心緩肝, 和中安神한다. 心主血, 肝藏血, 脾生血한다. 心肝脾가 血을 채우면, 五臟의 陰 또한 왕성하게 되고, 臟躁證 또한 나을 수 있다.

用法에서 말하는 "亦補脾氣"는 방제의 세 가지 약물이 모두 補脾益氣의 효능이 있기 때문이다. 또 火爲土母, 心得所養하기 때문에, 火能生土하여, "虛則補母"의 治法이 된다. 또 "見肝之病, 知肝傳脾, 當先實脾"(『金櫃要略』)하여, 肝病治療의 大法이 된다. 『難經』·「十四難」에서 말한 "損其肝者緩其中"의 의미이기도 하다.

【類似方比較】 본 방제와 天王補心丹·酸棗仁湯은 모두 養心安神의 治法으로 陰血不足으로 인한 失眠과 心悸健忘 등의 病症에 사용할 수 있다. 그러나 天王補心丹은 生地黃의 滋陰養血 효능을 중용하여 君藥이 된다. 二冬·當歸·酸棗仁·玄參·人蔘·茯苓 등을 配伍해서 滋陰養血, 補心安神을 위주로 삼는다. 淸熱을 兼하고 있으며, 心經陰虛血少, 虛熱內擾한 心悸失眠, 健忘虛煩 등의 치료에 적합하다. 酸棗仁湯에서는 酸棗仁의 養肝血, 安心神 효능을 중용해 君藥이 된다. 茯苓·知母을 配伍해서 除煩安神하고, 川芎의 酸散한 성질을 사용해 養血調肝에 뛰어난 효과를 보인다. 주로 肝血不足, 虛煩不眠, 眩暈心悸 등을 치료한다. 그러나 이 방제는 小麥을 重用하여 君藥으로 삼고, 補心養肝, 除煩安神한다. 甘草·大棗를 配伍해서 補養心氣하며, 甘潤하고 성질은 緩急하다. 과도한 思慮悲哀, 心肝失養, 臟陰不足, 精神恍惚, 悲傷欲哭와 같은 臟躁證 치료에 뛰어나다.

【臨床應用】

1. 證治要點: 본 방제는 臟躁 치료에 자주 응용하는 방제이다. 臨床에서 精神恍惚, 悲傷欲哭, 不能自主, 舌紅少苔, 脈細數와 같은 증상을 치료의 요점으로 삼는다.

2. 加減法: 만약 心煩失眠, 舌紅少苔, 心陰虛가 두드러지면 生地·百合·柏子仁을 配伍하여 養陰安神한다. 頭目眩暈, 脈弦細, 肝血不足하면 酸棗仁·當歸를 配伍해서 補肝養血安神한다. 대변이 건조하고大便乾燥, 血少津虧하면 黑芝麻·何首烏·當歸를 配伍해서 養血潤燥通便 한다.

3. 甘草小麥大棗湯은 다음 한국표준질병사인분류(KCD)에 해당하는 환자가 臟陰不足, 心肝失養으로 辨證되는 경우 본 처방의 사용을 고려해볼 수 있다.

처방 목표	한국표준질병사인분류(KCD)
癔症	F44 해리[전환]장애
癲癇	G40 뇌전증
神經衰弱	F48.0 신경무력증
	F48.8 기타 명시된 신경증성 장애
	F48.9 상세불명의 신경증성 장애
更年期綜合征	N95.1 폐경 및 여성의 갱년기상태
心臟神經官能症	F45.3 신체형자율신경기능장애
白血球減少症	D70 무과립구증
	D72.8 기타 명시된 백혈구의 장애
自汗·盜汗	(질병명 특정곤란)
	R61 다한증
泄瀉	(질병명 특정곤란)
	K59.1 기능성 설사
	K52.9 상세불명의 비감염성 위장염 및 결장염

【變遷史】 본 방제는 원래 『金櫃要略』·「婦人雜病脈證并治」 중에 수록되어 있다. 張仲景이 처음으로 본 방제를 만들고 臟躁를 치료한 이래 후대 의학자들이 지금까지 사용해오고 있다. 『類聚方廣義』에서는 본 방제를 응용해서 평소 憂鬱無聊, 夜不能眠하기 때문에

惡寒發熱, 戰栗錯語, 心神恍惚, 居不安席, 酸泣不已한 증상이 발생하는 癲癎·狂症을 치료했다. 『方涵口決』에서 어린 아이가 울음을 그치지 않는 증상小兒啼泣不止을 치료했다. 『沈氏女科輯要』 卷上에서는 본 방제에 芍藥·紫石英을 더해 加味甘麥大棗湯이라고 명명했으며 反張證(즉 子癎)을 치료했다. 본 방제에 黃芪·當歸·酸棗仁을 추가하면 補養氣血하여 출산 후 氣血不足으로 인한 眩暈 및 汗多不止를 치료한다. 본 방제는 "亦能補脾氣"하고 滋氣血生化의 근원이 되기 때문에, 『張皆春眼科證治』에서는 본 방제에 麥門冬·人蔘·白芍를 더해 加味甘麥大棗湯라고 이름 붙이고, 氣血不足, 陰陽失調로 인해 眼睛赤痛이 發止不定하되, 발병하면 흰자위가 약간 붉고(白睛淡紅), 통증이 심하지 않은(疼痛不重) 증상을 치료했다. 추웠다 더웠다를 반복하거나(寒熱交作), 두통이 있거나(或頭痛), 마음이 복잡하거나 혼란스러우며(心煩意亂), 맥박이 가늘게 띠고 무력하고(脈細數無力), 혀에 허연 설태가 끼고(舌淡苔白), 혀 가운데는 분홍색을 띄었다(舌心粉紅). 증상이 멈췄을 때는 약을 먹지 않아도 호전되어(不藥而愈), 보통 사람과 비슷했다(狀若常人). 1년에 여러 번 반복적으로 발작이 있었다. 현재 臨床에서 사용하는 "腦樂靜"은 본 방제를 시럽 제형으로 만들어 精神憂鬱, 易驚失眠, 煩躁 및 小兒夜不安寐 등(『中國藥典』 2010년판 一部)에 사용한다.

【難題解說】

1. "臟躁"의 발병 부위에 관하여: 『金櫃要略』 원문에서는 간략하게 서술하고 있을 뿐이며, 역대 의학자들의 이에 대한 인식은 모두 다르다. 대표적인 예로 趙以德은 "肝虛肺并"(『金櫃方論衍義』卷22)이라고 여겼으며, 徐彬 등은 "臟, 五臟也"(『金櫃要略論注』卷22)이라고 여겼다. 吳謙 등은 "臟, 心臟也"(『醫宗金鑑』·「訂正金櫃要略注」卷23)이라고 하였으며, 『類聚方廣义』등에서는 "臟, 子臟也"이라고 여겼다. 曹穎甫는 또한 肺는 主悲善哭이기 때문에 肺臟이라고 여겼다(『金櫃發微』). 臟躁은 病因의 각도에서 봤을 때 精神적인 요소와 情志抑鬱에 근원한다. 臨床에서 관찰했을 때 본 질병은 자궁의 병변과는 관계가 없다. 하물며 남자의 경우에도 증상이 있을 수 있다. 또한 본 방제의 사용 약물을 살펴보면, 甘潤平補한 약제를 선택해서 사용하여 한편으로는 養心하고, 다른 한편으로는 緩肝 한다. 동시에 甘潤한 약제를 사용해서 調補脾胃하게 하여 滋化源 한다. 五臟 중의 心은 神明을 주관하며, "爲五臟六腑之大主", "精神之所舍"한다. 心이 상하면 사람의 精神情志는 균형을 잃는다. 肝은 將軍之官으로 體陰用陽, 謀略을 내놓기 때문에, "魂之居"한다고 한다. 精神情志의 조절 기능과 직접적인 관계가 있다. 따라서 臟躁의 질병은 心·肝 이 두 臟과 가장 밀접하게 관련되어 있다.

2. "臟躁"의 발병 機製에 관하여: 역대 의학자들의 본 질병의 발병 機製에 대한 견해는 일치하지 않는다. 예를 들어 趙以德 등은 "此證乃因肝虛肺并, 傷其魂而言也.……肝木發生之氣, 不勝肅殺之邪擊并之, 屈而不伸, 生化之火被鬱, 擾亂于下, 故發爲臟躁, 變爲悲哭"(『金櫃方論衍義』卷22)라고 주장했다. 尤怡謂는 "臟躁, 沈氏所謂子宮血虛, 受風化熱者是也. 血虛臟躁, 則內火擾而神不寧, 悲傷欲哭"(『金櫃心典』卷下)라고 했으며, 李彦師·蒲輔周 또한 모두 이와 같이 주장했다. 吳謙 등은 "臟, 心臟也. 若爲七情所傷, 則心不得靜, 則神躁擾不寧也"(『醫宗金鑑』·「訂正金櫃要略注」卷23)라고 주장했다. 陳念祖는 "臟屬陰, 陰虛而火乘之, 則爲燥, 不必拘于何臟, 而既已成燥, 則病症皆同. 但其悲傷欲哭, 象如神靈所作, 現出心病. 又見其数欠伸, 現出腎病. 所以然者, 五志生火, 動必關心, 陰臟既傷, 窮必及腎也"(『金櫃要略淺注』卷9)이라고 주장했다. 공통 교재 5판·6판에서는 心陰不足, 肝失所養, 肝氣不和에 의해 발병하는 것이라 말하고 있다. 위에서 언급한대로 의학자들은 비록 臟躁의 발병 機製에 대한 견해는 일치하지 않지만, 모두 情志 질환에 속하고 心·肝·脾·肺·腎 오장과 밀접한 관계가 있다는 것을 부정하지 않는다. 만약 思慮過度, 心陰暗耗, 陰血不足하다면 神不守舍하게 된다. 肝氣抑鬱, 五志化火, 上擾心神하다면 모두 위에서 말한 情志 병증이 나타날 수 있다. 이밖에도, 素體虛弱, 病後傷陰, 혹은 産後亡血, 臟失

所養, 燥火上擾心神하게 되면 또한 본 질병을 초래할 수 있고, 결국에는 臟陰不足, 虛熱燥擾하게 된다. 따라서 발병 機製는 대체로 心陰不足, 肝氣失和에 의한 것이라고 말할 수 있겠다.

3. 본 방제의 君藥에 대해서: 이 방제에서는 어떤 약물이 君藥이 될 것인가? 역대 方論은 일치하지 않는다. 예를 들어 徐彬은 "小麥能和肝陰之客熱, 而養心液, 具有消煩利溲止汗之功, 故以爲君"(『金櫃要略論注』卷22)이라고 말했고, 공통 교재 4판에서도 이 주장에 동의했다. 공통 교재 5판에서는 본 방제의 치료 病機는 肝氣抑鬱, 心氣不足이며, 마땅히 和中緩急, 養心安神해야 한다고 했다. 甘草는 甘緩和中, 以緩急迫하고, 또 瀉心火할 수 있어 肝急得緩, 心火得瀉, 臟氣自調하도록 한다. 그래서 甘草를 君藥으로 삼는다. 우리는 그 病機가 心陰不足, 肝氣失和와 관계되어 있으므로, 마땅히 養心陰, 安心神, 緩肝急해야 한다고 생각한다. 小麥은 甘潤하고 성질이 凉하며 주로 心으로 歸經한다. 益心陰, 除煩熱, 寧心神할 수 있고, 또 "養肝氣"(『備急千金要方』卷26)할 수도 있다. 臟陰이 채워지면, 煩熱은 식게 되고, 躁는 멈추게 되어 병증이 저절로 제거될 것이다. 甘草·大棗로 보조해서, 養心安神, 和中緩急의 효능을 얻는다. 이것은 "心病者, 宜食麥"(『靈樞』·「五味篇」)와 "肝苦急, 急食甘以緩之"(『素問』·「臟氣法時論」)의 취지와 딱 들어맞는다. 따라서 小麥을 君藥으로 삼으면 臟躁의 病機와 치료법에 더욱 적합하게 될 것이다.

【醫案】

1. 臟躁『孫氏醫案』: 이종 사촌 형의 처가 과부로 20년을 수절했다. 오른쪽 마비로 거동을 할 수 없어 3년 동안 문밖 출입을 하지 못했다. 현재 정신이 멍하고, 아무 말이나 내뱉고, 자주 슬픔에 잠겨 있다. 그 원인을 물으니 본인 스스로도 역시 어떤 연유에서인지 알지 못한다고 했다. 진료 당시, 兩寸微短澀해서, 石菖蒲·遠志·當歸·茯苓·人蔘·黃芪·白朮·大附子·晩蠶沙·陳皮·粉草를 넣고 달여서 4帖을 복용하고 난 후에는 精神은 전보다 비교적 맑아졌으나 悲泣은 전과 같았고, 밤이 되면 그 증상이 더욱더 심해졌다. 나는 仲景의 大棗小麥湯은 바로 이 증상에 대응한다고 생각했다. 곧 바로 복용시키자 二帖를 나았다. 방제는 大棗 十二枚, 小麥 一合, 大甘草(炙过) 三寸을 사용했고, 물에 달여 복용했다.

『蒲園醫案』: 여자, 32세. 머리가 어지럽고, 자주 하품을 하고, 정신이 흐리멍텅하고, 슬펐다 기뻤다를 반복하고, 혼자 울다 웃다하고, 조금씩 식욕이 없어지고, 가슴이 답답해 잠이 안오고, 가슴이 두근거리고 자주 놀라며, 꿈을 끊임없이 꾸고, 어둑한 곳에 머물러 있는 것을 즐기고, 안색은 홍조를 띄었다. 舌苔薄白, 脈象弦滑했다. 養心緩肝의 治法을 따라 『金櫃』의 甘麥大棗湯에 百合地黃湯을 가감해 위의 증상을 主治했다. 粉甘草 18 g, 淮小麥 12 g, 大棗 十枚, 炙棗仁 15 g, 野百合 60 g, 生牡蠣 30 g. 물에 달여 매일 2제씩, 여러 제 복용하고 효과를 보았으며, 20제를 복용한 뒤 완치됐다.

考察: 臟躁는 情志의 질병에 속하며, 대부분 과도한 思慮悲哀, 耗傷陰血, 心肝失養에 의해 발병하며, 방제에서 甘潤平補한 甘麥大棗湯을 사용해서 肝을 調하고, 心을 養하여 急을 緩하여 낫게 한다.

2. 子癎『沈氏女科輯要』卷上: 吳門葉氏가 反張(子癎)을 앓는 환자 하나를 치료했다. 발작하면 마치 벼룩처럼 여러 촌 구부러졌다가 발작이 멈추면 평상시와 같았다. 炒小麥·甘草·南棗·紫石英·白芍를 配伍하여 물을 달여 복용하고 나았다.

3. 癲狂『陝西中醫』(1984, 3:20): 여자, 32세. 정신자극 때문에 狂躁病을 20여 일 앓았다. 먹고 마실 생각이 없고, 잠을 자지 않으며, 한겨울에도 추위를 두려워하지 않았다. 때로는 솜옷을 벗고 밖으로 나가 뛰어다녔다. 진료 결과, 얼굴색이 검고, 몸은 야위었으며, 대변은 나오지 않고, 소변은 시원하게 나오지 않고 찔끔거

렸다. 舌紅絳, 脈弦數했다. 이는 暴怒傷肝, 肝鬱化火, 灼津成痰, 痰火上擾하여, 心神逆亂 하기 때문이었다. 處方: 浮小麥 60 g, 生甘草 30 g, 大棗 六枚, 生鐵落 125 g. 生鐵落을 먼저 달여, 약한 불에 40분 동안 끓였다. 탕약이 검게 되면 다시 남은 三味를 넣어 30분 동안 달이고, 3차례 여과해 1일 동안 모두 복용했다. 두 번째 진료에서 환자의 표정이 크게 달라졌으며, 머리카락에 윤기가 흐르고, 입술은 붉은기를 띄었다. 대변은 전보다 원활하게 소통되고, 소변은 정상에 가까웠다. 정신이 안정되어, 밤에 잠을 잘 수 있었으나, 여전히 혀는 약간 붉고, 脈弦數했다. 위의 처방을 계속해서 5제 복용하고 나아졌으며, 1년 뒤 사후 방문조사에도 재발하지 않았다.

考察: 七情所傷, 生化之火被鬱, 擾亂神明하면, 心不得静하고, 神躁不寧하여, 癲狂이 발병한다. 『内經』의 "肝苦急, 急食甘以緩之"·"心病者, 宜食麥之"의 가르침에 따라 甘麦大棗湯으로 甘以緩急, 調肝養心하고, 生鐵落을 넣어 以金制木, 平肝鎮驚했다.

4. 低熱不退 『福建中醫藥』(1987, 3:40): 여자, 64세. 5년 전부터 오후에 미열이 발생했다. 淸骨散·秦艽鳖甲散 류의 약물을 복용했지만 증상이 줄어들지 않았다. 이후 체중이 급감해서 진료를 요청했다. 서양 의학에서 "자율신경기능혼란"이라고 진단해, Oryzanol 등을 복용했지만 미열은 사라지지 않았고, 五心煩熱해서 입원했다. 나는 蒲辅周의 가르침인, "만성병은 마땅히 脾胃가 근본이 됨을 중시해야 한다. 내상으로 미열이 발생하고, 脾胃가 허약할 때 苦寒한 약물을 많이 사용하는 것은 적절치 못하다"를 떠올렸다. 이 증상은 미열이 오랫동안 지속되고 있고, 병이 陰分에 있으며, 陰虛하여 內熱이 발생한 것이었다. 앞의 의사들은 苦寒한 약물을 사용하여 도리어 陰分을 손상시켰다. 결국 甘麥大棗湯으로 調治하며 百合·沙蔘을 더했다. 연속으로 15제를 복용하고 五心煩熱은 줄었지만, 低熱만은 떨어지지 않았고, 難眠 증상이 동반됐다. 위의 방제에서 沙蔘을 빼고 棗仁·朱砂·麥冬·太子蔘을 넣고 여러 제 복용한 후에야 효과를 보았다.

考察: 이 증상은 미열이 오랫동안 지속됐다. 병은 陰分에 있었으며, 陰虛하여 內熱이 생겼다. 앞의 의사들은 苦寒한 약물을 과다하게 사용하는 바람에 陰分이 상하게 되었다. 脾胃가 약해져 있는 상황에서 다시 苦寒한 약물을 복용시키자 胃氣가 더욱 상하게 되었던 것이다. 甘麥大棗湯은 甘潤平補의 방제다 益心陰, 除煩熱할 뿐 아니라 滋化源, 養氣血 할 수도 있다. 沙蔘·百合 등의 滋補陰分하는 약물을 재차 추가해 臟陰이 채워져 煩熱이 식을 수 있도록 하여 미열을 떨어뜨릴 수 있었다.

5. 婦女更年期證候群 『福建中醫藥』(1986, 10:17): 여자, 48세. 心慌, 呼吸迫促, 發喘, 發作性顔面發紅, 發熱, 흉부 阻塞感이 있고 심할 때는 질식할 것 같았으며, 심한 불면증상을 동반됐다. 멈췄다가 재발하기를 반복한지 대략 1년이 넘었다. 1년 전 월경이 불규칙하고, 월경량은 많았다가 적었다 했다. 이후로 앞서 언급한 증상이 순서대로 발생했으며, 특히 월경 전후에 더욱더 심해졌다. 치료를 받았지만 효과는 없었다. 환자의 체형은 여위고, 안색은 홍조를 띄었으며, 정신이 매우 긴장한 상태였다. 호흡하고 말할 때마다 극도로 불안한 증상을 나타냈으며, 매우 조급해 보였다. 心臟·心律·心率 정상, 肺部(−), 腹部 정상, 혈압은 145/90 mmHg이다. 입원 진단: 更年期證候群. Phenobarbital·Tribromide·Diethylstilbestrol 등을 복용했으나 효과가 없어 甘麥大棗湯으로 바꿔 사용했다. 小麥 30 g, 甘草 3~6 g, 大棗 十枚을 물에 넣고 달여 매일 1제씩 복용했다. 3제를 복용한 후에 증상이 기본적으로 사라졌으며 6~7시간 정도 푹 잘 수 있었다. 스스로 생활을 관리할 수도 있었다. 12제를 복용한 후 증상이 완전히 사라져 퇴원했다.

6. 癔病 『浙江中醫雜誌』(1960, 4:174): 여자, 24세, 미혼. 계모에게 학대를 받아 생활 환경이 좋지 못했으며, 자주 비관적인 생각을 했다. 현재는 비록 집을 떠나

모 기계공장에서 기계공업을 배우고 있지만 평소 감정 자극을 심하게 받으면 우울하고 답답해하며 해소하지 못했다. 처음 증상을 자각하면 가슴이 답답하고 트림이 나고, 두통에 건망증이 있고, 가슴이 두근거리고 근육이 경련했으며, 조급해져 쉽게 화를 냈다. 며칠이 지나면 밤낮으로 잠을 이루지 못하고, 울었다 웃었다가 일정하지 않았으며, 식욕이 사라지고, 말이 자꾸 틀리며, 앞뒤가 맞지 않았다. 루미놀(Luminal)·브롬(Tribromide) 등을 복용했지만 효과는 보지 못했다. 진료해보니 정신이 흐릿하고, 말이 단정치 않고, 자주 한숨을 쉬고, 때로는 즐겁게 웃다가, 때로는 눈물을 흘렸다. 脈弦勁하고 舌苔는 얇고 누렇고, 혀끝은 붉었으며, 침은 적고 입은 말라 陰虛液少한 증상을 보였다. 히스테리 증상이었다. 바로 小麥 120 g, 甘草 15 g, 大棗 250 g을 진하게 달인 뒤 甘草를 빼고 많이 먹으라고 했다. 2제를 복용한 뒤 정신이 상쾌해진다고 했으며, 5제를 복용하고 정상으로 회복됐다. 10제를 복용하고는 완전히 나아 정상적으로 일을 할 수 있었다. 2개월 후 재진했을 때 업무 압박으로 인해 수면이 줄어든 탓인지 약간의 두통, 건망, 가슴 두근거림과 근육 경련이 느껴진다고 했다. 원래 방제에서 용량을 줄이고(小麥 90 g, 甘草 12 g, 大棗 120 g) 10제를 처방했다. 복용 후 완쾌되었고 재발하지 않았다.

考察: 위의 의안은 장기간 정신적인 자극을 받아 감정 균형을 과도하게 상실했으며, 답답하고 갑갑한 마음을 풀기 어렵고(鬱悶難解), 음혈이 손상되는 바람에 耗傷陰血, 神魂不安, 言行失常하게 된 사례이다. 甘麥大棗湯을 사용해서 緩肝養心하여 치료했다.

7. 泄瀉『吉林中醫藥』(1985, 2: 24): 여자, 34세. 5년 동안 반복해서 설사를 했다. 설사 전에는 복통이 있고, 설사 후에는 통증이 덜해졌다. 심할 때는 하루에 10여 회를 설사했다. 理中·參苓白朮·痛瀉要方 등의 방제를 번갈아 사용했지만 효과는 없었다. 대변검사: 대변은 묽었고, 백혈구(++)이고, 적혈구(+)였다. 소화기 조영술: 조영제 이동 속도가 소장 부근에서 비정상적으로 빨라졌으며 유동 운동이 증가했다. 만성 腸炎·小腸 기능 항진"이라고 진단했다. Chloramphenicol·Furazolidone 등을 복용했지만, 오히려 구토가 심해졌다. 히스테리(癔病) 발병 병력이 있어, 情志가 편안하지 않으면 팔다리가 굽어지며 마비되고 뻣뻣해지고 설사가 심해졌다. 매회 식사 후 30분이 지나면 설사를 3번 했다. 진료 당시 환자의 안색은 윤기 없이 노랬으며 萎黃, 은은하게 푸른색을 보였다. 정신적으로 매우 피곤해하고, 살이 빠져 광대뼈가 돌출됐다. 舌質紅, 苔薄黃, 脈弦細했다. 이 증상은 肝虛風動, 脾失健運에 해당했다. 養肝息風, 健脾止瀉 하는 것이 적절했다. 甘麥大棗湯加味를 사용했다. 甘草 40 g, 淮小麥 30 g, 大棗 十枚, 殭蠶 6 g, 桂枝 2 g, 白芍 30 g, 龍牡 各 30 g. 물에 달여 매일 1제씩 복용했다. 6일 후 설사는 줄어들었고, 식사량은 증가했다. 다만 항문이 팽창되며 아래로 빠지는 듯한 증상이 있었다. 濕熱蘊腸한 증상과 관련이 있었다. 위의 방제에 滑石 20 g, 枳殼 10 g을 추가해 계속적으로 투여했다. 6제를 전탕하여 복용한 뒤 매일 1회씩 대변을 보았으며 위의 모든 증상이 사라졌다. 대변 검사도 정상적으로 완치됐다.

8. 産後汗出『沈氏女科輯要』卷上: 庚辰년 봄, 呂씨 부인이 분만을 했다. 다음날 현기증을 느껴血暈, 잠깐 자고 일어났으나 다시 눈을 감으며 머리가 한쪽으로 쏠렸다(閉目頭傾). 하루에서 수십차례 발생했다. 출산 당시 惡露를 많이 흘렸으며, 지금도 역시 멈추지 않고 있다. 脈大左關弦硬했다. 술에 阿膠一兩을 녹여 어린 아이 오줌에 타서 복용했다. 밤에 어지러운 것은 약간 줄었지만, 머리에서 땀이 나고, 아랫배가 아프며 형체가 있었다. 학질에 걸린 것처럼 오한 증상을 보였고, 오한이 사라지면 발열은 더욱 심하게 일었다. 몰약혈갈탈명산(沒藥血竭奪命散) 二錢을 술에 섞어 복용했다. 寒熱·腹痛·發暈은 한꺼번에 사라졌다. 전신에 땀이 나는 것은 의심스러웠지만 氣血은 이미 통하고 있었고 虛象이 나타날 뿐이었다. 黃芪五錢, 炒歸身二錢, 甘草一錢, 炒棗仁三錢, 炒小麥五錢, 大棗三個를 넣고 전탕해 복용했다. 땀이 멈추고 편안해졌다.

考察: 초산을 경험한 부인이기에 多虛多瘀한 상태였다. 이 의안은 초기에는 산후 營陰下奪, 출혈과다로 인해 血暈이 발생했다. 阿膠 및 奪命散을 복용하고 血暈이 점점 좋아졌다. 다만 氣血이 회복되지 않고, 온몸에 땀이 과도하게 흘러 耗心陰했다. 當歸補血湯으로 補氣生血하고, 甘麥大棗湯으로 補脾氣, 滋化源, 益心陰하자 自汗이 그쳤다.

9. 閉經 『新中醫』(1984, 4:22): 여자, 35세. 환자는 18세에 결혼하고 2명의 아이를 출산했다. 24세에 둘째를 분만할 당시 과다 출혈이 있었으며, 이로부터 11년 동안 월경이 있지 않았다.

머리가 어지럽고 눈이 침침하고, 위장은 배고픈 것 같은데 배고프지 않고 아픈 것 같으면서도 아프지 않으며, 정신적으로 피로하고 팔다리 움직이기를 게을리 했으며, 허리와 무릎이 시큰시큰하고 나른하며, 두 광대가 붉은색을 띠고, 가슴이 두근거리고, 밤에 꿈을 많이 꾸고, 한숨을 자주 쉬었다. 舌淡紅, 苔薄黃, 脈弦細했다. 본 病症은 산후 출혈 과다로 인한 血虛로 沖任이 공급되지 못하는 바람에 心火亢盛, 脾陰不足하게 된 경우이다. 甘潤滋補의 방법으로 益心脾 한다. 처방: 甘草 10 g, 小麥 30 g, 大棗 1五枚. 十劑를 달여 복용한다. 이후 월경이 올 때 허리와 배에 약간의 脹痛이 있었지만, 월경 색깔은 정상이었다. 4일이 지나자 월경이 깨끗해 지고, 모든 증상이 조금씩 회복했다. 위의 방제를 계속해서 1개월 복용하였으며, 사후 방문에서 월경을 주기에 맞게 하는 것을 확인했다.

考察: 본 病例의 환자는 월경이 11년 동안 있지 않았다. 산후 출혈 과다로 肝血虛少, 脾陰暗耗, 腎陰不足를 초래한 경우였다. 津血이 부족하여, 월경의 근원이 고갈되는 바람에, 월경이 자연스럽게 오지 않은 경우였다. 비록 虛證이었지만 大補하는 것은 적합하지 않았고, 虛火가 있었지만 苦降하는 것은 적합하지 않았다. 따라서 甘麥大棗湯의 甘平한 맛을 취해 滋化源하고, 養胃生津化血하여 胞宮에 이르게 했다. 肝血得養, 脾陰得滋, 水火相濟 하자 月經이 통하게 됐다.

10. 小兒厥證 『北京中醫』(1985, 4:47): 남자, 1세. 출생 이후 성격이 거칠고 급했으며 잘 놀라고 잘 울었다. 조금만 건드려도 크게 울며, 계속되다가 기운이 끊겨 말을 하지 못할 정도였다. 얼굴과 입술이 새파랗게 질리고, 사지가 녹초가 되어, 오랫동안 응급 치료를 해야 의식을 회복할 수 있었다. 살펴보니 舌質淡紅, 舌苔薄白, 指紋細澀微靑했다. 간장은 剛臟으로 침범하게 되면 분노를 일으킬 수 있다. 노여움을 참지 못하면 호흡이 가빠지고, 가쁜 호흡을 트여주지 않으면 기절하게 된다. 調肝緩急의 방법으로 치료하는 것이 알맞다. 甘麥大棗湯加味를 선택했다. 炙甘草 3 g, 小麥 10 g, 大棗 三枚, 柴胡 1 g, 香附 2 g, 白芍 4 g. 물에 달여 3제를 복용한 후 완치되었다. 3개월 동안 살펴보았지만, 지금까지 재발하지 않았다.

考察: 肝은 剛臟으로 침범을 당하면 분노를 일으키게 된다. 노여움을 참지 못하면 호흡이 가빠지고, 가쁜 호흡을 트여주지 않으면 기절하게 된다. 따라서 甘麥大棗湯에 柴胡·香附·芍藥과 같은 약물을 추가해서 甘藥으로 緩急하고, 辛藥으로 散之하여 順其性하도록 했으며, 酸藥으로 泄之하여 使其平하도록 했다.

11. 小兒癇症 『浙江中醫雜誌』(1980, 10:55): 여자, 12세. 6세 때 일찍이 갑자기 혼절해서 넘어져서는 인사불성하고 입에 거품을 물고, 두 눈의 시선은 위를 향하고, 사지는 경련을 일으켰다. 몇 분이 지난 뒤에야 근육 경련을 멈추고 정신이 맑아졌다. 매일 5~6회 발작했다. 양방에서 癲癎大發作으로 진단한 뒤, 양약을 복용했지만 효과가 없었다. 수년 동안 병을 앓았으나 치료받지 못했다. 진료 당시 얼굴색은 창백하고 누런색을 띠고, 체형은 조금 마르고, 음식 섭취량이 줄고 기력이 없었다. 舌淡苔白, 脈細했다. 처방: 甘草 9 g, 淮小麥·大棗 各 30 g을 물을 넣고 달여 복용했다. 동시에 매일 아침 끓는 물에 쌀알 크기의 明礬 一枚를 복용했다. 치료 이후 질병 상태가 신속하게 호전되었으며 5일째

되는 날 1회 발작한 것 외에는 한 번도 발작하지 않았다. 계속해서 위의 약을 6개월 가까이 복용한 후 복용을 멈췄다. 6년 동안 살펴보았지만, 치료 효과가 공고했고, 지적 발육 또한 정상적으로 이뤄졌다.

考察: 甘麥大棗湯은 寧心安神의 효능이 있다. 明矾을 합해 滌痰祛濁했다. 둘을 함께 사용해, 痰去하자 風息했고, 心寧하자 氣順하여 癎症이 치료됐다.

黃連阿膠湯

(『傷寒論』)

【異名】 黃連鷄子湯(『傷寒指掌』卷4).

【組成】 黃連 四兩(12 g) 黃芩 二兩(6 g) 芍藥 二兩(6 g) 鷄子黃 二枚(二枚) 阿膠 三兩(9 g)

【用法】 위의 다섯 가지 약물 중에서 六升의 물로 먼저 세가지를 끓인다. 二升을 덜어내고 찌꺼기를 제거한다. 阿膠를 넣어 다 녹으면 조금 식히고, 鷄子黃을 넣어 골고루 젓는다. 따뜻할 때 七合을 1일 3회 복용한다(현대용법: 먼저 三味를 물로 전탕한 뒤 찌꺼기를 제거하고 탕액만 취한다. 阿膠를 넣어 녹이고 식을 때까지 기다렸다가, 다시 鷄子黃을 넣고 잘 저어서 2회로 나누어 복용한다.)

【效能】 滋陰降火, 除煩安神.

【主治】 少陰病陰虛火旺, 心神不安證. 心中煩熱, 失眠, 口乾咽燥, 舌紅苔少, 脈細數.

【病機分析】 少陰은 心腎에 속한다. 心은 火에 속해 居上하고, 腎은 水에 속해 居下한다. 정상 생리 상태에서 心火는 腎에서 섞여 腎水가 차가워지지 않도록 하고, 腎水는 心으로 올라와 心火가 항진하지 않도록 제약한다. 心腎相交, 水火旣濟하면 인체의 오장육부 활동의 동태적인 균형을 유지할 수 있다. 만약 病邪內熾하여, 上助手少陰心火, 下灼足少陰腎水하면, 心火가 위에서 더욱 항진하여 아래로 내려가 腎에서 섞이지 않게 되고, 腎水는 아래쪽에서 휴손되어 위로 올라와 心을 구제하지 못하게 된다. 火가 더욱 항진되면 陰은 더욱 손상되고, 陰이 더욱 휴손되면 火는 더욱 치성해진다. 心火가 항진되면, 心神은 火에 의해 어지러워지고, 神은 편안하게 간직되지 못해 心中煩熱, 不眠하게 된다. 陰虛火旺, 火灼傷陰하면 곧 口乾咽燥, 舌紅苔少, 脈象細數 한다. 또한 陰虛火旺의 징조이다.

【配伍分析】 본 방제의 치료 병증은 陰虛火旺한 症候이다. 따라서 滋陰降火, 除煩安神을 治法으로 삼는다. 방제에서 黃連은 맛이 苦하고 성질이 寒하며 心으로 入經하고, 淸熱瀉火한다. 『本草綱目』卷13에서 "瀉心臟火"라고 말했다. 阿膠는 맛이 甘하고 성질이 平하며, 補血滋陰하다. 『本草從新』卷16에서는 이를 "平補而潤……滋腎補陰"하다고 했다. 두 약을 함께 사용하면, 交融水火, 除煩安神의 효능을 지닌다. 그래서 방제의 君藥이 된다. 『本草從新』卷1에서는 黃芩은 "苦入心, 寒勝熱, 瀉火除濕"하다고 했다. 같은 책 卷2에서는 또 芍藥(白芍)은 "補血斂陰"한다고 했다. 芩·芍을 병용하면 君藥이 滋陰降火, 除煩安神 하는 것을 돕는다. 臣藥이 된다. 雞子黃은 甘·平하며 心·腎으로 入經한다. 『本草綱目』卷50에서는 "補陰血, 解熱毒"이라고 했다. 방제에서 이것을 사용하면, 瀉心火之有餘할 뿐 아니라 補腎水之不足 한다. 阿膠·白芍을 함께 사용하면, 滋補陰血하고 復耗灼之陰津 하며, 또한 連·芩의 苦寒傷津의 문제점을 예방한다. 佐藥이 된다. 모든 약은 함께 配伍하면, 위로는 瀉手少陰心火, 아래로는 滋足少陰腎水하여 陰復火降하게 하고, 水火旣濟, 心腎相交하도록 한다. 滋陰瀉火, 除煩安神의 효능이 있다.

본 방제의 配伍 특징은 苦寒과 鹹寒을 병용하고, 滋陰과 瀉火을 병행하며, 瀉火而不傷陰, 滋陰而不碍

邪 하는 것이다. 補中寓瀉의 방제다.

【類似方比較】 본 방제와 天王補心丹은 모두 心煩失眠 등의 증상에 사용한다. 하지만 본 방제는 苦寒과 鹹寒한 성질을 동시에 사용하고, 滋陰과 瀉火 작용을 동시에 제공한다. 그중 黃連의 용량이 가장 많아 清熱瀉火하되 瀉心火의 작용이 드러나도록 한다. 또 黃連·阿膠·鷄子黃 등 滋陰養血 약제가 配伍되어 滋陰瀉火, 除煩安神의 방제가 된다. 주로 陰虛火旺을 치료하며, 증상은 心中煩熱, 失眠, 口乾咽燥, 舌紅少苔, 脈細數한 것으로 나타난다. 天王補心丹에는 滋陰清熱 약물과 養血安神 약물이 配伍되어 있지만, 그중 生地黃의 용량은 가장 많다. 天冬·麥冬·玄參 등 滋陰清熱 하는 약물이 다수 配伍되어 滋陰清熱, 養血安神의 방제가 된다. 주로 陰虧血少 虛火上炎을 치료하며, 증상은 失眠, 心悸, 頭目眩暈, 五心煩熱, 盜汗, 口乾, 舌紅无苔, 脈細數力한 것으로 나타난다. 본 病證의 火는 有餘한 것이 아니며 실제로는 不足한 것이기 때문에, 苦寒하여 心經實火를 잘 제거하는 黃連을 사용하지 않고, 生地黃을 대량으로 사용하고 다수의 養陰藥을 配伍해 滋陰制陽함으로써 心陰不足으로 心火가 상대적으로 偏亢한 神志不安證을 치료한다.

【臨床應用】

1.證治要點: 본 방제는 滋陰降火安神의 방제가 된다. 臨床에서 運用할 때는 煩熱失眠, 口乾咽燥, 舌紅苔少, 脈細數가 證治要點이 된다.

2.加減法: 陰虛가 위중하고, 津液耗傷이 심한 경우에는 玄參·麥冬·生地·石斛 등을 추가해 滋陰生津의 효과를 증대시키고, 心火旺, 心中懊憹한 경우에는 山梔·蓮子心·竹葉心 등을 추가해 清瀉心火하며, 入眠後驚醒難入眠한 경우에는 龍齒·珍珠母 등을 추가해 鎮心安神하고, 寐而不熟, 心神失養한 경우에는 棗仁·夜交藤을 추가해 養心安神하며, 心悸不寧한 경우에는 茯神·柏子仁을 추가해 養心定悸한다.

3. 黃連阿膠湯은 다음 한국표준질병사인분류(KCD)에 해당하는 환자가 少陰病陰虛火旺, 心神不安證으로 辨證되는 경우 본 처방의 사용을 고려해볼 수 있다.

처방 목표	한국표준질병사인분류(KCD)
神經衰弱	F48.0 신경무력증
	F48.8 기타 명시된 신경증성 장애
	F48.9 상세불명의 신경증성 장애
更年期綜合征	N95.1 폐경 및 여성의 갱년기상태
心肌炎	I40 급성 심근염
	I41 달리 분류된 질환에서의 심근염
痢疾	A03 시겔라증
	A00~A09 장감염질환
甲狀腺功能亢	E05 갑상선독증[갑상선기능항진증]
眼球出血	H05.2 안구돌출성 병태_안와출혈
	H11.3 결막출혈
心悸	(질병명 특정곤란)
	R00.2 두근거림
不寐	G47.0 수면 개시 및 유지 장애[불면증]
	F51.0 비기질성 불면증
産後發熱	O86.4 분만에 따른 원인불명열

【注意使項】 본 方證의 病機는 正虛邪實이다. 따라서 한편으로는 苦寒瀉火를 응용하면서, 한편으로는 酸甘滋陰을 응용한다. 만약 虛多邪少하다면, 곧 본 방제를 사용하는 것은 옳지 않다.

【變遷史】 본 방제는 『傷寒論』·「辨少陰病脈證并治」에서 처음으로 출현했다. 原書에서는 "少陰病, 得之二三日以上, 心中煩, 不得卧"를 치료하기 위해 사용됐다. 張仲景이 만든 黃連阿膠湯은, 苦寒과 鹹寒을 并用해서 苦寒으로는 上瀉心火하고, 鹹寒으로는 下滋腎水한다. 心腎相交, 水火既濟 하도록 하여 心煩不寐가 해소될 수 있도록 하는 것이다. 이 같은 "瀉南補北"의 治療方法은 후대 滋陰清熱瀉火法의 효시가 되었고, 후대 溫病治療學에 비교적 큰 영향을 끼쳤으며, 原方의 응용 범위를 확대시켰다. 예를 들어 『張氏醫通』卷

13에서 본 방제로 "熱傷陰血便紅"를 치료했으며, 『類聚方廣義』에서는 본 방제로 "久痢, 腹中熱痛, 心中煩不得眠, 或便膿血" 및 "治諸失血證", "痘瘡内陷, 熱氣熾盛"을 치료했다. 『傷寒指掌』卷4에서 본 방제를 黃連鷄子湯이라 부르며 "少陰下利膿血"에 사용했다. 본 방제의 同名異方, 예를 들어 『萬氏女科』卷2의 방제는 黃連·阿膠·烏梅·人蔘·白朮·茯苓·炙甘草·木香·乾薑을 사용하며 妊娠痢가 오래 동안 멈추지 않는 증상에 응용한다. 『鎬京直指』卷2의 방제는 黃連·阿膠珠·生白芍·炒黃芩·生地黃·當歸·炒地楡·炙甘草를 사용해 春溫内陷, 赤痢傷陰을 치료한다. 『飼鶴亭集方』 黃連阿膠丸은 黃連·阿膠 등을 丸으로 제조해서, 暑濕積熱, 赤白下痢, 痔漏 등을 치료한다. 이상은 모두 방제 구성의 변화를 통해 약효를 수정한 것으로 해당 방제의 응용 범위를 확대시켰다. 『張氏醫通』卷13에는 "黃連阿膠湯治熱傷陰血便紅"이라고 수재되어 있고, 『類聚方廣義』에는 "治諸失血證, 胸悸, 身熱, 腹痛微利, 舌干唇焦, 煩躁不能寐, 身體困惫, 面無血色或面紅潮熱者"라고 수재되어 있다. 이외에 예를 들면 『榕堂療指示錄』에는 "淋瀝沥證, 小便如熱湯, 莖中澀痛而血多者, 黃連阿膠湯奇效."라고 수재되어 있다. 현대 臨床에서 본 방제의 응용은 陰虛火旺, 心腎不交에 의한 失眠에 제한되지 않고, 邪熱未清, 陰虛液虧, 心火偏旺에 의한 神經衰弱, 甲狀腺 기능 항진, 心律失常, 萎縮性胃炎, 慢性潰瘍性結腸炎, 支氣管擴張出血, 子宮功能性出血, 慢性潰瘍性口腔炎 및 泌尿係感染 등의 경우에 모두 응용할 수 있다.

【醫案】

1. 便血 『柳選四家醫案·評選靜香楼醫案』 卷下: 코가 가렵고 심장이 얼얼하며, 대변을 볼 때 피가 흐르고, 모습은 야위었다. 脈小而數했다. 벌써 여러 해가 되었다. 黃芩·阿膠·白芍·炙甘草를 配伍한다.

考察: 『張氏醫通』에서는 "黃連阿膠湯治熱傷陰血便紅."이라 했다. 의안의 病證 서술은 간단하지만 下血과 形瘦, 脈小而數에 의거해 분석해보면, 陰虛陽亢, 熱傷血絡 때문에 발병한 것으로 보인다. 黃連阿膠湯으로 滋陰淸火, 寧絡止血하는 것을 治法으로 삼는다.

2. 陽强遺精 『柳選四家醫案』·「評選環溪草堂醫案」 卷上: 腎水不足하고 君火上炎, 相火下熾하다. 가슴 속은 말라들어가는 것 같고 혀는 마치 홍시처럼 반짝인다. 생식기의 발기가 너무 쉽게 일어나고, 음정은 너무 쉽게 사출된다. 淸君火함으로써 制相火하고, 益腎陰함으로써 制肝陽하려 했지만, 酷熱炎蒸이 우려되고 藥力無權할 것이 걱정됐다. 亢陽으로 인한 손상이 보다 극심해질 수도 있었다. 川連(鹽水炒)·黃芩·黃柏·阿膠·生地·甘草·鷄子黃을 넣었다. 별도로 大黃三錢을 곱게 갈아, 鷄子 1개에 구멍을 낸 뒤 大黃 三分씩 넣고 찜통에 쪄서 매일 1개씩 복용했다.

두 번째 진료: 苦鹹寒 약물로 堅陰降火하여 亢陽을 억제한다. 心中의 燔灼하고 舌色이 光紅한 것이 모두 3분의 1로 줄어 들었다. 그러나 오전에 몸에서 화롯불 같이 열이 나는 증상은 아직 사라지지 않았다. 다행히 식욕이 크게 증가해 苦寒한 약물을 이어갈 수 있었고 호전의 계기가 마련되기를 기대했다. 川黃連·阿膠·生地·元精石·黃芩·甘草·元參·蛤殼·鷄子黃을 넣었다.

세 번째 진료: 혀가 마르고 붉었으며, 배고픔을 느끼고 음식을 잘 먹었다. 수분이 휴손되어 양기가 항진되고, 토의 기운이 몸속에서 바짝 마른 상황이었다. 鹹苦堅陰한 방제로 燔亢之勢는 쇠퇴시켰지만 아직 그 열기를 완전히 제거하지는 못했다. 당시 날씨가 혹독하게 무더워 濕熱과 相火가 수증기처럼 피어오르고 있었기에 재차 淸中固下祛濕하는 治法을 사용하기로 했다. 鹹苦의 경우에서 벗어나지 않았다. 洋蔘·石膏·知母·甘草·麥冬·川連·阿膠·生地·蛤殼·黃柏. 猪膽汁丸을 매일 아침 三錢씩 복용했다.

考察: 본 病證은 君相火亢, 腎陰受灼, 精關不固하여 陰精易泄하는 경우이다. 黃連阿膠湯을 운용해 苦寒한 약물로 瀉心火하여 堅腎陰하고, 鹹寒한 약물로

滋腎水하여 制亢陽했다. 火淸陰復하면 精關自固할 것이니 遺精之患은 절로 낫게 될 것이다.

3. 失眠『經方應用』: 여자. 여러 해 동안 失眠이 있었으며, 증상은 머리는 어지럽고 눈 앞은 아찔하며, 얼굴에 열이 올랐다. 가슴이 답답한데, 누우면 더 답답해져, 잠자리에 편안히 누워 있지 못했다. 입이 마르고 땀이 잘 나며, 귀에서 소리가 울고, 허리가 쑤셨다. 舌質紅少苔, 脈細數했다. 腎水不足하여 陰虧于下하고, 心火上炎하여 陽亢于上한 결과, 陽不入陰하기 때문이다. 黃連阿膠湯加味 처방을 사용했다. 黃連 6 g, 黃芩 9 g, 白芍 9 g, 上肉桂 1.5 g, 甘草·龍骨·牡蠣 各 30 g, 浮小麥 30 g, 阿膠 9 g(녹여서 복용). 鷄子黃 一枚 섞어서 함께 복용한다.

考察: 이 病證은 陰虛火旺, 心腎不交에 의한 心煩不寐이다. 黃連阿膠湯加味 방제를 사용했다. 목적은 育陰淸火하여 이미 휴손된 眞陰으로 하여금 滋補를 얻을 수 있도록 하고, 위쪽으로 치솟고 있는 虛陽으로 하여금 편안하게 자기 자리를 지킬 수 있게 하기 위함이다. 이와 같이 하면 心腎交泰하여 절로 잠들 수 있을 것이다.

4. 心悸(風濕性心肌炎)『山東中醫學院學報』(1978, 3:30): 남자, 13세, 학생. 초진: 환자는 心悸不安, 胸悶, 短氣, 乏力盜汗 증상이 있었다. 발열을 수반했으며 양측 膝關節 통증이 20여 일 동안 지속되고, 不紅不腫했다. 舌紅·苔薄白而乾, 脈細數較有力했다. 신체 검사: 체온 37.5℃, 심장박동률 120회/분, 혈침·적혈구 침강반응 속도 37 mm/h, 백혈구 11×10^9/L, 中性 78%, 심장 수축기의 심음第一心音은 낮고 둔탁했다. 서양 의학 담당 의사는 風濕性心肌炎(rheumaticmyocarditis)으로 진단했고, 중의학 담당 의사는 陰虛火旺으로 인한 心悸로 진단했다. 滋陰淸熱, 養心定驚의 방법으로 치료하는 것이 적절하다. 처방: 黃連 4.5 g, 黃芩 9 g, 白芍 9 g, 阿膠 9 g(뜨겁게 하여 녹임), 生地 12 g, 麥冬 9 g, 百合 15 g, 五味子 3 g, 子仁 30 g, 淮小麥 30 g. 3제를 물을 달여 복용한다.

두 번째 진료: 체온 37.2℃, 심장박동 106회/분, 心慌·胸悶은 조금 줄었고, 舌脈은 전과 같았다. 위의 방제를 연달아 3제 물에 달여 복용했다.

세 번째 진료: 체온 36.7℃, 심장박동 92회/분. 관절통 또한 감소했다. 食欲이 감퇴하고, 피곤 및 무기력이 뚜렷해졌다. 앞의 처방에서 阿膠를 빼고, 黨參 12 g, 谷麥芽 各 9 g을 넣은 뒤, 3제를 물로 달여 복용했다.

네 번째 진료: 체온 36.9℃, 심장박동 87회/분, 백혈구 6.7×10^9/L, 中性 54%, 식욕 개선되고, 가슴이 두근거리고 기력이 떨어지는 증상이 다시 감소했다. 舌稍紅, 脈略數했다. 앞의 방제에서 黃芩·黃連을 절반으로 줄이고 계속해서 5~10제 복용했다.

考察: 黃連阿膠湯加減으로 風濕性心肌炎을 치료했다. 동시에 關節痛·發熱도 함께 사라졌다. 辨證施治가 對症療法가 아님을 보여준다. 人體의 陰陽失調를 중시해야 한다. 體內의 陰陽失調로 인한 病理矛盾이 해결되며 해당 疾病을 구성하는 각종 증상 표현 또한 사라지게 된다. "治病必求其本"의 의미이다.

5. 産後發熱『上海中醫藥雜誌』(1986, 7:29): 여자, 28세. 貧血 과거력이 있다. 15일 전 분만 당시 다량의 출혈이 있었고, 발열이 제거되지 않았다(37.9~38.8℃). 양약을 복용했지만, 효과가 없었다. 頭暈目眩, 面色少華, 心悸自汗, 耳鳴腰酸, 大便秘結, 小溲黃赤, 舌紅絳, 脈細數했다. 증상은 陰虛火旺에 해당했고, 滋陰降火의 治法을 쓰는 것이 적절했다. 처방: 黃連 6 g, 肉桂 2.1 g, 黃芩 9 g, 白芍 9 g, 鷄子黃 二枚, 阿膠 9 g(烊化). 물로 달여서 3제 복용한 뒤 열이 조금씩 떨어져서 정상으로 돌아왔다.

考察: 薛己는 "新産婦人, 陰血暴亡, 陽無所附而外熱"(『女科撮要』卷下)이라고 했다. 본 病例의 發熱은

邪熱이 有餘하여 발생한 것이 아니라 陰虛로 인해 內熱이 발생한 것이다. 따라서 黃連阿膠湯을 응용해 滋陰降火하고 肉桂를 反佐의 방법으로 활용해 引火歸原하도록 해야 한다.

6. 不寐『劉渡舟臨證驗案精選』: 남자, 49세, 편집장. 불면을 앓은지 2년이 넘었다. 양방에서 神經衰弱治療를 하였으며 여러 가지 鎭静安眠 약물을 복용했지만 효과를 보지 못했다. 스스로 말하길: 밤이 되면 마음이 심란하고 혼란스럽고, 이리저리 뒤척거리며, 잠을 이룰 수 없다고 했다. 심할 때는 꼭 사람이 없는 넓은 공터에 나가 큰 소리로 지르고 난 뒤에 후련하다고 느꼈다고 했다. 그 病由를 물어 보니, 평소 늦은 밤까지 일하는 것을 즐겼고, 피로감이 최고치에 달할 때는 각성하기 위해 자주 커피를 마셨으며 이런 행동이 습관처럼 자연스럽게 이뤄지고 있다고 했다. 그 결과 밤이 되면 흥분되어 잠을 이루지 못했고, 낮에는 정신이 몽롱하고, 맥이 빠지고 활기가 없어했다. 환자의 혀는 붉고 설태가 없으며, 혀끝은 딸기처럼 새빨갰다. 유난히 눈에 띄었다. 맥은 弦細而數했다. 脈과 증상을 함께 고려한 결과, 이것은 水虧火旺, 心腎不交에 의한 것이었다. 治法은 마땅히 下滋腎水, 上淸心火 하여, 坎離交濟, 心腎交通하도록 해야 했다. 黃連 12 g, 黃芩 9 g, 阿膠 10 g(烊化), 白芍 12 g, 鷄子黃 二枚를 넣었다. 이 방제를 3제를 복용하자 편안하게 잠들 수 있었고, 心神煩亂이 다시 발생하지 않았다. 계속해서 3제를 복용한 뒤 잠을 이루지 못하는 증상은 모두 사라졌다.

考察: 불면에 대해『內經』은 "不寐", "不得卧"라고 한다. 그 원인으로는 痰火上擾한 경우, 营衛陰陽不調한 경우, 心脾氣血两虛한 경우, 心腎水火不交한 경우가 있다. 위의 醫案은 밤이 되면 心神煩亂으로 잠에 들기 어려운 경우였다. 心火不下交于腎해서 獨炎於上하고 있었다. 陳士鐸은『辨證錄』에서: "夜不能寐者, 乃心不交于腎也……心原屬火, 過于熱則火炎于上而不能下交于腎."이라고 했다. 思慮過度, 暗耗心陰하게 되면, 心火翕然而動하여 下交于腎 할 수 없다. 陽用過極하면, 腎水가 上濟于心하기 어려워진다. 또 커피로 助火傷陰하면, 火愈亢, 陰愈虧하게 된다. 환자의 혀끝은 딸기같이 붉고, 혀는 붉고 설태가 없으며, 脈細而數한 것은 온통 火盛水虧한 증상이었기에 心腎不交之證이라고 판단했다. 마땅히 滋其腎水, 降其心火해야 했기 때문에, 黃連阿膠湯을 選用해서 滋陰降火, 交通心腎 했다.『難經』의 "瀉南補北" 정신을 구현한 것이다.

【副方】 交泰丸(『韓氏醫通』卷下에 수록되어 있으며, 그 이름은『四科簡效方』卷中에 나옴) 川黃連 五錢(15 g), 肉桂心 五分(1.5 g).

- 用法: 위의 약물을 가루내어 갈아서 끓인 꿀로 환을 빚는다. 빈 속에 담담한 소금물로 복용한다.
- 作用: 交通心腎.
- 適應症: 心腎不交, 怔忡無寐.

이 방제에서는 黃連·肉桂의 寒熱한 성질을 함께 사용해 交通心腎 한다. 失眠이라는 病證은 대부분 心火上亢에 의해 발생한다. 心火上亢은 腎水虧耗 혹은 腎陽虛衰에 의한 것일 수 있다. 전자는 陰虛火旺에 속하고, 후자는 火不歸原에 속한다. 두 가지는 동일하지는 않지만 모두 心腎不交에 속한다. 黃連阿膠湯은 黃連·黃芩과 같이 苦寒한 약물로 淸降心火하고, 阿膠·鷄子黃·芍藥를 配伍해서 滋養腎水 한다. 방제 전체적으로는 滋陰과 降火를 병행해서 交通心腎 한다. 따라서 陰虛火旺으로 인한 心胸煩熱, 失眠, 口乾舌燥, 舌紅苔少, 脈細數을 치료한다. 交泰丸은 黃連을 사용해서 瀉心火하고, 肉桂를 配伍해서 温其腎陽, 引火歸原한다. 心火得降, 腎陽得復하여 心腎相交하도록 하는 것이다. 이를 통해 心火旺盛, 腎陽虛弱에 의한 失眠, 怔忡, 下肢不温, 不能入睡한 증상을 치료한다.

第十一章

開竅劑

開竅劑는 芳香開竅藥 위주로 구성되며, 開竅醒神 작용을 한다. 竅閉神昏證의 방제에 쓰이며 開竅劑라고 부른다. 개규제의 역사는 오래되었다. 『素問』「至眞要大論」편에서 이야기한 "開之發之"는 즉 開竅방제에 대한 근거를 마련하였다. 이후부터 漢·張仲景의 『傷寒論』에서 비록 神昏譫語에 대한 논의는 매우 많으나, 熱結陽明證에 해당하는 것 뿐이었고, 開竅劑에 직접적인 영향을 미치지 않았다. 唐· 孫思邈의 『備急千金要方』과 王燾의 『外臺秘要』의 通關散, 紫雪, 蘇合香丸(吃力伽丸) 등의 방제는 開竅 효능이 있는 최초의 방제이다. 더욱이 蘇合香丸은 芳香開竅의 치료 효과가 있는 약물로 開竅劑를 응용해서 약물을 사용할 때 본보기로 삼을 만하다. 이를 근거로 하여 芳香開竅의 치료 효과가 있는 약물로 用藥法則을 확립시켰다. 본 방제는 또한 후세에 溫開劑의 대표적인 방제로 받들어졌다. 宋나라 『蘇沈良方』의 至寶丹, 錢乙이 지은 『小兒藥證直訣』의 抱龍丸은 모두 寒凉解毒하고 淸熱開竅하게 하는 치료법을 바탕으로 만들어졌으며, 후세의 溫病學家들에 의해 채택되었다. 宋·『太平惠民和劑局方』은 宋 이전의 유효처방을 집대성해서 만들어 진 것으로, 開竅방제를 규범화하고 널리 보급하는데 중요한 역할을 했다. 明·淸에 와서 開竅劑는 획기적인 진전을 이루었다. 明·『丹溪心法附餘』의 紫金錠과 淸·『霍亂論』의 行軍散은, 解毒辟穢開竅하게 하는 치료법을 바탕으로 만들어졌으며, 開竅劑와는 별도로 분류했다. 明·『痘疹世醫心法』의 牛黃淸心丸과 淸·『溫病條辨』의 安宮牛黃丸은 모두 溫病의 熱閉神昏한 증상에 응용할 수 있으며, 후자는 또한 凉開劑의 본보기로 여겨지고 있다. 淸의 葉桂·吳瑭을 대표로 하는 溫病學家의 의료실천과 대대적인 창도를 통해서 "開竅" 이론이 발전하기 시작하였고, "凉開三寶"가 유행하면서 凉開劑뿐만 아니라 더 나아가서는 開竅劑의 발전과 최종 형성에 있어서 견실한 기초를 다질 수 있게 되었다. 廣州錢樹田의 小兒回春丹은 錢乙抱龍丸의 발전을 가져왔다. 신중국이 성립된 이후에 한의약 사업이 융성하면서 古代 방제에 대해 전면적인 총결산이 이루어졌고, 역대 方書에서 淸熱劑, 瀉火劑, 理氣劑, 攻里劑 등으로 분류되어 있던 開竅효능이 있는 방제를 종합해서 開竅劑 하나로 통일하였다. 당대에 대대적으로 開竅劑에 대한 임상과 실험 연구 및 劑型 개혁을 진행하였고, 이는 開竅劑에 있어 전대 미문의 장족의 발전을 가져왔다.

心의 主는 神明이며, 神明은 君主의 官이 된다. 모든 邪가 內陷心包하고 蒙蔽心竅하면 반드시 擾亂神明하게 하여, 竅閉神昏諸證이 나타나게 되고, 정도가 심한 환자의 경우 생명이 위급해지기도 한다. 病因과 病變 성질의 차이 때문에 임상에서는 熱閉證과 寒閉證으로 분류할 수 있다. 『素問』「至眞要大論」 편에서 이야기한 "開之發之", "客者除之"하다는 치료원칙에 근거해 熱閉證은 또한 "熱者寒之, 溫者淸之"(『素問』「至眞

要大論」)에 걸맞는 淸熱開竅法을 선용한다. 寒閉證 역시 "寒者熱之", "逸者行之"(『素問』「至眞要大論」)와 조화를 이루는 溫通開竅法을 선용한다. 따라서 開竅劑는 證候와 治法의 차이에 따라 凉開劑와 溫開劑로 분류할 수 있다.

凉開劑는 熱陷心包하거나 痰熱閉竅으로 인한 熱閉證에 응용한다. 주로 身熱煩躁, 神昏譫語, 動風凉厥 등의 증상으로 나타난다. 본 방제는 주로 麝香, 牛黃, 氷片 등의 芳香開竅藥 위주로 조성된다. 그 配伍 방법은 다음과 같다: ① 淸熱藥을 配伍한다. 熱閉에 의한 증상은 그 발병 원인이 邪熱壅盛에 의한 것이다. 開竅藥은 性味가 辛溫한 약물로 淸熱의 효능을 갖지 않는다. 따라서 淸熱藥은 凉開方劑에서 빼놓을 수 없는 주요한 配伍라고 볼 수 있으며, "使邪火隨諸香一齊俱散也"(『溫病條辨』卷1)할 수 있다. 비교적 많이 사용하는 配伍는 다음의 3가지이다: 첫 번째는 黃連, 黃芩, 梔子 등의 性味가 苦寒한 약물을 配伍하여, 淸熱瀉火解毒하게 한다. 주로 溫病邪熱壅盛, 充斥三焦, 內陷心包한 환자를 치료하는데 사용하며, 예를 들면 牛黃淸心丸, 安宮牛黃丸 등이 이에 해당한다. 두 번째는 生石膏, 寒水石, 滑石 등의 性味가 甘寒鹹寒한 약물을 配伍하여 養陰을 겸한 淸熱를 치료를 한다. 주로 邪熱熾盛하고 灼傷陰津한 환자에게 사용하며, 예를 들면 紫雪이 이에 해당한다. 세 번째는 芒硝, 硝石, 大黃 등의 性味가 苦寒한 淸熱瀉下의 치료 효과가 있는 약물을 配伍하여 釜底抽薪하게 한다. 주로 熱陷心包와 腑實便結를 동반한 환자에게 사용하며, 예를 들면 紫雪 등이 있다. ② 重鎭安神藥을 配伍한다. 예를 들면 朱砂, 琥珀, 金箔, 銀箔 등은 開竅安神의 효능을 강화시켜며 또한 心과 肝에 熱을 淸하는데 그 효과가 매우 좋다. 性味가 甘寒質重한 朱砂, 珍珠, 磁石 등은 重鎭安神의 효능이 있을 뿐만 아니라 또한 心, 肝의 熱을 淸하기도 하여, 熱陷心包와 動風한 증상을 겸한 환자에게 적용하는 것이 적합하다. 紫雪, 至寶丹, 安宮牛黃丸 등은 모두 이상의 약재와 함께 配伍해서 사용한다. ③ 平肝息風藥을 配伍한다. 예를 들면 羚羊角, 天麻, 鉤藤, 全蝎, 殭蠶은 心肝을 동시에 치료한다. 熄風止痙할 뿐만 아니라 또한 淸熱開竅의 작용을 증대할 수 있어 熱陷心包, 引動肝風, 驚厥 증상이 비교적 심한 환자에게 자주 사용하며 小兒回春丹을 예로 들 수 있다. ④ 淸熱化痰藥을 配伍한다. 예를 들면 膽南星, 天竺黃, 川貝 등은 이미 생긴 痰을 녹일 수 있을 뿐만 아니라 淸熱開竅을 도와주기 때문에 痰熱閉竅한 증상이 있는 환자에게 주로 사용한다. 抱龍丸, 小兒回春丹이 있다. 대표적인 방제로 牛黃淸心丸, 安宮牛黃丸, 至寶丹, 紫雪, 抱龍丸, 小兒回春丹 등을 예로 들 수 있다.

溫開劑는 寒濕痰濁이 閉竅한 증상이나 주로 突然昏倒, 神昏瞀悶, 牙關緊閉 등과 같이 穢濁之邪가 閉阻氣機해서 발생하는 寒閉證을 치료하는데 적합하다. 주로 蘇合香, 麝香, 安息香 등의 性味가 辛溫芳香한 開竅藥 위주로 구성된다. 그 配伍 방법은 다음과 같다: ① 溫裏散寒과 芳香行氣를 겸한 약물을 配伍한다. 예를 들면 丁香, 蓽茇 등을 配伍해서 溫通開竅하도록 도와준다. 주로 寒邪凝聚하고 閉阻機竅한 증상을 보이는 환자에게 사용하며 蘇合香丸이 있다. ② 性味가 辛溫理氣한 약물을 配伍한다. 예를 들어 木香, 白檀香, 香附, 沉香을 配伍해서, 行氣開鬱, 調暢臟腑氣機를 하게 해서 溫通開竅를 돕는다. 주로 中氣, 氣厥 등의 증상에 사용하며 蘇合香丸이 있다. ③ 辟穢化痰한 약물을 配伍한다. 예들 들어 雄黃 등은 痰濕穢濁에 의한 病因을 제거하고, 주로 痰厥하거나 穢濁한 증상을 蒙蔽淸竅하게 하는데 사용하며 紫金錠이 있다. ④ 補氣藥을 配伍한다. 예를 들어 白朮 등은 補氣健脾해서 扶正하게 하고, 諸香이 과도하게 辛散走竄하는 것을 예방할 수 있으며, 또한 燥濕化濁해서 祛邪하게 하고, 辟穢化濁의 효능을 도울 수 있다. 주로 寒邪 혹은 穢濁에 의한 閉阻機竅를 치료하는데 사용하며 蘇合香丸이 있다. 대표적인 방제로 蘇合香丸을 예로 들 수 있다.

임상에서 사용하는 開竅劑는 우선 虛實寒熱을 판별하는데 있어 주의해야 하고, 반드시 邪盛氣實에 의해 막힌 증상일 경우에만 開竅劑를 사용해야 하며, 汗出肢冷, 氣微遺尿, 口開目合, 脉微欲絶에 의한 脫證에는 神志昏迷한 증상이 나타나더라도 본 방제를 사용하는 것이 마땅하다. 病證의 寒熱한 성질에 따라 凉開劑 혹은 溫開劑를 정확하게 선택해서 사용해야 한다. 다음으로, 만약 表證의 증상이 완화되지 않은 상태에서 裏竅가 이미 막혔다면, 잘못 사용했을 경우 表邪內陷하여 증상이 심해질 수 있기 때문에 함부로 사용하면 안 된다. 陽明腑實로 인해 神昏譫語를 보이는 환자에 대해서는 마땅히 瀉下劑를 사용해야 하며, 본 방제를 사용하는 것은 적합하지 않다. 만약 邪陷心包를 겸한 환자가 있다면 증상의 완급에 따라서 寒下를 먼저 사용하거나, 開竅을 사용하거나, 開竅과 寒下을 함께 사용할 수 있다. 하지만 開竅劑를 단독으로 사용할 수 없다. 이밖에도 開竅劑는 대부분 氣味芳香하고 辛散走竄한 약물로 구성된다. 장기 복용시 쉽게 正氣를 상할 수 있으므로 임상에서는 주로 응급치료와 병에 적합하면 바로 중지하게 하며 장기 복용할 수 없다. 開竅劑는 주로 환이나 가루약으로 제조하며, 열을 가해 졸이면 그 藥性이 휘발되어 치료 효과에 영향을 주므로 적합하지 않다.

第一節 涼開劑

牛黃淸心丸

(『痘疹世醫心法』卷12)

【異名】 萬氏牛黃淸心丸(『景岳全書』卷62), 萬氏牛黃丸(『醫方簡義』卷3), 牛黃丸(『證治寶鑑』卷5)

【組成】 黃連生 五錢(15 g) 黃芩 山梔仁 各三錢(各 9 g) 鬱金 二錢(6 g) 辰砂 一錢半(4.5 g) 牛黃 二分半(0.75 g)

【用法】 위의 약재를 곱게 갈고 臘雪水를 넣고 반죽해서 기장쌀 크기의 환으로 만든다. 매번 7~8개의 환을 燈心湯과 함께 복용한다(현대용법: 모두 분쇄하여 아주 고운 분말로 만든다. 함께 섞은 뒤 꿀을 첨가해 1.5 g 무게의 환으로 빚는다. 매번 2개의 환을 매일 2~3회 복용한다. 어린 아이는 참작해서 양을 줄인다).

【效能】 淸熱解毒, 開竅安神.

【主治】 溫熱之邪가 內陷心包한 증상을 치료한다. 身熱하고 神昏譫語, 煩躁不安, 舌質紅絳하며 脈細數하거나 弦數한다. 小兒의 경우 고열을 동반한 驚厥 증상이 나다난다.

【病機分析】 이 방제의 치료 병증은 溫病熱陷心包와 小兒高熱驚厥이다. "溫邪上受, 首先犯肺, 逆傳心包"(『外感溫熱篇』). 神明被擾하고 心竅閉塞하면 身熱煩躁하고 심한 경우에는 神昏譫語하게 된다. "心主火而惡熱, 肝主風而善動"하고, "心移熱于肝, 風火相搏"(『萬氏家傳痘疹心法』卷3)하므로 小兒高熱驚厥의 결과로 나타나게 된다.

【配伍分析】 본 방제는 "心熱神昏"(『痘疹世醫心法』卷12)한 증상을 치료하기 위해 만들어졌다. 『素問』「至眞要大論」 편에서 이야기한 "熱者寒之, 溫者淸之" 와"開之發之"의 치료원칙에 근거해 淸解心包熱毒, 芳香開竅를 위주로 하고 鎭驚安神으로 보조해서 치료한다. 방제에서 牛黃의 氣香味 苦하고 凉한 성질을 띠고 있어, 心, 肝大熱을 淸하는데 뛰어나고 包絡之邪를 透達한다. 淸熱解毒할 뿐만 아니라 또한 豁痰開竅에 뛰어나고, 息風止痙하므로 君藥이 된다. 黃連, 黃芩, 山梔는 모두 性味가 苦寒한 약물로 淸熱瀉火解毒에 뛰어나고 牛黃이 淸心解毒하는 것을 보조하므로 臣藥이 된다. 『本草新編』에서 말하길: "黃連, 入心與包絡, 最瀉火, 亦能入肝, 大約同引經之藥, 俱能入之, 而入心尤專任也"(『中藥大辞典』에 수록됨)라고 했다. 따라서 본 방제는 淸心開竅에 중점을 두고 있으며, 위의 세 가지 淸熱瀉火藥 중에서 유일하게 黃連이 사용량에 있어 가장 비중이 크고, 그 淸心火한 특징을 살리고 있다. 鬱金은 맛은 辛苦하고 凉한 성질을 띠고 있어서 心, 肝經으로 들어가 凉血淸心하고 行氣開鬱한다. 牛黃이 淸心開竅하는 것을 보조하므로 臣藥이 된다. 朱砂는 寒凉한 性味를 띠고 있으며 重鎭, 淸心, 安神, 定驚하여 방제에서 佐藥이 된다. 위의 모든 약을 함께 사용하면, 함께 조화를 이루어 淸熱解毒하고 開竅安神의 작용을 하게 된다.

본 방제는 약 사용에 있어 간결하다. 그 配伍 특징은 淸熱瀉火解毒을 重用하는 것을 기초로 하고, 開竅安神한 약물로 보조하여 心包邪熱을 치료하는데 있다.

본 방제는 牛黃을 君藥으로 여기며, 淸心開竅의 작용을 하기 때문에 牛黃淸心丸이라 부른다.

【臨床應用】

1. 證治要點: 본 방제는 溫病熱陷心包, 小兒高熱驚厥한 증상을 치료한다. 高熱煩躁, 神昏驚厥, 舌質紅絳, 脈弦數에 의한 증상이 치료하는 근거가 된다.

2. 加減法: 본 방제는 임상에서 각기 다른 증상에 초점을 맞춰 그에 맞는 약을 처방하여 복용하게 할 수 있다. 原書에서 이르길: 痘瘡瘡正色으로 통증을 느끼지는 못하지만 心煩不安하고 心惡熱하다고 느끼면 이를 熱煩라고 부르고 燈心湯을 복용하게 한다고 했다. 斑疹發熱, 作搐, 小便利한 증상에는 導赤散으로 복용해서 치료하고, 發熱譫妄하여 마치 귀신을 본 듯 할 때에도 導赤散으로 복용해서 치료하고, 瘡痘가 난 기간이 오래되어 發猶不透하거나 煩躁不安하고, 毒熱在裏해서 心惡熱하다고 느껴도 導赤散으로 복용해서 치료한다. 치료 목적은 모두 淸心降火하고 導熱下行하여 邪熱이 소변으로 배출될 수 있도록 하는 것에 있다. 만약 痰熱이 비교적 심한 경우라면 竹瀝汁을 복용하게 해서 淸熱化痰의 치료 효과를 강화할 수 있다.

3. 牛黃淸心丸은 다음 한국표준질병사인분류(KCD)에 해당하는 환자가 溫病熱陷心包證으로 辨證되는 경우 본 처방의 사용을 고려해볼 수 있다.

처방 목표	한국표준질병사인분류(KCD)
流行性乙型腦炎	A83.0 일본뇌염
病毒性腦炎	A80~A89 중추신경계통의 바이러스감염
流行性腦脊髓膜炎	G02.0 달리 분류된 바이러스질환에서의 수막염
	G01 달리 분류된 세균성 질환에서의 수막염
	G00 달리 분류되지 않은 세균성 수막염
百日咳에 의한 腦膜腦炎	A37 백일해
	G04.2 달리 분류되지 않은 세균성 수막뇌염 및 수막척수염
麻疹에 의한 支氣管肺炎	B05.2 폐렴이 합병된 홍역(J17.1)
狂躁型精神分裂	F25 조현정동장애
口腔黏膜潰瘍	K12 구내염 및 관련 병변

【注意事項】

1. 본 방제는 痰熱壅盛하고 邪盛氣實에 의한 閉證에 사용하는 것이 적합하며 脫證에는 사용을 금한다.

2. 본 방제에서 사용하는 약은 대부분 苦寒한 맛과 性味 띠고 있어서 병에 들어 맞으면 곧바로 복용을 멈추고, 장시간 복용하는 것은 좋지 않다.

【變遷史】 본 방제의 출처는 明·萬全『痘疹世醫心法』卷12에 있으며 "治心熱神昏"이라고 하였다. 萬氏 가문은 대대로 3대에 이어 名醫를 배출하여 임상 경험이 매우 풍부하고, 萬全이 더욱더 이름을 날릴 때에는 內科, 外科, 婦科, 小兒科에서 모두 뛰어났다. 특히 小兒科, 婦科 이 두 科가 가장 뛰어났다. 兒科의 急驚, 痘疹에 있어서 많은 임상 경험을 쌓았으며 이는 후세에 본받을 만한 본보기가 되었고, 小兒의 痘疹神昏, 急驚을 치료하는 데 있어 經驗方이 되었다. 萬氏의『痘疹世醫心法』에서 본 方劑는 裏에 痘疹毒熱이 머물러 心, 肝火盛하여 나타난 發熱, 驚狂, 譫妄, 煩躁 등과 같은 증상을 치료한다고 기록되어 있다. 예를 들면 發熱不休, 驚搐, 小便利를 치료하고, 毒邪가 心을 침범하면, 心에 熱冒하게 되고, 그 神이 浮越해서 發熱하게 되고, 때로는 譫語하는 증상을 치료하고, 肺熱이 몰려서 煩하고, 臥不安하고 瘡出盡하며, 또 발병해서 狀煩한 증상을 치료하고: 熱이 심할 때는 神識 모두가 혼미하고 반복해서 顚倒하는 증상을 치료하고, 痘瘡瘡正色으로 통증을 느끼지 못하지만 心煩不安하고 心惡熱한 증상을 치료하고, 斑疹發熱, 作搐, 小便利를 치료하고, 發熱譫妄하여 마치 귀신을 본 듯 한 증상을 치료하고, 瘡痘가 난 기간이 오래되어 發猶不透하거나 煩躁不安하고, 毒熱在裏해서 心惡熱하다고 느끼는 증상을 치료하고, 驚熱, 面色青紅, 額正中有紋, 手掌心有汗, 時作驚惕, 手絡脉微動而發熱한 病證을 치료한다고 거듭해서 서술하고 있다.『景岳全書』에서 본 방제를 萬氏牛黃淸心丸이라고 부르며, 후세 의학자에 의해 자주 사용되고 있다.

본 방제는『外臺秘要』의 黃連解毒湯에서 변화해 온 것이다. 黃連解毒湯은 瀉火解毒에 뛰어나서 實熱火毒, 三焦熱盛에 의한 증상을 치료한다. 본 방제는 淸下焦火한 黃柏을 빼고 3味의 牛黃, 鬱金, 朱砂를 넣는다. 모두 心으로 歸經해서 淸心開竅安神하게 하고, 苦寒한 성질을 위주로 해서 三焦火毒을 淸瀉하는 방제를 淸心을 겸해서 開竅를 위주로 하는 방제로 변환하였다. 淸代의 저명한 溫病學家인 吳瑭은 본 방제를 기초로 하여 安宮牛黃丸을 처음으로 만들었다.

【難題解說】

1. 방제의 명칭에 대해서: 古今의 의학 서적에서 牛黃淸心丸라 불리는 방제가 다수를 이루며, 비교적 영향력이 있는 방제는『太平惠民和劑局方』卷1의 牛黃淸心丸과 본 방제이다. 이 둘은 또한 당대 임상에서 자주 사용하는 방제이다.『局方』의 牛黃淸心丸은 29味의 약물을 사용하며 그중 20味는『金匱要略』의 薯蕷丸과 같으며 薯蕷丸에 다른 약재를 가미한 방제이다. 그 작용 또한 본 방제와 다르다. 본 방제는 1963년판『中國藥典』에서 牛黃淸心丸(萬氏方)이라고 부르고, 1977년 이후의『中國藥典』모든 인쇄판에서 萬氏牛黃淸心丸이라고 불렀다.『局方』의 牛黃淸心丸은 1963년 이후의『中國藥典』의 모든 인쇄판에서 牛黃淸心丸(局方)이라고 불렀다. 역사적으로 牛黃淸心丸의 사용과 인용에 있어 줄곧 혼란스러운 현상이 존재했다. 당시의 方劑學 저서에서 또한 이 두 방제를 동일시했다. 예를 들면『中國方劑精華辞典』에서 본 방제의 藥理研究를 수록하였으나, 原文에서 인용한 방제는『局方』의 牛黃淸心丸이라는 것을 조사를 통해 확인했다. 따라서 牛黃淸心丸이 萬氏方인지『局方』인지를 우선적으로 구별해야 한다.

2. 본 방제의 適應症에 대해서: 본 방제는 본래 小兒痘疹의 "心熱神昏"을 치료하기 위한 것이다. 淸代에 溫熱病이 유행하면서 본 방제가 "溫邪內陷, 熱入心包, 痰涎壅塞, 神昏譫語, 發厥發暈, 牙關緊閉以及小兒急驚風等證"(『成方便讀』卷3)에 사용되었다. 당시 문헌에서 또한 中風痰熱內閉, 神昏語謇한 증상을 본 방제로 치료했다. 하지만 명칭은 같으나 방제가 다른 牛黃淸心丸이 매우 많았기 때문에 中風閉證에 본 방제를 사용하는 것이 옳은지 그른지는 반드시 사실 확인을 해야 한다. 예를 들면 당시 문헌에서 자주 인용하는 中風閉證을 치료하는 牛黃淸心丸이 본 방제인지는 확인할 수 없

다.[1] 왜냐하면 당시의 『中國藥典』과 『天津市中成藥規範』(1978년판) 규정에 따르면 본 방제는 萬氏牛黃淸心丸 혹은 牛黃淸心丸(萬氏方)이라고 불렸다. 반면 당시의 牛黃淸心丸은 사실상 『局方』 牛黃淸心丸을 가리킨다.

【醫案】

1. 痧疹 『臨證指南醫案』卷5: 費모씨, 暴寒이 갑자기 심해지고, 伏熱이 더욱 타는 듯 하였다. 邪鬱하면 氣血이 막히고 痧疹이 外達될 수 없게 된다. 痰氣가 서로 막아서 神迷喘促하고, 점차 心胞絡으로 들어가서 內閉外脫의 우려가 있다. 熱이 몰려서 下迫하면, 自利해도 黏膩하고 개운치 않게 된다. 치법은 마땅히 막힌 것을 열고, 消毒, 膻中의 壅을을 풀어서, 정신이 맑게 돌아오게 한다. 방제는 변화가 없다. 連翹心, 飛滑石, 石菖蒲, 炒金銀花, 射干, 通草에 煎化牛黃丸 1알을 복용하게 했다.

2. 溫熱 『臨證指南醫案』卷5: 陸모씨, 69세, 고령의 熱病을 앓은지 8~9일이 지났으며, 舌燥煩渴, 譫語, 邪가 心胞絡으로 들어가서, 液涸神昏할까봐 두려워했다. 마땅히 滋淸去邪하게 치료하고 牛黃丸을 넣고 祛熱利竅를 겸해서 치료했다. 竹葉心, 鮮生地, 連翹心, 元參, 犀角, 石菖蒲을 넣었다.

3. 濕溫 『臨證指南醫案』卷5: 모씨, 穢邪를 흡수해서, 募原先病, 呕逆, 邪氣가 分布하고, 營衛가 침입을 받아서, 결국에는 열이 나고 頭脹으로 괴로워 하고, 열흘이 지나도록 身痛이 느껴지고, 神識이 昏迷하고, 小便이 不通하고, 上, 中, 下三焦交病, 舌白, 목이 마르지만 물을 많이 마시지 않았다. 이는 氣分이 窒塞한 것으로 마땅히 芳香通神, 淡滲宣竅하게 치료해서 穢濕濁氣를 이를 통해 分消하게 할 수 있다. 苡仁, 茯苓皮, 猪苓, 大腹皮, 通草, 淡竹葉을 넣고, 牛黃丸 2알을 복용하게 했다.

4. 冒暑 『臨證指南醫案』卷5: 顧모씨, 30세, 陰虛遺熱, 小便淋瀝하다. 최근에 冒暑가 발생했는데 처음에는 寒熱頭痛으로 시작해서, 汗出이 해소되지 않고, 肌肉麻木, 手足牽强하고, 마치 잠을 자는 것처럼 神昏하며, 瘧은 輕하고, 痙厥는 重했다. 犀角, 元參, 小生地, 連翹心, 竹葉心, 石菖蒲, 滑石을 사용하고, 牛黃丸에 化裁해서 두 번 복용하게 했다.

5. 太陰瘧 『臨證指南醫案』卷6: 柳모씨, 暑濕으로 氣分을 傷해서, 갈증이 없고 구토를 많이 하고, 寒氣가 일어나서 四肢를 냉하게 하고, 熱이 心胸에 집중해서 太陰瘧이 발생했다. 性味가 苦辛한 약재를 사용하거나 혹은 里熱之鬱을 宣解해서 보좌한다. 川連, 黃芩, 炒半夏, 枳實, 白芍, 姜汁을 사용하고, 煩躁가 심해질 경우 별도로 牛黃丸 1알을 복용하게 했다.

6. 瘡瘍 『臨證指南醫案』卷8: 程모씨, 瘍毒에 의한 熱症으로 蔘, 芪를 복용하고 효과가 없었다. 즉 마땅히 淸解하게 치료해야 하는데 消導치료 또한 하지 않았다. 본 환자는 身熱正晡, 神識欲昏, 便溏溺赤, 煩渴증상이 나타났으며 暑氣가 공격하고, 肺, 胃로 內侵해서 痙厥之變이 있었다. 예전에 宣肺解毒을 사용했을 당시 비록 暑邪와는 無益하지만 또한 無害했다. 만약 黃芪를 넣으면 또한 반대가 된다. 대체로 熱氣矇閉淸竅는 모두 神昏하게 한다. 牛黃淸心丸으로 淸痰氣之阻하고 竅開하게 한다. 게다가 暑門에는 이러한 치법이 많이 있는데, 解毒에서 크게 벗어나지 않는다.

考察: 본 방제는 원래 小兒痘疹의 "心熱神昏"에 사용한다. 淸代 王子接이 前人의 경험과 개인의 心得을 모아서 제기하길: "若治溫邪內陷胞絡神昏者, 惟萬氏之方爲妙"(『絳雪園古方選注』卷中)라고 했으며, 그의 제자인 葉桂가 더욱더 발전시켜서 말하길: "大凡熱氣蒙閉淸竅, 都令神昏, 當以牛黃淸心丸淸痰氣之阻, 使其竅開"(『臨證指南醫案』卷8)하고 했다. 본 방제는 溫病熱陷心包, 神昏竅閉의 모든 증상에 광범위하게 사용한다. 葉桂가 임상 치료를 할 때 항상 증후의 차이에 따라 數味의 약을 넣고 달여서 복용하며 "滋淸去邪"(醫案2 참고)를 兼해서 치료하거나, "淡滲宣竅竅"(醫

案3 참고)를 兼해서 치료하거나, "苦辛"의 약재(醫案5 참고)를 兼해서 치료하거나, 淸氣凉營을 兼해서 치료한다. 葉桂는 본 방제의 창의적인 運用으로 직접적으로 吳瑭에게 영감을 주어서 본 방제를 加味해서 安宮牛黃丸을 창제하게 했다. 예를 들면 醫案3은 吳氏에 의해 본보기로 삼아서 『溫病條辨』의 卷2 제 56條에 편입되었고, "吸受穢濕, 三焦分布, 熱蒸頭脹, 身痛呕逆, 小便不通, 神識昏迷, 舌白, 渴不多飮, 先宜芳香通神利竅, 安宮牛黃丸; 繼用淡滲分消濁濕, 茯苓皮湯"라고 수록했다. 여기에서 葉氏의 原方은 茯苓皮湯이라고 이름지어졌고, 牛黃淸心丸 또한 安宮牛黃丸으로 대체되었다. 醫案5는 『溫病條辨』의 卷2 제 79條에 편입되었고, "太陰脾虐, 寒起四末, 不渴多呕, 熱聚心胸, 黃連白芍湯主之; 煩躁甚者, 可另服牛黃丸一丸"라고 수록됐다. 그중, 葉氏의 방제는 黃連白芍湯으로 이름이 지어졌고, 牛黃淸心丸 역시 安宮牛黃丸으로 대체되었다. 萬全의 牛黃淸心丸과 吳瑭의 安宮牛黃丸에 대해, 葉桂의 의료실천은 선대의 유업을 계승 발전시킨데 중요한 작용을 했다고 말할 수 있다.

7. 伏暑 『吳鞠通醫案』卷1: 乙丑년 8월 22일, 靳모씨, 19세, 濕을 兼하지 않은 伏暑를 오진해서, 津液消亡, 熱不肯退, 唇裂舌燥해서 40여 일 동안 낫지 않고, 咳嗽膠痰, 譫語口渴했다. 우선 牛黃淸心丸을 복용하게 해서 淸包絡해서 搜伏邪하게 하고, 湯藥과 存陰退熱法을 함께 사용했다. 細生地 三錢, 麥門冬 五錢, 生扁豆 三錢, 生鱉甲 五錢, 沙蔘 三錢, 生甘草 一錢, 生牡蠣 五錢, 炒白芍 三錢을 넣고 달여서 3잔으로 졸이고 3회에 나누어서 복용하게 했다. 24일, 暑가 熱에 편중된 경우, 傷寒足經藥으로 잘못 치료하게 되면, 津液消亡에 이르게 된다. 전날 存陰法을 사용하고 芳香開絡한 가운데 閉伏之邪를 겸해서 이미 큰 효과를 보았다. 현재는 小便赤이 심하고 짧아서 熱은 비록 줄어들었으나 완전히 떨어지지 않아서 性味가 甘苦한 약물을 合化한 陰氣法을 사용해야 한다고 했다. 二甲複脈湯에 黃芩 三錢을 넣고, 만약 譫語 증상이 나타난다면, 牛黃丸을 계속해서 복용하게 했다. 26일, 전날 甘苦合化陰氣法으로 복용하게 한 후 凉汗을 많이 흘렸으나 지금은 열이 완전히 떨어지고, 脉減, 舌苔는 모두 사라졌지만, 六脉은 세게 눌러도 전혀 뛰지 않고, 舌은 여전히 干燥했다. 熱이 과해서 그 陰이 반드시 病例를 傷하게 했을 것으로 여기고, 二甲複脈湯에 鱉甲, 甘草를 重加했다.

考察: 暑邪深伏, 灼傷津液, 内陷包絡해서 發熱이 40일 동안 해소되지 않고, 口渴, 痰膠, 譫語, 舌燥했다. 따라서 본 방제로 "淸包絡而搜伏邪"하게 치료하고, 湯藥을 넣고 存陰退熱하게 한다. 약을 복용한 후에 熱減竅開하게 했고 마지막에는 二甲複脈湯을 넣고 효과를 보았다.

【参考文獻】

1) 楊翠玉, 金夢賢. 中藥治療急性腦血管病281例的探討. 天津醫藥. 1983;11(6):357-359.

安宮牛黃丸

(『溫病條辨』卷1)

【異名】 牛黃丸(『溫病條辨』卷1), 新訂牛黃淸心丸(『重訂通俗傷寒論』), 安宮丸(『全國中藥成藥處方集』吉林方).

【組成】 牛黃 一兩(30 g) 鬱金 一兩(30 g) 犀角 一兩(30 g) 黃連 一兩(30 g) 朱砂 一兩(30 g) 梅片 二錢五分(7.5 g) 麝香 二錢五分(7.5 g) 眞珠 五錢(15 g) 山梔 一兩(30 g) 雄黃 一兩(30 g) 黃芩 一兩(30 g)

【用法】 위의 약재를 곱게 갈고 꿀을 첨가해 一錢(3 g) 크기의 환으로 빚는다. 금박으로 옷을 입히고 밀랍으로 봉해서 매회 1개의 환을 복용한다. 병세가 심한 성인의 경우, 하루에 2회 복용하며, 증세가 심할 경우 3회 복용한다. 어린 아이의 경우 반쪽을 복용하고, 효

과가 없으면 다시 나머지 반쪽을 복용한다(현대용법: 1회 1개의 환을 복용한다. 3세 미만의 소아는 1/4환을 복용하고, 4~6세 소아는 1/2환을 복용하며, 하루 1~3회 복용한다. 의식불명으로 경구 복용이 어려운 한자의 경우 코를 통해 투약한다).

【效能】 淸熱解毒, 豁痰開竅.

【主治】 邪熱內陷心包證을 치료한다. 高熱煩躁, 神昏譫語하거나 昏憒不語, 口乾舌燥, 喉中痰鳴, 舌紅或絳, 脈數하고 中風神昏, 小兒驚厥하므로 邪熱內閉者에 해당한다.

【病機分析】 본 方劑의 病證은 溫熱之邪가 內陷心包하고 痰熱이 蒙蔽淸竅하다. 溫病의 邪熱이 熾盛하여 거꾸로 心包로 전달되면, 반드시 擾及神明하게 되어 心主失其淸靈之常하게 된다. 따라서 高熱煩躁하고 神昏譫語하거나 혹은 昏憒不語하게 된다. 里熱熾盛하고 灼津煉液成痰하게 되어 결국에는 口乾舌燥하고 喉中痰鳴한 증상을 보이게 된다. 張秉成이 이르길: "溫邪內陷之證, 必有黏膩穢濁之氣留戀于膈隔間"(『成方便讀』卷2)하므로 痰濁하면 上蒙淸竅하고 熱은 반드시 神昏을 악화시킨다. 中風에 痰熱神昏하고 小兒가 高熱驚厥한 증상 역시 熱閉證 해당한다.

【配伍分析】 본 방제는 熱邪內陷心包하고 痰熱蒙蔽心竅한 증상을 치료하기 위해 만들어진 방제이다.

『素問』「至眞要大論」의 "熱者寒之, 溫者淸之"와 "開之發之"의 원칙에 근거해 淸解心包熱毒한다. 芳香開竅를 위주로 치료하며 豁痰安神으로 보좌하므로 使熱毒淸, 竅閉開, 痰濁化, 心神寧하게 한다. 방제의 牛黃은 맛이 苦하고 凉한 성질을 띠고 있어 淸心,肝大熱에 뛰어나며, 淸熱解毒뿐만 아니라 豁痰開竅와息風定驚에 뛰어나서 하나의 약이 세가지 치료법을 겸하고 있다. 麝香芳香은 走竄하므로 十二經을 막힘없이 통하게 하며, 전신의 모든 竅를 통하게 하여 開竅하게 하는 要藥이다. 『本草綱目』卷51에서 이르길:"蓋麝香走竄, 能通諸竅之不利, 開經絡之壅遏, 若諸風, 諸氣, 諸血, 諸痛, 驚癎, 癥瘕諸病, 經絡壅閉, 孔竅不利者, 安得不用爲引導以開之, 通之耶."이라 하였다. 牛黃, 麝香 두 약재를 配伍하면 淸心開竅의 立方 목적을 구현할 수 있음으로 모두 君藥이 된다. 『素問』「至眞要大論」에서 이르길: "熱淫于內, 治以鹹寒."이라 하였으며 犀角은 性味가 鹹寒한 성질을 띠고 있으며 주로 營血로 흡수되며, 心, 肝, 胃와 같은 三經에 작용하여 火熱을 내리게 한다. 특히 淸心安神하고 凉血解毒의 효능이 있다; 黃連, 黃芩, 梔子는 苦寒한 성질을 띠고 있어 淸熱瀉火解毒 작용을 한다. 그중 黃連은 心火를 내리게 하고 黃芩은 膽, 肺之火를 내리게 하며 梔子는 心과 三焦 사이의 火를 내리게 한다. 모두 牛黃을 보조해 心包의 熱毒을 淸泄하여 치료하며 臣藥이 된다. 氷片은 性味가 辛散苦泄해서 芳香走竄, 善通諸竅, 兼散鬱火하고, 鬱金은 性味가 辛開苦降해서 芳香宣達, 行氣解鬱한다. 두 약재를 함께 配伍하고 麝香을 보조해서 芳香辟濁하고 通竅開閉하게 한다. 따라서 臣藥이 된다. 雄黃은 劫痰解毒하게 하며 牛黃을 보조해서 豁痰解毒하게 할 수 있다. 朱砂는 鎭心安神하고 淸心熱의 효능을 겸하고 있다. 珍珠는 心, 肝經의 熱을 내리는데 뛰어나고 특히 鎭驚墜痰에 능하다. 金箔은 鎭心安神의 작용을 한다. 이상의 약은 모두 佐藥이 된다. 蜂蜜는 和胃調中하고 使藥이 된다. 이상의 모든 약재를 함께 配伍해서 사용하면 淸熱解毒과 豁痰開竅의 작용을 하게된다.

본 방제의 配伍 특징은 그 목적이 寒凉淸熱解毒, 淸瀉心火하는 약물과 芳香開竅辟濁하는 약물을 함께 配伍해서 驅邪外出하고 "使邪火隨諸香一齊俱散也"(『溫病條辨』卷1)하는데 있다.

본 방제는 牛黃 등이 君藥이 되며 心包邪熱을 내리고 豁痰開竅에 뛰어나며 心으로 하여금 안전하게 心의 宮城에 자리잡도록 한다. 따라서 그 이름을 安宮牛黃丸이라고 부른다.

【類似方比較】 본 방제는 牛黃淸心丸과 함께 凉開劑에 해당하며 모두 淸心開竅의 작용을 한다. 熱陷心包한 神昏譫語, 小兒急驚 등의 증상에 사용할 수 있다. 하지만 본 방제는 牛黃淸心丸의 加味方이므로 犀角을 넣고 淸心凉血解毒하게 하고 麝香, 梅片을 넣고 芳香開竅하게 하고 眞珠, 金箔을 넣고 鎭心安神하게 하고 雄黃을 넣고 豁痰解毒하게 하였다. 따라서 淸熱解毒 및 芳香開竅의 효력이 모두 대대적으로 증대되어 溫熱之邪內陷心包, 痰熱蒙蔽淸竅의 증상을 동반한 중증에 주로 사용한다. 임상에서는 비상약으로 자주 사용한다. 반면 牛黃淸心丸의 淸心開竅의 효력은 약간 감소하기 때문에 熱閉神昏을 동반한 가벼운 증상에 사용하는 것이 알맞다. 임상에서 보통 비상약으로 사용하지 않는다.

【臨床應用】

1. 證治要點: 본 방제는 淸熱開竅 치료에 자주 사용하는 대표적인 방제로 神昏譫語, 高熱煩躁, 舌紅或絳, 脈數한 病證을 주요 치료 대상으로 한다.

2. 加減法: 『溫病條辨』原方의 말미에 이르길: "脈虛者, 人蔘湯送下; 脈實者, 銀花薄荷湯送下." 전자는 人蔘에서 補氣扶正해서 淸熱開竅를 돕는다. 하지만 脈虛하면 正不勝邪한 징후로 나타날 수 있으므로 증상의 변화를 빈틈없이 관찰해서 由閉轉脫하는 것을 막아야 한다. 후자는 銀花, 薄荷를 사용해서 淸熱解毒을 돕는다. 『溫病條辨』卷2에서 또한 이르길 "陽明溫病, 下之不通……邪閉心包, 神昏舌短, 內竅不通, 飮不解渴者"하면 "安宮牛黃丸二丸, 化開, 調生大黃末三錢, 先服一半, 不知再服"을 사용한다고 했다. 이는 곧 牛黃承氣湯은 淸熱通腑하고 芳香開竅하는 효능을 함께 가지고 있다는 것을 의미한다. 만약 환자가 喉中痰鳴, 痰涎壅盛한 증상을 보인다면 竹瀝水, 姜汁을 복용하게 하여 豁痰開竅의 작용을 강화할 수 있으며, 高熱, 驚厥의 증상이 비교적 심하다면 紫雪 등을 함께 配伍해서 淸熱解毒, 息風止痙의 작용을 증가시킬 수 있다.

3. 安宮牛黃丸은 다음 한국표준질병사인분류(KCD)에 해당하는 환자가 邪熱內陷心包證으로 辨證되는 경우 본 처방의 사용을 고려해볼 수 있다.

처방 목표	한국표준질병사인분류(KCD)
高熱	(질병명 특정곤란)
	R50 기타 및 원인미상의 열
昏迷	(질병명 특정곤란)
	R40.1 혼미
抽搐	(질병명 특정곤란)
	R25.2 경련 및 연축
流行性乙型腦炎	A83.0 일본뇌염
病毒性腦炎	A80~A89 중추신경계통의 바이러스감염
流行性腦脊髓膜炎	G02.0 달리 분류된 바이러스질환에서의 수막염
	G01 달리 분류된 세균성 질환에서의 수막염
	G00 달리 분류되지 않은 세균성 수막염
腦血管意外	I61 뇌내출혈
	I63 뇌경색증
	I64 출혈 또는 경색증으로 명시되지 않은 뇌졸중
顱腦損傷意識障碍	(질병명 특정곤란)
	S06.0 진탕
	S06.9 상세불명의 두개내손상
神經分裂症	F20 조현병
癲癎	G40 뇌전증
肺性腦病	(질병명 특정곤란)
	J98.1 폐허탈
	J40~J47 만성 하부호흡기질환
肝性腦病	K72 달리 분류되지 않은 간부전
新生兒缺血缺氧性腦病	P91.0 신생아뇌허혈
病毒性肝炎	B15~B19 바이러스간염
流行性出血熱	A92~A99 절지동물매개의 바이러스열 및 바이러스출혈열
鉤端螺旋體病	A27 렙토스피라병

처방 목표	한국표준질병사인분류(KCD)
傳染性單核細胞增多症	B27 감염성 단핵구증
急性一氧化碳中毒	T58 일산화탄소의 독성효과
酒精中毒	F10 알코올사용에 의한 정신 및 행동 장애
	Z72.1 알코올사용
	Y91 중독의 농도가 확인된 알코올 관여의 증거
農藥中毒	T60 유해생물방제제(농약)의 독성효과
藥物毒副作用	Y88.0 치료용 약물, 약제 및 생물학적 물질에 의한 부작용의 후유증
上呼吸道感染	J00~J06 급성 상기도감염
扁桃體炎	J03 급성 편도염
	J35.0 만성 편도염
肺炎	J09~J18 인플루엔자 및 폐렴
	J20~J22 기타 급성 하기도감염
	J18.9 상세불명의 폐렴
支氣管炎	J40 급성인지 만성인지 명시되지 않은 기관지염
哮喘	J45 천식
肝癌	C22.0 간세포암종
急性胰腺炎	K85 급성 췌장염
中毒性痢疾	A00~A09 장감염질환
急性腎炎	N00 급성 신염증후군
尿毒症	(질병명 특정곤란)
	N18.5 만성 신장병(5기)
	N19 상세불명의 신부전_요독증 NOS
白血病	C91 림프성 백혈병
	C92 골수성 백혈병
	C93 단핵구성 백혈병
	C94 명시된 세포형의 기타 백혈병
	C95 상세불명 세포형의 백혈병
敗血症	(질병명 특정곤란)
	A00~B99 I. 특정 감염성 및 기생충성 질환
	A41.9 상세불명의 패혈증
脂肪栓塞綜合征	T79.1 지방색전증(외상성)
	O88.8 기타 산과적 색전증
小兒夏季熱	T67 열 및 빛의 영향

처방 목표	한국표준질병사인분류(KCD)
川崎病	M30.3 점막피부림프절증후군[가와사키]
鼻竇炎	J01 급성 부비동염
	J32 만성 부비동염
中耳炎	H65 비화농성 중이염
	H66 화농성 및 상세불명의 중이염
	H67 달리 분류된 질환에서의 중이염

【注意事項】

1. 본 방제는 熱閉證을 치료하기 위한 방제이며 寒閉證 및 脫證에는 사용을 금지한다.

2. 본 방제는 香竄, 寒凉 및 독성이 있는 약물을 포함한다. 따라서 병에 들어 맞으면 곧 복용을 멈춘다. 과하게 많은 양을 복용하거나 장기간 복용해서는 안 된다.

3. 임산부에게는 신중하게 사용한다.

【變遷史】 본 방제의 출처는 淸·吳瑭『溫病條辨』卷1이다. 券1 제 16條에서 말하길: "太陰溫病, 不可發汗, 發汗而汗不出者, 必發斑疹, 汗出過多者, 必神昏譫語. 發斑者, 化斑湯主之; 發疹者, 銀翹散去豆豉, 加細生地, 丹皮, 大青葉, 倍元參主之. 禁升麻, 柴胡, 當歸, 防風, 羌活, 白芷, 葛根, 三春柳. 神昏譫語者, 淸宮湯主之, 牛黃丸, 紫雪丹, 局方至寶丹亦主之." 吳氏는 본 책의 上焦篇, 中焦篇의 和解兒難에서 安宮牛黃丸의 證治에 대해 거듭해서 서술하고 있다. 安宮牛黃丸을 아래와 같은 증상에 사용한다: 太陰溫病, 發斑疹, 神昏譫語; 邪入心包, 舌謇肢厥; 溫毒에 의한 神昏譫語; 手厥陰에 暑溫이 생기고, 身熱하고 惡寒하지 않으며, 精神了了하지 않고, 자주 譫語한다. 心虐, 熱多昏狂, 譫語煩渴, 舌赤中黃, 脈弱而數, 兼穢, 舌濁, 口氣重; 陽明溫病, 下痢譫語, 陽明脈不實; 陽明溫病, 斑疹, 溫痘, 溫瘡, 溫毒, 發黃, 神昏譫語; 吸受穢濕, 三焦分布, 熱蒸頭脹, 身痛呕逆, 小便不通, 神識昏迷, 舌白, 渴不多飮; 小兒風溫痙, 神昏譫語; 小兒暑痙, 神昏, 및 飛尸卒

厥, 五癎中惡, 성인이나 소아가 痙厥하는 원인이 熱에 의한 경우, 모두 溫病痰熱에 의한 것이고 竅閉神昏하게 된다. 본 방제는 明·萬全『痘疹世醫心法』의 牛黃淸心丸을 기초로 하고 加味해서 만든 것으로 淸熱解毒, 豁痰開竅, 鎭心安神의 효력이 크게 증대 되었으며, 吳瑭은 본 방제에서 주로 葉桂가 牛黃淸心丸 등의 方藥을 사용한 임상경험을 본보기로 삼았다고 주장했다.

본 방제는 후세에 근대 의학자의 큰 추앙을 받았으며 "溫病三寶"의 선두로서 凉開의 대표적인 방제로 받들어졌다. 당시 본 방제의 임상, 실험과 劑型 개혁 등의 모든 방면에서 대대적인 작업이 이루어졌다. 본 방제의 주요한 개선 내용은 아래와 같다: ① 새로운 劑型을 연구개발하였다. 응급 처치의 필요에 적응하기 위해서 투약 방법에 변화를 주었다. 예를 들면 安宮牛黃注射液, 新安宮牛黃針, 淸開靈Ⅱ(滴鼻液), 安宮牛黃栓 등은 모두 본 유형에 해당한다. ② 방제에서 일부 없거나, 귀한 약물의 대용품을 찾았다. 예를 들면 인공 완제품을 사용하거나 淸開靈號(牛膽酸, 猪膽酸, 水牛角, 珍珠母, 黃芩素, 金銀花提取物, 梔子, 板藍根 등), 抗熱安宮丸(人工牛黃, 麝香, 水牛角紛, 珍珠), 淸熱醒腦靈(水牛角, 赭石, 梔子, 膽汁, 黃連, 鬱金)등과 같은 약재의 대체 추출물을 사용한다. 모두 본 유형에 해당한다. ③ 金箔, 麝香 등의 귀한 약재를 빼거나 조금 줄인다. 예를 들면 新安宮牛黃丸(黃芩, 黃連, 辰砂, 雄黃, 鬱金, 山梔, 石決明, 牛角, 氷片, 蘇合香, 猪膽汁), 安宮牛黃片(牛黃, 黃連, 黃芩, 水牛角粉, 朱砂) 등이 이에 해당한다. 이밖에도 1977년 이후『中國藥典』의 모든 판본에서 이미 安宮牛黃丸에 더 이상 金箔을 넣지 않으며 또한 水牛角濃縮粉으로 犀角을 대체한다고 기록하고 있다. ④ 雄黃, 朱砂 등의 독성이 있는 약재는 뺀다. 예를 들면 抗熱牛黃散(牛黃, 珍珠, 麝香, 鬱金, 梔子, 黃芩, 黃連, 廣廣角), 淸開靈 등은 모두 본 유형에 해당한다. 위의 약재들의 효능, 적응증은 安宮牛黃丸의 原方과 유사하며 일반적으로 사용하기 편리하고 치료 효과도 뚜렷하다. 하지만 일부의 작용은 여전히 향상되어야 한다. 예를 들면 동물 실험 결과에 따르면: 犀角을 廣角으로 대체한 이후에 그 鎭靜과 抗炎작용의 일부 지표가 原方보다 떨어진다($P<0.001$).[1)]

【難題解設】

1. "安宮"이라는 方名의 내포된 의미에 대해서: 安宮牛黃丸은 그 작용과 君藥을 근거해서 이름지은 것이다. 일반적으로 "宮"은 원래 帝王의 거처를 가리킨다. 이곳에서는 心의 包膜을 가리킨다. 즉 心包가 心의 宮城이 되는 것이다. 心은 君主의 官이 되고 溫熱之邪가 內陷하고 心에 침범했을 때 心包가 心을 대신해서 邪氣의 침범을 받게 된다.『靈樞』「邪客」에서 말하길: "諸邪之在于心者, 皆在心之包絡."라고 하였다. 본 방제는 內陷心包한 熱邪를 내리는데 뛰어나다. 熱邪得淸하면 心神方이 心의 宮城에 편안하게 자리잡을 수 있게 된다. 따라서 그 이름을 "安宮"이라고 부른다. 하지만『溫病條辨』에서 본 방제 이전의 淸宮湯에 대해 吳瑭이 직접 해석하길: "謂之淸宮者, 以膻中爲心之宮城也."라고 했다. 이는 곧『靈樞』「脹論」에서 말하는: "膻中者, 心主之宮城也."이다. 이에 근거해 吳氏의 본래 뜻을 추론해보면, 宮에 安居하는 것은 膻中에 安居하는 것이라는 것을 알 수 있다. 吳氏는 膻中는 또한 心包와 밀접한 관계가 있다고 했다. 예를 들면『吳鞠通醫案』卷1 冬溫案中에서 吳氏가 말하길: "邪在心包, 宜急急速開膻中."하고,『醫宗金鑑』卷82에서 이르길: "心包, 藏居膈上, 經始胸中, 正値膻中之所."하다고 했다. 이와 같은 해석으로 吳氏가 서술한 바가 확실히 이해된다: 心包는 心의 外圍이며 膻中에 위치한다. 溫熱之邪가 心包로 內陷하면 마땅히 急開膻中하고 開門驅盜하여 邪氣가 배출될 수 있는 길을 제공하여 邪氣가 최고의 경지에 이르는 것을 막아야 한다. 본 방제는 淸熱解毒과 芳香開竅를 함께 配伍해서 心宮을 편안하게 한다.

2. 본 方劑의 病證과 葉桂의 주장과의 淵源관계에 대해: 安宮牛黃丸은 萬氏牛黃淸心丸의 加味方이다. 吳瑭은 본 方劑의 病證은 葉桂에게서 영감을 얻는 것이라고 설명하고 있다. 즉 葉氏의 牛黃淸心丸을 응용한 경험을 바탕으로 총정리했다고 볼 수 있다. 예를 들

면『臨證指南醫案』卷5에서 기록하길: "某, 吸受穢邪, 募原先病, 呕逆, 邪氣分布, 營衛皆受, 遂熱蒸頭脹, 身痛經旬, 神識昏迷, 小水不通, 上, 中, 下三焦交病, 舌白, 渴不多飲, 是氣分窒塞, 當以芳香通神, 淡滲宣竅, 俾穢濕濁氣, 由此可以分消. 苡仁, 茯苓皮, 猪苓, 大腹皮, 通草, 淡竹葉, 牛黃丸二丸."라고 했다. 吳瑭은『溫病條辨·上焦篇』제 56條에서 위의 醫案의 牛黃清心丸을 安宮牛黃丸으로 바꿔 사용하였으며 葉桂方을 茯苓皮湯이라고 이름 붙였다. 吳氏가 말하길: "吸受穢濕, 三焦分布, 熱蒸頭脹, 身痛呕逆, 小便不通, 神識昏迷, 舌白, 渴不多飲, 先宜芳香通神利竅, 安宮牛黃丸; 繼用淡滲分消濁濕, 茯苓皮湯."이라 하였고,『臨證指南醫案』卷6에서 또한 기록하길: "柳, 暑濕都傷氣分, 不渴多呕, 寒起四肢, 熱聚心胸, 乃太陰虐也. 仍宜苦辛, 或佐宣解里熱之鬱. 川連, 黃芩, 炒半夏, 枳實, 白芍, 姜汁; 煩躁甚, 另用牛黃丸一丸."이라고 했다. 이는 곧『溫病條辨·中焦篇』제 79條所本, 그중 牛黃淸心丸을 安宮牛黃丸으로 바꿔 썼으며 葉桂의 방제에는 黃連白芍湯으로 불렸다. 吳氏가 말하길: "太陰脾虐, 寒起四末, 不渴多呕, 熱聚心胸, 黃連白芍湯主之; 煩躁甚者, 可另服牛黃丸一丸."이라 하였으며, 이는 吳瑭의 安宮牛黃丸과 그 치료법이 葉桂가 牛黃淸心丸을 응용한 임상 경험을 참고했으며 또한 자신의 경험과 결합해서 발전과 창조를 거듭해온 것이라는 것을 알 수 있다.

3. 본 방제의 君藥에 대해: 어떤 약이 방제에서 君藥이 되는지에 대해 많은 의학자가 서로 다른 견해를 보이고 있다.『中醫治法與方劑』에는 牛黃이 君藥이 된다.『方劑學』(李飛主編),『方劑學』(劉持年主編)에는 牛黃과 麝香이 君藥이 된다.『方劑學』(統編 4판 教材),『中醫方劑通釋』,『溫病學方論與臨床』에서는 모두 牛黃, 犀角, 麝香이 君藥이 된다. 위의 방제 조사에 따라 牛黃은 清熱解毒, 息風定驚, 豁痰開竅의 효능을 띠고 있어 마땅히 君藥이 되며, 이에 대해 많은 의학자들은 모두 이견이 없다. 犀角은 淸心驚血解毒의 효능이 뚜렷하지만, 吳瑭의 설명에 따르면 "犀角主治百毒, 邪鬼瘴氣"(『溫病條辨』卷1)한다고 했다. 즉 解毒辟穢의 치료 효과가 있고, 珍珠와 함께 配伍해서 補水救火의 효능을 띠므로 君藥이 되기 어렵다. 麝香은 芳香走竄하여 開竅의 치료 효과가 있으므로 要藥이 되며 牛黃과 配伍하면 淸心開竅의 치료 효과를 띠게 된다. 이는 바로 본 방제를 만든 목적을 구현한 것이라고 볼 수 있다. 따라서 牛黃, 麝香을 君藥으로 보는 것이 더욱 타당하다.

4. 본 방제의 適應證에 대해: 본 방제는 熱邪内陷心包하고 痰熱蒙蔽心竅에 의한 高熱, 神昏, 中風, 痙厥에 주로 사용한다.『溫病條辨』原方의 後에서 또한 말하길: "兼治飛尸卒厥, 五癇中惡, 大人小兒痙厥之因于熱者."한다고 했다.『證治準繩』「雜病」卷1 편에서 말하길: "中惡之證, 因冒犯不正之氣, 忽然手足逆冷, 肌膚粟起, 頭面青黑, 精神不守, 或錯言妄語, 牙緊口噤, 或頭旋暈倒, 昏不知人, 即此是卒厥, 客忤, 飛尸, 鬼擊, 吊死問喪, 入廟登冢, 多有此病."한다고 했다. 五癇은 다섯가지 癎證을 말한다. 이상의 몇 가지 증상의 공통적인 특징은 갑자기 발병하고 錯言妄語를 하거나 昏不知人 등의 精神증상이다. 그중의 "因于熱者"은 바로 본 방제의 適應證이다. 후세 의학자들이 위의 주장에 영향을 받아 본 방제를 痰熱蒙蔽心竅의 증상을 띄는 癎狂 치료에 사용한다.

5. 본 방제의 사용 시기에 대해: 본 방제는 熱邪内陷心包하고 痰熱蒙蔽心竅에 의한 神昏譫語에 사용한다. 神昏은 질병이 위급한 단계까지 발전했을 때 나타나는 일종의 病理反應이며, 정도의 차이는 있다. 한의학에는 명확하게 그 輕重을 판별할 수 있는 기준이 없으며, 다만 사용된 용어의 의미를 통해서 대략적인 輕重을 구분할 수 있다. 輕한 것은 神識朦朧, 時淸時昧한 것을 말하고, 重한 것은 神昏, 不省人事, 呼之不應 등을 말한다. 당시 임상에서 본 방제를 사용할 때, 보통 神昏譫語한 증상을 치료하는데만 제한되지 않았다. 예를 들면 한 의학자가 "安宮牛黃丸不僅對有神昏者可用, 而且對有神昏先兆者更應早用, 只要病情需要豁痰清熱開竅即可投入"하다고 했다.[2] 또한 다른 의학자는 "當患者意識障碍處于5~6度時, 用藥後意識好轉最

快. 即患者處于嗜睡狀態, 此時用藥效果最顯著. ……但意識障碍達7度以上和腦疝形成的患者, 應應用安宮牛黃丸無1例有效, 設明安宮牛黃丸對大腦皮質處于完全抑制狀態的, 療效不佳”[3])라고 했다. 따라서 본 방제는 竅閉神昏의 초기 증상에 바로 사용할 수 있다.

【醫案】

1. 暑溫『吳鞠通醫案』卷1: 임술년 6월 29일, 감 모씨, 24세, 暑溫邪傳心包해서 譫語神昏한 증상을 띠고 오른쪽 맥이 洪大數實하고 분명치 않으며 상태가 매우 위험했다. 連翹 六錢, 生石膏 一兩, 麥門冬 六錢, 銀花 八錢, 細生地 六錢, 知母 五錢, 元參 六錢, 生甘草 三錢, 竹葉 三錢을 함께 配伍해서 3그릇 양으로 물을 넣고 졸인 후 3번에 나누어 복용했다. 牛黃丸 二丸, 紫雪丹 三錢은 따로 복용했다.

考察: 吳瑭이 말하길: “手厥陰暑溫, 身熱不惡寒, 精神不了了, 時時譫語者, 安宮牛黃丸主之, 紫雪丹亦主之”(『溫病條辨』卷1)라고 했다. 본 醫案은 바로 이에 해당한다.

2. 溫疫昏厥『重印全國名醫驗案類編』下集: 관 모씨, 50세. 신유년 8월 감염되었으며, 이전 의학자가 여러 차례 치료했으나 효과가 없었다. 감염 초기에 惡寒頭痛하고 四肢酸痛한 증상을 보였으며 수차례의 잘못된 치료로 결국에는 舌脹滿口, 不能言語, 昏不識人, 呼之不應, 小便自遺, 便閉旬餘, 大小腹脹, 按之板硬, 六脉洪大하고 齒垢이 乾漆같이 자색을 띄었으며 脉과 症을 합하여 참조하게 되었다. 이는 심각한 溫疫昏厥이라고 볼 수 있다. 의학자가 발병 원인을 알지 못해 수차례 진단을 번복했고, 液을 많이 소모해서 溫補藥을 다량 복용하게 하였지만, 그 후에 더욱더 그 火를 도와서 火熾液傷, 上蒸心腦, 下烁腸胃하게 되어 환자의 증상은 악화되었다. 치료시 반드시 탕약과 환약을 함께 복용하게 해야 한다. 生石膏八錢(곱게 분말로 간다), 眞犀角四錢, 小黃連四錢, 黃芩四錢, 靑連翹三錢, 玄參一兩, 鮮生地一兩, 知母八錢, 丹皮三錢, 焦梔子三錢, 生綠豆二兩, 鮮竹葉葉五錢을 함께 配伍해서 糖衣丸으로 만들어 우선 5알 복용하고 이어서 바로 蓖麻油一兩을 복용하게 했다. 복용 후 조금 있다가 대변이 자연스럽게 나오고 위아랫배가 모두 부드러워졌다. 頭煎한 湯藥 2첩과 安宮牛黃丸을 2알 복용하게 했다. 두 번째 진료: 六脉은 조화롭지만 약간 세게 뛰었다. 齒垢은 모두 깨끗해졌지만 舌은 여전히 건조했다. 말을 할 수 있고, 昏譫未净한 것 이외에도 餘熱未淸한 증상을 보여서 原方에서 그 용량을 줄이고 다시 2회 복용하게 했다. 복용 중간에 安宮牛黃丸 1알을 湯藥과 함께 복용하게 했다. 세 번째 진료: 六脉은 조화롭고 舌苔는 없어졌으나 혀가 조금 건조했고 가끔씩 錯語 증세를 보여서 增液湯의 의도를 모방해서, 별도로 탕약 2첩을 연속으로 복용하게 하고, 복용 중간에 萬氏牛黃丸 1알을 탕약과 함께 복용하게 했다. 8일 후 일어설 수 있고 旬餘胃健하여 증상이 치유되었다.

3. 秋瘟痙厥『重印全國名醫驗案類編』下集: 장 모씨, 올 해 60세. 계해년 8월, 날씨가 매우 덥고 秋瘟 전염병이 유행할 때 감염되었다. 감염 초기에는 증상으로 나타나지 않았으나 9월 중순이 되어서 발병했다. 초기에는 惡寒頭痛, 周身拘攣, 項脊俱强, 陡變痙厥, 牙關緊閉, 六脉沉細而數, 舌紫赤, 脉症合參과 같은 秋瘟痙症으로 나타났다. 乘入陽明해서 絡하면 口緊하고, 走入太陽해서 經하면 拘攣하며, 外竄筋脉하면 成痙하고, 上蒸心包하면 爲厥하게 된다. 이는 곧『內經』에서 소위 말하는 “血之與氣, 并走于上, 則爲大厥”이다. 그 前後心, 兩脇 및 위아래 배를 관찰해 보니 작은 홍반이 흐릿하게 보여서 毫針으로 7~8개 침을 놓았더니 噤開能言했고, 다시 7~8개의 침을 놓았더니 전신이 움직여 통증을 느끼고, 大叫拒挑, 계속해서 神迷復厥했다. 그래서 湯藥과 丸藥을 함께 복용하게 한 후 安宮牛黃丸이 心包를 통해서 淸神하게 하고, 淸瘟敗毒飮에서 넣고 빼서 伏火를 透해서 疫毒을 몰아낸다. 黑犀角 三錢, 小黃連 四錢, 靑子芩 三錢, 靑連翹 三錢, 元參 三錢, 生石膏 一兩(고운 가루로 간다), 細生地 一兩, 粉丹皮 二錢, 焦山梔 三錢, 赤芍 二錢, 鮮大靑 五錢, 肥知母 四錢, 鮮

竹葉 四十片, 鮮石菖蒲 一錢(剪碎, 搓熟, 生衝), 安宮牛黃丸 二顆(2회분으로 나누어서 湯藥으로 조제한다), 1첩 복용 후 증상이 가벼워졌다. 이튿날 재진 당시 脈洪大했고, 혼자말로 一氣가 정해놓고 흐르는 것이 아니라서, 옆구리로 가면 옆구리가 아프고 허리로 가면 허리가 아프고, 발가락으로 가면 통증 때문에 아파서 굽혔다 폈다를 하지 못하고, 腎囊에 이르렀을 때는 아파서 참지 못한다고 했다. 清熱養陰, 通絡熄風의 작용을 하는 방제로 며칠 동안 조리한 후 편안해졌다.

考察: 이상의 두 醫案 모두 瘟疫 증상에 해당한다. 氣血兩燔하고 熱陷心包하며 神昏痙厥한 증상을 나타내기 때문에 모두 安宮牛黃丸과 清瘟敗毒飮을 함께 복용하게 한 후 치료 효과를 얻었다. 앞의 醫案은 西法通腑을 함께 사용하였고 그 목적은 釜底抽薪하는데 있다. 뒤의 醫案은 針挑外治를 함께 사용하였고, 그 목적은 放血泄毒하는 데 있다.

4. 農藥中毒高熱『浙江中醫雜志』(1985, 8:376): 남자, 68세, 1983년 7월 20일 입원. 환자는 가정 분란으로 유기인 농약 1605를 약 20~30 mL 정도 마셨다. 곧바로 병원 응급차에 후송되어 입원했을 당시 神昏, 口吐白沫沫, 口唇青紫, 呼吸淺短, 大小便失禁, 雙側瞳孔이 바늘 끝 크기만큼 줄어들었고 빛에 대한 반사 반응이 사라졌다. 角膜의 반사 반응은 느렸고, 두 肺가 滿布의 모양을 띠고 濕性囉音이 들리며, 心率은 54회/분이고, 心音이 비교적 약했으며, 혈압은 90/60 mmHg이었다. 위를 세척하고, 정맥 주사 阿托品(atropine), 解磷定 등의 주사와 같은 일반적인 응급 처치를 한 다음날 10시가 되어서 중독 증상이 다소 완화되었으나, 11시에 갑자기 고열이 올라 겨드랑이 체온을 쟀을 때 열이 40℃까지 올랐다. 혈액검사에서 中性粒細胞가 78%로 조금 높은 것을 제외하고는 특별한 증상이 없었다. 復方氨基比林(aminophenazone) 2 mL를 근육에 주사하고 나서 1시간이 지나서 체온을 쟀을 때 아직 떨어지지 않아서; 다시 위의 약을 사용하고 덱사메타손(dexamethasone) 10 mL 정맥주사를 처방하였는데도 여전히 유의한 효과가 나타나지 않았다. 또한 앞의 두 가지 약에 氨基比林양을 4 mL로 증량해서 주사하고 액상의 安乃近(suLpyrine)을 추가해서 코에 몇 방울 떨어뜨렸다. 셋째날 오전 8시가 됐을 때 겨드랑이 체온이 41.5℃까지 올라서 한약 치료를 했다. 高熱, 神昏, 痰壅 때문에 清營解毒, 開竅豁痰의 작용을 하는 安宮牛黃丸을 오후 1시에 코를 통해 1알 넣어 주었으며 4시가 되서는 겨드랑이 체온이 39℃까지 내려갔다. 5시에 또 1알을 코를 통해 넣어 주었고 9시가 되어서 37℃까지 체온이 내려가고 열이 기본적으로 완전이 떨어졌다. 동시에 현대의학의 해독 치료를 함께 유지했더니 10일 후 치유해서 퇴원했다. 6개월 후 방문조사 당시 아무런 불편감도 없었다.

考察: 환자는 농약 중독으로, 고열을 여러 차례 치료해도 열이 내리지 않아서 安宮牛黃丸을 사용한 후에 열이 내리고 가라앉았다. 이를 통해 安宮牛黃丸이 解毒清熱의 작용을 한다는 것을 알 수 있다.

5. 精神分裂症『新中醫』(1988, 2:42): 여자, 고3 학생, 1985년 6월 21일 초진. 환자는 1985년 3월 18일부터 치통이 있었고 3월 20일까지도 치유되지 않았다. 당일 오전 뇌수막염 백신을 접종하고 나서 오후 2시에 지속적인 두통과 煩躁不安 증상이 나타났다. 다음날 두통은 참기 어려운 정도고 초조함이 심해져서 울고불고 하더니 갑자기 四肢抽搐하고 계속해서 두 팔이 강직해졌다. 한 병원에서 니트라제팜(nitrazepam), 글루콘산칼슘(caLcium gLuconate)을 제공한 후 抽搐가 완화되었으나 頭痛이 멈추지 않고 氣短하고 手足麻木한 증상이 나타났다. 3월 23일부터 胸背에 둥근 紅斑이 나타났다가 4일 후 사라졌다. 발병 후부터 온몸이 懋悶하여 참을 수 없었으며 胃에 열이 나고 찬 음료 마시는 것을 즐겼으며 하루에 막대 아이스크림을 34개나 먹은 적도 있다. 3월 29일 병세가 더욱 심해져서 哭鬧狂言하고 毁物奔走했다. 4월 6일 시내의 한 병원 신경내과에서 진료를 받았으며 신경계통 검사에서 병리적인 변화가 나타나지 않았다. 혈액, 소변, 대변과 간신기능, 적혈구침강속도 모두 정상적인 범위 안에 들었으며 胸透, 心電圖,

肝掃描, 腦電圖, 頭顱CT 모두 비정상적인 결과가 발견되지 않았다. 腦血流圖 보고에 따르면: 腦血管이 확장되었다. 시립 정신병원에서 流腦疫苗에 의한 정신분열증으로 진단내리고, 양약으로는 對證治療를 하고, 鎭靜安神의 효능이 있는 開竅劑로 한약 치료를 하였으나 모두 효과가 없다고 했다. 환자는 4월 5일 이후부터 狂笑와 幻視 증상이 나타나기 시작했다. 발병 후 60일동안 매일 길거리에서 이리저리 뛰어다녔다. 당시의 진단: 面紅目赤, 形瘦唇紅, 惡熱喜驚, 煩躁, 頭脹痛, 奔走不安, 舌紅苔黃했다.『經』에서 이르길 "重陽則狂", "諸躁狂越, 皆屬于火"라고 했다. 본 증상은 火毒陽邪에 의한 擾亂神明에 해당하기 때문에 淸心解毒, 化濁開竅하게 치료해서 鎭痙醒神重劑인 安宮牛黃丸을 매일 1회, 매회 1알씩 복용하게 했다. 5일 동안 복용한 후 두통이 사라졌고, 6일째 되는 날 증상이 대부분 줄어들었으며 7일째 되는 날 神志淸醒하게 되고 책도 보고 숙제도 할 수 있었으며, 식사도 만들고 집안일도 돌볼 수 있게 되었다. 집에서 며칠 쉬고 나서 학교로 돌아가서 수업을 다시 들었고, 대학교에 합격했다.

考察: 본 醫案은 유행성 뇌막염 백신에 의한 藥源性 정신분열증이다. 임상에서 자주 볼 수 없으며 본 증상은 痰火擾心에 해당한다. 따라서 본 방제를 응용해서 淸熱豁痰開竅하게 한다. 치료 경험이 있는 환자가 다시 본 방제를 사용해서 치료한 경우는 1례이며 치료를 받고 나서 4일 후 치유했다.

6. 流行性出血熱『中成藥』(1993, 6:44): 남자, 24세. 高熱 및 기타 증상 때문에 流行性出血熱로 진단받았다. 체온이 확진 6시간 후에 조금씩 올라 41.5℃에 이르렀고, 이밖의 다른 원인 때문에 危重型으로 진단받았다. 세팔로스포린(cephaLosporin)V와 液體糖鉀, 鈉靜滴를 투약한 다음에 다시 丹参 주사액, 비타민C 등을 배합해서 能量靜脈滴注를 투여하였으나, 체온은 통제되지 않고 계속해서 臨界溫度까지 상승해서 임상 증상이 위험해졌다. 이상의 약재가 효과가 없어서 安宮牛黃丸 2알을 투약하고, 병세를 자세히 3시간 동안 관찰하니 체온이 통제되고 떨어지기 시작했다. 2시간 후 1알을 더 복용하게 하고 나서 다음날 오전에 체온이 정상으로 회복되고 위험한 상태에서 벗어났다. 계속해서 수액치료와 安宮牛黃丸을 매일 2번 1알씩 복용하게 했다. 2일 후 牛黃淸心丸과 淸瘟銀翹湯으로 바꾼 후 환자의 체온이 정상을 유지했으며, 체온은 다시 오르지 않았을 뿐만 아니라, 또한 원래 예측했던 질병의 경과중의 各 시기별 증상이 모두 뚜렷하게 나타나지 않았다. 신중을 기하기 위해, 또한 해당 지역 방역 당국을 통해 진단에 착오가 없음을 확인했다. 2주간 지켜보면서 서서히 치유했다.

考察: 安宮牛黃丸이 流行性出血熱을 치료한다는 보고는 거의 없다. 본 醫案은 출혈방열기(出血發熱期)에서 저혈압쇼크기(低血壓休克期), 소뇨기(少尿期), 다뇨기(多尿期)를 거쳐 치유에 이르기까지 安宮牛黃丸이 매우 중요한 작용을 한다.

【參考文獻】

1) 劉啓泰, 安宮牛黃丸專題組. 兩種安宮牛黃丸藥理作用的研究. 中成藥研究. 1982;(5):23-26.
2) 陳家俊, 金源, 吳丹紅. 安宮牛黃丸配合西藥治療肝癌并發肝昏迷. 浙江中醫雜志. 1990:25(1):13.
3) 王永恒. 安宮牛黃丸在顱腦損傷中對意識障碍恢復的療效觀察. 中西醫結合雜志. 1989:9(12):726-727.

紫雪

(蘇恭方, 錄自『外臺秘要』卷18)

【異名】 紫雪丹『成方便讀』卷3), 紫雪散(『全國中藥成藥處方集』天津方).

【組成】 黃金 一百兩(3.1 kg) 寒水石 三斤(1.5 kg) 石膏 三斤(1.5 kg) 磁石 三斤(1.5 kg) 滑石 三斤(1.5 kg)

玄參 一斤(500 g) 羚羊角 屑 五兩(150 g) 犀角 屑 五兩(150 g) 升麻 一升(250 g) 沉香 五兩(150 g) 丁香 一兩(30 g) 青木香 五兩(150 g) 甘草 炙 八兩(240 g)

【用法】 위의 十三味의 약재를 물 一斛로 달인다. 우선 味의 金石藥을 물로 달인 후 四斗로 달이고 찌꺼기를 제거하고 나서 나머지 味의 약재를 넣고 다시 一斗五升으로 물로 달여서 찌꺼기를 제거한다. 硝石 四升(2 kg), 또는 芒硝를 사용할 수 있으며, 朴硝를 사용해서 정제해서 十斤(5 kg)을 汁에 넣고 약한 불에 올려서 버드나무가지(柳木篦)로 쉬지 않고 저어준다. 七升을 나무 양分에 넣고 반나절 동안 묵처럼 만들어서 안에 분쇄한 朱砂三兩(90 g)과 곱게 간 麝香 五分(1.5 g)을 넣고 섞어준 다음 2일 동안 식히면 霜雪紫色이 된다. 환자가 건장한 경우 1회에 二分(0.6 g)을 복용하게 해서 利熱毒하게 하고, 노약자나 熱毒이 微한 환자는 1회에 一分(0.3 g)을 복용하게 해서, 뜻하는 바에 맞게 양을 조절해서, 합하면 1첩이 된다(현대용법: 경구 복용. 매회 1.5~3 g을 매일 2회 복용한다. 만 1살 소아는 매번 0.3 g을 섭취하고 1살씩 증가할 때마다 0.3 g씩 추가하며 매일 1회 복용한다. 5살 이상의 소아는 의학자의 지침에 따르며, 상황에 따라 복용량을 조절할 수 있다).

【效能】 清熱開竅, 鎮痙息風.

【主治】 溫熱病은 熱邪內陷心包하고 熱盛動風하여 나타나는 증상이다. 高熱煩躁, 神昏譫語, 痙厥, 口渴引飮, 唇焦齒燥, 尿赤便秘, 舌質紅絳苔干黃, 脉弦數有力하고 小兒는 熱盛痙厥하게 된다.

【病機分析】 본 방제의 치료 병증은 高熱, 神昏, 痙厥 등의 증상이 溫熱之邪가 心包 안으로 침범하거나 熱盛動風하여 발생하는 것이다. 心은 神明을 주관하고, 君主의 官이 된다. 만약 溫熱毒邪, 不經汗解, 直陷心包, 侵擾心神하게 되면 결국에는 神志異常한 상태에 이르게 된다. 그 증상이 가벼운 환자는 煩躁不安하고 嗜睡譫語를 하며, 그 증상이 심한 환자는 意識喪失, 呼之不應하고, 邪熱熾盛, 充斥內外하여 高熱 증상을 띄게 되고, 熱盛傷津하면 口渴唇焦하고 尿赤便秘한 증상이 나타나게 된다. 肝은 風木之臟으로 熱盛引動肝風, 風火相煽하면 痙厥하게 된다. 소아 熱盛痙厥는 急驚風에 해당하며, 또한 邪熱化火, 內陷心包하며 引動肝風에 의해 나타나는 것이다.

【配伍分析】 본 방제는 溫熱之邪熾盛, 內陷心包, 引動肝風한 증상을 치료하기 위해 만들어 진 것이다. 『素問』「至眞要大論」 편에서 이야기한 "熱者寒之, 溫者清之", "驚者平之"와 "開之發之"의 치료원칙에 근거해 清熱開竅하고 鎮痙息風한 증상의 治法이 된다. 방제에서 犀角은 性味가 鹹寒하고 心, 肝二經으로 들어간다. 入營入血해서 주로 心, 肝二經의 火熱을 清한다. 또한 그 냄새가 清香하고, 寒而不遏하여 包絡의 邪熱을 內透하는데 뛰어나다. 羚羊角은 性味가 鹹寒하고, 이 또한 心, 肝二經으로 들어가서 凉肝息風의 효능을 띄는 要藥이 된다. 麝香芳香은 開心竅해서 神昏蘇醒하게 한다. 三藥을 함께 配伍하면 清熱開竅息風의 효능을 띄게 되므로 모두 君藥이 된다. 生石膏는 맛이 辛甘하고 성질이 大寒하며 清熱瀉火, 除煩止渴하며 氣分의 火熱을 清하는데 뛰어나므로 清氣分火熱의 要藥이 된다. 寒水石은 맛이 鹹辛하고 성질이 大寒하며 이 또한 清熱清熱瀉火하고 除煩止渴의 효능이 있다. 滑石은 맛이 甘淡하고 성질이 寒하다. 清熱利竅하고 引熱下行하는데 뛰어나고 邪氣를 小便을 통해 해소하도록 한다. 三石을 함께 사용하면 清泄氣熱의 효능을 갖게 되어 방제에서 臣藥이 된다. 玄參은 性味가 甘苦鹹寒하고 滋陰清熱凉血의 효능이 있다. 升麻는 맛이 甘辛하고 성질이 약간 寒해서 清熱解毒하고 透熱達邪의 효능이 있어 이 또한 臣藥이 된다. 위에서 말한 五味는 모두 甘寒, 鹹寒한 맛이 있는 약물이다. 清熱瀉火의 방법으로 透熱達邪하게 할 뿐만 아니라 導熱下行하여 치료할 수 있다. 犀角, 羚羊角 등을 보조해서 火熱에 의한 病因을 清泄하고, 生津護液의 작용을 겸한다. 또한 化燥傷陰의 염려가 없어서 본 증상 치료에 매우 적합하다. 青木香, 沉香, 丁香 三藥은 性味가 辛溫芳香하고 行

氣宣通의 작용을 하며, 麝香의 開竅醒神의 작용을 돕는다. 朱砂, 磁石은 重鎭安神의 작용을 한다. 朱砂는 또한 清心解毒의 작용을 하고, 磁石는 또한 潛鎭肝陽의 작용을 한다. 黃金은 重鎭의 작용을 하고, 寧心安神의 효능이 있다. 또한 硝石, 芒硝는 瀉熱通便하고 釜底抽薪한 작용을 하고, 邪熱을 腸腑下行하게 하여 내리게 한다. 이는 張壽頤가 말한 바와 같다: "凡氣火甚盛,有升無降諸證, 尤爲相宜"(『閻氏小兒方論箋正』卷下). 위에서 언급한 여러 약재는 모두 佐藥이 된다. 甘草는 여러 약재와 함께 알맞게 배합해서 使藥이 된다.

본 방제의 配伍 특징은 金石重鎭, 甘鹹寒凉와 芳香開竅의 효능이 있는 약재와 配伍하면 清熱瀉火, 開竅息風해서 顧護陰液을 소홀히 하지 않게 된다.

따라서 본 약은 "霜雪紫色"을 띠고 있고 또한 그 藥性이 大寒한 것은 마치 霜雪과 같다. 따라서 본 약의 명칭을 "紫雪"이라고 부른다.

【臨床應用】

1. 證治要點: 본 방제는 清熱開竅鎭痙에 자주 사용하는 방제이다. 임상에서 高熱煩躁, 神昏譫語, 痙厥, 便秘, 舌紅絳苔乾黃, 脈數有力한 증상을 주로 치료한다.

2. 加減法: 본 방제의 약은 개별 증상에 맞게 湯劑를 배합해서 사용한다. 예를 들면 熱入營血한 증상에는 清營湯을 배합할 수 있고, 發斑에는 犀角地黃湯(清熱地黃湯)을 배합할 수 있고, 疔瘡痈瘍에는 五味消毒飮을 배합할 수 있고, 熱毒痢에는 白頭翁湯을 배합할 수 있고 癲狂한 증상에는 清宮湯을 배합할 수 있고, 痙厥에는 三甲復脈湯 등을 배합해서 사용할 수 있다.

3. 紫雪은 다음 한국표준질병사인분류(KCD)에 해당하는 환자가 熱陷心包, 熱盛動風證으로 辨證되는 경우 본 처방의 사용을 고려해볼 수 있다.

처방 목표	한국표준질병사인분류(KCD)
高熱	(질병명 특정곤란)
	R50 기타 및 원인미상의 열
流行性乙型腦炎	A83.0 일본뇌염
流行性腦脊髓膜炎	G02.0 달리 분류된 바이러스질환에서의 수막염
	G01 달리 분류된 세균성 질환에서의 수막염
	G00 달리 분류되지 않은 세균성 수막염
病毒性腦炎	A80~A89 중추신경계통의 바이러스감염
精神分裂症	F20 조현병
磷化鋅中毒	T56.5 아연 및 그 복합물
重症肺炎	J09~J18 인플루엔자 및 폐렴
	J20~J22 기타 급성 하기도감염
	J18.9 상세불명의 폐렴
肺結核咯血	A15 세균학적 및 조직학적으로 확인된 흡기결핵
	A16 세균학적으로나 조직학적으로 확인되지 않은 호흡기결핵
中毒性痢疾	A00~A09 장감염질환
急性扁桃體炎	J03 급성 편도염
第2型 糖尿病	E11 2형 당뇨병
疔瘡走黃	L02 피부의 농양, 종기 및 큰종기
	L02.91 상세불명의 종기
麻疹	B05 홍역
斑疹傷寒	A75 발진티푸스
猩紅熱	A38 성홍열
白喉	A36 디프테리아

【注意事項】

1. 본 약재는 과도하게 많은 양을 복용할 경우 元氣를 손상시킬 우려가 있다. 따라서 병이 치유되면 바로 사용을 멈춘다.

2. 脫證, 虛風內動한 증상과 소아 慢驚한 증상에는 본 방제를 사용하지 않는다.

3. 氣虛體弱한 환자를 치료할 경우 신중하게 사용하며, 임산부에게는 복용을 금한다.

4. 약을 복용하는 기간 동안 맵고 기름진 음식은 피한다.

【變遷史】 본 방제는 唐·蘇恭方이며, 唐·王燾의 『外臺秘要』卷18에 "療脚氣毒遍內外, 煩熱, 口中生瘡, 狂易叫走, 及解諸石草熱藥毒發, 邪熱卒黃等, 瘴疫毒癘, 卒死溫瘧, 五尸五注, 心腹諸疾, 絞刺切痛, 蠱毒鬼魅, 野道熱毒, 小兒驚癇, 百病最良方"라고 기록하고 있다. 본 방제는 원래 仲景의 『金匱要略』風引湯을 化裁而來한 것에서부터 오랜 기간 동안 瀉火劑로 사용해 왔다. 淸의 溫病學者는 본 방제를 溫病의 神昏痙厥한 증상에 사용했다. 따라서 본 방제는 "溫病三寶"의 하나로 불린다.

고대 方書 및 당대 各 지역의 成方配本, 약물規範 등의 고찰을 통해 본 결과, 본 방제의 配方藥 50여 首가 갖고 있는 藥味, 藥量, 制法 모두 차이가 있다. 예를 들면: 『太平惠民和劑局方』卷6의 方麝香은 용량을 一兩二錢半으로 늘리고 나서 그 開竅作用이 확대됐다. 『醫宗金鑑』卷66의 紫雪散은 磁石, 滑石, 丁香, 硝石, 麝香을 빼고, 氷片을 넣고 본 방제를 간소화했다. 『溫病條辨』卷1에서는 黃金을 뺐다. 1977년 이후 모든 판본의 『中國藥典』의 방제는 모두 黃金이 없다. 또한 水牛角 濃縮粉은 犀角으로 대체했다. 이밖에도 『濕溫時疫治療法』의 瓜霜紫雪丹은 芒硝, 硝石을 빼고, 氷片, 西瓜硝를 넣었다. 麝香의 용량이 증가하면, 그 泄熱力이 줄어들게 되고 따라서 開竅의 효능이 증가하게 된다.

【難題解說】

1. 본 방제의 출처에 대해: 『醫方集解』, 『中國醫學大辭典』 등의 문헌에서는 그 출처가 『太平惠民和劑局方』에 있다고 하였으며, 『簡明中醫辭典』, 『中醫大辭典, 方劑分册』 등의 문헌에서는 『千金翼方』이라고 했다. 『方劑學』(공통교재6版)에서는 蘇恭方이 『外臺秘要』에 기록되어 있다고 했다. 『外臺秘要』卷18과 『太平惠民和劑局方』卷6을 찾아본 결과, 본 저서에 기록되어 있는 紫雪와 약재 조성은 같으나 다만 약재의 용량에 있어 약간의 차이를 보였다. 이는 곧 『外臺秘要』가 더욱더 이른 시기에 나왔다는 것을 의미한다. 반면 『千金翼方』에 기록되어 있는 紫雪은 도대체 滑石이 있는지 없는지에 대해 지금까지도 논란이 남아 있다. 『外臺秘要』卷18에 기록하길: "蘇恭云……紫雪療脚氣毒遍內外."라고 했다. 蘇恭은 初唐人으로 그의 출생과 사망 연대에 관한 기록이 남아있지 않다. 하지만 『備急千金要方』과 『千金翼方』에 모두 蘇恭方에 대한 기록이 있기 때문에, 따라서 蘇恭方이 시기상 가장 이르다고 할 수 있다. 고증에 의하면 蘇恭의 의학 서적은 『脚氣方』 한 권이 있다, 하지만 이 서적은 이미 散佚되었으며 그 일부분의 내용이 『外臺秘要』에 남아 있다. 하지만 『外臺秘要』卷18에서 전문적으로 논하길 脚氣는 대부분의 내용이 蘇恭으로부터 왔다고 했다. 따라서 紫雪이 『脚氣方』에서 왔을 가능성이 매우 크다. 이밖에도 『外臺秘要』卷18 중 崔氏가 紫雪에 대해 논한 뒤에 "『備急』同"에 대해 언급했다. 『肘後備急方』卷8의 "治百病備急丸, 散, 膏諸要方"을 찾아보니 紫雪散이 있었으며 이름은 명시되어 있으나 방제는 남아있지 않았다. 따라서 紫雪의 역사는 더 오래되었을 가능성이 있다.

2. 본 방제의 적응증과 君藥에 대해: 吳儀洛이 말하길: "主病者, 對證之要藥也, 故謂之君; 君者, 味數少而分兩重, 賴之以爲主也"(『成方切用』卷首)라고 했다. 疾病譜의 지속으로 변화하면서 본 방제의 적응증의 차이에 따라, 古今의 의학자의 본 방제의 君藥에 대한 인식 또한 다르다. 본 방제는 본래 "脚氣毒遍內外"와 "諸石草熱藥毒發" 등의 증상을 치료한다. 淸代 이전에는 줄곧 淸熱瀉火劑로 여겨 사용해 왔다. 따라서 『醫方集解』에는 이를 "瀉火之劑"에 해당한다고 보고 "一切火熱"한 증상을 치료했다. 寒水石, 石膏, 滑石, 硝石을 君藥으로 여겼다. 그 후 葉桂, 吳瑭 등의 溫病學者의 선도하에 본 방제는 溫病인 "溫邪內閉熱壅, 蔓延三焦"(『臨證指南醫案』卷5)와 神昏痙厥 등의 증상에 사용한

다. 방제에서 諸香의 開竅作用 또한 차츰 중시되었고, 『成方便讀』卷3에서는 朱砂, 麝香, 二硝를 君藥으로 여겼다. 당시의 임상에서 주로 본 방제를 각종 發熱性, 傳染性, 感染性 질병의 熱陷心包 및 熱盛動風의 증상을 띄는 환자를 치료하는데 사용했다. "본 방제는 高熱, 神昏, 煩躁, 驚厥 등의 4대 熱閉證狀에 초점을 맞춰 만든 것이며 목적은 淸熱開竅하기 위한 것이다"라고 여겼다. 따라서 方劑學 專著에서 이를 開竅劑로 분류했다.[1] 대부분 犀角, 羚羊角, 麝香을 君藥으로 여긴다.

3. 靑木香에 대해: 靑木香은 唐代 이전에는 木香이라고 불렸다. 당시 馬兜鈴과 식물인 馬兜鈴의 뿌리를 말린 것을 가리켰다(『中國藥典』). 馬兜鈴根은 예전에는 都淋藤, 土靑木香 등으로 불렸으며 靑木香으로 부르지 않았다. 『名醫別錄』에 기록하길: "木香生永昌山谷"라 하였고, 梁·陶弘景注에는: "此即靑木香也, 永昌不復貢, 今多從外國舶上來, 乃云出自大秦國"(『本草綱目』卷14)라고 했다. 이러한 木香은 선박을 통해 廣東에서 우리나라로 들어왔기 때에 습관적으로 廣木香 혹은 南木香이라고 부른다. 李時珍이 말하길: "木香……昔人謂之靑木香, 後人因呼馬兜鈴根爲靑木香, 乃呼此爲南木香, 廣木香以別之"(『本草綱目』卷14)라고 했다. 결론적으로 原方에서의 靑木香은 실제로는 국화과의 다년생 草本植物인 雲木香, 川木香, 越西香의 뿌리를 일컫는다. 즉 木香이다. 따라서 原方에서의 靑木香은 마땅히 당시의 木香이 된다. 『中國藥典』의 본 방제에서 사용하는 것은 木香이며 靑木香이 아니다.

4. 硝石·芒硝와 朴硝에 관하여: 『外臺秘要』卷18에서 본 방제는 "硝石四升, 芒硝亦可, 用朴硝精者十斤"을 사용하지만 여러 인쇄판본의 『中國藥典』에는 모두 硝石와 芒硝을 사용했다고 말했다. 『本草綱目』卷11에 따르면: "二硝(朴硝와 硝石를 가리킨다) 皆有芒硝, 牙硝之稱, 故古方有相代之說."하다고 했다. 『外臺秘要』의 방제에서 芒硝는 硝石의 대용품이 된다. 둘의 주요 성분은 모두 天然硝酸鉀이다. 반면 朴硝精者는 당시 습관적으로 芒硝라 불렀으며, 水硫酸鈉를 함유하고 있다.

【醫案】

1. 痙症 『臨證指南醫案』卷10: 周모씨, 心胞絡으로 熱閉하여 目綻口開, 舌縮, 兩手撮空, 發痙, 溺通便澀, 血分大傷해서 9일 동안 위험했으나 治法에 따라 다행히 紫雪丹 二錢을 주고 따뜻한 물에 타서 천천히 마시게 하고, 차탕관을 사용했다. 神이 깨이고 痙이 편안해 지게 되면, 方有生機하게 된다. 또한, 神醒, 舌絳紫, 音縮, 渴飮이 멈추지 않고, 心胞熱閉가 비록 開했지만 里에 있는 脂液이 이미 다 말랐다. 古人은 心熱消渴은 대부분의 경우 脏陰現症과 관련이 있으므로 攻奪明할 수 없다고 했다. 鮮生地, 竹葉心, 元參, 知母, 銀花露, 金汁을 配伍하고, 우선 紫雪 一錢을 복용하게 했다.

2. 嗆血 『臨證指南醫案』卷5: 褚모씨, 溫邪가 입과 코로부터 시작해서, 肺로 들어가서 咳喘이 되고, 계속해서 膻中으로 전해져서 呛血으로 나타났다. 心營, 肺衛가 邪의 공격을 받고, 邪가 上焦에 머물면서 壅遏阻氣하면 반드시 熱로 모이게 된다. 痰臭呛咳는 內閉하고자 하는 것인데, 아쉽게도 河間三焦로 치법을 확립할 수 없었다. 혹자는 傷寒이 六經을 주관한다고 하였고, 혹자는 肺痈은 주로 氣血를 泄한다고 하였는데, 열을 내릴 방법은 없고 胸突腹大해서 갑자기 위험해졌다. 본 病症을 약으로 유인해서 氣涌沸騰하면, 熱은 반드시 涌吐해서 남는 것이 없게 되므로 비로소 도움이 되기를 바랄 수 있게 되었다. 무릇 溫熱穢濁, 填塞內竅하면, 神識昏迷, 脹悶欲絶로 발병하게 되므로 반드시 芳香宣竅하고, 牛黃, 金箔으로 보조해서 深入脏絡하게 치료하고, 錮閉之邪를 搜해야 한다. 病勢가 이와 같이 위독한 것은 百中圖一에 불과하다. 紫雪丹을 복용하게 한다.

3. 厥 『臨證指南醫案』卷7: 張모씨, 병이 나기 전에 驚恐이 있고, 寒戰이 있은 후에 發熱 증상이 나타났으며, 心中이 極熱하고 乾呕煩躁하며 渴이 나서 차가운 물을 마셔도 여전히 해소되지 않았고, 脉小弦, 舌白無苔, 예전에 四肢가 얼음처럼 차가워진 적이 있는데 이

는 熱邪가 厥陰肝經한 것으로, 소위 熱深厥深이다. 환자는 病이 모두 里로 들어가서 치료하기 매우 까다로웠다. 紫雪丹을 사용해서 深伏한 熱結을 開하고, 芳香宣竅하게 해서, 躁扰勢緩을 기다리면, 호전의 조짐이 보이게 된다. 紫雪丹 二錢을 복용하게 했다.

4. 溫熱『臨證指南醫案』卷5: 張모씨, 돌 미만, 아직 谷味精華하지 않았는데, 溫邪가 吸入되었다. 上焦에 가장 먼저 흡수되어서 頭面頤頷이 腫浮하였고, 邪와 氣血이 섞이면서, 刀針으로 經絡을 破傷하는 것 같고, 溫邪가 內閉熱壅해서 三焦에 만연하여, 昏寐痰潮하고, 舌刺卷縮하며, 小溲을 조금씩 渾濁하게 보고, 熱氣가 몸안에 가득 차 있었다. 하지만 膏, 連, 芩, 梔은 藥性이 直降하여 胃에서 腸으로 바로 내려가고, 熱氣는 마치 烟雾와 같으며 원래의 形質이 완전히 제거할 수 있는 것이 아니다. 따라서 牛黃은 본디 牛腹에서 생산되며 원래는 氣血로 이루어진 것인데 氣血이 섞인 邪는 이것으로 蘊結를 깨뜨려서 효능을 본 원인이 된다. 무릇 溫熱이 있을 때의 癘은 氣分이 上行해서 점차적으로 血分으로 흘러 들어가며, 傷寒에서 足六經이 經絡으로 順傳하는 것과는 달리, 대부분 熱氣鴟張하면 반드시 經絡, 內竅를 막히게 한다. 따라서 昏躁할 때 모두 里竅를 닫고 싶거나 內閉를 통하게 하고 싶을 때, 芳香을 得해야 하며, 氣血久鬱하면, 반드시 瘍毒內攻에 이르게 된다. 조심스럽게 大意를 말하고, 紫雪丹 三分을 따뜻한 물에 타서 복용하게 했다.

5. 痙厥『臨證指南醫案』卷7: 暑熱이 里에 결집에서 三焦가 서로 막히고, 위로는 神呆不語, 牙關不開하고, 아래로는 少腹衝氣, 小溲不利했다. 邪結는 모두 형태가 없는 熱閉塞으로 점차 痙厥의 형태로 나타났다. 어제 大便을 보았는데 이와 같은 형상으로 나타나는데, 어찌 垢滯한 것이 아니겠는가라고 하며, 芳香宣竅하고 在里蘊熱을 통하게 해서 제거했다. 紫雪丹 一錢 五分을 따뜻한 물에 넣고 잘 저어서 세 번 나누어 복용하게 했다.

6. 痙『臨證指南醫案』卷7: 方모씨, 熱閉神狂하고 食復때문에, 사람 보기를 두려워하고 肢筋牽動해서, 暑病이 痙으로 변하게 되었다. 三焦를 通하게 해서 神明을 淸하게 하고 호전되기를 기다려서 紫雪丹 二錢을 복용하게 했다. 또한, 舌欲痿, 膚燥筋掣, 熱이 脂液을 빼앗아서 거의 소진하여 痙한 증상을 보이면, 河間甘露飮을 사용하고 다시 紫雪丹 一錢을 복용하게 했다.

考察: 이상의 모든 醫案은 모두 葉桂의 紫雪을 위주로 해서 치료했다. 醫案1은 "熱閉心胞絡中"해서 紫雪을 응용해서 開心包熱閉하게 했다. 醫案2는 邪가 上焦에 머물러서 心營, 肺衛 모두에 발병했으며, 內閉하려고 해서, 紫雪을 응용해서 "芳香宣竅"하게 했다. 醫案3은 "熱邪已入厥陰肝經, 所謂熱深厥深"으로, 紫雪을 응용해서 芳香宣竅하고 深伏의 熱結을 開하게 했다. 醫案4, 5, 6은 모두 溫熱內閉, 蔓延三焦했다. 본 방제로 宣竅開閉하고, 三焦蘊熱을 통하게 해서 제거했다. 결론적으로 말하면, 葉桂는 溫熱內陷心包하고 生風動血의 증상을 띤 모든 환자에게 본 방제를 적절하게 사용해서 芳香宣竅, 深伏의 熱結을 開하게 하고, 三焦蘊熱을 통하게 해서 제거했다.

7. 瘛瘲『吳鞠通醫案』卷4: 을축년 6월 25일, 陳모씨, 15세, 발병한지 오래되어 陰을 매우 심하게 상하고, 몸이 장작개비처럼 바싹 마른데다가 갑자기 더위까지 먹고는 혀는 붉고 혓바늘이 돋았으며, 입술이 건조하고 침이 마르니, 痙厥神昏하는 것이 이상할 것이 없으며, 열 손가락을 꿈틀꿈틀 움직이는 것이 위험하기 짝이 없다! 脈이 여전히 浮弦而芤해서, 香開心包를 하게 하면서, 大队填陰하게 해서, 모두를 겸해서 止厥하게 치료한다. 우선 紫雪丹 二錢를 주고 끓여서 식힌 물에 넣고 타서 복용하게 한 다음 犀角 五錢, 羚羊角 三錢, 白芍 五錢, 鼈甲 五錢, 細生地 二錢, 阿膠 三錢, 牡蛎 五錢, 炙甘草 二錢, 麻仁 二錢을 진하게 달여서 천천히 마시게 한다.

8. 癲狂『吳鞠通醫案』卷2: 陀모씨, 59세, 情志傷 때문에 발병했으며, 中年에 下焦가 精氣不固했다. 작년에는 痱가 나고, 최근에는 情志重傷 때문에 또한 相火는 令을 주관하고, 君火는 天을 司하며, 客氣內에 있는 君火가 본 환자의 君相火와 相應해서, 肝風鴟張을 초래했으며, 발병 초기부터 매우 맹렬했다. 의학자는 여전히 攻風劫痰하는데, 다량의 性味가 辛溫刚燥한 약물을 사용했고 다시 苦寒直下하게 했다. 이는 助賊爲虐하는 격이다. 현재 左脈이 實하고 견고한 것은 크게 좋은 징조가 아니다. 紫雪丹으로 瘛瘲肢厥을 안정시키고, 남은 客熱을 발산하게 했다. 다시 定風으로 珠濟不足之眞陰하게 해서 內風의 震動을 熄하게 한다. 만약 병세가 호전될 기미가 보이고, 神色가 조금 淸해지면, 다시 다음의 治法을 논의한다. 紫雪丹 二兩을 매회 二錢, 2시간에 1번씩 복용하게 해서 神淸하게 치료했다. 牙關緊閉해서 烏梅로 醋를 찍어서 牙根에 문질렀더니 그 牙가 벌어졌다. 大生地 一兩, 左牡蛎 八錢, 麥門冬 八錢, 生白芍 一兩, 眞阿膠四 四錢, 麻仁四錢, 生鱉甲 一兩, 炙甘草 六錢, 蚌水 반 (술)잔, 鷄子黃 二枚를 넣고 三碗으로 달여 놓고, 남은 건더기를 다시 달여서 二碗으로 만든다. 총 五碗을 1시간에 반碗을 마시게 하고 다 마시고 나면 다시 달여서 복용하게 했다. 20일 후, 左脈은 여전히 牢固하고, 전날과 비교해 증상이 모두 감소했으며 舌苔黃黑, 尺膚熱, 陽明絡現했다. 어제 환자가 말하길 본인은 본래부터 몸이 虛熱할 뿐만 아니라, 客氣加臨했다는 것은 虛語가 아니라고 했다. 湯藥은 여전이 前方에 따르고, 다시 淸宮湯에 牛黃丸, 紫雪丹을 연속해서 녹인 다음 2시간에 1회식 복용하게 했다. 連翹心 三錢, 連心麥門冬 五錢, 元参心 五錢, 竹葉卷心 三錢, 蓮子心 一錢 五分을 넣고 큰 그릇으로 한 그릇 달인다. 牛黃丸, 紫雪丹을 복용할 때는 본 湯劑에 녹여서 복용하게 하며, 湯劑가 식으면 牛黃丸, 紫雪丹을 넣고 녹인다.

考察: 醫案7은 陰虛中暑, 痙厥神昏한 증상이다. 紫雪에 三甲復脈湯加減을 합한다. 醫案8은 精氣素虛하고 또한 客熱內火때문에 引動肝風, 癲狂瘛瘲한 증상이다. 紫雪에 定風珠加減을 합한다. 두 醫案의 증상의 治法은 다르지만, 吳瑭은 이 둘을 모두 泄熱塡陰, 定痙息風하게 치료했다. 그중, 醫案8에서 紫雪의 복용법은 사람들의 이목을 끈다. 매회 二錢을 2시간에 1번씩 복용하며 연속해서 2일 동안 복용하게 한다. 총량은 마땅히 二兩을 초과해야 하지만 양이 비록 많더라도 여전히 "以神淸爲度"해서 과용을 예방할 수 있으니, 담대하면서도 세심하다고 말할 수 있다 .

9. 高熱癃閉『中國現代名中醫醫案精華』 제1집: 여자, 43세, 1983년 8월 1일 초진. 환자는 高熱이 반복해서 10여 일 동안 나고, 체온은 38~40℃이며, 多汗, 口渴, 便秘, 尿少한 증상을 보이다가 이어서 尿閉로 나타나서 人工導尿 처치를 한지 9일이 되었다. 예전에 항생제 및 淸營湯, 白虎湯 가감으로 치료를 받았으나 효과가 없었다. 暑溫濕熱이 下注膀胱했다고 진단하고 淸利濕熱로 치료했다. 處方: 鷄蘇散 30 g을 끓인 물에 타서, 불순물은 가라앉히고 맑은 즙을 취해서 紫雪散을 하루 2회씩 送服하게 했다. 약을 2회 복용하게 한 후 다음날 아침 9시에 체온이 36.2℃까지 떨어졌고, 계속해서 2회 복용하게 했더니, 尿閉 증상 역시 사라졌다.

考察: 본 醫案은 비록 暑溫濕熱下注로 진단받았지만 濕한 가운데 熱重한 증상에 해당하기 때문에 三焦氣化不利하다. 紫雪散으로 芳香開竅하게 하고 三焦의 蘊熱을 통하게 해서 해소하고, 氣化得復, 濕熱得解, 小便得通하게 한다.

10. 敗血症『新醫學』(1976, 9:445): 남자, 40세. 환자는 왼쪽 코 옆쪽을 눌러 짜는 바람에 痤瘡이 생겼다. 2일 후 局部腫痛이 있고 發熱, 惡寒, 頭痛 증상이 나타났으며 解熱藥과 tetracycLine을 복용하였으나 효과가 없었다. 4일 후 얼굴에 있는 瘡이 크게 부어 올랐고, 게다가 高熱, 煩躁, 亂語, 手足妄動이 나타났다. 초진 당시 神識模糊, 手足이 燙熱하고 체온은 40℃까지 올라 躁動, 唇焦했으며 3일 동안 大便이 나오지 않았고 舌質紅絳, 舌苔黃龜하면서 龜裂를 동반했으며, 脈洪

大而數하게 보였다. 診斷 및 辨證: 패혈증이다. 痤瘡을 눌러 짜고 成毒해서 시작된 것으로, 邪毒內陷, 熱閉心竅한 것으로 解毒通竅하게 치료하고, 凉血泄火通便으로 보좌한다. 處方: 紫雪丹 3 g을 따뜻한 물에 타서 아침 저녁으로 1번씩 복용한다. 또한 水牛角 45 g, 野菊花 9 g, 銀花 9 g, 川連 2.4 g, 燈心 10扎, 石膏 30 g, 生地 24 g을 함께 配伍 후 물로 달여서 복용한다. 약을 하루 복용한 후 大便을 2회 봤으며 그 양은 많지 않았나. 高熱은 조금 떨어져서 체온이 38.6℃가 되었으며 神志가 조금 맑아지고, 식욕이 생겼다. 여전히 紫雪丹을 아침 저녁으로 각각 1.5 g씩 따뜻한 물에 타서 복용했다. 또한 水牛角 30 g, 花粉 15 g, 葛根 15 g, 丹皮 9 g, 生地 15 g, 玄参 12 g, 赤芍 12 g을 함께 配伍해서 물로 달인 후 복용했다. 본 약을 하루 복용한 후에는 大便을 하루 2번 많을 양을 봤고, 얼굴 부위의 腫物은 조금 수축하여 작아졌고 체온은 37.5℃로 내려갔다. 紫雪丹 복용을 멈추고 人蔘白虎湯과 五味消毒飮가감을 연속해서 4일을 복용했더니 완치되었다.

考察: 본 病은 瘡毒內陷心包, 深入營血로 病勢가 위중한 상태에서 시작된 것이다. 따라서 紫雪丹에 淸營湯을 함께 넣고 사용하면, 좋은 효과를 얻게 되어 결국에는 淸熱解毒의 약재를 사용해서 효과를 보게 되었다.

11. 腦鳴『四川中醫』(1989, 4:11): 여자, 31세, 1987년 3월 4일 초진. 환자는 5년 전 여름 乘車當風, 게다가 집안의 불화로 마음이 편하지 못했다. 6개월 후 우측 머릿속에서 마치 매미가 우는 듯한 소리가 들리는 것 같고 조용할 때는 더욱 심해져서 한약과 양약의 安神鎭靜劑를 복용한 후 잠시 효과가 있었으나, 복용을 중지하고 나서 증상이 다시 나타났다. 또한 점점 심해서서 수면과 휴식에 영향을 줄 정도였다. 心煩, 口苦, 舌紅苔薄黃, 脉弦數한 증상을 동반했다. 본 증상은 肝膽氣鬱, 邪熱內閉에 해당한다. 급히 瀉熱開閉하게 해서, 紫雪丹을 하루 2번, 매회 1支씩 따뜻한 물과 함께 삼키게 했다. 2일 후 腦鳴, 心煩한 증상이 모두 줄어들었으며 계속해서 小柴胡湯과 溫膽湯을 加味해서 5첩을 복용하게 했더니 완쾌해서 현재까지 재발하지 않았다.

考察: 腦鳴은 虛實兩端이 있다. 虛는 주로 髓海空虛에 의한 것이고, 實은 주로 火鬱痰阻 때문이다. 본 醫案은 肝鬱化火, 邪熱內閉에 의한 결과이다. 紫雪丹은 단지 瀉熱開閉의 효능만 있기 때문에 따라서 證狀이 조금 줄어드는 것을 기다려서 바로 解鬱化痰의 효능이 있는 방제를 사용하면 효과를 볼 수 있다.

【參考文獻】

1) 董岳琳. 紫雪丹新解. 新醫學, 1976;7(9):443-445.

至寶丹

(『靈苑方』引鄭感方, 錄自『蘇沈良方』卷5)

【組成】 生烏犀 生玳瑁 琥珀 朱砂 雄黃 各一兩(各 30 g) 牛黃 一分(0.3 g) 龍腦 一分(0.3 g) 麝香 一分(0.3 g) 安息香 酒浸, 重湯煮令化, 濾去滓, 約取1 兩淨 一兩半(45 g)(30 g) 金·銀箔 各五十片

【用法】 위의 약재를 皂莢子 크기의 환으로 만들고, 人蔘湯으로 환 1알을 복용하게 한다. 소아의 경우 그 양을 줄인다(현대 용법: 분쇄해서 3 g 무게의 환으로 만든다. 매회 환 1알을 하루 한 번 복용하게 한다. 소아의 경우 그 양을 줄인다).

【效能】 淸熱開竅, 化濁解毒.

【主治】 痰熱內閉心包證을 치료한다. 神昏譫語, 身熱煩躁, 痰盛氣粗, 舌紅苔黃垢膩, 脈滑數하고 이밖에도 熱痰內閉에 해당하는 中風, 中暑, 小兒驚厥 환자를 치료한다.

【病機分析】 본 방제에서 치료하는 각종 病證은 痰熱壅盛하고 內閉心包로 인해 발생한 것이다. 心은 神明을 주관한다. 溫熱에 의한 邪가 熾盛하면 液을 태워서 痰이 되게 하며, 痰熱이 心包絡을 막게 되어서 神昏譫語, 身熱煩躁, 痰盛氣粗로 나타나게 된다. 따라서 中風, 中暑, 小兒驚厥한 증상은 모두 痰熱內閉에 의한 것이어서 神昏譫語, 身熱煩躁, 痰盛氣粗하거나 심지어 時作驚搐 등의 증상이 나타나게 된다.

【配伍分析】 본 방제는 痰熱內閉心包한 증상을 치료하기 위해 만들어졌다.『素問』「至眞要大論」편에서 이야기한 "熱者寒之, 溫者淸之"와 "開之發之"의 치료원칙에 근거해 淸解心包熱毒와 芳香開竅를 위주로 해서 豁痰泄濁의 약물을 함께 配伍해서 치료한다. 방제에서 犀角는 淸熱凉血解毒하고 瀉肝凉心한다. 麝香의 芳香은 走竄해서 十二經으로 통하며 전신의 모든 竅로 막힘없이 통한다. 따라서 芳香開竅의 要藥이 되며 두 약물을 配伍하면 淸心開竅의 효능을 띄게 되므로 모두 君藥이 된다. 安息香은 芳香透竅하고 辟穢化濁한다. 龍腦 또한 芳香開竅辟穢한다. 두 약재는 함께 麝香을 보조해서 芳香開竅하게 하므로 모두 臣藥이 된다. 牛黃, 玳瑁는 모두 寒凉한 性味의 약물이다. 心, 肝二經으로 들어가서 鎭心安神, 淸熱解毒, 息風定驚의 효능을 띈다. 두 약재는 함께 犀角을 보조해서 淸熱凉血解毒의 효능을 갖게 되며 이 또한 臣藥이 된다. 이밖에도 牛黃은 幽香의 性味를 띠고 또한 豁痰開竅에 뛰어나다. 雄黃은 劫痰解毒하며 牛黃를 도와서 豁痰開竅의 작용을 하게 한다. 朱砂, 琥珀, 金箔, 銀箔은 모두 그 성질이 重하고 心으로 들어가서 鎭心安神하게 할 수 있다. 이상의 五藥은 모두 佐藥이 된다. 모든 약을 함께 配伍하면 모두 淸熱開竅하고 化濁解毒의 작용을 하게 된다.

"全方藥皆精華, 不雜一味草木, 類多醒竅通靈之品"(『歷代名醫良方注釋』)라고 했다. 특히 寒凉淸熱解毒藥과 芳香化濁開竅藥을 함께 配伍하여, 淸心開竅化濁을 동시에 활용한다. 이는 본 방제의 주요한 配伍특징이다.

본 방제는 진귀한 藥材로 조성되어 있으며 拯逆濟危, 立展神明하며 그 약효가 다른 약재를 통해 다 할 수 있는 것이 아니라서, 약중의 보배라고 할만 하다. 따라서 至寶丹이라 불린다.

【類似方比較】 安宮牛黃丸, 紫雪와 至寶丹은 모두 凉開劑에서의 자주 사용하는 대표적인 방제이다. 淸熱開竅의 효능이 있으며 溫熱內閉에 의한 증상을 치료하는데 사용된다. 이상의 셋을 합쳐서 "溫病三寶"라고 부른다. 藥性을 분석해 보면 "安宮牛黃丸最凉, 紫雪次之, 至寶又次之"(『溫病條辨』卷1)하다. 安宮牛黃丸은 牛黃淸心丸의 加味方이 되며 淸熱解毒 작용이 뛰어나다. 특히 邪熱偏勝, 高熱神昏한 증상을 띄는 환자를 치료하는데 적합하다. 紫雪는 다량의 金石重鎭의 약물을 사용하며 息風止痙에 뛰어나며 특히 熱盛動風하고 高熱痙厥한 환자를 치료하는데 적합하다. 至寶丹에는 芳香化濁한 약물이 비교적 많다. 芳香開竅작용이 뛰어나며 특히 神昏身熱, 痰盛氣粗한 환자를 치료하는데 적합하다. 따라서 "乒乓乒乓紫雪丹, 不聲不响至寶丹, 糊里糊涂牛黃丸"이라는 설이 있다.

【臨床應用】

1. 證治要點: 본 방제는 痰熱內閉心包한 증상을 치료하는데 적합하다. 주로 위급약으로 사용하며 神昏譫語, 身熱煩躁, 痰盛氣粗한 증상을 주로 치료한다.

2. 加減法: 본 방제는 본래 人蔘湯으로 복용한다. 증상이 비교적 심하고 正氣虛弱한 환자에게는 人蔘의 힘을 빌려 扶正祛邪하고 啓復神明하며 또한 外脫를 예방할 수 있다. 그렇기에 脉弱體虛한 환자의 경우 그 사용이 적합하다. 또한 生姜汁, 童子小便化下의 治法은, 어린 아이의 소변으로 滋陰降火하고, 姜汁으로 辛散開痰한다. 따라서 痰熱尤盛한 환자에게 사용하는 것이 적합하다. 淸熱解毒과 化濁開竅의 작용을 강화하기 위해서 또한 菖蒲, 金銀花煎湯하여 送服할 수 있다. 임상에서는 주로 증상의 차이에 따라 다른 湯劑를 配合해서 사용한다.

3. 至寶丹은 다음 한국표준질병사인분류(KCD)에 해당하는 환자가 痰熱內閉心包證으로 辨證되는 경우 본 처방의 사용을 고려해볼 수 있다.

처방 목표	한국표준질병사인분류(KCD)
流行性乙型腦炎	A83.0 일본뇌염
流行性腦脊髓膜炎	G02.0 달리 분류된 바이러스질환에서의 수막염
	G01 달리 분류된 세균성 질환에서의 수막염
	G00 달리 분류되지 않은 세균성 수막염
腦血管意外	I61 뇌내출혈
	I63 뇌경색증
	I64 출혈 또는 경색증으로 명시되지 않은 뇌졸중
肝昏迷	K72 달리 분류되지 않은 간부전
癲癎	G40 뇌전증
中毒性痢疾	A00~A09 장감염질환
中暑	T67 열 및 빛의 영향
小兒驚風	G40 뇌전증
	R56.8 기타 및 상세불명의 경련_경풍
	R56.0 열성 경련

【注意事項】

1. 본 방제에는 芳香辛燥한 性味의 약물이 비교적 많기 때문에 耗液劫陰의 우려가 있다. 따라서 陽盛陰虛한 神昏譫語 환자에게 사용하는 것은 옳지 않다.

2. 임산부에게는 신중하게 사용한다.

【變遷史】 본 방제는 宋代의 의학자 鄭感에 의해 전해내려오는 것으로, 沈括이 가장 먼저 『靈苑方』에 編入했으며, 후에 또한 『蘇沈良方』과 『幼幼新書』에도 보였다. 『蘇沈良方』卷5의 기록에 따르면: "至寶丹, 出『靈苑』, 本池州醫鄭感慶歷中爲予處此方, 以屢效, 遂編入『靈苑』. ……舊說主疾甚多, 大體專療心熱血凝, 心膽虛弱, 喜驚多涎, 眠中驚魇, 小兒驚熱, 女子憂勞, 血滯, 血厥, 産後心虛怔忡尤效. 血病生姜, 小便化下."라고 했다.

본 방제의 衍化方은 주로 藥物, 藥量과 劑型 등 부분에 있어 변화가 있다. 자주 金, 銀箔을 빼고 人蔘등을 넣어서 益氣扶正하게 하고, 天竺黃, 膽南星 등을 넣고 淸熱化痰하게 한다. 예를 들면 『醫林繩墨大全』卷1의 牛黃至寶丹은 人蔘, 天竺黃, 膽南星을 넣고 諸中竅閉 등의 증상을 치료했고, 『常用中成藥』의 牛黃至寶丹은 安息香, 金箔, 銀箔을 빼고, 人蔘, 天竺黃, 制天南星을 넣고 豁痰의 작용을 강화시켰다. 1977년 이후의 모든 판본의 『中國藥典』에 기록되어 있는 局方至寶散은 金, 銀箔을 줄이거나 빼고 犀角을 水牛角濃縮粉으로 대체했다.

【難題解說】

1. 본 방제의 출처에 대해: 『中國醫學百科全書·方劑學』 「方劑學」(공통교재 6판)에서 본 방제의 출처는 『太平惠民和劑局方』이며, 또한 『中醫方劑大辭典』에서 이르길 본 방제는 『靈苑方』에 鄭感方(『蘇沈良方』卷5)을 인용했다고 했다. 宋·『蘇沈良方』卷5를 찾아보니 "至寶丹, 出『靈苑』, 本池州醫鄭感慶歷(1041~1048年)中爲予處此方, 以屢效, 遂編入『靈苑』"라고 기록되어 있다. 宋·『幼幼新書』卷8에는 "『靈苑』至寶"라고 기록되어 있다. 『太平惠民和劑局方』 卷1에서 또한 至寶丹까지 기록되어 있으나 출처가 불분명하다. 『太平惠民和劑局方』은 1078~1085년에 발행되었으며 『幼幼新書』(1150년 발행)보다 이르다. 『靈苑方』은 沈括이 완성하였으나 현재 이미 소실되고 없다. 『蘇沈良方』은 후대의 의학자들이 沈括의 醫方과 蘇轼의 醫藥雜说을 수집해서 만들어진 것이다. 『蘇沈良方』卷4의 神保丸條에서 따르면: "予三十年前客金陵, 醫人王琪傳此方……熙寧(1068~1077年)中, 予病項筋痛……憶琪語, 方向已編入『靈苑方』, 取讀之, 有此一驗, 乃合服之, 一投而瘥."라고 했다. 따라서 『靈苑方』이 완성된 연도는 마땅히 慶歷初年 이후에서 熙寧末年 이전인 1041~1077년일 것이다. 따라서 그 시기가 『太平惠民和劑局方』보다 이르다. 따

라서 본 방제는 鄭感方으로부터 얻은 것으로, 맨 처음 『靈苑方』에 기록되었으며 그 출처는 『蘇沈良方』이다.

2. 본 방제의 適應證에 대해: 본 방제의 역사는 오래되었다. "舊说主疾甚多"(『蘇沈良方』卷5)라고 하였으며 『幼幼新書』卷8의 기록에 따르면: "項急中風, 陰陽二毒, 傷寒, 卒中熱暍, 卒中惡, 産後血暈迷悶, 卒中疫毒, 中諸毒, 中新毒, 産後諸疾, 山嵐毒氣, 卒暗風, 胎死不下, 誤中水毒, 卒氣絶, 中風不語, 中蛊毒, 梦中驚魇, 以上諸疾以童子小便入生姜汁少許, 同暖令溫化下. 心肺壅熱, 霍亂吐瀉, 神梦不安, 頭目昏眩, 不得睡卧, 傷寒發狂, 积痰痞瘧, 邪氣攻心, 小兒驚風, 小兒諸癎, 小兒心熱, 卒中客忤, 以上諸疾以人蔘湯化下."라고 했다. 당시 문헌에는 대부분 痰熱內閉한 증상을 본 方劑의 證治라고 요약했다. 또한 身熱煩躁, 神昏譫語, 痰盛氣粗하거나 혹은 抽搐痙厥을 보이거나, 舌絳苔黃膩, 脉滑數有力한 것을 辨證 요점으로 보았다. 본 방제의 약재 조성 성분에서 보면 여전히 清熱解毒, 芳香開竅의 치료 효과 위주로 조성되며, 豁痰化濁으로 보조한다. 痰熱內閉를 치료할 때는 마땅히 熱重痰輕해야 한다. 만약, 痰濁 위주로 해서 치료하면, 즉 또한 滌痰開竅위주로 해서 치료하고 滌痰湯, 導痰湯, 菖蒲鬱金湯 등의 選用해서 化裁하려고 한다면 본 방제를 사용하는 것은 옳지 않다.

3. 방제명칭에 대해: 至寶丹의 뜻은 매우 귀중한 丹藥을 가키킨다. 古人은 치료 효과가 뛰어나고, 질병을 치료해서 위급한 상황을 구하는 丹藥을 자주 至寶丹이라고 이름 붙였다. 『中醫方劑大辭典』에 수록된 "至寶丹"만도 많게는 30여 首에 이른다. 본 방제에 대해 張秉成은 칭송하며 말하길: "拯逆濟危, 故得謂之至寶也"(『成方便讀』卷2)라고 했다. 張浩良 등 또한 이르길: "本方藥物多爲珍稀難求之動物, 礦物和樹脂類藥材, 價格昂貴, 且功效卓著, 故名爲'至寶'"(『中國方劑精華辭典』)라고 생각했다. 마땅히 후자가 더욱 전반적으로 파악하고 있다고 볼 수 있다.

4. 본 방제의 異名에 대해: 『中醫方劑大辭典』에서 본 방제의 異名은 "至寶膏"라고 부르며 『幼幼新書』卷8에 수록되어 있다. 인민위생출판사가 1987년 출판하고 표점 교감을 한 『幼幼新書』를 찾아본 결과 卷8의 至寶丹 後注에서: "丹, 原脫, 据乙本補."라고 설명하고 있다. 乙本은 상해시도서관의 藏明人影抄宋本의 약칭이고, 甲本은 일본 궁내청(宮內廳)의 藏明人影宋抄本으로, 원본으로 간주한다. 일본 宮內庁의 藏明人影宋抄本에서 본 방제의 명칭을 "至寶"라고 하고 있다. 따라서 판본이 다르면 명칭도 다르기 때문에 그 異名의 확실한 명칭에 있어 아직도 신중을 기해야 한다는 것을 알 수 있다.

【醫案】

1. 溫熱 『臨證指南醫案』卷5: 王모씨는 溫邪에 吸入되어, 鼻通肺絡, 心胞絡으로 반대로 거슬러 내려와서 震動君主하고, 神明欲迷했다. 弥漫한 邪는 다스리려고 해도 쉽지 않고, 清竅가 蒙하면, 絡內도 痹하고, 幼科에서도 치료하기 쉽지 않았으며, 豁痰降火理氣의 약을 투약해도 조금도 효과가 없었다. 『平脈篇』에 따르면: 清邪中上한 것이다. 肺의 위치는 가장 높으며 胞絡으로 들어가서, 氣血交阻하면, 逐穢利竅하고 須藉芳香하게 되므로 『局方』의 至寶丹을 사용했다.

2. 濕溫 『臨證指南醫案』卷5: 張妪 모씨는 체격은 건장하고 습요통이 있다. 최근 여름 장마가 길고 습해서 著于經絡하고, 身痛, 自利, 發熱 증상이 나타났다. 仲景이 이르길: "濕家大忌發散, 汗之則变變痙, 脈來小弱而緩, 濕邪凝遏陽氣, 病名濕溫, 濕中熱氣橫衝心胞絡, 以致神昏, 四肢不暖, 亦手厥陰見症, 非與傷寒同法也."라고 했다. 犀角, 連翹心, 元参, 石菖蒲, 金銀花, 野赤豆皮을 함께 넣고 달여서 至寶丹과 복용하게 했다.

考察: "溫邪上受, 首先犯肺, 逆傳心包"(『外感溫熱篇』), 蒙蔽清竅하면 神昏, 痙厥, 舌强, 語蹇의 변화가 있다. 이와 같은 증후에 대해 葉桂는 항상 古法을 따랐다. 즉 "清絡熱必兼芳香, 開里竅以清神識"(『臨證指南

醫案』卷7)하므로 至寶丹을 사용하고 또한 溫病 특징에 근거해 항상 犀角, 生地, 玄參, 銀花, 連翹, 菖蒲등을 넣고 달여서 복용하게 하며, 凉血淸氣의 효능을 띈다. 葉桂가 본 방제를 응용한 醫療實踐이 후세에 미치는 영향은 매우 크다. 醫案2는 바로 吳瑭에 의해 본보기가 되었고 한 걸음 더 나아가 "濕溫邪入心包, 神昏肢逆, 淸宮湯去蓮心, 麥門冬, 加銀花, 赤小豆皮, 煎送至寶丹, 或紫雪丹亦可"(『溫病條辨』卷1)로 총정리가 되었다.

3. 中風 『臨證指南醫案』卷1: 沈모씨는 風中廉泉, 舌腫喉痹, 麻木厥昏, 內風이 또한 竅를 막히게 해서, 위로는 말이 어렵고, 아래로는 대소변이 조절되지 않았다. 古人 呂元膺이 芳香宣竅解毒을 응용할 때마다 壅塞해서 위기에 처하도록 하지 말아야 한다고 했다. 至寶丹 4알을 모두 네번 복용하게 했다.

4. 發痙 『臨證指南醫案』卷7: 楊모씨는 여름에 더위를 먹고, 먼저 肺絡으로 들어가서, 점점 며칠 지나면서, 氣分熱邪逆傳入營하여, 결국에는 心胞絡을 위협했다. 神昏欲躁, 舌音縮, 手足牽引하면 暑熱深陷하게 된다. 이를 發痙이라고 부른다. 熱閉在里하면 肢體는 오히려 發熱하지 않는다. 熱邪가 內閉하면 곧 外脫하게 되는데, 어찌 조급하지 않겠는가! 古人의 方法을 고찰한 결과, 淸絡熱는 반드시 芳香을 兼해야 하고 開里竅해서 淸神識하게 한다. 만일 重藥攻邪, 直走腸胃하면 胞絡과 結閉해서 干涉이 없게 된다. 犀角, 元參, 鮮生地, 連翹, 鮮菖蒲, 銀花을 配伍해서 至寶丹 4알과 함께 복용했다.

5. 厥 『臨證指南醫案』卷7: 李모씨, 먼저 呕吐腹痛 때문에 즉시 혼수상태 증상이 나타났다. 이 氣, 火, 痰이 上蒙淸神하는 것을 厥라고 한다. 먼저 烏梅을 사용해서 이를 닦고 나서, 이를 벌릴 수 있었고, 그 다음에 至寶丹 三分으로 약을 방제했다.

考察: 醫案3은 內風阻竅, 上下不通으로 인한 증상으로 至寶丹으로 宣竅開壅하게 했다. 醫案4는 暑熱內閉한 증상이므로 湯劑로 본 방제를 녹여서 芳香開竅하게 했다. 醫案5는 비록 그 증상이 소화 기관에서 시작되었지만 神昏은 여전히 氣, 火, 痰上蒙에 해당한다. 따라서 본 방제를 함께 사용하는 것은 여전히 알맞다.

6. 暑熱 『浙江中醫藥』(1979, 7:259): 남자, 38세, 1971년 7월 6일 입원했다. 당시 환자는 고열이 40℃에 이르렀고 입원 후 腰穿, 일반혈액검사 等의 검사을 했으나 발병 원인을 알 수 없었다. 오후에 갑자기 혼수상태에 빠졌고, 머리에서 땀이 뚝뚝 떨어지고, 四肢瘛瘲, 呼吸喘促, 빛 반사에 대한 두 눈의 반응이 느리고, 瞳孔散大, 角膜混濁, 舌苔黃燥, 質淡紅, 脈象細數했다. 본 증상은 暑熱夾穢, 蒙閉心包, 肺失淸肅, 肝風煽動, 急拟淸暑宣肺, 開竅息風에 해당한다. 鮮竹瀝 0 g, 石菖蒲, 六一散 各 9 g, 鬱金, 川貝, 麥門冬 各 6 g, 扁豆花 12 g, 遠志 4.5 g, 鮮蘆根 30 g, 銀花 18 g, 人蔘至寶丹 1顆을 配伍한다. 위의 약재를 진하게 달여서 2회에 나누어 鼻飼했다. 동시에 抗生素, 脫水劑 등의 양약을 응용했다. 치료 3일 후 至寶丹의 복용량을 매회 2顆로 늘리고 湯劑는 위의 방제에 따라 가감해서 치료 6일째 되는 날에는 의식이 맑아지고 身熱이 줄어들기 시작했다.

考察: 暑熱彌漫하고 內陷心包하며 內閉하면서 또한 外脫의 징조가 보이는 증상에는 人蔘至寶丹을 加味해서 淸暑開竅하면 外脫할 우려가 없게 된다.

小兒回春丹(回春丹)

(『敬修堂藥說』)

【異名】 兒科回春丹(『敬修堂藥說』).

【組成】 川貝母 陳皮 木香 白豆蔻 枳殼 法半夏 沉香 天竺黃 殭蠶 全蝎 檀香 各一兩二錢半(各 37.5 g) 牛黃 麝香 各四錢(各 12 g) 膽南星 二兩(60 g) 鈎藤 八

兩(240 g) 大黃 二兩(60 g) 天麻 一兩二錢半(37.5 g) 甘草 八錢七分半(26 g) 朱砂 適量

【用法】 위의 19味 약재를 따로따로 곱게 갈아서 체에 거른 후 골고루 섞어서 작은 환으로 만든다. 무릇 小兒가 眉蹙啼哭하며 부자연스러운 모습을 띄게 되면, 먼저 이 小兒回春丹 한 알을 빻아서 臍 위에 놓고 如意膏를 붙인다. 혹은 본 丹을 복용하게 하면 가벼운 증상은 사라진다. 본 丹은 매 蠟에 5알이 들어있다. 1개월 이내의 영아는 매번 1粒을 복용하고, 수개월에서 1~2세의 영아는 매번 3粒을 복용하는데 반드시 이에 따라 사용할 필요는 없다. 즉 유즙이 나오게 되면 유두에 발라 빨게 한다. 2~3세는 매회 3알을 복용하게 하고 4~5세에서 10세까지는 매회 5알을 복용하게 한다. 복용 후 증상의 輕重을 파악하고, 상태가 심한 환자에게는 두배로 복용하게 한다. 藥引을 주입한 바 매번 三分의 졸인 탕액을 보내어 복용하는데 만약 어두운 밤 혹은 유인할 곳이 없다면 끓인 물로 복용해도 괜찮다. 본 丹은 또한 성인의 痰涎壅聚을 치료하며, 매회 2~3蠟을 姜湯으로 복용한다(현대용법: 위의 약은 小丸으로 하나의 무게가 0.09 g이며, 경구복용한다. 돌이 되지 않은 경우는 매회 1알; 1~2세는 매회 2알을 하루 2~3회 복용한다.).

【效能】 開竅定驚, 淸熱化痰.

【主治】 小兒急驚을 치료한다. 發熱煩躁, 神昏驚厥 혹은 反胃嘔吐, 夜啼吐乳, 痰嗽哮喘, 腹痛泄瀉한 증상을 치료한다.

【病機分析】 본 방제에서 치료하는 小兒急驚은 痰熱壅盛, 內閉心竅하며, 引動肝風하여 발생하는 것이다. 小兒는 "稚陰稚陽"한 신체를 갖고 있어서 臟腑未實, 氣血未充, 腠理不密하고, 쉽게 外邪의 영향을 받아서 痰熱이 생기게 된다. 따라서 發熱, 痰嗽한 증상으로 나타나게 된다. 小兒는 神氣怯弱, 邪易深入, 痰熱蒙蔽心竅하므로, 그 증상이 가벼울 때는 煩躁, 夜啼하고, 심할때는 神志昏迷하게 된다. 小兒의 肝은 항상 有餘해서, 邪熱이 引動肝風하므로, 抽搐, 驚厥의 증상들이 발생하게 된다. 小兒의 脾는 자주 不足해서 邪干腸胃, 升降失常하므로 腹痛, 嘔吐, 泄瀉와 같은 증상이 발생하게 된다.

【配伍分析】 본 방제는 痰熱壅盛, 內閉心竅, 引動肝風한 小兒急驚風을 치료하기 위해 만들어진 것이다. 『素問』「至眞要大論」편에서 이야기한 "熱者寒之", "驚者平之"와 "開之發之"의 치료원칙을 바탕으로해서 開竅定驚과 淸熱化痰을 치료한다. 방제에서 牛黃는 性味가 鹹寒하고 그 향기가 芳香하며 心, 肝二經으로 주로 入經하며, 淸熱解毒, 化痰開竅, 息風定驚의 효과가 있다. 麝香은 芳香開竅하고 "小兒驚癎"(『藥性論』, 『中藥大辭典』에 수록됨)을 제거하므로 모두 君藥이 된다. 鉤藤, 全蝎, 天麻, 僵蚕와 같은 4味는 息風止痙의 작용을 하고, 鉤藤은 또한 淸熱平肝한 효능이 있어 모두 牛黃을 보조해서 息風定驚의 작용을 하므로 臣藥이 된다. 天竺黃은 淸熱豁痰하고 凉心定驚하게 한다. 川貝母, 膽南星은 淸熱化痰하게 하며; 半夏는 燥濕化痰하고 또한 降逆止嘔하게 할 수 있으므로 위의 모든 약을 함께 사용하면 淸熱化痰의 효능을 극대화시킬 수 있어 또한 臣藥이 된다. 또한 大黃을 사용해서 淸熱瀉火하고 釜底抽薪하면 痰熱下行하게 해서 五臟六腑로부터 나가게 한다. 朱砂는 重鎭安神하고 淸心除煩의 작용을 하며 모두 佐藥이 된다. 陳皮는 行氣健脾, 燥濕化痰, 降逆止呕의 작용을 한다. 白豆蔻는 行氣消痞, 化濁止嘔하게 하며; 檀香, 木香는 胃腸滯氣, 行氣止痛에 뛰어나다. 枳殼은 行氣消痰하게 하고, 沉香은 行氣止痛하고 降逆平喘하게 한다. 위에서 말한 모든 藥은 芳香行氣하고 氣機를 막힘이 없이 통하게 해서 調理腸胃하게 된다. 즉, 麝香을 보조해서 通竅啓閉할 수 있으며 또한 氣順痰消의 효능을 얻을 수 있어, 이 또한 佐藥이 된다. 甘草는 모든 藥을 조화롭게 만들기 때문에 使藥이 된다. 위의 모든 藥을 함께 사용하면 淸心開竅하고 息風定驚하며 淸熱化痰한 효능을 얻게 된다.

본 방제의 配伍특징은 약을 사용하는데 있어 淸心開竅, 淸熱化痰, 息風定驚을 기초로 하고, 性味가 辛溫香散한 약물을 配伍해서 行氣하게 한다. 調理腸胃하게 할뿐만 아니라 氣順痰消하게 하며 또한 芳香開竅를 돕는다.

본 방제는 "功同造化"(『敬修堂藥說』)라고 하여 주로 小兒의 急驚重症에 의한 위험한 고비를 넘기게 한다. 따라서 小兒回春丹이라고 부른다.

【臨床應用】

1. 證治要點: 본 방제는 小兒急驚風을 치료하는 常用方으로 發熱煩躁, 神昏驚厥, 嘔吐泄瀉과 같은 증상을 치료한다.

2. 加減法: 본 방제는 사용하는데 있어, 임상에서 증상의 차이에 따라 그에 맞는 方藥을 선택해서 복용하도록 할 수 있다. 原書에서 이르길 "急慢驚風, 發搐瘛瘲, 內外天吊, 傷寒邪熱, 斑疹煩躁, 痰喘氣急, 五癎痰厥, 以上用鈎藤, 薄荷湯下"이라고 하여 淸熱平肝의 효력을 강화한다고 했다. "新久瘧疾, 寒熱往來, 臨夜發熱, 以上俱用河, 井水各半煎柴胡, 黃芩湯下"라고 하여 半表半里한 邪熱을 淸解한다고 했다. "赤痢, 山楂, 地榆湯下; 白痢, 陳皮, 山楂湯下; 水瀉, 茯苓, 車前湯下"라 하여 消積凉血하거나, 消積化濕하거나, 健脾利濕하게 한다고 했다. "傷風咳嗽, 甘草, 桔梗, 薄荷湯下"라고 하여 疏風止咳祛痰한다고 했다. "哮喘, 桔梗湯下"라고 하여 開宣肺氣하게 한다고 했다. "嘔吐, 有寒, 熱, 食積之别, 寒症, 惡食, 吐少而出物多, 生姜湯下; 熱症, 不惡食, 吐多而出物少, 石膏湯下; 食積, 所吐酸臭, 山楂, 麥芽湯下"라고 하여 溫中止呕하게 하거나, 淸陽明邪熱하게 하거나, 消食化積하게 한다고 했다. "五疳虫積, 先用使君子, 每岁一个, 與服, 另用使君子, 檳榔湯送丸"하다고 하여 殺虫消積한다고 했다. "天花初發熱, 三朝前服之, 能解毒, 稀痘, 引用當歸八分, 白芍四分, 柴胡四分, 芥穗三分, 炙甘草二分, 葛根四分煎送"이라고 하여 疏風透疹하게 한다고 했다.

3. 小兒回春丹은 다음 한국표준질병사인분류(KCD)에 해당하는 환자가 痰熱壅盛, 竅閉動風證으로 辨證되는 경우 본 처방의 사용을 고려해볼 수 있다.

처방 목표	한국표준질병사인분류(KCD)
流行性腦脊髓膜炎	G02.0 달리 분류된 바이러스질환에서의 수막염
	G01 달리 분류된 세균성 질환에서의 수막염
	G00 달리 분류되지 않은 세균성 수막염
流行性乙型腦炎	A83.0 일본뇌염
敗血症	(질병명 특정곤란)
	A00~B99 I. 특정 감염성 및 기생충성 질환
	A41.9 상세불명의 패혈증
其他 熱病	(질병명 특정곤란)
	A00~B99 I. 특정 감염성 및 기생충성 질환
	G00~G09 중추신경계통의 염증성 질환
	R50.9 상세불명의 열

【注意事項】 脾腎虛寒한 慢驚風에는 본 방제의 사용을 금한다.

【變遷史】 본 방제의 출처는 淸·錢澍田『敬修堂藥說』이다. 원래는 回春丹, 小兒回春丹이라 불렀으며, 急慢驚風, 發搐瘛瘲, 內外天吊, 傷寒邪熱, 斑疹煩躁, 痰喘氣急, 五癎痰厥, 新久瘧疾, 赤白痢疾, 水瀉, 霍亂吐瀉, 傷風咳嗽, 哮喘, 夜啼, 吐乳, 嘔吐, 撮口臍風, 五疳虫積 및 天花 등의 증상을 치료한다. 당시에는 小兒回春丹이라고 불렀다.

본 방제는『小兒藥證直訣』의 抱龍丸化裁에서 온 것이다. 이를 바탕으로 하여 해독 작용을 하는 雄黃을 빼고, 天麻, 鈎藤, 僵蚕, 全蝎 등을 넣고 平肝息風하게 하며, 大黃을 넣고 淸熱瀉火하게 하고, 陳皮, 木香, 白豆蔻, 枳殼, 沉香, 檀香 등을 넣고 辛芳行氣하게 하고, 川貝母, 法半夏, 天竺黃을 넣고 祛痰하게 함으로써 그 淸熱化痰, 開竅息風의 치료 효과가 크게 증가하도록 했다. 당시 小兒回春丹은 『中國藥典』方 등과 같은 다수의 방제가 존재하였으며, 藥을 사용하는데 있어 제각기 달랐기 때문에 본 방제를 사용하는데 있어서 제한을 받았다.

【難題解說】

1. 본 방제의 配伍에 대해: 본 방제는 주로 淸心開竅, 淸熱化痰, 息風止痙, 理氣和胃의 4종류의 藥을 함께 配伍한다. 淸心開竅의 약재는 麝香, 牛黃 등이 있고, 淸熱化痰의 약재는 貝母, 天竺黃, 膽南星 등이 있고, 息風止痙의 약재는 鉤藤, 全蝎, 僵蚕, 天麻 등이 있고, 理氣和胃의 약재는 陳皮, 木香, 白豆蔻, 沉香, 枳殼, 檀香 등이 있다. 小兒急驚는 外邪入里, 飮食積滯, 化熱生痰하여 引動肝風하게 되어 발생하는 경우 밖에 없다. 본 방제는 小兒痰熱急驚에 의한 증상을 치료하기 위해 만들어 진 것이지만 대량의 性味가 辛溫行氣한 약물을 사용했다. 이런 부류의 약물은 비록 調理腸胃할 수 있고 또한 芳香開竅를 도와 氣順痰消할 수 있지만 性味가 辛溫行散한 약물을 과도하게 사용하면서 중첩되게 응용한 우려가 있을 뿐만 아니라 더욱더 熱生火하는 우려를 낳게 된다. 따라서 현대 의학에서 小兒回春丹의 廣州方, 蘇州方, 上海方 등에서 대부분 性味가 辛溫行氣한 약물을 줄이거나 뺐다.

2. 본 방제의 適應證에 대해: 『敬修堂藥說』 수록된 내용에 따르면 본 방제는 수십여 종류의 表里, 臟腑의 病證을 치료하면서, 복용시 대개 서로 다른 약물로 送服하기도 하며, 심지어 다른 치료법과 배합하기도 한다. 예를 들면 哮喘을 치료할 때 "桔梗湯下, 另用如意膏貼肺俞, 華蓋兩穴"하고, 五疳虫積을 치료할 때 使君子, 槟榔湯, 疳積丸을 배합한다. 天花 초기증상을 치료할 때는 發表透疹의 약물을 配伍한다. 위에서 말한 病證을 치료하는데 있어 단독으로 본 방제를 사용할 경우 치료효능을 얻기 어렵다. 방제로 증상을 예측한 결과, 본 방제는 또한 痰熱壅盛, 竅閉動風한 증상을 띄는 小兒急驚 및 氣滯有熱에 해당하는 小兒腸胃不和한 환자의 주요 치료법으로 사용해야 한다.

行軍散

(『霍亂論』卷下)

【異名】 武侯行軍散(『感證輯要』卷4), 諸葛行軍散(『方劑學』).

【組成】 西牛黃 當門子 眞珠 梅氷 硼砂 各一錢(各3 g) 明雄黃 飛净 八錢(24 g) 火硝 三分(0.9 g) 飛金二十頁

【用法】 위의 八味의 약재를 따로따로 곱게 가루로 갈아서 골고루 잘 섞은 후 도자기 병에 넣고 蠟으로 입구를 밀봉한다. 매회 三~五分(0.9~1.5 g)을 시원한 물에 섞어서 복용한다(현대용법: 경구 복용. 매회 0.3~0.9 g을 하루 2~3회 복용한다).

【效能】 淸熱開竅, 辟穢解毒.

【主治】

1. 暑穢를 치료한다. 吐瀉腹痛, 煩悶欲絶, 頭目昏暈, 不省人事한 증상을 치료한다.

2. 外治口瘡咽痛; 點目去風熱障翳; 搐鼻可辟時疫之氣.

【病機分析】 본 방제가 치료하는 暑穢는 暑熱穢濁의 氣를 받아서 나타나는 질병이다. 暑熱穢濁의 氣가 中焦에 침범해서 脾胃被傷, 升降失常, 淸濁相干, 氣機逆亂하여 吐瀉腹痛을 일으킬 뿐만 아니라 심지어 煩悶欲絶에 이르게 한다. 暑熱와 穢濁의 氣는 蒙蔽淸竅하게 되고 頭目昏暈, 不省人事한 증상으로 나타난다. 口瘡咽痛, 障翳, 時疫之氣는 대부분 熱毒, 穢濁의 類에 해당한다.

【配伍分析】본 방제는 暑熱穢濁해서 逆亂氣機하고 蒙蔽清竅한 증상을 치료하기 위해 만들어진 것이다. 『素問』「至眞要大論」편에서 이야기한 "熱者寒之"와 "開之發之"의 치료원칙을 바탕으로해서 清熱開竅하고 辟穢解毒하게 치료한다. 방제에서 麝香, 氷片은 芳香走竄, 透竅開閉, 辟穢化濁하고 또한 止痛에 뛰어나다. 따라서 竅閉神昏, 吐利腹痛한 증상을 집중적으로 치료하고, 君藥이 된다. 牛黃는 清熱解毒하고 豁痰開竅하여 臣藥이 된다. 雄黃의 사용량은 특히 重하며, 辟穢解毒의 작용을 한다. 硝石은 通腑瀉熱하여 暑熱穢濁으로 하여금 아래쪽으로 나가게 한다. 硼砂는 清熱化痰하고, 珍珠는 鎭心安神, 清熱墜痰의 작용을 한다. 飛金은 重鎭安神하며 모두 佐藥이 된다. 여러 약재를 함께 配伍하면 모두 清熱開竅, 辟穢解毒의 작용을 하는 方劑가 된다. 또한 방제의 약재는 대부분 解毒消翳의 작용을 한다. 예를 들면 氷片은 去翳明目하고 消腫止痛하며; 珍珠는 去翳明目하고 喉痹口疳을 치료한다. 硼砂는 解毒防腐하고 目赤翳障과 喉腫口瘡을 치료한다. 麝香은 瘡痈, 目翳을 치료한다. 牛黃는 喉腫口瘡을 치료한다. 따라서 본 방제의 外用을 통해 또한 瘰口瘡咽痛, 風熱障翳 등의 증상을 치료할 수 있다.

본 방제는 2가지 配伍 특징을 갖는다: 첫째는, 芳香開竅, 辟穢解毒, 重鎭安神의 작용을 하는 약재와 함께 配伍하고 그중 앞의 두 가지 특징을 위주로 해서 竅閉神昏과 暑熱穢毒를 함께 돌봄으로써, 標와 本을 동시에 치료한다. 둘째는, 全方은 모두 細藥이 된다. 대부분 清熱解毒하고 防腐消翳하는데 뛰어나기 때문에 內服과 外用을 모두 사용해서 치료할 수 있다.

따라서 본 방제는 暑穢, 山嵐瘴癘, 水土不服 등의 증상을 예방 치료할 수 있어서 고대 군인들이 먼길을 행군할 때 가지고 다녔던 常用藥으로 쓰였기에 行軍散이라고 불렀다.

【臨床應用】

1. 證治要點: 본 방제는 暑熱穢濁逆亂氣機, 蒙蔽清竅한 증상을 치료하는 좋은 방제이다. 임상에서 吐瀉腹痛, 煩悶欲絶, 頭目昏暈, 不省人事한 것을 증상 치료의 요점으로 삼는다.

2. 加減法: 임상에서 본 방제를 사용할 때 주로 湯藥을 함께 복용한다. 예를 들면 邪氣가 과도하게 盛해서 구토하려고 해도 불가능할 때 먼저 盐湯으로 探吐하게 해서 위에서부터 아래까지 막힘이 없이 통하게 한다. 예를 들어 腹脹이 비교적 심하고 瀉하고 싶어도 나오지 않으면 厚朴三物湯을 복용해서 行氣通便하게한다. 예를 들어 欲吐瀉不得, 心腹大痛하면, 檀香, 烏藥을 달여서 복용하고 行氣止痛하게 할 수 있다.

3. 行軍散은 다음 한국표준질병사인분류(KCD)에 해당하는 환자가 暑熱穢濁逆亂氣機, 蒙蔽清竅證으로 辨證되는 경우 본 처방의 사용을 고려해볼 수 있다.

처방 목표	한국표준질병사인분류(KCD)
夏季中暑	T67 열 및 빛의 영향
食物中毒	A04 기타 세균성 장감염
	A05 달리 분류되지 않은 기타 세균성 음식매개중독
急性胃腸炎	K29 위염 및 십이지장염
	K50~K52 비감염성 장염 및 결장염
流行性腦脊髓膜炎	G02.0 달리 분류된 바이러스질환에서의 수막염
	G01 달리 분류된 세균성 질환에서의 수막염
	G00 달리 분류되지 않은 세균성 수막염
腦型瘧疾	B50.0 대뇌합병증을 동반한 열대열원충말라리아
口腔黏膜潰瘍	K12 구내염 및 관련 병변
急性扁桃體炎	J03 급성 편도염
急性咽炎	J02 급성 인두염
	J04.0 급성 후두염

【注意事項】

1. 방제의 雄黃은 毒性이 있으며, 용량은 방제에

사용하는 약재 총량의 약 절반 이상을 차지한다. 따라서 본 방제는 과도하게 많은 양을 복용하거나 장기간 복용해서는 안 된다.

2. 본 방제는 芳香走竄하기 때문에 임산부의 경우 신중하게 사용하다.

【變遷史】 본 방제의 출처는 淸·王士雄의 『霍亂論』卷下이다. 본 서적에 기록하길: "行軍散治霍亂痧脹, 山嵐瘴癘, 及暑熱穢惡諸邪直干包絡, 頭目昏暈, 不省人事, 危急等症, 并治口瘡喉痛, 點目去風熱障翳, 搐鼻辟時疫之邪."라고 했다. 본 방제를 대대로 전하는 것은 諸葛武侯方이다. 따라서 또한 諸葛行軍散과 武侯行軍散이라고 부른다. 1963년판과 1977년판의 『中國藥典』에서 본 방제는 飛金를 빼고 薑粉를넣었다. 또한 雄黃을 방제에서 차지하는 비율을 줄여서 降逆和中 작용을 강화시켰고 毒性을 줄였다.

【難題解說】

1. 暑穢에 대해: 暑穢의 속명은 "發痧"로 痧證에 해당한다. 痧는 곧 痧脹, 痧氣이다. 주로 暑熱, 穢濁, 不正之氣에 감수되거나 혹은 중초에 飮食壅滯로 촉발되어진다. 痧證은 病邪의 침입 및 임상결과의 차이에 따라 여러 종류로 나뉜다. 어떤 것은 또한 霍亂을 범위 내에 포함한다. 본 방제가 치료하는 暑穢는 暑熱穢濁한 氣가 침입하거나, 氣機逆亂, 淸竅被蒙, 吐瀉腹痛이 나타나거나, 煩悶欲絶, 頭目昏暈, 不省人事한 증상을 가리킨다.

2. 본 방제의 君藥에 대해: 어떤 약이 君藥이 되는지, 여러 의학자들이 각자 다른 견해를 가지고 있다. 牛黃을 君藥으로 보는 견해의 경우, 본 방제가 凉開劑에 해당하기 때문에 이를 사용해서 暑穢의 吐瀉, 神昏를 치료한다. 牛黃은 淸心開竅, 豁痰辟穢의 효능이 있어 이를 통해 熱入心包하고 神昏竅閉을 치료하는 要藥이다. 麝香, 氷片 두 약을 君藥으로 보는 경우, 본 방제가 치료하는 暑穢의 병세가 위중하여 심지어 煩悶欲絶, 不省人事에 이르게 된다. 이러한 경우 마땅히 芳香開竅으로 신속하게 치료한다. 본 방제의 여러 약재 중 麝香, 氷片은 芳香開竅의 치료 효능이 가장 뛰어나며 行氣止痛할 수 있다. 雄黃을 君藥으로 보는 견해의 경우, 본 방제가 치료하는 吐瀉, 神昏는 時疫穢毒하고 蒙閉心包하여 발생한 증상에 해당하며 마땅히 穢毒時疫을 치료하는 것을 우선으로 해야 한다. 雄黃은 "殺百毒, 辟百邪"할 수 있어 解毒辟穢의 良藥이 된다. 또한 방제에서 雄黃의 용량이 특히 많다. 『霍亂論』卷下를 고찰해 본 결과, 본 방제는 본디 "諸邪直干包絡, 頭目昏暈, 不省人事, 危急等症"을 위주로 하여 치료하며 急則治標의 藥劑가 되므로 가장 먼저 芳香開竅하여야 하므로 麝香, 氷片을 君藥으로 보는 것이 매우 타당하다.

【醫案】 頑固性口腔潰瘍 『浙江中醫雜志』(1983, 7: 327): 모씨, 口腔潰瘍이 반복해서 발생한지 벌써 4년이 넘었다. 舌光剝, 邊尖紅, 夾有碎點, 口腔 점막에는 潰瘍 반점이 많았고 또한 광범위하게 침투해 있었다. 부분적인 潰瘍에는 흰색 假膜이 덮혀 있었으며, 脈象弦細, 右關獨盛했다. 본 증상은 陰虛火旺에 해당한다. 따라서 滋陰降火으로 치료하고 淸胃散을 넣고 빼서 복용하게 한다. 局部에는 行軍散을 하루 2번 환부에 도포한다. 12일 동안 치료를 받고 나서 모두 치유했고, 방문조사에서 2년 동안 재발하지 않았다.

抱龍丸

(『小兒藥證直訣』卷下)

【異名】 小抱龍丸(『太平惠民和劑局方』卷10), 加減抱龍丸(『普濟方』卷387됨), 保肝丸(『增補內經拾遺方論』卷4).

【組成】 天竺黃 一兩(30 g) 雄黃 水飛 一錢(3 g) 辰砂 麝香 別研 各半兩(各 15 g) 天南星 臘月釀牛膽中, 陰乾百日, 如無, 只將生者去皮臍, 銼, 炒乾用 四兩(120 g)

【用法】 위의 약재를 곱게 갈고 甘草水에 달여서 皀莢子 크기의 환으로 만든 후 따뜻한 물에 녹여서 복용한다. 100일된 어린 아이의 경우 한 개의 환을 3~4번에 나누어서 복용하고, 5세 소아의 경우 1~2개의 환을 복용하며 성인은 3~5개를 복용한다. 또한 미혼 여성의 白帶를 치료한다. 삼복 더위에는 소금 약간과 함께 1~2개의 환을 씹어서 新水로 복용한다. 臘月에는 雪水에 甘草를 달여서 약을 타면 가장 좋다. 또 다른 방법은 浆水나 新水에 天南星을 3일 동안 담가 놓으면, 수분이 흡수되어 부드럽게 변하게 된다. 3~5번 끓어오르게 달인 다음, 꺼내서 부드러울 때 껍질을 벗겨서 하얗고 부드러운 부분만 취한다. 결과물을 얇게 자르고 건조해서 黃色이 날때까지 볶어서 가루로 八兩을 만들고(240 g). 甘草 二兩半(75 g)을 찧어서 물 2그릇을 넣고 하룻밤 동안 담가 놓는다. 그런 다음에 약한 불에 반 그릇의 양이 될 때까지 끓이고 나서 건더기는 버리고 서서히 天南星 분말을 뿌린 다음에 甘草水가 다 없어질 때까지 천천히 곱게 갈아서 마지막에 남은 약을 넣는다.

【效能】 淸熱化痰, 開竅安神.

【主治】 小兒急驚, 痰熱閉竅한 증상을 치료한다. 身熱昏睡, 痰盛氣粗, 發驚發厥, 四肢抽搐.

【病機分析】 본 방제는 小兒急驚, 痰熱壅盛, 內閉心竅에 의한 증상을 치료한다. 小兒의 臟腑는 嬌嫩해서 形氣未充하고 腠理不密하여 外邪가 침입하게 되면, 쉽게 안으로 들어가서 化熱生痰, 蒙蔽心竅, 引動肝風하게 되므로 결국에는 身熱昏睡, 痰盛氣粗, 驚厥抽搐한 증상이 나타나게 된다.

【配伍分析】 본 방제는 痰熱閉竅한 小兒急驚風을 치료하기 위해 만들어진 것이다. 『素問』「至眞要大論」편에서 이야기한 "熱者寒之"와 "開之發之"의 원칙에 따라 淸熱化痰, 開竅安神를 治法으로 선정했다. 방제에서 膽南星은 性味가 苦凉해서 淸熱化痰하고 息風定驚에 뛰어나며, "治小兒急驚必用"(『景岳全書』卷48)하다. 따라서 사용량이 유독 많다. 麝香은 芳香開竅하여 "小兒驚癇"(『藥性論』, 『中藥大辭典』에 기록됨) 이외에도 두 약을 함께 配伍하면 淸熱化痰하고 또한 芳香開竅한 효능을 띄게 되어 痰熱閉竅한 증상을 치료할 수 있다. 심지어 잘 맞아서 모두 君藥이 된다. 天竺黃은 淸熱豁痰하고 凉心定驚의 효능이 있다. 雄黃은 祛痰解毒의 효능이 있어 두 약은 君藥을 보조해서 淸熱化痰하게 하는 효능이 있다. 모두 臣藥이 된다. 辰砂는 性寒重鎭하고 安神定驚의 효능이 있어 佐藥이 된다. 甘草는 여러 약재를 調和하게 하므로 使藥이 된다. 모든 약을 함께 配伍하면 모두 淸熱化痰하고 開竅安神의 작용을 하게 된다.

【類似方比較】 抱龍丸과 小兒回春丹은 모두 膽南星, 朱砂, 麝香, 天竺黃 등의 약재로 조성된 것으로 淸熱, 化痰, 開竅의 작용을 하며 痰熱閉竅한 小兒急驚 증상을 치료하는데 사용한다. 抱龍丸은 약을 사용하는데 있어 매우 간결하다. 즉 淸熱化痰하고 開竅安神한 치료에 주로 사용한다. 반면 小兒回春丹은 위의 配伍 방법을 바탕으로해 雄黃을 빼고, 다수의 淸心開竅, 息風止痙, 理氣, 化痰, 瀉熱한 약물을 추가해 淸熱化痰開竅의 효능을 증대시켰을 뿐만 아니라, 또한 息風定驚하고 理氣和胃할 수 있게 하였다. 이는 小兒急驚과 腸胃不和한 증상을 동반한 환자를 치료하는데 특히 뛰어나다.

【臨床應用】

1. 證治要點: 본 방제는 小兒急驚風에 의한 痰熱閉竅한 환자를 치료하는데 좋은 방제이다. 임상에서 身熱昏睡, 痰盛氣粗, 驚厥抽搐한 것을 증상 치료의 요점으로 삼는다.

2. 加減法: 본 방제는 息風定驚의 효능이 비교적 약하기 때문에 임상에서 사용할 때 鉤藤, 僵蚕 등의 煎湯을 적절하게 배합하고 복용하여 息風止痙의 효능을 증대시킨다.

3. 抱龍丸은 다음 한국표준질병사인분류(KCD)에 해당하는 환자가 痰熱閉竅證으로 辨證되는 경우 본 처방의 사용을 고려해볼 수 있다.

처방 목표	한국표준질병사인분류(KCD)
流行性腦脊髓膜炎	G02.0 달리 분류된 바이러스질환에서의 수막염
	G01 달리 분류된 세균성 질환에서의 수막염
	G00 달리 분류되지 않은 세균성 수막염
流行性乙型腦炎	A83.0 일본뇌염
急性肺炎	J09~J18 인플루엔자 및 폐렴

【注意事項】 陽氣衰微하고 寒痰上壅한 慢驚에 본 방제를 사용하는 것은 적절하지 않다.

【變遷史】 본 방제의 출처는 宋·錢乙『小兒藥證直訣』卷下이며 錢氏에 의해 만들어진 것으로 "治傷風, 瘟疫, 身熱昏睡, 氣粗, 風熱痰塞壅嗽, 驚風潮抽, 及蠱毒, 中暑, 沐浴後并可服, 壯實小兒宜時與服之."이라고 했다. 錢乙은 中醫學 兒科의 창시자로 평생을 方藥에 심혈을 기울였으며, "爲方博達, 不名一師"(『小兒藥證直訣, 錢仲陽傳』)했다. 古方을 化裁하고 新方을 創製하는데 뛰어났으며, 病勢가 위급하거나 邪實熱盛한 증상을 치료하는데 있어 더욱더 정교하고 전문적인 방제를 만들었다. 본 방제가 바로 그 대표작 중의 하나이다.

錢乙은 임상 경험이 풍부하여 北宋 이전의 小兒急驚에 대한 辨治를 발전시켰으며 후세에 큰 영향을 끼쳤다. 예를 들면 본 방제는 小兒急驚를 치료하는 祖方으로 가히 말할 수 있다. 후세의 抱龍丸, 牛黃抱龍丸, 琥珀抱龍丸 및 小兒回春丹류의 방제는 대부분 본 방제의 기초하에 넣고 빼고 변화해온 것이며 그중 큰 변화는 다음의 세가지이다: ① 牛黃, 琥珀, 珍珠, 僵蚕, 全蝎 등을 넣고 息風止痙의 치료 효과를 강화한다. 예를 들면『景岳全書』卷62에서 琥珀抱龍丸은 琥珀을 넣는다.『古今醫鑑』卷13의 牛黃抱龍丸은 牛黃, 珍珠, 琥珀, 金箔을 넣는다.『中藥成方配本』의 牛黃抱龍丸은 雄黃을 빼고 牛黃, 全蝎, 防風을 넣는다.『中國藥典』의 牛黃抱龍丸은 牛黃, 琥珀, 僵蚕, 全蝎, 茯苓을 넣는다. ② 위에서 언급한 平肝息風의 약물 이외에도 또한 人蔘, 茯苓 등을 넣고 益氣扶正의 치료 효과를 강화하여 小兒急慢驚風를 치료한다. 예를 들면『證治準繩, 幼科』卷2의 琥珀抱龍丸은 琥珀, 僵蚕, 鉤藤, 牛黃, 人蔘, 茯苓을 넣는다.『攝生衆妙方』卷10의 牛黃抱龍丸은 牛黃, 僵蚕, 鉤藤, 人蔘, 茯苓을 넣는다.『中國藥典』의 琥珀抱龍丸은 麝香, 雄黃을 넣고 琥珀, 茯苓, 山藥, 檀香, 枳殼, 枳實, 紅蔘을 넣는다. ③ 牛黃, 川貝母 등을 넣고 淸心化痰開竅의 치료 효과를 강화하여 小兒急驚를 치료할 수 있다. 예를 들면『靑囊秘傳』의 抱龍丸은 麝香을 빼고 牛黃, 遠志를 넣는다.『中藥成方配本』의 小兒回春丹은 雄黃을 빼고 牛黃, 珠粉, 煅靑礞石, 川貝母, 制半夏, 黃連, 胡黃連, 菖蒲 등을 넣는다.

【難題解說】 방제명칭에 대해서: "抱龍丸"이 내포하고 있는 의미에 대해, 어떤 사람은 "抱, 保也; 龍, 肝臟也. 肝臟受驚則魂升, 搖搦不語, 用以熄風化痰, 鎭驚發音, 保守肝魂也"(『絳雪園古方選注』卷下)라고 하였고, 또한 어떤 사람은 小兒急驚를 치료하는데 있어 본 방제가 祛熱邪, 化痰熱, 開心竅하여 위험을 무릅쓰고 赤子를 보전하여 자식을 입신출세하게 할 수 있도록 한다는 의미가 있다고 했다. 따라서 그 명칭을 抱龍丸이라고 부른다고 하였다. 이상의 두 가지 의견은 모두 병존할 수 있다.

【醫案】

1. 急驚

(1)『保嬰撮要』卷2: 어린 아이가 허리와 등이 뒤틀리고 눈은 뒤집혀서 위를 바라보고 낯빛은 새파랗게 변했다. 의학자가 진단하길: 靑은 肝主風에 해당하고, 赤은 心主火에 해당한다 이와 같은 증상은 風火相搏한 것이다. 柴胡梔子散을 사용하고 鉤藤을 두배로 사

용해서 잠시 안정되었으나, 痰이 예전같아 抱龍丸을 다시 사용한 후에 증상이 치유되었다.

(2)『保嬰撮要』(『歷代兒科醫案集成』에 기록됨): 어린 아이가 沉困發熱하고 驚搐不乳하며 脈紋을 보니 마치 亂魚骨와 같았다. 이는 風熱急驚에 의한 증상이다. 우선 抱龍丸 소량을 사용해서 祛風化痰했고, 그런 다음에 六君子湯에 柴胡을 넣어 壯脾平肝하게 치료한 후에 증상이 치유되었다.

考察: 이상의 두 醫案은 모두 抱龍丸을 사용했다. 醫案1은 柴胡梔子散을 먼저 加味했고, 醫案2는 계속해서 六君子湯을 加味했으며 이 둘은 모두 標本兩治한다.

2. 癇『萬氏家傳幼科發揮』卷2: 黃州府의 萬鲁庵은 病癇이 발병했다. 내가 볼 때 그는 용모가 출중하고 총명했다. 그의 아버지에게 말하길: 치료할 수 있다. 그리하여 琥珀抱龍丸 방제를 손수 제조하여 복용하게 했다.

第二節 溫開劑

蘇合香丸(吃力伽丸)

(『廣濟方』,『外臺秘要』卷13)

【異名】 安息香丸(『中藏經』卷下), 白朮丸(『蘇沈良方』卷5), 乞力伽丸(『普濟方』卷237), 蘇合丸(『赤水玄珠』卷4).

【組成】 吃力伽 即白朮 光明砂 研 麝香當門子 訶黎勒皮 香附子 中白 沉香 重者 青木香 丁子香 安息香 白檀香 蓽茇 上者 犀角 各一兩(各 30 g) 熏陸香 蘇合香 龍腦香 各半兩(各 15 g)

【用法】 위의 十五味의 약재를 빻고 채로 거른 다음 아주 고운 분말로 만들고 白蜜를 넣고 끓인 다음 건더기를 제거하고 환으로 만든다. 매일 아침 井華水로 벽오동 크기의 환 4알을 净器에 갈아서 복용하며 노인과 아이는 환 1개를 가루내어 복용한다. 냉수, 온수는 그때에 맞게 조절한다. 탄환 모양의 환을 파라핀 종이로 감싸고 빨간 봉투에 담아서 조심해서 몸에 지닌다. 生血物, 桃, 李, 雀肉, 青鱼, 酢 등은 금한다(현대용법: 경구복용, 매일 1알. 소아 환자는 참작하여 그 양을 줄인다. 1일 3회 따뜻한 물로 복용한다. 의식불명으로 경구복용이 어려운 환자는 鼻飼로 복용 가능하다).

【效能】 溫通開竅, 行氣止痛.

【主治】 寒邪, 穢濁 혹은 氣鬱閉阻氣機, 蒙閉淸竅한 증상을 치료한다. 中風, 中氣 및 때때로 瘴癘의 氣를 느끼거나 突然昏倒, 不省人事, 牙關緊閉, 苔白, 脈遲하고 氣滯寒凝, 心腹猝痛하며 심지어 昏厥한다.

【病機分析】 본 방제가 치료하는 病證의 범위는 비교적 넓다. 대부분의 증상은 寒邪, 穢濁하거나 氣鬱閉阻氣機하고 蒙蔽淸竅에 의한 발생하는 것이다. 예를 들면 中風, 中氣 및 때때로 瘴癘의 氣를 느끼거나, 寒邪 및 穢濁에 의한 氣蒙蔽淸竅 때문에 氣機閉塞하게 되고 결국에는 突然昏倒, 不省人事, 牙關緊閉하게 된다. 氣滯寒凝하고 阻滯胸腹하여 심지어 閉塞氣機하게 되고 결국에는 胸腹猝痛하여 심할때는 神昏肢厥하게 된다.

【配伍分析】 본 방제는 寒邪, 穢濁 혹은 氣鬱閉阻氣機하고 蒙蔽淸竅한 증상을 치료하기 위해 만들어진 것이다.『素問』「至眞要大論」편에서 이야기한 "寒者熱之", "逸者行之"와 "開之發之"의 치료원칙에 따르면 寒한데는 溫해야 하고, 閉한데는 마땅히 開해야 한다. 不通한데는 마땅히 行해야 하므로 溫通開竅을 위주로

해서 치료해야 하며 行氣止痛이 보조해야 한다. 방제에서 蘇合香은 性味가 辛溫走竄하고 通竅開鬱하며 辟穢豁痰한다. "能透諸竅脏, 辟一切不正之氣, 凡痰積氣厥, 必先以此開導, 治痰以理氣爲本也"(『本經逢原』卷3)이라 하였다. 安息香은 開竅辟穢祛痰하고 通行氣血하며 "治卒中暴厥, 心腹諸痛"(『本草便讀』)한다; 麝香은 開竅辟穢하고 通絡散瘀하며 『本草綱目』卷51에서 이르길 "蓋麝香走竄, 能通諸竅之不利, 開經絡之壅遏, 若諸風, 諸氣, 諸血, 諸痛, 驚癇, 癥瘕諸病, 經絡壅閉, 孔竅不利者, 安得不用爲引導以開之, 通之耶"이라고 했다. 氷片은 通諸竅하고 散鬱火하며 "凡一切風痰, 諸中內閉等證, 暫用以開閉搜邪"(『本草便讀』)라고 했다. 이상의 4가지 약은 芳香走竄하고 開竅啓閉하며 辟穢化濁하므로 모두 君藥이 된다. 香附는 理氣解鬱에 뛰어나고 "乃氣病之總司"(『本草綱目』卷14)하다. 木香은 行氣止痛하며 中寒氣滯하고 心腹疼痛한 증상을 치료하는데 뛰어나다. 沉香은 降氣溫中하고 暖腎納氣하며 "凡一切不調之氣皆能調之"(『醫林纂要探源』卷3)하다. 白檀香은 行氣和胃하고 心腹諸痛, 霍亂 등의 증상을 치료한다. 熏陸香은 乳香으로 調氣活血定痛하고 氣血凝滯에 의한 心腹疼痛한 증상을 치료한다. 丁香은 溫中降逆하고 心腹冷痛한 증상을 치료한다. 蓽茇은 溫中散寒하며 下氣止痛한다. 이상의 諸香은 辛散溫通하고 行氣解鬱, 散寒止痛, 活血化瘀하며 함께 君藥의 芳香辟穢하고 開竅啓閉한 작용을 돕고, 모두 臣藥이된다. 白朮은 補氣健脾하고, 燥濕化濁한다. 訶子는 溫澀收斂하고 下氣止痛한다. 犀角는 凉血淸心, 瀉火解毒한다; 朱砂는 淸心解毒하고 重鎭安神한다. 이상의 4가지 약은 하나는 補하고, 하나는 斂하고, 하나는 寒하고, 하나는 重하다. 諸香의 辛散溫熱하고 耗氣蘊熱할 우려를 예방할 수 있고 모두 佐藥이 된다. 여러 약재를 함께 사용하면 芳香化濁하고 溫通開竅하며 行氣止痛하게 된다.

본 방제의 配伍 특징은 두 가지이다: 첫째는 여러 종류의 性味가 辛溫香散한 성질을 띠는 약물을 모아서 함께 사용해서 行氣開竅, 辟穢化濁한 치료 효과를 더욱 두드러지게 한다. 둘째는 방제에서 反佐補氣, 收斂, 寒凉, 重鎭의 약재는 諸香과 配伍해서 性味가 辛溫香散한 약재의 과용할 우려를 예방할 수 있으며, 서로 반대되면서도 어울려서 또한 開竅行氣하고 溫通辟穢한 작용을 더욱더 충분히 발휘할 수 있다.

【類似方比較】 蘇合香丸과 安宮牛黃丸, 至寶丹,紫雪은 모두 芳香開竅劑에 속하며 猝然昏倒, 不省人事한 증상으로 나타나는 中風 等證을 치료할 수 있다. 하지만 蘇合香丸은 수많은 辛溫香散한 약물이 하나의 방제에 모여서 開竅行氣를 위주로 하여 溫開劑의 대표적인 방제가 된다. 寒邪 혹은 穢濁閉阻氣機에 의한 증상을 치료한다. 반면 安宮牛黃丸, 至寶丹, 紫雪는 모두 寒凉淸熱藥과 芳香開竅藥을 함께 配伍하고 방제조합해서 淸熱하고 開竅한 치료 효과를 겸하게 되므로 凉開劑의 대표적인 방제가 된다. 溫熱에 의한 邪內陷心包한 증상 혹은 痰熱內閉에 의한 熱閉 증상을 치료한다.

【臨床應用】

1. 證治要點: 본 방제는 溫開劑의 代表方으로 주로 寒邪, 穢濁 혹은 氣鬱閉阻機竅에 의한 증상을 치료하는 좋은 방제이다. 임상에서 突然昏倒, 不省人事, 牙關緊閉, 苔白, 脈遲한 증상을 치료하는 근거가 된다.

2. 加減法: 본 방제는 사용하는데 있어, 임상에서 증상의 차이에 따라 그에 맞는 方藥을 선택해서 복용하도록 할 수 있다. 脈弱體虛한 환자는 人蔘湯으로 복용해서 正氣를 보충하여 外脫을 막고, 中風痰壅한 환자는 姜汁, 竹瀝으로 복용해서 化痰의 효능을 돕게 하고, 癲癇痰迷心竅한 환자는 菖蒲, 鬱金을 煎湯으로 복용해서 化痰開竅하게 한다.

3. 蘇合香丸은 다음 한국표준질병사인분류(KCD)에 해당하는 환자가 寒邪·穢濁·氣鬱로 인한 閉阻氣機, 蒙蔽淸竅證으로 辨證되는 경우 본 처방의 사용을 고려해볼 수 있다.

처방 목표	한국표준질병사인분류(KCD)
流行性乙型腦炎	A83.0 일본뇌염
腦血管意外	I61 뇌내출혈
	I63 뇌경색증
	I64 출혈 또는 경색증으로 명시되지 않은 뇌졸중
癔症性昏厥	F44.2 해리성 혼미
癲癎	G40 뇌전증
肝昏迷	K72 달리 분류되지 않은 간부전
冠心病心絞痛	I20 협심증
	I24 기타 급성 허혈심장질환
	I25 만성 허혈심장병
心肌梗死	I21 급성 심근경색증
	I22 후속심근경색증
膽道蛔虫症	B77.8 기타 합병증을 동반한 회충증
膽絞痛	K80 담석증
	K81 담낭염
過敏性鼻炎	J30.1 화분에 의한 알레르기비염
	J30.2 기타 계절성 알레르기비염
	J30.3 기타 알레르기비염
	J30.4 상세불명의 알레르기비염

【注意事項】

1. 脫證, 熱閉證 환자는 사용을 금하며, 임산부의 경우 신중하게 사용한다.

2. 본 방제는 辛香走竄하기 때문에 과도하게 많은 양을 복용하는 것을 금한다.

【變遷史】 본 방제는 唐·王燾의 『外臺秘要』가 인용한 『廣濟方』에서 처음으로 보였다. 『外臺秘要』卷13과 卷31에서 모두 본 방제가 수재되어 있으며 卷13에서 앞에서 12味의 약재를 각각 一兩씩 사용하였으며, 卷31에서는 앞에서 12味의 藥을 각각 二兩씩 사용하였다. 이밖에는 모두 동일하다. 『外臺秘要』卷13에 기록하길: "廣濟療傳尸骨蒸, 殗殜肺痿, 疰忤鬼氣, 卒心痛, 霍亂吐痢, 時氣, 鬼魅, 瘴瘧, 赤白暴痢, 瘀血月閉, 痃癖疔腫, 驚癇, 鬼忤中人, 吐乳, 狐魅, 吃力伽丸."라고 하였다. 『廣濟方』은 곧 『玄宗開元廣濟方』으로 原書는 이미 소실되었으나 『外臺秘要』가 인용한 『廣濟方』은 매우 많다. 본 방제의 原名은 吃力伽丸이며 宋·『蘇沈良方』卷5에서 蘇合香丸이라고 불리기 시작해서 후세에 이르기까지 사용되고 있다.

宋 이후의 方書에서 본 방제를 기록한 同名方은 『中醫方劑大辭典』에 8首가 수재되어 있을 뿐이며 방제에서의 藥量과 藥味는 모두 변화가 있었다. 예를 들면 『普濟方』卷361의 蘇合香丸은 人蔘을 넣고, 『張氏醫通』卷13의 蘇合香丸은 朱砂, 訶子, 白檀香, 華茇을 뺐다. 하지만 1977년 이후에 발간된 『中國藥典』에서 본 방제는 犀角을 모두 水牛角 농축분으로 대체했다. 당시에는 본 방제를 바탕으로 하여 藥味를 간소화하고 劑型에 변화를 주었으며 冠心蘇合丸, 蘇氷滴丸, 寬胸丸(華茇, 良姜, 延胡索, 檀香, 細辛, 氷片等), 寬胸氣霧劑 등으로 계속해서 연구 제작하였으며, 이들은 주로 冠心病 치료에 사용했다.

【難題解說】

1. 본 방제의 유래에 대해: 『中國醫學百科全書·方劑學』, 『方劑學』(공통교재 6판) 등에서 본 방제는 『太平惠民和劑局方』에서 유래되었다고 했다. 반면 『中醫方劑大辭典』에서는 본 방제가 『外臺秘要』卷13에 인용된 『廣濟方』에서 유래되었다고 했다. 『外臺秘要』卷13에 인용된 『廣濟方』의 吃力伽丸를 『太平惠民和劑局方』卷3의 蘇合香丸과 비교해 보았을 때, 藥量이 1배 증가한 것 이외에 그 用藥, 적응증, 용법은 기본적으로 동일하다. 『廣濟方』은 곧 『玄宗開元廣濟方』으로 서기 723년에 간행되었으며 『外臺秘要』보다 약 30년 이르며, 『太平惠民和劑局方』보다 약 250년 이르다. 따라서 본 방제는 『外臺秘要』卷13에 인용된 『廣濟方』에서 유래되었다고 볼 수 있다.

2. 方名에 대해: 蘇合香丸의 原名은 吃力伽丸이다. 吃力伽는 즉 白朮의 異名이다. 開竅劑는 補氣藥이라

명명되었으며, 이는 開竅行氣한 방제를 사용하라는 것을 경고한 것으로, 顧護正氣하는 것을 잊어서는 안 된다. 그 의미는『傷寒論』의 十棗湯과 같다. 일반적으로, 방제에서 白朮을 사용하면 燥濕化濁하고 健脾益氣하게 해서 諸香辛散走竄이 너무 과도한 것을 막을 수 있다고 여긴다.『蘇沈良方』卷5에서 본 방제를 蘇合香丸이라고 부른다. 蘇合香의 通竅開鬱하고 辟穢豁痰한 작용이 두드러지게 표현되었을 뿐만 아니라 또한 본 방제의 芳香開竅한 작용에 더욱더 부합되기 때문에 후세에 자주 사용되었다. 어떤 사람은 蘇合香丸이라는 명칭이『太平惠民和劑局方』에서 가장 먼저 기록되었다고 했으나, 이 주장은 착오가 있다. 고찰을 통한 확인 결과『蘇沈良方』은 서기 1077년 이전에 발간된 것으로『太平惠民和劑局方』보다 이르기 때문이다.

3. 본 방제의 적응증에 대해: 본 방제의 적응증은 비교적 다양하며, 古今은 다소 다르다. 宋·『太平惠民和劑局方』에서 본 방제를 "治一切氣"의 방제로 분류하였으며 그 치료법은『外臺秘要』原載와 비슷하다. 元·『世醫得效方』卷2에서 또한 본 방제를 防疫하는데 응용하였으며, "蘇合香丸, 凡入瘟疫家, 先令開啓門户, 以大鍋盛水二斗于堂中心, 用二十圓煎, 其香能散疫氣. 凡病者各飮一瓯後, 醫者却入診視, 不致相雜. "라고 했다. 明·『證治準繩·雜病』卷1에서는 前人의 경험을 총정리해서 이르길: "俗有中風, 中氣, 中食, 中寒, 中暑, 中濕, 中惡之別, 但見卒然仆倒, 昏不知人, 或痰涎壅塞, 咽喉作聲, 或口眼歪斜, 手足 癱瘓, 或半身不遂, 或六脈沉伏, 或指下浮盛者, 并可用麻油, 姜汁, 竹瀝調蘇合香丸."이라고 했다. 공통교재『方劑學』및『中國醫學百科全書·方劑學』편에서 본 방제를 開竅劑로 분류하고 있으며 후자에서 본 방제는 "主治中風, 中氣, 猝然昏倒, 牙關緊閉, 不省人事; 或中惡, 客忤, 胸腹滿痛, 或突然昏迷, 痰壅氣閉; 以及時疫霍亂, 腹痛胸痞, 欲吐瀉不得, 甚則昏閉者"라고 말했다. 당시 일반적인 견해는 본 방제가 주로 寒邪, 痰濁 및 氣鬱閉阻機竅에 의한 증상을 치료하는데 사용한다고 했다.

4. 방제의 犀角에 대해: 犀角은 性味가 鹹寒해서 清熱凉血하고 解毒定驚한 치료 효과가 있으며, 熱入血分, 斑疹, 出血, 驚狂, 煩躁, 譫語 등의 증상을 치료한다. 반면 蘇合香丸은 寒閉에 의한 증상을 치료하니 어떻게 犀角을 配伍하겠는가?『成方便讀』卷2에서 이르길: "犀角解其毒."이라 하였고,『中國醫學大辭典』에서 이르길: "方中用犀角爲寒因寒用之向導, 與至寶丹中用龍腦, 桂心無異."라고 하였다. 全方에서 약재의 配伍를 종합적으로 관찰했을 때, 犀角의 사용 목적을 연구해 보면 마땅히 후자의 논술이 비교적 타당하다. 蘇合香丸이 치료하는 寒閉에 의한 증상은 熱毒内蘊이 없고, 凉血解毒할 필요가 없는데, 犀角을 사용한 목적은 寒因寒用한 反佐의 治法을 써서 寒邪閉阻關竅를 대량의 溫熱之品 중 약간의 寒藥으로 보조하고 길잡이로 삼아서 溫通開竅, 行氣止痛에 이롭고 또한 寒性을 억제하게 했다. 이는 여전히 溫通開竅의 취지를 거스르지 않는다.

5. 방제의 青木香에 대해: 본 방제의 青木香은 도대체 어떤 약물인가에 대해 줄곧 논란이 되고 있다. "1977년판 國家藥典에서 비록 일찍이 규정하길 青木香은 馬兜鈴 혹은 北馬兜鈴의 뿌리를 가리키고 또한 蘇合香丸中의 青木香은 바로 木香으로 바뀌었다고 하지만, 全國統編高等中醫藥院校方劑學教材, 全國自考方劑學教材, 全國函授方劑學教材 등에서는, 方劑學 6판, 7판의 方解에서 木香으로 설명하고 있는 것 이외에 나머지는 모두 青木香으로 기록하고 또한 方義를 해석하고 있다"[1] 당시 青木香이라 불리며 약에 넣은 것은 馬兜鈴과 식물인 馬兜鈴의 마른 뿌리이며(『中國藥典』), 반면 木香은 국화과 식물이다. 李時珍이 지적하길: "木香, ……昔人謂之青木香, 後人因呼馬兜鈴根爲青木香, 乃呼此爲南木香, 廣木香以別之"(『本草綱目』卷14)라고 했다.『神農本草經』을 찾아본 결과 본 책에서는 青木香이 아닌 木香으로 기록하고 있다. 梁代에 이르러 陶弘景이 말하길: "此(指木香)即青木香也."라고 했다. 唐代에 와서 青木香이라는 이 명칭이 더욱 상용되었다. 어떤 사람의 통계에서 "在唐代兩大方

書『千金要方』與『外臺秘要』上萬首方劑中, '木香'之名只出現了6次, 而'青木香'之名則出現了149次, '馬兜鈴根'出現了1次"라고 했다.[1] 이곳의 青木香은 대부분 국화과 식물인 木香을 가리키는 것은 마땅하다. 왜냐하면 木香이 青木香(馬兜鈴根)보다 상용되었기 때문이다. 蘇合香丸는 열가지의 香藥을 모아 놓았다. 그 목적은 溫通開竅辟穢하고 氣機의 閉阻를 解除하는데 있다. 따라서 辛苦性溫, 香氣浓鬱, 行氣調中에 뛰어나고, "主邪氣, 辟毒疫溫鬼"(『神農本草經』)한 국화과 식물 木香을 選用하였다. 이는 辛苦性寒, 微有香氣한 性味를 띄는 青木香(馬兜鈴根)을 사용하는 것보다 더욱 이치에 맞다. 따라서 原方의 青木香은 마땅히 국화과 식물 木香이 된다. 게다가 "近年發現馬兜鈴根所含的馬兜鈴酸存在腎損害, 導致中草藥腎病的危險因素, 故明确蘇合香丸中的青木香應爲今日之廣木香, 停止蘇合香丸, 冠心蘇合丸等成藥中使用青木香(馬兜鈴根), 不論對方劑學的理論教學, 還是對相關中成藥的趨利避害, 都是非常必要的"라고 하여[1] 당시의 『中國藥典』의 蘇合香丸에서 木香을 사용하였으며 青木香은 사용하지 않는다.

【醫案】

1. 寒厥『蘇沈良方』卷5: 淮南의 監司官인 謝執方은 嘔血이 아주 오래되어, 숨이 곧 멎을 것 같았고, 羸敗가 이미 오래되어, 手足이 모두 冷하고 鼻息이 모두 끊어져서 아무런 방법이 없었다. 유일하게 蘇合香丸을 갈아서 半兩 가까이 먹인 후에 드디어 깨어났다. 이외에도 내가 승선했을 때, 사공의 아들이 傷寒에 걸린지 오래 되어 죽을 것 같았지만 心窩는 여전히 따뜻했고 차마 약을 주지 않고 구하는 것을 포기할 수 없어, 蘇合香丸 4알을 먹여 보았더니 드디어 깨어나서 치유되었다.

考察: 이상의 2개 醫案은 모두 앓은지 오래된 병으로, 正虛寒閉하여 蘇合香丸을 사용하여 비록 蘇醒하게 하였으나 여전히 補虛培本해야 한다. 만일 그렇지 않으면 아마도 지금까지의 공로가 수포로 돌아가게 될 것이다.

2. 中風『時病論』卷2: 南譽에 거주하는 餘모씨, 60세, 체형이 뚱뚱하고, 아침에 잠에서 깼을 때 갑자기 기절해서 人事無知, 口眼喎斜, 牙關緊閉, 두 손의 맥박이 모두 浮滑했다. 이는 眞中風이며, 痰이 風을 따라서 귀로 솟아오를까봐 두려웠다. 蘇合香丸을 사오라고 하였으나 도착하기 전에 가래가 끓기 시작해서, 급하게 開關散으로 먼저 잇몸에 문지르고, 蘇合香丸을 녹여서 계속해서 들이마셨더니 잠깐 사이에 痰이 들끓는 듯 했다. 담장을 사이에 두고 온 가족이 놀라서 사방으로 구조를 요청했다. 또한 거위 깃털로 목구멍 속의 痰을 찍어 냈더니 痰이 갑자기 쏟아져 나와서 그릇에 가득 차고, 정신이 조금 맑아지는 듯 보였으나, 마치 나른하고 피곤해서 잠을 자고 싶어하는 듯 보였다. 방안에 있는 모든 사람들을 나가게 하고, 조용해져서 환자가 잠이 들었을 때 환자의 모습을 관찰해 보니, 약간 코를 골고, 피부에는 땀이 약간 나고, 가래 끓는 소리가 조금 났다. 방금 전 또 한 명의 의학자가 와서 말하길 코를 고는 소리는 肺絶때문이고, 땀을 흘리는 것은 欲脫에 의한 것으로, 치료할 수 없다고 말하고는 옷을 털고 나가버렸다. 충분히 생각해 보니, 그의 체구가 매우 실하여 大虛할 일이 없을 것이고, 땀을 조금 흘려서는 脫할 일이 없을 것이며, 痰이 끌어 올라도 閉하는 일이 없이, 방향을 잘 알아보고 잠을 잘 것으로 여겼다. 또한 코를 고는 소리가 들려서 宣竅導痰法에 東蔘, 姜汁를 넣고 치료하려고 침착하게 주입했다. 二更 무렵이 되어서 환자가 갑자기 한 번 탄식하는 소리를 내서 그를 불러 깨워서 米湯을 마시게 하니, 牙關이 조금 느슨해 진 듯 했다. 얼마나 아픈지 따져 물으니 다시 고개를 떨구고 잠을 자고 싶어하는 모습을 보이며, 움직임이 없어졌다. 환자는 자연스럽게 여전히 코고는 소리를 내며 잠이 들어서는 전신에 땀을 흘렸다. 다음날 동틀 무렵이 되어서야 겨우 깨어났으며, 피부의 땀은 줄었으며 痰聲 역시 평온해 지고 口眼도 조금 端正해졌다. 환자의 脈을 다시 짚어보니, 滑而不浮해서 마치 風이 微汗을 따라 나간 것 같고, 痰은 여전히 留滯于絡한 것 같았다. 계속해서 茯神, 柏子을 사용해서 養心收汗하고, 橘絡, 半夏를 사용해서 舒絡消痰하고, 穭豆, 桑葉

를 넣고 以搜餘風하고, 遠志, 菖蒲으로 宣淸竅하게 하고, 또한 인삼과 감초를 佐로 하여 輔正하게 하고, 蘇合으로 開痰하게 했다. 근본과 곁가지를 모두 고려하였기에 대체적으로 적당하다고 온 가족이 굳게 믿고, 환자에게 하루에 연속해서 2첩을 복용하게 하고 닷새째 되는 날 아침에 모든 증상이 줄어들었고 식사량도 조금씩 늘었다.

考察: 본 醫案은 風痰蒙蔽淸竅에 의한 증상이다. 蘇合香丸으로 開竅化濁해서 정신을 조금 깨이게 했으며 다시 宣竅導痰 등의 治法으로 치료해서 효과를 봤다. 이 醫案 역시 蘇合香丸은 化痰하게 하는 치료 효과는 뛰어나지 않으며, 中風의 痰盛神昏의 치료에 사용되어 주로 開竅醒神하게 한다는 것을 증명한다.

3. 嗜睡『上海中醫藥雜誌』(1987, 7:26): 여자, 38세. 반년 동안 嗜睡하고 無力해서 일하기가 힘들었다. 매일 저녁 12시간 동안 숙면하지만 낮에도 여전히 쉽게 잠이 오고 특히 점심 식사 후에 그 정도가 가장 심했다. 자주 밥그릇을 아직 손에서 놓지 않았는데 벌써 꿈나라로 빠져서 깨어나기 어려웠다. 가끔 대화중에 잠이 들기도 했다. 환자의 상태는 精神委靡, 體胖, 胸悶喜叹, 舌質淡胖, 苔白膩, 脈濡하다. 본 증상은 痰濕蒙蔽心竅하고 心陽失展한 증상으로 開閉宣竅하고, 化痰溫陽하려고 蘇合香丸을 아침 저녁으로 각각 1알 씩 가루로 빻아서 呑服하게 했다. 또한 溫膽湯을 넣고 빼서 치료했다. 3일 후 胸悶한 증상이 줄어들었고 精神이 약간 나는 듯 했으며 영화 한편을 보는 시간을 견딜 수 있을 정도로 호전됐다. 방제가 병에 일치하였기에 계속해서 5첩을 복용했다. 복용 후 모든 증상은 다 사라졌으나 유일하게 밤중에 여전히 일찍 잠을 자고 싶어하는 증상이 남아 있어 蘇合香丸으로 바꿔서 아침 저녁으로 각각 1알을 복용하게 했다. 7일 후 모든 증상이 사라졌다. 그 후에 병이 다시 재발하지 않았음을 편지로 알려 왔다.

4. 陰縮『遼寧中醫雜誌』(1988, 1: 31): 남자, 46세. 小便频數한 증상으로 하루에 10여 차례 소변을 보았다. 오줌색은 희고 오줌발은 짧으며, 오줌을 한 번에 누지 못하고 방울방울 흘리는 증상이 1년 가까이 지속되었다. 이와 함께 精神委靡, 面色黧黑, 少腹冷痛, 舌淡苔白, 脈沉細한 증상을 동반했다. 이전의 의학자가 補腎法으로 치료하였으나 한 달가량 지났는데도 호전되지 않았다. 3월 25일 오후 3시경 갑자기 陰部가 빨려 들어가는 것 같은 통증을 느꼈고 점점 더 심해졌다. 당시의 진단: 통증을 호소하는 신음소리가 끊이지 않았고 精神恐慌, 面色苍白, 額頭冷汗出, 手足氷凉했으며, 그의 아내가 한 손으로는 환자의 陰莖을 움켜쥐고 다른 한 손으로는 陰囊을 움켜쥐고는 힘껏 바깥쪽으로 잡아당겼다. 舌淡苔白하고, 脈은 沉伏하여 나타나지 않았다. 환자의 아내의 손을 풀게 한 후에 환자의 陰莖을 보니 그 크기가 겨우 약 一寸 정도로 작았으며 陰囊은 오그라들어서 마치 작은 계란 같았다. 陰莖과 陰囊은 陣發性으로 腹部를 향해 수축하는데, 한 번 수축할 때마다 환자는 한 번씩 신음소리를 멈추지 못했다. 陰縮으로 진단받고 바로 蘇合香丸 1알을 씹어서 삼켰다. 5분 후 小腹이 따뜻해지고 陰部抽搐이 멈추고 통증 또한 멈췄다. 즉시 陰囊 피부가 이완되었고 陰莖도 밖으로 늘어져서 원래의 모습으로 회복되었다. 다음날 계속해서 1알을 복용하고 나서 그 치료 효과가 안정을 찾았다.

5. 小兒喘息『遼寧中醫雜誌』(1990, 2:19): 남자, 8개월, 1985년 3월 진료. 그의 어머니가 대신 전하길: 아이 환자가 4개월 전에 감기 때문에 갑자기 喘息이 발생하고 숨이 가프고 답답해하였다. 兒科에서 진료한 결과 間質性肺炎이라고 하여 항생제를 써서 치료했으나 그 효과는 뚜렷하지 않았다. 당시의 진단: 체형은 뚱뚱하고, 喘息氣急하며, 목구멍에서 가래가 끓는 소리가 났으며, 面色黃白, 舌苔薄白, 指紋黃淡했다. 본 증상은 邪氣閉肺해서 氣機不宣한 것으로 마땅히 理氣化痰으로 치료해야 한다. 蘇合香丸 2알을, 매회 1/3알씩 매일 2회 복용하게 했다. 1알을 복용한 후에 증상이 뚜렷하게 줄어들었으며 하루 동안 단지 2~3회, 매회 약 1시간 동안만 증상이 나타났다. 목구멍에서 가래가 끓는 소리는 더 이상 나지 않았다. 방제에 따라 계속해서

6알을 복용하고 나서 치유되었다.

6. 呃逆『遼寧中醫雜誌』(1990, 2:19): 남자, 48세, 1986년 7월 21일 입원. 환자는 일주일 전 외출했을 때 風寒을 느끼고 컨디션이 좋지 않아 자주 胸悶氣短하고 間斷呃逆하다고 느꼈다. 최근 갑자기 惡心呕吐를 동반한 딸꾹질 증상이 계속 나타났으며 구토를 한 후에는 딸꾹질이 덜해졌다. 저녁이 돼서 딸꾹질이 심해졌으며 가슴이 답답하고, 呼吸困難, 질식할 것 같은 답답함을 느껴서, 저녁 8시에 "膈肌痙攣"한 응급 증상으로 입원했다. 解痙, 鎮静劑 치료를 했으나 그 효과는 뚜렷하지 않았다. 치료 기록: 환자는 呈端坐位하고 구토 증상이 빈번하게 나타나서 말이 이어지지 않아 알 수 없게 되었으며 四肢不溫하고 舌苔薄白, 脈沉弦했다. 본 증상은 寒邪阻遏에 해당하며 肺胃의 氣가 失降해서 발병한 것이다. 이는 마땅히 溫中散寒, 理氣止呃하게 해서 치료해야 한다. 蘇合香丸을 매일 1알 매회 3회 복용하도록 했다. 다음날 딸꾹질이 줄어들었으며 활력이 넘치고 呈卧位해서 산소흡입치료를 멈췄고, 미음을 먹을 수 있을 정도가 되었으며, 苔薄, 脈沉緩하게 되었다. 모두 蘇合香丸 15알을 복용하고 난 후 치유되었으며 지금까지 재발하지 않았다.

7. 雙眼擠動症『遼寧中醫雜誌』(1990, 2:19): 남자, 13세, 1985년 5월 17일 초진. 환자가 말하길: 두 눈이 擠動한지 벌써 3년이 되었다. 맨 처음에는 아버지에게 혼이 나서 훌쩍이면서 등교하고 나서 밤에 바로 두 눈이 擠動하다는 것을 발견했지만 그리 중요하게 생각하지 않았다. 증상이 점점 심해진 후에 모 병원 안과에서 검사한 결과: 시력은 정상이나 두 눈의 결막에 피가 가득 차 있고 屈光間質이 투명하고, 眼底에는 이상 증상이 보이지 않았기 때문에 雙眼 만성 결막염으로 진단했다. 최근 20일 동안 증상이 확연하게 심해져서 진찰을 받았다. 진료 견해: 두 눈이 빈번하게 擠動하고 입과 코 또한 약 57회/min로 경련을 일으켰다. 두 눈은 건조하고 눈꺼풀이 어둡고 舌苔薄白, 脈弦해서 雙眼擠動症으로 진단했다. 본 증상은 風寒外襲하고 胞絡閉阻에 의한 것이다. 치료는 祛風散寒, 溫經通絡하게 해야 하고 蘇合香丸 10알을 매일 2/3알씩 복용하게 했다. 菊花 10 g, 芥穗 5 g을 물을 넣고 달여서 매일 2회 복용하게 했다. 1주일 후 두 번째 진료 당시: 증상이 뚜렷하게 감소하였으며 두 눈의 擠動 횟수 또한 12회/min로 확연하게 줄어들었다. 두 눈에 윤기가 흐르고 苔薄, 脈弦緩하여 위의 약을 9일 동안 복용하게 했다. 세 번째 진료에서: 위의 증상이 사라지고 두 눈에 윤기가 흐르고 面色紅潤하고 精神愉快하게 되어 六味地黃丸 5알을 복용하게 하고 나서 치유되었다. 방문조사에서 3년 동안 재발하지 않았다.

8. 三叉神經痛『遼寧中醫雜誌』(1990, 2:19): 남자, 56세. 1988년 7월 19일 입원. 본 환자는 20일 전 음주 후 바람을 쐬어 왼쪽 머리에 편두통을 느꼈고 그 후에 왼쪽 빰 부위까지 통증이 확대됐다. 陣發性으로 칼로 베인 듯 통증이 나타났고 몇 분 지나서 통증이 완화되었다. 하루에 여러 차례 통증을 느꼈으며 三叉神經痛으로 진단받았다. 예전에 針灸, 龍膽瀉肝湯, Carbamazepine 등의 치료를 받았으나 그 치료 효과는 그다지 좋지 않았다. 환자는 面色少華, 神疲懶言, 咽干不渴, 便燥, 舌淡少津, 苔薄, 脈弦滑했다. 外感風寒하여 經脈痹阻하고 氣機不利하며 不通則痛한 증상에 해당하며 蘇合香丸을 매회 1알 매일 2회 5일 동안 복용하고 나서 증상이 치유되었다.

9. 血卟啉病(porphyria)『遼寧中醫雜誌』(1988, 1: 31): 여자, 48세, 왼쪽 옆구리가 마치 송곳으로 찌르는 듯한 통증이 느껴졌고 통증을 느끼는 부위가 항상 동일했으며, 누르지 못하게 했으며, 복부 전체가 심하게 脹滿한 통증이 동반되었으며 낮에는 덜하고 밤이 되면 더욱 심해졌다. 증상은 간헐적으로 13년 동안 지속되어 왔다. 매번 통증이 발생할 때마다 심한 고통에 참을 수 없었고, 한 번 통증이 지속되면 매번 차이는 있지만 2~3시간은 계속되다가 겨우 완화되었지만 잔여 통증은 계속 남아있었다. 또한 面色黧黑, 夜寐不安, 惡梦紛紜, 口苦口澀, 입안은 마르지만 물을 많이 마시고

싶지 않거나, 納差, 舌紫暗胖嫩, 邊有齒印, 苔白而厚, 脈沉澀한 증상을 보였다. 최근에는 상태가 심해져서 肝大脇 아래의 3~4 cm 부위가 중간 정도로 딱딱했고, 腹部가 膨隆하고 팽팽한 것이 북과 같았지만 青筋이 드러나지는 않았다. 실험실 검사 결과: 尿마膽原 실험 결과 陽性이다. 오줌이 新鮮했을 때는 짙은 황색을 띠나, 햇볕에 쪼이거나 酸을 넣은 후에는 빨간색으로 변했다. 吩噻嗪類, 氯丙嗪, 麥啶 등의 약을 사용해 치료한 후 심한 통증이 줄어들지 않아 급하게 蘇合香丸 1알을 환자에게 씹어서 따뜻한 물로 삼키게 했다. 그런 다음 2분이 지난 후 심한 통증이 크게 감소하였고 3분이 지난 후에는 통증이 곧 멈췄다. 3일에 한 번 1알 총 4알을 복용했다. 이밖에도 疏肝理氣止痛의 효능이 있는 한약을 50첩 정도 추가로 복용하고 나서 증상이 치유되어 퇴원했다. 방문조사 2년 동안 다시 재발하지 않았다.

考察: 醫案3의 증상은 痰濕蒙蔽心竅에 해당한다. 蘇合香丸으로 化濁開竅하게 한다. 醫案4의 증상은 寒凝肝脈에 해당한다. 蘇合香丸으로 行氣散寒하고 祛瘀止痛하게 한다. 醫案5와 醫案6은 모두 "氣逆不和"에 해당한다. 마땅히 蘇合香丸의 適應症이 된다(『蘇沈良方』卷5 참고); 醫案7은 風邪乘襲하고 眼瞼絡脈閉阻하나 熱盛動風하지는 않았다. 따라서 蘇合香丸으로 行氣散寒하게 한다. 醫案8의 증상은 風寒痹阻하고 經氣不利한 증상에 해당한다. 蘇合香丸으로 溫通散寒하고 行氣止痛하게 한다. 醫案9의 증상은 寒實內結에 해당한다. 蘇合香丸으로 辛溫宣通하고 散寒止痛하게 한다. 이상의 病證을 蘇合香丸으로 치료하는 것은 단지 개별 보도로 본 것이다. 대다수는 일반적 치료법이 아니며, 주로 당시의 문헌에서 인용된 것이다.

【參考文獻】

1) 張尊如, 曹占地.蘇合香丸中青木香問題的探討. 北京中醫藥大學學報. 2004:27(2):12-13.

紫金錠(太乙神丹)

(『丹溪心法附餘』卷24)

【異名】 追毒丹, 紫金丹(『丹溪心法附餘』卷24), 萬病解毒丹(『瘡瘍經驗全書』卷13), 加減解毒丸(『證治準繩·瘍醫』卷5), 太乙紫金丹(『外科正宗』卷2), 神仙紫金錠(『濟陰綱目』卷90), 太乙紫金錠(『醫宗金鑑』卷66), 玉樞丹(『痲科活人全書』卷4), 千金解毒丸(『霉瘡證治秘鑑』卷下), 太乙玉樞丹(『慈禧光緒醫方選議』).

【組成】 雄黃 一兩(30 g) 文蛤 一名五倍子, 捶碎, 洗凈, 焙 三兩(90 g) 山慈菇 去皮, 洗凈, 焙 二兩(60 g) 紅芽大戟 去皮, 洗凈, 焙乾燥 一兩半(45 g) 千金子 一名續隨子, 去殼, 研, 去油取霜 一兩(30 g) 朱砂 五錢(15 g) 麝香 三錢(9 g)

【用法】 위의 약재 중 雄黃, 朱砂, 千金子, 麝香을 따로 곱게 갈고 이를 뺀 나머지 네 가지를 모두 곱게 갈고, 앞의 네 가지를 다시 넣고 함께 곱게 간다. 그런 다음 찹쌀풀을 넣고 섞어서 절구에 수차례 찧은 다음 동전 크기의 떡 모양으로 40개 빚어서 서늘한 곳에 두고 건조한다. 튼튼한 환자에게는 떡 1개를 2회 복용하게 하고, 허약한 환자에게는 떡 1개를 3회 복용하게 한다. 무릇 본 방제의 太乙神丹을 복용하고 나서 通利를 1~2회 해야만 그 효능이 더욱 빨라질 수 있다. 만약 通便利尿하지 않으면 쌀죽을 추가한다. 瘡에 도포하면 바로 그 瘡傷이 바로 사라진다. 임산부는 사용을 금한다(현대용법: 위의 약재를 곱게 분쇄해서 찹쌀풀을 넣고 동전 크기로 빚는다. 外用할 경우 물을 넣고 갈아서 하루 3~4회 환부에 도포한다. 內服할 경우 1~3세 환자는 매회 0.3~0.5 g을 복용하게 하고, 4~7세 환자는 매회 0.7~0.9 g을 복용하게 하고, 8~10세 환자는 매회 1.0~1.2 g을 복용하게 하고, 11~14세 환자는 매회 1.3~1.5 g을 복용하게 하고, 15세 이상의 환자의 경우 매회 1.5 g을 하루 2~3회 따뜻한 물로 복용하도록 한다).

【效能】辟穢解毒, 化痰開竅, 消腫止痛.

【主治】

1. 暑令時疫을 치료한다. 脘腹脹悶疼痛, 惡心呕吐, 泄瀉, 痢疾, 舌潤, 苔厚膩 혹은 濁膩하거나 痰厥한 증상을 치료한다.

2. 疔瘡腫毒, 虫咬損傷, 無名腫毒하거나 痄腮, 丹毒, 喉風 등의 증상에는 피부에 도포하여 치료한다.

【病機分析】본 방제의 適應證 범위는 비교적 광범위하다. 그 주요 病機는 穢惡痰濁에 의한 邪鬱阻, 氣機閉塞, 升降失常이다. 여름철에 暑濕當令하면 穢惡痰濁 혹은 疫毒한 邪를 쉽게 느끼게 되어 邪干腸胃, 運化失司, 氣機逆亂, 升降失常하게 되며 脘腹脹痛, 惡心呕吐, 泄瀉, 下痢한 증상으로 나타나게 된다. 만약 穢惡痰濁한 邪가 閉阻氣機하고 蒙蔽清竅하면, 頭昏胸悶한 증상이 나타나거나 심할 때는 神昏譫語, 猝然昏仆한 증상으로 나타나게 된다. 疔瘡腫毒, 痄腮, 喉風 등과 같은 증상의 경우에는 대부분 濕熱醖毒에 의해 발생하는 것이다.

【配伍分析】본 방제는 穢惡痰濁의 邪에 의한 증상을 치료한다. 氣機閉塞하고 升降失常한 증상 및 疔瘡腫毒 등의 증상을 치료하기 위해 만들어진 것이다.『素問』「至眞要大論」편에서 이야기한 "結者散之"와 "開之發之"의 치료원칙에 근거해 辟穢解毒하고 化痰開竅하며 消腫止痛하게 치료한다. 방제의 山慈菇는 性味가 甘微辛寒하며 化痰解毒하고 消腫散結하게 한다.『本草新編』에서 이르길 "山慈菇, 玉樞丹中爲君, 可治怪病. 大約怪病多起于痰, 山慈菇正消痰之藥, 治痰而怪病自除也"(『中藥大辞典』에 수록됨)라고 했다. 麝香은 芳香開竅, 辟穢解毒, 通絡散瘀, 行氣止痛하게 한다. 두 가지 약은 모두 君藥이 된다. 千金子霜과 紅芽大戟은 모두 독이 있는 약물로 以毒攻毒하고 蕩滌腸胃, 攻逐痰濁해서 穢惡積垢을 제거하고 邪毒으로 하여금 신속하게 아래로 가게 한다. 五倍子는 澀腸止瀉하고 化痰解毒하며, 外用했을 때 瘡癤腫毒에 대한 치료 효과가 뛰어나다. 위의 두 약과 配伍하면 瀉下해서 滑脱의 우려가 없게 하고, 澀腸해서 留邪의 우려가 없게 되며, 들어가서 調理腸胃하고, 中焦로 하여금 升降復常하게 해서, 곧 氣機通暢하게 한다. 雄黃은 化痰辟穢解毒하게 하므로 네 가지 약은 모두 臣藥이 된다. 朱砂는 重鎮安神하고 解毒의 치료 효과를 겸하므로 佐藥이 된다. 이상의 모든 약을 함께 配伍하면 辟穢解毒하고 化痰開竅하며 消腫止痛의 작용을 하게 된다.

본 방제의 配伍 특징은 2가지: 첫째는, 모든 解毒의 효능이 있는 약재를 하나의 방제에 모아서 解毒辟穢의 효능을 더욱더 강화시키고, 또한 化痰開竅와 祛邪의 효능을 증대시킨다. 둘째는, 攻逐痰濁과 收斂止瀉한 치료 효과를 함께 配合하면 驅邪해서 傷正의 우려가 없게 하고, 澀腸해서 恋邪의 우려가 없게 해서 解毒驅邪의 효능을 다하게 한다.

본 방제의 사용 범위는 광범위하며 치료 효과 또한 뛰어나다. 그 가치는 가히 金玉과 아름다움을 견줄만하다. 따라서 紫金錠, 玉樞丹이라고 부른다.

【類似方比較】본 방제와 行軍散은 모두 麝香, 雄黃 등의 약을 사용하며 開竅劑에 해당한다. 穢惡痰濁한 邪에 의한 氣機閉塞, 升降失常한 증상을 치료할 수 있다. 하지만 行軍散은 藥性이 寒한 성질에 편중되어 있다. 牛黃, 麝香, 氷片 등의 芳香開竅한 약물을 함께 모아 놓았기 때문에 그 清心開竅의 효능이 비교적 강하고 특히 暑穢竅閉神昏한 환자를 치료하는데 적합하다. 반면 본 방제는 山慈菇, 千金子, 紅芽大戟 등의 解毒攻毒한 약물을 함께 모아 놓았기 때문에 峻烈性猛, 解毒辟穢하고 化痰의 치료 효과가 비교적 강하고 開竅의 효능은 약하다. 따라서 暑令時疫에 의한 邪毒이 비교적 왕성한 환자를 치료하는데 적합하다.

【臨床應用】

1. 證治要點: 본 방제는 사용 범위가 광범위하며

임상에서 脘腹脹悶疼痛, 呕惡泄痢, 舌潤, 苔厚膩 혹은 濁膩한 증상을 치료하는 좋은 방제이다.

2. 加減法: 본 방제를 사용할 때 주로 증상에 따라 물에 갈아서 복용하거나 환부에 도포한다.『丹溪心法附餘』卷24의 소개에 따르면, 본 방제는 生姜, 薄荷汁을 井華水에 넣고 갈아서 辟穢解毒의 치료에 사용할 수 있다. 성인의 中風諸癎에는 술을 넣고 갈면 약효를 증대시켜준다. 小兒急慢驚風, 五疸八痢에는 薄荷葉 1장을 넣고 井華水와 함께 갈면 辟穢解毒의 치료 효과를 볼 수 있다. 두통에는 술에 薄荷葉을 함께 넣고 찧어서 太陽穴 위에 도포하면 疏風通絡하게 해준다. 후세에 또한 발전이 있었다. 中暑나 霍亂으로 구토를 하거나 설사를 할 때 生姜汁에 넣고 갈아서 복용하면 開痰下氣하게 한다. 痰盛에 의한 癲狂癎으로 抽搐中風한데는 菖蒲煎湯을 넣고 갈아서 복용하면 化濁開竅하게 한다. 斑疹, 麻疹 등의 疹毒潛伏, 壯熱煩渴, 神昏譫語한 환자에게는 薄荷湯과 生姜 소량을 넣고 갈아서 복용하면 發表透疹하게 한다. 新久瘧疾이 발생했을 때 桃, 柳枝煎湯을 넣고 갈아서 복용하면 祛風辟邪하게 한다. 넘어져서 생긴 상처에는 松節油를 넣고 갈아서 복용하고 또한 환부에 도포하면 行氣活血止痛하게 한다. 전염병 발생 지역에 들어가거나 전염병 환자가 거주하는 집에 들어가기 전에는 桃根煎湯을 넣고 간 농축액을 코에 한 방울 떨어뜨리면서 소량 복용하면 전염을 예방할 수 있다.

3. 紫金錠은 다음 한국표준질병사인분류(KCD)에 해당하는 환자가 穢惡痰濁爲病, 氣機閉塞, 昇降失常證, 邪實毒盛證으로 辨證되는 경우 본 처방의 사용을 고려해볼 수 있다.

처방 목표	한국표준질병사인분류(KCD)
流行性腦脊髓膜炎	G02.0 달리 분류된 바이러스질환에서의 수막염
	G01 달리 분류된 세균성 질환에서의 수막염
	G00 달리 분류되지 않은 세균성 수막염
癲癎	G40 뇌전증
慢性肝炎	K73 달리 분류되지 않은 만성 간염
	B18 만성 바이러스간염
急性胃腸炎	K29 위염 및 십이지장염
	K50~K52 비감염성 장염 및 결장염
慢性潰瘍性結腸炎	K50 크론병[국소성 장염]
	K51 궤양성 대장염
	K52 기타 비감염성 위장염 및 결장염
痢疾	A03 시겔라증
	A00~A09 장감염질환
傷寒	A01.0 장티푸스
食物中毒	A04 기타 세균성 장감염
	A05 달리 분류되지 않은 기타 세균성 음식매개중독
扁桃體炎	J03 급성 편도염
	J35.0 만성 편도염
急性咽喉炎	J02 급성 인두염
	J04.0 급성 후두염
慢性咽喉炎	J31.2 만성 인두염
	J37.0 만성 후두염
食道癌	C15 식도의 악성 신생물
賁門癌	C16.0 분문(噴門)
白血病	C91 림프성 백혈병
	C92 골수성 백혈병
	C93 단핵구성 백혈병
	C94 명시된 세포형의 기타 백혈병
	C95 상세불명 세포형의 백혈병
嗜酸性粒細胞增多症	D72.1 호산구증가
急性前列腺炎	N41.0 급성 전립선염
慢性前列腺炎	N41.1 만성 전립선염
癃閉	R30.0 배뇨통_융폐
疔	L02 피부의 농양, 종기 및 큰종기
	L02.91 상세불명의 종기
痈	L02 피부의 농양, 종기 및 큰종기
瘡	L00~L99 XII. 피부 및 피하조직의 질환

처방 목표	한국표준질병사인분류(KCD)
毛囊炎	L02.81 기타 부위의 종기
	L73 기타 모낭장애
急性淋巴管炎	A18.2 결핵성 말초림프절병증
	A18.32 장간막림프절의 결핵(K93.0)
	A15.4 세균학적 및 조직학적으로 확인된 흉곽내림프절의 결핵
蜂窩組織炎	L03 연조직염
急性乳腺炎	O91 출산과 관련된 유방의 감염
	N61 유방의 염증성 장애
藥源性靜脈炎	Y88.0 치료용 약물, 약제 및 생물학적 물질에 의한 부작용의 후유증
帶狀疱疹	B02 대상포진
流行性腮腺炎	B26 볼거리
接觸性皮炎	L24 자극물접촉피부염
	L23 알레르기성 접촉피부염
	L25 상세불명의 접촉피부염
隱翅虫性皮炎	T63.4 기타 절지동물의 독액
手癬	B35.2 손백선
扁平疣	B07 바이러스사마귀
急性睾丸炎	N45.01 고환염, 농양을 동반한
	N45.91 고환염, 농양을 동반하지 않은
宮頸糜爛	N72 자궁경부의 염증성 질환
眞菌性陰道炎	N77.1 달리 분류된 감염성 및 기생충성 질환에서의 질염, 외음염 또는 외음질염
肛竇炎	K62.8 항문 및 직장의 기타 명시된 질환
急性痛風性關節炎	M10 통풍

【注意事項】

1. 본 방제는 독성을 가진 약물을 포함하고 있어 그 성질이 강렬하다. 따라서 과도하게 많은 양을 복용하거나 장기간 복용해서는 안 된다.

2. 복용 후 惡心, 腹瀉한 증상이 나타날 경우 일반적으로 별도의 조치를 취하지 않으며, 복용을 중단하면 자연적으로 증상이 치유된다.

3. 亡陽, 厥脫한 증상에는 사용을 금한다.

4. 임산부, 쇠약한 노인 및 氣血虛弱한 환자는 사용을 금한다.

【變遷史】 본 방제의 출처는 明·方廣『丹溪心法附餘』卷2의 "救急諸方"이며, 원래는 "太乙神丹, 一名追毒丹, 又名紫金丹"라고 하였으며, "治一切醫所不療之疾, 毒藥, 蠱毒, 瘴氣, 狐狸, 鼠莽, 惡菌, 河豚等毒, 吃死牛, 馬肉, 毒蛇, 犬, 惡虫咬傷, 中惡, 瘟疫, 傷寒, 結胸發狂, 纏喉諸風, 癮疹, 赤腫丹瘤, 生姜, 薄荷汁入井華水磨服, 大人中風諸癎用酒磨服, 小兒急慢驚風, 五疳八痢, 一餠作五服, 入薄荷一葉同井華水磨服, 牙關緊者涂之即開, 痈疽, 發背, 疔腫, 一切惡瘡用井華水磨服及涂患處, 未潰者覺痒立消, 頭痛用酒入薄荷同研爛, 以紙花貼太陽穴上, 立效."라고 했다.

본 방제는 宋·『是齋百一選方』卷17의 無名方에 加味해서 만들어 진 것으로, 본 방제에서 사용한 약은 文蛤, 紅芽大戟, 山慈菇, 續隨子, 麝香이 있다. 宋·『外科精要』卷中에서는 본 방제를 紫金錠으로 불렀으며 神仙追毒丸 등으로 부르기도 했다. 본 방제는 이를 기초로 하여 雄黃, 朱砂를 넣어서 辟穢解毒, 鎭驚安神의 치료 효과를 더욱더 강화시켰으며 또한 임상에서 자주 사용했다. 본 방제의 방제 명칭이 매우 많은 것에서 볼 때, 그 사용 범위가 광범위하다는 것을 알 수 있으며, 복용 방법이 다양함으로 분석해 볼 때, 마땅히 민간에서도 광범위하게 응용된 방제임을 알 수 있기에 방제를 만든 사람이 누구인지 정확하게 알 수는 없다. 역대 의학자들은 각자의 임상 경험에 근거해 症候의 차이에 따라 넣고 빼서 化裁한다. 예를 들면『霍亂論』卷下의 太乙紫金丹은 朱砂, 加檀香, 安息香, 蘇合香油, 氷片 등과 같은 芳香之品을 넣었다. 이는 辟穢開竅의 작용을 높이기 위한 것이다.『重慶堂隨笔』卷上의 太乙紫金丹은 朱砂를 사용하지 않고 白檀香, 氷片을 넣는다. 이 또한 辟穢開竅의 치료 효과를 높이기 위한 것이다.『瘍科心得集』의 玉樞丹은 五倍子, 續隨子, 朱砂를 빼고 大黃, 降香, 天南星, 生半夏, 乳香, 没藥을 넣어서 化痰解毒하고 活血化瘀하게 해서 모든 風火腫毒한 증상을 치료 한다. 당시 본 방제를 습관적으로 紫金錠 혹은 玉樞丹이라고 불렀으며 錠劑, 水丸劑, 片劑와 散劑 등 몇 가지의 劑型이 있다.

【難題解說】

1. 본 방제의 출처에 대해: 『方劑學』(공통교재 6판) 등의 方劑學 專著에서 이르길 본 방제의 출처는 明·『片玉心書』이라고 하였다. 반면 『中醫方劑大辭典』에서는 본 방제의 출처가 『丹溪心法附餘』의 卷24라고 했다. 『丹溪心法附餘』卷24와 『片玉心書』卷5를 찾아보니 모두 본 방제를 수재하고 있다. 『片玉心書』은 1579년 발행되었고 『丹溪心法附餘』는 1502년에 발행되었으며 후자가 더욱 이르다. 따라서 본 방제의 출처는 마땅히 『丹溪心法附餘』의 卷24가 된다.

2. 본 방제의 주요 작용과 歸類에 대해: 본 방제는 內服과 外用 모두 할 수 있으며 그 用途가 광범위하다. 古今의 의학자들이 본 방제를 內科, 外科, 婦科, 兒科, 五官科 등 여러 진료과에서 수십여 가지 病證 치료에 사용했다. 당시 方劑學 저서에는 일반적으로 본 방제를 開竅劑로 분류했다. 예를 들면 『方劑學』(공통 교재 6판)에서 본 방제를 溫開劑로 분류했으며, 『方劑學』(李飛主編)에서는 본 방제를 凉開劑로 분류했다. 반면 『中成藥與名方藥理及臨床應用』에서는 본 방제를 淸熱劑의 淸熱解毒劑로 분류했다. 『丹溪心法附餘』의 卷24를 찾아보니 본 방제는 "治一切醫所不療之疾, 毒藥, 蠱毒, 瘴氣, 狐狸, 鼠莽, 惡菌, 河豚等毒, 吃死牛, 馬肉, 毒蛇, 犬, 惡虫咬傷" 등의 증상을 치료하기 때문에 解毒작용을 하는 으뜸으로 친다. 당시 사람들이 본 방제의 약재 조성을 분석하며 말하길 "本方解毒力量甚强. 所以能解諸毒者, 以其有大戟, 千金解蠱毒, 五倍子消酒毒, 藥毒, 朱砂解胎毒, 痘毒, 慈菇解惡蛇狂犬毒; 得賦純陽之色, 禀正陽之氣, 能化幽陰. 消痰滯, 散風毒, 消暑熱毒, 傷寒陰毒, 伏各虫獸毒, 辟百邪, 殺百毒的雄黃爲主帥; 解沙虫溪瘴毒, 通諸竅之不利, 開經絡之壅遏的麝香爲前驅, 集解毒藥之大成"(『中醫治法與方劑』)라고 했다. 본 방제의 치료 효능에 있어 방제의 명칭으로 이름을 붙인 것은 解毒밖에 없다. 하지만 알려진 12개의 方名 중에서 4개는 "解毒", "追毒"으로 이름 붙였다. 역대 의학자들이 본 방제의 해독 작용을 중요시 하는 것을 알 수 있다. 위의 내용을 종합해 보면, 본 방제는 寒溫한 증상에 모두 사용하며, 뚜렷한 寒熱作用이 없다. 임상에서 解毒의 효능이 뛰어났지만 開竅한 효능은 비교적 약했다. 따라서 마땅히 解毒開竅劑로 분류하는 것이 더욱 이치에 맞다.

3. 방제 명칭의 含義에 대해: 본 방제의 명칭은 비교적 많다. 대부분 기리며 장려하는 뜻을 나타낸다. 紫金錠은 본 방제가 紫金과 같이 귀중하다는 것을 묘사한 것이고, 紫金은 원래 하나의 정교하고 아름다운 금을 가리킨다. 玉樞丹은 본 방제의 효능이 중요하여 빼놓을 수 없으며 玉만큼 귀중하다는 것을 묘사하고 있다. 樞는 중요하거나 혹의 중심이 되는 부분을 가리킨다. 錠劑는 약재를 갈아서 고운 분말로 만들고 단독 혹은 賦形劑와 혼합한 후에 圓柱 형태나 직사각형 등의 모양의 固體制劑로 만들고 사용할 때 가루로 만들어서 調服한다. 혹은 물을 넣고 갈아서 그 즙을 환부에 도포하기 때문에 본 방제는 곧 錠劑가 된다. 丹은 원래 道家에서 수은, 硫黃 등을 함유한 礦物藥을 加熱해서 升華해서 만든 化合制劑이다. 하지만 또한 비교적 귀중하거나 혹은 특수한 효능이 있는 다른 劑型을 丹이라고 부르기도 한다. 예를 들면 紅升丹, 白降丹實와 같은 散劑와 小兒回春丹, 至寶丹實와 같은 丸劑가 있으며, 당시의 玉樞丹는 水丸劑이다.

【醫案】

1. 中毒性痢疾 『四川中醫』(1988, 4:12): 여자, 4세, 1966년 6월 진료. 환자는 2일 동안 高熱(T40℃), 呕吐, 嗜睡, 大便不爽, 小便色赤, 舌紅紫, 脈弦而數한 증상을 보였다. 현대의학에서 진단하길: 中毒性痢疾이라고 했다. 한의약에서의 증후 판별은 濕熱毒邪하고 壅滯胃腸하여 부득이하게 宣泄하는 것이라고 했다. 通瀉濕

熱壅滯하고 解毒開竅醒神하도록 치료했다. 급하게 紫金錠 一錢과 姜汁을 함께 넣고 갈아서 3회 灌流하게 했다. 1회 灌流한 후 呕吐증상이 멈추고 精神이 조금 맑아졌다. 2시간 후 체온이 38℃까지 떨어졌다. 4시간 후 다시 銀花, 連翹, 薄荷를 각각 一錢을 煎湯으로 복용했다. 복용 후 정신이 더욱더 맑아졌다. 약을 3회 복용한 후 열이 내리고 몸이 차가워졌으며 정신이 맑아지고 체온이 37℃로 내리고 대소변이 정상으로 돌아왔다. 6개월 동안의 방문조사에서 재발하지 않았다.

考察: 下痢에는 高熱神昏한 증상을 보인다. 紫金錠으로 解毒開竅하게 하고 生姜汁을 넣고 갈아서 복용하게 하면 和胃止呕하게 한다. 紫金錠는 또한 腸胃의 穢惡積垢를 攻逐하여 毒熱을 아래에서부터 풀리게 한다. 이에 따라 열이 떨어지고 정신이 맑아지게 된다. 계속해서 清熱解毒, 芳香醒神한 약물을 복용하면 清熱毒餘邪하게 되므로 방제는 효과는 극대화된다.

2. 鎖喉風『河北中醫』(1987, 3:31): 남자, 6세. 환자는 麻疹과 喉炎, 肺炎, 心衰가 함께 발병해서 입원했다. 현대의학의 응급 치료를 통해 肺炎, 心衰는 제어했으나 喉炎은 治癒되지 않았으며 呼吸困難, 聲音嘶啞, 咳似犬吠하며, 咽拭子를 배양하니 황금색 포도상 구균에 감염되었다. 2주 후 새벽 시간에 갑자기 후두 경색이 발병하고, 三凹症(three concave sign)이 두드러졌으며 호흡곤란으로 鼻煽, 肋煽한 증상이 함께 나타나면서 입술이 검붉은 색을 띄었다. 바로 天突, 少商, 合谷, 肺俞에 침을 놓고, 또한 紫金錠 1.5 g을 반복해서 灌下했다. 20분이 지나서 호흡 곤란이 완화되었고, 3시간 후 위급한 증상이 사라졌다. 다시 紫金錠 1.5 g을 제공하고 나서 증상은 거의 치유되었다. 養陰清肺의 치료법을 써서 일주일 동안 조리한 후에 완쾌하여 퇴원했다.

考察: 紫金錠은 喉風를 치료한다. 解毒開竅의 작용으로 효과를 보고, 병세가 위급하여 잠시도 지체할 수 없을 때는 針灸를 함께 써서 清瀉肺熱하도록 치료한다.

3. 蛔虫病『中成藥研究』(1980, 4:47): 남자, 6세, 1978년 9월 16일 초진. 환자는 陣發性 繞臍腹痛으로 종종 風疹瘙痒不安이 발생해서 2주 동안 지속됐다. 분뇨 검사를 통해 蛔虫卵이 발견되었고, 이는 회충이 있어서 그런 것이라고 사료된다. 玉樞丹 2 g을 주고, 이는 하루 동안의 복용량으로, 오후 4시와 취침 전에 각각 1 g씩 복용하게 했다. 9월 17일 재검: 5마리의 회충이 나왔고, 복통은 이미 사라지고 風疹도 해결되었다.

考察: 본 방제는 회충을 驅除하는데 치료 효과가 비교적 크다. 보통 성인은 매일 3 g, 1세 어린 아이는 0.3 g을 복용하게 한다.

4. 癃閉『河北中醫』(1987, 3:31): 남자, 68세. 2일 동안 小便不通으로 병원에 와서 진료를 받았다. 노인성 전립선비대와 감염이 동반되었다고 진단받고 나서 바로 導尿하고 導尿管을 연결해 놓았다. 한약으로 白茅根 60 g을 물에 달여서 紫金錠 2 g을 녹여서 복용하였는데, 하루에 2첩을 복용하였다. 다음날 小便通暢하여 導尿管을 제거하였고, 계속해서 紫金錠 1.5 g을 매일 3회 1주일 동안 복용한 후 완쾌해서 퇴원했다.

考察: 전립선비대와 감염을 동반한 증상은 대부분 濕熱下注하고 痰瘀阻竅에 의한 증상으로 紫金錠을 써서 解毒開竅하고 化痰消腫하게 할 수 있다. 白茅根을 重用해서 복용하면 清熱利濕하게 할 수 있다. 이 방법은 간단하면서 효과가 뛰어나다.

5. 手癬『福建中醫藥』(1984, 4:59): 남자, 52세, 간부, 1982년 5월 10일 진료. 환자는 두 손의 피부 아래가 초기에는 丘疹, 疱疹이 보였으며 가려워서 견디기 힘들었지만 벌써 2년 가까이 시간이 흘렀다. 시간이 지나면서 水疱는 사라졌으나 白皮가 자꾸 일어나고 피부는 거칠고 두꺼워졌다. 어떤 경우는 부분적으로 피부가 붉게 변했고, 밤에는 가려운 증상이 더욱 심해졌다. 膚輕松(fLuocinoLone acetonide)연고, 癬藥水 등의 약을 발라본 적이 있으나 효과는 없었고, 手癬(鵝掌風)으로

진단받았다. 매일 저녁 취침전 紫金錠食醋液(紫金錠 二十片, 食醋 500 mL)을 넣고 두 손의 손바닥을 藥液에 20분 정도 담근 후 다시 물로 씻지 않았다. 낮에도 여러 차례 도포했으며 연속으로 10일 동안 두 손에 도포한 후 癬症이 확실하게 치료되었다.

考察: 食醋는 醋酸을 약 20% 포함하고 있어서 消痈腫하고 治瘡癬한 작용을 한다. 紫金錠과 配伍해서 外用하면 皮膚 및 각질층의 진균감염 치료에 효과가 매우 크다.

通關散

『輔行訣臟腑用藥法要』

【組成】 皂角 刮去皮弦, 用浄肉, 火上炙燥, 如杏核心大一塊 細辛根等分(各 3 g) 細辛根 等分(各 3 g)

【用法】 위의 약재를 모두 아주 곱게 갈아서 葦管을 사용해서 코 안에 소량 불어 넣는다.

【效能】 通關開竅.

【主治】 厥證을 치료한다. 突然昏倒, 不省人事, 息閉不通, 牙關緊閉, 面色苍白하며 痰涎壅盛.

【病機分析】 본 방제는 "諸凡卒死, 息閉不通"(『輔行訣臟腑用藥法要』)한 증상을 치료한다. 氣閉, 痰阻, 中惡에 의한 厥證에 해당하며 "皆臟氣被壅, 致令內外隔絶所致"(『輔行訣臟腑用藥法要』)한 것으로 대부분의 경우는 卒中穢惡하거나 情志所傷하거나 勞倦過度하여 飮食不節, 損傷脾胃, 聚濕生痰, 痰阻氣滯, 肺氣閉塞에 이르게 되고 內外不通하게 되어 결국에는 突然昏倒, 不省人事, 息閉不通, 牙關緊閉, 面色苍白, 痰涎壅盛한 증상이 나타나게 되는 것이다.

【配伍分析】 본 방제는 氣閉, 痰阻, 中惡에 의한 厥證을 치료하기 위해 만들어진 것이다. 『素問』「至眞要大論」편에 근거하여 "逸者行之"와 "開之發之"의 치료 원칙을 바탕으로 하여 性味가 辛溫走竄하고 搐鼻取嚏한 약재를 사용해서 通關開竅하게 치료한다. 방제에서 皂角은 性味가 辛溫走竄하고 刺激性强하여 "通上下關竅, 而涌吐痰涎, 搐鼻立作噴嚏"(『本草備要』卷2)하게 한다. 따라서 君藥으로 쓰인다. 細辛은 性味가 辛溫하고 香竄性烈하며 "升發辛散, 開通諸竅之功"(『本草經疏』卷1)이 있어 臣藥으로 쓰인다. 두 약재를 함께 配伍해서 코에 불어 넣으면, 모두 開通肺氣, 通關開竅의 작용을 하게 된다. 따라서 그 명칭을 通關散이라고 부른다.

본 방제의 配伍 특징: 辛溫走竄, 刺激性强의 특징이 있는 약물로 서로 도와주게 되면 약재의 조성은 정밀하고 藥力은 전문적이다.

【類似方比較】 본 방제와 蘇合香丸은 모두 開竅의 치료 효과가 있어 氣厥, 痰厥, 中惡 등과 같은 증상을 치료하는데 사용할 수 있다. 蘇合香丸은 약재가 매우 많아서 경구 복용을 한 후에 약재가 흡수되어서야 비로서 그 芳香化濁, 溫通開竅, 行氣止痛한 치료 효과가 발휘될 수 있다. 하루에 여러 차례 복용해야 한다. 하지만 본 방제의 단지 2가지 종류의 약재로 配伍되어 있어 약가루를 코에 불어 넣고 재채기를 하게 하는 치료 방법을 통해서 開通肺氣하게 치료할 수 있다. 응급 각성 처치의 방제가 되며 자주 복용하지 않는다.

【臨床應用】

1. 證治要點: 본 방제의 厥證을 치료하는 좋은 방제이다. 임상에서 突然昏倒, 不省人事, 息閉不通, 牙關緊閉, 面色苍白, 痰涎壅盛한 증상을 치료의 요점으로 삼는다.

2. 加減法: 開竅작용을 증강하기 위해서 麝香, 薄荷을 곱게 가루로 갈아서 코에 불어 넣을 수 있으며;

痰濁壅盛한 증상이 심한 환자에게는 生半夏, 生南星, 雄黃 등을 곱게 갈아서 코에 불어 넣거나 혹은 導痰湯, 滌痰湯 등을 配合해서 복용하도록 하여 痰을 제거할 수 있다.

3. 通關散은 다음 한국표준질병사인분류(KCD)에 해당하는 환자가 厥證으로 辨證되는 경우 본 처방의 사용을 고려해볼 수 있다.

처방 목표	한국표준질병사인분류(KCD)
癔症	F44 해리[전환]장애
精神病	F00~F99 V. 정신 및 행동 장애
過敏性 쇼크	(질병명 특정곤란)
	R57 달리 분류되지 않은 쇼크
慢性鼻炎	J31.0 만성 비염
鼻竇炎	J01 급성 부비동염
	J32 만성 부비동염
手術後尿瀦留	(질병명 특정곤란)
	Z54.0 수술후 회복기
	R39.1 기타 배뇨곤란
急性尿瀦留	(질병명 특정곤란)
	R33 소변정체

【注意事項】

1. 脫證, 熱閉證에 사용하는 것은 적절치 않고, 血壓腦病, 腦血管사고, 외상성뇌손상 및 癲癎 등에 의한 昏厥한 증상에도 사용하지 않는다. 임산부의 경우에도 사용을 금한다.

2. 본 방제의 약물은 응급 치료를 위한 方劑로 잠시 동안 사용해야 하며 병에 적중한 이후에는 바로 복용을 멈춘다.

3. 본 약물을 사용해서 재채기하는 것을 한도로 하며 기관지에 들어가는 것을 예방하기 위해 사용량은 과도하게 하면 위험하다.

【變遷史】 본 방제는 敦煌遺書『輔行訣臟腑用藥法要』에서 처음 발견되었으며, 開竅의 치료 효과로 卒死中惡한 환자를 구하는 方劑 중의 하나이다. "治諸凡卒死, 息閉不通者"라고 하여 코에 불어 넣는 治法을 사용해서 "得嚏則活"하게 한다고 하였다. 唐·『備急千金要方』의 卷25에서 用治自縊했다. 宋·『類編朱氏集驗醫方』의 卷1에서는 본 방제를 응용해서 "治卒中口噤, 不省人事"하게 하고 또한 "或用半夏"할 수 있다고 하였다. 明·『丹溪心法附餘』의 卷1에서 본 방제를 응용해서 "治卒中風邪, 昏悶不醒, 牙關緊閉, 湯水不下"하게 하고 또한 방제의 명칭을 通關散이라 불렀으며 이것이 지금까지 이어져 오고 있다.

후세 의학자들이 본 방제의 약물이 적고 그 효능이 단순해서 자주 다른 약물을 加味해서 사용했다. 다음과 같은 세가지 측면에서 변화가 일어났다. ① 性味가 辛香宣散한 약물을 넣고 行氣開竅의 효능을 보조한다. 예를 들면『醫宗金鑑』卷51의 通關散에 薄荷, 生半夏을 넣었고,『中國藥典』(1963년판)의 通關散에는 薄荷, 麝香을 넣었고,『中國藥典』(1977년 이후 모든 판본)의 通關散에는 鵝不食草를 넣었다. ② 半夏, 天南星 등의 化痰藥을 넣고 본 방제의 祛痰한 치료 효과를 강화시켰다. 예를 들면『醫宗金鑑』卷39의 通關散에 天南星, 生半夏, 薄荷을 넣었다. ③ 僵蚕, 蜈蚣 등을 넣고 祛風止痙하게 했다. 예를 들면『嬰童百向』卷4의 通關散은 猪牙皂角, 天南星, 麝香, 蜈蚣, 僵蚕으로 구성되어 있으며 小兒의 驚風抽搐하고 關竅不通한 증상을 치료한다.

【難題解說】

1. 본 방제의 출처에 대해: 敦煌遺書의『輔行訣臟腑用藥法要』에 수재되길: "陶經隱居云: 中惡卒死者, 皆脏氣被壅, 致令內外隔絶所致也, 神仙有開五竅以救卒死中惡之方五者, 錄如下: ……吹鼻以通肺氣: 治諸凡卒死, 息閉不通者, 皆可用此法活之. 皂角刮去皮弦, 用浄肉, 火上炙燥, 如杏核心大一块, 細辛根等分, 共爲極細末, 每用苇管吹鼻中少許, 得嚏則活也."라고 했

다. 이 책의 원래 제목은 "梁, 華陽隱居陶弘景撰"으로 고찰한 바에 따르며 마땅히 陶氏 제자가 스승의 말씀을 서술한 저서임을 알 수 있으며, 대략 陶弘景(公元 456~536년) 이후부터 隋·唐기간에 책이 완성되었을 것으로 보이며 道家醫書이다.[1]) 반면 唐·『備急千金要方』은 서기 650년에 완성된 저서이기 때문에 본 방제의 출처는 『輔行訣臟腑用藥法要』라고 보는 것이 더욱 타당하다.

설령 본 서적에 기록된 방제는 주로 漢代의 『湯液經法』에서 유래되었다고 할지라도 본 방제는 "神仙"의 가르침을 받았거나 道家의 비법을 전수한 가능성이 매우 높다. 그렇기 때문에 『湯液經法』에서 유래되었다는 것을 인정할 수 없다.[1~3)]

2. 본 방제 치료 효과의 機制에 대해: 본 방제의 약물은 단지 두 가지이다. 搐鼻取嚏의 치료 방법을 통해서 通關開竅하게 할 수 있다. 鼻는 肺의 竅가 되고 肺主一身之氣이기 때문에 콧구멍을 자극하고 재채기를 하게 해서, 肺氣로 하여금 宣通하게 하고 氣機가 막힌 것을 뚫리게 한다. 즉 諸竅通利하고 神志淸醒하게 된다. 설령 본 방제의 藥性이 辛溫하다 할지라도 猪牙皂角은 또한 祛痰 효능이 비교적 뛰어나다. 하지만 임상에서의 사용량은 매우 적고 약재도 재채기를 할 때 종종 함께 배출되기 때문에, 흡수되기는 매우 어렵다. 또한 그 溫通祛痰한 치료 효과를 충분히 발휘하기 어렵다. 따라서 본 방제는 주로 콧구멍을 자극하고 재채기를 하게해서 開通肺氣하고 通暢氣機하여 通關開竅에 도달하게 하려는 목적이 있다.

3. 中風에 대해: 『丹溪心法附餘』卷1에 수재된 본 방제는 "治卒中風邪, 昏悶不醒, 牙關緊閉, 湯水不下"한다고 하였다. 『成方便讀』卷2에서 또한 이르길: "此亦治中風閉證. "한다고 하였다. 中風은 당시 일반적으로 腦血管意外를 가리켰다. 예를 들면 본 방제를 응용해서 取嚏하게 하면 일과성 胸, 腹腔內 압력 상승과 血壓 상승을 가져올 수 있으며, 병세를 가중시킬 가능성이 있다. 따라서 당시 문헌에서 腦血管意外 등의 腦實質病變을 본 방제의 禁忌證으로 분류했다.

4. "通關"의 含義에 대해: 通關은 通關竅를 가리킨다. 人體는 口, 鼻, 眼, 耳, 前後二陰九竅 이외에도 또 心竅가 있다. 즉 心神의 竅을 말한다. "通關"으로 불리는 방제는 곧 通關竅의 치료 효과가 있다는 것을 말해주는 것이다. 예를 들면 『圣濟總錄』卷15의 通關散은 腦風과 鼻息不通을 치료한다. 『喉科指掌』卷1의 通關散은 咽喉急症을 치료해서 通利咽喉하게 한다. 『串雅補』卷2의 通關散은 關膈不通을 치료해서 물을 마실 수 있게 한다. 『醫方類聚』卷136의 通關散은 小便不通을 치료해서 通利小便하게 한다. 따라서 본 방제의 含義는 神昏口噤, 氣閉不通 등의 증상에 대해 開竅通關하게 하는 치료 효과가 있다는 것을 가리킨다.

【醫案】

1. 中惡 『謝映廬醫案』卷6: 陳調元의 아들, 5세, 갑자기 졸도하여, 目瞪鼻煽하고, 咽喉氣壅하였으며, 두 손은 주먹을 쥔 상태로 온 집안이 떠나가도록 크게 울었다. 한밤중이 되었지만, 同輩环視하고, 약을 사용할 엄두가 나지 않았다. 남은 通關散을 이용하여 콧속으로 불어 넣으니, 두 콧구멍이 벌렁거리더니, 재채기를 한 번하기 시작했고, 또 한 콧구멍이 벌렁거리더니, 연속해서 2회 재채기를 했다. 紅棉散葱湯 一錢을 함께 配合해서 다시 복용하게 하고 땀을 조금 흘리게 하고 나서 병이 나았다. 이 소아 환자는 어리기 때문에 肺氣娇薄하고, 腠理不固하며, 陰物惡毒한 氣가 침입해서, 阻塞肺竅해서, 淸道가 막혀서 不宣하게 된 것이다. 재채기를 하고 땀을 흘리면 塞한 곳이 열리고 壅한 곳이 통하게 된다.

考察: 『備急千金要方』卷25에 기록하길: 『集驗方』은 通關散을 응용해서 中惡을 치료한다. 본 醫案은 본 방제를 응용해서 得嚏하게 치료하고 다시 發表化痰하게 한다. 모두 開塞通壅하도록 치료한다.

2. 中食『謝映庐醫案』卷2: 李모 여성, 胸腹大痛, 忽然昏倒, 手足逆冷, 口不能言, 兩手握固, 兩尺脈細했다. 우선 脈이 断絶되면 반드시 죽기 때문에 附子理中湯 방제로 藥을 달여서 구원을 간절히 바랬다. 진료를 볼 적당한 시간이 있어 봐 주시길 요청했다. 진료 당시 兩尺果無하다고 하였지만, 症과 脈은 서로 상반되어 만약 결과적으로 眞脫한다면 어찌 얼굴빛이 파래지고 땀을 많이 흘리는 이치가 있을 수 있겠는가. 책에서 이르길: 上部에는 脈이 있고, 下部에는 脈이 없다. 그 사람은 마땅히 吐해야 하며, 吐하지 않으면 죽는다. 이는 반드시 傷食에 의한 것이므로, 따라서 胸中痞塞, 陰陽不通, 上下阻絶한 증상은 우선 창문을 열게 하여, 中舒하게 해야 한다. 원인을 물으니, "曾傷食否?"라고 물었다. 伊姑가 말하길, "曾到戚家賀壽, 油膩, 肉, 面, 頗爲大啖. "라고 했다. 治法은 대담하게 그에 맞는 약재는 사용하지 않아 볶은 소금 一兩을 뜨거운 물에 타서 灌流하게 하고, 동시에 通關散을 코에 불어 넣어서 크게 재채기를 하고 토하게 하고 난 후에 환자가 바로 깨어났다. 몇 점의 고기 조각을 토해내고, 痰이 묻은 국수, 계란을 몇 그릇 분량으로 토하고 나니 마치 그 병이 없어진 것 같았다.

考察: 본 醫案은 食厥이다. 증상은 食滯上脘하고 氣機不通하여 나타나는 것이므로 마땅히 吐法을 써야 한다. 이외에도 通關散과 함께 응용해서 開竅通關하게 한다. 두 치료 방법을 함께 사용하면 食積한 것을 배출할 수 있을 뿐만 아니라 또한 氣機가 막힘없이 통하게 되어 그 치료 효과가 더욱 커지니 가히 금상첨화라고 말할 수 있다.

3. 溺水昏迷『河南中醫』(1999, 6:54): 남자, 3세, 물에 빠진지 5분 만에 마을 사람에게 구조되었다. 구조되자마자 바로 몸을 거꾸로 잡고 肺胃에 들어간 물을 빼냈다. 인공 심폐 소생술을 하고 나서 심장이 뛰고, 호흡이 회복되었으나 아직 깨어나지 않아서 바로 병원에 가서 응급처치를 했다. 通關散 소량을 2회 코에 불어 넣고 나서 바로 소아 환자가 울기 시작했고 정신이 맑아졌다. 입원해서 5일 동안 치료받은 후 안정되었다.

考察: 물에 빠진 후에는 氣機가 閉塞하게 된다. 通關散가루를 코에 불어 넣어 재채기를 하게하므로 氣機暢利하고 神志淸醒하게 치료한다.

4. 鼻腔異物『河南中醫』(1999, 6:54): 남자, 2세, 나이가 어리고 무지해서 놀다가 땅콩 하나를 오른쪽 콧구멍에 3 cm 깊이까지 밀어 넣었다. 소아 환자는 끊임없이 울고불고 하다가 五官科에 와서 진료를 받았지만 집게로 빼내는데 어려움이 있어, 나중에는 兒科에 가서 도움을 요청했다. 兒科에서 通關散 소량을 두 콧구멍에 불어 넣고 나서 바로 재채기가 끊임없이 나왔고 갑자기 땅콩이 튕겨 나오면서 순간적으로 해결되었다.

考察: 소아 환자는 협조가 어렵기 때문에 鼻腔의 이물질을 빼내는데 어느 정도의 곤란함이 있다. 通關散가루를 코에 불어 넣어 코피를 멎게 하여 재채기할 때 이물질이 함께 나오게 하는 방법은 간단해서 실행할 만하다. 하지만 이물질의 크기가 클 경우에는 콧구멍을 막고 있는 시간이 길지 않아야 한다.

【參考文獻】

1) 王淑民.『輔行訣臟腑用藥法要』與『湯液經法』,『傷寒雜病論』三書方劑關係的探討. 中醫雜誌. 1998;39(11):694-696.

2) 王淑民. 敦煌卷子『輔行訣臟腑用藥法要』考. 上海中醫藥雜誌. 1991;(3):36-39.

3) 朱建平. 通關散方源考. 中國醫藥學報. 2002;17(2):114-115.

第十二章

理氣劑

대체로 理氣藥을 위주로 구성되며, 行氣나 降氣의 효능이 있어 氣滯 혹은 氣逆한 病證에 사용하는 方劑를 理氣劑라고 부른다.

理氣方劑의 應用 역사는 오래되었다. 일찍이 『素問』「六微旨大論」편에서 “出入廢則神機化滅, 升降息則氣立孤危. 非出入則無以生長壯老已, 非升降則無以生長化收藏. 是以升降出入無器不有”라고 하여 인체의 생명 활동은 氣의 升降出入에 의한 生化運動에 해당하지 않는 것이 없다고 지적하고 있다. 만약 각종 질병을 유발하는 요소의 침범을 받았다면, 氣의 升降出入의 運動에 이상을 초래하거나 疾病을 일으킬 수 있는 가능성이 있다. 따라서 『素問』「擧痛論」편에서 이야기 하길: “百病生于氣也.”라고 하였으며, 이는 위에서 언급한 내용을 바탕으로 하고 있음을 알 수 있다. 『素問』「至眞要大論」편에서는 한 발 더 나아가 氣病의 치료원칙에 대한 주장을 펼쳤으며, 그중 “逸者行之”·“結者散之”와 “木鬱達之”(『素問』「六元正紀大論」)로 行氣의 治法을 요약했다. “高者抑之”·“驚者平之”는 降氣의 治法을 포함하고 있으며, 理氣方劑의 立論 근거가 된다. 『神農本草經』에 수재된 약재 중에는 이미 木香·枳實·厚朴·桔梗·射干·款冬花·紫石英·鐘乳石 등의 常用하는 行氣와 降逆 약재를 포함하고 있다. 이는 理氣方劑의 출현이 藥物學의 기초를 다졌다는 것을 의미한다. 東漢 말년 張仲景의 『傷寒雜病論』에서 厚朴三物湯·半夏厚朴湯·枳實薤白桂枝湯·旋覆代赭湯·橘皮竹茹湯·大半夏湯 등의 많은 調理氣機方劑를 기록하고 있다. 이는 仲景이 氣機阻滯와 氣機逆亂의 證治에 대해 중요시한다는 것을 반영하며, 또한 이러한 方劑를 配伍하는데 있어 신중하고, 약재를 선택하는데 있어 정확하고 적당해서, 역대 의학자들이 모범으로 받들었으며, 후세에 理氣方劑의 組方配伍와 그 운용에 있어 심대한 영향을 미쳤다. 隋·巢元方의 『諸病源候論』에서는 “氣病諸候”를 특별히 열거해서 氣病의 病因·病機와 臨床表現에 대해 비교적 체계적으로 서술하였다. 이는 理氣法을 응용하는 데 있어 理論基础를 다지게 했다. 唐·孫思邈의 『備急千金要方』과 王燾의 『外臺秘要』에는 광범위하게 수집하여 다량의 효과있는 理氣方劑를 한데 모아서 고대 의학자들의 많은 귀중한 경험들을 보존할 수 있도록 했다. 宋·嚴用和의 『濟生方』에 수재된 방제는 臨床에서 실용적이다는 것에서 특색이 있다. 그중의 四磨湯·橘核丸 등은 지금까지 여전히 한의 臨床에서 자주 사용되고 있다. 金·元시기에 각종 학술 유파가 형성되면서, 학술 사상이 전례없이 활발해지고, 理氣法에 대한 운용은 더욱 광범위해졌으며, 매우 시대적인 특징을 가진 理氣方劑가 다량으로 만들어 졌다. 예를 들면 劉完素의 『素問病機氣宜保命集』에 수재된 金鈴子散·李杲의 『內外傷辨惑論』에 수재된 厚朴溫中湯·『蘭室秘藏』에 수재된 烏藥湯 등은 모두 대대로 전해지는 名方이 되었다. 氣病治療의 理論과 實踐 방면에서 모두 뛰어난 공적을 쌓은 元代의 朱震亨에 대해 말하자면, 그는『內經』의 "百病生于氣也" 및『難經』의 "氣者, 人之根本也"의 이론을 이어받고, 한 걸음 더 나아가: "氣血衝和, 萬病不生, 一有怫鬱, 諸病生焉. 故人身諸病, 多生于鬱"(『丹溪心法』卷3)라고 했다. 소위 "鬱"라는 것은, 곧 "結聚而不得發越也. 當升者不得升, 當降者不得降, 當變化者不得變化也"(『金匱鉤玄』卷1)으로 氣血鬱滯하면 다양한 종류의 疾病을 일으키는 중요한 病理 요소가 될 수 있다고 강조하였으며, 이를 바탕으로 해서 越鞠丸을 만들어서 氣機鬱滯로 인한 六鬱을 치료했다. 이후에, 明代 의학자인 葉文齡의『醫學統旨』에 수재된 柴胡疏肝散·秦景明의『症因脈治』에 수재된 丁香柿蒂湯·張時徹의『攝生衆妙方』에 수재된 定喘湯·張介賓의『景岳全書』에 수재된 暖肝煎 등의 방제가 세상에 나오면서 理氣劑의 내용을 더욱더 풍부하게 했다. 淸代 의학자인 汪昂은 최초로 위에서 언급한 방제를 "理氣之劑"라고 개괄했으며, 이때에 이르러서 理氣方劑가 方書에서 하나의 장으로 독립되었다. 현재 理氣劑는 心血管系統·消化系統·呼吸系統·神經系統·泌尿系統 등 다방면의 질병에 주로 응용되고 있으며, 冠心病心絞痛·心律失常·急慢性胃炎·胃神經官能症·胃擴張·胃及十二指腸球部潰瘍·幽門不全梗阻·神經性呃逆·急慢性肝炎·膽囊炎·急慢性支氣管炎·支氣管哮喘 및 惡性腫瘤放화학요법 과정에서의 腸胃道反應의 치료 방면에서도 비교적 눈에 띄는 치료 효과를 거두었다. 하지만 이 종류의 방제와 관련된 實驗研究는 비교적 많이 진행되지 못하였고, 또한 깊이 파고들지 못했으므로, 앞으로 중시하고 필요한 투자를 해서, 한 층 더 氣病의 실체와 理氣方劑의 作用機制를 밝혀서, 더욱 합리적이고 정확하게 理氣劑를 응용할 수 있는 이론적 근거를 제공해야 한다.

理氣劑는 氣滯 혹은 氣逆한 證候를 치료하기 위해 만들어진 방제이다. 치료는 항상 氣의 升降을 조절하는 것을 원칙으로 하며, 만약 鬱滯한 증상이 주로 나타나는 경우에는 行氣하게 치료해서 이를 조절한다. 만약 衝逆한 증상이 주로 나타나는 경우에는 降氣하게 치료해서 증상을 안정시켜준다. 따라서 理氣劑은 보통 行氣와 降氣 두 종류로 나눈다.

1. 行氣劑: 氣機를 막힘없이 원활하게 하는 효능이 있어서 氣機鬱滯한 病證에 사용한다. 臨床에서 脾胃氣滯證과 肝氣鬱滯證으로 주로 나타난다. 脾胃氣滯하면 주로 脘腹脹滿, 噯氣呑酸, 嘔惡食少, 大便不調 등의 病症을 보이기 때문에 항상 脾胃氣機를 疏理하는 약재인 陳皮·厚朴·木香·枳殼·砂仁 등을 選用해서 主組方한다. 肝氣鬱滯하면 주로 胸脇 혹은 少腹에 脹痛이 느껴지거나, 疝氣疼痛하거나, 月經不調·痛經 등의 病症으로 나타나기 때문에 疏肝理氣한 약재인 香附·川楝子·靑皮·烏藥·鬱金 등을 選用해서 主組方한다. 配伍用藥에 있어서 일반적으로 臟腑의 발병부위 및 氣滯를 동반한 病理요인에 근거해서 참작한 후 결정하게 되며, 대체적으로 아래의 몇 가가지로 나누어 볼 수 있다. ① 活血藥을 配伍한다. 예를 들면 川芎·當歸·桃仁·赤芍·丹參·延胡索과 같은 종류가 있으며 그중에는 특히 活血하고 行氣를 겸한 효능이 가장 뛰어나다. 대체로 氣와 血의 관계는 지극히 밀접해서, 血液의 정상적인 운행은 전적으로 氣機의 막힘이 없이 원활함에 달려있다. 대체로 氣機鬱滯하면 血行不暢을 초래하게 되어, 결국 氣鬱한 증상이 나타나게 되며, 정도의 차이는 있지만 항상 瘀血과 함께 존재한다. 따라서 行氣方劑는 항상 氣滯의 久暫 및 瘀血의 정도에 근거해서 活血化瘀한 약재를 적당량 配伍하면 瘀血의 兼證을 고려할 수 있을 뿐만 아니라 또한 氣機를 流暢하게 하는데 도움이 될 수 있다. 예를 들면 越鞠丸과 柴胡疏肝散에 있는 川芎, 金鈴子散과 加味烏藥湯에 있는 延胡索, 橘核丸에 있는 桃仁·延胡索, 啓膈散에 있는 丹參이 있다. ② 溫裏藥을 配伍한다. 예를 들면 肉桂·乾薑·高良薑·小茴香·草豆蔻와 같은 종류가 있다. 寒主收引은 그 성질이 凝斂하기 때문에 氣機의 暢達에 영향을 미쳐서 寒凝氣滯한 증상으로 나타나게 된다. 따라서 氣滯를 겸한 寒證에는 溫裏藥을 넣어서 溫裏散寒과 行氣開鬱의 작용을 증강시킨다. 예를 들면 天台烏藥散에 있는 高良薑·小茴香, 暖肝煎에 있는 肉桂·小茴香, 良附丸에 있는

高良薑, 厚朴溫中湯에 있는 乾薑·草豆蔻 등이 있다. ③ 淸熱藥을 配伍한다. 예를 들면 梔子·牡丹皮와 같은 종류가 있다. 氣機失暢하고 鬱而不行하면 쉽게 化熱生火하게 된다. 이때 淸熱瀉火한 약재를 酌伍해서 淸怫鬱之熱해야 한다. 예를 들면 越鞠丸에 있는 梔子가 있다. ④ 化痰藥을 配伍한다. 예를 들면 半夏·天南星·瓜蔞·貝母와 같은 종류가 있다. 대체로 人體 津液의 運行敷布는 氣機의 調暢에 달려있다. 따라서 七情內傷, 氣機鬱滯는 肺胃의 宣降 기능에 영향을 미쳐 津液이 원활히 공급되지 못하고 痰으로 凝結되어 痰氣互結한 증상으로 나타나게 된다. 이때 行氣方에서 化痰의 효능이 있는 약재를 配伍해서 收痰氣并治·相輔相成의 효능을 갖게 할 수 있다. 예를 들면 半夏厚朴湯에 있는 半夏, 瓜蔞薤白白酒湯·瓜蔞薤白半夏湯 및 枳實薤白桂枝湯에 있는 瓜蔞·半夏, 啓膈散에 있는 貝母 등이 있다. ⑤ 滋陰養血藥을 配伍한다. 예를 들면 當歸·枸杞子·白芍과 같은 종류가 있다. 肝은 藏血之臟으로, 肝鬱氣滯가 오랫동안 계속되면 暗耗陰血하기 쉽다. 따라서 疏肝行氣解鬱한 방제를 組方配伍해서 늘 그 虛한 것을 돌보고, 養血한 약재를 적당히 넣고 肝體를 보양하며, 간의 상태에 따라 그 양을 조절한다. 예를 들면 柴胡疏肝散에 있는 白芍, 暖肝煎에 있는 當歸·枸杞子 등이 있다. 이밖에도, 만약 氣機失暢, 水道不利, 濕濁內生한 경우에는 宜配伍 健脾祛濕한 효능이 있는 약재를 配伍해서 兼顧한다. 예를 들면 越鞠丸에 있는 蒼朮·厚朴溫中湯에 있는 茯苓·橘核丸에 있는 木通 등이 있다. 만약 氣鬱가 오랫동안 해소되지 않고, 血滯痰凝해서 腫塊하 된 경우에는 咸潤軟堅散結한 효능이 있는 약재를 酌配해서 치료 효과를 향상시킬 수 있다. 예를 들면 橘核丸에 있는 海藻·昆布·海帶 등이 있다. 氣滯하면서 氣虛한 증상을 보이는 경우에는 補氣한 효능이 있는 약재를 配伍해서 넣고 그 虛한 것을 兼顧한다. 설령 뚜렷하게 虛한 증상을 보이지 않는 경우라 하더라도 行氣 약재는 辛香走竄한 性味를 띠고 있어서 쉽게 耗散正氣하게되니 補氣한 효능이 있는 약재를 보조해서 또한 行氣하고 不耗氣하게 한다. 예를 들면 四磨湯에 있는 人蔘이 있다. 行氣劑의 代表方에는 越鞠丸·柴胡疏肝散·枳實薤白桂枝湯·半夏厚朴湯·金鈴子散·天台烏藥散·加味烏藥湯 등이 있다.

2. 降氣劑: 降氣平喘하거나 降逆止嘔의 효능이 있어서 氣機上逆한 病證에 사용한다. 臨床에서 肺氣上逆證과 胃氣上逆證으로 주로 나타난다. 肺氣上逆의 경우에는 주로 咳喘으로 증상이 나타나며, 항상 降氣平喘하고 止咳祛痰한 약재인 蘇子·桑白皮·杏仁·厚朴·半夏·前胡·款冬花 등을 選用해서 主組方한다. 胃氣上逆의 경우에는 주로 呃逆·嘔吐·噫氣 등의 증상이 나타나며 항상 降逆和胃한 약재인 旋覆花·代赭石·半夏·竹茹·丁香·柿蒂 등을 選用해서 主組方한다. 配伍用藥에 있어서, 또한 臟腑의 발병 부위 및 氣逆을 동반한 病理 요인에 근거해서 결정하며, 대체적으로 아래의 몇 가지로 나누어 볼 수 있다. ① 補益藥을 配伍한다. 예를 들면 人蔘·當歸·炙甘草·大棗와 같은 종류가 있다. 肺胃氣逆하고 氣血不足을 겸한 경우에는 補益氣血의 효능이 있는 약재를 配伍하는 것이 적절하며 標本兼顧의 치료 효과를 얻을 수 있다. 예를 들면 蘇子降氣湯에 있는 當歸·旋覆代赭湯과 橘皮竹茹湯에 있는 人蔘·炙甘草·大棗, 丁香柿蒂湯과 大半夏湯에 있는 人蔘 등이 있다. ② 溫腎納氣藥을 配伍한다. 예를 들면 肉桂·沉香과 같은 종류가 있다. 肺司呼氣하고 腎主納氣하기 때문에 따라서 咳喘이 오랫동안 지속되고 腎不納氣를 겸한 경우에 대해서는 항상 降氣하게 하는 동시에 溫腎納氣하는 약재를 配伍해서 치료 효과를 강화한다. 예를 들면 蘇子降氣湯에 있는 肉桂는 즉 納氣入腎하게 해서 下虛를 치료하기 위해 만들어진 것이다. 만약 肉桂를 沉香으로 바꿔 사용하면 곧 納氣平喘의 효력이 더욱더 뚜렷해진다. ③ 斂肺止咳藥을 配伍한다. 예를 들면 白果·五味子와 같은 종류가 있다. 咳喘日久, 耗散肺氣하고 게다가 肺氣受損하면 그 肅降한 성질에 또한 영향을 미칠 수 있다. 따라서 降氣平喘한 방제에 收澀한 약재를 적절하게 配伍하면 止咳平喘의 치료 효과를 강화할 수 있다. 예를 들면 定喘湯에 있는 白果 등이 있다. 降氣劑의 代表方에는 蘇子降氣湯·定喘湯·旋覆代赭湯·橘皮竹茹湯·丁香柿蒂

湯 등이 있다.

이상은 行氣劑와 降氣劑의 주요한 配伍方法을 나누어서 논하고 있다. 사실상 두 종류의 방제의 조성은 대부분 行氣와 降氣를 병용한다. 첫째 적지 않은 理氣한 약재는 그 자체에 行氣와 降氣의 작용을 겸하고 있으며, 厚朴·沉香·枳殼·陳皮·砂仁 등이 있다. 둘째로 行氣方劑는 자주 降氣한 약재를 配伍하며, 降氣方劑 또한 자주 行氣한 性味의 약재를 配伍한다. 이는 氣滯와 氣逆은 모두 氣機가 失調한 결과이기 때문에 이 둘은 항상 동시에 나타난다. 다만 病機에 있어 치중하는 부분에 차이가 있을 뿐이다. 예를 들면 枳實薤白桂枝湯으로 치료하는 氣滯한 증상은 또한 氣逆搶心한 증상을 겸하며, 蘇子降氣湯으로 치료하는 氣逆한 증상은 또한 胸膈滿悶 등의 氣滯한 증상을 보인다.

理氣劑를 응용할 때 아래의 몇 가지 방면에서 주의해야 한다: 첫째, 氣滯와 氣逆은 항상 함께 나타나기 때문에 치료할 때 증상의 경중의 주와 부를 분명히 가려내야 한다. 적절한 理氣方劑를 選用하고 또한 방제에서 行氣藥物과 降氣藥物의 비중을 고려한다. 둘째, 氣滯와 氣逆를 일으키는 원인은 다양하다. 예를 들면 陰寒內盛·七情鬱結·濕痰瘀血内阻 등은 氣滯의 주된 원인이 되며, 痰壅于肺·氣虛陰傷 등은 氣逆의 주된 원인이 된다. 일단 氣機失調하면 또한 瘀血·濕阻·痰凝·化火·食積 등의 繼發性 病理요소를 나타나게 할 수 있으므로, 理氣劑를 사용할 때 증상을 분석하고 병인을 상세하게 밝혀서 약재를 선택해서 配伍해야만 비로소 증상에 딱 맞는 적절한 치료를 할 수 있게 된다. 셋째, 理氣藥物은 대부분 辛溫香燥한 性味를 띠고 있어 쉽게 耗氣傷津하고, 助熱生火해서 사용할 때는 마땅히 적당히 사용해야 하며 너무 지나치게 사용해서는 안 된다. 혹은 益氣滋潤한 약재를 적당히 配伍해서 한 쪽으로 편중되는 것을 억제한다. 만약 환자가 나이가 많고 몸이 약하거나 素體가 허약하거나 陰虧하고·内熱이 비교적 심한 경우라면 당연히 신중하게 사용해야 한다. 혹은 증상에 따라 그에 맞는 약재를 配伍한다. 이밖에도, 理氣藥物은 辛散走竄한 性味를 띠고 있어서, 動血 및 動胎의 우려가 있다. 출혈 경향이 있는 환자나 월경 기간에 접어든 성인 여성의 경우에도 신중하게 사용해야 한다. 임산부에게 본 방제를 사용하는 것은 옳지 않다.

第一節 行氣劑

越鞠丸

(『丹溪心法』卷3)

【異名】 芎朮丸(『丹溪心法』卷3)·越麯丸(『松崖醫徑』卷下).

【組成】 蒼朮 香附子 川芎 神麯 梔子 各等分

【用法】 위의 약재를 분말로 갈고, 水泛해서 녹두알 크기의 환으로 만든다.

【效能】 行氣解鬱.

【主治】 六鬱證을 치료한다. 胸膈痞悶, 脘腹脹痛, 噯腐呑酸, 惡心嘔吐, 飮食不消하다.

【病機分析】 본 방제는 氣·血·痰·火·濕·食의 六鬱을 치료하며, 氣鬱 증상을 주로 치료한다. 朱震亨이 주장하길: "人生諸病, 多生于鬱"(『丹溪心法』卷3에 수재됨)라고 말했다. 무엇을 鬱이라고 하는가? 그의 제자인 戴元禮가 말하길: "鬱者, 結聚而不得發越也, 當升者不得升, 當降者不得降, 當變化者不得變化也"(『丹溪心法』卷3에 기록됨)라고 했다. 鬱의 본질은 "結聚"이라는 것을 알 수 있다. 사람의 몸속에 있는 氣·血·痰·火·濕·食

은 모두 結聚하면 병에 이를 수 있으며, 이들은 모두 鬱로 나타나게 된다. 따라서 "六鬱"이라 불린다. 六鬱 중에서 또한 氣鬱이 가장 우선시 된다. "氣者, 人之根本也"(『難經』「八難」에 수재됨)이며, 氣機가 衝和調達하고 升降出入하는데는 순서가 있다. 周流運行을 멈추지 않으면, 곧 臟腑 기능이 조화를 이루고, 肢體百骸가 舒暢하게 된다. 만약 喜怒無常, 憂思過度, 寒溫不適, 飮食不節하게 되면, 氣機가 失常을 일으켜서 병이 날 수 있다. 氣機鬱滯하면 血液의 운행에 영향을 미쳐서 血鬱에 이르게 할 수 있으며, 津液의 敷布에 영향을 미쳐서 濕鬱·痰鬱에 이르게 할 수 있으며, 脾胃의 受納運化에 영향을 미쳐서 食鬱에 이르게 할 수 있다. 氣鬱이 해소되지 않는다면 또한 生熱化火하게 되어 모든 鬱이 이에 의해 발생하게 된다. 六鬱이 발생하면, 胸膈痞悶, 脘腹脹痛, 呑酸嘔吐, 飮食不消 등의 증상으로 나타난다.

【配伍分析】 六鬱 중에서 氣鬱이 위주이므로 본방은 行氣解鬱에 중점을 두어 구상한다. 氣를 行하게 하면 血도 行하게 되고, 氣를 暢通하게 하면 痰·火·濕·食의 모든 鬱이 이를 따라서 해소하게 된다. 『成方便讀』卷2에서 "治鬱者必先理氣, 以氣行則鬱行, 氣阻則鬱結耳."라고 하였다. 본방에서 香附子는 行氣解鬱하여 氣鬱을 치료한다. 黃宮綉는"香附專屬開鬱散氣"(『本草求眞』卷3)라고 하였다. 이는 君藥으로 쓰였다. 川芎은 血中氣藥이 되고 活血行氣의 작용이 있어서 血鬱을 치료하고 또한 君藥의 行氣解鬱의 藥力을 강화시킬 수 있다. 蒼朮의 냄새는 芳香性이 강렬하고 悅脾化濕할 수 있어서 濕鬱을 치료한다. 朱丹溪는 항상 위에서 언급한 세 가지 약물이 서로 어울리게 해서 鬱證을 치료하였다. 그 본래의 뜻은 蒼朮·川芎의 상승(升)에 香附子의 하강(降)을 配伍하는 것을 取하고 상승과 하강이 서로 원인이 되어서 鬱을 散하고 氣를 行하게 한 것이다. 그는 일찍이 "蒼朮·撫芎, 總解諸鬱…… 凡鬱皆在中焦, 以蒼朮·撫芎開提其氣以升之"(『丹溪心法』卷3)라고 하였다. 또한 "此方藥兼升降者, 將欲升之, 必先降之, 將欲降之, 必先升之. 蒼朮辛烈雄壯, 固胃强脾, 能徑入諸經, 疏泄陽明之濕, 通行斂澁; 香附, 陰中快氣之藥, 下氣最速, 一升一降, 故鬱散而平. 撫芎足厥陰藥直達三焦, 上行頭目, 下行血海, 爲通陰陽氣血之使"(『醫方集解』「理氣之劑」)라고 하였다. 朱丹溪의 원래 뜻은 후세 의학자들이 본방의 用藥에 대한 이해와 일정한 차이가 있음을 알 수 있다. 山梔子는 淸熱瀉火해서 火鬱을 치료한다. 神麯은 消食和胃해서 食鬱을 치료하며, 『湯液本草』卷6에서 이에 대하여 "調中下氣, 開胃消宿食"이라고 하였다. 이상의 약물은 모두 臣佐藥이 된다. 모든 약물을 配合하면 行氣活血·祛濕淸熱·化食健脾하게 되어 氣·血·濕·火·食의 五鬱이 저절로 해소된다. 痰鬱은 혹은 氣滯濕聚로 발생하고 혹은 飮食積滯로 발생하며 혹은 火邪煉津으로 생성된다. 지금 五鬱이 풀리면 痰鬱은 저절로 사라지게 된다. 그러므로 약물은 五味만을 사용했지만, 오히려 六鬱證을 통합해서 치료할 수 있어서 治病求本의 정신을 구현한 것이다.

본방의 주요 특징은 두 가지이다. ① 다섯 가지 약물로 六鬱을 치료하였고, 治病求本을 중시하였다. ② 여러 가지 治法을 병행하였으며, 調理氣機에 중점을 두었다.

【臨床應用】

1. 證治要點: 본 방제는 六鬱證을 치료하는 名方이다. 임상에서는 胸膈痞悶, 脘腹脹痛, 飮食不消를 증상 치료의 요점으로 삼는다.

2. 加減法: 본 방제는 鬱을 치료 大法으로, 임상에서 사용할 때 어떤 종류의 鬱證인지 보고 그에 알맞은 약재를 重用하고 또한 적당히 넣고 뺀다. 만약 氣鬱이 심하면, 香附를 重用하고, 木香·枳殼·鬱金을 증상에 맞게 추가해서 行氣解鬱의 효력을 강화할 수 있다. 血鬱이 심하면, 川芎을 重用하고, 桃仁·赤芍·紅花 등을 증상에 맞게 추가해서 活血祛瘀를 도울 수 있다. 濕鬱이 심하면, 蒼朮을 重用하고, 茯苓·厚朴·白芷·澤瀉 등을 증상에 맞게 추가해서 祛濕하게 할 수 있다. 火鬱

이 심하면, 梔子를 重用하고, 黃芩·黃連·靑黛를 증상에 맞게 추가해서 淸熱瀉火하게 할 수 있다. 食鬱이 심하면, 神曲을 重用하고, 山楂·麥芽·砂仁을 증상에 맞게 추가해서 消食化滯하게 할 수 있다. 痰鬱이 이 심하면, 半夏·瓜蔞·天南星·海浮石을 증상에 맞게 추가해서 化痰하게 할 수 있다.

3. 越鞠丸은 다음 한국표준질병사인분류(KCD)에 해당하는 환자가 六鬱證으로 辨證되는 경우 본 처방의 사용을 고려해볼 수 있다.

처방 목표	한국표준질병사인분류(KCD)
胃腸神經官能症	F45.3 신체형자율신경기능장애
胃腸功能紊亂	F45.3 신체형자율신경기능장애
消化性潰瘍	K25 위궤양
	K26 십이지장궤양
	K27 상세불명 부위의 소화성 궤양
	K28 위공장궤양
慢性胃炎	K29.3 만성 표재성 위염
	K29.4 만성 위축성 위염
	K29.5 상세불명의 만성 위염
膽道系統感染	K80 담석증
	K81 담낭염
	K83.0 담관염
膽石症	K80 담석증
慢性肝炎	K73 달리 분류되지 않은 만성 간염
	B18 만성 바이러스간염
肋間神經痛	G58.0 늑간신경병증
精神失調症	(질병명 특정곤란)
	F00~F99 V. 정신 및 행동 장애
	R41.8 인지기능 및 자각에 관련된 기타 및 상세불명의 증상 및 징후
梅核氣	F45.8 기타 신체형장애
痛經	N94.6 상세불명의 월경통
	N94.4 원발성 월경통
	N94.5 이차성 월경통
偏頭痛	G43 편두통

처방 목표	한국표준질병사인분류(KCD)
頑固性繼發性癲癎	G40 뇌전증
低血鉀	I95 저혈압
冠心病	I20 협심증
	I24 기타 급성 허혈심장질환
	I25 만성 허혈심장병
腦血栓	I63 뇌경색증
口腔潰瘍	K12 구내염 및 관련 병변
閉經	N94.4 원발성 월경통
	N94.5 이차성 월경통
	N94.6 상세불명의 월경통
盆腔炎	(질병명 특정곤란)
	N73 기타 여성골반염증질환
	R10 복부 및 골반 통증

【變遷史】 越鞠丸은 六鬱을 치료하는 名方이다. "鬱"에 대해서, 일찍이『素問』「六元正紀大論」편에서 "五鬱" 및 그에 상응하는 治療大法에 대해 언급하길: "木鬱達之, 火鬱發之, 土鬱奪之, 金鬱泄之, 水鬱折之."이라고 했다. 元·王安道는『醫經溯洄集』「五鬱論」편에서 鬱의 내포된 뜻을 명확하게 지적하길: "凡病之起, 多由乎鬱. 鬱者, 滯而不通之義."라고 했다. 朱震亨은 처음으로 "六鬱"의 이론을 제창했다. 그는『丹溪心法』卷3에서 "六鬱"을 개설하고, 첫머리에서 자신의 관점을 분명하게 밝히길: "氣血衝和, 萬病不生, 一有怫鬱, 諸病生焉. 故人身諸病多生于鬱."라고 했다. 諸鬱의 발병 부위는 주로 脾胃에 있으며, 이른바 "諸鬱皆在中焦"한 것이다. "六鬱"이 내포한 의미에 관해서 六鬱湯에서는 각각 "氣鬱"·"濕鬱"·"痰鬱"·"熱鬱"·"血鬱"·"食鬱"로 구분해서 드러나 있다. 諸鬱의 證候에 대한 주장은 朱氏 본인이 언급한 것은 보지 못했으며, 그의 제자인 戴元禮가 이르길: "氣鬱者, 胸脇痛, 脈沉澀; 濕鬱者, 周身走痛, 或关節痛, 遇陰寒則發, 脈沉細; 痰鬱者, 動則喘, 寸口脈沉滑; 熱鬱者, 瞀悶, 小便赤, 脈沉數; 血鬱者, 四肢無力, 能食便紅, 脈沉; 食鬱者, 噯酸, 腹飽不能食, 人迎脈平和, 氣口脈緊盛者是也"(『丹溪心法』卷3에 기록됨)라고 했다. 吳謙 등이 본 방제를

분석할 때 언급하길: "氣鬱胸腹脹滿, 血鬱胸膈刺痛, 濕鬱痰飮, 火鬱爲熱, 及嘔吐惡心, 呑酸吐苦, 嘈雜噯氣, 百病叢生"(『醫宗金鑑』「删補名醫方論」卷5)라고 하며 六鬱이 의미하는 바를 한 층 더 풍부하게 했으며, 오늘날 각기 다른 판본의『方劑學』교재에서 여전히 대부분 吳氏의 주장을 따르고 있다. 六鬱의 치료에 관해서 朱氏는 六鬱門에서 모두 두 가지의 방제를 제시했다. 하나는 六鬱湯이고, 다른 하나는 본 방제이다. 전자는 어느 鬱에 어떤 약재를 사용하는지에 대해 언급하고 있다: 氣鬱에는 香附·蒼朮·撫芎을 사용하고, 濕鬱에는 白芷·蒼朮·川芎·茯苓을 사용하고, 痰鬱에는 海石·香附·天南星·瓜蔞(한 권에는 天南星·瓜蔞가 없고, 蒼朮·川芎·梔子가 있다)를 사용하고, 熱鬱에는 山梔·青黛·香附·蒼朮·撫芎을 사용하고, 血鬱에는 桃仁·紅花·青黛·川芎·香附를 사용하고 食鬱에는 蒼朮·香附·山楂·神曲·針砂를 사용한다. 봄에는 芎을 넣고, 여름에는 苦蔘을 넣고, 가을 겨울에는 吳茱萸를 넣는다. 본 방제는 六鬱을 따로 구분해서 치료하는 여섯 가지의 방제로 간주할 수 있을 뿐만 아니라, 또한 用藥의 지침서로 이해할 수 있으며 고정된 成方은 아니다. 후자의 작용과 적응증에 대해서는 原書에서 "解諸鬱" 이 세글자로 표현했을 뿐이다. 비록 이는 효능을 가리키는 말이지만 또한 치료의 대상이 六鬱證이 된다는 것을 의미하는 것이기도 하다. 朱氏가 鬱을 치료할 때 中焦氣機의 升降에 치중해서 조절했지만, 理氣에만 국한되지 않았다. 理氣·活血·祛濕·清熱·消食 혹은 祛痰의 모든 治法을 함께 고려했으며, 이점은 위에서 말한 두 방제의 用藥에서 바로 드러나 있다. 明代의『景岳全書』卷19에서 이르길: "凡五氣之鬱, 則諸病皆有, 此因病而鬱也. 至若情志之鬱, 則總由乎心, 此因鬱而得病也."라고 했다. 이후의 의학자들이 점차 情志 요소와 鬱證 발병의 관계를 중시하기 시작했으며, 또한 鬱證은 情志不舒하고 氣機鬱滯해서 일어난 하나의 病證이라고 정의했다. 이는 주로 心情抑鬱, 情緒不寧, 脇肋脹痛, 혹은 易怒善哭, 및 목구멍에 마치 이물질이 막혀 있는 듯 하거나, 失眠 등의 증상으로 나타나고, 그 病機는 주로 肝氣鬱結해서 점차 五臟의 氣機不和(그중에 주로 心·脾가 受累한 경우)를 일으켜서 나타나는 것이라고 했다. 疏肝理氣을 위주로 치료하며 방제는 대부분 柴胡疏肝散 류를 사용하고 증상에 따라 活血·化痰·利濕·清熱·消食 등의 약재를 配伍한다. 이밖에도 虛證과 관련된 證治 내용 또한 충실해졌다. 이를 통해 현대 한의약에서 鬱證에 대한 인식과 治法用方에 대해, 朱氏의 주장을 답습한 부분도 있고 또한 변화 발전시킨 부분도 있다는 것을 알 수 있다. 또한 이러한 변천은 본 방제의 君藥 및 方證病機의 인식에 대한 後人들의 인식에 어느 정도 영향을 미쳤으며, 이로 인해 몇몇의 차이가 생기게 되었다.

秦伯未가 지적하길: "本方 系一般行氣解鬱的主方, 不是肝氣的主方. ……凡研究和使用成方, 須從前人的理論和實踐去認識它. 朱丹溪對于 本方 明白指出, 諸氣鬱, 皆屬于肺, 又認爲鬱病多在中焦, 脾胃失其升降, 如果誤認爲解鬱便是舒肝氣, 先失其本意了."라고 하며 본 방제는 비록 解鬱에 사용하는 主方이지만 肝만을 전문적으로 치료하는 방제가 아니기 때문에 組方配伍 의미를 전면적으로 이해해서 임상에서 활용해야 한다고 지적했다.

越鞠丸이 처음으로 만들어진 후, 빠르게 세상에 알려져서 임상에서 常用方으로 사용되었다. 후세에 본 방제를 모방해서 넣고 빼서 새로운 방제를 구성하는가 하면, 심지어 명칭 또한 "越鞠"라고 부르는 경우도 매우 많았다. 方名이 완전히 같은 경우는 다음과 같다: ①『玉機微義』卷12方: 蒼朮·白芷·撫芎으로 구성되며 三味를 똑같이 나눠서 환으로 만든다. 濕鬱證를 치료한다. 임상에서 風濕外感, 頭重痛如裹, 鼻塞流涕, 苔膩한 환자를 치료하는데 일정한 효험이 있다. ②『玉機微義』卷17方: 桃仁·紅花·川芎·香附·青黛로 구성되며 五味를 똑같이 나눠서 환으로 만든다. 血鬱證을 치료한다. 본 방제는 活血行氣하고 清熱을 겸하기 때문에, 氣血鬱滯하거나 化熱을 겸한 환자를 치료하는 것이 비교적 적합하다. 위의 두 방제는 朱氏越鞠丸의 變化方으로 볼 수도 있고, 六鬱湯의 變化方으로도 볼 수 있다. ③『口齒類要』方: 蒼朮(炒) ·神曲(炒)·香附子·山楂·山梔

(炒)·撫芎·麥芽(炒)를 똑같이 나눠서 구성된다. 六鬱牙齒痛, 口瘡 혹은 胸滿吐酸, 飮食少思를 치료한다. 이는 곧 朱氏方에 山楂·麥芽를 넣고 구성한 것으로 消食化滯의 작용이 조금 뛰어나기 때문에 氣鬱食滯病證에 사용할 수 있다. 齒痛·口瘡은 鬱滯化熱에 의한 증상으로, 치료시 黃連 등의 淸熱藥을 적당히 첨가하거나 山梔의 양을 늘릴 수 있다. ④『女科切要』卷2方: 香附·山梔·半夏·神曲·川芎·鬱金·龍膽草로 구성된다. 婦女가 思想無窮하여, 하고 싶은 대로 되지 않고, 帶脈不約한 白淫을 치료한다. 이는 곧 朱氏方에서 蒼朮을 빼고 半夏·鬱金·龍膽草를 넣은 것으로, 行氣解鬱하고 淸化濕熱한 효력이 비교적 강해진다. 따라서 肝經氣滯하고 濕熱下注한 白淫帶下에 효과가 있다. ⑤『壽世保元』卷3方: 海浮石·膽南星·瓜蔞·山梔·靑黛·香附·蒼朮·川芎으로 구성된다. 嘈雜, 痰水, 마치 음식물에 목에 걸려 막힌 듯한 증상을 치료한다. 이는 곧 朱氏方에서 神曲을 빼고 海浮石·膽南星·瓜蔞·靑黛를 넣고 구성한 것으로 淸化痰熱의 작용이 原方에 비해 현저히 뛰어나게 되기 때문에 肝鬱化火犯胃하거나 痰濕中阻한 呑酸嘈雜, 胸脘不舒 및 痰熱壅肺, 咳嗽痰黃, 胸脇疼痛, 脈弦, 舌紅苔黃膩와 같은 증상을 치료하는데 비교적 적합하다. 方名이 같은 것만은 아닌 경우는 아래와 같다: ①『易氏醫案』越鞠湯: 香附(醋炒) 一錢, 蘇梗 六分, 連翹 六分, 蒼朮 八分, 神曲 一錢, 甘草 三分, 桔梗 四分, 黃芩 八分, 枳殼 五分, 山梔 六分, 撫芎 六分으로 구성된다. 氣秘, 대소변이 모두 막혀서 통하지 않고, 兩寸의 맥은 沉伏하고 힘이 있고, 兩關의 맥은 洪緩하며 힘이 없으며 兩尺의 맥이 나타나지 않는 경우를 치료한다. 본 방제는 理氣淸熱에 중점을 두기 때문에 氣鬱化火하고, 手陽明에 腑氣가 통하지 못하고, 足太陽에 氣化 작용이 장애가 생긴 환자를 치료하는 것이 적합하다. ②『壽世保元』卷2 越鞠二陳丸: 蒼朮 米泔浸, 山梔子 炒黑, 南芎·神曲 炒, 香附 童便炒, 山楂肉·陳皮·半夏 湯泡, 薑汁炒, 白茯苓 去皮, 海浮石·膽南星·天花粉 各二兩, 枳殼 去瓤, 麩炒 一兩半, 甘草 炙 半兩으로 구성된다. 氣濕痰熱血食六鬱을 치료한다. 이는 곧 朱氏方과 二陳湯을 합치고 山楂·海浮石·南星·天花粉·枳殼을 넣은 것으로, 化痰消食·行氣解鬱·寬脾快膈의 작용이 朱氏方에 비해 뛰어나며, 痰鬱을 위주로 하는 六鬱 증상을 치료하는 데 본 방제를 사용하면 비교적 적합하다 ③『慈禧光緒醫方選議』越鞠逍遙加味丸: 當歸 四錢, 白芍 三錢 炒, 撫芎一錢五分, 醋柴 一錢五分, 香附 三錢 炙, 蒼朮 三錢 炒, 炒梔 三錢, 焦曲 三錢, 橘紅 二錢, 半夏 三錢 炙, 雲苓 四錢, 黃連 一錢五分, 桑皮 三錢 炙, 骨皮 三錢, 川貝 四錢, 生草 一錢五分으로 구성된다. 모두 고운 분말로 갈고 꿀을 넣고 녹두알 크기의 환으로 빚어서 朱砂로 옷을 입힌 후 매회 三錢씩 따뜻한 물로 복용한다. 憂思氣怒, 飮食不調, 損傷肝脾를 치료한다. 이는 곧 朱氏方과 逍遙散을 합치고 橘紅·半夏·黃連·桑皮·地骨皮·川貝母를 넣은 것으로 解鬱和肝, 理肺健脾, 順氣化痰, 淸熱止咳 등의 효능이 있어서 肝脾不和, 抑鬱少食하고 肺熱咳痰을 겸한 환자를 치료하는 것이 적합하다. 위에서 말한 모든 방제는 燥濕에 편중되거나, 活血에 편중되거나, 消食에 뛰어나거나, 淸除濕熱에 뛰어나거나, 淸化痰熱이 뛰어나거나, 理氣 위주이거나, 藥簡效專·治證單一하거나, 大劑合方·諸鬱兼顧하거나 해서, 후학들이 임상에서 古方의 맥락을 활용하는데 있어 매우 큰 영감을 불어넣어 줄 수 있을 것이다.

【難題解說】

1. 方證病位에 대해서: 본 方證의 성질이 氣鬱을 위주로 한 六鬱證에 해당한다는 것에 있어 여러 의학자들의 견해는 대체적으로 일치하지만, 그 病位에 대해서는 세가지 해석이 있다. 첫째, 肺와 中焦이다.『醫方集解』「理氣之劑」편에서 朱震亨의 말을 인용하길: "肺屬金, 主氣……傷則失職, 不能升降, 故『經』曰: 諸氣鬱, 皆屬于肺. 又鬱病多在中焦. 中焦, 脾胃也, 水穀之海, 五臟六腑之主, 四臟一有不平, 則中氣不得其和而先鬱也."라고 했다. 季楚重 등도 이에 부응하여 말하였다. 둘째, 脾胃이다.『丹溪心法』卷3의 六鬱門에서는 "凡鬱皆在中焦"라고 말하였을뿐 肺에 대해 언급하지 않았다. 그 후 吳謙 등에 의해 처음으로『方劑學』2판 교재·廣東中醫學院主編『方劑學』1974년판 및 山東中醫學院『中藥方劑學』등에서 모두 이 주장을 계승

했다. 六鬱을 병으로 간주하여, 주로 脾胃가 氣機不暢, 升降失常하기 때문에 濕·食·痰·火·氣·血 등의 相因鬱滯를 일으키게 된다고 했다. 셋째, 肝(膽)과 脾(胃)이다. 예를 들면『方劑學』교재 4판·6판 및『醫方發揮』등이 있다. 氣·血·火의 三鬱病은 肝膽에서 발생하고, 食·濕·痰의 三鬱病은 脾胃에서 일어난다고 여겼다. 이밖에도 단지 六鬱이라고 말했을 뿐 그 질병이 어느 장기에서 발생하는지 언급하지 않은 경우는 예를 들면『方劑學』5판 교재이다. 본인은 위에서 언급한 세 번째 관점이 비교적 임상 현실에 부합한다고 생각한다. 肝脾의 생리적, 병리적 특징에서 보았을 때 肝은 疏泄을 주관하며 藏血의 臟이 된다. 肝과 膽은 서로 表里관계이며, 相火가 寄居하는 곳이 된다. 만약 抑鬱憂思 등의 요인이 肝에 영향을 주게 되면 肝氣鬱結하게 되고, 肝氣鬱하면 肝血 역시 鬱하게 된다. 또한 化火生熱해서 成火鬱할 수 있게 된다. 肝病은 脾로 가장 쉽게 전달된다. 脾는 주로 運化를 담당하고 濕한 것을 싫어하며, 生痰之源이 된다. 肝氣가 鬱滯하면, 脾胃는 納運의 기능이 정상적으로 이루어지지 못해서 水穀不化하고 濕鬱·痰鬱·食鬱을 발생하게 한다. 藥物歸經에서 분석해 볼 때, 방제에서 사용하는 약재 모두가 肝(膽)·脾(胃)로 入經한다. 古今의 본 방제의 임상 응용과 관련된 기록을 살펴보면, 肝脾病變에 사용하는 경우가 매우 많았으며 肺系病變을 치료하는 경우는 극히 드물다. 이상은 서로 다른 각도에서 각각 본 방제의 발병 부위가 주로 肝(膽)脾(胃)에 있다는 것을 설명한다.

2. 본 방제의 君藥에 대해서: 朱氏가 방제를 만든 原意는 蒼朮·川芎 두 약재가 君藥이 되는 것이다. 그는 "蒼朮·撫芎總解諸鬱"라고 여기고, 諸鬱을 치료할 때 모두 이 두 가지의 약재를 기초로 할 수 있다고 하며 "隨證加入諸藥"(『丹溪心法』卷3)했다. 丹溪六鬱湯에서 川芎으로 六鬱을 치료하며, 蒼朮·香附로 각각 五鬱을 치료한다. 이는 川芎·蒼朮이 방제에서 매우 중요하다는 것을 알 수 있다. 다시 越鞠丸의 다른 명칭인 芎术丸이 芎·术로 방제명을 지은 것에서 연결시켜 볼 때, 또한 이 점을 증명할 수 있다. 동시에 그는 또한 이 두 가지의 약재가 諸鬱을 해소해서 調理中焦하고 升降氣機해야 한다고 주장했다. "凡鬱皆在中焦, 以蒼朮·撫芎開提其氣以升之. 假如食在氣上, 提其氣則食自降矣. 餘皆仿此"(『丹溪心法』卷3)라고 했다. 본 方證의 주요 증상을 고려해 봤을 때 胸膈痞悶·呑酸嘔吐·飮食不消 등은 中焦氣機의 升降失常과 일정한 관련이 있다. 따라서 中焦氣機의 升降과 傳化의 작용을 회복하기 위해서 노력하는 것은 매우 긍적적이라고 볼 수 있다. 하지만 이러한 鬱證病機 및 약재의 작용에 대한 이해는 오늘날의 인식과는 이미 일정한 차이가 있다. 또 다른 관점은 어떤 鬱에 중점을 두고 그에 맞는 藥物을 選用해서 君藥으로 여기는가 하는 것이다. 氣鬱은 香附를 君藥으로 여기고, 濕鬱은 蒼朮을 君藥으로 여기고, 血鬱은 川芎을 君藥으로 여긴다. 이를 통해 유추해 볼 수 있다. 吳謙·費伯雄 등은 모두 이와 같은 견해를 갖고 있다. 그들은 본 방제가 약을 사용하는데 있어서 大法을 사용하는 것으로 보여지는 것에 불과하며, 임상에서 치료를 할때에는 증상에 맞게 참작해서 넣고 빼야한다고 했다. 치료에 사용하는 방제는 古人의 뜻을 따를 수는 있으나, 古人의 방제에 구속받아서는 안 된다고 주장했다. 이러한 견해는 후학들을 깨우쳐 활용해서 방제는 만드는데 있어서는 매우 바람직 하지만, 方義를 분석해 볼 때, 越鞠丸 자체가 하나의 방제가 되어야 하며, 고정된 組成·用量 및 劑型과 같은 이러한 기본적인 요소에서 출발한다. 이러한 요소를 버리고 단순하게 變通活用을 강조하는 것은 옳지 않다. 더욱이『丹溪心法』原書의 같은 卷에는 이미 圓機活法·隨證合藥의 六鬱湯이 있다. 세 번째 관점은 香附를 君藥으로 여기는 것이다. 吳昆이 가장 먼저 본 방제가 理氣를 위주로 한다고 주장했으며, 後人들이 이를 따라서 理氣藥인 香附를 방제에서 君藥으로 여겼다. 여기에는 張秉成·盛心如 및 五·六판『方劑學』교재가 포함된다. 그 이유는 주로 諸鬱이 氣鬱을 위주로 하며, 氣鬱은 대부분 肝에서 발생한다. 香附는 주로 肝으로 入經해서, 疏肝解鬱의 작용이 뛰어나다. 이러한 견해는 위의 두 가지 견해와 비교해 봤을 때 더욱더 현대 한의학의 鬱證病機와 관련된 약재에 대한 인식에 부합하며, 본 방제의

配伍에 대한 인식의 발전이다.

3. 方名 해석에 대해서: 越鞠丸에 대한 해석은 주로 두 가지 견해로 나뉜다. 첫째, 그 작용능으로 이름을 지었다. 越은 發越이다. 鞠은 穹曲이고, 鬱이다. 越鞠은 鬱結의 氣를 發越한다. 朱氏가 말한 본 방제는 "解諸鬱"한다. 그의 제자인 戴元禮가 이르길: "鬱者, 結聚而不得發越也"(『丹溪心法』卷3에 기록됨)라고 했다. 이는 朱氏가 鬱을 치료하는 治法은 結聚한 氣로 하여금 發越하게 하는 것이다. "越鞠" 이 두 글자는 본 방제가 鬱結한 氣를 發越하게 하는 기능을 요약한 것이다. 따라서 吳昆은 본 方名을 해석하며 이르길: "越鞠者, 發越鞠鬱之謂也."라고 했다. 둘째, 방제의 약재에 근거해서 이름을 지었다. 川芎은 『神農本草經』에서 原名이 芎藭이고 別名은 撫芎이다. 반면 『左傳』에서 鞠窮이라고 불렀다. 梔子는 『神農本草經』에서 木丹라고 불렀고, 『名醫別錄』에서는 越桃라고 불렀으며, 『藥性論』에서부터 山梔子라고 불리기 시작했다. 朱震亨은 "越桃"와 "鞠窮"에서 각각 한 글자씩 따서 越鞠丸라고 이름지었다. 李時珍은 芎藭의 이름을 해석하는 항목에서 이르길: "丹溪朱氏治六鬱越鞠丸中用越桃·鞠窮, 故以命名"(『本草綱目』卷14)라고 했다. 朱震亨이 처음으로 만든 越桃散은 梔子 한 종류로 구성된다. 方名 또한 梔子라는 別名에서 따온 것이다. 위의 두 가지 견해는 모두 일리가 있다. 하지만 첫 번째 견해가 더욱 타당하다. 原書에서 越鞠丸 아래에서 본 방제는 "또한 芎术丸라고 부른다"고 분명히 밝히고 있다. 보통 약재로 이름을 붙인 방제는, 方名의 약재가 방제의 주요 약재일 경우가 많다. 朱氏가 蒼朮·川芎을 방제의 君藥으로 삼고, 芎术丸이라 이름 지은 것은 순리에 맞은 일이다. 만약 동시에 또 梔子·川芎으로 방제의 이름을 짓고 正名으로 간주한다면 이는 이치에 맞지 않는 것 같다. 이밖에도 일반적으로 한 사람에 의해 이름 붙여진 방제가 만약 두 개 혹은 두 개 이상의 方名이 있다면, 그중의 하나가 주요 약재의 이름을 사용하면, 나머지는 대부분 치료 효능·적응증 혹은 어떤 관련 요소로 이름이 붙여질 수 있으며, 두 개 모두 주요 약재의 이름을 사용해서 이름 붙일 가능성은 크지 않으며, 실제 약재는 또 다른 상황이 있을 수 있다. 따라서 작용을 해석해서 이름 붙인 方名이 朱氏의 본뜻에 비교적 부합한다고 할 수 있다.

【醫案】

1. 鬱證 『新中醫』(1994, 1:5): 여자, 22세, 종업원. 神經衰弱을 앓은지 여러해 되었으며, 최근 심리적인 자극을 받아서 情緒低沉, 表情淡漠, 胸脘痞悶, 多疑善慮, 心煩欲哭, 失眠多夢 증상이 나타났으며, 심할 때는 徹夜不眠, 頭昏沉, 體虛出汗, 食欲不振, 大便偏乾, 舌淡嫩紅, 苔薄膩, 脈沉細滑했다. 본 증상은 肝鬱臟躁한 증세로 나타난다. 越鞠丸과 甘麥大棗湯을 합하고 麻仁·珍珠母·龍骨·夜交藤을 넣어서 환자에게 주고, 18재를 연속해서 복용하게 한 후에 모든 증상이 사라지고, 睡眠安穩, 情緒穩定해졌다. 그 후 逍遥丸·天王補心丹을 加味해서 15일 정도 바꿔서 복용하고 調理하게 했다. 6개월 후 방문 조사에서 다시 재발하지 않았다.

2. 冠心病 『湖南中醫雜志』(1987, 3:43): 여자, 43세, 노동자. 左胸悶痛, 心慌, 納呆, 食後腹脹, 神疲乏力, 表情抑鬱, 舌質瘀紫, 苔微黃而滑膩, 脈弦滑했다. 심전도 결과: T가 거꾸로 뒤집히고, ST부분이 하강했다. 검사 결과: 총 콜레스테롤은 280 mg%이다. 본 증상은 氣滯血瘀, 痰濁痹阻, 胸陽不宣한 증세로 나타난다. 방제는 越鞠丸에 靈脂·生蒲黃·山楂을 넣고 10재를 복용하게 하였고, 환자는 心絞痛·胸悶·短氣의 증상이 반감했다고 자각했다. 原方 15재를 복용한 후 임상 증상이 근본적으로 완화되었으나, 氣虛한 증상이 여전히 회복되지 않아서 계속해서 原方에 黃芪를 넣고 한달 가량 복용하게 한 후의 심전도 결과는: 기본적으로 정상으로 돌아왔다. 검사 결과: 총 콜레스테롤은 180 mg%이다.

3. 癲癇 『四川中醫』(1991, 5:19): 여자, 51세. 心內膜炎繼發腦栓塞·癲癇을 앓은지 20년이 되었다. 현재 매주 1~3회의 발작을 앓으키며, 심할때는 매일 수차례의 발작을 앓으켰다. 발작 당시 畏寒肢冷, 兩目上視, 四

肢顫動, 大汗淋漓, 昏不知人해서 10~15분 동안 지속되다가 완화됐다. 2~3개월에 한 번정도는 3~5일씩 계속 발작했다. 진료 결과: 納呆, 语謇, 舌苔左半黃膩, 脈沉細弦했다. 越鞠丸을 主方으로 해서 白蔻仁·薏苡仁·淸半夏·豆黃卷·蓮子·蘆根 등과 같은 醒脾化한 약재를 配伍하고, 1년 동안 60재 정도의 약을 복용하게 한 후 증상이 저절로 멈췄다. 치료 후 胃納이 크게 증가하고, 언어적인 사고가 이전에 비해 확실히 막힘이 없어졌다. 癲癎 발작이 2~4개월에 1회씩으로 늦춰졌으며 癲癎의 지속 상태가 9개월 동안 발생하지 않고 있다.

4. 慢性胃炎『吉林中醫藥』(1994, 2:35): 여자, 33세, 농민. 만성 胃炎 병력이 있은지 3년이 되었으며, 최근 10여 일 동안 胃脘에 통증을 느꼈으며 공복에는 그 증세가 더욱 심해졌다. 嘈雜泛酸, 有燒灼样感, 精神不佳, 寐差, 小便色黃, 大便不爽, 舌質紅苔薄黃而膩, 脈弦數, 屬胃氣不和, 濕熱蘊中했다. 방제에서 越鞠丸을 選用해서 黃連·吳茱萸·厚朴·枳殼·木香을 넣고, 약 3재를 복용한 후 胃脘灼痛泛酸 등의 증상이 모두 감소했으며, 睡眠도 좋아지고, 大便도 정상으로 돌아왔다. 原方을 계속해서 8재 복용한 후, 胃脘痛이 기본적으로 없어졌으며, 나중에 또 和胃하는 방제를 주고 그 치료 효과를 공고히 했다.

5. 腦血栓『時珍國藥研究』(1993, 1:41): 남자, 75세. 환자는 7개월 전 胃潰瘍穿孔으로 외과 수술을 받았다. 수술 후 1개월 동안 좌측 상·하지가 마비되어 똑바로 서지 못하고, 입꼬리가 비뚤어졌다. 脈通·維腦路通·丹參片을 사용해서 5개월 정도 치료했으나 뚜렷한 치료 효과를 보지 못했다. 초진 당시: 精神抑鬱, 煩躁失眠, 頭痛目眩, 胸悶腹脹, 食欲不振, 噯氣吐酸, 面色黧黑, 左側喎僻不遂, 血壓 140/90 mmHg, 舌淡苔白, 脈弦細했다. 증상은 情志不遂, 氣血鬱滯, 血脈空虛, 脈絡失養라고 판단해서, 越鞠丸을 주고 따뜻한 물에 黃酒 소량을 넣고 복용하게 했다. 15일 동안 복용한 후 모든 증상이 감소했으며, 계속해서 20일 동안 복용한 후 좌측 반신을 자유 자재로 움질일 수 있었다. 치료 효과를 공고히 하기 위해서 歸脾丸·六味地黃丸을 1개월 동안 추가로 복용하고 몸조리를 잘 했다.

考察: 越鞠丸의 활용할 때 증상에 맞게 자주 변화를 준다는 것은 일찍이 선현들이 명시했다. 醫案1은 氣鬱과 臟陰不足, 心肝不和한 증상을 겸하기 때문에 甘麥大棗 및 安神의 효능이 있는 약재를 배합한다. 醫案2는 血鬱이 비교적 심하기 때문에 活血化瘀藥을 넣는다. 醫案3은 痰濁한 증상이 비교적 두드러 지기 때문에 祛痰化濁의 효력을 추가한다. 醫案4는 濕熱內鬱하기 때문에 따라서 방제에 또한 左金丸·連朴飮을 포함하고 있다. 醫案5는 諸鬱에서부터 腦血栓後遺症를 論治하기때문에, 原方에 따라 약을 주었더니, 뜻밖에 오랫동안 常規藥物을 복용해도 효과가 없는 환자가 뚜렷하게 호전되는 기색을 보였다. 丹溪이 이르길 越鞠丸은 "모든 鬱을 해소한다"고 믿는다고 했다.

柴胡疏肝散

(『醫學統旨』, 『證治准繩』「類方」卷4에 수록됨)

【異名】 柴胡舒肝散(『驗方新編』卷5)·柴胡疏肝湯(『不知醫必要』卷2).

【組成】 柴胡 陳皮 醋炒 各二錢(各 6 g) 川芎 芍藥 枳殼 麩炒 各一錢半(各 5 g) 甘草 炙 五分(3 g) 香附 一錢半(5 g)

【用法】 위의 약재를 한번에 복용한다. 물 二盅을 넣고 八分으로 달여서 식전에 복용한다.

【效能】 疏肝解鬱, 行氣止痛하게 한다.

【主治】 肝氣鬱滯證을 치료한다. 脇肋疼痛, 胸悶喜

太息, 情志抑鬱해서 쉽게 화를 내거나 噯氣하고, 脘腹脹滿, 脈弦한다.

【病機分析】 肝은 條達하는 것을 좋아하고 抑鬱하는 것은 싫어한다. 肝의 經脈은 脇肋에 퍼져 있으며 少腹으로 순환한다. 만약 情志가 뜻대로 되지 않고, 木이 條達 기능을 잃게 되면 肝氣鬱結하고 經氣不利하며 脇肋疼痛에 이르게 된다. 심한 경우에는 胸脘腹部가 脹悶하게 된다. 疏泄의 기능을 잃게 되면 情志抑鬱하게 되고, 오랫동안 鬱이 해소되지 않고, 肝이 柔順舒暢한 성질을 잃게 되면 마음이 조급하고 쉽게 화를 내게 된다. 肝氣가 橫逆犯胃해서 胃氣가 조화를 잃게 되면 噯氣가 잦게 된다. 肝脈이 弦長한 것은 또한 肝鬱不舒한 증후가 되기도 한다.

【配伍分析】 본방이 치료하는 모든 證은 肝氣鬱結에 의한 것으로 치료는 마땅히 그 條達의 性에 따르고, 그 鬱遏의 氣를 발산시켜야 한다. 본방에서 柴胡는 性味가 苦辛微寒하고 歸經은 肝·膽經이며, 條達肝氣·疏鬱結의 작용이 뛰어나서 君藥으로 쓰였다. 香附子는 性味가 苦辛而平하고 오로지 肝經으로 들어가며 疏肝理氣에 뛰어나고, 또한 양호한 止痛作用이 있다. 川芎은 味가 辛하고 냄새가 강하며 歸經은 肝·膽經이며, 行氣血·疏肝開鬱·止脇痛 할 수 있다. 두 약물을 서로 배합하면 모두 柴胡를 도와서 肝經의 鬱滯를 해소하면서 行氣止痛의 작용을 증가시킨다. 같이 臣藥이 된다. 陳皮는 理氣行滯하면서 和胃하고, 醋炒는 肝에 들어가서 行氣한다. 芍藥(현재 임상에서 대부분 白芍藥을 사용한다)·甘草는 養血柔肝·緩急止痛한다. 모두 佐藥이 된다. 甘草는 藥性을 調和시키므로 兼하여 使藥이 된다. 모든 약물을 서로 배합하면 疏肝解鬱·行氣止痛의 작용을 거두게 된다.

본방의 配伍특징은 대량의 性味가 辛散하고 肝에 들어가는 理氣藥을 위주로 하고, 養血柔肝·通行血脈·和胃의 약물을 배합해서, 疏肝하는 가운데 養肝을 兼하고, 理氣하는 가운데 調血을 兼하며, 肝을 치료하는 가운데서 和胃를 兼한다.

【類似方比較】 본 방제는 四逆散에 넣고 빼고 변화해서 온 것으로 모두 疏肝理氣의 작용을 한다. 하지만 四逆散의 柴胡·枳實·芍藥·甘草 네가지 약은 주로 肝脾의 氣機를 조절하는데 있지만; 본 방제는 柴胡를 重用하고, 甘草를 輕用하며, 枳實을 枳殼으로 바꾸고, 다시 香附·陳皮·川芎 등의 약재를 넣어서, 行氣疏肝을 중요하게 여기고 더불어 和血止痛할 수 있다. 따라서 肝鬱氣滯를 띄는 모든 증상을 치료하는 代表方과 常用方이 되었다.

【臨床應用】

1. 證治要點: 본 방제는 疏肝解鬱을 치료하는 常用方劑이며, 임상에서 응용할 때 脇肋脹痛, 脈弦을 증상치료의 요점으로 삼는다.

2. 加減法: 만약 脇肋疼痛이 비교적 심한 경우에는 當歸·鬱金·烏藥 등을 증상에 맞게 넣고 行氣活血의 효력을 강화한다. 만약 肝鬱化火, 口渴舌紅, 脈象弦數한 경우에는 山梔·黃芩·川楝子 등을 증상에 맞게 넣고 淸肝瀉火하게 한다.

3. 柴胡疏肝散은 다음 한국표준질병사인분류(KCD)에 해당하는 환자가 肝氣鬱滯證으로 辨證되는 경우 본 처방의 사용을 고려해볼 수 있다.

처방 목표	한국표준질병사인분류(KCD)
肝炎	K73 달리 분류되지 않은 만성 간염
	K75 기타 염증성 간질환
慢性胃炎	K29.3 만성 표재성 위염
	K29.4 만성 위축성 위염
	K29.5 상세불명의 만성 위염
肋間神經痛	G58.0 늑간신경병증

【注意事項】 본 방제는 芳香辛燥해서 쉽게 耗氣傷陰하므로 오랫동안 복용해서는 안 된다. 만약 脇痛과

口乾, 舌紅苔少 등의 증상을 동반한 肝陰不足한 환자라면, 養血滋陰한 약재를 配伍해서 함께 사용한다.

【變遷史】 본 방제는 四逆散에 枳實을 枳殼으로 바꿔 넣고, 다시 香附·陳皮·川芎을 넣고 만들어진 것으로, 각 약재의 용량에도 변화가 있다(四逆散의 4가지 약재는 같은 양을 사용한다). 특히 柴胡를 重用해서 疏肝解鬱의 작용을 두드러지게 하고, 또한 行氣한 효능을 띄는 모든 약재를 넣어서, 본 방제로 하여금 疏肝解鬱, 行氣止痛한 효능이 四逆散보다 크게 증가하게 했다. 현존하는 자료에 의하면, 본 방제는 明代 의학자인 葉文齡이 저술한 『醫學統旨』(『證治准繩』「類方」 卷4)에서 처음으로 보이기 시작했으며, "脇痛"을 치료하는데 사용했다. 후세 의학자는 본 방제를 응용할 때 또한 자신의 임상경험을 응용해서 그 證治理論에 약간의 보충을 했다. 특히 明末 의학자인 張介賓은 본 방제를 『景岳全書』「古方八陣」에 수록했으며, 또한 처음으로 柴胡疏肝散의 配伍意義에 대해 분석했다. 그 후에 본 방제가 임상 응용에 있어서 더욱더 광범위하게 사용되었고 점차 肝鬱氣滯 증후를 치료하는 常用方이 되었으며, 심지어 후세 사람들이 본 방제에 대해 이야기할 때 대부분이 오인해 張氏가 처음 만든 것으로 여겼다. 본 방제는 疏肝理氣를 위주로 치료하는데 肝鬱이 오랫동안 지속되면 化熱을 초래하게 된다. 肝鬱氣逆하면 또한 胃를 자주 범하기 때문에, 후세 사람들은 본 방제를 응용할 때 자주 梔子·黃芩 등의 淸熱藥을 넣고 淸肝의 작용을 강화했다. 예를 들면 『張氏醫通』卷14에서 "治怒火傷肝, 脇痛"이라고 하고 薑汁炒梔子 一錢을 넣었다. 또한 『醫學傳灯』卷下에는 白茯苓·半夏 등을 넣어서 본 방제의 和胃健脾의 작용을 강화했다. 본 방제는 疏肝理氣法의 代表方으로, 근대의 秦伯未이 "疏肝的正法, 可謂善于運用古方"(『謙齋醫學講稿』)이라고 칭송했다.

【難題解說】

1. 본 방제의 方源에 대해서: 본 방제의 출처는 各 판본의 『方劑學』 교재 및 다수의 방제학 전문 저서에서 모두 張介賓의 『景岳全書』로 여기고 있다. 앞에서 말한 바와 같이, 현존하는 方書 중에서 가장 먼저 본 방제를 기재한 것은 『醫學統旨』(『證治准繩』「類方」卷4)이며, 明의 嘉靖年間(서기 1534년)에 발행되었다. 반면 『景岳全書』가 나온 것은 1624년으로 葉文齡의 『醫學統旨』가 나온지 약 1세기 만에 출판되었다. 張介賓의 학술사상의 영향이 비교적 크기 때문에 그의 저서가 매우 광범위하게 전파되었으며, 심지어 후대의 사람들이 葉氏의 방제를 張氏가 만든 것으로 오해할 정도였다.

2. 방제의 芍藥에 대해서: 방제의 芍藥은 原書에서 赤·白으로 나타나 있지 않다. 『景岳全書』 역시 原書와 같이 수록하고 있으나, 그 方論에서 분석하는 작용은 白芍과 비슷하다. 『謙齋醫學講稿』에서 본 방제의 配伍 작용에 대한 논술 역시 白芍으로 분석하고 있다. 白芍은 養血柔肝에 뛰어나기 때문에 疏肝解鬱의 효능이 있는 柴胡와 配伍해서 肝鬱氣滯證候를 치료하는 常用藥對이다. 따라서 근대 사람들이 본 방제로 肝鬱한 증상을 치료할 때 항상 白芍을 選用한다. 하지만 赤芍을 응용하는 사람도 있다. 예를 들면 『醫醫偶錄』卷2이다. 赤芍의 작용은 淸熱涼血, 活血散瘀에 뛰어나기 때문에, 肝鬱化熱에 사용하며, 血脈不和를 겸한 경우에는 그 효능이 白芍보다 우수하다. 따라서, 임상에서는 證候의 病機를 고려해서 융통성있게 선택할 수 있다.

【醫案】

1. 神經官能症 『四川中醫』(1989, 4:23): 환자가 목구멍에 이물질이 있다고 느껴서 다방면으로 검사를 실시했으나, 검사 결과 모두 이상이 없었다. 또한 精神적으로 抑鬱한 증상을 보일 때 마다 叹息하고 그 증상은 매번 情志의 기복에 따라 변했다. 柴胡疏肝散에 半夏·瓜蔞를 各 15 g씩 넣고 치료했다. 탕약으로 달여서 복용했으며, 2첩을 복용한 후, 咽部의 이물감이 뚜렷하게 줄어들어서 계속해서 5첩을 복용한 후 완쾌했다.

2. 中耳炎 『四川中醫』(1989, 4:23): 환자는 귓속이 부어서 답답하고 무언가로 막힌듯한 느낌이 들고, 청력이 떨어졌다. 양의는 "비화농성 중이염"이라고 진단했

다. 검사 결과: 귀 고막이 살짝 충혈되고 함몰되었다. 본 증상은 肝氣鬱結, 氣血凝滯에 해당한다. 柴胡疏肝散에 僵蠶 12 g, 菖蒲 6 g을 넣고 치료했다. 5첩을 복용한 후 귀 막힘이 뚜렷하게 감소해서 계속해서 위의 방제로 19첩을 복용한 후에 청력이 회복되고, 남은 증상도 해소되었다.

考察: 醫案1은 "梅核氣"로, 肝氣鬱結, 氣鬱生痰하고 痰氣가 咽喉에 맺히면서 생기는 것이다. 따라서 방제에서 柴胡疏肝散으로 疏肝解鬱하게 하고, 半夏·瓜蔞를 넣고 化痰散結하게 하며, 약과 증상이 서로 맞으면 그 효과가 매우 빠르게 나타나게 된다. 足少陽膽이 귓속으로 들어가게 되면, 肝膽의 氣가 鬱結하게 돼서 귀가 답답하고 마치 막힌 것 같은 느낌이 들게 된다. 따라서 醫案2는 肝膽의 氣를 舒暢하는 효능이 뛰어난 柴胡疏肝散을 主方으로 해서 僵蠶·石菖蒲를 넣고 化痰開竅하게 치료했으며, 환자가 5첩을 복용한 후 바로 좋은 효과를 보았다. 두 醫案은 비록 증상은 다르지만, 肝氣鬱結에 의한 病機는 같기 때문에 따라서 모두 疏肝理氣하게 치료한 후 효과를 보았다.

3. 血管性頭痛『四川中醫』(1988, 9:32): 여자, 33세. 최근 1년 동안 두통이 반복적으로 발생했고, 양쪽 관자놀이 옆쪽에 陣發性跳痛이 매일 3~4회 나타났으며, 少寐·乏力, 精神抑鬱, 沉悶不樂, 善太息, 舌質暗紅, 舌 밑에 瘀點이 나타나고, 苔少, 脈弦細를 동반했다. 본 증상은 肝氣鬱結, 氣滯血瘀, 脈絡受阻에 해당한다. 방제는 柴胡疏肝散에서 陳皮를 빼고, 丹參·葛根을 넣고, 4첩 복용한 후 두통 증의 증상이 눈에 띄게 줄어들고, 발작 횟수도 감소해서, 계속해서 原方을 8첩 복용했더니 모든 증상이 사라졌다.

考察: 본 환자는 두통 증상을 보이며, 양쪽 관자놀이 부위가 가장 심하다. 또한 精神抑鬱, 善太息을 동반하였으며, 이러한 증상은 肝鬱失疏에 해당하는 것으로 볼 수 있다. 통증 부위가 정해져 있고, 舌 밑에 瘀點이 나타나는 것은 久病入絡에 의한 현상이다. 따라서 疏肝解鬱의 효능이 뛰어난 柴胡疏肝散을 주고 肝膽氣滯를 疏泄하게 하고, 다시 丹參을 넣고 活血化瘀하게 하고·葛根을 넣고 升津舒筋해서, 약과 증상이 서로 맞아서 뜻하는 대로 치료 효과를 보게 되었다.

4. 血管神經性水腫『新中醫』(1994, 12:16): 여자, 38세, 간부. 환자는 2년 전 원인 모르게 전신이 붓고, 병세가 덜해졌다 심해졌다를 반복하며 낫지 않았다. 덜할 때는 전신이 꽉 조이는 듯 하거나 피로하고, 심할 때는 손으로 누르면 움푹 들어갔다. 진료 당시 얼굴은 靑紫色을 띠었고, 얼굴과 몸은 모두 부었다. 평소 화를 잘 내고, 성질이 급하고, 목소리는 거칠고, 자주 한숨을 쉬었다. 환자의 피부를 눌러 보니 움푹 파여서 한참 동안 원래 상태로 돌아오지 않았으며, 脈沉弦滑細했다. 治宜 疏肝理氣하고 活血扶脾하게 치료하는 것이 적절해서 柴胡疏肝湯에 丹參·白朮을 넣고 1첩을 복용한 후에 小便양이 증가했으며, 2첩을 복용한 후에 온몸이 가벼워지는 듯 했고, 3첩을 복용한 후에 붓기가 대부분 가라앉았다. 계속해서 3첩을 복용한 후 나머지 붓기가 모두 사라졌으며, 온몸이 가볍고 편안해 졌으며 식욕 또한 증가했다. 또 2첩을 복용하게 하였으며, 회복된 후 1년 동안 방문 조사에서 재발하지 않았다.

考察: 肝失疏泄하면 氣機가 流暢하지 못하고, 津液이 정상적으로 전달되지 못해서, 水濕停蓄하고 皮膚에 넘쳐 흘러서 水腫으로 나타나게 된다. 氣不行血하고 血脈失暢하면 얼굴색인 靑紫色을 띄게 된다. 따라서 본 방제로 疏肝理氣하게 치료하면, 氣가 통해서 水가 통하게 된다. 계속해서 丹參을 넣고 活血해서 行滯하게 하고, 白朮을 넣고 健脾해서 運濕하게 다. 본 醫案은 行氣之法으로 水腫을 치료하는 것으로 그야말로 가히 독창적이라고 할 수 있을 뿐만 아니라, 또한 治病求本의 뜻을 따랐다고 할 수 있다.

枳實薤白桂枝湯

(『金匱要略』)

【異名】 枳實薤白湯(『醫學入門』卷7)·栝樓薤白桂枝湯(『金匱要略心典』卷中).

【組成】 枳實 四枚(12 g) 厚朴 四兩(12 g) 薤白 半升(9 g) 桂枝 一兩(6 g) 栝蔞實 搗 一枚(12 g)

【用法】 물 五升에 먼저 枳實·厚朴을 넣고 달여서 二升으로 졸인 다음에 건더기는 버리고, 나머지 약재를 모두 넣고 여러 번 끓어 오르면 3회에 나눠서 따뜻하게 복용한다.

【效能】 通陽散結, 祛痰下氣.

【主治】 胸痹를 치료한다. 胸滿而痛하고 심한 경우에는 胸痛徹背, 喘息咳唾, 短氣, 氣從脇下上搶心, 舌苔白膩, 脈沉弦하거나 緊하다.

【病機分析】 본방이 치료하는 證은 胸陽不振을 本으로 하고, 痰阻氣滯·氣逆을 標로 한다. 急하면 그 標를 치료해야 하므로 通陽散結·祛痰下氣를 治法으로 한다. 본방에서 栝蔞實은 바로 全栝蔞를 말하고, 滌痰散結·寬胸利膈의 작용이 뛰어나다. 여기에 薤白을 配伍하면 宣通胸陽·散寒化痰한다. 두 약물을 서로 배합하면 胸中凝滯의 陰寒을 散하고, 上焦에 結聚한 痰濁을 化하며, 胸中陽氣를 宣發해서 寬胸하게 할 수 있다. 바로 胸痹를 치료하는 要藥이고 모두 君藥이 된다. 枳實은 下氣破結·消痞除滿하고, 厚朴은 下氣除滿·燥濕化痰한다. 두 약물을 같이 사용하면 瀉實滿·消痰下氣의 작용이 뛰어나게 된다. 모두 君藥을 도와서 寬胸散結·下氣除滿·通陽化痰의 작용을 증가시키므로 모두 臣藥이 된다. 桂枝는 佐藥으로서 通陽散寒·降逆平衡한다. 모든 약물을 配伍하면, 祛痰下氣·散結除滿의 효력이 서로 보완하면서 한층 더 드러나게 된다. 周巖이 "栝樓實之長, 在導痰濁下行, 故結胸胸痹非此不治. 然能導之使行, 不能逐之使去, 蓋以性柔, 非濟之以剛, 則下行不力, 是故小陷胸湯則有連夏, 栝蔞薤白等湯則有薤·酒·桂·朴, 皆伍以苦辛迅利之品, 用其所長, 又補其所短也"(『本草思辨錄』卷2)라고 한 것과 같다. 振胸陽·降痰濁·消陰寒·暢氣機를 하게 하면, 곧 胸痹하면서 氣逆上衝의 모든 證이 제거될 수 있다.

본방의 配伍특징은 두 가지이다. 첫째는 行氣하는 가운데 降逆平衡이 있어서 氣機升降의 어긋남을 조절한다. 둘째는 理氣의 안에 散寒化痰이 있어서 陰寒痰濁의 邪를 제거한다.

【臨床應用】

1. 證治要點: 본 방제는 胸陽不振하고 氣滯痰阻한 胸痹를 치료하는 常用方劑이며, 임상에서 응용할 때 胸痛, 喘息短氣, 舌苔白膩, 脈弦緊한 증상을 치료의 요점으로 삼는다.

2. 加減法: 만약 寒邪가 비교적 심한 경우에는 증상에 맞게 乾薑·桂枝·附子 등을 넣고 通陽散寒하게 하고, 만약 血瘀을 겸한 경우에는 丹參·赤芍·桃仁·紅花 등을 넣고 活血祛瘀하게 할 수 있다.

3. 枳實薤白桂枝}湯은 다음 한국표준질병사인분류(KCD)에 해당하는 환자가 胸痹, 胸陽不振, 氣滯痰阻證으로 辨證되는 경우 본 처방의 사용을 고려해볼 수 있다.

처방 목표	한국표준질병사인분류(KCD)
冠心病心絞痛	I20 협심증
	I24 기타 급성 허혈심장질환
	I25 만성 허혈심장병
慢性支氣管炎	J41 단순성 및 점액화농성 만성 기관지염
	J42 상세불명의 만성 기관지염

처방 목표	한국표준질병사인분류(KCD)
慢性胃炎	K29.3 만성 표재성 위염
	K29.4 만성 위축성 위염
	K29.5 상세불명의 만성 위염
非化膿性肋軟骨炎	M94.0 연골늑골접합부증후군[티체]
肋間神經痛	G58.0 늑간신경병증

【變遷史】 張仲景은 『金匱要略』「胸痹心痛短氣病脈證治」에서 처음으로 비교적 체계적으로 胸痹의 辨證論治 이론과 治法方藥에 대해 논술했다. 仲景은 胸痹의 형성 원인은 주로 "陽微陰弦"에 있으며, 곧 上焦陽虛, 陰邪上逆, 閉塞淸旷으로 구분하였으며, 陽氣不通에 의한 것이라 여겨, 증상은 本虛標實에 해당한다고 했다. 따라서 치료할 때 증후의 虛實·標本의 緩急에 의거해서 각각 "急則治標, 緩則治本"하게 치료해야 한다고 주장했다. 標를 치료하는 방법은 宣痹通陽을 위주로 하며 祛痰散結을 겸해서 치료한다. 방제의 구성은 주로 栝蔞에 薤白을 配伍하는 것을 基本藥物로 한다: 만약 喘息咳唾, 胸背痛, 短氣 등의 전형적인 증후를 보이는 경우에는 栝蔞薤白白酒湯으로 이를 치료해서 通陽散結하고 行氣祛痰하며, 그 약효가 뛰어나다. 만약 痰濁이 비교적 심한 경우에는 다시 半夏를 넣으면 栝蔞薤白半夏湯이 된다. 만약 氣結이 비교적 심하고 逆氣上衝을 동반한 경우에는 半夏를 빼고, 枳·朴·桂등을 넣고 枳實薤白桂枝湯을 만든다. 唐宗海는 일찍이 仲景이 상술한 加減進退법에 대해 정밀한 분석을 하길: "用藥之法, 全憑乎證, 添一證則添一藥, 易一證亦易一藥. 觀仲景此節用藥, 便知義例嚴密, 不得含糊也. ……故但解胸痛, 則用栝樓薤白白酒; 下節添出不得卧, 是添出水飮上衝也, 則添用半夏一味以降水飮; 再下一節又添出胸痞滿, 則加枳實以泄胸中之氣, 脇下之氣亦逆搶心, 則加厚朴以泄脇下之氣. 仲景凡胸滿均加枳實, 凡腹滿均加厚朴, 此條有胸滿脇下逆搶心證, 故加此二味, 與上兩方又不同矣. ……讀者細心考求, 則仲景用藥之通例, 乃可識矣"(『金匱要略淺注補正』卷4)라고 했다. 위의 仲景이 胸痹를 치료한 세가지 방제는 후세의 의학자들에게 높은 평가를 받았으며, 胸痹를 치료하는 방제 형성에 지대한 영향을 끼쳤고, 栝蔞에 薤白을 配伍해서 胸痹를 치료하는 常用藥으로도 지금까지 계속해서 사용되어 오고 있으며, 오랫동안 쇠퇴하지 않고 있다.

【難題解說】

1. 原方의 栝蔞實에 대해서: 栝蔞實은 原名이 "栝樓"이고, 『神農本草經』에 처음으로 실렸으며, 또한 "澤治"(『吳普本草』)·"黃瓜"(『名醫別錄』)·"天圓子"(『東醫寶鑑』) 등으로 불렀다. 『針灸甲乙經』에서 처음으로 "瓜蔞"라고 불렀으며, 지금가지 계속해서 사용되어 오고 있으며, 본 약재의 通稱이 되었으며, 오늘날 임상에서는 또한 흔히 "全栝蔞"라고도 부르며 栝蔞皮·栝蔞仁 등과 구별한다. 본 방제가 기록한 "栝蔞實一枚"에서 그것이 바로 "全栝蔞"임을 알 수 있다. 張山雷이 일찍이 말하길: "蔞實入藥, 古人本無皮及子仁分用之例, 仲景書以枚計, 不以分量計, 是其确證. 蓋蔞實能通胸膈之痹塞, 而子善滌痰垢粘膩, 一擧兩得"(『本草正義』卷6)라고 했다. 이는 胸痹를 치료할 때 마땅히 皮·子를 함께 사용하는 것이 적합하다는 것을 설명한다.

2. 본 방제의 용법에 대해서: 仲景은 原書에 기록하길 본 방제를 달일 때 먼저 枳實·厚朴을 넣고 끓이고, 찌꺼기를 제거한 후에 다시 나머지 약을 넣는다고 했는데, 그 원리는 무엇 때문인가? 어떤 사람은 "先煮枳實·厚朴者, 取其味厚氣勝, 降逆氣而泄實滿. 微煮桂枝·薤白·瓜蔞者, 取其辛散輕揚, 布陽氣而散陰邪"라고 했다.[1] 魏念庭이 말하길: "先後煮治, 以融和其氣味, 俾緩緩蕩除其結聚之邪"(『金匱要略方論本義』卷9)라고 했다. 필자가 현재 파악하고 있는 자료에 따르면, 아직 누가 옳고 그른지 판단하기 어려우니, 우선 잠시 결정을 보류하고 고려할 필요가 있다.

【醫案】

1. 背部冷 『國醫論壇』(1994, 5:13): 여자, 47세, 교사. 환자는 頸椎 아랫부분에 한기를 느끼고 근육 瞤動을 동반한지 3개월이 되었다. 3개월 전 감기에 걸려서

치료 후 완쾌했으나, 유일하게 등부분에 한기가 느껴졌고, 때로는 전신이 떨리고, 자신도 모르게 어깨를 으쓱거리는 등의 증상을 보였다. X-선 촬영에서 頸椎 증식 등의 증상은 배제되었다. 양한방에서 風濕에 맞는 치료를 했으나 그 효과가 좋지 않아서, 마침내 이곳으로 치료를 받으러 왔다. 환자를 진단해 보니 등 부분에 한기를 느끼고, 咳唾淸稀痰涎, 口角流涎, 面色蒼白, 氣短乏力, 舌體胖大有齒印, 舌苔白膩, 脈沉緊했서, 胸陽不振, 痰濕阻滯로 진단했다. 通陽散結하게 치료해서 祛痰利濕하게 했다. 환자에게 枳實薤白桂枝湯에 加味해서 복용하게 했다: 枳實 12 g, 厚朴 12 g, 薤白 9 g, 桂枝 9 g, 瓜蔞 9 g, 人蔘 6 g, 茯苓 9 g, 半夏 6 g, 黃酒 30 g이다. 6첩을 매일 1첩씩 물을 넣고 달여서 복용하며(兑入黃酒), 各 첩은 三煎(3번에 나누어서 달이고)하고 첫 번째 달인 탕약과 두 번째 달인 탕약을 합한 후 2회에 나누어서 복용하게 했다. 세 번째 달인 탕약 300 mL에 끓인 물 500 mL를 다시 넣고 섞어서, 환부에 30분 동안 붙이고 온찜질을 했다. 두 번째 진료: 口角流涎이 눈에 띄게 줄어들었고, 背冷한 증상이 조금 호전되었으나, 나머지 증상은 예전과 동일했다. 위의 방제에 附子 9 g을 넣고 계속해서 9첩을 복용하게 했으며, 方法은 예전과 동일하게 했다. 세 번째 진료: 등 부분에 한기를 느끼는 등의 病症이 사라졌다. 6개월 동안의 방문 조사에서 재발하지 않았다.

考察: 본 醫案은 환자의 素體의 胸中에 陽氣虧虛하고, 또한 外寒으로 寒邪가 經脈을 凝滯되게 하고, 痰濕阻滯, 氣血不通하고, 부분적으로 溫養을 하지 못해서 발병한 것으로 등 부분에 한기를 느끼는 등의 여러 증상으로 나타난다. 방제에서 枳實薤白桂枝湯으로 溫經通陽하고 化痰行氣하게 하며, 人蔘·附子를 첨가해서 益氣溫經을 돕고, 茯苓·半夏를 넣어서 利濕化痰을 도와서, 胸背의 經氣를 통하게 해서, 氣血得暢하면 등 부위의 冷症을 치료할 수 있다.

2. 胃脘痛『中國鄕村醫生雜志』(1998, 12:28): 남자, 45세. 胃脘脹痛을 앓은 지 6개월이 되었다. 일찍이 위내시경 검사에서 慢性淺表性胃炎으로 나타나서 양한방에서 다방면으로 진료를 받았으나 病勢는 여전히 변화가 없었다. 환자에게 자세히 물으니, 이 질병은 여름철 아이스크림을 먹고 나서 처음에는 위가 불편하다가 점점 脘腹에 창만감과 통증이 느껴지고, 때로는 차갑게 느껴졌다고 했다. 또한 몸이 차가워지게 되면 증상이 심해지고, 식사가 줄었으며, 온몸이 피로하고, 안색에 윤기가 없고, 舌淡, 苔白膩, 脈沉緩했다. 본 증상은 찬 기운이 傷脾하게 해서 脾陽不振하고, 脾의 健運기능에 장애가 생겨서, 聚濕生痰한 증상에 해당하며, 溫運脾陽하고 化痰和胃하게 치료하는 것이 맞다. 방제: 瓜蔞實 一枚, 薤白 15 g, 厚朴 5 g, 枳實 15 g, 桂枝 6 g, 附子 5 g, 砂仁 6 g, 法半夏 12 g을 넣었다. 5첩을 복용한 후 모든 증상이 줄어들었고 冷感이 사라졌다. 附子를 빼고, 白朮 15 g, 神麯 15 g을 넣고 계속해서 10첩 정도 복용한 후에 완쾌해서 편안해 졌다.

考察: 脘腹에 창만감과 통증이 느껴지고, 따뜻한 것을 좋아하고 추운 것을 싫어하며, 식욕저하에 기력이 없으며, 舌苔白膩 등은 痰濕中阻하고 氣機失暢한 증후로 나타난다. 枳實·薤白·厚朴·砂仁 등의 苦溫辛燥한 性味의 약재로, 行氣除滿, 燥濕暢中하게 하고, 瓜蔞·半夏는 化痰和胃하게 하고, 桂枝·附子는 通陽祛寒하게 한다. 諸藥을 配伍해서, 痰濕을 化해서 氣機를 暢하게 하고, 氣機를 暢하게 해서 脹滿을 消하게 한다. 두 번째 진료 당시 환자는 冷感이 사라졌다고 느껴서 附子를 빼고 白朮·六曲을 넣고 健脾助運하고 消食和胃해서 효과를 보았다.

【副方】

1. 瓜蔞薤白白酒湯(『金匱要略』): 栝蔞實 搗 一枚 (12 g) 薤白 半升(12 g) 白酒 七升(適量)

- 用法: 위의 약재를 함께 넣고 달여서 二升으로 만들어 나누어서 따뜻하게 복용한다(현대용법: 黃酒 적당량에 물을 넣고 달여서 복용한다).
- 作用: 通陽散結, 行氣祛痰.

• 適應症: 胸痹를 치료한다. 喘息咳唾, 胸背痛, 短氣, 寸口脈이 沉하면서 遲하고, 關脈이 小緊數하다.

본 방제의 原名은 "栝樓薤白白酒湯"이며, 『馮氏錦囊秘錄』卷7에서 처음으로 "瓜蔞薤白白酒湯"이라고 불리기 시작해서 지금까지 이어오고 있다. 방제의 瓜蔞實은 理氣寬胸하고 滌痰散結해서 君藥이 된다. 薤白은 通陽散結, 行氣止痛해서 臣藥이 된다. 두 약재를 함께 配伍하면 한편으로는 痰結을 제거하고, 한편으로는 陽氣를 통하게 하므로, 서로 돕고 보완해서 胸痹를 치료하는 要藥으로 삼는다. 辛散溫通한 白酒를 넣고 行氣活血하게 해서 薤白의 行氣通陽의 작용을 강화시킨다. 약은 오직 세 가지로 적절하게 配伍하며, 모두 通陽散結하고 行氣祛痰하는 작용을 하며, 胸痹 증후를 치료하는 基本方이 된다.

2. 瓜蔞薤白半夏湯(『金匱要略』): 栝蔞實 搗 一枚(12 g) 薤白 三兩(9 g) 半夏 半升(12 g) 白酒 一斗(適量)

• 用法: 위의 약재를 함께 넣고 달이고 四升으로 만들어서 一升을 매일 3회 따뜻하게 복용한다(현대용법: 黃酒 적당량에 물을 넣고 달여서 복용한다).
• 作用: 通陽散結, 祛痰寬胸.
• 適應症: 胸痹하고 痰濁한 증상이 비교적 심한 경우에는 胸痛이 등까지 전달돼서 편안하게 누울 수 없다.

본 방제의 原名은 "栝樓薤白半夏湯"이며, 『濟陰綱目』卷72에서 처음으로 "瓜蔞薤白半夏湯"이라고 불리기 시작했으며 지금까지 이어오고 있다. 본 방제는 또한 "瓜蔞薤白湯"(『醫醇義』卷4)·"瓜蔞半夏白酒湯"(『醫學金針』卷3)이라고 부른다. 본 방제는 瓜蔞薤白白酒湯에 半夏를 넣어서 만든 것이다. 半夏는 맛이 辛하고 성질이 溫하기 때문에 祛痰散結에 뛰어나다. 따라서 原方과 비교했을 때 祛痰開結의 작용이 뛰어나고, 주로 胸痹하고 痰濁이 비교적 심한 증상을 치료한다.

枳實薤白桂枝湯과 瓜蔞薤白白酒湯·瓜蔞薤白半夏湯 세가지 방제는 모두 瓜蔞에 薤白을 위주로 配伍하며, 모두 通陽散結하고 祛痰寬胸의 작용을 하며 胸痹를 치료하는 常用方이 된다. 그중 瓜蔞薤白白酒湯은 通陽散結하고 寬胸祛痰을 위주로 하고 胸痹하고 痰濁이 비교적 가벼운 환자를 치료하며 주로 胸痛·喘息·短氣의 증상으로 나타난다. 瓜蔞薤白半夏湯은 위의 방제와 비교했을 때 半夏를 추가했기 때문에 祛痰散結의 효력이 비교적 뛰어나서 胸痹하고 痰濁이 비교적 심한 환자를 치료하며, 주로 胸痛이 등까지 전달돼서 편안하게 누울 수 없는 증상으로 나타난다. 枳實薤白桂枝湯은 비록 半夏·白酒를 뺐으나 枳·朴·桂枝 세 가지를 넣었기 때문에 消痞除滿, 下氣降逆에 뛰어나므로, 胸痹하고 氣結이 비교적 심한 환자를 치료하며, 주로 胸中痞滿하고 氣가 脇의 아래에서부터 上逆衝心한 증상으로 나타난다.

【參考文獻】

1) 許濟群. 高等中醫院校教學參考叢書. 方劑學. 北京: 人民衛生出版社. 1995:372.

半夏厚朴湯

(『金匱要略』)

【組成】 半夏 一升(12 g) 厚朴 三兩(9 g) 茯苓 四兩(12 g) 生薑 五兩(15 g) 蘇葉 二兩(6 g)

【用法】 위의 五味를 물 七升에 넣고 달여서, 四升으로 졸인 후 4회에 나눠서 하루 낮에 3회 밤에 1회 복용한다.

【效能】 行氣散結, 降逆化痰.

【主治】 梅核氣를 치료한다. 마치 목구멍에 음식물

이 막혀서 내뱉을 수도 없고, 삼킬 수도 없으며, 胸膈滿悶하고, 기침이 나거나 매스껍고, 舌苔가 白潤하거나 白滑하고, 脈이 弦緩하거나 弦滑하다.

【病機分析】 梅核氣는 목구멍에 이물감이 있고 꽉 막혀서 불편하고, 내뱉을 수도 없고 삼킬 수도 없지만, 음식물을 삼킬 때는 아무런 장애가 되지 않는다는 것이 특징이다. 대부분 七情鬱結하고 痰氣凝滯해서 발병하는 것이다. 肝은 주로 疏泄의 기능을 담당하며 條達하는 것을 좋아하고, 脾胃는 주로 運化 기능을 담당하며 水津을 轉輸하게 하고, 肺는 주로 宣降의 기능을 위주로 해서 通調水道의 기능을 담당한다. 만약 情志가 뜻대로 되지 않고, 肝氣鬱結하며, 肺胃가 宣降의 기능을 상실해서 津液이 정상적으로 輸布되지 못하고 모여서 痰이 되면, 痰氣相搏해서 咽喉가 막히게 된다. 즉 목구멍을 무언가가 막고 있는 듯 해서 뱉을 수도 없고 삼킬 수도 없게 되는 것이다. 氣機鬱滯하면 胸膈滿悶하게 된다. 痰氣上逆하고 肺失宣降하면 곧 咳嗽로 나타나고, 胃失和降하면 곧 嘔吐하는 증상을 보이게 된다. 苔가 白潤하거나 白滑하고, 脈이 弦緩하거나 弦滑한 것은 모두 氣滯痰凝의 증후이다.

【配伍分析】 梅核氣의 病機는 주로 痰과 氣가 서로 咽喉에 맺힌 것으로 痰阻는 氣滯를 加重시키고 氣滯는 痰凝을 촉진시킨다. 이때에 氣가 行하지 못하면 鬱은 열리기 어렵고, 痰이 제거되지 못하면 結은 흩어지기 어렵다. 치료는 마땅히 行氣와 化痰을 같이 고려해야 한다. 본방에서 半夏·厚朴은 모두 性味가 苦辛溫燥한 약물로서, 전자는 祛痰藥에 해당하고 化痰散結·降逆和胃의 작용이 뛰어나며, 후자는 理氣藥에 해당하고 行氣開鬱·下氣除滿의 작용이 뛰어나다. 半夏의 散結降逆은 厚朴이 理氣하는데 도움이 되고, 厚朴의 理氣燥濕은 半夏가 化痰하는데 도움이 된다. 이 둘을 서로 配伍하면 痰과 氣가 동시에 치료되므로 모두 君藥이 된다. 臣藥인 茯苓이 滲濕健脾하여 脾의 運化기능을 하게 해서 濕을 제거하면 痰이 생길 수 없으므로 半夏의 化痰藥力을 增强시킨다. 蘇葉을 쓰면, 첫째는 그 芳香行氣를 取하여 厚朴의 開鬱散結을 돕고, 둘째는 梅核氣의 주요 발병 부위는 咽喉이고, 喉는 肺系이며, 蘇葉은 質이 가벼워 肺로 들어가서 宣肺 이외에도 약물을 위로 끌어 올려 발병 부위에 이르게 하므로 臣藥이면서 또한 使藥의 직책을 겸하게 된다. 佐藥인 生薑은 性味가 辛溫하고 散鬱結·降逆氣·消痰涎을 해서 半夏의 化痰散結·和胃止嘔를 돕고, 동시에 半夏의 毒을 제거한다. 『本經逢原』卷3에서 이에 대해 "解半夏毒", "止嘔吐, 化痰涎, 消脹滿 …… 散鬱結"이라고 하였다. 위에서 언급된 모든 약물은 性味가 辛苦한 것이 대부분을 차지한다. 辛味는 行氣散結할 수 있고, 苦味는 燥濕降逆할 수 있어서 함께 배합하여 방제가 만들어지면 散結行滯하고 降逆化痰하게 된다. 그러므로 痰氣互結의 梅核氣를 치료하는 훌륭한 방제가 된다.

방제 전체의 다섯 가지 약물은 대략 두 부분으로 나뉜다. 첫째, 半夏·生薑·茯苓은 化痰에 중점을 두었다. 이 三味는 사실상 張仲景의 두 종류의 蠲飮和胃한 小方劑를 포함한다: ① 小半夏湯은『金匱要略』「痰飮咳嗽病脈證并治」에 수재되어 있고, 半夏와 生薑으로 조성되었으며 주로 心下에 支飮이 있고 嘔吐하며 渴症이 없는 者를 치료한다. ② 小半夏加茯苓湯의 출처는 위와 같고, 조성은 위의 방제에 茯苓을 넣은 것으로 그 化飮利水의 작용이 비교적 뛰어나고 주로 支飮嘔吐·心下痞·眩悸가 있는 者를 치료한다. 둘째, 厚朴·蘇葉은 理氣의 작용을 한다. 두 群의 약물은 서로 돕고 보완하며, 化痰하면 行氣開鬱하고, 順氣하면 消痰散結한다. 이밖에도 理氣에서 보면, 厚朴·蘇葉은 본디 行氣의 작용을 하지만, 전자는 또한 下氣작용을 兼하고, 또한 半夏·生薑은 본래 降逆의 良藥이기 때문에 본방이 비록 行氣劑이지만 실제로는 降氣작용을 갖추고 있다. 따라서 본방의 특징은 理氣化痰·行中有降의 여덟자로 요약할 수 있다.

【臨床應用】

1. 證治要點: 본 방제는 梅核氣를 치료하는 常用方劑이며, 임상에서 응용할 때 목구멍이 무언가에 막힌

듯 하지만 음식물을 삼키는데 장애가 없고, 苔白膩, 脈弦滑한 증상을 치료의 요점으로 삼는다.

2. 加減法: 만약 氣鬱이 비교적 심한 경우에는 香附·鬱金 등을 적절하게 추가해서 行氣解鬱의 작용을 강화한다. 脇肋 통증이 있는 경우에는 川楝子·延胡索을 알맞게 넣고 疏肝止痛하게 한다. 咽痛이 있는 경우에는 玄參·桔梗을 알맞게 넣고 利咽하게 한다. 痰氣鬱結化熱하고 心煩失眠한 경우에는 梔子·黃芩·連翹를 알맞게 넣고 淸熱除煩한다.

3. 半夏厚朴湯은 다음 한국표준질병사인분류(KCD)에 해당하는 환자가 梅核氣로 辨證되는 경우 본 처방의 사용을 고려해볼 수 있다.

처방 목표	한국표준질병사인분류(KCD)
咽異感症	J02 급성 인두염
	J31.2 만성 인두염
	F45.8 기타 신체형장애
癔症	F44 해리[전환]장애
焦慮性神經症	F40 공포성 불안장애
	F41 기타 불안장애
抑鬱症	F30~F39 기분[정동] 장애
頑固性失	G47.0 수면 개시 및 유지 장애[불면증]
	F51.0 비기질성 불면증
慢性咽炎	J31.2 만성 인두염
慢性喉炎	J37.0 만성 후두염
慢性支氣管炎	J41 단순성 및 점액화농성 만성 기관지염
	J42 상세불명의 만성 기관지염
慢性胃炎	K29.3 만성 표재성 위염
	K29.4 만성 위축성 위염
	K29.5 상세불명의 만성 위염
食管痙攣	K22.0 분문의 이완불능증
	K22.4 식도의 운동장애
化學療法이나 放射線治療를 받고 發生한 惡心嘔吐	Z54.1 방사선치료후 회복기
	Z54.2 화학요법후 회복기
反流性食管炎	K21.0 식도염을 동반한 위~식도역류병
結腸肝(脾)曲綜合征	D73.9 상세불명의 비장의 질환
精神分裂症	F20 조현병
梅尼埃病	F45.8 기타 신체형장애
腦震蕩後遺症	F07.2 뇌진탕후증후군
甲狀腺腺瘤	D34 갑상선의 양성 신생물
	C73 갑상선의 악성 신생물
頸前血管瘤	D18.08 기타 부위의 혈관종
環狀骨膜炎	J04.0 급성 후두염
	J37.0 만성 후두염
閉經	N95 폐경 및 기타 폐경전후 장애
嬰幼兒秋季腹瀉	(질병명 특정곤란)
	A09.9 상세불명 기원의 위장염 및 결장염_신생아의 설사 NOS
新生兒幽門痙攣	Q40.0 선천성 비대성 유문협착_영아성 유문연축

【注意事項】 본 방제의 약재는 대부분 性味가 苦辛溫燥해서 쉽게 傷陰助熱한다. 따라서 陰虛津虧하거나 火旺한 증상을 띄는 환자를 치료하는 것은 적합하지 않다.

【變遷史】 본 방제의 적응력에 대해서 原書에서 매우 간략하게 서술하고 있으며, 다만 "婦人咽中如有炙臠, 半夏厚朴湯主之."라고 말했을 뿐이다. 臠는 조각으로 자른 고기이고, 炙臠은 고기 조각을 굽는다는 뜻으로, 목구멍에 마치 무언가가 막혀있는 형상을 묘사한 것이다.『備急千金要方』卷3에서 이에 대해 이미지에 맞는 적절한 해석을 했다: "咽中帖帖, 如有炙肉臠, 吐之不出, 咽之不下." 후세의 의학자들이 이러한 목구멍 부분의 이물감을 梅核氣라고 했으며, 본 방제는 梅核氣를 치료하는 주요 방제가 되었다. 唐·宋 이후, 의학자들은 본 방제의 적응증인 梅核氣에 대한 인식이 차츰 전면적으로 심화되었다. 唐代의『備急千金要方』卷3에서 본 방제의 적응증에 대해 논할 때, 梅核氣의 咽部症狀 이외에도, 또한 "胸滿, 心下堅"라는 수치가 상세히 기록

되어 있는데, 이는 본 方證의 전신 症狀에 관한 최초의 기록이다. 宋代의 『三因極一病證方論』卷8에서 말하길, 梅核氣은 “喜怒不節, 憂思兼并, 多生悲恐, 或時振驚, 致臟氣不平” 때문에 발병하며, 전신에 “憎寒發熱, 心腹脹滿, 傍衝兩脇”한 증상이 나타날 수 있다. 『易簡方』에서 한층 더 지적하길: “喜·怒·悲·思·憂·恐·驚之氣, 結成痰涎, 狀如破絮, 或如梅核, 在咽喉之間, 咯不出, 咽不下, 此七氣所爲也.”하다고 했다. 동반 증상에는: “或中脘痞滿, 氣不舒快, 或痰涎壅盛, 上氣喘急, 或因痰飮中積, 嘔逆惡心”과 같은 증상이 있다. 당시의 의학자들은 일찍이 梅核氣가 다양한 전신 증상을 동반할 수 있다는 것을 이해하고 있었으며, 또한 梅核氣의 발생 원인이 “喜·怒·悲·思·憂·恐·驚”과 같은 七情에 의한 것이며, 그 病機가 痰涎結聚하고 “氣不舒快”, “臟氣不平”이라는 것을 인식하고 있었다. 이는 오늘날의 견해와 기본적으로 일치한다는 것을 알 수 있다. 당시 사용한 方劑에서 볼 때, 『三因極一病證方論』의 大七氣湯은 그 用藥에 있어 본 방제와 별반 다르지 않지만, 다만 본 방제를 조성할 때 쓰는 生薑 五兩을 生薑 七片으로 바꿔서 넣고 사용한다. 『易簡方』의 四七湯은 大七氣湯을 기초로 해서 大棗 一枚를 더 넣은 것이다. 이 두 방제의 조성은 본 방제와 매우 유사하며, 적응증 또한 본 방제와 일치하기 때문에 최근 출판된 『中醫方劑大辞典』(第三册)에서 이 두 방제를 半夏厚朴湯의 異名方으로 여긴다. 『易簡方』의 四七湯이 치료하는 肺·胃證候에 관한 “痰涎壅盛, 上氣喘急”, “中脘痞滿”·“嘔逆惡心”의 기록은 후세에 본 방제를 痰氣壅滯에 의한 肺의 胸悶氣喘·咳嗽痰多와 中焦의 痰阻氣滯에 의한 胃脘의 痞悶疼痛·噯氣不舒·嘔惡食少 등에 응용하는 효시가 되었다. 임상 경험이 누적됨에 따라 후대의 의학자들은 梅核氣가 여성뿐만 아니라 남성에게도 나타날 수 있다는 것을 알게 되었다. 方劑의 분류를 통해 전체를 파악할 수 있다: 『金匱要略』과 『備急千金要方』에서 모두 본 방제를 婦人病篇에 수록하고 있으며, 『三因極一病證方論』에 이르기까지 梅核氣를 치료하는 방제는 이미 七氣證治에 분류되어 있었다. 이후 吳謙 등이 더욱더 명확하게 지적하길: “此證男子亦有, 不獨婦人也”(『醫宗金鑑』「訂正金匱要略注」卷23에 수록됨)이라고 했다. 明·淸이후, 梅核氣는 鬱證의 범주로 분류되었으며, 본 방제는 이에 따라 鬱證을 치료하는 常用方劑가 되었다. 현대의 임상에 이르기까지 본 방제는 痰氣互結을 위주로 하는 神經精神系統疾病·咽異感症·慢性咽炎·慢性支氣管炎·支氣管哮喘和慢性胃炎 등의 질병에 대한 치료에 여전히 중요한 작용을 발휘하고 있다.

본 방제의 구성 방법과 用藥은 후세에 지대한 영향을 주었다. 본 방제를 응용해서 치료할 때 七情不舒하고 痰氣凝滯한 증상을 치료하는 방제가 매우 많으며, 가장 유명한 것은 위에서 언급한 大七氣湯과 四七湯 및 이에 의해 파생되어 온 일련의 類方이다. 이러한 방제는 약을 사용하는데 있어 공통점이 있다. 즉 半夏厚朴湯의 生薑을 구성에서 用法으로 옮겨서 藥引으로 사용하니 그 용량이 줄어들었다. 설령 辛散하거나 化痰한 효력을 강화하고 싶다고 하더라도 별도로 다른 약재를 配伍해서 사용할 수 있다. 이는 후세방과 經方에서 약을 사용하는 방면에서 나타나는 눈에 띄는 차이 중의 하나이다. 그중에서 대표적인 방제를 간략하게 소개하면 다음과 같다: ①『是齋百一選方』卷4의 四七湯은 방제에서 人蔘·茯苓 各 二兩, 半夏 二兩(생 것), 厚朴 薑汁制 三兩을 사용한다. 거칠게 갈아서 매회 三錢씩 물 1잔 반에 生薑 七片·大棗 一枚를 넣고 10분의 6으로 달여서 식전에 복용한다. 주로 七種氣를 치료한다. ②『普濟方』卷321에 인용한 『瑞竹堂經驗方』의 四七湯은 방제에서 半夏 7회 湯泡 一兩, 厚朴 薑制·赤茯苓 各五錢, 紫蘇葉 二錢, 甘草 二錢, 香附子 五錢을 사용한다. 㕮咀하고 4회에 나누어서 매회 물 2잔에 生薑 五片을 넣고 10분의 7로 달여서 건더기는 버리고 琥珀末 一錢을 넣고 섞어서 복용한다. 주로 성인 여성의 小便不順을 치료하며, 심한 경우에는 陰户疼痛을 치료한다. ③『國醫宗旨』卷2의 四七湯은 방제에서 紫蘇 二錢, 厚朴 薑汁炒 三錢, 白茯苓 四錢, 半夏 薑制 五錢, 檳榔 堅實, 内白花者 二錢을 사용한다. 生薑 七片·烏梅 1개를 넣고 물을 넣고 달이고 沉香을 꼭꼭 씹어서 따뜻하게 복용한다. 주로 七

情所感, 喉間梅核氣, 心腹痛을 치료한다. ④『雜病源流犀燭』卷24의 四七湯은 방제에서 蘇葉·半夏·厚朴·赤茯苓·陳皮·枳實·南星·砂仁·神曲 各一錢, 靑皮 七分, 蔻仁 六分, 檳榔·益智仁 各三分을 사용한다. 生薑 五片을 넣고 물을 넣고 달여서 복용한다. 주로 梅核氣를 치료한다. 이 중『是齋百一選方』방제에는 人蔘이 있고 蘇葉이 있어서 行氣의 작용이 비교적 약하다. 하지만 補氣의 작용을 겸하고 있어서 七情所傷하고 氣鬱痰凝해서 正氣不足한 환자를 치료하는데 알맞다.『普濟方』에서 인용한『瑞竹堂經驗方』은 방제에서 赤茯苓을 사용하며 또한 香附·琥珀·甘草를 넣어서 化瘀止痛하고 通利水道의 작용을 겸한다. 따라서 성인 여성의 情志抑鬱, 氣血濕濁凝滯, 小便不暢, 陰部疼痛한 증상을 치료하는데 알맞다.『國醫宗旨』는 방제에서 檳榔·沉香 등을 추가해서 理氣止痛의 작용이 비교적 뛰어나다. 따라서 心腹疼痛을 겸한 梅核氣 환자를 치료하는데 알맞다.『雜病源流犀燭』은 방제가 半夏厚朴湯과 導痰湯을 넣고 빼서 만들어진 것이기 때문에 化痰理氣 작용이 비교적 뛰어나다.

【難題解說】 본 방제의 君藥에 대해서: 이에 대해 두 가지 견해로 나누어 볼 수 있다. 첫째, 半夏를 君藥으로 여기며,『方劑學』5판·6판 교재를 예로 들 수 있다. 둘째, 半夏·厚朴을 모두 군약으로 여기며『方劑學』4판 교재를 예로 들 수 있다. 본인은 두 번째 관점이 비교적 정확하다고 생각한다. 그 이유는: ① 본 방제가 치료하는 梅核氣는 七情鬱滯하고 痰氣互結한 증상이기 때문에 그 治法에 있어 마땅히 化痰·理氣를 함께 응용해야 한다. 半夏는 化痰의 효능이 뛰어나고, 厚朴은 理氣의 효능을 위주로 치료하기 때문에 이 둘은 서로 돕고 보완하며 함께 나아가며, 방제를 만든 취지를 가장 잘 구현할 수 있는 두 가지 약재이다. ② 본 방제는 理氣劑에 해당하며, 理氣의 효능이 있는 대표적인 방제이다. 방제에서 理氣藥의 작용은 당연히 충분히 중시되고 厚朴을 君藥의 하나로 여기는 것은 사실 당연한 일이다. ③『金匱要略』에서 半夏·厚朴을 方名으로 여겼으며, 이는 仲景의 본 뜻 역시 이 두 약재를 君藥으로 여겼다는 것을 알 수 있다.

【醫案】

1. 梅核氣『河南中醫』(1994, 2:109): 여자, 38세. 환자는 평소에 의심과 근심이 많고, 2년 전 우연히 목구멍에 불편함이 느껴지더니 그 후부터 점점 목구멍에 이물감이 느껴졌고 뱉을 수도 삼킬 수도 없었다. 또한 胸脇痞悶, 食納不振, 大便溏薄, 小便淸利한 증상이 함께 나타났다. 식도경 검사에서 이상 증상이 발견되지 않았으며, 이미 草珊瑚含片·咽炎片 등의 치료를 받았으나 증상은 여전했다. 진료 당시 환자는 舌質淡, 苔白膩, 脈弦滑했다. 본 증상은 肝鬱脾虛, 氣滯痰阻에 해당한다. 방제에서 半夏厚朴湯(厚朴易厚朴花, 蘇葉易蘇梗)에 黨參·蒼朮·白朮·陳皮·香櫞皮·炒山甲·神曲·大棗를 사용했다. 약 2첩을 복용한 후 목구멍의 이물감은 눈에 띄게 줄어들었다. 계속해서 위의 방제를 10첩 복용한 후에 모든 증상이 완쾌했으며, 1년 동안의 방문조사에서 재발하지 않았다.

考察: 梅核氣는 氣滯痰阻해서 발병하는 것이다. 따라서 半夏厚朴湯을 위주로 해서 치료한다. 하지만 肝鬱하면 쉽게 脾를 傷하고, 증상이 오랫동안 지속되면 대부분의 경우 脾氣虧虛를 동반하게 된다. 따라서 參·朮 등의 補氣健脾의 약재를 넣고 運化하도록 도와야 한다. 蘇梗·厚朴花를 蘇葉·厚朴으로 바꿔 넣는 것은 바로 輕宣理氣하게 하고 溫燥하지 않도록 하려는 뜻이 있는 것이다.

2. 頑固性失眠『國醫論壇』(1998, 4:24): 남자, 29세. 환자는 수면장애를 2년 동안 앓았으며 일찍이 여러 가지 치료를 받았으나 호전되지 않았다. 진료 당시: 환자는 잠들기 힘들고, 꿈을 많이 꾸며, 일찍 잠에서 깨고, 매일 4~5시간 정도 수면하며, 惡心, 胸悶, 干咳, 痰白粘이 많지 않으며, 목구멍이 무언가로 막힌 듯 하고, 大便을 매일 2회 보는데 말랐다가 묽었다가 했고, 尿頻, 舌暗, 苔薄黃, 脈弦滑했다. 半夏厚朴湯에서 生薑·蘇葉을 빼고 蘇梗·山梔·連翹·滑石·枳實·生甘草를 넣었

다. 7첩 복용한 후 두 번째 진료에서 환자는 잠드는데 문제가 없었으나 多夢·胸悶·心煩한 증상은 여전했다. 效不更方의 원칙에 따라 原方에서 滑石·枳實를 빼고 계속해서 14첩을 복용했더니 완쾌했다.

3. 多寐『實用中醫內科雜志』(1997, 4:45): 여자, 23세, 1992년 8월 6일 진료를 받으러 왔다. 환자는 한 달 전에 다른 사람과 말다툼을 하다가 鬱하고 감정이 상해서 본 증상이 나타나기 시작했다. 진료 당시 환자는 面容憔悴, 抑鬱不歡, 體倦肢重, 胸脇滿悶, 口淡無味, 不思飮食, 嗜睡不已, 呼之方醒, 醒而復寐, 때로는 煩惱叹息, 默默懶言, 舌苔厚膩, 脈弦滑했다. 본 증상은 氣機壅鬱, 痰濕困脾에 해당하며, 방제는 半夏厚朴湯에서 生薑·蘇葉을 빼고 蘇梗·枳實·鬱金·藿香·蒼朮·薏苡仁·菖蒲을 넣었다. 5첩을 복용한 후에 본 증상이 크게 감퇴하였으며, 思眠有度하고 苔轉薄膩했으나 어떨 때는 경미한 두통이 남아있어서, 계속해서 3첩을 복용한 후에는 모든 病症이 제거되었다.

考察: 위에서 말한 두 醫案은 첫째는 失眠이고, 둘째는 多寐이다. 失眠한 환자의 경우 목구멍에 이물감이 있고, 胸悶·痰白黏·惡心의 증상을 보인다. 이는 痰氣交阻해서 心煩·苔薄黃·尿頻한 것으로 몸속에 心火·濕熱이 있다는 것을 말한다. 따라서 半夏厚朴湯에 枳實을 넣어서 化痰理氣하게 치료하고, 山梔·連翹·滑石을 넣어서 瀉火除煩利濕하게 치료해서 心經의 火를 小便을 통해 배출할 수 있도록 한다. 多寐한 환자의 경우 情志不暢으로 인해 氣機鬱滯하고 脾失健運하며, 또한 긴 여름내 多濕을 견뎌내야 하기 때문에 결국에는 濕濁困脾해서 발병하게 되는 것이다. 방제에서 半夏厚朴湯에 枳實·鬱金을 配伍해서 行氣開鬱, 燥濕化痰하게 하고, 藿香·薏苡仁·蒼朮·菖蒲를 넣고 芳香化濁開竅하게 한다. 氣機가 暢하고, 痰濕이 除하고, 淸竅가 明해서, 모든 病症이 저절로 제거되었다.

4. 精神分裂症『江西中醫藥』(1997, 1:34): 여자, 22세. 일주일 전 자극을 받아서 정신 이상 증세가 시작되었다. 환자의 증상은: 神情痴呆, 表情淡漠, 不言不语, 狀如木僵, 口流清涎, 任其外溢, 舌質淡紅, 苔白厚膩而水滑, 脈弦滑로 나타났다. 본 증상은 痰氣鬱結해서 內擾神明하고 蒙蔽淸竅한 것이다. 방제는 半夏厚朴湯에서 生薑을 빼고 鬱金·石菖蒲·陳皮·制南星를 넣었다. 3첩을 복용한 후에 병세가 호전되었으며, 의식이 맑아져서 痴呆·혼미 상태가 사라지고, 침을 흘리지는 않지만 말이 느리고 내뱉는 말이 또렷하지 못하며 말소리가 작고 가늘었었다. 또한 睡眠差, 不欲飮食, 舌淡紅, 苔白厚膩, 脈弦滑해졌다. 위의 방제를 그대로 해서 遠志·酸棗仁·麥芽를 넣고 다시 3첩을 복용한 후 병세가 눈에 띄게 호전되었으며, 雙目有神, 說话流利, 言词清晰. 因仍納差, 胸悶有時叹息, 舌淡紅, 苔薄白, 脈弦細해졌다. 계속해서 위의 방제에 白朮·柴胡을 넣고 인내심을 갖고 일깨우고 근심을 해소하게 해서 4첩을 복용한 후에 모든 病症이 사라졌다.

考察: 본 醫案의 증상은 한의약의 癲證 범주에 해당한다. 痰氣鬱滯하면 神明被蒙하기 때문에 따라서 半夏厚朴湯과 南星·石菖蒲·鬱金 등을 함께 配伍해서 理氣解鬱하고 豁痰開竅하게 치료해서 효과를 보았다.

5. 咳喘『江蘇中醫』(1997, 10:35): 남자, 52세. 예전부터 咳喘을 앓았으며, 최근에 情志不暢하고 感凉해서 발병했다. 진료 당시 환자는 咳嗽氣急, 痰多色白而黏, 胸中痞悶, 不思飮食, 舌苔白膩, 脈弦細而滑했다. 본 증상은 暴感新凉해서 痰濕犯肺한 것으로 방제는 半夏厚朴湯에 蘇梗·陳皮·杏仁·旋覆花·甘草를 넣는다. 3첩을 복용한 후 氣急이 크게 줄어들었으며 胸悶 역시 제거되었다. 原方을 계속해서 3첩 복용한 후 咳喘 증상이 이미 가라앉았다. 유일하게 納谷不振해서 계속해서 健脾和胃하게 치료하기 위해서 香砂六君子湯을 여러재 복용하게 한 후 몸조리를 잘 한 후에 완쾌했다고 했다.

考察: 外感風寒하면 痰濕을 끌어 올려서 肺까지 上漬하게 되며, 肺氣가 宣降하지 못해서 咳喘으로 나타나게 된다. 半夏厚朴湯의 모든 약재는 肺脾二經으로 들어가서 降氣化痰하게 하며, 蘇葉·生薑은 특히 宣散風寒하게 하는 효능이 있다. 旋覆花·杏仁을 넣고 夏·朴의 降逆化痰하고 止咳平喘을 보조한다. 陳皮·甘草와 半夏·茯苓을 함께 配伍한 二陳湯은 燥濕化痰의 작용이 뛰어나다. 外邪得去하고 痰濕漸化하며 氣逆得平하게 되면 咳喘이 저절로 치료된다.

6. 反流性食管炎『福建中醫藥』(1997, 1:47): 여자, 45세. 胸骨 뒷 부분에 타는 듯한 燒灼痛을 앓은지 2달이 되었으며, 특히 식후에 증상이 심해 졌으며, 때때로 신물을 토했다. 胃脘 부위에 통증은 없고, 대소변은 스스로 조절이 가능하며, 舌質紅, 苔白, 脈濡했다. 위내시경 검사에서 "역류성 식도염"으로 진단했다. 半夏厚朴湯(蘇葉을 蘇梗으로 바꾼다)과 左金丸을 합하고, 鬱金·白芍·麥芽·甘草를 넣고 치료했다. 6첩의 약을 복용한 후 모든 病症이 사라졌다. 계속해서 15첩을 복용한 후 치료 효과가 안정되었으며, 위내시경 재검사에서 "식도 이상 없음"으로 진단했다.

考察: 역류성 식도염은 한의학에서 食痹 범주에 해당한다. 본 醫案은 氣逆濕滯할 뿐만 아니라 또한 눈에 띄는 氣鬱化火한 증후를 보인다. 따라서 半夏厚朴湯과 左金丸·鬱金·芍藥·甘草 등을 加味해서 行氣降逆, 淸熱瀉火, 緩急止痛하게 치료한다.

7. 結腸·肝(脾)曲綜合征『實用中醫內科雜志』(1996, 3:39): 여자, 40세. 脇痛腹脹한 증상이 나타났다가 멈췄다를 반복했으며, 정서가 불안할 때마다 심했다 덜했다 하고, 지금까지 15일가량 지속되었다. 呃逆, 胸悶, 乏力, 舌淡, 脈弦 증상을 동반했다. 복부 X선 검사 결과 結腸脾曲 부위에 積氣되어 있었다. 이는 肝脾不和하고 氣機鬱結하며 痰食阻滯해서 나타나는 것으로 半夏厚朴湯에서 生薑·蘇葉을 빼고 蘇梗·靑皮·烏藥·三仙을 넣고 치료한다. 8첩을 복용한 후에 안정되었다.

考察: 結腸·肝(脾)曲綜合征은 結腸肝曲이나 脾曲脹氣해서 나타나는 질병이다. 주로 上腹部(왼쪽으로 치우치거나 오른쪽으로 치우친다)가 脹痛으로 불편하거나, 포만감, 트림 등의 증상으로 나타난다. 본 환자의 발병 원인은 감정 기복과 관련이 있으므로, 따라서 肝鬱氣滯, 肝脾不和, 痰食阻滯의 증상으로 판단하고 半夏厚朴湯에 靑皮·烏藥·三仙 등의 順氣消積한 효능이 있는 약재를 사용해서 치료하고, 氣行鬱開하고 痰化食消하게 하였더니 증상이 자연적으로 치유되었다.

8. 甲狀腺腺瘤『北京中醫雜志』(1994, 1:3): 여자, 45세, 간부. 환자는 우측 갑상선에 선종이 있은지 3년 정도 되었으며, 처음에는 2 cm 크기여서 양약을 장기간 복용하였으나 효과가 나타나지 않았다. 해가 지날수록 증상이 심해졌으며 隱痛을 보였다. 초진 당시 오른쪽 목 부분이 눈에 띄게 부어 올랐으며, 누르면 움직이고 중등도의 硬度가 있다. 환자는 腺瘤가 감정의 기복에 따라 커졌다가·줄어들었다가를 반복하며, 納食·대소변은 정상이고, 苔薄, 脈澀하다고 말했다. 초음파 검사 결과: 우측 갑상선 선종은 4.8 cm×4.2 cm 크기였다. 이는 情志不暢하고 氣滯痰凝이 누적되어서 질병으로 나타난 것이다. 半夏厚朴湯에서 蘇葉을 蘇梗으로 바꾸고, 黃藥子·夏枯草·昆布·桃仁을 넣는다. 연속으로 28첩을 복용한 후에, 隱痛이 사라지고, 선종은 이미 줄어들었다. 계속해서 原方을 3개월 정도 복용한 후에 선종이 사라졌고, 초음파 재검사 결과: 오른쪽 갑상선 腺體의 크기가 기본적으로 정상으로 회복됐다.

9. 頸前血管瘤『北京中醫雜志』(1994, 1:3): 남자, 4세. 아이의 부모가 4일 전 아이가 울부짖을 때 목구멍 부위에 땅콩 크기의 靑紫색의 腫物이 피부에 돌출되어 있는 것을 발견했다. 울음을 멈춘 후에 平軟해졌다. 3일 후 腫物이 가래나무 열매 크기만큼 커지더니 약 1.5 cm 정도 되었다. 시내에 있는 어떤 병원에서 검사한 결과 선천성 血管瘤로 진단했고, 省兒保院에서는 頸前血管瘤으로 진단했다. 아이의 부모가 수술을 원하지 않아서 이번에 진료를 받으러 왔다. 진료 당시 환자는 咽喉의 天突穴 자리에 血管瘤가 돌출되어 나와서, 큰 소리를 내거나 울거나 웃을 때 더욱더 뚜렷해 졌다. 靑

紫색을 띠고, 손으로 힘을 줘서 누르면 조금 들어가고, 갑상선과 서로 붙어 있는 것이 아니라서 활동이 좋지는 않았다. 발육은 양호하나, 안절부절 못하고 많이 움직이며, 隱睾症을 동반했다. 본 증상은 痰濁凝結하고 氣滯血瘀한 증상에 해당한다. 半夏厚朴湯과 桂枝茯苓丸을 함께 配伍해서 14첩을 복용한 후 血瘤가 절반으로 줄어들었으며, 原方으로 한 달 정도 치료하고 나서 腫物이 사라졌다.

考察: 위에서 말한 두 가지 사례는 何任의 驗案이다. 何氏가 말하길, 半夏厚朴湯은 癔症·慢性咽炎을 포함한 梅核氣 등의 형태가 없는 氣鬱痰凝證을 치료할 수 있을 뿐만 아니라, 甲狀腺囊腫·甲狀腺腺瘤·頸前血管瘤 등과 같은 형태가 있는 氣鬱痰結 증상을 치료할 수 있다고 했다. 첫 번째 사례는 한의약의 癭瘤이다. 腫 부위가 감정의 기복에 따라 심해졌다 덜해졌다 하며, 氣滯痰聚한 증상에 해당한다. 따라서 半夏厚朴湯으로 行氣化痰하게 치료하며, 夏枯草·黃藥子·昆布를 넣어서 軟堅散結의 작용이 뛰어나게 하고, 癭瘤를 치료하는 要藥이 된다. 病은 이미 3년이 되어서, 오랫동안 맺혀 있으면 반드시 瘀로 나타나기 때문에 따라서 桃仁을 配伍해서 活血化瘀하게 하고, 半夏厚朴湯과 함께 사용하면, 함께 도와서 좋은 치료 효과를 얻을 수 있게 된다. 두번째 사례는 頸前血管瘤이다. 한의약의 血瘤이며, 痰氣互結하고 血瘀脈絡해서 발병한다. 따라서 半夏厚朴湯과 桂枝茯苓丸을 함께 配伍하면, 半夏厚朴湯으로 行氣解鬱, 化痰散結하게 하고, 桂枝茯苓丸으로 通利血脈, 活血祛瘀하게 치료한다. 약과 증상이 서로 맞아 결국에는 완쾌했다.

10. 閉經『實用中醫內科雜志』(1997, 4:45): 여자, 32세. 2년 동안 몸이 점점 뚱뚱해 지고, 월경이 잇달아 주기에 맞춰 하지 않다가 최근 2개월 동안에는 월경을 하지 않았다. 평소에 스스로가 胸脘이 悶脹不舒하다 느끼고, 泛惡少食, 口淡無味, 때때로 頭眩心悸하고, 肢倦無力, 白帶增多, 苔薄白微膩, 脈濡(婦科 검사를 통해 임신은 배제함)했다. 본 증상은 痰濕內閉, 阻塞胞脈, 氣機失調에 해당하며, 방제는 半夏厚朴湯에서 生薑·蘇葉을 빼고 蘇梗·蒼朮·制香附·陳皮·木香·當歸·薏苡仁·玫瑰花를 넣었다. 약을 5첩 복용한 후에 증상이 어느 정도 호전되었으며, 胸悶脹滿이 눈에 띄게 감소했고, 食納이 증가했으나 월경은 여전히 시작하지 않았다. 위의 방제에 益母草 20 g을 넣고 다시 5첩 복용한 후에 월경이 시작됐다. 월경이 끝난 후에 蒼朮 10 g, 厚朴 10 g을 넣고 湯藥으로 달여서 當歸丸과 함께 복용했다. 2개월 동안 치료를 공고히 해서 월경이 정상으로 회복했다.

考察: 본 醫案은 閉經不外血虛·血瘀·氣滯·痰結·寒凝諸端과 같은 증상이 나타나며 痰濕氣滯證에 해당한다. 따라서 방제는 半夏厚朴湯에 蒼附導痰湯을 배합해서 理氣寬膈, 燥濕化痰하게 하고, 또한 當歸·玫瑰花·益母草 등을 추가로 넣고 活血調經하게 해야 한다.

11. 新生兒幽門痙攣『北京中醫』(1995, 5:44): 여자, 생후 25일. 생후 3일째 되는 날 嘔乳 증상이 나타났고, 간헐적으로 발작하며 덜했다 심했다를 반복했다. 어떨 때는 오래된 젖 덩어리를 토했으며, 지금까지 낫지 않았다. 한 병원에서 新生兒幽門痙攣으로 진단하고, 解痙·鎮靜藥으로 치료했으나 효과가 좋지 않았다. 진료 당시 환자는: 몸이 여위고, 발육이 불량하며, 기력이 없고, 口唇淡白, 소변 색이 맑고, 대변은 5일 동안 보지 못했고, 腹脹으로 腫块에 닿지 못하고, 舌質淡苔白滑, 指紋淡紅, 脈細弱했다. 본 증상은 脾虛胃寒, 運化失健, 陰寒上逆에 해당하므로 半夏厚朴湯에서 生薑을 빼고 乾薑·黨參·白朮·砂仁·炒甘草을 넣는다. 약 2첩을 복용한 후에 대변을 보고, 腹脹이 감소했으며, 嘔乳가 절반으로 줄었다. 위의 방제를 계속해서 2첩 복용한 후 치유되었다.

考察: 본 醫案의 用藥에 대해 분석하면, 사실상 半夏厚朴湯에 理中丸을 합하고 砂仁을 넣어서 辛開苦降, 調理氣化, 健脾和胃, 振奋中陽의 작용을 한다. 이는 古方을 활용한 모범 사례라고 말할 수 있다.

【副方】

1. 大七氣湯(『三因極一病證方論』卷8에 수재됨): 半夏湯洗七次 五兩(150 g) 白茯苓 四兩(120 g) 厚朴薑製炒 三兩(90 g) 紫蘇 二兩(60 g)

- 用法: 위의 약재를 銼散해서 매회 四錢(12 g)씩 물 一盞半에 薑 七片을 넣고 七分으로 달여서 찌꺼기를 제거하고 식전에 복용한다.
- 作用: 行氣開鬱, 降逆化痰.
- 適應症: 喜怒不節, 憂思兼并, 多生悲恐, 때때로 振驚해서 致臟氣不平, 憎寒發熱, 心腹脹滿, 傍衝兩脇, 上塞咽喉, 有如炙脔, 吐咽不下한 증상을 치료한다.

2. 四七湯(『易簡方』은 『太平惠民和劑局方』卷4에 기록됨): 半夏 五兩(150 g) 茯苓 四兩(120 g) 紫蘇葉 二兩(60 g) 厚朴 三兩(90 g)

- 用法: 위의 약재를 㕮咀해서 매회 四錢(12 g)을 물 一盞半에 生薑 七片, 棗一枚를 넣고 10분의 6으로 달여서 찌꺼기를 제거하고 뜨거울 때 복용한다.
- 作用: 行氣降逆, 化痰散結.
- 適應症: 喜·怒·悲·思·憂·恐·驚의 氣가 맺혀서 痰涎이 되고 마치 깨진 버들개지 같기도 하고 매실 씨앗 같은 것이 咽喉 사이에 있어서 뱉을 수도 없고 삼킬 수도 없고, 혹은 中脘痞滿으로, 氣不舒快하거나, 痰涎壅盛해서 上氣喘急하거나, 痰飮中結 때문에 嘔逆惡心한 증상을 주로 치료한다.

위에서 말한 두 방제는 모두 半夏厚朴湯에서 변화해온 것이다. 이 둘은 구성에 있어서 原方과 뚜렷한 차이가 없으며 다만 生薑의 用法이 옮겨져서 용량이 다소 줄었을 뿐이다. 따라서 이 두 방제의 작용·적응증 역시 原方와 거의 동일하지만, 유일하게 辛散開結·降逆化痰한 효력은 原方과 비교했을 때 조금 약하다. 또한 四七湯에는 大棗를 넣어서 和胃의 작용이 비교적 뛰어나다.

厚朴溫中湯

(『内外傷辨惑論』卷中)

【組成】 厚朴 薑製 橘皮 去白 各一兩(各 30 g) 甘草 炙 草豆蔻仁 茯苓 去皮 木香 各五錢(各 15 g) 乾薑 七分(2.1 g)

【用法】 위의 약재를 고운 가루로 분쇄한다. 매회 五錢(15 g)을 물 二盞(300 mL)에 生薑 三片을 넣고 一盞(150 mL)으로 달여서 찌꺼기를 제거하고 식전에 따뜻하게 복용한다.

【效能】 行氣除滿, 溫中燥濕.

【主治】 脾胃가 寒濕에 의해 상하고, 氣機壅滯한 증상을 치료한다. 脘腹가 脹滿하거나 疼痛이 있고, 不思飮食, 四肢倦怠, 舌苔白하거나 白膩하고, 脈沉弦하다.

【病機分析】 脾胃는 中焦에 위치하며, 주로 受納·腐熟과 運化水穀의 기능을 담당한다. 또한 升하기도 하고 降하기도 하며, 인체의 氣機와 관계되어 運行한다. 만약 옷입는 것을 소홀히 해서 외부에서 寒濕之邪의 침입을 받거나 생 음식이나 날 음식을 마구 먹게 되면 바로 脾胃의 生理기능에 영향을 미쳐 병이 나게 된다. 李杲가 말한 바와 같이: "飮食失常, 寒溫不适, 則脾胃乃傷"(『内外傷辨惑論』卷中에 수재됨)하다. 脾胃의 氣機 통로가 꽉 막히게 되면 脘腹脹滿하고, 不通則痛하면 脘腹疼痛해서 반드시 대부분의 경우에 脹滿해서 통증으로 나타난다. 胃에 병이 나면 受納하기 어렵고, 脾에 병이 나면 運化하기 어렵기 때문에, 따라서 食欲不振으로 나타난다. 脾胃는 肌肉四肢를 주관하는데, 脾胃가 寒濕에 의해 손상을 입어서 氣機의 통로가 꽉 막히게 되면, 즉 四肢가 倦怠無力하게 된다. 舌苔白하거나 白膩하고, 脈沉弦한 것은 모두 脾胃寒濕하고 氣機不暢해서 나타나는 증상이다.

【配伍分析】 본방이 치료하는 病證은 바로 脾胃氣機의 壅阻로 나타나는 것이며, 그 발병 원인은 脾胃가 寒濕에 손상된 것과 관련된다. 따라서 치료는 마땅히 行氣除滿이 위주가 되고, 溫中燥濕이 보조적이다. 본방에서厚朴·橘皮를 重用하여 君藥이 되고, 行氣消脹하며 또한 두 약물은 性味가 모두 苦辛而溫해서 燥濕溫中할 수 있다. 『本草滙言』卷9에서 "厚朴, 寬中化滯, 平胃氣之藥也. 凡氣滯于中, 鬱而不散, 食積于胃, 羈而不行, 或濕鬱積而不去, 濕痰聚而不淸, 用厚朴之溫可以燥濕, 辛可以淸痰, 苦可以下氣也."라고 하였다. 『本草綱目』卷29에서는 "橘皮, 苦能瀉能燥, 辛能散, 溫能和. 其治百病, 總是取其理氣燥濕之功."이라고 하였다. 草豆蔻는 行氣燥濕·溫中散寒하고, 木香은 行氣寬中散寒하며, 더 나아가서는 君藥의 行氣溫中燥濕의 작용을 강화하여 臣藥으로 썼다. 乾薑·生薑을 같이 써서 溫中散寒하고, 茯苓·炙甘草는 健脾滲濕和中한다. 모두 佐藥이 된다. 炙甘草는 使藥을 겸하고 모든 약물을 조화시킨다. 모든 약물을 배합하여 사용하면 行氣消滿·溫中燥濕의 작용을 거두게 된다.

본방의 配伍특징은 行氣藥의 重用을 위주로 하고, 또한 사용한 行氣藥의 性은 모두 溫燥하므로 散寒燥濕을 겸할 수 있고, 또한 溫中淡滲藥을 佐藥으로 한다. 그러므로 본방은 方名이 "厚朴溫中湯"이지만, 작용은 오히려 行氣에 중점을 두었지 溫中에 두지 않았다. 이것 또한 본방을 분류에서 理氣劑에 넣고 溫裏劑에 넣지 않은 이유이다.

【類似方比較】 본 방제와 理中丸은 구성에 있어 모두 乾薑·甘草가 있다. 즉『傷寒論』乾薑甘草湯을 포함하고 있어서 溫中散寒의 작용을 띠며 또한 모두 中寒한 증상을 치료한다. 하지만 본 방제의 配伍는 厚朴·陳皮을 사용해서 行氣를 위주로 치료하며, 燥濕을 겸할 수 있어서, 脾胃의 氣滯寒濕을 치료하며, 순전히 邪實에 의한 증상에 해당한다. 理中丸은 乾薑으로 溫中散寒을 위주로 치료하며, 人蔘·白朮이 益氣健脾하는 것을 돕는다. 中焦虛寒證을 치료하며, 虛實兼夾之證이다. 두 방제는 配伍用藥·立法 및 적응증에 있어서 크게 보면 같지만 차이가 있다. 임상 응용할 때 잘 구분해서 사용해야 한다.

【臨床應用】

1. 證治要點: 본 방제는 行氣溫中의 작용을 위주로 하며, 임상에서 응용할 때 脘腹이 脹滿하거나 疼痛이 있고, 舌苔白, 脈沉弦한 증상 치료를 요점으로 삼는다.

2. 加減法: 驟感寒邪해서 脘腹의 통증이 심한 경우에는 良薑·肉桂 류를 증상에 맞게 넣고 溫中散寒止痛의 작용을 강화하고, 飮食不愼과 食滯 증상이 함께 나타나고, 噯腐苔膩가 나타나는 경우에는 神曲·山楂를 증상에 맞게 넣어 消食導滯하게 하고, 肝氣鬱滯를 동반하며, 脘腹脹痛連脇, 泛酸水한 경우에는 香附·烏賊骨 류를 넣어 증상에 맞게 넣고 疏肝制酸하게 하고, 胃氣上逆을 동반하며 惡心嘔吐한 경우에는 半夏·薑制竹茹를 증상에 맞게 넣고 和胃降逆하게 치료한다.

3. 厚朴溫中湯은 다음 한국표준질병사인분류(KCD)에 해당하는 환자가 脾胃氣滯寒濕證으로 辨證되는 경우 본 처방의 사용을 고려해볼 수 있다.

처방 목표	한국표준질병사인분류(KCD)
急性胃炎	K29.1 기타 급성 위염
慢性胃炎	K29.3 만성 표재성 위염
	K29.4 만성 위축성 위염
	K29.5 상세불명의 만성 위염
胃潴留	K31.1 성인 비대성 유문협착
	K31.2 위의 모래시계협착
	K31.3 달리 분류되지 않은 유문연축
急性胃擴張	K31.0 위의 급성 확장
胃腸道功能紊亂	F45.3 신체형자율신경기능장애

【注意事項】 대체로 脘腹가 脹滿하거나 통증이 있으면, 氣虛不運하거나 胃陰不足한 경우이므로, 耗氣傷陰하지 않기 위해서 苦辛性溫한 본 방제를 사용하는

것은 안 된다.

【變遷史】 본 방제는 『內外傷辨惑論』卷中에서 처음으로 보여졌으나, 사실상 『傷寒論』의 厚朴生薑半夏甘草人蔘湯에서 유래되었다. 『傷寒論』의 원문 제 66조에서 이르길: "發汗後, 腹脹滿者, 厚朴生薑半夏甘草人蔘湯主之."라고 했다. 보통 본 조문의 腹脹滿은 脾虛氣滯한 것이라고 생각하지만, 厚朴生薑半夏甘草人蔘湯에서 厚朴·生薑 各半斤은 重用하고 人蔘 一兩은 輕用하는 것에서 분석해 보았을 때 마땅히 氣滯를 위주로 치료해야 한다. 厚朴生薑半夏甘草人蔘湯의 厚朴·生薑·甘草 3가지 약재 및 行氣除滿의 治法은 모두 李杲가 본 방제를 만들 때 스승에게 전수받은 것이다. 北宋 초기의 『太平聖惠方』卷5의 厚朴丸은 厚朴(薑制)·陳橘皮(白瓤를 제거한다)·草豆蔻·白朮·縮砂·訶黎勒·桂心·乾薑으로 구성되며, 脾胃氣冷, 水穀不化, 食即腹脹, 胸膈不利한 증상을 치료하며 방제의 약재 조성이 본 방제와 더욱 가깝다. 李氏는 『內外傷辨惑論』卷中에서 본 방제를 만들면서 이르길: "治脾胃虛寒, 心腹脹滿, 及秋冬客寒犯胃, 時作疼痛."라고 했다. 이후 明代의 『明醫指掌』卷5에 기록된 同名方은 본 방제에서 草豆蔻를 빼고, 大棗를 넣고 만들어 진 것으로 益脾和中의 효력이 비교적 강하며, 脾胃虛冷, 心腹脹滿疼痛을 치료한다. 『溫病條辨』卷2의 "中焦篇"에 관해서는 苦辛溫法한 厚朴草果湯(厚朴·草果·茯苓·半夏·杏仁·廣皮로 구성됨)은 "舌白脘悶, 寒起四末, 渴喜熱飮, 濕蘊之故, 名曰濕瘧"을 치료한다. 이 行氣溫中燥濕한 治法은 본 방제와 다르지 않기 때문에 또한 본 방제에서 변화해 왔다고 볼 수 있다.

【醫案】

1. 腹痛 『治驗回憶錄』: 남자, 50세. 환자는 음주를 즐기고, 최근 몇 달 동안 복통으로 인해 불규칙하게 구토를 하고 몸 상태가 좋지 않았으며, 차가운 것을 마시면 바로 感寒이 발병했다. 어제 심한 통증이 배 전체에 퍼져서, 鳴聲이 上下相逐하고, 喜嘔하며 熱湯을 먹고 싶어했다. 첫 번째 진료에서 胃中寒이라고 여기고 理中湯을 복용하게 했으나 효과가 없었다. 두 번째 진료 당시, 환자는 脈微細, 苔白潤無苔, 噫氣를 하거나 吐痰을 하면 통증이 완화되었다. 胃에는 이상이 없으나, 腹이 마치 북처럼 膨脹하고, 胃가 아닌 腹에 통증을 느껴서, 寒濕結聚에 의한 증상으로 진단했다. 본 환자는 술을 좋아해서 濕이 많고, 濕이 많으면 陰이 왕성해진다. 陰이 왕성하면 胃寒하고 濕化하지 못하게 되고, 水濕相搏하면 上下攻衝하기 때문에 결국에는 아파서 구토를 하게 된다. 溫한 가운데 寬腸燥濕하게 치료해야 한다. 위의 理中湯을 복용하고 효과가 없는 환자의 경우 參·朮을 함께 補하면, 寒濕의 運行을 방해해서, 滋脹하게 되기 때문에, 비록 乾薑이 따뜻한 성질을 띄지만 化氣할 수 없고, 氣行하지 못하면 水가 제거되지 않기 때문에 효과가 없다. 厚朴溫中湯으로 바꾸면, 溫中宮해서 水濕通暢하고, 滯氣를 조절하면 脹寬痛止하게 된다. 하지만 복용 후 뱃속이 통증이 심해지더니 마치 갑자기 천둥번개가 치는 듯 하고, 痰涎을 한 사발 정도 크게 토하고, 소변량이 증가하고, 마침내 脹寬痛解하게 되었다. 본 증상에 있어 먼저 통증이 심하다가 나중에 완화되는 것은 邪正相爭하다가 결국에는 승리하게 되는 것이다. 두 번째 처방에서 모든 病症이 사라진 듯 하고, 대체적으로 調補해서 편안해 졌다.

2. 胃痛 『吉林中醫藥』(1984, 5:26): 남자, 49세, 노동자. 胃脘에 통증을 느낀지 3일이 되었으며, 양방병원에서 근육 주사 약을 처방받고 복용했으나 효과가 없었다. 3일 전 날음식과 차가운 음식을 지나치게 많이 먹고 또한 한밤중에 화장실에 가서 감기에 걸려서 통증이 멎지 않았다. 통증이 심해지고 嘔吐淸水해서 따뜻한 薑糖水를 마셨더니 통증이 멈췄다. 진료 당시: 환자는 急性病容, 四肢發凉, 口不渴, 舌淡, 苔薄白, 脈沉弦했다. 방제: 厚朴 20 g, 陳皮 5 g, 炙甘草 15 g, 草蔻 15 g, 茯苓 5 g, 木香 10 g, 乾薑 15 g을 물을 넣고 달여서 2첩을 복용한 후 통증이 멈췄다. 계속해서 2첩을 복용한 후 완치했으며, 이후에 재발하지 않았다.

3. 急性病毒性肝炎『新中醫』(1984, 8:20): 남자, 21세, 군인. 환자는 15일 전 힘이 빠지고, 腹脹해서 식욕이 없으며, 구역질이 났다고 했다. 계속해서 黃疸이 나타났다. 현대의학에서 진단하길: 急性病毒性肝炎이라고 했다. 濕熱內鬱에서부터 치료해서, 茵蔯蒿湯과 丹梔逍遙散을 합해서 10여 재 복용하게 했으나, 눈에 띄게 호전되지 않았으며, 게다가 腹脹이 심해지고 大便溏薄했다. 또한 舌質淡, 苔白滑膩, 脈沉緩했다. 간기능 검사 결과: 빌리루빈 23單位, ALT 500單位, 麝濁 7單位, 황산아연 혼탁도(zinc sulfate turbidity test, ZnTT) 12單位이다. 寒濕氣滯으로 진단하고, 厚朴溫中湯을 加味했다. 방제: 厚朴 15 g, 乾薑·陳皮·草蔻仁·澤瀉·茯苓 各 9 g, 木香 6 g, 茵蔯 20 g, 鬱金·板藍根 各 12 g을 사용해서 2주 동안 복용한 후, 자각증상이 사라지고, 肝右肋下가 剛觸及하고, 재검사 결과 간기능의 각 항목 지표가 정상으로 돌아왔다.

考察: 醫案1의 腹痛과 북처럼 膨脹한 증상은, 寒濕結聚하고 氣機壅阻해서 발생하는 것이기 때문에 단순하게 溫中散寒한 理中湯을 응용하는 것은 적절하지 않으며, 行氣溫中燥濕한 厚朴溫中湯으로 바꿔서 복용하게 했을 때 약효가 있다는 것을 말한다. 醫案2의 胃痛은 中寒氣滯證에 해당하므로, 厚朴溫中湯에 厚朴·乾薑을 重用하고, 藥과 증상이 맞게 돼서 2첩을 복용한 후 완쾌했다. 醫案3은 한의약의 "黃疸" 범주로 분류되는 急性病毒性肝炎으로 일반적으로 濕熱內鬱에서부터 치료한다. 하지만 본 醫案은 茵蔯蒿湯과 丹梔逍遙散을 합해서 10여 재 복용하게 했으나 호전되지 않았으며, 腹脹이 심해지고, 舌質淡, 苔白滑膩, 脈沉緩했다. 寒濕氣滯를 치료해야 하기 때문에, 厚朴溫中湯에 茵蔯·鬱金·板藍根을 加味해서 치유되었다. 이상은 急性病毒性肝炎치료할 때 淸熱利濕退黃 한 가지 방법만 고수해서는 안 되며, 증상에 맞게 약을 사용해야 한다는 것을 시사한다.

良附丸

(『良方集腋』卷上)

【異名】 止痛良附丸(『飼鶴亭集方』에 수재됨).

【組成】 高良薑酒洗7次 焙研 香附子醋洗7次 焙研 各等分(각 9 g)

【用法】 위의 약재를 각각 약한 불을 쬐어서 말리고 따로 분말로 갈고 따로 저장해서 복용할 때 쌀밥에 生薑汁 1숟가락, 소금 1줌을 넣고 환으로 빚어서 복용하면 바로 멎는다.

【效能】 行氣疏肝, 祛寒止痛.

【主治】 氣滯寒凝證을 치료한다. 胃脘疼痛, 胸脇脹悶, 畏寒喜溫, 苔白脈弦 및 婦女痛經 등이 있다.

【病機分析】 肝은 주로 疏泄의 기능을 하며, 脾胃의 氣機가 정상적으로 운행되도록 도와서 인체의 정상적인 소화 기능을 유지할 수 있도록 한다. 만약 七情憂恚하고, 肝失疏泄하게 되면 脾胃氣滯를 야기하게 되고, 外受寒邪하거나 飮食生冷하면 또한 中寒에 의한 증상을 유발하게 된다. 이 둘이 합쳐져서, 氣滯寒凝證으로 나타나는 것이다. 氣滯寒凝하면 胃脘疼痛하고, 胸脇脹悶은 肝鬱에 의해 발생하는 것이며; 畏寒喜溫은 寒에 의한 증상이다. 苔白脈弦 역시 氣滯寒凝의 증후이다. 肝鬱氣滯하고 寒邪凝聚하면 성인 여성에게도 痛經의 원인이 된다.

【配伍分析】 본방의 病證은 肝鬱氣滯와 中焦寒凝으로 발생한 것이므로 치료는 마땅히 行氣疏肝·祛寒止痛으로 治法을 세워야 한다. 본방에서 香附子는 性味가 辛平하고 歸經은 肝經이며 疏肝開鬱·行氣止痛하고, 또한 醋洗의 法製를 써서 肝經으로 들어가게 하

여 行氣止痛의 작용을 도울 수 있다. 『本草正義』卷5에서 "香附, 辛味甚烈, 香氣頗濃, 皆以氣用事, 故專治氣結爲病."이라고 하였다. 高良薑은 性味가 辛溫하고 歸經은 脾·胃經이며 溫中暖胃·散寒止痛하고, 또한 酒洗의 法製를 써서 散寒宣通의 작용을 도울 수 있다. 『本草正義』卷5에서 "良薑大辛大溫, 潔古謂辛熱純陽, 故專主中宮眞寒重症."이라고 하였다. 두 약물을 등분하고 배합하여 사용하면, 行氣疏肝과 溫中散寒을 같이 중시하게 되어서 氣를 暢하고 寒을 散하면 모든 證이 저절로 낫게 된다.

【臨床應用】

1. 證治要點: 본 방제는 氣滯寒凝에 의한 胃痛을 치료한다. 대체로 胃脘疼痛, 胸脇脹悶, 苔白脈弦한 경우에는 본 방제를 사용할 수 있다.

2. 加減法: 만약 氣滯가 심해서 憂恚한 증상으로 나타나고, 胸脇脹悶이 비교적 심한 경우에는, 香附를 重用하거나, 川楝子·鬱金과 木香 등을 증상에 맞게 넣고 行氣止痛한 효능을 돕는다. 만약 寒凝이 심해서 受寒하거나 날음식과 찬 음식을 먹고 나서 胃脘의 통증이 심해지고 形寒喜溫한 경우에는 高良薑을 重用하거나 乾薑·吳茱萸와 桂枝 등을 증상에 맞게 넣고 溫中祛寒한 효력을 강화한다. 氣滯寒凝에 의한 痛經에는 當歸·川芎과 白芍 등을 증상에 맞게 넣고 和血調經止痛하게 한다.

3. 良附丸은 다음 한국표준질병사인분류(KCD)에 해당하는 환자가 氣滯寒凝證으로 辨證되는 경우 본 처방의 사용을 고려해볼 수 있다.

처방 목표	한국표준질병사인분류(KCD)
慢性胃炎	K29.3 만성 표재성 위염
	K29.4 만성 위축성 위염
	K29.5 상세불명의 만성 위염

처방 목표	한국표준질병사인분류(KCD)
消化性潰瘍	K25 위궤양
	K26 십이지장궤양
	K27 상세불명 부위의 소화성 궤양
	K28 위공장궤양
月經痛	N94.4 원발성 월경통
	N94.5 이차성 월경통
	N94.6 상세불명의 월경통

【注意事項】 임산부가 氣滯寒凝에 의한 胃脘痛에 걸리더라도, 본 방제를 사용할 때에도 신중하게 응용해서, 行氣散寒走竄하여 損傷胎元하는 것을 예방해야 한다. 어떤 사람이 예전에 본 방제를 사용해서 加味하고 胃脘痛를 치료하려다 유산하는 사례 1례가 발생했다는 보고가 있다.[1)]

【變遷史】 본 방제의 출처는 『良方集腋』卷上에 있으며, 心口에 약간의 통증이 있거나, 胃脘有滯하거나 有虫하거나, 대부분의 惱怒 및 受寒으로 인해 발생하는 증상을 치료한다고 하였다. 그리고 病因에 따라 방제의 약재 사용량을 적절하게 조절할 수 있다: 만약 寒으로 인해 발병하는 경우에는 高良薑 二錢, 香附末 一錢을 사용한다. 만약 怒에 의해 발병하는 경우에는 高良薑 一錢, 香附末 三錢을 사용한다. 寒怒를 동반한 원인으로 발병하는 경우에는 高良薑 一錢 五分, 香附 一錢 五分을 사용한다. 현대 의학에서 일반적으로 본 방제를 氣滯寒凝에 의한 胃脘痛을 치료하는 代表方으로 본다. 『慈禧光緒醫方選議』이 九氣拈痛丸은 사실상 본 방제에 當歸·五靈脂·莪朮·檳榔·靑皮·延胡索·鬱金·木香·陳皮·薑黃과 甘草를 加味해서 구성한 것으로, 行氣活血의 작용을 해서, 氣滯血瘀에 의한 모든 心胃疼痛을 치료할 수 있다. 민국시대에 盛心如의 『實用方劑學』良附丸은 본 방제에 靑皮·木香·當歸·乾薑과 沉香을 加味해서 구성한 것으로 行氣散寒한 효력이 더욱 강해져서 胸脘氣滯를 치료하며, 胸膈軟處의 약한 통증을 치료한다. 오랫동안 치료하지 않으면, 자녀에게 전염될 수 있다.

【醫案】

1. 淺表性胃炎『陝西中醫』(1994, 1:26): 남자, 42세. 환자는 胃脘 부위가 脹滿하고 통증이 나타난지 2년이 넘었으며, 약을 복용하고 치료했으나 효과가 없었다고 말했다. 예전에 위내시경 검사에서 淺表性胃炎으로 진단받았다. 현재 증상은 胃脘 부위에 脹痛이 느껴지고, 不思飮食, 噯氣, 喜叹息, 兩脇脹痛, 大便不暢, 苔薄白, 脈弦緊하다. 본 증상은 肝氣客寒犯胃로 판단하고, 行氣散寒하게 치료해야 한다. 방제: 香附 12 g, 良薑 8 g, 柴胡·枳殼·川楝·青皮·延胡索·炒萊菔子 各 10 g, 白芍·麥芽 各 12 g, 鬱金·梔子 各 9 g, 甘草 4 g을 넣고, 환자가 7첩을 복용한 후에 임상 증상이 모두 사라졌으며, 계속해서 7첩을 복용한 후 치료 효과가 안정되었다. 3개월 후 위내시경 검사에서 정상으로 나타났으며, 반년 동안의 방문 조사에서 재발하지 않았다.

考察: 본 病例는 氣滯客寒에 해당하는 胃脘疼痛 환자이다. 따라서 良附丸에 加味해서 行氣疏肝藥을 위주로 해서 치료했다. 消食助運을 겸해서 치료하는 것은 환자가 不思飮食하기 때문이다. 약과 증상이 잘 맞아서 치료 효과를 보고 저절로 치유되었다.

2. 泌尿系結石『浙江中醫雜志』(1994, 2:59): 남자, 49세. 1989년 7월 중 腰腹 부위에 때때로 隱痛이 있고, 良附丸에 加味해서 사용할 때마다 통증이 사라졌으나, 자주 재발했다. 같은해 9월 1일 재진 당시 병력을 자세히 물으니, 환자는 요즘 소변색이 혼탁하고 刺痛이 있으며, 腰腹의 絞痛으로 참기 어렵다고 호소했다. X선 촬영을 통해 비뇨기계 결석이 확인되었다. 이는 氣滯寒凝 하기 때문에 나타나는 것이다. 방제에서 良附丸에 加味한다: 高良薑 15 g, 制香附 30 g, 木香·當歸尾 各 20 g, 炒川楝·青皮 各 10 g, 海金沙·金錢草 各 30 g, 車前子 20 g, 田七粉 10 g(分冲)한다. 약 3첩을 복용한 후 소변이 淸長해졌으나 小腹의 통증이 더욱 심해져서, 방제를 그대로 해서 3첩을 복용한 후 결석을 배출하여 병이 나았다.

考察: 본 비뇨기계 결석 또한 氣滯寒凝證에 해당한다. 따라서 良附丸을 위주로 하고, 利水通淋한 효능이 있는 모든 약을 사용해서 구체적인 병세에 맞게 치료한다. 약을 복용한 후 치료 효과가 매우 뛰어났으며, 이는 良附丸에 加味해서 石淋을 치료할 수 있다는 것을 증명하며, 옛 방제의 새로운 쓰임이라고 말할 수 있다.

【副方】 九氣拈痛丸(『慈禧光緒醫方選議』에 수재됨): 當歸 四兩(120 g) 良薑 四兩(120 g) 五靈脂 四兩(120 g) 莪朮 四兩(120 g) 檳榔 四兩(120 g) 青皮 四兩(120 g) 元胡 二兩(60 g) 鬱金 二兩(60 g) 木香 二兩(60 g) 陳皮 二兩(60 g) 薑黃 二兩(60 g) 香附 五兩(150 g) 甘草 一兩 五錢(45 g)

- 用法: 모두 분말로 갈아서 醋法으로 환을 빚고 매회 二錢(6 g)을 끓인 맹물에 복용한다.
- 作用: 行氣活血止痛.
- 適應症: 氣滯血瘀, 心胃疼痛을 치료한다.

본 방제는 良附丸에 加味해서 구성한 것이다. 방제에서 香附·檳榔·青皮·木香·陳皮를 넣고 行氣止痛하게 하고, 莪术·五靈脂·當歸·鬱金·延胡索·薑黃을 넣고 活血止痛하게 하고, 良薑을 넣고 溫中祛寒, 暢達氣血하게 하고, 甘草를 넣고 緩急止痛하며 동시에 모든 약재를 조화롭게 하는 효능을 겸한다. 본 방제는 良附丸과 비교했을 때, 行氣의 작용이 비교적 뛰어날 뿐만 아니라 活血의 효능을 더욱 높인다. 따라서 단순하게 氣滯寒凝에 해당하는 胃脘疼의 경우에는 良附丸을 응용하고, 氣滯血瘀에 해당하는 胃脘疼의 경우에는 본 방제를 사용하는 것이 알맞다.

【參考文獻】

1) 毛新寬. 良附丸加味致小産1例. 陝西中醫. 1992;(5):204.

金鈴子散

(『太平聖惠方』, 錄自『袖珍方』卷2)

【異名】 金鈴散(『雜病源流犀燭』卷11에 수재됨).

【組成】 金鈴子 玄胡索 各一兩(各 30 g)

【用法】 위의 약재를 곱게 갈아서 분말로 만들고, 매회 二~三錢(6~9 g)을 酒에 타서 복용한다. 溫湯에 복용해도 된다.

【效能】 疏肝泄熱, 活血止痛.

【主治】 肝鬱化火證을 치료한다. 心胸脇肋脘腹의 모든 통증이 나타났다 멈췄다 하고, 口苦, 舌紅苔黃, 脈弦數하다.

【病機分析】 肝은 주로 疏泄의 기능을 하며, 그 성질이 條達하는 것을 좋아하고 抑鬱한 것을 싫어한다. 만약 情志가 조화를 이루지 못하면 肝氣鬱結하고, 氣機不暢하고, 不通하면 통증으로 나타나게 된다. 그래서 心胸脇肋脘腹 등의 부위에 모두 이러한 氣滯 때문에 통증이 생기게 된다. 통증이 발병했다가 멎었다가를 반복하는 경우에는, 이러한 통증은 기분의 좋고 나쁨에 따라 기복이 있을 수 있다. 기분이 좋으면 통증이 멎거나 줄어들고, 기분이 나쁘면 통증이 발생하거나 심해지게 되는 것이다. 이는 肝鬱해서 나타나는 疼痛의 특징이다. 肝鬱化火하면 곧 口苦, 舌紅苔黃, 脈象弦數하다.

【配伍分析】 肝氣鬱結·氣鬱化火의 證은 치료는 마땅히 疏肝行氣해야 하고, 泄熱을 겸하고, 동시에 보조적으로 活血해야 한다. 氣는 血을 통솔하므로 氣機가 鬱結하면 늘 血行이 순조롭지 못하게 된다. 본방에서 金鈴子는 즉 川楝子를 말하며 性味는 苦寒하고 歸經은 肝·胃·小腸經이며 疏肝行氣·淸泄肝火하여 君藥이 된다. 『本草綱目』卷35에서 "楝實, 導小腸膀胱之熱, 因引心包相火下行, 故心腹痛及疝爲要藥"이라고 하였다. 玄胡索(延胡索)은 性味가 苦辛溫하고 行氣活血하고 止痛이 우수하여 金鈴子의 行氣止痛의 작용을 증강시키며 臣佐藥이 된다. 『本草綱目』卷13에서 "延胡索, 能行血之氣滯, 氣中血滯, 故專主一身上下諸痛, 用之中的, 妙不可言."이라고 하였다. 두 약물을 배합하여 사용하면 行氣止痛하고 또한 疏肝泄熱 할 수 있어서 氣와 血의 흐름을 순조롭게 하고 肝熱을 내리면 모든 통증이 저절로 낫는다.

【臨床應用】

1. 證治要點: 본 방제가 치료하는 心胸脇肋脘腹 부위의 모든 통증은 肝鬱化火해서 발병하는 것이기 때문에, 본 방제를 응용할 때 疼痛이 감정 기복과 관련 있고, 口苦, 舌紅苔黃, 脈弦數한 것을 치료의 요점으로 삼는다.

2. 加減法: 본 방제로 치료하는 疼痛 범위는 매우 넓다. 구체적인 발병 부위에 따라 적당하게 加味한다. 예를 들면 胸脇疼痛을 치료하는데 사용할 경우에는, 鬱金·柴胡·香附 등을 증상에 맞게 추가한다. 脘腹疼痛을 치료하는데 사용할 경우에는 木香·陳皮·砂仁 등을 증상에 맞게 추가한다. 婦女痛經을 치료하는 경우에는 當歸·益母草·香附 등을 증상에 맞게 추가한다. 少腹疝氣痛을 치료하는 경우에는 烏藥·橘核·荔枝核 등을 증상에 맞게 추가한다.

3. 金鈴子散은 다음 한국표준질병사인분류(KCD)에 해당하는 환자가 肝鬱化火證으로 辨證되는 경우 본 처방의 사용을 고려해볼 수 있다.

처방 목표	한국표준질병사인분류(KCD)
慢性肝炎	K73 달리 분류되지 않은 만성 간염
	B18 만성 바이러스간염
慢性膽囊炎	K81.1 만성 담낭염

처방 목표	한국표준질병사인분류(KCD)
膽石症	K80 담석증
慢性胃炎	K29.3 만성 표재성 위염
	K29.4 만성 위축성 위염
	K29.5 상세불명의 만성 위염
消化性潰瘍	K25 위궤양
	K26 십이지장궤양
	K27 상세불명 부위의 소화성 궤양
	K28 위공장궤양

【變遷史】 본 방제의 유래에 대해서 『方劑學』 전국 총편 교재 제2·3판에서 모두 이르길 그 출처가 『太平聖惠方』라고 했다. 하지만 제 6판 교재에서는 출처가 『素問病機氣宜保命集』에 있다고 했다. 通行本인 『太平聖惠方』에는 본 방제를 찾아볼 수 없다. 하지만, 고서가 전해져 내려오는 과정속에서 누락과 판본의 차이 등의 요소를 피할 수 없기 때문에, 따라서 현재 古本인 『太平聖惠方』에 본 방제가 없다고 결론내리기는 어렵다. 게다가 『袖珍方』卷2에도 역시 본 방제의 출처가 『太平聖惠方』이다고 기록되어 있기 때문에, 따라서 본 방제가 "『太平聖惠方』, 錄自 『袖珍方』卷2"에서 유래되었다고 보는 것이 비교적 타당하다. 본 방제의 적응증에 대해서, 원래는 熱厥心痛이 나타났다가 멎었다하고 오랫동안 낫지 않는 증상을 치료했으며; 『雜病源流犀燭』卷11에서는 二維病을 치료했다. 현대 의학에서는 오히려 肝鬱化火에 의한 胸腹脇肋疼痛을 치료하는 代表方으로 여기며, 아울러 疝氣疼痛과 婦女痛經 등을 치료한다.

【醫案】

1. 肝硬化 『實用中醫內科雜誌』(1988, 3:103): 여자, 39세. 환자는 慢性肝炎을 앓은지 2년 정도 되었으며, 예전에 한 병원에서 肝硬化로 진단받았으며, 자주 肝區에 隱痛 증상을 보였다. 4일 전 急躁氣怒때문에 脇痛이 심해지고, 脘腹發脹, 噯氣不暢, 食納減少하였으며, 舌苔白膩하고 혀 가장자리에 紫點이 있고, 脈弦細而澀했다. 간기능 생화학 검사에서: 麝絮++, 황산아연혼탁도(zinc sulfate turbidity test, ZnTT) >14U, 타카타반응(takata reaction)+, 아미노기전달효소(aminotransferase) 100단위이다. 본 증상은 肝鬱不舒해서, 氣滯血瘀해서 통하지 않으면 통증으로 나타나는 것이다. 行氣活血하고 散瘀止痛하게 치료한다. 방제: 金鈴子·延胡索·鬱金·赤芍·白芍·制香附·桃仁·紅花·炒枳殼 各 10 g, 柴胡 6 g, 紫丹參 15 g을 넣고 약 24첩을 복용한 후, 脇痛이 사라지고, 肝 기능이 정상으로 회복했다. 이후에 逍遙丸으로 그 치료 효과를 안정시켰다.

2. 膽道蛔蟲症 『實用中醫內科雜誌』(1988, 3:103): 여자 아이, 9세. 上腹部에 陣發性 통증을 2일 동안 앓아서 응급실에 입원했다. 아이의 부모가 대신 호소하길: 환자는 이틀 동안 上腹部에 陣發性 통증이 나타났으며, 통증이 마치 머리 끝까지 파고드는 것 같고, 아플 때는 뒹굴며 울고, 이리저리 뒤척이며 울고, 땀을 줄줄 흘렸다고 했다. 10여 분이나 30분 정도 간격으로 한 번씩 통증이 나타났으며, 疼痛이 멈췄을 때는 보통 사람과 같았다. 검사 결과: 체온 39℃, 血常規: 백혈구 17.8×10^9/L, 中性 93%, 분변검사에서 蛔蟲卵이 있고, 巩膜은 黃染되지 않았다. 진단 결과: 膽道蛔蟲症으로 膽道가 감염되었다. 양방병원에서 환자에게 모르핀(morphine) 등의 止痛藥을 주고 치료했으나, 통증이 줄어들지 않아서, 한방병원으로 옮겨 진료를 받았다. 환자가 胃脘의 오른쪽 부위에 통증이 발생한지 2일이 되었고, 통증이 나타났다가 멎었다가를 반복하며, 아플 때는 무릎을 꿇고 배를 감싸고, 심하게 아프면 쉬지 않고 아프고, 소변색은 누렇고 변비가 있으며, 苔膩脈弦數한 것에 따르면, 본 증상은 肝胃鬱熱하고 蛔蟲이 膽腑으로 上擾한 증상에 해당한다. 疏泄肝胃하고 安蛔止痛하게 치료한다. 방제: 金鈴子·延胡索·花椒 各 10 g, 烏梅 15 g, 檳榔·木香·黃芩 各 5 g을 모두 3첩 복용하고 나서, 통증이 사라지고 병이 나아서 퇴원했다.

3. 消化性潰瘍 『山東中醫雜誌』(1994, 10:459): 남자, 34세. 환자는 胃와 十二指腸潰瘍을 5년 정도 앓았으며, 疼痛이 자주 발생해서 한약과 양약의 병용치료를

받았으나 효과가 좋지 않았다. 진료 당시: 胃脘에 지속적인 隱痛이 있고, 刺痛이 자주 발생하고, 아픈 곳은 한 군데로 만지지도 못하게 하고, 大便色黑, 小便黃赤, 舌紅苔黃根厚, 舌背脈絡粗大紫黑, 脈沉左弦右澀했다. 본 증상은 肝氣鬱滯, 久病入絡, 血分瘀滯해서 발병하는 것이다. 行氣와 活血을 겸해서 치료해야 한다. 방제: 金鈴子·延胡索·生蒲黃·炒五靈脂·赤芍·香附·靑皮·陳皮·焦三仙 各 10 g, 柴胡 6 g 7첩을 물로 달여 복용한다. 두 번째 진료에서, 약을 복용한 후 통증이 줄고 식사량이 늘어서, 위의 방제에 넣고 빼서 1개월 동안 치료했다. 통증이 다시 나타나지 않아서 약 복용을 멈춘 후 6개월 동안 관찰했을 때 재발하지 않았다.

4. 結腸肝曲積氣綜合征『黑龍江中醫藥』(1991, 2:16): 여자, 39세. 부부가 각기 다른 지역에 거주하고 있어서 가정의 경제적인 부담이 크고 항상 울적하고 마음이 편하지 않고 胸脇脹痛이 있었으며, 자주 叹息하고, 口苦咽乾, 呑酸嘈雜한 증상이 나타난지 벌써 2년이 넘었다. 치료를 받았으나 효과가 없었고, 도리어 밤중에 잠이 안오고, 心煩易怒, 大便秘結한 증상이 나타났다. 舌質紅, 苔黃, 脈弦數했다. 여러 항목의 현대의학의 물리적 화학적 검사에서 모두 정상이었으나, 복부 X선 검사에서 結腸肝曲의 積氣가 관찰되어 結腸肝曲積氣綜合征으로 진단했다. 본 증상은 肝氣鬱結하고 氣鬱化火에 해당한다. 肝鬱을 疏하게 하고 肝火를 淸하게 치료하면 通便하게 된다. 방제: 金鈴子·延胡索·香附·柴胡·黃芩·陳皮·丹皮·山梔·酸棗仁·知母·甘草 各 15 g, 生大黃 10 g을 물을 넣고 달여서 복용한다. 약 3첩을 복용한 후, 胸脇脹痛하고 心煩易怒 등의 증상이 줄어들었으며, 大便通暢했다. 계속해서 위의 방제에 大黃을 5 g으로 줄이고, 다시 6첩을 복용한 후에 모든 증상이 사라졌다. 환자에게 계속해서 약 3첩을 복용하게 하고 치료 효과를 안정시켰으며, 병이 낫고 재발하지 않았다.

5. 痛經『實用中醫內科雜誌』(1988, 3:103): 여자, 23세, 기혼. 환자는 매번 월경 주기 전 아랫배에 脹痛이 있고 월경이 끝나면 통증이 사라졌다. 평소 월경량은 많고, 紫紅색을 띠었으며, 胸悶脇脹, 噯氣納呆, 舌苔薄白, 脈沉弦을 동반했다. 본 증상은 肝鬱不舒, 血滯不暢에 해당한다. 疏肝行氣하고, 活血止痛하게 치료해야 한다. 방제: 金鈴子·延胡索·當歸·川芎·白芍·制香附·烏藥 各 10 g, 柴胡 6 g, 甘草 5 g을 6첩 복용한 후 복통이 멎었다. 환자에게 매번 월경 주기 전에 약 5첩을 연속해서 3개월 동안 복용하게 한 후 완치되었다.

考察: 이상의 5案은 모두 金鈴子散에 加味해서 치료한 후 뛰어난 치료효과를 보았다. 하지만 각각의 첨가한 약재가 중점을 두는 부분이 다르다: 醫案1은 氣滯血瘀에 해당하는 肝硬化이기 때문에 鬱金·赤白芍·制香附·桃仁·紅花·丹參 등을 넣고 行氣活血하게 치료했다. 醫案2의 膽道蛔蟲症은 肝胃鬱熱, 蛔擾膽腑하기 때문에 花椒·烏梅·檳榔·黃芩 등을 넣고 驅蛔安蛔하게 치료했다. 醫案3은 消化性潰瘍으로 瘀血之征이 비교적 두드러 진다. 따라서 失笑散·赤芍 등을 넣고 活血化瘀하게 치료했다. 醫案4는 氣鬱化火에 해당하는 結腸肝曲積氣綜合征이기 때문에 黃芩·牡丹皮·山梔·知母·大黃 등을 넣고 淸泄鬱火하게 치료했다. 醫案5는 痛經이 衝任失調와 관련있다. 따라서 當歸·白芍·川芎·香附 등을 넣고 和血調經하게 치료했다.

【副方】 延胡索湯(『嚴氏濟生方』卷6): 當歸 去蘆, 酒浸, 銼炒 延胡索 炒, 去皮 蒲黃 炒 赤芍藥 官桂 不見火 各半兩(各 15 g) 片子薑黃 洗 乳香 沒藥 木香 不見火 各三錢(各 9 g)

- 用法: 위의 약재를 알맞은 크기로 썬다. 매번 四錢(12 g)을 물 一盞半(200 mL)에 生薑 七片을 넣고 10분의 7(140 mL)로 달여서 찌꺼기는 제거하고 식전에 따뜻하게 복용한다.
- 作用: 活血, 行氣, 止痛.
- 適應症: 성인 여성이 七情傷感하면 血과 氣에 모두 영향을 주게 되고, 心腹이 아파서 腰脇, 背膂까지 이어져서 위 아래로 찌르는 듯한 증상을 치료한다. 經候不調와 일체의 血氣疼痛을 치료한다.

본 방제의 方名은 『世醫得效方』卷4에서 인용해서 "玄胡索湯"라고 했으며, 『東醫寶鑑』「外形篇」卷3에서는 인용해서 "玄胡索散"라고 했다. 방제에서 延胡索·薑黃·木香는 行氣活血止痛의 효능이 있고, 蒲黃·赤芍·乳香·没藥·當歸는 活血調經止痛하게 하고, 官桂는 溫經해서 氣血을 行하게 하고, 甘草는 모든 약을 조화롭게 하고 緩急止痛을 겸한다. 모든 약재를 함께 사용하면, 活血調經止痛에 중점을 두고 치료하며, 行氣를 겸하고, 金鈴子散이 行氣泄熱에 중점을 두고 치료하는 것과는 차이가 있다. 따라서, 본 방제는 성인 여성의 血瘀氣滯에 의한 모든 통증 및 月經不調를 치료하며, 金鈴子散은 氣鬱化火에 의한 모든 통증을 치료한다.

四磨湯

(『濟生方』卷2)

【異名】 四磨飮(『證治要訣類方』卷2).

【組成】 人蔘(6 g) 檳榔(9 g) 沉香(6 g) 天台烏藥(6 g)

【用法】 위의 약들을 물로 진하게 갈아서 한 잔에 10분의 7만큼 넣고, 3~5번 끓어 오르도록 달인 뒤 따뜻하게 복용한다. 혹은 養正丹을 넣고 복용하면 더욱 효과가 좋다.

【效能】 行氣降逆, 寬胸散結.

【主治】 肝氣鬱結證을 치료한다. 胸膈脹悶, 上氣喘急, 心下痞滿, 不思飮食, 苔白脈弦하다.

【病機分析】 肝은 주로 疏泄의 기능을 하며, 그 성질이 條達하는 것을 좋아하고 抑鬱하는 것을 싫어한다. 肝氣의 疏泄 기능은 또한 기타 각 조직 기관의 생리활동에도 영향을 준다. 예를 들면 『讀醫随笔』卷4에서 이르길: "凡臟腑十二經之氣化, 皆必藉肝膽之氣化以鼓舞之, 始能調暢而不病."라고 했다. 만약 情志가 뜻대로 되지 않거나 惱怒해서 肝을 상하게 하거나, 갑자기 강렬한 정신 자극 등을 받게 될 경우에 모두 肝失疏泄하고 氣機不暢을 유발할 수 있으며, 심할 때는 그 영향이 타 臟腑에 영향을 줄 수 있다. 만약 肝氣鬱結하면, 胸膈의 사이를 거스르게 되어 胸膈脹悶하게 된다. 만약 위로 올라가 肺를 범하게 되면, 肺氣가 위로 거슬러 올라가 氣急而喘으로 나타나게 된다. 만약 거슬러 올라가 胃를 범하게 되면, 胃失和降해서 心下痞滿하고 不思飮食하게 된다. 이로써 본 증상은 肝肺胃의 같은 疾病이며, 氣滯와 氣逆이 함께 겸하지만 肝鬱氣滯을 本으로 하고, 肺胃氣逆을 標로 한다.

【配伍分析】 본방이 치료하는 證候는 氣鬱이 심해서 생긴 氣逆으로 치료는 行氣降逆·寬胸散結을 治法으로 하는 것이 적절하다. 본방에서 烏藥은 性味가 辛溫香竄하고 升하기도 하고 降하기도 하며, 理氣機에 뛰어나고, 李時珍이 이를 "能散諸氣"(『本草綱目』卷34)라고 일컬었으며 君藥으로 쓰였다. 沈香은 "純陽而升, 體重而沈, 味辛走散, 氣雄橫行, 故有通天徹地之功"(『藥品化義』)라고 하였고, "與烏藥磨服, 走散滯氣"(『本草衍義』卷13)라고 하여 臣藥이 된다. 佐藥인 檳榔은 性味가 辛溫하고 降泄하며 破積下氣하고, 烏藥·沈香과 서로 협력하면, 行氣하는 가운데 降氣의 작용이 있게 된다. 첫째는 疏肝暢中하면서 消痞滿하고, 둘째는 下氣降逆하면서 平喘急하며, 합쳐서 理氣開鬱散結의 峻劑가 된다. 破氣藥은 비록 行滯散結의 작용이 빠르게 도달하게 할 수 있으나 과도하게 辛散하면 오히려 쉽게 正氣를 손상시킬 수 있다. 그러므로 본방에서 또한 佐藥인 人蔘이 益氣扶正하여 鬱滯가 풀리고 正氣가 손상받지 않게 되고, 또한 沈香과 배합하여 사용하면 溫腎納氣해서 平喘의 藥力을 돕는다. 이상의 네 가지 약물을 配伍하면 鬱滯한 氣가 순조롭게 順行하고, 逆上한 氣가 가라앉으면 滿悶·喘急·納差 등의 病症이 점점 낫게 된다.

본방의 配伍특징은 두 가지이다: 첫째는 行氣와 降氣를 같이 사용하였지만 行氣開鬱이 위주가 된다. 둘째는 破氣와 補氣를 서로 배합하면 鬱이 풀리고 正氣는 손상되지 않게 된다.

【類似方比較】 본 방제와 柴胡疏肝散은 모두 疏肝解鬱할 수 있어서, 肝氣鬱結, 胸膈滿悶한 증상을 치료하는데 사용한다. 하지만 柴胡疏肝散은 柴胡에 白芍을 配伍해서 理氣柔肝을 위주로 치료하고, 별도로 香附·川芎·陳皮·枳殼 등의 行氣의 효능이 있는 약재를 넣고 疏肝理氣를 전문적으로 치료한다. 게다가 그 효능이 비교적 和緩해서, 肝氣不舒하고 胸脘脇肋에 脹痛이 있는 환자를 치료하는 것이 적합하다. 반면 四磨湯은 烏藥과 沉香·檳榔을 함께 사용해서, 氣味雄烈하고 行氣의 효능이 비교적 峻猛하다. 人蔘을 더 넣으면 補氣扶正해서, 行氣하는 가운데 降氣의 효력이 생기고, 破氣하는 가운데 補氣의 작용을 띄게 해서, 肝氣鬱滯가 비교적 심하고 氣逆으로 인한 증상을 겸한 胸膈脹悶하고 上氣喘急한 환자를 치료하는데 적합하다.

【臨床應用】

1. 證治要點: 본 방제는 肝氣鬱結과 氣逆으로 인한 重證을 겸한 환자를 치료한다. 胸膈脹悶, 上氣喘急한 것을 치료의 요점으로 삼는다.

2. 加減法: 만약 體壯氣實하지만 氣結이 비교적 심하고, 大怒暴厥, 心腹脹痛이 있는 경우라면, 人蔘을 빼고, 木香·枳實을 넣고 行氣破結한 효력을 강화시킨다. 만약 大便秘結과 腹滿이나 腹痛, 脈弦을 동반한 경우라면, 枳實·大黃을 넣고 通便導滯하게 한다.

3. 四磨湯은 다음 한국표준질병사인분류(KCD)에 해당하는 환자가 肝氣鬱結證으로 辨證되는 경우 본 처방의 사용을 고려해볼 수 있다.

처방 목표	한국표준질병사인분류(KCD)
支氣管哮喘	J45 천식
肺氣腫	J43 폐기종

【注意事項】 본 방제는 破氣降逆하게 하는 峻劑이며, 氣機鬱結에 의한 重證을 치료하는데 적합하다. 만약 비록 胸膈心下가 脹滿하더라도 正氣虛弱하고 神倦脈弱한 환자에게는 신중하게 사용한다.

【變遷史】 본 방제는 宋代의 저명한 의학자인 嚴用和가 "七情傷感, 上氣喘息, 妨悶不食"을 치료하기 위해서 만든 것으로 『濟生方』卷2에서 처음으로 보이기 시작했다. 본 방제는 行氣·降氣·補氣의 세가지 治法을 함께 사용하며, 약재를 사용해서 配伍하는데 매우 특색이 있을 뿐만 아니라, 각각의 약재를 물을 넣고 갈아서 다시 달이는 복용 방법 또한 독특한 특징을 가지고 있다. 王又原이 이를 칭송하며 이르길: "四品氣味俱厚, 磨則取其味之全, 煎則取其氣之達, 氣味齊到, 效如桴鼓矣"(『古今名醫方論』卷2에 기록됨)라고 말했다. 본 방제는 原書에 그 用量이 기록되어 있지 않으며, 『醫方集解』에 수록할 때 각 약재를 추가한 후 等分했다. 후세 의학자들이 본 방제를 응용할 때 항상 증후의 氣滯가 약하고 심한 정도에 근거해서 증상에 맞게 늘렸다 줄였다 하였으며, 이 加減衍化方에도 또한 본 방제와 같이 유명한 것이 있었다. 예를 들면 原方의 人蔘을 黨參으로 바꾸고, 다시 木香을 넣고, 諸藥을 等分해서 분말로 말든 다음에 매회 二錢씩 淡薑湯으로 복용하며, "五磨飮"(『不知醫必要』卷4)이라고 부른다. 原方의 人蔘을 줄이거나 빼고, 木香·枳實을 넣고, 각각의 약재를 等分한 후에, 白酒를 넣고 갈아서 복용하며 "五磨飮子"(『醫便』卷3)라고 부른다. 原方에 枳殼·木香를 넣고, 즙으로 갈아서 복용하며, "六磨飮"(『太平惠民和劑局方』, 『證治要訣類方』卷2에 기록됨)라고 부르고, 『杏苑生春』에서는 "六磨湯"이라고 부른다. 위에서 말한 방제는 行氣藥物의 수량을 늘려서 理氣의 효능을 강화시키거나, 人蔘을 줄이거나 빼서 滯氣의 작용이 뛰어나게 함으로써 본 방제가 다양한 氣滯·氣逆의 증후를 치료하는데 광범위하게 사용되었다.

【難題解說】

1. 본 방제의 유형 분류에 대해서: 본 방제는 역대 출판된 方劑學 저서나 교재에서 모두 理氣劑로 분류되었다. 하지만 "行氣"류(六版)로 분류되어 있기도 하고, 또한 "降氣"류(五版)로 분류되어 있기도 하였다. 이는 본 방제가 사용하는 理氣의 약재들이 대부분 行氣와 降氣의 이중 작용을 하기 때문에 전체 방제 역시 行氣와 降氣의 작용을 하게 되며, 이 둘의 우선 순위를 판단하기 어려워 보인다. 하지만 위에서 이미 서술한 바와 같이, 본 방제가 치료하는 증후는 肝氣鬱滯가 심했을 때 발생하는 氣機上逆이며, 氣滯가 本이 되며, 氣逆이 標가 되므로, 行氣開鬱을 위주로 해서 치료하는 것은 당연한 것이다. 또한, 방제의 烏藥·檳榔·沉香은 모두 行氣의 작용을 하기 때문에, 세 약재를 함께 配伍하면, 行氣開鬱散結의 효력이 아주 두드러지게 되어서 현재 임상에서도 주로 다양한 氣滯 증후를 치료하는데 사용된다. 따라서 필자는 본 방제를 行氣類의 방제로 분류해야만 原方의 작용과 치료의 重點을 더욱 잘 나타낼 수 있으며, 임상에서 응용할 때 증상에 따라 넣고 빼서 行氣나 降氣에 치중하는 것에 대해서는 또한 별도로 논해야 한다고 생각한다.

2. 原方의 用法 중에서 "下養正丹尤佳"에 대한 의문: 宋代 이전에 "養正丹"라고 불리는 방제는 2首에 불과했다. 하나는 寶林眞人谷伯陽方(『太平惠民和劑局方』卷5吳直閣增諸家名方)으로 水銀·硫黃·朱砂·黑錫을 각각 一兩씩해서 구성한다. 다른 하나는『養生必用』方(『幼幼新書』卷9)이고, "至聖來復丹"라고도 부르며, 硫黃·消石·玄精石·五靈脂·靑皮·陳皮로 구성된다. 두 방제는 모두 金石類 약재를 위주로 하며 助陽散寒의 작용을 한다. 따라서 嚴氏의 四磨湯은 陽虛寒凝해서 氣滯가 심해져서 上逆하는 증상을 치료하기 위해 만들어졌다는 것을 추측할 수 있다. 따라서 養正丹으로 溫腎納氣하거나 溫散寒邪할 수 있다. 바로 王又原이 말한: "其下養正丹者, 暖腎藥也. 本方補肺氣養正, 溫腎氣鎭攝歸根, 喘急遄已矣"(『古今名醫方論』卷2에 기록됨)와 같다. 게다가 原方의 약재는 대부분 性味가 辛溫하고, 溫裏散寒한 효능을 겸한다. 이로부터 본 방제를 응용할 때 당연히 氣滯의 정도와 氣逆을 동시에 辨證要點으로 삼아야 하지만 어디까지나 성질이 溫하기 때문에, 증후의 성질이 偏寒한 경우에 사용하는 것이 적합하다는 것을 알 수 있다.

3. 방제에서 人蔘의 작용에 관하여: 본 방제의 人蔘의 효능에 대한 인식은 역대로 두 가지 관점이 있다: 첫째는 破氣傷正하는 것을 예방하기 위해서 사용하며, 佐制藥으로 쓰인다. 예를 들면 汪昂이 이르길: "加人蔘者, 降中有升, 瀉中帶補, 恐傷其氣也"(『醫方集解』「理氣之劑」)라고 했다. 둘째는 補氣療虛하게 치료하며, 佐助藥으로 쓰인다. 예를 들면 王又原이 이르길: "正氣既衰, 邪氣必盛, 縱欲削堅破滯, 邪氣必不伏. 方用人蔘補其正氣, ……"(『古今名醫方論』卷2에 기록됨)라고 했다. 張秉成도 말하길: "其所以致氣逆者, 虛也. 若元氣充足, 經脈流行, 何有前證? 故以人蔘輔其不逮, 否則氣暫降而鬱暫開, 不久又閉矣. 是以古人每相需而行也. 若純實無虛者, 即可去參, 加枳殼, ……"(『成方便讀』卷2)라고 했다. 위에서 이미 서술한 바와 같이, 본 방제는 원래 陽虛寒凝氣滯하고 本虛標實한 증상을 치료하기 위해 만들어진 것으로, 人蔘을 配伍하면 補虛培本의 의미가 있기 때문에 王氏·張氏 두 사람은 嚴氏가 본 방제를 만든 취지를 정확하게 꿰뚫고 있다고 말할 수 있다. 하지만 현재 임상 응용 현실에서 볼 때, 본 방제의 사용 요점은 주로 氣機滯에 의한 上逆에 있으며, 만약 陽氣虛弱을 겸한 경우에는 人蔘으로 補氣해서 培本할 수 있으며, 虛한 증후를 보이지 않는 경우에도 人蔘을 사용해서 治實防虛할 수 있다. 하지만 본 방제는 어디까지나 약의 성질이 破泄하기 때문에 만약 氣虛가 비교적 심한 경우에는 사용하지 않는다.

【醫案】

1. 胃脘痛『新中醫』(1983, 7:11): 남자, 39세, 교사. 胃脘疼痛이 반복해서 나타난지 벌써 3년이 되었다. 환자가 胃 부위가 脹痛滿悶하고, 환부를 눌렀을 때 불편

하다고 느꼈으며, 攻衝季脇해서 噯氣가 빈번하게 나오며, 納呆, 舌質正常, 苔薄白, 脈沉弦했다. 바륨 조영술 검사를 통해 "淺表性胃炎"으로 진단했으며, 본 증상은 肝疏失調에 의한 것으로, 中州에까지 橫犯했다. 降逆解鬱, 益擧中氣하게 치료한다. 방제: 烏藥·沉香은 따로 물에 타고·炒檳榔·黨參·枳殼 各 10 g, 炒赤芍·軟柴胡 各 6 g 4첩을 물을 넣고 달여서 매일 2회 복용했다. 약을 복용한 후 痛脹이 약간 줄어들었으며, 衝氣가 안정을 찾았으나, 噯氣는 여전히 나타나서, 계속해서 原方에서 檳榔·柴胡와 같은 消導升疏한 성질을 띈 약재를 줄이고, 半夏를 넣고 降逆醒脾하게 했다. 연속해서 4첩을 복용한 후 모든 등상이 줄어들었으며, 계속해서 益氣健脾한 성질을 띄는 약재를 넣고 복용하고 잘 조리한 후 2년 후에도 재발하지 않았다.

2. 梅核氣『新中醫』(1983, 7:12): 여자, 44세, 간부. 환자는 咽喉에 이물감이 느껴진지 1년 정도 되었으며, 삼켜지지도 않고, 뱉어도 나오지 않으며 음식물 때문에 목이 메이는 것 같았지만, 음식물은 정상적으로 삼켰다. 이전에 다양한 치료를 받았으나 효과가 나타나지 않았다. 환자는 악성으로 변한 것은 아닌가 의심이 되고, 긴장하고, 의기소침해져서, 음식에 대한 생각이 없어졌으며, 마음이 편하지 않아서 잠을 이룰 수 없고, 舌尖紅, 苔薄白, 脈弦細했다. 七情鬱結하고 氣機不暢하며 津液이 輸布하지 못하면 痰氣가 서로 방해해서 梅核氣證으로 나타나게 된다. 본 증상은 開鬱散結과 調理氣機를 위주로 해서 치료하는 것이 알맞다. 方用: 烏藥·沉香·海藻檳榔·生甘草·浙貝母 各 10 g, 參須 4.5 g, 石斛 15 g, 生麥芽 30 g, 4첩을 복용한 후 咽喉부위에 살짝 편안한 느낌이 있고, 음식 섭취량이 크게 늘었으며, 밤에는 잠을 잘 수 있었다. 효과가 있으면 방제를 바꾸지 않는 원칙에 따라, 연속해서 13첩을 복용한 후, 환자는 기뻐하며 말하길 증상이 이미 절반으로 줄었으며, 그 효과가 매우 빨라서 예상하지 못할 정도라고 했다. 이후에 9첩으로 바꿔서 복용하게 했으며, 아울로 飮食起居를 주의하라고 당부했다. 긴 시간 동안의 추적 검사에서 재발하지 않았다.

3. 陰吹『江蘇中醫』(1997, 10:27): 여자, 6세. 前陰에서 종종 "啯啯"소리가 난지 1년 남짓 되었으며, 밤이 되면 더욱 심해졌다. 일찍이 다양한 검사를 받았으나 器質性病變이 발견되지 않았으며, 다양한 치료 역시 효과가 없었다고 호소했다. 최근 15일 동안 이 병은 매일 3~4회 정도 나타났으며, 어떤 때는 그 소리가 비교적 컸기 때문에 한방병원에 와서 진료를 받았다. 환자의 발육 상태를 보니 정상적이고 수면과 식사 모두 가능했으며 소변이 평소와 같았지만, 다만 대변이 燥結하고 3~4일에 한 번 보았다. 肛門指診 검사에서 이상 반응을 보이지 않았다. 이는『金匱要略』「婦人雜病脈證并治」에 기록된 "陰吹"에 해당한다. 비록 猪膏發煎해서 치료할 수 있으나, 煎制하는 것이 쉽지 않고, 게다가 小兒 역시 湯劑를 복용하는 것을 두려워 했다. 따라서 四磨湯口服液(中德湖南鴦馬제약 유한공사 생산) 15 mL를 하루에 3회 복용하고, 연속해서 5일 동안 복용한 후에 환자는 매일 1회 대변을 보았으며, 陰吹한 증상은 밤중에 1~2회 발생해서, 계속해서 1개월 동안 치료한 후에 치유되었다.

考察: 胃痛病은 그 발병 원인이 한 가지가 아니기 때문에 반드시 원인을 분석해서 치료해야 한다. 醫案1은 肝鬱氣滯 때문에 초래된 土衰木旺, 升降失序가 氣血交阻하고 鬱而上逆하게 한 것이다. 따라서 行氣降逆의 효능이 있는 四磨湯을 복용하게 하며, 아울러 人蔘을 黨參으로 바꾼 경우에는 健脾의 효력을 발휘해서, 正氣가 소모되고 흩어지는 것을 방지해서 培本할 수 있을 뿐만 아니라, 또한 "見肝之病, 知肝傳脾, 當先實脾"(『金匱要略』)한 뜻이 있다. 醫案2의 梅核氣는 痰氣交阻해서 발생하는 것으로, 四磨湯으로 行氣散結하게 치료하며, 이는 바로 "善治痰者, 不治痰而治氣, 氣順則一身之津液亦随氣而順矣"의 이치와 일치한다(『證治准繩』「雜病」卷2). 醫案3의 陰吹는 胃腸燥結하고 腑氣不暢하면 濁氣가 아래로 내려와서 발생하는 것으로, 四磨湯으로 行氣通腑하고 下氣降濁하게 치료한 후 大便通暢하고 腸胃氣機가 정상으로 회복하고, 陰吹가 나았다.

【副方】 五磨飮子(『醫便』卷2): 木香, 烏角沉香, 檳榔, 枳實, 台烏藥 各等分.

- 用法: 白酒에 넣고 갈아서 복용한다.
- 作用: 行氣降逆, 寬胸散結.
- 適應症: 七情鬱結, 脘腹脹痛하거나 走注攻衝 및 暴怒暴死에 의한 氣厥證을 주로 치료한다.

본 방제는 四磨湯에서 人蔘을 빼고, 木香·枳實을 넣어서 구성한 것으로, 四磨湯과 비교했을 때 行氣散結의 작용이 더욱 뛰어나다. 이 방제의 配伍 의의에 대해서, 吳昆의 논술을 참고할 만하다: "怒則氣上, 氣上則上焦氣實而不行, 下焦氣逆而不吸, 故令暴死. 氣上宜降之, 故用沉香檳榔; 氣逆宜順之, 故用木香·烏藥; 佐以枳實, 破其滯也; 磨以白酒, 和其陰也"(『醫方考』卷6)라고 했다. 따라서 본 방제와 四磨湯은 모두 行氣降逆할 수 있어서, 氣鬱氣逆에 의한 증상을 함께 치료한다. 하지만 四磨湯은 降逆散結하면서 益氣扶正을 겸해서 治實防虛, 邪正兼顧하고, 본 방제는 오히려 모두 行氣破結한 약재를 사용해서, 약효가 매우 강하므로, 體壯氣實하고 氣結이 비교적 심한 증상을 치료하는 것이 알맞다.

天台烏藥散(烏藥散)

(『聖濟總錄』卷94)

【組成】 烏藥 木香 茴香 微炒 青橘皮 湯浸, 去白, 焙 高良薑 炒 各半兩(各 15 g) 檳榔 銼 2個(9 g) 楝實 十個(12 g) 巴豆 微炒 敲破, 同楝實二味用麩一升炒, 候麩黑色, 拣去巴豆并麩不用 七十粒(12 g)

【用法】 위의 약재 중 炒巴豆를 제외하고, 찧어서 가루로 만든다. 매회 一錢匕(3 g)을 식전에 따뜻한 술로 복용한다. 통증이 심한 경우에는 볶은 生薑·熱酒를 타서 복용한다.

【效能】 行氣疏肝, 散寒止痛.

【主治】 肝이 氣滯寒凝해서 발생한 小腸疝氣를 치료한다. 前陰牵引臍腹疼痛, 睾丸偏墜腫脹, 舌淡苔白, 脈象沉弦하다. 또한 婦女痛經, 瘕聚 등의 氣滯寒凝한 증상에 해당하는 환자를 치료한다.

【病機分析】 足厥陰肝經은 足大趾에서 시작되며, 다리 안쪽으로 올라가서 陰器를 돌아서, 少腹을 지나서, 胃 주위를 지나서 肝絡膽으로 연결된다. 만약 肝經이 氣機鬱滯하고 또한 외부로부터 寒邪의 침입을 받으면, 안과 밖이 서로 부합해서 곧 小腸疝氣가 발병하게 된다. 이 증상은 前陰과 腹股溝가 臍腹을 당겨서 아프고, 한 쪽 睾丸이 부어서 밑으로 늘어지고, 반복해서 뭉쳤다가 풀렸다가 하니 이는 곧 前人이 말한"氣疝"·"寒疝" 및 "狐疝"의 종류이다. 肝은 血海로 前人은 또한 肝이 女子之先天이라고 말했는데, 厥陰이 氣滯寒凝되어 있기 때문에 痛經·瘕聚 등이 발병할 수 있다. 氣滯寒凝에 해당하기 때문에 반드시 舌淡苔白, 脈來沉弦을 근거로 삼아야 한다.

【配伍分析】 본방이 치료하는 小腸疝氣·痛經과 瘕聚 등은 모두 肝經氣滯寒凝에 의해 발생하는 것이다. 그러므로 치료는 마땅히 行氣疏肝하고 散寒止痛해야 한다. 본방에서 烏藥은 性味가 辛溫하고 歸經은 厥陰肝經이며, 疏肝行氣하고 또한 散寒止痛하므로 君藥이 된다. 『藥品化義』卷2에서 "烏藥, 氣雄性溫, 故快氣宣通, 疏散凝滯, 甚于香附 …… 以之散寒氣, 則客寒冷痛自除 …… 開鬱氣, 中惡腹痛, 胸膈脹滿, 頓然可減."라고 하였다. 青皮는 疏肝行氣하고, 木香은 理氣止痛하고, 小茴香은 暖肝散寒하며 高良薑은 散寒止痛한다. 이 네 가지 약물은 모두 性味가 辛溫芳香藥으로 배합하여 사용하면 烏藥의 行氣散寒의 작용을 강화시킨다. 모두 臣藥이 된다. 檳榔과 楝實(즉 川楝子)은 佐藥이다. 그중에 檳榔은 質이 무거워서 아래로

내려가며(下墜), 下氣導滯해서 바로 下焦에 이르고 破堅한다. 川楝子는 性味가 苦寒하여 본래 寒證에는 마땅하지 않지만 辛熱走竄의 巴豆를 파쇄한 뒤에 같이 볶고 다시 巴豆를 빼고 사용하면 그것의 苦寒한 性味를 억제하고 또한 그 行氣散結의 藥力을 증강시킬 수 있다. 동시에 巴豆의 峻下한 폐단을 피할 수 있었다. 이와 같이 약물을 配伍하고 炮製하는 妙는 본보기가 될 만하다. 全 방제를 종합해보면, 行氣藥이 위주이고, 여기에 散寒藥을 配伍해서 行氣疏肝·散寒止痛의 방제를 조성하여 行氣散寒하고 調和肝脈하게 되면, 疝氣·痛經·瘕聚 등의 病證이 저절로 낫게 된다.

【臨床應用】

1. 證治要點: 본 방제는 氣滯寒凝에 의한 疝氣를 치료한다. 少腹痛引睾丸, 舌淡苔白, 脈沉弦한 것을 치료의 요점으로 삼는다. 만약 본 방제를 사용해서 痛經·瘕聚를 치료하려고 한다면, 위에서 말한 舌·脈이 있어야 한다.

2. 加減法: 前陰腫脹으로 偏墜가 뚜렷한 경우에는, 荔枝核·橘核을 증상에 맞게 넣고 行氣止痛하게 치료한다. 寒證이 심하고 따뜻한 것을 좋아하고 추운 것을 두려워하는 경우에는, 肉桂·吳茱萸 등을 증상에 맞게 넣고 散寒止痛하게 치료한다. 痛經한 경우에는 當歸·川芎·香附 등을 증상에 맞게 넣고 和血調經하게 치료한다. 瘕聚한 경우에는 枳實·厚朴·莪术을 증상에 맞게 넣고 破氣消瘕하게 치료한다.

3. 天台烏藥散은 다음 한국표준질병사인분류(KCD)에 해당하는 환자가 疝氣, 氣滯寒凝證으로 辨證되는 경우 본 처방의 사용을 고려해볼 수 있다.

처방 목표	한국표준질병사인분류(KCD)
腹股溝斜疝	K40 사타구니탈장
直疝	K40 사타구니탈장
睾丸炎	N45.01 고환염, 농양을 동반한
	N45.91 고환염, 농양을 동반하지 않은
附睾炎	N45.00 부고환염, 농양을 동반한
	N45.90 부고환염, 농양을 동반하지 않은
胃腸功能紊亂	F45.3 신체형자율신경기능장애
腸痙攣	(질병명 특정곤란)
	K31.9 위 및 십이지장의 상세불명 질환
	R10.19 상세불명의 상복부통증
痛經	N94.4 원발성 월경통
	N94.5 이차성 월경통
	N94.6 상세불명의 월경통

【變遷史】『方劑學』 교재와 『中醫方劑大辭典』[1)]에서 모두 天台烏藥散의 출처는 元·李杲가 쓴 『醫學發明』라고 했다. 사실, 본 방제는 北宋 말년 정부 기관에서 주관하여 편찬한 『聖濟總錄』卷94의 烏藥散이다. 『醫學發明』卷5의 天台烏藥散과 본 방제는 藥味·用量과 用法 모두 완전히 일치하며, 단지 방제의 烏藥을 烏藥의 품질이 좋고 약효가 뛰어난 약재인 天台烏藥으로 바꿨을 뿐이다. 치료 차원에서 보면, 『聖濟總錄』의 烏藥散은 疝氣로 睾丸이 아프고 아랫배가 켕기는 증상을 치료하고, 『醫學發明』의 天台烏藥散은 또한 성인 여성의 瘕聚·痛經 등의 치료를 추가했다. 후세의 사람들은 일반적으로 본 방제가 氣滯寒凝에 의한 疝氣를 치료하는 代表方劑라고 여겼다, 예를 들면 『成方切用』卷2의 "理氣之劑"에서 본 방제가 "治小腸疝氣, 牽引臍腹疼痛, 陰凝成積等證"이라고 기록했다. 본 방제를 사용해서 넣고 빼서 발전 변화한 방제에 대해서 말하자면, 예를 들어 『普濟方』卷140의 烏藥散은 본 방제에서 木香·檳榔·川楝子와 巴豆를 빼고, 赤豆·乾漆·沒藥과 硇砂를 넣고 구성한 것으로, 行氣의 효력은 조금 떨어지지만 活血軟堅의 효력이 비교적 뛰어나서, 厥陰疝病과 脇腹이 小腹을 당겨서 오는 통증을 치료한다. 『醫方集解·祛寒之劑』의 導氣湯은 본 방제에서 烏藥·靑皮·良薑·檳榔과 巴豆를 줄이고 다시 吳茱萸를 넣고 구성한 것으로, 비록 명칭은 導氣湯으로 불리지만 사실 行氣破滯의 작용이 본 방제에 비해 떨어지지만 寒疝疼痛을 치료한다.

【醫案】

1. 疝瘕『吳鞠通醫案』卷4: 마씨, 24세, 환자는 瘕痛을 십수 년 동안 앓았지만 낫지 않았으며, 3일에 한 번 발병하거나 5일·10일에 한 번 발병하거나, 15일에 한 번 발병했다. 증상이 나타났을 때 통증 때문에 밥을 먹을 수 없고, 한달도 빠짐없이 증상이 나타났다. 환자에게 天台烏藥散을 주고 발병할 때마다 二錢을 복용하게 하고, 통증이 줄어들었을 때 一錢 복용하게 하고, 통증이 없을 때는 三~五分을 복용하게 하였다. 일년이 지난 후 본 瘕가 사라지고, 영원히 재발하지 않았다.

2. 積聚『吳鞠通醫案』卷2: 오씨, 31세, 臍의 오른쪽 부위에 五寸 너비로 癥이 뭉쳐 있고, 睾丸은 마치 거위알 크기 만하고, 심하게 몸살이 난데다가 또 분노가 폭발해서 발병했다. 통증 때문에 참을 수 없고, 설 수도·앉을 수도·누울 수도 없었다. 性味가 辛香流氣한 약을 3일 동안 5첩 복용하였으며, 附子·肉桂를 五~七錢까지 늘렸으나 아무런 효과가 없었다. 天台烏藥散을 처음에 二錢 복용한 후에 뱃속 가득 열이 나고, 약이 臍 오른쪽의 환부에 이르렀을 때 마치 무언가로 두드리는 것 같이 통증이 열배로 심해졌고, 잠시 후 뱃속에서 起蓓蕾가 무수하게 나타나고, 대체적으로 蓓蕾가 한 번 나타나면 下濁氣가 한 번 나타났다. 이와 같이 2~30차례 반복한 후에는 뱃속의 통증이 가벼워졌다. 잠시 후 또 다시 통증이 심하게 나타나서 전과 같이 약을 복용했다. 뱃속 熱痛·起蓓蕾·下濁氣도 전과 같았지만, 조금 가벼워졌다. 다음날 아침 腹에 약한 통증이 있어서 계속해서 烏藥散을 복용한 후에는 뱃속에 열이 있는지 모를 정도가 되었다. 이후 매일 2~3회 복용하였고, 7일 후 腫痛이 완전히 사라졌다.

3. 疝氣『四川中醫』(1989, 4:17): 남자 아이, 7개월. 환자는 모유를 먹여 키우는데 아직 음식물을 먹이지 않아서 발육 영양이 보통이다. 疝氣로 4일동안 울고불고 해서 치료를 받았다. 신체 검사 결과: 오른쪽 서혜부에 매끈하고·가지런하며·약간의 탄성이 있는 회복 가능한 腫物이 있고, 같은쪽의 陰囊이 매우 크고 아래로 처져 있었다. 현대의학의 外科에서 腹股溝斜疝라고 진단했다. 指紋紫滯하고 舌苔薄白했다. 본 증상은 氣滯寒凝에 의한 小腸疝氣로, 환자에게 天台烏藥散을 加減하여 복용하게 한다. 방제: 烏藥·木香·炒茴香·靑皮 各 6 g, 炒良薑 3 g, 川楝子 4 g, 黨參·黃芪·茯苓 各 10 g이다. 모자가 함께 이 약을 복용했으며, 3첩을 복용한 후 호전되었고, 12첩을 복용한 후 다 나았다.

4. 虫積腹痛『福建中醫藥』(1964, 5:21): 남자, 35세. 평소에 腹痛을 앓았으며, 매년 수차례 발병했다. 최근 우연히 날음식과 차가운 음식을 먹고 또 재발했다. 心下에서 少腹까지 脹痛이 나타나고, 손으로 누르면, 통증이 매우 심해서 冷汗을 뚝뚝 흘릴 정도였으며, 肢厥欲嘔하려고 하고, 통증이 멎으면 정신이 맑아지고 아무일도 없는 것 같았다. 大便은 이틀에 한 번 보고, 脈沉緊, 舌淡白하고 왼쪽 아래 입술에서 좁쌀 알갱이 같은 것이 발견되었다. 寒濕阻遏하고 氣不化運하면 회충이 침범하게 된다. 마땅히 利氣化濕하게 치료해서 溫臟安蛔해야 한다. 방제: 台烏藥 三錢, 廣木香 八分, 細靑皮 八分, 高良薑 一錢, 川楝子 五錢(巴豆 20개를 함께 볶는다), 尖檳榔 四錢, 開口花椒 八分, 烏梅 二錢, 小茴香 一錢을 넣고 1첩 복용한 후 大便을 묽게 2번 보고, 蛔蟲 10여 마리를 배출한 후, 脹痛이 모두 사라지고, 病은 뜻밖에 다 나았다.

考察: 醫案1과 醫案2의 출처는 모두『吳鞠通醫案』이고, 게다가『溫病條辨』卷3의 "下焦篇" 제 54조에서 天台烏藥散에 대해 전문적으로 논했다. 이는 吳氏가 본 방제에 대해 확실히 독창적인 학술 견해와 임상 경험이 있다는 것을 증명한다. 瘕는 假이며, 대부분 氣滯에 해당한다. 따라서 醫案1에서 환자가 십수 년 동안 疝瘕를 앓고, 1년 동안 계속해서 약을 쓰고 나서 병이 나은 것에 대해서, 그렇게 확실한 견해가 있지 않고서야 어찌 하나의 방제를 1년 동안이나 쓸 수 있겠는가? 醫案2의 積聚는 血積이 아니며, "以受重凉, 又加暴怒而得"한 것으로, 寒·氣 이 두자로 따져봐야 한다. 따라서 또한 天台烏藥散을 사용한다. 약을 복용한 후 환자의 반응에서 볼 때, 본 방제의 작용 또한 行氣를 위주로 한다. 醫案3의 嬰兒疝氣는 방제에서 檳榔과 巴豆의 攻逐한 효능을 빼고, 黨參·黃芪·茯苓의 益氣健脾한 효능을 넣으면, 腹壁肌肉을 生養壯實하는 치료 효과가 매우 크다. 醫案4의 虫積腹痛은 寒阻氣滯하고 蛔蟲擾動해서 나타난 것으로 본 방제를 써서 行氣散寒 위주로 치료하고, 또 烏梅를 넣고 安蛔止動하게 치료하고, 花椒를 넣고 散寒殺蟲하게 한다. 반면 原方의 檳榔·川楝子 역시 驅虫의 효능을 겸한다. 약을 1첩 복용한 후 병이 바로 나았다. 이는 본 방제에 약간 넣고 化裁하면, 즉 蟲積腹痛을 치료하는 좋은 방제가 된다는 것을 증명한다.

【副方】

1. 三層茴香丸(原名은 三增茴香丸이며, 『是齋百一選方』卷15에 수재됨) 第一料: 茴香 舶上者, 用海鹽半兩同炒焦黃, 和鹽秤 川楝子 炮, 去核 沙參 洗, 銼 木香 各一兩(各 30 g) 第二料: 加 華撥 一兩(30 g) 檳榔 半兩(15 g) 第三料: 又加 白茯苓 緊小實者, 去黑皮 四兩(120 g) 黑附子 炮, 去皮臍, 秤 半兩或一兩(15~30 g)

- 用法: 第一料: 곱게 분말로 갈고 나서 물을 넣고 끓인 다음 쌀가루를 넣고 걸쭉하게 해서 벽오동 열매 크기의 丸으로 빚는다. 매회 20丸을 식전 공복에 따뜻한 술이나 소금물로 매일 3회 복용한다. 작은 병은 이 一料만으로도 편안해질 수 있다. 다 먹고 나서 第二料로 바꿔서 복용할 수 있다. 第二料: 위의 六味의 약 五兩半(165 g)을 곱게 분말로 갈고, 위의 방법에 따라 걸쭉하게 해서 丸으로 만들고 동일한 방법으로 복용한다. 만약 병세가 심해서 낫지 않는 경우에는, 第三料로 바꿔서 복용한다. 第三料: 위의 八味의 약 총 十兩(300 g)을 모두 위의 방법과 동일하게 제조해서 동일한 방법으로 三十丸까지 양을 늘려서 복용한다. 발병 기간에 상관없이 중병(重病)이 모두 이 三料를 넘지 않고 치유될 수 있다.
- 作用: 行氣疏肝, 消疝止痛, 溫腎祛寒.
- 適應症: 腎과 膀胱이 모두 俱虛해서, 邪氣에 搏結하게 되어 寒疝으로 나타난 증상을 치료한다. 臍腹에 撮痛이 있고 陰核이 비대하고, 肤囊에 壅腫이 있고, 重墜滋長해서 걷기 불편하고, 瘙痒이 멎지 않고, 때로는 진물이 흐르고 瘡瘍으로 변한 증상을 치료한다. 혹은 怪肉이 자라서, 여러 차례 치료했으나 낫지 않고, 腎經閉結하게 되고, 陰陽이 통하지 않고, 外腎腫脹해서 돌처럼 차갑고 딱딱하더니 점점 보기에 좋지 않게 커진 증상을 치료한다.

三層茴香丸은 宋·『是齋百一選方』에서 가장 먼저 보였으며, 원래 이름은 三增茴香丸이며, 明·『證治准繩·類方』卷6에 이르러서 三層茴香丸으로 명칭을 바꾼 후에야 通行名이 되었다. 본 방제는 치료의 대상이 되는 寒疝의 병세 경중에 따라 점차적으로 藥味를 증가시켜서 약효를 점차적으로 강화시키는 뚜렷한 특색이 있다.

第一料에서 茴香·木香는 行氣散寒止痛의 효능이 있고, 川楝子는 疏肝行氣止痛의 효능이 있고, 沙參은 養陰해서 모든 行氣藥이 辛散傷陰하는 것을 방지할한다. 第二料에서 華撥·檳榔을 넣고 散寒行氣破滯의 작용을 강화할 수 있다. 第三料에서 또한 白茯苓·黑附子를 넣고 溫腎健脾除濕의 작용을 하게 한다. 이와 같이 모든 방제의 작용이 순서대로 하나씩 증가하고, 치료의 대상이 되는 寒疝의 병세 또한 점차적으로 심해지면, 天台烏藥散 등의 방제로 치료하는 모든 疝증과는 확연히 차이가 있다.

2. 導氣湯(『醫方集解』「祛寒之劑」): 川楝子 四錢(12 g) 木香 三錢(9 g) 茴香 二錢(6 g) 吳茱萸 湯泡 一錢(3 g).

- 用法: 주로 流水에 달여서 복용한다.
- 作用: 疏肝行氣, 散寒止痛.
- 適應症: 寒疝疼痛한 증상을 치료한다.

본 방제는 川楝子를 사용해서 疏肝行氣止痛하게 하고, 茴香·木香을 사용해서 行氣散寒止痛하게 하며,

吳茱萸를 사용해서 溫腎暖肝해서 散寒止痛하게 치료한다. 이들을 합해서 방제를 구성하면, 疏肝行氣하고 散寒止痛하게 치료할 수 있다. 본 방제는 본래 天台烏藥散에 넣고 빼서 변화 발전해온 것으로(자세한 내용은 위의 "源流發展" 항목 참고), 이 行氣破滯의 작용은 天台烏藥散만 못하다. 따라서 본 방제는 일반적인 寒疝을 치료한다. 만약 氣滯寒凝과 小腸疝氣를 동반한 경우에는 天台烏藥散을 사용해서 치료해야 한다.

【参考文獻】

1) 彭懷仁. 方劑大辞典: 第二册. 北京: 人民衛生出版社. 1994: 114.

橘核丸

(『濟生方』卷3)

【異名】 橘核疝氣丸(『全國中藥成藥處方集』撫順方).

【組成】 橘核 炒 海藻 洗 昆布 洗 海帶 洗 川楝子 去肉 炒 桃仁 麸炒 各一兩(各 30 g) 厚朴 去皮, 薑汁炒 木通 枳實 麸炒 延胡索 炒 去皮, 桂心 不見火 木香 不見火 各半兩(各 15 g)

【用法】 위의 약재를 분말로 갈아서 술을 넣고 개어서 벽오동 열매 크기의 환으로 빚는다. 매회 70丸을 空心에 鹽酒湯으로 복용한다.

【效能】 行氣止痛, 軟堅散結.

【主治】 㿉疝을 치료한다. 睾丸이 腫脹偏墜하거나 堅이 마치 돌덩이 같이 딱딱하거나, 痛引臍腹하고, 증상이 심할 때는 陰囊이 부어서 커지고, 증상이 가벼울 때는 진물이 흐르거나 심하면 헐어서 문드러졌다.

【病機分析】 㿉疝는 대부분 환부가 오랫동안 卑濕해서 寒濕滯留厥陰하고 肝脈氣血不和하기 때문에 발생하는 것이다. 肝脈이 少腹을 抵하고, 陰器를 繞하면, 초기에는 寒濕浸淫肝經氣分했으나 睾丸腫脹하고 偏墜疼痛으로 나타났다. 오래되면 痰濕内結하고 氣血瘀滯해서 곧 돌처럼 딱딱해진다. 寒濕痰濁内阻한 증상이 오래되면 또한 진물이 줄줄 흐르거나 심하면 헐어서 문드러진다.

【配伍分析】 본방이 치료하는 證은 寒濕痰瘀와 氣血搏結이 오랫동안 지속되어서 발생한 것으로 치료는 行氣活血·軟堅散結을 위주로 하고, 散寒祛濕을 보조적으로 하는 것이 적절하다. 본방에서 橘核은 性味가 苦辛平하고, 肝으로 들어가서 行氣하고 散結止痛하며 疝을 치료하는 要藥이며 본방에서 君藥이 된다. 川楝子는 厥陰氣分으로 들어가서 君藥의 行氣疏肝 藥力을 돕는다. 桃仁은 厥陰血分으로 들어가서 君藥의 活血止痛의 작용을 돕는다. 海藻·昆布·海帶는 軟堅散結해서 君藥의 消腫散結 작용을 돕는다. 모두 臣藥이 된다. 延胡索은 活血散瘀하고, 木香은 行氣散結하고, 厚朴은 下氣除濕하고, 枳實은 行氣破堅하고, 木通은 通利血脈하면서 除濕하며, 肉桂는 溫肝腎하면서 散寒凝하고, 동시에 川楝子·木通의 寒을 억제한다. 모두 佐藥이 된다. 모든 약물을 배합하여 사용하면 理氣·破血·軟堅·行水의 治法을 고루 갖추게 되고, 곧바로 肝經에 이르게 되어서, 함께 行氣活血·散寒除濕·軟堅散結의 작용을 거두어 調暢氣血·除寒濕하면 睾丸의 腫脹堅硬의 모든 증상이 저절로 완화되고 풀어진다.

본방은 오로지 㿉疝을 치료하기 위해서 설계되었다. 그러므로 본방의 配伍특징은 대량의 行氣活血藥에 軟堅散結藥을 配伍해서 조성한 방제로 일반적인 疝을 치료하는 방제와 견주어 보면 消腫散結의 藥力이 훨씬 두드러진다.

【類似方比較】 본 방제와 天台烏藥散은 모두 肝으로 入經해서 行氣止痛할 수 있으므로 疝氣疼痛을 치료한

다. 반면 天台烏藥散의 작용은 行氣散寒을 위주로 하기 때문에, 行氣止痛의 효력이 더욱 뛰어나며 寒凝氣滯에 의한 小腸疝氣을 치료하는데 알맞다. 이 小腸疝氣는 少腹痛이 睾丸으로 파급되어 偏墜腫脹하고 당겼다 말았다하는 증상을 야기하는 특징이 있다. 본 방제는 活血軟堅散結의 작용을 겸하므로, 寒濕侵犯厥陰, 肝經氣血不和한 㿗疝을 치료하는데 알맞으며, 이 㿗疝은 睾丸이 腫脹硬痛한 것을 특징으로 한다.

【臨床應用】

1. 證治要點: 본 방제는 寒濕疝氣를 치료한다. 睾丸이 腫脹偏墜하고, 통증이 少腹까지 뻗치고, 환부를 손으로 눌렀을 때 堅硬한 것을 증상 치료의 요점으로 삼는다.

2. 加減法: 만약 寒이 심한 경우에는 小茴香·吳茱萸 등을 酌加해서 散寒止痛의 작용을 강화시키고, 瘀腫痛이 심한 경우에는, 三棱·莪术 등을 酌加해서 祛瘀消腫止痛하게 한다. 寒濕化熱, 陰囊紅腫痒痛한 경우에는, 肉桂를 빼고, 黃柏·土茯苓·車前子 등을 넣어서 淸熱利濕하게 할 수 있다. 原書에는 "虛寒甚者, 加炮川烏一兩; 堅脹久不消者, 加硇砂二錢, 醋煮旋入"해서 消結軟堅한 효력을 강화한다고 기록하고 있다.

3. 橘核丸은 다음 한국표준질병사인분류(KCD)에 해당하는 환자가 寒濕侵犯厥陰, 肝脈氣血凝滯證으로 辨證되는 경우 본 처방의 사용을 고려해볼 수 있다.

처방 목표	한국표준질병사인분류(KCD)
睾丸鞘膜積液	N43 음낭수종 및 정액류
急慢性睾丸炎	N45.01 고환염, 농양을 동반한
	N45.91 고환염, 농양을 동반하지 않은
睾丸結核	A18.14 남성생식기관의 결핵(N51.1)
附睾炎	N45.00 부고환염, 농양을 동반한
	N45.90 부고환염, 농양을 동반하지 않은

【使用注意】 睾丸이 偏墜腫脹하지만 質地柔軟한 경우에는 본 방제를 사용하는 것은 적합하지 않다.

【變遷史】 본 방제는 原書에서 "四種㿗病, 卵核腫脹, 偏有大小, 或堅硬如石, 或引臍腹絞痛, 甚則膚囊腫脹, 或成瘡毒, 輕則時出黃水, 甚則成痈潰烂"를 치료하는 데 사용한다고 기록하고 있다. 行氣活血, 散寒除濕, 軟堅散結한 것을 치료법으로 삼아서 㿗疝을 치료한 것은 후세에 큰 영향을 주었다. 역대로 㿗疝의 治法에 대해서 보면, 대부분 橘核을 위주로 하고, 行氣活血한 약재를 첨가했다. 예를 들면『仁术便覽』卷3의 橘核散은 橘核 한 가지를 갈아서 술에 타서 복용하게 하여 小腸氣痛堅硬을 치료했다.『醫學心悟』卷3의 橘核丸은 橘核·川楝子·桃仁·紅花·小茴香 등을 넣고 七疝을 치료했다.『醫學啓蒙』卷4의 橘核湯은 橘核·川楝子·吳茱萸·小茴香·木香 등을 넣고 疝氣를 치료했다.『明醫指掌』卷6의 橘核散은 橘核·桃仁·梔子·吳茱萸·小茴香 등을 넣고 濕熱寒鬱作疝 등을 치료했다. 현대 임상에서 睾丸이 腫脹堅硬한 질병에 대해서도 본 방제를 위주로 해서 증상에 맞게 넣고 빼서 치료한 후 좋은 효과를 거두었다.

【難題解說】

1. 본 방제의 적응증에 대해서: 본 방제는 본래 네 종류의 㿗病를 치료한다. 嚴用和가 해석하여 이르길: "夫陰㿗之證有四種: 一曰腸㿗, 二曰氣㿗, 三曰卵脹, 四曰水㿗是也,『聖惠』云: 腎氣虛, 風冷所侵, 流入于腎, 不能宣散而然也.『三因』云: 陰㿗屬肝, 系宗筋, 胃陽明養之. 考之衆論, 俱爲至當. 多由不至衛生, 房室過度, 久蓄憂·思·恐·怒之氣, 或坐卧冷濕處, 或劳役無節, 皆能致之. 病則卵核腫脹, 偏有大小, 或堅硬如石, 或臍腹絞痛, 甚則膚囊腫脹, 多成瘡毒, 輕者時出黃水, 甚則成痈潰烂. 大抵卵脹, 腸㿗皆不易治, 氣㿗·水㿗灸之易愈也. 又有小兒有生以來便如此者, 乃宿痰也. 四㿗治法, 橘核丸用之屢驗"(『濟生方』卷3에 수재됨)라고 했다. 본 방제가 치료하는 㿗病은 寒濕의 氣가 肝腎(肝脈絡은 前陰에 있으며, 睾丸은 外腎

이 된다)에 침입하여, 氣血을 막아서, 睾丸에 氣血이 痰濕瘀結하게 되면서 발생하는 것이라는 것을 알 수 있다.

2. 原書에서 硇砂를 넣는 의미에 대해서: 염화암모늄(硇砂)은 염화물류 鹵砂族 광물鹵砂(염화암모늄)의 결정체이거나 인공 완제품으로, 주로 氯化銨(NH_4Cl)을 함유하고 있다. 완성된 약재는 腐蝕性이 있고, 化腐生肌로 外用할 수 있으며, 瘰癧·翳障·息肉·贅疣 등을 치료한다. 본 약재는 醋制한 후에 약재가 더욱더 정제되고, 독성도 감소되어, 内服해서 消積軟堅하고 祛痰利尿할 수 있으므로, 氣血凝滯하거나 痰濕稽留으로 癥瘕가 축적되어 오랫동안 치료해도 효과가 없는 환자를 치료하는데 사용한다. 따라서 原書에 기록된 "若堅脹久不消者, 加入硇砂"의 의미는 본 방제의 消堅散結한 효력을 강화시키기 위한 것이다.

【醫案】

1. 睾丸炎『山東中醫雜誌』(1987, 6:19): 남자, 52세. 1982년 5월 진료를 받았다. 15년 전 輸精管結扎으로 수술 후 자주 왼쪽 睾丸과 아랫배가 墜脹牵痛이 느껴져서 여러 곳에서 睾丸炎으로 진단하여 치료를 받았으나 효과가 없었다. 임상 소견은 왼쪽 睾丸이 부어서, 拒按하고, 표면은 매끈하고, 그런대로 활동할 수 있으며, 피부색은 약간 광택을 띄었으며, 환자가 小便黃赤하고, 尿意가 자주 있다고 말했다. 관찰 결과 舌質紅, 苔厚膩微黃, 脈短沉弦했다. 血白細胞 12.5×10^9/L, 嗜中性 78%, 淋巴細胞 21%, 嗜酸粒細胞 1%, 血沉은 시간당 30 mm이다. 韓醫 辨證 결과: 濕熱下注, 氣血凝結, 肝經阻滯. 치료법: 清熱燥濕, 軟堅散結, 理氣止痛하게 치료한다. 방제: 橘核丸改湯劑에 蒼朮 12 g, 黃柏 9 g, 銀花 20 g, 土茯苓 30 g을 넣고 물을 넣고 달여서 매일 1첩씩 복용한다. 5첩을 복용한 후, 통증이 완화되고 붓기가 감소했다. 위의 방제에서 肉桂를 빼고, 皂刺 18 g, 地龍 12 g, 荔枝核 15 g을 넣은 후에 계속해서 20첩 정도 복용한 후에 모든 증상이 가라앉았고, 혈액 재검사에서 정상으로 돌아왔다.

考察: 본 醫案은 睾丸腫脹硬痛이 특징이며, 㿉疝에 해당하는 질병이다. 본 증상은 濕熱下注하고 氣滯血瘀해서 발생한 것이기 때문에 초진당시 橘核丸에 黃柏·銀花 등의 清熱解毒燥濕한 약재를 넣었다. 두 번째 진료 당시 모든 증상이 조금 가라앉아서, 또 皂刺·荔枝核 등을 넣고 軟堅散結한 효력을 증가시켜서 약과 증상이 함께 결합해서 좋은 치료 효과를 얻었다.

2. 淋巴結炎『山東中醫雜志』(1987, 6:19): 남자, 35세. 1981년 3월 진료. 반년 전 조심하지 않고 땅에 고꾸라졌다가 바로 복부에 불편함을 느꼈고, 손으로 복부를 만져 보니 작은 덩어리 하나가 있었다. 모 병원에서 腹壁淋巴結炎으로 진단했다. 여러 번 소염·진통약 및 치료를 받았으나 모두 효과가 없어서, 한방병원으로 옮겨서 치료했다. 진료 당시 환자는 精神抑鬱, 噯氣, 배꼽 윗부분에 山楂 크기만한 결절이 만져졌고, 質韧, 光滑活動, 壓痛이 뚜렷했다. 舌質瘀暗, 苔薄白微黃, 脈沉弦했다. 본 증상은 氣機阻滯, 血瘀經絡에 해당한다. 약은 橘核丸方改湯劑에 穿山甲 9 g, 荔枝核 15 g, 地龍 12 g을 사용해서 물을 넣고 달인다. 2煎 후에 쌀식초에 약재 찌꺼기 주머니를 적셔서 따뜻할 때 환부를 찜질하고, 식으면 따뜻한 물주머니를 놓고 찜질했다. 3첩 복용 후 통증이 줄어들었으며, 15첩을 복용한 후 덩어리가 사라졌다.

考察: 본 醫案은 癥瘕에 해당하는 질병으로, 氣滯血瘀에 의해서 발생하는 것이다. 따라서 擅長行氣活血, 軟堅散結의 효능이 뛰어난 橘核丸을 主方으로 삼아 치료하며, 穿山甲·地龍·荔枝核 등의 活血通絡한 성질의 약재를 추가해서 消癥散結한 효능을 돕는다. 동시에 藥渣外敷하고, 내복과 외용 치료를 함께 병행해서, 치료 효과가 매우 빠르게 나타났다.

【參考文獻】

1) 李飛. 中醫历代方論選. 南京: 江蘇科技出版社. 1992; 480.

暖肝煎

(『景岳全書』卷51)

【組成】 當歸 二錢(6 g) 枸杞 三錢(9 g) 茯苓 二錢(6 g) 小茴香 二錢(6 g) 肉桂 二錢(3 g) 烏藥 二錢(6 g) 沉香 二錢(木香을 사용해도 된다)(3 g)

【用法】 물 一盅半에 生薑 3~5편을 넣고 七分이 되게 끓인다. 食遠에 따뜻하게 복용한다.

【效能】 溫補肝腎, 行氣止痛.

【主治】 본 방제는 肝腎虛寒證을 치료한다. 睾丸冷痛이 있거나 小腹疼痛, 畏寒喜暖, 舌淡苔白, 脈沉遲하다

【病機分析】 본 方證의 睾丸冷痛은 肝腎不足, 寒客肝脈, 氣機鬱滯에 의해 발병하는 것이다. 陽虛하면 御邪할 수 없기 때문에 寒이 아래에서부터 거슬러 올라오게 된다. 寒은 陰邪이므로, 凝斂收引하게 되면, 臟腑가 차가워져서, 氣機가 원활하게 통하지 못해서 睾丸 및 少腹에 冷痛이 발생하게 된다. 畏寒喜暖, 舌淡苔白, 脈沉遲 등 또한 肝腎陰寒證에 해당한다.

【配伍分析】 본방이 치료하는 바는 肝腎不足·寒凝氣滯의 證과 관련되어 치료는 暖肝溫腎·行氣止痛을 治法으로 하는 것이 적절하다. 본방에서 肉桂는 性味가 辛甘大熱하고 暖肝溫腎·散寒止痛한다. 小茴香은 性味가 辛溫하고 暖肝散寒·理氣止痛한다. 이 두 약물은 같이 써서 溫腎暖肝散寒한다. 함께 君藥이 된다. 當歸·枸杞子는 養血補肝益腎하여 肝腎의 不足을 회복시키는 本이고, 烏藥·沈香은 行氣散寒止痛하여 陰寒冷痛을 물리치는 標이다. 같이 臣藥이 된다. 陽虛陰盛하고 水濕不化하므로 茯苓으로 淡滲利濕하고 健脾助運하여 佐藥이 된다. 약을 달일 때는 性味가 辛溫한 生薑을 조금 넣으면 溫散寒凝止痛의 작용이 더욱 두드러지게 된다. 모든 약물을 配伍하여 溫補肝腎으로 그 本을 치료하고 行氣祛寒으로 그 標를 치료하며, 溫下元하고 散寒凝하며 氣機가 通暢하게 되면 睾丸·少腹疼痛 등의 증상이 저절로 해소된다.

【類似方比較】 天台烏藥散·橘核丸·暖肝煎 이 세가지 방제는 모두 疝痛을 치료한다. 하지만 天台烏藥散과 橘核丸으로 치료하는 疝은 實證에 해당하기 때문에 두 방제는 모두 祛邪를 위주로 치료하며, 行氣散寒한 효능이 뛰어나다. 暖肝煎은 行氣散寒하는 동시에 溫補肝腎의 효능을 겸하기 때문에 厥陰氣滯·肝腎虛寒한 증상을 치료하는데 적합하며, 祛邪扶正·標本兼顧하는 방제이다.

【臨床應用】

1. 證治要點: 본 방제는 肝腎虛寒, 氣機阻滯한 小腹疼痛, 疝氣痛을 치료하는데 알맞다. 睾丸이나 小腹의 통증, 畏寒喜溫, 得溫痛減, 舌淡苔白, 脈沉遲한 증상을 치료의 요점으로 삼는다.

2. 加減法: 寒이 심한 경우에는, 吳茱萸·乾薑·附子 등을 넣고 溫裏祛寒의 작용을 강화시키고, 腹痛이 심한 경우에는, 香附를 넣고 行氣止痛하게 하며; 睾丸痛이 심한 경우에는, 靑皮·橘核을 넣고 疏肝理氣의 치료효과를 강화시킨다.

3. 暖肝煎은 다음 한국표준질병사인분류(KCD)에 해당하는 환자가 肝腎虛寒證으로 辨證되는 경우 본 처방의 사용을 고려해볼 수 있다.

처방 목표	한국표준질병사인분류(KCD)
精索靜脈曲張	I86.1 음낭정맥류
腹股溝疝	K40 사타구니탈장
鞘膜積液	N43 음낭수종 및 정액류

【注意事項】 疝氣 증세를 보이면서 陰囊이 붉게 붓고 열과 함께 통증을 동반한 경우에는 사용을 금한다.

【變遷史】 본 방제는 明末 의학자인 張介賓이 만든 것으로, 張氏는 임상에서 溫補의 治法을 잘 쓰는 것으로 유명하다. 그는 疝氣의 발병 원인은 다양하지만, 주로 受寒과 관련있다고 했다: "或以色欲, 或以勞損, 或以鬱怒, 或以飮食酒濕之後, 不知戒愼, 致受寒邪, 則以陰求陰, 流結于衝任血氣之海, 而下歸陰分, 遂成諸疝." 따라서 暖肝煎을 처음으로 만들어서, 溫暖下元하고 補益肝腎한 효능을 위주로 하고 行氣止痛을 결합했다. 張氏의 이 治法은 溫補의 治法으로 疝氣를 치료하는 새로운 사고의 길을 열었으며, 한 걸음 더 나아가서는 疝氣의 治法과 方劑理論을 더욱더 풍성하게 만들었다. 본 방제는 현재 임상에서 여전히 넣고 빼서 肝腎不足, 寒凝氣滯證에 해당하는 婦女痛經을 치료하는데 사용된다

【難題解說】 본 방제의 君藥에 대해서: 본 방제의 君藥에 대한 인식은 대체적으로 두 가지 관점으로 나누어 볼 수 있다: 첫째는 當歸와 枸杞子이고, 둘째는 肉桂와 小茴香이다. 필자는 후자에 동의한다. 그 이유는 네가지이다. 첫째, 본 방제는 주로 小腹이나 疝氣의 통증을 치료하며, 陰寒內盛을 주요한 病機로 여긴다. 張氏는 이에 "疝之暴痛或痛甚者, ……非有實邪而寒勝"(『景岳全書』卷33에 수재됨)이라고 해석했다. 둘째, 小腹이나 疝氣의 통증은 모두 受寒해서 유인된 것이기 때문에 따라서 張氏가 지적하길: "寒疝最能作痛, 多因觸冒寒邪或犯生冷所致."라고 했다. 이는 설령 疝氣의 발병 원인이 복잡하다 하더라도 感寒受冷은 확실히 주요 발병 요인 중의 하나라는 것을 알 수 있다. 셋째, 본 方證은 小腹이나 疝氣의 통증 등의 일부 증상 이외에도, 또한 전신성 虛寒證狀을 볼 수 있다. 즉, 張氏의 말처럼: "凡喜暖畏寒, 脈弦細, 鼻尖手足多冷, 大小便無熱之類皆是也."하다. 넷째, 原書의 方後注에서 이르길: "如寒甚者, 加吳茱萸·乾薑, 再甚者, 加附子."라고 한 것은 張氏가 본 방제를 처음으로 만든 것은 주로 陰寒內盛의 病機에서 착안한 것이라는 것을 말해준다. 위에서 말한 내용을 종합하면, 본 방제는 溫肝暖腎한 肉桂과 小茴香을 모두 君藥으로 보는 것이 알맞다.

【醫案】

1. 睾丸腫大症『四川中醫』(1990, 1:35): 남자, 46세. 왼쪽 睾丸이 거위알 크기만큼 붓기 시작한지 10일이 지났으며, 面色靑紫, 少腹·腰部脹痛, 屈膝弯腰, 步履艱難, 脈沉緊, 苔白했다. 본 증상은 寒滯肝經으로 진단했다. 본 방제에 吳茱萸를 넣고 3첩 복용한 후 통증이 크게 줄어들었고, 睾丸은 계란 크기마큼 줄어들었다. 이후에 위의 방제에서 넣고 빼서 계속해서 5첩 복용한 후 다 나았다고 했다.

2. 精索神經痛『江西中醫藥』(1994, 6:19): 남자, 48세. 오른쪽 睾丸이 당기고 아랫배에 통증이 나타난지 2개월이 넘었으며, 움직이려고 하면 바로 몸을 앞으로 숙이고 똑바로 설수가 없고, 前陰墜脹으로 불편하고, 有寒凉感, 腰酸腿軟, 四肢不溫, 食欲稍差, 睡眠 및 대소변은 정상이며, 舌潤滑, 苔淡白, 脈沉弦했다. 본 증상은 寒滯肝腎, 氣機不暢에 해당한다. 본 방제에 全蝎·蜈蚣·生薑을 넣고 약 7첩을 복용한 후 통증이 크게 줄어들고 모든 증상이 완화되었다. 계속해서 7첩을 복용한 후 통증이 멎고 증상이 완치되었다. 2년 동안의 방문조사에서 재발하지 않았다.

考察: 醫案1와 醫案2는 모두 睾丸이 偏墜해서 나타나는 疼痛을 위주로 하며, 畏寒喜暖, 寐差神疲 등의 肝腎陰寒, 正氣不足한 증상으로 寒滯肝經하고 肝腎不足에 의한 "疝氣"에 해당한다. 醫案1은 환자가 面靑·脈緊하기 때문에 吳茱萸를 넣어서 溫肝散寒한 효력을 강화시키고, 醫案2는 환자가 少腹脹痛·筋脈拘急하기 때문에 全蝎·蜈蚣을 넣어서 通經活絡한 치료 효과를 강화시켰다.

3. 輸尿管結石『四川中醫』(1989, 3:29): 남자, 68세. 1988년 6월 12일 진료. 오른쪽 허리와 아랫배에 絞痛이 반복적으로 발생한지 6개월이 넘었으며, 통증이 會陰部에서 발생하는데, 온도가 오르면 통증이 덜해지고, 大便溏, 小便淸, 神疲乏力, 納差, 舌淡紅苔白稍膩, 脈沉細를 동반했다. X-선 검사에서: 왼쪽 輸尿管 하단부에 녹두알 크기만한 결석이 보였다(6개월전 X-선 검사 결과와 동일하다). 寒滯肝經에 의한 腹痛이다. 暖肝煎에 넣고 뺀다: 當歸 12 g, 小茴香·烏藥 各 10 g, 枸杞子·茯苓 各 15 g, 沉香·肉桂 各 3 g을 물을 넣고 달여서 매일 1첩씩 복용하게 했다. 12첩을 복용한 후 환자는 왼쪽 하복부에 絞痛을 느끼고 또한 소변에서 작은 모래알갱이 같은 물질이 배출되었다. 15첩을 복용한 후 X-선 검사에서: 왼쪽 輸尿管 하단의 致密影이 사라졌다.

考察: 본 醫案은 비록 疝氣는 아니지만 환자가 少腹疼痛, 喜暖畏寒, 神疲乏力, 苔白脈細하고, 肝腎不足, 寒凝氣滯한 증상이 나타난다. 따라서 환자에게 暖肝溫腎, 行氣止痛의 효능이 뛰어난 暖肝煎을 주고 2주 동안 복용하게 한 후 痼疾이 바로 나았다.

啓膈散

(『醫學心悟』卷3)

【組成】 沙參 三錢(9 g) 丹參 三錢(9 g) 茯苓 一錢(3 g) 川貝母 去心 一錢五分(4.5 g) 鬱金 五分(1.5 g) 砂仁殼 四分(1.2 g) 荷葉蒂 二介(3 g) 杵頭糠 五分(1.5 g)

【用法】 물을 넣고 달여서 복용한다.

【效能】 理氣開鬱, 潤燥化痰.

【主治】 噎膈을 치료한다. 삼킬 때 식도가 막혀서 불편한 것 같고, 胸膈이 痞脹隱痛하거나, 噯氣則舒하고, 乾嘔를 하거나 吐痰涎했다. 大便艱澀, 口乾咽燥, 체형이 점차 수척해지고, 舌紅苔白, 脈細弦을 동반한다.

【病機分析】 본 방제가 치료하는 噎膈은 오랫동안 抑鬱해서, 氣結하고 津液이 輸布할 수 없어서, 반대로 뭉쳐서 痰이 되고, 氣鬱痰阻, 通降기능이 막히고, 胃 안쪽이 乾燥해서 咽下梗塞가 발병하게 되는 것이다. 심할 때는 疼痛으로 나타나게 된다. 肝失疏泄하고 氣鬱不暢하면 곧 胸膈痞脹하고 噯氣則舒하게 되고 胃氣가 和降을 잃게 되면 乾嘔하거나 泛吐痰涎하게 되며, 津虧血燥하면 大便艱澀, 口乾咽燥하거나, 체형이 점차 수척해진다. 舌紅苔白, 脈象細弦 또한 肝鬱氣滯하고 陰虧津少해서 나타나는 증상이다.

【配伍分析】 본방은 氣滯痰凝·津液不足의 證을 위하여 설계된 것이다. 따라서 본방의 證을 치료하는데 溫燥藥으로 다시 津液에 손상을 입힐 수 없으며, 潤燥解鬱·化痰開結의 治法을 써서 치료하는 것이 적절하다. 본방에서 沙參은 淸胃滋燥하되 느끼하지 않으며, 川貝母는 解鬱化痰하되 燥하지 않는다. 두 약물을 重用하면 潤燥化痰하고 解鬱開結할 수 있어서 함께 君藥이 된다. 鬱金은 行氣開鬱하고 祛瘀散結하며, 砂仁殼은 行氣暢中하고 和胃止嘔한다. 같이 臣藥이 된다. 茯苓은 滲濕化痰하고 健脾助運해서 氣血生化를 도와준다. 杵頭糠은 開胃下氣하여 卒噎을 치료하는데 뛰어나다. 丹參은 活血消瘀해서 散結을 돕는다. 荷蒂는 升陽健脾해서 祛濕和胃한다. 이 모두가 佐藥이 된다. 모든 약물을 서로 배합하면 理氣開鬱하고 潤燥化痰의 작용을 거두게 된다.

본 방제의 配伍特點은 세 가지이다: 첫째는 剛柔相濟한다. 理氣開鬱과 潤燥生津을 같이 써서 行氣하되 燥하지 않는다. 둘째는 氣·血·痰을 같이 치료한다. 行氣化痰과 活血消瘀을 같이 시행하면 諸鬱이 풀리고 關格이 열리게 된다. 셋째는 升降幷用한다. 모든 降逆開結藥 가운데에 한 가지 升陽한 荷葉蒂를 配伍해서 氣機升降의 회복을 돕는다.

【臨床應用】

1. 證治要點: 본 방제는 噎膈 초기의 痰氣交阻證을 치료하는데 알맞다. 임상에서 응용할 때 呑咽梗阻, 噯氣稍舒, 口乾咽燥, 苔白, 脈弦을 증상 치료의 요점으로 삼는다.

2. 加減法: 만약 噯氣嘔逆가 심한 경우에는 旋覆花·代赭石 등을 증상에 맞게 첨가하고, 薑汁을 조금 넣거나 人乳에 沉香을 넣고 갈아서 冲服해서 降逆和胃하게 하고, 만약 泛吐痰涎한 경우에는 法半夏·陳皮를 넣거나 玉樞丹을 입에 머금고 녹여서 和胃化痰하게 한다. 만약 氣鬱化火한 경우에는 砂仁을 빼고 黃連·山梔·金果蘭·山豆根 등을 증상에 맞게 첨가해서 清熱利咽하게 한다. 만약 大便不通한 경우에는, 大黃·萊菔子 등을 넣고, 通腑降濁, 利氣化痰하게 치료한다. 하지만 증상의 악화를 피하기 위해서 과도한 양을 복용하거나 오랫동안 복용하면 안 된다.

3. 啓膈散은 다음 한국표준질병사인분류(KCD)에 해당하는 환자가 噎膈初期, 痰氣交阻證으로 辨證되는 경우 본 처방의 사용을 고려해볼 수 있다.

처방 목표	한국표준질병사인분류(KCD)
食管癌早期	C15 식도의 악성 신생물
食管炎	K20 식도염
食管憩室	K22.5 후천성 식도게실
	Q39.6 식도의 게실

【注意事項】 만약 瘀血內結하고, 飮食은 格拒하고 삼키지 못하고, 구토물은 마치 적두즙과 같거나 陰津이 말라버리고, 形體瘦弱, 舌質光紅하거나 氣虛陽微, 몸이 마르고 기력이 없는 경우에는 본 방제를 사용하는 것이 적합하지 않다.

【變遷史】『醫學心悟』卷3에서 이르길: "噎膈, 燥證也, 宜潤." "凡噎膈症, 不出胃脘乾燥四字." "夫胃既槁矣, 而復以燥藥投之, 不愈益其燥乎! 是以大·小半夏二湯, 在噎膈門爲禁劑, 予當用啓膈散開关, 更佐以四君子湯調理脾胃."라고 했다. 위에서 언급한 내용에 근거해서, 程氏는 噎膈을 치료할 때, 處方에서 약효가 柔潤을 위주로 하고 剛燥를 避하게 할뿐만 아니라 또한 健脾益胃에도 중점을 두었다. 그는『醫學心悟』의 "噎膈門"에서 모두 噎膈를 치료하는 네가지 방제를 열거했으며(啓膈散·四君子湯·逍遙散·調中散: 北沙参·荷葉·陳皮·茯苓·川貝母·丹參·陳倉米·五谷虫으로 구성됨), 모두 위에서 언급한 학술 사상을 구현했다.

【難題解說】

1. 본 방제의 적응증에 대해서: 噎膈는 삼킬 때 식도가 막힌 것 같고, 飮食을 삼키기 어렵고, 먹어도 거꾸로 나오는 질병을 가리킨다. 나누어서 말하자면, 噎은 삼킬 때 목이 메여서 잘 내려가지 않고, 膈은 횡격막이 막혀서 음식이 내려가지 않는 것을 가리킨다. 임상 소견에 따르면, 噎證은 주로 膈證의 전구증상으로, 膈證은 대부분 噎證이 심할 때 발병하는 것이고, 噎과 膈은 또한 항상 동시나 나타난다. 따라서 噎膈이라고 아울러 칭한다. 噎膈의 症狀·體征을 보면, 마치 현대 의학에서의 위·식도 부위의 병변에 해당하는 것 같다. 예를 들면 食管癌·胃賁門癌·食管憩室·賁門痙攣·食管炎·食管功能性疾病 등이 있다.

2. 방제의 일부 약재에 대해서: 방제에서 沙參은 原書에서 南沙參인지 北沙參인지 표기되어 있지 않기 때문에 응용할 때 융통성있게 선택해서 사용할 수 있다. 만약 滋陰潤燥하게 치료하기를 원하는 경우에는 北沙參을 선택할 수 있고, 潤燥化痰하게 치료하려고 한다면 南沙參을 선택한다. 방제의 杵頭糠는 米皮糠이며, 藥用은『本草綱目』에서 처음으로 기록했으며, 맛은 甘·辛하고, 성질은 溫해서, 胃·大腸으로 歸經하며, 開胃下氣의 작용을 띈다. 이는 선인들이 噎膈를 치료하는 常用藥物이며,『太平聖惠方』卷50에서 본 약재를 사용해서 蜜丸으로 빚어서 복용하고 膈氣噎塞를 치료한다고 기록했다. 현대 연구에서 본 약재가 抗腫瘤·免疫調節·降血糖·降血脂 등의 다방면의 藥理作用을 가지는 것

으로 나타났다. 방제의 荷葉蒂은 荷葉의 基部가 되며, 맛이 苦·澀하고, 성질은 平해서, 脾·胃·肝으로 歸經하며, 健脾祛濕, 升發脾陽의 작용을 한다. 張璐가 이르길: "入健脾藥, 但用其蒂, 謂之荷鼻, 取其味厚勝于他處也"(『本經逢原』卷3에 수재됨)라고 말했다.

加味烏藥湯 (加味烏沉湯)

(『奇效良方』卷63)

【組成】 烏藥 縮砂 木香 玄胡索 各一兩(各 30 g) 香附 炒, 去毛 二兩(60 g) 甘草 一兩半(45 g)

【用法】 위의 약재를 작게 자른다. 매번 七錢(20 g)을 물 一盞半에 生薑 三片을 넣고 달여서 10분의 7로 졸여서, 시간에 구애받지 않고 따뜻하게 복용한다.

【效能】 行氣活血, 調經止痛.

【主治】 痛經을 치료한다. 月經이 앞당겨지거나 月經이 처음 시작될 때, 少腹에 脹痛이 있고, 脹이 痛보다 심하거나 胸脇과 乳房에 이어져 脹痛이 있고, 舌淡, 苔薄白, 脈弦緊하다.

【病機分析】 痛經은 대부분 氣血運行不暢에 의해 발병하는 것이다. 만약 情志가 편하지 않고, 肝氣鬱滯하고 氣機不利하면, 血行이 지체되고, 衝·任經脈이 원활하지 못하고, 經血이 胞中에서 정체해서 作痛이 나타나거나 少腹脹痛하거나 胸脇·乳房에 이르게 된다. 만약 氣滯痛이 심한 경우에는 脈象弦長而緊하게 된다.

【配伍分析】 본방은 肝鬱氣滯에 의한 痛經을 위하여 설계되었다. 그러므로 疏肝解鬱·調經止痛으로 治法을 세웠다. 본방에서 香附子는 重用하고 疏肝理氣하며 調經止痛하여 君藥이 된다. 烏藥은 性味가 辛散溫通하고 香附子를 도와서 疏肝解鬱하고 行氣止痛하다. 延胡索은 行氣活血·調經止痛한다. 두 약물을 배합하여 사용하면 行氣活血하고 調經止痛하게 된다. 모두 臣藥이 된다. 木香·砂仁은 行氣止痛하면서 消脹하고, 生薑은 溫胃散寒한다. 모두 佐藥이 된다. 甘草는 緩急止痛하고 兼하여 모든 약물을 고르게 하며, 佐使藥으로 쓰였다. 모든 약물을 서로 配合하면 모두 行氣活血과 調經止痛의 작용을 거두게 되어 行氣暢血하고 調經止痛하게 된다.

【類似方比較】 본 방제와 逍遙散은 모두 疏肝解鬱의 효능을 띠며, 성인 여성의 원경 복통이나 월경전 유방 脹痛을 치료할 수 있다. 본 방제는 疏肝行氣止痛한 효력이 비교적 강해서 肝鬱氣滯하고 血行不暢에 의해 발생하는 痛經 치료에 알맞다. 반면 逍遙散은 疏肝行氣한 효력이 비교적 강하고, 養血柔肝하고 健脾助運을 겸하므로 肝鬱血虛하고 脾失健運에 의한 痛經 치료에 알맞다.

【臨床應用】

1. 證治要點: 본 방제는 肝鬱氣滯에 의한 痛經을 치료한다. 월경전 아랫배에 脹痛이 있고, 脹이 痛보다 심한 증상을 치료의 요점으로 삼는다.

2. 加減法: 만약 血瘀를 겸하거나, 월경양이 적고 색은 어두우며, 핏덩이가 섞여 있는 경우에는, 蒲黃·五靈脂를 넣고 祛瘀止痛하게 하고, 만약 寒을 겸하는 경우에는 吳茱萸·小茴香을 넣고 溫經散寒止痛하게 한다.

3. 加味烏藥湯은 다음 한국표준질병사인분류(KCD)에 해당하는 환자가 肝鬱氣滯證으로 辨證되는 경우 본 처방의 사용을 고려해볼 수 있다.

처방 목표	한국표준질병사인분류(KCD)
痛經	N94.4 원발성 월경통
	N94.5 이차성 월경통
	N94.6 상세불명의 월경통
閉經	N91 무월경, 소량 및 희발 월경
月經後期	N91.3 원발성 희발월경
	N91.4 이차성 희발월경
	N91.5 상세불명의 희발월경

【注意事項】 肝腎氣血不足에 해당하는 經後腹痛 증상에 본 방제를 사용하는 것은 옳지 않다.

【變遷史】 본 방제는『奇效良方』에서 처음으로 기록한 것을 시작으로 해서, 원래의 명칭인 "加味烏沉湯"은 李杲의『蘭室秘藏』卷中에 실린 烏藥湯(烏藥·香附·木香·當歸·甘草)에서 當歸를 빼고, 延胡索·砂仁을 넣고 구성된 것으로, 原方의 養血한 효력을 감소시키고, 行氣止痛한 효력을 강화시켜서, 성인 여성의 調氣行血止痛의 常用方이 된다.『濟陰綱目』卷1에서 본 방제를 수록할 때 "加味烏藥湯"으로 변경하였으며 그 목적은 본 방제와 烏藥湯의 源流 관계를 설명하기 위해서이다.

【副方】 正氣天香散(劉河間方,『醫學綱目』卷4에 수록됨): 烏藥 二兩(60 g) 香附末 八兩(240 g) 陳皮 蘇葉 乾薑 各一兩(각30 g)

- 用法: 위의 약재를 분말로 갈아서 매회 三錢(9 g)씩 물에 타서 복용한다.
- 作用: 行氣溫中, 調經止痛.
- 適應症: 성인 여성의 모든 기운이 심장까지 거꾸로 치밀어 올라 心胸이 공격을 받아서 脇肋에 刺痛이 생기고, 月水不調한 증상을 치료한다.

본 방제의 配伍 의의는, 汪紱의 주장인: "香附理肝臟之鬱, 行血中之氣; 烏藥苦澀, 能堅腎水·補命火, 溫下焦, 而去衝任之沉寒痼冷, 破土鬱, 行肝氣; 陳皮佐烏藥以理氣; 蘇葉辛溫表散外淫之風寒燥濕, 舒散肝鬱, 而色紫兼入血分, 大能調理經血, 但其性過于疏散, 此用以佐香附; 薑性行, 而乾薑能守, 守者爲行之本, 此專以補肝理衝任. 此調經而專入氣分之藥, 以肝氣不鬱, 則經血自調也"(『醫林纂要探源』卷8)을 참고할 만하다. 본 방제는 湯劑로 바꿔서 "正氣天香湯"(『醫學正傳』卷4에 수재됨)·"紺珠正氣天香湯"(『玉機微義』卷49에 수재됨)이라고 부른다.

본 방제와 加味烏藥湯은 모두 疏肝行氣止痛한 효능이 있어서 痛經을 치료하는데 사용한다. 본 방제는 溫中을 겸할 수 있어서 寒凝肝脈하고 氣機不暢에 의한 痛經을 치료하는데 적합하다. 加味烏藥湯은 活血을 겸할 수 있어서, 肝鬱氣滯하고 血行不暢에 의한 痛經을 치료하는데 적합하다.

第二節 降氣劑

蘇子降氣湯(紫蘇子湯)

(『備急千金要方』卷7)

【異名】 降氣湯(『普濟方』卷183)·蘇子降氣飮(『杏苑生春』卷3)·紫蘇湯(『景岳全書』卷54).

【組成】 紫蘇子 一升(12 g) 前胡(9 g) 厚朴 甘草 當歸 各一兩(各 6 g) 半夏 一升(12 g) 橘皮 三兩(9 g) 大棗 二十枚(10개) 生薑 一斤(6 g) 桂心 四兩(3 g)

【用法】 위의 약재를 모두 썰어서, 물 一斗三升을 넣고 달여서 二升半으로 졸여서, 5회에 나눠서 낮에는 3회, 밤에는 2회 복용한다.

【效能】降氣平喘, 祛痰止咳.

【主治】咳喘證을 치료한다. 痰涎壅盛, 咳喘短氣, 胸膈滿悶하거나 腰疼脚軟하거나 肢體浮腫, 舌苔白滑하거나 白膩하고 脈弦滑하다.

【病機分析】肺는 氣를 주관하고, 呼吸을 담당한다. 肺에 痰涎이 壅阻하면, 肺는 宣發肅降의 기능을 잃게 되고, 따라서 氣機가 위로 역행하면 咳嗽氣喘으로 나타나고, 氣機가 통하지 않으면 胸膈滿悶을 느끼게 된다. "肺爲氣之主, 腎爲氣之根"(『景岳全書』卷19에 수재됨)으로, 腎이 虛해서 納氣를 하지 못하면, 숨이 차서 호흡하기 힘들고, 腎은 水臟이 되며, 水液의 輸布와 排泄를 주관한다. 腎陽이 부족하면, 氣化不利하고 水液內停해서 肢體의 浮腫으로 나타나게 된다. 腰는 腎의 府가 되며, 下元이 부족하면 腰疼脚軟으로 나타나게 된다. 舌苔가 白滑하거나 白膩하고, 脈象弦滑 등은 모두 肺속에 痰涎壅盛해서 나타나는 외재적 표현이다. 종합해 볼 때, 본 증상의 病機는 痰涎壅盛과 腎陽不足 두 측면의 변화를 포함하며, 이중에서 肺에 痰涎壅阻해서 발병한 것을 標로 하고, 下元에 腎陽虛餒해서 발병한 것을 本으로 한다.

【配伍分析】본방이 치료하는 證은 本虛標實·上盛下虛와 관련된다. 氣가 치밀어 오르고 痰이 盛하기 때문에 반드시 "急則治標"하고, "發時治標"해야 하므로 降氣祛痰·止咳平喘을 治法으로 하였다. 본방에서 紫蘇子는 性味가 辛溫而潤하고, 그 性은 降을 주관하고 上逆한 肺氣를 내리고 壅滯한 痰涎을 없애는데 뛰어나기 때문에 痰壅氣逆胸滿을 치료하는 要藥이 된다. 張璐는 "除喘定嗽, 消痰順氣之良劑"(『本經逢原』卷2)라고 칭송하였다. 본방은 또한 潤腸通便이 뛰어나서 腑氣를 通暢하면서 肺氣의 肅降을 돕는다. 君藥으로 쓰였다. 半夏는 性味가 辛溫而燥하고 蘇子를 도와서 痰涎을 化하고, 厚朴은 性味가 辛溫苦降하고 蘇子를 도와서 逆氣를 내린다. 같이 臣藥이 된다. 橘皮는 性味가 辛溫苦燥하고 半夏와 배합하여 燥濕化痰의 藥力을 증강시키고, 동시에 順氣消痰을 돕는다. 前胡는 性味가 辛苦微寒하고 降氣祛痰에 뛰어나며, 또한 辛散의 藥性을 갖추고 있어서 모든 약물과 서로 配伍하면 降逆化痰의 작용을 증강시키고, 또한 肅降하는 가운데 宣散하여 肺氣宣降의 기능을 회복하고, 동시에 모든 溫藥의 燥性을 억제한다. 桂心은 性味가 辛甘大熱하고 溫補腎元·納氣平喘하게 한다. 當歸는 性味가 辛苦溫潤하고 養血補虛하여 桂心을 도와서 溫補下元하고 또한 "咳逆上氣"(『神農本草經』卷2)를 치료할 수 있으며, 그밖에도 半夏·厚朴·橘皮의 燥를 억제하여 그 辛燥의 진액 손상을 방지할 수 있다. 生薑은 和胃降逆하고 化痰止咳해서 모두 佐藥이 된다. 大棗·甘草는 和中益氣하고 調和藥性하여 佐使藥이 된다. 모든 약물을 서로 배합하고 上과 下를 동시에 치료하며 標와 本을 함께 고르게 해서, 逆氣가 내려가고 痰涎이 제거되면 喘咳가 저절로 평온해진다.

본방의 配伍특징은 두 가지이다: 첫째는 降氣祛痰藥에 溫腎補虛藥을 配伍해서 虛와 實을 같이 치료하고, 標와 本을 함께 고려하되 瀉實治標를 위주로 하였다. 둘째는 대량의 降逆藥 가운데 宣散藥을 배합하고 수많은 苦溫藥에 凉潤藥을 참작하여 사용하여 降하는 가운데에 升이 있고 溫하되 燥하지 않게 되었다.

【臨床應用】

1. 證治要點: 본 방제는 痰涎壅盛한 咳喘을 치료하는 常用方이다. 임상에서 응용할 때 咳喘氣急, 痰多稀白, 胸膈滿悶, 舌苔白滑 혹은 白膩를 치료의 요점으로 삼는다.

2. 加減法: 만약 痰涎壅盛하고 喘咳氣逆으로 눕기 어려운 경우에는 沉香을 증상에 맞게 넣고 降氣平喘한 효력을 강화한다. 表證을 겸한 경우에는 麻黃·杏仁 등을 넣고 宣肺平喘하고 疏散外邪하게 한다. 氣虛를 겸한 경우에는 人蔘·黃芪 등을 넣고 益氣補虛하게 한다. 腎虛가 비교적 심한 경우에는 附子·補骨脂 등을 넣고 溫腎納氣의 작용을 도울 수 있다. 뚜렷한 腰酸腿

軟, 氣短浮腫 등의 下虛한 증상이 없는 경우에는, 桂心을 제거할 수 있다.

3. 蘇子降氣湯은 다음 한국표준질병사인분류(KCD)에 해당하는 환자가 痰壅于肺, 氣機上逆證으로 辨證되는 경우 본 처방의 사용을 고려해볼 수 있다.

처방 목표	한국표준질병사인분류(KCD)
慢性支氣管炎	J41 단순성 및 점액화농성 만성 기관지염
	J42 상세불명의 만성 기관지염
肺氣腫	J43 폐기종
支氣管哮喘	J45 천식

【注意事項】 본 방제는 降氣祛痰해서 上盛을 위주로 치료한다. 만약 咳喘이 심하지 않고 腎虛가 뚜렷한 경우에는 사용하지 않는다. 일단 標症이 점차적으로 완화되면, 방제에서 溫補下元藥物의 비중을 점차적으로 늘려야 한다.

【變遷史】 본 방제는 唐代의 저명한 의학자인 孫思邈의 『備急千金要方』卷7의 "風毒脚氣"에서 처음으로 기록한 것으로 보여지며, 원래의 명칭은 "紫蘇子湯"이고, "脚弱上氣"를 치료한다. 아울러 이르길: "昔宋湘東王在南州, 患脚氣困笃, 服此湯大得力."라고 했다. 宋·寶慶年間에 나온 『太平惠民和劑局方』에 집록(輯錄)되었으며, "男·婦虛陽上攻, 氣不升降, 上盛下虛, 膈壅痰多, 咽喉不利, 咳嗽, 虛煩引飮, 頭目昏眩, 腰疼脚弱, 肢體倦怠, 腹肚刺, 冷熱氣瀉, 大便風秘, 澀滯不通, 肢體浮腫, 有妨飮食"에 사용한다. 또한 본 방제를 자주 복용하면 "淸神順氣, 和五臟, 行滯氣, 進飮食, 去濕氣"(『太平惠民和劑局方』卷3寶慶新增方)할 수 있다고 말했다. 본 방제의 적응 證候와 그 작용에 대해 자세하게 논술했으며, 아울러 "上盛下虛"로 본 방제의 治證病機에 대해 높은 수준으로 간추렸으며, 후학들로 하여금 그 큰 뜻을 지금까지 고수해 오게 하였다. 본 방제 또한 이 때문에 광범위하게 지금까지 변화 발전해 왔다. 후세 의학자들이 본 방제를 化裁 응용한 것에 대해 전체적으로 종합해 보면, 대체적으로 아래와 같은 세가지 방면으로 나타난다. 첫째, 治上祛邪의 효력을 강화한다: 예를 들면 『證治准繩·類方』卷2에서 桂心을 沈香으로 바꾸어 原方의 降逆平喘한 치료 효능을 높이고, 痰涎壅盛하고 喘咳氣逆해서 반듯이 눕기 어려운 환자를 치료하는데 사용한다. 이 방제는 후세에 미치는 영향이 매우 크고, 광범위하게 응용되어서, 汪昂의 『醫方集解』 및 다양한 판본의 方劑歌訣에 수록되었다. 이밖에도 예컨대 『簡明醫彀』卷4에서 天南星을 넣고, 『證治滙補』卷5에서 杏仁·桑白皮·桔梗 등을 넣는 것은 모두 방법은 다르지만 서로 같은 효능을 내는 묘미가 있다. 둘째, 宣肺散寒藥을 넣고 外感寒邪, 痰壅于肺한 경우의 환자를 치료한다. 예를 들면 『聖濟總錄』卷48의 紫蘇子湯이 있다. 셋째, 疏風解毒藥物을 넣고 風痰凝結에 의한 질병을 치료한다. 예를 들면 『瘡瘍經驗全書』卷1에서 防風·黃芩이나 羌活·連翹 등을 넣고 弄舌喉風·喉纏風 등을 치료한다. 만약 치료 후반기에 正氣虛弱한 경우에는 계속해서 人蔘·黃芪 등을 넣고 扶正托毒하게 한다. 이 治法은 肺를 치료하는데 있어서 降逆祛痰한 방제를 外科瘡瘍의 방제로 바꾸어서 본 방제가 응용하는 사고와 범위를 크게 확대시켰다. 비록 蘇子降氣湯은 上盛下虛에 의한 증상을 치료하기 위해 만들었지만, 역대의 모든 衍化方을 전체적으로 종합해 봤을 때, 대부분 痰壅氣逆에 의한 上盛한 증상을 치료하며, 이는 原方이 降逆의 작용에 중점을 둔다는 것을 반영한다. 이에 대해 淸代 의학자인 張璐가 간추려서 말하길: 본 방제는 "全以降泄逆氣爲主, 故『局方』更名蘇子降氣湯. 後世取治虛陽上攻, 痰涎壅盛, 肺氣喘滿, 服之氣降即安"(『千金方衍義』卷7)라고 했다. 몇 마디의 말로 본 방제의 작용 요점과 源流 발전 줄거리를 총정리했다. 蘇子降氣湯의 降逆下氣의 작용에 따라, 현대 의학에서 또한 본 방제를 妊娠嘔吐·口鼻出血 등의 肺胃氣逆에 의한 증상을 치료하는 데까지 확대했다.

【難題解說】

1. 본 방제의 方源에 대해서: 본 방제는 各 인쇄판

의『方劑學』교재에서 모두『太平惠民和劑局方』으로부터 나온 것으로 여겼다. 그러나 상술한 바에 의하면, 본 방제의 原名인 "紫蘇子湯"은『備急千金要方』(서기 650년)에서 처음으로 기록한 것에서 시작해서, 400여 년의 시간을 거쳐서『太平惠民和劑局方』에 輯錄되었으며, 또한 명칭을 蘇子降氣湯으로 바꿨다. 두 방제를 비교했을 때 조성 약재가 완전히 일치한다(첫 번째 방제의 橘皮는 두 번째 방제의 뒷부분에서 "一方有陳皮去白, 一兩半"라고 표기되어 있다. 또한, 방제의 生薑과 大棗는 두 번째 방제에서 약재를 바꿔서 사용했기 때문에, 그 用量이 비교적 적다), 藥量의 비율은 대체적으로 동일하며, 다만 다른 것은 두 번째 방제의 약을 달일 때 蘇葉 五片을 더 넣는다는 것이다. 따라서 두 방제는 명칭은 다르지만 실제가 같기 때문에 본 방제의 方源은 당연히『備急千金要方』으로 바뀌야 한다.

2. 방제에서 當歸의 작용에 대해서: 본 방제가 치료하는 증상은 氣分에 병이 난 것인데 왜 補血和血하는 효능을 갖는 當歸를 配伍하는가? 이에 대해 각 판의『方劑學』교재에서 모두 止咳·制燥·補虛에 대해 논하고 있으나 當歸는 주로 補血의 효능을 띠지만 補腎의 효능을 띠지 않기 때문에, 이를 肉桂와 합해서 下虛를 치료한다는 것은 억지로 끌어다 붙인 감이 있다. 또한 止咳·潤燥는 또한 본 방제의 뛰어난 효능이 아니기 때문에 장점을 버리고 단점을 취한다는 것 역시 이치에 맞지 않다. 역대 의학자의 方論를 전체적으로 보았을 때, 본 방제의 制方大法에 대한 견해는 일치하고, 방제의 각 약재의 효능에 대한 분석은 대체적으로 일치하지만 유일하게 當歸에 대한 논술은 각자의 주장을 고집해서 의견의 차이가 매우 크다. 예를 들면 汪昂이 이르길 "潤以和血"(『醫方集解·理氣之劑』)이라고 하였고, 張璐는 "溫散滯血"(『千金方衍義』卷7)이라고 했으며, 唐宗海는 "補血載氣"(『血證論』卷7)라고 하였고, 張秉成은 "導血歸經"(『成方便讀』卷2)이라고 말했다. 전후 文義를 연결해서 분석하면, 많은 의학자들의 논술은 汪氏가 한 文義의 해석을 제외하고, 모두 각자의 논거가 있다: 張璐는 본 방제가 치료하는 脚氣病이 氣血壅滯에 의한다고 한 것에 대해서, 唐氏는 "氣以血爲家, 喘則流蕩而忘返, 故用當歸以補血"라고 하였고, 張秉成은 본 방제가 주로 치료하는 증상은 "嘔血이 나타나기 때문에", 따라서 當歸로 "導血歸經"하게 해야 한다고 주장했다. 이처럼 같은 방제의 當歸는 諸賢에서 서로 다른 작용을 하며 이는 주로 본 방제의 적응증 및 이에 대한 인식 차이에서 비롯된다는 것을 알 수 있다. 필자는 본 방제가 본디 脚氣病을 치료하게 위해서 만들었다면 방제의 약재 작용에 대한 이해 역시 이를 기초로 해야 하기 때문에, 張璐의 주장은 옳다고 생각한다. 하지만 후세에 본 방제를 痰壅氣逆하고 上盛下虛에 의한 증상을 치료하는데, 이때 방제의 當歸는 어떤 작용을 하는가? 근대의 岳美中은 當歸가 "止咳和血, 潤腸通便"(『岳美中醫案』)하다고 경험을 토대로 말했다 각 판의 교재는 모두 이 관점을 따른다.

【醫案】

1. 鼻衄『陝西中醫』(1999, 6:278): 남자, 25세. 환자는 자주 鼻衄 증상이 발생해서, 일찍이 적지 않은 한약과 양약을 복용해 보았으나 모두 치유되지 않았다. 최근 과로로 鼻衄이 또 발병하고, 腰膝酸軟, 易怒, 二便尙調, 舌質淡, 苔白, 脈沉弦한 증상을 동반했다. 본 증상은 上盛下虛, 有升無降, 血隨氣逆에 해당한다. 방제에서 蘇子降氣湯을 加味한다: 蘇子·前胡·厚朴 各 9 g, 小薊·半夏 各 10 g, 肉桂·橘紅·生草 各 6 g, 太子參 12 g, 藕節 15 g, 위의 방제로 3첩을 복용한 후 완치되었다. 치료 효과를 안정시키기 위해서 계속해서 6첩을 복용했다. 6개월 후 방문조사에서 재발하지 않았다.

考察: 王肯堂이 말하길: "口鼻出血, 皆系上盛下虛, 有升無降, 血隨氣上, 越出上竅, 法當順其氣, 氣降則血歸經矣, 宜蘇子降氣湯加人蔘·阿膠……"(『證治准繩·雜病』卷3)했다. 본 醫案은 위에는 鼻衄이 발병하고, 아래로는 腎虛한 것으로, 上盛下虛한 증상이다. 따라서 蘇子降氣湯降을 넣고 逆上之氣하게 하고, 아울러 引火歸原할 수 있다. 계속해서 太子參을 넣고 益氣養陰하게 하고, 藕節·小薊를 넣고 凉血止血하게 치료한다.

모든 약재를 함께 사용하면, 위를 치료하면서 아래를 돌볼 수 있고, 氣降하게 해서 血自歸經하게 한다. 이 같은 變法은 깊이 새겨볼 만한 큰 가치가 있다.

2. 胃脘痛 『陝西中醫』(1995, 8:358): 남자, 32세. 胃脘痛을 여러해 동안 앓아왔으며, 이전에 해당 縣의 의원에서 위내시경 검사를 받고 "慢性淺表性胃炎"으로 진단받은 적이 있다. 여러달 동안 한약과 양약의 병용치료를 받고, 증상이 완화되기는 하였으나, 발작은 끊이지 않았다. 최근 2개월 동안 발작 횟수가 빈번하게 증가하고, 隐痛喜按, 胸脘痞満, 吐酸納差, 畏寒, 舌苔白膩했다. 이는 곧 中陽 부족으로 인해 발생한 氣失和降의 증후이다. 溫中止痛, 理氣降逆으로 치료한다. 방제: 蘇子·半夏·肉桂·當歸 各 9 g, 甘草 3 g, 前胡 6 g, 川朴 10 g, 乾薑·香附 各 12 g을 넣었다. 6첩을 복용한 후 발작이 횟수가 점점 줄어들고, 통증은 이미 경미해졌다. 계속해서 앞의 방제에 白芍 12 g을 넣고 계속해서 5첩을 복용한 후, 胃痛이 발병하지 않게 되어서, 음식물을 조금식 먹을 수 있게 되었다. 原方을 丸劑로 만들어서 2개월 동안 복용하면서 몸을 조리한 후 모든 증상이 다 나았다고 말했다.

考察: 본 醫案은 江蘇省 邳州市의 이미 작고하신 유명한 한의학자인 許翠如 선생이 임상에서 실제로 치료하신 醫案이다. 이 환자는 胃中虛寒하고 氣機失暢해서 胃腑拘急疼痛, 氣失和降한 증상이 발병했다. 따라서 蘇子降氣湯에 蘇子·前胡·川朴 등을 넣어서 降氣疏邪하게 하고, 半夏를 넣어서 理氣和胃하고, 降逆止嘔하게 한다. 當歸를 넣고 養血活血하고 아울러 半夏의 燥를 억제한다. 肉桂를 넣고 溫裏散寒하게 하고 다시 乾薑·香附를 넣고 溫中行氣止痛한 효력을 증가시켰다. 甘草를 넣고 和中하게 한다. 모든 약재를 配伍해서, 中陽을 회복시키고 氣機를 통하게 하며, 逆氣를 내리고 脘痛을 멎게 했다.

定喘湯

(『攝生衆妙方』卷6)

【異名】 千金定喘湯(『壽世保元』卷3)·白果定喘湯(『李氏醫鑑』卷5)·千金湯(『雜病源流犀燭』卷1).

【組成】 白果二 去殼, 砸碎, 炒黃色 十一个(9 g) 麻黃 三錢(9 g) 蘇子 二錢(6 g) 甘草 一錢(3 g) 款冬花 三錢(9 g) 杏仁 去皮·尖 一錢五分(4.5 g) 桑皮 蜜炙 三錢(6 g) 黃芩 微炒 一錢五分(4.5 g) 法製半夏 如無, 用甘草湯泡七次, 去臍用 三錢(9 g)

【用法】 위의 약재를 물 三盅을 넣고 二盅으로 달여서 2회에 나누어 복용한다. 매회 一盅을 복용하며, 薑을 사용하지 않으며, 시간에 구애받지 않고 천천히 복용한다.

【效能】 宣降肺氣, 淸熱化痰.

【主治】 痰熱內蘊, 肺失宣肅에 의한 哮喘을 치료한다. 咳嗽할 때 痰多氣急, 痰稠色黃하거나 微惡風寒, 舌苔黃膩, 脈滑數하다.

【病機分析】 본 방제가 치료하는 哮喘은 素體가 痰熱內蘊한데다가 또한 外感風寒해서 발병하는 것이다. 痰熱이 오랫동안 체내에 머물면, 肺의 淸肅下降의 기능이 장애를 입게 되고, 또한 風寒에 막혀서, 肺氣가 壅閉하고, 宣泄하지 못해서, 이같은 哮喘, 咳嗽氣急, 胸膈脹悶, 痰稠色黃 등의 諸症이 잇달아 나타나게 된다. 만약 風寒客表하면 衛陽이 막혀서, 微惡風寒으로 나타난다. 舌苔黃膩, 脈來滑數은 모두 痰熱內蘊의 증후이다.

【配伍分析】 본 방제가 치료하는 증상의 발병 부위는 비록 表里 모두와 관련이 있지만 痰熱內蘊과 肺失

宣肅이 주된 病機가 되기 때문에 치료 또한 宣降肺氣와 淸熱化痰에 중점을 두어야 한다. 방제에서 麻黃은 性味가 辛溫해서 疏表散寒할 뿐만 아니라 또한 宣肺止咳平喘에 뛰어나다. 張山雷가 이르길: "麻黃輕淸上浮, 專疏肺鬱, 宣泄氣機, 是爲治感第一要藥. 雖曰解表, 實爲開肺; 雖曰散寒, 實爲泄邪"(『本草正義』卷3에 수재됨)라고 했다. 白果는 性味가 甘苦澀平해서 斂肺定喘의 要藥이 된다. 楊時泰가 이르길: "此果經霜乃熟, 稟收降之氣最專, ……然必合于散劑, 使氣能疏越, ……乃得收其全功焉"(『本草述鉤元』卷17에 수재됨)라고 했다. 두 약을 함께 配伍하면, 宣散하는 중에 收斂하게 되므로, 止咳定喘한 효과를 높이고, 또한 開肺하나 氣를 소모하지 않고, 斂肺하나 邪를 머무르지 않게 할 수 있어서, 서로 대립하면서 서로 보완할 수 있어서, 모두 君藥이 된다. 桑白皮는 瀉肺平喘한 효능이 있고, 黃芩은 淸熱化痰한 효능이 있어서, 이 둘을 함께 사용하면 內蘊의 痰熱을 식혀서 병을 일으키는 근본을 제거할 수 있기 때문에, 모두 臣藥이 된다. 杏仁·蘇子·半夏·款冬花는 降氣平喘하고 化痰止咳한 효능이 있어서 君藥·臣藥을 도와서 平喘祛痰하게 하므로 모두 佐藥이 된다. 甘草를 생으로 사용하고, 諸藥과 함께 섞어서 사용하면 또한 止咳할 수 있어서 佐使藥 사용한다. 모든 약재를 함께 配伍하면, 外散風寒, 內淸痰熱하고 肺氣를 宣하게 해서 逆氣를 내려가게 하고, 痰濁을 化하게 해서 咳喘를 안정시킬 수 있다.

본방의 配伍 특징은 宣開와 淸降을 병용하였고, 發散과 收斂을 같이 시행하여 宣·降·淸·散·收를 하나의 방제에 융합시켰다. 그러므로 定喘止咳의 藥力이 매우 두드러지게 되었다.

【類似方比較】 본 방제와 蘇子降氣湯은 모두 降氣平喘한 방제이며, 본 방제는 宣降肺氣한 효능이 있는 麻黃·白果와 淸熱化痰한 黃芩·桑白皮를 위주로 配伍하기 때문에 宣降肺氣, 淸熱化痰, 定喘止咳의 작용을 하며, 주로 痰熱蘊肺, 肺失宣肅에 의한 哮喘을 치료하고 증상은 咳喘氣急, 痰多稠黃, 舌紅苔黃膩가 나타난다. 반면 蘇子降氣湯은 蘇子를 넣고 降氣平喘을 위주로 하고, 下氣祛痰하고 溫腎納氣한 약재를 配伍하기 때문에 降氣祛痰, 止咳平喘하며 溫腎納氣의 작용을 겸한다. 주로 上盛下虛하면서 주로 上盛에 의한 哮喘을 치료한다. 증상은 咳喘氣急, 痰多稀白, 舌淡苔白膩가 나타난다.

본 방제와 小靑龍湯은 모두 宣肺解表, 祛痰平喘의 작용을 띠며, 모두 外感風寒, 內有痰濁에 의한 咳喘을 치료한다. 하지만 小靑龍湯은 麻黃·桂枝에 乾薑·半夏·細辛을 配伍해서 解表散寒, 溫化寒飮의 작용을 하므로 內有寒飮하면서 또한 表寒이 비교적 심한 咳喘을 치료하는데 알맞다. 본 방제는 麻黃·白果와 黃芩·桑白皮를 配伍하기 때문에 宣肺降逆하면서 解表하고, 淸泄肺熱하면서 喘咳를 안정시키는 작용을 한다. 따라서 痰熱內蘊하지만 表寒不著한 咳喘을 치료하는데 사용한다.

【臨床應用】

1. 證治要點: 본 방제는 주로 痰熱內蘊, 肺失宣肅에 의한 咳喘을 치료한다. 咳喘氣急, 痰多色黃, 苔黃膩, 脈滑數한 증상을 치료 요점으로 삼는다.

2. 加減法: 만일 表證이 없는 환자의 경우에는 麻黃의 用量을 줄이거나, 炙麻黃을 사용해서 宣肺定喘의 작용을 취한다. 痰稠難出한 환자의 경우에는 全瓜蔞·膽南星 등을 증상에 맞게 추가해서 淸熱化痰한 효력을 강화한다. 胸悶이 비교적 심한 환자의 경우에는 枳殼·厚朴을 넣고 理氣寬胸하게 치료한다. 肺熱이 비교적 심한 경우에는 金荞麥·魚腥草 등을 함께 넣고 淸肺의 효과를 강화해야 한다.

3. 定喘湯은 다음 한국표준질병사인분류(KCD)에 해당하는 환자가 痰熱內蘊, 肺失宣肅證으로 辨證되는 경우 본 처방의 사용을 고려해볼 수 있다.

처방 목표	한국표준질병사인분류(KCD)
支氣管哮喘	J45 천식
慢性支氣管炎	J41 단순성 및 점액화농성 만성 기관지염
	J42 상세불명의 만성 기관지염

【注意事項】 新感風寒, 無汗而喘, 內無痰熱한 환자의 경우 본 방제를 사용하지 않는다. 哮喘日久, 肺腎陰虛하거나 氣虛脈弱한 환자의 경우에도 또한 본 방제를 사용하지 않는다.

【變遷史】 본 방제는 明代의 張時徹이 편찬한 『攝生衆妙方』卷6(1550년)에서 처음으로 보여지기 시작했다. 하지만 구성 약재의 분석에서 볼 때, 약을 선택하고 配伍하는 것은 마치 宋代 王袞의 『博濟方』卷2에 있는 華蓋散에서 근원한 것으로 보인다. 방제는 麻黃에 蘇子·杏仁·桑白皮를 配伍한 것을 위주로 하며, 宣降肺氣, 淸肺化痰의 작용을 띈다. 본 방제는 이를 기초로 하고 白果·黃芩·半夏 등을 추가해서, 定喘止咳의 작용을 강화했다. 본 방제의 적응증은 原書에서 단지 "哮喘" 두 글자로 기록했을 뿐이며, 吳昆의 『醫方考』卷2에서는 본 증후는 "肺虛感寒, 氣逆膈熱, 作哮喘者"라고 지적했다. 汪昂·張秉成 등은 모두 吳氏의 주장을 따랐으며, 또한 한 걸음 더 나아가 분석해서 상세히 설명했다. 후세에도 이를 근거로 해서 "風寒外束, 痰熱蘊肺"로 본 방제 증후의 病機에 대해 요약해서, 본 방제를 痰熱蘊肺, 肺氣上逆에 의해서 발병하는 다양한 咳喘病證을 치료하는데 광범위하게 사용했다.

【難題解說】

1. 본 방제의 적응증에 대해서: 앞에서 말한 바와 같이, 『攝生衆妙方』에 수재되어 있는 본 방제의 치료는 매우 간략하며 단지 "哮喘" 두 글자만 있을뿐, 증후의 성질에 대한 부분은 언급하지 않았다. 본 저서가 세상에 나온지 30여 년 후, 吳昆은 『醫方考』卷2에서 본 방제의 치료에 대해 한 층 더 발전시켰으며, 처음으로 본 방제로 치료하는 哮喘은 "肺虛感寒, 氣逆膈熱"에 의해 발병하는 것이라고 제시했다. 이후 많은 의학자들이 그의 주장을 따랐으며, 예를 들면 汪昂의 『醫方集解』·張秉成의 『成方便讀』 등에서 各 판 공통교재인 『方劑學』에 이르기까지 본 방제의 치료는 "風寒外束, 痰熱內蘊的哮喘"이라고 명확하게 기록했다. 하지만 이해하기 어려운 것은, 대부분의 교재는 "主治"항목에서 風寒束表를 반영하는 病機의 증상에 대한 적절한 묘사가 되어있지 않으며(二版·五版), 또한 "或惡寒發熱"(四版)이라고 간단히 언급만 하고 지나갔을 뿐이다. 이는 表證이 결코 본 증상에서 반드시 나타나는 증상은 아니라는 것을 말해준다. 6판 교재에는 비록 "微惡風寒"의 내용이 늘어났으나, 이 중 "微"자는 오히려 본 증상이 表證을 겸한다 하더라도 그 정도가 매우 경미하다는 것을 밝히고 있다. 또한 현재 임상에서 본 방제를 실제로 응용하는 것에서 보았을 때, 결코 表寒證이 있느냐 없느냐에 구애받지 않는다. 따라서 필자는 본 방제의 적응증은 痰熱蘊肺, 肺失宣肅에 의한 咳喘이며, 소위 "肺虛感寒"·"風寒外束"이라고 말하는 주장은 아마도 후세 사람들이 본 방제에서 麻黃을 사용하는 것을 근거로 해서 본 증상에 대해 추측을 내린 것이지, 결코 張氏가 방제를 만든 본래의 뜻에 부합하지 않는다고 생각한다. 費伯雄이 이르길: "治痰先理氣, 不爲疏泄則膠固不通, 此定喘用麻黃之意也"(『醫方論』卷2)라고 말했다. 이에 알 수 있듯이 본 방제에서 사용하는 모든 약재는 宣降肺氣하고 淸熱化痰한 효능을 위주로 하며, 痰熱蘊肺, 肺失宣肅에 의한 咳喘이라면 바로 사용할 수 있다. 만약 風寒表證을 겸하고 微惡風寒을 보이는 환자의 경우에도 사용할 수 있으며, 惡寒이 비교적 심하고 無汗한 환자의 경우에는 반드시 본 방제에 性味가 辛溫解表한 약재를 추가해서 發散의 효력을 도와야 한다.

2. 방제에서 白果의 작용 및 그 용량: 白果는 맛이 甘·苦·澀하고, 성질이 平해서 毒이 조금 있다. 肺·腎으로 歸經한다. 본 약재는 斂肺定喘의 작용이 뛰어난데, 化痰의 작용 역시 겸하는가? 이에 대한 各 판 교재의 답은 대부분 긍정적이다. 필자는 역대 本草 저작을 자세히 연구하였는데 단지 『醫學入門』卷3에서 白果가

"化痰定喘"하다는 논술이 기록되어있으며, 『本草綱目』卷30에서는 白果가 "生食降痰"하다고 했으며, 『本草求眞』卷5에서도 또한 "白果, 雖屬一物, 而生熟攸分, 不可不辨. 如生食, 則能降痰, ……至其熟用, 則竟不相同. 如稍食則可, 再食則令人氣壅, 多食則令人臚脹昏悶"라고 말했다. 또한 各 의학자들의 방론에서 서술한 바에 따르면, 또한 대부분이 본 방제에서 白果의 작용은 주로 斂肺定喘한데 있다고 했다. 따라서 필자는 본 방제에서 사용하는 炒白果는 주로 收斂肺氣하고 定喘止咳化痰한 치료 효과가 있다고 생각한다. 방제에서 白果의 用量은 原書에는 2一枚(약 30 g)로 되어있는데 이 용량이 합당한가? 王泰林이 이르길: "白果收澀, (原方)二十一枚恐太多, 宜減之"(『王旭高醫書六種』「退思集類方歌注」)라고 말했다. 이는 白果를 과도하게 많이 사용하면, 收澀한 성질 때문에 "閉門留寇"를 일으킬 수 있으므로 이를 방지하기 위한 뜻이 담겨 있다. 다음으로 白果에는 毒성이 있기 때문에 많이 먹게 되면, 嘔吐·腹痛·腹瀉·抽搐·煩躁不安 등의 증상이 나타나게 된다. 따라서 各 판『方劑學』교재에서 定喘湯에 넣는 白果의 참고 용량을 모두 9 g으로 줄였다. 『中藥大辭典』의 기록에 따르면: 白果의 中毒量은 "소아는 7~120알, 성인은 40~300알로 차이가 있다"고 했다. 또한 白果 27 g을 함유한 定喘湯을 150 g/kg을 기준으로 해서 마우스에게 3일 동안 연속해서 위에 주입했을 때 어떠한 독성 반응도 나타나지 않았다는 보고도 있다. 게다가 본 방제의 平喘작용이 일정한 범위 내에서 白果의 용량과 정비례한다는 것을 발견했다.[1] 따라서 定喘湯을 사용할 때, 이중에서 白果의 용량은 制方者의 원래의 뜻을 따라야 하고, 지나치게 적게 넣으면 안 된다고 생각한다.

3. 黃芩·桑白皮의 방제에서의 작용에 대해서: 본 방제의 黃芩과 桑白皮는, 다수 교재의 方解에서 모두 佐藥으로 분류되었다. 하지만 본 방제의 治證 病機에 대해 분석했을 때, 咳喘이 발병하는 것은 痰熱蘊肺에 의한 肺失宣肅하기 때문에 痰熱은 발병을 유발하는 근원이고, 氣機失常은 발병의 標가 되며, 治法은 宣降肺氣와 淸熱化痰으로 하는 것이 당연하며, 둘 다 중요시해야 한다는 것을 알 수 있다. 苦寒淸熱化痰의 효능이 있는 黃芩과 桑白皮는 적어도 臣藥의 대열에 포함시켜야 한다. 그렇지 않으면, 淸熱化痰의 治法이 본 증상을 치료하는데 있어서 얼마나 중요하고 꼭 필요한지를 보여줄 수 없게 될 수 있다.

【醫案】

1. 咳喘『吉林中醫藥』(1995, 2:19): 남자, 32세. 겨울철만 되면 咳喘이 발병한지 벌써 4년이 되었으며, 발병하면 咳嗽, 咳痰이 淸稀하고 흰 색을 띠며, 氣喘이 멈추지 않고, 畏寒乏力해서 정상적으로 업무에 적응하기 힘들었다. 현재 咳喘이 또 발병한지 벌써 1개월이 넘었으며, 舌苔白膩, 脈象沉緊하다. 환자에게 定喘湯을 주고 넣고 뺐다: 麻黃 15 g, 白果 10 g, 蘇子 15 g, 款冬花 15 g, 半夏 15 g, 桑白皮 15 g, 黃芩 10 g, 杏仁 15 g, 生薑 15 g, 甘草 10 g, 附子 10 g(먼저 달인다), 補骨脂 15 g, 太子參 10 g을 주고 매일 1첩씩 물을 넣고 달여서 복용했다. 10여 재 복용 후 모든 症狀이 눈에 띄게 줄어들었다. 계속해서 위의 방제에서 附子·黃芩을 빼고, 菟絲子·覆盆子·枸杞子를 넣고 丸劑로 빚어서 3개월 동안 복용하고 나서, 咳喘이 멎고, 精力이 왕성해졌다. 3년 동안의 방문조사에서 재발하지 않았다.

考察: 肺에서 壅肺하면 宣降이 失司해서 咳喘痰多하게 된다. 脾腎不足하면 陽氣虛餒해서 畏寒乏力하게 된다. 본 증상은 虛實한 증상이 함께 나타나기 때문에 치료에 있어서도 補와 瀉를 겸해서 한다. 방제는 定喘湯으로 宣降肺氣하고 化痰平喘하게 치료하며, 다시 附子·補骨脂·太子參을 넣고 溫補脾腎하게 한다. 모든 증상이 줄어든 후, 또한 培補脾腎한 약재를 넣고, 湯劑를 丸劑로 바꾼 후 장기 복용하게 했다. 標本兼治해서 좋은 효과를 거두었다.

2. 哮喘『中醫藥學報』(1996, 6:15): 남자, 38세. 환자는 支氣管哮喘을 앓은지 2년이 되었다. 이번에 발병했을 때는 喘促, 氣粗, 喉中痰鳴, 胸高脇脹, 咳痰色黃稠

厚, 口渴 증상이 나타났다. 방제: 炙麻黃 10 g, 白果 15 g, 桑白皮 20 g, 款冬花 15 g, 半夏 15 g, 杏仁 15 g, 蘇子 15 g, 黃芩 30 g, 甘草 10 g, 石膏 30 g, 葶藶子 15 g을 넣고 매일 1첩씩 물을 넣고 달여서 아침 저녁으로 나누어서 복용했다. 두 번째 진료: 약을 1주일 동안 복용한 후 痰鳴이 완화되었으며, 原方에서 石膏를 빼고, 紫菀 15 g를 넣고, 다시 7첩 복용했다. 세 번째 진료: 모든 病症이 덜해져서, 原方에서 黃芩을 빼고, 生地 15 g을 넣고 계속해서 1주일 동안 복용한 후 치유되었다.

考察: 본 醫案은 痰熱壅肺, 氣道不利, 宣降失司에 의해 발병하는 것으로 定喘湯을 주고 宣降肺氣, 淸熱化痰, 止咳平喘하게 치료한다. 또한 石膏를 주고 淸瀉肺熱하게 하고·葶苈子를 주고 瀉肺化痰해서, 平喘한 효력을 돕는다. 약을 복용한 후 모든 증상이 줄어들었으나, 痰熱이 점점 없어지면서 肺陰이 손상을 입게 되었다. 따라서 계속해서 石膏·黃芩을 빼고 瀉肺하게 하고, 紫菀·生地를 넣고 潤肺하게 한 후, 20일 동안 조리한 후 다 나았다.

旋覆代赭湯

(『傷寒論』)

【異名】 旋覆代赭石湯(『普濟方』卷127)·代赭旋覆湯(『醫方集解』「理氣之劑」)·旋覆花代赭石湯(『類聚方』).

【組成】 旋覆花 三兩(9 g) 人蔘 二兩(6 g) 代赭石 一兩(9 g) 甘草 炙 三兩(6 g) 半夏 洗 半升(9 g) 生薑 五兩(10 g) 大棗 擘 一十二枚(4枚)

【用法】 물 一斗를 넣고 달여서 六升으로 졸여서 찌꺼기를 제거하고 다시 달여서 三升으로 졸인다. 一升을 매일 3회에 나누어서 따뜻하게 복용한다.

【效能】 降逆化痰, 益氣和胃.

【主治】 胃氣虛弱, 痰濁內阻證. 心下痞鞕, 噫氣不除 反胃嘔逆, 吐涎沫, 舌淡, 苔白滑, 脈弦而虛.

【病機分析】 본 방제는 처음에 傷寒發汗을 치료한 후에 또 吐·下에 誤用해서 表證은 비록 치료된 듯 하지만 心下痞硬, 噫氣不除한 증상이 나타났다. 病機에 대해 분석해 보니, 吐·下의 공격을 받아서 胃氣가 손상을 입고 정상적인 升降轉輸를 하지 못해서 津凝爲痰, 濁邪留滯, 阻于中焦, 氣機失暢해서 心下痞硬으로 발병한 것이다. 氣機가 升降의 질서를 잃게 되면, 胃氣가 和降하지 못하고 오히려 上逆하게 된다. 따라서 噫氣가 멎지 않거나 反胃嘔逆한다. 嘔吐涎沫, 舌苔白滑은 痰濁內阻한 증후이다. 舌質淡, 脈弦而虛한 것은 中虛氣滯의 증상이다. 본 證候는 脾胃氣虛를 本으로 하고, 痰阻氣逆을 標로 하여 임상에서는 虛實이 모두 나타나지만 氣逆痰阻을 위주로 해서 치료해야 한다.

【配伍分析】 본방은 脾胃氣虛·痰濁中阻·胃氣上逆·本虛標實의 證을 위하여 설계되었으며, 治法은 "急則治其標"하고 降逆化痰을 위주로 하며, 益氣補中을 겸하는 것이 적합하다. 본방에서 旋覆花는 性味가 苦辛鹹微溫하고, 歸經은 肺·胃·大腸經이며, 그 性은 降을 주관하고, 下氣의 작용이 뛰어나며, 鹹味를 兼하고 뭉쳐있는 痰을 삭혀서 痰阻氣逆의 證을 치료하는 데 주로 사용된다. 『本草易讀』卷4에서 "下氣行水, 消痰軟堅 …… 除噫氣而止嘔逆"이라고 하였다. 그러므로 본방에서 重用하여 下氣消痰하였으므로 君藥으로 쓰였다. 代赭石은 性味가 苦甘微寒하고 歸經은 肝·胃·心經이며그 性은 重墜降逆하고 肺胃의 逆氣를 鎭攝시키는 작용이 뛰어나다. 그러므로 張璐는 "赭石之重, 以鎭逆氣. …… 仲景治傷寒吐下後, 心下痞硬, 噫氣不除, 旋覆代赭石湯, 取重以降逆氣, 滌痰涎也"(『本經逢原』卷1)라고 하였다. 본방은 조금씩 투여한다. 그 뜻은 旋覆花와 서로 협력하여 降逆下氣·止嘔化痰의 작용을 강화해서 氣逆嘔噫의 標를 안정시키는 데 있다. 半夏는 祛

痰散結·降逆和胃하고, 生薑은 溫胃化痰·散寒止嘔하여 旋覆花·代赭石을 도와서 降逆하면서 止嘔噫한다. 같이 臣藥이 된다. 人蔘·大棗·炙甘草는 甘溫益氣·健脾養胃하여 中虛氣弱의 本을 회복시킨다. 모두 佐藥이 된다. 甘草는 藥性을 調和시키기 때문에 使藥을 兼한다. 모든 약물을 서로 배합하고 標와 本을 함께 고려하면 함께 降逆化痰·益氣和胃의 작용을 거두게 된다. 胃氣는 회복되고 痰濁은 없어지며, 氣逆은 안정되어 淸氣는 升하면서 濁氣는 降하게 되면 痞滿·噫氣·嘔呃가 저절로 없어진다.

본방의 配伍특징은 두 가지이다. 첫째는 旋覆花·代赭石·半夏·生薑 등의 降逆和胃藥이 하나의 방제에 집중되어 있어서 降逆下氣의 작용이 매우 뛰어난다. 둘째는 人蔘·甘草·大棗 등의 益氣補虛藥을 配伍하면 함께 標와 本을 같이 치료하고 實을 치료하는데 虛를 고려하는 방제가 된다.

【類似方比較】 본 방제와 半夏瀉心湯의 구성에는 모두 半夏·人蔘·甘草·大棗 등의 약재를 포함하며, 虛實錯雜한 痞證을 치료할 수 있다. 하지만 半夏瀉心湯은 黃芩·黃連의 苦寒泄熱와 乾薑·半夏의 辛溫開結을 위주로 配伍해서, 溫淸并用하고 辛開苦降한 것이 組方 특징이 되기 때문에 寒熱互結에 의한 痞證을 치료하는 것이 알맞다. 본 방제는 旋覆花·代赭石의 降逆下氣와 半夏·生薑의 和胃散結을 위주로 해서 配伍하고, 降逆和胃하고 治實顧虛한 것이 組方 특징이 되기 때문에 中虛痰阻氣逆에 의한 痞證을 치료하는 것이 알맞다.

【臨床應用】

1. 證治要點: 본 방제는 주로 胃虛痰阻, 氣逆不降한 증상을 치료한다. 心下痞硬, 噫氣頻作, 嘔呃, 苔白滑, 脈弦虛한 증상을 치료의 요점으로 삼는다.

2. 加減法: 原方에서 代赭石의 용량이 비교적 적은데 苦寒한 性味가 重해서 胃를 공격할 수 있어서이다. 만약 氣逆이 비교적 심하지만 胃虛가 심하지 않은 경우에는 20~30 g까지 용량을 重用해서 重鎭降逆의 작용을 강화시킬 수 있다. 만약 痰多苔膩한 경우에는 茯苓·陳皮 등을 넣고 化痰和胃하게 할 수 있다. 만약 腹脹이 비교적 심한 경우에는 枳實·厚朴 등을 넣고 行氣除滿하게 할 수 있다. 만약 腹痛喜溫한 경우에는 乾薑·吳茱萸·丁香 등을 넣고 溫中祛寒하게 할 수 있다. 만약 舌紅苔黃脈數하고, 內熱 증상을 보이는 경우에는 黃連·竹茹 등을 넣고 淸泄胃熱하게 할 수 있다.

3. 旋覆代赭湯은 다음 한국표준질병사인분류(KCD)에 해당하는 환자가 胃氣虛弱, 痰濁內阻證으로 辨證되는 경우 본 처방의 사용을 고려해볼 수 있다.

처방 목표	한국표준질병사인분류(KCD)
胃神經官能症	F45.3 신체형자율신경기능장애
慢性胃炎	K29.3 만성 표재성 위염
	K29.4 만성 위축성 위염
	K29.5 상세불명의 만성 위염
胃擴張	K31.0 위의 급성 확장
胃潰瘍	K25 위궤양
胃及十二指腸球部潰瘍	K26 십이지장궤양
幽門不全梗阻	K31.3 달리 분류되지 않은 유문연축
神經性呃逆	F45.3 신체형자율신경기능장애
化學治療에서 嘔吐嘔吐	Z54.2 화학요법후 회복기

【注意事項】 방제에서 代赭石은 성질이 寒沉降해서 胃氣에 장애가 된다. 만약 胃虛가 비교적 심한 환자의 경우에는, 용량을 과도하게 많이 사용해서는 안 된다.

【變遷史】 旋覆代赭湯은 『傷寒論·辨太陽病結胸脈證并治』 제 161조에서 유래되었으며, "傷寒發汗, 若吐, 若下, 解後, 心下痞鞕, 噫氣不除者"를 치료하는데 사용한다. 原書의 내용이 비교적 간단하기 때문에 후세의 의학자들이 본 방제의 治證 病機에 대한 이해와 공감대를 형성하는데 비교적 긴 시간이 걸렸다. 仲景의

글에서 알 수 있듯이 傷寒病은 본디 表에서 발병하는 것이나 汗으로 치료할 수 없다고 다시 吐·下의 방법을 거치게 되면, 비록 表의 邪氣는 해소되었다 하더라도 脾胃의 氣 또한 상하게 된다. 증상은 心下에 痞가 딱딱하게 뭉쳐 있는 것으로 보이며, 이는 有形의 邪가 안쪽에서 막고 있는 것으로 볼 수 있다. 하지만 아직 그 성질을 알 수 없다. 噫氣가 제거되지 않으면 胃氣의 조화가 깨져서 上逆하게 된다. 金代의 成無己가 본 방제를 분석할 때 단지 "胃氣弱而未和, 虛氣上逆"(『注解傷寒論』卷4에 수재됨)에서만 논했을 뿐 痰飮內阻에 대해서는 언급하지 않았다. 明代의 許宏 역시 證候의 病機 방면에서 痰飮의 존재에 대해 인식하지 못하고, 단지 方論에서만 旋覆花는 "下氣除痰爲君"(『金鏡內台方議』卷8에 수재됨)이라고 언급했다. 明末의 方有执에 이르러서야 본 증상이 "心下痞硬, 噫氣不除者, 正氣未復, 胃氣尚弱, 而伏飮爲逆也"라고 명확하게 지적하기 시작했으며, 방제에서 "旋覆·半夏, 蠲飮以消痞硬"(『傷寒論條辨』卷2에 수재됨)라고 했다. 方氏의 주장은 많은 의학자들의 폭넓은 인정을 받았고, 또한 본 방제를 脾胃氣虛, 痰濁中阻, 胃氣上逆으로 인해 脘痞噫氣가 나타나는 內傷雜病에 확대적용했다. 본 방제에서 旋覆花와 代赭石를 함께 配伍해서 降逆下氣하게 치료하며, 후세의 의학자들에 의해 광범위하게 계승되었고 자신의 견해에 대입해서 융통성있게 변통해서 사용했다. 예를 들면 明·陶華는 본 방제를 사용할 때 매번 枳實을 大棗로 바꿔서 消痞除滿의 효력을 강화시켰다(『傷寒全生集』卷2에 수재됨); 淸·李用粹은 "嘔吐不已, 眞氣逆而不降"를 치료할 때, 旋覆花 三錢을 물을 넣고 달이고, 代赭石 분말 一錢을 타서 복용하게 해서 原方의 鎭墜의 작용만을 취했다(『證治滙補』卷5에 수재됨); 반면 徐大椿은 本方의 主藥도 肺로 入經한다는 이치에 근거해서 桑白皮·川貝母 등의 약을 넣고 "痰氣上壅, 氣喘咳嗽, 脈弦者"(『醫略六書』卷26)를 치료하는데 사용했다. 이는 旋覆代赭湯에 넣고 빼서 肺 계통의 질병을 치료하는 효시를 열었다고 할 수 있다. 張錫純은 더욱더 본 방제에 넣고 빼서 化裁하는데 잘 사용했으며, 특히 赭石에 대한 응용은 가히 독창적이라고 말할 수 있다. 鎭攝湯·參赭鎭氣湯·鎭逆湯 등으로 虛氣上衝으로 인해 발병한 胸膈滿悶·喘逆·嘔吐·膈食·吐血 등의 증상을 치료하며, 그 치료효과가 뛰어나다. 근대에 본 방제의 사용 범위가 또한 확대되었다. 대부분 消化系統疾病(예를 들면 急慢性胃炎·胃及十二指腸球部潰瘍·胃擴張·胃下垂·食管梗阻·幽門不全梗阻·膽道感染·慢性肝炎·膈肌痙攣 등)·神經系統疾病(예를 들면 神經性嘔吐·胃神經官能症·메니에르병 등)·呼吸系統疾病(예를 들면 支氣管炎·支氣管哮喘·支氣管擴張 등), 및 梅核氣·妊娠惡阻 등의 질병으로 "痞"·"噫"의 증상을 띠며, 中虛痰阻氣逆에 해당하는 환자의 경우 旋覆代赭湯에 넣고 빼서 치료하면 좋은 효과를 거두었다.

【難題解說】

1. 본 방제의 君藥에 대해서: 본 방제가 치료하는 證候의 病機는 胃氣上逆을 위주로 하며, 방제에서 旋覆花·代赭石은 모두 降逆下氣의 要藥이 된다. 原方에서 旋覆花를 重用하고 代赭石을 輕用하기 때문에, 따라서 許宏·汪琥 등은 본 방제에서 旋覆花를 君藥으로 여겨야 한다고 주장했다("方論選錄"참고), 공통교재(統編教材) 제 5·6판에도 역시 이러한 견해를 견지하고 있다. 하지만 더욱더 많은 주석가(注釋家)는 오히려 旋覆花·代赭石 모두가 본 방제의 주요 약재라고 주장했다. 예를 들어 成無己·吳昆·罗美·周揚俊·王子接·尤怡·張秉成 등이 있으며, 『方劑學』4판 교재에도 역시 두 약재 모두가 君藥이 된다고 밝혔다. 또한 본 방제의 方名에도 역시 仲景의 두 약재에 대한 중시를 반영했다. 필자는 본 방제가 치료하는 증상은 胃氣上逆해서 噫氣不除가 발생하는 것을 主症으로 하며, 治法에 있어서 마땅히 降逆下氣하게 치료해야 한다고 생각한다. 만약 鎭逆의 작용에 대해서 논한다면, 당연히 代赭石이 가장 뛰어나지만, 旋覆花는 消痰한 효능을 겸할 수 있고, 또한 그 용량이 代赭石의 3배에 달할 만큼 많다. 이 때문에 仲景의 制方 취지는 旋覆花를 降逆化痰하는 효능을 띄는 주요 약재로 여긴 것으로 보인다. 그러나 현재 본 방제를 임상에서 응용하는 것을 종합해 보면 代赭石의 용량은 종종 旋覆花의 2~3배가 되며, 이는 仲

景의 原方과 크게 다르다. 따라서 旋覆花와 代赭石은 모두 君藥으로 보거나, 따로 나누어서 君藥·臣藥으로 보거나, 이는 마땅히 방제와 증상에 따라 정한다. 본 책은 仲景의 制方 취지에 근거해서 旋覆花를 君藥으로 삼았다.

2. 방제에서 旋覆花와 代赭石의 용량에 대해서: 위에서 이미 서술한 바와 같이, 原方에서 旋覆花를 重用하고 代赭石을 輕用하며, 두 약물의 비율은 3:1이다. 이에 대해 역대 의학자들이 다른 견해를 내놓았다: 첫째는 본 증상은 胃氣가 이미 虛해서, 만약 重墜太過하면, 더욱더 生發之氣를 傷하게 할 수 있다. 따라서 仲景이 輕用하는 것으로 보여지는 것은 매우 깊은 뜻이 있다고 주장했다. 둘째는 花는 성질이 輕하고 부피가 크며, 石은 성질이 重하고 부피가 작기 때문에 본 방제에서 石藥이 花藥의 1/3에 불과한 것은 이치에 어긋난다. 또한 代赭石의 약성이 平和해서, 鎭潛에 뛰어나기 때문에, 반드시 부족한 것을 重用해서 逆上之氣를 降하게 해야 한다고 주장했다. 張錫純 또한 본 약재를 重用해야 한다고 주장했으며, "此方中之赭石, 即少用亦當爲人蔘之三倍也"(『醫學衷中參西錄』中册)라고 했다. 오늘날 본 방제를 사용할 때, 두 약의 비율은 대부분 1:1.5~3이다. 두 가지 관점은 마치 정반대인 것 같지만 임상 자료를 종합 분석하면 각각의 이치가 있다. 만약 胃虛가 심하지 않고 氣逆이 심한 환자의 경우에는 代赭石을 重用해도 무방하다. 만약 胃虛가 비교적 심하고, 氣逆이 심하지 않은 환자의 경우에는, 오히려 代赭石의 용량이 과도하게 많으면 안 된다. 두 약의 비율은 胃虛와 氣逆의 정도에 따라 정해야지, 石藥은 많이 사용하고 花藥은 적게 사용하는 관례에 국한되어서는 안 된다. 原方의 生薑의 용량이 많고 五兩에 달하기 때문에, 代赭石의 용량을 줄여서 降逆和胃의 부족한 것을 보완한 것에서 볼 때, 仲景이 石藥을 과도하게 많이 사용해서 위를 상하게 하는 것은 원치않는다는 본 뜻을 유추해 볼 수 있다.

3. 방제에서 人蔘의 작용에 대해서: 본 방제가 치료하는 증상은 痰阻氣逆을 標로 하고, 胃氣虛弱을 本으로 한다. 방제에서 人蔘을 配伍해서 사용하는 것은 益氣補虛養胃에 있다는 것은 의심할 여지가 없다. 따라서 임상에서 본 방제를 응용할 때, 만약 胃虛 증상이 뚜렷하지 않는 경우에는, 보통 人蔘을 빼야한다고 주장한다. 하지만 人蔘에 대해 다른 견해를 보이는 사람도 있다. 이들은 본 방제를 사용할 때, 반드시 人蔘(혹은 太子參·黨參으로 人蔘을 대체한다)을 사용해서, 扶胃降逆하지 못하도록 해야 한다고 주장했다. 그렇지 않으면, 胃弱한 환자의 경우에는 대부분 嘈雜을 참을 수 없고, 胃氣가 건강한 환자의 경우에는 비록 큰 장애는 없지만, 치료 효과는 비교적 떨어지게 된다. 따라서 旋覆代赭湯을 넣고 빼서 응용할 때, 유일하게 人蔘·旋覆花·代赭石 이 세 약재만 바꿀 수 없다[1]는 주장은 참고할 만하다.

4. 代赭石의 炮製方法: 본 방제에 사용하는 것은 바로 生大赭石이지만, 煅大赭石을 사용해야 한다고 주장하는 사람도 있다. 이는 구워서 사용(煅用)하면 鎭降효능이 줄어들지 않고, 달일 때 藥性이 쉽게 나오고, 또한 苦寒한 性味를 줄일 수 있기 때문이다. 張錫純이 말하길: 代赭石은 "生研服之不傷腸胃, 即服其稍粗之末亦與腸胃無損. 且生服則養氣純全, 大能養血. ……若煅用之即無斯效, 煅之復以醋淬之, 尤非所宜"(『醫學衷中參西錄』中册에 수재됨)라고 하며, 오로지 赭石을 구워서 사용(煅用)할 때의 문제점을 설명하였으며, 이는 張氏가 본 약을 임상에서 응용한 경험을 반영했다. 현재 임상에서 본 방제에 대한 응용을 전체적으로 종합해 보면, 방제에도 또한 生代赭石이 많다.

【醫案】

1. 噫氣不除 『北京中醫』(1994, 3:35): 여자, 34세. 환자는 十二指腸球部潰瘍病을 앓은지 5년이 되었으며, 자주 心下에 痞가 딱딱하게 뭉쳐 있는 것 같이 느껴져서, 한의학과 현대의학에서 1년 넘게 치료를 받고 다 나았다. 최근 몇 달 동안 家事情志가 뜻대로 되지 않

고, 또한 心下에 痞가 딱딱하게 뭉치고, 噫氣가 자주 나와서 胃癌에 걸릴까 의심되고 걱정이 끊이지 않아서 모 병원에서 체계적인 검사를 받았다. 癌變이 아닌 神經性膈肌痙攣으로 진단받고 15일 동안 치료를 받았으나 치료 효과가 뚜렷하지 않았다. 현재 증상은 心下痞硬, 噫氣不除, 納呆食少, 大便不暢, 舌淡苔滑, 脈弦滑無力하다. 본 증상은 脾胃失和, 痰氣交阻, 肝胃氣逆에 해당한다. 調和脾胃, 滌飮化痰, 鎭肝降逆하게 치료하며 旋覆代赭湯을 選用한다. 방제: 旋覆花(包煎) 12 g, 代赭石(先煎) 4 g, 人蔘 8 g, 半夏 12 g, 炙甘草 12 g, 生薑 20 g, 大棗 四枚를 넣었다. 물을 넣고 달여서 아침 저녁으로 나누어서 따뜻하게 복용한다. 약을 7첩 복용한 후, 噫氣가 사라지고, 心下가 寬暢하다고 느껴지고, 식사량이 늘고, 大便 활동이 원활해졌다. 여전히 面色不華, 身倦乏力, 舌淡苔白, 脈弦細略滑해서 當歸芍藥湯으로 바꾸고 6개월 동안 조리한 후 치유되었다.

『山東中醫雜誌』(1998, 3:3): 여자, 25세. 환자는 재왕절개 수술 후 이틀 동안 呃逆이 계속 나오고, 胃脘脹痛이 胸까지 올라오고, 刀口痛이 심해서, 소염·진정 및 회복 위장기능약을 주고 치료했으나 모두 효과가 없었다. 진료 당시: 얼굴 부위에 경미한 浮腫이 있고, 眼瞼부위가 특히 심했다. 神疲乏力, 呃逆頻作, 不能自主, 晝夜難眠, 納差, 苔白, 脈弦數했다. 이는 수술 후 傷氣하고, 胃氣가 虛해서 上逆한 것이다. 扶脾益胃, 降逆化痰, 寧心安神하게 치료하고 旋覆代赭湯을 넣고 뺀다. 藥用: 旋覆花 15 g(包煎), 代赭石 30 g, 黨參·茯苓·甘草·人棗을 각각 12 g씩 넣었다. 약을 1첩 복용한 후, 呃逆이 점점 줄어들어서, 계속해서 4첩을 복용하고 나서 모든 증상이 없어졌다.

2. 反胃『湖北中醫雜誌』(1981, 6:44): 남자, 28세. 환자는 潰瘍病을 앓은지 10년이 되었다. 최근 15일 동안 胃脘痛이 심하고, 上腹飽脹해서 구역질이 나고, 아침에 먹으면 저녁에 토하고, 저녁에 먹으면 아침에 토하고, 토할 때는 대량의 수분이 포함되어 있었으며, 토한 후에는 痛脹이 줄어들었다. 현지 병원에서 치료를 받았으나 효가가 없어서, 진료를 받으러 왔는데 "十二指腸球部潰瘍并幽門梗阻"으로 진단받고 입원했다. 입원 후 X선 바륨 검사에서, 胃影이 확대되고, 蠕動加强되고, 胃排空 시간이 연장되고, 幽門 폐색에 부합하는 특징을 보였다. 환자는 마르고 안색이 창백하며, 눈언저리가 푹 파이고, 윗배가 볼록하며 배를 두드리면 물이 흔들리는 소리가 났다. 舌淡紅, 苔白微黃, 脈弦細했다. 본 증상은 中虛氣逆夾飮에 해당하며, 溫中化飮, 降逆和胃하게 치료한다. 방제: 旋覆花 10 g, 代赭石 30 g, 黨參 15 g, 甘草 6 g, 半夏 10 g, 生薑 三片, 大棗 五枚, 黃連 5 g을 넣는다. 약을 2첩 복용한 후 腹痛嘔吐가 멎었고, 계속해서 原方에 넣고 빼서 6첩 복용한 후 임상 증상이 사라졌다.

『四川中醫』(1994, 1:41): 남자, 생후 57일. 태어난지 14일째 되는 날 嘔吐, 發熱, 咳嗽 증상이 발생해서 1개월 동안 치료했으나 낫지 않아서 縣소재 인민병원에 입원해서 치료를 받았다. 입원 당시 "新生兒幽門痙攣"으로 진단받고 이틀 동안 수액을 맞았으나 뚜렷한 효과가 없어서 한방 치료를 요청했다.

혈액검사 결과: WBC 8.9×10^9/L, DC: N 68%, L 32%, Hb 72 g/L했다. 환자의 어머니가 대신 호소하길: 42일 동안 嘔吐를 했으며, 젖·따뜻한 물 등을 먹이면 바로 토하고, 몸이 바짝 마르고, 기운이 없으며, 눈에 광채가 없었다. 금식·수액 등의 치료를 이틀 동안하고 난 후에도 여전히 嘔吐를 해서 旋覆代赭湯에 (旋覆花包煎·枳殼 各 5 g, 代赭石 10 g, 黨參·大棗·生薑·竹茹 各 6 g)를 加味하고 물로 달여서 매일 1첩씩 3회에 나누어 복용하게 했다. 그 결과 약을 3첩 복용한 후 嘔吐 증상이 멎고, 치유되어서 퇴원했다. 2개월 동안의 방문조사에서 다시 재발하지 않았으며, 몸은 건강해졌다.

3. 奔豚氣『北京中醫』(1996, 1:30): 여자, 39세. 氣가 아랫배에서 胸脘으로 치밀어 오르고, 이 증상이 4개월 넘게 반복적으로 나타났다. 환자는 성격이 내성적이고, 4개월 전 영업시간에 고객과 말타툼을 하고 모욕감을

느낀 다음 날부터 발병하기 시작했다. 처음에는 4~5일에 1번 발병했고, 점점 더 심해지더니, 최근에는 하루에 1번씩 발병해서, 여러 곳을 전전하며 치료하다가 낫지 않았다. 진료 당시: 매일 오후 4시경이 되면 아랫배 왼쪽 부위에 먼저 주먹같은 것으로 때리는 것 같이 느껴지고, 마치 돼지가 달리는 것 같았다. 10분 정도 지난 후 천천히 아랫배쪽으로 이동했다가 다시 위로 올라가 胸脘에 달했을 때는 갑자기 嘔吐痰涎이 많이 나더니 곧 기절했다가 깨어났다. 깨어났을 때는 보통 사람과 같았고, 깨어나기까지 1시간 정도 걸렸다. 이전에 시행한 바륨관장과 胃腸 바륨 조영술 검사에서 이상소견은 없었으며, 苔薄白脈弦했다. 본 증상은 奔豚氣에 해당하며, 鬱怒傷肝하고 肝氣上逆해서 발병한 것이다. 따라서 鎭肝降逆하게 해야 하며, 旋覆代赭湯에 桂枝加桂湯을 넣고 치료한다: 旋覆花10包, 代赭石 30 g, 薑半夏 10 g, 黨參 10 g, 桂枝 15 g, 白芍 10 g, 甘草 7 g, 生薑 三片, 大棗 四枚를 넣고 매일 1첩씩 물을 넣고 달여서 복용한다. 위의 방제로 약 3첩을 복용한 후에 奔豚氣가 갑자기 줄어들었다. 다만 아랫배 왼쪽 부위에 주먹같은 것으로 때리는 것 같은 느낌만 예전에 비해 조금 덜해졌으며, 다른 부위로 이동하거나 上衝하지 않고, 10분 정도 지속되다가 멈췄다. 계속해서 原方에 따라 약 5첩을 복용한 후에 다 나았다.

考察: 환자는 鬱怒한 후에 氣가 아랫배에서부터 上衝한 것이기 때문에 肝氣上逆에서부터 치료를 논해야 한다. 旋覆代赭湯은 비록 본디 胃氣上逆에 의한 증상을 치료하기 위해서 만들어진 것이지만, 旋覆花·代赭石 두 약 역시 入肝鎭逆할 수 있기 때문에 본 방제와 降逆平衡의 효능이 뛰어난 桂枝加桂湯을 함께 배합해서 사용하면 치료 효과를 볼 수 있다.

4. 咳嗽『四川中醫』(1991, 1:6): 남자, 3세 6개월(42개월). 咳嗽의 증상이 나타난지 3개월 정도 되었다. 진료 당시 환자는 咳嗽氣喘, 喉間痰聲漉漉, 甚則懸嘔, 咳末無回聲, 納谷不馨, 舌質淡, 苔薄膩, 脈細했다. 본 증상은 병이 오래되어 正氣를 傷해 中氣가 이미 傷하였고 痰涎이 內生하여 氣道를 막은 것이다. 益氣和胃, 降逆化痰하게 치료한다. 旋覆代赭湯을 위주로 한다. 방제: 旋覆花包煎·炒黨參·半夏 各 10 g, 代赭石先煎 15 g, 甘草 3 g, 大棗五枚, 生薑三片을 넣는다. 약을 3첩 복용한 후, 咳嗽가 줄어들고, 가끔씩 기침하고, 痰 역시 감소했으나, 오직 納穀이 여전히 적고 苔薄, 脈細했다. 효과가 있으면 방제를 바꾸지 않는 원칙에 따라, 위의 방제에 焦三仙을 各 10 g을 넣고 계속해서 5첩을 복용한 후 다 나았다.

考察: 본 醫案은 痰阻氣道하고 肺氣上逆해서 발병한 咳嗽이다. 따라서 旋覆代赭湯으로 降逆化痰하게 하고 약 3첩을 복용한 후 바로 뚜렷한 효과를 보았다. 두 번째 진료 당시 환자는 納穀상태가 좋지 않아서, 다시 焦三仙을 넣고 消食和胃해서 큰 효과를 보았다.

5. 便秘『國醫論壇』(1996, 6:16): 여자, 34세. 변비에 걸린지 3년이 되었다. 일주일에 1번 딱딱하게 굳은 변을 보고 해결이 안되서 果導片·潤腸丸 등을 번갈아 가며 복용하였으며, 복용 초기에는 효과를 보여서 계속해서 복용했으나 효과가 이어지지 않았다. 환자는 현재 대변이 딱딱하고, 5일 동안 변을 보지 못했으며, 胃脘痞脹하고, 아랫배가 약간 거북하고, 矢氣가 적고, 噯氣가 빈번하게 나오며, 飮食乏味, 面萎神疲, 舌質淡, 苔薄白, 脈沉細했다. 脈症을 함께 참고해서 보니, 본 증상은 中氣가 부족해서 脾胃가 운반할 힘이 없고, 淸濁升降이 무질서해졌다. 旋覆代赭湯을 가미한다: 旋覆花包煎 10 g, 代赭石 打碎 20 g, 黨參 20 g, 半夏 6 g, 白朮 15 g, 火麻仁 15 g, 枳殼 10 g, 生薑 三片, 大棗 五枚를 넣고 약을 2첩 복용한 후 腑垢가 바로 해소되었다. 계속해서 위의 방제에 넣고 빼서, 모두 18첩을 복용한 다음에 大便이 정상적으로 돌아왔고, 2년 동안의 방문 조사에서 재발하지 않았다.

考察: 본 病例는 便秘이며, 中氣虛餒하고, 腸속의 糟粕이 아래로 내려가지 못해서 발병한 것이다. 脾胃가 허약하고, 運化에 힘이 없으면, 濁氣가 내려가지 못하고 오히려 거꾸로 上逆해서, 겨우 通利하게 해서, 잠시동안 효과를 보지만 도리어 中氣를 더욱 상하게 한다. 旋覆代赭湯을 넣고 中氣를 補하고, 降胃逆하게 하면 脾胃氣增하고 運化에 힘이 생겨서, 腑氣가 막힘없이 통하고 大便이 저절로 조절되게 된다.

橘皮竹茹湯

(『金匱要略』)

【異名】 竹茹湯(『醫學入門』卷7)·陳皮湯(『醫學綱目』卷16)·陳皮竹茹湯(『醫學綱目』卷16)·竹茹橘皮湯(『中國醫學大辭典』).

【組成】 橘皮 二斤(12 g) 竹茹 二斤(12 g) 大棗 三十枚(五枚) 生薑 半斤(9 g) 甘草 五兩(6 g) 人蔘 一兩(3 g)

【用法】 위의 약재를 물 一斗를 넣고 달여서 三升으로 졸인다. 一升을 하루 3회에 나누어서 따뜻하게 복용한다.

【效能】 降逆止呃, 益氣淸熱.

【主治】 胃虛有熱에 의한 呃逆을 치료한다. 呃逆하거나 乾嘔하고, 虛煩少氣, 口乾, 舌紅嫩, 脈虛數하다.

【病機分析】 呃逆에 의한 증상은 寒·熱·虛·實로 구분된다. 본 방제가 치료하는 증상은 오래된 병이나 吐利로 傷中하고, 耗氣劫液, 虛熱內生, 胃失和降, 氣機上逆으로 인해서 발병하는 것이다. 胃虛有熱하면, 氣가 上逆해서 噦로 나타나게 된다. 예전에는 噦라고 하였지만, 현재는 呃逆라고 부른다. 虛煩少氣, 口乾, 舌質紅, 脈虛數 등은 또한 胃中有熱한 증후이다.

【配伍分析】 胃虛하면 補해야 하고, 胃熱하면 淸해야 하고, 氣逆하면 降해야 하므로, 따라서 益氣淸熱, 降逆和胃을 治法으로 삼아야 한다. 방제의 橘皮는 性味가 辛苦而溫하고 行氣和胃한 효능이 있어서 呃를 멎게 한다. 竹茹는 性味가 甘寒하고 淸熱安胃한 효능이 있어서 嘔를 멎게 한다. 이 두 약재를 함께 配伍하면 降逆止嘔할 뿐만 아니라, 또한 淸熱安胃할 수 있어서 모두 重用하고 君藥이 된다. 生薑은 和胃止嘔한 효능이 있어서 嘔家의 聖藥이 되며, 君藥을 도와서 胃氣之逆을 내려가게 하며; 人蔘은 益氣補中한 효능이 있어서 橘皮와 함께 배합하면 行中有補하므로 모두 臣藥이 된다. 甘草·大棗는 益氣補脾養胃한 효능이 있어서 人蔘과 함께 배합하면 補中益胃하고 奠安中土해서 胃氣之虛를 회복시킬 수 있다. 이들은 모두 佐藥이 된다. 甘草는 調和한 藥性이 있어서 또한 使藥으로도 여긴다. 諸藥을 함께 사용하면 모두 降逆止呃, 益氣淸熱의 작용을 한다.

본 방제의 配伍 특징은 두 가지이다: 첫째는 甘寒의 性味를 띄는 竹茹과 辛溫한 性味를 띄는 橘皮·生薑을 함께 配伍해서, 淸而不寒하게 치료한다. 둘째는 益氣養胃한 성질의 人蔘·大棗·甘草와 行氣和胃한 성질의 橘皮를 함께 配伍해서 補而不滯하게 치료한다.

【臨床應用】

1. 證治要點: 본 방제는 주로 胃虛有熱하고 氣逆不降한 증상을 치료한다. 呃逆이 자주 나오거나 嘔吐하고, 舌紅嫩한 증상을 치료의 요점으로 삼는다.

2. 加減法: 만약 胃陰不足이 비교적 심하고, 口乾·舌紅少苔한 환자의 경우에는 石斛·麥冬 등을 넣고 滋陰養胃하게 치료하거나 혹은 麥門冬湯을 넣고 뺀다. 胃熱嘔逆하지만 氣虛가 뚜렷하지 않는 환자의 경우에는 人蔘·甘草·大棗를 빼고, 丁香·柿蒂 등을 넣고 降逆止呃의 효력을 높일 수 있다. 만약 胃熱이 비교적 심하고, 口渴欲飮, 舌紅苔黃한 환자의 경우에는 黃連를 넣고 淸泄胃熱하게 치료하는 것이 알맞다.

3. 橘皮竹茹湯은 다음 한국표준질병사인분류(KCD)에 해당하는 환자가 胃虛有熱證으로 辨證되는 경우 본 처방의 사용을 고려해볼 수 있다.

처방 목표	한국표준질병사인분류(KCD)
妊娠嘔吐	O21 임신 중 과다구토
幽門不全梗阻嘔吐	K31.3 달리 분류되지 않은 유문연축
腹部手術	K91.0 위장수술 후의 구토

【注意事項】 呃逆·嘔吐 등의 虛寒하거나 實熱에 해당하는 증상에는 본 방제를 사용하지 않는다.

【變遷史】 본 방제는 張仲景에 의해 처음 만들어진 것으로 『金匱要略』「嘔吐噦下利病脈證治」편에 처음으로 기록되었다. 원문에는 "噦逆者, 橘皮竹茹湯主之"라고 되어 있으며, 역대 의학자들이 자신의 임상 경험을 바탕으로 하고 또한 본 방제의 理法證治에 대해 적지 않은 보충과 발전을 도모했다. 가장 먼저 "胃虛有熱"라고 본 방제의 病機를 개괄한 사람은 明代의 저명한 의학자인 張介賓으로, 그는 『景岳全書』卷54에서 본 방제는 "吐利後, 胃虛膈熱呃逆"한 증상을 치료하기 위해서 만들었다고 했다. 淸代의 의학자인 李文 역시 張氏의 주장에 동의하며 지적하길 "此噦逆因胃中虛熱氣逆所致"(『醫宗金鑑』「訂正仲景全書金匱要略注」편 卷22에 수재됨)라고 했다.

후세의 본 방제를 응용할 때 항상 다음과 같이 넣고 빼는 변화를 주었다: 첫째는 다시 降逆和胃藥을 넣고 降逆下氣의 작용을 강화했다. 예를 들면 『類證活人書』卷16에서 原方의 生薑을 빼고, 半夏로 바꿔 사용해서 妊娠惡阻를 치료하고, 『壽世保元』卷3에서는 본 방제에 柿蒂·丁香을 넣고 胃虛膈熱한 呃逆 환자를 치료했다. 둘째는 淸熱藥을 넣었다. 본 방제에서 淸胃의 효능을 띄는 약재는 오직 竹茹 하나이기 때문에, 만약 胃熱이 심한 증상을 치료할 경우 그 효력이 미치지 못하게 된다. 예를 들면 『醫宗金鑑』卷62에서 본 방제에 黃連을 더욱 더 많이 넣어서 胃火上逆氣衝하고, 時時呃逆, 身熱煩渴, 口乾唇焦한 환자를 치료했다. 셋째는 滋陰藥을 넣고 胃陰 부족이 비교적 심하고, 口渴舌紅少苔한 환자를 치료했다. 예를 들면 『痲症集成』卷4에서 沙參·麥冬을 넣고, 痲疹胃虛羸瘦, 嘔逆不已를 치료했다. 넷째는 益氣補虛藥을 빼고 胃熱氣逆해서 中虛不著한 환자를 치료했다. 예를 들면 『溫病條辨』卷2의 新制橘皮竹茹湯은 본 방제에서 人蔘·甘草·大棗를 빼고, 柿蒂를 넣고 降逆하게 해서 濕熱이 胃氣를 막아서 생긴 噦를 치료했다. 이밖에도, 宋代의 의학자인 嚴用和는 본 방제에 茯苓·半夏·麥冬·枇杷葉을 넣었으며, 이는 후세에 "濟生橘皮竹茹湯"(『濟生方』卷2에 수재됨)이라고 불렸다. 補虛·淸熱·降逆 등의 효능은 모두 原方에 비해 더욱 뛰어나다.

【難題解說】 본 방제의 藥性과 適應症에 대해서: 본 방제의 藥性은 비교적 순하다. 비록 竹茹는 寒한 성질을 띄지만, 다른 약재들은 모두 溫한 성질을 띠고 있어서, 방제의 모든 약재를 함께 사용하면, 거의 대등한 성질(平性)을 띄게 된다. 역대의 주석가(注釋家)들이 대부분 본 방제가 주로 胃虛有熱에 의한 呃를 치료한다고 말했지만, 黃元御·吳謙 등은 中虛氣逆에 대해서만 말했을뿐 熱에 대해서는 언급하지 않았다. 陳元犀는 도리어 "寒熱錯亂"라고 말했다. 따라서 본 방제의 適應범위는 胃虛有熱에 한정되지 않으며, 대체로 胃虛氣逆하고 嘔惡噦呃한 증상을 보이는 모든 경우에 적용할 수 있다. 만약 熱이 심한 환자의 경우에는 반드시 黃連 등을 넣어야 한다. 예를 들면 『醫宗金鑑』「外科心法要訣」편의 卷62에서 潰瘍을 치료할 때 胃火上逆氣衝熱呃을 치료하는 橘皮竹茹湯을 사용했다. 胃氣不虛한 경우에는 또한 人蔘·甘草·大棗를 빼고 치료할 수 있다. 예를 들면 『溫病條辨』卷2의 新制橘皮竹茹湯은 "陽明濕溫, 氣壅爲噦"를 치료했다.

【醫案】

1. 乾嘔 『柳選四家醫案』「静香樓醫案」: 胃虛氣熱, 乾嘔不便했다. 橘皮竹茹湯에 蘆根·粳米를 넣는다.

考察: 본 醫案은 胃虛氣逆乾嘔이므로, 橘皮竹茹湯으로 降逆止呃, 益氣淸熱하게 치료하고, 다시 蘆根을 넣고 淸熱止嘔하게 치료하고, 粳米를 넣고 益胃和中하게 치료했다. 본 방제에서 약을 사용하는데 있어서 구성이 조화롭고 적절해서 깊이 새겨볼 만하다.

2. 呃逆『河南中醫』(1995, 1:45): 남자, 37세. 間歇性呃逆를 앓은지 1년이 되었고 최근 증상이 심해져서 진료를 받았다. 환자는 體質이 튼튼하며 약간 뚱뚱해 보이고, 연거푸 딸꾹딸꾹 소리를 내고, 목청이 높고 우렁차며, 口乾欲飮, 便結尿黃, 舌紅脈弦했다. 呃이 나기 전에 情志자극 병력이 있다. 脈證을 함께 참고해서 보니, 본 증상은 七情鬱結, 蘊久化火, 火逆衝上, 擾動膈肌해서 발병한 것으로 淸熱和胃, 理氣止呃하게 치료하는 것이 알맞다. 방제에는 陳皮 20 g, 竹茹 15 g, 黨參 12 g, 生甘草 10 g, 生薑 10 g, 大黃 10 g, 生白朮 12 g, 夏枯草 12 g, 大棗 七枚를 넣고 1첩을 복용한 후 呃逆이 크게 줄었으며, 3첩을 복용한 후 증상이 사라졌다. 1년 후 한 번 재발했으나 증상이 예전보다 심하지 않아서 위의 방제로 치료받은 후 완치되었다.

考察: 胃熱氣逆하면 呃逆으로 나타나기 때문에 橘皮竹茹湯을 주고 降逆止呃, 淸熱和胃하게 치료한다. 腑氣가 통하지 않으면 胃氣가 내려가지 않기 때문에 大黃을 넣어서 瀉熱通腑해서 胃氣로 하여금 아래로 내려가게 한다. 본 증상은 七情鬱結化火해서 발병한 것이기 때문에 또한 夏枯草를 넣고 淸肝瀉火하게 치료했다. 약과 증상이 서로 잘 맞아서 바로 치유되었다.

【副方】 新制橘皮竹茹湯(『溫病條辨』卷2): 橘皮 三錢(9 g) 竹茹 三錢(9 g) 柿蒂 七枚 薑汁 三茶匙冲

- 用法: 이상의 약재를 물 2잔을 넣고 달여서 2잔으로 졸이고, 2회에 나누어서 따뜻하게 복용한다. 더 복용할 수도 있다. 痰火가 있는 환자의 경우에는 竹瀝·瓜蔞霜을 넣고, 瘀血이 있는 환자의 경우에는 桃仁을 넣었다.
- 作用: 和胃降逆.
- 適應症: 陽明濕溫하고 氣壅爲噦를 위주로 치료한다.

본 방제는 橘皮竹茹湯에서 補虛한 성질의 약재를 빼고, 다시 柿蒂를 넣고 降逆하게 만든 것이며, 이렇게 넣고 빼고 변화를 주는 이치에 대해 吳瑭이 풀어 이르길: "濕熱壅遏胃氣致噦, 不宜用參·甘峻補, 故改用柿蒂. 柿成于秋, 得陽明燥金之主氣, 且其形多方, 他果未之有也, 故治肺胃之病有獨勝; 柿蒂乃柿之歸束處, 凡花皆散, 凡子皆降, 凡降先收, 從生而散而收而降皆一蒂爲之也, 治呃逆之能事畢矣"(『溫病條辨』卷2)라고 했다. 본 방제와 橘皮竹茹湯은 모두 理氣和胃, 降逆淸熱止呃의 작용을 하기 때문에 모두 胃中有熱, 胃氣上逆에 의한 呃逆證을 치료할 수 있다. 반면 본 방제는 益氣작용을 하지 않기 때문에 胃熱呃逆으로 인한 胃氣不虛한 환자를 치료하는데 알맞다. 하지만 橘皮竹茹湯은 益氣작용을 겸하기 때문에 胃熱呃逆으로 인한 胃氣虛弱한 환자를 치료하는데 알맞다.

丁香柿蒂湯

(『症因脈治』卷2)

【組成】 丁香(6 g) 柿蒂(9 g) 人蔘(3 g) 生薑(6 g)

【用法】 물을 넣고 달여서 복용한다.

【效能】 溫中益氣, 降逆止呃.

【主治】 虛寒呃逆을 치료한다. 呃逆不已, 胸脘痞悶, 舌淡苔白, 脈沉遲하다.

【病機分析】 胃는 五臟六腑의 海가 되며, 氣를 정상적으로 通降下行하게 한다. 胃中虛寒해서 和降의 기

능을 하지 못하면 氣가 上逆해서 呃逆으로 나타나는 것이다. 氣逆不順하면 胸脘痞悶하게 되고, 舌淡苔白, 脈沉遲 등은 모두 胃氣虛寒한 증후이다.

【配伍分析】 본 방제는 虛寒呃逆을 치료하기 위해서 만들어 졌다. 따라서 溫胃降逆止呃한 治法으로 치료해야 한다. 방제에서 丁香은 性味가 辛溫芳香해서, 溫中散寒하고 降逆止呃하게 할 수 있어서 胃寒呃逆을 치료하는 要藥이 된다. 柿蒂는 性味가 苦平해서, 胃氣를 내리는데 뛰어나기 때문에 또한 胃氣上逆에 의한 呃逆을 치료하는 要藥이 된다. 두 약재를 配伍하면, 溫胃散寒하고 降逆止呃의 작용이 함께 더욱 두드러지기 때문에 함께 君藥이 된다. 生薑은 性味가 辛溫해서 嘔家聖藥으로 여기며, 丁香·柿蒂와 함께 사용하면 溫胃降逆의 작용이 눈에 띄게 증가하기 때문에 臣藥으로 사용한다. 또한 人蔘과 配伍하면 甘溫益氣, 補虛養胃하기 때문에 佐藥이 된다. 위의 네가지 약재를 함께 사용하면, 모두 溫中益氣, 降逆止呃의 작용을 하게 되어서 胃寒散하게 하고, 胃虛復하게 하고, 氣逆平하게 하면 呃逆·胸痞이 저절로 없어진다.

본 방제의 구성은 降逆和胃를 위주로 하며, 溫中補虛를 겸하기 때문에, 降逆하는 가운데 溫補하게 하는 것을 주된 配伍 특징으로 한다.

【類似方比較】 본 방제와 旋覆代赭湯·橘皮竹茹湯은 모두 降胃氣·止嘔逆·養胃氣의 작용을 해서, 모두 胃虛氣逆한 증상을 치료한다. 따라서 방제에서 모두 人蔘을 넣고 補中益氣하게 하고, 生薑을 넣고 和胃止嘔하게 한다. 하지만 旋覆代赭湯의 경우에는 降逆止嘔化痰하는 효능이 뛰어나기 때문에 주로 胃虛痰阻, 氣逆不降에 의한 心下痞硬, 反胃嘔吐, 噫氣不除를 치료한다. 방제에서 旋覆花를 넣고 降氣消痰하게 하고, 代赭石을 넣고 重鎭降逆을 위주로 해서 치료한다. 橘皮竹茹湯으로 胃虛呃逆하면서 熱이 심한 증상을 치료하는 경우에는 방제에 橘皮를 넣고 理氣和胃하게 하고, 竹茹를 넣고 淸胃止呃를 위주로 해서 치료한다. 본 방제로 胃虛呃逆하면서 寒한 증상을 치료하는 경우에는 방제에 丁香·柿蒂를 넣고 散胃寒, 降逆止呃을 위주로 해서 치료한다. 한마디로 말하면, 위의 세 종류의 방제는 모두 降逆益氣의 작용을 하지만, 旋覆代赭湯은 重鎭降逆을 위주로 하고, 橘皮竹茹湯은 淸熱降逆을 위주로 하며, 丁香柿蒂湯은 오히려 溫胃降逆을 위주로 한다.

본 방제와 吳茱萸湯은 人蔘·生薑을 포함하고 있어서 모두 溫中散寒, 降逆止嘔(呃)의 작용을 한다. 반면 丁香柿蒂湯證의 病機는 胃中虛寒, 逆氣上衝으로 인한 呃逆이 主症으로 나타나기 때문에 "降逆"에 중점을 두고 치료하며, 丁香·柿蒂를 君藥으로 삼고, 降氣劑에 해당한다. 吳茱萸湯證의 病機는 肝胃虛寒, 濁陰上逆에 의한 것으로 乾嘔·吐涎沫·巔顶痛 등의 主症으로 나타난다. "祛寒"에 중점을 두고 치료하며, 吳茱萸를 넣고 溫肝暖胃하고 散寒降濁하게 하고, 이는 君藥이 된다. 따라서 溫中祛寒劑로 분류한다.

【臨床應用】

1. 證治要點: 본 방제는 주로 胃氣虛寒, 氣逆不降에 의한 呃逆을 치료한다. 舌淡, 苔白, 脈沉遲한 증상을 치료의 요점으로 삼는다.

2. 加減法: 만약 氣滯痰阻를 겸한 환자의 경우에는 半夏·陳皮를 넣고 理氣化痰하게 치료하고, 胃氣不虛한 경우에는 人蔘을 빼고, 胃寒이 비교적 심한 경우에는 吳茱萸·乾薑 등을 증상에 맞게 추가해서 溫中祛寒한 효력을 증가시키고, 氣滯胸脘脹滿을 겸한 경우에는 陳皮·木香 등을 넣고 理氣除滿하게 치료한다.

3. 丁香柿蒂湯은 다음 한국표준질병사인분류(KCD)에 해당하는 환자가 胃中虛寒證으로 辨證되는 경우 본 처방의 사용을 고려해볼 수 있다.

처방 목표	한국표준질병사인분류(KCD)
神經性呃逆	F45.3 신체형자율신경기능장애

처방 목표	한국표준질병사인분류(KCD)
膈肌痙攣	(질병명 특정곤란)
	R06.6 딸꾹질

【注意事項】 胃熱呃逆한 경우에는 본 방제를 사용하지 않는다.

【變遷史】 본 방제는 明末 의학자인 秦景明에 의해 처음으로 만들어진 것으로『症因脈治』(1641年에 발간됨)에 처음으로 기록되었다. 그 기원을 거슬러 올라가면, 사실상 송대 의학자인 周應『簡要濟衆方』(1051年)의 柿錢散(丁香·柿蒂·人蔘)과 朱端章『衛生家寶方』(1184年)의 順氣湯(丁香·柿蒂·生薑)이 두 방제에서 변화 발전해 온 것이다. 본 방제의 原書에는 用量이 나타나 있지 않으며,『醫林纂要探源』卷7에 본 방제를 수재할 때 各 약재의 용량을 보충했다. 즉 丁香 二錢, 柿蒂 二錢, 人蔘 一錢, 生薑 五片이다. 후세에 본 방제를 응용할 때의 加減變化는 주로 다음의 세가지 방면에서 나타났다: 첫째는 和胃降逆한 약재를 넣고 降氣止呃한 효력을 돕는다. 예를 들면『世醫得效方』卷4의 丁香柿蒂湯에 半夏·陳皮 등을 넣는다. 둘째는 行氣하는 약재를 넣고 理氣除滿하는 효력을 증가시킨다. 예를 들면『施圓端效方』(『醫方類聚』卷113에 수재됨)의 丁香柿蒂湯에 靑皮·陳皮 등을 넣는다. 셋째는 溫裏하는 약재를 넣고 散寒의 작용을 강화한다. 예를 들면『傷寒全生集』卷3의 丁香柿蒂湯에 乾薑·高良薑·小茴香 등을 넣는다.

【醫案】 呃逆『實用中醫内科雜誌』(1997, 2:45): 여자, 18세. 呃逆이 계속해서 나온지 3일이 되었다. 胃病을 앓은지 1년 정도 되었으며, 이번에는 몸살이 나서 갑자기 발병했다. 진료 견해: 呃逆 계속 나오고, 목구멍에서 呋呋 소리가 나와서 勞動·睡眠·飮食에 영향을 줄 정도였다. 돔페리돈·胃蘇衝劑 등을 복용했으나 효과가 없었다. 환자의 신체 상태를 검사하니: 舌淡苔白, 脈弦滑, 四肢皮膚冷, 心肺無異常, 腹軟, 劍突下有壓痛, 肝脾未及했다. 방제: 丁香 10 g, 柿蒂 10 g, 生薑 10 g, 黨參 10 g, 吳茱萸 6 g, 肉桂 6 g을 넣고, 약을 2첩 복용한 후 다 나았다.

考察: 본 醫案의 呃逆頻作은 몸살 때문에 유발된 것이며, 또한 四肢不溫, 舌淡苔白한 증상을 동반하기 때문에, 胃寒氣逆에서부터 치료를 논해야 한다. 방제는 丁香柿蒂湯에 다시 吳茱萸·肉桂를 넣고 溫中祛寒한 효력을 높여서 약과 증상이 서로 잘 조화를 이루어서 빠른 치료 효과를 볼 수 있었다.

【副方】

1. 柿蒂湯(『衛生家寶方』,『濟生方』卷2에 기록됨. 原名은 "順氣湯"이다): 柿蒂 丁香 各一兩(各 30 g)

- 用法: 위의 약재를 작게 자르고, 매회 四錢(12 g)씩 물 一盞半에 生薑 五片을 넣고 달여서 10분의 7이 되면 찌꺼기는 버리고 시간에 구애받지 않고 복용한다.
- 作用: 溫中降逆止呃.
- 適應症: 주로 胸滿咳逆不止, 胃寒呃逆한 증상을 치료한다.

2. 柿錢散(方出『簡要濟衆方』,『經史證類備急本草』卷12에 수재됨. 방제의 명칭은『潔古家珍』에서 볼 수 있다): 丁香 一兩(30 g) 乾柿蒂 焙乾 一兩(30 g)

- 用法: 위의 약재를 분말로 갈아서 매회 一錢(3 g)씩 人蔘湯에 넣고 달여서 시간에 구애받지 않고 복용한다.
- 適應症: 주로 傷寒咳噫不止 및 噦逆不定한 증상을 치료한다.

丁香柿蒂湯·柿蒂湯과 柿錢散은 모두 丁香·柿蒂를 위주로 해서 구성하며, 溫中降逆止呃한 효능을 띠고 있어서 胃寒氣逆에 의한 呃逆不止를 치료하는데 사용한다. 이 중 丁香柿蒂湯은 또한 人蔘·生薑을 포함하기 때문에, 따라서 降逆의 작용이 비교적 뛰어나고, 아울러 補虛한 치료 효과를 겸한다. 柿蒂湯은 丁香柿蒂湯에 비해 人蔘 한 가지가 적기 때문에 補虛한 효능이 없다. 寒呃하고 正氣不虛한 환자를 치료하는데 알맞다. 柿錢散은 丁香柿蒂湯에 비해 生薑 한 가지가 적기 때문에 降逆溫中의 작용이 뒤떨어진다. 따라서 中虛하고 胃寒氣逆이 뛰어나지 않은 환자를 치료하는데 알맞다. 세 방제는 나름대로의 특징이 있기 때문에, 임상에서 증상을 치료할 때 참작해서 選用 할 수 있다.

大半夏湯

(『金匱要略』)

【組成】 半夏 洗, 完用 二升(15 g) 人蔘 三兩(9 g) 白蜜 一升(9 g)

【用法】 위의 약재에 물 一斗二升과 蜜을 넣고, 240회 저은 다음, 달여서 二升半으로 졸이고 따뜻하게 一升을 복용하고 남은 것은 나중에 다시 복용한다.

【效能】 和胃降逆, 益氣潤燥.

【主治】 胃反證을 치료한다. 朝食暮吐, 或暮食朝吐, 宿穀不化, 吐後轉舒, 神疲乏力, 面色少華, 形體瘦弱, 大便燥結如羊屎狀, 舌淡紅苔少, 脈細弱하다. 膈間痰飮, 心下痞硬, 食入即吐, 腸中瀝瀝有聲, 舌質淡, 苔白滑, 脈細緩無力한 증상 또한 치료한다.

【病機分析】 본 방제가 치료하는 胃反嘔吐는 대부분 飢飽無常, 恣食生冷하거나 思慮過度, 勞倦太過로 인해서 損傷脾胃, 中焦陽氣不振, 脾胃虛寒, 消化穀物한 것이기 때문에 飮食入胃停留不化, 良久盡吐而出, 吐後轉舒하게 된다. 만약 嘔吐가 오랫동안 지속되고, 津液暗耗하면, 氣陰兩傷해서 곧 神疲乏力, 面色少華, 形體瘦弱, 大便이 양 똥같이 마르고, 舌淡紅苔少, 脈細弱 등의 증상을 보이게 된다. 만약 脾가 健運하지 못하면, 水濕이 정체되어 쌓이고, 痰飮으로 변화해서 胃에 정체되어 맺히게 되고, 氣機鬱結하게 되어서 心下의 痞가 딱딱해지고, 腸 속에서 꼬르륵 소리가 날 수 있다. 脾胃가 허약해지면 神疲乏力, 面色少華, 大便溏少하게 되고 또한 舌淡苔白滑, 脈細緩無力 등의 中虛飮停한 증후로 나타나게 된다.

【配伍分析】 방제에서 半夏를 重用해서, 和胃止嘔한 要藥이 될 수 있을 뿐만 아니라, 또한 燥濕化痰, 開鬱散結에 뛰어나서 反胃嘔吐한 증상을 치료하고, 胃氣를 和緩하게 해서 嘔逆을 멎게 할 수 있고, 痰飮痞結한 증상을 치료하고, 痰飮을 化하게 해서 痞滿이 사라지게 할 수 있다. 따라서 본 방제의 君藥이 된다. 환자는 반복적으로 嘔吐를 하면서 식사를 하지 못하고, 胃氣가 거슬러 올라오니 따라서 人蔘을 配伍해서 益氣補虛, 健脾養胃하게 하고, 半夏와 함께 사용해서 標本兼治하며, 臣藥으로 삼는다. 또한 白蜜를 넣고 보조해서 補中和脾, 生津益胃하게 다스려 人蔘과 함께 배합한 후 補虛益胃의 작용을 증가하게 했다. 게다가 蜜은 性味가 甘緩해서 여러 가지 약들과 조화를 이룰 수 있어서 半夏와 함께 사용하면, 이 辛燥傷津耗氣의 우려를 줄일 수 있다. 위의 세 약재를 함께 配伍하면, 降逆散結할 수 있을 뿐만 아니라 또한 益氣生津, 潤燥養胃할 수 있고, 이밖에도 化痰開結할 수 있어서, 脾胃虛弱, 津虧腸燥, 胃氣上逆한 증상을 치료하는데 사용하며, 和胃降逆, 益氣健脾, 潤燥滋液의 작용을 거둘 수 있다. 脾胃虛弱, 痰飮中阻, 氣機鬱結한 증상에 사용하면 燥濕化痰, 益氣補虛, 開鬱散結한 효과를 얻을 수 있다.

본 방제의 配伍 특징은 두 가지이다. 첫째는 半夏를 白蜜과 함께 사용하면 溫燥하되 傷陰하지 않고, 둘째는 半夏는 人蔘과 함께 配伍하면, 辛散하지만 耗氣하지 않게 된다.

【類似方比較】 본 방제와 旋覆代赭湯에는 人蔘·半夏 두 약재를 포함하고 있어서, 모두 益氣補虛, 和胃降逆할 수 있기 때문에 脾胃虛弱, 胃氣上逆으로 인한 反胃嘔吐를 치료한다. 旋覆代赭湯은 旋覆花를 重用하며 君藥이 되며, 代赭石·半夏·生薑과 配伍하기 때문에 降逆止嘔의 작용이 비교적 뛰어나다. 동시에 化痰의 효능을 겸하기 때문에 反胃嘔吐가 비교적 심하거나 痰飮中阻를 동반한 증상을 치료한다. 본 방제는 비록 降逆和胃의 작용이 조금 떨어지지만, 諸藥이 蜜水를 넣고 달이기 때문에 益胃生津한 효능을 갖고 있어서 脾胃虛弱, 津氣不足, 胃氣上逆으로 인한 反胃嘔吐를 치료하는데 알맞다. 임상에서 증상을 치료할 때, 증상에 맞게 선택해서 사용한다.

【臨床應用】

1. 證治要點: 본 방제 脾胃虛弱, 飮停氣逆으로 인한 反胃를 치료하는데 유명한 方劑이며, 임상에서 응용할 때 朝食暮吐, 暮食朝吐, 神疲乏力, 大便燥結한 증상을 치료의 요점으로 삼는다.

2. 加減法: 만약 嘔吐가 심한 환자의 경우에는 旋覆花·代赭石·沉香 등을 넣고 降逆止嘔한 효능을 강화하고, 脾胃虛寒, 四肢不溫한 경우에는 吳茱萸·丁香 등을 넣고 溫中降逆하게 한다. 飮停氣逆, 反胃嘔吐한 경우에는 白蜜을 줄이고 白朮·茯苓 등의 약을 넣고 健脾祛濕化飮해야 한다. 津傷이 비교적 심하고, 口乾, 舌紅苔少한 경우에는 麥冬·當歸 등을 넣고 滋陰潤燥하게 하며; 便秘가 비교적 심한 경우에는 火麻仁·郁李仁 등을 넣고 潤腸通便하게 한다. 병이 오랫동안 낫지 않고 血瘀, 脘腹脹痛, 舌見瘀斑·瘀點을 동반하는 경우에는 赤芍·桃仁·紅花·丹參 등을 증상에 맞게 추가해서 活血化瘀하게 한다.

3. 大半夏湯은 다음 한국표준질병사인분류(KCD)에 해당하는 환자가 脾胃虛弱, 氣陰不足, 胃氣上逆證으로 辨證되는 경우 본 처방의 사용을 고려해볼 수 있다.

처방 목표	한국표준질병사인분류(KCD)
幽門痙攣	K31.3 달리 분류되지 않은 유문연축
幽門狹窄	K31.1 성인 비대성 유문협착
	K31.2 위의 모래시계협착
幽門梗阻	K31.3 달리 분류되지 않은 유문연축
胃癌	C16 위의 악성 신생물
神經性嘔吐	F50.2 신경성 폭식증
	F50.0 신경성 식욕부진
	F50.5 기타 심리적 장애와 연관된 구토
賁門失弛緩症	K22.0 분문의 이완불능증
	K31.0 위의 급성 확장

【注意事項】 만약 中陽虛弱하거나 腎陽不足, 命門火衰하며 裏寒이 비교적 심하고, 面色白, 四肢淸冷, 腰膝酸軟한 증상을 동반한 경우에는 본 방제를 사용하지 않는다.

【變遷史】 본 방제는 『金匱要略』「嘔吐噦下利病脈證治」편에서 처음으로 기록되었으며 仲景은 胃反嘔吐를 치료하기 위한 것이라고 했다. 원문에는 비록 “胃反嘔吐者, 大半夏湯主之”라고 몇 자로 기록하고 있지만, 이 저서의 머리말에서 仲景은 이미 胃反의 病機 및 그 임상 표현 특징에 대해서 논하길: “趺陽脈浮而澀, 浮則爲虛, 澀則傷脾, 脾傷則不磨, 朝食暮吐, 暮食朝吐, 宿穀不化, 名曰胃反.”라고 하며 본 증상이 발병하는 원인은 胃가 寒하면 蒸腐水穀할 수 없고, 脾가 燥하면 水穀精微의 運化가 어려워서, 水穀이 소화되지 않고, 오히려 반대로 올라오게 된다고 지적했다. 방제에서 半夏는 性味가 辛散溫燥하기 때문에 止嘔要藥이 될 뿐만 아니라, 또한 燥濕化痰에 뛰어나다. 따라서 본 방제는 후세의 의학자들에 의해 痰飮病이나 痰飮中阻로 인한 嘔吐를 치료하는데에도 사용한다. 예를 들면 『肘後备急方』卷4에서 본방제를 응용해서 “膈間痰飮”을 치료하고, 『三因極一病證方論』卷11에서는 본 방제를 응용해서 “心氣不行, 鬱生涎飮, 聚結不散, 心下痞硬, 腸中瀝瀝有聲, 食入即吐” 등을 치료한다. 후세의 의학자들은 본 방제로 胃反이나 嘔吐과 같은 질병을 치료할

때 항상 白朮·生薑 등을 넣었다. 예를 들면『備急千金要方』卷16·『雞峰普濟方』卷12의 同名方에서 張璐析가 이르길: "加白朮·生薑, 不但佐參·半之祛痰, 且善行白蜜之滯也"(『千金方衍義』卷16에 수재됨)라고 했다. 예를 들면, 痰飮류의 질병을 치료할 때, 항상 白蜜의 甘한 맛을 빼서 濕滿하는 것을 막고, 白朮·茯苓·桂枝 등을 넣고 配伍해서 健脾助運·溫化痰飮하게 한다. 예를 들면『備急千金要方』卷18에서 "痰冷澼飮, 胸膈中不利"를 치료하고,『御藥院方』卷5에서는 "痰飮及脾胃不和"를 치료하고,『世醫得效方』卷6에서는 "水漬于腸胃, 溢于皮肤, 漉漉有聲" 등을 치료하며 同名方의 뜻은 모두 이와 같다.

【難題解說】

1. 胃反과 嘔吐의 감별에 대해서: 胃反은 飮食入胃, 宿穀不化, 經過良久, 由胃反出的病證을 말한다.『金匱要略』에서 이르길: "趺陽脈浮而澀, 浮則爲虛, 澀則傷脾, 脾傷則不磨, 朝食暮吐, 暮食朝吐, 宿穀不化, 名曰胃反."라고 했다.『太平聖惠方』卷47에서 "反胃"라고 부르기 시작했으며, 후세에도 대부분 反胃라고 불렀다. 본 증상은 대부분 음식이 입에 맞지 않는다고 굶고, 제멋대로 날 음식과 찬 음식을 먹어서 脾腸이 상하거나, 근심 걱정으로 肝脾을 상하거나, 脾腎勞倦으로 脾腎을 상하게 해서, 이 모두가 脾胃虛寒하게 하고 腐熟水穀할 수 없어서, 소화가 되지 않으면 胃에서 정체되어서 결국에는 모두 토하게 되는 것이다. 만약 반복적으로 嘔吐를 하면 津氣가 虛해지고, 오랫동안 낫지 않으면 脾虛가 腎에 이르러서 腎陽 역시 虛하게 되고, 命門의 불이 약해져서 이는 마치 솥 밑에 장작이 없어서 腐熟水穀할 수 없는 것과 같으므로, 병세가 더욱 심해지게 된다.

反胃와 嘔吐는 연관이 있으면서 또한 차이가 있다: 反胃는 嘔吐의 임상 증상을 띠고 있으며, 嘔吐의 범주에 들기도 한다. 하지만 대부분의 경우 脾胃虛寒, 胃中無火, 難于腐熟, 食入不化에 의해서 발생하는 것이다. 食飮入胃, 滯停胃中, 良久盡吐而出, 吐後轉舒한 증상을 나타나기 때문에 古人들은 "朝食暮吐, 暮食朝吐"라고 말했다. 반면 嘔吐는 有聲有物한 특징을 가지고 있으며, 病機는 邪氣干犹, 胃虛失和에 의한 것으로, 實한 경우에는 음식물을 먹으면 바로 토하고, 먹지 않아도 토하고, 결코 규칙성이 없다. 虛한 경우에는 토했다 멎었다하거나 乾嘔惡心하지만 대부분 당일에 먹은 음식물을 토했다.

2. 본 방제의 적응증 病機에 대해서: 본 방제가 치료하는 "胃反"의 病機에 대한 역대 의학자들의 인식이 다르다. 종합게 보면, 주로 세가지 관점이 있다: 첫째는 脾胃虛弱, 飮停氣逆에 의한 것이다. 예를 들면 趙以德·沈明宗 등이 있다. 둘째는 脾胃虛弱, 津傷氣逆에 의한 것이다. 예를 들면 陳元犀·唐宗海 등이 있다. 셋째는 飮停하면서 또한 津傷에 의한 것이다. 예를 들면 徐大椿이 있다. 필자는 비록 위에서 말한 몇 가지 상황이 모두 反胃를 일으키는 원인이 될 수 있지만, 大半夏湯의 조성 약재 및 그 작용을 분석해 보았을 때 適應證候는 陳元犀·唐宗海의 주장이 비교적 타당하다고 생각한다. 飮停하게 되면, 방제에서 性味가 甘潤한 白蜜를 사용하는 것이 적절치 않다고 여겼기 때문에, 역대 의학자들이 본 방제를 응용해서 痰飮證候를 치료할 때, 대부분 방제에서 白蜜를 빼고 茯苓·桂枝·白朮 등을 넣은 것에서 味甘膩滯하면 濕滿을 도울 수 있는 우려를 방지하기 위한 것임을 유추해 볼 수 있다. 이로써 본 방제는 中虛氣逆津傷에 의한 反胃이나 嘔吐를 치료하기 위해서 만들어 졌으며, 痰飮中阻로 인해 胃氣上逆하거나 다른 원인이 있는 경우에도 또한 넣고 빼서 사용할 수 있다.

【醫案】

1. 嘔吐『張聿青醫案』卷10: 모씨는 涎沫을 뱉어도 胃氣가 虛해서 津液을 約束할 수 없고, 沫을 뱉어도 여전히 목이 마르고, 胃陰이 虛해서 물을 찾았다. 舌萎苔黃하고 胃氣가 치료되지 않아서 오히려 虛濁이 거꾸로 올라가 한 곳에 모였다. 본 증상은 氣陰이 益虧한데다가 또한 濁이 더해져서, 用藥에 있어서 두루 다 살

피기 어렵고, 또한 어떤 치료를 하더라도 해가 될까 걱정되며, 이런 경우는 오직 仲景의 大半夏湯뿐이다. 人蔘으로 胃氣를 補하고, 白蜜로 胃陰을 和하고, 半夏로 胃陽을 通하게 할 수 있으므로, 복용시킨 다음 환자의 상태를 살폈다. 人蔘 一錢, 白蜜 五錢, 半夏 三錢을 사용하였다.

考察: 嘔吐涎沫·口渴·舌萎苔黃한 것은 氣陰不足, 痰濁中阻, 胃氣上逆에 의한 증상이다. 正虛하면 마땅히 補해야 한다. 이와 같이 滋補하면 邪를 막을 수 있을 것이다. 痰濁하면 溫化하게 해야 한다. 이와 같이 痰을 제거하고 또한 傷陰을 고려해서 치료해야 한다. 본 방제는 大半夏湯의 半夏를 취해서 化痰和胃하고 實을 치료하고, 人蔘·白蜜을 넣고 益氣養陰해서 虛를 補한다. 본 방제는 증상에 매우 잘 맞는다.

2. 噎膈 『醫宗必讀』卷7: 邑宰인 張孟端의 부인이 걱정과 화가 과도한 나머지 먹으면 바로 목이 메이고, 胸中이 살살 아파왔다. 내가 환자를 진료하며 말하길 脈이 緊하면서 滑하고, 痰이 上脘에 있으며 二陳에 薑汁·竹瀝을 넣는다. 長公伯元이 이르길 半夏는 燥합니까? 내가 말하길 濕痰滿中하면 이렇게 치료하지 않으면 안 됩니다. 그래서 4첩을 사용했으나 증상이 아직 줄어들지 않아서, 大半夏湯으로 바꿔서 4첩(帖)을 복용하게 한 후 胸痛이 바로 멎었습니다. 다시 4첩(帖)을 복용하게 한 후 噎도 줄어 들었고, 20첩을 복용하고 나서 증상이 모두 안정되었습니다. 만약 泥半夏를 燥하게 하고, 다른 약재로 이를 대신하면, 이것으로 치료할 수 있겠는가? 오직 痰不盛·形不肥한 환자에게만 사용하지 않는다.

考察: 본 증상은 "憂怒之餘"에서 시작되었으며, 증상이 오랫동안 지속되면 脾胃氣虛해서 痰濕中阻하고 氣逆해서 噎으로 나타났다. 초진 당시 "脈緊而滑", "濕痰滿中"한 實證에서 착안해서, 燥濕化痰, 降逆和胃하게 치료했다. 二陳에 薑汁·竹瀝을 넣어서 치료했으나 효과가 없어서 나중에 和胃降逆, 益氣潤燥한 효능을 띄는 大半夏湯으로 효과를 보았다. 이는 증상의 虛實을 상세하게 살펴서 그에 맞는 치료를 해야 한다는 것을 말해준다.

第十三章

理血劑

理血藥은 活血祛瘀 및 止血 작용이 있어서 瘀血을 치료하고 出血을 억제하는 작용이 있다. 血은 인체에 영양작용을 하며, 정상적인 상황에서는 쉬지 않고 순환하며 五臟六腑와 四肢百骸를 흐른다. 만약 血行이 원활하지 않아서 瘀血이 발생하거나, 脈을 벗어나서 순환하거나, 血이 不足하면 瘀血·出血·血虛 등의 병변을 일으킬 수 있다. 따라서 理血藥의 효능은 活血祛瘀·止血·補血의 세 방면으로 요약할 수 있다. 단, 補血 효능은 補益劑에서 이미 서술하였으므로 여기에서는 주로 活血祛瘀와 止血에 대해 기술하였다.

1. 活血祛瘀劑

『內經』에는 惡血·留血 등 瘀血과 관련된 것으로 추정되는 용어가 사용되고 있어, 氣血運行에 장애가 발생할 때 질병이 생길 수 있다는 인식이 존재하였음을 알 수 있다. 『素問』「調經論」의 "血氣不和, 百病乃變化而生."라는 내용은 이러한 인식에서 기술된 것으로 볼 수 있다. 또한 『內經』에서는 이와 관련된 증상으로 疼痛·痹證·癥積·癰腫 등을 제시하고 있다. 치료법에 대하여 『內經』에서는 氣血의 정상 운행을 중시하여, 血行의 순조로운 조절과 惡血의 제거를 제시하고 있다. 『素問』「至眞要大論」에서는 "疏其血氣, 令其調達, 而致和平"을 언급하였고, 『素問』「陰陽應像大論」에서는 "血實宜決之"라 하였으며, 『素問』「針解」에서는 "菀陣則除之者, 出惡血也"라 하였고, 『素問』「至眞要大論」에서는 "必伏其所主, 而先其所因", "堅者削之", "結者散之, 留者攻之"라 하였는데, 이를 종합하면 活血祛瘀의 치료법을 의미하는 것으로 보인다.

甘肅 武威에서 출토된 『治百病方』은 『神農本草經』보다 일찍 기술되었으며, 여기에는 活血祛瘀 작용이 있는 수많은 약물과 當歸·川芎·漏蘆·蜀椒·貝母 등으로 구성된 方劑에 대해 기록하고 있다.

漢代 이전의 약의 사용에 대한 경험을 정리한 『神農本草經』은 活血祛瘀 작용을 지닌 약물 약 30여 종을 수록하고 있다.

漢의 張仲景은 『金匱要略』「驚悸吐衄下血胸滿瘀血病脈證治」에서 瘀血이라는 진단명을 사용하고 있으며, 胸滿·唇痿舌靑·口燥·但欲嗽水不欲咽 등의 관련 증상을 기술하고 있다. 『傷寒論』의 陽明病篇에서는 蓄血證에 대해 설명하고 있는데, 이러한 瘀血·蓄血에 대한 내용에서 雜病·傷寒 및 婦人科에서 瘀血에 관한 영역이 시작되었다. 이 서적들에 수록된 桂枝茯苓丸·下瘀血湯·桃核承氣湯·抵當湯·抵當丸·鱉甲煎丸·大黃牡丹湯·溫經湯·紅蘭花酒 등의 方劑는 活血祛瘀法의 초석이 되었다.

唐代의 『備急千金要方』과 『外臺秘要』는 수많은 活

血祛瘀의 약물과 方劑를 보강했다. 『千金方』에서는 부인과 병증에 蒲黃散·桃仁芍藥湯·生牛膝酒·澤蘭湯을 사용했고, 『外臺秘要』에서는 손상으로 인한 瘀血에 蒲黃散을 사용했다.

宋代의 『太平惠民和劑局方』에는 失笑散·四神丸(當歸·川芎·赤芍藥·乾薑)·導滯散(當歸·大黃), 『聖濟總錄』의 虎杖散(虎杖·赤芍藥)·牛膝酸, 『三因極一病證方論』의 小三棱煎·烏金湯·當歸湯 등이 수록되어 있다.

金·元시대에는 滑壽가 蓄血證에 대해 桃仁·大黃 등 行血破滯의 藥劑로 그 銳鋒을 꺾는다고 하였다. 한편 朱丹溪는 解鬱의 散結을 중시하여 氣·血·痰·火·濕·食의 六鬱의 이론을 세웠는데, 그중 氣血의 鬱을 가장 중요하게 여겼으며, 積聚·痛證·肺脹 등 병증에 活血祛瘀의 치료법을 매우 중요하게 여겼다.

明代에는 朱橚 등의 『普濟方』에 延胡索散·荊三稜散 등의 많은 活血祛瘀劑를 수록했다. 張介賓은 『景岳全書』「雜證謨」30卷에 "血有蓄而結者, 宜破之逐之", "血有澀者宜利之", "血有虛而滯者, 宜補之活之", "血必遺氣, 氣行則血行, 故凡欲治血, 則或攻或補, 皆當以調氣爲先"이라고 하여 독창적이면서도, 뛰어난 견해를 제시하였다.

清代에는 큰 발전이 있었는데, 葉桂倡은 "通絡"을 중요하게 여겨 『臨證指南醫案』에서 痹證·痛證·鬱證·積聚·癥瘕·瘧母·噎膈·便祕 및 經帶胎産 등의 많은 병증에 活血祛瘀通絡의 약물을 광범위하게 이용했다. 또한 瘀滯가 심하거나, 血에 凝結이 있을 때 곤충류의 逐瘀藥을 사용했다. 王淸任은 『醫林改錯』에서 31종의 새로운 방제를 수록하였는데, 그중에서 活血祛瘀 작용을 갖는 방제가 22종이었다. 명칭에 '逐瘀', 또는 '活血'이 사용된 方劑는 8개이고, 通竅活血湯·血府逐瘀湯·膈下逐瘀湯 등 方劑의 치료 효과는 임상 연구를 통해 계속 확인되고 있다. 근대 의학자 張錫純은 活絡效靈丹·理沖湯·理沖丸 등의 새로운 方劑들을 임상에서 광범위하게 활용하였다.

종합하면 瘀證과 活血祛瘀 치료법에 대한 연구는 『內經』에서부터 清代에 이르기까지 큰 발전을 이루었으며, 한의학에서 중요한 개념이 되었다.

瘀血證은 혈액순환이 순조롭지 않거나, 瘀血이 막혀 생기는 병증으로 寒邪侵犯, 陽氣虛, 邪從熱化, 氣不行, 元氣衰弱, 氣虛, 跌仆損傷 등 다양한 원인에 의해 발생하며, 그로 인하여 經閉, 痛經, 乾血癆, 癥瘕, 半身不遂 등 병증이 야기된다.

瘀血證의 임상양상은 아래와 같은 특징이 있다. ① 疼痛: 일반적으로 刺痛, 拒按, 痛處가 固定되어 움직이지 않는 경우가 많다. ② 腫塊: 腫腸이 고정되어 움직이지 않고, 청자색이며, 체내에 癥積되어 누르면 비교적 딱딱하고, 壓痛이 있다. ③ 出血: 혈색이 자흑색이며 瘀塊가 확인된다. ④ 舌, 爪: 舌이 암홍색이거나 瘀點, 瘀斑이 있고, 입술과 손톱이 청자색이다. ⑤ 脈, 皮: 맥이 매끄럽지 않으며, 안색이 검고, 피부의 각질이나 손톱이 박리된다.

活血祛瘀劑의 構成은 活血祛瘀 약물이 主가 되며, 일반적으로 川芎·桃仁·紅花·丹參·水蛭·虻蟲 등의 종류가 포함된다. 약의 배합에 있어서는 아래의 몇 가지 방법이 있다. ① 枳殼·柴胡·香附子 등의 氣藥을 배합한다. 氣血은 서로 의존적이며, 血은 氣를 따라 흐르고, 또 氣를 따라서 停滯하기도 한다. 瘀血이 안에서 막히면 氣의 순환에도 불리한 영향을 준다. 따라서 活血祛瘀劑에는 氣藥을 배합한다. ② 當歸·地黃 등 補血藥을 배합한다. 瘀血이 제거되지 않으면 새로운 血이 생성되지 않고, 頭面과 피부가 생기를 잃고 눈이 검게 되며, 피부의 각질이 박리되는 등의 증세를 볼 수 있다. 그러므로 소량의 補血藥을 배합해 보조한다. 또한, 峻猛한 성질의 破血藥은 血分을 消耗시킬 수 있기 때문에 養血의 약물을 배합하여 祛瘀하면서 正氣를 손상하지 않게 한다. ③ 병의 원인을 제거하는 약을 배합한다. 瘀血은 병을 발생하는 원인이자, 동시에 산물이다. 瘀血 형성의 원인은 다양하여 寒熱虛實의 구분이 있다. 그러므로 活血祛瘀劑는 祛瘀藥을 사용하면서 病因에 상응하는 약물을 헤아려 배합해야 한다. 예를 들어 寒氣로 인한 것은 溫經散寒하는 桂枝·吳茱萸 등을 배합하고, 熱로 인한 것은 苦寒淸熱하는 黃芩·大黃 등을 배합하며, 氣虛로 인한 것은 補氣하는 黃芪·人蔘 등을 배합하고, 外傷으로 인한 것은 化瘀定痛, 通絡하는 乳香·沒藥·參三七·穿山甲·麝香 등을 배합한다. 活血祛瘀劑의 대표적 方劑는 桃核承氣湯·血府逐瘀湯·補陽還五湯·溫經湯 등이 있다.

活血祛瘀劑를 사용할 때는 아래의 몇 가지 사항에 주의해야 한다. ① 瘀血의 병리적 구분에 주의해야 한다. 閉塞性 瘀血은 補氣·化瘀·溫通으로 치료하고, 鬱滯性 瘀血은 行氣·化瘀·溫通·攻逐으로 치료하며, 出血性 瘀血은 止血·消瘀·固本으로 치료한다. ② 약을 사용할 때는 溫通을 고려해야 한다. 血은 따뜻하면 흐르고, 차가우면 응결하는 성질이 있다. 그러므로 活血祛瘀와 溫通은 자주 배합해 사용한다. ③ 活血劑는 血行을 촉진시킬 수 있으므로 월경과다, 빈혈 등의 증상이 있거나, 임산부는 모두 신중하게 사용해야 한다. 특히 出血性 질병에는 瘀血이 막혀 血이 순조롭게 흐르지 않는 것을 확실하게 확인한 경우에만 사용하고, 함부로 투약하지 않는다. ④ 劑型에 주의해야 한다. 새로운 瘀證이 급하게 나타날 경우에는 탕제를 사용하여, 효과를 신속하게 해야 하고, 오래된 瘀證이 완만하게 나타날 경우에는 환제를 사용하여, 성질을 완만하게 해야 한다. ⑤ 옛 사람들이 活血의 方劑를 사용할 때 많은 경우 술을 이용했는데, 어떤 경우에는 물과 술을 섞어 끓이기도 하고, 어떤 경우에는 가루약과 술을 함께 복용하고, 어떤 경우는 酒泡를 이용해 복용하기도 하였다. 술을 이용하는 목적을 분석하면 혈액의 운행을 가속시키며, 藥力이 病所에 도달하게 하는데, 주목할 만한 사용법이다.

2. 止血

止血劑는 각종 出血을 치료하며, 위로는 鼻衄·齒衄·嘔血·咯血, 아래로는 便血·尿血, 그리고 피부에는 肌衄 등이 모두 출혈에 속한다.

일찍이 『內經』에는 각종 出血에 관한 논술이 있었다. 『素問』「至眞要大論」에서는 "少陽司天, 火淫所勝, 則溫氣流行, 金政不平, 民病……咳唾血"이라 했고, 『素問』「擧痛論」에서는 "怒則氣逆, 甚則嘔血"이라 했고, 『素問』「陰陽別論」에서는 "結陰者, 便血一升, 再結二升, 三結三升"이라 했고, 『靈樞』「百病始生」에서는 "陽絡傷則血外溢, 血外溢則衄血", "陰絡傷則血內溢, 血內溢則後血"이라 했고, 『素問』「氣厥論」에서는 "胞移熱于膀胱, 則癃溺血"이라 했다. 이와 같이 각종 出血의 원인과 반응에 대해 기초적인 인식이 있었다.

『金匱要略』에서는 出血의 성질과 원인, 치료법에 대한 기초를 볼 수 있다. 『金匱要略』「驚悸吐血下血胸滿瘀血病脈證治」에서는 吐血은 虛寒과 熱盛의 차이가 있다고 하였으며, 柏葉湯과 瀉心湯 등 一寒一溫의 상용 方劑를 만들었다. 또한 便血은 遠血과 近血을 구분하였는데, "下血, 先便後血, 此遠血也, 黃土湯主之", "下血, 先血後便, 此近血也, 赤小豆當歸散主之"라고 하였다.

唐代 孫思邈의 『備急千金要方』에는 吐血證 치료에 관한 25개의 方劑와 尿血을 치료하는 13개의 方劑가 있는데, 그중에는 저명한 犀角地黃湯과 生地黃葉·大黃末 등의 方劑가 포함되어 있어, 후대에 광범위하게 이용되었다.

宋·金·元시기에는 각종 出血에 대한 치료법이 큰 발전을 이루었다. 예를 들면, 『嚴氏濟生方』「血病門」에서 "風則散之, 熱則淸之, 寒則溫之, 虛則補之"의 원칙을 제시했다. 朱震亨은 "陽常有餘, 陰常不足"의 이론을 근거로 吐血은 대부분 "陽盛陰虛"로 인해 발생하므로, "補陰抑火, 使復其位"(『丹溪心法』卷2)를 치료원칙으로 제시했다. 또한 便血을 치료할 때는 "不可純用寒凉藥, 必于寒藥中加辛味爲佐, 久不愈者, 後用溫劑, 必兼升擧藥中加酒浸炒凉藥", "凡用血藥, 不可單行單止"(『丹溪心法』卷2)를 원칙으로 하였다. 또한 "咳血者, 嗽出痰內有血者是"(『丹溪心法』卷2)라 하여, 吐血과 咳血을 명확하게 구분하였으며, 淸肝寧肺名方과 咳血方을 수록하였다.

明·淸代 李梴은 脾胃의 氣血關係에 대한 중요성을 강조했다. 그는 "脾胃能統氣血"이라고 인식하고, "血病每以胃藥收攻, 胃氣一復, 其血自止"(『醫學入門』卷5)의 치료법을 역설했다. 동시에 氣는 血을 따라 흐르고, 氣의 흐름은 곧 血의 흐름이며, 氣가 멈추면 血도 멈추고, 따뜻하면 원활해지고 차가우면 응결하는 특성을 근거로 "凉血必先淸氣, 知血出某經, 卽用某經淸氣之藥, 氣凉卽血自歸經. 若有瘀血凝滯, 又當先去瘀而後調氣, 則其血立止"의 치료 원칙을 제기했다. 張介賓은 『景岳全書』「雜證謨」卷30에서 "血動之由, 惟火惟氣耳"라고 인식했으며, 치료법으로는 "惟補陰抑陽, 則火淸氣降而血自靜矣"를 강조했다. 繆希雍은 『先醒齋醫學廣筆記』「吐血三要法」에서 吐血을 치료하는 방법으로서 "宜行血不宜止血", "宜補肝不宜伐肝", "宜降氣不宜降火"의 세 가지 방법을 주장하였다. 唐宗海는 『血證論』卷2에서 血證을 치료에 대하여 "惟第用止血, 庶血復其道, 不至奔脫爾, 故以止血爲第一法", "血止之後, 其離經而未吐出者, 是爲瘀血, ……故以消瘀爲第二法. 止吐消瘀之後, 又恐血再潮動, 則須用藥安之, 故以寧血爲第三法. ……去血旣多, 陰無有不虛者矣, ……故又以補虛爲收攻之法"의 네 가지 방법을 제시하였다.

이와 같이 出血에 대한 기본 이론은 『內經』에서 비롯되어, 후대의 의학자들이 이를 점차 보충했는데, 특히 金·元 이후 학자들의 끊임없는 임상 경험으로 내용이 더욱 풍부해졌다.

血은 脈中에서 쉬지 않고 순환한다. 그러나 외부에서 六淫의 침습을 받거나, 안에서 七情이 動하거나, 跌仆損傷을 당하게 되면 血이 脈外로 흘러 넘쳐 出血이 나타난다. 止血劑는 주로 小薊·側柏葉·藕節·棕櫚炭·黃土·訶子·烏賊骨 등의 止血藥 이나 收澀藥을 이용한다. 出血의 원인은 다섯 가지로 정리할 수 있다. 첫째, 火熱이 極盛하면 血行이 어지러워진다. 둘째, 陽氣가 不足하면 血이 統攝을 잃는다. 셋째, 元氣가 衰弱해지면 氣가 血을 統率하지 못한다. 넷째, 瘀血이 血行을 막으면 血이 순조롭게 지나지 못하여 출혈이 발생할 수 있다. 다섯째, 打撲傷이 생기면 血絡이 파손된다. 그러므로 出血에 사용하는 方劑에는 淸熱·溫裏·補氣·活血 등 효능이 있는 本草를 배합하여야 한다. 예를 들어, 熱로 인한 出血에는 生地黃·牡丹皮·梔子·靑黛 등 淸熱, 瀉火, 凉血 效能이 있는 本草를 배합하는데 대표적인 方劑는 十灰散·小薊飮子·咳血方 등이다. 陽氣가 不足하여 발생한 出血에는 乾薑·附子 등 溫裏 효능이 있는 本草를 배합하는데 대표적인 方劑는 黃土湯·柏葉湯이 있다. 元氣가 虛하여 발생한 出血에는 人蔘·黃芪·白朮 등 補氣建脾 效能이 있는 本草들을 배합하며 대표적인 方劑는 固冲湯(固澀劑 참조)이 있다. 瘀血이 血行을 막아 순조롭게 흐르지 않으면 桃仁·川芎 등 本草를 배합하며 대표적 방제로 溫經湯·桂枝茯苓丸(活血祛瘀劑 참조)이 있다.

止血劑의 배합은 塞流·澄源을 제거하는 기본 원칙 외에 이하 몇 개의 방법이 추가된다. ① 益陰養血하는 當歸·地黃·阿膠 등 本草를 배합한다. 血이 손실되면 필연적으로 陰血을 消耗하여, 止血劑는 補血, 滋陰하여 손상된 營陰을 보충한다. 즉 "去血旣多, 陰無有不虛者矣, 故又以補虛爲收功之法"(『血證論』卷2)의 원칙을 따르는 것이다. ② 牡丹皮·川芎 등 活血藥을 배합하기도 한다. 止血劑에 活血藥物을 배합하는 것은 氷炭과 같이 서로 반대가 되어 조화되지 못하는 모양이지만 사실은 "止血不留瘀"의 뜻을 담고 있다. 止血이 지나치게 급하면 瘀滯가 되기 쉽고, 대량의 凉血止血藥을 운용하면 역시 血行이 매끄럽지 않아 막히기 쉽다. 그러므로 活血藥物을 배합하면 폐해를 막을 수 있다. 바로 繆氏가 "血不行經絡者, 氣逆上壅也, 行血則血循經絡, 不止自止, 止之則血凝"(『先醒齋醫學廣筆記』卷2) 라고 말한 것과 같다. 단 용량을 엄격하게 통제하여 主客이 전도 되지 않도록 하여야 한다. ③ 沈降과 升提藥을 調和시킨다. 上部의 出血은 가라앉게 하는 牛膝·代赭石·龍骨·牧蠣 등을 배합하고, 下部의 出血은 상승하게 하는 荊芥·防風·升麻·黃芪 등을 배합한다.

出血의 원인에는 寒熱虛實의 차이가 있고, 輕重과 緩急의 구별이 있기 때문에, 근본을 치료하는 것을 위주로 하거나, 우선 출혈을 멈추는 것을 위주로 하거나, 두 가지를 동시에 진행하기도 한다. 본 止血劑에서는 出血證의 치료에 대해서 상세하게 설명하며, 근본적 원인에 대한 치료는 淸熱劑·溫里劑·補益劑·固澀劑·活血祛瘀劑 등의 관련 章節을 참조한다.

止血劑의 사용에는 아래의 몇 가지 사항에 유의해야 한다. ① 止血은 마땅히 근본을 치료해야 한다. 많은 方劑는 止血藥을 사용하지 않고도 양호한 효과를 얻을 수 있다. 그래서 出血에는 止血藥을 토대로 근본적인 원인을 치료하는 약물을 적절하게 배합해야 한다. ② 上部出血은 發汗·催吐·升散 등 升劑의 사용을 피해야 하고, 下部出血은 沈降의 사용을 피해야 한다. ③ 大量의 出血에서 虛脫의 徵候가 있는 자는 止血藥만을 사용하면 종종 위급함을 구제하지 못하므로, 반드시 人蔘湯·蔘附湯 등 氣를 補充하고 離脫을 고정시켜야 한다. ④ 止血의 힘을 증가시키기 위해서 본 종류 方劑의 어떤 약물은 炒炭하되 성질을 보존(燒存性)하여 사용해야 한다.

第一節 活血祛瘀劑

桃核承氣湯

(『傷寒論』)

【異名】 桃仁承氣湯(『傷寒括要』, 『醫方類聚』卷54 에 수록)

【組成】 桃仁 去皮尖 五十個(12 g) 桂枝 去皮 二兩(6 g) 大黃 四兩(12 g) 甘草 炙 二兩(6 g) 芒硝 二兩(6 g)

【用法】 위의 다섯 가지 약재를 물 七升으로 끓여 二升半을 취하고, 찌꺼기는 버린다. 그 후에 芒硝를 넣어서 녹으면 湯煎을 멈춘다. 食前에 五合씩, 하루 3회 溫服한다.

【效能】 破血下瘀

【主治】 下焦蓄血로 인해 少腹急結하여 혹은 미친 것처럼 되거나, 혹은 밤에 열이 나거나, 혹은 잠꼬대를 하며, 혹은 폐경이 되며, 혹은 생리통이 있으며, 脈沈實而澀 등의 증상을 치료한다.

【病機分析】 본 方劑는 下焦蓄血證을 주로 치료한다. 病機는 瘀와 熱이 下焦少腹에 凝結하는 것이다. 邪熱과 下焦의 血分이 서로 다투면 아랫배가 갑자기 뭉치게 된다. 그러나 膀胱의 氣化는 영향을 받지 않으므로, 小便은 自利한다. 한편 瘀熱이 위로 정신을 교란시키면, 밤에 열이 나고, 심하면 미친 것처럼 되어, 혹은 잠꼬대를 하기도 하는 것이다. 폐경이나 생리통은 모두 血과 熱이 서로 결합해 생기는 것이다.

【配伍分析】본 方劑는 調胃承氣湯에서 芒硝의 양을 줄이고 桃仁과 桂枝를 加하여 만든다. 方劑 중 桃仁은 破血祛瘀하고, 大黃은 下瘀瀉熱하여 두 약을 같이 사용하면 “瘀”와 “熱”을 같이 치료할 수 있어 함께 君藥이 된다. 桂枝는 血脈을 통하게 하고, 寒藥이 遏邪凝瘀하는 폐단을 막는다. 桃仁이 破血祛瘀하는 것을 돕는다. 芒硝는 딱딱한 것을 부드럽게 하며, 大黃이 下瘀瀉熱하는 것을 도와 臣藥이 된다. 甘草를 炙하면 益氣和中하고, 여러 약들의 峻烈한 성질을 완화시켜, 祛瘀하지만, 正氣를 상하지 않아서 左使藥이 된다. 여러 약을 함께 쓰면 모두 破血하여 下瘀瀉熱하는 功을 이루어 血分瘀滯를 해소하고 熱結을 깨끗하게 하여 下焦蓄血이 스스로 낫게 된다.

본 方劑 配伍의 특징은 다음과 같다: ① 寒涼藥 중 소량의 溫經活血의 桂枝를 사용하여 桃仁 등의 活血하는 힘을 돕고, 또 전체 方劑의 凉性을 견제한다. ② 瀉熱攻下와 活血祛瘀藥을 함께 사용하여 瘀와 熱을 함께 제거한다. ③ 복약 후에 微利하면서 邪가 排出된다.

【臨床應用】

1. 證治要點: 본 方劑의 사용은 부위에 상관없이 瘀血證이나 瘀熱이 상호 결합하는 病機만 갖추고 있다면 加減하여 응용할 수 있다. 少腹急結, 小便自利, 脈沈實而澀 등이 證治要點이다.

2. 加減法: 만약 跌打損傷, 瘀血留滯, 疼痛으로 몸을 뒤척이는 것이 불가능한 사람에게 사용한다면 赤芍藥·當歸尾·紅花·蘇木을 加하여 통증을 그치게 할 수 있다. 월경불순 혹은 폐경의 증세가 있는 사람에게는 當歸·紅花를 加하여 月經을 조절할 수 있다. 火熱上攻으로 인해 目赤·齒痛·頭痛·吐衄 등 증상이 있는 사람에게는 黃芩·黃連·梔子 등을 加하여 解毒할 수 있다.

3. 桃核承氣湯은 다음 한국표준질병사인분류(KCD)에 해당하는 환자가 瘀血證, 瘀熱互結證으로 辨證되는 경우 본 처방의 사용을 고려해볼 수 있다.

처방 목표	한국표준질병사인분류(KCD)
精神分裂症	F20 조현병
藥物反應性 精神病	F00~F99 V. 정신 및 행동 장애
反應性	U22.2 화병(火病)
打撲傷	S00~S99 손상_신체부위별
各種 外傷	S00~T98 XIX. 손상, 중독 및 외인에 의한 특정 기타 결과
胸·腰椎 骨折	S22.0 흉추의 골절
	S32.0 요추의 골절
腦震蕩 遺症	F07.2 뇌진탕후증후군
血管性 頭痛	(질병명 특정곤란)
	G44.1 달리 분류되지 않은 혈관성 두통
血管性	I10 본태성(원발성) 고혈압
	I15 이차성 고혈압
脈硬化症	I70 죽상경화증
蜘蛛膜下出血	I60 거미막하출혈
	S06.6 외상성 거미막하출혈
前立腺肥大	N40 전립선증식증
單純性 前立腺炎	N41.0 급성 전립선염
	N41.1 만성 전립선염
腎臟結石	N20.0 신장의 결석
膀胱結石	N21.0 방광의 결석
慢性腎炎	N03 만성 신염증후군
腎症候群	N04 신증후군
手術後尿瀦留	(질병명 특정곤란)
	Z54.0 수술후 회복기
	R39.1 기타 배뇨곤란
淋疾	A54 임균감염
糖尿病	E10~E14 당뇨병
腸結核	A18.3 장, 복막 및 장간막 림프절의 결핵
腸梗塞	K56 탈장이 없는 마비성 장폐색증 및 장폐색
痙攣性便祕	K59.0 변비
弛緩性便祕	K59.00 서행성 변비
기미	L81.1 기미

처방 목표	한국표준질병사인분류(KCD)
濕疹	L20~L30 피부염 및 습진
여드름	L70 여드름
凍傷	T33~T35 동상
蕁麻疹	L50 두드러기
蕁麻疹	(질병명 특정곤란)
	N73 기타 여성골반염증질환
	R10 복부 및 골반 통증
子宮附屬器炎	N70 난관염 및 난소염
續發性不稔	N97 여성불임
子宮內膜炎	N71 자궁경부를 제외한 자궁의 염증성 질환
子宮內膜炎	O00 자궁외임신
胞狀奇胎	O01 포상기태
月經前症候群	N94.3 월경전긴장증후군
更年期症候群	N95.1 폐경 및 여성의 갱년기상태
月經痛	N94.4 원발성 월경통
	N94.5 이차성 월경통
	N94.6 상세불명의 월경통
無月經	N91.0 원발성 무월경
	N91.1 이차성 무월경
	N91.2 상세불명의 무월경
外生殖器 血腫	N89.9 질의 상세불명의 비염증성 장애
	N90.9 외음 및 회음의 상세불명의 비염증성 장애
産後 惡露不下	O90.9 산후기의 상세불명의 합병증
産後 血栓性靜脈炎	O87.0 산후기중 표재성 혈전정맥염
	O87.1 산후기중 심부정맥혈전증
	O87.9 산후기중 상세불명의 정맥합병증
軸性視神經炎	H46 시신경염
慢性中心性網膜炎	H30 맥락망막염증
水疱性 結膜炎	H10.00 급성 소포성 결막염
虹彩炎	H20.0 급성 및 아급성 홍채섬모체염
眼底出血	H05.2 안구돌출성 병태_안와출혈
	H11.3 결막출혈

【注意事項】

1. 만약 表症이 해결되지 않았으면, 먼저 表症을 해결한 후에 본 方劑를 사용한다.

2. 본 方劑는 破血下瘀 효능이 있어 임산부에는 사용을 禁한다.

【變遷史】 본 方劑의 出典은 『傷寒論』「辯太陽病脈症幷治」이다. 桃仁·桂枝를 調胃承氣湯과 합한 방제로서 『內經』의 "熱者寒之", "結者散之", "血實者宜決之"의 의미가 있다. 活血祛瘀와 瀉熱攻下 두 방법을 병용하여 下焦蓄血證을 치료하는 方劑가 된다. 역대 의학자의 加減運用은 다음과 같다. ① 枳實·厚朴 등 行氣導滯의 效能이 있는 本草를 加하는 경우: 『普濟方』卷134에서 인용한 『德生堂方』의 桃仁承氣湯은 본 方劑에서 芒硝·桂枝·甘草를 빼고, 枳實·厚朴을 加한 것인데, 주로 傷寒으로 鼻, 口에 出血이 있고, 대변이 원활하지 않고, 소변이 흑적색인 것을 치료한다. ② 當歸·紅花·牡丹皮·赤芍藥 등 活血祛瘀·凉血散瘀의 效能이 있는 本草를 加하는 경우: 『仁齋直指附遺』卷6의 桃仁承氣湯이며, 當歸·蘇木·紅花를 加하여 주로 跌扑損傷과 腹痛을 치료한다. 『瘟疫論』卷上의 桃仁承氣湯은 본 方劑에서 桂枝·甘草를 去하고 當歸·生地黃·芍藥·牡丹皮를 加하여 주로 蓄血證을 치료한다. ③ 生地黃·當歸·白芍藥 등과 같이 滋陰養血의 效能이 있는 本草를 加하는 경우: 『疹科正傳』의 桃仁承氣湯이며, 본 方劑에서 芒硝·桂枝를 빼고 生地黃·當歸·白芍藥·紅花·靑皮를 加한 것으로 주로 産後蓄血證을 치료한다. 따라서 후세의 본 方劑에 대한 임상응용은 上焦와 下焦를 불문하고 瘀熱이 상호 결합하는 病機에는 본 方劑를 사용할 수 있다. 원래 下焦의 蓄血證에 사용하는 方劑이지만, 上部의 鬱血로 인한 面紅·目赤·齒痛·頭痛이나, 瘀熱이 上部를 공격하여 발생하는 吐衄에도 사용할 수 있다. 본 方劑는 破瘀의 功은 물론이고, 降氣瀉下 작용으로 釜底抽薪하여 熱과 血을 下行하도록 하여 上逆하는 熱을 떨어뜨리므로, 그 "位"가 반대인 경우에도 이용하는 것이다.

【難題解說】

1. 蓄血部位에 대하여: 본 方劑는 주로 下焦蓄血證을 치료한다는 점에 대하여 역대 의학자의 의견은 같지만, 蓄血이 下焦의 어느 곳에 생기는가에 대해서는 의견이 분분했다.

喩昌은 "若少腹急結, 卽膀胱之血蓄而不行."(『尙論篇』卷1)이라고 하여 血이 膀胱에 축적된다고 하였다.

한편, 柯琴·錢潢 등은 血이 腸에 結한다는 의견을 제시하였는데, 錢氏는 "注家有血蓄膀胱之說, 恐尤爲不經. 愚謂仲景之意, 盖以太陽在經之表邪不解, 故熱邪隨經內入于腑, 而瘀熱結于膀胱, 則熱在下焦, 血受煎迫, 故溢入回腸, 其所不能自下者, 蓄積于小腹而急結也"(『傷寒溯源集』卷1)라고 하였고, 曹家達은 "惟與其謂病所屬膀胱, 無寧謂屬大腸與子宮. 盖考諸實例, 女子之瘀血有從前陰下者, 有從大便下者, 男子則悉從大便下. 桃核承氣湯煎服法中, 又曰 '當微利', 亦可以爲證"(『經方實驗錄』)라고 하였다. 실제 임상에서 본 方劑를 응용할 때는 腸道의 疾患에 사용하기도 한다. 예를 들어, 본 方劑에 黃芩·黃連·木香·馬齒莧 등을 加하여 급성 이질을 치료하고, 본 方劑에 加減하여 급성 괴사성 장염을 치료하기도 한다.

桃核承氣湯은 부인과질환에도 사용한다. 예를 들어, 程氏는 본 方劑에 加減하여 자궁외임신을 치료했고, 陳氏는 자궁하수 등을 치료했으며, 외생식기의 질환을 치료하기도 한다. 曾氏는 加味해 膣의 血腫을 치료했고, 王氏는 牛膝을 加하여 陰莖의 血腫을 치료하였다

또한 癃閉 등의 비뇨기계통의 질환에도 사용한다. 일본에서는 排尿困難·尿意頻數·血尿에 사용하고, 膀胱炎·尿道炎·前列腺炎·腎結石 등에 사용하기도 한다.

한편 『傷寒論』124번 抵當湯 條文에서 小便自利를 언급하고 있는데, 이는 蓄血證의 辨證에서 중요한 근거이며, 蓄血은 腸에 생긴다는 주장을 지지하는 내용이다. 만약 蓄血이 膀胱에 생긴다면 마땅히 小便不利가 있어야 할 것이기 때문이다. 그러나 여러 임상응용을 고려하면 그러한 주장에 구애될 필요는 없으며, 血이 下焦에 맺혀 少腹急結의 증상이 나타나면, 그것은 곧 瘀熱에 속하는 것이므로 부위에 관계없이 모두 본 方劑의 下血逐瘀 효능을 이용하여 치료할 수 있다.

2. 桂枝의 작용에 대하여: 본 方劑 중 桂枝의 작용에 대해서는 역대 의학자들의 견해가 일치하지 않는다. 許宏은 散血, 吳昝는 引經, 張錫驅는 行氣, 費伯雄은 解表의 작용이 있다고 주장하였다. 그러나 이상 네 가지 주장은 모두 方議에 부합하지 않는다. 먼저 解表 작용은 『傷寒論』의 "其外不解者, 尙未可攻, 當先解其外, 外解已, 但小復急結者, 乃可攻之, 宜桃核承氣湯"의 내용과 부합하지 않는다. 그리고 桂枝는 辛溫한 성질을 이용하여 發汗解肌 하므로 行氣의 약재도 아니다. 일반적으로 行氣를 목적으로 하는 경우 『傷寒論』에서는 枳實, 厚朴 등의 약재를 사용하는 경향이 있다. 引經 작용에는 많은 의문이 있는데, 본 方證은 血이 下焦에 맺히는 것으로 『內經』의 "其下者, 引而竭之"에 따라서 血이 아래로 내려가게 해야 한다. 그래서 大腸經으로 들어가는 桃仁과 芒硝, 大黃을 이용하여 破血下瘀하므로 桂枝가 引經 작용을 하였다고 할 수는 없다. 그리고 桂枝의 氣質은 가벼워 辛味의 藥力은 밖으로 나갈 뿐 下焦에는 이르지 않는데 어떻게 下焦의 蓄血된 곳에 引經한다고 하겠는가? 散血 작용에 대한 주장은 본 方劑가 瘀血證 치료에 사용하기 때문에 부합하지만, 熱因熱用의 이론을 이해해야 한다. 즉, 본 方劑의 蓄血證은 熱로 인해 막혔기 때문에 苦寒의 약재를 사용하되, 그것이 지나치면 氣血이 凝結되어 瘀血의 消散에 불리하다. 그래서 桂枝를 사용하여 凝結하는 부작용을 막는 것이다.

【醫案】

1. 下焦蓄血 『遯園醫案』: 남자, 20여 세. 전에 外感을 앓아서, 여러 의사를 통해 치료했다. 그러던 중 증세가 여러 번 변하여, 아버지가 데려와 진찰을 요청했다. 안색을 면밀하게 살폈는데 微黃色이고, 少腹이 부어오르고, 몸에는 寒熱이 없고, 잠깐 앉자 곧 눈을 부라리며 다른 사람을 쳐다보고, 주먹을 쥐었다 폈다하는 것

이 마치 다른 사람을 공격하려고 하는 모양이었다. 그러다 잠시 후에 행동을 멈추고 처음과 같이 되었다. 脈이 沈澀하고, 舌苔가 黃暗하며, 舌의 底面이 鮮紅色을 띄었다. 진찰이 끝나자 아버지가 서재로 재촉하여 病因을 물었다. 답하기를, 병이 이미 血分에까지 들어갔는데, 전에 의사가 단지 氣分의 藥만 사용하여 효과가 없었다. 『內經』에 "血在上善忘, 血在下如狂"이라고 했는데, 이는 『傷寒論』의 "熱結膀胱, 其人如狂也"와 같은 의미라고 하고는 桃核承氣湯을 처방하였다. 한 첩으로 증상이 멈추었고, 두 첩으로 나았다. 이어서 逍遙散에 牡丹皮·梔子·生地黃을 加하여 조리하였다.

考察: 본 按에서 정신병 증상을 제외하고, 辨證의 관건은 少腹이 부풀어 오르고, 脈이 沈澀하며, 舌苔가 어두운 黃色이고, 底面이 선홍색을 띄는 것이었다. 이는 확실히 血分瘀熱에 속한다. 그러므로 桃核承氣湯 두 첩을 복용하여 현저한 효과를 얻을 수 있었다.

2. 膣의 血腫 『中醫雜誌』(1965, 4:44): 여성, 36세. 출산 3일 후부터 하반신이 불편하고, 少腹에 脹痛이 생기고, 소변이 잘 나오지 않았다. 항생제와 이뇨제를 사용했지만 효과가 없었다. 머리가 어지럽고, 신음이 그치지 않고, 밤새 잠을 이루지 못하였다. 부인과 검사에서 큰 血腫이 膣을 막고 있는 것이 발견되었다. 血腫은 膣의 좌측 벽에서 穹窿部까지 이르고, 동시에 자궁 좌측 인대와 복벽을 향해 위로 신장 부분까지 이어져 있었다. 복부의 촉진에서는 좌측 신장 부분에서 서혜부를 향해 길쭉한 모양의 조직을 만질 수 있었는데, 부드럽고 압통이 있었으며, 舌은 윤기가 나고, 苔가 없고, 脈이 약간 沈하였다. 瘀血이 下焦에 축적되어, 방광과 요도를 압박해, 소변이 안 나오는 것으로 진단하였다. 치료는 桃仁承氣湯에 加減(桃仁 6 g, 大黃 12 g, 朴硝 6 g 沖化, 桂枝·當歸·當蔘·三七을 各 9 g, 甘草 3 g, 紅花 6 g)하여, 2첩을 연복(18시간 안에 전부 복용)하였다. 복용 후 瘀血 덩어리가 二升 정도 나왔으며, 소변도 잘 보게 되었고, 여러 증상이 없어져 완쾌되었다.

3. 陰莖의 血腫 『江西中醫藥』(1983, 6:40): 남성, 32세, 미혼. 陰莖의 疼痛을 참기 힘들고, 陰莖이 青紫色으로 크게 부었다. 尿意가 있지만 요도가 매우 화끈거리고, 疼痛이 심해졌는데, 통증이 고환에 이르렀고, 소변이 나오지 않고, 少腹이 오그라 들고, 脹痛이 생겼다. 약은 桃仁 20 g, 大黃 25 g(後下), 芒硝(別沖)·桂枝 各 15 g, 生甘草 10 g, 牛膝 30 g을 썼다. 한 첩 복용 후 소변에서 血塊가 나왔고, 대·소변이 순조롭게 되었으며, 疼痛이 사라졌다. 3첩 복용 후에는 완치되었다.

考察: 이상 두 가지 예에서는 병의 위치가 모두 下焦에 있다. 모두 瘀血이 막혀 맺히는 상태로서 實證이었으며, 桃核承氣湯의 辨證 요점에 잘 부합하므로 본 方劑에 加味하여 효과를 얻을 수 있었다.

抵當湯

(『傷寒論』)

【組成】 水蛭 熬 虻蟲 去翅足, 熬 各二十個(各 6 g) 桃仁 去皮尖 二十個(9 g) 大黃 酒洗 三兩(9 g)

【用法】 물 五升을 끓여 三升을 취하고 찌꺼기는 버린다. 따뜻하게 一升을 복용한다. 그러나 下하지 않으면 다시 복용한다.

【效能】 破血逐瘀

【主治】 下焦蓄血證. 少腹硬滿, 小便自利, 發狂, 혹은 대변이 흑색이며 잘 흩어지고, 혹은 喜忘하거나, 혹은 몸이 황색이 되거나, 혹은 월경이 잘 나오지 않고, 脈이 沉澀하는 등 증상을 치료한다.

【病機分析】 蓄血 증상은 熱과 血이 결합하여 瘀를 형성하고, 瘀와 熱이 下焦에서 서로 뭉쳐서 형성된다.

瘀熱이 下焦에서 뭉치면 氣의 활동을 막아 少腹硬滿하게 된다. 방광·대장·자궁은 모두 下焦에 위치하는데 小便自利, 대변이 흑색이며 쉽게 흩어지고, 월경이 잘 나오지 않는 등의 증상을 고려하면 그 부위는 장과 자궁인 것이다. 血이 膀胱에 쌓이지 않았기 때문에 小便이 自利하게 된다. 熱과 瘀가 腸에서 結合하면, 津液이 손상되어 대변이 딱딱하게 되지만, 瘀血이 섞여 있어 血과 便이 함께 나오므로 배출은 쉽지만, 색이 검어진다. 熱과 瘀가 자궁에서 결합하면 衝任에 장애가 생겨 여성의 생리가 순조롭지 않게 된다. 血은 心을 主官하고, 心은 다시 神明을 주관하는데 瘀熱이 서로 결합하여 새로운 血이 생기지 않는다면 血은 心을 扶養할 수 없다. 그리고 瘀熱이 上部를 攪亂시켜 神明이 어지러워지면, 神志에 이상이 생겨 發狂하거나 喜忘하게 된다. 發黃 증세는 일반적으로 濕熱鬱蒸으로 인해 형성되는데, 이런 종류의 發黃은 피부가 귤처럼 선명한 황색이 되고, 대부분 소변이 不利하게 되며, 脈滑數하게 된다. 본 方劑 症勢의 發黃은 瘀熱이 상호 결합하여 새로운 血이 만들어지지 않아 榮氣가 敷布하지 못하는 것이며, 血이 안에서 막혀 肝이 藏血하지 못하고, 肝이 疏泄을 못하여 膽에 병이 발생하게 된 것이다. 瘀血이 생긴 것을 알 수 있는 증상 중 하나는 피부가 황색이면서 약간 탄 것처럼 어두운 것이고, 두 번째는 小便自利가 보이고, 發狂을 하거나, 舌이 어둡고, 脈이 沉澀하는 등의 증상이 나타나는 것이다. 이것은 成無己가 말한 "身黃脈沉結, 小腹硬, 小便不利者, 胃熱發黃也, 可與茵陳蒿湯. 身黃脈沉結, 小腹硬, 小便自利, 其人如狂者, 非胃中瘀熱, 爲熱結下焦而爲蓄血也, 與抵當湯以下蓄血"과 같다.(『傷寒明理論』卷4)

【配伍分析】 본 方劑가 치료하는 증상은 瘀와 熱이 결합하여 下焦에 蓄血하여 발생한 것이다. 發狂이 나타나면 瘀熱이 서로 결합한 지 오래 되어 병세가 위중하고 급한 것이므로, 신속하게 活血峻品을 사용하여 破血逐瘀해야 한다. 그러므로 破血逐瘀 약효가 특히 강한 水蛭과 虻蟲을 주요 약물로 사용한다. 水蛭은 苦, 平, 有毒하며 肝經으로 들어가며, 『神農本草經』卷3에 "主逐惡血瘀血"이라고 기록된 것처럼 瘀血을 없애고, 血分으로 들어가서 氣分을 상하지 않게 한다. 『醫學衷中參西錄』上冊에는 "凡破血之藥, 多傷氣分, 惟水蛭味咸專入血分, 于氣分絲毫無損, 且服後腹不覺痛, 幷不覺開破, 而瘀血默消于無形, 眞良藥也."라고 기록되어 있다. 虻蟲은 苦, 微寒하며, 肝經으로 들어가 "專破瘀血"한다. 『本草從新』卷6에서 이르기를 "攻血遍行經絡, 隊胎只在須臾"라고 하였고, 그 逐瘀의 효능은 水蛭과 같아서 함께 사용하면 破血逐瘀의 효능이 더욱 강해진다. 또한 活血祛瘀를 돕는 桃仁·大黃을 加하면 瘀血을 없애는 작용이 훨씬 강해지게 된다. 瘀와 熱의 결합이 심각한 경우에는 胃腸을 蕩滌하는 大黃을 사용하여, 축적된 瘀血을 배출할 수 있고, 또 "釜底抽薪"을 통해 熱邪를 제거할 수 있다. 이렇게 抵當湯은 "其下者, 引而竭之"(『素問』「陰陽應象大論」)의 치료원칙을 구현하는 方劑이다.

【類似方比較】 본 方劑와 桃核承氣湯은 모두 瘀와 熱이 下焦에서 결합하는 蓄血證을 치료한다. 공통적으로 少腹이 脹滿하고, 如狂하고, 小便自利하며, 脈澁한 경우에 사용하며, 구성도 活血藥과 瀉下藥을 사용하여 破血逐瘀하고 瘀熱을 제거하는 점이 같다. 그러나 桃核承氣湯은 瘀熱이 結合하는 初期에 사용하는데, 이 때는 少腹急結, 如狂 등이 나타나지만 병세가 가볍기 때문에 瘀血을 완만히 공격하여야 하므로 桂枝·甘草 등을 배합하여 사용하는 것이다. 이와 달리, 抵當湯은 瘀熱이 이미 결합한지 오래되어, 少腹硬滿, 發狂, 大便色黑 등 증상이 나타나서 병세가 중하기 때문에, 瘀血을 猛烈하게 다스려야 하므로 活血峻藥의 水蛭·虻蟲·大黃·桃仁을 배합하여 사용하는 것이다.

【臨床應用】

1. 證治要點: 본 方劑의 祛瘀 效力은 活血劑 중 으뜸이다. 臨床運用에 있어서 체질이 壯實하고, 少腹硬滿疼痛, 舌暗, 脈沉澀을 證治要點으로 삼는다.

2. 본 방제는 중풍후유증, 뇌경색, 조현, 폐경, 배뇨장애 등에서 瘀와 熱이 결합한 것으로 변증되는 경우에 사용한다.

3. 抵當湯은 다음 한국표준질병사인분류(KCD)에 해당하는 환자가 下焦蓄血證으로 辨證되는 경우 본 처방의 사용을 고려해볼 수 있다.

처방 목표	한국표준질병사인분류(KCD)
中風後遺症	U23.4 중풍후유증(中風後遺證)
腦梗塞	I63 뇌경색증
調絃病	F20 조현병
閉經	N95 폐경 및 기타 폐경전후 장애
排尿障礙	(질병명 특정곤란)
	R30~R39 비뇨계통의 증상 및 징후

【注意事項】

1. 瘀結로 辨證되는 경우에만 신중하게 사용하여야 한다.

2. 임산부에게는 사용을 금한다.

【變遷史】 抵當湯은『傷寒論』「辯陽明病脈症幷治」에서 蓄血症을 치료하고,『金櫃要略』에서 여성의 월경불순에 사용한다고 기록되어 있다. 후대의 의학자들은 본 方劑의 活血逐瘀의 효능을 취해 瘀血이 야기하는 각종 病症에 사용하였다.『世醫得效方』卷4에서는 瘀血凝結과 腹內의 刺痛에 사용하였다.『醫林繩墨』卷1에서는 瘀血이 胸中에 뭉쳐 생기는 血結胸의 치료에 사용하였는데, 譫語, 少腹滿, 물로 입을 적시지만 삼키지 않는 등 증상이 있다. 본 方劑는 瘀滯의 重症에 사용하며, 다른 祛瘀劑가 효과가 없는 경우에도 사용한다. 加減에는 세 가지 목표가 있다. ① 行氣와 瀉下藥을 배합해 주로 瘀를 공략하는 경우: 예를 들어『備急千金要方』卷25의 桃仁湯은 본 方劑에 芒硝·桂心·當歸·甘草를 加해 주로 타박상으로 인한 血瘀를 치료한다.『傷寒全生集』卷2의 抵當湯은 본 方劑에 枳實·當歸를 加한 것인데, 下焦蓄血繒을 치료한다. ② 抵當丸과 같이 丸으로 사용하여 맹렬한 성질을 완화시키는 경우: 이는 완만하게 공략하려는 의도이다. 후대 의가들은 체질이 약하고, 瘀血이 重한 자를 丸으로 치료하였다. 예를 들어,『證治準繩』「類方」卷3의 大抵當丸은 抵當湯에서 水蛭·虻蟲을 빼고, 芒硝·當歸尾·生地黃·穿山甲·桂를 加한 것이다. 王氏가 이르기를 "用歸·地者, 欲下血而不損血耳, 且引諸藥至血分也, 諸藥皆獷悍, 而欲以和濟之也."라고 하였고,『張氏醫通』卷16의 變通抵當丸(본 方劑에서 水蛭을 빼고 蟅蟲을 加함) 역시 이에 속한다. ③ 瘀血 형성의 원인을 고려하여 溫裏祛寒의 細辛·附子·肉桂를 배합하거나, 淸熱凉血하는 生地黃·大靑葉을 加하여 寒熱의 성질을 모두 갖추는 경우: 예를 들어『千金翼方』卷5의 蕩胞湯은 본 方劑에 附子·桂心·細辛·厚朴·橘皮·人蔘·當歸·芍藥·牛膝·茯苓·牡丹皮·朴硝를 加한 것인데 破血逐瘀와 溫中補虛의 효능을 동시에 갖추어 "婦人斷續二三十年生來無子幷數數失子(流産)"의 치료에 사용했다.『雜病源流犀燭』卷17의 生地黃湯은 본 方劑에 生地黃·大靑葉·生藕節·乾漆을 加해 만들었는데, 破血逐瘀와 淸熱養陰에 효과가 있어 蓄血證, 臍下滿, 脈沈微細한 사람을 치료한다.

【難題解說】

1. 水蛭·虻蟲의 운용에 대하여: 본 方劑의 逐瘀力은 活血劑 중 가장 강력하다. 본 方劑가 치료하는 蓄血證은 少腹硬滿과 發狂이 함께 보이는 경우이며, 桃仁承氣湯을 사용하는 증상과 비교하면 분명히 더 깊고, 중하다. 水蛭·虻蟲 등 血을 좋아하는 성질이 있는 곤충류의 猛藥을 사용하여야 한다. 이것이 바로 王子接이 말한 "蓄血者, 死陰之屬, 眞氣運行而不入者也, 故草木不能獨治其邪, 務必以靈動嗜血之蟲爲之向導. 飛者走陽絡, 潛者走陰絡, 引領桃仁攻血, 大黃下熱, 破無情之血結, 誠爲至當不易之方, 毋懼乎藥之險也"이다.(『絳雪園古方選註』卷中)

2. 본 方劑의 方名에 대하여: 方命의 訓解에 대해서 역대 의학자들의 관점에는 차이가 있다. 종합하면

대략 네 가지로 정리할 수 있다. 첫째, 抵擋·抗拒의 뜻으로 成無己가 『傷寒明理論』卷4에서 말한 "血蓄于下, 非大毒駃劑, 則不能抵當其甚邪, 故治蓄血曰抵當湯."과 같다. 두 번째는 病의 위치를 의미하여, 柯琴이 『傷寒來蘇集』「傷寒附益」卷上에서 말한 "夫瘀血不去, 則新血不生, 營氣不流, 則五藏不通而死可立待.……非得至峻之劑, 不足以抵其巢穴, 而當此重任也.……名之曰抵當者, 謂直抵其當攻之所也."와 같은 뜻이다. 세 번째는 합당하다는 의미이다. 예를 들어, 方有執이 『傷寒論條辨』卷1 注에서 "抵當之'當', 去聲. 抵, 至也. 至當不易之正治也"라고 한 것과 같다. 네 번째는 抵當을 水蛭의 다른 이름으로 보는 것이다. 山田正珍이 『傷寒論集成』 중 말하기를: "按『爾雅』「釋蟲」曰: 蛭蝚, 至掌. 『名醫別錄』亦云: 水蛭一名至掌. 『太平御覽』亦引『草木經』曰:水蛭一名至掌.……又考之字書, 抵通作紙. 紙邸二音, 擊也, 能也, 當也, 至也. 乃知其訓抵爲至, 亦因同音而然……此知至抵通用, 所爲抵當卽抵掌之訛. 而實爲水蛭之異稱矣. 是方以水蛭爲君, 所以命曰抵掌湯已. 其不直曰水蛭湯者, 盖汚穢之物, 不欲斥言, 殊取其異稱以爲方名."라고 하였다. 상술한 네 가지 의견 중 첫 번째 抵擋·抗拒는 被動적인 의미를 담고 있어서, 본 方劑의 破血逐瘀의 작용이 매우 강력한 특성과 부합하지 않는다. 그 외 세 가지는 모두 참고할 만 하다.

【醫案】

1. 蓄血證 『續名醫類案』卷4: 張意田은 입주위가 헐어 있는 임산부를 치료하였다. 임신 7개월에 고열을 앓고, 舌이 赤色이며, 少腹硬滿, 小便自利, 눈이 빨갛고 發狂한 지 30여 일이 되었다. 처음에 解表劑를 복용했으나 땀이 약간 났을 뿐 낫지 않았다. 다시 진찰해 보니, 脈이 沉微하고 깊이 누르면 빠르고 급한 狀脈이었다. 表證이 지속되고 있으나, 脈이 沉微한 것을 보면 邪가 陰으로 빠진 것으로, 陰이 眞陽을 이기지 못하고, 狂症이 계속 되는 것이다. 이는 瘀血이 少腹에서 結한 것이므로 抵當湯을 복용해야 한다. 抵當湯을 복용한 후 多量의 下血이 있었다. 따라서 熟地黃을 복용시켜 陰液을 補하였다. 증상이 개선된 후, 人蔘·附子·炙甘草의 類를 복용시켜 眞元을 회복을 도왔다. 추가로 熟地黃 二斤, 人蔘 半斤, 附子 四兩을 복용하고 완전히 회복되었다.

2. 閉經 『經方實驗錄』卷中: 朱某, 18~19세, 3개월째 무월경, 안색에 생기가 없고 黃色, 少腹이 微脹하고, 乾血勞가 처음 발생한 것 같았다. 大黃蟅蟲丸을 三錢씩 매일 3회 복용하고, 한 달 후에는 나은 듯 했고, 다시 방문하지 않아서 나은 줄 알았다. 그런데 3개월 후 얼굴에 살이 빠져 사람의 형상으로 볼 수 없었고, 등이 굽고, 腹部가 팽창하고, 두 손을 스스로 주무르면서, 신음이 끊이지 않았다. 병이 이미 위중하였으나, 차분히 진찰하였다. 皮骨만 남고, 少腹이 팽창하여 단단하고, 깊이 누를수록 통증이 심했다. 瘀積이 內結하고, 元氣가 손상된 것으로 진단하였다. 우선 元氣를 보충할 것을 고려했지만, 元氣를 보충하면서 邪를 제거할 수는 없다. 그러므로 抵當湯을 처방하였다. 虻蟲 一錢, 水蛭 一錢, 大黃 五錢, 桃仁 50粒. 약을 복용한 후 검은 瘀血을 대량 배출하였으며, 팽창이 줄어들고, 통증도 줄어들었다. 그러나 脈이 虛한 것이 오히려 심해져서 下法을 중단하고, 生地黃·黃芪·當歸·潞堂蔘·川芎·白芍藥·陳皮·茺蔚子 등 活血行氣하여 瘀積을 치료하였다. 1첩 복용 후 재발하지 않았다.

3. 脇痛 『古今醫案按』卷7: 虞天民은 40여 세의 환자를 치료했다. 환자는 말을 타다 넘어졌는데, 다음 해 左脇에 脹痛이 있었다. 의사가 小柴胡湯加靑皮龍膽草 등의 약을 처방해주었으나 효과가 없었다. 脈을 보니 왼손 寸尺 정도에서 맥박이 빠르고 거칠었으며, 關脈이 虛하고 빠르게 뛰었다. 오른쪽 三部는 流水와 같으며 虛했다. 虞氏가 말한 바, '死血證'이었다. 抵當丸 1첩을 사용하여 黑血 二升 정도를 下하고, 四物湯加減으로 調理하여 안정되었다.

4. 發狂 『上海中醫藥雜誌』(1981, 5:26): 남성, 53세, 교사. 1973년 8월 12일에 진료했다. 환자는 두통과 어지

러움을 10여 년째 앓고 있었다. 혈압은 항상 250~180/150~200 mmHg 사이였고, 두통이 격렬해질 때는 머리를 시원하게 해주면 조금 줄어든다. 淸熱祛風, 潛陽養陰의 方劑를 오랫동안 복용했는데, 증세가 가벼울 때도 무거울 때도 있었다. 무더운 여름에는 찌는 듯 더위를 느끼면 감정이 불편해지고, 졸도하는 경우도 있었으며, 입원해서 한약과 양약을 복용하며 치료했지만 효과가 없었다. 체형이 肥滿하고, 안색이 어둡고, 사람을 알아보지 못하고, 욕설을 쉬지 않았다. 舌黃, 唾液이 적고, 瘀斑이 있었다. 少腹이 硬滿하고, 아파서 누르는 것을 싫어하고, 대변이 순조롭지 않고, 脈은 沉弦했다. 혈압은 220/120 mmHg였다. 血行이 원활하지 못하고, 심한 더위에 상한데다, 감정까지 편안하지 못해, 병이 血分으로 들어가, 熱과 血이 결합하여 瘀血이 心을 공격해 정신까지 혼미하게 만든 것이다. 通瘀破結하고, 瀉熱通便하는 치료법을 사용하기로 하였다. 方用: 酒大黃(後入) 15 g, 水蛭 12 g, 桃仁 15 g, 虻蟲 4.5 g, 白芍藥 15 g. 위 方劑를 복용 후, 딱딱하고 석탄처럼 어두운 흑색의 대변을 보았으며, 복통이 줄어들고, 정신이 맑아졌다. 연속해서 2첩을 복용하고, 다시 네 차례의 대변을 보았고, 혈압도 180/98 mmHg으로 내려갔으며, 여러 증상이 호전되었고, 계속해서 다른 약으로 조절하며 치료하자 完治되었다.

考察: 1案의 少腹悶滿, 小便自利, 發狂, 脈이 沉微한 것은 모두 瘀熱이 下焦에 맺히는 전형적인 예이다. 그러므로 抵當湯으로 효과를 얻었다. 이 증상은 본 方劑를 복용 후 계속해서 熟地黃, 人蔘 등을 많이 쓰는데, 병이 비교적 길게 지속되면 체력이 쇠약해지기 때문이다. 또한 본 方劑 약효의 峻猛 정도를 간파할 수 있는데, 이것으로 方劑 後注의 "不下, 更服"이 깊은 의미를 가지고 있음을 느낄 수 있다. 본 증상은 먼저 강하게 공격하고, 나중에 보충하는데, 이로써 祛邪하되, 正氣를 상하지는 않게 하는 본보기로 충분하다. 2案의 의 3개월 동안 無月經이었던 예에서는, 안색이 어두운 황색이고, 少腹微脹이 동시에 나타나서, 乾血勞 初期와 비슷하여, 破瘀生新하는 大黃蟅蟲丸을 사용했는데 왜 효과가 없었는지에 대하여, 曹穎甫는 "丸藥의 효과가 없는 것은 원료, 제조, 저장 등 다양한 문제들이 관계되어 있으므로, 大黃蟅蟲丸을 복용하고 효과가 없었으나 이 약이 효과가 없었다고 단언할 수 없다"고 하였다. 그러나 丸劑가 효과가 없었기 때문에 瘀結이 더욱 심해져, 瘀血이 나가지 않고 新血이 생성되지 않아서 形體의 失養이 더욱 심해진 것이다. 이런 瘀積內結은 元氣를 이미 잃은 것으로 重證이며, 이는 모두 瘀血이 오래 축적되어 正氣가 허약해지게 되는데, 근본적 원인은 瘀血이다. 따라서 먼저 瘀를 공격하고 나중에 正을 보강하는 것이 上策이다. 본 方劑를 복용하면 瘀血이 내려가고, 脹痛이 감소하였다. 그 이후에 脈이 虛한 것을 고려하여, 瘀를 제거하면서 扶正을 병행한 것이다. 3案의 脇痛은 血瘀이며, 氣滯가 아니었기 때문에, 小柴胡湯加味를 사용해도 효과가 없었다. 死血이라는 것을 알았으나 抵當湯을 사용하지 않고 抵當丸을 사용한 것은 그 오른쪽 三部의 脈이 數하고 虛하였기 때문이다. 그 후에 四物湯을 사용하여 조리한 것은 병이 血分에 있었기 때문이다. 4案에서는 發狂, 舌에 瘀斑이 있고, 少腹硬滿, 疼痛拒按, 大便不通, 脈沉弦한 환자였다. 이는 熱와 血이 아래에서 결합하여 瘀熱이 위로 心을 공격하니, 본 方劑의 破血逐瘀, 瀉熱通便하였으니, 藥과 證이 서로 부합하여 제반 증상들이 호전되었다. 白芍藥을 加한 것은 養血平肝 하면서, 祛邪하되 正을 상하지 않게 하는 의미이다.

血府逐瘀湯

(『醫林改錯』卷上)

【組成】 當歸 三錢(9 g) 生地黃 三錢(9 g) 桃仁 四錢(12 g) 紅花 三錢(9 g) 枳殼 二錢(6 g) 赤芍藥 二錢(6 g) 柴胡 一錢(3 g) 甘草 二錢(6 g) 桔梗 一錢半(4.5 g) 川芎 一錢半(4.5 g) 牛膝 三錢(9 g)

【用法】 물로 끓여 복용한다.

【效能】 活血祛瘀, 行氣止通.

【主治】 胸中血瘀證. 胸痛·頭痛이 오래도록 낫지 않고, 정해진 위치가 침으로 찌르는 듯 아프거나, 혹은 呃逆이 오래도록 그치지 않거나, 혹은 內에 열이 나는 듯 답답하고, 심장이 두근거려 잠이 오지 않거나, 성급해져 쉽게 분노하거나, 저녁에 潮熱이 나거나, 입술이 어두워지거나 혹은 두 눈이 어두워지고, 舌이 暗紅하거나 혹은 瘀斑이 있고, 脈이 澀하거나 혹은 弦緊한다.

【病機分析】 본 方劑는 瘀血이 胸部를 가로 막아, 氣機가 鬱滯하여 胸痛·胸悶하게 된 것을 치료한다. 이것이 王淸任이 말한 "胸中血府血瘀"의 증상이다. 瘀血이 胸部에서 氣機를 막아 通하지 않으면 통증을 일으키게 되어, 胸痛이 오래되어도 낫지 않는다. 瘀血이 停滯되어 淸陽이 올라가지 않으면 頭痛이 생긴다. 또한 瘀熱이 위로 膈을 공격하면 呃逆이 그치지 않는다. 胸脇은 肝經이 순행하는 곳이기도 하므로, 鬱滯가 오래되면 肝이 條達의 성질을 잃고 성질이 급해져 쉽게 분노하게 된다. 氣血이 막혀 熱로 변하면 病이 血分에 위치하여 저녁이 되면 潮熱이 발생하여, 內熱로 인하여 煩悶게 하게 된다. 瘀熱이 위로 心神을 어지럽히면 心脈을 막아, 心이 養生하는 바를 잃게 되면 두근거려 잠을 못 자게 된다. 脣·目·舌·脈에도 모두 瘀血과 연관된 증상이 나타나게 된다. 血瘀가 主가 되고 氣滯는 그 다음이다.

【配伍分析】 본 方劑는 桃紅四物湯合四逆散加桔梗牛膝(熟地黃 대신 生地黃, 白芍藥 대신 赤芍藥)의 의미로 만들어진 것이며, 王淸任은 이것으로 "胸中血府血瘀"로 인한 제반 증상들을 치료하였다. 方劑 중의 當歸·川芎·赤芍藥·桃仁·紅花는 活血化瘀하고, 牛膝은 血脈을 통하게 하고 瘀血을 아래로 내려가게 하는데, 이들이 주요 구성 성분이다. 氣는 血行을 가능하게 하고, 血의 循行은 肺氣의 宣通과 肝氣의 疎泄에 의존한다. 그러므로 柴胡를 배합하여 肝鬱을 해소해야 하고, 桔梗으로 肺氣를 열어 트이게 한다. 桔梗은 枳殼과 합해져 하나는 上升하고 하나는 下降하여, 胸을 넓게 하여 氣를 움직이게 하여, 곧 血도 움직이게 된다. 生地黃은 血을 차갑게 하여 熱을 없애는데, 當歸와 함께 養血하고 滋潤하게 하며, 瘀를 물러나게 하고 血을 생성한다. 甘草는 여러 약을 조화롭게 한다.

본 方劑의 配伍 특징: ① 氣血을 동시에 치료한다. 活血化瘀, 疏肝行氣의 작용을 동시에 갖고 있으나, 化瘀를 주로 하고, 理氣를 보조로 하여, 活血하여 瘀滯를 다스리고, 行氣하여 鬱結을 다스린다. ② 活하되 養한다. 예를 들어, 當歸·生地黃·甘草 등은 活血理氣 작용에 의해 血分이 소모되어 陰이 상하는 것을 막으며, 祛瘀하면서도 새로운 것을 만들어낸다. ③ 乘과 降을 함께 사용한다. 柴胡와 牛膝·桔梗과 枳殼의 配伍는 乘降에 함께 작용하여 氣機의 法을 條達하고, 氣血을 乘降和順하게 한다.

【臨床應用】

1. 證治要點: 본 方劑는 瘀가 胸部를 막고 있는 증상을 주로 치료한다. 胸痛 혹은 頭痛, 통증이 정해진 곳에 있는 것, 舌이 黯紅色이거나 瘀斑이 있는 것, 脈이 澀하거나 弦緊한 것을 證治要點으로 삼는다.

2. 加減法: 만약 瘀가 胸部에 있으면 赤芍藥·川芎을 증량하고, 柴胡·靑皮를 加해야 한다. 瘀가 脘腹部에 있으면 桃仁·紅花를 증량하고, 乳香·沒藥·烏藥·香附子를 加해야 한다. 瘀가 少腹에 있으면 蒲黃·五靈脂·官桂·小茴香 등을 加한다. 瘀가 肝腫을 阻致해 脇痛이 있으면 丹參·鬱金·蟅蟲·九香蟲을 加한다. 瘀가 肝脾에 쌓여 硬腫이 있으면 三稜·莪朮·製大黃 혹은 水蛭·蟅蟲 등을 加한다. 血瘀로 인해 閉經·痛經이 있으면 桔梗을 去하고, 香附子·益母草·澤蘭 등을 加하여 活血·調經·止痛한다.

3. 血府逐瘀湯은 다음 한국표준질병사인분류(KCD)에 해당하는 환자가 胸中血瘀, 瘀阻氣滯證으로 辨證되는 경우 본 처방의 사용을 고려해볼 수 있다.

처방 목표	한국표준질병사인분류(KCD)
冠狀動脈硬化性心臟疾患	I25.1 죽상경화성 심장병
狹心症	I20 협심증
류마티스性心臟疾患	I09 기타 류마티스심장질환
胸部挫傷	S20.2 흉부의 타박상
肋間神經痛	G58.0 늑간신경병증
肋軟骨炎	M94.0 연골늑골접합부증후군[티체]
慢性肝炎	K73 달리 분류되지 않은 만성 간염
	B18 만성 바이러스간염
肝臟腫大	(질병명 특정곤란)
	R16 달리 분류되지 않은 간비대 및 비장비대
脾臟腫大	D73 비장의 질환
	R16.1 달리 분류되지 않은 비장비대
潰瘍性疾患	(질병명 특정곤란)
腦震蕩後遺症에 의한 어지럼症, 頭痛 정신억울	F07.2 뇌진탕후증후군
	F30~F39 기분[정동] 장애

【注意事項】 方劑 중 活血祛瘀 약물이 비교적 많아 임산부는 복용을 금한다.

【變遷史】 본 方劑는 淸代 王淸任에 의해 정해진 것인데, 약물의 구성을 분석하면 桃紅四物湯과 四逆散을 합하고 桔梗·牛膝을 加하여 만들어진 것이다. 그 病機의 관건은 血瘀, 그리고 그로 인한 氣滯에 있다. 그러므로 치료는 마땅히 活血祛瘀를 위주로 하고 疎肝理氣를 보조로 한다. 그러나 王氏는 瘀血이 생기는 질병을 부위에 따라 나누었기 때문에 血府逐瘀湯으로 胸中의 血府血瘀의 증상을 치료하고, 通竅活血湯으로 頭面·四肢·周身의 증상을 치료하며, 膈下逐瘀湯으로 肚腹의 증상을 치료하고, 少腹逐瘀湯으로 少腹에 쌓여 結하는 것, 혹은 여성의 月經不調 등 증상을 치료했다.

【難題解說】

1. "血府"에 대한 정확한 이해: 王氏는 역사적 조건의 한계로 인해 오직 병에 걸린 소아의 시체와 형장의 시체에서만 臟腑를 관찰할 수 있었고, 실제 해부 실험이 부족하였던 것 같다. 그래서 "血府卽人胸下膈膜一片, 其薄如地, 最爲堅實, 前長與心口凹處齊, 從兩脇至腰上, 順長如坡, 前高後低, 底處如池, 池中存血卽精汁所化, 名曰血府."라고 언급하였으나, 이것은 시체에 있는 胸腔組織의 血을 生理的인 현상으로 誤認한 것이다. 그러나 이러한 "血府"에서 瘀血이 생성된다는 개념을 토대로 하여 活血化瘀하는 血府逐瘀湯을 개발하였는데, 임상에서는 광범위하게 이용되어 왔고, 치료 효과도 좋은 편이다.

王氏의 견해에 대한 학술적 연원을 찾아보면 다음과 같다. 일찍이 『內經』에 血府에 대한 기록이 있었고, 『素問』「脈要精微論」에서는 "夫脈者, 血之府也."라고 하였다. 脈管 안팎에 있는 瘀血의 病機에 대해서는 『靈樞』「經脈」에서 "手少陰氣絶, 則脈不通, 脈不通則血不流; 血不流則髮色不澤, 故其面黑如漆紫者, 血先死."이라 하였으며, 『靈樞』였으며, 『靈樞』「賊風」에서는 "若有所墜墮, 惡血在內而不去, ……則血氣凝結."라고 하였다. 이것을 통해 古人들이 瘀血의 존재 부위를 脈管內와 脈管外로 구분하고 있었음을 알 수 있다. 따라서 王氏가 비록 "血府" 部位에 대한 인식에는 착오가 있었으나, 血府에 瘀血이라는 病機가 발생한다는 인식은 정확한 것으로 보이며, 王氏가 인식한 "血府"의 瘀血이 脈管內의 것이든 脈管外의 것이든 瘀血은 모두 객관적으로 존재하는 病機現像인 것이다. 한편, 『內經』이 지적하고 있는 血府는 "脈"인데, 이것은 王氏의 胸中 "血府"와 완전히 구별되는 것이다. "脈"은 血液이 통행하는 管이며 인체의 腸腑·四肢·骨肉·皮毛 등을 滋潤한다. 그러므로 血府逐瘀湯은 인체에서 瘀血이 일으키는 광범위한 질병치료에 사용할 수 있다.

2. 본 方劑의 主治에 대하여: 본 方劑가 주로 치료하는 病症은 19種에 이르는데, 頭痛·胸痛·胸不任物·胸

任重物·天亮出汗·食自胸右下·心理熱(燈籠病)·瞀悶·急躁·野睡多夢·呃逆·飮水卽呃·不眠·小兒夜啼·心跳心忙·野不安·俗言肝氣病·乾嘔·晩發一陣熱 등이다. 임상에서의 表現이 다양하여 확진이 어렵지만, 血府血瘀는 아래의 다섯 가지 임상적 특징을 확인해야 한다. ① 疼痛이 정해진 위치에서 나타난다. ② 감정에 변화가 있다. ③ 胸中에 비정상적인 감각이 있다. ④ 열이 나면서, 잠이 오지 않는다. ⑤ 瘀血의 舌과 脈이 나타난다.

【醫案】

1.神經衰弱『新中醫』(1991, 11:49): 남성, 36세, 교사. 최근 1년 동안 심장이 두근거리고, 잠을 잘 수 없고, 두통, 어지러움, 가슴이 답답하고, 생각이 어지럽고, 건망증이 생겼다. 기분이 안 좋으면, 병세가 가중되어 업무에도 나쁜 영향을 미쳤다. 많은 方劑를 이용하여 치료를 받았으나 뚜렷한 효과가 없었다. 西醫에서는 "神經衰弱"으로 진단했다고 한다. 초진 때 舌質이 어두운 紫色이었고, 가장자리에 瘀點이 있으며, 脈이 弦澀했다. 이 증상들은 瘀血阻絡에 속하는 것으로 氣血의 運行이 순조롭지 않아서 腦가 失養한 것이다. 血府逐瘀湯(紅花 6 g, 當歸·川芎·赤芍藥·柴胡·枳殼 各 10 g, 甘草 3 g, 生地黃 15 g, 桔梗 5 g, 川牛膝·桃仁 各 12 g.) 3첩을 탕전하여 복용하였다. 두 번째 진료 시, 어지러움, 두근거림, 두통이 감소했고, 잠을 잘 수 있게 되었으나, 아직 쉽게 깨고, 꿈을 많이 꾼다고 하였다. 方劑를 바꾸지 않고, 原方에 炒酸棗仁·遠志를 各 10 g 加하여, 3첩을 다시 복용했다. 세 번째 진료 시에는 여러 증세가 확실히 호전되었고, 기억력이 높아졌다. 계속해서 5첩을 투약하자 제반 증상들이 거의 사라졌고, 기억력도 회복되고, 정신도 정상과 같게 되어, 정상적으로 근무할 수 있었다. 이후 1년 동안 정기적으로 진료하였는데 재발하지 않았다.

考察: 神經衰弱, 眩暈, 健忘의 범주에 속하는 증상은 일반적으로 病因·病機가 복잡하여 치료법이 다양한데, 예를 들면 補益心脾, 交通心腎, 燥濕去痰, 淸火息風 등이 있다. 본 예에서는 瘀血이 內阻하고, 氣血의 運行이 순조롭지 않고, 心神이 滋養을 잃고, 어지러움과 불면, 두근거림, 건망증, 생각이 어지러워지는 등의 증상이 血府逐瘀湯의 病機와 부합하였기 때문에, 投藥하여 효과를 얻었다.

2. 噯氣『河北中醫』(1988, 1:16): 남성, 37세. 噯氣症을 앓은 지 10여 년이 되었는데, 초기에는 개의치 않았다. 그런데 최근 몇 년 사이에 점점 가중되고, 噯氣가 빈번하게 되어, 噯氣를 참으려고 할수록 더욱 심해졌다. 그래서 여러 가지 치료를 받았으나 효과가 없었다. 초진 시, 舌黯, 苔黃, 脈弦細. 瘀阻氣滯와 胃失和降이 나타나는 것으로 판단하였다. 活血化瘀行氣를 치료하기 위하여, 血府逐瘀湯(當歸 15 g, 川芎 6 g, 赤芍藥 9 g, 生地黃 9 g, 桃仁 10 g, 紅花 6 g, 川牛膝 6 g, 柴胡 9 g, 枳殼 9 g, 桔梗 6 g, 甘草 3 g)을 6첩을 사용했다. 두 번째 진료 시, 噯氣가 거의 소실되었고, 舌黯이 감소되었고, 苔薄黃, 脈弱. 위의 方劑를 3첩 더 복용하고 호전되었다.

考察: 噯氣 증세는 임상에서 매우 흔히 볼 수 있다. 대부분 氣分의 문제로 인식하며, 瘀血로 인해 생긴다고 보는 경우는 드물다. 본 예에서는 舌黯을 관찰하여 瘀血에 속한다고 판단하여 血府逐瘀湯을 투여하였고, 活血化瘀로 치료적인 효과를 거두었다.

3. 전립선비대『新中醫』(1991, 7:42): 남성, 67세, 간부. 尿頻와 尿意不盡을 반년 동안 앓았다. 某의원에서는 전립선비대로 진단하였다고 한다. 초진 시 小便淋瀝, 尿細, 1시간에 5~6회의 빈번한 소변, 少腹이 답답하게 膨脹하며 날카로운 통증이 있었고, 괴로운 기색이었다. 舌은 紫黯色이었고, 瘀點이 있었고, 脈은 沉澀했다. 따라서 瘀가 精道를 가로 막아, 膀胱의 氣化 작용이 비정상적인 상태라고 진단하였다. 化瘀通竅, 活血利尿하기 위해, 血府逐瘀湯(當歸·赤芍藥 各 15 g, 生地黃·川芎·桃仁·紅花·柴胡·枳殼·牛膝 各 10 g, 甘草·桔梗 6 g)을 투여하였다. 3첩을 복용한 후, 배뇨가 약간 순조롭게 되었고, 少腹의 脹痛이 감소했다. 위의 方

劑에 王不留行 30 g을 加하여 活血通絡의 效能을 加重하고, 20첩을 연속하여 복용하니 排尿가 순조롭게 되고, 제반 증상이 크게 감소하였다. 1년 후에 다시 진료하였고, 건강한 상태였다.

考察: 전립선비대로 조직에 충혈, 腫脹이 있고, 요도가 막혀 排尿困難을 일으키는 것은 癃閉의 범주에 속한다. 증상은 瘀血阻絡에 속하며, 精關이 不利해지고, 膀胱의 氣化作用이 정상을 잃은 것이다. 여기에 血府逐瘀湯에 王不留行을 加하여 逐瘀하고 腑를 通하게 하여, 瘀가 消滅되고 腑의 氣가 通하여, 水道가 잘 통하게 되어 좋은 효과를 얻을 수 있었다.

補陽還五湯

(『醫林改錯』卷下)

【組成】 黃芪 生 四兩(120 g) 當歸尾 二錢(6 g) 赤芍藥 一錢半(4.5 g) 地龍 去土 一錢(3 g) 川芎 一錢(3 g) 桃仁 一錢(3 g) 紅花 一錢(3 g)

【用法】 물로 달여 복용한다.

【主治】 中風으로 인하여 半身不遂, 口眼喎斜, 言語乾澁, 口角流涎, 小便頻數, 혹은 遺尿不禁, 舌黯淡, 白苔, 脈遲 등 증상을 치료한다.

【病機分析】 王氏는 "元氣旣虛, 必不能達于血管, 血管無氣, 必停留而瘀"(『醫林改錯』卷下)라고 하였다. 氣가 虛하면 血이 不行하여 脈絡瘀阻에 이르고, 筋脈과 筋肉이 營養을 잃게 되어 半身不遂나 口眼喎斜 등이 발생한다. 氣가 虛해 血이 정체되면 舌體와 頭面部의 筋肉이 營養을 잃어 말을 더듬게 되고, 입 주변에 침이 흐르게 된다. 氣가 虛해 固攝을 잃고, 氣化失司하면, 소변을 자주 보고, 심지어 尿遺不禁하기도 한다. 白苔와 脈遲는 氣가 虛하다는 증거이며, 舌이 黯淡한 것은 氣가 虛해 血이 정체된 증상이다. 종합적으로 말하면, 본 方劑의 病機는 氣虛血滯인데, 氣虛로 인해 血瘀에 이르게 되며, 瘀血이 腦絡을 막게 된 것이다. 따라서 氣虛가 本이고, 血瘀가 標로서, 本虛標實이다.

【配伍分析】 본 方劑는 補氣藥과 活血祛瘀藥을 서로 배합하여 中風이 일으키는 半身不遂, 舌强語鈍을 치료한다. 그 病機가 氣虛를 本으로 하고 血瘀를 標로 하기 때문에, 方劑에서는 生黃芪를 君藥으로 중요하게 사용하여, 資化의 根源인 脾胃中氣를 보호하고, 氣의 散流를 조절하여 經絡의 眞氣를 固攝하고, 氣를 왕성하게 하여 血을 돌게 하며, 瘀血을 극복하되 正氣를 상하지 않게 한다. 當歸尾는 活血과 養血에 모두 능하므로, 瘀血을 풀어주지만 血을 상하게 하지 않기 때문에 臣藥이 된다. 川芎·赤芍藥·桃仁·紅花는 當歸尾를 輔佐하여 活血祛瘀한다. 운반과 通絡에 장점이 있는 地龍과 生黃芪를 배합하여 補氣通絡의 힘을 증강하여, 약효가 전신에 순환하는 것을 가능하게 한다. 종합하면 氣가 旺盛해지고 血이 돌게 되면서 瘀血이 없어지고 脈이 통하게 되어, 근육이 營養을 얻게 되면, 痲痹가 없어져 스스로 건강을 회복하게 된다.

본 方劑의 配伍에는 세 가지 특징이 있다. 하나는 生黃芪(四兩)을 重用한다는 것이다. 脾胃의 化源을 資生시키고, 經絡의 眞氣를 보호하며, 營衛의 氣를 충족시켜, 血脈을 鼓動시킬 수 있다. 두 번째는 活血通絡하는 여섯 가지 藥의 총량이 黃芪의 1/5 정도이므로, 모든 方劑가 瘀血을 제거하는 효능을 갖고 있지만 正氣를 상지 않게 하고, 補氣가 主가 되고 化瘀가 輔가 되는 立法의 의미를 구현하고 있다. 세 번째는 黃芪의 量과 복용 기간을 점차 늘려야 한다는 것인데, 완치 후에도 계속 복용하도록 해서, 補養還五하게 한다.

【類似方比較】 본 方劑와 血府逐瘀湯은 모두 理血劑 중의 名方이며, 王淸任이 만든 것이다. 두 方劑가 사용하는 活血化瘀 약물에는 모두 桃仁·紅花·當歸·赤

芍藥·川芎이 사용되고 있으나 차이점이 있다. ① 病機의 차이. 補養還五湯의 病機는 氣虛가 本이고, 血瘀가 標가 되므로, 本虛標實이다. 血府逐瘀湯의 病機는 瘀血이 胸中에 있기 때문에, 氣機가 鬱滯하는 것이다. 따라서 血瘀가 主가 되고 氣滯가 次이며, 氣虛를 겸하지 않는다. ② 組方 원칙의 차이. 본 방은 益氣固攝이 主가 되고, 化瘀通絡이 輔가 되므로, 生黃芪로 氣를 補充하는 것이 主가 되고, 소량의 活血藥物로써 보조한다. 血府逐瘀湯은 化瘀가 主가 되고, 理氣解鬱이 輔가 되기 때문에, 活血化瘀 약물이 主가 되고, 柴胡·桔梗·枳殼 등 疎肝理氣解鬱하는 약물이 輔하고, 牛膝이 血을 下行하도록 한다. ③ 扶正固本의 치중점의 차이. 본 方劑는 氣를 보충하는데 중점이 있기 때문에, 黃芪를 重用하고, 當歸尾로 養血을 兼한다. 血府逐瘀湯은 養血에 중점을 두기 때문에 當歸와 生地黃으로 養血하여 潤燥하도록 하면서, 甘草로 益氣和中을 兼고 하 있다.

【臨床應用】

1. 證治要點: 본 方劑는 氣虛血瘀의 증상을 치료할 때 일반적으로 사용하는 方劑이다. 中風 後의 치료에 자주 사용하며, 半身不遂, 口眼喎斜, 白苔, 脈遲或細弱無力 등이 證治의 要點이다.

2. 加減法: 中風의 偏癱, 偏寒을 치료할 때는 肉桂·巴戟天 등 溫腎散寒藥을 加하고, 脾가 虛한 사람에게는 黨參·白朮을 加하여 健脾益氣한다. 痰이 많은 사람에게는 法半夏·天竺黃 등 祛痰藥을 加한다. 언어가 순조롭지 않은 사람에게는 菖蒲·遠志 등을 加하여 開竅化痰한다. 口眼喎斜인 사람에게는 白附子·殭蠶·全蠍 등 祛風化痰通絡藥을 加한다. 偏癱이 오래되어 잘 치료되지 않는 사람에게는 水蛭·虻蟲을 加하여 破瘀通絡한다. 下肢가 痿軟한 사람에게는 杜仲·牛膝을 加하여 肝腎을 補益한다. 의식이 혼미하거나 두통이 있는 사람에게는 菊花·蔓荊子·石決明·代赭石 등을 加하여 鎭肝息風한다.

3. 補陽還五湯은 다음 한국표준질병사인분류(KCD)에 해당하는 환자가 氣虛血瘀證으로 辨證되는 경우 본 처방의 사용을 고려해볼 수 있다.

처방 목표	한국표준질병사인분류(KCD)
腦血管疾患 後遺症	I69 뇌혈관질환의 후유증
腦動脈硬化症	I67.2 대뇌죽상경화증
小兒痲痺後遺症	G14 소아마비후증후군
其他 半身不隨	(질병명 특정곤란)
	U23.4 중풍후유증(中風後遺證)
顔面神經痲痺	G51 안면신경장애
	G51.0 벨마비
神經痛	G50~G59 신경, 신경근 및 신경총 장애
神經衰弱	F48.0 신경무력증
	F48.8 기타 명시된 신경증성 장애
	F48.9 상세불명의 신경증성 장애
癲癎	G40 뇌전증
冠狀動脈硬化性 心臟疾患	I25.1 죽상경화성 심장병
高血壓	I10 본태성(원발성) 고혈압
	I15 이차성 고혈압
心筋梗塞	I21 급성 심근경색증
	I22 후속심근경색증
閉塞性動脈硬化症	I70 죽상경화증
血栓閉塞性脈管炎	I73.1 폐색혈전혈관염[버거병]
하지정맥류	I83 하지의 정맥류
慢性腎炎	N03 만성 신염증후군
糖尿病	E10~E14 당뇨병
前立腺肥大	N40 전립선증식증

【注意事項】

1. 본 方劑는 中風을 치료하는데 사용하는데, 환자의 정신이 맑은 상태로서, 체온이 정상이며, 출혈이 멈추고, 脈遲弱한 경우에 適當하다.

2. 본 方劑는 장시간 복용하면서 완만하게 치료 효과를 볼 수 있는데, 병이 나은 후에도 일정 기간을 계

속 복용해야 치료 효과를 확고히 하고, 재발을 막을 수 있다.

3. 高血壓이 있는 사람에게 사용해도 무방하지만, 陰虛血熱한 사람은 복용을 禁한다.

【變遷史】 본 方劑는 淸代의 王淸任이 半身不遂 환자에 適合하게 만든 方劑이다. 方劑의 根源을 분석하면, 桃紅四物湯에서 地黃을 去하고, 地龍을 加하고 黃芪를 重用하여 만든 것이다. 中風에 대해 역대 의학자들이 "氣滯血瘀"라고 論한 것은 많지만, "氣虛血瘀"에 대한 논의는 부족하다. 『靈樞』「刺節眞邪」에 "虛邪偏客于半身, 其入深, 內居營衛, 營衛稍衰, 則眞氣去, 邪氣獨留, 發爲偏枯."라고 기록되어 있다. 王氏는 『內經』과 역대 의학자들의 中風에 관한 이론, 그리고 자신의 임상경험을 결합하여, 中風에서 半身不遂의 病機를 "氣虛血瘀"로 주장하였다. 『醫林改錯』卷下에서 "人之半身不遂, 由元氣虧損. 夫人之元氣, 分布周身, 若虧損過半, 經絡自然空虛, ……故半身不遂.", "元氣旣虛, 必不能達于血管, 血管無氣, 必停留而瘀." 라고 한 것이 그것이다. 이로써 中風에 대한 補氣活血 치료법을 개시하였으며, 후대의 의학자들은 이를 광범위하게 활용하였다.

【難題解說】

1. 方名 "補陽還五"의 含意: 氣는 陽에 속하고, 血은 陰에 속한다. 陽은 動하고, 陰은 靜하기 때문에, 陰血의 운행은 陽氣의 推動에 의존한다. 氣機가 막혀 血行을 推動하지 못하면 血瘀를 일으킬 수 있다. 王淸任은 이러한 이치를 陽氣의 十成에 비유해 "分布周身, 左右各得其半"이지만 어떠한 원인으로 인해 陽氣의 五成이 손상되면, 즉 十이 무너지게 되고, 五는 半身에 無氣를 일으켜 氣虛血瘀로 인한 半身不遂가 생기게 된다고 하였다. 이에 대하여 補氣活血의 方劑를 만들어 손상된 五成의 元氣를 회복시키기 때문에 "還五"라는 명칭을 사용하였으며, 陽氣가 다시 전신에 운행하게 되면 "十全"이 되므로 王氏는 이 方劑를 "補陽還五湯"이라고 불렀다.

2. 黃芪의 用量·用法 문제: 原方은 補氣를 主로 하고, 活血祛瘀를 輔로 한다. 따라서 黃芪의 용량은 임상에서 일반적으로 30~60 g으로 시작하여, 효과가 없으면 점차 용량을 늘리며, 최대 하루 240 g까지 사용한다. 한편 活血藥은 용량을 늘리면 6 g 이상을 사용한다. 王氏는 "服此方愈後, 藥不可斷, 或隔三五日吃一付, 或七八日吃一付."라고 하였는데, 정리하자면 본 方劑에서 黃芪의 용량은 복용하면서 점차 증가시켜야 하고, 나은 후에도 계속 복용한다는 것이다.

【醫案】

1. 頸性眩暈 『新中醫』(1993, 12:45): 남성, 54세, 기관의 간부. 眩暈이 1년 동안 반복적으로 발생하였는데, 최근 3일 동안 더욱 심해졌다. 최근 1년간 고민이 많고, 피로가 누적되고, 사무 업무가 과도하여, 어지럽고 눈이 어두웠다. 가벼울 때는 눈을 감고 잠깐 쉬면 증상이 멈추었는데, 심할 때는 배나 차에 앉아있는 것처럼 흔들려서 눕고만 싶고, 눈을 떠서 사물을 바라볼 수 없었다. 이전에 진료하였던 한의사는 平肝潛陽·滋陰息風, 혹은 健脾化痰法으로 치료하고, 西醫는 수액주사나 포도당주사 등을 하였으나 일시적일 뿐이었다. 3일 전에 眩暈이 다시 발생하였는데, 집이 빙빙 돌고, 눈을 뜰 수 없었고, 자리에 누워 일어날 수 없었는데, 조금만 움직여도 흔들리고, 구토가 빈번했다. 舌質이 暗淡하고, 가장자리는 紫色을 띄었으며, 脈이 細澀했다. 혈압은 105/78 mmHg이고, X-선 검사상 4, 5번째 경추의 骨質이 增植하여, 경추의 문제에서 야기된 眩暈으로 진단하였다. 이는 氣虛血瘀, 淸空失養이 야기한 것이므로 補陽還五湯을 加味하여 치료했다. 處方은 生黃芪 60 g, 川芎 9 g, 赤芍藥 12 g, 地龍·桃仁·紅花·當歸 各 10 g, 葛根, 紫丹參 各 30 g, 甘草 4 g, 3첩이다. 두 번째 진료 시에는 眩暈이 크게 감소하였으며, 정신이 맑아지고, 구토가 없어지고, 舌邊의 紫色도 사라졌지만, 舌質은 아직 어두운 편이었고, 脈은 가늘고 힘이 없었다. 그래서 원래의 方劑를 5첩 더 복용했다. 세 번

째 진료에서는 眩暈이 치유되어, 생활이 정상화 되었고, 苔와 脈이 조화롭게 되었는데, 頸復康 1包를 주어 매일 3번 복용하도록 하여, 치료 효과를 확고하게 했다. 1개월 후 경추를 다시 촬영했는데, 이상이 없었다. 1년여 동안의 정기 검진에서도 재발하지 않았다.

考察: 眩暈 증상은『素問』에서는 "木鬱之發"이라고 했고,『靈樞』에서는 "上氣不足"으로 보았는데, 河間은 風火를 지목하였고, 丹溪는 痰을 지목하였으며, 景岳은 虛를 지적하였으며, 여러 임상을 고찰할 때 중요한 이론이다. 한편, 瘀로 인해 眩暈이 생긴 경우는 임상에서 드물지 않다. 그러므로 明代의 楊仁齋는『直指方』에서 "瘀滯不行, 皆能眩暈."이라고 했다. 本案의 病機는 바로 氣虛血瘀, 淸空失養이다. 補陽還五湯은 益氣活血하는데, 여기에 葛根을 加하여 淸陽을 끌어올려, 근육이 부드럽게 하였고, 絡을 활발하게 하였다. 또 丹參을 加하여 活血化瘀의 힘을 증강시킨 것이다.

2. 癲癎『浙江中醫學院學報』(1994, 1:41): 남성, 21세, 농민. 환자는 실수로 운행 중인 기차에서 떨어져 두개골에 外傷을 입어, 杭州의 某병원에서 두개골을 개방하고 수술한 후, 전신 근육 강직, 사지에 경련성 수축이 약 20~40분마다 한 번씩 일어났다. 발작할 때에는 정신이 맑지 못하고, 입에서는 양 울음소리 비슷한 소리가 나며, 말을 하지 못하고, 반신을 사용하지 못하고, 대변과 소변을 가리지 못하였고, 대변은 건조했다. 杭州의 병원에 입원 시에 항경련제인 phenytoin sodium 등의 치료를 한 달여 동안 했지만 증상은 호전되지 않았다. 檢査: 精神委靡, 失語, 右側 肢體肌力 0등급, 슬부 건반사 소실. 舌淡, 苔薄白, 脈細. 腦電圖上 彌散性 高幅 發作性 慢波였다. 氣虛血瘀로 판단하여 益氣活瘀, 祛風通絡의 치료법을 선택했다. 방제: 生黃芪 50 g, 當歸10 g, 赤芍藥 10 g, 川芎 20 g, 廣地龍 5 g, 桃仁 10 g, 紅花 5 g, 川蜈蚣 3條, 石菖蒲15 g, 火麻仁 10 g, 水蛭 10 g, 5첩. 二診: 발작 횟수가 하루 4~5번으로 감소하였다. 계속해서 15첩 더 투약한 후, 매일 발작이 1~2번으로 줄었고, 말은 아직 모호했으나, 右側 肢體의 肌力이 II등급으로 호전되었고, 정신이 호전되었다. 다시 2개월간 처방을 지속하여, 癲癎이 발작을 멈추었고, 언어가 분명해졌으며, 문제에 적절히 대답할 수 있게 되었고, 지팡이를 짚고 걸을 수 있었으며, 대변과 소변도 스스로 처리했다. 반년 동안의 정기 검진에서 발작이 없었고, 외상성 癲癎을 완치하였다.

考察: 외상성 癲癎은 두개골 외상 후에 흔하다. 본 예의 환자는 外傷으로 瘀가 만들어져 血脈을 막았고, 다시 수술로 氣를 소모하고 血을 상해 氣血의 흐름이 暢通하지 않았다. 게다가 瘀血이 제거되지 않아서, 新血도 생성되지 않았다. 補陽還五湯은 환자의 正氣를 북돋아, 氣를 旺盛하게 하여, 行血하였으며, 祛瘀通絡하여, 淸竅得養하는 처방이며, 여기에 蜈蚣·全蠍·水蛭을 加하여 祛風通絡 효과를 더욱 도왔다.

3. 重症肌無力『四川中醫』(1990, 11:31): 여성, 63세. 환자는 한 달 전부터 양쪽 눈꺼풀이 내려앉고, 음식을 삼키는 것이 어렵고, 사지가 연약하고, 힘이 없어져, 행동이 곤란해졌다고 하며 방문했다. 몸이 뚱뚱하고, 안색이 창백했으며, 말을 더듬고, 양쪽 눈꺼풀이 내려 앉은 채 스스로 뜨고 감을 수 없었고, 複視를 동반했으며, 씹고 삼키는 것이 곤란하고, 손에 힘이 없어 그릇을 나르고, 머리를 빗고, 보행을 하는 것이 어려웠는데, 특히 오후에 심했다. 舌은 微紫色이고, 가장자리에는 齒痕이 있었고, 舌苔가 얇고, 脈이 느렸다. 痿證으로 진단했는데, 氣虛絡阻에 속했다. 西醫에서는 중증 근무력으로 진단했다고 한다. 補氣·活血·通絡의 효능이 있는 補陽還五湯에 加味하여 치료했다. 방제: 黃芪 60 g, 當歸·川芎·赤芍藥·紅花·桃仁·地龍 各 10 g, 葛根 30 g, 麻黃 6 g, 매일 1첩. 二診: 9첩 복용한 이후에 눈꺼풀이 내려앉고, 씹고 삼키기가 곤란하고, 사지가 부드럽고 힘이 없는 등의 증상이 모두 호전되었다. 다시 15첩을 복용하여 모든 증상이 나았다.

考察: 중증 근무력은 대부분 痿證에 해당한다. 환자의 체질이 허약한데, 勞倦에 의하여 中焦를 상하면,

正氣는 더욱 虛해진다. 虛는 瘀를 만들기 때문에 脈絡이 막히고, 筋脈의 근육이 양분을 잃게 되어, 말이 어눌하고, 눈꺼풀이 내려앉고, 씹고 삼키는 것이 곤란하고, 사지 근육이 무력해지는 등의 증상이 생기는 것이다. 補陽還五湯을 사용해 氣血을 補하고, 活血로 通絡하게 하는데, 여기에 葛根·麻黃 등으로 上行을 돕고, 밖으로는 피부에까지 도달케 하고, 脈絡을 통하게 하여 치료 효과를 얻을 수 있었다.

復元活血湯

(『醫學發明』卷3)

【異名】 傷原活血湯(『奇效良方』卷56)·再生活血止痛散(『跌損妙方』)·復原湯(『壽世保元』卷9)·復元通氣湯(『證治寶鑒』卷9)·復元羌活湯·(『醫方集解』「理血之劑」)·當歸復元湯(『醫略六書』卷20).

【組成】 柴胡 半兩(15 g) 瓜蔞根 當歸 各三錢(各 9 g) 紅花 甘草 穿山甲 炮 各二錢(各 6 g) 大黃 酒浸 一兩(30 g) 桃仁 酒浸, 去皮尖, 研如泥 五十個(15 g)

【用法】 桃仁을 제외하고, 麻豆 크기로 썬다. 매번 一兩(30 g)을 복용하는데, 물은 1잔 반, 술 반잔을 같이 달여 7분을 만들어, 찌꺼기는 거르고, 식전에 따뜻하게 복용한다. 下利를 하는 것은 당연하지만, 만약 下利를 하여 통증이 감소하면 더 이상 복용하지 않는다.

【效能】 活血祛瘀, 疏肝通絡.

【主治】 跌打損傷, 瘀血이 脇下에 머물러 통증을 견딜 수 없는 것을 치료한다.

【病機分析】 跌打損傷 후에는 반드시 經絡에 손상이 생긴다. 血이 脈外로 흘러넘치면 피하에 정체되거나, 胸脇에 쌓이거나, 혹은 臟腑에 맺히기도 한다. 본 方劑는 주로 瘀血이 脇下에 머물러 통증을 견디기 힘든 것을 치료한다. 脇은 肝의 所在이며, 肝膽의 經絡이 循行하는 곳이다. 肝은 藏血의 臟이고, 만약 瘀血이 안에서 막혀 있으면, 반드시 肝氣의 鬱結을 일으킨다. 血瘀氣滯하면, 脇肋에서 疼痛하게 되고, 심지어 통증을 견딜 수 없게 된다.

【配伍分析】 瘀積으로 脇痛이 생기는 경우는 活血祛瘀를 위주로 하고, 疏肝理氣通絡을 겸해야 한다. 方中에서는 酒制大黃이 중요하여 流瘀敗血을 제거하고, 瘀血을 下行시킨다. 柴胡는 疏肝理氣하므로 결국 氣가 行하면 血이 行하게 되어, 다른 여러 약이 脇에 이르게 한다. 두 약을 함께 쓰면 하나는 오르고, 하나는 내려가 脇下의 瘀血을 공격하므로, 모두가 君藥이다. 當歸·桃仁·紅花는 活血祛瘀, 消腫止痛하므로, 모두 臣藥이다. 穿山甲은 破瘀通絡하고, 瓜蔞根, 즉 天花粉은 血分으로 들어가 瘀血을 없애고, 상처를 막을 수 있고, 當歸와 함께 鬱熱을 깨끗이 하면서도, 血燥를 막을 수 있는데, 血氣의 鬱熱을 풀어내고 潤燥하므로, 佐藥이다. 甘草는 急한 것을 緩和하고, 통증을 멈추게 하고, 여러 약을 조화롭게 하므로, 使藥이다. 大黃酒制는 술로 달이는 것인데, 술의 行散 작용을 빌어 活血通絡의 작용을 강력하게 한다.

본 方劑 配伍의 특징: 첫째는 대량의 攻下劑에 行氣藥을 배합하였다는 것인데, 破血祛瘀를 主로 하고, 疏肝理氣를 輔로 하는 것이다. 두 번째는 升과 降을 併用하는데, 大黃과 柴胡가 동시에 君藥으로서, 하나는 升하고 하나는 降하여, 氣機를 자유롭게 하고 積滯를 흩어 없어지게 한다. 술과 물을 1:3의 비율로 섞어 약을 달여서, 血行을 촉진하고 藥力이 病所에 신속하게 도달하게 하고, 祛瘀의 효력을 증강시킨다.

【類似方比較】 본 方劑와 血府逐瘀湯은 모두 胸脇의 瘀積과 疼痛을 치료하며, 모두 氣와 血을 함께 치료하는 方劑로서 活血化瘀를 疏肝理氣와 배합하여,

祛瘀를 主로 하고, 理氣를 輔로 한다는 점에서 같다. 그러나 復元活血湯은 祛瘀止痛 작용이 비교적 커서 跌打損傷, 瘀留脇下를 위주로 하는 각종 外傷, 그리고 연부조직 손상으로 인한 積瘀疼痛을 치료한다. 반면에 血府逐瘀湯은 活血化瘀을 위주로 하여 血中의 血瘀症을 치료하기 때문에, 기타 神經痛, 심혈관계통의 瘀血症에도 사용된다는 점에서 차이가 있다.

【臨床應用】

1. 證治要點: 본 方劑는 跌打損傷에 사용되며, 脇肋의 瘀腫疼痛하되 아픈 곳이 고정되어 움직이지 않고, 통증을 참기 힘든 것이 證治要點이다.

2. 加減法: 만약 氣滯가 비교적 심하면, 木香·香附子·青皮·枳殼·鬱金을 적절히 加하여 行氣止痛의 힘을 돕는다. 血瘀가 重하면 三七粉을 加하고, 乳香·沒藥 등 化瘀止痛의 약을 적당량 加한다.

3. 復元活血湯은 다음 한국표준질병사인분류(KCD)에 해당하는 환자가 血瘀氣滯證으로 辨證되는 경우 본 처방의 사용을 고려해볼 수 있다.

처방 목표	한국표준질병사인분류(KCD)
各種外傷	S00~T98 XIX. 손상, 중독 및 외인에 의한 특정 기타 결과
肋間神經痛	G58.0 늑간신경병증
肋軟骨炎	M94.0 연골늑골접합부증후군[티체]

【注意事項】

1. 服藥後 下利를 하여 통증이 감소하면, 약을 모두 다 복용할 필요는 없으며, 이는 瘀血이 下한 이후에 正氣가 손상되는 것을 피하기 위해서이다. 만약 瘀血이 제거된 후 통증은 감소하였으나, 병이 완전히 낫지 않아, 복용을 지속할 필요가 있는 사람은 方劑를 바꾸거나 方劑의 양을 조절한다.

2. 임산부는 복용을 禁한다.

3. 손상이 重하여, 골절, 내장 파열 혹은 개방성 손상이 있는 경우는 中·西醫 結合治療를 해야 한다.

【變遷史】 본 方劑는 跌打損傷을 치료하는 方劑로 『醫學發明』券3에 처음 기재되었다. 方劑의 淵源을 論하자면, 『傷寒論』의 桃核承氣湯에서 桂皮·芒硝를 去하고 ·天花粉·紅花·當歸·穿山甲 등을 加한 것이다. 치료법은 "活血祛瘀, 疎肝通絡"의 이론에 기반하며, 『靈樞』「邪氣臟腑病形」의 "有所墮墜, 惡血留內, 若有所大怒, 氣上而不下, 積于脇下, 則傷肝."에서 비롯된다. 主治는 "瘀血留于脇下"이며, 肋軟骨炎·肋間神經痛에 좋다.

【難題解說】

1. 方名闡釋: 본 方劑의 配伍는 活血祛瘀를 爲主로 하고, 天花粉은 손상된 瘀血을 제거하면서, "續絶傷"(『神農本草經』卷2)하며, 새살을 돋게 하면서 腫脹을 없앤다. 當歸·甘草는 生養新血하면서 祛瘀하여 元氣를 회복하는데, 『成方便讀』卷2에서 "去者去, 生者生, 痛自舒而元自復矣"라고 말한 것과 같다. 그래서 方名을 復元活血湯이라 한 것이다.

2. 본 方劑의 君藥에 대하여: 原書에서는 柴胡를 君으로 삼았지만, 후대에는 柴胡와 當歸를 君으로 보는 견해(山東中醫學院 『中藥方劑學』)가 있고, 大黃·桃仁을 君으로 보는 견해(『中醫治法與方劑』)도 있다. 본 方劑에 사용된 藥의 配伍 관계를 세밀하게 고찰하면 다음과 같은 의견들을 이해할 수 있다. 첫 번째, 본 方劑는 주로 血瘀의 증상을 치료한다. 그런데 柴胡는 작은 양으로는 引經을 위해 사용되고, 많은 양으로는 疎肝理氣하기 위해 사용되지만, 活血祛瘀의 효능은 없다. 본 方劑에서 柴胡의 용량은 비교적 큰 편이지만 引經을 배제하고는 그 의미를 설명할 수 없으므로, 疎肝理氣와 引經의 二中의 작용을 함께 고려해야만 한다. 두 번째, 본 方劑의 用藥은 活血祛瘀를 主로 한다. 특히 大黃의 용량이 독보적으로 큰데다가, 酒制의 형태로 사용하기 때문에 活血의 효과가 특출하기 때문에 君으로 여길 수 있다. 세 번째, 活血祛瘀藥과 배합하

여 疎肝理氣하는 약을 사용하면, 氣를 움직이게 하면서 血도 역시 움직이게 된다. 大黃과 함께 柴胡를 사용하여 引經하면 정해진 방향으로 活血祛瘀 작용을 더욱 발휘할 수 있기 때문에 大黃·柴胡를 모두 君藥이라고 보는 것이 타당하다.

3. 柴胡의 작용에 대하여: 柴胡의 方中 작용에 대해서는 역대 의학자들의 인식이 모두 다르다. 李杲는 "以柴胡爲引, 用爲君"(『醫學發明』卷3)라 하였는데, 秦伯未도 그 說을 따라 "方內柴胡系引經藥, 不以疎肝爲目的"(『臨證備要』)라고 하였다. 費伯雄은 "致跌扑損傷之法, 破瘀第一, 行氣次之"(『醫方論』卷2)를 강조했다. 復元活血湯에서 柴胡는 疎肝理氣와 引經의 二中 작용을 한다. 우선, 그 病位가 脇下에 있기 때문에 脇下의 瘀血을 모두 없애고, 引經하여 藥力이 病所에 도달하도록 해야 하는데, 柴胡는 厥陰肝經에 가장 좋은 引經藥이다. 그러나 柴胡는 大黃 다음으로 많은 용량을 사용하고 있으므로 단지 引經만 한다고 解釋할 수 없으며, 반드시 疎肝氣行 작용을 발휘한다고 보아야 한다. 그렇다면 外傷으로 인한 瘀血證에 왜 柴胡의 疎肝이 필요한 것인가? 氣가 行하면 血도 따라서 行하며, 血이 行하면 氣도 暢하게 된다. 氣鬱은 血滯를 일으키지만, 역으로 血澀도 氣의 運行에 영향을 줄 수 있다. 肝의 經脈이 脇下에 퍼져 있기 때문에 跌打損傷으로 인해 脇下에 瘀留를 일으키면, 반드시 肝의 疎泄기능에 영향을 준다. 그러므로 肝氣鬱滯의 病機를 배제할 수 없기 때문에 치료는 마땅히 活血化瘀와 더불어 疎肝行氣를 도모해야만 한다. 이는 張秉成이 "夫跌打損傷一證, 必有瘀血積于兩脇間, 以肝爲藏血之臟, 其經行于兩脇, 故無論何經之傷, 治法皆不離于肝. 且跌仆一證, 其痛皆在腰脇間, 尤爲明證. 故此方以柴胡之專入肝膽者, 宣其氣道, 行其鬱結"(『成方便讀』卷2)라고 한 것과 같다. 설령 瘀血證이 氣鬱을 전혀 동반하지 않더라도 "氣行則血行"의 이론에 의하면 行氣의 약물을 活血之中에 配伍하면, 瘀血의 消散에 이로움이 있다.

【方法選錄】

1. 李杲: "『黃帝鍼經』云: 有所墮墜, 惡血留內. 若有所大怒, 氣上而不行, 下于脇, 則傷肝. 肝膽之經, 俱行于脇下, 經屬厥陰·少陽, 宜以柴胡爲引, 用爲君. 以當歸和血脈, 又急者痛也, 甘草緩其急, 亦能生新血. 甘生血, 陽生陰長故也, 爲臣. 穿山甲·瓜蔞根·桃仁·紅花·破血潤血, 爲之佐. 大黃酒制, 以蕩滌敗血, 爲之使. 氣味和合, 氣血各有所歸, 痛自去矣."(『醫學發明』卷3)

2. 徐大椿: "血瘀內蓄, 經絡不能通暢, 故脇痛, 環臍腹脹, 便閉焉. 大黃蕩滌瘀熱以通腸, 桃仁消破瘀血以潤暢, 柴胡散淸陽之抑遏, 蔞根淸濁火之內蘊, 甲片通經絡破結, 當歸養血脈榮經, 紅花活血破血, 甘草瀉火緩中, 水煎溫服, 使瘀行熱化, 則腸胃廓淸而經絡通暢, 腹脹自退, 何脇痛便閉之不瘳哉? 此破瘀通閉之劑, 爲瘀熱脇痛脹閉之專方."(『醫略六書』「雜病證治」卷23)

3. 費伯雄: "治跌仆損傷之法, 破瘀第一, 行氣次之, 活血生新又次之. 此方再加十二味行氣之藥更佳."(『醫方論』卷2)

4. 張秉成: "夫跌打損傷一證, 必有瘀血積于兩脇間, 以肝爲藏血之臟, 其經行于兩脇, 故無論何經之傷, 治法皆不離于肝. 且跌仆一證, 其痛皆在腰脇間, 尤爲明證. 故此方以柴胡之專入肝膽者, 宣其氣道, 行其鬱結; 而以酒浸大黃, 使其性不致直下, 隨柴胡之出表入里, 以成搜剔之功. 當歸能行血中之氣, 使血各歸其經. 甲片可逐絡中之瘀, 使血各從其散. 血瘀之處, 必有伏陽, 故以花粉淸之. 痛盛之時, 氣脈必急, 故以甘草緩之. 桃仁之破瘀, 紅花之活血. 去者去, 生者生, 痛自舒而元自復矣."(『成方便讀』卷2)

5. 秦伯未: "脇痛如刺, 痛處不移, 按之更劇, 脈象弦澀或沉澀, 多由跌仆毆斗損傷, 瘀積脇下, 痛處皮膚有靑紫傷痕, 宜逐瘀爲主, 用復元活血湯. 方內柴胡系引經藥, 不以疎肝爲目的."(『臨證備要』)

6. 上海中醫學院: "本 方劑是傷科常用的內服方劑, 主治瘀血停滯, 胸脇疼痛之症. 方中當歸·紅花·桃仁·山岬·大黃活血破瘀, 是主要組成部分. 因爲胸脇是肝經循行的部位, 故用柴胡以疎肝. 方中使用天花粉幷不是取其潤燥生津的作用, 而主要是取其能除跌仆瘀血(見『本草經』及『景岳全書』的功效, 甘草用以緩急止痛. 瘀血去則新血生, 故有'復元'之名."(『中醫方劑臨床手冊』)

【醫案】

1. 腦挫傷·腦震蕩『江西中醫藥』(1987, 4:20): 남성, 30세. 5미터 높이에서 추락한 후 정신이 혼미하고 인사불성이었다가, 잠시 후 의식을 회복했다. 4차례 鮮血을 吐하고, 머리 정수리 부분에 심한 통증이 있었고, 안구가 부어올랐다. 오른쪽 이마에 찢어진 상처의 길이는 3.4 ㎝이고, 깊이는 골막에 달하였고, 앞이마에는 청자색 腫脹이 생겼고, 왼쪽 눈자위는 청색의 혹이 생겼다. 舌質은 暗紅色이고, 脈은 眩澀했다. X-선 검사 상 두개골과 두개골 내부에는 이상이 없었다. 진단: 뇌좌상·뇌진탕. 처치: 創傷 부위를 소독 후 봉합하고, 西藥 진통제·진정제를 투여하였다. 그러나 巓頂疼痛이 여전히 격렬해서 누워 있을 뿐 움직이지 못하고, 움직이면 깨질 것 같은 두통이 있고, 눈이 폭발하는 듯 하였다. 한방진료를 요청하여, 腦震絡瘀, 氣血遏阻로 진단하였다. 處方: 柴胡·天花粉·蟅蟲·劉寄奴·當歸尾·桃仁 各 10 g, 穿山甲 6 g, 川芎·紅花 各 8 g, 酒大黃 12 g, 甘草 4 g. 湯煎하여 溫服하도록 하였다. 3첩 복용 후, 두통이 감소하였고, 청자색의 腫脹이 消散되었다. 급한 기세가 진정되었으나, 잔류한 邪氣를 다 제거하기 위하여 다시 6첩을 복용하니, 모든 증상들이 소실되고, 정신이 건강해지고, 눈이 맑아졌다. 2년 동안 추적 관찰하였으나 후유증은 없었다.

考察: 肝經은 눈을 따라 올라가서, 이마 꼭대기에서 腦로 入絡한다. 頭面部가 손상되면, 腦震으로 인하여 絡脈에 瘀가 滯하게 된다. 復元活血湯은 疎肝通絡, 逐瘀散結하기 때문에, 복용 후 絡脈이 통하고, 氣機가 순환하니, 鬱結이 흩어지고, 乘降에 막힘이 없어, 邪氣가 제거되고, 正氣가 회복되어 여러 증상이 치유된 것이다.

2. 眼球內出血·視網膜震蕩『江西中醫藥』(1987, 4:20): 남성, 50세. 다투다가 다른 사람에게 주먹으로 왼쪽 눈을 맞아 다쳤다. 눈 주위가 青紫色으로 멍들고, 눈꺼풀에 腫脹이 생기고, 눈동자가 혼탁하고, 血이 흰자에 퍼져서, 안구가 심하게 아프고, 시야가 흐려졌다. 舌質이 暗紅하고, 脈이 眩澀했다. 안과검사: 왼쪽 눈 밑 1.5 ㎝ 부분에 血塊가 있었고, 시신경유두 및 황반부에 水腫이 있었다. 진단: 왼쪽 안구 내 출혈, 망막진탕. 항생제와 호르몬을 이용하여 치료했지만 치료 효과가 좋지 않아서, 한방 진료를 요청하였고, 瘀血이 눈동자로 흘러 들어간 것으로 辨證하였다. 處方: 柴胡·天花粉·當歸·桃仁·丹皮 各 10 g, 紅花 6 g, 大黃 8 g, 炒梔子 8 g, 茜草 10 g, 甘草 4 g. 탕전하여 4첩을 溫服하도록 했다. 두 번째 진료 시, 눈 주위와 눈꺼풀의 腫脹과 青紫色의 멍이 사라지고 있었고, 疼痛이 緩解되었다. 그러나 病이 重하고, 남아있는 邪氣를 고려하여, 원래의 方劑에 木賊 10 g을 加하여 12첩을 복용했다. 세 번째 진료 시에는 안구 내부의 瘀血이 消散되고, 疼痛이 그쳤으며, 시력이 1.2까지 회복되었다. 이후 수년의 진료에서 후유증은 없었다.

考察: 肝은 目에 開竅하고, 肝經은 目係에 연결되는데, 눈이 손상되면서 絡이 損傷되어, 瘀血이 눈동자에 凝滯된 것이다. 方劑는 復元活血湯에서 穿山甲은 走竄하는 성질이 맹렬하기 때문에 去하였고, 炒梔子를 加하여서 血의 鬱熱을 제거하였다. 牡丹皮·茜草에서 茜草는 營分에 있는 瘀血의 結을 흩어지게 하고, 止血한다. 木賊은 退翳하고 血滯를 움직이도록 한다. 이와 같이 여러 약이 협조하여 疎肝通絡, 活血祛瘀, 凉血止血의 작용을 이루어낸 것이다.

3. 粘連性腸梗阻『新中醫』(1991, 5:44): 남성, 43세, 농민. 主訴: 腹痛, 嘔吐, 腹脹, 不大便 상태가 7일 되

었다. 환자는 腸梗塞으로 진단받고 某 의원에서 腸道分離術을 행하고, 1개월 후에 퇴원했다. 근 2년 동안 4차례 腸梗塞이 발생하였는데, 모두 보존적인 치료법과 대증적 조치를 통해 緩解되었다고 한다. 이번에는 증상이 발생한지 4일 되었고, 입원하여 위장감압술, 지지요법, 대증요법, 大承氣湯 관장 등을 적용했으나, 증상이 개선되지 않아 수술을 권유 받았으나, 환자가 수술을 두려워하여, 한방 진료를 요청했다. 진료 시에 환자는 얼굴에 고통이 가득하고, 胃脘의 刺痛이 兩脇에 미치고, 右下腹이 아파서 누를 수 없을 정도이며, 腹部가 북처럼 부풀어 올랐으며, 구토를 하며, 변비 상태였다. 舌質은 어둡고, 脈弦했다. X-선 검사상 腸梗塞 소견이었다. 血瘀로 인한 腑閉로 辨證하고, 치료는 活血祛瘀, 疎肝通腑하기로 하였다. 方劑는 復元活血湯 加味를 이용하였다. 柴胡·當歸·天花粉·穿山甲 各 15 g, 紅花 45 g, 甘草 10 g, 桃仁·大黃(後下)·芒硝(冲) 各 30 g. 1첩을 탕전하여 1,000 mL를 만들고, 深部에 관장하였다. 약 3시간 후 복통이 심해지고, 냄새나고 더러운 흑색의 무른 변을 2번 보았고, 燥屎도 3~4개 정도 나왔다. 대변을 자주 보게 되면서, 구토가 멈추었으며, 복부의 팽만이 감소하고, 복통이 완화되었으나, 아직 舌質은 어둡고, 脈細하였다. 이후에 桃紅四物湯으로 0.5개월 정도를 조리하니, 통증이 없어지고, X-선에서도 이상이 발견되지 않았다. 이후 정기 검진에서도 재발하지 않았다.

考察: 腸梗塞은 한의학에서 腹痛의 범위에 속한다. 本案은 "胃脘刺痛, 右下腹痛拒按, 舌質暗, 脈細澀"을 주요 증상으로 하였으나, 이는 瘀血이 腸道에서 막혔기 때문에, 燥屎가 腸中에 엉기고, 腑氣가 순조롭지 않아, 傳導가 막혔던 것이다. 復元活血湯으로 灌腸하자, 곧 대변이 통하면서 복통이 멈췄는데, 이후 桃紅四物湯으로 조리하여 낫게 되었다.

溫經湯

(『金匱要略』)

【異名】 調經散(『仁齋直指方論』「附遣」卷26)·大溫經湯(『丹溪心法附餘』卷21)·小溫經湯(『血症論』卷8).

【組成】 吳茱萸 三兩(9 g) 當歸 川芎 芍藥 人蔘 桂枝 阿膠 生薑 牡丹皮 去心 甘草 各二兩(6 g) 半夏 半升(6 g) 麥門冬 去心 一升(9 g)

【用法】 위의 약재를 물 一斗로 달여서, 세 번으로 나누어 溫服한다.

【效能】 溫經散寒, 養血祛瘀.

【主治】 衝任虛寒, 瘀阻胞宮證. 漏下가 그치지 않고, 月經이 조절되지 않아서, 월경기간이 전이나 후로 옮기며, 혹은 기간이 길어지면서 멈추지 않거나, 혹은 1개월 동안 2회 월경이 나오거나, 혹은 월경이 나오지 않으면서, 저녁 무렵에 열이 나고, 손바닥에 煩熱이 나고, 입과 입술이 건조해지며, 少腹의 裏가 急해지고, 腹이 팽만해지고, 舌質은 暗紅, 脈細澀하는 등 증상에 사용한다. 또한 여성이 오랫동안 임신이 되지 않는 것을 치료한다.

【病機分析】 本方은 婦人科 調經의 祖方이다. 漏下不止·月經不調·經行腹痛·閉經·不孕의 病症을 치료하는데, 모두 衝任虛寒, 瘀血阻滯로 인해 일어나는 경우에 사용한다. 衝은 血의 海이고, 任은 胞胎를 주관하며, 이 두 개의 經은 모두 胞宮에서 시작한다. 『素問』「上古天眞論」에서 말하기를, "女子……二七而天癸至, 任脈通, 太衝脈盛, 月事以時下, 故有子."라고 하였는데, 월경의 시작과 멈춤, 자궁의 발육은 衝·任脈과 밀접한 관계가 있다는 의미이다. 衝任이 虛寒하여 固攝이 안되거나, 瘀血이 阻滯하거나, 혹은 血이 經을 循環하지 않

으면, 漏下不止, 月經不止가 발생한다. 衝任은 모두 奇經八脈에 속하고, 八脈은 모두 肝腎과 관련이 있는데, 衝任虛寒은 그 본질이 肝腎虛寒인 것이다. 肝腎의 陽氣가 衰憊하면, 疎泄과 封藏기능에 장애를 일으키고, 瘀血이 胞宮에 막혀, 衝任의 流通이 暢通하지 않아, 胞宮이 溢蓄의 조절을 못하게 되고, 월경에 病變이 나타나게 되어, 월경이 매번 예정보다 이르거나 혹은 늦게, 혹은 한 달에 두 번 오는 등 증상이 나타난다. 寒凝, 血瘀, 氣滯로 인해 胞脈이 不通하면 월경 시에 少腹이 冷痛脹滿하거나, 월경을 하지 않게 된다. 그리고 衝任虛寒으로 인해 胞宮이 失養하거나, 瘀血阻滯하여 胞脈不通하게 되면 임신할 수 없으므로, 오랫동안 不孕하게 된다. 下血이 오래되면 陰血이 소모되고, 肝腎이 虛寒하면 陰血의 근원이 부족하게 되며, 瘀血이 사라지지 않으면 生血할 수 없는데, 이 세 가지가 모두 陰血의 不足을 야기할 수 있다. 血이 부족하면 입과 입술이 건조해지고, 血瘀生熱 및 瘀血化熱하게 되면 저녁 무렵 열이 나고, 手足掌에 열이 난다. 舌質이 暗紅色이고, 脈이 細澀한 것은 寒凝血瘀의 증거이다. 그러므로 溫經湯을 사용하는 증상의 機制는 虛·寒·瘀·熱로 요약할 수 있다.

【配伍分析】 본 方證은 陽氣虧虛, 虛寒內生, 寒凝血瘀의 病變이 있고, 또 陰血不足과 虛熱內生 또는 瘀熱內生의 病機를 겸하고 있으며, 虛實寒熱의 挾雜에 속하기 때문에 단지 祛瘀의 방법만 사용하는 것보다는, 寒과 熱, 攻과 補를 함께 해야 한다. 그러므로 溫經散寒과 祛瘀養血을 기본으로 하여, 淸熱이 돕도록 해야 한다. 方中의 吳茱萸은 辛·苦·熱하여, 肝·胃·腎經으로 간다. 辛味는 行氣止痛하며, 熱은 溫經散寒, 散寒止痛하고, 桂枝는 辛·甘·溫하여, 祛寒하고, 通血脈하므로, 두 약을 함께 쓰면 溫經散寒하게 되어 通利血脈의 효능이 강력해지므로, 모두가 君藥이 된다. 當歸는 辛·甘·溫하여, 補血, 活血, 止痛하며, 調經의 要藥이다. 그러므로 『神農本草經』卷2에 "主婦人漏下絶子"라고 기록되어 있다. 川芎은 辛香하여 行散하므로 活血, 祛瘀, 調經하면서, 行氣, 開鬱, 止痛한다. 그래서 『神農本草經』卷1에서 "主婦人血閉, 無子"라고 기록되어 있다. 芍藥은 "生血活血"(『女科經論』卷5)하고, 緩急止痛하므로, "婦人血閉不通"(『藥性本草』)와 "崩漏"(『長沙藥解』卷2)를 치료한다. 이 세 가지 약을 함께 사용하면, 活血止痛, 養血調經할 수 있으므로 臣藥이 된다. 阿膠는 甘·平하여 "止血祛瘀"(『本草分經』, "固漏, 養血, 滋腎"(『景岳全書』「本草正」卷49)하므로 "女人血痛血枯, 經水不調, 無子, 崩中帶下……"(『本草綱目』卷50)을 치료한다. 麥門冬은 甘·苦·微寒하여 養陰生津, "養血燥之虛熱"(『景岳全書』「本草正」卷48)한다. 이 두 약을 함께 사용하면, 養陰潤燥, 淸虛熱하고, 吳茱萸와 桂枝의 溫燥에 의한 피해를 조절할 수 있다. 牡丹皮는 苦·辛·微寒하여, 心·肝·腎經으로 가며, 凉血散血하는데 장점이 있고, 桂枝·川芎과 함께 祛瘀의 효능을 도울 수 있고, 麥門冬과 함께 淸血하여 虛熱과 瘀熱을 치료할 수 있다. 氣는 攝血할 수 있고, 脾는 生血할 수 있기 때문에 人蔘·甘草를 사용하여 益氣健脾한다. 生薑·半夏는 和胃運脾하므로 人蔘·甘草와 함께 脾胃를 調補하여, 血의 근원인 脾을 資生하고, 또 統血에도 도움이 된다. 이것은 즉 尤怡가 말한 "人蔘·甘草·薑·夏以正脾氣. 盖瘀久者, 營必衰; 下多者, 脾必傷也"(『金匱要略心典』卷下)이다. 이상 다섯 종류의 약은 모두 佐藥이다. 甘草는 調和할 수 있는 藥性이 있어 使藥이 되기도 한다. 이렇게 溫經湯은 溫·淸·補·通을 겸하여 方證과 病機의 虛·寒·瘀·熱에 적합하므로 遣藥組方이 매우 세밀하고 조리있다고 할 만하다. 方名인 溫經은 吳茱萸를 重用하고, 本方의 효능을 溫散寒邪, 溫中寓通, 溫中寓補, 溫中寓淸에 중점을 둔 것으로, 이로써 主次가 분명해지고, 복잡하지만 순서를 알 수 있는 이름이다.

本方의 配伍 특징은 두 가지이다. 하나는 方劑에서 溫淸補消를 병용하지만 溫經化瘀가 主가 된다는 것이다. 두 번째는 다수의 溫補藥과 소수의 寒涼藥을 배합하여, 전체 方劑가 溫하지만 乾燥하지 않고, 剛과 柔가 서로 조화를 이루어, 溫通·溫養하는 方劑가 되었다는 것이다.

【臨床應用】

1. 證治要點: 本方은 婦人科에서 調經에 일반적으로 사용하는 方劑이다. 주로 衝任의 虛寒과 함께 瘀滯로 인한 月經不調·痛經·崩漏 등이 있을 때 사용된다. 임상응용은 月經不調, 少腹冷痛, 經血에 瘀結이 있고, 때때로 煩熱이 있으며, 舌質이 暗紅色이고, 脈이 細澀한 것이 證治의 要點이다.

2. 加減法: 만약 少腹冷痛이 심하면 牡丹皮·麥門冬을 去하고, 艾葉·小茴香을 加하거나, 肉桂를 桂枝로 바꾸어 散寒止痛 작용을 增强시킨다. 少腹脹滿은 氣滯에 속하기 때문에 香附子·烏藥을 加하여 行氣止痛하게 한다. 漏下의 색이 옅으면서, 멈추지 않는 사람은 牡丹皮를 去하고, 艾葉·熟地黃을 加하여 溫經補血로 止血한다. 經血이 紫黯色이고, 血結이 많은 사람은 阿膠를 去하고, 桃仁·紅花를 加하여 活血祛瘀의 효과를 증강시킨다. 陰虛內熱이 명확한 사람은 吳茱萸·生薑·半夏를 去하고, 女貞子·旱蓮草를 加하여 肝腎의 陰을 補益한다. 子宮이 虛冷하고, 瘀가 胞脈을 막고, 결혼한 지 오래되었으나 妊娠이 되지 않고, 月經開始가 미뤄지거나, 양이 적고, 색이 어둡고, 少腹이 冷痛하여 喜溫하며, 畏寒肢冷하고, 性慾이 淡漠하면, 鹿角霜·仙茅·巴戟天 등을 加하여 溫補腎陽한다.

3. 溫經湯은 다음 한국표준질병사인분류(KCD)에 해당하는 환자가 衝任虛寒, 瘀阻胞宮證으로 辨證되는 경우 본 처방의 사용을 고려해볼 수 있다.

처방 목표	한국표준질병사인분류(KCD)
機能性子宮出血	N93.8 기타 명시된 이상 자궁 및 질 출혈_기능성자궁출혈
月經不順	N91 무월경, 소량 및 희발 월경
	N92 과다, 빈발 및 불규칙 월경
切迫流産	O20.0 절박유산
産後腹痛	O85~O92 주로 산후기에 관련된 합병증
不妊	N46 남성불임
	N97 여성불임
慢性骨盤炎	N73 기타 여성골반염증질환
	R10 복부 및 골반 통증

【注意事項】

1. 本方이 비록 溫·淸·消·補를 모두 겸하는 方劑이지만, 溫이 主가 되기 때문에 瘀熱虛熱이 명확한 사람은 신중하게 사용해야 한다.

2. 更年期 患者는 腎陽과 腎陰의 調理를 結合해야 하며, 上述한 證候들이 나타나면 婦人科 검사를 통해 腫瘤 등 질환을 배제 진단해야 한다.

【變遷史】 本方은『金匱要略』의 婦人雜病篇에서 볼 수 있다. 주로 "婦人年五十所, 病下利(『金匱要略直解』『醫宗金鑒』 등에서 "下利"의 "利"字는 "血"字라고 말한다), 數十日不止, 暮卽發熱, 少腹裏急, 腹滿, 手掌煩熱, 脣口乾燥"를 치료하는데, 이는 "曾經半産, 瘀血在少腹不去"에 의한 것이며, "婦人少腹寒, 久不受胎", "月水來過多, 及至期不來"를 치료한다고 기록되어 있다. 本方은 오로지 婦女의 衝任虛寒과 瘀血이 겸한 증상을 위해 만들어진 것이며, 溫經祛瘀의 方劑임을 보여주는 것이다. 역대 의학자들은 이 方劑를 이용하여 經·帶·胎·産의 여러 질병을 치료했다. 역대 의학자들의 加減運用은 다음과 같다. ① 宗仲景: 祛瘀止血의 의미로서, "帶下, 漏血不止"를 치료한다.『備急千金要方』卷4의 芎藭湯(川芎·乾地黃·吳茱萸·芍藥·當歸·黃芪·乾薑·甘草)이 여기에 속한다. ② 承仲景: 溫通倂用之法의 의미로 "主通利月水"(『名醫別錄』)하는 牛膝과 活血하는 莪朮을 加하여 通經逐瘀의 효력을 증강시켜, 寒滯胞宮, 經血凝聚의 "月信不行"을 전문적으로 치료한다.『普濟方』卷333에서 인용한『指南方』의 溫經湯(本方에서 吳茱萸·阿膠·半夏·麥門冬을 去하고, 牛膝·白朮·大棗를 加함)·『觀聚方要補』卷9에서 인용한『十便良方』의 指迷溫經湯(本方에서 吳茱萸·阿膠·麥門冬·半夏·生薑을 去하고, 莪朮·牛膝을 加함)이 모두 여기에 속한다. ③ 師仲景: 寒熱消補를 병용하는 의미로 行氣止通하

는 香附子·莪朮·烏藥 등을 배합하여, 溫과 潤을 結合시키고, 氣血을 함께 치료하는 方劑가 된다. 이를 이용하여 寒凝血瘀氣滯의 痛經·月經不調 및 産後의 여러 질병을 치료하는데, 『校注婦人良方』卷1의 溫經湯은 桂心·當歸·川芎·芍藥·莪朮·牡丹皮·人蔘·牛膝·甘草로 구성되는데, 주로 "寒氣客于血室, 以致血氣凝滯, 臍腹作痛"을 치료한다. 『古今醫鑒』卷11의 大溫經湯은 當歸·川芎·白芍藥·香附子·熟地黃·吳茱萸·人蔘·白朮·茯苓·玄胡索·鹿茸·沉香·陳皮·砂仁·小茴香·生薑으로 구성되고, 주로 "婦女氣血虛弱, 經水不調"를 치료한다. 『産孕集』卷下의 澤蘭湯은 澤蘭·香附子·當歸·川芎·芍藥·紅花·烏藥·阿膠·人蔘·黃芪·白朮·生薑으로 구성되고, 주로 産後 氣血虧虛, 惡露不盡의 증상을 치료한다. ④ 遵仲經: 暖宮祛寒의 의미로 溫經散寒하는 肉桂·附子와 溫補腎陽하는 巴戟天·杜仲 등을 配伍하여 宮寒不孕의 증상을 치료한다. 『傅青主女科』卷上의 溫胞飮(白朮·巴戟天·人蔘·杜仲·菟絲子·山藥·芡實·肉桂·制附子로 구성)은 "婦人下部寒冷不孕"을 치료한다.

【難題解說】

1. 本方의 命名에 대해: 瘀를 치료하는 方劑인데 왜 仲景은 "溫經"이라는 이름을 붙였을까? 溫經湯證의 病機는 비록 寒(衝任虛寒)·瘀(瘀血阻滯)·虛(陰血不足)·熱(瘀熱虛熱)의 네 방면을 포함하고 있지만, 그중에서 寒이 주요 부분이다. 寒이 凝結하면, 血의 순환이 원활하지 않게 되어 瘀가 형성되는데, 瘀는 生血을 어렵게 하고, 瘀가 오래되면 막혀서 熱이 형성된다. 그러므로 그것을 치료하는 방법은 마땅히 溫經에 있으며, 瘀를 공격하는 것에 있지 않다. 『素問』「調經論」에 이르기를 "血氣者, 喜溫而惡寒, 寒則泣而不能行, 溫則消而去之."라고 했다. 그러므로 吳茱萸를 重用하고, 桂枝를 함께 배합해서 溫散寒邪하도록 하여, 血을 溫하게 하여 能行하게 한다. 血이 行하면 瘀血이 없어지게 되고, 곧 이어 生血이 되니, 虛熱이 사라지고, 月經이 조절되며, 疼痛이 낫게 되어, 方名을 溫經湯이라고 한 것이다.

2. 生薑·半夏의 配伍分析에 대해: 生薑·半夏는 仲景의 小半夏湯 계열로, 和胃降逆, 燥濕化痰의 효능을 가지고 있어, 주로 痰濕阻滯, 胃氣上逆의 증상에 쓰인다. 本方의 증상은 寒凝血瘀에 속하고, 病은 血分에 位置하는데, 왜 生薑·半夏를 쓰는 것인가? 세 가지 방면에서 이해할 수 있다. ① 和胃運脾의 의미. 이 方劑에서 補益藥으로 補하되 停滯되지 않게 한다. 本方의 증상에는 陰血不足을 겸하므로 阿膠·麥門冬·芍藥 등으로 滋陰養血하고, 人蔘·甘草로 健脾益氣한다. 그러나 이는 모두 滋補의 약으로서 脾胃運化를 방해할 수도 있는데, 그에 대하여 辛·苦·溫한 半夏와 辛·溫한 生薑을 배합하여 和胃運脾하므로 補而不滯의 의미를 갖는다. ② 降胃氣함으로써 衝任이 통하게 하여 月經을 조절한다는 의미. 生薑·半夏는 모두 陽明胃經을 通降하게 하는데, 이것이 月經病의 치료에 대체 어떤 의의가 있을까? 王綿之 교수는 "衝은 血海이고, 任은 胞胎를 主管한다. 衝任의 脈과 足陽明經은 서로 通하는데, 陽明經은 多氣多血의 經으로서, 氣血之海이며, 水谷之海인 것이다. 그래서 十二經脈의 海가 된다. (中略) 半夏는 陽明經의 降藥이기 때문에, 그것 자체로는 調經藥이 아니지만 陽明胃經과 衝任은 相通하기 때문에, 半夏가 血이 上逆하여 動하는 것을 멈추며, 調經行瘀, 引血下行하므로 通經을 돕게 된다." 淸代의 陳念祖도 麥門冬湯을 이용해 倒經을 치료하였는데, 이는 溫經湯의 生薑·半夏의 쓰임을 응용한 것이다. ③ 運脾燥濕의 의미. 本方은 衝任虛寒, 瘀阻胞宮證을 치료하는데, 衝任虛寒의 本質은 肝腎虛寒이다. 肝腎의 陽氣가 부족하면, 疏泄失常, 氣化失司하게 되어, 津液의 운행이 순조롭지 않게 된다. 瘀血이 막히면, 津氣도 역시 막히게 되므로, 生薑·半夏가 運脾와 燥濕散水함으로써 津液이 壅滯되는 질환을 방지한다.

【醫案】

1. 痛經 『臨證醫案筆記』卷5: 杜女, 12세. 初經이 이미 시작되었고, 과일을 좋아하며, 寒涼한 것을 조심하지 않았다. 매번 月經 후 臍腹에 撮痛이 있으며, 脈이 沈遲細하다. 선천적으로 가냘프고, 肝脾의 血이 虛

하고, 寒氣가 血室에 깃들어, 血氣가 凝滯해서 月經 후에 복통을 일으키는 것이다. 溫經湯을 쓰는 것이 적당하다. 牛膝, 甘草, 當歸, 川芎, 芍藥, 牡丹皮, 蓬述, 桂心을 우선 고려한다.

2. 子宮肌瘤 『湖南中醫學院學報』(1987, 4:36): 여성, 40세. 月經이 오는 시기에 외출하여 일을 하다가 風寒에 감촉되어, 머리에 疼痛을 느끼고, 惡寒, 發熱, 少腹脹痛하였다. 치료를 받은 후에 증상이 緩解되었다. 그런데 그 후 月經이 계속 늦춰지고, 양이 적고, 색이 어둡고, 白帶가 늘어나고 때때로 血絲가 끼며, 少腹의 脹痛이 고정된 부위에서 움직이지 않고, 腰骶가 쑤시고 酸脹하였다. 부인과 검사상 陰道는 정상이었으나, 자궁의 경부가 경미하게 糜爛되고, 자궁이 肥大되고, 橘 크기의 腫塊가 있었는데, 성질이 단단하고, 활동성이 떨어지고, 壓痛이 명확하여, 자궁근종으로 진단 받았다. 안색은 어둡고, 피부에 윤기가 없으며, 舌質이 淡嫩하고, 가장자리에 瘀點이 있고, 脈이 沉遲하고 澀했다. 스스로 말하기를 정신이 피로하고, 숨이 가쁘고, 머리가 어지럽고, 힘이 부족하고, 대변이 순조롭지 않다고 하였다. 이는 風寒이 侵襲하여 氣血이 凝滯하고, 瘀가 胞宮을 막은 것이다. 溫經養血과 化瘀軟堅하는 치료가 적합하다. 處方: 黨參 15 g, 吳茱萸 5 g, 桂枝 6 g, 當歸 15 g, 川芎 6 g, 穿山甲 6 g, 莪朮 10 g, 王不留行 12 g, 桃仁 10 g, 赤芍藥 10 g, 三七 3 g(衝服). 十五劑를 복용 후 陰道에서 크고 작은 瘀塊가 유출되면서, 少腹의 脹痛이 줄어들었다. 증세에 따라 加減하면서 3二劑를 계속하여 복용하니, 여러 증상이 모두 평온해지고 月經이 정상으로 돌아왔다. 婦人科에서 다시 검사하니, 자궁의 크기가 정상이었고, 腫塊가 소실되었다.

考察: 案1은 본래 선천적으로 稟賦가 부족하고, 후천적 調養이 안되었고, 生冷寒凉한 음식을 과하게 먹어서 血이 寒凝되어 月經 후 복통을 일으키는 질병이 되었으므로, 溫經湯으로 寒邪를 분산시키고 活血祛瘀해야 한다. 여기서는 阿膠·麥門冬을 去하였는데, 滋補滯邪를 걱정했기 때문이다. 桂心을 桂枝로 바꾸면 溫通의 효력이 비교적 강해지고, 吳茱萸·半夏 등의 약을 빼면 溫燥가 과하여 津을 상하는 것을 免할 수 있다. 牛膝·莪朮을 加하면 活血止痛의 효능을 강화할 수 있다. 案2는 “乘風取凉, 爲風冷所乘, 血得冷則成瘀血也. ……瘀久不消, 則變成積聚癥瘕也”(『婦人良方大全』卷7)에 속한다. 그러므로 溫經湯을 이용하여 溫經養血, 化瘀軟堅하여 치료한 것이다. 이 按은 비록 本虛標實에 속하지만, 標實이 急하였기 때문에 滋補의 약재를 去하고, 穿山甲·莪朮 등의 活血通絡하는 약물을 加하여 消癥化積의 효능을 강화한 것이다.

3. 陽痿 『新中醫』(1988, 5:44): 남성, 28세, 엔지니어. 陽痿로 성생활이 어려워서, 일찍이 호르몬 계통 약물로 치료했으나 효과가 두드러지지 않아 中藥으로 바꾸어 복용해 調治했다. 그러나 여러 번 의사와 약을 바꾸어 200여 劑를 복용했지만, 陽痿가 여전히 낫지 않았고, 반대로 두통과 어지러움이 늘어나고 심장이 벌렁거리고, 불면 등의 증상이 있었다. 진료해보니 환자의 안색에 윤택이 없고, 정신이 피로하여 늘 권태롭고, 두통과 어지러움까지 동반하며, 손바닥에 때때로 煩熱이 일어나며, 수시로 冷汗이 흐르고, 입 주변이 마르고, 한밤중에 심장이 두근거리고 잠이 오지 않고, 少腹이 묵직하며 아프고, 陰囊이 冷脹하고, 舌淡, 白苔가 있고, 脈이 沉細했다. 이것은 陽氣가 虛衰하고 營氣가 不通하며 宗筋이 弛緩된 징후이다. 치료는 마땅히 溫陽散寒으로 氣血을 조화롭게 해야 한다. 처방은 溫經湯의 치료에 기초한다. 處方: 吳茱萸·當歸·半夏 各 15 g, 川芎 9 g, 黨參 20 g, 牡丹皮 10 g, 桂枝·麥門冬·炙甘草 各 10 g, 生薑 五片. 매일 一劑씩, 水煎하여 복용했다. 연속해서 十劑를 복용한 후 精神이 점점 좋아지고, 두통과 어지러움이 경감되었으며, 음식이 증가하고, 수면이 좋아지고, 성생활을 하게 되었으며, 다른 증상 역시 호전되었다. 약을 계속해서 20劑를 복용하니, 병세가 확실히 나아졌고, 이후 이 처방을 위주로 하면서 증상에 따라 병세를 참작해 조절하자, 모두 40劑를 복용한 후에 房事가 정상이 되었고, 약 3개월 후에는 부인이 妊娠했다.

考察: 案3에서 陽痿, 陰囊冷脹, 少腹이 묵직하며 아프고, 精神이 피로하고, 안색에 윤택이 없고, 한밤중에 심장이 두근거리고 잠이 오지 않으며, 입 주변이 건조하고, 舌淡, 白苔, 脈沉細 등의 증상이 함께 보이는 것은 肝腎이 虛寒하고, 經絡에 瘀滯가 있고, 宗筋이 陽氣의 精血溫陽을 잃어 弛縱하여 不振하는 징후이다. 그러므로 溫經湯의 溫肝暖腎을 이용해 陽氣를 진작시키고, 益精補血하여 宗筋을 榮養시키고, 活血祛瘀하여 血脈을 통하게 하였기 때문에 빠른 효과를 얻을 수 있었다.溫經湯은 婦人科 調經의 祖方이라고 일컬어지지만, 案3과 같이 婦人의 질병이 아니어도 치료효과가 탁월하다.

【副方】

1.溫經湯(『婦人大全良方』卷1): 當歸 川芎 肉桂 莪朮醋炒 牡丹皮 各五分(各 6 g) 人蔘 牛膝 甘草 各七分(各 10 g)

- 用法: 水煎服.
- 作用: 溫經補虛, 化瘀止痛.
- 適應症: 血海虛寒, 月經不調, 血氣凝滯, 臍腹疼痛, 其脈沈緊.

2.艾附暖宮丸(『仁齋直指方論·附遺』卷26): 艾葉大葉者, 去枝梗 三兩(90 g) 香附去毛 六兩(180 g)俱要合時采者, 用醋 五升, 以瓦罐煮一晝夜, 搗爛爲餠, 慢火焙乾 吳茱萸去枝梗 大川芎雀腦者 白芍藥用酒炒 黃芪取白色軟者 各二兩(各 60 g) 川椒酒洗 三兩(90 g) 續斷去蘆 一兩五錢(45 g) 生地黃 一兩(30 g)酒洗, 焙乾 官桂 五錢(15 g)

- 用法: 上爲細末, 上好米醋打糊爲丸, 如梧桐子大. 每服五七十丸(6 g), 食前淡醋湯送下. 戒惱怒, 生冷.
- 作用: 溫經暖宮, 養血活血.
- 適應症: 婦人子宮虛冷, 帶下白淫, 面色萎黃, 四肢酸痛, 倦怠無力, 飮食減少, 經脈不調, 肚腹時痛, 久無子息.

溫經湯·『良方』溫經湯 및 艾附暖宮丸의 세 방제는 모두 溫經補虛·活血止痛의 작용이 있다. 그중에 溫經湯은 人蔘·阿膠·當歸·麥門冬을 응용하여 養血補虛에 장점이 있고, 『良方』溫經湯은 莪朮·牛膝을 배오하였으므로 活血祛瘀止痛의 작용이 강한 편이며, 艾附暖宮丸은 艾葉·香附子·肉桂·川椒·吳茱萸을 배오하였으므로 그 溫經祛寒의 작용이 우세한 편이다.

生化湯

(『傅靑主女科』「産後篇」卷上)

【組成】 當歸 八錢(24 g) 川芎 三錢(9 g) 桃仁 去皮尖 十四個(6 g) 乾薑 炮黑 五分(2 g) 甘草 炙 五分(2 g)

【用法】 黃酒·童便을 각각 반씩 넣어 달임(現代用法: 水煎服, 혹은 黃酒를 적당히 加하여 같이 달인다)

【效能】 養血祛瘀, 溫經止痛.

【主治】 産後에 瘀血로 인한 腹痛, 惡露不行, 少腹冷痛, 舌淡, 苔白滑, 脈細而澀 등 증상을 치료한다.

【病機分析】 惡露는 産後에 陰道出血을 통해 배출되는 敗血과 濁液인데, 처음에는 瘀血의 작은 덩어리가 끼어있고 紫紅色이거나 暗紅色이다가, 10여 일이 지나야 비로소 깨끗해진다. 이러한 과정을 통해 胎兒를 분만한 후 惡露는 자연스럽게 體外로 배출된다. 그런데 惡露가 나오지 않고 少腹冷痛이 나타나는 경우가 있다. 婦人의 출산 후에는 正氣가 虛弱해지고, 陰血이 손상되고, 衝任이 空虛한데, 일상생활에 조심하지 않거나, 寒邪가 虛를 타고 胞脈에 침입하면, 惡露가 寒에 의해 凝結하여, 惡露가 나오지 않거나 소량만 나와 溢滯不暢하게 되면 少腹疼痛을 일으키는 것이다. 이런 증상이 바로 『醫宗金鑑』「婦科心法要訣」卷47에서

말하는 "産後惡露不下, 有因風冷相干, 氣滯血凝而不行者, 必復中脹痛."이며, 보통 舌淡·苔白, 脈細而澀하며, 血虛寒凝血瘀의 증상을 겸하게 된다.

【配伍分析】 출산 후에는 營血이 반드시 虛하게 되므로, 당연히 보충하여 조리하여야 한다. 그러나 本方證의 惡露不行, 少腹冷痛은 産後의 血虛, 寒凝血瘀가 야기하므로 養血祛瘀, 溫經止痛 하는 치료를 해야 한다. 方中 當歸는 辛·甘·溫하며, 辛은 行血, 甘은 補血, 溫은 祛寒하므로, 虛·寒·瘀의 病症과 잘 맞는다. 따라서 當歸를 君으로 重用하여, 營血充沛, 脈道滿盈하고, 血液還流를 순조롭게 해, 瘀血이 제거된다. 즉 養血하는 중에 化瘀하고, 新血을 生하므로 "生化"라는 이름을 사용하는 것이다. 川芎의 活血行氣는 當歸와 함께 사용하면 "佛手散"이 되는데, 『醫宗金鑑』「刪補名醫方論」卷1에 "治婦人胎前·後諸疾, 如佛手之神妙也"라고 했다. 桃仁은 活血祛瘀하며, 桃仁과 川芎은 君藥인 當歸를 도와서 瘀血을 없애고 新血을 생성하도록 하는데, 이것이 즉 唐宗海가 말한 "血瘀能化之, 則所以生之也"(『血證論』卷7)이며, 두 약은 臣藥이 된다. 炮薑은 溫經散寒止痛하여 當歸와 배합되면 陰血의 生長을 촉진하며, 川芎·桃仁과 配伍하면 瘀血을 溫化시키는 것을 도우므로 佐藥이 된다. 炙甘草는 益氣健脾로 化源을 풍부하게 할 수 있고, 또 藥性을 어울리게 할 수 있기 때문에 使藥과 佐藥의 두 가지 의미가 있다. 黃酒는 溫經血脈하여 藥效를 돕고, 여기에 童便을 加하여 益陰化瘀하면서 敗血을 下行하도록 한다. 여러 약을 배합하면, 行血 中에 補血하고, 化瘀 중에 生新이 있으니, 生新하되 留瘀하지 않도록 하고, 化瘀하되 營을 損傷하지 않으므로, "産後主劑" 혹은 "血塊聖藥"이라는 명성에 손색이 없다.

【類似方比較】 溫經湯과 生化湯은 모두 婦人科의 經産疾病을 치료하는데 상용하는 方劑이다. 두 方劑 모두 養血溫經祛瘀의 효능을 가지며 血虛寒凝血滯의 증상에 적합하다. 다만 溫經湯은 溫養에 중점을 두고, 益氣靑熱의 효과를 함께 갖추어 溫·淸·消·補를 幷用하는 方劑에 속하며, 주로 衝任虛寒, 瘀血瘀滯가 일으키는 月經不調를 치료하기 때문에 調經에 사용한다. 한편 生化湯은 溫通에 중점을 두고, 生新化瘀하므로, 産後의 惡露不行과 虛寒兼虛에 속하는 腹痛에 사용한다.

【臨床應用】

1. 證治要點: 本方은 婦女의 産後에 일반적으로 사용하는 方劑이며, 産後의 惡露不行, 少腹冷痛이 證治要點이다.

2. 加減法: 少腹冷痛이 심하면 肉桂를 加하여 溫經散寒, 溫通血脈한다. 腹痛이 심하지 않으면 桃仁을 加減하여 사용한다. 瘀塊가 留滯되어 腹痛이 심하면, 蒲黃·五靈脂·玄胡索을 加하여 祛瘀止痛한다. 만약 少腹脹滿이 심하면 氣滯血瘀에 속하므로 枳殼·烏藥·香附子를 加하여 理氣·行滯·消脹한다. 産後에 血虛한데 寒邪를 感觸되면, 瘀血內阻 혹은 胞衣殘留하게 되어 惡露가 不絶, 또는 淋漓澁滯, 量小, 紫黯黑色, 有塊, 少腹이 疼痛하여 拒按하게 되는데 그 때는 益母草·炒蒲黃을 加하여 祛瘀止血한다. 만약 瘀가 오래되어 熱로 변하여 惡露가 臭穢하면 蚤休·蒲公英을 加하여 淸解鬱熱한다.

3. 生化湯은 다음 한국표준질병사인분류(KCD)에 해당하는 환자가 血虛受寒, 瘀血阻滯證으로 辨證되는 경우 본 처방의 사용을 고려해볼 수 있다.

처방 목표	한국표준질병사인분류(KCD)
産後 子宮 回復 不良, 子宮收縮으로 인한 痛症	O86 기타 산후기감염
	O90 달리 분류되지 않은 산후기의 합병증
殘留胎盤	O73 출혈이 없는 잔류 태반 및 양막
人工流産 後 出血 持續	O08.1 유산, 자궁외임신 및 기태임신에 따른 지연 또는 심한 출혈
子宮外妊娠	O00 자궁외임신
子宮筋腫	D25 자궁의 평활근종

【注意事項】어떤 지역에서는 습관적으로 이 方劑를 산후에 필수적으로 복용하는 方劑로 여긴다고 한다. 하지만 本方은 化瘀를 主로 하고, 약성이 따뜻한편이기 때문에 産後受寒으로 瘀滯가 생긴 사람에게는 적당하지만, 産後血熱로 瘀血이 있는 사람에게는 적당하지 않다.

【變遷史】本方은 淸代의 名醫 傅山의『傅靑主女科』「産後編」卷上에 "産後諸症(血塊)"을 치료한다고 기록되어 있다. 産後病의 치료원칙에 대해서, 朱震亨은 大補氣血을 주장하였으나 張從正은 "産後愼不可作諸虛不足治之"라고 하여 상반되는 견해를 주장했다. 그러나 傅山은 産後에는 多虛, 多瘀하며, 단순하게 "散血方·破血藥"하는 방법으로 "以輕人命"해서는 안 된다고 여겼다. 그래서 陳自明의 用黑神散(이 方劑는 熟地黃·炒蒲黃·當歸·炮薑·桂心·芍藥·甘草·黑豆로 구성되어 있고,『婦人大全良方』卷18에 기재되어 있다)을 받아들여 産後의 瘀血 諸疾을 치료하는 방법을 사용하였으며,『景岳全書』卷61에 기록된 錢氏의 生化湯을 인용하여 大劑의 當歸와 川芎·桃仁·炮薑 등을 배합하여 補血과 祛瘀, 生血과 消塊를 병행하는 産後에 사용할 수 있는 "血塊의 聖藥"을 만들어서『傅靑主女科』에 本方으로 다스릴 産後 28症과 寒熱虛實에 의거한 化裁의 규칙을 소개했다. 이 方劑에 대한 역대 의학자의 加減運用은 다음과 같다. ① 産後에 外感과 表證을 겸하는 경우: 解表散寒하는 防風·桂枝 등을 加하여 加減生化湯(當歸·川芎·黑薑·炙甘草·白荳蔻·吳茱萸·防風·桂枝)·加味生化湯(川芎·當歸·桃仁·炙甘草·防風·羌活)을 처방한다. ② 産後에 外感, 咳嗽有痰인 경우: 宣降肺氣, 止咳化痰하는 杏仁·桔梗·桑白皮 등을 加하여 加味生化湯(川芎·桔梗·知母), 加蔘安肺生化湯(川芎·當歸·人蔘·桑白皮·桔梗·杏仁·半夏·橘紅·知母·甘草)을 처방한다. ③ 産後에 氣血俱虛, 瘀阻胞宮인 경우: 益氣健脾하는 人蔘·白朮·黃芪 등을 加하여 加蔘生化湯(川芎·當歸·人蔘·炙甘草·桃仁·蒲姜·大棗)·蔘歸生化湯(川芎·當歸·人蔘·黃芪·馬蹄香·肉桂·炙甘草)·健脾消食生化湯(當歸·川芎·炙甘草·人蔘·橘皮)을 처방한다. ④ 産後에 鬱怒傷肝, 氣機不暢으로 인해 胸膈不利, 혹은 胃脘痛이 있는 경우: 行氣解鬱하는 木香·砂仁을 加하여 木香生化湯(川芎·當歸·陳皮·炮薑·木香)·加味生化湯(當歸·川芎·炮薑·炙甘草·砂仁·肉桂·吳茱萸)을 처방한다. ⑤ 産後에 胃失和降하여 구역질 때문에 음식을 먹을 수 없는 경우: 砂仁·生薑을 加하여 加減生化湯(川芎·當歸·炮薑·砂仁·藿香·生薑汁·淡竹葉)을 처방한다. ⑥ 産後에 水濕이 腸道를 逼迫하여 설사·이질이 있는 경우: 化濕利濕行氣하는 藿香·茯苓·陳皮 등을 加하여 生化六和湯(川芎·當歸·炮薑·炙甘草·陳皮·藿香·砂仁·茯苓·生薑)·加減生化湯(川芎·當歸·炙甘草·桃仁·茯苓·橘皮·木香)을 처방한다. ⑦ 産後에 血崩하는 경우: 止血하는 炒蒲黃·烏梅炭 등을 加하여 生血止崩湯(川芎·當歸·炮薑·炙甘草·荊芥炭·烏梅炭·炒蒲黃·桃仁·大棗)을 처방한다. ⑧ 産後에 血塊가 오래도록 없어지지 않는 경우: 活血消癥하는 三棱·玄胡索 등을 加하여 加味生化湯(川芎·當歸·炮薑·炙甘草·三棱·玄胡索·肉桂·桃仁)을 처방한다. ⑨ 産後에 汗多痙厥, 項强身反하는 경우: 息風止痙하는 大麻·羚羊角을 加하여 加減生化湯(川芎·當歸·麻黃根·人蔘·桂枝·炙甘草·羌活·天麻·羚羊角·附子)을 처방한다. ⑩ 産後에 神志不寧하여 헛것이 보이는 경우: 養心安神하는 茯神·柏子仁 등을 加하여 安神生化湯(當歸·川芎·炮薑·炙甘草·桃仁·栢子仁·人蔘·茯神·益智仁·橘皮·大棗)을 처방한다.『醫門八法』卷4에는 乳汁不下에 穿山甲·木香·白芷를 加하였다. 현대 임상에서는 本方에 益母草·紅花 등을 加하여 산후 자궁의 회복 불량, 또는 산후 자궁의 진통, 半産後 胎盤殘留, 인공유산 후 出血不止에 사용하고 있다.

【難題解說】

1. 方中의 炮薑에 대해:『中醫學』에 炮薑은 性味가 苦·澁·溫하며 脾·肝經에 歸한다고 기록되어 있다. 功效는 乾薑과 비슷하지만, 溫裏作用이 乾薑보다 약하고, 溫經止血에 장점이 있기 때문에 虛寒性 出血에 사용한다. 生化湯에서 炮薑을 이용하는 이유는 다음의 두 가지 방면에서 이해할 수 있다. ① 溫經散寒: 本方證은 産後에 血虛受寒, 寒凝血瘀에 의한 것이므로, 活

血하면서, 散寒하여야 한다. 本方은 炮薑의 溫熱한 성질을 이용하여 寒邪를 제거하며, 寒이 물러나면 곧 이어 血이 行하게 된다. ② 溫化瘀血: 『本草分經』에는 "炮薑……去惡生新, 能回脈絶無陽, 又引血藥入肝而生血退熱"이라고 기록되어 있고, 『成方便讀』卷4에는 "炮薑色黑入營."이라고 기록되어 있다. 이것은 炮薑이 血分에 들어갈 수 있기 때문에 藥을 血로 끌어들여 瘀血을 溫化시킨다고 한 것이다. 血은 熱에 의하여 行하게 되고, 寒에 의하여 凝結하게 되는데, 『素問』「調經論」에 "溫則消而去之"라고 한 것이 그러한 뜻이다.

2. 本方의 이용에 대해: 生化湯은 産後의 腹痛에 상용하는 方劑이다. 많은 지역에서 산후에 반드시 복용하는 약으로 여기고 있지만, 이것에 대해서는 논란의 여지가 있다. 산후 복통에는 血虛, 血瘀, 寒凝, 食積, 血熱 등 다양한 원인이 있으며, 그중에 生化湯을 이용할 수 있는 것은 寒凝과 血瘀의 경우뿐이다. 그래서 孫氏는 잘못 복용하는 경우에 대하여 "倘産後陰虛陽勝, 服之則汗多蒸熱, 心悸頭眩; 或素秉肝旺, 服之則煩熱汗出, 睡眠不安; 或服後血熱沸騰, 子宮出血綿綿不斷"이라고 언급하였다.

【參考文獻】

1) 孫郎川. 閑談生化湯[J]. 福建中醫藥. 1964;1:41.

吳瑭은 産後에 무조건적으로 本方을 이용하는 것에 대해 완곡하게 비평하고 있는데, "近見産婦腹痛, 醫者幷不問拒按喜按, 一概以生化湯從事;甚至病家亦不延醫 每至産後必服生化湯十數貼, 成陰虛癆病, 可勝悼哉! 余見古本『達生篇』中, 生化湯方下注云:專治産後瘀血腹痛, 兒枕痛, 能化瘀生新也. 方與病對, 確有所据, 近日刻本, 直云治産後諸疾, 甚至有注産下卽服者, 不通已極, 可惡可恨"(『溫病調辨』卷5)이라 하였다. 本方에는 止血塞流하는 炮薑·童便이 포함되어 있기 때문에 産後의 血虛受寒, 瘀血內阻에 의한 惡露不行에도 효과적인 처방이지만, 産後에 血虛感寒하여 형성된 瘀로 인한 惡露不絶에도 효과적이다. 惡露不行, 惡露不絶 두 증상은 반대의 증상이지만 같은 病機에 속하므로 本方을 사용하면 된다.

【醫案】

1. 産後便秘『丁甘仁醫案』卷7: 李右, 産後 24일차인데, 10일째 대변을 보지 못한다. 營血이 虛하고, 惡露가 不爽하며, 腹痛이 隱隱하고, 納穀이 減少하며, 惡風, 畏寒, 汗出不止한 상태이다. 舌無苔, 脈濡細. 衛氣가 虛하여 外를 보호하지 못하고, 營이 虛하여 內를 지키지 못하여, 腸中의 津液이 枯槁하여 腑垢가 내려갈 수 없었다. 傳靑主의 生化湯에 人蔘을 加하여 養營祛瘀, 和胃潤腸하도록 처방하였다. 蔘須 一錢, 丹參 三錢, 砂仁殼 八分, 生·熟穀芽 各三錢, 當歸 三錢, 紅花 四分, 瓜蔞實 四錢, 益母草 一錢五分, 川芎 四分, 炮薑 三分, 火麻仁 四錢.

考察: 위 환자의 상태는 산후 氣血이 虧虛해서 일어난 것이다. 氣虛로 인해 無力하기 때문에 腑垢가 움직이지 않고, 血이 虛해져 腸道가 失潤하면 "無水舟亭"하는 것처럼 되어, 대변을 10일 동안 보지 못하는 것이다. 産後 24일이 지나도록 惡露가 끝나지 않고, 배가 은근히 아픈 것은 血行이 순조롭지 않은 증상이다. 納穀의 감소는 脾失健運, 胃不納穀의 징후이다. 人蔘·當歸를 사용해서 氣血을 크게 보충하고, 砂仁·生·熟穀芽로 健脾和胃하며, 丹參·紅花·川芎·益母草·炮薑으로 溫化瘀血하고, 麻仁·瓜蔞로 潤腸通便한다. 이렇게 氣血이 보충되면, 瘀血이 化하고, 胃氣가 和하게 되어, 腑氣가 通하여 여러 증상이 모두 평온해진다.

2. 人工流産 後 陰道出血『江蘇中醫』(1997, 4: 19): 여성, 37세, 농민. 1995년 8월 10일 초진. 환자는 임신 7주차에 인공유산을 하였고, 양수주머니 등 조직이 배출된 지 25일이 지나도 惡露가 계속되고, 색이 暗紅色이었으며, 少腹에 은근한 통증이 있었다. 초음파 검사상 자궁에 1.5 cm×1 cm의 低回聲의 暗區가 확인되었다. 舌質紫色, 苔薄, 脈細澀. 産後에 胞脈이 空虛하고, 寒凝血瘀에 속하는 것으로 사료되어, 活血祛瘀,

溫經止痛을 치료법으로 정했다. 處方: 當歸 15 g, 益母草 15 g, 川芎 6 g, 桃仁6 g, 紅花 6 g, 炮薑 6 g, 炙甘草 3 g, 失笑散 10 g, 玄胡索 10 g. 三劑를 복약한 후 惡露의 양이 현저하게 감소하고, 淡紅色으로 바뀌었으며, 腹痛이 없어졌다. 原方에서 失笑散을 去하고 二劑를 더 복용하여 완치되었다.

考察: 이 환자의 惡露不盡은 寒凝血瘀에 의한 것이므로 生化湯에 活血溫經하는 紅花·益母草·失笑散·玄胡索을 加하고, 止血하는 益母草·蒲黃을 炮薑과 배합하였다. 本案은 活血과 止血의 相反相成의 치료법이다.

3. 陽痿『陝西中醫』(1995, 2:84): 남성, 기혼, 38세. 陽痿가 2년 정도 되었다. 某 省立醫院에서 테스토스테론을 검사했는데, 23.4 nmol/L이었다. 북경 某 의원에서 해면체조영술을 통해 혈관성 발기부전으로 진단받았으나, 수술을 거절하고 한방 治療를 요청했다. 환자는 성욕은 정상이었으나, 발기부전이었다. 舌暗, 苔薄白, 舌邊有齒痕. 陰寒凝滯으로 인한 血脈不通으로 진단하여, 生化湯加味를 처방하였다. 處方: 黃芪 30 g, 當歸 20 g, 桃仁·川芎 各 10 g, 炮薑 12 g, 肉桂 4 g, 通草 8 g, 甘草 6 g. 18劑를 복용 후 발기상태가 호전되었으나, 아직 정상적인 성생활에는 강도와 지속시간이 부족했다. 7二劑를 계속해서 복용한 후에 정상적인 성생활이 가능하게 되었다.

考察: 혈관성 발기부전은 음경해면체의 血行이 순조롭지 않아, 해면체가 충혈되지 않아서 생긴다. 발기부전과 함께 舌暗, 苔薄白, 舌邊有齒痕이 나타나는 것은 腎虛寒凝의 징후이다. 특히 舌黯은 血脈不通의 징후이다. 따라서 當歸·黃芪로 補氣養血, 化生精氣하고, 炮薑·川芎·桃仁·通草로 散寒活血通脈하고, 肉桂로 腎中의 火를 激發하여, 標와 本을 함께 치료하여 만족스러운 효과를 얻을 수 있었다.

桂枝茯苓丸

(『金匱要略』)

【異名】 奪命丸(『婦人大全良方』卷12), 牡丹丸·奪命丹(『普濟方』卷357)·仙傳保命丹·安禳丸(『胎産心法』卷中).

【組成】 桂枝 茯苓 牡丹皮 去心 桃仁 去皮尖,熬 芍藥 各等分(各 9 g)

【用法】 위 약재들을 분말로 하여, 정제한 꿀로 반죽하여 兎屎大의 丸을 만들어, 매일 一丸(3 g)을 食前에 복용한다. 효과가 부족하면 三丸까지 늘린다(현대에는 湯劑로 사용하는 경우가 많다. 水煎하여 복용하며, 용량은 原方의 비율에 의거해 상황에 따라 결정한다).

【效能】 活血化瘀, 緩消癥塊.

【主治】 婦人의 癥塊가 오래되어, 임신 후 漏下가 그치지 않거나, 胎動하여 불안할 때, 下血의 血色이 紫黑晦暗하고 腹痛하여 拒按하거나, 혹은 月經이 없으면서 腹痛이 있을 때, 혹은 産後에 惡露가 그치지 않고 腹痛하며 拒按한 경우에, 舌質紫黯, 或有瘀點, 脈沉澀하는 등 증상을 치료한다.

【病機分析】 本方은 『金匱要略』에 婦人의 癥塊가 오래되어, 임신 후에 漏下가 그치기 않거나, 胎動하여 불안한 증상을 치료한다고 기록되어 있다. 평소 胞宮에 血瘀癥塊가 있었던 것이 妊娠 후에도 영향을 미쳐서 經脈을 막고, 血이 脈外로 넘치게 되면, 임신 초기에 陰道에서 不時에 소량의 血이 흘러 淋漓不斷하는 胎漏가 된다. 또 그 瘀血이 제거되지 않으면, 生血이 않되며, 결국 胎에 영양이 공급되지 않는다. 妊娠腹痛, 陰道出血이 함께 보이면, 胎動하여 不安하게 된다.

후세에는 本方은 妊娠에 국한되지 않고, 經·胎·産의 질병을 아우르게 되었고, 癥塊가 일으키는 것에 속하는 경우에는 상용하는 처방이 되었다. 癥塊의 형성에는 氣·血·痰·濕이 모두 밀접한 관계에 있다. 氣·血·津液은 정상적인 상황에서는 쉬지 않고 운행하지만, 다양한 원인으로 인해 운행에 영향을 미치면 氣滯, 血瘀, 痰濕이 생기며 결국 癥塊 형성의 원인이 된다. 이 方劑가 치료하는 癥塊는 血瘀와 痰濕阻滯가 만드는 것에 속하는데, 瘀濕의 邪留가 胞宮에 쌓이면 癥이 되어, 少腹이 疼痛하며 拒按하게 되며, 月經이 오지 않게 된다. 産後에 惡露가 그치지 않는 것도 역시 瘀阻로 인해 血이 月經으로 돌아오지 않고 밖으로 흐르기 때문에 생기는 것이다. 이에 대해 『胎産心法』卷 4에 "惡血不盡, 則好血難安, 相幷而下, 日久不止."라고 기록되어 있다. 月經의 血色이 紫黑晦暗하고, 瘀塊가 있으며, 舌質紫黯, 或有瘀點, 脈沉澀하는 것 등은 모두 瘀阻胞宮의 증상이다.

【配伍分析】 本方의 適應症은 모두 癥塊로 인한 것이다. 瘀血癥塊가 없어지지 않으면 漏下·出血·惡露가 멈추지 않고, 月經도 개시하지 않는다. 『素問』「至眞要大論」에 제시된 치료원칙인 "堅者削之, 客者除之"에 따라 癥塊를 없애야 한다. 대부분의 癥은 血瘀濕阻에 기인하지만, 오래된 경우는 虛實이 挾雜된 경우가 많다. 또한 임신한 부인의 경우 去瘀血 할 때는 완만해야 하며, 猛攻하는 경우 正氣를 상하여 胎元을 손상시키기 쉬우므로 活血化瘀하되 緩消癥塊해야 한다. 方中의 桂枝는 辛·甘·溫하여 "通血脈"(『本草綱目』卷34)하니 經血을 잘 통하게 할 수 있다. 또한 "又能導引三焦, 下通膀胱以利小便"(『醫學衷中參西錄』上冊)라고 기록된 것처럼, 瘀血을 제거함으로써 氣化를 도와 津液을 돌게 하는 효능까지 갖추게 된다. 이와 같이 桂枝 하나로 두 가지의 공을 얻게 되니 君藥이 된다. 桃仁은 苦·甘·平溫하여 "主瘀血"(『神農本草經』卷3), "破癥瘕"(『名醫別錄』)하니 化瘀消癥에 사용하는 중요한 약으로써 "消癥瘕不嫌傷胎"(『女科經論』卷3)한다. 茯苓은 甘·淡·平溫하여 "益脾除濕……下通膀胱以利水"(『羅氏會約醫鏡』卷17)하니 "利腰臍間血"(『醫學啓源』卷下) 할 수 있어서 補脾益氣하므로 胎元을 안정시킬 수 있다. 桃仁과 茯苓을 함께 사용하여 活血祛瘀, 利水滲濕하므로 각각 瘀血와 痰濕 방면으로 君藥을 도와 癥을 제거하므로 臣藥이 된다. 芍藥은 酸·苦·寒하여 "除血痹"하고, "利小便"(『神農本草經』卷2)하며, "安胎止痛"(『珍珠囊補遺藥性賦』「草部」)한다. 牡丹皮는 辛·苦·微寒하여 "善化凝血而破宿癥"(『長沙藥解』卷2)하며, "生血, 凉血"(『本草綱目』卷14)한다. 芍藥, 牡丹皮와 君臣인 桂枝, 茯苓을 배합하면 活血消癥하는 효능이 증가하고, 養血凉血함으로써 瘀久化熱의 病理를 함께 다스릴 수 있으니 이들이 佐藥이 된다. 白蜜은 丸을 만들 때 사용되어 여러 약의 성질을 완충하기 때문에 使藥이 된다. 이와 같은 배합을 통해 活血化瘀, 緩消癥塊의 효력을 나타낸다.

婦女가 임신해서 瘀血癥塊가 있으면 완만하게 消癥해야 하며, 猛烈하게 공격하면 胎元이 상하기 쉽다. 따라서 복용방법을 엄격하게 규정하고 있다. 매일 兎屎大 一丸을 복용하고, 효과가 부족하면 三丸까지 加한다. 이처럼 本方은 용량이 매우 적어서 祛瘀의 효력이 심히 緩和하므로 消癥하면서도 保胎하는데 적합하다.

本方의 配伍의 특징은 세 가지가 있다. 첫 번째는 活血藥과 祛濕藥을 함께 사용해 瘀血과 痰濕을 모두 다스리는 것이다. 두 번째는 活血하면서도 養血益氣의 功이 있어 消와 補를 병행하는 것이다. 세 번째는 용량이 매우 적고 蜜로 丸을 만들어서 약의 작용을 완만하게 조절한 것이다.

【臨床應用】

1. 證治要點: 本方은 緩消癥塊하는 方劑이다. 臨床運用은 婦人의 癥塊가 오래되어, 腹痛하여 拒按하거나, 下血의 血色이 紫黑晦暗하고 瘀塊가 끼어 있거나, 舌質紫黯, 或有瘀點, 脈沉澀하는 것이 證治要點이다.

2. 加減法: 만약 血瘀로 인한 癥이 오래되어 고정되어 움직이지 않고, 疼痛하여 拒按하는 경우 活血消癥하는 牡蠣·鱉甲·丹參·乳香·沒藥·鷄內金 등을 加한다. 만약 月經過多, 崩漏不止하는 경우 化瘀止血하는 失笑散·血餘炭을 加한다. 疼痛이 極甚한 경우 活血止痛하는 玄胡索·乳香·沒藥 등을 加한다. 帶下의 量이 많은 경우 除濕止帶하는 薏苡仁·白芷·車前子 등을 加한다. 瘀滯濕阻로 인한 閉經의 경우는 活血行氣調經하는 當歸·川芎·紅花·制香附子·益母草 등을 加한다. 瘀가 자궁을 阻하여 血行이 不暢하여, 痛經하고, 月經量少하며, 塊가 있어 塊가 배출된 후에 疼痛이 경감하는 경우 活血止痛하는 當歸·川芎·烏藥·香附子·牛膝 등을 加한다. 瘀가 자궁을 阻하여 惡露不止하는 경우 活血止血하는 當歸·益母草·炮薑을 加한다.

3. 桂枝茯苓丸은 다음 한국표준질병사인분류(KCD)에 해당하는 환자가 血瘀濕滯證으로 辨證되는 경우 본 처방의 사용을 고려해볼 수 있다.

처방 목표	한국표준질병사인분류(KCD)
子宮內膜炎	N71 자궁경부를 제외한 자궁의 염증성 질환
卵管炎	N70 난관염 및 난소염
卵巢炎	N70 난관염 및 난소염
卵巢囊腫	D25 자궁의 평활근종
卵巢囊腫	N83.0 난소의 난포낭
	N83.1 황체낭
	N83.2 기타 및 상세불명의 난소낭
機能性子宮出血	N93.8 기타 명시된 이상 자궁 및 질 출혈_기능성자궁출혈
習慣性流産	N96 습관적 유산자
子宮外妊娠	O00 자궁외임신
前立腺肥大	N40 전립선증식증
甲狀腺腫	E04 기타 비독성 고이터
肝腸腫大	(질병명 특정곤란)
	R16 달리 분류되지 않은 간비대 및 비장비대
脾臟腫大	D73 비장의 질환
	R16.1 달리 분류되지 않은 비장비대

【注意事項】

1. 本方은 活血化瘀消癥하는 方劑이지만, 임신 후 下血하는 경우는 마땅히 신중해야 한다.

2. 만약 부인이 오래된 癥病이 있다가 임신한 사람은 本方을 이용하는 것이 좋지만, 마땅히 소량에서부터 시작해야 하고, 조금씩 증가시켜 消癥하여 胎元을 상하지 않도록 한다.

3. 증상에 따라 本方을 운용하는데, 중간에 부작용이 확인되면 즉각 중단해야 한다. 만약 下血의 量이 많고, 腰酸腹痛이 심한 경우는 辨證에 따라 적절하게 치료해야 한다.

【變遷史】 本方은 緩消癥塊하는 주요 方劑이다. 漢代 張仲景의 『金匱要略』의 婦人妊娠病篇에서 시작되었으며, 主治는 "婦人宿有癥病, 經斷未及三月, 而得漏下不止, 胎動在臍上者, 爲癥痼害"이다. 후대 의학자들은 桂枝茯苓丸에 加減하여 催生下胎하는 方劑를 만들었는데 『萬病回春』卷6 중의 催生湯이다. "候産母腹痛, 腰痛, 見胞漿不下"의 상황에 그것을 복용한다. 『婦人大全良方』卷12 중의 奪命丸은 桂枝茯苓丸과 같으며 "婦人小産, 下血至多, 子死腹中"의 死胎不下에 사용한다. 本方에 大黃·木香·生地黃·當歸·白朮·石葦를 加하여 月經不行, 臍腹疼痛에 사용하며 『太平聖惠方』卷72의 牡丹散이다. 현대에는 活血除濕, 消癥散結하는 本方을 사용하여 자궁근종, 난소낭종 등의 부인과 종양성 질환에 사용하고 있다. 辨證에 따라 軟堅散結하는 牡蠣·鱉甲 등을 加하고, 活血하는 丹參·乳香·沒藥 등을 加하거나, 除濕하는 薏苡仁·蒼朮·澤瀉 등을 加하기도 한다. 이러한 加減으로 전립선비대, 갑상선종대, 간장 및 비장의 종대 등에 사용하고 있다.

【難題解說】

1. 妊娠胎漏에 왜 活血之法을 사용하는가?: 桂枝茯苓丸은 본래 活血消癥하는 方劑이기 때문에 癥積으로 인한 下血이 淋漓하여 멈추지 않는 것에 사용하며,

妊娠胎漏에도 사용하지만 많은 의문이 따른다. 瘀血과 癥積이 자궁에 結하여 經脈을 막으면, 血이 정해진 길로 돌지 못하고, 밖으로 넘치게 된다. 이럴 때는 癥積을 제거해야 止血할 수 있다. 만약 消癥하지 않고, 止血만 하게 되면, 瘀阻은 더욱 심해져 止血할 수 없다. 물론 임신 시에는 行血藥은 신중하게 사용하거나, 사용을 금해야 한다. 그러나 癥塊가 胞脈에 막혀 血이 돌지 않으면 血이 胎를 營養하지 못하기 때문에 胎動이 되는 것이다. 결국 癥塊가 제거되지 않으면, 漏下가 멈추지 않고, 胎兒가 유산되거나 신생아 저체중에 이를 수 있다. 이 때는 "去癥保胎"의 법을 써야 한다.

2. 완만하게 癥塊를 없애는 것에 대한 이해: 本方의 다섯 가지 약 중 네 가지 약은 行血하는데 왜 緩消癥塊의 方劑라고 하는가? 이것에 대해 配伍, 劑型, 用法 세 가지 방면에서 분석할 수 있다. 먼저 配伍 방면에서 보면, 活血 작용은 桃仁이 그중 가장 강하다. 그러나 桃仁은 "破血"하지만, "逐舊血而不傷新血"(『醫學衷中參西錄』卷上), "消癥瘕不嫌傷胎"(『女科經論』卷3)한다고 기록되어 있듯이 精을 상하지 않는 약재이다. 그 외에 茯苓은 益氣하고, 芍藥은 營養하며, 白蜜은 甘하여 本方의 祛瘀化癥의 효능을 완만하게 한다. 다음으로 本方의 劑型인 丸劑는 "用藥之舒緩而治之意"(『用藥心法』)의 의미를 갖는다. 다음으로 用法을 논하면 丸을 兎屎大로 만들어 복용하는데 효과가 없으면 三丸까지 늘인다. 이와 같이 복용량이 적어서 약효 또한 가볍다. 이것으로 보건대 本方은 사용하는 藥味들의 작용이 평온하고 온화하며, 丸劑로 사용하며, 복용하는 藥의 용량이 작아서 漸消緩散의 方劑에 속한다.

【醫案】

1. 血崩『蒲園醫案』: 48세 부인. 症狀: 下血이 急激하여 量이 많고, 紫黑色이고, 냄새를 맡기 힘들 정도로 고약하며, 少腹이 悶痛하다. 脈弦有力, 舌青色, 苔黃. 診斷: 瘀積이 오래되어 갑자기 급하게 下血하는 것이다. 通因通用하기 위하여 桂枝茯苓丸合失笑散에 加味하여 처방하였다. 桂枝 一錢, 茯苓 三錢, 桃仁 一錢, 牡丹皮 二錢, 赤芍藥 二錢半, 炒蒲黃 一錢, 生蒲黃 一錢, 炒五靈脂 二錢, 生鹿角片 三錢을 水煎服하도록 하였다. 三劑 복용 후 腹痛이 소실되고, 出血이 감소하였다. 다시 四物湯을 加味하여 五劑 복용 후 완치되었다.

考察: 血이 밖으로 흘러넘치면, 그것이 瘀가 되고, 瘀血은 經으로 다시 돌아갈 수 없으며, 그렇게 생긴 積聚가 오래되면 갑자기 下血한다. 下血한다고 하여 止血만 하게 되면 閉門留寇의 질환이 생긴다. 癥瘕가 될 수도 있기 때문에 반드시 그것을 制擧하여 後患을 남지 않도록 한다.

2. 産後惡露不淨『蒲輔周醫案』: 여성. 기혼. 1963년 5월 7일 初診: 1963년 3월말 출산 후 40일까지 惡露가 지속되며, 양이 많지 않고, 淡紅色 혹은 가끔 紫色이며, 작은 血塊가 배출 되었다. 産後 허리에 계속 酸痛이 있고, 온몸을 누르면 아파하였는데, 하반신이 특히 심했다. 어느 때는 왼쪽 少腹에 통증이 있고, 좌측 허리부터 대퇴부의 위쪽 1/3 지점에 靜脈이 曲張되어 있고, 식욕이 좋지 않고, 대변이 무르고, 소변이 황색이고, 수면은 가능했으나, 안색에 광채가 없었다. 脈은 上盛下虛하고, 左關弦遲, 右關弦大, 寸尺이 모두 沉澀하고, 舌質淡紅, 無苔. 産後에 調理가 적절하지 않아 營衛不和, 氣血紊亂, 惡露不化에 이른 것으로 판단하였다. 營衛를 조절하고, 和血化瘀하기로 했다. 處方: 桂枝 一錢五分, 白芍藥 二錢, 茯苓 三錢, 炒牡丹皮 一錢, 桃仁 一錢(去皮), 蒲薑 八分, 大棗四枚, 五劑를 處方했다. 16일 후, 再診: 惡露, 少腹痛, 腰腿痛이 멈추었고, 식욕이 좋아졌고, 대변과 소변이 모두 정상이 되었다. 脈沉弦微數, 舌淡無苔. 瘀滯가 제거되었으나, 氣血을 보충하기 위해 十全大補丸 40丸을 매일 아침, 저녁으로 各一丸씩 복용하여 정상으로 회복되었다.

考察: 案2는 惡露不絶, 少腹疼痛, 血塊, 脈澀 등이 나타나고 있다. 氣血不足에 瘀를 겸한 것으로 진단하여 桂枝茯苓丸을 加減하여 치료하였다. 案2에서는

炮薑을 加하여 活血止血한 다음 十全大補丸으로 조리하였는데, 이것은 先攻後補의 방법이다.

當歸芍藥散

(『金匱要略』)

【異名】當歸芍藥湯(『濟生方』卷9)·當歸茯苓散(『普濟方』卷339)

【組成】當歸 三兩(9 g) 芍藥 一斤(10~30 g) 茯苓 四兩(12 g) 白朮 四兩(12 g) 澤瀉 半斤(12 g) 川芎 半斤(6 g)

【用法】上爲散, 每服方寸匕(6 g), 酒和服, 1일 3회(현대에는 湯劑로 사용하는 경우 水煎服한다).

【效能】養肝活血, 健脾除濕.

【主治】肝脾兩虛, 血瘀濕滯로 인하여, 婦人의 임신 또는 월경기에 腹中이 拘急하고, 作痛이 계속 되며, 頭暈心悸하거나, 혹은 下肢浮腫, 小便不利, 舌淡, 苔白膩하는 등 증상을 치료한다.

【病機分析】『金匱要略』 기록되어 있는데, 妊娠 腹中의 疞痛을 치료하는데 사용하고, 腹中의 제반 질환으로 인해 痛症이 나타나는 경우에 사용한다. 腹痛을 일으키는 機制는 寒·熱·虛·實, 經脈攣急, 血脈瘀阻를 모두 고려할 수 있으나, 本方 適應症의 病因病機는 肝脾兩虛와 血瘀濕滯이다. 肝血이 不足하면 筋脈이 양분을 얻을 수 없고, 腹中의 筋脈이 攣急하여 腹痛하게 된다. 그리고 血行이 막히면 水濕이 정체되어 腹中의 經脈이 통하지 않아 腹痛을 일으킨다. 따라서 本方證의 腹痛은 血不榮筋과 脈絡不通의 결과이다. 추가적으로 肝血이 虧虛하면 腦까지 잘 올라가지 못해 頭暈한다. 心을 營養하지 못하면 心悸한다. 脾가 濕을 運搬하는 것에 이상이 생기면, 水道가 막혀 小便不利한다. 혹은 水가 皮膚에 넘치면 下肢浮腫이 생긴다. 舌淡, 苔白膩한 것은 血虛濕滯의 증상이다.

【配伍分析】本方이 치료하는 腹痛은 肝虛血瘀와 脾虛濕滯가 일으키는 것으로, 養血柔肝하여 攣急을 풀고, 益氣健脾하여 運化를 돕고, 活血除濕하여 瘀滯를 通하게 해야 한다. 方中의 芍藥은 酸·苦·微寒하여, 肝·脾 二經에 들어가여 養血柔肝, 緩急止痛, 通血脈하여 通利小便한다. 『神農本草經』卷2에 "主邪氣腹痛, 除血痹……止痛, 利小便"이라고 하였고, 『名醫別錄』에는 "通順血脈, 緩中, 散惡血, 逐賊血, 去水氣, 利膀胱"이라고 했으며, 『本草備要』에서는 "補血, 瀉肝……治血虛之腹痛"이라고 한 것과 같다. 이와 같이 芍藥이 다양한 역할을 하므로 君으로 삼는다. 川芎은 辛·溫하여 活血祛瘀한다. 澤瀉는 甘·淡·寒하여 腎·膀胱으로 들어가서 利水滲濕한다. 두 약은 君藥을 보조하여 血鬱을 내보내고, 水邪를 흐르게 하여 血과 津이 정체되어 막힌 것을 제거하므로 臣藥이 된다. 當歸는 辛·甘·溫하여, 養血活血하며, 芍藥과 함께 補血하여 肝血不足을 치료하고, 川芎과 함께 祛瘀하여 瘀阻血脈을 치료한다. 白朮과 茯苓은 益氣健脾하여 脾의 運行을 회복시킨다. 그중 白朮은 苦·溫하여 燥濕하고, 茯苓은 甘·淡하여 滲濕한다. 白朮, 茯苓은 臣藥인 澤瀉의 滲利하는 작용을 강력하게 하니 모두 佐藥이 된다. 芍藥·川芎·當歸는 調血하여 柔肝하고, 白朮·澤瀉·茯苓은 調津하여 益脾하는데, 여기에 酒를 함께 和하여 복용하면 血行을 도와서 經絡을 통하게 한다. 이와 같이 六味의 配伍는 津血을 流通시키고 筋脈을 柔和하므로 腹痛을 일으킬 수 있는 여러 요인을 조절할 수 있으며, "婦人腹中諸疾痛"을 치료한다는 표현이 적절하다. 方中의 川芎·當歸·芍藥은 活血하지만 작용이 맹렬한 것은 아니고, 白朮·茯苓·澤瀉는 祛濕하지만 脾를 상하지 않으므로, 부인의 腹痛에 妊娠 여부와 관계없이 모두 사용할 수 있으며, 婦人 및 胎産疾病에 일반적으로 사용하는 方劑이다.

本方 配伍의 특징은 세 가지로 요약할 수 있는데, 하나는 補瀉를 兼하되 瀉하는 중에도 補하는 특징이 있으며, 두 번째는 津과 血을 모두 조절하지만 治血을 爲主로 한다는 점이고, 세 번째는 肝과 脾를 함께 다스리지만 肝을 조절하는 것에 요점을 두었다는 것이다.

【臨床應用】

1. 證治要點: 本方은 肝脾兩虛, 血瘀濕滯의 病機를 위해 만들어진 것이다. 臨床에서는 應用은 腹中이 拘急하고, 作痛이 계속 되며, 頭暈心悸하거나, 舌淡, 苔白膩한 것을 證治要點으로 한다. 原書에는 婦人에 한정하고 있으나, 攣急과 瘀滯로 인한 통증에는 男女를 불문하고 사용할 수 있다.

2. 加減法: 婦人의 妊娠 腹痛을 치료할 때는 川芎의 용량을 줄이고, 安胎하는 蘇莖·砂仁·苧麻根·桑寄生·杜仲 등을 加한다. 月經期 혹은 月經後의 腹痛에는 行氣活血, 調經止痛하는 香附子·玄胡索·川楝子 등을 加한다. 産後에 腹痛, 惡露不止에는 行氣活血하는 大烏藥·益母草 등을 加한다. 胃脘의 刺痛에는 理氣化瘀止痛하는 五靈脂·木香 등을 加한다. 胃痛, 吐酸에는 除酸止痛하는 五賊骨·金鈴子 등을 加한다. 脇痛에 사용할 때는 疏肝活血止痛하는 鬱金·川楝子를 加한다. 肝脾兩虛, 氣血不足에 속하는 習慣性 流産에는 澤瀉를 去하고, 安胎止血하는 升麻·黃芪·阿膠·艾葉炭을 加한다.

3. 當歸芍藥散은 다음 한국표준질병사인분류(KCD)에 해당하는 환자가 肝脾兩虛, 血瘀濕滯證으로 辨證되는 경우 본 처방의 사용을 고려해볼 수 있다.

처방 목표	한국표준질병사인분류(KCD)
妊娠腹痛	(질병명 특정곤란)
	O00~O08 유산된 임신
	O30~O48 태아와 양막강 그리고 가능한 분만문제에 관련된 산모관리
妊娠下肢浮腫	O12 고혈압을 동반하지 않은 임신성[임신-유발] 부종 및 단백뇨

처방 목표	한국표준질병사인분류(KCD)
月經不順	N91 무월경, 소량 및 희발 월경
	N92 과다, 빈발 및 불규칙 월경
不妊	N46 남성불임
	N97 여성불임
月經痛	N94.4 원발성 월경통
	N94.5 이차성 월경통
	N94.6 상세불명의 월경통
習慣性流産	N96 습관적 유산자
子宮出血	N92 과다, 빈발 및 불규칙 월경
	N95.0 폐경후출혈
無月經	N91.0 원발성 무월경
	N91.1 이차성 무월경
	N91.2 상세불명의 무월경
冷帶下	N89.8 질의 기타 명시된 비염증성 장애
子宮炎症	N71 자궁경부를 제외한 자궁의 염증성 질환
	N72 자궁경부의 염증성 질환
卵巢炎	N70 난관염 및 난소염
卵管炎	N70 난관염 및 난소염
神經衰弱	F48.0 신경무력증
	F48.8 기타 명시된 신경증성 장애
	F48.9 상세불명의 신경증성 장애
火病	F44 해리[전환]장애
水腫	(질병명 특정곤란)
	R60 달리 분류되지 않은 부종
高血壓	I10 본태성(원발성) 고혈압
	I15 이차성 고혈압
低血壓	I95 저혈압
腎症候群	N04 신증후군
慢性肝炎	K73 달리 분류되지 않은 만성 간염
	B18 만성 바이러스간염

【注意事項】 方中의 川芎은 氣가 辛散하여 血中의 氣藥으로, 止痛하지만 活血할 때 弊도 발생할 수 있기 때문에, 腎이 虛弱한 者는 용량이 과다하면 胎元에 妨害가 될 수 있다. 따라서 임신한 경우는 신중하게 사용하고, 용량은 一劑에 3~6 g이 적당하다.

【變遷史】 本方은『金匱要略』에 최초로 기록되어 있으며 "婦人懷妊, 腹中疞痛, 當歸芍藥散主之"라고 기록되어 있다. 本方은 肝脾兩虛, 血瘀濕滯로 인한 婦人腹痛 뿐만 아니라, 妊娠 胎動不安, 下利, 頭眩心悸 등에도 사용하며, 후대에는 다양한 方劑로 변화했다. 역대 의학자의 加減運用은 다음과 같다. ① 氣血津液을 流通하여 病理的 產物을 제거하는 경우: 行氣除濕하는 香附子·砂仁·陳皮 등을 加하여 肝脾兩虛, 血瘀濕滯와 氣機不暢으로 妊娠 중 心腹疼痛하여 胞絡이 상해 胎動不安 혹은 產後浮腫에 사용한다. 예를 들어, 『陳素庵婦科補解』卷3의 當歸芍藥散(本方에 陳皮·砂仁·甘草·香附子·木香·烏藥·紫蘇·蔥白을 加하여 구성)과 『醫宗金鑒』「婦科心法要訣」卷47의 小調中湯(本方에서 川芎·澤瀉를 去하고 陳皮를 더함)이 이러한 종류에 속한다. ② 溫裏 혹은 淸熱藥을 配伍해서 寒熱病의 성질을 함께 이용한다. 예를 들어『千金翼方』卷6의 芍藥湯은 本方에서 川芎·白朮·澤瀉를 去하고, 桂心·蜀椒·生薑·半夏·蜜을 加한 것으로 產後心痛을 치료한다.『醫學正傳』卷7에 인용되어 있는『太平惠民和劑局方』의 當歸芍藥湯은 本方에서 川芎을 去하고, 黃芩·黃連·木香·甘草·檳榔을 加하여 妊娠 下利赤白과 腹中疞痛을 치료하는데 사용했다. ③ 補氣養血로 扶正培本을 강조하는 경우:『聖濟叢錄』卷150의 芍藥湯은 本方에서 澤瀉·白朮을 去하고, 熟地黃·五味子·麥門冬·玄參·人蔘·白蘞·牡丹皮·甘草를 加하여 婦人의 血風勞氣, 骨節疼痛, 寒熱頭眩, 眼睛痛, 心虛恍惚悰悸를 치료하는데 사용한다.『陳素庵婦科補解』卷2의 當歸湯은 本方에서 澤瀉를 去하고, 人蔘·黃芪·熟地黃·麥門冬·川斷·黃芩·陳皮·香附子·砂仁·甘草를 加하여 妊娠 5개월의 胎動不安을 치료하는데 사용했다. 현대 의학자들은 응용범위를 확장하여 腦血栓, 고혈압, 치매, 메니에르증후군, 부종, 五官科疾患 등에도 사용한다.『中醫耳鼻喉科學』의 當歸芍藥散은 本方에 辛夷花·黃芩·菊花·地龍·薄荷·甘草를 加하여 慢性鼻炎의 치료에도 사용한다.

【難題解說】 方中 芍藥에 대하여: 本方證의 主症은 腹部攣痛이다. 病機는 肝脾兩虛, 氣血不足, 血瘀津滯이므로 養血活血, 健脾除濕, 緩急止痛하여야 한다. 그러므로 芍藥을 사용한 것은 네 가지의 의미가 있다. ① 緩急止痛:『傷寒論』小柴胡湯의 加減法에 腹痛이 있는 경우에는 黃芩을 去하고 芍藥을 加한다는 용법은 芍藥이 주로 緩急止痛의 효능이 있기 때문에 "妊娠腹中疞痛" 및 "婦人腹中諸疾痛"을 치료하는데 사용한 것이다. ② 活血痛經:『神農本草經』과『名醫別錄』에는 芍藥의 活血의 기능이 강조되어『本經』에 "除血痺",『別錄』의 "通順血脈, ……散惡血, 逐賊血" 이라고 기록되어 있다. 그러므로 本方에서는 芍藥과 川芎을 함께 이용하여 活血祛瘀, 行血通滯한다. ③ 養血柔肝하여 肝血을 補하고, 筋脈을 滋養한다. ④ 利小便:『本經』의 "利小便",『別錄』의 "去水氣·利膀胱"을 볼 때, 芍藥은 通利小便의 효능이 있으며, 茯苓·澤瀉와 함께 이용하여 利水祛濕하므로, 水濕停滯의 질환에도 사용한다. 이러한 芍藥의 효능에는 현대의 赤芍藥·白芍藥의 효능을 모두 포함한다. 그러므로 臨床에서 本方을 사용할 때는 病證에 따라 赤芍藥을 사용할지, 白芍藥을 사용할지를 결정해야 한다. 같은 腹痛이더라도, 血虛가 重하면 白芍藥을 사용하지만, 瘀血徵候가 重하면 赤芍藥을 사용한다. 단, 妊娠腹痛에는 白芍藥이 적합하다.

【醫案】

1. 逆産(胎位異常)『陝西中醫』(1998, 12:534): 27세 여성. 1997년 2월 20일 초진. 임신 33주, 산전검사 및 초음파검사에서 臀位로 진단받았다. 안색이 萎黃하고, 허약하고 마른 편이며, 少腹에 때때로 隱痛이 있으며, 胎動이 微弱하였다. 舌淡紅, 苔薄白, 脈細滑弱. 診斷: 逆産(臀位). 氣血虛弱에 속하므로 氣血을 調理하기로 하였다. 當歸芍藥散을 처방하였다. 當歸·白芍藥·白朮 各 10 g, 川芎 5 g, 茯苓·澤瀉 各 8 g. 三劑를 水煎服, 1일 一劑. 2월 23일 재검사에서 胎位가 교정된 것을 확인하였다.

考察: 한의학에서 胎位 異常은 難産에 속하며, 氣血虛弱, 氣滯血瘀로 인식한다.『婦人大全良方』「産難

問』卷17에 "婦人以血爲用, 惟氣順則血和, 胎安則産順; 若氣血調和, 便能胎安産順."라고 기록되어 있는 바와 같으며, 한의학에서 胎位 교정시 원칙은 理氣調血하는 것이다. 方中의 當歸·白芍藥은 和血養血, 安胎止痛하여 평활근의 경련을 완해하므로 胎兒가 轉動할 수 있도록 한다. 川芎은 活血行氣 효능은 上行頭目, 下行血海하며, 白朮의 益氣健脾는 安胎하고, 茯苓·澤瀉는 淡滲利濕하여 과다한 羊水를 조절하므로 胎兒의 轉動을 돕는다.

2. 産後尿潴留『雲南中醫雜誌』(1992, 4:26): 23세 여성. 산후 3일, 소변이 點滴하여 1일 이상 소변이 나오지 않음. 분만하면서 출혈이 과다했고, 産後에는 少腹刺痛이 있었으며, 소변이 시원하지 않다가 不通하게 되었다. 진료에서 少腹이 硬滿하고, 煩燥하며, 음식을 통 먹지 못하며, 입은 마르나 물을 마시지 않으며, 잦은 방귀와 설사를 하는 상태였다. 舌紫暗色, 苔薄白, 脈弦細澀. 이 환자는 肝血虛滯, 水竅閉塞에 속하므로 養血疏肝, 活血利尿하기로 하였다. 當歸芍藥散加減을 처방하였다. 處方: 當歸 12 g, 芍藥 25 g, 川芎 9 g, 茯苓 18 g, 澤瀉 20 g, 益母草 30 g, 1일 一劑를 水煎服하였다. 一劑 복용 후, 소변이 通하기 시작했으나, 아직 點滴하여 가늘고 시원하지 않았다. 三劑 더 복용한 후, 소변이 정상으로 되었다.

考察: 産後에 小便不通, 少腹刺痛, 少腹硬滿, 納呆, 大便溏하면서 舌質紫暗, 脈弱細澀하는 것은 肝血虛滯, 脾虛濕停, 水道不通로 인한 증상이다. 따라서 當歸芍藥散으로 養血活血, 健脾利尿하여, 막힌 것을 통하게 하고, 益母草로 活血利尿 작용을 강화한다.

3. 頭痛『湖南中醫雜誌』(1987, 2:34): 26세 여성, 농민. 의식이 혼미할 정도로 심한 두통이 5년 되었고, 해를 거듭할수록 심해졌다. 동서간의 불화와 다툼에서 두통이 시작되었는데, 우울하고 즐겁지 않거나, 악천후에는 혼미할 정도로 아파서 죽고 싶을 정도였다. 그 외에도 月經이 혹은 당겨지고 혹은 미뤄지며, 月經痛이 심하며, 納差하고, 늘 입맛이 없고, 때로는 舌이 痲木하고, 정신이 억울하며, 조용하고 말이 적었다. 舌紅, 舌邊有瘀點, 苔白膩, 脈細澀. 특히 야간에 통증이 심하고, 잡아당기는 듯 한 느낌이 있었다. 또한 外傷 과거력이 있었다. 이 환자는 瘀血作痛으로 진단하여 血府逐瘀湯을 처방하였으나, 五劑 복용 후, 두통이 줄어들었으나, 머리가 어지럽고 무거운 것은 전과 같고, 納差, 口淡, 苔膩가 여전하여, 當歸芍藥散을 처방했다. 處方: 芍藥 15 g, 當歸·川芎 各 9 g, 茯苓 10 g, 炒蒼朮, 炒白朮, 柴胡 各 6 g, 全蝎 1只. 五劑 복용 후, 어지럼증이 없어졌고, 두통은 가끔 있었으며, 당기는 듯한 통증은 단 한 번 있었고, 가끔 입이 마르는 느낌이었으며, 舌苔는 薄白하였다. 이전의 方劑에서 蒼朮을 去하고, 白芍藥 10 g을 加하여 처방하여, 五劑 복용 후, 통증은 재발하지 않았다.

考察: 이 案에서 두통은 야간에 심하고, 당기는 듯한 통증이 있고, 外傷 과거력이 있어서, 瘀血頭痛이라고 진단하여 血府逐瘀湯을 사용하여 약간의 효과를 거두었다. 하지만 환자는 血瘀 외에 痰濕內蘊도 있었기 때문에, 痰濕을 제거하지 않아 瘀가 끝내 제거되지 않았던 것이다. 그래서 當歸芍藥散加減을 처방하여 活血化瘀, 健脾助運하였다. 燥濕하는 蒼朮과 疏理滯氣하는 柴胡를 加하여 氣行痰化瘀消했다. 한편 全蝎은 搜風, 通絡止血하기 때문에 두통에 사용할 수 있다. 이렇게 하여 5년 된 완고한 질병이 완치되었다.

失笑散

(『近效方』, 錄自 『經史證類備急本草』卷22)

【異名】 斷弓弦散(『蘇沈良方』卷8)·失笑膏(『中藏經』「附錄」)·經驗失笑散(『金匱翼』卷6).

【組成】五靈脂 蒲黃 各二錢(各 6 g)

【用法】위의 약재들을 食醋 一合에 넣고 달여서 膏를 만들고, 다시 小盞 1컵 분량의 물에 달여서 七分이 되면, 熱服한다.

【效能】活血祛瘀, 散結止痛.

【主治】瘀血停滯로 인하여 心腹刺痛, 産後惡露不行, 月經不調, 少腹急痛하는 등의 증상을 치료한다.

【病機分析】『太平惠民和劑局方』卷9에 本方을 이용하여 産後腹痛을 치료한다고 기록되어 있다. 産後에 惡露가 흐르지 않으면 瘀血이 子宮에 머물러 통하지 않게 되어 少腹에 통증이 나타나게 된다. 후대 의학자들은 産後에 국한하지 않고, 瘀血停滯로 인한 心腹疼痛과 부인과의 여러 질병에 다양하게 이용했다. 心腹에 瘀血이 停滯하고, 脈絡이 阻滯되면 刺痛이 나타난다. 子宮에 瘀血이 머물러, 血行이 순조롭지 않으면 衝任이 막혀 經血이 불규칙하거나, 月經量에 이상이 생긴다.

【配伍分析】本方의 適應證은 瘀血停滯로 인한 것이므로 活血祛瘀해야 통증이 멈춘다. 方中의 五靈脂는 甘·溫하여 肝經의 血分에 들어가고, 生用하면 活血止痛하여 血瘀로 인한 疼痛을 치료한다. 『景岳全書』「本草正」卷49에 "大能行氣, 逐瘀止痛. 凡男子女人, 有血中氣逆而腹脇刺痛, 或女人經水不通, 産後血滯, 男子疝氣, 腸風血痢, 冷氣惡氣, 心腹諸痛, 身體血痹, 脇肋筋骨疼痛, 其效甚捷"이라고 하였으며, 『玉楸藥解』卷5에 "最破瘀血, 善止疼痛. 凡經·産·跌打諸瘀, 心·腹·脇·肋諸痛皆療"라고 한 것과 같다. 蒲黃은 甘·平하여 肝經의 血分으로 들어가며, 活血止痛하고, 五靈脂와 함께 사용하면 活血散結, 祛瘀止痛의 작용이 增强되므로 제반 心腹의 통증을 치료하게 된다. 그래서 『血證論』卷7에서 "二者合用, 大能行血也"라고 하였고, 『本草綱目』卷19에 蒲黃에 대하여 "與五靈脂同用, 能治一切心腹諸痛"이라고 한 것이다. 五靈脂와 蒲黃을 식초로 달이면 陰分의 停滯를 해소하여, 行血을 돕는다. 약을 복용할 때 熱服하는 것은 血이 움직이는데 도움이 되기 때문이다. 본 方劑는 이와 같은 配伍를 이용하여 祛瘀止痛, 推陳致新하게 된다.

本方의 藥性은 平溫하고 溫和하여, 祛瘀하지만 正을 傷하지 않으므로, 瘀血停滯로 인한 心腹疼痛에 사용하면 환자가 자신도 모르는 사이에 病症이 모두 사라지게 되어 자연히 失笑를 금할 수 없게 되기 때문에 "失笑散"이라는 이름을 사용한다.

【臨床應用】

1. 證治要點: 本方은 血瘀로 인해 발생한 통증을 치료하는 常用方이며, 특히 肝經血瘀에 적당하다. 臨床에서는 心腹刺痛, 月經不調, 少腹急痛을 證治要點으로 한다.

2. 加減法: 고정된 부위의 胃脘脹痛이 있고, 舌黯, 脈弦하는 경우는 金鈴子散을 合하여 行氣活血止痛하는 것이 좋다. 고정된 부위의 통증이 있고, 畏寒喜熱하는 경우는 炮薑·小茴香을 加하여 溫經散寒한다. 婦女의 月經前 혹은 月經中에 少腹脹痛, 經血에 瘀塊가 있어서 血塊 排出 후 통증이 감소하는 경우는 益母草·紅花·桃仁·香附子·玄胡索 등으로 活血行氣한다. 産後에 少腹疼痛拒按하고, 惡露가 淋漓하여 不暢하는 경우는 生化湯을 合하여 行血止痛止血한다. 月經不調하는 경우는 四物湯을 合하여 養血調經한다.

3. 失笑散은 다음 한국표준질병사인분류(KCD)에 해당하는 환자가 瘀血停滯로 辨證되는 경우 본 처방의 사용을 고려해볼 수 있다.

처방 목표	한국표준질병사인분류(KCD)
慢性胃炎	K29.3 만성 표재성 위염
	K29.4 만성 위축성 위염
	K29.5 상세불명의 만성 위염
胃潰瘍	K25 위궤양

처방 목표	한국표준질병사인분류(KCD)
十二指腸潰瘍	K26 십이지장궤양
冠狀動脈硬化性 心臟疾患	I25.1 죽상경화성 심장병
産後 子宮 回復 不良	O86 기타 산후기감염
	O90 달리 분류되지 않은 산후기의 합병증
月經痛	N94.4 원발성 월경통
	N94.5 이차성 월경통
	N94.6 상세불명의 월경통
子宮外妊娠	O00 자궁외임신
機能性子宮出血	N93.8 기타 명시된 이상 자궁 및 질 출혈_기능성자궁출혈

【注意事項】

1. 本方은 活血祛瘀하기 때문에 임산부는 사용을 禁한다.

2. 五靈脂는 胃에 부작용을 유발하기 쉬우므로 脾胃虛弱한 경우는 신중하게 사용한다.

【變遷史】 本方은 『經史證類備急本草』卷22에서 인용한 『近效方』에 처음 기록되어 있다. 宋代 『蘇沈良方』에서는 "斷弓弦散"이라는 이름을 사용하여 "小腸氣"를 主治하며 "療婦人血氣尤驗"이라고 기록되어 있다. 『太平惠民和劑局方』卷9에는 "産後心腹痛欲死, 百藥不效, 服此頓愈."라고 간명하게 기록되어 있다. 明代에는 응용범위가 확장되어, 李時珍의 『本草綱目』卷48에는 "失笑散, 治男女老幼心痛腹痛, 少腹痛, 小腸疝氣, 諸痛不效者, 能行能止; 婦人妊娠心痛及産後心痛·心腹痛·血氣痛猶妙."라고 하였다.

후세의 의학자들은 血瘀痛證에 사용하였다. 玄胡索·沒藥 등을 加하여 活血止痛의 효과를 증가시켰다. 예를 들어, 『是齋百一選方』卷8의 手拈散은 本方에 沒藥·草果를 加하여 "心胃氣痛"을 主治한다. 『保命歌括』卷16의 加味失笑散은 本方에 玄胡索을 加하여 "小腸氣痛, 上衝心者"를 치료한다. 『嵩崖尊生全書』卷9의 加味失笑散은 本方에 沒藥·玄胡·赤芍藥·木通·薑黃·鹽鹵를 加하여 "胃脘痛"을 치료한다. 현대에서는 本方加味로 관상동맥성 심장질환의 心絞痛 및 자궁외임신 등을 치료하는데 사용한다.

【醫案】

1. 胃脘痛 『類證治裁』(錄自『二續名醫類案』上冊): 房叔. 胃脘痛이 있고, 脈이 細澀하여, 香砂六君子湯에서 白朮을 去하고, 煨薑·益智를 加하여 복용했다. 胃脘痛이 진정되었으나, 피곤하면 재발하였으며, 鹽炒蠶豆를 복용하면 가끔은 효과가 있었으나, 효과가 없을 때도 있었다. 옛날 사람들은 여러 종류의 콩이 모두 氣를 닫는다고 했으나, 蠶豆의 香은 開脾하며, 소금의 鹹味는 血을 움직이므로 가끔은 통증이 낫기도 했던 것이다. 나는 이것을 보고 血分에 氣가 滯한 것임을 알 수 있었고, 失笑散을 한 번 복용하니 통증이 없어졌다.

考察: 本案에서 失笑散을 투약하는 근거가 두 가지 있다. 하나는 悅脾行血하는 鹽炒蠶豆를 복용하여 가끔은 효과가 있었다는 것이다. 두 번째는 胃痛의 初病은 氣分에 있고, 久病은 血分에 있는데, 이 환자는 이미 新病이 아니라 久病이 入絡한 증상이었던 것이다. 이와 같이 病이 瘀血에 속하므로 失笑散으로 효과를 얻었다.

活絡效靈丹

(『醫學衷中參書錄』上冊)

【組成】 當歸 五錢(15 g) 丹參 五錢(15 g) 乳香 五錢(15 g) 沒藥 五錢(15 g)

【用法】 水煎服한다. 散으로 만들어, 一劑를 四回로 나누어 복용하고, 따뜻한 술로 삼킨다.

【效能】 活血祛瘀, 行氣止痛.

【主治】 氣血凝滯로 인한 證으로 心腹疼痛, 脚痛臂痛, 跌打瘀腫, 內外瘡瘍, 癥瘕積聚하는 증상을 치료한다.

【病機分析】 血은 流通되지 않으면 瘀滯한다. 血은 氣를 따라서 움직이는데, 氣滯하면 血瘀가 되고, 血瘀하면 다시 氣滯가 되어, 악순환하게 된다. 全身에 血絡이 고루 분포하기 때문에, 瘀血의 證候는 阻滯된 부위에 따라 內外上下에 걸쳐 다양하다. 瘀血이 內를 傷하면 疼痛拒按, 刺痛하되, 부위가 고정적이고, 舌質紫黯, 脈弦澀하게 된다. 跌仆損傷 등에 의해 外가 傷하면, 국소 부위의 靑紫色 瘀腫이 나타난다. 血瘀氣滯가 오래되면 癥瘕積聚이 形成된다.

【配伍分析】 本 方劑의 적응증은 瘀血阻滯가 氣鬱의 증세를 겸한 경우이므로, 活血通絡을 主로 하고, 行氣導滯를 輔로 해야 한다. 方中의 當歸는 甘으로 補하고 辛으로 散하여 補血活血하고, 止痛한다. 丹參은 苦泄하며 微寒하여, 通行血脈, 活血祛瘀한다. 乳香과 沒藥은 氣味가 芳香하여 流動性이 있어 活血散瘀, 行氣通絡한다. 乳香은 行氣活血하고, 沒藥은 散血通絡하기 때문에, 함께 사용하면 氣와 血을 동시에 다스릴 수 있다. 그래서 張錫純은 "乳香氣香竄, 味淡, 故善透竅以理氣, 沒藥氣則淡薄, 味則辛而微酸, 故善化瘀以理血. 其性皆微溫, 二藥竝用爲宣通臟腑, 流通經絡之要藥. ……不但流通經絡之氣血, 諸凡臟腑中, 有氣血凝滯, 二藥皆能流通之"(『醫學衷中參西錄』上冊)이라고 했다. 또한 張秉成은 "乳香行氣, 沒藥行瘀. 二味皆芳香宣竅, 通達營衛, 爲定痛之聖藥"(『成方便讀』卷4)이라고 했다. 酒는 이러한 약들을 도와서 血脈을 통하게 한다. 이와 같이 여러 약을 配伍하여 活血止痛하므로, 血瘀氣滯의 疼痛과 積聚에 사용한다.

한편, 人體에 邪毒이 侵襲하여 經絡을 막으면, 體表의 營衛가 鬱滯하고, 臟腑의 氣血이 凝滯되어, 內外의 瘡瘍이 발생한다. 本方의 當歸는 補血活血하면서 消腫止痛, 排膿生肌하므로 外科疾患에 자주 사용한다. 乳香과 沒藥은 行氣活血하면서 消腫生肌, 止痛하므로 일체의 癰疽瘡瘍에 사용한다. 丹參은 凉血消癰 작용이 있다. 이와 같이 活絡效靈丹은 活血止通, 消腫生肌의 효능이 있어서 外科瘡瘍에 多用한다.

【臨床應用】

1. 證治要點: 本方의 活血止痛 효과에 대해서 "凡病之由于氣血凝滯者, 恒多奇效"(『醫學衷中參西錄』上冊)라고 기록된 바 있다. 임상에서는 疼痛이 拒按하고 固定되거나 혹은 刺痛하고, 舌紫黯, 脈弦 或沉澀한 것을 證治要點으로 한다.

2. 加減法: 腿痛의 경우 牛膝을 加하여 活血痛脈, 引藥下行한다. 臂痛의 경우 連翹를 加하여 "理肝氣"(『醫學衷中參西錄』上冊)하고, 引藥上行한다. 婦女의 瘀血 腹痛의 경우 生桃仁·生五靈脂를 加하여 活血通絡止痛한다. 瘡이 紅腫한 경우 金銀花·知母·連翹를 加하여 解毒消癰한다. 瘡이 白色이고 단단한 경우 肉桂·鹿角膠를 加하여 溫通血脈, 溫補精血한다. 瘡破 후 生肌가 지연되는 경우 黃芪·知母·甘草를 加하여 補氣撑毒, 生肌斂瘡한다. 臟腑에 內癰이 있는 경우 三七·牛蒡子를 加하여 活血解毒消癰한다. 跌打損傷으로 인해 腿痛·臂痛이 심한 경우 穿山甲·地龍·水蛭을 加하여 活血通絡止痛한다. 癥瘕積聚의 경우 赤芍藥·桃仁·三棱·莪朮 등을 加하여 行氣活血한다.

3. 活絡效靈丹은 다음 한국표준질병사인분류(KCD)에 해당하는 환자가 氣血凝滯證으로 辨證되는 경우 본 처방의 사용을 고려해볼 수 있다.

처방 목표	한국표준질병사인분류(KCD)
冠狀動脈硬化性 心臟疾患	I25.1 죽상경화성 심장병
子宮外妊娠	O00 자궁외임신
뇌경색	I63 뇌경색증
腦梗塞坐骨神經痛	M54.3 좌골신경통
腦震蕩 後遺症	F07.2 뇌진탕후증후군

【變遷史】 活絡效靈丹은『醫學衷中參西錄』에 기록되어 있는데, 여기서 張錫純은 "痃癖癥瘕", "心腹四肢疼痛", "內外瘡瘍"는 모두 "不外氣血凝滯"이며 "制此方, 于流通氣血之中, 大具融化氣血之力"이라고 하였다. 本方은 藥性이 평탄하고 온화하고, 寒熱에 치우치지 않아 "無論因涼·因熱·氣鬱·血鬱"에 本方을 加味하여 사용한다. 거슬러 올라가서『黃帝素問宣明論方』卷13에 沒藥散을 볼 수 있는데, 沒藥散은 沒藥·乳香·穿山甲·木鱉子로 구성되며, 참을 수 없는 心腹疼痛을 主治한다고 기록되어 있다. 活絡效靈丹은 沒藥散에서 山甲·木鱉을 去하고, 當歸·丹參을 加한 것으로, 비록 走泄破血의 작용이 약해진 것이지만, 養血 작용이 추가되었기 때문에, 祛瘀하지만 正을 傷하지 않도록 하여 心腹疼痛 및 癥瘕積聚를 치료하는 데에는 더욱 적합하다.

【醫案】

1. 癥瘕『醫學衷中參西錄』上冊: 30여 세 부인. 臍下에 癥瘕가 맺혔는데, 점점 자라서 위로 커지게 되었다. 처음에는 부드러웠지만, 며칠 후에는 돌같이 딱딱해졌고, 10일 정도 지나자 心下까지 자랐다. 환자는 새벽에 추위를 무릅쓰고 길에 머물러 있을 때, 마음에 두려워하고 걱정하는 것이 있었는데, 그 氣가 뭉쳐 흩어지지 않는 것 같다고 말했다. 病因은 이상하지만 결국 氣血凝滯로 인한 것으로 판단하고, 活絡效靈丹을 十劑 복용한 후 전부 없어졌다.

2. 疽瘡『醫學衷中參西錄』上冊: 少婦. 左脇에서 瘡이 발생하여 길이가 약 5寸 정도였고, 乳와 肋에 퍼져 있었는데, 피부색은 정상이었으나, 누르면 매우 딱딱하고, 약간의 열감이 있었다. 다른 의원에서 2개월을 치료했는데도 효과가 없었고, 전보다 더 커졌다고 한다. 환자가 복용한 方劑를 조사하니, 白疽 또는 乳疽를 치료하는 것들이었다. 환자에게 "이 딱딱한 병변의 색이 백색인 것은 陰이지만, 약간의 열감이 있으니 陰中에 陽이 있는 것이다. 복용한 여러 方劑에는 半陰半陽을 치료한 方劑는 없었으니 효과도 없었다"고 말하였다. 活絡效靈丹을 湯劑로 만들어, 數劑를 복용한 후, 증상이 가벼워졌다. 30劑 복용 후, 완전히 소실되었다.

3. 不寧肢綜合征『浙江中醫學雜誌』(1992, 11: 484): 37세 여성, 농민. 1989년 3월 3일 진찰. 양측 하지의 酸·麻·脹·痛이 2년 정도 되었고, 寒氣를 느끼거나, 혹은 밤이 되면 加重되었다. 뜨겁게 목욕하고, 뜨거운 것으로 다리를 문지르거나 부드럽게 누르면 조금 감소했지만, 곧 재발했다. 많은 곳에서 진찰받았는데, 류마티즘 및 하지혈류조영 검사에서 명확한 기질성 병변을 발견하지 못하여 특발성의 하지의 불편감으로 진단받았으며, 소염제, 진통제 등으로 약간은 효과가 있었으나 결국 낫지 않았다. 진찰해보니 舌紫黯色, 舌下青筋, 苔薄白, 脈沉弦. 이 환자는 瘀血阻絡에 속하므로 活血通絡하기로 하였다. 處方: 當歸 50 g, 丹參·制乳香·沒藥 各 15 g, 川牛膝 30 g, 地鱉蟲 10 g. 두 번은 水煎하여 내복하도록 하였고, 세 번은 酒 一兩과 함께 달여서 하루에 30분씩, 兩下肢를 2회 泡洗하도록 하였다. 六劑 사용 후, 모든 증상이 사라졌다.

考察: 案1과 案2는 모두 張錫純의 증례이다. 案1은 臍腹癥瘕인데, 돌같이 딱딱하고, 스스로 氣가 뭉쳐 흩어지지 않음을 느끼는 것을 볼 때, "氣血凝滯"의 증상이며 十劑 복용 후 병이 나았다. 案2의 疽瘡은 딱딱하고, 백색이며, 약간 열감이 있었다. 氣血凝滯가 鬱하여 化熱하게 된 것이었기 때문에, 만약陽症으로 辨證하여 寒涼하는 방법을 사용하면 寒邪가 氣血에 잠복할 것이고, 만약 陰症으로 辨證하여 溫熱하는 방법을 사용하면 그 鬱熱로 인해 효과를 볼 수 없는 것이다. 다행히 本方을 이용하여 活血行氣, 消腫止痛과 함께 丹參의 清熱涼血消癰하여, 30劑 복용 후 치료된 것이다. 案3에서 兩肢가 酸·麻·痛하며, 舌質暗, 舌下靜脈, 苔薄白, 脈沉弦한 것은 瘀血阻絡에 속하므로 本方의 活血通絡 작용과 함께 牛膝·地鱉蟲의 祛瘀通絡, 引藥下行하면서, 酒를 이용하여 行血하고 藥效을 퍼지도록 한 것이다.

【副方】

1. 手拈散(『是齋百一選方』卷8): 草果 玄胡索 五靈脂 沒藥各等分.

- 用法: 上爲細末. 每服三錢(9 g), 溫酒調下.
- 作用: 活血行氣, 溫經止痛.
- 適應症: 心胃氣痛.

2. 宮外孕方(山西醫學院附屬一院經驗方, 錄自『新醫學』): 丹参五錢(15 g) 赤芍五錢(15 g) 桃仁三錢(9 g). 此爲宮外孕1號方, 若再加三稜棱・莪朮各五分至二錢(1.5～6 g), 爲宮外孕2號方.

- 用法: 水煎服.
- 作用: 活血祛瘀, 消癥止痛.
- 適應症: 子宮外孕破裂, 突發性劇烈腹痛, 多自下腹部開始, 有時可延及全腹部, 幷見月經過多, 漏下不暢, 血色黯紅. 腹部檢查: 有壓痛·反跳痛和肌緊張, 有時可有移動性濁音或軟硬不一的包塊(內診: 可見陰道穹隆部飽滿有觸痛, 宮豫有擧痛或搖擺痛, 宮體有漂浮感或因血液包裹而觸診不淸, 附件有具體或不具體的包塊).

手拈散은 活血化瘀의 五靈脂·沒藥과 行氣溫裏의 玄胡索·草果로 조성되었으므로 血瘀氣滯寒凝 所致의 心胃疼痛에 常用한다.

宮外孕方은 中西醫結合으로 急腹症을 치료한 과학연구성과이다. 子宮外 임신은 일반적으로 未破損型과 已破損型으로 나뉜다. 已破損型은 다시 쇼크型·不安定型과 包塊型의 세가지로 나뉜다. 임상에서 일반적으로 1號方으로는 不安定型을 치료하고, 2號方은 包塊型을 치료하며, 쇼크型은 반드시 中西醫結合으로 응급조치해야 한다.

丹參飮

(『時方歌括』卷下)

【組成】丹參 一兩(30 g) 檀香 砂仁 各一錢(各 3 g)

【用法】물 一盞半으로 끓여서, 七分이 되면 복용한다.

【效能】活血祛瘀, 行氣止痛

【主治】氣滯血瘀證으로 인한 고정된 부위의 제반 心胃痛으로서 刺痛이 주된 양상이며, 舌黯紅, 脈弦 등 증상을 치료한다.

【病機分析】대부분의 胃脘痛은 초기에는 氣滯에 의하고, 오래되면 瘀血을 겸하게 된다. 이는 氣機가 鬱滯하면 血行에 장애가 되어, 血行이 순조롭지 않으면 脈絡이 막혀 氣滯血瘀證이 된다. 이 瘀血이 心包에서 막히면 心痛이 되고, 胃腑에서 막히면 胃痛이 된다. 疼痛의 부위가 고정적이면서 刺痛의 양상이 되고, 舌黯·脈弦한 것은 瘀血이 氣滯보다 심한 경우이다.

【配伍分析】本方은 活血祛瘀, 行氣止痛하므로 氣滯血瘀로 인한 心胃痛을 치료한다. 方中의 丹參은 苦·微寒하여 "養血活血, 生新血, 行宿血……, 此心脾肝腎血分之藥"(『景岳全書』「本草正」卷48)이며, "主心腹邪氣"(『神農本草經』卷1)하고,"去心腹痼疾"(『名醫別錄』)하므로, 本方에서 君으로 重用하였다. 血은 氣에 의해 推動하게 되므로 方中에 辛溫芳香하는 檀香·砂仁을 配伍하여 臣藥으로 삼았다.

本方에서 活血藥과 生氣藥의 용량상 비율은 5:1인데, 氣血을 함께 다스리면서 化瘀하기 위한 것이다. 또한 寒熱을 함께 다스리지만, 寒에 치우쳐 있으므로, 心胃의 疼痛이지만, 瘀와 熱이 있는 경우에 더욱 적당하다.

【臨床應用】

1. 證治要點: 本方은 藥性이 溫和하여, 氣滯血瘀로 인한 心胃疼痛을 치료하는 基礎方이다. 臨床應用은 제반 心胃痛, 舌黯紅, 脈弦을 證治要點으로 한다.

2. 加減法: 胃脘脹痛하여 통증이 兩脇에 이르고, 噯氣, 嘔惡, 舌黯紅하는 것은 肝鬱血滯, 胃氣上逆이므로 疏肝止痛하는 四逆散·金鈴子를 加하거나, 和胃降逆하는 代赭石·旋覆花 등을 加한다. 胸悶憋氣, 心胸刺痛하고, 통증이 肩背에 뻗치고, 숨이 가쁘면 氣滯血瘀로 인한 胸痹證이므로 活血行氣止痛하는 赤芍藥·川芎·紅花·生山楂·枳實 등을 加한다.

3. 丹參飮은 다음 한국표준질병사인분류(KCD)에 해당하는 환자가 氣滯血瘀證으로 辨證되는 경우 본 처방의 사용을 고려해볼 수 있다.

처방 목표	한국표준질병사인분류(KCD)
慢性胃炎	K29.3 만성 표재성 위염
	K29.4 만성 위축성 위염
	K29.5 상세불명의 만성 위염
胃潰瘍	K25 위궤양
十二指腸潰瘍	K26 십이지장궤양
神經性 胃腸障礙	F45.3 신체형자율신경기능장애
肝炎	K73 달리 분류되지 않은 만성 간염
	K75 기타 염증성 간질환
膽囊炎	K81 담낭염
冠狀動脈硬化性 心臟疾患	I25.1 죽상경화성 심장병
狹心症	I20 협심증

【注意事項】本方에는 活血作用이 있는 丹參의 사용량이 많으므로 출혈성 질환에는 신중하게 사용해야 한다.

【變遷史】本方은 化瘀行氣止痛하여 "心痛, 胃脘諸痛"을 主治한다. 丹參·檀香은 肝經에 歸하고, 砂仁은 脾胃로 歸하는 것을 이용하여 위염, 위궤양, 간염, 담낭염 등 상복부의 동통성 질환에 사용한다. 또한 丹參은 心과 心包經에 歸하고, 약리학적 연구에서 관상동맥확장, 혈액 점도 강하, 항응고 작용이 확인되어, 活血藥을 加하여 관상동맥질환 등 허혈성심질환에 사용하는데, 冠心 II號(北京地區防治冠心病協作組方)의 경우는 本方에 砂仁을 去하고, 赤芍藥·紅花·川芎을 加한 것이다.

【難題解說】

1. 本方 出典에 관해: 本方의 出典을 『方劑學』 2版·4版에서는 『醫宗金鑑』이라고 했고, 5版·6版에서는 『時方歌括』이라고 했는데, 『中藥大辭典』에서는 『醫學金針』이라고 했다. 그러나 『醫宗金鑑』에는 本方이 수록되어 있지 않고, 『時方歌括』는 1801년에 완성되었으며, 『醫學金針』은 1878년에 완성되었다. 따라서 本方의 出典은 『時方歌括』이다.

2. 本方의 分類에 관해: 本方의 분류를 『方劑學』 2版에서는 理氣劑 중 行氣劑로 하였으나, 光州中醫學院 主編의 『方劑學』(1974년판)에서는 行氣劑 金鈴子散의 附方으로 수록하였고, 4·5·6版에서는 理血劑 중 活血祛瘀劑로 분류했다. 本方은 活血의 丹參과 行氣의 檀香·砂仁으로 구성되었고, 그중 活血藥이 行氣藥에 비해 5배의 양으로 되어 있고, 化瘀를 爲主로 하는 구성이므로, 活血祛瘀劑로 분류하는 것이 타당하다.

鱉甲煎丸

(『金匱要略』)

【異名】瘧母煎(『類證活人書』卷17)

【組成】鱉甲 炙 十二分(90 g) 射干 燒 三分(22.5 g) 黃芩 三分(22.5 g), 柴胡 六分(45 g) 鼠婦 熬 三分(22.5 g)

乾薑 三分(22.5 g) 大黃 三分(22.5 g) 芍藥 五分(37.5 g) 桂枝 三分(22.5 g) 葶藶 熬 一分(7.5 g) 石葦 去毛 三分(22.5 g) 厚朴 三分(22.5 g) 牡丹皮 去心 五分(37.5 g) 瞿麥 二分(15 g) 紫葳 三分(22.5 g) 半夏 一分(7.5 g) 人蔘 一分(7.5 g) 蟅蟲 熬 五分(22.5 g) 阿膠 炙 三分(22.5 g) 蜂窠 炙 四分(30 g) 赤硝 十二分(90 g) 蜣蜋 熬 六分(45 g) 桃仁 二分(15 g)

【用法】 위 약재들을 粉末로 만들어, 伏龍肝 一斗를 淸酒 1斛5斗에 침전시킨 후, 淸酒가 반으로 줄어들면, 鱉甲을 넣고 끓여, 膠漆처럼 흐물흐물하게 되면, 그것을 짜내어 汁을 취한 다음, 汁에 모든 약을 넣고 반죽하여, 梧子大의 丸으로 만든다. 空腹에 七丸씩, 1일 3회 복용한다[현대에는 赤硝·鱉甲膠·阿膠를 去하고, 나머지 20가지 약재를 건조한 다음 분말로 하여, 黃酒 600 g에 반죽하여 밀봉한 다음, 술이 없어질 때까지 중탕한 다음 건조시킨 다음에, 赤硝·鱉甲膠·阿膠를 合하여 만든 분말과 합하여, 煉蜜로 반죽하여 各一丸에 3 g 정도인 丸을 만든다. 1회 一~二丸씩, 1일 2~3회 복용한다(가능하면 溫水에 삼킨다)].

【效能】 行氣活血, 祛濕化痰, 軟堅消癥.

【主治】 瘧母를 치료한다. 瘧이 오래도록 낫지 않고, 脇下에 塊를 형성하여 밀어도 움직이지 않으며, 腹中疼痛, 肌肉消瘦, 飮食減少, 時有寒熱하는 증상을 치료한다. 또한 癥瘕를 치료한다.

【病機分析】 本方은 원래 瘧母가 脇下에 맺히는 것에 사용하였는데, 지금은 腹中의 癥瘕를 치료하는 경우에도 사용한다. 瘧母는 瘧疾이 오래되어, 少陽에 깊이 잠복하여 氣機의 運行이 순조롭지 못하고, 營血이 滯澀하여 瘀가 생기고, 津液이 퍼지지 못해 痰이 생긴 것이다. 소위 瘧이 "假血依痰"(『金匱要略論注』 卷4)하여, 뭉쳐서 脇下에 남게 된 것이다. 有形의 癥이 腹中에 남으면 腹中疼痛하고, 癥으로 인해 形體가 營養을 잃게 되면 肌肉消瘦하며, 瘧이 少陽에 잠복하여 疏泄이 不利하게 되면 運化가 되지 않으므로, 飮食減少하게 된다. 瘧와 正氣가 相爭하면 寒熱이 交作하게 된다. 氣血津液의 運行이 不利하여 氣滯血瘀痰凝하게 되면 癥瘕가 생길 수 있다.

【配伍分析】 有形의 癥瘕에 대해서는 『素問』「至眞要大論」"堅者削之, 客者除之", "結者散之, 留者攻之"의 치료원칙에 따라서 軟堅消癥해야 한다. 本方證의 癥塊는 氣·血·痰이 서로 結한 것이므로 行氣活血, 除濕化痰을 爲主로 해야 한다. 方中의 鱉甲은 肝絡에 歸하여 血을 끌어 모으면서 軟堅散結하므로 "主心腹癥瘕堅積"(『神農本草經』卷2)하고, 또한 去寒, 滋陰, 扶正할 수 있다. 그리고 癥結은 熱性을 만나면 유동성을 얻게 되므로, 竈灰의 溫性과 淸酒의 熱을 이용한다. 또한 竈灰·淸酒는 活血化積 작용이 있고, 製鱉甲과 혼합하면 活血化瘀, 軟堅消癥하게 되므로 본방에서는 이들을 君藥으로 삼는다. 赤硝는 "破瘀血堅癥實痰"(『景岳全書』「本草正」卷49)하고, 大黃은 攻積祛瘀하며, 蟅蟲·蜣蜋·鼠婦·蜂窠·桃仁·紫葳(卽凌霄花)는 破血祛瘀하는데, 이 조합은 瘀血을 去할 수 있다. 半夏·射干은 燥濕化痰하고, 瞿麥·石葦·葶藶子는 利水滲濕하는데, 이 조합은 痰凝을 去할 수 있다. 厚朴·柴胡는 理氣疏肝, 調暢氣機하는데, 이 조합은 氣滯를 通하게 할 수 있다. 이 모두를 사용하면 鬱滯한 氣機를 通하게 할 수 있고, 凝滯한 瘀血을 去할 수 있고, 壅滯한 痰濕을 去할 수 있으므로 君藥의 消癥 효력을 강화시키는 臣藥으로 삼는다. 濕은 陰邪이므로 溫하게 해야 解할 수 있으므로 溫經通脈하는 乾薑·桂枝를 사용한다. 少陽은 相火를 주관하고, 瘧이 少陽에 잠복하면 반드시 氣鬱하는데, 鬱하면 다시 相火가 모여 熱이 된다. 그러므로 少陽의 氣를 疏達하게 하는 柴胡와 함께 淸痰熱하는 黃芩을 配伍다. 또한 瘀血이 오래되면 쉽게 熱로 바뀌기 때문에 淸熱凉血, 活血化瘀하는 牡丹皮를 사용한다. 虐疾이 오래도록 낫지 않으면 正氣가 날이 갈수록 衰하며, 方中의 다양한 攻堅消癥의 약들도 환자의 正氣를 傷할 수 있으므로 補氣養血하는 人蔘·阿膠·白芍藥을 사용한다. 따라서 이들은 佐藥으로 삼는다.

이와 같이 本方은 行氣·活血·除濕·攻下 등 다양하게 消癥하는 방법을 사용하였으며, 완만한 작용을 위해 丸劑의 형태를 취하였으며, 瘧母를 공격하면서도 正을 傷하지 않게 하도록 하여, 寒熱竝用, 攻補兼施, 氣血津液을 동시에 치료하는 특징이 있다.

【類似方比較】

1. 桂枝茯苓丸과 鱉甲煎丸은 모두 消癥하는 方劑이며, 모두 活血藥과 祛濕藥을 사용하여 活血祛濕한다. 그러나 桂枝茯苓丸은 桃仁·桂枝·牡丹皮·芍藥·茯苓으로 구성되므로 瘀血挾濕의 癥塊에 사용하고, 그 藥性이 平溫하므로 妊娠에 瘀血이 있는 경우에도 사용한다. 鱉甲煎丸은 鱉甲을 君으로 하여 다양한 蟲類破血藥, 攻下逐瘀藥 및 行氣利濕化痰藥을 배합하여 祛瘀消癥의 효력이 桂枝茯苓丸보다 강하며, 血瘀氣滯痰凝의 癥塊에 사용한다. 이 외에 本方은 補氣養血의 약재를 배합하여, 祛瘀하지만 正氣를 傷하지 않게 한다.

2. 大黃蟅蟲丸과 鱉甲煎丸은 모두 많은 수의 蟲類破血藥·攻下逐瘀藥·滋陰養血藥을 사용하여 攻補兼施하므로, 瘀血久積, 혹은 正氣가 이미 상한 경우의 虛實挾雜證에 사용한다. 그러나 大黃蟅蟲丸은 祛瘀하는 大黃·蟅蟲을 君藥으로 삼고 여기에 峻猛한 虻蟲·水蛭을 配伍하여 祛瘀의 효력이 강력하고, 地黃의 용량이 重하여 滋陰血·潤燥結의 효력이 강하면서, 祛瘀生新하므로 五勞虛極, 瘀血內留의 乾血勞에 적당하다. 鱉甲煎丸은 鱉甲을 君으로 하는데, 여기에 活血·行氣·除濕하는 약을 配伍하여, 活血行氣, 祛濕化痰, 軟堅消癥하므로 瘧疾이 오래도록 낫지 않아 형성된 瘧母를 치료하고, 氣鬱血瘀痰滯가 형성한 癥瘕를 치료한다.

【臨床應用】

1. 證治要點: 本方은 消癥의 要方으로서, 臨床에서는 脇下의 瘕塊를 만지면 단단하여 아프고, 밀어도 움직이지 않으면서, 舌黯無華, 脈弦細한 것이 證治要點이다.

2. 加減法: 本方은 祛邪를 爲主로 하면서 扶正한다. 그러나 瘧이 오래되어 체력이 약한 경우는 益氣養血하는 黃芪·白朮·熟地黃·當歸 등을 加한다. 疼痛이 심하면 活血止痛하는 三七·玄胡索·川芎 등을 加한다. 脹滿이 심하면 行氣消脹하는 三稜·莪朮·香附子·大腹皮를 加한다. 식욕이 없고, 소화기능이 약하면, 和胃消食하는 山楂·神麴·鷄內金 등을 加한다.

3. 鱉甲煎丸은 다음 한국표준질병사인분류(KCD)에 해당하는 환자가 瘧母, 癥瘕로 辨證되는 경우 본 처방의 사용을 고려해볼 수 있다.

처방 목표	한국표준질병사인분류(KCD)
肝硬化	K74.1 간경화증
肝腸腫大	(질병명 특정곤란)
	R16 달리 분류되지 않은 간비대 및 비장비대
脾臟腫大	D73 비장의 질환
	R16.1 달리 분류되지 않은 비장비대
狹心症	C22.0 간세포암종
卵巢囊腫	D25 자궁의 평활근종
卵巢囊腫	N83.0 난소의 난포낭
	N83.1 황체낭
	N83.2 기타 및 상세불명의 난소낭

【注意事項】 本方은 消癥散結하지만 正氣가 심하게 虛한 경우는 신중하게 사용해야 한다.

【變遷史】 本方은 『金匱要略』 瘧病篇에 수록되어 있으며, 瘧疾이 오래도록 낫지 않아 脇下에 癥瘕가 형성된 瘧母를 主治한다. 本 方劑는 滋陰軟堅하는 鱉甲과 行氣·活血·除濕·化痰·補益 등의 藥으로 구성되어 行氣逐瘀, 化痰軟堅의 治法을 구현하여, 消癥散結의 名方이 되었다. 이와 같이 氣血津液을 함께 조절하고, 邪와 正을 함께 고려하는 방식은 후세의 瘧母·癥瘕 치료에도 널리 영향을 미쳤다. 예를 들어, 『備急千金要方』卷4에 婦人少腹中積聚를 치료하는 鱉甲丸(鱉甲·桂心·露蜂房·玄參·蜀椒·細辛·人蔘·苦蔘·丹參·沙蔘·吳茱萸·

蟅蟲·水蛭·乾薑·牡丹皮·附子·皁莢·當歸·甘草·植防風·蛴螬·虻蟲·大黃)과 『聖濟總錄』卷35에 瘧母를 치료하는 鱉肉煎丸(鱉肉·黃芩·柴胡·蜣螂·鼠婦·乾薑·大黃·海藻·葶藶子·桂皮·牡丹皮·厚朴·紫菀·瞿麥·半夏·人蔘·大戟·蟅蟲·射干·阿膠·桃仁·石葦·赤芍藥·桑螵蛸) 等이 그러한 예이다. 역대 의학자의 加減運用은 다음과 같다. ① 氣機를 조절하여 순조롭게 하는 것을 더욱 강화한 경우이다. 氣가 行하면 血도 行하고, 氣가 行하면 津도 널리 퍼진다는 이론에 기반하여, 蟲類活血藥과 利濕藥을 去하고, 木香·陳皮·枳實 등 行氣藥을 加하면 氣滯로 인한 癥瘕를 치료한다. 예를 들어, 『太平聖惠方』卷48의 鱉甲煎丸은 鱉甲·植防風·大黃·乾漆·桂心·附子·川椒·桃仁·木香·枳實로 구성되는데, "治積聚氣久不消, 心腹虛脹, 不欲飮食"이라고 기록되어 있다. 또 『聖濟總錄』卷72의 鱉甲丸은 鱉甲·木香·大黃·烏頭·柴胡·檳榔·桂皮·京三稜·當歸·甘草·芒硝·陳皮·厚朴으로 구성되어, 癥瘕氣塊를 主治한다. ② 本方의 扶正固本을 두드러지게 하는 경우이다. 本方은 祛邪에 강점이 있고, 扶正에는 약점이 있는데, 癥瘕로 인해 正虛한 사람이 오래 복용하면 攻邪가 지나칠 수 있으므로, 蟲類의 破血之品을 去하고, 黃芪·當歸·白朮 등 益氣補血의 약을 加한다. 『育嬰祕訣』卷4의 鱉甲飮은 鱉甲·黃芪·人蔘·當歸·白朮·白茯苓·川芎·白芍藥·甘草·陳皮·青皮·半夏麴·三稜·莪朮·檳榔·厚朴·柴胡·生薑·大棗·烏梅로 구성되어, "瘧久不愈, 結爲癥瘕"를 主治한다. ③ 祛邪를 강조하면서, 蟲類의 破血峻藥을 去한다. 이렇게 하면 祛瘀하면서도 正을 傷하지 않는다. 예를 들어, 『醫學綱目』卷6의 瘧母丸(鱉甲·青皮·香附子·桃仁·紅花·三稜·莪朮·神曲·麥芽)·『脈因證治』卷1의 瘧母丸(鱉甲·三稜·莪朮·神曲) 등이다.

【難題解說】 本方의 약물 구성에 관하여: 仲景의 制方 의도는 用藥이 精簡하기로 유명한데 本方은 23味에 달하기 때문에, 어떤 의가들은 仲景의 方劑가 아니라고 의심한다. 한편 『桂林古本傷寒雜病論』에 기재된 鱉甲煎丸은 단지 鱉甲·柴胡·黃芩·大黃·牡丹皮·蟅蟲·阿膠의 7味藥으로 구성되어 있지만, 분명히 本方과는 다르다. 『金匱要略』에 서술된 瘧母의 病證은 寒熱痰濕과 氣血이 서로 결합하여 형성된 痼疾이기 때문에 23味의 복잡한 구성이 필요하다.

大黃蟅蟲丸

(『金匱要略』)

【異名】 婦科大黃蟅蟲丸(『飼鶴亭集方』).

【組成】 大黃 蒸 十分(75 g) 黃芩 一兩(60 g) 甘草 三兩(90 g) 桃仁 一升(60 g) 杏仁 一升(60 g) 芍藥 四兩(120 g) 乾地黃 十兩(300 g) 乾漆 一兩(30 g) 虻蟲 一升(60 g) 水蛭 百枚(60 g) 蠐螬 一升(60 g) 蟅蟲 半升(30 g)

【用法】 위 十二味의 약을 粉末로 하여 小豆大로 蜜丸하여, 술과 함께 五丸씩, 1일 3회 飮服한다(현대 용법: 蠐螬를 별도로 준비하고, 桃仁·杏人을 별도로 진흙처럼 만들어 둔다. 이들을 제외한 나머지 9味는 고운 粉末로 만들고, 체로 쳐서 입자를 고르게 한 다음, 蠐螬·桃仁·杏人 3味와 고르게 섞어서 1粒 3 g씩의 중량으로 蜜丸하여, 1회 一丸을 따뜻한 물 혹은 술과 함께 飮服한다).

【效能】 祛瘀生新

【主治】 五勞虛極으로 인해 內有乾血證이 된 것으로, 形體消瘦, 腹滿不能飮食, 肌膚甲錯, 兩目暗黑, 舌紫或有瘀點, 脈沉澀하는 등 증상을 치료한다. 또한 婦女經閉, 腹中有塊, 或脇下癥瘕刺痛을 치료한다.

【病機分析】 本方은 五勞虛極羸瘦를 치료한다. 『素問』「宣明五氣篇」에 "久視傷血, 久臥傷氣, 久坐傷肉, 久立傷骨, 久行傷筋, 是謂五勞所傷."이라고 기록되어 있는데, 이러한 五勞虛極으로 인해 經絡의 營衛氣가

傷하면, 血脈이 凝澀하게 되는데, 이것이 오래되어 맺히면 "乾血"(久瘀)이 생성되어 다양한 병을 야기한다. 먼저 乾血이 內阻하면, 生血 기능에 영향을 주고, 瘀鬱하여 熱로 化하면 陰血을 灼傷하게 된다. 陰血內傷이 오래되면 피부가 영양을 잃게 되어 皮膚가 甲錯하여 비늘과 같아지고, 陰血이 눈을 滋養하지 못해 兩眼이 黯黑하게 된다. 陰血이 四肢百骸에 영양을 공급하지 못하면 形體가 消瘦하게 된다. 또한 肝은 疏泄을 주관하고, 藏血 및 調血하는데, 瘀血이 內結하면 血이 肝을 滋養하지 못하므로 肝이 疏泄 기능을 못하여, 疏土할 수 없어서 腹滿하여 음식을 먹지 못하게 된다. 舌紫或有瘀點, 脈沉澀은 瘀血에 의한 증상이다. 또한 瘀血로 인해 婦女의 閉經, 脇下의 癥瘕가 발생할 수 있다.

【配伍分析】 本方의 적응증을 분석하면, 비록 虛勞에 의해 병이 시작되었지만 증상은 實中挾虛에 속한다. 따라서 本方은 祛瘀를 위주로 하고, 扶正을 補로 하여, 祛瘀新生하게 해야 한다. 이것이 『金匱要略』에서 말하는 "緩中補虛"이며, 唐宗海가 "乾血不去, 卽新血斷無生理, 故此時雖諸虛畢見, 總以去乾血爲主也"(『血證論』卷5)라고 한 것이다. 그러나 湯劑를 이용한 猛攻보다는 丸劑를 사용하여 조금씩 解散해야 한다.

方中의 大黃은 "主下瘀血"하여 "破癥瘕積聚……推陳致新"(『神農本草經』卷3)한다. 그리고 蟅蟲은 "破堅癥, 磨血積"(『珍珠囊補遺藥性賦』)하는데, 藥效가 완만하다. 大黃과 蟅蟲은 함께 瘀血을 공격하므로 君藥이 된다. 桃仁·水蛭·虻蟲·蠐螬·乾漆은 活血通絡, 破血逐瘀하므로 君藥과 함께 瘀血을 없애고, 血閉를 통하게 하므로 臣藥이 된다. 黃芩은 淸解瘀熱하고, 杏仁은 宣利肺氣하는데, 여기에 大黃을 加하면 瘀血下行하면서 消瘀化積하게 된다. 地黃·芍藥을 杏仁·桃仁과 함께 사용하면, 陰血을 풍부하게 하고, 燥結을 윤택하게 하니, 여러 活血 약들이 逐瘀 효능을 돕게 하고, 그 滋補의 효능으로 이미 虛해진 身體를 함께 돌보게 되니 모두 佐藥이 된다. 甘草는 和中補虛, 調和諸藥하여, 여러 破血藥이 正氣를 상하지 않도록 하니 使藥이 된다. 이와 같이 여러 藥을 이용하여 去瘀血, 淸瘀熱, 滋陰血, 潤燥結하므로, 尤氏가 "潤以濡其乾, 蟲以動其瘀, 通以去其閉"(『金匱要略心典』卷上)라고 한 것이다.

本方의 配伍에는 두 가지의 특징이 있다. 하나는 祛瘀藥 가운데 補血藥을 사용한 것인데, 養血하면서 祛瘀하고, 祛瘀하면서 正氣를 상하지 않기 위한 것이다. 두 번째는 약물이 猛烈하기 때문에 劑型을 丸으로 사용한 것이며, 微量으로 복용하도록 한 것이다.

【類似方比較】 本方과 桃核承氣湯, 抵當湯은 모두 活血藥과 瀉下藥인 大黃이 配伍되어 攻下逐瘀法으로 瘀血證을 치료하는 처방들이다. 그러나 大黃蟅蟲丸의 內有乾血은 桃核承氣湯 및 抵當湯의 蓄血證과는 다르다. 蓄血은 實證으로, 卒病에 속하고, 瘀血이 서로 결합하여 생기는 것으로, 小腹急結하거나 少腹硬滿하고, 大便이 硬하거나 黑色으로 쉽게 흩어지며, 저녁에 열이 나고, 譫語·發狂을 특징으로 하기 때문에 破血逐瘀하는 桃仁 등의 破血逐瘀藥과 淸熱하는 大黃을 함께 사용한 것이다. 그러나 大黃蟅蟲丸證의 乾血은 實中挾虛에 속하여, 虛로 인해 發生한 것이며, 오래된 병이 많으며, 形體消瘦, 肌膚甲錯, 兩目暗黑하므로 祛瘀를 爲主로 하는 祛瘀藥을 사용하면서도 地黃·芍藥과 같이 補하는 藥을 사용하여 養血扶正한다. 또한 丸으로 사용하여 瘀血을 완만하게 없애므로 緩中補虛한다.

【臨床應用】

1. 證治要點: 本方은 虛勞로 인한 瘀血乾結의 증상을 전문적으로 치료한다. 臨床에서는 形體消瘦, 肌膚甲錯, 兩目暗黑, 舌紫黯, 脈沉澀 등을 證治要點으로 한다.

2. 加減法: 本方은 주로 丸劑로 사용하지만, 병세를 고려하여 湯劑로 사용하거나 配合이 가능하다. 小

食, 便溏, 乏力 등 脾虛證이 보이는 경우에는 健脾除濕香砂六君子湯을 本方과 함께 복용한다. 안색이 萎黃하고, 小食, 神疲, 頭暈·心悸 등 氣血兩虛證이 보이는 경우에는 歸脾湯·八珍湯·十全大補湯類를 本方과 함께 복용한다. 婦女의 자궁근종에 小腹冷痛, 手足煩熱, 經血有瘀塊가 보이는 경우에는 溫經逐瘀하는 溫經湯·小腹逐瘀湯類를 本方과 함께 복용한다. 脇下痞塊와 함께 胸脇脹痛, 小食, 精神疲勞가 보이는 경우에는 肝脾를 調和시키는 逍遙丸을 合하는 것이 좋다. 肝硬化에는 己椒藶黃丸과 五皮飮을 合할 수 있다.

3. 大黃蟅蟲丸은 다음 한국표준질병사인분류(KCD)에 해당하는 환자가 五勞虛極, 內有乾血證으로 辨證되는 경우 본 처방의 사용을 고려해볼 수 있다.

처방 목표	한국표준질병사인분류(KCD)
良性腫瘍	D10~D36 양성 신생물
無月經	N91.0 원발성 무월경
	N91.1 이차성 무월경
	N91.2 상세불명의 무월경
腹部手術後癒着性痛症	K66.0 복막유착
肝腸腫大	(질병명 특정곤란)
	R16 달리 분류되지 않은 간비대 및 비장비대
脾臟腫大	D73 비장의 질환
	R16.1 달리 분류되지 않은 비장비대
肝硬化	K74.1 간경화증
卵巢囊腫	D25 자궁의 평활근종
結核性腹膜炎	A18.30 결핵성 복막염(K67.3)
食道靜脈瘤	I85 식도정맥류

【注意事項】

1. 임산부는 복용을 禁한다.

2. 方中은 破血祛瘀藥이 비교적 많고, 補血扶正藥이 적기 때문에 乾血이 제거된 후에는 補益藥을 사용해야 한다.

3. 반드시 적은 用量을 사용하여 正氣를 상하지 않도록 한다. 시작할 때는 小豆大 五丸, 대략 1 g을 사용하되, 만약 瘀血로 熱이 盛한 경우는 1회 3~6 g까지 복용한다. 또한 자궁근종에 사용할 때, 월경 등 출혈 기간에는 사용을 중단한다.

【變遷史】『金匱要略』「血痺虛勞病脈證竝治」에 수록되어 있는데, 이것은 虛勞로 인해 내부에 乾血이 형성된 것이므로, 특히 蟲類의 蠕動之品을 다수 사용하여 破血攻瘀하고, 丸제의 형태로 사용하며, 小量을 長服한다. 후세의 의가들은 그러한 "緩中補虛"의 치료법을 계승하여 오래도록 瘀血이 쌓여, 正氣가 이미 손상된 癥瘕·月經不調 등에 사용하였다. 『類聚方廣義』에는 本方을 婦人의 經水不利, 心腹脹滿, 煩熱咳嗽, 面色萎黃, 皮膚甲錯如麩片에 사용하였으며, 小兒疳眼, 生雲翳, 眼爛, 羞明不能視에도 사용하였다. 『太平聖惠方』卷167의 蟅蟲散(蟅蟲·虻蟲·水蛭·桃仁·大黃)은 本方에서 滋補하는 地黃·芍藥, 甘緩하는 白蜜·甘草, 潤燥하는 杏仁, 淸熱하는 黃芩 등을 去하고, 散劑로 바꾸어 煎服하였으며, "打損及傷墜, 腹內有瘀血"의 경우에 발생한 瘀血을 猛攻하였다. 또 『太平聖惠方』卷29의 大黃丸의 大黃·赤芍藥과 行氣利水하는 檳榔·陳皮·木通, 潤燥하는 大麻仁, 甘緩한 白蜜을 함께 配合하여 丸劑를 만들어서, "虛勞"와 氣血津液의 壅滯로 인한 "小便不利, 腹脇滿悶, 四肢煩痛"에 사용하였다. 두 방이 치료하는 證候 및 구성약물에는 비록 현저한 차이가 있지만, 그 病機의 특징과 組方原理는 같다.

【難題解說】

1. 本方의 君藥에 관하여: 역대 의가들의 의견은 분분하다. 李中梓는 『內經』의 "血主濡之"에 근거해 地黃을 君藥으로 보았다. 王子接은 胃絡瘀血을 宣導하는 大黃을 君藥이라고 주장했다. 張璐는 비록 大黃을 君이라고 명확하게 말하지는 않았지만, "先用大黃·蟅蟲·水蛭·虻蟲·蠐螬等蠕動啖血之物, 佐以乾漆·生地·桃仁·杏仁行去其血"(『張氏醫通』卷2)이라고 하여 攻瘀가 主가 된다는 것을 강조하였다. 그러나 本方證의 瘀血

은 비록 虛로 인해 생겼으나, 이때 瘀瘤가 오래되고 瘀積이 비교적 심하므로, 반드시 祛瘀가 主가 되어야 正氣가 스스로 왕성해질 수 있게 된다. 또한 本方의 命名을 고려하면 方中의 君藥은 당연히 大黃·蟅蟲이 되는 것이 타당하다.

2. 乾漆에 관하여: 乾漆은 辛溫, 有毒하고, 破血祛瘀 작용이 강력하여, 陳瘀積血을 공격하므로, 張介賓은 "能削年深堅結之積滯, 破日久凝聚之瘀血"(『景岳全書』「本草正」卷49)라고 했고, 徐大椿은 "功專破血殺蟲, ……血非陳年積久勿用"(『徐大椿醫書全集』「藥性切用」卷3)이라고 했다. 本方은 瘀積이 오래되어 勞가 된 것을 치료하는데 사용한다. 그러나 漆은 과민한 환자가 있는데 그런 경우는 반드시 乾漆을 분쇄하여, 炒炭한 다음 사용해야 한다. 만약 복용 후 편하지 않거나, 과민한 사람은『中草藥不良反應與防治』책에 기재된 方法을 시도해 볼 만 하다 ① 게를 빻아서, 물에 달인 다음 內服하거나 外用한다. ② 川椒葉·紫蘇葉·杉木·排風藤, 혹은 川椒·白礬을 달여서 환부를 洗滌한다. ③ 甘草 15 g, 綠豆 9 g, 地膚 9 g, 蛇床子 9 g, 苦蔘 9 g, 知母 6 g을 달여서 內服한다.

3. 本方의 이용에 관하여: 本方이 치료하는 증상은 虛實挾雜에 속한다. 臨床運用은 마땅히 그 病證의 虛實의 偏重을 보고, 증상을 참작하여 扶正之劑를 적절하게 사용하여야 한다. 李飛는 "本方을 應用할 때, 만약 치료하는 증상이 原書에서 말하는 '五勞虛極, 羸瘦腹滿'에 '不能飮食'하는 것은 疾病이 이미 오래되고 正氣가 이미 衰한 것이 명백하다. 그런데 이때 本方만을 單用하면, 瘀血이 움직이기는 하지만 正氣가 버틸 수 없을 것이다. 따라서 扶正健脾의 湯劑를 보충하면, 大黃蟅蟲丸으로 瘀血을 없애고, 湯劑로 虛極한 正氣를 보충할 수도 있다"(『中醫歷代方論選』)고 하였다.

【醫案】

1. 癥塊『續建殊錄』: 20여 세 부인. 봄이 지난 후, 곡류와 육류를 먹지 못하고, 조금이라도 먹으면, 心下나 胸中이 滿痛하여, 반드시 그것을 토해낸 후에야 멈추었다. 그러나 물을 마시는 것을 좋아하여, 熱湯이나 冷水를 마시면, 반드시 腹痛이 있어 물을 토하게 된다. 허리 아래쪽은 羸瘦하였으나 보행은 정상이고, 골반 위로는 정상이지만 臍腹·臍傍·少腹을 누르면 石硬하고, 下劑를 사용할 정도로 변비가 있으나, 下劑를 사용하면 설사를 하였다. 월경은 오래도록 없었으며, 환자는 복부가 苦滿하다고 느끼지만, 복부를 눌렀을 때는 별다른 소견이 없었다. 茯苓澤瀉湯과 硝黃湯을 겸하여 처방하였다. 56일 복용 후, 음수량과 단 맛이 나는 과일도 줄였지만 복통이 여전하고, 微咳, 吐血이 있었다. 그래서 當歸芍藥散과 蟅蟲丸을 겸하여 처방하였다. 이후로 증상들이 점차 호전되었다.

2. 下肢血栓性靜脈炎『新中醫』(1974, 2:35): 32세 남성. 좌측 종아리에 發赤·腫脹·疼痛이 생겼고, 15 cm의 길쭉하고 단단한 형태의 물체가 촉지되며, 누르면 아파서 拒按하고, 발을 발등 쪽으로 젖힐 때 종아리의 통증이 더욱 심해져서 걷기 힘들고, 가벼운 發熱을 수반하고, 전신이 불편하였다. 脈滑數. 某의원에서 左下肢 혈전성 정맥염을 진단받았다. 먼저 四妙勇安湯加味를 복용하여 증상이 경감되었지만, 촉지되는 병변에는 호전이 없었고, 다시 조금 걸으면 증상이 가중되고, 紅腫熱痛이 있었다. 그래서 大黃蟅蟲丸을 1회 1~2丸씩, 1일 3회 복용하도록 하였다. 6일을 복용한 후, 병변이 부드러워지고, 10 cm로 길이가 감소하였고, 紅腫熱痛 등의 병변이 크게 감소하였다. 복용후 처음에는 대변이 연변이었으나 점차 정상으로 변하였다고 한다. 8일을 더 복용한 후, 병변이 소실되고, 완치되었다.

3. 半身不遂『雲南中醫雜誌』(1993, 6:7): 68세 남성. 간부. 3일 전 좌반신의 麻木癱瘓이 발생하였다. 원래 고혈압이 있었고, 입원 3일 전에는 점심식사 후 갑자기 머리가 어지럽고 불편한 것을 느꼈고, 곧 오른쪽 얼굴이 마비되어, 언어가 유창하지 않게 되었으며, 좌측 팔다리를 움직일 수 없고, 걸음이 자연스럽지 않으며, 소변은 실금하지 않았으나, 4일 동안 대변을 보지 않았

다. 입원 후에도 지각과 의식이 분명하였고, 혈압은 135/90 mmHg, 심전도 검사 상 이상이 없었고, 요추천자 뇌척수액 검사 소견도 음성으로 나왔으며, 환측의 하지근력은 Ⅱ등급, 상지근력은 Ⅵ등급이며, 병리적 반사 이상 신호은 없었다. 舌紅, 苔黃, 脈弦. 뇌 실질의 CT 소견상 右側 측두부에 경색 소견이 있었다. 中風으로 진단하여 氣虛血瘀, 阻滯腦絡에 속하므로, 益氣活血, 化瘀通絡 하기로 하였다. 大黃蟅蟲丸加減: 大黃·赤芍藥·雲嶺 各 15 g, 蟅蟲·黃芩·地龍 各 10 g, 桃仁·杏仁 各 12 g, 生地黃·水蛭·當歸·黨參 各 20 g, 黃芪 60 g, 甘草 6 g. 五劑 복용 후, 좌측 상지의 근력이 개선되고, 좌측 하지의 근력이 Ⅲ등급 이상이었으며, 안면의 마비가 좋아졌고, 정신 및 수면 상태가 개선되었다. 또한 식욕이 증진 되고, 대변이 정상적으로 잘 보게 되었다. 十四劑 추가 복용 후, 안면이 정상으로 되었고, 좌측의 상하지의 근력이 더 개선되었으며, 언어가 유창해지고, 혼자서 병원 내 보행을 할 수 있게 되었다. 20劑 추가 복용하도록 하고, 동시에 재활운동을 강화하여, 환자는 완치되어 퇴원하였다. 2년간 추적 관찰에서 재발은 없었다.

考察: 案1은 瘀濕積滯의 증상이다. 식욕이 없지만, 마시기를 좋아하며, 食後와 飮後에 心下가 滿하고, 腹痛이 있으며, 吐하면 좋아지는 것은 飮이 胃中에 停한 것으로, 胃不受納, 胃氣上逆의 증상이다. 少腹硬滿, 無月經, 腹滿한 것은 瘀血이 下焦의 胞脈을 막고 있는 것이다. 便秘는 瘀濕阻滯, 氣機不暢, 腑氣不通에 의한 것이다. 瘀濕이 서로 結하여 생기는 癥瘕는 化瘀祛濕 하여야 없어진다. 그러나 식욕이 없고, 음식이 들어가면 토하고, 대변이 안 나오는 등 上下不通의 증상이 있으면서, 병세가 急重하니 먼저 茯苓澤瀉湯과 硝黃湯으로 利水通便, 疏通上下한 다음, 當歸芍藥散과 大黃䗪蟲丸으로 漸消緩散한 것이다. 案2는 종아리에 단단한 형태의 물체가 촉지되고, 紅腫熱痛이 있었는데, 이는 瘀血이 絡을 막은 것이 오래되어 癥을 이루게 된 瘀血化熱의 증상인 것이며, 四妙勇安湯加味을 처방하였으나 이는 결국 효과가 없었다. 活血通絡, 逐瘀清熱하는 大黃蟅蟲丸으로 바꾸자 비로소 瘀로 인한 癥이 곧 없어졌다. 案3의 半身不遂는 中風後遺症이다. 中風의 半身不遂와 麻木은 대체로 氣虛血瘀로 인한 것이며 補氣活血하는 補陽還五湯을 일반적으로 사용한다. 그러나 後遺症 기간에 脈絡瘀阻가 두드러면, 舌紅, 苔黃, 脈弦이 함께 나타나며, 그 때 補陽還五湯은 活血清熱이 부족한 것 같다. 따라서 그런 경우에는 王清任의 組方을 모방하여, 大黃蟅蟲丸에서 虻蟲·乾漆·蠐螬 등의 峻孟破血藥을 去하고, 當歸·黨參·黃芪의 益氣養血藥을 加하면 좋다.

第二節 止血劑

十灰散

(『修月魯般經後錄』引『勞症十藥新書』, 錄自『醫方類聚』卷150)

【組成】 大薊 小薊 荷葉 柏葉 茅根 牡丹皮 大黃 茜根 種櫚皮 梔子 各等分

【用法】 위의 약재를 藥性을 보존하는 상태로 燒하여 極細末을 만들어서, 종이로 싸서 밀폐된 용기에 넣고 땅 위에 하루 저녁을 두면 火毒이 빠져 나간다. 복용할 때는 우엉즙이나 무즙에 京墨을 갈아 넣고, 분말 15 g 정도를 고르게 섞어서, 식후에 복용한다. 원방의 비율로 약재들을 水煎하여 복용하는 방법도 가능하다.

【效能】 凉血止血, 淸熱瀉火.

【主治】 血熱妄行으로 인해 嘔血, 吐血, 咯血, 嗽血, 衄血하는데, 血色이 鮮紅하고, 暴急하며, 舌紅,

脈數하는 등 증상을 치료한다.

【病機分析】 吐血·咯血 등은 陰虛·陽虛·虛火·實火를 구분해야 한다. 本方의 主治는 出血인데, 血色이 선홍색이고, 舌紅, 脈數가 함께 보이면 대개는 實火로 인해 생기는 것이며, 肝과 연관된다. 肝은 藏血調血을 주관하는데, 肝火가 熾盛하면, 火性이 炎上하고, 火가 盛하면 氣逆하고, 氣逆하면 血이 상승하여, 血絡 손상하고, 經을 벗어나 밖으로 흘러넘쳐, 吐血·衄血하게 된다. 이는 『靈樞』「百病始生」에 "陽絡傷則血外溢, 血外溢卽衄血"이라 하고, 『濟生方』卷2에 "夫血之妄行也, 未有不因熱之所發, 蓋血得熱則淖溢, 血氣俱熱, 血隨氣上, 乃吐衄也.")라고 한 것과 같다. 肝火가 熾盛하면, 木火刑金하여 肺絡이 손상되고, 咯血·嗽血·衄血하게 될 수 있다. 또한 肝火가 胃를 犯하면, 胃脈이 破裂되어 嘔血·吐血할 수 있다. 이와 같이 肝火의 熾盛이 血을 妄行하도록 하는 것이 本方 適應證의 基本病機이다.

【配伍分析】 本方은 血熱妄行을 치료하기 위해서 清熱瀉火, 凉血止血한다. 方中 大薊·小薊는 性味가 甘·凉하여 凉血止血, 祛瘀하므로, "能清血分之熱, 以止血熱之妄行"(『醫學衷中參西錄』上冊)하며, 또 "以下行導瘀爲主"(『本草正義』)하므로, 熱이 氣를 따라서 逆上하여 발생하는 吐血·衄血을 치료할 수 있으므로 君藥이 된다. 臣藥인 荷葉·茜草根·側柏葉·白茅根은 凉血止血하여 君藥을 도와서 澄本清原, 塞流止血 한다. 血이 위로 흘러넘치는 것은, 氣盛火旺에 의한 것이기 때문에 凉血止血, 清肝瀉火하는 梔子·大黃을 사용한다. 더욱이 梔子가 肝經氣分의 熱을 씻어내어, 小便으로 보내고, 大黃은 肝經血分의 熱을 大便으로 나가게 하니, 梔子와 大黃은 凉血清熱의 효력을 강력하게 하면서, 熱邪下行의 길을 열어서, 직접 上逆하는 火勢를 꺾고, 氣火가 내려가 血이 그치도록 하므로 左藥이 된다. 凉降澀止하는 약에 의하여 瘀가 생길 수 있기 때문에 凉血祛瘀하는 牡丹皮를 사용하면 瘀가 남지 않으므로 左藥이 된다. 用法 중 藕汁·蘿葍汁을 加하여 調服하는데, 藕汁은 甘寒하여, 清熱凉血散瘀하는데, 『本草經疏』卷23에 "藕, 生者甘寒, 能凉血止血, 除熱清胃, 故主消散瘀血, 吐血, 口鼻出血……"라고 기록되어 있다. 蘿葍汁은 甘凉하여, 消積滯化痰熱, 下氣消脹, 降氣清熱하여 本方의 止血 작용을 돕는다. 全方을 종합적으로 보면, 많은 약들이 모두 凉血止血 작용을 가지고 있는데, 그중 大薊· 小薊·茜根·大黃·牡丹皮는 化瘀의 효능이 있고, 大黃·梔子·蘿卜은 瀉火降氣의 효능이 있으며, 荷葉·側柏葉·棕櫚皮는 收斂止血 작용이 있다. 이 약들을 함께 사용하면, 凉血止血, 清熱瀉火하여, 止血하지만 瘀를 남기지 않는다.

本方 配伍의 특징은 凉血止血을 토대로 하여, 清降·化瘀·收斂작용을 겸한다는 점이다. 또한 方中 藥物 10味는 모두 태워 "灰"으로 사용하며, 極細末로 만들어 散劑로 미리 具備하여 사용하기 때문에, "十灰散"이라고 命名되었다.

【臨床應用】

1. 證治要點: 本方은 주로 熱證의 出血에 사용한다. 急暴한 上部의 出血로 血色이 鮮紅色이고, 舌紅, 脈數을 證治의 要點으로 삼는다.

2. 加減法: 氣와 火가 旺盛하고, 血熱이 盛한 경우는 本을 湯劑로 사용할 수 있으며, 清熱凉降하는 大黃·梔子를 加하고, 鎭降하는 牛膝·代赭石 등을 加하여 血熱을 下行하도록 한다. 또한 凉血止血하는 生地黃·白芨을 加하기도 한다.

3. 十灰散은 다음 한국표준질병사인분류(KCD)에 해당하는 환자가 血熱妄行證으로 辨證되는 경우 본 처방의 사용을 고려해볼 수 있다.

처방 목표	한국표준질병사인분류(KCD)
胃腸管出血	K29.0 급성 출혈성 위염
	K25 위궤양
	K26 십이지장궤양
	K92 소화계통의 기타 질환
氣管支擴張症	J47 기관지확장증
肺結核으로 인한 出血	A15 세균학적 및 조직학적으로 확인된 호흡기결핵
	A16 세균학적으로나 조직학적으로 확인되지 않은 호흡기결핵

【注意事項】

1. 本方은 散劑로서 응급상황에 대비하여 미리 준비해두어야 하며, 반드시 제조과정에서 火氣를 消退시켜야하므로, 급히 만들어 사용할 수는 없다. 또한 燒하되, "存性"에 주의해야 한다.

2. 本方은 急하게 標를 치료하는 方劑로 잠시 사용할 수 있을 뿐이고, 오래 복용하는 것은 적당하지 않다. 지혈 후, 반드시 근본적인 원인을 찾아서 치료해야 한다.

3. 출혈환자는 복약 후, 반드시 누워서 안정을 취해야 한다. 嘔血者는 流動性 음식을 먹지만, 嘔血이 심한 경우는 금식한다. 출혈이 아주 심한 사람은 中西醫를 결합하여 신속하게 치료해야 한다.

4. 虛寒性 出血의 경우에는 사용을 금한다.

【變遷史】 本方은 元代 葛乾孫의『勞症十藥神書』에서 비롯되었다.『十藥神書』는 肺癆病에 대한 전문서적인데 全書에서 方劑 10首를 처음 만들었다. 이 10首의 방제에는 止血에 치중하는 것도 있고, 止咳에 치중하는 것도 있다. 葛氏의 止血 方劑는 특히 炭藥의 응용을 중요하게 여겼는데, 그는 이 책에서 "大抵血熱則行, 血冷則凝, 見黑則止, 此定理也"라 하여, 止血에 炭藥을 사용하는 것을 주장하였으며, 十灰散은 葛氏의 炭藥止血의 대표 方劑이다.

葛氏는 宋의 嚴用和의 "十灰丸"과 楊士瀛의 "黑散子"를 본받았는데, "十灰丸"은 綿灰·黃絹灰·艾葉灰·馬尾灰·藕節灰·蓮蓬灰·油發灰·赤松皮灰·棕櫚灰·蒲黃灰로 구성되었고(『濟生方』卷6), 崩中과 下血에 사용한다. 그리고 "黑散子"는 蓮蓬·棕櫚·頭髮(燒灰法 사용)로 구성(『仁齋直指方』卷26)되어 제반 출혈에 사용한다. 葛氏는 嚴·楊의 "灰" 및 "燒灰存性" 의 방법을 淸熱瀉火藥인 大黃·梔子·牡丹皮 등에 적용하여 淸熱瀉火止血藥으로 변화시킨 것이다. 후대의 의가들이 熱證出血에 사용한 수많은 方劑가 여기에서 비롯되었다. 예를 들어, 『萬病回春』卷3의 五灰散은 蓮蓬殼·黃絹·血餘炭·百草霜·棕櫚皮(各燒灰)·山梔子(炒黑)·墨·血竭로 구성되어 血崩에 사용한다.『醫學心悟』卷3의 十灰散은 棕櫚皮·牡丹皮·側柏葉을 去하고, 老絲瓜·蒲黃·亂發을 加한 것으로 陰虛吐血에 사용한다.

【難題解說】

1. 本方이 炭藥을 이용하는 의의에 관하여:『十藥神書』「序」에 "大抵血熱則行, 血冷則凝, 見黑則止, 此定理也"라고 하였는데, 여기서 血이 冷하면 凝한다는 것은 凉藥을 이용해 止血한다는 의미이고, 血이 見黑하면 멈춘다는 것은 炭藥을 이용해 止血한다는 의미이다. 黑은 水의 색이고, 紅은 火의 색이기 때문에, 紅이 黑을 만나면 水克火 하여 멈추게 되는 것이다. 또한 凉藥을 이용하면 止血 할뿐만 아니라, 혈압을 낮춘다. 炭類를 이용하면 止血할 뿐만 아니라, 吸着·斂澀한다. 十灰散은 炭藥과 凉藥을 이용하여 止血하는 처방이다.

2. 灰藥存性의 문제에 관하여: 本方 制造의 關鍵은 "燒灰存性"에 있으며, 특히 "存性"에 깊은 뜻이 있다. 淸의 陳念祖는 "前散自注云燒灰存性, 今藥肆中止知燒灰則色變爲黑, 而不知存性二字大有深義. 盖各藥有各藥之性, 若燒之太過, 則成死灰, 無用之物矣. 唯燒之初燃, 卽速放于地上, 以碗復之, 令滅其火. 俾各藥一經火煉, 色雖變易, 而本來之眞性俱存, 所以用

之有效”(『十藥神書注解』)라고 하였다. 현대에는 炭은 “制到外部焦黑, 里面焦黃爲度, 使藥料有一半炭化, 另一半存性, 幷且要仍能嘗試出藥料原有的氣味, 不能制成灰, 使灰化後藥力全失”이라고 구체적인 요건을 규정하고 있다. 이것으로 “燒灰” 과정은 약물을 炭化시키고, 炭化 후에 研末이 쉬워지고, 澀味가 많아지게 되며, 吸着·斂澀 작용을 갖게 만드는 것이다. “存性”은 약물이 원래 갖고 있는 氣味를 보존하도록 하는 것이므로, 淸降化瘀의 효과는 남게 된다. 『中華人民共和國藥典』「一部」(1977판)에서는 특별히 “製炭時, 應注意存性, 幷防止灰化”라고 하여, “炒炭”·“烱炭”의 製劑規程을 제정하였다.

3. 京墨에 관하여: 方中의 京墨은 紅見黑則止로 止血의 효능을 설명하는 서적이 많다. 특히 李飛는 다음과 같이 京墨에 대한 사료 고증을 하여 다음과 같이 말한 바 있다. “京墨은 貢墨이라고 칭하기도 하는데, 고대 宮庭의 工書詩畫에 사용했을 뿐만 아니라, 止血을 急救하는데 쓰이기도 했다. 京墨의 止血 작용은 충분히 그럴만 한 근거가 있는데, 古代에 京墨을 만들 때, 松煙, 皮膠汁 혹은 糯米汁이나 향료를 加하여 만들었기 때문이다. 그래서 宋의 寇宗奭은 『本草衍義』에서 ‘墨, 松之煙也’라고 했으며, 明의 李時珍은 『本草綱目』에서 ‘上墨以松煙用梣皮汁解膠和造, 或加香料等物’라고 하였고, 淸의 汪紱은 『醫林纂要探源』에서 ‘墨, 古用松煙, 性近溫, 今用桐油煙, 性近寒, 熱氣味俱輕, 俱不失爲平. 珍之者加入珠·金·氷·麝, 陳久爲良’라고 했다. 이것으로 보건데, 京墨은 選料와 製作에 있어서 매우 고심하고 연구하여 이루어졌던 것이다. 松煙은 즉 松枝를 태운 후의 油煙인데, 止血·消腫·生肌·療瘡 등의 작용이 있다. 그리고 皮膠汁은 養血止血의 기능이 있고, 糯米 역시 補肺止血의 佳品이다. 여기에 적당량의 珍珠·氷片·麝香의 종류를 加하면 淸心涼血, 活血止血의 효능이 더욱 현저해진다. 그러므로 근대에 이것을 해석하며 墨能勝紅만을 말하는 것은 京墨을 깊이 이해하지 못한 것이다.”(『中醫歷代方論選』)

4. 本方의 “散”·“湯”劑 작용의 구별에 관하여: 原書에서는 散劑를 이용하는데 이 경우는 포제를 반드시 진행하기 때문에 收澀止血을 중심으로 한 다음, 淸熱涼血을 配伍한 것으로 “止中寓淸”한 것이다. 湯劑로도 사용하는 것은 약물의 구성을 볼 때 淸熱涼血하여 血을 下行하게 하는 것을 爲主로 하고, 收澀止血을 輔로 사용한 것으로 “淸中寓止”인 것이다. 湯劑로 사용할 때는 이 점에 주의해야 한다.

【醫案】鼻衄: 『甘肅中醫』(1994, 5:33), 41세 여성. 1991년 1월 8일 초진. 鼻衄이 3년 정도 되었고, 매번 월경기에 심해졌다. 많은 치료를 받았으나, 효과가 없었다. 환자는 面紅, 目赤, 煩躁, 口乾, 오후에 때때로 手足에 潮熱이 생긴다고 하였다. 舌邊尖紅, 脈弦細數. 이는 肝旺陰虛, 血瘀逆經에 의한 것이므로 平肝滋陰淸熱, 涼血止血하기로 했다. 處方: 大薊·小薊·棕櫚皮·茜草根·側柏葉 各 10 g, 荷葉 6 g, 위 6味는 모두 炒炭하고, 生牡丹皮·生梔子 各 10 g, 生大黃 6 g, 生白茅根 30 g과 함께 달여서 1일 3회 복용하도록 하였다. 1월 9일 하루 분 복용 후, 鼻衄이 멈추었지만, 面紅, 煩躁, 舌邊紅, 脈弦細數, 오후에 潮熱하는 것은 여전했다. 그래서 生牡丹皮를 18 g으로 늘려서 복용하도록 하였다. 1월 10일, 上述한 여러 증상들이 감소했고, 虛熱이 점차 물러났다. 처방·용법·용량을 전과 같이하여, 四劑를 복용한 후 완치되었다. 1년 후 진료 시 재발은 없었다.

考察: 本例의 鼻衄은 肝旺血瘀한 것인데, 肝火가 旺盛하니 血이 妄行하여 逆經이 발생한 것이고, 오후에 때때로 手足心에 潮熱이 생기는 것은 陰虛의 증상이다. 2일 차에 生牡丹皮의 용량을 증가한 것은 滋陰涼血止血하기 위함이다. 苦寒沉降한 生大黃·生梔子을 사용하여 上炎의 火를 아래로 내보내고, 甘寒한 生白茅根을 사용하여 涼血止血하여, 다른 약들과 함께 止血에 성공하였다.

四味丸

(『楊氏家藏方』卷20)

【異名】 四生丸(『十便良方』卷20), 錄自(『普濟方』卷188)

【組成】 荷葉 艾葉 側柏葉 生地黃 各等分

【用法】 위의 약재를 분말로 하여 鷄子大의 丸을 만든다. 1회에 一丸(약 120 g)을 물 3잔으로 달여서 1잔으로 줄어들면, 찌꺼기를 걸러내고 溫服하되, 시간에 구애 받지 않는다(현대에는 탕제로 水煎服하기도 한다).

【效能】 凉血止血

【主治】 血熱妄行症으로 吐血, 衄血, 血色鮮紅, 口乾咽燥, 舌紅或絳, 脈弦數有力하는 등의 증상을 치료한다.

【病機分析】 本方은 吐血·衄血에 사용하기 위해 만들어진 것이다. 그 吐血·衄血의 원인은 血分에 熱이 있어, 血이 妄行하여 肺胃의 絡傷이 생기게 된 것이다. 즉 張介賓이 『景岳全書』卷30에 "凡諸口鼻見血, 多由陽盛陰虛, 二火逼血而妄行諸竅"라고 한 것과 같다. 또한 이 熱邪가 津液을 灼傷하면 口乾咽燥하게 된다. 舌紅或絳, 脈弦數有力한 것은 모두 血分에 熱이 있기 때문이다.

【配伍分析】 本方은 血熱妄行으로 인한 吐血·衄血에 사용하기 위해 만들어진 것이므로 凉血止血해야 한다. 方中의 側柏葉은 凉澀하여, 凉血止血에 강점이 있는데, 吳坤이 『醫方考』卷3에 "芐·柏質實, 瀉火于陰, 火去則血歸經而吐·衄愈矣"라고 한 것과 같으며, 本方에서는 君藥이 된다. 生地黃은 甘寒하여, 淸熱凉血, 養陰生津하므로, 熱을 去하고 陰을 滋養하여 血이 스스로 안정을 찾게 하므로 臣藥이 된다. 荷葉은 淸香하여 淸熱凉血, 止血散瘀 작용을 돕는다. 그리고 艾葉은 祛瘀止血하여 止血 효능을 증가시킬 수 있고, 辛溫하지만 燥하지 않아서 다른 藥의 지나친 寒凉으로 인한 血止留瘀의 폐단을 막아준다. 本方의 藥은 4味 뿐이지만, 凉血止血의 효과가 탁월하다.

本方 配伍의 특징은 熱이 제거되지만 血이 손실되지 않아서 淸中有滋라고 할 수 있고, 凉하지만 鬱遏의 폐가 없어 淸中寓宣라고 할 수 있으며, 凉하지만 伐胃의 우려가 없어 淸中有溫이라고 할 수 있다. 이와 같이, 淸熱止血하는 다른 여러 方劑와 비교하면 至平, 至淡의 方劑에 속한다.

【臨床應用】

1. 證治要點: 本方은 凉血止血하는 方劑로서 血熱妄行으로 인한 上部出血 증상을 주로 치료하고, 臨床에서는 血色이 鮮紅色이고, 舌紅, 脈數한 것을 證治要點으로 한다.

2. 加減法: 本方은 止血藥이 적고, 治本에 치중하고 있다. 만약 출혈양이 많은 경우는 止血하는 小薊·茜草·白茅根·藕節·仙鶴草 등을 加한다. 火와 氣로 인해 血이 上部로 흘러넘치면 降氣하여 血을 아래로 끌어내리는 大黃·梔子·牛膝 등을 加한다.

3. 四味丸은 다음 한국표준질병사인분류(KCD)에 해당하는 환자가 血熱妄行證으로 辨證되는 경우 본 처방의 사용을 고려해볼 수 있다.

처방 목표	한국표준질병사인분류(KCD)
肺結核	A15 세균학적 및 조직학적으로 확인된 호흡기결핵
	A16 세균학적으로나 조직학적으로 확인되지 않은 호흡기결핵
氣管支擴張症으로 인한 喀血	J47 기관지확장증

처방 목표	한국표준질병사인분류(KCD)
胃潰瘍으로 인한 吐血	K25.0 출혈이 있는 급성 위궤양
	K25.4 출혈이 있는 만성 또는 상세불명 위궤양

【注意事項】 本方은 內熱에 의해 갑자기 발생한 吐血·衄血에 일시적으로 사용해야 한다. 만약 과도한 용량을 사용하거나 오래 사용하면 寒涼으로 인해 血凝成瘀의 弊端이 발생할 수 있다. 또한 虛寒證의 出血에는 사용하지 않아야 한다.

【變遷史】 本方은 宋代 楊倓의 『楊氏家藏方』에 처음 수록되었는데, 吐血에 사용하였다. 宋代의 陳自明은 方中 三葉을 生用하여 "四生丸"으로 命名하고, 陽이 陰을 乘하여 발생한 吐血·衄血에 사용했다. 王肯堂은 『證治準繩』卷6에서 葡萄汁·生藕汁·生地黃黃汁·白蜜을 各 五合씩 사용하여 熱淋, 小便澀疼痛에 사용하였는데, 四汁飮은 이 두 방제의 장점을 모은 사례이다. 현대에는 生藥을 取하기 불편하여 고집하지 않으며, 湯제로 바꾸어 사용하는데, 生鮮者가 없으면 그 양을 늘려서 吐血·衄血·婦人崩漏·産後出血에 사용한다.

【難題解說】

1. 本方의 方源과 方名에 관하여: 四生丸의 方源은 『方劑學』에서 『婦人大全良方』에서 나왔다고 하였는데, 丹波元은 『雜病廣要』에서 "此方本出 『楊氏』, 三味幷不用生"이라고 하였다. 楊倓의 『楊氏家藏方』(1178년)이 『婦人大全良方』(1237년)보다 앞서므로, 本方의 出典은 『楊氏家藏方』이 옳으며, 여기에서 四味丸 中의 三味는 生用하지 않았다.

2. 本方의 君藥에 관하여: 北京中醫學院의 『實用中醫學』에서는 凉血養陰하는 生地黃을 君이라고 주장했다. 그러나 山東中醫學院의 『中藥方劑學』, 『方劑學』 6版에서는 모두 側柏葉을 君이라고 주장했다. 本方이 치료하는 吐血·衄血은 血分에 熱이 있어, 血이 妄行하여 발생한 것으로, 凉血止血을 爲主로 치료해야 한다. 柏葉은 苦·澁·寒하여 凉血止血에 강점이 있는데 『景岳全書』卷49에 "善淸血凉血, 止吐血衄血·痢血尿血·崩中赤白"이라고 기록되어 있고, 『羅氏會藥醫鏡』卷17에는 "滋陰凉血, 凡血熱妄行·吐衄崩淋, 服之立效".라고 기록되어 있다. 이렇게 側柏葉의 方中 작용을 감안하면 역시 側柏葉을 君으로 삼는 것이 타당하다. 또한 『湯頭歌訣詳解』에서도 "生側柏葉凉血淸熱·止血, 爲君藥."이라고 기록되어 있다.

咳血方

(『丹溪心法』卷2)

【異名】 肺血丸(『醫林纂要探源』卷4)

【組成】 靑黛(6 g) 瓜蔞仁(9 g) 海粉(9 g) 山梔子(9 g) 訶子(6 g)

【用法】 위 五味를 분말로 만들어 煉蜜과 薑汁으로 반죽하여 丸으로 만든다. 구강에서 머금고 용해시킨다.

【效能】 淸肝寧肺, 凉血止血.

【主治】 肝火犯肺하여 咳嗽痰稠, 咯吐不爽, 心煩易怒, 胸脇作痛, 咽乾口苦, 頰赤, 便秘, 舌紅苔黃, 脈弦數하는 등 증상을 치료한다.

【病機分析】 肝은 木에 속하는데 肝脈은 胸脇에 퍼져있고, 위로는 肺에 注하며, 乘發을 주관한다. 肺는 金에 속하고 上部에 위치하여 肅降을 주관한다. 정상적인 상황에서 肺金의 宿降은 肝氣·肝火가 上升하는 作用을 제약하고, 兩者가 乘降相因하도록 하는데, 이것이 곧 氣機調暢이며 金克木이다. 그런데 만약 肝火가 지나치게 왕성하면, 肝氣의 乘發이 너무 지나쳐, 氣火가 亢逆上行하고 肺에 영향을 미쳐, 肝肺의 생리적

관계가 균형을 잃게 되어, "左乘太過, 右降不及"의 反克病理變化를 형성하게 된다. 本方의 適應證은 바로 이 病變 범위에 속한다. 肝木이 肺金에 反侮하면, 肝火亢盛 및 肺金被侮의 兩組症候群이 나타난다. 木火가 金을 刑하게 되어, 肺津이 灼하게 되고, 液이 煉하게 되어 痰이 형성되고, 痰이 肺에서 막히면, 肺는 淸肅을 잃게 되고, 肺氣가 上逆하면 咳嗽가 생긴다. 그리고 痰液이 火邪의 煎熬를 받으면, 痰質이 濃稠해지고, 咯吐하여도 不爽하게 된다. 또한, 火熱이 肺絡을 灼傷시켜서, 血이 손상된 脈의 外로 넘치면, 咳嗽의 痰中에 帶血하게 된다. 이것이 汪昂이『醫方集解』「理血之劑」에서 "肝者將軍之官, 肝火上逆, 能爍心肺, 故咳嗽痰血也"라고 한 것이며, 吳崑이『醫方考』卷3에서 "肺者, 至淸之臟, 纖芥不容, 有氣有禾則咳, 有痰有血則嗽"라고 말한 것이다. 心煩易怒, 胸脇作痛, 咽乾口苦, 頰赤, 便秘, 舌紅苔黃, 脈弦數 등은 모두 肝火亢盛로 인한 것이다. 종합하면 本方主治의 主症은 咳嗽痰中의 帶血이고, 本方證의 病機는 肝火灼肺이다.

【配伍分析】 本方은 肝火灼肺로 인한 咳嗽痰中帶血症을 주치한다. 病의 標는 肺에 있고, 病의 本은 肝에 있으므로 淸瀉肝火하여, 血이 妄行하지 않도록 하여, 肺가 편안해지면 咳嗽가 줄고, 血이 멈추게 되니, 淸肝寧肺가 治病求本의 방법이다. 方中 靑黛는 鹹寒하고 肝經으로 歸하여, 肝經의 實火를 瀉하고, 凉血止血한다. 止血은 반드시 降氣를 겸하는데, 氣를 내리면 血이 내려가게 된다. 梔子는 苦寒하고 心·肝·肺經으로 歸하여 瀉火除煩, 止血降氣한다. 汪昂은『醫方集解』「理血之劑」에서 "靑黛瀉肝而理血, 散五臟鬱火, 梔子凉心而淸肺, 使邪熱下行, 二者所以治火"라고 하였으니, 靑黛와 梔子를 함께 사용하면, 澄本淸源하여 標本을 모두 다스리므로 君藥으로 삼는다. 祛痰하지 않으면 기침이 멈추지 않고, 기침이 그치지 않으면 血이 안정되지 않으므로, 甘寒하여 肺로 들어가는 瓜蔞仁을 臣으로 삼아, 淸熱化痰, 潤肺止咳한다. 그리고 鹹平入肺하는 海粉은 淸金降火, 軟堅化痰한다. 瓜蔞仁과 海粉을 함께 사용하면, 淸熱祛痰하여 肺가 스스로 편안해 진다. 訶子는 苦·澁·平한데, 肺와 大腸經으로 歸하여 淸熱下氣하고, 斂肺止咳化痰하므로 佐藥이 된다. 이와 같이 여러 약을 함께 사용하여 淸肝寧肺, 凉血止血하므로, 火가 肺를 犯하지 않고, 肺氣의 肅降작용을 강화하여 祛痰止咳 할 수 있으니 咳痰帶血에 사용한다. 이와 같이 本方 配伍의 특징은 止血藥을 淸熱瀉火藥 가운데 배오한 것이다.

本方은 肝火犯肺, 咳痰帶血을 주로 치료하는데, 瀉肝淸火하여 咳血이 스스로 멈추도록 하므로 "咳血方"이라고 명명한 것이다.

【臨床應用】

1. 證治要點: 本方은 주로 肝火灼肺로 인한 咳血症에 쓰인다. 臨床에서는 咳痰帶血, 胸脇作痛, 舌紅苔黃, 脈弦數을 證治要點으로 한다.

2. 加減法: 咳가 심한 경우는 杏仁을 加한다. 火熱이 陰을 傷한 경우는 淸肺養陰하는 沙蔘·麥門冬 등을 加한다. 기침이 심하고 痰이 많은 경우는 淸肺化痰止咳하는 川貝母·天竺黃·枇杷葉을 加다. 痰이 많고 苔膩한 경우는 蒿芩淸膽湯을 함께 사용한다. 鼻衄의 경우는 訶子·海粉을 去하고 靑蒿·牡丹皮를 加한다.

3. 咳血方은 다음 한국표준질병사인분류(KCD)에 해당하는 환자가 肝火犯肺證으로 辨證되는 경우 본 처방의 사용을 고려해볼 수 있다.

처방 목표	한국표준질병사인분류(KCD)
胃食道逆流疾患으로 인한 起寢	K21.0 식도염을 동반한 위~식도역류병
	K21.9 식도염을 동반하지 않은 위~식도역류병
氣管支擴張症으로 인한 咳血	J47 기관지확장증
肺結核으로 인한 咳血	A15 세균학적 및 조직학적으로 확인된 호흡기결핵
	A16 세균학적으로나 조직학적으로 확인되지 않은 호흡기결핵

【注意事項】

1. 本方은 寒涼降泄의 方劑이므로 肺腎陰虛 및 脾虛便溏인 사람에게는 적당하지 않다.

2. 복용방법에 주의해야 한다. 本方은 蜜丸하여 구강에서 용해시켜야 한다. 이는 藥力을 서서히 흡수시켜, 藥效가 오래도록 지속되도록 하기 위함이며, 咳血에 적합한 방법이다.

【變遷史】 本方은 元의 朱震亨이 창제한 것으로『丹溪心法』「咳血十九」卷2에 咳血을 치료한다고 기록되어 있다. 역대 의가들은 肝火犯肺로 일어난 咳血에 사용하였으며 다양한 方劑로 변화되었다. 明代 李梴의『醫學入門』卷6에 수록된 訶黎丸은 咳血方에서 梔子를 去하고 杏仁·貝母·香附子를 加한 것인데 肺脹을 主治하고, 喘滿氣急, 身重, 勞嗽, 乾咳無痰 등 증상에 사용한다. 秦景明의『症因脈治』卷2의 靑黛海石丸은 咳血方에서 梔子·訶子를 去하고, 川貝母를 加하였는데, 肺經咳嗽有痰에 사용한다. 淸代 沈金鰲의『雜病源流犀燭』卷1의 海靑丸은 咳血方에서 梔子를 去하고 香附子, 半夏를 加한 것인데, 火鬱肺脹, 氣急息重, 咳嗽痰少, 面赤煩渴, 脈洪數 등 증상을 치료한다. 祝補齋의『衛生鴻寶』卷1의 靑蛤丸은 咳血方 중의 靑黛·海蛤粉 2味를 취하여 煉蜜로 반죽하여 丸으로 만들어서 수면 전에 복용하고, 肝火犯肺로 인한 頭暈耳鳴, 咳痰帶血, 咽喉不利, 胸脇作痛 등의 증상에 사용한다.

【難題解說】

1. 本方의 止血作用에 관하여: 吳崑은 "然而無治血之藥者, 火去而血自止也"(『醫方考』卷3)라 하고, 汪昂은 "不用治血之藥者, 火退則血自止也"(『醫方集解』「理血之劑」)라 하여, 本方을 복용하고 火가 去하면 血은 스스로 멈춘다고 하였다. 그렇다면 咳血方은 治本之劑인가 아니면 標本同治의 方劑인가? 咳血方은 당연히 標本同治로서, 瀉火가 爲主이며 止血을 겸하는 것이다. 本方이 止血하는 것은 두 방면에서 알 수 있는데, 하나는 靑黛와 梔子가 淸肝瀉火하면서 止血 효과를 겸하고 있다는 것이다. 李時珍은『本草綱目』卷16에서 靑黛에 대해 "去煩熱, 吐血, 咯血……"이라고 하였고,『本草綱目』卷36에서 梔子에 대해 "治吐血·衄血·血痢·下血·血淋·損傷瘀血"이라고 한 것이 그 예이다. 두 번째는 訶子에 止血의 효능이 있다는 것인데,『日華子本草』에 "腸風瀉血, 崩中帶下……"에 사용한다고 기록되어 있고,『長沙藥解』卷3에는 "治崩中·帶下·便血……"이라고 기록되어 있다. 이와 같이 本方은 淸肝寧肺가 主이지만, 凉血止血이 輔助하는 標本同治의 方劑인 것이다.

2. 海粉에 관하여: 海粉은 藍斑背肛海兎의 卵塊로서 甘·鹹·寒하며, 淸熱養陰, 軟堅消痰하여, 肺燥喘咳, 癭瘤, 瘰癧 등에 사용한다. 明代『景岳全書』와『醫方考』卷3에는 "靑黛·梔子所以降火, 瓜蔞·海粉所以行痰"이라고 기록되어 있는 바와 같다. 淸代 汪昂은 "海粉"을 "海石"으로 바꾸었으며,『醫方集解』「理血之劑」에는 "海石軟堅止嗽, 淸水之上源"이라고 기록되어 있다. 海石은 鹹·寒하여 肺火를 없애고, 老痰을 풀고, 軟堅散結하며, 痰熱喘嗽, 老痰積塊, 癭瘤, 瘰癧에 사용한다. 두 약의 작용이 비슷한데, 海粉은 찾기가 어렵고, 海石은 얻기가 쉬워, 후세에는 海石을 많이 이용했던 것이다.

【醫案】 咳血:『黑龍江中醫藥』(1987, 1:45): 60세 여성. 咯血을 1일에 5~20회 하고 있었으며, 咳嗽, 胸脇의 脹痛滿悶이 약 1개월 되었다. 환자는 咯血 병력이 10여 건 있었으며, 기관지확장증으로 진단 받았다. 병세는 세절 및 기후와 관계 없었으나, 분노하거나 마음대로 일이 되지 않을 때 자주 咯血했으며, 咯血이 시작되면 소량의 咯血이 수개월 동안 지속되었다. 이번에는 1개월 전에 大怒했는데, 곧 胸悶을 느끼고, 빈번한 咳嗽가 이어지다가, 胸脇이 脹痛하여 鮮血을 약 100 mL 정도 토해냈다. 某의원 응급실에 가서 뇌하수체 후엽 관련 호르몬 10 U을 정맥주사 하여 겨우 咯血이 멈추었다. 이후로 매일 새벽에 기상하면 5~20回 咯血했다. 지혈제, 비타민 K_3, 페니실린 계열 항생제, 코데인 등 지혈·소염·

진해약을 사용했지만, 출혈량은 감소하지 않았다. 환자는 心煩, 性情急躁 등을 수반하고 있었다. 舌紅, 苔微黃, 脈弦數. 혈압: 170/100 mmHg. 흉부 청진시 우폐 하부에서 작은 수포음을 들을 수 있었다. 방사선 검사상 우폐 하부에서 음영이 증가하고, 가장자리에 산재된 點狀의 음영이 확인되었다. 한의학적 진단은 肝火犯肺型 咳血로 판단하여 咳血方加味를 처방했다. 方藥; 瓜蔞 20 g, 訶子·山梔子·海浮石·麥門冬 各 15 g, 牡丹皮 10 g, 青黛 5 g(衝) 水煎服하도록 하였다. 三劑 복용 후, 환자는 胸悶, 咳嗽가 줄어드는 것을 느꼈고, 胸脇脹痛이 경감했고, 咳血量이 감소하여, 현재는 1일 2~3회 咯血한다고 했다. 舌紅, 脈弦數. 三劑 추가 복용 후, 환자의 안색이 喜色이고, 胸脇痛이 더욱 호전되고, 咳嗽가 경감되고, 咳血은 그쳤는데, 가끔 咳痰에 소량의 血絲가 있었다. 三劑 추가 복용 후, 환자의 咳血이 멈추었고, 제반 症狀과 舌·脈이 정상이고, 오른쪽 폐 아래의 水泡音이 확실히 감소했다. 이후 2개월 동안 咳血은 재발하지 않았다. 그러나 3개월 후에 다시 咳血하여, 六劑를 더 복용한 후, 咳血이 멈추고 증상이 없어져서, 1주일 후 가사를 돌볼 수 있게 되었다.

考察: 이 咳血은 1회 정서불안으로 유발되었는데, 脇脹·心煩·胸悶·舌紅苔黃·脈弦數 등의 증상이 함께 보여 전형적인 木火刑金의 證이었다. 그러므로 清肝寧肺하는 咳血方에 凉血止血하는 牡丹皮를 加하였고, 麥門冬을 加하여 出血傷陰 및 熱邪灼陰의 後患을 함께 고려한 것이다.

小薊飮子

(『濟生方』, 錄自 『玉機微義』卷28)

【異名】 小薊湯(『醫學正傳』卷28)·小薊飮(『名醫指掌』卷3)

【組成】 生地黃 小薊根 滑石 通草 蒲黃 竹葉 藕節 當歸 梔子 甘草 各等分(各 9 g).

【用法】 위 藥味들을 잘게 쪼개어, 1회 半兩(15 g)씩 水煎하여 공복에 복용한다(현대에는 湯劑로 水煎服하며, 용량은 病證을 고려하여 增減한다).

【效能】 凉血止血, 利尿通淋.

【主治】 熱結下焦로 인한 血淋과 尿血로서 尿中帶血, 小便頻數, 赤澀熱痛, 舌紅, 脈數하는 증상을 치료한다.

【病機分析】 血淋은 五淋 중 하나이다. 『素問』「氣厥論」에는 "胞移熱于膀胱, 則癃溺血"이라고 하였고, 『金匱要略』에서 淋은 "熱在下焦"에 의한 것이라고 하였다. 이와 같이 血淋과 尿血은 熱이 膀胱에 모이거나, 心火가 膀胱으로 이동하여 나타난다. 『成方便讀』卷2에 "大抵血淋一證, 無不皆自心與小腸積熱而來. 心爲生血之臟, 小腸爲傳導之腑, 或心移熱于小腸, 小腸移熱于膀胱, 有不搏血下滲而爲淋者乎?"라고 기록된 내용이 그것이다. 이와 같이 熱이 下焦에 맺히면 血絡을 손상하고, 血이 아래로 膀胱으로 入하면 血이 尿를 따라 흘러나와, 尿中에 血이 보이는 것으로, 통증이 있으면 淋이라고 하고, 통증이 없으면 血尿라고 한다. 瘀熱이 蘊結하여 下焦에 阻滯되면, 膀胱의 氣化作用이 안되고, 小便이 頻數해지고 赤澀熱痛하게 된다. 舌紅, 脈數은 下焦熱結에 의한 증상이다. 따라서 본 方證의 病機는 熱結下焦, 損傷血絡이며, 主症은 尿中帶血, 小便赤澁熱痛이다.

【配伍分析】 本方證의 病因은 熱에 속하고, 病變部位는 下焦 膀胱에 있어, 血尿·血淋의 증상이 있다. 따라서 凉血止血, 利尿通淋하는 치료가 적절하다. 小薊는 甘·凉하여 心·肝 二經으로 歸하여 凉血止血하므로 血尿에 사용하고, 利尿하여 膀胱의 濕熱을 제거할 수 있으므로, 小薊는 本方에서 두 가지 작용을 하기

때문에 君藥으로 삼는다. 蒲黃은 "主心腹利尿通淋寒熱, 利小便, 止血, 消瘀血"(『神農本草經』卷1)한다. 藕節은 "止咳血, 唾血, 血淋, 溺血, 下血, 血痢, 血崩"(『本草綱目』卷33)하고, "和血脈, 散一切瘀血"(『本草綱目拾遺』卷7)한다. 生地黃은 "能生血補血, 凉心火, 退血熱, ……止嘔血衄"(『景岳全書』卷48)한다. 이 세 가지 약은 凉血止血, 化瘀養陰하므로 君藥을 도와서 塞한 것을 流하게 하며 根源을 清澄하게 만드는 효과를 강화하고, 止血하지만 瘀를 남기지 않고, 生血할 수 있으므로 모두 臣藥으로 삼는다. 熱이 膀胱에 맺히면 病勢가 아래를 향하므로 利導시키는 것이 좋은데 木通·滑石은 清熱利尿通淋하고, 竹葉·梔子는 清心瀉火, 利小便하고, 熱을 利尿通淋하여 내보낸다. 또한 血淋·血尿는 陰血을 소모하며 熱邪는 灼陰하기 쉽다. 게다가 많은 종류의 滲利藥은 陰을 傷하기 쉬우므로 當歸를 生地黃과 合하여 滋陰養血하여 陰血耗傷의 患을 고려해야 한다. 그 외에도 當歸는 溫하고, 活血하기 때문에, 여러 寒涼의 藥이 과도할 때에 적당하며, 止血하지만 瘀滯의 弊가 없다. 이상의 약들은 佐藥으로 삼는다. 甘草는 緩急止痛, 和中調藥하니 使藥으로 삼는다. 이 모든 약들을 배오하여 凉血止血, 利尿通淋의 효과를 거둘 수 있다.

本方 配伍 특징: 이 方劑는 凉血止血과 瀉火通淋을 함께 사용하는데, 凉血止血을 主로 하고, 瀉火通淋을 輔로 한다. 凉血止血 중 化瘀가 있고, 瀉火通淋 중 養陰을 돕는 효능이 있다. 方中 小薊·蒲黃·藕節·生地黃는 凉血止血하고, 滑石·木通·竹葉·梔子는 清熱通淋하니, 이 두 종류의 약들이 주요 구성 성분이고, 臨床에서 熱과 實에 속하는 尿血·血淋을 치료한다.

【類似方比較】 本方과 四味丸은 모두 凉血止血의 方劑로서 출혈에 사용한다. 단, 四味丸은 凉血止血을 주로 하여, 血熱妄行, 氣化上逆의 吐衄에 사용된다. 本方은 凉血止血 중 化瘀가 있고, 瀉火通淋 중 養陰이 있어, 利尿通淋을 주로 하여, 下焦熱結, 血脈 손상으로 인한 血淋·血尿에 쓰인다.

【臨床應用】

1. 證治要點: 本方은 實熱症에 속하는 血淋·尿血에 사용하는 방제인데, 小便赤澁熱痛, 舌紅, 脈數이 證治要點이다.

2. 加減法: 本方의 炙甘草는 清熱瀉火하는 生甘草 혹은 甘草梢로 바꾸어 사용할 수 있다. 만약 瘀熱이 盛하고, 소변의 赤澀熱痛이 심한 경우는 清熱利濕하는 石葦·蒲公英·黃柏을 加한다. 만약 血淋尿道疼痛이 심한 경우는 通淋化瘀止痛하는 琥珀·海金沙를 加한다. 血淋尿血이 오래되어 氣陰이 모두 상한 사람은, 寒滑滲利하는 木通·滑石을 減하고, 補氣養陰하는 黨參·黃芪·阿膠 등을 加한다.

3. 小薊飮子는 다음 한국표준질병사인분류(KCD)에 해당하는 환자가 熱結下焦證으로 辨證되는 경우 본 처방의 사용을 고려해볼 수 있다.

처방 목표	한국표준질병사인분류(KCD)
急性泌尿器系感染	N39.0 부위가 명시되지 않은 요로감염
泌尿器結石	N20 신장 및 요관의 결석
	N21 하부요로의 결석

【注意事項】

1. 本方은 다수의 性寒通利의 약을 사용하므로 久服에는 적당하지 않다. 특히 血淋이 오래되어 正氣가 虛해진 경우는 本方이 적당하지 않다. 또한 임산부는 사용을 금한다.

2. 血尿는 많은 질병에서 단 하나의 증상일 뿐이며, 반드시 종양, 결석, 결핵, 선천기형 및 혈액계통 질환을 배제 진단하고 사용해야 한다.

【變遷史】 本方은 南宋 嚴用和가 『小兒藥證直訣』의 "導赤散"에 小薊·滑石·炒蒲黃·藕節·當歸·山梔子를 加한 것이며, 導赤散은 北宋 소아과의 名家인 錢乙이 小兒心熱, 혹은 心熱이 小腸으로 옮겨간 증상을 치료

하기 위해 만든 것이다. 嚴氏는 淸心利水養陰하는 本方에 凉血止血, 利尿通淋하는 藥을 加味하여, 下焦結熱血淋에 사용했다. 淸의 吳謙 등은 『醫宗金鑑』에서 本方을 尿血과 莖中不時作痛에 사용했다.

【難題解說】

1. 血淋과 血尿의 구별에 관하여: "淋"은 통상 소변의 急迫·短·數·澀·痛의 病證을 말하는데, 만약 소변에 혈액이 섞여 있으면 血淋이라고 한다. 血尿는 "溺血", "溲血"이며 소변 중 혈액 혹은 血塊가 섞여있는 것을 말하지만, 배뇨 시에 명확한 疼痛은 없다. 그래서 일반적으로 통증이 있으면 血淋, 아프지 않으면 尿血이라고 한다. 한의학에서 혈뇨는 육안으로 보이는 혈뇨이다. 서양의학의 血尿는 육안으로 보이는 혈뇨 뿐만 아니라, 현미경으로 관찰하는 혈뇨와 헤모글로빈뇨를 포함한다.

2. 本方의 君藥에 관하여: 汪紱은 本方證을 "結熱下焦", "腎陰不足"이라고 인식하였기 때문에 "滋腎水, 安相火"하는 生地黃을 君藥이라고 하였다. 그러나 張秉成은 方證을 "心移熱于小腸, 小腸移熱于膀胱"으로 인식하여, 淸心火, "淸其源"하는 山梔子·木通·竹葉의 세 가지 藥이 本方의 君藥이라고 하였다. 『方劑學』5板에서는 凉血止血하는 小薊를 君藥이라고 했지만, 6판에서는 生地黃을 "量多, 凉血止血, 養陰淸熱"하므로 君藥이라고 하였다. 그러나 熱邪가 下焦의 血分에 맺히면, 血絡을 손상하고, 血淋·尿血이 되지만 비록 陰이 상하더라도, 陰虛가 현저하지 않기 때문에, 滋陰壯水하는 生地黃을 君이라고 하는 주장은 적절하지 않다. 山梔子·木通·竹葉은 비록 淸熱利尿하지만 凉血止血의 약재가 아니므로 補佐한다고 할 수 있지만, 君藥이라고 하는 것은 적당하지 않다. 本方의 小薊는 方名에 사용되고 있으며, 小薊는 性凉滋潤하고, 血分으로 入하여 下焦 血分의 結熱을 去하고, 散瘀利尿할 수 있는데, 血熱이 淸을 얻으면, 血이 妄行하지 않고, 止血하면서 留瘀를 하는 弊를 막을 수 있다. 따라서 小薊는 당연히 방중의 君藥이 된다. 6板에서는 生地黃 용량이 많아서 君藥으로 삼는다고 하였으나 역시 합당하지 않다. 生地黃은 味厚質重하여, 원재료의 용량이 상대적으로 큰 것 뿐이다. 또한 小薊飮子는 『玉機微義』卷28에서 인용한 『濟生方』에 처음으로 수록되어 있는데, 여기에서는 모든 약재의 용량이 균등하고, 『醫方集解』·『成方便讀』등에서도 용량이 균등하다. 근년에 浙江中醫研究所 등에서 編著한 『重訂嚴氏濟生方』 "小便門"에는 "小薊飮子治下焦結熱血淋. 生地(洗)四兩, 小薊根·滑石·通草·蒲黃(炒)·淡竹葉·藕節·當歸(去蘆, 酒浸)·山梔子仁·甘草(炙)各半兩."으로 기록되어 있어서, 『方劑學』 6版에서는 이것을 인용한 것이다. 그러나 『重訂嚴氏濟生方』은 『濟生方』과 『濟生續方』을 합하였으나, 옛 모습을 정확하게 반영하지 못하고 있어, 本方의 용량은 『玉機微義』의 기록에 따라야 한다. 원서에 生地黃을 重用하는 뜻이 없으므로, 生地黃의 용량이 커서 君으로 한다는 주장은 성립할 수 없다.

槐花散

(『普濟本事方』卷5)

【異名】 槐花湯(『醫學統旨』, 錄自 『證治準繩』「類方」卷3).

【組成】 槐花 *炒* 柏葉 *焙* 荊芥穗 枳殼 去瓤, 細切, 麩炒 各等分.

【用法】 위 약재들을 細末로 만들어 二錢(6 g)씩 淸米飮에 섞어서 공복이나 食前에 복용한다(현대에는 湯劑로 복용하는 것도 가능하며, 용량은 병세를 고려하여 정한다).

【效能】 淸腸止血, 疏風行氣.

【主治】 風熱濕熱이 腸道를 壅遏하여 血絡을 損傷

하여 생긴 便前出血, 或便後出血, 或糞中帶血하고, 血色鮮紅, 或晦暗하며, 舌質紅, 脈數或弦數한 증상을 치료한다.

【病機分析】 本方은 大便下血을 主治하는데, 風熱邪毒 혹은 濕熱毒邪이 腸道를 막아, 血絡이 손상되어, 血이 밖으로 흘러 생기는 것이다. 風熱은 陽邪인데, 風熱이 서로 속박하면, 血絡을 損傷시키고, 血이 乏逼되면 腸中에 入하였다가 신속하게 出하기 때문에 便前에 出血이 있고, 血色이 鮮紅色이며, 氣勢가 急迫한 것이다. 만약 濕熱蘊結하여, 腸道의 血絡까지 상하게 되면 또한 便血이 나타나게 되는데, 그러나 濕邪穢濁으로 氣機가 막혀서 쉽게 停滯하기 때문에 腸道의 氣血이 瘀滯하여 便後 出血이 많거나, 糞中에 血이 있고, 血色이 晦暗한 것이다. 舌質紅, 脈數或弦數 등은 모두 熱에 의한 證이다.

【配伍分析】 本方은 風熱 혹은 濕熱이 腸道를 막아 생기는 大便下血에 사용하기 위해 만들어진 것으로, 淸腸하고 凉血止血한다. 方中의 槐花는 苦·寒하여 大腸濕熱을 去하고, 동시에 凉血止血하므로 君藥이 된다. 側柏葉은 苦·澁·微寒하여 淸熱凉血, 燥濕收斂하니 熱로 인한 出血에 사용하고, 槐花와 서로 합하면 凉血止血의 효능을 강화하므로 臣藥이 된다. 辛散疏風散邪하는 荊芥穗는 血分에 入한 陽을 밖으로 除去하고, 下流하는 氣를 上升하도록 하여, 君臣藥과 함께 疏風理血, 散瘀消腫한다. 寬腸行氣하는 枳殼은 腸胃腑氣를 따라 下行하니 荊芥와 같이 사용하면 一升一降하여, 邪毒을 分消한다. 또한 枳殼은 氣를 運行하도록 하여 瘀를 방지하는 의미가 있어, 荊芥穗와 枳殼은 모두 佐藥이 된다. 이렇게 모든 약을 함께 사용하면 凉血止血, 疏風行氣, 淸腸道濕熱, 疏腸中風邪, 淸風熱·濕毒하므로, 便血이 스스로 멈추게 된다.

本方 配伍의 특징은 止血·收澁藥과 淸疏·行氣藥를 함께 사용한 것이다. 따라서 便血을 그치게 하지만 腸間에 濕熱이 滯留하는 것을 예방할 수 있다.

本方의 劑型은 散이며, 槐花를 君藥으로 하기 때문에 "槐花散"이라고 命名하였다.

【臨床應用】

1. 證治要點: 本方은 熱症의 便血에 사용하는 方劑이다. 臨床에서는 血色이 鮮紅이고, 舌紅, 脈數을 證治要點으로 한다.

2. 加減法: 大腸에 熱이 盛한 경우는 淸腸中濕熱하는 黃連·黃柏을 加한다. 下血量이 많은 경우는 淸腸止血하는 地楡를 加한다. 便血이 오래되어 血虛·氣虛인 경우는 補血·補氣하는 人蔘·黃芪·白朮·當歸·甘草 및 升擧하는 葛根·升麻를 加한다.

3. 槐花散은 다음 한국표준질병사인분류(KCD)에 해당하는 환자가 風熱濕熱, 壅遏腸道, 損傷血絡證으로 辨證되는 경우 본 처방의 사용을 고려해볼 수 있다.

처방 목표	한국표준질병사인분류(KCD)
痔瘡出血, 大便下血	K64 치핵 및 항문주위정맥혈전증
血熱	(질병명 특정곤란)
	K92.1 흑색변
	K92.2 상세불명의 위장출혈
結腸炎에 의한 血熱	K52 기타 비감염성 위장염 및 결장염
	A09 감염성 및 상세불명 기원의 기타 위장염 및 결장염
大腸癌에 의한 血熱	C18 결장의 악성 신생물
	C20 직장의 악성 신생물

【注意事項】

1. 本方은 藥性이 寒凉하므로 오래 복용하는 것은 적당하지 않다. 中焦虛寒으로 인해 大便下血하는 사람은 신중하게 사용해야 한다.

2. 本方은 중국에서는 생산되는 散劑가 없어서, 점차 槐角丸 등의 丸藥으로 대체되고 있으니 임상에서 주의해야 한다.

3. 本方은 원인이 단순한 大腸下部 出血에 대해 치료효과가 있다. 병이 오래되어 원인이 복잡하고, 잘 낫지 않는 便血에 대해서는 本方은 治標만 가능할 뿐 治本은 불가능하니, 病因을 조사하여 根治의 방법을 찾아야 한다.

【變遷史】 本方은 南宋의 許叔微가 『太平惠民和劑局方』卷8의 "槐角丸"에서 當歸·黃芩을 去하고, 槐角을 槐花로 바꾸고, 地楡를 側柏葉으로 바꾸고, 荊芥穗를 防風으로 대체하여 만든 것이다. 그래서 槐角丸은 大腸濕熱, 痔漏腫痛, 大便下血에 사용하였으나, 槐花散은 腸風·腸毒을 치료하고, 淸腸止血, 疏風行氣의 효능이 있다. 李杲의 『蘭實秘藏』卷下에 기록된 槐花散은 本方에서 側柏葉·枳殼을 去하고, 川芎·陳皮·熟地黃·白朮·當歸身·升麻를 加하여, 淸腸止血·養營疏風의 효과를 가지고 있으며, 腸壁下血, 濕毒下血을 주로 치료한다. 明의 龔廷賢의 『壽世保元』卷4의 槐角丸은 槐角을 槐花로 바꾸어 이용하고, 黃芩·地楡·黃連·黃柏·防風·當歸尾를 加하여, 淸腸止血, 祛風化濕하며, 腸風下血을 主治한다. 本方을 현대에서는 風熱邪毒 혹은 濕熱毒邪가 腸道를 막아 생긴 血絡損傷과 痔瘡出血에 사용하고 있다.

【難題解說】

1. 腸風·臟毒의 개념: 本方의 原書에는 "腸風·臟毒"을 主治한다고 기록되어 있다. 腸風·臟毒은 고대에 血色의 淸濁에 따라 그 병명을 만들었는데, 즉 血淸하며 색이 선명하면 腸風이고, 濁하고 어두운 것은 臟毒이다. 腸風은 네 가지의 원인이 있다. ① 痔出血(『世醫得效方』卷7). ② 臟腑勞損으로 인한 氣血不調 및 風冷熱毒이 大腸에 속박되어 일어나는 便血(『太平聖惠方』卷60). ③ 風痢(『三因極一病證方論』卷9). ④ 大便下血, 糞前, 鮮紅色(『壽世保元』卷4). 臟毒은 네 가지 원인이 있다. ① 腸中에 쌓인 毒이 일으킨 痢疾(『三因極一病證方論』卷15). ② 內傷이 쌓인 것이 오래되어 일어난 便血로서, 色暗, 便後血(『醫學入門』卷4). ③ 肛門腫硬, 疼痛流血(『血症論』卷4). ④ 肛門癰. 한편 張秉成은 "腸風者, 下血新鮮, 直出四射, 皆由便前而來. 或風客腸中, 或火淫金燥, 以致灼傷陰絡, 故血爲之逼入腸中而疾出也. 臟毒者, 下血瘀晦, 點滴而下, 無論便前便後皆然. 此皆由于濕熱蘊結, 或陰毒之氣, 久而釀成"(『成方便讀』卷2)이라고 하였다.

2. 本方에서 荊芥穗를 이용하는 의의: 方中 荊芥穗는 疏風泄熱, 理血止血의 효능을 가지고 있고, 大便下血, 痔瘡下血을 치료하는 藥이다. 『神農本草經』卷2에서 "主寒熱, 鼠瘻, 瘻癧生瘡, 破結聚氣, 下瘀血, 除濕痹."라 하였다. 그리고 『本草綱目』卷14에서는 "疏風熱, 散瘀血, 破結氣, 消瘡毒", "風病·血病·瘡病之要藥"이라고 했다. 『本草經疏』卷9에는 "荊芥, 輕揚之劑, 散風淸血之藥也. ……凡一切風毒之證, 已出未出, 欲散不散之劑, 以荊芥之生用, 可以淸之. ……凡一切失血之證, 已止未止, 欲行不行之勢, 以荊芥之炒黑, 可以止之. 大抵辛香可以散風, 苦溫可以淸血, 爲血中風藥也."이라고 하였다. 이와 같이 荊芥穗는 大便下血에 사용하였음을 알 수 있다. 또한 역대 의가들은 腸風·臟毒下血, 痔瘡下血에 대해서 荊芥의 疏風散邪, 理血止血, 祛瘀消腫 효능을 사용하고 있다. 예를 들어『聖濟總錄』卷141의 荊芥散, 『三因極一病證方論』卷15의 荊芥散, 『潔古家珍』의 槐花散, 『蘭實秘藏』勸下의 槐花散, 『壽世保元』卷4의 百葉湯·槐角丸, 『證治準繩』「類方」卷3의 腸風黑散, 『景岳全書』「新方八陣」卷51의 約營煎, 『醫學入門』卷7의 當歸和血散, 『外科大成』卷2의 槐角地楡丸, 『血症論』卷7의 槐角丸 等이다. 종합하면 荊芥는 風熱邪毒 혹은 濕熱毒邪, 腸道壅遏이 일으키는 大便下血을 치료하는 要藥이다.

【副方】 槐角丸(『太平惠民和劑局方』卷8): 槐角 去枝梗, 炒 一斤 地楡 當歸 酒浸一宿, 焙 防風 去蘆 黃芩 枳殼 去瓤, 麩炒 各半斤

- 用法: 위의 약을 粉末로 만들어, 酒와 糊로 반죽하여 梧子大의 丸으로 만든다. 1회 30丸(9 g)을 米飮과 함께 복용하고, 시간에는 구애받지 않는다.

• 作用: 凉血止血, 疏風理氣.
• 適應症: 腸風下血, 痔瘡, 脫肛, 風邪熱毒 혹은 濕熱에 속하는 경우.
• 方解: 方中 槐角은 君藥으로 淸腸凉血止血한다. 地楡·黃芩은 臣藥으로 淸熱止血한다. 防風은 承發淸陽, 枳殼은 疏暢氣機한다. 防風과 枳殼은 비록 止血作用이 없지만 升浮·調氣하므로 槐角·地楡를 돕는다. 當歸는 養血, 活血, 補血하므로, 止血하되 停瘀하지 않는다. 따라서 防風, 枳殼, 當歸는 佐藥이다. 이와 같이 本方은 모든 약을 사용하여 腸風·痔血에 效驗이 있다.
• 類方比較: 槐花散과 槐角丸은 모두 槐花 혹은 槐角과 行氣하는 枳殼, 疏風하는 荊芥 혹은 防風으로 구성되는데, 모두 淸腸止血·疏風行氣의 효능이 있어 便血에 사용한다. 그러나 槐角丸은 黃芩·地楡·當歸를 배합하여, 淸熱止血의 효능이 현저하고 養血活血의 작용을 겸하기 때문에 痔瘡出血에 더욱 알맞다. 槐花散은 간단하게 구성되어 단순한 便血에 사용한다.

黃土湯

(『金匱要略』)

【異名】 伏龍肝湯(『三因極一病證方論』卷9)·伏龍肝散(『脈因症治』卷上)·黃土散(『何氏濟生論』卷2).

【組成】 竈心黃土 半斤(30 g) 白朮 附子 炮 乾地黃 阿膠 甘草 黃芩 各三兩(各 9 g)

【用法】 위 七味를 물 八升으로 달여서 三升이 되면 취하여, 두 번으로 나누어 溫服한다(現代用法: 먼저 竈心土를 水煎하여 汁을 취하고, 나머지 약을 다시 끓여 阿膠를 녹여서 服用한다).

【效能】 溫陽健脾, 養血止血.

【主治】 脾陽不足, 脾不統血으로 인한 大便下血, 吐血, 衄血, 婦人崩漏 등에 활용하며 血色黯淡, 四肢不溫, 神倦無力, 口淡不渴, 面色萎黃, 舌淡苔白, 脈沉細無力하는 증상을 치료한다.

【病機分析】 脾는 統血을 주관하고, 氣는 攝血하는데, 脾陽이 부족하면 脾虛하게 되어 統攝 기능이 안되어, 血이 상부로 넘치면 吐·衄이 되고, 하부로 흐르면 便血·崩漏가 된다. 血色黯淡, 四肢不溫, 神倦無力, 口淡不渴, 面色萎黃, 舌淡苔白, 脈沉細無力 등은 모두 脾氣虛寒, 陰血不足의 증상이다. "下血, 先便後血者, 由脾虛氣寒, 失其統御之權, 而血爲之不守也"(『金匱要略心典』卷下)라 하였고 "經言大腸·小腸皆屬于胃. 又云, 陰絡傷則血內溢, 今因胃中寒邪, 幷傷陰絡, 致淸陽失守, 迫血下溢二腸, 遂成本寒標熱之患"(『張氏醫通』卷5)이라 하였다. 임상적으로는 便血 或崩漏, 或吐衄으로 나타나지만, 그 본질은 숨겨져 있는 "虛"와 "寒"이다.

【配伍分析】 本方證의 標는 便血이고, 本은 虛寒이므로, 標本을 兼顧하는 방법으로 溫陽健脾, 養血止血로 치료하는 것이 적당하다. 方中의 竈心黃土는 伏龍肝을 말하며, 辛·溫·澁하여 溫中·收澀·止血하므로 君藥이다. 그러나 脾氣虛寒으로 인한 失血에는 溫中健脾를 겸하여야 하므로, 溫陽健脾하는 白朮·附子를 사용하여 脾胃의 統血·攝血기능을 회복할 수 있도록 하니, 白朮·附子는 臣藥이 된다. 그러나 白朮·附子는 辛·溫하여 耗血·動血하기 쉬운데, 出血이 오래되면 陰血이 반드시 소모되기 때문에, 生地黃·阿膠의 滋陰養血止血로 補佐해야 한다. 또한 黃芩은 苦·寒하여 止血한다. 白朮·附子는 生地黃·阿膠의 滋膩한 性味를 制約하고, 生地黃·阿膠는 白朮·附子의 溫燥한 性味가 지나쳐서 耗血·動血 되는 것을 制約한다.

【類似方比較】 黃土湯과 歸脾湯은 健脾養血하여 脾不統血에 의한 便血·崩漏에 사용할 수 있다. 그러나 歸脾湯은 脾氣不足, 氣不攝血에 사용하며, 益氣健脾하는 黃芪·人蔘 등을 위주로 구성하여 攝血한다. 黃土湯은 脾陽不足, 陽虛失攝에 사용하며, 溫陽攝血하는 竈心土·白朮·附子 등을 위주로 구성하여 攝血한다.

【臨床應用】

1. 證治要點: 原著에서는 "下血, 先便後血, 此遠血也, 黃土湯主之." 本方은 원래 便血에 사용하기 위해 만들어진 것인데, 陽虛不能統攝에 속하는 다른 부위의 出血에도 사용이 가능하며, 血色黯淡, 舌淡, 苔白, 脈沉細無力한 것이 證治要點이다.

2. 加減法: 식사가 곤란한 경우는 滋膩의 성질을 줄이기 위해 阿膠를 阿膠珠로 바꾼다. 氣虛가 심한 경우는 益氣攝血하는 人蔘을 加한다. 出血이 많은 경우는 止血하는 三七·白芨 등의 약재를 加한다. 便溏한 사람은 苦寒의 성질을 줄이기 위해 黃芩을 炒炭하여 사용하고, 溫中하는 炮姜을 加한다.

3. 黃土湯은 다음 한국표준질병사인분류(KCD)에 해당하는 환자가 脾陽不足, 脾不統血證으로 辨證되는 경우 본 처방의 사용을 고려해볼 수 있다.

처방 목표	한국표준질병사인분류(KCD)
慢性胃腸管出血	K25 위궤양
	K26 십이지장궤양
	K27 상세불명 부위의 소화성 궤양
	K62.5 항문 및 직장의 출혈
	K92.1 흑색변
慢性機能性子宮出血	N93.8 기타 명시된 이상 자궁 및 질 출혈_기능성자궁출혈

【注意事項】 本方은 陽虛로 인한 出血에 사용하며, 實熱로 인한 出血에 속하는 경우는 복용을 禁한다. 外感이 있는 경우도 사용하지 않는다.

【變遷史】 本方은 『金匱要略』「驚悸吐衄下血胸滿瘀血病脈證治」에 "下血, 先便後血, 亦主吐血·衄血"라고 최초로 기록되어 있다. 이후 역대 의가들은 本方의 主治 범위를 확장시켰다. 『張氏醫通』卷5에는 "陰絡受傷, 血從內溢, 先血後便, 及產後下痢"에 사용했다. 『類聚方廣義』에서는 "治吐血·下血, 久久不止, 心下痞, 身熱惡寒, 面青體瘦, 脈弱, 或腹痛下利, 或微腫子. 臟毒痔疾, 膿血不止, 腹痛濡瀉, 小便不利, 面色萎黃, 日漸瘦瘠, 或微腫者"에 사용했다. 黃土湯은 黃土에 附·膠·芩을 배합했는데, 이와 같이 止血藥과 溫裏藥, 養血藥, 淸熱藥을 배합하는 방식을 확립하여, 陽虛로 인한 出血에 溫陽止血法을 사용하는 데에 영향을 미쳤다. 唐 孫思邈의 『備急千金要方』卷12에 기재된 黃土湯은 本方에서 白朮·黃芩·附子를 去하고 乾薑·桂心·當歸·芍藥·白芷·川芎·細辛·吳茱萸를 加하여 만들었는데, 吐血 및 衄血에 사용한다. 그리고 동일 서적에 다른 黃土湯이 있는데, 이것은 本方에서 地黃·附子를 去하고, 乾薑을 加하여, 卒吐血 및 衄血에 사용했다. 같은 서적의 伏龍肝湯은 本方에서 附子·白朮을 去하고, 發灰·乾薑·地榆·牛膝을 加하여, 下焦의 虛寒 혹은 先血後便에 사용했다. 『外臺秘要』卷3에서 인용한 『深師方』의 黃土湯(當歸·甘草·芍藥·黃芩·川芎·桂心·生地黃·黃土·靑竹皮)은 脾衄 혹은 吐血에 사용했다. 『普濟方 』卷 334에서 인용한 『十便良方』의 茯苓肝散(附子·續斷·人蔘·乾薑·桂心·甘草·伏龍肝·赤石脂·生地黃)은 "婦人月水不斷, 胞內積有虛冷, 或多或少, 乍赤乍白"에 사용했다. 『保命集』卷下의 黑地黃丸(蒼朮·熟地黃·川姜)도 "脫血脾寒"에 사용하였다.

【難題解說】

1. 本方에서 黃芩을 配伍하는 의의: 黃土湯에 苦·寒한 黃芩을 配伍하는 것에 대해서 역대로 많은 논의가 있었으며 크게 둘로 나눌 수 있다. 하나는 方中에서 黃芩의 효능을 淸熱瀉火로 인식하는 것이다. 唐宗海가 "血傷則陰虛火動, 故用黃芩以淸火"(『血症論』卷8)라고 한 것이 그것이다. 두 번째는 方中에서 黃芩이 朮·附의 溫燥한 성질을 제약하는 反佐作用을 갖는다고 인

식하는 것이다. 尤怡가 "慮辛溫之品, 轉爲血病之厲, 故又以黃芩之苦寒, 防其太過, 所謂有制之師也."(『金匱要略心典』卷下)라고 한 것이 그것이다. 『方劑學』 5版에서는 尤氏의 견해를 따라, "更配苦寒之黃芩與甘寒滋潤之生地·阿膠, 共同制約朮·附過于溫燥之性."이라고 했다. 필자는 黃芩은 方中에서 淸肝熱, 止血하므로 佐制로서의 쓰임이 있다고 생각한다. 肝은 藏血之臟으로서 일정한 血을 저장하여 肝의 陽氣升騰을 제약하여, 肝의 疏泄 기능을 보호하므로 肝의 藏血은 出血을 방지하는 중요한 기능인 것이다. 지금 脾虛가 統攝 기능을 잃고 오래도록 養血하지 못하면, 肝體가 失養하게 되어 肝이 藏血하지 않으면, 반드시 陽氣升泄이 過하여 熱이 생기고, 熱이 血行을 핍박하여, 출혈을 일으키게 된다. 따라서 黃芩의 淸肝熱을 配伍하여, 肝虛生熱을 조절한다고 하였는데, 『張氏醫通』卷5의 "黃芩佐地黃分解血實之標熱"과 『絳雪園古方選註』卷中의 "佐以生地·阿膠·黃芩入肝以治血熱"이 그러한 내용을 지지하는 견해이다.

黃芩의 止血 작용에 대해서는 세 가지로 이유를 들 수 있는데, ① 이는 많은 의가들의 견해를 근거로 한다. 예를 들어, 『名醫別錄』에서 黃芩을 이르기를 "療痰熱……淋露下血."『本草綱目』卷13에서 "治風熱……諸失血."한다고 하였다. 『景岳全書』「本草正」卷48에서도 "能除赤痢……便血·漏血."이라고 했다. 이것은 역대 의가들이 黃芩의 止血作用에 대해 이미 인식하고 있었음을 설명하는 것이다. 근대의 陸淵雷 역시 "用黃芩者, 平腸部之充血, 減低其血壓, 使血易止也"(『金匱要略今釋』卷5)라고 인식했다. 光明日報 1981년 8월 6일 4판에 日本 東京大學 藥學科 三川潮 敎授의 연구 결과가 발표되었는데, 黃芩을 淸熱과 解毒에 사용하는 것 외에도 혈액응고를 촉진하는 작용이 있다는 것이다. ② 실제 임상 경험에서 역대 의가들은 黃芩을 止血 방면으로 사용했다는 것을 알 수 있다. 예를 들어, 『千金翼方』卷20에서 黃芩 四兩을 가늘게 잘라서 물 五升으로 끓여 二升을 취하여 3회로 나누어 먹어 下血을 다스린다고 하였다. 『普濟本事方』卷10에서는 黃芩을 細末하여 1회 一錢을 복용하여, 燒秤錘淬하고 술로 내려, 崩中下血에 사용했다. ③ 近代에는 黃芩의 止血作用을 명확하게 지적하고 있다. 예를 들어, 凌一揆 主編의 『中藥學』에서 黃芩에 대해 "用于內熱亢盛, 迫血妄行所致的吐血·咳血·衄血·便血·血崩登證", "黃芩具淸熱與止血雙重作用"이라고 했다. 『中藥大辭典』에서도 黃芩을 "瀉實火·除濕熱·止血·安胎"라고 했다.

이와 같이 黃芩은 黃土湯에서 朮·附溫燥之性을 制約하는 것 외에도, 淸肝·止血의 목적으로 사용한 것이다.

2. 竈心土의 대용품에 관하여: 竈心土는 오랫동안 柴草로 熏燒시킨 竈底의 중심의 흙덩어리인데, 희귀하여 구하기 어렵다. 그래서 반드시 선택해야 할 一味이지만 비슷한 약물로 대체시킬 수 있다. 역대 의가들의 경험과 현대의 실제 사용을 고려하면, 赤石脂로 그것을 대체할 수 있다. 예를 들어, 陳修園의 『金匱要略淺注』卷7의 黃土湯條에 "愚每用此方以赤石脂一斤代黃土如神."라고 하였고, 朱顔의 『中藥的藥理與應用』에서 赤石脂와 伏龍肝은 모두 高嶺土와 비슷하고 주로 吸着作用을 하여, 內服하면 消化道內의 毒物 및 식물의 異常 醱酵로 생긴 물질 등을 흡수할 수 있고, 胃腸出血에 대해서도 止血作用이 있다고 하였다. 또한 赤石脂는 止血作用 뿐아니라 潰瘍面을 보호할 수 있어, 胃 및 十二指腸潰瘍으로 발생한 出血症에 사용할 수 있다. 또 다른 보고에서, 黃土湯의 黃土를 赤石脂로 대신하여, 胃腸出血症에 대해 만족할만한 치료효과를 얻었다고 했다(浙江中醫雜志, 1964, 2:11). 赤石脂를 사용할 때는 極細末하여야 하며, 布로 쌓아서 달일 필요는 없고, 끓인 후 침전시킬 필요 없이, 전탕액이 식은 후에 휘저어 마시면, 止血 효력을 강화시킬 수 있다.

【醫案】

1. 便血 『吳鞠通醫案』卷2: 24세 福某. 병후 몸을 조리하는 동안 찬 음식을 끊을 수 없었고, 大便 後에 便血이 쏟아지는 듯하여, 『金匱』의 黃土湯을 처방하였

다. 一劑에 黃土는 1斤을 이용하고, 附子는 八錢을 이용했다. 30여 劑지 복용 후, 血이 그치기 시작했다.

『蒲輔周醫案』: 여성, 58세. 대변 후 혹은 대변을 보지 않을 때에도 항문으로 대량의 鮮血이 흘렀다. 1회 流血量은 1~2 찻잔 정도였고, 1일 2~3차례, 20여 일 지속 되었다. 兩側의 少腹에 모두 隱痛이 있고, 머리가 어지럽고, 마음이 두근거리고, 숨이 가쁘고, 땀이 흘렀으며, 얼굴이 붓고, 다행히 식사는 가능했다. 평소 失眠 및 關節疼痛이 있었고, 폐경한 지 2년 정도 되었다. 脈沉數, 舌微黃無苔. 黃土湯을 加味하여 처방했다. 熟地黃 一兩, 白朮 六錢, 炙甘草 六錢, 黑附子 三錢, 黃芩 二錢, 阿膠 五錢, 側柏葉(炒) 三錢, 黃土 二兩. 끓는 물에 황토를 용해시켜, 침전시킨 다음 水煎하여, 二劑를 복용했다. 재진 시, 출혈은 이미 호전되었으나, 여전히 심장이 뛰고, 숨이 차며, 머리가 어지럽고, 땀이 흐르는 것은 없었다. 舌無苔, 脈沉數. 三劑를 추가 복용한 후, 便血이 현저하게 감소하였다. 益氣滋陰補血하는 약으로 사후관리를 도왔다.

2. 咯血『江西中醫藥』(1984, 4:11): 35세 여성. 15일 정도 咳嗽하다가 최근 4일은 咯血하였다. 中西醫藥에도 咯血이 멈추지 않았다. 진료시 咳嗽에 無痰하고, 어지러워 힘이 없었다. 舌苔薄白, 脈細軟. 溫攝하는 黃土湯을 처방하였다. 制附子 6 g, 白朮 15 g, 乾地黃 15 g, 黃芩 9 g, 阿膠 15 g, 竈心土 50 g, 甘草 6 g. 2제 복용 후, 咯血이 멈추었다. 前方에 沙蔘 15 g을 加하여 三劑를 복용한 후, 완치되었다.

3. 血淋『下南中醫』(1983, 5:42): 32세 남성. 性交 후 몸이 바닥으로 떨어지는 느낌이 들고, 尿急하나 點滴하여 不通하며, 陰莖에 칼로 베인 듯 통증이 있었고, 소변에 옥수수 알갱이 크기 4, 5개의 血餅이 나온 적이 있었다. 반년 동안 다양한 치료를 받았으나 효과가 없었다. 진료시 面色이 황색이고, 脣紅, 舌紅, 苔薄白, 兩尺脈沉遲無力. 淸熱溫脾, 固腎攝血하여 치료하기로 하였다. 處方: 土炒白朮 9 g, 九蒸熟地黃 9 g, 黃芩 6 g, 阿膠 9 g, 炮附子 4.5 g, 竈心土 12 g, 甘草 3 g, 식후에 복용하도록 하였다. 十五劑를 복용한 후, 완치되었다. 이후 4년 동안 재발하지 않았다.

考察: 案1의 두 가지 예는 모두 黃土湯을 이용해 치료했다. 첫 번째 예는 病後 차가운 과일을 끊을 수 없었는데, 脾胃兩虛, 統攝失職으로 인해 便血이 생겨, 黃土湯을 처방하여 치료되었다. 두 번째 예는 脾胃兩虛, 統攝無權에 속했는데, 失血量도 많고 오래되어, 陰虛生血했기 때문에, 黃土湯에 炒側柏葉을 加하여 二劑를 복용하여 병세가 호전되었고, 계속해서 益氣滋陰補血하는 방법으로 사후관리를 했다. 案2의 咯血은 病位가 肺에 있고, 病本이 脾胃에 있었는데, "虛則補其母"의 원칙에 따라, 黃土湯으로 培土生金하여 나았다. 案3의 血淋은 여러 치료가 효과가 없었는데, 脾腎兩虛에 속하므로 黃土湯을 처방하여 역시 좋은 효과를 얻었다.

膠艾湯(芎歸膠艾湯)

(『金匱要略』)

【異名】 當歸散(『普濟方』卷342)·膠艾四物湯(『醫學入門』卷8)·阿膠蘄艾湯『明醫指掌』卷9)·艾葉地黃湯(『産孕集』卷上).

【組成】 川芎 阿膠 甘草 各二兩(各 6 g) 艾葉 當歸 各三兩(各 9 g) 芍藥 四兩(12 g) 乾地黃 四兩(12 g)

【用法】 물 五升, 淸酒 三升을 합해 끓여 三升을 취하여, 찌꺼기를 제거하고, 阿膠를 넣어 용해시킨 다음, 一升씩 溫服한다. 1일 3회 복용하고, 나아지지 않으면 다시 만든다.

【效能】 養血止血, 調經安胎.

【主治】 衝任虛損으로 血虛偏寒하게 된 證으로 崩漏下血, 月經過多, 淋灕不止하는 증상, 産後 혹은 流産 後에 衝任損傷이 있어 下血不絶하는 증상, 妊娠하였는데 下血, 腹中疼痛, 血色淡紅質淸, 腰酸乏力, 面色無華, 舌淡, 苔白, 脈細弱하는 증상들을 치료한다.

【病機分析】 婦人下血의 病機는 臟腑機能의 失常, 氣血失調, 衝任虛損의 세 가지를 벗어나지 않는데, 이들은 서로 연관되어 영향을 주는 것이다. 肝은 藏血하고 疏泄을 주관하고, 腎은 藏精과 生殖을 주관한다. 衝·任은 胞宮에 入하는데, 衝은 血海가 되고, 任은 胞胎를 주관한다. 만약 肝腎이 不足하고, 衝任이 虛損하면, 統攝과 封藏의 기능을 잃고, 陰血이 內守하지 못하여 崩漏下血·月經過多·産後 혹은 流産 後 下血하게 되는데, 이것이 바로 尤怡가 말한 "婦人經水淋漓及胎産前後下血不止者, 皆衝任脈虛, 而陰氣不能守也"(『金匱要略心典』卷下)이다. 衝任虛損은 胞가 무력하고, 胎孕이 견고하지 않은 것인데, 즉 妊娠下血(胎漏) 胎動不安이다. 衝任의 氣가 虛寒하면, 寒凝하여 血滯가 되고, 胞宮에 血滯가 되면, 妊娠 腹痛이 일어나는 것이다. 肝腎이 不足하면, 精血이 虧虛하고, 血虛偏寒으로 腰酸乏力·面色無華·血色淡紅質淸·舌淡胎薄白·脈細弱 등의 증상이 나타난다. 종합하면, 本方證의 出血 및 胎漏의 病機는 肝腎不足, 衝任虛損, 血虛偏寒이다.

【配伍分析】 本方은 崩漏를 치료하고 安胎하는 要方이다. 方證은 出血爲主이며, 止血을 급선무로 한다. 症狀은 衝任虛損, 血虛偏寒에 속하므로 養血止血, 調經安胎해야 하니, "養"하여야 "塞"하는 것이다. 方은 阿膠·艾葉을 君으로 한다. 阿膠는 甘·平하여 滋補陰血할 수 있고, 또 止血安胎할 수 있다. 艾葉은 苦·辛·溫하여 胞宮을 따뜻하게 하고, 崩漏를 그치게 하며, 氣血을 다스리고, 寒濕을 쫓아내고, 止痛安胎하는 작용을 한다. 阿膠와 艾葉은 崩漏·胎漏를 치료하는 要藥이 되며, 함께 사용하면 調經安胎止血의 효능이 강화된다. 예를 들어, 『本草述鉤元』卷9에서 "古方調經多用艾, 與療崩漏及妊娠下血, 皆合阿膠投之, 而阿膠入手太陰爲氣中之陰, 艾葉入肝·脾·腎三經爲血中之陽, 有升有降, 合和以調氣血, 而卽以固脫也."라고 한 것과 같다. 當歸는 辛·苦·溫하여 "養血滋肝"(『長沙藥解』卷2)하고, "逐瘀生新"(『萬病回春』卷1)한다. 白芍藥은 苦·酸·微寒하여 "去惡血, 生新血"(『溫病條辨』卷2)하고, "安胎止痛"(『珍珠囊補遺藥性賦』)한다. 乾地黃은 甘·苦·寒하여 "生血補血"(『景岳全書』卷48)한다. 川芎은 辛·溫하여 "行氣開鬱"(『本草綱目』卷14)하고, "行血散血"(『成方切用』卷1)한다. 위 네 가지 藥은 후대의 四物湯인데, 本方에서는 君藥을 도와 補肝腎, 益精血하여, 精血이 充孕하도록 하며, 衝任不虛하도록 한다. 또한 氣機를 조절하고, 血滯를 움직이게 하여, 營血이 流暢하게 하도록 하면 疼痛이 나을 수 있으므로 이들은 모두 臣藥이 된다. 淸酒는 甘·辛·溫하여 血脈을 通하게 하고, 寒氣를 흩어지게 하여 약력을 퍼뜨린다. 甘草는 和中緩急, 調和諸藥하므로 佐藥이 된다. 그리고 阿膠와 甘草는 함께 사용하면 止血에 강점이 있고, 白芍藥과 甘草는 함께 사용하면 緩急止痛에 강점이 있다. 艾葉·酒·歸·芎는 모두 溫하여 暖宮去寒하며 和血하므로, "止塞"하되 瘀滯를 예방하는 의미가 있다. 이와 같이 方을 종합하면, 補血調經, 安胎止漏의 효능을 설명할 수 있다. 따라서 本方은 和血止血, 暖宮調經, 安胎止痛하여, 婦女의 衝任虛損, 崩漏不止, 月經過多, 半産 혹은 流産으로 인한 出血不止, 腰酸腹痛인 경우에 사용하는 중요한 방제가 된다.

本方 配伍의 특징은 두 가지가 있는데, 첫 번째는 標本兼顧이다. "養"함으로써 "塞"하기 위하여 止血하는 阿膠·艾葉를 사용하여 標를 치료하고, 調肝養血하는 四物湯으로 하여 本을 치료하여, 전체적으로 養血固衝하여, 止血固崩의 목적을 이룬다. 두 번째는 補中寓溫, 寓活于養인데 全方이 養血止血하면서 性溫暖宮하는 艾葉을 배합하여, 補中寓溫하게 하며, 當歸·川芎은 行血活血하면서도 養하는 것이다.

【類似方比較】 膠艾湯과 溫經湯은 모두 衝任虛損으로 인한 崩漏·胎漏症를 치료하는데 사용된다. 그러

나 膠艾湯은 補血調經, 安胎止漏하므로, 補를 主로 하고, 養함으로써 止血하니, 補中寓活하는 方劑이며, 血虛偏寒으로 인한 崩漏·胎漏에 사용한다. 溫經湯은 溫經散寒, 養血祛瘀하므로, 溫經化瘀를 主로 하니, 溫中寓補하는 方劑이며, 血瘀偏寒으로 인한 月經不調·痛經·崩漏證에 사용한다.

【臨床應用】

1. 證治要點: 本方은 止血安胎하여 婦女의 崩漏와 胎漏에 사용하는 要方이다. 뿐만 아니라 제반 月經過多, 漏下不止, 胎動不安 등 血虛偏寒으로 인한 경우에 사용한다. 臨床에서는 腰酸乏力, 面色無華, 漏下의 血色이 淡紅하고 質淸하며, 舌淡脈細한 것을 證治要點으로 한다.

2. 加減法: 氣虛를 兼하는 경우 益氣攝血하는 黨參·黃芪를 加한다. 胎漏腰痛이 있는 경우 川芎을 去하고, 安胎止漏하는 杜沖·桑寄生 등을 加한다.

3. 膠艾湯은 다음 한국표준질병사인분류(KCD)에 해당하는 환자가 衝任虛損, 血虛偏寒證으로 辨證되는 경우 본 처방의 사용을 고려해볼 수 있다.

처방 목표	한국표준질병사인분류(KCD)
先兆流産	O20.0 절박유산
	O20.8 초기임신중 기타 출혈
	O20.9 초기임신중 상세불명의 출혈
産後에 子宮의 恢復이 안되어 나타나는 出血	O86 기타 산후기감염
	機能性子宮出血
기능성자궁출혈	N93.8 기타 명시된 이상 자궁 및 질 출혈_기능성자궁출혈

【注意事項】本方은 血虛偏寒에 속하는 증상을 치료한다. 그러나 血熱妄行 및 瘀阻胞宮으로 생기는 月經過多, 崩中漏下에는 사용을 禁한다.

【變遷史】本方은 『金匱要略』「婦人妊娠病脈證幷治」에 처음 기록되었는데, 婦人의 衝任虛損과 陰血이 內守하지 못하여 발생한 다양한 出血에 사용하였다. 本方은 補血·行血·止血하기 때문에 역대 의가들은 失血에 대한 聖藥으로 여겼다. 후대의 다양한 방제가 膠艾湯에서 변화한 것이다. 예를 들어, 『外台祕要』卷32에 인용된 『小品方』의 膠艾湯은 阿膠와 艾葉 두 가지로 이루어졌는데, 임신 중 胎를 傷하여 下血하고 腹痛하는 경우에 사용한다. 『千金翼方』卷20의 膠艾湯은 本方에 乾薑을 加하여 높은 곳에서 추락하여 五臟을 상하거나, 가벼운 경우 唾血하거나, 심한 경우 吐血을 하며, 혹은 金瘡으로 인해 출혈하는 경우에 사용한다. 『三因極一病證方論』卷17의 膠艾湯은 本方의 熟地黃을 生地黃으로 대신하고, 黃芪를 加한 것인데, 妊娠 후 넘어져서 胎動하여 不安하고, 腰腹이 아프거나, 혹은 설사하거나, 혹은 흉부를 찌르는 듯한 느낌에 의해 短氣가 되었을 때 사용한다. 『校注婦人良方』卷1의 奇效四物湯은 本方에서 甘草를 去하고, 肝經虛熱하는 黃芩을 加하여 血熱로 인한 오래된 崩漏에 사용한다. 『鄭氏家傳婦科萬金方』卷1의 膠艾湯은 本方에 赤石脂·地楡·菖蒲·小薊를 加하였는데, 부인의 衝任虛損으로 인한 崩漏, 淋瀝, 赤白帶下에 사용한다. 현대에는 本方에 加減으로 하여 인공유산 후 출혈, 난관 결찰술 후 출혈, 기능성 자궁 출혈, 산후 惡露 등의 질환을 치료한다. 위에 소개된 膠艾湯 응용은 대략 네 가지로 변화를 정리할 수 있다. 溫裏藥을 加하여 暖宮하거나, 止血藥을 加하여 塞流하거나, 補氣藥을 加하여 益氣攝血하거나, 淸熱藥을 加하여 陰虛血熱을 예방한다. 唐代 藺道人은 그중 暖宮調經·養血止血하는 阿膠·艾葉·甘草를 去하고, 生地黃을 熟地黃으로 바꾸고, 芍藥을 白芍藥으로 定하고, 原方의 當歸·川芎을 그대로 두고 이름을 "四物湯"이라고 했는데 『仙授理傷續斷秘方』에 기록하였고, 養血止血, 調經安胎하는 膠艾湯을 養血活血하여 血虛血滯의 증에 사용하는 方劑로 변화시켰다.

【難題解說】本方에서 酒를 이용하는 의미에 대하여: 本方에서 酒는 藥力을 宣行 하도록 하고, 散寒, 行

滯한다. 그러한 의미에서 淸의 鄒澗安은 "不可謂其不行血去瘀也. ……『傷寒論』『金匱要略』兩書, 凡水酒合煮之湯三, 炙甘草湯用酒七升, 當歸四逆加吳茱萸生薑湯, 酒水各六升, 川芎膠艾湯, 酒三升, 水五升. 卽此可見補陰劑中, 以此通藥性之遲滯, 散寒劑中, 以此破伏寒之凝結, 而用之復有輕重之差矣"(『本經疏證』卷9)라고 했다.

【醫案】

1. 滑胎『錢伯煊醫案』: 龔某, 28세 婦人. 초진: 1959년 4월 10일, 습관성 유산 3회, 현재 임신 6개월이고, 최근 2개월 동안 陰道에 불규칙적인 陳舊性 出血이 지속되고 있는데, 血이 暗紫色이고, 量은 中等이고, 腰酸, 腹痛下墜가 있었다. 식사, 수면, 대소변은 모두 정상이다, 舌淡, 苔黃膩中光, 脈左細軟微滑, 右弦滑數. 이는 肝腎陰虛, 腸胃蘊熱로 인한 것이므로, 養陰淸熱하기로 하여, 膠艾四物湯加味를 處方했다. 處方: 乾地黃 12 g, 當歸 9 g, 白芍藥 9 g, 川芎 3 g, 艾葉 3 g, 生阿膠 12 g, 生甘草 3 g, 黃芩 6 g, 知母 9 g, 藕節 12 g. 四劑를 처방하였다. 4월 17일, 3일 전부터 陰道出血이 멈추었으나, 腰酸은 아직 여전하다. 舌苔薄黃, 尖微紅, 脈細滑數, 尺弱. 다시 三劑를 처방하였다. 4월 20일, 그동안 출혈은 없었고, 腰酸은 감소했다. 수면 중 잠꼬대가 적어졌다고 한다. 舌苔薄白, 脈弦滑, 左尺弱. 養肝補腎, 固胎元 하기 위해 다시 四劑를 처방하였다. 처방: 乾地黃 12 g, 當歸 9 g, 白芍藥 9 g, 阿膠珠 12 g, 生龜甲 15 g, 川斷 15 g, 杜仲 9 g, 山藥 9 g, 桑寄生 12 g, 遠志 6 g, 四劑.

考察: 이 案은 滑胎·胎漏의 例이다. 환자는 이미 유산 3회를 겪었는데, 肝腎不足, 胎元不固에 의한 것이다. 이제 4번째 임신하였는데 또 출혈하고, 血色이 暗紫하고, 脈象이 右弦滑數하고, 舌苔淡黃膩한 것은 虛熱內蘊의 증상이다. 그러므로 滋陰淸熱, 補腎安胎의 치료가 적당하여, 膠艾湯을 사용해 養血安胎止漏하면서 淸胃熱하는 黃芩을 加하고, 淸下焦相火하는 知母와 凉血止血하는 藕節을 加했다. 四劑를 복용한 후 出血이 멈추고, 다시 壽胎丸과 膠艾湯을 合方하여, 補養肝腎, 養血固胎하여, 순산할 수 있도록 하였다.

2. 血尿『漢方治療實際』: 42세 남자, 3개월 전부터 血尿가 나타났는데, 尿色은 포도주 혹은 복숭아 색이었다. 대학병원에서 검사한 결과, 특발성신장출혈로 진단하였으나, 치료가 효과가 없어 결국 퇴원했다. 환자는 臍部에서 動悸가 亢進되고, 안색이 검은 편이고, 빈혈의 징조가 보였다. 脈沉小. 芎歸膠艾湯을 처방하였다. 5일 후, 육안상 血尿가 없어졌다. 이후 피곤할 때, 血尿가 다시 있었지만 점차 없어졌고, 2개월 후에는 체중이 3 kg 증가했고, 건강해졌다.

考察: 案2는 內科 出血의 범위에 속한다. 이는 일본의 例인데, 尿血이 3개월 동안 낫지 않고, 안색이 검은 편이고, 빈혈이며, 脈이 沉小한 것에 근거하여, 膠艾湯을 처방하였다. 이는 결국 血虛偏寒에 속한다. 膠艾湯은 婦人科의 經·産에 사용하는 방제인데, 性別에 관계 없이 辨證에 따라 사용할 수 있다.

第十四章

治風劑

대개 祛風藥 혹은 息風藥을 위주로 사용해 구성되고, 疏散外風 혹은 平息內風의 작용이 있으며, 風病을 치료하는 방제를 治風劑라 한다.

治風劑의 역사는 매우 오래 되었다. 『黃帝內經』에 風病症狀과 病因·病機와 관련된 기재가 자못 많은데, 후대 의학자들이 制訂한 風病의 治法과 方藥에 기초가 되었다. 예를 들어 『素問』「風論」에서 風邪가 일으키는 各 종 風病의 病理 變化에 대해 "風者善行而數變"과 "風者百病之長也"의 관점을 제시했다. 『素問』「至眞要大論」에서는 즉 "諸風掉眩, 皆屬于肝";"諸暴强直, 皆屬于風"을 주장했다. 『金匱要略』「中風歷節病脈證幷治」에서는 처음으로 風病의 證治方藥에 대해 전문적으로 토론했는데, 매우 중요한 의의가 있고, 후대인의 외풍과 내풍의 방제에 대한 論治가 모두 여기서 기원했다. 예를 들어 外風의 치료로 말하자면 歷節病으로 굽히거나 펼 수없이 아픈 증상을 치료하는 烏頭湯이 있는데, 이 처방은 烏頭의 大辛大熱한 약성으로 祛風散寒하여 經絡을 통하게 하는 것이다. 이것을 宋代 『太平惠民和劑局方』의 小活絡丹이 본보 기로 삼아 烏頭와 草烏 등을 배오하여, 祛風散寒하고, 通絡除痹하여, 風寒濕痹 등의 병을 치료하는 것이다. 또 南宋 『易簡方』의 三生飮은 烏頭와 附子·天南星 등을 배오하여, 祛風化痰, 散寒助陽으로 卒中風을 치료했다. 內風의 論治를 말하자면, 風引湯이 熱·癱·癎을 제거하는데, 方中에 石膏·寒水石·滑石·龍骨·牡蠣 등을 이용하고, 淸熱重鎭息風한다. 이것은 民國·『醫學衷中參西錄』의 鎭肝息風湯을 계발하도록 했는데, 生赭石·龍骨·牡蠣 등 重鎭息風하는 것을 이용하여 類中風을 치료했다. 淸代의 『重訂通俗傷寒論』의 羚角鉤藤湯은 熱極動風證을 치료하는데 用藥이 風引湯과는 다르지만, 둘의 淸熱息風法은 일치하는 것이다. 당연히 風病의 病種과 그 변화가 비교적 많아, 후대 방제의 立法과 배오用藥이 모두 『金匱要略』을 뛰어넘었다. 晉代 『小品方』의 小續命湯은 中風을 치료하는데, 正氣內虛와 風邪外襲을 좇아 立論했기 때문에(이것은 사실 『金匱要略』에서 이미 그것을 논했는데, 단지 방제가 나오지 않았을 뿐이다), 祛風散寒하고 益氣溫陽하여 치료한다. 金代 『素問病機氣宜保命集』의 大秦艽湯은 祛風淸熱, 養血活血하여, 風邪初中經絡證을 치료한다. 南宋 『楊氏家藏方』의 牽正散은 白附子와 搜風의 蟲類藥(全蝎·殭蠶)을 배오하여, 經絡으로 들어온(中經絡) 중풍의 輕證을 치료한다. 이 외에도, 風邪가 머리에 침입하여 생긴 두통은 『太平惠民和劑局方』에서 모든 풍약을 한 처방에 합하여 川芎茶調散을 만들어 疏散시킨다. 外感風邪가 풀어지지 않으면, 鼻淵으로 발전하는데, 南宋代 『濟生方』의 蒼耳子散은 祛風通竅로 치료한다. 風邪는 創傷으로 들어와, 破傷風으로 발전하는데, 唐代의 『仙手理傷續斷秘方』은 天南星·防風 두 약을 이용하여, 至眞散을 만들어 祛風除痰하였고, 明代 『外科正宗』은 다시

白附子 등의 약을 加味하여, 玉眞散을 만들었다. 風邪에 濕邪·熱邪가 끼어있으면, 肌膚에 侵襲하여, 風疹·濕疹으로 발전하는데, 『外科正宗』에서 만든 消風散은 疏風養血, 淸熱除濕하여 치료한다. 內風의 證治는 『重訂通俗傷寒論』에서 熱極動風을 치료하는 羚角鉤藤湯이 있는데, 風引湯의 治法을 따랐지만, 用藥은 唐代 『古今錄驗』의 鉤藤湯(鉤藤·蚱蟬·蛇蛻皮·大黃·石膏·黃芩·竹瀝·柴胡·升麻·甘草로 구성. 『外臺秘要』에 기록)과 더욱 비슷하다. 20세기 50년대 『中醫內科雜病證治新義』의 天麻鉤藤飮은 원래 "高血壓頭痛·眩暈·失眠"을 치료하는데, 작자의 처방은 平肝降逆으로 息風하고, 또 혈압을 내리는 작용이 있는 약을 선택해 사용함으로써, 합목적성을 강화하고, 치료효과를 높혀, 중서의 결합 치료사상을 반영했다. 溫病 후기에 陰血不足, 虛風內動의 증상에 대해서, 그 상응하는 방제는 『溫病條辨』의 大定風珠와 『重訂通俗傷寒論』의 阿膠鷄子黃湯이 그것이다. 治風劑가 독립적으로 章을 이룬 것은 넓게 보면 말하면 『金匱要略』「中風歷節病脈證幷治」에서 시작된다. 엄밀하게 말하자면, 그 시작은 현대의 『方劑學』 교재이다. 왜냐하면, 內風을 치료하는 方劑가 비교적 늦게 성숙되었기 때문이고, 두 번째는 역대 의서에 종종 "祛風之劑", 즉 外風을 치료하는 방제만 나열되고, 內風을 치료하는 방제는 다른 章節에 흩어져 보이기 때문이다.

治風劑는 풍병을 치료하는데 이용된다. 風病의 범위는 매우 넓고, 병세의 변화가 매우 복잡하여, 간단하게 말하자면, 外風과 內風 두 종류가 있다. 外風은 六淫의 우두머리인 風邪가 인체에 침입하여 생기는 것인데 『靈樞』「五變篇」에 "肉不堅, 腠理疏, 則善病風"이라고 했는데, 인체의 正氣가 부족하면 外界의 風邪를 받아들이기 쉬워 風病이 발생한다고 설명한다. 風邪는 肌膚·經絡·筋肉·骨節 등 서로 다른 부위에 있고, 끼어있는 病邪가 다르기 때문에 中風·破傷風·外感風邪頭痛·風寒濕痹·鼻淵·風疹·濕疹 등 많은 종류의 外風 病證이 있다. 內風은 臟腑의 기능이 조절을 잃어 생기는 것으로, 『素問』「至眞要大方」에서 말하는 "諸風掉眩, 皆屬于肝"과 "風從內生"의 종류이다. 外感溫熱病熱極動風, 雜病陰虛陽亢·肝陽化風, 溫病後期의 陰血虛虧·虛風內動 등은 모두 內風 病證에서 일상적으로 보인다. 外風과 內風은 어떤 때는 서로 침투하여 발생하기도 하고, 병으로 끼어 있기도 하는데, 예를 들어 外風이 內風을 일으키고, 內風으로 外風에 新感하는 등 錯綜複雜한 病證이 그것이다.

風病의 치료 원칙은 外風은 마땅히 疏散祛邪해야 하고, 內風은 平息調肝해야 한다. 그러므로 治風劑는 疏散外風과 平息內風 두 종류로 나누어진다.

疏散外風劑는 外風이 일으킨 여러 병을 치료하는데 활용된다. 風은 六淫의 우두머리이고, 百病의 長이기 때문에, 風邪는 대다수 다른 病邪와 결합하여 患이 되고, 病變의 범위 역시 광범위한편이다. 外感風邪는 病이 皮毛와 肺經에 있어 겉으로 증세가 나타나는 것 위주인데, 이미 解表劑에서 논술하였다. 本章에서 논술하는 外風의 여러 病은 風邪外襲, 侵入肌肉·經絡·筋骨·關節 등의 곳에서 일어나고, 臨床으로는 주로 頭痛·惡風·肌膚瘙癢·肢體麻木, 筋骨 攣痛, 關節屈伸不利, 鼻塞不聞香臭·口眼喎斜·猝然倒伏으로 인한 반신불수 등의 증상으로 표현된다. 일반적으로 辛散祛風하는 약재를 이용하는데 주로 麻黃·防風·川芎·白芷·荊芥·薄荷·烏頭 등으로 방제를 구성한다. 配伍用藥 방면으로, 환자체질의 강약과, 感邪의 輕重, 病邪 兼夾이 다르기 때문에 이하 여러 가지 방법을 이용한다. ① 淸熱藥을 배오한다. 예를 들어 黃芩·生地·石膏·知母 등. 風은 陽邪이기 때문에 熱로 풀어지기 쉽다. 많은 祛風藥이 辛溫香燥하는데, 매번 助熱하기 쉽다. 가끔 風邪에 熱邪를 겸해 인체에 침입하는데, 이런 것은 모두 淸熱藥을 배오한다. 예를 들어 小續命湯 중 黃芩, 大秦艽湯 중 黃芩·石膏·生地, 消風散 중 石膏·知母·生地 등이다. ② 祛風痰藥을 배오한다. 예를 들어 天南星·白附子 등. 祛風痰藥은 대다수 약성이 走竄燥烈한데,除痰에 뛰어날 뿐 아니라 祛風도 할 수 있기 때문에, 風痰流竄 혹은 經絡이 막혀 있어 생기는 中風·破傷風·痹證

등에 대해 자주 祛風痰藥을 배오한다. 예를 들어, 三生飮과 小活絡丹 중의 天南星, 牽正散 중의 白附子, 玉眞散 중의 天南星·白附子 등. ③ 活血藥을 배오한다. 예를 들어 地龍·乳香·沒藥 등이며, 이 외, 川芎은 祛風과 동시에 活血효능도 있어 더욱 많이 선택, 사용된다. 風邪가 침입하는데 다른 邪氣가 끼어 있으면, 絡脈이 막혀, 瘀血이 생기기 쉽다. 瘀血이 阻滯되면, 疏散風邪에 불리하여 疏散外風劑에 活血藥을 배오하는 것인데, 化瘀뿐 아니라 祛風도 돕기 때문에 옛 사람들이 "醫風先醫血, 血行風自滅"(『婦人大全良方』卷3)이라고 한 것이 이 뜻이다. 예를 들어 小活絡丹 중의 地龍·乳香·沒藥, 小續命湯과 大秦艽湯 중의 川芎 등이다. ④ 養血藥을 배오한다. 예를 들어 當歸·熟地·白芍·胡麻仁 등이다. "風勝則乾"이므로, 風邪가 血脈을 침입하면, 매번 陰血을 상하기 쉽다. 祛風藥은 대부분 辛溫香燥하기 때문에, 陰血을 소모하고 손상하기 쉽다. 陰血이 상하면, 血虛生風이 일어나기 때문에 疏散外風劑에 일반적으로 養血藥을 배오하는 것이다. 예를 들어 大秦艽湯 중의 當歸·熟地·白芍, 消風散 중의 當歸·胡麻仁 등이다. 疏散外風劑의 代表方에는 小續命湯·三生飮·川芎茶調散·蒼耳子散·大秦艽湯·小活絡丹·牽正散·玉眞散·消風散 등이 있다.

平息內風劑는 內風病證에 사용한다. 肝은 藏血하며, 筋을 주관하고, 甲木에 속하며, 風氣에서 通하고, 본체는 陰이지만 작용은 陽이기 때문에 內風을 肝風이라고 하기도 하는데, "肝風內動"이 그것이다. 內風이 臨床에서는 眩暈·震顫·四肢抽搐·猝然昏倒·不省人事·口眼喎斜·半身不遂 등의 증상으로 나타난다. 內風은 虛實의 구분이 있는데, 治法과 處方 配伍 用藥에 구분이 있다. 極熱動風과 肝陽化風은 內風의 實證에 속하여 平肝息風으로 치료하는 것이 적당하고 鉤藤·羚羊角·天麻·代赭石·龍骨·牡蠣 등의 平息風藥 위주로 구성하고, 배오의 방법은 다음과 같이 몇 가지 방법이 있다. ① 淸熱藥을 배오한다. 예를 들어 梔子·黃芩·石膏·寒水石·滑石 등. 內風의 實證은 모두 肝의 陽熱亢盛에 책임이 있기 때문에 淸熱藥을 배오하여, 그 陽熱을 내보내고, 그 亢盛을 고르게 한다. 예를 들어 風引湯 중의 石膏·寒水石· 滑石, 天麻鉤藤飮 중의 梔子·黃芩 등이다. ② 滋陰養血藥을 배오한다. 예를 들어 生地·白芍·玄參·龜甲 등이다. 陽熱亢盛은 陰血을 손상하기 쉽고, 陰血이 손상되면 陰虛陽亢하기 때문에, 그 風陽을 더욱 돕는다. 그러므로 일반적으로 滋陰養血藥을 배오한다. 예를 들어 羚角鉤藤湯 중의 生地·白芍, 鎭肝息風湯 중의 白芍·玄參·龜甲 등이다. ③ 安神藥을 배오한다. 예를 들어 茯神·夜交藤 등이다. 그 외, 龍骨·牡蠣는 平肝潛陽하고 重鎭安神할 수 있어, 일반적으로 배오에 사용한다. 肝의 陽熱이 亢盛하면, 심신을 어지럽히기 쉽고, 煩燥·不寐 등을 야기하기 때문에 필수적으로 安神藥을 배오하여 사용한다. 예를 들어 羚角鉤藤湯 중의 茯神木, 天麻鉤藤陰 중의 茯神·夜交藤, 鎭肝息風湯과 風引湯 중의 龍骨·牡蠣 등이다. 內風實證을 치료하는 대표방은 羚角鉤藤湯· 風引湯·鎭肝息風湯과 天麻鉤藤飮 등이 있다. 溫病後期, 陰血虧虛, 虛風內動은 內風의 虛症에 속하는 데 치료는 滋養息風이 적당하고, 일반적으로 阿膠· 鷄子黃·白芍·生地·麥冬 등 滋補陰血藥 위주로 方을 구성한다. 일반적으로 平肝潛陽藥을 배오한다. 예를 들어 石決明·鉤藤·牡蠣 등, 그 외 鱉甲·龜甲 등 滋陰할 수 있고, 潛陽이 가능한 것 역시 배오하여 사용한다. 陰血虧虛로 인해, 虛風內動하면, 滋陰養血藥은 治本만 가능하고 治標할 수 없기 때문에, 마땅히 平肝潛陽藥을 배오하여, 虛亢한 風陽을 平潛함으로써 標本을 함께 고려해야 한다. 예를 들어 阿膠鷄子黃湯 중의 石決明·鉤藤·牡蠣, 大定風珠 중의 牡蠣 등이다. 內風虛症을 치료하는 대표방은 大定風珠·阿膠鷄子黃湯 등이다. 이런 종류의 방제는 治風劑 중 특수 상황에 속하며, 배오의 측면에서 보면, 이론상 당연히 補益劑에 속해야 하지만, 오래전부터 습관상 治風劑 안에 나열하고 있다.

治風劑의 운용에서는 이하 몇 가지 방면에 주의해야 한다. 우선, 風病이 內, 外에 속하는지를 판별해야 한다. 만약 外風에 속하면 疏散으로 치료하는 것이 적당하고, 平息은 알맞지 않다. 內風에 속한다면, 平息이 적당하고, 辛酸한 약물의 이용을 피해야 한다. 다음으로, 病과 기타 病邪의 兼夾 및 病勢의 虛實을 구분하여, 적당한 배오를 진행해야 한다. 예를 들어 風病에 兼寒·兼濕·兼熱 하거나 夾痰·夾瘀가 있으면 祛寒·祛濕·淸熱·祛痰·活血化瘀 등의 약재를 배오해야 구체 적인 병세에 적절하게 맞을 수 있다. 다음으로, 外風과 內風이 서로 영향을 주고받을 수 있는데, 外風은 內風을 引動할 수 있고, 內風 역시 外風을 兼夾할 수 있다. 이런 종류의 복잡한 증후는 입법용약에 있어 主次를 분명히 구분해야 하고, 전면적으로 살펴보아야 한다. 이외, 治風劑 중의 疏散外風劑는 대부분 辛溫燥熱하는 약품이므로, 陰津을 상하게 하기 쉽고 陽熱을 돕기 때문에, 陰津不足 혹은 陰虛陽亢한 사람에게는 신중하게 사용해야 하고, 반드시 사용할 때에는 寒涼滋潤의 약품으로 보좌해야 한다.

第一節 疏散外風劑

小續命湯

(『小品方』, 錄自『備急千金要方』卷8)

【組成】 麻黃 防己 人蔘 黃芩 桂心 甘草 芍藥 芎藭 杏仁 各一兩(各 30 g) 附子 一枚(15 g) 防風 一兩半(45 g) 生薑 五兩(150 g)

【用法】 上㕮咀, 물 一斗 二升으로 먼저 麻黃을 3번 끓이고, 거품을 제거한 후 나머지 약을 넣고 끓여 3승을 취하여 세 번에 나누어 복용하면 더욱 좋다. 낫지 않으면 3·4첩을 더 복용하면 반드시 좋아진다. 風의 輕重虛實에 따라 땀을 낸다. 모든 풍병에 복용하면 모두 효험이 있지만, 허한 사람에게는 좋지 않다(현대용법: 용량을 증상을 참작하여 줄이고, 水煎으로 복용한다).

【效能】 祛風散寒, 益氣溫陽.

【主治】 卒中風. 不省人事, 口眼歪斜, 半身不遂, 語言謇澀. 風濕痺痛도 치료한다.

【病機分析】 小續命湯은 옛 사람들이 外風을 좇아 立論하여 中風을 치료하는 대표방이다. 汪昂은『醫方集解』「祛風之劑」맨 앞에 이 처방을 넣고 "六經中風通劑"라고 불렀다. 사람이 중년이 되면, 氣血이 점차 虛虧해지고, 風邪가 들어가게 되는데, "邪之所湊, 其氣必虛"가 그것이다. 風邪가 臟腑에 들어가면 心身이 그 蒙蔽함을 받아 不省人事가 된다. 혀는 心의 苗竅인데, 心神이 蒙蔽함을 받으면 舌竅가 영민함을 잃어 말을 더듬게 된다. 風邪가 들어가면, 氣血이 痹阻하고, 운행이 순조롭지 못해, 筋脈이 영양을 잃고 口眼歪斜·半身不遂가 보인다.

【配伍分析】 본방이 치료하는 中風은 外風實證에 속하지만, 평소의 人體正氣의 허약과 관계가 있기 때문에 虛實夾雜의 증상에 속한다. 그러므로 치료는 辛溫發散으로 祛風하고, 益氣溫陽으로 扶正兼顧하는 것이 적당하다. 方中의 麻黃·防風·防己·杏仁·生薑은 辛溫宣散, 祛除外風하고, 人蔘·附子·桂心·甘草는 益氣助陽하고, 芍藥·芎藭은 養血調血하여 正氣가 복원되고 邪氣가 스스로 물러나게 한다. 風邪가 臟腑와 經絡으로 들어가면 理氣가 펴지지 못하여, 鬱이 되어 熱이 생기기 쉽기 때문에 黃芩으로 배오하여 그 열을 식히게 한다. 여러 약을 함께 사용하는데, 모두 辛溫祛風, 益氣扶正의 효력이 있다. 본방의 구성 중 麻黃·杏仁 및 甘草 세 가지 약으로 방을 구성하는 것이 즉 還魂湯(『金匱要略』「雜療方」)이고, 麻黃의 宣通九竅, 杏仁의 開善肺氣, 甘草의 益氣和中으로 卒死를 主治한다. 小續命湯은 원래 "中風欲死"를 치료하는데, 처방 중 이 세 가지를 이용하고, 다시 다른 약재와 겸해, 魂이 돌아 올 수 있고 명을 지속할 수 있으므로 "續命"이라고

이름했다. "小"는 "大"와 상대되는 것으로 "續命湯"에는 "小續命"외에 "大續命"(『深師方』, 錄自『外臺秘要』卷18)이 있다. 또 본 방제에서 祛風·散寒·逐濕의 약재를 많이 사용하기 때문에, 益氣和血藥物을 함께 사용하여, 후대에 風濕痹痛을 치료하는 데에도 일반적으로 사용한다.

본 방제의 배오 특징은 辛溫發散과 益氣溫陽을 병용하여, 養血調血을 도와, 밖으로는 祛散風邪할 수 있고, 안으로는 陽氣를 보호할 수 있다. 邪正을 동시에 치료하고, 氣血을 함께 고려하니, 正虛風中의 증세가 자연히 치유된다.

【臨床應用】

1. 證治要點: 이 방제는 正氣內虛, 外風入侵의 中風을 치료하는 대표방이다. 모든 中風昏迷, 口眼歪斜, 半身不遂, 語言謇澀 혹은 惡寒發熱을 수반하는 것에 선택 사용할 수 있다.

2. 加減法: 原書에서 이르기를 "恍惚者, 加茯神·遠志; 如骨節煩疼, 本有熱者, 去附子, 倍芍藥."이라고 했다. 恍惚에는 茯神·遠志를 더하고, 化痰寧神한다. 骨節煩疼에 熱이 있으면 附子를 빼고 芍藥을 倍로 하는데, 附子의 성질은 熱하고, 芍藥의 성질은 寒하여 和營止痛할 수 있다. 吳昆이 『醫方考』卷1에서 本方의 加減法을 보충하며 이르기를, "熱者, 去附子, 用白附子; 筋急語遲·脈弦者, 倍人蔘, 加薏苡·當歸, 去黃芩·芍藥以避中寒;煩燥·不大便, 去附·桂, 倍加芍藥·竹瀝;日久大便不行·胸中不快, 加枳殼·大黃; 語言謇澀, 手足顫掉, 加石菖蒲·竹瀝;口渴, 加麥門冬·瓜蔞·天花粉;身疼·發搐, 加羌活; 煩渴·多涼, 加犀角·羚羊角; 汗多, 去麻黃; 舌燥, 加石膏, 去附·桂."라고 했는데, 참고할 만하다.

3. 小續命湯은 다음 한국표준질병사인분류(KCD)에 해당하는 환자가 正氣內虛, 外風入侵證으로 辨證되는 경우 본 처방의 사용을 고려해볼 수 있다.

처방 목표	한국표준질병사인분류(KCD)
虛血性腦卒中	
顔面神經痲痹	G51 안면신경장애
	G51.0 벨마비
風濕性關節炎	M05 혈청검사양성 류마티스관절염
	M06 기타 류마티스관절염

【注意事項】 內風으로 일어난 모든 中風에는 본 방제의 運用이 적절하지 않다.

【變遷史】『金匱要略』「雜療方」에서 卒死·客忤死 및 여러 感忤를 치료하는데 還魂湯을 사용했다. 방은 麻黃·杏仁 및 甘草 세 가지 약으로 구성되고, 祛風宣肺法으로 卒死 등을 치료하는 길을 가장 처음으로 열었다. 方名 "還魂"의 큰 의미는 神志의 蘇醒을 촉진한다는 뜻이다. 『小品方』의 小續命湯은 卒中風邪, 不省人事를 치료하는데 方中 麻黃·杏仁과 甘草 세 가지 약을 겸하며, 還魂湯의 組方 원칙을 완벽하게 계승했다. 또 方名인 "續命" 역시 "환혼"과 유사하다. 그 후 『胡洽方』(『備急千金要方』卷8)에 역시 小續命湯이 기재되어 있는데(『古今錄驗』小續命湯, 錄自『外臺秘要』卷14, 구성은 본방과 같다), 主治는 『小品方』의 小續命湯과 유사하고, 구성상에 있어서 白朮이 있고, 杏仁이 없다. 그 후 小續命湯과 同名異方이 『備急千金要方』卷8·『太平聖惠方』卷45·『聖濟總錄』卷161·『普濟方』卷35와 卷97 등의 문헌에 여러 번 기재되어 있는데, 組方에 약간 차이가 있지만, 종합적으로 祛風藥 위주로 구성되어 있고, 主治는 風疾이다. 『深師方』에 기록된 大續命湯(錄自『外臺秘要』卷18)은, 즉 본방에서 防己·附子를 빼고, 當歸·石膏를 더한 것이다. 附子와 石膏의 성질이 하나는 大熱에 속하고, 하나는 大寒에 속하여 이와 같이 加減 후, 小續命湯은 온열한편이 되고, 大續命湯은 寒涼한편이 되어, 續命湯은 中風, 四肢가 불과 같이 壯熱한 증상 등을 치료한다.

『醫方集解』에서 인용한 "易老六經加減法"에 의하면, 小續命湯이 증상에 따라 加減을 거쳐 이하 방제로

발전했다: 太陽經中風에 無汗·惡寒을 主症으로 하면, 본방에 麻黃·杏仁·防風의 용량을 배로 하여, 發汗開宣으로 祛風의 효능을 강화하여, 麻黃續命湯이 되고; 太陽經中風에 有汗·惡風을 主症으로 하면, 본방에 桂枝·芍藥·杏仁의 용량을 배로 하여, 解肌와 營衛 및 宣肺의 효력을 강화하여 桂枝續命湯이 되고; 陽明經中風에 無汗·身熱不惡寒을 主症으로 하면, 본방에서 附子를 빼고, 石膏·知母를 더해 淸泄陽明의 효력을 강화시켜, 白虎續命湯이 되고; 陽明經中風에 身熱有汗, 不惡風을 主症으로 하면, 本方에 葛根을 더하고 桂枝·黃芩의 용량을 배로 하여, 淸陽明兼 解肌의 효력을 강화시켜, 葛根續命湯이 되고; 太陽經中風에 無汗·身凉을 主症으로 하면 본방에 附子의 용량을 배로 하고, 乾薑·甘草를 더해 溫補脾陽으로 陰寒을 흩어지게 하는 효능을 강화시켜, 附子續命湯이 되고; 少陰經中風에, 有汗·無熱을 主症으로 하면 본방에 桂心·附子·甘草의 용량을 배로 하고, 溫補腎陽으로 陰寒을 흩어지게 하는 효능을 강화하여, 桂附續命湯이 되고; 六經中風混淆不淸으로, 少陽經과 厥陰經이 관계있고, 임상표현이 肢體攣急, 麻木不仁으로 나타나는 사람은, 본방에 羌活·連翹를 더해 그것을 함께 고려하여 羌活連翹續命湯이 된다. 『小品方』의 小續命湯에서 발전되어 나온 위에 열거한 方劑들에 대해 汪昂은 "治風套劑……古今風方多從此方損益爲治"라고 했다(『醫方集解』「祛風之劑」).

【難題解說】

1. 小續命湯의 方源에 관하여: 일반적으로 小續命湯은 『備急千金要方』(『醫方集解』·『成方便讀』 및 『方劑學』통편교재 2판 등)에서 나왔다고 인식하고 있는데, 張璐는 『古今錄驗』(『千金方衍義』卷8)에 근본이 있다고 인식했다. 지금 『外臺秘要』卷14의 "卒中風方七首" 중 『古今錄驗』의 小續命湯이 기재되어 있는데, 본방과 비교해, 白朮이 있고, 杏仁이 없다. 『古今錄驗』은 643년에 완성되었는데, 『備急千金要方』(652년)보다 빠르기 때문에, 張璐가 小續命湯이 『古今錄驗』에 근본이 있다고 말한 것이다. 단 본방은 『備急千金要方』卷8의 "諸風第二"에서 보이는데, 『小品方』을 인용한 것이다. 『小品方』은 晉·陳延之가 저작한 것으로, 402년에 완성되어, 『古今錄驗』보다 훨씬 이르다. 사실 『外臺秘要』卷14의 "卒中風方七首" 중에도 『小品方』의 小續命湯이 기재되어 있어, 상술한 『備急千金要方』이 인용한 小續命湯과 비교해 防己 한 종류만 적을 뿐 主治證이 완전히 같고, 防己가 적은 것도 전사과정의 오류일 가능성도 있다. 그러므로 小續命湯의 方源은 마땅히 『小品方』으로 정하는 것이 비교적 정확할 것이다.

2. 中風의 含意 및 그 歷史 變遷에 관하여: 中風은 猝然昏仆, 不省人事로, 口眼喎斜, 言語不利, 半身不遂를 동반하거나; 昏仆하지 않고, 喎僻不遂를 主症으로 하는 일종의 질병이다. 본병은 병이 갑자기 발생하기 때문에, 증상이 복잡하고, 변화가 빠른데, 자연계 중의 바람의 성질이 善行數變하는 특성과 비슷하여, 고대 의학자들이 이를 유추하여 이름으로 中風이라고 하고, 또 그 발병이 갑작스럽기 때문에 "卒中"이라고 하기도 했다. 本病과 『傷寒論』 중의 桂枝湯證 의 中風은 이름은 같지만 내용은 다른 것이고, 전혀 다른 것이다. 역대 의학자들의 中風의 病因·病機에 대한 인식은 대체로 두 단계로 나눌 수 있다. 唐·宋 이전에는 주로 體虛外風入中으로 立論하여 制方用藥으로 많이 祛風除邪, 扶助正氣의 법을 채택해 사용했다. 唐·宋 이후, 특별히 金·元 시기에는 內風 立論이 두드러져, 劉元素같은 사람은 "心火暴甚"을 힘써 주장하고, 朱震亨은 "濕痰生熱"이라고 인식하여, 中風 발병의 내재적 요인을 강조하기 시작했다. 明代 王履는 中風을 두 종류로 나누었는데, 外風이 일으키는 것을 "眞中風", 火·氣·痰 등이 일으키는 것을 "類中風"이라고 칭했다. 그 후 張介賓은 "非風"의 설을 더욱 주장했다. 病因에 대한 인식이 바뀌면서, 立法制方 역시 변화가 발생했다. 이런 변화의 원인은 金·元 이후 의학자들이 처한 역사적 배경과 학술 상황에 변화가 발생했기 때문이다. 本章의 方劑로 말하자면, 外風論治의 방제로 小續命湯·三生飮과 大秦艽湯 등이 있고, 內風論治의 방제로 鎭肝息風湯 등이 있다. 상술한 中風의 함의와 역사적 변화는 반드시 객관적인 태도로 그것을 대해야 한다. 역사와

관계된 中風의 治法方藥은 임상의 실제에서 출발해야 하며, 적극적인 임상연구와 임상약리 연구를 전개하여 그 정화를 취할 수 있도록 하는 것이 옛것을 현대에 맞게 잘 이용하는 것이다.

【醫案】

1. 中風『丁甘仁醫案』권3: 나씨, 남, 50세 정도, 賊風이 經腧로 들어가고, 營衛가 痹塞하여 흐르지 않고, 헛발로 넘어지고, 舌强不語, 神識가 밝기도 하고 어둡기도 하고, 눕기를 좋아하며 일어나지 못하며, 오른쪽 손을 사용하기 불편하고, 脈象의 尺部가 沉細하며, 寸關이 弦緊하고 滑하고, 苔가 백색에 기름기가 있었는데, 급히 小續命湯加減을 주었다: 爭麻黃 四分, 熟附片 一錢, 川桂枝 八分, 生甘草 六分, 全當歸 三錢, 川芎 八分, 薑半夏 三錢, 光杏仁 三錢, 生薑汁(沖服) 1錢, 淡竹瀝(沖服) 一兩. 2첩 복용 후 神識가 약간 분명해지고, 누워있는 것도 점차 줄었으며, 舌强으로 말은 못하고, 오른손도 사용하기 불편하고, 脈은 尺部가 沉細하고, 寸關이 弦緊이 조금 풀어지고, 태가 얇고 기름기가 있었다. 다시 陽氣를 유지하며, 風邪를 제 거하니, 淡濁이 제거되고, 絡道가 통했다.

考察: 本案의 中風은 外風이 안으로 들어가고, 營衛가 痹塞한 것을 辨證으로 하여, 小續命湯加減을 이용했다. 患者의 脈이 弦緊하며 滑하고, 苔가 白膩한 것은 痰濁이 비교적 심한 것을 설명하기 때문에, 原方의 生薑을 薑汁으로 바꾸고, 다시 淡竹瀝·半夏를 배합하니, 豁痰이 효능이 더욱 현저했다. 藥證이 부합하여, 2첩 복용 후 神識가 조금 밝아지고 잠도 줄었다. 再診은 원래의 치료방법을 계속 사용하여, 치료효과를 더욱 확실히 하고 확대했다.

2. 歷節風『女科撮要』卷上: 부녀가 自汗과 盜汗이 있고, 늦은 오후에 발열이 있고, 몸이 피로하고 소식하며, 月經이 고르지 않고 가래를 매우 많이 토하는 것이 2년이 되었다. 전신에 통증이 있는데, 날이 흐리고 비바람이 있으면 더욱 심했다. 小續命湯을 복용하니 통증이 그쳤다. 補中益氣·加味歸脾二湯을 30여 첩 사용하여 나았다.

考察: 本案은 風濕이 침입하여, 經絡이 마비되고 막힌 歷節風으로, 脾胃虛弱·氣血俱損이 병존한다. 먼저 小續命湯을 이용하여 祛風散寒하고, 除濕通絡 했는데, 복약 후 전신 통증이 없어졌다. 계속해서 補中益氣와 加味歸脾湯을 이용하여, 脾胃를 보충하고 氣血에 영양을 주어 마침내 완전한 효력을 거둘 수 있었다.

三生飮

(『易簡方』)

【組成】 南星 一兩(30 g) 川烏 半兩(15 g) 生附 半兩(15 g) 木香 一分(7.5 g)

【用法】 上㕮咀. 매번 半兩(15 g)을 복용하는데, 물 2잔에 생강 10편을 더하여, 10분의 6까지 끓인 후, 찌꺼기를 제거하고 따뜻하게 마신다(현대용법: 용량은 증상에 따라 빼고, 水煎으로 복용한다).

【效能】 祛風化痰, 散寒助陽.

【主治】 卒中風. 不省人事, 痰涎壅盛, 語言謇澀, 四肢厥冷, 혹은 口眼喎斜, 혹은 半身不遂, 舌白, 脈象이 沉伏하다.

【病機分析】 本方이 주로 치료하는 환자는 대부분 평소 陽虛한 체질인데, 거기에 더하여, 평소에 달고 기름기 있는 음식을 좋아하여, 형체가 비만하여, 양기를 더욱 손상시키고, 피부가 푸석푸석하고, 痰濕이 안으로 성하여, 매번 賊風이 안으로 들어오기 쉽다. 風이 안으로 들어오면, 痰과 서로 합해져서 風痰이 壅盛해지고, 心竅를 막아, 卒倒하여 不省人事가 된다. 痰涎

壅盛하면, 이미 喉 중 痰으로 漉漉한 소리가 나는 증상이라 말하였는데, 다시 그 病因病機를 말하는 것이다. 舌蹇는 痰涎이 壅塞하고, 運轉失靈하여, 언어가 謇澀해진다. 陰寒이 안으로 盛하고 그것에 더해 風痰으로 막히기까지 하면, 陽氣가 통과할 수 없어, 四肢가 厥冷해진다. 風痰이 經絡을 막으면, 氣血이 영양을 공급하는 임무를 할 수 없어, 口眼喎斜·半身不遂가 나타난다. 舌白과 脈象이 沉伏한 것은 모두 風痰이 막히고, 陰寒이 안으로 盛한 증후이다.

【配伍分析】 風痰閉阻와 陰寒內盛의 증상에 대한 치료는 祛風化痰, 散寒助陽이 적당하다. 方中의 天南星·川烏·附子가 主가 되어, 風痰을 제거하고·陰寒을 몰아내고·經絡을 통하게 하여 元陽을 회복시키는데, 세 약 모두 生用하면, 그 성질이 더욱 辛烈剛燥·驃悍走竄하여 風痰을 제거하고 몰아내서 陰寒을 제거하기에 적절하기 때문에 方을 "三生"으로 명명한 것이다. 그중 生天南星은 風痰을 제거하는 전문약인데 『本經逢原』卷2에서 "爲開滌風痰之專藥. 天南星·半夏皆治痰藥也. 然南星專走經絡, 故中風麻痹以之爲向導."라고 했다. 川烏의 辛熱함은 寒濕을 제거하고·風邪를 흩어지게 하는 효능이 있는데, 張璐는 그것을 일컬어 "治風向導, 主中風惡風·風寒濕痹·肩臂痛不可俛仰"(錄自『本草正義』卷3)이라고 했다. 附子는 烏頭의 子根인데, 性味와 효능이 烏頭와 비슷한데, 散寒回陽에는 훨씬 장점이 있다. "三生"의 기초에 소량의 木香과 生薑으로 보조하는데, 그중 木香의 辛香은 氣를 다스리는데 좋고, 氣가 움직이면 즉 막힌 것을 뚫게 하여, 痰濁이 쉽게 없어진다. 생강은 天南星·烏頭와 附子의 毒을 監制할 수 있는데, 毒의 부작용을 감소시키고, 寒邪를 흩어지게 하고, 濁陰을 몰아낼 수 있다. 여러 약을 配伍하여 方을 완성하는데, 모두 助陽散寒, 祛風化痰의 효능을 할 수 있다.

본방의 배오 특징은 大辛大熱·走而不守하여 風痰을 제거하는 약과 陰寒을 흩어지게 하는 약으로 구성한 것인데, 방제 중 三味는 生用하여, 祛風散寒·逐痰回陽의 간단하고 약효가 빠른 적은 약재들의 峻猛한 약효로 위급한 卒中風을 치료에 사용하는데, 매우 적절하다.

【臨床應用】

1. 證治要點: 本方을 평소 陽虛한 체질의 痰盛과 卒中外風을 치료하는 대표방으로 응용할 때는 형체가 비만하고, 卒中으로 不省人事, 痰涎壅盛, 四肢厥冷, 舌白, 脈沉伏을 證治要點으로 한다.

2. 加減法: 만약 脈이 沉伏하며 弱하고, 陽氣가 暴脫할까 염려되는 사람은 人蔘을 더해 氣를 보충하고 근본을 공고하게 한다.

3. 三生飮은 다음 한국표준질병사인분류(KCD)에 해당하는 환자가 平素陽虛痰盛, 卒中外風證으로 辨證되는 경우 본 처방의 사용을 고려해볼 수 있다.

처방 목표	한국표준질병사인분류(KCD)
腦卒中	I61 뇌내출혈
	I63 뇌경색증
	I64 출혈 또는 경색증으로 명시되지 않은 뇌졸중
顔面神經麻痹	G51 안면신경장애
	G51.0 벨마비
癲癎	G40 뇌전증

【注意事項】 本方은 辛溫燥熱하여, 비록 祛風除痰回陽할 수 있고, 陰을 소모할 수 있지만, 복용 후 濁陰이 한 번에 뚫리고 風痰이 모두 사라지면, 증상에 따라 방제를 바꾸는 것이 마땅하고, 많이 사용하고 오래 사용하기에는 적당하지 않다. 또 方中의 天南星·烏頭와 附子는 모두 生用하기 때문에 毒性이 매우 커서 반드시 생강과 함께 오래 끓여 독성을 저하시켜야 한다.

【變遷史】 『金匱要略』「中風歷節病脈證并治」는 廣義의 風病의 각도에서, 中風과 歷節을 함께 논하고, 烏頭湯으로 歷節의 屈伸疼痛을 치료했는데, 처음으로

烏頭의 大辛大熱을 이용하여 祛風散寒, 通行經絡하게 하는 길을 열었다. 이 방은 宋·王碩의『易簡方』에 처음 수록되었는데, 곧이어『太平惠民和劑局方』卷1(淳祐新添方)에도 수록되었다.『易簡方』은 쉽게 볼 수 없고,『太平惠民和劑局方』은 광범위하게 전해졌기 때문에 일반적으로 三生飮의 方源을『太平惠民和劑局方』으로 오인하고 있다. 三生飮은 散寒溫陽·祛風逐痰·通行經絡을 立法으로 하여, 風(外風)痰壅盛을 치료하고, 증상은 寒의 中風에 속한다. 이 配伍의 용약 원칙은 실제로 宋代 여러 治風劑의 공통적인 治法 계열로, 星香散(『易簡方』에서 나왔는데, 天南星·木香·生薑으로 구성)·靑州白丸者(『太平惠民和劑局方』卷1에서 나오고, 天南星·白附子·半夏·川烏頭로 구성)과 大醒風湯(『太平惠民和劑局方』卷1의 淳祐新添方에서 나오고, 天南星·烏頭·附子·生薑·防風·獨活·甘草로 구성) 등, 모두 寒에 속하는 中風痰盛을 치료하고, 烏頭·附子·天南星·白附子 등 辛烈한 藥物 위주로 방제를 구성하고 있으며, 祛風散寒, 除痰通絡한다.『楊氏家藏方』의 牽正散은 中風經絡, 口眼喎斜를 치료하는데, 病勢가 상술한 中臟腑한 병세에 비해 가볍고, 用藥이 비록 三生飮과 다르지만, 治法은 일치한다.『傅靑主男科』에 기록된 三生飮은 生半夏·生天南星과 生附子의 "三生"을 幷用 한 구성인데, 人蔘을 더해 만들어졌고, 주로 跌倒昏迷 혹은 누워있다가 침대 아래로 떨어지는 것, 中風不語를 치료한다.『易簡方』의 三生飮과 비교하면, 生半夏·人蔘으로 川烏·木香을 바꾸었는데, 人蔘을 이용 하는 것은 薛己의 三生飮을 이용할 때는 반드시 人蔘을 더하는 관점(『內科摘要』卷上)의 영향을 받은 것이다.『醫學集成』卷2의 三生飮은 生天南星·生川烏·生半夏·廣木香·人蔘과 生薑으로 구성되었는데, 中風閉證을 주로 치료한다. 이 방은『易簡方』의 三生飮과『傅靑主男科』三生飮 두 방의 종합 加減에서 나왔는 데, 方中의 天南星·生川烏·廣木香·生薑은『易簡方』의 구성이고, 生半夏·人蔘은 즉『傅靑主男科』의 三生飮에서 변화한 구성이다.

【醫案】 中風『內科摘要』卷上: "車架王用之, 卒中昏憒, 口眼喎斜, 痰氣上涌, 咽喉有聲, 六脈沉伏. 此眞氣虛而風氣所乘, 以三生飮一兩, 加人蔘一兩, 煎服卽蘇."

考察: 本案은 "眞氣虛而風氣所乘"에 속하며 그러므로 三生飮을 이용하여 祛風하고, 人蔘을 더해 氣를 보충한다. 藥證이 서로 맞아 약을 달여 먹으면 바로 살아날 수 있다.

川芎茶調散
(『太平惠民和劑局方』卷2吳直閣增諸家名方)

【異名】 茶調散(『世醫得效方』卷10)·茶調湯(『經驗良方』錄自『醫方類聚』卷82)·川芎茶調飮(『不居集』「下集」卷2)

【組成】 川芎 荊芥 去梗 各四兩(各 120 g) 白芷 羌活 甘草 爁 各二兩(各 60 g) 香附子 炒 八兩(240 g) 別本作細辛 去蘆 一兩(30 g) 防風 去蘆 一兩半(45 g) 薄荷葉 不見火 八兩(240 g)

【用法】 위의 재료를 고운 가루로 만든다. 매번 二錢(6 g)을 복용하는데, 식후에 茶淸을 이용해 삼킨다(현대용법: 藥量을 증상을 참작하여 줄이고, 水煎으로 복용한다).

【效能】 疏風止痛.

【主治】 外感風邪頭痛證. 偏正頭痛 혹은 巓頂作痛이 있고, 惡寒發熱, 目眩鼻塞, 舌苔薄白, 脈浮者.

【病機分析】 頭痛은 임상에서 흔히 보이는 증상인데, 각종 急·慢性 질병에서 보이고, 病因이 많지만 外感과 內傷일 뿐이다. 본방이 치료하는 두통은 外感風邪로 기인한 것인데, 흔히 인체에서 땀이 나와 腠理가

열리는 사이(예를 들어 목욕·음주 후), 갑자기 風寒을 맞은 경우, 風邪가 虛를 틈타 들어온다. 또 머리는 諸陽之會, 淸空之府이고, 바람은 輕陽之邪로, "傷于風子, 上先受之"(『素問』「太陰陽明論」)인데, 風邪가 外襲하면, 먼저 머리를 침범하여, 머리 經脈의 經氣가 순조롭지 않아 두통이 일어난다. 어느 經의 經氣가 순조롭지 않느냐에 따라 각종 두통이 일어난다. 혹은 偏頭痛, 혹은 前額痛, 혹은 枕部痛, 혹은 巓頂痛, 등등; 風邪가 표면을 속박하면, 正氣가 奮起抗邪하고, 邪正이 서로 다투어 惡汗發熱이 된다. 鼻는 肺竅가 되고, 肺는 皮毛와 짝을 이룬다. 皮毛가 邪氣를 받으면, 肺氣가 퍼지지 못하여, 鼻塞聲重하게 된다. 風性이 主動하여, 風邪가 위로 淸空을 어지럽히면, 즉 눈이 침침하게 된다. 舌苔薄白, 脈浮한 것은 風邪가 표면에 있는 증후이다. 만약 風邪가 머물러 물러나지 않으면 經絡이 막혀 통하지 않고, 머리는 바람을 맞아 차갑게 되면, 新邪가 伏邪를 유발하여, 두통이 생기는데, 오래되어도 낫지 않으면, 頭風이 된다.

【配伍分析】

本 方證은 外感風邪頭痛과 연관되어 있어 치료는 疏風散邪로 두통을 멈추는 것이 적당하다. 구체적인 用藥 방면에서, 辛散疏風의 약품(즉 소위 "風藥")을 선택하여 組方하는데, 汪昂이 말한 "頭痛必用風藥者, 以巓頂之上, 惟風可到也" 것과 같다(『醫方集解』「發表之劑」). 方中의 川芎·白芷·羌活의 疏風止痛은 모두 君藥이 된다. 그중 川芎은 용량이 비교적 重하고, 辛香走竄하여, 위로 頭目에 이르고, 祛風止痛에 장점이 있어, 여러 經의 頭痛을 위한 要藥인데, 특히 少陽·厥陰 2 經脈의 頭痛(頭頂痛 혹은 兩側頭痛) 치료에 더욱 좋아서 『本草衍義』卷8에서 "芎藭, 今人所用最多, 頭面風不可缺也. 然須以他藥佐之"라고 했다: 白芷의 祛風止痛은 陽明經頭痛(前額痛·眉稜骨痛)을 치료하는데 좋은데, 『本草求眞』卷3에서 "白芷, 氣溫力厚, 通竅行表, 爲足陽明經祛風散濕主藥, 故能治陽明一切頭面諸疾, 如頭目昏痛, 眉稜骨痛, 暨牙齦腫痛……"; 羌活 역시 祛風止痛의 약품으로, 太陽經頭痛(後頭痛이 項部를 견인한다)을 치료하는데 좋고, 여러 骨節 疼痛을 제거하며, 『醫學啓源』卷下에서 "羌活, 手足太陽本經風藥也, 加川芎治足太陽·少陽頭痛"라고 했다. 川芎·白芷·羌活을 함께 사용하면 祛風止痛의 효능이 더욱 커지고, 어떤 종류의 風邪頭痛을 막론하고, 모두 치료할 수 있다. 임상에서는 만약 두통의 부위가 편중되어 있으면, 用藥은 마땅히 상응해서 넣고 빼고 하여야 한다. 細辛·薄荷·荊芥·防風은 모두 臣藥으로, 君藥의 疏風止痛의 효능을 강화한다. 細辛(원본에는 香附子로 되어 있으나, 세신은 다른 판본에 기재되어 있다. 후대 및 현대에서는 細辛을 통용한다)은 辛溫하고, 芳香氣濃하여 祛風散痛하는데, 少陰經頭痛(腦痛連齒)을 잘 치료하고 鼻竅를 宣通하게 할 수 있다. 薄荷를 중용하여, 疏散風熱, 淸利頭目하는데 대대적인 辛溫祛風藥 중 辛涼의 薄荷를 配伍하여 사용하면 과하게 溫燥한 것을 監制하는 뜻이 있어, 薄荷는 佐藥을 겸하게 된다. 荊芥·防風의 辛味의 약성은 겉과 위에 있는 風邪를 흩어지게 하여, 解表止痛한다. 복용 시에 맑은 차를 이용하여 마시는 것은 苦寒한 약성이 淸上降下하는 성질을 취하여 上淸頭目하여, 昏眩을 제거할 수 있고, 風藥의 溫燥하고 升散하는 성질이 과한 것을 監制할 수 있고, 溫中有淸·升中有降하게 하여 佐藥이 된다. 炙甘草는 益氣和中하고, 여러 약을 조화롭게 하여, 使藥이 된다. 여러 약을 함께 사용하여, 風邪를 물러나게 하고, 經氣를 순조롭게 하면 두통의 여러 증세가 스스로 치유된 다. 본방의 배오 특징은 여러 辛散疏風藥을 하나의 방제로 모으고, 苦寒沉降을 약간 도와 巓頂風邪가 祛散함을 바랄 수 있어, 과도하게 升散할 염려가 없다.

【臨床應用】

1. 證治要點: 本方은 外感風邪頭痛을 치료하는 일반적인 方劑이다. 頭痛, 惡風寒(머리에 바람이 불면 통증이 심하거나 두통이 일어난다), 鼻塞, 脈浮가 證治要點이다.

2. 加減法: 本方을 구성하는 약재는 辛溫한 약성이 많은데, 주로 風寒頭痛에 적용하지만, 風熱頭痛에도

加減 응용이 가능하다. 頭痛이 風寒에 속하면 川芎을 重用할 수 있고, 증상을 참작하여 蘇葉·生薑 등을 더해 祛風散寒의 효능을 강화할 수 있다. 風熱에 속하면, 羌活·細辛을 빼고 蔓荊子·菊花를 더해 風熱을 흩어지게 한다. 頭痛이 오래되어도 낫지 않으면 全蝎·殭蠶·桃仁·紅花 등을 더해 搜風活血止痛 한다.

3. 川芎茶調散은 다음 한국표준질병사인분류(KCD)에 해당하는 환자가 外感風邪頭痛證으로 辨證되는 경우 본 처방의 사용을 고려해볼 수 있다.

처방 목표	한국표준질병사인분류(KCD)
血管神經性 頭痛	G44.1 달리 분류되지 않은 혈관성 두통
慢性鼻炎	J31.0 만성 비염
鼻竇炎	J01 급성 부비동염
	J32 만성 부비동염
感冒	J00 급성 비인두염[감기]
腦外傷後遺症	S06.0 진탕
	S06.9 상세불명의 두개내손상

【注意事項】

1. 氣血虧虛, 淸空失養; 肝腎陰虛, 肝陽上擾; 痰濕阻滯, 淸陽受困 등이 일으키는 두통에는 본방의 사용이 적절하지 않다.

2. 內服 治療의 효과가 현저하지 않으면 本方의 外治를 배합할 수 있다. 危亦林이 말하기를: 本方의 고운 가루로 "用葱涎調貼兩太陽穴, 除痛甚者特效"라고 했다(『世醫得效方』卷10).

【變遷史】 本方은 처음에 『太平惠民和劑局方』卷3(吳直閣增諸家名方)에 기록되었는데, 原書에서 나열한 主治病證에 丈夫·婦人諸風上攻, 頭目昏重, 偏正頭痛, 鼻塞聲重; 傷風壯熱, 肢體煩痛, 肌肉蠕動, 膈熱痰盛; 婦人血風攻注, 太陽穴疼이 있다. 후대에 本方이 風邪頭痛을 치료하는 代表方이 되었는데, 높은 정상은 오직 風邪만이 도달할 수 있기 때문인데, 이것은 두통은 外感風邪로 인해 일어나는 것이 가장 흔히 보인다는 것을 설명하고; 동시에 반드시 辛溫升散의 風藥을 얻어야 病所에 도달해 그것을 없애고 흩어지게 할 수 있다는 것을 설명한다. 이 配伍用藥의 원칙은 바로 川芎茶調散이 후대인에게 남긴 가르침이다. 『銀海精微』卷上에 역시 川芎茶調散이 기재되었는데, 主治는 일체의 熱淚, 眼弦濕爛이다. 本方에서 香附子·白芷를 빼고, 石決明·木賊·石膏·菊花를 더해 변화하여 만들었는데 방제에 淸熱疏風明目의 작용을 증가시켜, 상술한 眼病을 치료할 수 있었다. 『太平惠民和劑局方』의 川芎茶調散 구성은 辛溫한 약성의 약재 위주인데, 風熱頭痛에 사용할 때는, 약간 맞지 않았는데, 『丹溪心法附餘』卷12의 菊花茶調散은 前方을 기초로 菊花·蟬蛻·殭蠶을 더해 만들어, 風熱頭痛에도 자못 적합했다. 『醫學心悟』卷4 역시 川芎茶調散을 기록하고 있는데 川芎·荊芥·白芷·甘草·桔梗·黃芩·川貝母·黑山梔로 구성되었고, 通竅淸熱의 효능이 있어, 鼻淵을 主治한다. 『醫學心悟』의 川芎茶調散은 『太平惠民和劑局方』의 川芎茶調散의 風藥上達 원칙을 취하여, 鼻竅를 텄으며, 다시 黃芩·山梔의 淸熱燥濕의 효능을 더해 濁涕를 제거함으로써 두통을 치료하는 방제에서 鼻淵을 치료하는 方劑로 변화하였다.

【難題解說】

1. 本方의 적응증에 관하여: 상술한 『太平惠民和劑局攻』에 기록된 本方의 主治는 諸風上攻·偏正頭痛인데, 현대에서는 그것을 外感風邪頭痛이라고 한다. 그렇다면 그것은 風寒에 속하는지? 風熱에 속하는지? 혹은 양자 모두 가능한지? 『方劑學』統編 教材 6版에서는 "주로 風寒頭痛에 적용하지만, 風熱頭痛에도 加減하여 응용할 수 있다"[1]라고 했다. 단, 어떤 사람은 本方은 風熱頭痛과 頭風頭痛을 주로 치료하 는 方劑이지, 風寒頭痛을 주로 치료하는 것이 아니라 고 했다.[2] 우리는 前者의 관점이 비교적 타당하다고 생각한다. 『太平惠民和劑局方』의 主治 기록 및 川芎茶調散의 구성이 비록 辛溫한 약성의 약재가 많지만, 薄荷의 용량이 가장 많은 것으로 보아, 原書는 風寒과 風熱頭痛에

통용했다. 단, 本方은 어쨌든 辛溫한편이기 때문에 風寒頭痛에 사용하는 것이 타당하고, 만약 風熱頭痛에 사용할 때에는 증상에 따라 加減해야 한다.

2. 本方의 分類에 관하여: 『太平惠民和劑局方』에서 본방은 傷風壯熱 등의 증상을 치료할 수 있는데, 즉 外感表證이다. 그러므로 『醫方集解』와 『成方切用』등의 책에서는 모두 본방을 "發表之劑"로 나열했는데, 역시 解表劑이다. 우선, 확실한 것은 본방은 辛散하는 약재 위주로 구성되어 發汗解表할 수 있고, 임상에서는 惡寒發熱, 頭痛浮脈의 表證에 사용하면 효과적이며, 그렇기 때문에 본방이 解表劑로 열거되는 것 역시 그 이유가 있는 것이다. 그러나 본서는 川芎茶調散을 疏散外風劑로 열거했는데, 그것은 다음의 내용에 근거하고 있다: 우선, 『太平惠民和劑局方』은 主治病證으로 먼저 風邪頭痛을 나열했는데, 본방은 祛風止痛으로 만들었다. 다음은 風邪頭痛인데, 바람이 불 때마다 頭痛이 일어나거나 가중되면, 惡寒發熱을 수반하지 않는 表證이라고 할 수 있어, 본방을 이용해 치료하면 더욱 효과적이다. 本方을 解表劑로 열거하면 그 치료효과의 機制를 설명할 수 없다. 다음은, 현대 임상에서 응용하는 상황 역시 風邪頭痛 위주이고, 外感表證을 함께 치료한다.

3. 本方의 君藥에 관하여: 本方의 君藥에 대해 汪昂은 薄荷·荊芥로 여겼고, 汪紱과 張秉成은 薄荷로 여겼다. 이상 두 의견은 약간 차이가 있지만, 모두 薄荷를 君藥으로 여기고 있다. 이것은 方中 薄荷의 용량이 가장 많은 것과 관계있을 것이다. 구성약물 중에辛溫한 藥物이 많은 편인 것을 분석하면 그것이 치료하는 것은 頭痛인데, 이치는 당연히 外感風邪頭痛이지만 寒한편인 사람에 속한다. 薄荷의 辛凉함은 風寒頭痛으로 疏散風熱하는 藥品이 君이 되는 것은 적당하지 않아 보인다. 본방의 主治에 근거하고, 命名과 결합하여 생각하면, 川芎·白芷·羌活이 모두 君藥이 되는 것이 비교적 타당하다. 川芎·白芷·羌活은 모두 味辛性溫하고, 祛風散寒止痛의 효능이 있는데, 특히 川芎은 少陽頭痛, 白芷는 陽明頭痛, 羌活은 太陽頭痛의 치료에 좋아 그것을 합하면 三陽經 중 어떤 經이 바깥에서 風寒을 맞아, 經氣가 순조롭지 못하여, 두통이 일어나도 모두 치료할 수 있다. 사실, 汪昂의 본방에 대한 인식은 매우 모순되는데, 薄荷·荊芥를 君으로 하면서도, 川芎茶調散을 "此足三陽藥也"라고 설명하고 있다. 足三陽은 足太陽·少陽·陽明인데, 만약 그렇다면 川芎·白芷·羌活 三藥이 君이 되는 것이 맞다.

【醫案】 頭痛 『李繼昌醫案』: 남성, 35세. 1946년 초가을부터 진찰하러 왔다. 스스로 말하기를 3개월 전에 風寒感冒를 앓은 후에 頭痛을 느꼈는데, 혹은 왼쪽 혹은 오른쪽으로 자주 일어나 지금까지 그치지 않는다고 했다. 전 의원은 火炎于上으로 淸凉之劑를 준 적이 있는데, 疼痛이 오히려 증가하는 것이 밤낮을 가리지 않았고, 어떤 때는 重하고 어떤 때는 가벼웠는데, 앉으나 누우나 편하지 않았다. 병이 급하여 여러 약을 어지럽게 투여하였는데 효과가 없었다. 그 脈을 짚으니, 좌우가 모두 浮하고, 兩寸이 緊하고, 舌苔가 얇고 黃色이었다. 風寒火鬱의 증상으로 이해했는데, 머리는 사람 신체의 여러 陽이 모이는 곳인데, 환자가 처음 風寒을 느꼈을 때 제 때 寒을 풀어주지 못하고, 凉遏의 藥品을 주어 風邪가 더욱 氷伏을 더해 제거하기 어려웠고, 經絡을 막고, 鬱이 淸陽之氣를 막아 잘 뚫릴 수가 없었는데, 반대로 化火上衝하여 이 증상을 만들었다. 脈浮兼緊한 것은 風寒의 邪가 外束된 것이다. 陽鬱化火하면 즉 舌苔薄黃하다. 치료는 마땅히 疏散風寒으로 宣解鬱熱하는데, 病程이 이미 오래되었으면, 內治 한 가지를 사용하면 그 효력이 미치지 못할까 걱정되어 內外合治의 치료법을 선택했다. 內服方: 川芎 二錢, 白芷 二錢, 生薑 二片, 薄荷 二錢, 羌活 一錢, 菊花 二錢, 防風 一錢, 炒黃芩 一錢, 陳茶 二錢. 外用方: 蠶沙 二兩, 淸水煎煮, 藥汁이 마르기를 기다려, 蠶沙를 즙과 함께 새 천 위에 펼치고, 아픈 곳을 감싸는데, 매일 약을 한 번 바꾼다. 外治를 반 달 하고, 복약을 10첩을 한 후 병이 다 나았다.

考察: 本案은 外感風邪頭痛에 속하는데, 그 病因·病機가 原醫案 중 분석이 매우 상세하다. 그러므로 치료를 內服의 川芎茶調散으로 祛風止痛하는 동시에, 蠶沙外治로 疏散風熱을 결합하여, 內外合治로, 끝내 완전한 효과를 거두었다.

【副方】 菊花茶調散(『丹溪心法附餘』卷12) 菊花 川芎 荊芥穗 羌活 甘草 白芷 各二兩(各 60 g) 細辛 洗淨 一兩(30 g) 防風 去蘆 一兩半(45 g) 蟬蛻 殭蠶 薄荷 各五錢(各 15 g)

- 用法: 위의 것을 분말로 만들어 매번 二錢(6 g)을 복용하는데, 食後에 茶淸調下한다.
- 作用: 疏風止痛, 淸利頭目.
- 適應症: 偏正頭痛, 或巓頂痛, 頭暈目眩.

本方은 즉 川芎茶調散에 菊花·蟬蛻·殭蠶을 더해 만든 것인데, 川芎茶調散과 비교하면 疏散風熱·淸利頭目의 효능이 늘어나고, 頭痛 및 眩暈인데 風熱인 편이 사람을 치료하는데 알맞다.

【參考文獻】

1) 段富津. 方劑學[M]. 上海: 上海科學技術出版社, 1995:215.
2) 徐長化. 川芎茶調散不是主治風寒頭痛[J]. 福建中醫藥, 1985:(6):40.

蒼耳子散(蒼耳散)

(『濟生方』卷5)

【異名】 芷夷散(『醫學入門』卷7)·芷辛散(『絳雪園古方選註』卷下)·辛夷散(『仙拈集』卷2)·蒼耳草散(『仁術便覽』卷1)·蒼耳子散(『良方集腋』卷上).

【組成】 辛夷仁 半兩(15 g) 蒼耳子 二錢半(60 g) 香白芷 一兩(30 g) 薄荷葉 半錢(1.5 g)

【用法】 위의 재료를 햇볕에 말려 고운 가루로 만든다. 매번 二錢(6 g)을 복용하는데, 식후에 葱·茶淸으로 복용한다(현대 용법: 용량을 증상에 따라 줄이고, 水煎으로 복용한다).

【效能】 祛風通竅.

【主治】 鼻淵. 鼻塞不聞香臭, 流濁涕不止, 前額頭痛, 舌苔薄白 또는 白膩.

【病機分析】 鼻淵은 腦漏라고 칭하기도 하는데, 臨床에서 흔히 보는 耳鼻喉科 질병이고, 일반적으로 감기로 인해 생긴다. 外感風邪가 있으면 肺와 衛가 먼저 그 침입을 당한다. 鼻는 肺竅가 되는데, 肺氣가 퍼지지 않으면 鼻가 막혀 涕가 흐르게 된다. 肺氣가 오랫동안 순조롭게 통하지 않으면 鼻淵이 된다. 鼻竅가 不通하면, 鼻가 막혀 냄새를 맡을 수 없고; 風邪가 鼻竅에 있어 오래되어도 낫지 않아 熱로 변하면, 곧 濁涕가 흐르는 것이다. 風邪가 陽明經脈을 범하면 前額 頭痛이 된다. 舌苔薄白 혹은 白膩는 濁涕가 있지만 그 熱象이 뚜렷하지 않은 것을 설명한다.

【配伍分析】 이상의 분석으로 알 수 있는 것은, 본방이 치료하는 鼻淵은 風邪犯肺, 鼻竅不通때문이므로 祛風通竅하는 치료법이 적당하다. 蒼耳子는 甘溫하여, 祛風除濕, 通竅止痛의 효능이 있어 鼻淵에 좋은데 『本草正義』卷3에서 "獨能上達巓頂, 疏通腦戶之風寒"이라고 했다. 香白芷와 辛夷仁은 祛風疏表하고, 宣痛鼻竅하는데, 方中 蒼耳子의 작용을 더욱 강화시킨다. 그중, 白芷의 辛溫한 약성으로 香竄, 祛風通竅하는 효능은 또한 陽明頭痛(前額頭痛)을 치료하는데 좋고; 辛夷의 辛溫한 약성은 疏散風邪, 宣痛鼻竅하는데, 『滇南本草』卷1에서 "治腦漏鼻淵"이라고 했다. 薄荷의 辛凉한 약성은 이상 세 약의 祛風通竅를 돕고, 또

그 辛燥化熱하는 폐단을 통제할 수 있을 뿐 아니라 막혀있는 熱邪를 흩어지게 할 수 있어서, 한 가지 약이 세 종류의 쓰임이 있다. 용법 중 用葱·茶調服은 葱은 升陽通竅할 수 있고, 茶는 즉 清利頭目하기 때문에, 薄荷와 합하면 全方이 溫中兼清하게 되고, 그 性質이 下降하여, 全方이 升中有降하게 한다. 여러 약을 함께 사용하면, 모두 祛風散邪를 이루고, 鼻竅를 통하게 하는 효능이 있다.

본방의 배오 특징은 辛散芳香의 약품이 방제구성의 主가 되는 것인데, 祛散風邪 할 수 있고, 通竅化濁하며, 용법 중 茶清으로 복용하도록 하는 것은 이 방제를 溫中有清·散中有降하게 한다.

【臨床應用】

1. 證治要點: 本方은 鼻淵인데, 風寒한편인 사람을 치료하는데 효과적인 방제이다. 鼻가 막히고, 濁涕가 흐르고, 前額 頭痛이 있고, 舌苔가 薄白하거나 白膩한 것이 證治要點이다.

2. 加減法: 鼻塞이 重한 사람은 細辛·鵝不食草 등을 더하여, 辛散宣通하고; 發熱이 있는 사람은 黃芩·魚腥草 등을 더하여 內熱을 내린다. 衄血 혹은 血涕인 사람은 茜草·生地 등을 더해 涼血止血하고; 眩暈인 사람은 菊花·白蒺藜 등을 더해 清熱息風한다.

3. 蒼耳子散은 다음 한국표준질병사인분류(KCD)에 해당하는 환자가 風寒證으로 辨證되는 경우 본 처방의 사용을 고려해볼 수 있다.

처방 목표	한국표준질병사인분류(KCD)
鼻炎	J00 급성 비인두염[감기]
	J30 혈관운동성 및 알레르기성 비염
	J31 만성 비염, 비인두염 및 인두염
鼻竇炎	J01 급성 부비동염
	J32 만성 부비동염

【注意事項】 本方은 藥性이 溫燥辛散한편이라 風熱蘊結로 인하여 생긴 鼻淵 혹은 환자의 본래 체질이 氣陰이 부족한 사람은 사용하기 알맞지 않다.

【變遷史】 本方은 宋·嚴用和의 『濟生方』卷5에 처음으로 기재되었는데, 主治는 鼻淵이었다. 후대의 方書 역시 많이 수록했는데, 단지 方名이 여러 번 변했다. 예를 들어 『醫學入門』卷7의 이름은 芷夷散이고, 方中 白芷·辛夷의 작용을 강조했다. 『絳雪園古方選註』卷下의 이름은 芷辛散인데 아울러 이르기를: "『準繩』芷辛散專治鼻淵, 『三因方』易名蒼耳散."이라 했는데, 근거가 어디에 있는지 모른다. 현재 本『證治準繩』과 『三因極一病證方論』에는 이 方이 보이지 않는데, 後書는 南宋 陳言의 저작이고, 前書는 明代 王肯堂의 저작인데, 『三因極一病證方論』을 『證治準繩』으로 바꾸는 것이 가능한지? 『仙拈集』卷2의 이름은 辛夷散인데 독특하게 方中 辛夷의 배오 의의를 重하게 여겼다. 『仁術便覽』卷1의 이름은 蒼耳草散인데 方中 蒼耳子를 蒼耳草로 바꾸어 사용한 것이 독특한 점이다. 『醫便』卷3은 또 本方을 丸劑로 바꾸어 蒼耳丸이라고 이름했다. 요약하면, 本方의 方名이 비록 많이 변했지만, 처방 구성은 일치하고 있으며, 祛風通竅의 법으로 鼻淵을 치료하는 것이 역대 의학자들의 공통된 인식이었고, 이것은 本方이 영향을 준 것이다. 이 외, 『證治寶鑑』卷10의 蒼耳散 역시 鼻淵을 치료하는데 本方에서 辛夷仁을 빼고, 細辛·南星·半夏·酒芩·荊芥를 더해 만들었는데, 이 방은 疏風宣竅除濁의 효능이 더욱 강하며, 또한 清熱이 그중에 포함되어 있다.

【醫案】 鼻淵『李繼昌醫案』: 여성, 35세. 1965년 5월 11일 진료를 받으러 왔다. 병을 앓은지 1년 여 되었는데, 코가 막히고 냄새를 맡을 수가 없었고, 콧물이 끈끈한 황색이고, 두통이 심하고, 심장이 두근거리고, 손발에서 땀이 나고, 팔다리 끝이 따뜻하지 않았다. 월경이 깨끗하고, 평소 월경 전에 帶가 많았고, 脈이 細弱하고, 혀가 淡紅色이며, 苔가 얇고 백색인 증상이 보였다. 증상은 血不養心에 속하고, 風熱夾濕을 겸하

여, 위로 淸空을 어지럽히고, 肺竅가 열리지 않아 먼저 그 標를 치료하는 것이 마땅했다. 方用: 蒼耳子 五錢, 辛夷 三錢, 吳白芷 三錢, 藿香 三錢, 荊芥 二錢, 川芎 三錢, 枳殼 二錢, 細辛 一錢, 蔓荊子 三錢, 炒黃芩 二錢이었다. 5월 13일에 두 번째 진료가 있었는데, 이 처방을 2첩 복용한 후, 코막힘이 호전되었고, 頭痛이 경감했는데, 다른 증세는 전과 같아서, 위의 처방에 生花生 二兩을 더했다. 연속해서 2첩을 복용하자, 두통이 그치고, 코가 막힘이 없어 냄새를 맡을 수 있었는데, 곧 처방을 바꾸어 심장의 두근거림·汗出을 치료했다.

考察: 本案은 血不養心으로 인한 心悸와 風熱夾濕이 위를 어지럽혀 생긴 鼻淵이 함께 있는 것인데 標를 치료하는 것이 우선이기 때문에, 처방은 蒼耳子散加減을 사용하고, 효과를 얻은 후 곧 처방을 바꾸어 心悸를 치료했다.

大秦艽湯

(『素問病機氣宜保命集』卷中)

【異名】 秦艽湯(『校注婦人良方』卷3)

【組成】 秦艽 三兩(90 g) 甘草 二兩(60 g) 川芎 二兩(60 g) 當歸 二兩(60 g) 白芍藥 二兩(60 g) 細辛 半兩(15 g) 川羌活 防風 黃芩 各一兩(30 g) 石膏 二兩(60 g) 吳白芷 一兩(30 g) 白朮 一兩(30 g) 生地黃 一兩(30 g) 熟地黃 一兩(30 g) 白茯苓 一兩(30 g) 川獨活 二兩(60 g)

【用法】 위의 재료를 썰어 매번 1량(30 g)을 복용하는데, 水煎으로 하고, 찌꺼기는 버리고 따뜻하게 복용한다.

【效能】 祛風淸熱, 養血活血.

【主治】 風邪初中經絡證, 口眼喎斜, 舌强不能言語, 手足不能運動, 風邪散見, 不拘一經者.

【病機分析】 本方은 中風이 經絡에 들어오는 증상에 적용하는데, 그 특징은 비록 口眼喎斜, 半身不遂 등의 증상이 있지만 意識障礙를 동반하지 않는 것이다. 『醫方集解』「祛風之劑」에서 本方을 "六經中風輕者之通劑也"라고 칭했다. 風邪가 들어가는 것은 매번 氣血이 虛虧하기 때문인데, 邪氣가 虛를 틈타 들어가 는 것이다. 風邪가 面部 經絡에 侵入하면, 經絡 氣血이 마비되고, 筋肉이 영양을 잃어 사용하지 않아 이완되고, 邪氣가 없는 곳은 氣血運行이 通暢하여 근육이 상대적으로 수축하게 되는데, 이완된 근육이 수축된 근육때문에 牽引되 口眼喎斜가 된다. 風邪가 안으로 舌本과 四肢의 經絡으로 들어가면 氣血 通行이 막혀, 인체의 정상적인 기능을 방해하기 때문에 舌强으로 언어가 불가능하게 되고, 手足을 움직일 수 없게 된다. 風邪가 여기저기 보이는데, 하나의 經에 국한되지 않는 것을 風性彌散이라고 하는데, 그 經絡에 들어갈 때 종종 여러 經絡에 함께 들어가서, 病狀의 변화가 다양해지는데, 이것 역시 風性이 主動하는 하나의 뜻이다. 臨床에서는 邪가 太陽에 있으면 惡寒發熱하고, 邪氣가 少陽에 있으면 寒熱이 왔다 갔다 하고, 邪氣가 陽明에 있으면 熱이 나며 추워하지 않는다는 것 등에 얽매이지 않아야 한다.

【配伍分析】 氣血虛虧, 風中經絡, 氣血痹阻 등의 증상에 대해서 祛風通絡을 주로 하는 것이 적절하여, 益氣·養血·活血之品을 配伍하여, 그 안을 조절하고, 風邪가 밖에서 풀어지고, 氣血이 조화롭고, 筋脈이 영양을 얻도록 하면 여러 증상이 자연히 치유된다. 方中 秦艽의 辛苦하면서 평온함은 祛風除邪하고, 通經活絡하는 君이 되는데, 『名醫別錄』卷2에서는 그것을 "療風, 無問久新, 通身攣急"이라고 했고, 『本草綱目』卷 13에서는 "手足不遂"를 치료하는 데 좋다고 했 다. 配伍

는 羌活·獨活·防風·細辛·白芷의 여러 辛溫한 약물을 臣으로 하여, 疏散宣通할 수 있도록 하면 秦艽의 祛風通絡의 효능을 더욱 강화시킬 수 있는데, 그중 羌活은 주로 太陽經의 風을 흩어지게 하고, "賊風失音不語……手足不遂, 口面喎斜"(『重修政和經史證類備用本草』卷6)를 치료할 수 있다. 白芷는 주로 陽明經의 風을 흩어지게 하고; 防風은 여러 風藥 중 走卒이 되어, 風이 일으키는 곳은 이르지 않는 곳이 없이 그것을 물러나게 한다. 獨活의 祛風止痛은 下部의 痹를 치료하는데 좋고, 羌活의 上部의 痹를 치료하는 것과 서로 합하면, 모든 신체의 마비를 宣通하게 할 수 있다. 細辛은 祛風散寒에 長點이 있는데, 소위 "芳香最烈……內之宣絡脈而疏百節, 外之行孔竅而直透肌膚"(『本草正義』卷5)이다. 熟地·當歸·白芍·川芎을 配伍하면 四物湯이 되는데, 補血活血할 수 있어 佐藥이 되고, 세 가지 의의가 있다. 첫 번째는 本方證에 血虛가 있는데, 劉完素가 말하기를 "血弱不能養筋, 故手足不能運動"이라 했다. 두 번째는 風邪가 血脈에 침입하면, 陰血을 손상하기 쉬운데, 血이 虛하면 燥가 생겨나, 筋脈이 더욱 濡養을 잃게 된다. 세 번째 는 方中 君臣藥이 모두 祛風효능의 약물인데, 그 성질이 大燥하여, 四物을 配伍하여 사용하면 養血柔筋할 수 있고, 祛風으로 陰血을 상하지 않게 한다. 白朮·茯苓·甘草를配伍하여 益氣健脾함으로써 氣血生化를 돕고, 補氣生血의 목적에 도달한다. 동시에 본방이 補氣하는 약재를 配伍하는 것은 正氣의 虛虧로 風邪가 안에 들어가는 원인이 되는 것에 맞으며 風邪를 물러나게 하나 正氣가 상하지 않도록 하는 扶正祛風의 뜻이 있어, 역시 佐藥이 된다. 黃芩·石膏·生地를 配伍하여 淸熱시키는데 그중 黃芩·石膏는 氣分의 熱을 내리고, 生地는 凉血和營하고 血分의 熱을 내린다. 세 약은 風邪가 鬱하여 化熱하거나 夾熱邪를 兼하는 때문에 만들어졌는데, 여러 祛風藥의 溫燥가 助陽化熱하는 폐단을 監制하여 역시 佐藥이 된다. 甘草는 여러 약을 조화롭게 하고, 使藥을 겸한다. 여러 약의 배오 성분이 모두 祛風淸熱과 養血通絡의 효능을 이야기하고 있다.

本方의 배오 특징은 祛風通絡 위주로 방제를 구성하였고, 養血·活血·益氣의 약재를 配伍하여, 正氣의 虛虧와 風邪가 처음 經絡으로 들어가고, 氣血痹阻한 증상에 대해 標本을 함께 고려하고, 氣血을 같이 치료할 수 있어, 病이 스스로 편안하게 치료되는 것이다.

【臨床應用】

1. 證治要點: 本方이 치료하는 中風은 外風이 經絡으로 들어오는 증상이다. 口眼喎斜, 舌强不語, 手足不能運動, 神志淸醒이고, 病程이 비교적 짧으며, 外風證을 겸하는 것을 證治要點으로 한다.

2. 加減法: 原書에서는 天陰에 生薑을 더하고, 心下痞에는 枳實을 더한다고 했다. 天陰에 生薑을 더하면 祛風溫陽散寒 할 수 있고; 心下痞에 枳實을 더하면 行氣消痞할 수 있다. 이 외, 만약 內熱이 없으면 黃芩·石膏·生地를 빼고; 表證이 불명확하면 증상을 참작하여 細辛·白芷·防風類를 줄일 수 있다.

3. 大秦艽湯은 다음 한국표준질병사인분류(KCD)에 해당하는 환자가 風邪初中經絡證으로 辨證되는 경우 본 처방의 사용을 고려해볼 수 있다.

처방 목표	한국표준질병사인분류(KCD)
顔面神經麻痹	G51 안면신경장애
	G51.0 벨마비
虛血性腦卒中	G45 일과성 뇌허혈발작 및 관련 증후군
類風濕性關節炎	M15 다발관절증
	M13.0 상세불명의 다발관절염

【注意事項】 內風이 일으키는 것에 속하는 中風에는 本方의 사용이 적절하지 않다.

【變遷史】 『醫方集解』는 本方이 『機要』에서 나왔다고 여기고 있었는데, 상당한 일부의 의학자들이 그 설을 따르고 있다. 『機要』는 『活法機要』의 약칭인데, 일반적으로 元·朱震亨의 門人이 編述했다고 여겨진다. 사

실『活法機要』보다 일찍이 劉完素의『素問病機氣宜保命集』卷中에 이 方이 수록되어 있는데, "中風, 外無六經之形證, 內無便溺之阻格, 手足不能運動, 舌强不能言語, 屬血弱不能養筋者".라고 했다. 그러므로 大秦艽湯의 方源은 응당『素問病機氣宜保命集』이 되어야 할 것이다. 그러나『素問病機氣宜保命集』의 이 말 때문에, 明代 張介賓의 힐난을 불러일으켰다: "(大)秦艽湯雖有補血之藥, 而寒散之劑居其半. 夫既無六經之外邪, 而用散何爲也? 旣無阻隔之大邪, 而用寒何爲也? 寒散旣多, 又果能養血氣而壯筋骨乎?"(『景岳全書』卷10), 확실히 劉完素가 열거한 主治와 方中 配伍 用藥은 서로 맞지 않는다. 그러므로 明代 吳昆이 本方은 "中風手足不能運動, 舌强不能言語, 風邪散見, 不拘一經者"(『醫方考』卷1)을 치료한다고 논술 했는데 기본적으로 대다수 의학자들이 本方의 主治病證을 인식하는 공통점이 되었다. 明·淸 이래로, 中風의 病因에 대한 인식은 內風에서 立論했기 때문에, 大秦艽湯은 상술한 張介賓의 말처럼 일부 의학자들의 부정을 피할 수 없었다. 이 외,『世醫得效方』卷13의 大秦艽散은 中風, 風痰壅盛, 四體重著 등의 증상을 치료하는데, 역시 外風에서 立論한 것으로, 組成은 大秦艽湯에서 當歸·白芍·生地·熟地·白朮·細辛·石膏·白茯苓·獨活을 빼고, 條蔘·枳殼·赤芍·桔梗·前胡·桑白皮·天麻·防己·荊芥·木瓜·川牛膝을 더해 만들었다. 이 方의 祛風淸熱은 大秦艽湯의 養血의 효능을 버리고, 宣肅肺氣로 바꾸어 근육을 강하게 하고 뼈를 건강하게 한다.

【醫案】 中風:『中醫藥硏究』(1989, 5:45): 여성, 50세. 1985년 12월에 진료했다. 환자는 온몸이 불편하고, 계속해서 左側 肢體가 酸麻癱軟한 것을 자각하고, 급히 의원에 와서 진료를 받았는데, 西藥의 低分子右旋糖酐等을 이용하고, 針灸치료를 배합했는데, 中醫會診도 요청했다. 증상은 神志가 분명하고, 左肢體의 癱瘓, 口眼喎斜, 二便이 정상이고, 口乾微渴, 舌質紅, 苔薄白, 脈浮細弦이 보였다. 辨證은 外邪留竄經絡과 脈道不通, 氣血逆亂이 야기했다. 치료는 祛風淸熱과 活血通絡으로 했다. 大秦艽湯(原方劑量)에서 白朮·熟地를 빼고 紅花 12 g·丹參 12 g·殭蠶 12 g·牛膝 12 g·天麻 10 g을 더했다. 上方을 반년 동안 이용한 후, 증상이 기본적으로 없어지고, 3년 내 방문진료에서 재발이 발견되지 않았다.

考察: 本例의 中風은 外風에서 論治했으며, 大秦艽湯加減으로 반년 치료하여 나았는데, 大秦艽湯의 中風을 치료하는 가치가 중시 되어야 함을 설명한다.

小活絡丹(活絡丹)

(『太平惠民和劑局方』 卷1 吳直閣增諸家名方)

【組成】 川烏 炮, 去皮臍 草烏 炮, 去皮臍 地龍 去土 天南星 炮 各六兩(各 180 g) 乳香 硏 沒藥 硏 各二兩二錢(各 66 g)

【用法】 위의 재료를 고운 가루로 만들어, 연마한 약과 고르게 섞고, 술과 밀가루로 풀을 써서 알약을 만들어, 오동나무 열매 크기로 한다. 매번 20환(3 g)을, 공복에 복용하고, 매일 오전에 차가운 술로 삼킨다. 형개탕으로 삼키는 것도 가능하다.

【效能】 祛風除濕, 化痰通絡, 活血止痛.

【主治】 風寒濕痹. 肢體筋脈 攣痛, 麻木拘攣, 關節屈伸不利, 疼痛游走不定. 亦治中風, 手足不仁 日久不愈, 經絡中有濕痰瘀血, 而見腰腿沉重, 或腿臂間作痛.

【病機分析】『素問』「痹論」에서 이르기를: "風寒濕三氣雜至, 合而爲痹也. 其風氣勝者爲行痹, 寒氣勝者爲痛痹, 濕氣勝者爲着痹也." 이것은 痹證이 나타나는 病因을 "風寒濕三氣雜至"로 인식하고, 三氣의 偏勝에 따라 行痹·痛痹와 着痹의 구분이 있다고 한 것이다.

本方이 치료하는 風寒濕痹는, 地勢가 낮은 곳에 오래 거주하여, 종일 햇빛을 보기 힘들어서 일어나기도 하고; 생계가 힘들어 風雨를 피하지 않고, 생활을 위해 바쁘게 돌아다녀 일어나거나; 그 사람의 機體 腠理가 느슨하게 되어 일어나거나; 땀이 나는데 바람을 맞아 생기거나……인체가 風·寒·濕邪의 침입을 받아 일어나는 것이다. 邪가 들어오면 經絡을 막고, 氣血의 운행이 마비되고 막혀, "不通則痛"하게 되고, 肢體筋脈의 攣痛이 일어나고; 그 疼痛이 돌아다니며 고정적이지 않는 것이 風邪가 盛한편일 때의 증상이고, "行痹"라고 한다. 氣血이 막히면 皮膚筋脈이 그 濡養을 잃고 麻木拘攣이 보이게 된다. 關節의 屈伸이 자유롭지 못하면, 疼痛으로 인해 환자의 관절 기능 활동에 제한을 받는다. 中風이 經絡으로 들어간 사람은, 오래되어도 낫지 않고, 外風의 留攣이 제거되지 않았는데, 또 經絡으로 들어오면, 반드시 濕痰瘀血로 막히게 되어, 手足不仁이 되고, 腰腿가 沉重해지거나 腿臂 사이에 통증이 생긴다.

【配伍分析】 風寒濕邪와 瘀血痰濁이 經絡을 막는 증상에 대한 치료는 당연히 『素問』「至眞要大論」의 "留者攻之"·"逸者行之"의 뜻에 따라, 祛風散寒, 除濕化痰, 活血通絡을 法으로 하여 祛除邪氣의 목적에 도달하여, 經絡을 순조롭게 통하게 하여 "通則不痛" 으로 병을 낫게 하여야 한다. 方은 制川烏·制草烏를 君으로 하는데, 두 약은 모두 大辛大熱한 약물로, 祛風散寒, 除濕痛止의 효능이 있고, 통증을 멈추는데 더욱 뛰어나다. 『長沙藥解』卷4에서 烏頭를 말하기를 "溫燥不行, 其性疏利迅速, 開通關腠, 驅逐寒濕之力甚捷, 凡歷節·脚氣·寒疝·冷積·心腹疼痛之類并有良功." 草烏 藥性의 峻함은 川烏보다 더한데 『藥類法象』卷3에서 그것에 대해 "治風痹血痹, 半身不遂, 行經藥也."라고 했다. 制天南星을 臣으로 배오하는데, 역시 辛熱峻烈한 약물에 속하여 祛風除濕, 散寒燥濕할 수 있고, 그 성질이 走而不守하여, 經絡 중의 風痰濕濁을 몰아 흩어지게 한다. 乳香·沒藥을 佐藥으로 배 오하여, 行氣活血, 化瘀通絡하는데, 氣血을 通暢하 게 하면, 즉 風寒濕痰瘀가 다시 留滯하지 않는데, 두 약이 止痛의 효능 또한 있어 川·草烏의 止痛作用을 더욱 강화할 수 있다. 『醫學衷中参西錄』「藥物」에서 이르기를 "乳香·沒藥二藥竝用, 爲宣通臟腑·流通經絡之要藥, 故凡心胃脇服肢體關節諸疼痛皆能治之. 又善治風寒濕痹, 周身痲木, 四肢不遂."라 했다. 地龍을 使로 하면 活血通絡하고, 여러 약이 직접 病所에 도달하도록 宣導하는데, 그 성질이 走竄을 가장 잘 하여 絡에 들어가는 가장 좋은 약품이 된다. 陳酒를 이용해 복용하면, 酒力의 宣通을 빌려 藥力을 돕는다. 혹은 荊芥湯을 이용해 복용하면, 荊芥의 疎表祛風을 잘하는 것을 취할 수 있다. 여러 약을 합하여 사용하는데, 모두 祛風散寒, 除濕化痰, 活血止痛의 효능을 이룬다.

본방의 배오특징은 大辛大熱·峻利開泄한 약물(川烏·草烏·天南星)을 위주로 처방을 구성하여, 藥效가 峻猛하고, 藥力은 祛風除濕, 通絡止痛할 수 있는데, 丸劑로 만들어 복용하면 그 峻藥緩投의 의미가 있게 된다.

【臨床應用】

1. 證治要點: 本方은 약성이 溫燥하여 痹證인데 寒性인 편인 사람에게 적용하여, 肢體筋脈의 攣痛, 關節屈伸不利, 舌淡紫, 苔白, 脈沉緊을 證治要點으로 한다.

2. 風濕性關節炎·類風濕性關節炎·骨質增生症과 中風後遺症 등 風寒濕痰이 經絡에 막힌 사람은 모두 본방의 치료를 사용할 수 있다.

3. 小活絡丹은 다음 한국표준질병사인분류(KCD)에 해당하는 환자가 風寒濕痹로 辨證되는 경우 본 처방의 사용을 고려해볼 수 있다.

처방 목표	한국표준질병사인분류(KCD)
風濕性關節炎	M05 혈청검사양성 류마티스관절염
	M06 기타 류마티스관절염

처방 목표	한국표준질병사인분류(KCD)
類風濕性關節炎	M15 다발관절증
	M13.0 상세불명의 다발관절염
骨質增生症	M15~M19 관절증
中風後遺症	U23.4 중풍후유증(中風後遺證)

【注意事項】 본방은 藥性이 溫燥하고, 藥力이 비교적 峻猛하여, 體實氣壯한 사람에게 알맞고, 본래 몸이 陰虛하고 熱이 있는 사람·오랜 병으로 肝腎不足인 사람과 임산부는 모두 신중하게 사용해야 한다.

【變遷史】 烏頭 등을 運用한 組方으로 痹證을 치료하는 것은 『金匱要略』「中風歷節病脈證竝治」에서 시작되었는데, 이르기를 "病歷節不可屈伸疼痛, 烏頭湯主之."라 했다. 소위 "病歷節不可屈伸疼痛은 후대에서 말하는 痹證이다. 小活絡丹의 원명은 活絡丹인데『太平惠民和劑局方』卷1(吳直閣增諸家名方)에 수록되어 있고, "丈夫元臟氣虛, 婦人脾血久冷, 諸般風邪濁毒之氣, 留滯經絡, 流注脚手, 筋脈攣拳, 或發赤腫, 行步難辛, 腰腿沉重, 脚心吊痛, 及上衝腹脇膨脹, 胸膈痞悶, 不思飮食, 衝心悶亂, 及一切痛風走注, 渾身疼痛"이라 했다. 이 방제는 痹證을 치료하는 것 외에, 약간의 다른 병증도 치료할 수 있는데, 단 烏頭를 사용하여 草烏에 배오하고 祛風散寒, 宣痛除濕하고, 止痛에 더욱 장점이 있다고 설명하고 있는데, 이것은『金匱要略』의 烏頭湯을 계승한 것이다.『太平惠民和劑局方』에 이 방을 정할 때, 烏頭湯 등 약이 준맹함을 감안하여 丸劑로 만들어 峻藥緩投의 妙를 자못 갖추었는데, 즉『金匱要略』의 烏頭湯 製方 用藥의 철학을 한 걸음 더 발전시켰다. 明代 吳昆의『醫方考』에도 이 方이 기재되었는데, 中風後遺症에 사용했다. 風濕痰瘀가 經絡에 막히면 手足不用이 나타나는데 本方이 主治하는 病證을 한 걸음 더 확장한 것이다. 清代 張璐의『張氏醫通』卷14의 "腰痛"門 역시 活絡丹을 기재하고 있는데, 本方과 비교해 草烏가 없고, "治寒濕襲于經絡而痛, 肢體不能屈伸"이다. 用法은 荊芥湯 혹은 陳酒 혹은 四物湯으로 化下한다. 또한 "痛處紅色者勿用"이라고도 했다. 이것은 張璐가 本方을 운용한 경험이며, 또한 이 방의 용법과 사용 주의에 대한 만든 보충이다.『傷科匯纂』卷7에 기재된 活絡丹은 本方에서 乳香·沒藥을 빼고, 痰南星·半夏를 더해 만든 것인데, 手足間에 손상된 濕痰 死血이 있는 것을 主治하고, 한두 군데의 통증이 오래되어도 낫지 않는 것을 치료한다. 本方과 비교해 活血行氣 작용이 약간 약화되고, 燥濕除痰의 효력이 다소 강화된 것이다. 본방의 方名은 清代 徐大椿의『蘭臺軌範』卷1에서 인용한『聖濟叢錄』에 大活絡丹이 있는데,『全國中藥成藥處方集』(上海·武漢等方)에서 小活絡丹으로 바꾸어 부른 것이 현대에 통행하는 方名이 되었다.

【副方】 大活絡丹(『聖濟叢錄』, 錄自『蘭臺軌範』卷1): 白花蛇 烏梢蛇 威靈仙 兩頭尖 俱酒浸 草烏 天麻 煨 全蝎 去毒 首烏 黑豆水浸 龜甲 炙 麻黃 貫仲 炙草 官桂 藿香 烏藥 黃連 熟地 大黃 蒸 木香 沈香 各二兩(各 60 g) 細辛 赤芍 沒藥 去油, 另研 丁香 乳香 去油, 另研 殭蠶 天南星 薑製 靑皮 骨碎補 白蔻 安息香 酒熬 黑附子 製 黃芩 蒸 茯苓 香附 酒浸, 焙 玄參 白朮 各一兩(各 30 g) 防風 二兩半(75 g) 葛根 虎脛骨 炙 當歸 各一兩半(各 45 g) 血竭 另研 七錢(21 g) 地龍 炙 犀角 麝香 另研 松脂 各五錢(各 15 g) 牛黃 另研 七錢(21 g) 片腦 另研 各一錢五分(各 4.5 g) 人蔘 三兩(90 g)

- 用法: 위의 재료를 가루로 만들고 끓인 꿀로 알약으로 만드는데, 龍眼肉 크기로 하고 金箔을 입힌다. 매번 一丸(3 g)을 복용하고 陳酒로 삼킨다.
- 作用: 祛風扶正, 活絡止痛.
- 適應症: 中風癱瘓, 痿痹, 陰疽, 流注, 跌打損傷 등.

본방의 藥物 組成은 50味에 달하는데 그 組方의 주요 의의는 邪正兼顧와 集祛風·散寒·除濕·清熱·行氣·活血·通絡之品과 補氣·養血·補肝腎强筋骨藥을 함께 사용하여 祛風通絡除邪하지만 正을 상하지 않으며, 益氣血補肝腎하지만 戀邪하지 않아, 邪去正復으로 여러 증상이 낫게 된다. 方中 草烏·附子·天麻·麻黃·羌活·

細辛·肉桂·防風·葛根은 祛風散邪한다. 白花蛇·烏梢蛇·全蝎·地龍은 搜風通絡削邪한다. 藿香·五香·沉香·丁香·白蔻·青皮·安息香·香附는 行氣化濕한다. 兩頭尖·赤芍·沒藥·乳香·血竭은 活血止痛한다. 殭蠶·天南星은 祛風痰한다. 麝香·牛黃·氷片은 香竄開泄除濁邪한다. 黃連·黃芩·貫仲·犀角·大黃·玄參은 清伏熱하고, 다른 약의 燥熱를 監制하는 뜻이 있다. 人蔘·白朮·茯苓·甘草는 즉 四君子로 補氣한다. 熟地·當歸는 補血한다. 首烏·龜甲·骨碎補·虎骨·威靈仙·松脂는 補肝腎强筋骨한다. 여러 약을 함께 사용하면 모두 祛風扶正과 活絡止痛의 효능을 이룰 수 있다.

본방과 小活絡丹의 祛風除邪通絡의 효능은 서로 유사하지만, 小活絡丹은 攻邪를 전문으로 하며, 藥力이 峻猛하고, 邪盛을 치료하며 신체가 건장한 사람에게 비교적 알맞다. 本方은 즉 邪正을 함께 고려하고, 더하는 藥味가 매우 많아, 藥力이 조금 완만하여 邪實하면서 신체가 虛한 사람에게 비교적 알맞다.

牽正散

(『楊氏家藏方』卷1)

【異名】 祛風散(『魯府禁方』卷1)·三神散(『仙拈集』卷1).

【組成】 白附子 白殭蠶 全蝎 去毒 各等分 竝生用

【用法】 위의 재료를 고운 분말로 만든다. 매번 1전(3 g)을 복용하는데, 따뜻한 술로 복용하고 시간에 구애받지 않는다.

【效能】 祛風化痰止痙.

【主治】 風中經絡, 口眼喎斜.

【病機分析】 中風의 徵候는 당연히 먼저 그것이 外風·內風인지, 邪가 經絡·臟腑에 있는지 구분해야 한다. 本方이 치료하는 증상은 外風과 痰濁이 서로 합해져 經絡을 막아 經隧가 순조롭지 않게 되고, 근육이 양분을 잃고, 쓰지 않아서 이완된다. 邪氣가 없는 곳은 氣血이 여전히 가능할 수 있고, 상대적으로 수축하여, 이완된 근육이 수축된 근육에 의해 끌어당겨져 口眼喎斜가 발생한다. 『金匱要略』「中風歷節病脈證竝治」가 말하는 "邪氣反緩, 正氣卽急, 正氣引邪, 喎僻不遂"가 즉 이 뜻이다. 대개 足陽明의 경맥은 夾口環脣하고, 足太陽之脈은 目內眦에서 일어난다. 환자는 평소 陽明에 痰濁이 축적되는데, 일단 太陽에서 風邪를 맞으면, 風痰이 서로 합해져, 陽明·太陽의 경맥에 막혀, 口眼喎邪가 되고, 명확한 전신증상이 없다.

【配伍分析】 風痰阻絡, 經隧不利의 증상에 대한 치료는 祛風化痰, 通絡止痙이 마땅하다. 方中 白附子의 辛甘而熱한 약성은 祛風化痰할 수 있으며, 頭面의 風을 치료하는 데 장점이 있고, 『本草經疏』卷11에서 "性燥而升, 風藥中之陽草也. 風性升騰, 辛溫善散, 故能主面上百病而行藥勢也"라고 일컬었으며, 君藥으로 작용했다. 全蝎·殭蠶은 모두 蟲類藥에 속하고, 祛風搜風·通絡止痙의 효능이 있는데, 그중 全蝎은 通絡에 장점이 있고, 殭蠶은 化痰에 뛰어나서 모두 臣藥이 된다. 뜨거운 술로 調服하여 사용하면, 宣通血脈하고, 藥을 絡으로 끌어들여, 病所에 직접 이를 수 있 다. 세 약을 함께 사용하면, 風除痰消, 經絡通暢하여 病證이 나을 수 있다.

本方의 배오 특징은 祛風痰藥과 祛風通絡止痙의 蟲類藥을 함께 사용하여, 祛除風痰할 수 있고, 또 通絡止痙할 수 있다. 用藥이 비록 적지만, 配伍에 빈틈이 없어, 病因·病機와 잘맞기 때문에 風中經絡, 口眼喎斜의 치료를 위해 일반적으로 사용하는 방제이다.

【臨床應用】

1. 證治要點: 本方은 風痰阻絡으로 寒象이 있는

사람에게 적용하며, 갑자기 생긴 口眼喎斜, 舌淡苔白이 證治要點이다. 환자는 發病前에 종종 面部에 갑자기 風寒을 맞은 병력이 있다.

2. 加減法: 本方은 湯劑로 만들어 이용하고, 증상을 참작하여 天麻·白蒺藜·蜈蚣·地龍 등 祛風止痙通絡의 약재를 더하여 치료 효과를 강화할 수 있다.

3. 牽正散은 다음 한국표준질병사인분류(KCD)에 해당하는 환자가 風痰阻絡證으로 辨證되는 경우 본 처방의 사용을 고려해볼 수 있다.

처방 목표	한국표준질병사인분류(KCD)
顔面神經痲痹	G51 안면신경장애
	G51.0 벨마비
面肌痙攣	(질병명 특정곤란)
	R25.2 경련 및 연축
三叉神經痛	G50.0 삼차신경통
偏頭痛	G43 편두통
中風後遺症	U23.4 중풍후유증(中風後遺證)

【注意事項】 本方은 溫燥한편이라 肝陽化風, 肝風內動 혹은 氣虛血瘀로 생긴 口眼喎邪 혹은 半身不遂에는 사용이 적당하지 않다. 그 외, 方中 白附子·全蝎은 毒이 있는 약재인데, 方中 藥物을 모두 生用하여, 약성이 더욱 驃悍하기 때문에 사용 시 약재를 과다하지 않게 해야 한다.

【變遷史】 祛風痰藥의 白附子와 祛風止痙의 蟲類藥 配伍를 운용하여, 風中經絡, 口眼喎斜를 치료하는 것으로 『楊氏家藏方』이 本方을 처음으로 만들었다. 이 배오 방법은 임상 응용에 효과적이었기 때문에 南宋以來로 지금까지 계속 사용되었으며 비교적 변화가 적었다. 吳昆이 말하기를: "中風, 口眼喎斜, 無他證者, 此方主之."라고 했는데, 이것은 이런 상황을 반영한 것이다. 『證治寶鑒』卷1의 牽正湯은 主治가 本方과 같은데, 本方에서 殭蠶을 빼고, 羌·防·芥·麻黃·薄·星·芩·翹·連·桔·草·烏·芍·朮·歸·芎을 더하고, 散劑를 湯劑로 바꾸어 만들어, 祛風作用을 강화하고, 活血淸熱할 수 있었다. 淸나라 宮中이 처방을 운용할 때 散劑를 丸劑로 바꾸고, 이름을 牽正丸(『慈禧光緖醫方選議』에서 보임)이라고 하고, 西太后의 面風(面肌痙攣)을 치료하는 데 이용했다. 現代의 止痙散(『流行性乙型腦炎中醫治療法』)은 全蝎·蜈蚣을 이용하여, 痙厥, 四肢抽搐을 치료한다. 그 制方에 대한 思考는 牽正散의 全蝎·殭蠶의 蟲類藥의 배오 방법에서 기원한 것이다. 『全國中藥成藥處方集』이 기재된 牽正散(吉林方)은 本方의 生白附子를 制白附子로 바꾼 것에 속하고, 生殭蠶은 麩炒子로 바꾸고, 다시 天麻를 더해 만들었는데, 효용상 祛風除痰 作用이 다소 약화되었지만, 사용이 비교적 안전하고, 平肝息風을 겸할 수 있다. 主治의 범위 역시 다소 확대되었고, 中風初起, 口眼喎斜, 半身痲木, 驚癎抽掣를 치료한다.

【醫案】 癌性疼痛 『上海中醫藥雜誌』(2003, 3:15), 남성, 70세. 多發性骨髓瘤를 앓았다. 初診: 2002년 8월 1일. 환자는 省人民醫院에서 CT·핵자공진·골수활검으로 多發性骨髓瘤로 實證된 것이 근 2년째였다. 화학치료로 4회 치료과정을 거쳤다. 화학치료의 전 과정을 마치기 힘들어 中醫로 바꾸어 치료를 요청했다. 현재 腰節酸冷과 腰痛이 양쪽 脇肋까지 이어지는데, 양쪽 下肢가 무력하고 마비되어 어쩔 수 없이 천천히 걸었고, 대변은 어느 때는 건조하고, 어느 때는 질었으며, 가끔 소변을 통제하기가 힘들었고, 입이 마르고, 苔가 淡黃薄膩하고, 舌質이 淡紫했으며, 脈이 小弦滑數했다. 辨證은 風痰瘀阻하고, 腎督受損이다. 處方은 炙白附子 10 g, 制南星 15 g, 炙全蝎 5 g, 地鱉蟲 10 g, 露蜂房 10 g, 炙殭蠶 10 g, 炙蜈蚣 3條, 川斷 20 g, 制川烏·制草烏 各 6 g, 炒玄胡 15 g, 九香蟲 5 g, 川蘭子 12 g, 巴戟肉 10 g, 金毛狗脊 20 g, 當歸 10 g. 동시에 複方馬錢子 캡슐을 0.3 g을 1회에 복용하고, 하루에 2회 복용한다.

二診: 2002년 8월8일. 7첩을 복약한 후, 腰痛이 확실히 줄었지만, 여전히 腿軟, 手足痲木, 大便轉稀, 苔

淡黃膩했다. 處方: 위 처방을 制南星 20 g으로 바꾸고, 生甘草 3 g, 生黃芪 15 g, 片姜黃 10 g을 더했다.

三診: 2002년 8월 22일. 服藥 後 腰部의 疼痛이 확실히 나아졌지만, 새벽에 일어나면 다리에 麻痛이 있었고, 食納은 가능했으며, 二便이 정상이고, 苔가 薄膩하고 舌質은 紫色이고, 脈이 細弦했다. 효과가 있어 처방을 바꾸지 않았다. 8월 1일 처방을 制南星 20 g으로 바꾸었다. 生黃芪 15 g, 細辛 4 g, 骨碎補 10 g을 더했다.

四診: 2002년 9월 12일. 背脊痛意를 가끔 느낄 수 있었고, 허리를 바로 펼 수 없었고, 左膀에 酸痛이 있었는데, 일어나 걸을 때 확실했다. 음식 섭취는 아직 좋았고, 二便도 정상이었으며, 苔가 淡黃膩하고 舌質이 暗하고, 脈은 細滑했다. 처방: 8월 1일의 처방을 制南星 20 g으로 바꾸고, 威靈仙 10 g, 千年健 15 g, 生黃芪 15 g, 細辛 5 g, 骨碎補 10 g을 더하고, 川楝子를 뺐다.

五診: 2002년 10월 10일. 腰脊 後背의 痛勢가 끝나지 않았고, 오래 앉아있을 수 없었으며, 背後에 凉感을 느끼고, 밤이 되면 발이 붓고, 苔가 薄膩하고 舌質이 暗했으며, 脈이 細弦했다. 8월 1일 처방에서 川楝子를 빼고, 制南星을 20 g으로 바꾸고, 威靈仙 15 g, 生黃芪 15 g, 細辛 5 g, 骨碎補 10 g, 仙靈脾 10 g, 鹿角霜 10 g을 더했다.

患者는 2002년 11월 7일 재차 검진을 했는데, 腰部疼痛·感凉症狀이 완전히 緩解되었으며, 어떤 불편함도 이야기하지 않아서, 원래 방법대로 계속 진행하고, 효과가 있어 처방을 바꾸지 않고, 위의 처방으로 調治를 계속했다.

考察: 多發性骨髓瘤는 단클론혈장세포(monoclonal plasma cell)가 異常增殖한 것인데, 단클론Ig (monoclonal immunoglobulin)의 증가로 생기는 일종의 惡性 腫瘤이고, 환자의 다수가 骨痛, 背痛, 急性感染, 腎功能損害, 乏力, 貧血로 진찰받는다. 현재는 화학치료·방사선치료를 위주로 한다. 비록 일부 환자의 병세가 緩解되긴 했지만 많은 노년 환자들은 화학치료를 견디기 힘들다. 本例의 환자는 多發性骨髓瘤로 확진 받은 지 이미 2년이 되었고, 4회의 화학치료 를 받았지만 임상증상이 여전했다. 진찰 시에 腰背疼痛이 主證이었고, 腰部冷感, 下肢痲木, 行走困難, 小便難控 등의 증상이 수반되었다. 腰는 腎部로, 背脊은 督脈循行의 곳인데, 증상을 종합하고, 병력을 결합하여, 腎陽虧虛, 督脈虛寒, 痰瘀阻絡으로 변증했다. 치료는 化痰通絡, 活血化瘀, 溫腎壯腰가 적당하여 牽正散加味로 치료했는데, 白附子·制天南星·炙殭蠶의 化痰通絡, 炙全蝎·炙蜈蚣·土鱉蟲·片姜黃·骨碎補의 化瘀活血搜單克隆絡脈, 川楝子·炒延胡索·九香蟲의 理氣止痛, 制川烏·制草烏·仙靈脾·鹿角霜·巴戟天·當歸·黃芪의 溫腎壯陽祛寒을 선택하여 사용하고, 千年健·川斷의 强要壯脊을 이용했다. 그 외 複方馬錢子 캡슐을 이용하여 解毒止痛했다. 치료 후 환자의 임상증상이 소실되었고, 치료효과가 양호했다.

【副方】 止痙散(『流行性乙型腦炎中醫治療法』): 全蝎 蜈蚣 各等分

- 用法: 위 약재를 같은 비율로 나누고, 매번 1~1.5 g을 따뜻하게 끓인 물로 복용하는데, 매일 2~4회 복용한다.
- 作用: 祛風止痙, 通絡止痛.
- 適應症: 痙厥, 四肢抽搐; 또한 頑固性頭痛·偏頭痛·關節痛 등도 치료할 수 있다.

止痙散과 牽正散을 비교하면, 白附子·殭蠶을 덜고, 蜈蚣을 증가시켰다. 蜈蚣은 身溫有毒하고, 性善走竄, 搜風旨痙定痛의 효과가 매우 강하여, 全蝎과 배오하며 相須로 사용하면, 祛風止痙의 효과가 더욱 현저하여, 溫熱病熱이 심한 動風, 痙厥이 발생하는 것에 대해 효과가 좋은 방이 된다.

玉眞散

(『外科正宗』卷4)

【異名】 玉眞丹(『證治匯補』卷3)·玉正散(『靈驗良方匯編』卷2)·玉貞散(『梅氏驗方新編』卷6)·白附散(『經驗奇方』卷上)

【組成】 南星 防風 白芷 天麻 羌活 白附子 各等分

【用法】 위의 재료를 분말로 만든다. 매번 二錢(6 g)을 복용하는데, 뜨거운 술 한 잔으로 調服하고 상처에 바른다. 만약 牙關이 緊急하고, 腰背가 反張한 사람은 매번 三錢(9 g)을 복용하는데, 따뜻한 童便을 이용해 복용하면, 안에 瘀血이 있어도 낫는다. 昏死, 心腹이 여전히 따뜻한 사람은 두 번을 연속 복용하면 역시 保全할 수 있다. 미친개에 물린 상처를 치료할 때에도 洗淨하고, 상처에 바른다.

【效能】 祛風止痙.

【主治】 破傷風. 牙關緊急, 口撮脣緊, 身體强直, 角弓反張, 脈弦緊.

【病機分析】 破傷風의 成因은 陳實功이 지적한 "因皮肉破, 複被外風襲入經絡, 漸傳入里."(『外科正宗』卷4)이다. 破傷風이 外風으로 인해 일어나는 것을 설명한다. 外傷이 皮肉의 破損을 만들기 때문에, 機體가 그 屛障을 잃고, 風邪가 상처의 입구를 통과할 수 있어, 經脈으로 침입하는데: 대개 "風勝則動"(『素問』「陰陽應象大論」)하고, 그 성질이 "善行而數變"(『素問』「風論」)하고, "風氣通于肝"(『素問』「陰陽應象大論」)하는데, 風邪가 侵入하면 經脈이 급히 속박되어, 牙關緊急, 口撮脣緊, 四肢抽搐, 角弓反張이 일어나게 된다. 脈弦緊, 역시 風動의 증후이다.

【配伍分析】 破傷風의 外風侵入과 筋脈痙攣의 증상에 대한 치료는 祛風止痙이 주가 되는 것이 알맞다. 方中 白附子의 辛甘大溫은 그 성질이 燥悍開泄하여 風을 제거할 수 있고, 燥濕化痰을 겸할 수 있다. 天南星 역시 辛燥溫熱한 약성의 약재인데, 祛風定痙의 효능이 있고, 經絡 안의 風痰을 없애는데 좋아서, 白附子를 天南星에 配伍하면, 祛風止痙에 힘이 있고, 祛痰을 겸할 수 있어, 함께 君藥이 된다. 羌活·白芷·防風의 辛酸疏風의 효능은 君藥을 도와 經絡 안의 風邪를 없애고 흩어지게 하여 邪氣를 밖으로 쫓아버려, 함께 臣藥이 된다. 息風定痙의 효능이 있는 天麻는 佐藥이 되어, 처방 안에 그것을 이용하면 白附와 天南星의 止痙作用을 강화할 수 있고, 또 外風이 매번 쉽게 內風의 病機變化를 일으키는 것을 함께 고려할 수 있다. 모든 약을 가루로 만들어 뜨거운 술과 童便으로 복용하는 방법을 사용하는 것은 뜨거운 술과 童便이 經絡을 잘 통하고, 氣血을 움직이는 성질을 취하여 인경약인 使약이 되게 한 것이다. 모든 약을 합하여 사용하면 祛風定痙의 효능이 있고 겸하여 燥濕化痰할 수 있다.

본방의 배오 특징은: 祛風止痙이 주가되는데 祛風은 밖에서 들어온 風邪로 하여금 밖으로 나가게 하기 위한 것이고, 止痙은 급하면 標를 치료한다(急則治標)는 치법이다. 息風止痙하는 약재로 약간 돕게 하여 내외의 풍을 함께 치료할 수 있다. 이로써 이 처방의 치법과 配伍用藥이 주도면밀함을 알 수 있다.

【臨床應用】

1. 證治要點: 本方은 破傷風을 치료하기 위한 일반적인 방제이다. 임상에서, 모든 創傷의 병력이 있고, 牙關緊急, 身體强直, 角弓反張 등의 증상이 있을 때 즉 破傷風으로 진단할 수 있을 때 본방을 투약한다.

2. 加減法: 本方은 祛風除痰의 효능이 비교적 강하고, 止痙의 효능은 조금 떨어지는데, 사용할 때 증상을 참작하여 全蝎·蜈蚣·殭蠶類를 더하여 解痙作用을 강화한다.

3. 玉眞散은 다음 한국표준질병사인분류(KCD)에 해당하는 환자가 外風證으로 辨證되는 경우 본 처방의 사용을 고려해볼 수 있다.

처방 목표	한국표준질병사인분류(KCD)
破傷風	A35 기타 파상풍
	A33 신생아파상풍
	A34 산과적 파상풍
瘋犬咬傷	A82 광견병

【注意事項】 本方은 藥物이 溫燥하여 氣를 소모하고 津을 상하게 하기 쉽게 때문에, 破傷風 後期 氣津이 모두 상했을 때는 사용이 적당하지 않다. 白附子와 天南星은 모두 유독한 약재이므로 용량에 신중해야 하고, 임산부는 사용을 금한다.

어떤 보고에서 玉眞散을 과다하게 복용하여 중독 치사한 한 사례가 있었다. 환자가 오른쪽 다리 跌傷에 스스로 黃酒에 玉眞散 약 3전(9 g)을 調服하였는데, 복용한 玉眞散은 약국에서 제조한 것이다. 10분 후 아코니틴(aconitine:烏頭碱)중독증상이 출현하여, 응급처치를 했지만 효과가 없이 사망했다. 보고자는 본방의 各藥의 용량이 여러 책마다 내용이 같지 않은데, 本 例의 환자가 이용한 것은 生附子의 용량이 다른 책보다 3배가 많았다. 민간에서 跌打損傷을 치료할 때 매번 0.9~1.5 g을 복용하는데, 本 例는 한 번에 9 g을 복용했는데, 生白附가 3 g 이상 포함되었고, 거기에 空腹에 黃酒로 복용하여, 中毒된 것이다.[1]

【變遷史】 本方은 『仙授理傷續斷秘方』의 至眞散에서 발전되어 온 것이다. 至眞散의 原方은 天南星·防風만을 같은 비율로 나누어 만든 것으로, 주로 打破傷損破外傷風頭痛, 角弓反張을 치료한다. 치료하는 병증으로 보면, 즉 후대의 破傷風을 포함했다. 『普濟本事方』卷6에 이 方을 기록하고 있는데, 이름이 玉眞散이었다. 『普濟方』卷113의 玉眞散은 上方에 沒藥을 더해 만든 것인데, 活血止痛을 兼할 수 있어, 風이 스스로 여러 瘡에 들어간 것을 치료하고, 破傷風 및 金刃傷, 打撲損傷을 치료한다. 『外科正宗』의 玉眞散은 至眞散의 기초에 白附子·羌活·白芷·天麻 네 가지 약을 더해 만들었는데, 祛風止痙의 효능이 原方에 비해 강하여, 곧 破傷風 치료의 名方이 되었다. 『證治寶鑒』卷1의 玉眞散은 至眞散에 天蟲·白芷를 더해 만들었는데, 祛風化痰 작용을 증가시키고, 破傷風을 주로 치료했다. 『全國中藥成藥處方集』의 玉眞散(蘭州方)은, 破傷風을 예방할 수 있고, 跌打損傷도 치료할 수 있는데, 『外科正宗』 玉眞散에 生半夏·氷片을 더해 변화해 온 것이다. 生半夏를 生附子에 배합하는 것의 최초 기원은 唐代 孫思邈의 『華佗神方』 中의 "華佗治破傷風神方"이다.[2] 『華佗神方』은 또한 『華佗神醫祕傳』이라고도 하는데, 原題는 "古代眞本", "漢·譙縣華佗元化撰, 唐·華原孫思邈編集"인데, 이것은 中華民國 12年·古書保存會藏版·上海大陸圖書公司排版의 "海內眞本" 『華佗神醫祕傳』을 정리하고 校點한 것이다. 『華佗神方』이 民國時期方에 나타났고, 그것은 옛 사람의 저작으로 僞托한 것으로 추론할 수 있기 때문에, 玉眞散이 원래 화타의 말에서 나왔다는 것은 성립할 수 없다.

【醫案】 破傷風 『中醫雜誌』(1956, 8:421): 남성, 32세. 왼쪽 腿掌에 녹슨 침으로 약 1.5 cm 찔렸는데, 출혈은 많지 않았다. 삼 일째 되는 날, 씹는 것이 불편하고, 삼키는 것이 어렵고, 경련이 한 번 있었지만 무시했다. 4일째 되는 날 경련의 횟수가 증가하고, 頸部·腰脊이 强直狀態를 띠고, 체온 39.6℃에, 맥박이 매우 빠르게 뛰고, 상처 입구가 딱딱하게 부어오른 상태를 보였다. 즉시 玉眞散을 상처 부위에 두껍게 뿌리고, 紗布繃帶로 싸서 묶었다. 그 외 散藥을 주었는데, 한 포에 3 g씩, 뜨거운 黃酒로 調服하고, 세 시간마다 1포를 복용했다. 다음날 경련 횟수가 크게 감소했다. 삼 일째에 상처가 단단하게 부어오른 것이 이미 부드럽고 평평하게 되었고, 삼키는 것이 자유로웠다. 치료 12일이 지난 후 완전히 정상을 회복했다.

考察: 本例는 破傷風으로 진단받고, 玉眞散內服과 外敷를 함께 투약했다. 약을 사용한 후, 여러 증상이 모두 가라앉았는데, 玉眞散의 破傷風에 대한 치료효과를 확실하게 설명하는 것이다. 하지만, 本例에서 사용한 玉眞散과 『外科正宗』 玉眞散의 藥量과 組成은 조금 다르다. 그 처방은 白附子 1二兩, 生天南星(薑汁炒)·明天麻·羌活·防風·白芷 各 一兩, 蟬蛻 三兩이었다.

【副方】 五虎追風散(歷史에서는 恩家傳方으로 전 한다. 中醫雜誌, 1955, 10:21) 蟬蛻 一兩(30 g) 天南星 二錢(6 g) 明天麻 二錢(6 g) 全蟲 帶尾 七介, 殭蠶 炒 七條

- 用法: 위의 약물을 水煎으로 복용한다. 黃酒 二兩(60 g)을 넣는다. 복용 전에 朱砂面 五分(1.5 g)을 넣는데, 복용 후마다 五心에서 땀이 나면 효과가 있는 것이다. 단 땀이 나는지 여부를 막론하고, 2일째에 다시 복용하는데, 매일 1付를 복용하고, 3付를 모두 복용한 후, 이틀마다 쑥을 이용해 상처에 뜸을 뜬다.
- 作用: 祛風解痙止痛.
- 適應症: 破傷風, 牙關緊急, 手足抽搐, 角弓反張者.

본방은 破傷風을 치료하는 데 효력이 있는 처방이다. 방중 蟬蛻를 중용해 祛風解痙하는 것을 위주로 하는데, 다시 天南星의 祛風除痰, 天麻의 平肝息風, 全蝎·殭蠶의 祛風止痙定痛을 더하고; 용법 중 黃酒를 넣는 것은 酒性을 빌어 行氣血通經絡하는데 뜻이 있고, 朱砂를 沖服하는 것은 鎭驚解毒 할 수 있다. 합하여 방제를 만들면 祛風止痙, 解毒定痛의 효과를 얻을 수 있다.

본방과 玉眞散 모두 破傷風을 치료하기 위한 일반적인 방으로, 모두 祛風解痙의 효능이 있다. 단, 玉眞散은 祛風化痰의 효력이 비교적 강하지만, 解痙의 효능이 부족한데 본방은 祛風解痙에 장점이 있다.

【參考文獻】

1) 胡立鵬.玉眞散中毒死亡1例. 浙江中醫雜志, 1964;(4):25.
2) 顔燕銀, 何振輝. 千古名方玉眞散的源流考及現代應用. 廣州中醫藥大學學報, 2003;20(3):243~245.

消風散

(『外科正宗』卷4)

【異名】 凉血消風散(『外科大成』卷4).

【組成】 荊芥 防風 牛蒡子 蟬蛻 苦蔘 蒼朮 石膏 知母 當歸 生地 胡麻仁 各一錢(各 6~9 g) 甘草 木通 各 五分(各 3 g)

【用法】 세 가지 약을 물 두 잔으로 10분의 8까지 끓이고, 식사 후 한참 뒤에 복용한다.

【效能】 消風養血, 淸熱除濕.

【主治】 風疹·濕疹. 皮膚疹出色紅 或.遍身雲片斑點, 瘙痒, 抓破後滲出津水, 苔白或黃, 脈浮數.

【病機分析】 本方의 主治病證에 관해 原書에서는 "風濕浸淫血脈, 治生瘡疥, 瘙痒不絶, 及大人·小兒風熱癮疹, 遍身雲片斑點, 乍有乍無, 幷效"라 했는데, 瘡疥·癮疹은 모두 瘙痒性皮膚病을 넓게 일컫는 말이며, 구체적인 피부손상 상황은 매우 복잡하다. 현대에서는 風疹·濕疹이라고 통칭한다. 그 病因·病機는 風邪와 濕邪·熱邪 三氣인데, 인체에 浸濕하면 血脈을 浸淫하게 되어 肌腠에 맺혀 피부 발진이 일어난다. 그 瘙痒을 참을 수 없고 피부 발진이 공중에 있는 구름이 숨었다 나타났다 하는 것과 같으면 風邪의 증상인데, 소위 "痒自風來"·"風性善行而數變"이 그것이다. 피부 발진이 가렵고, 할퀸 후 津水가 흘러나오면, 濕邪의 증상이고; 피

부 발진이 紅色을 나타내면 熱邪의 증상이다. 風邪가 盛한편이면 苔白하고, 熱邪가 盛한편이면 苔黃하고, 脈이 浮數하면 主風主熱이다.

【配伍分析】 風濕熱邪가 肌膚에 침입하여 風疹·濕疹이 발생하는 것에 대한 치료는 疏風·除濕·淸熱로 邪를 바깥으로 없애는 것이 알맞으며 질병과 용약의 전체적인 상황을 함께 고려하여 養血을 도와야 한다. 方中의 荊芥·防風·牛蒡子와 蟬蛻 네 약을 함께 사용하면, 疏風透邪, 開發腠理로 겉의 風邪를 없애고 흩어지게 하며, 祛風止痒의 효능이 있어, 함께 君藥이 된다. 苦蔘은 淸熱燥濕하고, 蒼朮은 苦溫燥濕하고, 木通은 소변을 보내 淸利濕熱하는데, 이 세 약은 除濕을 위해 만들어졌다. 石膏에 知母를 배합하면 크게 淸陽明肌熱하여, 이 두 약은 淸熱을 위해 만들어졌다. 上述한 두 조의 약은 濕熱의 邪氣를 없애 함께 臣藥이 된다. 當歸·生地와 胡麻仁은 滋陰潤燥하고, 養血活血하여 左藥이 되는데, 그 用藥의 의의는 다음 세 가지와 같다: 첫째, 風濕熱邪가 肌膚에 침입하면, 鬱結이 흩어지지 않아 陰血을 소모하고 상하기 쉽다: 두 번째, 방중 여러 祛風藥과 除濕藥의 성질이 모두 偏燥하여, 역시 陰血을 손상하기 쉽다. 세 번째는 外邪가 浸淫經絡하면, 氣血이 鬱滯되는데, 方中 當歸는 活血을 함께 고려하여 祛風除邪를 돕는데, 소위"醫風先醫血, 血行風自滅"(『婦人大全良方』卷3)이 그것이다. 生甘草의 淸熱解毒은 여러 약을 조화하여 使藥이 된다. 여러 약을 함께 합해 사용하면, 함께 疏風養血, 淸熱除濕의 효능을 이루게 된다.

본방의 배오 특징은 辛散疏風藥을 주로 하여, 祛濕·淸熱·養血의 약재를 배오는데, 이것은 祛邪하는데 主次가 순서가 있으며 扶正이 祛邪하는 가운데 있어, 祛風除濕할 수 있으며 養血淸熱도 가능하여, 邪氣를 물러나게 하고, 熱脈이 和暢하게 되어, 瘙痒이 스스로 멈추게 된다.

【臨床應用】

1. 證治要點: 本方의 治法은 疏風·淸熱·除濕과 養血의 4法을 갖추었는데, 이 네 가지 법은 바로 한의학에서 피부병을 치료하는 주요 치료방법이다. 그러므로 本方은 臨床에서 急性皮膚病을 치료하는 일상적인 방이 되며, 특히 風疹·濕疹을 치료하는 효과가 더욱 명확하다. 이용 시 피부의 瘙痒, 發疹의 紅色, 할퀸 후 津水가 새어나옴 등이 證治要點이 된다.

2. 加減法 만약 風熱이 盛한편이고, 口渴, 煩燥, 大便의 乾結이 함께 보이면, 증상에 따라 銀花·連翹·大黃 등 疏風淸熱, 解毒通腑하는 약을 더하고; 만약 濕熱이 盛한편이고 胸脘痞滿, 身重乏力, 舌苔가 누렇고 두꺼우며 기름기가 있는 것이 나타나면, 증상에 따라 地膚子·車前子·梔子 等 淸熱利濕할 수 있는 약을 더하고; 만약 血分의 熱이 심하고, 증상으로 五心煩熱, 舌이 紅色이거나 絳한 것이 보이면 증상에 따라 赤芍·牡丹皮·紫草 등의 淸熱凉血할 수 있는 것을 더하고; 瘙痒이 특히 심하고 병이 길게 이어져 낫기가 힘들거나 반복적으로 생기면, 증상에 따라 烏梢蛇·全蝎·殭蠶 等 搜風止痒할 수 있는 것을 더한다.

3. 消風散은 다음 한국표준질병사인분류(KCD)에 해당하는 환자가 風濕熱毒證으로 辨證되는 경우 본처방의 사용을 고려해볼 수 있다.

처방 목표	한국표준질병사인분류(KCD)
蕁麻疹	L50 두드러기
濕疹	L20~L30 피부염 및 습진
藥物性皮膚炎	Y88.0 치료용 약물, 약제 및 생물학적 물질에 의한 부작용의 후유증
接觸性皮膚炎	L24 자극물접촉피부염
	L23 알레르기성 접촉피부염
	L25 상세불명의 접촉피부염

【注意事項】 본방을 복용하는 동안, 海鮮魚腥·鷄鵝, 辛辣한 것 등 여러 風動을 일으키게 하는 음식물을 먹

으면 안 된다. 동시에 本方을 끓인 물로 따뜻하게 아픈 곳을 씻거나 다른 약재의 外用을 결합하면 더욱 빠른 효과를 얻을 수 있지만, 뜨거운 물로 아픈 곳을 뜨겁게 씻는 것은 피해야 한다. 陳實功이 말한 "必得兼戒口味, 辛熱莫啜, 忌洗熱湯"(『外科正宗』卷4)이 바로 이 뜻이다.

【變遷史】 본방은 『太平惠民和劑局方』卷1의 消風散 加減變化에서 왔다. 『太平惠民和劑局方』의 消風散은 荊芥·防風·川芎·羌活·殭蠶·蟬蛻·藿香·茯苓·人蔘·厚朴·陳皮·甘草로 구성되었다. 主治는 諸風上攻, 頭目昏痛, 項背拘急, 肢體煩痛, 肌肉蠕動·目眩旋暈·耳啸蟬鳴, 眼澀好睡, 鼻塞多嚏, 皮膚頑麻, 瘙痒癮疹이다. 婦人의 血風, 頭皮腫痒, 眉稜骨痛, 旋暈欲倒, 痰逆惡心; 久病偏風, 脫着沐浴, 暴感風寒, 頭痛身重, 寒熱倦疼; 小兒의 虛風, 目澀昏困, 및 急性驚風이다. 이방은 荊芥·防風·川芎·羌活·殭蠶·蟬蛻로 疏散外風하고; 藿香·茯苓·人蔘·厚朴·陳皮·甘草를 이용해 健脾和中·行氣除濕하고; 함께 사용하면 疏散外風, 健脾除濕의 효능이 있다. 치료하는 병증이 다양하여, 內外(皮)婦兒를 겸비하는데, 모두 風濕上功으로 인하거나, 流竄經絡, 外侵肌膚로 인해 생긴 것이다. 陳實功은 『外科正宗』에서 風濕熱邪가 피부를 침입한 전문과목의 특징에 맞추어, 앞 처방의 疏風除濕의 기초에 다시 淸熱養血을 더하여, 전문적으로 피부병을 치료하는 消風散을 만들어냈다. 전 시대 사람의 경험을 잘 계승하고 거기에 새로운 것을 더한 것이라고 말할 수 있다. 『幼科金針』卷下의 消風散은 膿窠瘡을 主治하는데, 『外科正宗』의 消風散에서 蒼朮·木通·石膏·牛蒡子를 빼고, 何首烏·白蒺藜·金銀花·殭蠶을 더해 만들었다. 이 방의 除濕의 효능은 『外科正宗』消風散에 미치지 못하지만, 養血祛風 작용은 다소 강하다. 『馬培之醫案』消風散은 荊芥·當歸·防風·苦蔘·胡麻·白芷·川芎·甘菊·蒺藜·浮萍·蔓荊子로 구성되었다. 이방은 『外科正宗』消風散에서 除濕淸熱藥(蒼朮·木通·石膏·知母·生地 等)을 빼고, 여러 祛風藥(白芷·川芎·甘菊 等)을 더해 만들었는데, 효능은 祛風消風에 중점을 두었고, 主治는 癧風이다. 當代 中成藥의 消風止痒沖劑(『江蘇省藥品標準』1985년) 역시 『外科正宗』에서 시작되었는데, 이 처방에서 知母·牛蒡子·苦蔘을 빼고, 地骨皮를 더하고, 胡麻仁을 亞麻子, 木通을 關木通으로 규정하여 만들었다. 이 方의 효능이 消風散類와 비슷한데, 역시 風疹·濕疹을 主治하고, 沖劑로 만들어 臨床에서 사용하기에 더욱 편리하다.

【難題解說】 胡麻仁에 대해: 方中 胡麻仁은 각지에서 사용하는 品種이 비교적 복잡하다. 北方은 亞麻科의 식물인 亞麻의 種子를 많이 이용하는데, 즉 亞麻子로, 李時珍은 『本草綱目』卷22에서 壁虱胡麻라고 칭했는데, 祛風止痒, 潤燥通便의 효능이 있다. 南方에서는 胡麻科의 식물인 脂麻의 흑색종자를 일반적으로 사용하는데, 즉 黑脂麻이고, 효능은 補益肝腎, 養血潤燥이다. 다른 한 종류는 脣形科 식물인 益母草의 種子로, 茺蔚子인데, 어떤 지역에서는 胡麻仁으로 사용하며, 효능은 活血調經, 疏風淸熱이다. 사용자는 本地에서 사용하는 胡麻仁 品種을 확실하게 이해해야만 用藥 處方의 정확성을 높일 수 있다.

【副方】 當歸飮子(『濟生方』卷6): 當歸 去蘆 白芍藥 川芎 生地黃洗 白蒺藜炒, 去尖 防風 荊芥穗各 一兩(各 30 g) 何首烏 黃芪去蘆 甘草炙 各半兩(各 15 g)

- 用法: 上 㕮咀. 매번 4전(12 g)을 복용하는데, 물 한 잔반에 생강 5편을 더해 八分까지 끓여, 찌꺼기를 제거하고 따뜻하게 마시는데, 시간에 구애받지 않는다.
- 作用: 養血祛風.
- 適應症: 外感風邪, 日久不愈, 耗傷陰血. 素體가 陰血虧虛하거나 風邪를 느끼는 사람. 피부 소양이 밤이 되면 더욱 심해지거나, 발진이 일어나거나, 일어나지 않거나, 모발이 빠지거나, 舌이 淡紅하고, 苔가 얇고, 脈이 細弦한 사람.

本方은 當歸·生地·白芍·川芎을 이용하는데, 四物湯이 養血과 凉血調血을 겸하는 것이다. 何首烏로 補肝

腎, 益陰血하고; 黃芪로 補氣生血하는데, 黃芪의 藥性이 升浮하고, 바깥으로 皮毛에 도달하여 腠理를 공고히 할 수 있다. 防風·荊芥穗·白蒺藜로 祛風止痒한다. 합하여 方을 만들면 養血祛風의 효능이 있다.

本方과 消風散 모두 養血祛風의 효능이 있는데, 모두 임상에서 皮膚瘙痒을 치료하는 일반적인 방이다. 단, 本方의 養血 효능이 祛風보다 뛰어나기 때문에 陰血虧虛와 풍사의 각종 만성피부병이 겸할 때 일반적으로 사용하는데, 그 병은 길어져 낫지 않거나 반복적으로 생긴다. 消風散은 즉 祛風의 효능이 뛰어나고, 淸熱·除濕·養血을 겸할 수 있기 때문에 風濕熱毒이 피부를 蘊結하는 風疹·濕疹에 일반적으로 사용하는데, 그 병은 많은 경우 급성으로 일어난다.

王效平은 본방을 이용해 노년의 피부소양증을 치료해 비교적 좋은 치료효과를 얻었다. 구체적인 방법은 當歸飮子를 基本方(熟地·首烏·黃芪·白蒺藜 各 15 g, 白芍·川芎·防風 各 10 g, 甘草 6 g)으로, 다시 병세와 결합해 加味한다: 겨울에 소양이 심하면 蟬蛻·麻黃을 더하고; 여름에 소양이 심하면 紫草·黃芩을 더하고; 가려움이 頑固하면 全蝎을 더하고; 氣虛가 명확한 사람은 黨參을 더한다. 두 周를 1회 치료과정으로 한다. 모두 48례를 관찰했는데, 결과: 완치 41례(85%), 호전 5례(10.4%), 무효 2례(4.2%)였다.[1] 또 어떤 사람의 보고는 본방을 이용해 全禿을 치료했는데 역시 효과적이었다. 7례를 치료 후, 결과는 완치 6례(복약 2~4개월, 머리카락이 전부 자라고, 色澤烏黑하며, 病前의 상태로 회복되었다. 약을 중단한 후 1년의 추적검사에서 재발이 없었다), 무효 1례였다.[2]

【參考文獻】

1) 王效平, 蘭新昌, 范叔弟. 當歸飮子加味治療老年皮膚瘙痒症48例觀察. 山東中醫雜志, 1986;(5):14~15.

2) 孫會文. 當歸飮子治療全禿. 四川中醫, 1989;(8):47.

風引湯

(『金匱要略』)

【異名】 紫石煮散(『備急千金要方』卷14)·紫石湯(『崔氏方』錄自『外臺秘要』卷15)·引風湯(『御藥院方』 卷11)·紫石散(『普濟方』卷100)·癲癎湯(『普濟方』卷378).

【組成】 大黃 乾薑 龍骨 各四兩(各 120 g) 桂枝 三兩(90 g) 甘草 牡蠣 各二兩(各 60 g) 寒水石 滑石 赤石脂 白石脂 紫石英 石膏 各六兩(各 180 g)

【用法】 위의 재료를 분말로 만들고, 가죽주머니에 담는다. 세 손가락으로 집을 만큼 취하여, 맑은 물 三升과 함께 세 번 끓여, 따뜻하게 一升을 복용한다(현대용법: 용량은 증상에 따라 줄이고, 水煎으로 복용한다).

【效能】 重鎭息風, 淸熱安神.

【主治】 除熱癱癎

癲癎·中風과 小兒의 驚風증상이 熱盛動風에 속하는 병증. 突然仆臥倒地, 四肢抽搐 或偏癱偏枯, 兩目上視 或口眼喎斜, 喉中痰鳴, 神志煩燥或不淸, 舌質紅, 脈弦有力兼數者.

【病機分析】 본방은 『金匱要略』「中風歷節病脈證幷治」에 기재되어 있는데, 기록이 매우 간략하여, 그 효능이 "除熱·癱·癎"을 기술했을 뿐이다. 『備急千金要方』卷14에는 그 主治가 기록되어 있는데 "大人風引, 小兒驚癎瘈瘲, 日數十發"이라 했다.

방제를 좇아 증후를 추측한다("從方測證")는 원칙에 근거하여 본방의 主治 증후를 추측하면 당연히 熱로 인한 風動이다. 그 열은 肝陽이 본래 旺盛한 熱일 수도 있고, 外感熱病, 熱熠肝經일 수도 있다. 肝熱風動에 이르게 되면, 癲癎·中風과 小兒驚風이 생긴다. 癲癎은 일종의 發作性神志異常의 질병이고, 발병하면 바로 갑자기 넘어지고, 昏不知人, 口吐涎沫, 兩目上視, 四肢抽搐하는데, 시간이 지나면 정신이 들고, 정신이 들면 정상인과 같다. 中風은 즉 갑자기 어지러워 넘어지고, 不省人事, 四肢偏癱을 수반하며, 口眼喎斜, 語言不利의 특징이 있다. 小兒驚風은 外感高熱이 내리지 않아 생기는데, 갑자기 四肢抽搐이 되고, 牙關緊急, 目睛上視, 神志不淸, 喉中痰鳴이 생긴다. 세 종류의 질병은 각자 특징이 있지만, 모두 肝經溫熱에 속하며, 熱盛動風으로 인해 발생한다. 肝은 筋을 주관하는데, 肝熱이 風動하면, 筋脈이 緊急하거나 弛緩되어, 仆臥倒地, 四肢抽搐 혹은 偏癱偏枯, 兩目上視 혹은 口眼喎斜가 발생한다. 痰因風生이 원인이고, 蒙阻淸竅하면, 즉 喉中痰鳴, 神志不淸이 된다. 熱이 心神을 어지럽히면, 즉 神志가 煩燥하게 된다. 舌紅, 脈弦有力하거나 혹은 兼數하는 것은 즉 肝經에 열이 있는 증상이다.

【配伍分析】 본방이 치료하는 癲癎·中風과 小兒驚風은 모두 肝經蘊熱, 熱盛動風에, 心神의 不寧이 겸해 일어난다. 치료는 寒涼으로 淸熱하고, 重鎭으로 息風하며, 安神을 돕는다. 方中 石膏·寒水石과 滑石의 三石을 重用하는데, 성질이 모두 寒涼하여, 淸熱瀉火하는데, 소위 "除熱"이다. 大黃은 苦寒下泄하고 瀉火通便하여 三石과 함께 風火의 세기를 직접 꺾는다. 龍骨·牡蠣·赤石脂·白石脂와 紫石英은 모두 質重沉降하여, 三石과 합하여 사용하면, 함께 重鎭息風의 효능을 이룬다. 그중, 龍骨·牡蠣와 紫石英은 鎭心安神할 수 있고; 赤·白石脂는 苦澀하여, 石藥의 重鎭과 大黃의 走泄이 심하게 과하게 되는 폐단을 방지한다. 桂枝는 祛風解肌할 수 있고, 다시 平衝降逆할 수 있어, 風이 內外 어디에 속하든 관계없이, 모두 치료할 수 있다. 그리고 계지의 辛甘하고 溫한 약성에 다시 乾薑과 배오하면 三石·大黃 등의 약이 寒凝碍胃하는 것을 방지할 수 있다. 甘草는 위기를 조화롭게 하고, 여러 약을 조절한다. 합하여 방을 이루면, 함께 重鎭息風, 淸熱安神의 효능을 이룰 수 있다.

본방의 배오 특징은 重鎭息風과 淸熱瀉火 위주이지만, 重鎭息風은 또한 苦澁한 약물의 도음을 받아 下泄의 폐단을 방지할 수 있다. 淸熱瀉火는 또 辛溫한 약물의 도음을 받아 寒中의 폐단을 방지할 수 있다. 이렇게 淸泄火熱하면 즉 風陽이 스스로 멈추게 된다. 重鎭心肝하면, 즉 癱癎이 나을 수 있다.

본방의 方名 "風引" 두 글자는 『金匱玉函要略輯義』卷2에서 "風癎掣引之謂"로 이해하고 있다. 『外臺秘要』卷15는 風癎門에서 崔氏의 "療大人風引, 少小驚癎瘈瘲, 日數十發, 醫所不能療. 除熱鎭心, 紫石湯(卽本方)."를 인용하고 있는데, "風引"은 옛 病名에 속하며, 本方은 이 병을 主治하기 때문에, 그것으로 方의 이름을 붙인 것이다.

【臨床應用】

1. 證治要點: 本方은 熱盛動風에 속하는 癲癎·中風과 小兒驚風을 치료하는 方劑인데, 갑자기 넘어지고, 四肢가 抽搐되고, 한쪽이 마비되고, 눈동자가 위를 보고 있거나 口眼喎斜, 舌紅, 脈이 弦하면서 힘이 있거나 兼數한 것이 證治要點이다.

2. 加減法: 癲癎은 증상에 따라 竹瀝·膽南星·石菖蒲를 더하여 豁痰開竅한다. 中風은 증상에 따라 磁石·代赭石·懷牛膝을 더해 鎭潛降逆한다. 小兒驚風은 증상을 참작하여 羚羊角·鉤藤·全蝎로 凉肝止痙한다. 열이 심하면 증상에 따라 乾薑·桂枝·紫石英 및 赤石脂 등의 약을 줄인다.

3. 風引湯은 다음 한국표준질병사인분류(KCD)에 해당하는 환자가 熱盛動風證으로 辨證되는 경우 본 처방의 사용을 고려해볼 수 있다.

처방 목표	한국표준질병사인분류(KCD)
癲癎	G40 뇌전증

처방 목표	한국표준질병사인분류(KCD)
腦卒中	I60 거미막하출혈
	I61 뇌내출혈
	I62 기타 비외상성 두개내출혈
	I63 뇌경색증
	I64 출혈 또는 경색증으로 명시되지 않은 뇌졸중
小兒高熱警厥	(질병명 특정곤란)
	R56.0 열성 경련
精神分裂症	F20 조현병
癔證	F44 해리[전환]장애
强迫證	F42 강박장애

【變遷史】 본방은 처음에 『金匱要略』에 수록되었는데, 구성상 石膏·寒水石·滑石과 다른 金石介類 藥을 주로 重用했는데, 配伍上 淸熱瀉火, 重鎭息風의 法을 실현하여, 후대에 극히 심원한 영향을 주었다. 우선, 風引湯은 石膏·寒水石·滑石三石의 甘寒淸熱하여, 瀉火하지만 苦寒化燥의 폐단이 없는데, 이런 配伍用藥의 방법은 우선 唐·『蘇恭方』 紫雪(錄自 『外臺秘要』卷18)의 방법을 따른 것으로, 방중 三石을 重用하여 君으로 했고, 계속해서 金·『黃帝素問宣明論方』卷6 桂苓甘露飮과 淸·『溫病條辨』卷2 三石湯이 이어받았는데, 두 方 역시 이 三藥을 君으로 하여, 三石湯이 즉 方의 이름이 되었다. 吳瑭의 自注에서 三石湯을 이르기를 “三石, 紫雪丹中之君藥, 取其淸熱退署利竅, 兼走肺胃也”라 했다. 다음은, 風引湯은 金石介類藥의 重鎭息風을 이용하는데, 民國 張錫純이 『醫學衷中參西錄』에서 계승했는데, 한 번 변화하여 建瓴湯이 되고, 다시 변화하여 鎭肝熄風湯이 되었다. 張錫純은 “『金匱』有風引湯除熱·癱·癎……拙擬之建瓴湯, 重用赭石·龍骨·牡蠣, 且有加石膏之時,實竊師風引湯之義也”라고 언급했다. (『醫學衷中參西錄』「醫論」), 또한 鎭肝熄風湯을 “實由建瓴湯加減而成”(『醫學衷中參西錄』「醫論」)이라고 했다. 현대에는, 이미 고인이 된 名醫 趙錫武先生이 中風의 半身不遂, 血壓이 높은 사람에 대해, 자주 風引湯에 磁石·龜甲·鱉甲·生鐵落을 더해 사용했는데, 치료효과가 제법 뛰어났다(『趙錫武醫療經驗』), 이것은 風引湯이 현대 임상에서 그 법에 따르기만 하면 眞髓를 얻어, 그것을 사용하면 자연히 桴鼓가 상응하는 것과 같은 효과를 얻을 수 있음을 설명한다.

【難題解說】 本方이 仲景方인지 여부에 대한 문제: 本方이 비록 지금의 『金匱要略』에 보이고 있지만, 그 기록이 지나치게 간결하고 방제의 구상이 寒溫固泄을 병용하는 등, 후대인으로 하여금 仲景方이 맞는지 의심하게 만드는데, 宋人이 校刻時에도 덧붙인 바가 있었다. 예를 들어 尤怡가 말하기를, “孫奇以爲中風多從熱氣, 故特附于此歟”(『金匱要略心典』卷上), 張錫純역시 “風引湯方下之文甚簡, 似非仲景筆墨, 方書有疑此系後世加入者, 故方中之藥品不純”(『醫學衷中參西錄』「醫論」)이라고 인식했다. 사실 이것은 일종의 추측일 뿐이고, 실제 근거가 없는 것으로, 반대로 風引方이 仲景方에 속한다는 것을 증명하는 증거가 제법 많다. 예를 들어 『外臺秘要』卷15에서 인용한 『崔氏方』에서 “永嘉二年, 大人小人頻行風癎之病……張思惟合此散(卽風引湯), 所療皆愈.” 永嘉는 西晉 懷帝 司馬熾의 年號이고, 永嘉 2년은 즉 서기 308년이다. 이상의 기록으로 보아, 本方은 일찍이 西晉時代 이용이 있었으며, 宋人이 덧붙일 수 있는 것이 아니다. 丁光迪은 『金匱要略』의 候氏黑散과 風引方에 대해 고증했는데, “이들 방제는 張仲景의 方으로, 증명 할 수 있는 근거가 있다. 예를 들어 『諸病源候論』卷6의 寒食散發候는 黃甫士安을 인용해 말하기를; ‘仲景經有候氏黑散·紫石英方(卽風引湯), 皆數種相出入, 節度略同.’이라 했다. 黃甫士安(서기 215~282년)은 張仲景보다 약 수십 년 늦을 뿐이라서, 이들 方劑가 張仲景의 저작 중에 있는 것을 보았을 가능성이 높다. 北宋 林億 등이 『外臺秘要』紫石湯(卽風引湯)을 校正할 때, 역시 ‘此本仲景『傷寒論』方, 『古今錄驗』·『范王』同, 竝出第六卷中’이라고 확실하게 注를 달았다. 이렇게 方源에 대한 문제는 명확해질 수 있다”.[1)]

【醫案】

1. 風癎 『崔氏方』(錄自『外臺秘要』卷15): 永嘉二年에

성인과 소아에게 風瘤의 병이 유행했다. 발생한 예를 보면, 말을 할 수 없고, 열이 나거나, 반신이 掣搐되고, 5·6일 혹은 7·8일에 사망했다. 張思惟가 이 散(卽 風引湯)을 합하여 치료하여 모두 나았다.

考察: 이상의 기록에서 알 수 있는 風瘤病의 특징은 전염성이 매우 강하고; 말을 할 수 없으며, 半身掣搐이 주요 증상이고, 열이 나거나, 병세가 중하고, 예후가 좋지 않다는 것이다. 古今의 疾病과 病名의 변천으로 인해, 이 병을 현대에 상응하는 어떤 질병에 대응하기 어려워 보인다. 張思惟가 風引湯으로 치료하여 "치료하여 모두 나았다"한 것은, 현대 임상에서 본방을 이용함에 있어 여전히 계발해야 할 작용이 있다는 것이다.

2. 癲癎『강서중의약』(1986, 3:16): 男兒, 12세. 갑자기 두 눈이 위를 향하고, 곧 바닥에 넘어져, 不省人事가 되고, 입에서 거품을 계속 흘리고, 手足이 抽搐되었는데, 깨어난 후에는 정상인과 같았다. 하루에 1~2차례 발작했는데, 발작이 반복적이었고, 병력이 3년여였는데, 일찍이 中西藥을 복용하여 치료했으나 치료효과가 뚜렷하지 않았다. 근래에 더욱 심해져 매일 2~3차례 발작하고, 매번 2~3분이면 깨어나는데, 頭痛, 口苦, 目赤, 胸脇의 煩悶, 大便干結, 소변이 붉고, 자면서 꿈을 많이 꾸거나 놀라 소리를 지르고, 양쪽 顴部가 가끔 적색이 나타났다. 舌邊이 尖紅하고, 脈은 沉弦했다. 본증이 나날이 심해졌는데, 肝火가 더욱 성하고, 肝陽이 목구멍까지 차오른 것에 속해, 肝風의 患을 불러 일으키고, 痰火迷心을 겸하는 것이다. 치료는 除熱息風하여 豁痰을 돕는 것이 적절하다. 處方: 生大黃 30 g, 乾薑 30 g, 生龍·牡 各 24 g, 桂枝 15 g, 寒水石·赤石脂·白石脂·紫石英·生石膏 各 24 g, 生甘草 15 g, 蘆根 40 g, 枳實 15 g. 같이 고운 분말로 연마하여, 매번 60 g을 煎服했다. 연속 20일을 복용하니 증상이 확실히 경감되었다(반개월마다 1회 발작, 발작 시간 단축). 方을 그대로 하고 石菖蒲 20 g·川貝母 10 g을 더해 한 달 여를 調治했더니 발작이 보이지 않았다. 3개월 동안 계속 복약할 것을 지시하고, 그 기간 동안 六君子湯으로 복용하게 하여 脾의 運化를 돕도록 했다. 추적 관찰 1년 동안 재발하지 않았다.

考察: 本例의 癲癎은 肝熱動風에 痰熱이 겸하여 일어난 것으로, 치료는 먼저 風引湯을 위주로 除熱息風 한 후, 石菖蒲·川貝를 더해 豁痰의 효능을 강화하고, 마지막으로 六君子湯을 이용해 藥散을 복용했는데, 이것은 患兒의 발작 기간이 3년 여가 되어 반드시 脾氣가 손상되었을 것을 고려한 것이다. 治驗者의 경험에 의하면, 風引湯으로 癲癎을 치료할 때 藥物을 고운 가루로 만들어 煎服하면 치료 효과가 더욱 좋았다.

3. 中風『中醫雜志』(1986, 9:26): 남성, 61세, 농민. 1976년 10월 25일 저녁에 돌아오자마자 머리가 어지럽고 이상함을 느꼈는데, 구름을 탄 것과 같고, 잠시 肢體가 마비되고, 곧 좌측이 偏廢되고, 口喎로 말이 버벅거렸는데, 다음날 본원으로 실려 와 진찰하게 되었다. 이 때 마침 省의 의료팀을 만나 "腦血栓形成"으로 확진 받았다. 혈관을 확장하고·抗凝·微循環을 개선하는 치료를 2주 동안 받았는데, 호전되지 않았다. 中醫로 바꾸어 진찰할 것을 요청했다. 증상을 보니 얼굴이 붉은 것이 화장한 것 같았고, 머리가 어지럽고 掣痛이 있었으며, 혀가 강직되어 말이 매끄럽지 않고, 口眼喎斜, 입꼬리에 침이 흐르고, 左半身不遂에 정신은 맑았고, 瞳孔이 커져 있었고, 대변을 7일간 보지 못했으며, 舌紅·苔黃糙, 脈이 沉弦滑했다. 脈證을 合參하니, 증상이 노년의 腎水不足에 속하고, 木少涵養, 風陽偏亢으로 痰火가 위로 巓頂까지 올라가도록 하여, 淸竅를 막고 있었다. 通便風引湯으로 관찰했다. 處方: 生石膏 60 g, 生龍骨 30 g, 生牡蠣 30 g(이상을 먼저 끓인다), 滑石 12 g, 龍膽草 10 g, 牡丹皮 10 g, 懷牛膝 15 g, 鮮竹茹 12 g, 大黃 10 g, 廣木香 2 g, 檳榔 6 g, 石菖蒲 6 g, 白薇 10 g. 매일 1첩을 水煎하여 3회로 나누어 복용했다. 3첩을 복약하니, 환자가 침대에서 일어나 사람이 부축하여 천천히 걸었다. 연속 10첩을 복용하니, 口眼에 이미 喎斜가 없어졌고, 言語가 분명해지고, 하지 기능이 정상으로 회복되고, 두통·어지러움이 사라

지고, 面色의 紅潮도 사라지고, 대변이 잘 나왔는데, 오직 손만 여전히 閉했고, 浮腫이 나타났다. 原方에서 菖蒲·大黃을 빼고, 佩蘭葉 6 g, 桑枝 15 g, 片薑黄 10 g을 더하여 다시 20첩까지 복용했는데, 上肢를 똑바로 들어올리는 것이 가능하고, 손가락 역시 접을 수 있었지만, 握力이 부족했다. 다시 20첩을 복용하니, 기본적으로 생활을 스스로 할 수 있었으며, 경미한 신체 노동도 할 수 있었다. 9년 후 추적관찰에서 재발이 발견되지 않았다.

4. 急驚風『江西中醫藥』(1986, 3:16): 남아, 4세. 1983년 8월 7일 입원. 환아는 3일 동안 고열이 있었는데, 하루 전부터 項强, 手足抽搐, 牙關緊閉, 便祕, 小便自遺, 面赤, 口燥渴, 체온 40.5℃였고, 舌赤·苔黃燥, 脈이 弦數했다. 腦脊液 검사에서 "일본뇌염"으로 진단되었다. 여러 증상을 종합적으로 관찰하니, 暑熱이 患이 되어, 內陷厥陰하여 肝風을 유발했다. 淸熱息風에 의거한 치법: 生石膏, 寒水石, 生龍·牡 各 5 g, 生大黃 4 g, 生甘草 3 g, 滑石 10 g, 赤·白石脂 各 10 g, 紫石英 10 g, 丹皮 4 g, 羚羊角粉(沖服) 2 g, 鉤藤 6 g. 2첩 복약 후, 체온이 38.5℃까지 떨어졌고, 抽 搐이 점차 멈췄다. 계속 3첩을 복용하니, 여러 증상이 전부 줄어들었지만, 밤에 잘 때 불안하고, 많이 울고 동요했는데, 위의 처방에 酸棗仁·桑葉을 各 6 g 더하고, 六味地黃丸으로 복용하니, 여러 증상이 모두 평온해졌다. 그 후 淸滋運脾의 약으로 조리하여 나았다.

考察: 本例는 暑熱內陷厥陰이 야기한 急驚風이기 때문에, 風引湯의 淸熱重鎭息風의 原方에서 乾薑·桂枝 등 辛溫하여 病證과 맞지 않는 약재는 뺐다. 羚羊角·鉤藤·牡丹皮를 더해 凉肝息風止痙의 효능을 강화했다. 藥과 證이 서로 맞아 方劑를 투약하여 효과를 거둘 수 있었다.

【參考文獻】

1) 丁光迪. 談侯氏黑氏和風引湯的實用價值. 江蘇中醫雜誌, 1983;(1):52~53.

第二節 平息內風劑

羚角鉤藤湯

(『通俗傷寒論』)

【組成】 羚角片 先煎 一錢半(4.5 g) 霜桑葉 二錢(6 g) 京川貝 去心 四錢(12 g) 鮮生地 五錢(15 g) 雙鉤藤 後入 三錢(9 g) 滁菊花 三錢(9 g) 茯神木 三錢(9 g) 生白芍藥 三錢(9 g) 生甘草 八分(2.4 g) 淡竹茹 鮮刮, 與羚角先煎代水 五錢(15 g)

【用法】 水煎服.

【效能】 凉肝息風, 增液舒筋.

【主治】 熱盛動風證. 고열이 내리지 않고, 煩悶躁擾, 手足抽搐, 痙厥이 발생하고, 심하면 정신이 혼미하고, 舌絳에 건조하고, 舌焦起刺하며, 脈이 弦하며 數하다.

【病機分析】 熱盛動風證은 溫病이 극할 때 많이 나타나는데, 病變의 단계에 따라 氣·營·血分의 구별이 있고, 그 病所를 추측하면, 厥陰肝木을 벗어나지 않는다. 動風은 본래 筋脈의 病變으로, 筋은 骨을 속박하고, 關節·肌肉을 연결하고, 운동을 주관하는데, 강경함과 유연함을 서로 겸하는 성질이 있고, 筋은 肝이 주관하는 바이기 때문에, 肝血에 의지해 榮養을 받는데, 所謂 "肝主身之筋膜"(『素問』「痿論」), "肝之合筋也"(『素問』「五臟生成論」)이다. 溫邪가 侵入하면, 肝臟이 스스로 병들거나 다른 臟의 病變이 간에 누적되어, 陽이 盛해 熱이 되고, 津이 부족해 燥하게 되고, 筋脈이 失潤하여 柔和의 성질을 모두 잃고, 剛强의 성질이 지나치게 과해져 內風이 일어나게 된다. 邪熱蒸騰하면, 高

熱이 내리지 않고; 熱灼心營하면 神明이 어지러워져, 가벼우면 煩悶躁擾, 무거우면 神志昏迷가 된다. 邪熱燔灼, 津傷失濡, 筋急而攣하게 되면 手足이 抽搐하고, 痙厥이 발생한다. 이것이 바로 옛사람이 말하는 "熱毒流于肝經……筋脈受其衝激, 則抽惕若驚." "肝屬木, 木動風搖, 風自火出"(『餘師愚疫病篇』, 見『溫熱經緯』卷4). "痙, 强直也, 謂筋之收引而不舒縱也. 其所以致此者有二: 一曰寒……一曰熱, 熱甚則灼其血液乾枯, 乾枯則短縮, 觀物之乾者必縮可見也"(『醫碥』卷3)이다. 邪熱이 극히 盛하게 되면, 陰液이 소모되어 상하기 때문에, 舌이 絳하며 乾하거나, 舌焦起刺하게 되고; 脈이 弦하고 數하게 되는데, 즉 肝經熱盛의 증후이다.

【配伍分析】 본방이 치료하는 것은 肝經熱盛生風의 증상으로 병이 급히 폭발하고, 병세가 위중하다. 風動이 안에 있으면 급하게 平息해야 하고, 息風하고자 하면, 그 근본을 뽑고, 원인을 없애, 臟腑를 조절해야 한다. 그러므로 본방의 입법은 淸熱涼肝, 息風止痙을 주로 하며, 滋陰增液을 겸한다. 方中 羚羊角의 鹹寒한 약성은 肝·心 二經으로 들어가, 平肝息風하고, 또 淸熱鎭驚할 수 있는데, 『本草綱目』卷3에서 말하는 "平肝舒筋·定風安魂" "辟惡解毒"의 효능이다. 鉤藤의 甘涼은 역시 肝·心 二經으로 돌아가 淸熱平肝, 息風定涼하는데 『本草綱目』卷18에서 말하는 "鉤藤, 手·足厥陰藥也. 足厥陰主風·手厥陰主火. 驚癇·眩運, 皆肝風相火之病, 鉤藤通心包于肝木, 風靜火熄, 則諸症自除."이다. 『本草新編』에서는 "鉤藤……入肝經治寒熱驚癇, 手足瘈瘲, 胎風客忤, 口眼抽搐. 此物去風甚速, 有風症者, 必宜用之."라고 했다. 두 약을 서로 합하면, 涼肝息風의 효능이 더욱 강해져, 함께 君藥이 된다. 桑葉의 苦甘性寒은 肝으로 들어가 淸熱하는데, 『重慶堂隨筆』에서 그것에 대해 "熄內風"할 수 있다고 말하고 있다. 菊花의 甘苦하면서 涼한 것은 肝經의 熱을 푸는데 좋다. 『本草正義』卷5에서 말하는 "菊花……秉秋令肅降之氣, 故凡花皆主宣揚疏泄, 獨菊則攝納下降, 能平肝火, 熄內風, 抑木氣之橫逆"이다. 桑·菊을 같이 사용하면, 함께 君藥을 도와 淸熱息風하여, 모두 臣藥이 된다. 火가 왕성하면 風이 생기고, 風은 火勢를 도와, 風火가 서로 부채질을 하여, 陰을 소모하고 液을 빼앗기 때문에, 鮮生地·生白芍藥·生甘草의 酸甘化陰으로, 滋陰養液, 柔肝舒筋한다. 地黃은 신선한 약재를 취하고, 芍·草를 모두 生用하면 寒涼의 성질이 비교적 뛰어나게 되어, 열이 심하여 진액을 상하게 하는 병에 적합하게 된다. 風火가 진액을 태우면 쉽게 痰이 되는데, 痰이 濁하게 되면 熱을 도와 風을 생기게 할 수 있어, 病勢가 가중되기 때문에, 竹茹·貝母를 배합하여 淸熱化痰한다. 茯神木을 한 것은, 風火가 안으로 돌아 심신이 不寧해지는데, 이 약의 효능이 전적으로 平肝寧心하게 하기 때문이다. 이것이 바로 『要藥分劑』卷2에서 말하는 "肝風內煽, 發厥不省人事者, 余每重用茯神木治之, 無不神效. 蓋此症雖屬肝, 而內煽則必上薄于心, 心君爲之不寧, 故致發厥. 茯神本治心, 而中抱之木又屬肝, 以木制木, 木平則風定, 風定則心寧, 而厥自止也."이다. 이상의 六味는 함께 佐藥이 된다. 그중 生甘草는 여러 藥을 조화할 수 있어, 또한 使藥이 된다. 全方은 涼肝息風에 치중하며, 增液·化痰·寧神을 겸하는데, 법도가 엄중하고, 主次가 분명하며, 風動痰生·神魂不寧의 病機에 祛痰·安神藥을 배오하여 平肝息風의 효과를 증강해서 같은 종류의 方劑가 미비한 것에 비해 뛰어나다.

【臨床應用】

1. 證治要點: 本方은 涼肝息風을 위한 대표방으로, 임상에서 高熱과 抽搐을 證治要點으로 한다.

2. 加減法: 氣分의 熱이 성하고 壯熱汗多·渴欲冷飮인 사람은, 石膏·知母를 더해 氣分의 熱을 내리고; 營血分熱이 盛하고 肌膚發斑·舌質紅絳이 보이는 사람은 水牛角·牡丹皮·紫草 등을 더해 淸營涼血하고; 腑實便祕를 겸하는 사람은 大黃·芒硝를 더해 通腑瀉熱하고; 邪閉心包·神志昏迷한 사람은 紫雪 혹은 安宮牛黃丸을 더해 涼開止痙하고; 抽搐이 쉽게 그치지 않는 사람은 全蝎·殭蠶·蜈蚣 등을 더해 息風止痙하고; 喉間이 痰으로 막힌 사람은 鮮竹瀝·生薑汁·天竺黃 등을 더해 淸熱滌痰하

고; 高熱이 내리지 않고, 津傷이 비교적 심한 사람은, 玄參·天冬·麥門冬 등을 더해 滋補津液한다. 만약 羚羊角이 없으면 山羊角을 이용하거나 珍珠母로 대체해도 되지만 용량은 커야 한다.

3. 羚角鉤藤湯은 다음 한국표준질병사인분류(KCD)에 해당하는 환자가 熱盛動風證으로 辨證되는 경우 본 처방의 사용을 고려해볼 수 있다.

처방 목표	한국표준질병사인분류(KCD)
流行性腦脊髓膜炎	G02.0 달리 분류된 바이러스질환에서의 수막염
	G01 달리 분류된 세균성 질환에서의 수막염
	G00 달리 분류되지 않은 세균성 수막염
流行性日本腦炎	A83.0 일본뇌염
高血壓腦病	I10 본태성(원발성) 고혈압
	I15 이차성 고혈압
腦血管事故	I60~I69 뇌혈관질환
妊娠子癎	O15.0 임신중 자간
風濕性腦膜腦炎	G03.8 기타 명시된 원인에 의한 수막염
急性菌痢合兵腦病	(질병명 특정곤란)
	G00~G09 중추신경계통의 염증성 질환
肺炎	J09~J18 인플루엔자 및 폐렴
	J20~J22 기타 급성 하기도감염
	J18.9 상세불명의 폐렴
中毒性腦病에 의한 얼굴 攣縮	T36~T50 약물, 약제 및 생물학적 물질에 의한 중독
	T51~T65 출처가 주로 비의약품인 물질의 독성효과
추휵	(질병명 특정곤란)
	R25.2 경련 및 연축
경궐	(질병명 특정곤란)
	R55 실신 및 허탈
	R56 달리 분류되지 않은 경련

【注意事項】 熱病後期 陰虛風動인 사람은 本方의 사용이 적당하지 않다.

【變遷史】 熱盛動風과 관련된 논술은 가장 일찍 『素問』「至眞要大論」의 "諸熱瞀瘛, 皆屬于火"; "諸暴强直, 皆屬于風"에 있다. 唐代『古今錄驗』(627년)의 鉤藤湯(鉤藤·蚱蟬·蛇蛻皮·大黃·石膏·黃芩·竹瀝·柴胡·升麻·甘草)와 『必效方』(713년)의 鉤藤湯(鉤藤·牛黃·龍齒·蚱蟬·蛇蛻皮·麥門冬·人蔘·茯神·杏仁)(『外臺秘要』卷35)에서 이미 平肝息風止痙藥과 淸熱·化痰·養陰·安神 등을 약재를 배오하여 小兒壯熱驚風에 사용했는데, 전체적으로 보면 外感病熱盛動風과 관련된 證治는 明·淸 이전에는 완전한 체계를 형성하지 못했다. 그 원인을 연구하면, 첫 번째는 고대 특히 唐·宋 이전의 의학자들은 動風 病證에 대해 外風에서 立論한 경우가 많았기 때문이다. 두 번째는 溫病學을 하나의 독립적인 학과로 만든 것은 明末淸初 사이인데, 주로 溫病 과정 중의 熱盛動風證에 대한 연구에서 보이고, 또 溫病學의 형성 발전에 따라 점차 展開되고 심화된 것이기 때문이다. 淸·葉桂는 『外感溫熱篇』에서 溫病痰火生風과 濕熱化風의 病機證狀을 "舌絳欲伸出口, 而抵齒難驟伸者, 痰阻舌根, 有內風也"(17條), "咬牙嚙齒者, 濕熱化風"(33條)(『溫熱經緯』卷3)으로 언급했다. 薛雪은 『薛生白濕熱病篇』에서 濕溫化燥傷津, 風火內動의 病理機轉 및 治療用藥을 지적하면서 "濕熱證, 數日後, 汗出熱不除, 或痙, 忽頭痛不止者, 營液大虧, 厥陰風火上升, 宜羚羊角·蔓荊子·鉤藤·玄參·生地·女貞子等味"라 언급하였다(『溫熱經緯』卷4). 단, 葉·薛 두 사람 모두 방을 만들어내지 않았다. 羚角鉤藤湯이 세상에 알려지면서, 熱極動風證의 치료에 효과적인 전문방을 제공하게 되었다. 羚角鉤藤湯의 主治는 원서에 기재되지 않았고, 治法 "凉肝息風法"만 있었다. 원서로 말하면, 俞氏는 비록 이름을 論傷寒이라고 했지만, 사실 通傷寒과 溫病學說을 융합한 것으로, 비교적 전면적으로 外感熱病을 논술했는데, 羚角鉤藤湯은 "第二章六經方藥第五節淸凉劑"에서 나온 것이며, 이 방이 주로 熱盛動風證을 치료하는 것을 어렵지 않게 추측할 수 있다. 秦伯未의 『謙齋醫學講稿』역시 "本方原爲熱入厥陰, 神昏搐搦而設."이라고 했다. 그 후 溫病學子 雷豊은 "却熱息風法"과 "淸離定巽法"을 만들었는데, 前者의 藥用은 "羚羊角·鉤藤鉤·大麥門冬·細

生地·甘菊花", "治溫熱不解, 劫液動風, 手足瘈瘲"; 後者의 藥用은 "連翹·竹葉·細生地·玄參·甘菊花·冬桑葉·鉤藤鉤·宣木瓜", "治昏倒抽搐, 熱極生風之證"이었다. 그 淸熱養陰, 平肝息風의 思考 및 用藥은 俞氏의 羚角鉤藤湯과 확실하게 비슷한 곳이 있다. 근 40년래, 의학자의 溫病熱盛動風證에 대해 病因 치료를 많이 강조했고, 淸熱의 方劑를 사용할 것을 주장했는데, 羚角鉤藤湯의 淸熱의 효능이 비교적 약하기 때문에, 이 방 한 가지만 사용하는 임상보고가 비교적 적게 보이는 것이다. 다른 한 쪽으로는, 羚角鉤藤湯이 內傷 雜病의 肝陽化風 즉 何秀山이 『重訂通俗傷寒論』에 있는 이 方의 案語에서 말한 "肝風上翔……頭暈脹痛, 耳鳴心悸, 手足躁擾, 甚則瘈瘲", "孕婦子癎"·"産後驚風"등의 병증과 『謙齋醫學講考』가 말하는 "肝陽重症" 등 병증의 치료에 광범위하게 사용되었으며, 많은 종류의 판본의 『中醫內科學』 교재에서 中風熱閉의 증상을 치료하는 主方으로 열거되고 있다.

【醫案】 히스테리 『浙江中醫雜誌』(1982, 9:413): 남성, 24세. 雙夏기간에 피로가 과도하게 누적되고, 감정이 잘 통하지 않은 것이 옛 병을 재발하게 했다. 증상을 보면 밤새 잠을 자지 못하고, 경계심을 갖고 불안하고, 抽搐이 빈번하게 일어나고, 스스로 생활이 불가능하고, 입가에 침이 흐르고, 침묵하고 말하지 않아며, 가끔 대소변을 흘리기도 하고, 음식을 먹는데 적극적이지 않았다. 병이 일주일 되었다. 舌質이 紅色이고, 苔가 얇고 황색이었으며, 脈이 弦滑했다. 체온이 37.8℃이고, 편도체가 左+++右++였고, 백혈구는 12300이었다. 현대 의학의 진단은 癔症性 精神病이었고, 한의학의 辨證은 肝陽浮越, 內風搖動, 痰濁上犯에 속하여 치료는 平肝息風, 淸熱化痰하는 것이 적합했다. 處方으로 羚角鉤藤湯加減을 사용했다: 羚羊角 2 g, 鉤藤·辰茯苓·殭蠶·天竺黃 各 12 g, 生地 30 g, 石決明 20 g, 生白芍藥 15 g, 象貝·竹茹·地龍 各 10 g, 冬桑葉 6 g, 蜈蚣 2條였다. 동시에 침 치료를 배오했다. 약을 20여 첩 사용한 후, 완치되어 퇴원했다.

考察: 本案의 身熱抽搐·驚惕不寐의 여러 증상은 모두 肝鬱化火, 風火上旋, 灼津成痰, 心神不寧으로 일어난 것으로 羚角鉤藤湯으로 淸肝息風·化痰寧神하고, 蟲類藥·石決明·天竺黃을 더해 그 힘을 도왔는데, 藥證이 서로 맞아 마침내 완전한 효과를 거두었다.

【副方】 鉤藤飮(『醫宗金鑒』卷50): 人蔘 全蝎去毒 羚羊角 天麻 甘草 鉤藤鉤

- 用法: 위 약물을 물에 끓여 마신다(水煎服).
- 作用: 淸熱息風,益氣解痙.
- 適應症: 小兒天釣, 驚悸壯熱, 眼目上翻, 手足瘈瘲.

天釣는 病證名인데, 明·萬全『育嬰家秘』에 驚風의 일종으로 나왔다. 또 다른 이름은 天吊·天釣驚風이다. 많은 경우 外感風熱이나 乳哺失宜에서 오고, 邪熱痰涎이 上焦에 蘊積하고, 心膈壅滯하게 되는데 宣通하지 못해 생긴다. 임상은 高熱驚厥·頭目仰視를 특징으로 한다. 『醫宗金鑒』卷50에서 天釣를 "證似驚風, 但目多仰視, 較驚風稍異"라고 했다. 鉤藤飮은 그중 "搐盛多熱者"(『醫宗金鑒』卷50)에 적용한다. 方中 鉤藤·羚羊角이 凉肝淸心、息風定驚하여 君으로 하고; 天麻·全蝎이 平肝息風, 解痙止搐하여 臣으로 한다. 처음 생긴 小兒는 臟腑가 柔嫩하고, 元氣가 충만하지 못하고, 形神이 怯弱하기 때문에 人蔘으로 補養元氣하고, 正氣를 보호한다. 炙甘草는 여러 약을 조화롭게 하여 使藥으로 쓰인다. 原書의 처방 뒤 案에서 이르기를 "天釣乃內熱痰盛, 應減人蔘."이라고 하였는데, 임상에서 참고할 만하다.

本方의 來源은 『醫方大成』卷10에서 인용한 湯氏의 "鉤藤飮"까지 거슬러 올라갈 수 있다. 鉤藤飮은 원래 "小兒天吊潮熱"을 치료하는데, 方中 犀角屑이 있고, 羚羊角이 없다. 『醫宗金鑒』에 기재된 방은 조성상 원방과 상술한 다른 점이 있는 것 외에, 主治證의 瘈瘲의 정도 역시 비교적 심하다. 이 책에서 언급한 鉤藤飮의 適應症의 내용은 모두 세 가지이다. 첫째, "小兒天釣

證……搐盛多熱者, 鉤藤飲主之"; 두 번째, "天釣須用鉤藤飲, 瘈瘲連連無止歇"; 세 번째, "內釣……瘈瘲甚者, 鉤藤飲主之". 세 가지 모두 抽搐이 비교적 심한 것을 말하고 있다. 이것은 또한 羚羊角을 함유한 鉤藤飲이 비교적 강한 息風止痙 작용을 갖고 있다는 것을 설명하고 있는 것이다.

本方과 羚角鉤藤湯은 모두 鉤藤·羚羊角을 君으로 하는데, 모두 凉肝息風의 方劑에 속하며, 모두 高熱抽搐의 증상을 치료한다. 단, 前者는 全蝎·天麻·人蔘을 배합하여, 止痙定搐의 힘이 강하고, 益氣扶正을 兼할 수 있어, 小兒天釣肝熱動風, 抽搐이 비교적 甚하거나, 氣虛를 겸한 사람에게 사용하고; 後者는 桑·菊·生地·白芍藥·竹茹·貝母·茯神木을 배오하여 淸熱凉肝의 효능이 비교적 강하고, 滋陰·化痰·寧心을 겸할 수 있고, 주로 溫病의 極期에 熱盛動風하거나 陰傷有痰을 兼한 사람에게 사용한다.

鎭肝熄風湯

(『醫學衷中參西錄』上冊)

【組成】 懷牛膝 一兩(30 g) 生赭石 軋細 一兩(30 g) 生龍骨 搗碎 五錢(15 g) 生牡蠣 搗碎 五錢(15 g) 生龜甲 搗碎 五錢(15 g) 生杭芍 五錢(15 g) 生蔘 五錢(15 g) 天冬 五錢(15 g) 川楝子 搗碎 二錢(6 g) 生麥芽 二錢(6 g) 茵陳 二錢(6 g) 甘草 一錢半(4.5 g)

【用法】 水煎服.

【效能】 鎭肝息風, 滋陰潛陽.

【主治】 頭目眩暈, 目脹耳鳴, 腦部熱痛, 心中煩熱, 面色如醉. 或時常噫氣, 或肢體漸覺不利, 口角漸形喎斜, 甚或眩暈顚仆, 昏不知人, 移時始醒. 或醒後不能復原, 精神短少, 脈弦長有力者.

【病機分析】 『素問』「至眞要大論」에서 "諸風掉眩, 皆屬于肝."이라 한 것은 類風의 病位는 주로 肝에 있다라는 것이다. 肝은 風木의 臟이다. 중년 이후, 正氣가 나날이 虧해지거나 후천적으로 주의하지 않거나, 病後에 체력이 虛하거나, 아래는 陰虛하고, 위는 陽亢한데 煩勞惱怒, 酒食不節, 起居失調 등의 요인이 더해지면 陽亢化風에 이르게 되어, 血이 氣를 따라 거꾸로 흘러 위로 腦를 공격하여, 類中이 발생할 수 있다. 張錫純은 "此因肝木失和, 風自肝起, 又加以肺氣不降, 腎氣不攝, 冲氣胃氣又複上逆, 于斯臟腑之氣化皆上升太過, 而血之上注于腦者, 逆因之太過"(『醫學衷中參西錄』). 下虛上盛하면, 風陽이 위를 어지럽히기 때문에 항상 머리와 눈이 어지럽고, 腦中 痛症과 熱이 생기게 되고, 눈이 膨脹하고 耳鳴이 있고, 얼굴색이 취한 것과 같다. 陰虛陽亢하면, 心肝의 화가 극히 盛해 心神이 불안하기 때문에 心中에 煩熱이 생긴다. 肝은 疏泄을 주관하는데, 氣機升降과 밀접하게 관련이 있고, 肝病이 매번 쉽게 犯胃乘脾하는데, 風陽이 위로 돌면 氣機升降이 순서를 잃어 胃氣 역시 그것을 따라 위로 거스르게 되어 항상 噫氣가 있다. 만약 陽亢이 지나치게 과하면, 肝風이 세고 거침이 없으며 氣血이 거슬러 어지럽혀, 卒中이 생기는데, 가벼우면 經絡이 막히고, 肢體가 자유롭지 못하고, 口眼喎斜가 생기며; 중하면 淸竅가 가려지고, 어지러워 엎어지게 되고, 사람을 알아보지 못한다. 이것은 즉 『素問』「調經論」에서 말한 "血之與氣, 幷走于上, 則爲大厥"의 뜻이다. 瘀血이 脈絡을 막으면 氣血의 運行이 순조롭지 않기 때문에, 肢體痿廢 혹은 偏枯 등의 증상이 보인다. 脈이 弦張하고 힘이 있는 것은 肝陽亢盛의 증상이다.

【配伍分析】 本方證은 肝腎陰虛로 말미암아 陰이 陽을 제약하지 못하고, 肝陽이 위로 목구멍까지 가고, 肝風이 內動하고, 氣血이 위로 거슬러 올라 생기는 바, 本虛標實로 標實이 급하게 되기 때문에, 치료는 鎭肝息風을 주로 하고, 滋養肝腎을 보조적으로 하는 것이

적당하다. 方中 懷牛膝은 味甘苦酸하면서 평온한데, 주로 肝腎 二經으로 들어가, "走而能補, 性善下行"(『本草經疏』卷6)하는데 張氏는 『醫學衷中參西錄』"牛膝解"에서 일찍이 설명하기를 牛膝이 "原爲補益之品, 而善引氣血下注, 是以用藥欲其下行者, 恒以之爲引經"이라고 했다. 이 책의 "論腦充血之原因及治法"의 驗案 뒤에서 또 말하기를 "所錄二案, 用藥大略相同, 而以牛膝爲主藥者, 誠以牛膝善引上部之血下行, 爲治腦充血證無上之妙品, 此愚屢經試驗而知……而治此證, 尤以懷牛膝爲最佳."이기 때문에 君으로 중용하는데, 氣血이 거슬러 腦의 病機에 충격을 주는 것에 대해, 血을 아래로 흐르게 하고, 氣血 上衝의 勢를 緩解하고, 동시에 補益肝腎의 효과를 이룬다. 代赭石은 苦甘하며 平溫한데, 그 質이 重隊하며, 효능은 平肝鎭逆, 降胃平衝한다. 張氏는 本品과 牛膝을 서로 배합하여 "腦充血症"을 치료하는데 자주 사용했는데, 『醫學衷中參西錄』의 醫案腦充血門에서 그 시도를 볼 수 있는데, 그중 모두 驗案 6例를 기록하고, 사용한 處方은 15首였는데, 모든 驗案과 處方마다 懷牛膝과 代赭石이 있는 이유는 무엇일까? 무릇 "內中風之證, 忽然昏倒不省人事……惟佐以赭石則下達之力速, 上逆之氣血卽隨之而下"(『醫學衷中參西錄』「藥物」)이라고 했다. 龍骨·牡蠣는 모두 介類로 平肝潛陽에 좋은데, 張氏는 이 두 가지를 "能斂火熄風", "愚于忽然中風肢體不遂之證, 其脈甚弦硬者, 知系肝火肝風內動, 恒用龍骨同牡蠣加于所服藥中斂戢之, 至脈象柔和其病自愈"(『醫學衷中參西錄』「藥物」). 三藥이 서로 협조하여, 위로 거스르는 氣血을 압박하고, 亢盛의 風陽을 안정시키고, 함께 牛膝을 도와 標를 치료하는데, 바로 『素問』「氣交變大論」의 "高者抑之" 뜻과 잘 부합하는 것이며, 이것이 臣藥이 된다. 白芍藥·龜甲·玄參·天門冬의 滋陰柔肝, 潛陽淸熱은 亢陽을 제어하여, 陰複陽潛, 肝風自息하게 하여, 모두 治本의 약품이 된다. 이 외, 張氏가 玄參·天門冬을 이용한 것은 淸金으로 木을 제어하는 뜻이 있는데, "玄參·天冬以淸肺氣, 肺中淸肅之氣下行, 自能鎭制肝木"(『醫衷中參西錄』「醫方」)이다. 이상 四味는 모두 佐藥이 된다. 肝은 將軍의 官이고, 職司는 疏泄이며, 성질은 條達을 좋아하며, 抑鬱을 싫어하는데, 만약 一味가 潛降을 압박하여, 肝氣가 억제되는 것을 피할 수 없으면 風陽의 平降寧息에 불리하게 되는데, 張氏는 임상 실천에서 그것을 관찰하고, 상술한 여러 약만 單用하면, 환자가 복용 후 사이에 "轉氣血上攻而病情加劇"(『醫衷中參西錄』「醫方」)의 현상이 있기 때문에, 茵陳·生麥芽·川楝子 三味를 더해 넣었다. 그중 茵陳의 苦辛하고 凉한 약성은 "最能將順肝木之性, 且又善瀉肝熱……爲淸凉腦部之要藥也"(『醫學衷中參西錄』「醫案」)이며, 生麥芽는 "逆善將順肝本之性使不抑鬱"이고; 川楝子의 苦寒한 약성은 疏肝泄熱하여 "善引肝氣下達, 又能折其反動之力"(『醫學衷中參西錄』「醫方」)한다. 三味를 함께 투여하면, 有餘한 肝陽을 淸泄하고, 肝氣의 鬱滯를 條達하게 하여, 肝陽의 潛降과 氣血의 下行에 유리하여 역시 佐藥이 된다. 甘草는 여러 약을 조화롭게 하고, 生麥芽와 합해 和胃調中하여, 金石介類 약물이 質重하여 胃에 장애가 되는 것을 방지하여 使藥이 된다. 여러 약을 배오하면 引血下行, 鎭逆潛陽, 滋陰疏肝하는데, 함께 標本兼顧, 剛柔相濟의 良方이 된다.

본방의 배오는 세 가지 큰 특징이 있다. 첫째, 類中風의 陽亢風動, 氣血上衝의 病機에 대해 牛膝을 중용하여 血을 下行하도록 하고, 亢陽을 직접 꺾어, 平肝息風 법의 또 다른 길을 열었다. 두 번째는 生赭石·生龍骨·生龜甲 등 金石介類藥을 여럿 대량으로 사용해 本方이 비교적 강한 鎭逆息風의 효능을 갖게 하여 平肝潛陽藥의 운용상, 전 시대 사람과 비교해 독특한 부분이 있었다. 세 번째, 肝臟의 생리·병리 특징을 함께 고려하여, 川楝子·茵陳·生麥芽의 疏肝泄熱효능과 白芍藥·玄參·天門冬의 育陰柔肝효능으로 보좌하도록 하여 단순히 무거운 약재들로 억누르는 것이 오히려 氣血의 上攻의 불러일으키는 弊病을 방지한다.

【臨床應用】

1. 證治要點: 本方은 中風을 위한 일반적인 方劑이다. 中風 前·中風 時·中風 後를 막론하고, 辨證이 陰虛

陽亢, 肝風內動에 속하기만 하면 모두 이용이 가능하다. 임상에서는 頭目眩暈, 胸部脹痛, 面色如醉, 心中煩熱, 脈弦張有力을 證治要點으로 한다.

2. 加減法: 原書에서 이르기를: 心中熱甚者, 加石膏一兩; 痰多者, 加膽南星二錢; 尺脈重按虛者, 加熟地八錢·淨萸肉五錢;大便不實者, 去龜甲·代赭石, 加赤石脂(喩昌謂石脂可代赭石)一兩. 이 외, 風陽이 亢盛한 사람은 鉤藤·天麻·羚羊角을 더하고; 肝火가 비교적 盛하고, 血壓이 과하게 높고, 두통이 격렬하고, 眼目脹痛이 있는 사람은 夏枯草·黃芩·鉤藤을 더할 수 있고; 大便이 燥結한 사람은 生大黃을 더해 便通하여 그치게 한다. 瘀血을 兼한 사람은 桃仁·乳香·沒藥을 더하고; 음식이 停滯되고, 식욕이 없는 사람은 鷄內金·山楂·神曲을 더한다.

3. 鎭肝熄風湯은 다음 한국표준질병사인분류(KCD)에 해당하는 환자가 陰虛陽亢, 肝風內動證으로 辨證되는 경우 본 처방의 사용을 고려해볼 수 있다.

처방 목표	한국표준질병사인분류(KCD)
高血壓病	I10 본태성(원발성) 고혈압
	I15 이차성 고혈압
腦血管事故	I61 뇌내출혈
	I63 뇌경색증
	I64 출혈 또는 경색증으로 명시되지 않은 뇌졸중
血管性頭痛	(질병명 특정곤란)
	G44.1 달리 분류되지 않은 혈관성 두통
癲癎	G40 뇌전증
腦動脈硬化	I67.2 대뇌죽상경화증
파킨슨病	G20 파킨슨병
三叉神經病	G50.0 삼차신경통
頑固性呃逆	F45.3 신체형자율신경기능장애
	R06.6 딸꾹질

처방 목표	한국표준질병사인분류(KCD)
冠心病心絞痛	I20 협심증
	I24 기타 급성 허혈심장질환
	I25 만성 허혈심장병
腦震蕩綜合征	F07.2 뇌진탕후증후군
癔症性暈厥	F44.2 해리성 혼미
神經官能症	F00~F99 V. 정신 및 행동 장애
倒經	N80 자궁내막증
更年期綜合征	N95.1 폐경 및 여성의 갱년기상태
高血壓腎病	I15 이차성 고혈압
皮膚病	(질병명 특정곤란)
	L00~L99 XII. 피부 및 피하조직의 질환

【注意事項】 原方의 代赭石·龍骨·牡蠣·龜甲·白芍藥·麥芽는 모두 生品을 사용하는데, 그 원인을 연구하면, 前 5味의 生用은 平肝潛陽淸熱의 효능을 강화할 수 있고, 後者의 生用은 疏肝의 方劑에 효능이 있게 된다.

【變遷史】 張氏는 『內經』煎厥·大厥·薄厥의 이론을 계승하고, 또 金元 4大家 중에는 특별히 劉完素의 "五志過極動火而猝中"의 영향을 받고, 또 현대 의학을 융합시켜 중풍의 발병을 논했는데, 病이 肝에 속하며, 陰虛陽亢하고, 臟腑 氣化의 상승이 지나치게 과하게 되면, 血이 그것을 따라 위로 거슬러 올라 뇌를 공격한다고 했는데, "充塞其血管而累及神經"(『醫學衷中參西錄』「醫方」)의 뜻이다. 經文의 "氣復反則生, 不反則死"의 영감을 받아, 中風 暴厥의 轉機 所在를 깨달았는데, "其氣上行至極, 復反而下行, 腦中所充之血應亦隨之下行, 故其人可生"(『醫學衷中參西錄』「醫論」)에서 추론하여, 치료에서 鎭逆潛陽平肝을 강조하고, 氣血을 下行하도록 하며, 滋陰培本의 여러 방면을 함께 고려했다. 본방은 바로 學術思想의 구현 및 임상 경험의 결정이다. 鎭肝熄風湯의 형성을 보면, 대략 세 단계가 있다: 風引湯에서 建瓴湯까지, 建瓴湯에서 鎭肝熄風湯初擬方까지, 鎭肝熄風湯初擬方에서 現行方까지이다. 風引湯은 『金匱要略』「中風歷節病脈證幷治」에 기록되었는데, 牡蠣·龍骨·滑石·寒水石·石膏·紫石英·白石脂·赤

石脂·大黃·甘草·桂枝·乾薑으로 구성되어, "除熱·癱·癎" 할 수 있다. 張氏가 생각하기를 "夫癱旣以熱名, 明其病因熱而得也. 其證原似腦充血也. 方用石藥六味, 多系寒凉之品……且諸石性皆下沉, 大黃性尤下降, 原能引逆上之血使之下行. 又有龍骨·牡蠣與紫石英同用, 善斂冲氣, 與桂枝同用, 善平肝氣. 肝衝之氣不上干, 則血之上充者自能徐徐下降也. 且其方雖名風引, 而未嘗用祛風之藥"(『醫學衷中參西錄』「醫論」). 그러므로 증상에 따라 腦充血을 치료하는 主方인 建瓴湯을 정할 때, 風引湯이 金石介類의 潛鎭降逆을 사용하는 것을 참고해, 大黃으로 血을 下行하도록 하고, 凉降을 주로 하며, 辛酸한 약성의 약재 등의 배오 방법을 피하고, 變通한 처방을 더했다. 原方의 "六石"은 生代赭石·合龍·牡의 平肝鎭逆의 효능이 있는 약재로 바꾸고, 大黃을 牛膝로 변화시켜 上部의 血을 下行하게 하고, 桂枝·乾薑의 溫散한 약성의 약재를 빼고, 生杭芍·生地·生山藥·栢子仁의 補養肝腎, 滋陰淸熱하는 효능을 더해 鐵銹水煎藥을 사용하여 鎭肝한다. 張氏가 스스로 말하기를 "拙擬之建瓴湯, 重用赭石·龍骨·牡蠣, 且有加石膏之時, 實竊師風引湯之義也"라고 했다(『醫學衷中參西錄』「醫論」). 그 후 세상에 나온 鎭肝熄風湯은 "實由建瓴湯加減而成"(『醫學衷中參西錄』「醫論」)이었다. 그 初擬方은 建瓴湯에서 山藥·生地·栢子仁·鐵銹水를 빼고, 生龜甲·麥門冬·天冬·玄參을 더하고 代赭石의 용량을 더욱 많이 하여 구성하였다. 建瓴湯과 비교하면, 鎭潛淸熱의 효능이 약간 우세하다. 現行方과의 차이는 주로 川楝子·茵陳과 生麥芽가 부족한 데 있다. 張氏는 임상 중에 그것을 이용하여 "腦充血症"을 치료하여 효과를 얻은 사람이 많지만, 단 "間有初次將藥服下轉覺氣血上攻而病加劇者"(『醫學衷中參西錄』「醫論」)라는 점에 주의하여, 이것이 전부 抑遏하고, 將軍之官의 "反動之力"을 불러일으키기 때문에, 방중 상술한 세 가지 약을 더 넣었다. 반복된 驗證을 거쳐, 최종적으로 引血下行·鎭肝降逆·滋陰潛陽의 효능을 확정하고, 동시에 肝木의 성질을 좇는 현재 처방을 따를 수가 있었다. 이 방은 지금까지 여러 번 시험해도 꼭 맞아, 中風의 陽亢風動의 증상을 치료하는 효과적인 方이 되었다.

【難題解說】 본방의 茵陳을 靑蒿로 보는지 여부에 대한 토론: 張錫純은 『醫學衷中參西錄』에서 鎭肝熄風湯 方論에서 일찍이 "茵陳爲靑蒿之嫩者"라고 했다. "茵陳解"에서 또 말하기를 "茵陳者, 靑蒿之嫩苗也……其氣微香, 其味微辛微苦……其性頗近柴胡, 實較柴胡之力柔和, 凡欲提出少陽之邪, 而其人身弱陰虛不任柴胡之升散者, 皆可以茵陳代之."라고 했다. 張氏 본인이 茵陳·靑蒿를 한 종류로 혼錢했기 때문에, 후대에도 이 의견을 좇는 현재 처방을 따를 수가 있었다. 어떤 사람은 方中 茵陳을 당연히 靑蒿라고 인식했는데, 『方劑學』통편 교재 1·2판, 成都中醫學院의 『中醫治法與方劑』 등이다. 어떤 사람은 茵陳이라고 생각했는데, 『方劑學』통편 교재 5판·『醫方發揮』 등이다. 20세기 80년대 잡지에서 다투는 사람이 상당히 많았는데, 그중 茵陳이라고 생각하는 사람이 더 많았다. 그 이유를 정리하면 다음과 같다. ① 식물학의 관점에서 보면, 張氏 본인이 "茵陳解"에서 말하기를 "茵陳者, 靑蒿之嫩苗也. 秋日靑蒿結子, 落地發生, 貼地大如錢, 至冬霜雪滿地, 萌芽無恙, 甫經立春卽勃然生長."이라 했는데, 茵陳은 2년생 초목 혹은 다년생 半灌木으로, 모종이 겨울에 땅에 붙어 자라는데, 靑蒿는 1년생 초목으로, 봄에 살고 겨울에 죽어, 눈과 얼음으로 가득한 겨울에 절대 싹을 틔울 수 없다. 張氏가 또 말하기를 "宜于正月采之"라고 했는데, 이것은 茵陳을 채집하는 계절이며, 靑蒿는 여름에 꽃이 피기 전에 채집한다. ② 약재 품종으로 보면, 근 수십년 동안 商品 靑蒿와 茵陳은 확실히 혼錢되는 면이 있었는데, 河北·天津·河南·湖北·福建·四川·貴州 등지에서 파는 靑蒿는 菊花科의 黃花蒿를 제외하고, 여전히 茵陳과 猪毛蒿(濱蒿)의 帶花靑枝가 있었다. 張氏는 河北 사람으로, 그가 본 현지의 "靑蒿"는 사실상 猪毛蒿의 帶花靑枝이다. 이런 猪毛蒿(Artemisia scoparia Waldst.et kit.)와 인진호(A.capillaries Thunb.)의 어린 모종은 모두 中國藥典 정품의 茵陳이다. 그러나 예부터 지금까지, 특별히 張氏의 지역에서는 茵陳(혹은 猪毛蒿)의 花枝를 "靑蒿"로 혼錢해 부른 정황이 있는데, 절대 靑蒿로 茵陳을 대신하지 않았다. 茵陳의 어린 모종은 그 잎의 뒷면 색이 청록색이라 구

분이 지극히 쉬운데, 茵陳의 줄기와 생화를 뽑으면, 그 털이 점차 빠져, 잎이 회백색에서 청록색으로 변하게 되어, 蒿類가 되기 때문에, 이 때의 茵陳을 "青蒿"로 혼錢한 것이다. 張氏가 말한 青蒿는 사실상 개화하여 열매가 맺힌 茵陳蒿이다. ③ 張氏가 서술한 효능을 분석하면, "茵陳解"에서 말하기를, "『神農本草經』謂其善治黃癉, 仲景治疸證亦多用之."라 했는데, 이것은 茵陳의 효능이지, 青蒿는 退黃作用이 없다. 張氏가 말한 "『名醫別錄』謂其利小便, 除頭熱."를 고증했는데, 『名醫別錄』에서는 이 문구가 茵陳에 있지, 青蒿條 아래 있지 않았다. ④ 茵陳이 方中에서 일으키는 작용으로 보면, 鎮肝熄風湯의 主治인 陽亢風動, 氣血上逆의 증상의 用藥은 降이 적절하고, 升은 적절하지 않은데, 青蒿는 氣味가 芳香하여, 升散을 유발하기 때문에, 肝陽의 平降에는 좋지 않지만, 茵陳은 肝膽의 熱을 배출하는 데 좋고, 肝膽의 鬱에 잘 도달하여, 肝을 풀어주지만 상승시키지 않아, 肝氣肝火를 격동해 上竄橫越하는 弊를 방지할 수 있는데, 그 작용은 절대 青蒿로 대체할 수 없다. ⑤ 현대의 약리실험으로 보면, 茵陳水浸劑·精製液 및 6,7~Dimethoxycoumarin을 함유한 것은 降壓作用이 있는데, 水浸劑·精製液은 血脂도 낮출 수 있어, 方中 茵陳은 心血管病과 中風을 예방하는 중요한 임상 의의를 가지고 있는데, 青蒿는 이 작용이 없다. 위의 내용을 종합하면, 본방에서 이용하는 것은 당연히 茵陳이라는 것을 알 수 있다.

【醫案】

1. 腦充血證 『醫學衷中參西錄』「醫方」: 유모씨가 天津에 온 후 腦에 항상 發熱感이 있고, 때때로 어지러우며, 마음이 煩燥하고 편안하지 않고, 脈象이 弦長하고 힘이 있는 것이 좌우 모두 그러했는데, 腦充血證에 속하는 것을 알았다. 그 분노가 가슴에 꽉 차고, 생각에 우려가 쌓인 것이 이미 오래되었는데, 이것이 그 증상이다. 胸中에 열을 느끼면, 綠豆로 주머니를 채워 베개를 만드는 것이 外治의 방법이다. 또 鎮肝熄風湯을 이용했는데, 方中 地黃 一兩을 더하고, 여러 첩을 連服하니, 胸中에서 더이상 열이 느껴지지 않았다. 곧 이어 川楝子를 빼고 生地黃을 六錢으로 바꾸어 사용하여, 10일을 복용하니, 脈象이 和平해지고, 心中의 煩燥가 없어져, 곧 약 복용을 중단했다.

2. 頭痛 『醫學衷中參西錄』「醫方」: 天津의 于氏의 신부가 시집온 지 열흘 정도 되었는데, 갑자기 두통이 생겼다. 의사는 風邪에 感受되었다고 의심하여 發表之劑를 투약했는데, 통증이 더욱 격렬해져 소리지르는 것이 그치지 않았다. 그것 때문에 늦게 검진을 했는데, 그 맥이 弦硬하고 긴 것이 왼쪽이 더욱 심하여, 그 肝膽의 火가 上衝하는 것이 지나치게 심한 것을 알았다. 곧 鎮肝熄風湯을 투약했는데, 龍膽草 三錢을 더해 肝膽의 火를 배출했다. 1첩으로 병이 반은 나았는데, 또 2첩을 복용하니 두통은 이미 사라졌는데, 脈象은 여전히 힘이 있었다. 곧 용담초를 빼고 생지황 6전을 더하여 여러 첩을 복용하니, 脈象이 정상으로 돌아와, 약 복용을 중단했다.

考察: 이상의 두 案은 모두 張氏가 운용한 鎮肝熄風湯의 治驗이다. 案1은 "腦充血證"을 鎮肝熄風湯에 生地를 더하여 치료하고, 綠豆作枕의 外治를 배합한 것이고, 案2의 "頭痛" 치료는 鎮肝熄風湯에 龍膽草를 더했는데, 方을 유지하지만, 고집하지 않았기 때문에, 方劑를 투약하면 항상 효과가 있었다.

3. 頑固性呃逆 新中醫(1993, 5:46): 남성, 70세, 퇴직한 의사. 1990년 12월 18일 초진, 입원 번호 02599. 환자는 유년기에 噦病病을 앓았는데, 수십 년 동안 中西藥物을 셀 수 없이 복용하고, 丁香과 柿蒂 같은 것을 번갈아 먹어 呃逆이 경감되거나 발작 간격은 늘일 수 있었지만, 약을 중단하면 다시 발작하여 시종 그 근원을 없앨 수 없었고, 呃逆이 몸에 달라붙은 세월 동안 하루도 딸국질을 하지 않은 날이 없었다. 10여 일 전부터 呃逆이 점차 심해져, 頭痛, 煩燥, 혈압 상승을 수반했는데, 스스로 降壓, 擴血管藥을 복용했지만 효과가 없어서 병원을 찾아 치료했다. 진료시에도 呃逆이 빈번하여, 고통을 견딜 수 없었는데, 병력을 물어보고 대답할

때에도 멈추지 않았고, 頭部에 脹痛이 있고, 耳鳴에 눈이 침침하고, 마음이 심란하고 쉽게 노하고, 적은 잠에 건망증이 있고, 입이 쓰고 얼굴이 적색이었으며, 대변이 덩어리졌다. 舌이 暗紅色이고, 苔가 薄黃하며, 脈이 弦硬하고 힘이 있었다. 혈압이 190/100 mmHg였다. 증상은 腎虛氣逆, 肝陽上亢에 속했다. 치료는 滋陰潛陽으로 降逆止呃했다. 處方: 懷牛膝·代赭石 各 30 g, 白芍藥 50 g, 天冬·生龍骨·生牡蠣 各 15 g, 玄參 10 g, 茵陳 7 g, 甘草 5 g, 麥芽 12 g, 薑半夏 20 g. 水煎으로 복용했다. 2첩 복약 후 呃逆이 크게 감소했고, 4첩 복약 후 呃逆이 그쳤다. 다시 본방을 달리 하여 반 개월을 조리하였더니, 남은 증상이 모두 없어지고, 혈압이 정상으로 되었으며, 완치되어 퇴원했다. 곧 이어 백작감초를 가루로 만들어 끓여 복용하여 치료 효과를 확실히 했다. 추적 검사 2년 동안, 병이 재발하지 않았고, 혈압 역시 정상범위에서 안정적이었다.

考察: 呃逆은 현대 의학에서 주로 횡경막연축에 원인을 두고 있는데, 한의학에서는 肝脾腎 三臟의 기능이 조화를 잃고, 胃氣가 위로 거슬러 膈을 움직여 생기는 것으로 인식하고 있다. 이 환자는 나이가 古稀에 가깝고 병이 수십 년 되었는데, 腎陰虧損하고, 肝陽上亢이 그 병의 根本이었고, 胃氣上逆이 그 병의 標였기 때문에, 鎭肝熄風湯加減을 선택하여, 滋陰潛陽으로 治本하고, 降逆止呃으로 治標했다. 方中 代赭石·龍骨·牡蠣는 모두 重鎭하는 약재로 降氣와 潛陽을 함께 할 수 있고, 그중 代赭石은 胃逆을 내리는데 더욱 좋다. 白芍藥을 중용하는 뜻은 止呃을 緩急하는데 있고; 薑制半夏를 더하여 和胃降逆한다. 여러 약을 함께 사용하여, 陰復陽潛하면, 衝逆得降하여, 오랫동안 쌓였던 완고한 질병이 낫게 된다.

【副方】 建瓴湯(『醫學衷中參西錄』上冊): 生灰山藥 一兩(30 g) 生赭石 軋細 八錢(24 g) 生龍骨 搗細 六錢(18 g) 生牡蠣 搗細 六錢(18 g) 生灰地黃 六錢(18 g) 生杭芍 四錢(12 g) 栢子仁 四錢(12 g)

• 用法: 磨取鐵銹濃水로 약을 끓인다.
• 作用: 鎭肝熄風, 滋陰安神.
• 適應症: 胸充血證의 전조가 드러난 사람.

① 脈搏이 반드시 弦硬하며 길거나, 寸盛尺虛하거나, 평소보다 脈數가 倍 이상인데, 완화될 조짐이 전혀 없다.

② 頭目이 항상 眩暈하거나, 腦中 昏潰함을 느끼고, 많이 잊어버리거나, 항상 통증을 느끼거나, 귀가 멍멍하고 눈이 붓는다.

③ 胃에 가끔 氣가 上衝한 것을 느끼고, 음식물이 막혀 아래로 내려가지 못하거나; 氣가 下焦에서 일어나 상행하여 딸꾹질을 일으킨다.

④ 心中 자주 煩燥不寧함을 느끼거나, 가끔 熱이 생기거나, 자면서 꿈에 귀신이 돌아다닌다.

⑤ 舌脹하거나, 언어가 순조롭지 않고, 口眼喎斜가 있거나, 半身이 麻木不遂와 비슷하게 되거나 행동과 걸음이 불안정하고, 때때로 어지러워 눕고 싶거나, 머리가 무겁고 발이 가벼움을 느끼고, 다리 아래가 거친 솜을 밟고 있는 것과 같다.

위에 열거한 증상은 가끔 한두 개가 나타나고, 다시 脈象의 呈露를 참고하면, 진단이 가능하다.

建瓴은 즉 高屋 建瓴이다. 建: 通瀽, 傾倒; 瓴: 일종의 물이 가득 찬 도자기 병이다. 원래 뜻은 병 안의 물을 高屋 脊上에서 아래로 쏟는다는 뜻으로, 張氏가 그것으로 方의 이름을 정했는데, 즉 이 方이 "服後能使腦中之血如建瓴之水下行, 腦充血之證自愈"이기 때문이다. 만약 大便이 실하지 않은 사람은, 赭石을 빼고, 建蓮子를 더한다. 만약 차가움을 싫어하는 사람이면, 熟地를 生地로 바꾼다. 本方과 鎭肝熄風湯은 모두 張錫純이 "腦充血"에 대해 만든 方劑이다. 두 方에 모두 牛膝·代赭石·龍骨·牡蠣·白芍藥이 있고, 鎭肝熄風, 滋陰潛陽할 수 있어 肝腎陰虧, 肝陽上亢의 증상에 사용한다. 단, 鎭肝熄風湯은 川楝子·茵陳·生麥芽·龜甲·玄參·天冬과 甘草를 배합하여, 鎭潛淸降의 효력이 비교적 강하고, 肝氣를 條達할 수 있으며, 陽亢風動, 氣血逆亂의 重證에 사용한다. 建瓴湯은 山藥·生地와 栢子仁을 사용하여, 寧心安神의 효력이 약간 우세하여, 陰虛陽亢, 心神不寧하고, 병세가 비교적 가벼운 사람에게 적용한다.

天麻鉤藤飮

(『中國內科雜病證治新義』)

【組成】 天麻(9 g) 鉤藤(12 g) 生決明(18 g) 山梔(9 g) 黃芩(9 g) 川牛膝(12 g) 杜仲(9 g) 益母草(9 g) 桑寄生(9 g) 夜交藤(9 g) 朱茯神(9 g)

【用法】 水煎服(1일 2~3회 복용).

【效能】 平肝息風, 淸熱活血, 補益肝腎.

【主治】 肝陽偏亢, 肝風上擾證. 頭痛, 眩暈, 失眠, 舌紅苔黃, 脈弦.

【病機分析】 本方이 치료하는 증상은 肝陽上亢로 말미암아 肝風上擾가 일어나는 것과 관련이 있다. 肝은 木에 속하며, 바깥으로 風氣에 應하고, 안으로 相火에 기대어, 본체는 陰이지만 쓰임은 陽이고, 그 성질이 剛勁하고, 上升을 主動한다. 만일 鬱怒憂思로 肝失條達하고 氣鬱化火하여 肝陽獨亢하거나, 또는 오랜 병으로 몸이 약하거나 攝生을 올바르게 못해 肝腎虧虛하여 陰이 陽을 제어하지 못해 肝陽偏亢하면 , 風으로 변해 위를 침범하여, 風陽이 經을 따라 위로 淸竅를 어지럽히면, 즉 頭痛·眩暈이 생기고; 肝藏魂하고, 心藏神하는데, 肝陽肝火가 안을 어지럽히고, 神魂이 안녕을 잃으면, 즉 밤에 잘 때 많은 꿈을 꾸거나 잠을 이루지 못한다. 舌紅·苔黃·脈弦은 肝陽偏亢의 증상이다. 煩勞는 陽을 움직이고, 惱怒는 肝을 상하게 하기 때문에, 本病證은 항상 煩勞惱怒로 인해 유발되거나 가중된다.

【配伍分析】 肝陽偏亢하여 化風上擾한 증상의 치료는 平肝息風·潛陽降逆으로 하는 것이 적당한데, 『中醫內科雜病證治新義』제1편에서 지적한 "當以平肝逆爲法"과 같다. 方中 天麻는 甘平하여, 厥陰肝經으로 들어가고, 효능이 平肝息風에 전문적이라 "爲治風之神藥"(『本草綱目』卷12)라 말한 것처럼, "風虛眩暈頭痛"을 치료하는 데 좋다(張元素가 말한 것으로, 『本草綱目』卷12에서 볼 수 있다). 鉤藤의 甘涼함은 肝風을 평온하게 할 수 있고, 또 肝熱을 식힐 수 있다. 『本草正義』卷6에서 "此物輕淸而涼, 能泄火, 能定風"한다 했다. 『景岳全書』「本草正」卷48에 이르기를 "專理肝風相火之病"이라 했다. 두 약을 함께 사용하면, 平肝息風의 힘을 더 강화할 수 있어, 함께 君藥이 된다. 臣藥인 石決明의 鹹平한 약성으로 肝으로 들어가 重鎭潛陽, 涼肝除熱하는데 『醫學衷中參西錄』에서 "石決明……爲涼肝鎭肝之要藥. 爲其能涼肝兼能鎭肝, 故善治腦中充血作痛作眩暈, 因此證多系肝氣·肝火挾血上衝也."라 했다. 肝熱은 즉 陽升于上하고, 陽亢이 또 化火生風할 수 있기 때문에, 梔子·黃芩의 苦寒한 약성으로 降泄하는 약재를 배합하여, 淸熱瀉火하게 하여, 肝經의 火熱이 淸降을 얻어 上擾에 이르지 않도록 한다. 益母草의 行血利水, 川牛膝의 活血과 引血下行하는 것은 두 약재의 성질이 모두 滑利下行하여 肝陽平降에 좋기 때문에 역시 "治風先治血, 血行風自滅"의 논리에 부합한다. 杜仲·桑寄生의 補益肝腎하는 효능으로, 正氣를 북돋는 것을 함께 고려하고; 夜交藤·朱茯神의 安神定志하는 효능은 失眠을 치료하여 모두 佐藥이 된다. 여러 약을 서로 합하면, 함께 平肝息風, 淸熱活血, 益腎寧心의 효과를 이룰 수 있다.

【類方比較】 羚角鉤藤湯·鎭肝熄風湯과 天麻鉤藤飮은 모두 平肝息風할 수 있어 肝風內動의 증상을 치료한다. 그중 羚角鉤藤湯은 淸熱息風에 좋고, 주로 肝經熱盛, 熱極動風의 高熱·痙厥에 사용한다. 鎭肝熄風湯은 鎭肝降逆潛陽의 힘이 비교적 강하여, 肝腎陰虧, 肝陽上亢, 氣血逆亂, 肝風內動의 증상에 많이 사용하는데, 임상에서 眩暈昏仆·肢體不利·半身不遂 등의 증상으로 나타날 수 있다. 天麻鉤藤飮은 平肝息風의 효력이 비교적 완만하지만, 淸熱活血安神이 효과를 겸하여, 肝陽偏亢, 肝風上擾가 일으키는 頭痛·眩暈·失眠 等의 증상에 적용한다.

【臨床應用】

1. 證治要點: 本方은 肝陽偏亢, 肝風上擾證에 일상적으로 사용하는 효과적인 방으로, 임상에서 頭痛, 眩暈, 舌紅苔黃, 脈弦을 證治要點으로 한다.

2. 加減法: 原書에서 말하기를 "重症可易決明爲羚羊角, 則藥力益著; 若進入後期血管硬化之症, 可酌入槐花·海藻, 盖現代硏究稱所含路丁有改變血管硬化之功." 陽亢化風, 眩暈이 비교적 심하고, 脣舌 혹은 肢體에 마비가 생기는 사람은 羚羊角 외에, 증상을 참작하여 代赭石·牡蠣·龍骨·磁石 등을 더해 鎭肝潛陽息風할 수 있다. 肝火鞭盛하고 頭痛이 비교적 격렬하고, 面紅目赤, 舌苔黃燥, 脈이 弦數한 사람은 증상을 참작하여 龍膽草·夏枯草·牡丹皮를 더하거나 龍膽瀉肝丸을 더해 淸肝瀉火한다. 便祕인 사람은 大黃·芒硝를 더하거나 當歸龍薈丸을 더해 瀉肝通腑하고; 肝腎陰虛가 명확한 사람은 증상을 참작하여 女貞子·枸杞子·白芍藥·生地·何首烏 등을 더해 滋養肝腎한다.

3. 天麻鉤藤飮은 다음 한국표준질병사인분류(KCD)에 해당하는 환자가 肝陽偏亢, 肝風上擾證으로 辨證되는 경우 본 처방의 사용을 고려해볼 수 있다.

처방 목표	한국표준질병사인분류(KCD)
高血壓病에 의한 眩暈·頭痛	I10 본태성(원발성) 고혈압
	I15 이차성 고혈압
眩暈	(질병명 특정곤란)
	G90 자율신경계통의 장애
	R42 어지럼증 및 어지럼
中風後遺症	U23.4 중풍후유증(中風後遺證)
更年期綜合證	N95.1 폐경 및 여성의 갱년기상태

【變遷史】 本方은 처음에 胡光慈의 『中醫內科雜病證治新義』(1956년 1월 출판)에 기록되었는데, 원래 "高血壓頭痛·眩暈·失眠"을 치료했다. 胡氏는 "중의 학술 변증의 논치에 위배되지 않는 기초 위에, 현대의 기초의학과 임상의학지식을 연결시키고, 풍부한 중의학적 내용으로, 그것의 이론과 기술 수준을 향상시켜, 중의학의 특징을 더 잘 발휘했다."(『中醫內科雜病證治新義』緖言)라고 주장했다. 그는 高血壓 頭痛이 中醫의 "肝厥頭痛" 범위에 속한다고 여기고 그 "病原이 肝火의 厥逆에 있다", "치료는 平肝降逆을 主法으로 해야 한다"라고 인식했는데, 本方이 즉 平肝降逆의 方劑에 속하기 때문에, 高血壓 頭痛을 치료하는 主方이 되었다. 그 選藥組方의 사고체계는 우선 전통적인 중의약 이론을 준수하여, 平肝息風을 爲主로 하고, 淸降·補腎·安神 등의 치법으로 보좌했다. 그 다음은 辨病과 결합하고 당시 중약의 실험연구 성과를 참고하고, 상술한 法度를 합하여, 혈압을 낮추는 작용이 있는 약물을 선택하여 맞춤성을 강화하고, 치료효과를 상승시켰다. 胡氏는 처방 뒤의 按語에서 "만약 현대 高血壓頭痛을 논하면, 본방이 이용하는 黃芩·杜仲·益母草·桑寄生 등은 모두 연구를 통해 혈압을 낮추는 작용이 있어 精神을 鎭靜하고, 降逆緩痛하는 효능이 있다"라고 했는데, 이 점을 설명하는데 도움이 된다. 그러므로 본장의 다른 息風方劑와 비교하면, 본방의 中西醫結合의 색채가 더욱 명확하다. 현대 임상은 이미 본방을 高血壓病의 肝陽上亢型을 치료하는 일반적인 방으로 간주하며, 『中醫內科學』교재 역시 肝陽上擾의 頭痛·眩暈病證을 치료하는 主方으로 열거하고 있다.

【難題解說】天麻鉤藤飮은 肝陽偏亢·肝風上擾證을 주로 치료하는데, 왜 活血·利水의 약재인 川牛膝·益母草를 배오하는가? 이 의문점은 製方者의 학술 주장 및 당시 의약학 연구수준 등의 방면에서 해답을 찾아야 하는 것처럼 보인다. 本方은 1950년대에 탄생했고, 원래 高血壓頭痛을 위해 설계되었는데, 그 창제자는 학술상 동서의학의 匯通結合에 주력하고 있었다. 동양의학 方面에서『金匱翼』"肝厥頭痛" 및『醫學衷中參西錄』"腦充血"의 설을 계승했는데, 高血壓頭痛의 病原이 肝火厥逆에 있어, 위로 頭腦를 공격하여 "所謂腦充血, 乃指高血壓之症狀而言"(『中醫內科雜病證治新義』第1篇)이라고 했다. 이와 상응하여, 치료는 "平肝降逆"을 법으로 하는 것이 적당했다. 方中 川牛膝·益母草는 下行하는 성질로 "降逆"을 빌릴 수 있고, 이로써 肝火·肝陽의 平降을 도왔다. 다른 방면으로 胡氏가 비록 명확하게 "瘀"·"水" 두 자를 말하지 않았지만, 特發性高血壓과 "血管舒縮中樞의 長期興奮이 小動脈의 장기적 强直 收縮을 일으켜, 腎臟貧血이 레닌(renin: 腎素)을 만들도록 하는 것"과 관계가 있다는 것과 "後期에 神經性血循環 障碍가 발생할 수도 있다"(『中醫內科雜病證治新義』第1篇)라는 것을 이미 알고 있었다. 고혈압의 치료 방면에서, 西醫는 일반적으로 利尿劑와 血管 擴張 작용이 있는 약물을 사용한다. 그러므로 본방이 活血·利水의 약재를 배오한 것은 아마도 현대 의학적 요소가 존재하기 때문일 것이다. 牛膝과 益母草를 선택한 것은 두 종류가 모두 본래 活血·利水의 효능이 있고, 게다가 당시 이미 益母草의 水浸膏와 醇浸膏가 降壓作用이 있다는 보고가 있었기 때문인데, 懷牛膝은 특히 張錫純이 引血下行으로 "腦充血"을 치료하는 주요 약재이다. 胡氏가 懷牛膝을 버리고 川牛膝을 사용한 것은 아마 川·懷의 효능이 유사하고, 川牛膝의 活血作用이 비교적 강한 것을 고려했기 때문일 것이다. 최근 어떤 학자는 高血壓病을 風·痰·瘀·火를 발병 인자로 보고 平肝活血利水法을 치료에 적용하여 좋은 치료효과를 거두었다.

【醫案】高血壓頭昏『江西中醫藥』(1959, 10:18): 남성, 43세. 主訴: 자주 頭昏이 있던 것이 1년 되었다. 신체 검사: 心尖搏動이 왼쪽 다섯 번째 肋間 鎖骨中線上에 있었고, A_2亢進, 下肢浮腫이 있고, 脈이 浮滑했다. X선 흉부투시: 左心室이 가벼운 정도로 확대되어 있었다. 心電圖檢查에서 心肌損害가 보였다. 치료 전 매일 오전 8~9시에 혈압을 모두 8회 쟀는데, 평균 154/105 mmHg였다. 天麻鉤藤飮을 복용하고, 1주일 후 혈압이 130/80 mmHg로 내려갔다. 다시 3주를 복용했는데, 그 기간 동안 평균 혈압이 131/85 mmHg였으며, 자각증상이 없어졌다.

大定風珠

(『溫病條辨』卷3)

【組成】生白芍藥 六錢(18 g) 阿膠 三錢(9 g) 生龜甲 四錢(12 g) 干地黃 六錢(18 g) 麻仁(6 g) 五味子 二錢(6 g) 生牡蠣 四錢(12 g) 麥門冬 連心 六錢(18 g) 炙甘草 四錢(12 g) 鷄子黃 二枚(2개) 鱉甲 生 四錢(12 g)

【用法】물 8잔을 끓여 3잔을 취하고, 찌꺼기는 버리고, 다시 鷄子黃을 넣고 저어서 서로 섞이게 하여, 3회로 나누어 복용한다.

【效能】滋陰息風.

【主治】溫病熱邪久羈, 吸灼眞陰, 或因誤表 或因妄攻, 神倦瘈瘲, 脈氣虛弱, 舌絳苔少, 時時欲脫

【病機分析】肝腎은 下焦에 함께 居하는데, 乙癸으로 원류가 같고, 母子관계로 서로 의지한다. 溫病 後期에 熱邪가 下焦에 깊이 들어가, 머물러 물러나지 않으면, 眞陰을 소모하고 태우게 되는데, 의사가 잘못해서 汗法으로 妄攻하면, 陰液이 重劫하게 되고, 少陰

腎水가 거의 고갈되어, 厥陰肝木이 涵養을 잃게 되고, 虛風이 안쪽에서 천천히 일어나게 되면, 證狀이 『臨證指南醫案』卷1의 華岫雲이 按語에서 말한 "肝爲風臟, 因精血衰耗, 水不涵木, 木少滋榮, 故肝陽偏亢, 內風時起."와 같은데, 陰液이 消耗되고, 水가 木을 윤택하게 하지 못하면 筋脈이 영양을 잃어 拘攣하게 되어 手足瘈瘲이 생긴다. 眞陰이 크게 어그러지면, 精氣가 虛衰하게 되어, 養神할 수 없기 때문에 정신이 권태롭게 된다. 肝腎의 陰이 傷하면, 邪少虛多하게 되기 때문에 舌絳苔少하고, 脈象이 허약하게 된다. 腎水가 고갈되면, 陰이 陽을 수렴하지 못하여 陰陽이 떠나게 되어 때때로 허탈에 빠지려 하는 것이다. 吳瑭이 일찍이 말하기를 "此邪氣已去八九, 眞陰盡存一二"(『溫病條辨』卷3)라 했다. 陰虛風動으로 변증한 것인데, 의심스러운 점이 없다.

【配伍分析】 溫病 後期에 眞陰이 大虧한 것은 虛風內動의 증상으로 치료는 마땅히 滋陰으로 息風해야 한다. 吳氏는 "以大隊濃濁塡陰塞隙, 介屬潛陽鎭定"을 주장했는데, 『臨證指南醫案』卷1의 精血衰竭, 水不涵木之內風證에 대해, "治以滋液熄風, 濡養營絡, 補陰潛陽"의 방법과 매우 비슷하다. 方中 鷄子黃·阿膠는 味甘性平하고, 血肉有情하여, 滋陰養血로 內風을 식히기 때문에 함께 君藥이 된다. 『本草綱目』卷1에서 "鷄子黃, 氣味俱厚, 故能補形, 昔人謂其與阿膠同功, 正此意也" 『本草再新』卷9에서 鷄子黃을 "補中益氣, 養腎益陰", "能使心腎交, 能敎肺腎足".이라고 했다. 吳氏는 『溫病條辨』卷3에서 鷄子黃의 효능에 대해 여러 번 언급했는데, 11조에서 "鷄子黃有地球之象, 爲血肉有情, 生生不已, 乃奠安中焦之品……其正中有孔, 故能上通心氣, 下達腎氣, 居中以達兩頭……其性和平, 能使亢者不爭, 弱者得 振; 其氣焦臭, 故上補心; 其味甘鹹, 故下補腎" "鷄子黃鎭定中焦, 通徹上下, 合阿膠能預熄內風之震動." 라 했다. 15조에서는 "鷄子黃宛如珠形, 得巽木之精, 而能熄肝風"이라 했다. 16조에서는 즉 本方條에서는 또 말하기를 "以鷄子黃一味, 從足太陰, 下安足三陰, 上濟手三陰, 使上下交合, 陰得安其位, 斯陽可立根基, 俾陰陽有眷屬一家之意, 庶可不致絶脫歟!" 鷄子黃이 中焦를 鎭定하고, 上下를 서로 통하게 하고, 陰陽을 서로 뭉치게 하며, 肝風을 平熄시킨다고 했는데, 이것은 吳氏의 독창적인 부분이다. 阿膠는 味厚滋補하여, 血虛를 치료하는 要藥이 된다. 『日華子本草』에서 그것을 "治一切風"이라고 했다. 『本草拾遺』에서 "凡膠俱能療風·止泄·補虛, 驢皮膠主風爲最"라고 했는데, 鷄子黃과 阿膠를 서로 배합하면, 滋液息風의 효과를 증가시킬 수 있다. 苦酸微寒한 약성의 白芍藥, 酸溫한 약성의 五味子, 甘平한 약성의 甘草 세 약을 함께 사용하면, 酸甘化陰, 柔肝緩急할 수 있다. 五味子는 소모되어 흩어진 陰氣를 수렴할 수 있다. 地黃·麥門冬은 滋補陰液하고, 麻仁의 質潤多脂는, 潤燥養陰한다. 六味 모두 君藥의 塡補眞陰을 돕는 臣藥이 된다. 陰液이 大虧하면 虛陽이 위로 뜨게 되기 때문에 龜甲·鱉甲·牡蠣의 介類沉降之品을 사용하여 重鎭潛陽한다. 喩昌은 일찍이 介類潛陽의 道理를 "畜魚千頭者, 必置介類于池中, 不則其魚乘雷雨而冉冉騰散. 蓋魚雖潛物而性樂于動, 以介類沉重下伏之物而引魚之潛伏不動, 同氣相求, 理通玄奧也. 故治眞陽之飛騰屑越, 不以黿鱉之類引之下伏, 不能也"(『寓意草』)라고 비유하여 설명했다. 吳氏는 陰虛風動을 치료하는 三甲復脈湯·小定風珠 등에 모두 潛陽藥에 속하는 介類를 사용했는데, 여기에 그 의미가 있다. 性味와 관련된 논술은 "三甲" 모두 鹹味인데 그중 龜甲이 鹹中帶甘하고, 鱉甲과 같이 平性하여, 潛陽하는 가운데 滋陰을 겸하는 효과가 뛰어나다. 牡蠣는 성질이 凉하고 澀하여, 潛陽斂陰에 효능을 집중한다. 세 가지 모두 佐藥이 된다. 甘草는 여러 약을 조화롭게 하여, 使藥을 겸한다. 全方이 甘味合酸味의 滋補收斂하는 효능으로 끊어지려는 眞陰을 구하고, 또 鹹味의 沉降鎭定작용을 사용하여 미진한 浮陽을 숨기고, 陰이 다시 陽潛하고, 虛風內息하도록 하기 때문에 吳氏가 本方을 "酸甘鹹法"에 속한다고 한 것이다. 本을 치료하는 방법을 좇아 濃濁厚味한 약성의 약재를 많이 사용하여 陰을 채우고, 潛陽에 屬하는 介類로 보좌하는 것이 본방의 주요 특징이다.

本方의 方名과 관련해 吳氏는『溫病條辨』卷3의 15條에서 小定風珠의 이름을 해석하면서 말하기를 "名定風珠者, 以鷄子黃宛如珠形, 得巽木之精而能熄肝風. 肝爲巽木, 巽爲風也."라 했는데, 동시에 또 이 命名이 龜와 관련이 있다는 것도 언급했다: "龜亦有珠, 具眞武之德而震木. 震爲雷, 在人爲膽, 雷動未有無風者, 雷靜而風亦靜矣. 亢陽直上巓頂, 龍上于天也. 制龍者, 龜也." 말하기를 龜 역시 알이 있어 구슬과 같아 北方의 眞武神靈을 威鎭하는 것과 같이 鎭肝息風할 수 있고, 潛陽의 효능도 있다고 했다. 이상이 吳氏가 本方을 "定風珠"라고 이름한 원뜻이라고 볼 수 있다. 本方은 滋陰息風의 효능이 있는데, 君藥 鷄子黃은 補陰으로 息風할 수 있고, 형태가 구슬과 같아 "定風珠"라고 이름붙였다고 하는 것이 더욱 합당하다. "龜亦有珠" 운운한 것에 대해서는 龜甲이 滋陰潛陽으로 息風하는 관점에서, 역시 일정한 참고가치가 있다. 方名의 앞 글자를 "大"로 한 것은『溫病條辨』에 이미 小定風珠가 있는데, 藥味가 비교적 적고, 치료하는 病證도 가볍기 때문에 구별하기 위해, 本方의 이름을 大定風珠라고 했다.

【類似方比較】 本方과 羚角鉤藤湯은 구성상 모두 白芍藥·地黃·甘草가 있고, 함께 養陰增液·平息內風의 효과가 있으며, 모두 溫病의 肝風內動의 증상을 치료한다. 단 前者는 鷄子黃·阿膠를 君으로 하고, 麥門冬·麻仁·五味子·龜甲·鱉甲·牡蠣와, 또 地黃은 乾品으로, 甘草는 炙한 것을 배오하여, 全方은 治本이 주가 되고 滋補의 힘이 강하고, 潛陽의 효력이 함께 있는, 滋液息風의 方劑에 속하고, 陰虛風動證에 적용하는데, 그 증상은 正虛가 주가 되어, 병세가 비교적 완만한데, 주로 抽搐이 느리고 힘이 없으며, 神倦脈虛하고, 때때로 허탈에 빠지려 하는 것으로 표현되며, 溫病後期에 많이 보인다. 後者는 羚羊角·鉤藤을 君으로 하고, 桑葉·菊花·貝母·竹茹·茯神木을 배오하고, 地黃은 鮮品으로 하고, 甘草는 生用하는데, 全方은 治標를 주로 하여 淸熱止痙의 힘이 강하고, 化痰의 효능을 겸하는, 凉肝息風의 方劑에 속하며, 熱盛動風證에 적용하는데, 그 증상은 邪實이 주가 되어 병세가 갑자기 격렬해지며, 주로 抽搐이 빈번하고 힘이 있고, 高熱, 神昏, 脈象이 弦數한 것으로 표현되며, 溫病極期에 많이 보인다.

【臨床應用】

1. 證治要點: 本方은 滋陰息風을 위한 대표방으로 陰虛風動의 증상에 적용하며, 臨床은 瘈瘲, 神倦, 舌絳苔少, 脈象虛弱을 辨證要點으로 한다.

2. 加減法: "喘加人蔘, 自汗者加龍骨·人蔘·小麥, 悸者加茯神·人蔘·小麥." 喘은 元氣가 大虧하여 人蔘을 더해 益氣하여 平喘하고; 自汗은 元氣가 虛弱하기 때문에 衛表가 不固하여 龍骨·人蔘·小麥을 더해 益氣斂汗한다. 悸는 心氣가 소모되어 상한 것으로 人蔘·小麥을 사용하여 益氣養心한다. 低熱을 겸한 사람은 증상에 따라 地骨皮·白薇·知母·牡丹皮를 더해 虛熱을 물러나게 하고; 痰이 있는 사람은 증상에 따라 天竺黃·貝母·制半夏를 더해 淸熱化痰한다.

3. 大定風珠는 다음 한국표준질병사인분류(KCD)에 해당하는 환자가 陰虛內熱證으로 辨證되는 경우 본 처방의 사용을 고려해볼 수 있다.

처방 목표	한국표준질병사인분류(KCD)
日本腦炎後遺症	B94.1 바이러스뇌염의 후유증
眩暈	(질병명 특정곤란)
	G90 자율신경계통의 장애
	R42 어지럼증 및 어지럼
小舞踏病	I02 류마티스무도병
震顫麻痺	G20 파킨슨병
神經性震顫	F44.5 해리성 경련
	F44.4 해리성 운동장애
	R25.1 상세불명의 떨림
放射線治療後 혀 萎縮	K14.8 혀의 기타 질환
甲狀腺機能亢進症	E05 갑상선독증[갑상선기능항진증]
手術後手足搐搦症	(질병명 특정곤란)
	Z54.0 수술후 회복기
	R56.8 기타 및 상세불명의 경련

처방 목표	한국표준질병사인분류(KCD)
過敏性蕁麻疹	L50.0 알레르기성 두드러기
冠狀動脈病	I20 협심증
	I24 기타 급성 허혈심장질환
	I25 만성 허혈심장병
不寧腿綜合征	G25.8 기타 명시된 추체외로 및 운동장애_ 하지불안증후군
失眠	G47.0 수면 개시 및 유지 장애[불면증]
	F51.0 비기질성 불면증
小兒暴驚夜啼	G40 뇌전증
	R56.8 기타 및 상세불명의 경련_경풍
咯血	(질병명 특정곤란)
	R04.2 객혈
沈降性肺炎	(질병명 특정곤란)
腰腿痛綜合征	(질병명 특정곤란)
	G57.0 좌골신경의 병변
	M51.1 신경뿌리병증을 동반한 요추 및 기타 추간판장애(G55.1)
	M54.4 좌골신경통을 동반한 요통

【注意事項】 陰液이 虧하지만, 邪熱이 여전히 盛한 사람은 本方의 사용이 적당하지 않다. 『溫病條變』卷3에서 "將火尙盛者, 不得用定風珠."라 하였다. 이 방제는 많은 濃濁滋補한 약재들로 구성되어 있기 때문에 誤用하면 戀邪留寇하는 폐단이 있다.

【變遷史】 本方은 張仲景의 復脈湯(則 炙甘草湯) 等의 方을 기초로 하여, 여러 번 가감의 변화를 거쳐 나온 것이다. 復脈湯은 원래 傷寒脈結代·心動悸를 치료하는 것인데, 滋陰養血·益氣溫陽·復脈定悸를 위한 方劑이다. 吳氏는 人蔘·桂枝·生薑·大棗를 빼고, 白芍藥을 더해 "甘潤生津"의 加減復脈湯을 만들었는데, "熱邪深入, 或在少陰, 或在厥陰", 陰液耗損, "邪熱少而虛熱多"의 증상을 치료하기 위한 것이다. 그 加減의 의도는 吳氏가 "在仲景當日, 治傷于寒者之結代, 自有取于蔘·桂·薑·棗, 復脈中之陽, 今治傷于溫者之陽亢陰竭, 不得再補陽也", "加白芍藥收三陰之陰"으로 명확하게 설명하고 있다. 이 방은 吳氏에 의해 下焦溫病 "熱邪劫陰之總司"(『溫病條辨』卷3)로 간주되었다.

加減復脈湯 안에 生牡蠣·生鱉甲을 더 넣으면, 즉 "鹹寒甘潤"의 二甲復脈湯이 된다. 이 方은 "復脈育陰, 加入介屬潛陽, 使陰陽交紐"으로 滋陰潛陽息風의 효과가 있는데, 주로 熱이 下焦에 들어와서, 陰虛風動하고, "脈沉數, 舌乾齒黑, 手指但覺蠕動", 痙厥이 발생하려 하거나, 이미 발생한 사람을 치료한다. 이 方의 유래는 吳氏가 명확히 말한 적이 있다: "二甲復脈湯方, 卽于加減復脈湯內加生牡蠣五錢, 生鱉甲八錢." 그러나 方劑의 구성으로 보면, 이것을 一甲復脈湯에서 변화한 방이라고 볼 수도 있다. 一甲復脈湯에는 養陰止瀉의 효능이 있는데, 주로 下焦溫病, 陰傷便溏의 증상을 치료하고, 二甲復脈湯에 비해 麻仁·龜甲 두 약재가 적고, 加減復脈湯에서 潤腸의 효능이 있는 麻仁을 빼고, 牡蠣를 더해 구성된 것이다. 一甲의 牡蠣는 즉 一甲煎인데, "能存陰, 又澀大便, 且淸在里之餘熱"(『溫病條辨』卷3)이다. 二甲復脈湯에 生龜甲을 더한 것이 三甲復脈湯으로 주로 下焦溫病, 肝腎陰虛風動, "熱深厥甚", 또한 心脈이 滋養을 잃고, 심장이 격렬하게 뛰며, 심하면 疼痛이 있고, 脈이 細促한 사람을 치료한다. 吳氏는 龜甲을 더하는 원뜻을 "陰維爲病主心痛……故以鎭腎氣補任脈通陰維之龜甲止心痛"(『溫病條辨』卷3)이라고 했다. 변화 후의 方劑가 滋陰潛陽息風을 작용을 강화했을 뿐 아니라, "止心痛" 또한 할 수 있다는 것을 알 수 있다.

大定風珠는 즉 三甲復脈湯에 鷄子黃·五味子를 더해 구성된 것이다. 그 養陰息風 작용이 더욱 강하여, 陰虛風動의 중증과 때때로 허탈에 빠지려는 사람에게 적용한다. 처방 중 중요한 지위를 차지하는 鷄子黃·阿膠·白芍藥은 또한 張仲景의 黃連阿膠湯에서 黃連·黃芩을 뺀 뒷부분의 滋陰약재이다. 大定風珠의 구성에 黃連阿膠湯의 흔적이 있다고 말할 수 있다.

復脈湯(黃連阿膠湯)·加減復脈湯·二甲復脈湯(一甲復脈湯)·三甲復脈湯에서 大定風珠까지 구성과 용약의 변화에 따라 方劑의 효용 역시 滋陰通陽復脈·滋陰生津潤燥와 滋陰潛陽息風의 효능이 끊임없이 강화되는 등 변화 과정을 거쳤다. 이렇게 변화되어온 大定風珠는 마침내 滋陰蝕風으로 陰虛風動證을 치료하는 대표 방제가 되었다.

【醫案】

1. 肝厥『吳鞠通醫案』卷2: 額氏, 22세. 섣달그믐날 亥時에, 먼저 產後 寒痹痛을 앓아, 의사는 桂·附 등의 매우 燥한 약성의 약재를 이용하였고, 그것을 복용하면 크게 효과가 있었다. 의사가 그 효과를 보고, 이 사람은 이것이 아니면 안 된다고 생각해 1년 여를 사용했다. 溫燥와 溫養이 다르다는 것을 모르고, 병을 치료할 수는 있지만 養生이 불가하여, 少陽津液을 모두 빼앗겨 여유가 없는 지경에 이르러, 厥陰頭痛, 巓頂 한 곳의 통증을 견딜 수 없었고, 밝음을 두려워하여, 창문 사이에 조금의 빛이라도 있으면 크게 소리를 질러 실내를 반드시 칠흑같이 한 후에야 조금 안정되었는데, 하루에 4~5회 기절했다. 脈弦細數하며, 누르면 힘이 있었다. 위급함이 이미 극에 달해, 定風珠의 潛陽育陰에 힘써 肝風을 식히려고 했다. 大生地 八錢, 麻仁 四錢, 生白芍藥 四錢, 生龜甲 六錢, 麥門冬은 心을 제거하지 않고 4전, 生阿膠 四錢, 生鱉甲 六錢, 海蔘 二錢, 生牡蠣 六錢, 鷄子黃은 찌꺼기를 제거한 후 우러나도록 골고루 저어 二枚, 甘草炙 五錢을 끓여서 8잔을 만든 다음, 찌꺼기를 제거하여, 불 위에서 달여 4잔을 만들어 시간에 구애받지 않고 자주 복용했다. 정월 초하루에 작은 효과를 보고, 鮑魚片 1량을 더했다. 끓여서 10잔을 만들어 찌꺼기를 제거하고 달여서 5잔을 만들어 전과 같이 복용했다. 초이틀에 다시 효과를 보았는데 방법은 전과 같았다. 초삼일에 기절이 멈추고 두통이 크게 경감되었지만 밝은 것을 더욱 두려워했는데, 방법은 전과 같았다. 초나흘에 허리 위는 열이 나고, 허리 아래는 얼음처럼 차가워 상하가 두 개로 잘라진 것 같았다. 몸 왼쪽은 땀이 나고, 오른쪽은 땀이 없어 좌우를 둘로 가른 것 같았다. 옛 책에 이 증상이 없어, 옛사람들이 말한 琴瑟 의 소리가 고르지 않으면 반드시 줄을 갈아 길이를 고쳐야 한다고(琴瑟不調 必改弦而更張之) 말한 것을 생각했는데, 이 증상은 肝厥에서 회복한 후 다시 안정을 취하게 해야 낫는다. 前方을 참조하여 定風珠를 반으로 줄이고, 靑蒿 八分을 더하니, 밤에 2~3회 기절했다. 초닷새에 앞의 것을 참조하여 定風珠 분량 1첩을 복용한 후, 기절하는 것이 멈추고 정신이 편안해졌다. 초칠일에도 여전히 前方을 참조했다. 초팔일에 처방을 모두 전과 같이 했는데, 점차 밝음을 두려워하지 않고, 정월 20일 이후에는 장막을 치웠고, 탕약을 2월 춘분 후까지 복용했는데, 專翕大生膏를 1년 정도 복용하니 완치되었다.

2. 일본뇌염후유증『四川中醫』(1988,7:27): 여아, 7세. 1988년 8월 20일 高熱·昏迷·抽搐·嘔吐로 인해 腦脊髓 化學檢査로 "일본뇌염" 확진을 받았다. 縣醫院에 입원해 응급 처치를 받은 후 위험한 시기를 벗어났는데, 심한 후유증상이 남아서 10월 10일에 내가 있는 곳으로 와서 치료를 받았다. 증상을 보니, 失語에 의식이 분명하지 않고, 癡呆, 躁擾不寧, 喉間에 痰鳴이 있고, 齘齒弄舌, 流涎이 그치지 않았다. 項强仰面하고, 우반신이 偏癱하고, 下肢强直으로 屈伸이 불능하고, 오른쪽 手足에 陣發性 痙攣이 있고, 저녁에 낮은 열이 있고, 밤에 누워도 편안하지 않았으며, 형체가 장작처럼 마르고, 피부가 건조했다. 舌質이 絳하고, 少苔에, 寸關脈이 浮하고 힘이 없었다. 증상은 痰熱留戀, 竅道가 막히고, 熱灼眞陰, 虛風內動에 속했다. 치료는 淸化熱痰으로 滋液熄風했다. 大定風珠에 天竺黃을 더해 주었다. 연속 1주를 복용한 후, 項直·四肢拘攣·喉間痰鳴 및 의식장애가 명확하게 호전되었다. 계속해서 1주를 복용한 후 간단한 단어를 말할 수 있었고, 편안하게 잘 수 있었다. 위 처방을 다시 1주 복용한 후, 언어가 점차 유창해지고, 手足의 활동이 가능했으며, 3개월 휴식 후, 기억과 사고 능력이 정상으로 회복되었다.

3. 갑상선기능항진증『浙江中醫雜志』(1987, 3: 139): 여성, 47세. 환자는 1971년부터 心悸自汗, 性情急躁, 食欲亢進이 나타나기 시작했다. 많은 종류의 약물 치료를 경험했지만 명확한 호전이 보이지 않았다. 증상으로 心悸不寐, 怕熱汗出, 頭暈目眩, 腰酸膝軟, 手指抖動, 頸項腫大가 보였다. 舌紅少苔하며 脈이 細數했다. 이것은 肝腎이 陰虛하고, 痰氣가 응결하여 병이 된 것이다. 그러므로 大定風珠에서 麻仁을 빼고 肝腎의 精髓를 滋塡하고, 潛陽으로 熄風하며, 다시 玄參·貝母를 배오하며 痰을 풀고 단단한 것을 부드럽게 하고 뭉친 것을 흩어지게 했다. 처방: 龜甲·鱉甲·生牡蠣 各 30 g, 生熟地 各 20 g, 白芍藥 18 g, 甘草·麥門冬·阿膠·玄參·貝母·五味子 各 10 g, 鷄子黃 二枚를 沖服했다. 16첩을 복용한 후, 자각증상이 경감되었다. 30첩을 연속해서 복용한 후, 여러 증상이 사라졌다. 추적 검사에서 지금까지 재발하지 않았다.

4. 震顫麻痺『浙江中醫雜誌』(1985, 6:275): 남성, 62세. 1983년 11월 26일 진료. 양손이 떨려 통제할 수 없는 것이 이미 2년여 되었고, 정신이 긴장했을 때 증상이 가중되었고, 수면시에 자연히 없어졌다. 四肢·軀干强直이 수반되었고, 활동에 제한을 받았으며, 말을 할 때 음성이 떨려 분명히 듣기 힘들었고, 일찍이 省의 모 의원의 신경내과에서 진료하고 치료받았는데, 震顫麻痺로 진단받고, 安垣·東莨菪碱 등을 주어 치료 후, 호전이 있었는데, 약을 중단한 후 증상이 늘었고, 줄어들지 않았다. 진찰하니 脈이 細弦하고 數했으며, 무겁게 누르면 힘이 없었고, 舌薄紅少苔했다. 서약 복용 중단을 권유하고 大定風珠를 주었다: 麥門冬·乾地黃·白芍藥 各 12 g, 炙鱉甲·龜甲·牡蠣(세 약을 먼저 끓인다)·甘草 各 12 g, 阿膠 9 g(烊沖), 五味子·麻仁(杵) 各 6 g·鷄子黃 2只(打衝). 5첩 복용 후 증상이 호전되었고, 이후 여러 차례 재진에서 모두 약간 가감이 있었는데, 모두 40첩을 복용한 후, 震顫·强直이 기본적으로 사라졌다.

5. 不寧腿綜合征『廣西中醫藥』(1992,3:122): 남성, 42세. 1985년 6월 20일 진료. 환자는 반개월 전에 外感發熱 出汗過多로 양쪽 下肢에 힘이 없고, 小腿膝踝 사이 근육이 통증이 있는 듯 아닌 듯 했고, 酸麻脹重하고, 증상을 말하기 어려웠는데, 야간에 양쪽 다리 느낌이 모두 불안하여, 집안 사람들이 힘있게 때리고 주물러야 잠잘 수 있었다. 먼저 비타민·安定·鈣劑 및 抗風濕藥을 주어 치료했지만 모두 확실한 치료효과가 없었는데, 진단: 양쪽 下肢가 시시때때로 흔들거려 스스로 주체할 수 없었고, 面色이 萎黃하고, 舌質은 紅色이고, 건조하고 깨끗하며 苔가 없었고, 脈이 虛弱했으며, 몸을 검사했지만 명확한 陽性體征이 없었다. 四診合參으로, 津虧血虛, 筋脈失養의 증상을 판별했다. 大定風珠湯加減으로 動靜을 살폈다. 藥用: 生白芍藥 30 g, 生地黃 30 g, 麥門冬 15 g, 生牡蠣 20 g(先煎), 龜甲 20 g(先煎), 五味子 6 g, 甘草 6 g, 川牛膝 15 g, 木瓜 15 g. 물로 끓여 찌꺼기를 제거하고, 阿膠 10 g, 鷄子黃 二枚를 넣어 잘 저어 복용한다. 3첩을 복약한 후 양쪽 다리의 떨림이 줄어들었고, 밤에 잠을 잘 수 있었으며, 6첩을 계속 복용한 후, 설질이 윤기가 나고, 여러 증상이 모두 나았다.

考察: 大定風珠는 滋陰息風의 方劑로 임상증상이 어떤 병을 막론하고 陰血大虧, 內風煽動의 病機에 맞기만 하면 손을 써 사용할 수 있다. 案1의 肝厥은 비록 "古書未見之症 "이지만 吳氏는 그 병이 溫燥를 과용하여 津液을 빼앗겨 여유가 없기 때문에 일어난 것으로 여겨 본방을 약간 달리하여, 완벽한 효과를 거두었다. 案2는 溫病後期의 陰損風動에 痰熱塞竅의 증상을 겸한 것이기 때문에, 原方에서 天竺黃의 淸熱化痰開竅를 더했다. 案3의 갑상선기능항진증은 한의의학 "癭氣" 범위에 속하기 때문에 辨證의 기초상, 玄參·貝母의 化痰散結효능이 있는 약재를 더해 넣었다. 案4는 西醫의 치료효과가 좋지 않아, 본체는 補肝이며 쓰임은 和肝인 이 처방을 투입하여, 育陰潛陽, 榮養筋脈하여, 마침내 震顫·强直을 낫게 했다. 案5는 不寧腿綜合征으로 현대의학에서 이 병증의 원인이 불명확하기 때문에, 치료는 주로 대증처치로 이루어진다. 의사는 환자의 본래 체질이 허약하고, 또 發熱·大汗亡津液의 병력이 있는 것을 잘 잡아내어, 四診合參으로 陰津虧損, 血不養筋의 증상을 판별하여, 본방의 滋陰養血, 柔肝緩急을 사용했는데, 木瓜·牛膝을 더해 舒筋活絡하게 하였고, 藥證이 서로 부합하여 좋은 효과를 거두었다.

【副方】

1. 三甲復脈湯(『溫病條辨』卷3) 炙甘草 六錢(18 g) 乾地黃 六錢(18 g) 生白芍藥 六錢(18 g) 麥門冬不去心 五錢(15 g) 阿膠 三錢(9 g) 麻仁 三錢(9 g) 生牡蠣 五錢(15 g) 生鱉甲 八錢(24 g) 生龜甲 一兩(30 g)

- 用法: 위 약물을 물에 끓여 마신다.(水煎服)
- 適應症: 下焦溫病, 熱甚厥甚, 脈細促, 心中憺憺大動, 심하면 心中에 통증이 있는 사람.

本方이 치료하는 것은 熱邪가 下焦에 깊이 들어가 腎陰이 虧虛하여 涵木할 수 없고, 肝風이 內動하여, 물이 불을 구할 수 없고, 心이 滋養을 잃는 증상이다. 이것이 소위 "熱甚厥甚"인데 二甲復脈湯의 "手指但覺蠕動, 急防痙厥"의 상대적인 말로, 뜻은 本方症의 肢體抽搐厥冷이 二甲復脈湯證에 비해 비교적 심한데 있다. 憺은 움직이는 것이다. 憺憺은 격렬하게 뛰는 모양이다. 吳氏는 일찍이 上述한 관련 증상의 病機에 대해 해석을 더해 말하기를 "心中動者, 火以水爲體,肝風鴟張, 立刻有吸盡西江之勢, 腎水本虛, 不能濟肝而後發痙, 旣痙而水難猝補, 心之本體欲失, 故憺憺然而大動也. 甚則痛者, '陰維爲病主心痛', 此證熱久傷陰, 八脈麗于肝腎, 肝腎虛而累及陰維故心痛."이라 했는데, 처방 중 炙甘草·乾地黃·白芍藥·麥門冬·阿膠·麻仁(卽 加減復脈湯)의 滋陰養液으로 復脈하고, 牡蠣·鱉甲·龜甲의 潛陽育陰으로 息風한다. 그중 龜甲의 配伍에는 吳氏의 한층 숨은 뜻이 있는데, 그 "鎭腎氣補任脈通陰維"의 효능을 이용하여 "止心痛"(『溫病條辨』卷3)하는 것이다. 여러 약을 배합하면, 滋陰復脈, 潛陽息風의 효과를 이룰 수 있다.

2. 小定風珠(『溫病條辨』卷3) 鷄子黃 生用一枚(1個) 眞阿膠 二錢(6 g) 生龜甲 六錢(18 g) 童便 1잔(150 mL) 淡菜 三錢(9 g) 물 5잔

- 用法: 먼저 龜甲·淡菜를 끓여 두 잔을 얻고, 찌꺼기를 제거한 후, 阿膠를 넣어 불에 올려 烊化시키고, 鷄子黃을 넣어 잘 저어 섞이게 하고, 다시 童便을 沖服한다.
- 作用: 滋陰息風止噦.
- 適應症: 溫邪가 오랫동안 下焦에 踞하여 厥하고 噦하며, 脈이 細하면서 勁한 것.

本 方劑의 病證은 溫病熱灼으로 陰이 傷하고, 虛風內動으로 衝脈이 어지럽혀져 일어나는 것이다. 바로 吳氏가 말한 "溫邪久踞下焦, 爍肝液爲厥, 擾衝脈爲噦, 脈陰陽俱減則細, 肝木橫强則勁"과 같은데, "厥"은 痙厥을 가리킨다. 方劑 中 鷄子黃·阿膠의 滋陰養液으로 息風하고; 龜甲의 滋陰潛陽은 吳氏가 말한 그 "補任而鎭衝脈"한다. 淡菜의 肝腎을 보호하고, 精血을 더하는 것은 吳氏가 말한 "能補陰中之眞陽", "又能潛眞陽之上動"이다. 童便의 鹹寒한 약성은 降泄下行하고, 滋陰降火의 효능이 있어, 吳氏가 그것을 사용하는 뜻은 즉 "以濁液仍歸濁道"(『溫病條辨』卷3)으로, 그것을 引經藥으로 간주하고 있다. 陰復陽潛으로 火가 내려가고 風이 멈추면, 衝脈이 편안하게 되어 痙厥呃逆이 자연히 없어진다.

大定風珠와 三甲復脈湯 및 小定風珠는 같이 滋陰息風의 방제로, 모두 陰虛風動의 증상을 치료한다. 그 중 大定風珠는 "酸甘鹹法"에 속하며, 滋陰息風의 효력이 비교적 강하며 陰氣를 수렴할 수도 있어 陰虛風動의 중증과, 때때로 허탈증에 빠지려는 사람에게 적용한다. 三甲復脈湯은 "鹹寒甘潤法"에 속하는데, 方中 포함된 加減復脈湯은 본래 養心復脈의 효능이 있기 때문에, 吳氏는 陰虛風動에 心脈失養을 겸하고, 心中大動하며 심하면 心痛이 있으며, 脈이 細促한 사람을 치료하는데 사용했다. 小定風珠는 "甘寒鹹法"에

속하는데, 滋陰息風의 효능이 비교적 약하여, 단지 降火安衝만 할 수 있으며, 주로 陰虛風動의 輕症과 呃逆을 수반하는 사람을 치료한다.

3. 黃連阿膠湯(『傷寒論』) 黃連 四兩(12 g) 黃芩 二兩(6 g) 芍藥 二兩(6 g) 鷄子黃 二枚(二個) 阿膠 三兩(9 g)

- 用法: 위의 五味는 물 六升으로 먼저 세 가지를 끓여 2승을 취하고 찌꺼기는 버리고 阿膠를 넣어 모두 녹이고, 조금 식은 후, 鷄子黃을 넣고 잘 섞이도록 저어서 따뜻하게 7합을 매일 3회 복용한다.
- 作用: 滋陰瀉火, 交通心腎.
- 適應症: 少陰病을 얻은 지 2, 3일 이상이고, 心中이 煩하여 누울 수 없는 것.

邪가 少陰을 침범하면, 체질의 본성에 따라 寒化와 熱化의 서로 다른 증후를 만들어낸다. 본래 체질이 陽虛하면, 病邪가 陰을 따라 寒이 되어, 寒化證이 되고, 본래 체질이 陰虛하면, 病邪가 陽을 따라 熱이 되는데, 즉 熱化證이 된다. 본방은 즉 少陰熱化證을 위해 만들어졌다. 熱灼眞陰하면, 腎水가 不足해지기 때문에 위로는 心火를 구할 수 없어 心火獨亢하고, 아래로 腎水로 들어갈 수 없기 때문에, 心腎이 交通할 수 없고 心中에 煩이 생겨 누울 수 없다. 이 외, 咽乾口燥, 舌紅苔黃, 脈來細數 등의 증상이 있다. 眞陰이 虛한데다, 邪火가 熾하면, 치료는 育陰淸熱로 心腎을 교통하게 해야 한다. 方中 黃連의 苦寒降泄한 약성은 직접 心火를 꺽는다. 阿膠의 甘平質潤한 약성은 滋補腎水한다. 黃芩은 黃連을 도와 淸熱瀉火한다. 芍藥은 阿膠를 도와 養陰益腎한다. 鷄子黃은 心腎으로 겸해 들어가 腎陰을 번성하게 하고, 心血을 돕고, 水火를 서로 융합하게 하는 妙가 있다. 腎水가 충족되면, 心火가 淸降하고, 水火가 濟하게 되면, 여러 증상이 다스려질 수 있다.

本方은 滋陰養血藥과 淸熱邪火藥의 구성이 합해져, 滋陰淸熱法의 선구가 되었다. 후대의 溫病學者들이 그것을 매우 추종했는데, 吳瑭은 少陰溫病의 眞陰欲竭, 邪火復熾證의 主方이라고 간주했을 뿐만 아니라 復脈湯을 기초로 이 方의 滋陰 부분의 用藥을 모방하여 滋陰息風方의 大·小定風珠를 처음 만들었다.

阿膠鷄子黃湯

(『通俗傷寒論』)

【組成】 眞阿膠 烊衝 二錢(6 g) 生白芍藥 三錢(9 g) 石決明 杵 五錢(15 g) 雙鉤藤 二錢(6 g) 大生地 四錢(12 g) 淸炙草 六分(2 g) 生牡蠣 杵 四錢(12 g) 絡石藤 三錢(9 g) 茯神木 四錢(12 g) 鷄子黃 先煎代水 二枚(二個)

【用法】 水煎服.

【效能】 滋陰養血, 柔肝息風.

【主治】 邪熱久羈, 損傷陰血, 虛風內動證. 手足瘈瘲, 或頭目眩暈, 舌絳苔少, 脈細數.

【病機分析】 本方이 주로 치료하는 病證은 原書에 기록이 보이지 않는다. 『重訂通俗傷寒論』第2章으로부터 何秀山이 本方에 按語 "血虛生風者, 非眞有風也……溫熱病末路多見此症"를 더한 것으로 보면, 당연히 熱傷陰血, 虛風內動의 증상으로, 주로 溫病後期에 보인다. 肝은 風木의 臟이고, 온전히 腎水에 기대어 그것을 함유하고, 혈액으로 그것을 적시고 있다. 邪熱이 오래 머무르면 陰血을 태워 없애고 陰血이 부족해지면, 涵木하지 못하고 虛風이 안에서 일어난다. 陰血이 虧虛하면, 근육에 영양을 주지 못하여, 筋脈이 拘攣하고, 手足이 瘈瘲하게 된다. 陰이 傷하고 血이 적어지게 되면, 淸空失養하기 때문에 頭目이 眩暈하게 된다. 舌絳少苔, 脈象細數는 陰虛內熱의 증상이다.

【配伍分析】 陰血不足, 虛風內動하면, 치료는 滋陰養血, 柔肝息風해야 한다. 方中 阿膠·鷄子黃은 血肉有情하고, 滋陰養血로 息風하기 때문에 함께 君藥이 된다. 李時珍이 말하기를 "阿膠和血滋陰, 除風潤燥"라고 했고, "男女一切風病"을 치료한다고 했다(『本草綱目』卷50). 吳瑭이 말하기를 鷄子黃은 "得巽木之精而能熄肝風"(『溫病條辨』卷3)이라 했다. 何廉臣이 이르기를 阿膠·鷄子黃 "二味血肉有情, 質重味厚, 大能育陰熄風, 增液潤筋"(『重訂通俗傷寒論』第2章)이라 했다. 白芍藥·生地·甘草는 酸甘化陰, 養血柔肝, 緩急舒筋의 효능으로 臣藥으로 쓰인다. 鉤藤의 甘涼함은 효능이 온전히 平肝息風하여, 風을 치료하는 要藥이다. 陰血이 虛한 사람은 陰이 陽을 품지 못하고, 肝陽이 偏亢한데, 石決明·牡蠣는 모두 介類로 平肝潛陽에 장점이 있다. 茯神木은 "入肝經, 爲平木之品 ……木平則風定"(『要藥分劑』卷2)한다. 風陽이 안을 어지럽혀 心神이 不寧하게 되는데, 茯神木이 安神寧心을 겸할 수 있다. 네 가지 약을 함께 투여하면 平肝潛陽, 息風止痙의 효능을 증가시켜, 같이 佐藥이 된다. 筋脈拘攣은 즉 經絡이 펴지지 않는 것인데, 絡石藤은 氣味가 平和하여 효능이 經脈으로 잘 가고, 肢節을 잘 통하기 때문에 活絡舒筋의 목적으로 사용하여, 使藥이 된다. 『要藥分劑』卷1에서 일찍이 이르기를 "絡石之功, 專于舒筋活絡, 凡病人筋脈拘攣, 不易伸屈者, 服之無不穫效, 屢試屢驗, 不可忽之也."라고 했다. 여러 약이 서로 합해져, 함께 滋陰養血, 平肝潛陽, 舒筋息風의 효과를 이룰 수 있다. 本方은 標本을 兼顧하지만, 治本에 중점이 있는데, 原書에서는 그것을 "滋陰息風法"으로 귀결하고 있다.

【類似方比較】 本方과 羚角鉤藤湯은 모두 兪根初가 처음 만든 것으로, 두 처방은 白芍藥·鉤藤·茯神木·地黃·甘草를 같이 사용하고 있는데, 모두 滋陰養液, 平肝息風할 수 있고, 溫病의 肝風內動證을 치료한다. 다만, 前者는 阿膠·鷄子黃·生牡蠣·石決明·絡石藤을 배오하고, 地黃을 大生地로 하고, 甘草는 구운 것으로 하여, 全方이 滋陰養血, 柔肝息風에 치중하며, 潛陽의 효능이 함께 있고, 주로 溫病後期, 熱이 陰血을 傷하고, 虛風이 內動하고, 手足이 蠕動하고, 頭目이 眩暈하며, 脈象이 細數한 증상을 치료한다. 後者는 羚羊角·桑葉·菊花·川貝母·竹茹가 있고, 地黃을 鮮品으로 하고, 甘草는 生用하는데, 全方이 凉肝息風을 위주로 化痰의 효능이 함께 있으며, 주로 溫病極期, 邪熱이 亢盛하고, 熱極이 風을 움직이고, 抽搐强勁이 힘이 있고, 高熱로 정신이 혼미하며, 脈象이 弦數한 증상을 치료한다.

本方과 大定風珠는 모두 阿膠·鷄子黃·白芍藥·生地·甘草와 牡蠣를 사용하여 育陰潛陽息風하는데, 같이 滋陰息風의 方劑에 속하며, 모두 陰虛風動의 증상을 치료하는데, 오직 효능과 주치에서 强弱의 차이가 있을 뿐이다. 本方은 鉤藤·石決明·茯神木·絡石藤을 배오하여, 平肝息風의 효능이 비교적 강하고 通絡舒筋을 겸할 수 있고, 陰虛가 비교적 가볍고, 邪氣가 조금 많은 증상을 치료한다. 後者는 龜甲·鱉甲·麥門冬·麻仁·五味子가 있어, 滋陰收斂의 효능이 비교적 우세한데, 眞陰이 大虧하고, 邪氣가 이미 衰한 소위 "邪氣已去八九, 眞陰僅存一二(『溫病條辨』卷3)이며, 때때로 허탈증에 빠지려는 사람에 적용한다.

【臨床應用】

1. 證治要點: 本方은 주로 溫病後期, 陰血不足, 虛風內動의 증상에 이용하는데, 임상에서는 手足瘈瘲, 徐緩無力, 舌絳苔少, 脈象細數을 辨證의 要點으로 한다.

2. 加減法: 抽搐이 비교적 심한 사람은 羚羊粉을 더해 息風止痙하고; 陰虛陽亢인 사람은 龜甲·磁石을 더해 滋陰潛陽하고; 虛熱이 함께 있는 사람은 知母·丹皮를 더해 淸熱한다.

3. 阿膠鷄子黃湯은 다음 한국표준질병사인분류(KCD)에 해당하는 환자가 邪熱久羈, 損傷陰血, 虛風內動證으로 辨證되는 경우 본 처방의 사용을 고려해

볼 수 있다.

처방 목표	한국표준질병사인분류(KCD)
日本腦炎後遺症	B94.1 바이러스뇌염의 후유증

【注意事項】 本方은 滋陰息風의 方劑로, 모든 熱極動風 혹은 陰血이 비록 虧하지만 邪熱이 여전히 盛한 증상에는 사용하지 않아야 斂邪의 患을 피할 수 있다.

【變遷史】 陰血不足, 虛風內動證에 관해, 葉桂의 『臨証指南醫案』卷1에 이미 많은 기록이 있는데, “血虛不榮筋骨, 內風襲絡”, “精血內虛, 虛風自動”, “水虧風動” 等 病機分析, “偏枯”, “口喎, 肢麻, 舌暗”, “眩暈” 등 증상의 묘사, “緩肝潤血熄風”, “養血熄風”, “大忌風藥寒凉”, “忌投剛燥” 등 治法宜忌, 그리고 生地·阿膠·白芍藥·炙甘草·牡蠣·鉤藤 등 약물의 운 용, 그것의 임상에 대한 指導 의의가 일찍부터 세상 사람들에게 공인되었다. 아쉽게도 葉氏는 對證之方을 명확하게 제기하지 못하고, 論治 역시 內傷雜病에 국한되었다. 俞氏의 阿膠鷄子黃湯이 이런 결점을 잘 보완할 수 있다. 비록 『通俗傷寒論』 原書의 方 뒤에 主治가 기재되지 않았고, 治法만 “滋陰熄風法”라고 말했는데, 이 책은 四時感證의 診療全書이기 때문에 병을 논하는 것이 外感에 치중되어, 後人은 이 方을 溫病後期의 陰(血)虛風動證의 主方이라고 간주했다. 何秀山은 本方에 덧붙인 按語에서 말하기를 “血虛生風者, 非眞有風也, 實因血不養筋, 筋脈拘攣, 伸縮不能自如, 故手足瘈瘲. 類似風動, 故名曰內虛暗風, 通稱肝風. 溫熱病末路多見此症者, 以熱傷血液故也.” 했는데, 本方이 치료하는 증상은 주로 溫病後期에 보이고, 동시에 內傷雜病도 배제하지 않고 있다는 것을 설명했다. 그 외 1912년 『濕溫時疫治療法』第4章의 기재에 의하면, 沈樾亭 『驗方傳信』역시 阿膠鷄子黃湯이라는 方名이 있는데, 그 구성은 眞阿膠 錢半, 左牡蠣 五錢, 大生地 四錢, 生白芍藥 三錢, 女貞子 三錢, 黃甘菊 二錢, 鷄子黃 一枚, 童便 1盅. 그 主治에 관해 『濕溫時疫治療法』은 急性時疫 부분에서 일찍이 언급하기를 血熱生風病證이 “急用犀羚鎭痙湯或滋液救焚湯, 重加瓜霜紫雪丹”, “繼用龍膽瀉肝湯或平陽清里湯”, “終用阿膠鷄子黃湯滋陰以鎭肝陽”해야 한다 라고 했다. 『重訂廣溫熱論』卷2의 이 方의 처방 뒤의 按에서는 “此方甘鹹鎭靜, 善熄肝風;專治肝風上翔, 頭眩心悸, 耳鳴躁擾, 狂厥等症.”이라 했는데 이 方의 主治病症 및 효능이 俞氏方과 기본적으로 같다는 것을 알 수 있다. 沈樾亭 『驗方傳信』은 현재 조사할 수 없어, 이 方과 俞氏方 중 어느 것이 먼저이고 어느 것이 나중인지는 정하기 어렵기 때문에, 잠시 관련자료를 이렇게 기록하여, 같은 학문을 하는 사람들의문 가르침을 기다린다.

【醫案】

1. 肝風症 『重訂通俗傷寒論』第2章: 阿膠·鷄子黃 二味는 옛날 내 오랜 친구 趙晴初가 대부분 발명하고 그 이야기를 적었다. 친족 孫詩卿의 부인이 肝風證을 앓았는데, 온몸의 筋脈이 拘攣되고, 神志는 혼미하지 않았다. 이 肝風은 직접 巓腦로 올라가지 않고, 筋脈을 가로로 꿰었다. 나는 阿膠·鷄子黃·生地·制首烏·女貞子·白芍藥·甘草·麥門冬·茯神·牡蠣·木瓜·鉤藤·絡石·天仙藤·絲瓜絡 등을 이용했는데, 약재를 넣고 빼어가며 치료, 8첩으로 완치했다. 病人이 發病時를 스스로 진술했는데, 몸이 그물 속으로 들어 간 것 같고, 內外의 筋脈이 牽絆拘緊하고, 매우 괴로웠으며, 복약 후 항상 점차 느슨해지는 것을 느꼈다고 말했다. 나중에 불시에 나타났는데, 面上 筋肉이 蠕動하고, 手足筋脈이 抽緊하고, 疼痛때문에 몸을 펴기 어려웠다. 鷄子黃 두 개를 먼저 끓인 물로 다른 약재를 달이고(代水) 阿膠 三錢을 녹여 복용하면 즉시 통증이 완화되고, 筋脈이 늦춰졌다. 다른 약을 복용하지 않고, 금방 효과가 나고 금방 가벼워졌는데, 두 달 후에도 다시 재발하지 않았다.

考察: 阿膠鷄子黃湯으로 滋陰養血息風을 治法으로 하였기에 臨證은 外感·內傷에 구애되지 않고, 陰血不足이 보이기만 하면 養筋의 證候가 없어도 편리하게 그것을 투약할 수 있다. 이 按은 즉 婦人의 雜病에 本方을 적용시킨 범례이다.

2. 일본뇌염후유증『四川中醫』(1986, 12:20): 남아, 3세. 1982년 8월 2일 진료. 환아는 10일 전 高熱凉厥로 입원했는데, 腰椎·骨髓穿刺 등의 검사를 하여 極重型으로 확진받았다. 현대 의학의 적극적 응급처치 때문에 기본적인 위험에서 벗어나서, 정신이 분명해지고, 項强이 없어지고, 抽搐이 멈추었는데, 머리가 흔들리는 것이 멈추지 않고, 眼球震顫 등의 증상이 나타나서, 연속으로 鎭痙劑와 대증요법을 10여 일을 사용했지만 효과가 없어, 한의학 진료로 전환했다. 진료 시 정신이 분명하고, 체온이 37.6℃(겨드랑이 아래), 4-5분 간격으로 머리를 흔들고·眼球震顫이 1회 있었는데, 매번 1,2분 지속되었고, 입술이 건조하고, 尿黃便乾, 舌紅少津하고, 脈細稍數했다. 辨證: 陰血虧損, 筋脈失養, 虛風內動. 治法: 滋陰養血, 柔肝熄風. 阿膠鷄子黃湯加味를 사용했다. 處方: 阿膠(烊化)·石決明(先錢)·絡石藤 各 10 g, 牡蠣 20 g(先煎), 炙龜甲 15 g(先煎), 茯神 5 g, 甘草 3 g, 鷄子黃 1只. 3첩. 그 밖에 羚羊粉 五分을 2회로 나누어 끓인 물에 沖服했다. 藥을 먹은 후 체온이 37.2℃(겨드랑이 아래)까지 내려가고, 舌이 紅色으로 津이 있었고, 머리가 흔들리고·眼球震顫이 20분에 1회로 줄었고, 우유 먹는 것이 늘어나고, 대변이 건조하지 않게 되었다. 原方을 다시 5첩 복용한 후, 머리가 흔들리는 것은 멈추었는데, 眼球震顫은 다스려지지 않았다. 絡石藤을 빼고 菊花·鉤藤 各 10 g을 더해 다시 5첩을 복용했다. 복용 후 스스로 일어나 걸음을 옮길 수 있었고, 眼球震顫 역시 멈추어 8월 16일에 완치되어 퇴원했다.

考察: 溫病後期의 陰虛風動은 本 方劑의 증상이다. 羚羊角을 더해 息風作用을 더욱 강하게 하고 退熱을 도왔다. 藥證이 서로 부합하여, 몇 첩으로 효과를 거두었다.

3. 四肢震顫『實驗醫學雜誌』(1996, 9:42): 여성, 四肢의 떨림이 반 개월되었는데, 가중된지 하루 만에 병원에 입원하여 치료했다. 환자는 평소 慢性 咳嗽를 10여 년 갖고 있었다. 최근에 명확한 요인 없이 四肢震顫이 나타났는데, 열은 없었다. 咳嗽, 痰이 끈적하여 쉽게 咯出되지 않았다. 환자는 정신이 긴장되고 생각을 집중하고 있는 상황에서 震顫이 더욱 명확했는데, 上肢·양 손이 심했다. 震顫의 폭이 크고, 가는 떨림이 아니고, 사물을 집을 때도 줄어들지 않았고, 머리는 떨리거나 흔들리지 않고, 근육의 張力이 높지 않았고, 肝脾가 크지 않았으며, 병리검사에서 간 기능이 정상이었고, 가족력이 없었다. 西藥의 鎭靜劑·알탄(Artane)·비타민 등의 약물을 사용해 치료했는데 호전되지 않았다. 중의약 치료를 적용했는데, 病人의 脈이 細數弱하고, 舌紅無苔하며 약간 강했다. 이런 것에 근거해 陰血虧損, 虛風內動으로 진단했는데, 치료는 養血滋陰, 柔肝息風이 적절했다. 方은 阿膠鷄子黃湯加味를 사용했다. 阿膠 10 g(溶化), 白芍藥 15 g, 生石決明 30 g, 鉤藤 15 g, 天麻 12 g, 大生地 12 g, 炙甘草 10 g, 茯神 15 g, 絡石藤 15 g, 生牡蠣 18 g, 鷄子黃 二枚(藥汁에 녹인다), 羚羊角粉 1 g(沖). 2첩 복약 후 震顫이 없어졌고, 다시 阿膠鷄子黃湯을 이용해 六味地黃丸方 5첩을 합해 함께 8첩을 복용하니, 완치되어 퇴원하였고, 추적 관찰에서 재발하지 않았다.

考察: 本案의 四肢震顫은 陰血虧損에 속하며 虛風內動이 일으키는 것으로, 치료는 阿膠鷄子黃湯의 陰血을 풍부하게 하여 肝風을 식히는 효능에 天麻·羚羊角粉 등을 더하여 平肝息風의 효능을 강화 했다. 효과를 얻은 후 阿膠鷄子黃湯에 六味地黃丸을 합해 滋水涵木하면, 완해되어 근본을 치료하고, 완전한 효능을 거둘 수 있다.

第十五章

治燥劑

주로 苦辛潤燥 혹은 甘凉滋潤한 약물을 사용하여 구성하고, 輕宣外燥 혹은 滋陰潤燥 등의 작용을 갖고 있으며, 燥證을 치료하는 方劑를 治燥劑라고 한다. 本劑는 "十劑" 中의 "濕可去枯"의 범주에 속한다.

治燥劑는 유구한 역사를 갖고 있다. 『素問』「至眞要大論」에서 "燥者潤之"라고 했는데, 이것은 治燥劑에 대한 치료원칙을 확립한 것이다. 『金匱要略』「肺痿肺癰咳嗽上氣病脈證治」에 기재된 麥門冬湯은 生津益氣·降逆下氣의 효능으로, 虛熱津枯에 속하는 肺痿를 치료하는, 가장 초창기의 治燥方劑이다. 宋·洪遵의 『洪氏集驗方』은 申鐵瓮의 瓊玉膏를 인용하여, 育陰潤燥, 益肺寧嗽하여, 肺燥陰傷·乾咳少痰을 치료하는 良方이다. 金·張從正의 『儒門事親』에서 制訂한 三才丸 역시 益陰潤燥에서 立法했으며, 陰虛乾咳를 치료했다. 그 후 淸·汪昻이 『醫方集解』에서 이 방을 丸에서 湯으로 바꾸었고, 이로써 더욱 광범위하게 세상에 널리 퍼졌다. 상술한 方劑는 모두 滋潤內燥 계통이다. 外燥를 치료하는 方劑의 출현 및 성숙은 비교적 늦었다. 가장 먼저 外燥 치료를 제창한 사람은 淸初에 속하는 喩昌인데, 喩氏는 『醫門法律』卷4에서 말하기를 "『內經』病機十九條, 獨遺燥氣. 昌特正之. 大意謂春傷于風, 夏傷于暑, 長夏傷于濕, 秋傷于燥, 冬傷于寒", 더불어 "諸澀枯涸, 干勁皴揭, 皆屬于燥"를 『素問』「至眞要大論」의 病機十九條에 보충해 넣었다. 喩昌은 "秋傷于燥"의 병증에 대해, 淸燥救肺湯을 만들어 치료의 方劑로 삼았다. 淸·吳瑭은 『溫病條辨』의 "上焦病篇"·"中焦病篇" 및 "下焦病篇"에서 모두 秋燥에 대해 전문적으로 논술했는데, 前人의 기초 위에 발휘하여 杏蘇散·桑杏湯·翹荷湯·沙蔘麥冬湯·五汁飮과 增液湯 등을 만들었는데, 이런 方劑는 모두 현대 방제학에서 治燥劑의 주요 내용을 구성하고 있다. 治燥劑를 전문적으로 하나의 분야로 열거한 것은 明代 王肯堂의 『證治準繩』「類方」第1冊의 "諸傷門"에서 시작되었는데, 그중 "傷燥" 一節이 있었다. 그러나 王氏는 이 節에서 滋燥養榮湯·大補地黃丸·淸凉飮子·導滯湯·通幽湯 및 潤腸丸 등 여러 方의 方名만 거론했을 뿐이다. 그러므로 淸·汪昻의 『醫方集解』에서 그것을 "潤燥之劑"로 나열한 것이 비로소 治燥劑가 정식으로 독립된 장을 이룬 것이다.

治燥劑는 燥證을 치료하는데 사용된다. 燥證은 外燥와 內燥의 구분이 있는데, 外燥는 가을의 燥邪를 받아 일어나는 병증인데, 가을 기후가 덥거나 추운편인 차이로 인해 발병 후 나타나는 증상 역시 다르기 때문에 外燥 또한 凉燥와 溫燥의 구분이 있다. 淸代 兪根이 처음에 『通俗傷寒論』에서 말하기를 "秋深初凉, 西風肅殺, 感之者多病風燥, 此屬凉燥, 較嚴冬風寒爲輕;若久晴無雨, 秋陽以曝, 感之者多病溫燥, 此屬燥熱, 較暮春風溫爲重."이라 했는데, 燥는 六淫 중 하나에 속하고, 일정한 계절성이 있으며 매번 肺를 침범하여 津을 상하기 쉽고, 처음에는 發熱惡寒 외에 일반적으로 口乾咽痛, 鼻燥, 乾咳無痰을 수반하거나 咳嗽少痰 등 津液이 건조한 것이 표현된다. 內燥는 인체 臟腑의 津液이 虧耗하여 일어난 病症인데, 津虧液耗를 일으키는 원인에는 여러 가지가 있는데 夙稟體質하여 津液不足하거나, 나이가 들면서 津液이 나날이 乾枯해지거나, 매운 음식을 즐기든 혹은 溫補한 약물을 지나치게 복용하여 陰津이 內傷입거나, 가을에 건조한 날들이 오래되어 진액이 소모되고 손상되어 낫지 않는 것 등이다. 인체 장부의 부위와 생리특징이 각각 다르기 때문에, 內燥의 임상표현 역시 비교적 복잡하다. 발병 부위로는 上燥·中燥·下燥의 구분이 있다. 관련 臟腑로는 肺·胃·腎·大腸의 구분이 있다. 대체적으로 上燥의 많은 병이 肺에 미치며, 咳逆少痰의 증상이 보인다. 中燥의 各 병은 胃와 관계되어 있으며, 口乾, 嘔吐 혹은 음식물이 내려가지 않는 증상으로 나타난다. 下燥의 병은 腎과 大腸에 있는데, 일상적으로 咽乾, 便秘 등이 발생한다. 人體內外·臟腑는 상호 연관되어 있기 때문에, 건조하면 병이 되는데, 매번 많은 경우 내외가 서로 겸하며, 상하에서 함께 보인다. 예를 들어 溫燥가 처음 일어나면 發熱微惡風寒의 表證이 있을 뿐 아니라, 燥傷肺陰으로 인한 咽喉燥痛, 乾咳無痰 등의 內燥證 또한 있다. 咽喉燥痛의 경우, 乾咳無痰한 上燥證은 자주 腎飮不足, 虛火上炎과 관련이 있다.

燥證의 치료는 外燥는 宣而祛之가 적절하고, 內燥는 潤而滋之가 적절하다. 그러므로 治燥劑는 輕宣外燥와 滋陰潤燥 두 종류로 나누어진다.

輕宣外燥劑는 外感凉燥 혹은 溫燥의 증상에 활용된다. 凉燥는 가을 차가운 기후가 깊어서 風寒燥邪를 받아 肺氣가 펴지지 않아 일어나는 것으로 일반적으로 惡寒頭痛, 咳嗽鼻塞, 咽乾口燥 등의 증상이 나타난다. 本證은 風寒이 있지만, 嚴冬의 風寒에 비해 가볍기 때문에 옛 사람들은 그것을 “次寒”으로 불렀다. 溫燥는 초가을 날씨가 건조하고 덥거나, 오랫동안 맑고 비가 없어, 燥傷肺津으로 일어나는 것으로, 일반적으로 頭痛身熱, 乾咳無痰, 혹은 氣逆喘急, 心煩口渴, 舌乾無苔 등의 증상을 볼 수 있다. 本症은 風熱이 있는데, 燥熱傷津이 수반하여 보이는 것을 특징으로 한다. 輕宣外燥 方劑의 구성은 주로 解表藥을 위주로 선택하여 사용하고, 凉燥는 蘇葉·豆豉·生薑 등과 같은 辛溫解表藥을 사용한다. 溫燥는 桑葉·薄荷 등과 같은 辛凉解表藥을 사용한다. 배오 방법상 몇 가지의 방법이 있다: ① 杏仁·前胡·桔梗·貝母 等 止咳化痰藥을 배오한다. 燥邪가 外襲하여, 肺氣가 펴지지 못하기 때문에 津이 모여 痰이 된다. 일반적으로 咳嗽, 喀痰不爽 등의 증상을 수반하며 상술한 약물을 배오하며, 宣肺로 解表에 유리할 수 있고, 직접 痰을 풀고 기침을 능히 멈출 수 있다. 이는 杏蘇散·桑杏湯과 淸燥救肺湯에 있는 杏仁, 杏蘇散 중의 前胡·桔梗 등이다. ② 沙蔘·梨皮·阿膠·胡麻仁 등 養陰潤燥藥을 배오한다. 燥邪는 매번 陰津을 소모하고 상하게 하는데, 상술한 약물을 배오하면 陰津을 滋養하여 윤택하게 할 수 있는데, 桑杏湯의 沙蔘·梨皮, 淸燥救肺湯에 있는 阿膠·胡麻仁 등이 이와 같다. ③ 石膏·山梔·連翹 등과 같은 淸熱藥을 배오한다. 燥性은 火에 가까워 항상 熱象을 보이기 때문에, 淸熱藥으로 淸解하는데, 구체적으로 藥을 사용할 때, 먼저 淸과 散을 겸하거나 輕宣淸熱의 약품을 선택하여 凉遏을 방지한다. 예를 들어 桑杏湯의 山梔皮, 淸燥救肺湯에 쓰인 石膏 등이다. 輕宣外燥劑의 대표방은 杏蘇散·桑杏湯·淸燥救肺湯 등이다.

滋陰潤燥劑는 臟腑津液이 虧損된 內燥證에 활용된다. 內燥證의 주요 임상표현은 乾咳少痰, 口乾咽燥, 大便乾結, 皮膚乾燥가 심하거나 開裂, 舌乾少苔, 脈細 등이 있다. 滋陰潤燥方劑의 구성은 일반적으로 養陰潤燥藥이 주가 되며, 麥門冬·生地黃·玄參 등이 자주 사용된다. 일반적으로 배오 방면으로 두 가지 사항이 있다. ① 人蔘·白茯苓·黃芪·半夏 등과 같은 益氣和中藥을 배오한다. 脾胃는 氣血津液生化의 근원이기 때문에 상술한 약물을 배오하면 生化津液에 유리할 뿐 아니라, 養陰藥의 寒凉滋膩傷中의 弊를 제어할 수 있다. 그 외 部分病證은 內燥와 脾胃虛弱을 겸하는데 健脾

和中을 배오하여 사용하는 것이 필요하다. 예를 들어 麥門冬湯 안의 人蔘·半夏, 瓊玉膏 중의 人蔘·白茯苓, 玉液湯 중의 黃芪 등이 해당된다. 이외에 補氣藥 중의 味甘滋潤之品은 益氣와 동시에 潤燥를 겸하는데, 山藥·蜂蜜·大棗 등이 이에 해당하며, 그 예로 滋陰潤燥劑와 항상 배오하여 사용되는 玉液湯 중의 山藥, 瓊玉膏 중의 蜂蜜, 麥門冬湯 중의 大棗 등이 있다. ② 淸熱藥과 배오하는 것으로 牡丹皮·知母·天花粉 등이 있다. 內燥는 陰津이 부족한 것이기 때문에 內熱이 생기기 쉬운데, 일반적으로 말하면 養陰藥은 대다수 寒涼하기 때문에 그것을 사용하여 淸熱할 수 있다. 단, 內熱이 비교적 심하면 淸熱藥을 배오하여 내릴 필요가 있는데, 예를 들어 養陰淸肺湯 中의 牡丹皮, 增液湯 중의 知母·天花粉 등이 있다. 滋陰潤燥劑의 대표방은 養陰淸肺湯·麥門冬湯·增液湯 등이다.

治燥劑는 甘寒滋膩藥物 위주로 구성되었기 때문에, 濕을 도와 氣를 막아 脾胃運化를 妨碍하기 쉽기 때문에, 본래 몸이 多濕하고, 脾가 虛하고 便이 溏하고, 氣滯痰盛인 사람은 모두 신중하게 사용해야 한다. 燥性이 비록 火에 가깝지만 또한 火와 다르기 때문에 治燥는 治火와 달리 苦寒之品을 사용해서는 안 된다. 辛香溫燥之品 역시 燥病에 적당하지 않기 때문에, 治燥劑의組方시 주의해야 할 것은 일반적으로 性味가 苦寒하거나 辛香한 약물을 피해 배오하여, 津液이 또 傷하는 것을 방지해야 한다.

第一節 輕宣外燥劑

杏蘇散

(『溫病條辨』卷1)

【組成】 蘇葉(9 g) 半夏(9 g) 茯苓(9 g) 甘草(3 g) 前胡(9 g) 苦桔梗(6 g) 枳殼(6 g) 生薑(三片) 橘皮(6 g) 大棗去核(三枚) 杏仁(9 g)(原方은 용량이 적혀있지 않다)

【用法】 水煎溫服.

【效能】 輕宣涼燥, 宣肺化痰

【主治】 外感涼燥證. 惡寒無汗, 頭微痛, 咳嗽痰稀, 鼻塞, 咽乾, 苔白, 脈弦.

【病機分析】『溫病條辨』에서 沈明宗의『燥病論』을 인용해 말하기를: "燥氣起于秋分以後, 小雪以前, 陽明燥金涼氣司令. 經云: 陽明之勝, 淸發于中, 左胠脇痛, 溏泄, 內爲嗌塞, 外發?疝; 大涼肅殺, 華英改容, 毛蟲乃殃, 胸中不便, 嗌塞而咳. 據此經文, 燥令必有涼氣感人, 肝木受邪而爲燥也. ……燥病屬涼, 謂之次寒, 病與感寒同類." 가을이 깊어가는 절기에 기후가 건조하며 점차 추워지질 때, 起居와 衣着에 부주의하여 감응되면 涼燥의 病이 뒤따른다. 邪가 바깥에서 오면, 먼저 皮毛를 犯하고, 衛陽이 막히게 되어 惡寒無寒, 頭微痛 등의 表證이 나타난다. 肺가 皮毛를 주관하는데, 皮毛가 邪를 받아, 안으로 肺에 들어오면 肺가 宣降을 잃고, 咳嗽가 생긴다. 咳吐稀痰은 肺 계통이 涼燥의 영향을 받아 津液이 정상적인 輸布를 잃고, 또 陽氣가 막히는 것이 더해지면서 생기게 된다. 肺가 鼻에서 열리면 涼燥의 공격을 받아, 肺氣가 宣發할 수 없기 때문에 鼻가 막힌다. 咽乾은 津液이 燥傷으로 인

해 나타나게 된다. 凉燥에 痰飮을 兼하면 脈弦苔白한다. 동시에 脈弦 또한 燥金이 勝하며 克木하기 때문에 肝病을 일이키는 것과 관계있다.

【配伍分析】本方의 主治 證候를 종합적으로 보면, 그 病因은 凉燥外襲과 관련되고, 病機는 邪가 衛表를 속박하여, 안으로 肺에 머물러, 肺가 宣肅을 잃고, 모여서 痰을 형성하게 되는 것이다. 그러므로 치료는 輕宣凉燥로 表邪를 해산하고, 肺氣를 宣降시켜 痰을 풀고 기침을 멈추게 한다. 方中 蘇葉은 味辛微溫하여, 發汗解表, 開宣肺氣한다.『本草正義』卷5에서 이르기를 "紫蘇, 芳香氣烈, 外開皮毛, 泄肺氣而通腠理; 上則通鼻塞, 淸頭目, 爲風寒外感靈藥; 中則開胸膈, 醒脾胃, 宣化痰飮, 解鬱結而利氣滯. ……葉本輕揚, 則風寒外感用之, 疏散肺閉, 宣通肌表, 泄風化邪, 最爲敏捷."이라고 했다. 杏仁의 苦辛溫潤은 宣肺散邪하고, 降氣止咳한다.『本草求眞』卷4에서 이르기를 "杏仁, 旣有發散風寒之能, 復有下氣除喘之力, 綠辛則散邪, 苦則下氣, 潤則通秘, 溫則宣滯行痰. 杏仁氣味俱備, 故凡肺經感受風寒, 而見喘嗽咳逆·胸滿便秘·煩熱頭痛……無不可以調治."한다고 했다. 두 약을 배오하여, 함께 君藥이 된다. 前胡·桔梗과 枳殼의 宣肺寬胸, 祛痰止咳는 臣藥으로 사용한다. 그중 前胡의 表裏兼考는 밖으로 宣散表邪하고, 안으로 化痰止咳할 수 있기 때문에,『本草匯言』卷9에서 그것을 "散風寒, 淨表邪, 溫肺氣, 消痰嗽之藥"계통이라고 했다. 桔梗은 祛痰止咳하며 利咽하고, 藥性이 위로 향한다. 枳殼은 寬胸暢膈하며 理氣하는데 藥性은 아래로 향한다. 桔·枳를 함께 사용하면, 즉 升降을 함께 베풀게 되어, 肺氣의 宣發을 주관하고 淸肅을 좋아하는 성질에 부합된다. 半夏·橘皮·茯苓과 甘草를 함께 사용하면, 즉 二陳湯으로 燥濕化痰, 理氣和中할 수 있어 모두 佐藥이 된다. 甘草와 臣藥 中의 桔梗을 서로 배오하면, 祛痰止咳, 宣肺利咽할 수 있다. 生薑·大棗는 調和營衛로 利解表하며, 津液으로 通行하게 하여 건조함을 윤택하게 하여, 역시 佐藥이 된다. 동시에 甘草와 함께 사용하여, 여러 약을 조화롭게 할 수 있어 使藥을 겸한다. 全方을 배합하면 함께 發散宣化의 효능을 이룰 수 있고, 表解痰消하게 하여, 肺暢氣調하여, 여러 증상이 자연히 낫게 된다.

본방의 주요 배오 특징은 주로 다음과 같다: 輕宣凉燥解表와 溫潤化痰止咳을 함께 쓰나, 表裏 가운데 治表를 위주로 하며, 苦溫甘辛의 法은 바로『素問』「至眞要大論」"燥淫于內, 治以苦溫, 佐以甘辛"의 치료원칙과 부합된다.

【類似方比較】杏蘇散과 蔘蘇飮 兩方의 組成·功用과 主治는 상당히 비슷한 부분이 있기 때문에, 같은 와중에 다름을 추구해서, 분석에 구별이 있어야 한다. 본방은 蔘蘇飮에서 人蔘·木香을 빼고 杏仁을 더해 만들었다. 蔘蘇飮은 따뜻하면서 不燥한데, 益氣扶正으로 解表하고, 化痰祛濕으로 기침을 멈추게 하여, 노인이나 어린 몸이 허약한 사람, 外感風寒으로 안에 痰濕이 있는 증상에 적용한다. 本方은 즉 凉燥가 肺를 공격하는데 적용하는데, 正氣가 虛하지 않기 때문에, 人蔘을 뺐다. 또 凉燥가 津을 傷하게 하는 것을 꺼려하여, 木香을 뺐다. 杏仁을 더한 것은 宣肺止咳의 효능을 강화한 것이다. 이와 같이 益氣解表의 方劑에서, 輕宣凉燥의 方劑로 변화했다. 凉燥는 성질이 風寒에 가깝고, 또 "次寒"의 명칭이 있기 때문에 凉燥의 治法根本과 風寒 表證을 치료하는 것이 서로 같고, 兩方의 配伍와 用藥이 서로 가깝다.

【臨床應用】

1. 證治要點: 本方은 凉燥를 치료하는 대표 方劑이다. 발병은 가을이 깊어가며 氣凉之冷에 의해 발생하는데, 惡寒無汗, 咳嗽痰稀, 咽乾, 苔白, 脈弦을 證治要點으로 한다.

2. 加減法: 原方에서 加減法은 "無汗, 脈弦甚或緊, 加羌活, 微透汗;汗後咳不止, 去蘇葉·羌活, 加蘇梗; 兼泄瀉腹滿者, 加蒼術·厚朴; 頭痛兼眉稜骨痛者, 加白芷; 熱甚, 加黃芩, 泄瀉腹滿者不用"이라 했다. 無汗,

脈弦이 甚하거나 緊한 것은 感寒이 비교적 심하고, 肌膝緊廢의 증상이므로, 羌活의 發散風寒을 더해 빠르게 外邪를 제거한다. 汗後 기침이 그치지 않는 것은 發汗表解를 경험하여 肺氣不利한 것으로, 蘇葉·羌活을 빼는 것은 다시 表散하는 것을 바라지 않는 것으로 津이 傷하는 것을 방지하기 위함이고, 蘇梗을 더하면 暢利肺氣로 기침을 멈추는 것이다. 泄瀉腹滿을 겸하고, 濕盛氣滯하면, 蒼術·厚朴으로 燥濕行氣한다. 眉稜骨이 아프면, 陽明經病에 속하는 것으로, 白芷의 善入陽明을 더해 散寒止痛한다. 熱象이 함께 보이면 黃芩으로 淸熱을 더하는데, 泄瀉腹滿한 사람은 사용하지 않는 것은 그 苦寒이 쉽게 傷中損陽하는 것을 꺼려함이다.

3. 杏蘇散은 다음 한국표준질병사인분류(KCD)에 해당하는 환자가 外感涼燥證으로 辨證되는 경우 본 처방의 사용을 고려해볼 수 있다.

처방 목표	한국표준질병사인분류(KCD)
上呼吸道感染	J00~J06 급성 상기도감염
慢性氣管支炎	J41 단순성 및 점액화농성 만성 기관지염
	J42 상세불명의 만성 기관지염
肺氣腫	J43 폐기종

【變遷史】 杏蘇散은 杏蘇飮加感에서 발전해 왔다. 杏蘇飮은 淸代『醫宗金鑒』卷58에서 나왔는데, 蘇葉·枳殼(麸炒)·桔梗·葛根·前胡·陳皮·甘草(生)·半夏(薑炒)·杏仁(炒, 去皮尖)·茯苓으로 구성되었고, 風寒이 肺에 기거하여 喘하는 것을 주로 치료한다. 杏蘇散은 杏蘇飮에서 葛根을 빼고, 生薑·大棗를 넣어 만들었다. 葛根을 빼는 것은 즉 解表의 역량을 줄이는 것이고; 薑·棗를 넣는 것은 營衛를 조화하여 利解表하고, 津液을 通行하여 건조함을 윤택하게 하는 것이다.『醫宗金鑒』은 청대 정부조직이 편찬해 쓴 교과서이기 때문에, 이 책의 영향이 매우 컸다는 것을 추론할 수 있다. 吳瑭이 일찍이 말하기를 "杏蘇散乃時人統治四時傷風咳嗽之方"(『溫病條辨』卷1)이라 했는데, 杏蘇散이 『溫病條辨』이 알려지기 전에 이미 존재하고 있었으며 일반적으로 사용하는 方劑라는 것을 설명하는 것이다. 이것으로 吳瑭이 말한 杏蘇散이 바로 지적한 『醫宗金鑒』杏蘇散(『醫鈔類編』卷19 간편하게 이 方劑를 杏蘇散으로 칭했다)이다. 杏蘇飮은 苦辛溫潤하기 때문에, 밖으로 解表散寒하고, 안으로 宣肺化痰할 수 있으므로, 吳瑭은 『素問』「至眞要大論」의 "燥陰于內, 治以苦溫, 佐以甘辛"의 뜻에 따라, "小寒"의 涼燥濕表에 대해 肺에 痰濕病症이 있으면 杏蘇飮을 이용하는데 조금 가감할 수 있고, 化裁하여 杏蘇散으로 그것을 치료할 수 있다. 吳瑭은 杏蘇散을 이용해 涼燥를 치료했는데, 확실히 전 시대 사람이 말하지 않은 것이기 때문에 처음 발표하여 의학계의 공인을 받을 수 있었다. 예를 들어 淸·張秉成이 모은 "世所常用, 同道所匀尙"의 方劑는 『成方便讀』(『成方便讀』「自序」)로 저술되었는데, "潤燥之劑"의 첫 번째 方劑가 즉 杏蘇散이었다.

『醫宗金鑒』의 杏蘇飮의 근원을 거슬러 올라가면, 즉 또한 『三因極一病證方論』卷13의 蔘蘇飮에 속한다. 蔘蘇飮은 前胡·人蔘·蘇葉·茯苓·桔梗·木香·半夏·陳皮·枳殼·甘草로 구성되어 있는데, 후대에서는 이 方劑를 益氣扶正, 解表止咳의 대표 처방으로 간주하고 있다. 杏蘇飮은 蔘蘇飮에서 人蔘·木香을 빼고, 葛根·杏仁을 넣어 만들었다. 人蔘을 빼면 즉 益氣扶正의 효능이 없고; 木香을 빼면 化中의 작용이 약화되고; 葛根·杏仁을 넣으면 解表宣肺止咳의 작용을 강화한다. 이렇게 蔘蘇飮의 扶正解表에서 杏蘇飮의 解表宣肺, 化痰止咳로 변화한 것이다.

【難題解說】 本方의 적응증에 관하여: 杏蘇散은 淸代 유행한 傷風咳嗽의 方劑이고, 吳瑭이 『溫病條辨』에서 언급한 "今世僉用杏蘇散通治四時咳嗽" 및 "杏蘇散乃時人統治四時傷風咳嗽之方"에서 엿볼 수 있다. 吳氏가 本方을 이용해 "燥傷本臟, 頭微痛, 惡寒, 咳嗽稀痰, 鼻塞, 嗌塞, 脈弦, 無汗"(『溫病條辨』卷1)을 치료하는 것을 제기한 후, 涼燥를 치료하는 주된 方劑가 되었다. 杏蘇散은 溫潤發散하여, 宣肺化痰하

기 때문에 臨床에서도 역시 外感風寒, 肺氣不宣에 痰濕을 겸함 병증을 치료하는데 사용할 수 있다. 그러나 만약 이것 때문에 杏蘇散이 四時의 外感咳嗽를 通治할 수 있다고 여긴다면 잘못 생각한 것이다. 杏蘇散은 그 성질이 "辛溫, 只宜風寒, 不宜風溫"(『溫病條辨』卷1 桑菊飮條下)하기 때문이다.

【醫案】 時邪發熱(慢性支氣管炎繼發感染)『內科臨證錄』: 男性, 53歲, 工人. 1960년 10월 19일 發冷發熱이 2주 동안 있어 입원했다. 입원번호: 7053. 두 주 동안 매일 오후 畏寒發熱이 일어나고, 다음 날 새벽에 약간 물러나고, 다음날 다시 발작하고, 頭痛, 咳嗽胸悶, 痰多黏稠를 수반했다. 일찍이 공장의 保健站에서 양약을 복약했지만 효과가 뚜렷하지 않았다. 이전에 慢性支氣管炎 병력이 있었고, 凉을 받으면 곧 기침을 하고 담을 토했다. 入院體驗: 체온 38.6℃, 맥박수 84회/분, 양쪽 폐 底部의 呼吸音이 粗糙하고, 늑막과 양측 폐문의 음영이 증가했다. 진단은 慢性支氣管炎繼發感染이었다.

初診(1960년 10월 20일): 秋凉의 邪가 外屬하고, 痰濕이 끼어 肺胃 사이를 막고, 寒熱이 瘧과 같은 것이 이미 兩候가 넘었는데, 아직 暢汗할 수 없었고, 咳嗆喀痰이 매우 많았다. 脈弦且數했다. 宣暢氣機로 痰濕을 풀었다. 잎이 달린 蘇梗 一錢五分, 柴前胡 各一錢五分, 姜半夏 三錢, 陳廣皮 一錢五分, 痰黃芩 一錢五分, 雲茯苓 四錢, 大川芎 一錢五分, 生薑 一錢五分(切片), 杏仁泥 四錢. 2貼.

二診(10월 22일): 秋邪에 痰濕이 끼어 肺胃에 壅結하고, 透過하지 못하여, 매일 오후 寒熱이 교대로 일어나고, 이런 衛氣가 交幷하는데, 病은 太와少 사이에 있었다. 苔는 白膩하고, 根은 비교적 두껍고, 脈來濡數했다. 柴桂各半湯出入에 의거했다. 桂枝 七分, 柴前胡 各一錢五分, 炒赤白芍 各二錢, 仙半夏 二錢, 淡黃芩 二錢, 蔓荊子 三錢, 廣杏仁 四錢, 大川芎 一錢五分, 雲茯苓 四錢, 象貝粉 一錢五分(包). 2貼.

三診(10월 24일): 形寒身熱는 이미 풀어졌고, 頭痛咳嗽가 아직 없어지지 않았다. 다시 原方에 따라 계속 복용했다. 原方 2貼.

사진(10월 26일): 形寒身熱·頭腦脹痛의 象이 모두 사라졌다. 오직 咳嗽가 아직 있었는데, 밤에 더욱 심해졌다. 舌苔黃膩, 脈來濡滑했다. 外感의 邪가 풀어졌지만 內壅한 痰이 아직 없어지지 않았다. 順氣化痰法에 의거했다. 蘇子梗 各二錢, 仙半夏 三錢, 陳黃皮 一錢五分, 雲茯苓 四錢, 光杏仁 四錢(研), 淸炙草 一錢. 3貼(帶回).

考察: 本案은 慢性支氣管炎繼發感染으로 凉燥外束에 속하고, 痰濕이 안에 머물러 初診에서 杏蘇散加減을 이용했는데, 그중 柴胡를 넣어 解表의 효력을 증가시키고, 黃芩을 넣어 脈弦而數하고, 化熱之象이 있었다. 二·三診 때 邪가 胃分으로 점차 氣分으로 들어가 病이 太陽과 少陽 사이에 있었기 때문에, 柴桂各半湯出入을 투여했다. 四診은 外邪가 이미 풀어져, 蘇子梗·杏仁에 二陳湯을 합해 사용하여, 痰濕을 제거하고 順氣肅肺止咳 하였는데, 여전히 杏蘇散의 加減에 속했다.

桑杏湯

(『溫病條辨』卷1)

【組成】 桑葉 一錢(3 g) 杏仁 一錢五分(4.5 g) 沙蔘 二錢(6 g) 象貝 一錢(3 g) 香豉 一錢(3 g) 梔皮 一錢(3 g) 梨皮 一錢(3 g)

【用法】 물 두 잔을 끓여 한 잔을 취하여 頓服하고, 중한 사람은 다시 만들어 복용한다. 輕藥을 重用하면 반드시 病所를 지나친다(다시 한 번 끓여 세 잔을 만들면, 그 두 번째, 세 번째 氣味가 반드시 변하는데, 약의 氣味가 모두 가볍기 때문이다).

【效能】辛凉清宣, 潤肺化痰.

【主治】外感溫燥證. 頭痛, 微惡風寒이 있고, 身熱이 심하지 않고, 마른 기침에 痰이 없거나, 痰이 적고 끈적하고, 목이 마르고 목구멍이 마르고 코가 건조하며, 舌紅, 苔薄白而乾, 脈浮數하며 오른쪽 脈이 큰 사람.

【病機分析】溫燥는 초가을의 氣인데, 이때는 暑熱이 아직 완전히 없어지지 않고, 燥邪의 業이 이미 퍼져, 사람이 만약 衣着起居에서 절기를 위반하게 되면, 특히 노인과 어린아이 등 체력이 약한 사람이라면 곧 그것을 느끼고 병이 된다. 邪가 衛分을 침범하면, 그 병이 가볍기 때문에, 頭痛, 微惡風寒이 있는데, 身熱이 심하지 않다. 溫氣가 肺를 傷하게 하면 肺가 淸肅을 잃어 마른기침에 痰이 없거나 痰이 적고 끈적끈적하다. 溫燥가 患이 되면 반드시 津液을 상하기 때문에, 口渴咽乾鼻燥하게 된다. 舌紅, 苔薄白而乾은 邪가 衛分에 있는 증상이다. 오른쪽 脈이 候肺하고, 邪가 肺衛를 傷하게 하는데, 그 병이 風熱證이 비슷하기 때문에 脈이 浮數하고 오른쪽 脈이 큰 것이다.

【配伍分析】本方의 主治는 溫燥輕證으로 邪가 肺衛에 있어 肺가 淸肅을 잃고 津液이 손상된 것이다. 치료는 辛凉淸宣으로 解表하고, 潤肺化痰으로 止咳해야 한다. 方中 桑葉은 辛凉芳香하여 肺經과 表에 있는 風熱을 淸消하는데 장점이 있고, 성질이 甘潤을 겸하기 때문에, 溫燥의 表를 푸는데 가장 적합하다. 그러므로 吳瑭이 "桑得箕星之精, 箕好風, 風氣通于肝, 故桑葉善平肝風; 春乃肝冷而主風, 木旺金衰之候, 故抑其有餘. 桑葉芳香有細毛, 橫紋最多, 故亦走肺絡而宣肺氣"(『溫病條辨』卷1)라고 했다. 杏仁은 辛苦而潤하여 宣肅肺氣, 潤燥化痰으로 止咳하고, 桑葉과 서로 배오하면, 하나는 宣表에 역점을 두고, 하나는 平肺에 역점을 두어, 함께 君藥이 된다. 淡豆豉는 桑葉의 輕宣發表를 돕는데, 前人들은 이것을 解表之潤의 方劑로 인식했으며, 發汗하고 陰을 상하지 않는다는 주장이 있었는데, 溫燥가 처음 일어날 때 邪가 胃表에 있는 증상과 가장 잘 맞는다. 象貝母는 "味苦而性寒, 然含有辛散之氣"(『本草正義』卷2)하여, 杏仁의 化痰止咳를 돕고, 潤肺開泄할 수 있고, 燥邪傷肺, 痰이 적고 점조한 데 좋은 효과가 있어, 두 약을 함께 臣藥으로 사용한다. 沙蔘·梨皮 및 梔子皮는 함께 佐藥이 되는데, 그중 沙蔘은 養陰生津, 潤肺止咳하고; 梨皮는 甘凉하여,益陰降火, 生津潤肺하고; 梔子는 苦寒하고 성질이 가벼워, 上焦로 들어가 肺熱을 淸泄하고, 皮를 사용하는 것은 "內熱用仁, 表熱用皮"(『得配本草』卷7)이기 때문이다. 여러 약을 합해 사용하면, 함께 淸宣凉潤의 효능을 이룰 수 있다.

桑杏湯의 배오 특징은 辛凉解表의 桑葉·豆豉를 止咳化痰의 杏仁·象貝母와 배오하여 主가 되고, 養陰生津의 沙蔘·梨皮와 淸熱의 梔皮로 보좌하는 것이다. 바꿔 말하면, 本方은 解表·祛痰·養陰과 淸熱의 여러 방법을 구현했기 때문에, 張秉成이 그것을 "乃爲合法耳"(『成方便讀』卷3)라고 칭한 것이다.

【類似方比較】

1. 本方과 杏蘇散은 모두 輕宣外燥할 수 있고, 秋燥咳嗽를 치료하는데 사용한다. 단, 杏蘇散이 치료하는 凉燥는 病이 凉燥外襲으로 인하여 津液이 퍼지지 않아 일어나는 것이기 때문에 方에서 蘇葉과 杏仁의 辛溫宣布를 君으로 하고, 다시 前胡·桔梗·枳殼과 二陳湯 등을 배오하여, 宣肅肺氣·化痰止咳하는데, 소위 苦溫甘辛法이고, 輕宣凉燥·宣肺化痰에 의미가 있고, 肺氣를 宣暢하게 하고, 津液을 퍼지게 하여, 肺燥가 스스로 풀어지게 하는 것이 임무이다. 桑杏湯이 치료하는 溫燥는 溫燥가 肺를 犯하여 津液이 타서 病이 일어나는 것으로 方에서 桑葉과 杏仁의 辛凉宣肺를 君으로 사용하고, 다시 山梔·沙蔘·梨皮·象貝母 등을 배오하여 淸熱生津·潤肺止咳 하는데, 소위 辛凉甘閏法이고 輕宣溫燥·凉潤肺金에 의미가 있고, 溫熱이 깨끗해지고 肺氣가 퍼져 여러 증상이 자연히 없어지는 것을 임무로 한다.

2. 本方과 桑菊飮은 모두 辛凉解表하며, 表證屬熱을 치료하는데 사용한다. 桑菊飮은 주로 風溫이 처음 일어나 肺를 犯하는 風熱表證에 사용하는데, 方은 桑葉과 菊花의 辛凉解表를 君으로 사용하고, 다시 薄荷·桔梗·杏仁 등을 합하며, 解表와 宣肺止咳의 효능을 강화하는데 의미가 있는, 辛凉解表를 위한 輕劑이다. 桑杏湯은 주로 外感溫燥證을 치료하는데, 方은 桑葉과 杏仁의 辛凉宣肺를 君으로 사용하고, 다시 沙蔘·梨皮·山梔 등을 배오하며, 生津과 淸泄燥熱의 효력을 강화시키는데 의미가 있는, 淸宣凉潤을 위한 方劑이다.

【臨床應用】

1. 證治要點: 本方은 溫燥初起, 邪襲肺衛를 치료하는 대표 方劑이다. 가을의 冷干燥溫和한 기후에 발병하고, 몸에 微熱이 있고, 마른기침에 痰이 없고, 혹은 痰이 적고 끈적하고, 脈이 浮數한 것이 證治要點이다.

2. 加減法: 表邪鬱閉가 비교적 심하고, 증상에 惡寒無汗, 發熱이 보이는 사람은 薄荷·荊芥를 넣어 疏表發汗의 효과를 강화한다. 咽乾으로 통증이 있는 사람은 牛蒡子·桔梗을 넣어 淸利咽喉한다. 鼻衄이 있는 사람은 白茅根·旱蓮草를 넣어 凉血止血한다. 피부가 건조하고, 목마름이 심한 사람은 蘆根·天花粉을 넣어 淸熱生津한다.

3. 桑杏湯은 다음 한국표준질병사인분류(KCD)에 해당하는 환자가 外感溫燥證으로 辨證되는 경우 본 처방의 사용을 고려해볼 수 있다.

처방 목표	한국표준질병사인분류(KCD)
呼吸道感炎	J00~J06 급성 상기도감염
	J09~J18 인플루엔자 및 폐렴
	J20~J22 기타 급성 하기도감염
急慢性支氣	J20 급성 기관지염
管炎	J41 단순성 및 점액화농성 만성 기관지염
	J42 상세불명의 만성 기관지염
百日咳	A37 백일해

【注意事項】 本方은 溫燥初起, 邪가 衛分에 있는 사람(輕證)에 적용한다. 溫燥의 重證, 邪가 氣分에 들어간 사람은 淸燥救肺湯을 사용해야 한다. 本方을 잘못 투여하면 病은 重한데 藥은 가벼워 병세를 끌어 시기를 놓치게 된다. 또, 本方의 의미가 輕宣에 있기 때문에, 藥量이 가벼워야하며, 過重해서는 안 된다. 그러므로 吳瑭이 "輕藥不得重用, 重用必過藥所."라 했다.

【變遷史】『素問』「至眞要大論」에서 제기한 "病機十九條"에는 오직 燥氣를 病으로 여기는 것이 빠져있기 때문에, 후대 사람들이 매번 溫邪가 病이 되는 것을 소홀히 했다. 그러므로 吳瑭이 "案古方書, 無秋燥之病. 惟喩氏始補燥氣論, 其方用甘潤微寒; 葉氏逆有燥氣化火之論, 其方用辛凉甘潤"(『溫病條辨』卷1)이라 했다. 喩氏의 方이 甘潤微寒을 사용한 것은, 즉 淸燥救肺湯을 가리킨다. 葉氏의 논리는 葉桂가 『三時伏氣外感篇』에서 말한 "秋深初凉, 稚年發熱咳嗽, 證似春月風溫證, 但溫乃漸熱之稱, 凉卽漸冷之意. 春月爲病, 猶是冬令固密之餘, 秋令感傷, 恰値夏月發泄之後, 其體質之虛實不同. 但溫自上受, 燥自上傷, 理逆相等, 均是肺氣受病……粗工亦知熱病, 與泄白散加芩·連之屬, 不知愈苦助燥, 必增他變. 當以辛凉甘潤之方, 氣燥自平而愈, 愼勿用苦燥劫爍胃汁."이다. 吳瑭은 바로 상술한 喩氏와 葉氏의 기초하여, 桑杏湯을 창제한 것이다. 특히 桑杏湯과 淸燥救肺湯을 비교 분석하면, 兩方의 관계를 더욱 잘 볼 수 있다: 桑杏湯 중의 君藥 桑葉·杏仁은 즉 淸燥救肺湯에서 취한 것이다. 沙蔘·梨皮의 養陰生津은 淸燥救肺湯의 麥冬·阿膠 등 藥의 의의를 서로 모방한 것이다. 梔皮의 淸熱·桑貝母의 化痰之解는 즉 淸燥救肺湯의 石膏·枇杷葉의 배오의의이다. 香豉의 解表는 桑葉의 辛散효과를 강화할 수 있다. 桑杏湯이 사실 淸燥救肺湯을 化裁한 계열이고, 단지 處方用藥에 輕靈을 더욱 더한 것 뿐임을 알 수 있다.

【醫案】

失聲『浙江中醫雜誌』(1983, 12;539): 남성, 45세, 경극배우. 聲啞가 이미 7개월이 되었고, 咽乾, 咳嗆痰黏,

大便이 건조한편이고, 脈이 細數하고, 舌質이 偏紅하고, 舌苔가 薄白했다. 咽壁黏膜이 건조하고, 少量의 淋巴濾泡, 聲帶에 輕腫이 있었다. 肺燥津傷에 속했다. 桑杏湯加減을 사용했다: 桑葉·山梔·豆豉·梨皮·沙蔘 各 9 g, 貝母 6 g, 杏仁 12 g, 甘草 4.5 g, 桔梗·鳳凰衣·玉蝴蝶 各 3 g. 3五劑로 發聲이 호전되었고, 4五劑로 완치되었다.

考察: 案1의 溫燥는 병이 10여 일이 지났지만 邪가 手太陰肺에 있었기 때문에, 一診二診 및 三診에서 모두 桑杏湯加減 치료를 이용하여 마침내 완전한 효력을 거두었다. 案2의 失聲은 咎가 肺燥津枯에 있어, 金失濡潤하기 때문에, 역시 桑杏湯加減을 이용했는데, 桔梗·鳳凰衣·木蝴蝶之屬을 넣어, 宣肺開聲했다.

清燥救肺湯

(『醫門法律』卷4)

【組成】 桑葉 經霜者, 去枝梗, 淨葉 三錢(9 g) 石膏 煅 二錢五分(7.5 g) 甘草 一錢(3 g) 人蔘 七分(2 g) 胡麻仁 炒, 研 一錢(3 g) 眞阿膠 八分(2.5 g) 麥門冬 去心 一錢二分(3.5 g) 杏仁 炮, 去皮尖 七分(2 g) 枇杷葉 刷去毛, 蜜塗炙黃 一片(3 g)

【用法】 물 한 대접을 六分까지 끓여, 자주 2, 3회 펄펄 끓여 뜨겁게 복용한다.

【效能】 清燥潤肺

【主治】 溫燥傷肺의 重證. 身熱頭痛, 乾咳無痰, 氣逆而喘, 咽喉乾燥, 鼻燥, 胸滿脇痛, 心煩口渴, 舌乾無苔, 脈虛大而數.

【病機分析】 本方은 주로 溫燥傷肺, 氣陰兩傷의 증상을 치료한다. 肺는 모든 皮毛의 主表인데, 燥熱로 肺가 傷하면 身熱頭痛이 생긴다. 惡寒이 아닌 것은 邪가 衛에 있지 않고 이미 氣分에 들어온 것을 설명한다. 肺가 燥熱에 공격당하면, 肺氣가 그 清肅을 잃는데, 또 거기에 燥熱이 肺를 傷하면 氣陰이 둘 다 상하게 되기 때문에, 乾咳無痰, 氣逆而喘이 보이게 된다. 肺氣가 上逆하면 咳喘이 지나치게 심해지고 胸部의 氣機가 窒滯하기 때문에 胸滿脇痛이 된다. 燥熱이 陰津을 손상시키면 咽喉乾燥, 鼻燥, 心煩口渴이 보인다. 舌乾無苔는 燥熱傷津의 象이고, 脈虛가 大하고 數하면 津液이 손상되었을 뿐 아니라 眞氣가 소모되고 손상되었음을 설명하는 것이다.

【配伍分析】 溫燥傷肺, 氣陰兩傷, 肺失清肅의 病機에 대해, 法은 清燥熱·養陰液·降肺氣하며 補中氣를 겸해야 한다. 方은 桑葉經霜으로 柔潤不凋 한 것을 이용하면, 가을의 모든 기운을 얻고, 清肅의 성질을 장악하고, 質輕辛凉으로 溫熱을 제거하기 때문에 君으로 중용한다. 前人들이 말하는 "物之與是氣俱生者, 夫固必使有用于是氣也"(『讀藥書漫記』)이다. 石膏는 辛甘大寒하고, 氣分의 熱邪를 깨끗이 하면서 津을 상하지 않게 하는데 좋고, 麥門冬의 甘寒養陰生津과 배오하면 桑葉을 도와 清除溫燥하며, 손상된 진액을 같이 고려할 수 있어, 함께 臣藥이 된다. 原方 중의 石膏는 煅한 것을 이용하는데, 용량이 桑葉에 비하여 가벼운데, 본 方劑를 살펴보면, 肺는 嬌臟으로, 과도하게 清肺하여 寒涼함이 지나치지 않도록 착안한 것이다. 煅石膏의 清熱斂肺는 肺의 燥熱을 清泄할 수 있고, 또 肺氣를 收斂하여 내릴 수 있어, 清中寓斂의 妙를 갖고 있다. 나머지 杏仁·枇杷葉·阿膠·胡麻·人蔘과 甘草의 여러 약은 모두 佐藥이 된다. 杏仁·枇杷葉은 맛이 쓰면서 肺氣를 肅降하는 데 좋아, 止解平喘하는데 즉 『素問』「藏氣法時論」에서 말하는 "肺苦氣上逆, 急食苦以泄之"이다. 阿膠와 胡麻는 모두 益陰潤燥할 수 있고, 더 나아가 麥門冬의 작용을 더할 수 있다. 人蔘과 甘草는 모두 補中益氣의 약재로 喩昌이 人蔘을 "生胃之津, 養閉之氣"라고 말하고, 甘草는 "和胃生金"한다고

했는데, 이 두 藥이 虧한 氣를 보충할 수 있고, 더욱 中土를 배양하고 보충하여 肺金을 생성하는데 즉『難經』「第十四難」에서 말하는 "損其肺者益其氣"의 뜻이다. 甘草는 甘平하여, 여러 약을 잘 조화하고, 使藥의 뜻도 갖고 있다. 여러 약을 합해 사용하면 燥熱이 깨끗해질 수 있고, 氣陰이 다시 회복되고, 逆氣가 내려가고, 肺가 다시 그 治節을 움직여, 여러 증상이 자연히 낫게 된다.

本方의 배오 특징은 吳瑭인 말한 "辛凉甘潤法"(『溫病條辨』卷1)인데, 요점을 잘 정리했다고 할 수 있다. 모든 방은 辛凉淸泄溫燥(桑葉·石膏)를 주로 하며, 甘寒甘潤(麥門冬·人蔘·甘草)을 보로 한다. 全方의 구성이 빈틈이 없고, 主次가 정연하여, 淸熱하지만 重濁하지 않고, 潤燥하지만 滋膩하지 않다.

【類似方比較】 本方과 桑杏湯은 溫燥傷肺를 치료하는 것은 같지만 邪氣가 深淺에 있는지, 病勢의 輕重이 달라, 治法과 用藥 역시 같지만 차이가 있다. 桑杏湯證은 燥熱이 비교적 가볍고, 邪가 肺衛에 있어, 身熱이 심하지 않고, 미약하게 惡寒이 있고, 기침이 있지만 천식은 아니고, 脈이 浮數하고 右脈이 약간 크다. 本方證은 燥熱이 비교적 重하고, 邪가 이미 氣에 들어가서, 氣陰을 손상한 것 역시 비교적 심하기 때문에, 身熱이 비교적 심하지만 惡寒이 없고, 咳喘이 함께 일어나고, 胸滿脇痛이 있고, 口渴鼻燥하며, 舌乾少苔하고, 脈이 虛大하고 數하다. 그러므로 桑杏湯은 桑葉에 杏仁을 배오하여 輕宣燥熱을 主로 하고, 沙蔘·梨皮로 보좌하여 燥熱이 傷하게 한 津을 함께 고려한다. 本方은 桑葉을 이용해 石膏와 배오하여 淸舌燥熱을 주로 하며, 麥冬·阿膠·胡麻·人蔘과 甘草를 대대적으로 사용하여 그 虛를 구한다.

【臨床應用】

1. 證治要點: 본방은 溫燥傷肺의 重證을 치료하는 대표 方劑이다. 身熱不退, 乾咳少痰, 氣逆而喘, 舌乾少苔, 脈虛大而數를 證治要點으로 한다.

2. 加減法: 原書에서 이르기를 "痰多加貝母·瓜蔞; 血枯加生地黃;熱甚加犀角·羚羊角, 或加牛黃"이라 했다. 痰이 많으면 貝母·瓜蔞를 넣어 潤燥化痰할 수 있고; 血枯하면, 血이 虛해지는데, 生地黃를 넣으면 養血滋陰할 수 있고; 熱이 심한 사람은 이 熱이 이미 營血로 들어간 熱이기 때문에 犀角·羚羊角 혹은 牛黃을 더해 凉血止血하여, 鎭凉安神한다. 方中 人蔘을 西洋蔘으로 바꾸면, 病證에 더욱 부합하는데, 西洋蔘이 元氣를 보충하고 津液을 더할 수 있기 때문이다.

3. 淸燥救肺湯은 다음 한국표준질병사인분류(KCD)에 해당하는 환자가 溫燥傷肺의 重證으로 辨證되는 경우 본 처방의 사용을 고려해볼 수 있다.

처방 목표	한국표준질병사인분류(KCD)
肺炎	J09~J18 인플루엔자 및 폐렴
	J20~J22 기타 급성 하기도감염
	J18.9 상세불명의 폐렴
支氣管哮喘	J45 천식
支氣管炎	J40 급성인지 만성인지 명시되지 않은 기관지염
支氣管擴張症	J47 기관지확장증
肺癌	C34 기관지 및 폐의 악성 신생물
皮膚瘙痒症	(질병명 특정곤란)
	L00~L99 XII. 피부 및 피하조직의 질환
	F45.8 기타 신체형장애

【注意事項】 方中 石膏는 原書에는 煅으로 사용했는데, 현대 임상에서 일반적으로 生石膏를 사용하고, 煅石膏는 外用으로 주로 쓰인다. 石膏의 용량에 대해서는 病勢의 輕重에 따라 原方의 비례를 참조하여 정하는데, 過重하여 肺氣를 상하게 하는 것을 피하기 위함이다.

【變遷史】 喩氏는 이 방의 제조를 사실 繆希雍이 만든 淸金補肺湯에서 영감을 받았다. 淸·柯琴이 말하기를 "古方用香燥之品以治氣鬱, 不穫奏效者, 以火就燥

也. 惟繆仲淳知之, 故用甘凉滋潤之品, 以清金保肺立法. 喩氏宗其旨, 集諸潤劑, 而制清燥救肺湯"(錄自『古今名醫方論』卷1). 淸金補肺湯은 『醫醇賸義』卷2에서 나왔는데 天門冬·麥門冬 各一錢五分, 南沙蔘·北沙蔘·玉竹·杏仁·瓜蔞皮·海蛤粉 各三錢, 石斛·貝母·蕕草根·茯苓 各二錢, 梨 二片, 藕 5편으로 구성되었다. 주로 肺受燥熱을 치료하는데, 發熱咳嗽하고, 甚하면 喘하여 失血하게 된다. 淸金補肺湯은 甘寒養陰에 중점을 두어, 肺의 燥熱을 다스리는데, 淸熱의 역량이 비교적 약하다. 喩氏는 淸金補肺湯의 甘寒滋潤을 기초로 秋燥의 특징을 결합하여, 淸宣燥熱에 중점을 두고 淸燥救肺湯을 만들었다. 喩氏가 이 方劑을 만들 때 맹목적으로 經을 따르지 않았는데, "秋燥論"을 주장한 것과 관련이 있다. 『素問』「陰陽應象大論」의 "秋傷于濕, 冬生咳嗽"의 문장은 역대 의학자들이 모두 긴 여름에 濕土의 氣에 상한 것이 야기한다고 인식했는데, 긴 여름이 끝은 가을의 시작이다. 오직 喩氏가 이것을 "秋傷于燥"의 잘못된 요약으로 인식했다. 그 이유는 春·夏·冬 세 계절 모두 傷于主時의 절기이고, 가을은 주로 燥한데 濕에 傷한다고 했기 때문에, 이것은 논리상 맞지 않고, 秋傷于燥의 病이 있다면, 秋燥의 方으로 치료하는 것이 마땅하기 때문에, 淸燥救肺湯을 만들어 그것을 치료했다.

淸燥救肺湯의 制訂은 溫病學의 발전에 비교적 큰 영향을 미쳤다. 예를 들어 葉桂는 『三時伏氣外感篇』에서 "溫自上受, 燥自上傷, 理亦相等, 均是肺氣受病……當以辛凉甘潤之方, 氣燥自平而愈, 愼勿用苦燥劫爍胃汁."이라 했는데 소위"辛凉甘潤之方"은 葉氏가 명확하게 말하지 않았는데, 사실상 淸燥救肺湯이 바로 전형적인 "辛凉甘潤"劑이다. 吳瑭은 『溫病條辨』을 저작하며 그 卷1 『上焦篇』「秋燥」에서 더욱 원래 모양 그대로 喩氏의 原文과 原方을 옮겼는데, 吳氏가 만든 桑杏湯 역시 淸燥救肺湯을 化裁한 계통인 것은 이미 桑杏湯의 "源流發展"項에서 기술하였으니 참조 바란다.

【醫案】 咯血 『中醫雜誌』(1985, 10:49): 남성, 25세. 支氣管擴張症을 앓은지 이미 수년인데, 자주 咯血을 겪었고, 최근에는 情緖가 격동하여 宿疾을 일으켰다. 咯血이 빈번하게 일어나는데, 주야로 약 數十口를 했고, 干咳無痰하여, 스스로 胸中 熱氣가 위로 咽喉를 공격하는 것을 느꼈는데, 공격하면 즉 기침이 심해져 출혈이 있고, 口渴咽乾하며, 胸脇에 통증이 일어나고, 脈이 細弦하고, 舌光紅無苔했다. 肝火가 肺를 범하고, 肺燥津涸하여, 熱迫絡裂한다. 치료는 淸燥救肺에 근거해 平肝을 보좌한다. 處方: 桑白皮 9 g, 甛杏仁 12 g, 生石膏 15 g(先煎), 麥冬 9 g, 珠兒蔘 12 g, 火麻仁 12 g, 焦山梔 4.5 g, 白蒺藜 9 g, 枇杷葉 9 g, 淸炙草 3 g, 蛤粉炒阿膠珠 9 g(烊化하여 2회로 나누어 충한다). 上方을 兩劑 복용하니, 咯血이 멈추었고, 乾咳도 감소했다. 계속해서 兩劑를 복용하니, 咯血·胸中熱氣가 위를 공격하는 것이 모두 없어졌다. 다시 滋陰潤肺의 약재를 주어 사후 처리를 하였다.

考察: 本例의 환자는 咯血을 오래 앓았는데, 肺陰本虛하여, 다시 情緖가 격동하여, 肝火가 肺를 犯하고, 肺津을 더욱 소모하여, 燥化를 가중하고 촉진했다. 淸燥救肺湯加減을 사용하여, 그 燥化를 깨끗이 할 수 있고, 滋潤益肺, 淸金平木 할 수 있었다. 藥證이 서로 부합하여, 方劑를 투약하여 효과를 볼 수 있었다. 또, 원래 보고자는 다른 몇 가지 淸燥救肺湯의 실험에서, 모두 桑白皮를 桑葉으로 대체했는데, 보고자의 독창적인 경험일까?

沙蔘麥冬湯

(『溫病條辨』卷1)

【組成】 沙蔘 三錢(9 g) 玉竹 二錢(6 g) 生甘草 一錢(3 g) 冬桑葉 一錢五分(4.5 g) 麥冬 三錢(9 g) 生扁豆 一錢五分(4.5 g) 天花粉 一錢五分(4.5 g)

【用法】 물 5잔을 끓여 2잔을 취하여, 매일 再服한다.

【效能】 淸養肺胃, 生津潤燥.

【主治】 燥傷肺胃陰分證. 咽乾口渴, 身熱이 있거나, 乾咳少痰하거나, 舌紅少苔, 脈來細數.

【病機分析】『溫病條辨』에서 本方의 主治證을 燥傷肺胃陰分이라고 지적했는데, 사람의 본래 몸이 陰津이 부족한데 더욱이 가을에 燥邪를 받으면 燥가 肺胃의 津液을 상하게 한다고 이해할 수 있다. 무릇 肺는 燥金의 臟으로 밖에서 皮毛와 합해져, 燥邪가 侵襲하면, 먼저 그 공격을 당하는데, 다시 본래 몸이 陰虛하면, 內外가 서로 합하여 燥가 肺津을 상하게 한다. 肺는 胃에게 그 津液을 옮기는데, 肺津의 손상이 너무 심하면 반드시 燥가 胃津을 상하게 하기 때문에 秋燥가 사람을 상하면 처음에는 邪가 肺衛를 침범하고, 계속해서 燥가 中土를 상하게 하여, 마지막에는 肺胃의 津液이 손상된다. 肺津이 소모되면 咽乾하게 되고, 胃液이 손상되면 口渴하게 되고, 舌紅少苔 및 脈이 細數하게 되면 즉 陰津이 손상을 받은 증상이다. 혹 身熱이 보이는 사람은 陰虛로 즉 內熱이다. 혹 乾咳少痰이 보이는 사람은 肺陰이 손상된 것으로 肺가 淸肅을 잃은 것이다.

【配伍分析】 本方證의 病機는 燥熱傷津, 肺胃受損이기 때문에 치료는 淸養肺胃, 甘寒生津이 적당하다. 方劑에서 沙蔘·麥冬과 桑葉을 함께 君藥으로 쓰는데, 그중 沙蔘은 맛이 달고 약간 쓰며 성질이 寒하여, 養陰淸肺의 효력이 있는데, 『神農本草經百種錄』에서 이르기를 "肺主氣, 故肺家之藥, 氣勝者爲多, 但氣勝之品必偏于燥, 而能滋肺者, 又膩滯而不能淸虛熱. 惟沙蔘爲肺家氣分中理血之藥, 色白體輕, 疏通而不燥, 潤澤而不滯, 血阻于肺, 非此不能淸也."라고 했다. 麥門冬 역시 甘寒之品에 속하며, 肺胃의 經으로 들어가, 肺胃의 津液을 滋養할 수 있고, 沙蔘과 합해져 津液을 만들고 燥熱을 깨끗하게 하는 효력이 더욱 뛰어나게 된다. 燥熱이 病이 되면 결국 外邪에 속하기 때문에 桑葉을 이용해 전문적으로 燥熱을 깨끗이 해야 하고, 辛亮宣散을 병행하여 그것을 없애야 한다. 이와 같이 沙蔘·麥門冬과 桑葉을 서로 배오하면 扶正과 祛邪를 함께 고려하여, 用藥이 매우 꼼꼼하게 된다. 玉竹·花粉은 臣이 되는데, 玉竹은 甘平하고, 養陰潤燥하며, 滋하지만 膩하지 않다. 花粉은 淸熱生津하는데, 이 두 약을 서로 배오하면 君藥의 養陰生津·淸熱潤燥의 효능을 강화할 수 있다. 胃液이 소모되면, 運化에 반드시 영향을 미쳐 養陰淸熱藥物 역시 脾胃를 滋膩損傷하는 弊가 있기 때문에 生扁豆를 사용하여 脾胃를 건강하게 하고 運化를 돕는 동시에, 培土生金의 의의가 있어 이것이 佐藥이 된다. 生甘草는 淸熱和中하고 여러 약을 조화롭게 하여 使藥으로 사용한다. 여러 약을 서로 배오하면, 함께 淸養肺胃, 六陰生津의 효과를 이룬다.

본방은 배오 특징상, 甘寒養陰藥 위주이고, 辛亮淸潤과 甘平培土의 약물을 배오하여 全方의 藥性이 화평해서 淸하지만 지나치게 寒하지 않고, 潤하지만 呆滯하지 않아, 淸養肺胃의 효능이 심히 넓어, 진실로 王道之制이다.

【類似方比較】 沙蔘麥冬湯과 淸燥救肺湯의 작용·적응증은 서로 가까운데, 淸燥救肺湯證은 조열이 비교적 심하여, 燥熱이 肺를 상하여 그 淸肅을 잃고, 氣陰兩傷이 主가 되기 때문에, 치료는 淸燥救肺, 止咳平喘에 중점을 둔다. 本方證은 燥熱은 비교적 가벼워, 燥가 肺胃의 陰津을 傷하게 하는 것이 주가 되고, 氣

逆이 보이는 증상이 없기 때문에, 치료는 淸養肺胃, 生津潤燥에 중점을 둔다. 臨床에서는 輕重을 구분하고, 病位를 辨別하고, 邪正雙方의 消長상황에 근거하여 선택하여 사용한다.

【臨床應用】

1. 證治要點: 本方은 淸養閉胃의 대표 方劑인데, 원래는 秋燥가 肺胃의 陰津을 손상하는 것을 위해 만들어졌고, 현대에서는 溫病과 더 나아가 雜病 중의 肺胃陰傷의 病證에 광범위하게 사용한다. 咽乾口渴·舌紅少苔·脈象細數를 證治要點으로 한다.

2. 加減法: 原書에서 말하기를 "久熱久咳者, 加地骨皮三錢"이라 했다. 오랜 熱과 오랜 기침은 병이 오랫동안 낫지 않는 것을 설명하고, 陰虛로 內熱이 생기고, 또 虛熱이 肺를 灼하여, 淸肅을 잃기 때문에, 地骨皮를 넣어 虛熱을 깨끗하게 한다. 현재 임상에서는 다음의 加減을 작용시킬 수 있다: 咳嗽가 비교적 심한 사람은 貝母·杏仁 등을 넣고; 咯血을 수반하는 사람은 仙鶴草·白芨·阿膠 등을 넣고; 大便이 燥結한 사람은 全瓜蔞·火麻仁을 넣고; 胃津이 傷하고 口渴이 심한 사람은 梨汁으로 바꾸어 넣어 복용할 수 있다.

3. 沙蔘麥冬湯은 다음 한국표준질병사인분류(KCD)에 해당하는 환자가 燥傷肺胃陰分證으로 辨證되는 경우 본 처방의 사용을 고려해볼 수 있다.

처방 목표	한국표준질병사인분류(KCD)
肺炎	J09~J18 인플루엔자 및 폐렴
	J20~J22 기타 급성 하기도감염
	J18.9 상세불명의 폐렴
支氣管炎	J40 급성인지 만성인지 명시되지 않은 기관지염
肺結核	A15 세균학적 및 조직학적으로 확인된 호흡기결핵
	A16 세균학적으로나 조직학적으로 확인되지 않은 호흡기결핵

처방 목표	한국표준질병사인분류(KCD)
慢性胃炎	K29.3 만성 표재성 위염
	K29.4 만성 위축성 위염
	K29.5 상세불명의 만성 위염
糖尿病	E10~E14 당뇨병

【變遷史】 沙蔘麥冬湯은『溫病條辨』卷1의『上焦篇』「秋燥」에서 나왔는데, 먼저 이르기를 "秋感燥氣, 右脈數大, 傷手太陰氣分者, 桑杏湯主之", "感燥而咳者, 桑菊飮主之"라 하고, 나중에 말하기를 "燥傷肺胃陰分, 或熱或咳者, 沙蔘麥冬湯主之."라 했다. 스스로 주를 달기를 "此條較上二條, 則病深一層矣, 故以甘寒救津液"이라 했는데, 秋燥가 처음 일어나면, 邪가 肺에 있는데, 치료는 桑杏湯·桑菊飮을 사용할 수 있다. 秋燥가 한 걸음 더 발전하면, 燥가 肺津을 상하게 할 뿐만 아니라, 胃陰을 손상하여, 치료는 沙蔘麥冬湯이 적당하다. 沙蔘麥冬湯의 立法의 배오용약은 桑杏湯과 麥門冬湯을 化裁한 것이다. 燥가 肺陰을 傷하기 때문에 傷杏湯이 沙蔘·桑葉을 취하고, 肺陰을 淸養하고, 肺經燥邪의 淸宣을 병행한다. 燥가 胃陰을 傷하게 하여, 麥門冬湯에서 法을 취한다. 麥門冬湯은『金匱要略』「肺胃肺癰咳嗽上氣病脈證治」에서 나왔는데, 원래는 肺胃津枯의 虛熱肺胃를 치료하고, 滋潤肺胃, 培土生金의 효능이 있다. 沙蔘麥冬湯의 麥門冬·甘草·生扁豆는 麥門冬湯의 麥冬·甘草·粳米·大棗의 배오의의를 모방한 것이다. 상술한 약물을 기초로, 玉竹·天花粉을 더해 淸熱陽陰生津의 효력을 강화한다.

【醫案】

1. 咳嗽『吳菊通醫案』: 甲子4월24일, 吳, 20세. 六脈이 弦勁하지만, 기침에 痰이 없었고, 上焦의 氣分이 깨끗했다. 沙蔘 三錢, 生扁豆 三錢, 連翹 一錢五分, 麥門冬 三錢, 冬霜葉 三錢, 玉竹 三錢, 氷糖 三錢, 茶菊花 三錢, 杏仁 三錢. 세 잔을 끓여 3회로 나누어 복용했다. 3貼. 全方에서 連翹를 빼고, 丹皮 二錢·地骨皮 三錢을 넣었다.

2. 小兒 protracted pneumonia『遼寧中醫雜誌』(1986, 3:24): 남아, 1세. 病毒性肺炎으로 진단하여, 양약의 對症治療를 45일 동안 해서, 증상이 호전되었으나, 肺部의 囉音 遷延이 나아지지 않았다. 진찰하니 환아가 마르고, 정신이 疲倦하고, 얼굴이 창백하고, 微喘하고, 기침 소리에 힘이 없었고, 舌痰少津하고, 양쪽 肺에 乾濕囉音이 명확하고, 脈이 細弦하고 무력했다. 증상은 氣陰兩傷, 正虛邪戀에 속하여, 치료는 養陰益氣消痰으로, 沙蔘麥冬湯加減이 적절했다. 沙蔘·麥門冬·玉竹·川貝母·孩兒蔘·白芥子 各 10 g, 瓜蔞 7.5 g, 生甘草 5 g. 兩劑 後 喘咳가 줄었고, 肺部의 囉音이 크게 감소했다. 이 方劑 加減으로 2주 동안 치료했는데, 肺部의 囉音이 기본적으로 소실되었고, 완치되어 퇴원했다.

考察: 案1의 咳嗽는, 乾咳無痰, 脈來弦勁하여 病이 陰虛하며 陽亢에 속했다. 方用은 沙蔘麥冬湯에 甘草를 빼고, 連翹·菊花·杏仁·氷糖를 넣어 清熱·止咳 및 潤燥의 효능을 강화했다. 그 외, 本案의 진찰 시기가 봄이었는데, 吳瑭이 本方을 秋燥의 한 면에 국한하지 않은 것을 설명하고 있다. 案2의 小兒 protracted pneumonia는 즉 肺陰受損에 속하는데, 氣虛痰戀하기 때문에, 역시 沙蔘麥冬湯加減을 이용하여 효과를 얻었다.

第二節 滋陰潤燥劑

麥門冬湯

(『金匱要略』)

【組成】 麥門冬 七升(42 g) 半夏 一升(6 g) 人蔘 三兩(9 g) 甘草 二兩(6 g) 粳米 三合(6 g) 大棗 十二枚(四枚)

【用法】 위의 六味를 물 一斗 二升으로 끓여 六升을 취하여, 따뜻하게 一升을 복용하는데, 낮에 3번, 밤에 1번 복용한다.

【效能】 滋養肺胃, 降逆下氣.

【主治】

1. 肺陰不足證 咳逆上氣, 咯痰不爽, 咳吐涎沫하거나, 口乾咽燥, 手足心熱, 舌紅少苔, 脈虛數.

2. 胃陰不足證 氣逆嘔吐, 口渴咽乾, 舌紅少苔, 脈虛數.

【病機分析】 本方이 주로 치료하는 것은 肺陰不足證인데 肺胃의 陰津이 소모되고 손상되어, 虛火가 上炎하여 생기는 것이다. 津이 傷하면 飮이 虛하게 되고, 陰이 虛하면 火가 왕성하게 되는데, 火가 왕성하면 반드시 上炎하게 되어 肺氣가 上逆하게 되기 때문에 咳逆上氣가 발생한다. 더욱이 肺胃의 陰이 傷하고 氣가 逆하게 되면, 灼津이 痰이 되고 다시 거기에 더해 肺가 津을 퍼지게 하지 못하면, 津이 모여 痰이 되어 咳吐涎沫하게 되는데, 咳吐涎沫이 더욱 심해지면, 肺津損傷이 더욱 심해지고, 오래되어도 그치지 않으면 곧 肺葉이 위축되어 肺痿가 발생하게 된다. 그러나 咳逆의 원인이 매우 많은데 무엇으로 肺陰不足을 판단할 수 있을까? 대개 咯痰不爽·

口乾咽燥·手足心熱·舌紅少苔와 脈虛數의 여러 陰虛燥熱의 증상이 그것이다.

본방은 또 胃陰不足證을 주로 치료하는데, 胃陰이 損傷을 받아 氣가 上逆하는 것이 그 원인이다. 胃는 納穀을 주관하고, 氣는 내려가는 것이 순조로운 것인데, 胃陰이 부족하면, 氣가 내려가지 않고 올라가게 되어, 氣逆嘔吐가 일어난다. 口渴咽乾은 胃陰不足, 津不上承으로 생기는 것이다. 舌紅少苔, 脈來虛數가 바로 陰津虛虧의 증상이다.

【配伍分析】 本方의 主治로 두 가지 증상이 있지만, 사실 모두 肺胃陰虛, 氣逆不降에 속하기 때문에 치료는 潤肺益胃, 降逆下氣가 적당하다. 方中 麥門冬은 甘寒清潤하여, 肺와 胃 兩經으로 들어가 養陰生津, 滋液潤燥와 함께 虛熱을 깨끗하게 하는 효능이 있어, 君으로 중요하게 쓰인다. 『本草新編』卷2에서 말하기를 "麥門冬瀉肺中之伏火, 清胃中之熱邪, 補心氣之勞傷, 止血家之嘔吐, 益精强陰, 解煩止渴, 美顏色, 悅肌膚, 退虛熱, 解肺燥, 定咳嗽, 眞可持之爲君, 而又可借之爲臣佐也. 但世人未知麥冬之妙用, 往往少用之而不能成功爲可惜也. 不知麥冬必須多用, 力量始大, 蓋火伏于肺中, 爍于內液, 不用麥冬之多, 則火不能制矣; 熱熾于胃中, 熬盡其陰, 不用麥冬之多, 則火不能熄矣."라 했다. 人蔘은 補中益氣하여, 脾胃氣旺하여, 스스로 飮食水穀 中에 生化津液과 上潤于肺할 수 있는데, 또한 "陽生陰長"이 의미가 있어, 臣藥으로 사용한다. 甘草·大棗·粳米는 성질이 평온하고 甘潤하여, 和中滋液하고, 더 나아가 麥門冬·人蔘의 肺胃의 陰液을 滋補하는 작용을 강화하고, 또한 甘草·大棗·粳米는 人蔘과 배오하면, 培土生金할 수 있어, 함께 佐藥이 된다. 半夏는 辛溫하여, 본래 肺胃陰傷의 증상을 치료하는데 적당하지 않지만, 本方은 大量의 麥門冬을 사용한다는 전제로, 少量의 半夏를 사용하여, 佐藥으로 작용한다. 그 구체적인 배오 의의는 세 가지가 있다: 첫째, 降逆化痰, 肺胃陰虧, 虛火上炎으로 즉 氣機가 上逆할 뿐만 아니라 더 나아가 灼津이 痰이 되는데, 半夏는 下氣止咳할 수 있고, 降逆止嘔할 수 있어, 化痰治標할 수 있다. 두 번째는 開胃行津으로 治燥의 필수적인 滋陰生津인데, 다만 肺胃의 氣가 逆亂하면, 滋潤이 오히려 陰津이 펴지지 못하도록 하기때문에, 半夏를 배오하여 넣으면 開胃行津하여 陰津이 펴지도록 하여 治燥의 효능에 도달할 수 있다. 세 번째는 防止滋膩, 肺胃陰虧, 中氣亦虛인데, 대량의 滋陰生津之品을 이용하면 항상 膩滯呆中의 弊가 있는데, 半夏의 辛溫으로 조금 보좌하면, 潤燥를 서로 얻고, 動靜이 결합하여, 滋陰이 滯中하지 않도록 하여, 和中하고 또 津을 상하지 않는다. 그렇기 때문에 喻昌은 本方을 일컬어 "增入半夏之辛溫一味, 其利咽下氣, 非半夏之功, 實善用半夏之功"(『醫門法律』卷6)이라고 했는데, 진실로 경험으로 얻어진 말이다. 甘草는 여러 약을 조화하여 使藥으로 작용하기도 한다. 여러 약을 서로 배오하고 합해서 方을 이루면, 肺胃의 陰을 회복시키고, 逆氣를 내리고, 中土를 健運하게 할 수 있어, 여러 증상이 자연히 낫게 된다.

본방의 배오 특징은 두 가지가 있다: 첫째, 潤中有燥이다. 본방은 潤燥의 方劑이지만 組方은 단순히 養陰의 약을 이용하지 않고 麥門冬을 중용하는 전제로 溫燥한 半夏를 소량 배오하여 潤中有燥, 滋而不膩, 動靜結合하게 하며, 상반된 것으로 서로 이득을 얻게 한다. 두 번째는 培土生金이다. 本方은 원래 肺痿를 치료하는 것으로 全方의 藥은 六味 뿐인데, 益氣和中의 약품인 人蔘·甘草·大棗와 粳米, 四味를 이용하는 것으로 충분히 虛則補母·補土生金의 法을 구현했다.

【臨床應用】

1. 證治要點: 本方은 원래 虛熱肺痿를 치료하는 것으로, 咳唾涎沫 외에, 口乾咽燥, 舌紅少苔, 脈虛數의 증상이 있다. 후대에 역시 肺陰不足 或은 胃陰不足症을 치료하는데 사용했는데, 역시 상술한 虛熱의 증상이 있다.

2. 加減法: 陰傷이 심한 사람은 沙蔘·玉竹 등을 넣고; 咳逆이 비교적 심한 사람은 百部·款冬花 등을 넣

고; 嘔吐가 비교적 심한 사람은 竹茹·生薑 등을 넣고; 方中 人蔘 역시 西洋蔘으로 대체하여 사용이 가능한데, 益氣養陰의 효능이 더욱 좋다.

3. 麥門冬湯은 다음 한국표준질병사인분류(KCD)에 해당하는 환자가 肺陰不足證, 胃陰不足證 으로 辨證되는 경우 본 처방의 사용을 고려해볼 수 있다.

처방 목표	한국표준질병사인분류(KCD)
慢性支氣管炎	J41 단순성 및 점액화농성 만성 기관지염
	J42 상세불명의 만성 기관지염
支氣管擴張症	J47 기관지확장증
肺結核	A15 세균학적 및 조직학적으로 확인된 호흡기결핵
	A16 세균학적으로나 조직학적으로 확인되지 않은 호흡기결핵
矽肺	J62 실리카를 함유한 먼지에 의한 진폐증
慢性肺纖維化	J68.4 화학물질, 가스, 훈증기 및 물김에 의한 만성 호흡기병태
	J70.1 방사선에 의한 만성 및 기타 폐증상
	J70.3 만성 약물유발 간질성 폐장애
慢性咽喉炎	J31.2 만성 인두염
	J37.0 만성 후두염
胃及	K25 위궤양
十二指腸潰瘍	K26 십이지장궤양
慢性胃炎	K29.3 만성 표재성 위염
	K29.4 만성 위축성 위염
	K29.5 상세불명의 만성 위염
糖尿病	E10~E14 당뇨병
쇼그렌症候群	M35.0 건조증후군[쇄그렌]

【注意事項】 肺痿 病은 虛熱과 虛寒의 구분이 있다. 虛寒에 속하는 사람은 本方의 사용이 적절하지 않다.

【變遷史】 本方은 『金匱要略』「肺痿肺癰咳嗽上氣病脈證治」에서 나왔는데, 원문은 "火逆上氣, 咽喉不利, 止逆下氣, 麥門冬湯主之."이다. 후대 의학자들은 이 方劑가 치료하는 것이 虛熱肺痿이고, 肺胃津枯고 인해 일어난다고 이해했다. 후대 本方의 主治는 다소 확대되어, 肺陰不足과 胃陰不足症 역시 치료했다. 清代 醫學者 張璐는 麥門冬湯을 竹葉石膏湯加減에서 변화하여 온 것으로 인식했는데, 그가 이르기를 "此(指麥門冬湯主治證候)胃之津液干枯, 虛火上炎之候. 凡肺氣有胃氣則生, 無胃氣則死. 胃氣者, 肺之母氣也. 故于竹葉石膏湯中偏除方名二味, 而加麥門冬數倍爲君……"(『千金方衍義』卷17). 竹葉石膏湯은 『傷寒論』「辨陰陽易差後勞復病脈證幷治」에서 나왔는데, 주로 "傷寒解後, 虛羸少氣, 氣逆欲吐"를 치료하고, 竹葉·石膏·麥門冬·半夏·人蔘·甘草·粳米로 구성되었는데, 清熱生津, 益氣和胃의 方이다. 麥門冬湯은 竹葉石膏湯에서 竹葉·石膏를 빼고, 麥門冬을 중용하고, 다시 大棗를 넣어 만들었다. 竹葉·石膏를 뺀 것은 實火가 없기 때문이고, 清熱이 필요하지 않기 때문이다. 麥門冬을 중용한 것은 甘寒質潤을 취하여, 養陰生津, 滋液潤燥하여 君藥으로 작용하기 때문이다. 大棗를 넣으면 甘潤和中하고, 胃氣를 더하고, 胃液을 번성하게 할 수 있다. 이와 같이 竹葉石膏湯은 病後의 餘熱을 깨끗이 없애는 益氣生津降逆의 방으로, 곧 麥門冬湯의 滋養肺胃, 降逆下氣의 方劑로 변화했다.

麥門冬湯은 후대 方劑에 대해 영향이 매우 컸다. 『中醫方劑大辭典』第5版 分冊 기재에 의하면 『金匱要略』의 麥門冬湯 이후, 후대에 만들어진 同名異方이 많게는 104首에 달하는데, 이런 麥門冬湯과 仲景의 麥門冬湯이 많고 적게 모두 연결되어 있어, 하나하나 자세히 서술하기 어렵다. 여기서 강조하는 것은, 麥門冬湯과 清代 溫病學者의 養陰方劑가 밀접한 전승관계가 있다는 것이다. 일반적으로 張仲景의 陽虛證治에 대한 논술이 비교적 완벽하다고 인식되고 있는데, 清代 溫病學者는 陰虛證治의 논술이 비교적 완벽하다. 사실, 온병학자의 陰虛 論治는 종종 仲景에서 비롯해 한 걸음 더 나아가 발전했는데, 本方과 沙蔘麥冬湯이 바로 그 예이다. 麥門冬湯은 陰虛有熱의 肺痿를 치료하는데, 滋養肺胃, 和中降逆의 효능이 있다. 吳瑭이 근거한

沙蔘麥冬湯은 주로 燥傷肺胃陰分을 치료하는데, 藥과 本方이 비록 조금 차이가 있지만, 沙蔘麥冬湯의 滋養肺胃, 培土生金의 治法도 사실 本方에서 기원했다.

【醫案】

1. 肺痿『臨證指南醫案』卷2: 肺痿, 빈번하게 涎沫을 토하고, 음식물이 내려가지 않으며, 渴飮하지 않은데, 어찌 實火인가! 津液이 蕩盡되어, 二便이 나날이 적어진다. 仲景의 甘藥理胃를 따라 虛하면 補母하여 宣通脘間의 杆格을 보좌했다. 人蔘, 麥冬, 半夏, 生甘草, 白粳米, 南棗肉.

2. 腦膜炎後遺症『古方新用』: 여성, 14세. 腦膜炎을 앓고, 양의사를 거쳐 완치 후, 자주 涎沫을 구토하는 것이 그치지 않았는데, 무엇을 먹으면 더욱 두드러지고, 性情의 煩燥를 수반하고, 쉽게 화나고, 舌淡紅, 苔薄白하며, 脈平不數했다. 理中丸·苓桂術甘湯으로 치료했는데, 효과가 현저하지 않아서, 麥門冬湯을 이용해 치료했다. 方藥: 麥冬 12 g, 黨參 9 g, 半夏 9 g, 炙甘草 6 g, 大棗 四枚, 粳米 9 g, 수전, 2회로 나누어 복용했다. 三劑를 복용한 후, 처음으로 치료효과가 보였는데, 涎沫 구토가 조금 감소했다. 계속해서 上方을 이용했는데, 점차 半夏·麥門冬의 藥量을 가중하여, 半夏는 24 g, 麥門冬은 60 g까지 늘여, 매일 一劑를 연속해서 20제 복용하고, 涎이 그치고 병이 나았다.

3. 嘔吐『四川中醫』(1989,9:21): 여성, 68세. 1982년 10월 14일 입원, 입원번호 5635. 5일 전에 嘔吐·腹瀉로 인해 지역병원에서 輸液과 gentamicin等의 치료를 받아, 腹瀉는 그쳤는데, 乾嘔가 빈번하게 일어나고, 조금만 물을 마셔도 즉시 토했다. 止吐藥을 이용했지만 효과가 없어 본원으로 전원했다. 입원 후 補液 및 糾正水·電解質과 酸碱平衡失調 등 약물과 止吐藥을 주었지만 효과가 매우 미미했다. 10월 16일 한약으로 바꾸어 辨治했다. 증상은 형체가 마르고, 힘이 없고, 口燥咽乾, 때때로 乾嘔가 일어나는 것이 보였다. 舌質紅, 苔薄, 黃中에 黑色이 나타났으며, 津液이 부족했다. 脈은 細微하고, 數했지만 힘이 없었다. 치료는 滋養胃陰, 降逆止嘔가 알맞았다. 處方:麥門冬·半夏·炙甘草 各 30 g, 人蔘·粳米 各 5 g, 大棗 四枚, 竹茹·石膏·炙杷葉 各 9 g. 煎汁하여, 소량을 자주 복용하고, 하루에 다 복용했다. 저녁에 嘔吐가 그쳤으며, 소량의 물을 마실 수 있었지만, 乾嘔는 여전히 있었다. 上方을 계속해서 二劑를 복용한 후, 嘔吐와 乾嘔가 없어졌고, 반 그릇 정도의 流食을 먹을 수 있었고, 정신이 좋아졌다. 脈이 전에 비해 힘이 있었지만 여전히 微數했고, 舌面이 濕潤해지기 시작했지만, 음식 생각이 없었다. 上方에 焦山楂·鷄內金 各 9 g, 炒萊菔子 15 g을 넣었다. 二劑 복약 후, 기본적으로 정상 음식을 회복했고, 5일 후 완치되어 퇴원했다.

考察: 麥門冬湯의 治法 精髓는 滋潤肺胃와 降逆下氣를 함께 거론하는데, 上述한 3案에서 그것을 이용했는데, 모두 이것에서 법을 취한 것이다. 案1은 涎沫을 빈번하게 토하는 것을 主症으로 하기 때문에 肺痿로 진단했는데, 그것은 渴飮하지 않아, 절대 實火가 아니고, 肺津이 枯渴하고, 脾胃氣弱이 증상이기 때문에 麥門冬湯 原方을 투약했다. 案2의 腦膜炎後遺症은 熱病傷陰에 속하고, 더하여 中氣가 손상되어, 涎沫을 攝納할 수 없기 때문에 麥門冬湯 原方을 이용해 나았다. 案3의 嘔吐는 吐瀉傷陰, 胃氣上逆 계통이기 때문에, 麥門冬湯에 竹茹·石膏·枇杷葉을 넣었는데, 益陰降逆의 효능을 강화하는데 뜻이 있었다.

養陰淸肺湯

(『重樓玉鑰』)

【組成】 大生地 二錢(12 g) 麥冬 一錢二分(9 g) 生甘草 五分(3 g) 玄參 錢半(9 g) 貝母去心 八分(5 g) 丹皮 八分(5 g) 薄荷 五分(3 g) 炒白芍 八分(5 g)

【用法】水煎服. 하루에 一劑를 복용하고, 重症은 하루에 二劑를 복용한다.

【效能】養陰淸肺, 利咽解毒.

【主治】白喉. 喉間에 白膜이 썩은 것처럼 일어나는데, 뽑아내기 쉽지 않고, 점차 확대되며, 病變이 매우 빨라지고, 咽喉腫痛이 있고, 초기에 발열이 있거나 발열이 없고, 鼻乾脣燥하며, 기침이 있거나 없고, 호흡에 소리가 있는데, 천식인 듯 아닌듯 하다.

【病機分析】白喉의 患은 대다수가 본래 體質이 陰虛蘊熱하고, 復感疫毒으로 인해 생긴다. 邪熱이 上熏하면, 煉津灼液하고, 咽喉의 腫痛이 생기는데, 假膜을 布生하며, 신속하게 발전한다. 열이 겉에 도달하면, 즉 초기에 발열이 있고, 열이 안에서 막히면 발열이 없다. 疫毒이 매우 重하면, 氣道가 막히고, 肺陰이 소모되고 손상되어, 淸肅이 명령을 잃기 때문에 鼻乾脣燥하고, 호흡에 소리가 있고, 천식인 듯 아닌 듯하고, 기침이 있거나 없는 여러 증상이 발생한다.

【配伍分析】白喉는 肺腎陰虛, 復感疫毒의 증상이기 때문에 "養陰淸肺, 兼辛凉而散爲主"로 치료하는 것이 적당하다(『重樓玉鑰』卷上). 方中 大生地는 甘苦하고 寒하여, 滋養陰液으로 扶正할 수 있고, 또 凉血解毒으로 祛邪할 수 있어, 標本을 兼治하기 때문에 君藥이 된다. 『本草匯言』卷5에서 "生地, 爲補腎要藥, 益陰上品, 故凉血補血有功"이라 했는데, 生地가 益陰할 수 있는 것은 사람들이 모두 아는 것이지만, 凉血解毒의 효능은 사람들이 매번 그兩 지나치기 쉽다. 당연히, 生地黃의 凉血解毒의 효능을 이용하는 것은 本方 만이 취하는 바가 아니고, 犀角地黃湯이 生地黃를 이용하는 것 역시 이런 뜻이다. 玄參·麥門冬과 白芍藥 三藥은 臣藥이 되는데, 生地의 養陰作用을 더욱 강화하고, 淸熱解毒을 함께 고려한다. 그중 玄參은 鹹寒하고, 滋陰降火, 解毒利咽하기 때문에 咽喉腫痛과 外科瘡瘍에 陰虛를 수반하는 것을 치료하고, 항상 많이 배오하고 사용하는데 예를 들어 普濟消毒飮·四妙勇安湯이 이것이다. 麥門冬은 養陰潤肺하는데, 咽喉는 肺 계통에 속하기 때문에, 白候는 患終으로 肺臟과 관계있고, 生地黃·玄參 등은 養陰으로 入腎하기 때문에, 麥門冬의 滋養肺陰과 배오하여 사용해야 한다. 白芍藥은 斂陰和營한다. 牡丹皮·貝母와 薄荷는 佐藥이 되는데, 牡丹皮는 辛苦하며 凉하여, 凉血活血消腫하며, 『本草經疏』卷9에서 "牡丹皮 其味苦而微辛, 其氣寒而無毒, 辛以散結聚, 苦寒除血熱, 入血分, 凉血熱之要藥也"라 했다. 貝母는 潤肺止咳하고, 또 化痰散結할 수 있어, 牡丹皮·白芍藥의 여러 약과 서로 배오하면 咽喉腫痛을 없애는 효능이 더욱 커진다. 薄荷는 辛凉發散하고, 淸熱利咽하여, 여러 養陰藥과 배오하면 역시 壅滯의 폐를 방지할 수 있다. 生甘草의 淸熱解毒은 여러 약을 조화롭게 하여 使藥이 된다. 全方을 합해 이용하면, 함께 養陰淸肺, 利咽解毒의 효과를 이룬다.

본방의 배오 특징은 滋補陰液 안에 凉血解毒에 있어, 즉 扶正과 攻毒이 함께 시행된다. 또 보좌하여 淸熱利咽散結 하는데, 즉 全身治療와 局部를 함께 고려하기 때문에 白喉를 치료하는 효과적인 처방이라고 말할 수 있다.

【臨床應用】

1. 證治要點: 本方은 白喉를 치료하는 일반적인 方劑이다. 喉間이 하얗게 썩은 것처럼 올라와, 제거하기가 쉽지 않고, 咽喉腫痛, 鼻乾脣燥를 證治要點으로 한다.

2. 加減法: 原書에서 "腎虛加大熟地, 或生熟地幷用; 熱甚加連翹, 去白芍; 燥甚加天冬·茯苓."이라 했다. 배합은 다음의 吹喉藥外用과 같이 한다: 靑果皮 二錢(6 g), 黃柏 一錢(3 g), 川貝母 一錢(3 g), 氷片 五分(1.5 g), 亞茶 一錢(3 g), 薄荷 一錢(3 g), 鳳凰衣 五分(1.5 g)을 각각 고운 가루로 연마하고, 다시 乳鉢 안에 넣어 고르게 섞고, 氷片을 추가하여 곱게 연마한다.

3. 養陰淸肺湯은 다음 한국표준질병사인분류(KCD)에 해당하는 환자가 白喉, 陰虛燥熱證으로 辨證되는 경우 본 처방의 사용을 고려해볼 수 있다.

처방 목표	한국표준질병사인분류(KCD)
白喉	A36 디프테리아
急性咽炎	J02 급성 인두염
	J04.0 급성 후두염
慢性咽炎	J31.2 만성 인두염
	J37.0 만성 후두염
急性喉炎	J04.0 급성 후두염
慢性喉炎	J37.0 만성 후두염
扁桃體炎	J03 급성 편도염
	J35.0 만성 편도염
鼻咽癌患者의 放射線治療	T45.1 항암제 및 면역억제제

【變遷史】 白喉 一症은 淸代 "乾隆四十年前無是症, 卽有亦少"이며, 이후 여러 번 유행했는데, 발병이 갑작스럽고, 비교적 강한 전염성이 있었다. 治法은 『醫學心悟』·『瘍科心得集』과 『吳醫匯講』 등의 책에 산재해 있는데, 모두 설명이 상세하지 않다. 당시 일반적인 의사는 매번 先表後裏의 법을 고집하며, 辛散發表方藥으로 그것을 치료했는데, 치료효과가 거의 없었다. 鄭宏綱(約 1727~1787, 字梅澗)은 다년의 임상실천으로, 경험과 교훈을 정리하여, 『重樓玉鑰』(이 책은 鄭氏가 淸 乾隆年間에 편찬한 책이고, 그 아들 鄭瀚이 나중에 보충했으며, 1838년 馮相棻에 의해 간행되었다)을 저술했는데, 白喉를 "屬少陰一經, 熱邪伏其間, 盜其肺金之母氣, 故喉間起白, 緣少陰之脈循喉嚨界舌本", 또 "緣此症發于肺腎, 凡本質不足者, 或遇燥氣流行, 或多食辛熱之物, 感觸而發"이라 했는데, 陰虛之體에, 疫毒이 감염되어 일어난다고 인식했다. 그러므로 치료는 "總要養陰淸肺, 兼辛凉而散爲主"(이상 인용문은 모두 『重樓玉鑰』卷上에서 나옴)하고, 養陰淸肺湯을 창제했는데 白喉 치료의 先表後裏"의 속박에서 벗어나 이 병의 치료에 유효한 方藥을 제공했다. 1960년 天津市 전염병 의원에서 養陰淸肺湯탕을 神仙活命湯加減과 배합하여 사용여, 局限性咽白喉를 치료했는데, 현저한 치료효과를 거두었다. 이후 이 병원은 또 약물 篩選을 진행했는데, 간결한 처방은 生地黃·玄參·麥門冬·黃芩·連翹 等 5味 藥이었고, 약칭은 "631"이었으며, 中醫硏究院 中藥硏究所와 협업하여 劑型改革을 진행해 湯劑를 合劑로 바꾸고, 이름을 抗白喉合劑(中醫雜志, 1966, 4:22)로 정했다. 나중에 다년의 임상관찰을 통해, 抗白喉合劑와 白喉抗毒血淸을 서로 비교했는데, 치료효과가 비슷했다. 1965년 10월, 天津醫學科學硏究成果鑒定會는 抗白喉合劑의 局限性咽白喉에 대한 치료효과를 긍정했으며, 이 방에 대해 매우 높이 평가했는데, 抗白喉合劑의 硏劑를 咽白喉를 위한 치료로 인식하고, 새로운 길을 제공했다.[1)]

養陰淸肺湯은 劑型改革 후, 膏劑로 만들었는데 이름이 "養陰淸肺膏"(『全國中藥成方處方集』北京方)였고; 糖漿劑로 만든 것은 이름이 "養陰淸肺糖漿"(『中藥製劑手冊』)이었다.

【醫案】

1. 喉痺『冉雪峰醫案』: 여성. 喉痺를 앓았는데 咽喉腫痛이 있고, 滴水가 들어가지 않아 약이 내려갈 수 없었고, 병이 비교적 갑작스럽게 왔는데, 이미 封喉된 것 같고, 唇口色이 검고, 眼面이 모두 부었고, 氣痰轆轆하고, 筑筑하여 질식할 것 같아, 병세가 제법 위급했는데, 모 의원에서 치료를 거절당하고 나에게 와서 진료를 구했다. 나는 熱毒이 심하게 熾하고, 腫毒이 너무 극렬하지만 반드시 죽을 증상은 아니라고 말하였다. 喉閉하여 약물이 내려가기 어렵기 때문에 먼저 雷氏六神丸을 혀 아래 넣고, 따뜻한 물로 그것을 약간 녹인 다음, 다음날 차로 그것을 넘기고 나서 養陰淸肺湯을 투여했는데, 原方의 薄荷를 반으로 줄이고, 生地를 倍로 하여, 7일을 넘기니 여러 증상이 사라지고, 氣가 평온해지고 정신이 맑은 것이 정상인과 같았다.

2. 痤瘡『河北中醫』(1996,1:31): 여성, 23세. 面部에 紅色丘疹이 출현한지 반년이 되었는데, 丘疹의 頂端에 小膿頭가 있고, 疼痛이 있으며 가려웠고, 外用膏藥을 사용했지만, 시간이 지날수록 점점 더 침범하여, 근본을 제거할 수 없었다. 이것은 肺에 燥熱이 있고, 毒蘊이 皮에 있는 것이다. 치료는 養陰淸肺를 주로 하고 熱毒을 흩어지게 하는 것을 겸해야 한다. 방은 養陰淸肺湯加減을 이용했다: 玄參 20 g, 生地黃 10 g, 薄荷 5 g, 黃芩 5 g, 生白芍藥 6 g, 麥門冬 5 g, 生甘草 3 g. 水煎으로 하루에 一劑를 내복했다. 外用은 大黃 6 g, 硫黃 3 g을 함께 고운 가루로 연마하고, 뜨거운 물을 식혀 고르게 섞어 환부에 바르는데, 저녁에 바르고 새벽에 씻는다. 모두 6일을 치료했는데, 皮疹이 사라지고, 色斑이 없고, 瘢痕도 없고, 새로운 疹도 발생하지 않았다.

考察: 以上의 兩案은 비록 하나는 喉痺로, 病이 위에서 발생하고, 하나는 痤瘡으로 病이 바깥에서 발생했지만, 病機는 모두 肺有燥熱, 陰虛染毒에 속했기 때문에 모두 養陰淸肺湯을 이용해 標本兼治하여, 異病同治의 효과를 거두었다.

【副方】 四陰煎(『景岳全書』卷5): 生地 二三錢(6~9 g) 麥冬 二錢(6 g) 白芍藥 二錢(6g) 百合 二錢(6 g) 沙蔘 二錢(6 g) 生甘草 一錢(3g) 茯苓 一錢半(4.5 g)

- 用法: 水二盅, 煎七分, 食遠服.
- 作用: 養陰淸熱, 保肺止咳.
- 適應症: 陰虛勞損, 相火熾盛, 津枯煩渴, 咳嗽, 吐衄, 多熱.

본 방제의 配伍 意義는『成方便讀』卷1에서 "生地滋腎水; 蔘·麥養肺陰; 白芍之色白微酸, 能入肺而助其收斂; 百合之甘寒且苦, 能益金而兼可淸神; 茯苓以降其濁痰; 甘草以散其虛熱. 名曰四陰者, 取其地四生金也."라고 하였다. 本 방제와 養陰淸肺湯은 모두 滋養肺陰의 작용이 있지만, 본 방제는 保肺淸金에 중점이 있으므로 陰虛肺勞를 주로 치료하고, 養陰淸肺湯은 또한 解毒利咽의 작용이 있으므로 白喉를 주로 치료한다.

【參考文獻】

1) 李飛. 方劑硏究文獻摘要[M]. 南京:江蘇科學技術出版社, 1981:351.

玉液湯

(『醫學衷中參西錄』上冊)

【組成】 生山藥 一兩(30 g) 生黃芪 五錢(15 g) 知母 六錢(18 g) 生鷄內金搗細 二錢(6 g) 葛根 一錢半(4.5 g) 五味子 三錢(9 g) 天花粉 三錢(9 g)

【用法】 水煎服.

【效能】 益氣滋陰, 固腎止渴.

【主治】 消渴. 입이 항상 건조하고 목이 마른데, 물을 마셔도 풀리지 않고, 소변의 횟수가 많고, 피곤하고 숨이 차며, 맥이 虛細無力하다.

【病機分析】 消渴은 多飮·多食·多尿 및 신체가 마른 것을 특징으로 하는 病症으로, 三多를 특징으로 하기 때문에 또한 三消라고 칭하기도 한다. 더불어 "渴而多次爲上消, 消穀善饑爲中消, 口渴·小水如膏者爲下消"(『醫學心語』卷3)의 구분이 있다. 본방이 치료하는 消渴은 원인이 元氣不升, 脾腎兩虧, 陰虛燥熱에 있다. 『素問』「經脈別論」에서 말하기를 "飮入于胃, 流溢精氣, 上輸于脾, 脾氣散精, 上歸于肺, 通調水道, 下輸膀胱."이라 했는데, 정상적인 津液代謝를 설명하는데, 脾는 주로 水穀精微를 肺로 올리고, 肺는 주로 宣發하

여, 津液이 사방으로 퍼져 周身을 윤택하게 한다. 만약 脾虛로 水穀精微를 상승시키지 못하면, 肺熱이 津을 퍼트리지 못하고, 腎虛가 固精할 수 없어 消渴이 일어난다. 처음에는 多飮·多尿이지만 오래되어도 그치지 않으면 脾腎이 더욱 허해져, 제멋대로 困倦氣短, 脈虛細無力하게 된다.

【配伍分析】本方證의 病機는 元氣不升, 陰虛燥熱, 脾腎兩虧이고, 치료는 益氣滋陰, 固腎止渴해야 한다. 方劑 중에 黃芪는 補氣升陽하는데, 藥性이 升浮하여 脾氣를 올려 肺에 도달하게 하는데, 肺氣가 충만하면 津이 퍼진다. 山藥은 滋脾益腎하는데, 黃芪의 補氣升陽을 강화시킬 수 있고, 또 養陰益腎, 固縮小便할 수 있다. 益氣滋陰, 補脾固腎하는 두 약물을 君藥으로 하여 처방에 重用한다. 知母·天花粉은 淸熱滋陰, 潤燥止渴하므로 臣藥이 된다. 君臣藥을 통해 標本兼治한다. 게다가 黃芪와 知母는 一陰一陽, 一升一降하여, 두 약을 배오하면 陽陰이 협조할 수 있고, 升降의 순서가 있게 한다. 葛根·鷄內金과 五味子는 佐藥이 되는데, 葛根은 生津止渴하고, 또 黃芪의 升陽을 도와, 脾氣를 상승하게 하고, 散精이 肺에 도달하도록 한다. 鷄內金은 健脾助運하고, 善消食積하는데, 水穀을 化하여 津液이 된다. 五味子酸은 生津할 수 있고, 또 固腎縮尿하여, 水液이 내려가도록 하지 않는다. 여러 약을 서로 배오하면, 함께 益氣滋陰, 固腎止渴이 효능을 이룰 수 있다.

本方의 배오 특징으로 滋陰淸熱生津과 補氣升陽布津을 함께 거론하는데, 全方이 陰中有陽하고, 升中有降하기 때문에 陰陽이 협조할 수 있고, 津液 升降에 순서가 있게 하여, 消渴證을 치료하는데 효과적인 처방이 된다.

【臨床應用】

1. 證治要點: 本方은 氣陰兩虛에 속하는 消渴證을 치료하데 일상적으로 쓰이는 방제이다. 口渴尿多, 困倦氣短, 脈虛細無力을 證治要點으로 한다.

2. 加減法: 氣虛가 비교적 심하고, 몸이 피곤하고, 氣少懶言인 사람은 人蔘 혹은 西洋蔘 등을 넣고; 熱邪가 비교적 심하고, 口渴이 비교적 심한데 마셔도 解渴되지 않고, 心煩한 사람은 竹葉·石膏 등을 넣고; 腎虛가 비교적 심하고, 腰膝酸軟하며, 소변이 빈번하게 많은 사람은 熟地黃·山茱萸 등을 넣는다.

3. 玉液湯은 다음 한국표준질병사인분류(KCD)에 해당하는 환자가 氣陰兩虛證으로 辨證되는 경우 본 처방의 사용을 고려해볼 수 있다.

처방 목표	한국표준질병사인분류(KCD)
糖尿病	E10~E14 당뇨병
尿崩症	E23.2 요붕증
	N25.1 신장성 요붕증
慢性胃炎	K29.3 만성 표재성 위염
	K29.4 만성 위축성 위염
	K29.5 상세불명의 만성 위염
流行性出血多尿期	A98.5 신장증후군을 동반한 출혈열

【注意事項】消渴에 대해 糖尿病으로 확진받은 환자는 동시에 탄수화물 섭취량을 조절해야 한다.

【變遷史】消渴의 病因·病機의 인식은 역대 의학자의 학술 관점과 임상 경험이 달라서, 각자 다른 견해가 있다: 病因·病機에 대한 다른 인식은, 즉 治法·處方用藥도 자연히 차이가 있게 되었다. 張錫純은 前人들의 관련 관점을 정리하며 말하기를 "方書消證, 分上消·中消·下消. 謂上消口干舌燥, 飮水不能解渴, 系心移熱于肺, 或肺金本體自熱不能生水, 當用人蔘白虎湯; 中消多食猶饑, 系脾胃有實熱, 當用調胃承氣湯下之; 下消謂飮一斗溲亦一斗, 系相火虛衰, 腎關不固, 宜用八味腎氣丸."이라 했다. 이것을 기초로 張氏의 "衷中參西"는 독특하게 "消渴之證, 多由于元氣不升"으로 생긴다고 인식했는데, 원인은 "嘗因化學悟出治消渴之理……人腹中氣化將旺, 淸陽之氣息息上升, 其中必挾有瘂氣上升, 與自肺吸進之氧氣相合, 亦能化水, 着于肺泡之

上, 而爲津液. 津液充足, 自能不渴. 若其肺體有熱, 有如爐上壺熱, 所着之水旋卽涸去, 此渴之所由來也. 當治以淸熱潤肺之品. 若因心頭熱而爍肺者, 更當用淸心之藥. 若肺體非熱, 因腹中氣化不升, 痙氣卽不能上達于肺, 與吸進之氧氣相合而生水者, 當用升補之藥, 補其氣化, 而導之上升, 此拙擬玉液湯之義也"(『醫學衷中參西錄』上冊)라고 했다. 張氏가 결합한 西方 化學知識의 논점이 비록 많이 억지스럽지만 『內經』 "脾氣散精, 上歸于肺, 通調水道"의 논리와 일치하고 있다. 張氏는 黃芪·葛根 等 升補元氣를 이용하고 다른 固腎滋陰, 淸熱生津藥과 배오하여 玉液湯을 만들었다.

玉液湯의 立法用藥을 거슬러 올라가면, 사실 『仁齋直指方論』卷17의 玉泉丸에서 脫胎한 것이다. 玉泉丸은 煩渴口乾을 主治하는데 黃芪·茯苓·麥門冬·烏梅肉·乾葛·瓜蔞根·甘草로 구성되었다. 方中 黃芪·人蔘·茯苓·甘草는 補氣健脾하고; 麥門冬은 養陰生津하고; 烏梅肉·乾葛·瓜蔞根은 淸熱生津止渴하는데, 葛根과 黃芪를 서로 배오하면 元氣를 보충하고, 烏梅肉은 固澀을 수렴하는 것을 겸할 수 있다. 합하여 보면, 升補元氣, 健脾和中, 淸熱生津, 收澀 이 네 가지는 玉液湯方中에 있는 것으로, 藥이 같을 뿐 아니라 治法도 완전히 일치한다. 그러므로 張氏가 스스로 玉液湯을 "因化學悟出治消渴之理"로 만들었다고 말하지만, 동시에 이 方이 玉泉丸의 立法用藥에서 변화하여 나온 것임을 알아야 한다.

【難題解說】 本方의 君藥에 대하여: 本方의 君藥은 張錫純이 스스로 지은 方解에서 말하기를 "方中以黃芪爲主, 得葛根能升元氣. 而又佐以山藥·知母·花粉……"이라고 했는데, 또 滋膵飮의 方解에서 말하기를 "又向治消渴, 曾擬有玉液湯, 方中以生懷山藥爲主, 試屢有效."라 하여, 전후가 스스로 모순되어 사람들로 하여금 일치된 결론을 낼 수 없게 한다. 그러나 全方을 종합적으로 분석하면, 黃芪·山藥을 모두 君藥으로 하는 것이 비교적 타당한데, 두 가지 근거가 있다: 하나는 方中 이 두 약의 용량이 모두 비교적 중하다. 두 번째는 黃芪를 山藥에 배오하면 氣陰雙補하고, 脾腎兼顧할 수 있어, 氣陰兩虛·脾腎虛損의 病機에 딱 알맞다.

【醫案】

1. 消渴 『醫學衷中參西錄』: 某邑人, 20여 세, 津門에서 貿易, 消渴證을 얻었다. 津門에서 의사를 구했지만 3개월이 넘는 조치에 의사를 10여 사람을 바꾸었으나 효과가 없었다. 집으로 돌아와 나에게 치료받았다. 그 脈을 진찰하니 매우 미세하고, 물을 마시면 바로 소변을 보는데, 잠시 동안 수차례였다. 玉液湯을 투입했는데, 野合蔘 四錢을 더하고, 數劑를 복용하니 渴이 멈춘 것이 보였지만, 소변은 여전히 많아서, 萸肉 五錢을 더하고 十劑를 연속 복용하여 나았다.

2. 糖尿病 『陝西中醫』(1991, 2:56): 여성, 간부. 1987년 2월 10일 진찰받음. 환자는 多飮·多食·多尿·乏力으로 마른 것이 이미 2년이었는데, 증상이 가벼울 때도 있고 중할 때도 있었는데, 내 병원으로 와서 문진으로 검사받았다. 검사는 空腹血糖 16 mmol/L, 尿糖(++++), 酮體가 陽性이었다. 診斷: 糖尿病. 降糖靈·D860片을 이용해 한 달여를 치료했지만 효과가 없었고, 1987년 3월 21일에 中醫科에서 진료받았다. 환자는 口渴多飮, 消穀善饑했으며, 형체는 야위고, 소변의 빈도가 많았고, 疲乏無力하고, 腰部에 酸痛이 있었고, 脈은 弦數하고, 舌質은 痰하고, 苔는 白膩했다. 이것은 氣虛腎虧, 內熱陰傷으로 생기는 것이다. 치료는 益氣補腎, 滋陰淸熱 해야 한다. 處方: 黃芪·山藥 各 60 g, 天花粉 30 g, 葛根·鷄內金·知母 各 15 g, 枸杞子·菟絲子 各 12 g, 五味子 10 g, 매일 一劑를 3회로 나누어 口服했다. 上方을 1회 치료과정(90劑) 복용한 후, 여러 증상이 소실되고, 尿糖 재검(−), 血糖 6.2 mmol/L, 임상통제가 되었다.

考察: 案1의 消渴은 처음에 玉液湯에 野合蔘을 더해 진단하여, 益氣生津의 효력을 강화했기 때문에, 藥後 數劑로 渴이 멈추었고, 다음에는 소변이 빈번하게 많았기 때문에 山萸肉을 더해 補腎固澀했다. 案2의

糖尿病은 氣虛腎虧, 內熱陰傷에 속하는 辨證으로 玉液湯에 枸杞子·菟絲子를 加味해 滋補肝腎하고, 方을 지켜 장기 복용하여, 임상통제에 도달했다.

瓊玉膏

(申鐵瓮方, 錄自『洪氏集驗方』卷1)

【異名】 神仙瓊玉膏(『衛生家寶』, 錄自『觀取方要補』卷2·生地黃膏(『仁齋直指方論』卷17·瓊玉膠(『理虛元鑒』卷下).

【組成】 新羅人蔘 舂一千下爲末 二四兩(750 g) 生地黃 九月采搗 十六斤(8 kg), 雪白茯苓 臼千下, 爲末 四九兩(1.5 kg) 白沙蜜 十斤(5 kg)

【用法】 위의 人蔘·茯苓을 고운 가루로 만들고, 꿀을 이용해 生絹으로 거르고, 生地黃은 自然汁을 취하며, 빻을 때 鐵器를 이용하지 않고, 즙을 내어 찌꺼기를 버리고 사용한다. 약을 한 곳에서 버무리는데, 고르게 뒤섞고, 銀石器 혹은 좋은 瓷器 안에 넣고 닫아 사용한다. 만약 器物이 작으면 두 곳으로 나누어 담는다. 깨끗한 종이를 사용하여 20~30겹으로 닫아, 탕 안에 집어넣어 桑木으로 불을 지펴 6일을 끓이는데, 연속해서 밤에 불을 붙이기를 3일 밤을 한다. 蠟紙를 사용하여, 병 입구를 여러 겹 싸서 꺼내고, 우물 안에 넣어 一伏時 동안 火毒을 제거한다. 꺼내어 다시 예전 湯 안에 넣고, 하루를 끓여 水氣를 뺀다. 매일 새벽에 두 숟가락을 복용하는데, 따뜻한 술에 섞어 복용한다. 술을 마시지 않는 사람은, 白湯으로 그것을 녹인다(현대용법: 앞의 三味를 물로 3회 끓이는데, 시간은 첫 번째는 4시간, 두 번째는 3시간, 세 번째는 2시간을 끓여 藥液과 합쳐 가라앉힌 다음, 체로 걸러 깨끗한 液을 취하고, 끈적끈적한 膏가 될 때까지 농축한다. 다르게는 白蜜을 넣어, 모두 휘휘 저은 다음 열을 가해 약간 달구어, 빼내서 거른 다음 거품을 제거하고, 단지에 넣어 식은 후, 병에 넣고 밀봉하여 준비한다. 매번 9~15 g을 하루에 2회 복용하는데, 따뜻한 물에 衝服한다).

【效能】 滋陰潤肺, 益氣補脾.

【主治】 陰虛勞瘵, 乾咳少痰, 咽燥咯血, 肌肉消瘦, 氣短乏力, 舌紅少苔, 脈細數.

【病機分析】 本方이 치료하는 勞瘵는 오랜 병에서 벗어나지 못하여, 正氣가 손상되고, 肺腎이 陰虧하여 생기는 것이다. 肺腎陰虛하고, 肺가 濡養을 잃으면, 氣가 上逆하게 되어, 乾咳少痰이 생긴다. 陰虛하면 즉 火旺하게 되는데, 虛火가 위를 어지럽히면 咽燥하게 된다. 虛火가 血絡을 灼傷하는 것이 즉 咯血이고, 그 火가 심하지 않기 때문에 咯血量이 零星小量咯血에 속한다. 肺病이 오래되어 脾까지 미치는 것이, 소위 "子盜母氣"이고, 脾虛로 形瘦肉脫이 되고, 氣短少力하게 된다.舌紅少苔, 脈細數는 즉 肺腎陰虛의 증상이다.

【配伍分析】 肺腎陰虧, 그리고 脾氣亦虛 증상에 대한 치료는 滋陰潤肺가 主가 되고, 益氣補脾를 겸해 培土生金해야 한다. 方中 生地黃를 君으로 重用하여, 滋益腎陰하고, 또 淸熱凉血로 虛火를 내리고 止血할 수 있다.『本草匯言』卷5에서 "生地爲補腎要藥, 益陰上品, 故凉血補血有功, 血得補, 則筋受榮, 腎得之而骨强力壯."이라 했다. 白蜜은 甘平하고, 潤肺止咳, 滋脾益胃하여, 臣藥이 되는네,『藥品化義』卷10에서 "蜂蜜采百花之精, 味甘主補, 滋養五臟, 體滑主利, 潤澤三焦. 如怯弱咳嗽不止, 精血枯槁, 肺焦葉擧, 致成肺燥之症, 寒熱均非, 諸藥鮮效, 用老蜜日服兩許, 約月未有不應子, 是燥者潤之之義也."라 했다. 生地黃는 腎陰을 번성하게 하고, 白蜜은 肺燥를 潤澤하게 하는데, 두 약을 배오하면 金水相生의 妙가 있어, 肺腎陰虛의 病機에 딱 알맞다. 人蔘·茯苓은 佐가 되는데, 人蔘은 補益肺脾의 효능이 있고, 茯苓은 健脾寧神할 수 있어, 滲濕化痰한다. 人蔘·茯苓과 白蜜을 서로 합하면,

補氣健脾의 효능이 더욱 커지고, 培土生金의 妙가 있게 된다. 게다가 人蔘·茯苓의 補氣主動은 陽에 속하는데, 陰에 속하는 대량의 生地黃·白蜜의 滋潤主守와 배오하면 가령 陽藥의 走動이 陰藥滋補가 정체되지 않게 할 수 있다. 全方을 합해 사용하고, 膏劑를 선택하면, 膏澤滋潤하여, 근본부터 緩治하고, 환자가 方을 지켜 장기적으로 사용하기에 편리하며, 오래 그것을 복용하면, 스스로 효과를 얻을 수 있다. 본방은 "起吾沉瘵, 珍賽瓊瑤, 故有瓊玉之名"(『古今名醫方論』卷4)이다. 瓊玉은 아름다운 옥을 넓게 가리키는 말이다.

본방의 배오 특징은 養陰滋潤을 主로 하고, 益氣和中을 輔로 하여, 氣陰雙補·動靜相合·脾腎兼顧·培土生金의 妙가 있고, 方은 四味만 사용하는데도, 배오가 매우 엄밀한 것이다.

【類似方比較】 本方과 百合固金湯·麥門冬湯의 효능이 비슷한데, 三方 모두 養陰潤肺의 方劑이고, 陰虛肺熱의 증상을 치료한다. 주로 百合固金湯은 滋養肺腎하고, 淸虛熱을 겸하며, 肺腎陰虛, 虛火上炎의 咳嗽有痰, 痰中帶血을 치료하고; 麥門冬湯은 滋養肺胃하고, 降逆氣하여, 肺胃陰虛, 氣火上逆의 咳吐涎沫, 혹은 嘔吐不食을 주로 치료하며; 本方은 滋陰潤肺, 益機補脾하여, 주로 肺腎陰虧, 脾氣亦虛의 勞瘵를 치료하는 것으로 구분한다.

【臨床應用】

1. 證治要點: 本方은 陰虛勞瘵를 위해 만들어졌는데, 근본부터 論治하는 緩治의 방이다. 乾咳少痰, 少量의 咯血, 氣短乏力, 舌紅少苔, 脈細數를 證治要點으로 한다.

2. 本方을 현대에서는 肺腎陰虧, 脾氣亦虛에 속하는 肺結核·支氣管擴張證·肺纖維化·肺硬變과 矽肺 등을 치료하는데 사용할 수 있다. 상술한 증후에 속하는 다른 慢性消耗性疾病도 本方을 이용해 근본부터 천천히 도모할 수 있어, 中老年의 체질이 陰虛한편인 사람의 冬令進補에도 사용할 수 있다.

3. 瓊玉膏는 다음 한국표준질병사인분류(KCD)에 해당하는 환자가 陰虛勞瘵證, 肺腎陰虧證, 脾氣虛證으로 辨證되는 경우 본 처방의 사용을 고려해볼 수 있다.

처방 목표	한국표준질병사인분류(KCD)
肺結核	A15 세균학적 및 조직학적으로 확인된 호흡기결핵
	A16 세균학적으로나 조직학적으로 확인되지 않은 호흡기결핵
支氣管擴張證	J47 기관지확장증
肺纖維化	J84.1 섬유증을 동반한 기타 간질성 폐질환
肺硬變	J84 기타 간질성 폐질환
矽肺	J62 실리카를 함유한 먼지에 의한 진폐증

【注意事項】 咯血量이 많은 사람은 우선 止血하고, 피가 멈춘 후 다시 本方을 이용해 근본을 培養해야 한다. 脾虛濕盛, 便溏인 사람은 복용이 적절하지 않다. 本方은 복용기간이 비교적 긴데, 모든 복약기간에 外感 혹은 泄瀉가 있는 사람은 잠시 복용을 중단한다.

【變遷史】 本方은 『洪氏集驗方』卷1에 기록되어 있는, 비교적 이른 시기의 滋補膏滋劑이다. 본방의 효능과 관련해, 原書에서는 "塡精補髓, 血化爲筋, 萬神俱足, 五臟盈溢, 髓實血滿, 發白變黑, 返老還童, 行如奔馬, 日進數食, 或終日不食亦不饑, 關通强記, 日誦萬言, 神識高邁, 野無夢想."이라 했다. 과장되긴 했지만, 이 方의 補益養生과 抗衰延年의 효능은 공인된 것이다. 明代 『醫學正傳』卷2에서 인용한 臞仙(朱權)方의 瓊玉膏는 虛勞干咳를 主治하는데, 즉 本方에 琥珀·沉香을 더해 만든 것이다. 琥珀을 더하면 寧神散血할 수 있고, 沉香은 速降下氣할 수 있다. 本方의 滋補를 기초로 安神·降氣 兩法을 배오하여, 全方이 動靜相合하도록 했다. 『扶壽精方』에 기록된 瓊玉膏는 구성에서 天門冬·麥門冬·枸杞子 三味를 더했는데, 즉 滋陰淸熱의

효능이 본방에 비해 비교적 우수하다. 本方의 主治方面으로 『東醫寶鑑』「內景篇」卷1에 "癱瘓"이 더해졌고; 『證治寶鑒』卷3에서는 "里燥, 口燥舌乾, 小便多而衝; 吐利, 或病後胃中津液不足, 大便不秘而消渴者"라고 했다. 『醫宗金鑒』卷41에서는 "虛勞·肺痿"를 치료한다고 했다. 이런 것은 本方의 사용범위를 확장한 것이다.

이외, 冉雪峰은 本方이 『備急千金要方』의 地髓湯(구체적인 내용은 뒤의 발췌문헌 참고)에서 기원했다고 여겼는데, 遍檢通行本 『備急千金要方』에서는 地髓湯이 보이지 않는다. 『本草綱目』卷16에서 인용한 『備急千金要方』에는 地髓煎 一方이 있는데, 生地黃 10斤·鹿角膠 1斤 半·生薑 半斤·蜜 二升·酒 四升으로 구성되어 있고, 모두 大補益의 효능이 있는데(구체적인 主治病證은 나오지 않았다), 冉氏가 말한 地髓湯과 비슷하다. 사실 瓊玉膏의 원류는 晉代 『小品方』의 單地黃煎까지 거슬러 올라갈 수 있다. 『小品方』原書는 이미 유실되었는데 이 方은 현재 『外臺秘要』卷31에서 볼 수 있다. 生地黃 一味만 사용하여 즙을 취하고, 銅鉢에 중탕하여 끓여, 水氣를 증발시키고, 끓여서 반으로 줄이고, 다시 새로운 천을 이용해 거친 찌꺼기를 걸러 내고 다시 끓여 엿처럼 되면 완성된 것인데, 주로 補虛하고, 除熱하며, 乳石癰疽瘡癤 등의 熱을 흩어지게 한다. 方劑의 劑型史를 보면, 膏滋劑를 滋補에 사용하는 것은 즉 地黃煎에서 시작되었지만[1], 이 방을 알고 있는 사람이 비교적 적다. 瓊玉膏는 영향이 매우 커서, 위를 계승하고 아래에 영감을 주었는데, 膏滋劑의 임상사용을 널리 보급했다. 지금까지 江南 일대의 物富民豊한 곳에서는 冬令에 膏滋劑를 사용해 進補하는 것이 흔한 習俗이 되었다.

【醫案】 血證 『洄溪醫案』: 平望鎭 張瑞五, 평소 血證이 있었다. 신축년, 나는 돌아가신 아버지의 장례를 치르고, 그 買磚·灰等物을 들고, 시골과 도시를 왕복했는데, 勞悴로 인해 큰 병이 생겼다. 악수를 하고 눈물을 흘리며 이별했는데, 다시 만날 것을 말하기 어려웠다. 나는 이때 瓊玉膏를 아직 시험해보지 않았는데, 두개를 주었지만 버렸다. 이때부터 音問이 불통한 것이 3, 4년이었다. 하루는 鎭에 나보다 나이 많은 사람이 있었는데, 전에 복용한 方을 꺼냈다. 문: 누가 쓴 것입니까? 답하기를: 張瑞五. 왈: 지금 어디 있습니까? 답하기를: 館橋의 우측에 있습니다. 즉시 가서 그를 기다렸는데, 精神强健이 옛날과 판이하게 달랐다. 瓊玉膏를 복용한 후, 다시 피를 토하지 않았고, 기침 또한 점차 멈추었다. 方書를 섭렵하여, 그것을 자주 시험하고 효험이 있었기 때문에, 이것으로 館穀의 부족한 바를 도왔다. 나는 곧 行醫之要를 이끌었는데, 瑞五가 심히 그러하다고 여겼다. 후에 그 길을 크게 행하여, 곧 一鎭의 名家가 되었고, 70여 세에 사망했다.

【副方】 『醫方集解』「補養之劑」: 天門冬 熟地黃 人蔘各等分.

- 用法: 위의 약을 水煎하여 복용한다.
- 作用: 養陰益氣, 潤肺止咳.
- 適應症: 脾肺虛勞咳嗽.

本方은 三才丸(『儒門事親』卷15)을 湯劑로 바꾸어 만들었다. 本方과 瓊玉膏는 모두 生地黃·人蔘을 사용하고, 효능과 主治가 서로 비슷하다. 그러나 本方은 熟地黃를 이용하기 때문에, 滋補陰血의 효능이 우세하고, 게다가 湯劑이기 때문에 약효도 강하다. 瓊玉膏는 生地黃를 이용하기 때문에 凉血止血할 수 있고, 膏劑이기 때문에 약효가 비교적 완만하다. 임상에서 肺腎陰虛에 脾虛의 虛勞咳嗽를 겸하면, 兩方 모두 사용할 수 있는데, 일반적으로 咯血이 없으면 三才湯을 사용하고, 咯血이 있으면 瓊玉膏를 선택하여 사용한다.

【參考文獻】

1) 華浩明. 最早的膏滋劑考. 中華醫史雜誌, 1996,26(1):28.

五汁飮

(『溫病條辨』卷1)

【組成】 梨汁 荸薺汁 鮮葦根汁 麥冬汁 藕汁(或 蔗汁 이용)

【用法】 임상시에 증상에 따라 多少를 정하고, 고르게 섞어 차갑게 복용한다. 차가운 것을 그다지 좋아하지 않는 사람은 중탕으로 데워 따뜻하게 복용한다.

【效能】 生津潤燥.

【主治】 溫病熱甚, 肺胃陰津耗損證. 口中燥渴, 吐白沫, 黏滯不快者. 또한 雜病肺胃陰津耗損證도 치료한다.

【病機分析】 溫熱病邪는 陰津을 가장 灼傷하기 쉽고, 陰津이 상하면 즉 口中燥渴이 생긴다. 肺津이 傷하면 그것이 淸肅을 잃게 되는데, 거기에 熱邪灼津으로 痰이 되면 흰 거품을 토하며 黏滯不快하게 된다. 嘔吐·噎膈·不食 등의 雜病 역시 肺胃의 陰津을 손상시키며, 상술한 여러 증상이 나타난다.

【配伍分析】 溫病의 치료는 津液을 보존하는 것, 즉 正氣를 보호하는 것이기 때문에 "存得一分津液, 便有一分生機"의 설이 있다. 吳瑭이 말하기를 "此甘寒救胃陰之方也"(『溫病條辨』卷1)했는데, 사실 肺胃陰傷에 모두 이용할 수 있다. 溫病이 肺胃의 陰津을 灼傷하면, 本方 中 五物 모두 鮮汁을 이용하는데, 그 甘寒退熱·生津潤燥의 효능을 취하는 것이고, 약효는 飮片煎湯을 이용하는 것보다 뛰어나다. 梨汁은 甘凉滋潤, 淸肺潤燥, 益胃生津하는데,『重慶堂隨筆』卷下에서 梨를 "凡烟火·煤火·酒毒, 一切熱藥爲患者, 啖之立解. 溫熱燥病及陰虛火熾, 津液燔涸者, 搗汁飮之立效"라 했다. 鮮葦根汁은 甘寒淸熱, 益胃生津하고, 또 淸而不遏하고, 滋而不膩하기 때문에 養胃潤燥하지만 留邪의 弊가 없다. 麥門冬汁은 滋陰淸熱生津하고, 肺·胃經으로 들어가 역시 肺胃의 津이 傷한 것을 구할 수 있다. 熱邪는 오로지 津만 상하게 하지 않고, 灼津으로 痰이 될 수 있는데, 荸薺汁의 淸熱生津이 化痰消積한다. 溫病熱이 심하면 血熱血瘀에 이를 수 있기 때문에, 또 藕汁의 甘寒淸熱, 凉血散瘀를 이용할 수 있다. 五汁은 서로 필수적으로 사용되는 것으로, 함께 甘寒生津, 淸熱潤燥의 효능을 이룬다. 蔗汁 역시 甘潤生津之品으로, 藕汁을 대신하여 사용할 수 있다. 古代에는 輸液의 조건이 없었기 때문에, 本方을 운용하여 인체의 水分·鑛物質 및 비타민을 보충하고, 물과 電解質 平衡의 失調를 바로잡는데 일정한 의의가 있었다.

本方의 배오 특징은 신선하고, 약도 되고 식품도 되는 汁液을 위주로 方을 구성하는데, 甘寒生津하고 또 淸熱潤燥할 수 있어 黏滯戀邪의 弊가 없는 것이다.

【臨床應用】

1. 證治要點: 溫病熱이 심하고(發熱이 지속되고, 체온이 비교적 높은), 口渴이 나타나면 모두 本方을 사용할 수 있다. 雜病이 津液을 손상하고, 口渴이 보이고, 흰거품을 토하고 黏滯不爽인 사람도 역시 사용할 수 있다.

2. 加減法: 原書에서 말하기를 "欲淸表熱, 則加竹葉·連翹;欲瀉陽明獨勝之熱, 而保肺之化源, 則加知母;欲救陰血, 則加生地·玄參;欲宣肺氣, 則加杏仁;欲行三焦開邪出路, 則加滑石."라 했다.

3. 五汁飮은 다음 한국표준질병사인분류(KCD)에 해당하는 환자가 溫病熱甚, 肺胃陰津耗損證으로 辨證되는 경우 본 처방의 사용을 고려해볼 수 있다.

처방 목표	한국표준질병사인분류(KCD)
電解質 平衡 失調	E87 수분, 전해질 및 산~염기균형의 기타 장애

【變遷史】 五汁飮 一方은 처음에 『醫宗金鑒』卷42에서 보이는데, 蘆根·荸薺·甘蔗·竹瀝 및 姜汁으로 구성되었고, 嘔吐傷津을 치료하며 潤燥止吐의 효능이 있었다. 吳瑭은 方에서 甘蔗·竹瀝과 姜汁을 빼고, 다시 梨汁·麥冬汁과 藕汁을 더해 養陰生津의 효능을 강화하여, 溫病熱甚津傷의 증상에 광범위하게 이용했다. 그 후, 兪根初 原著·徐榮齋 重訂의 『重訂通俗傷寒論』에도 五汁飮이 기재되었는데, 竹瀝·梨汁·萊菔汁 各二瓢, 鮮石菖蒲汁 작은 숟가락 하나와 薄荷油 세 방울로 구성되었고, 辛凉潤肺, 生津化痰할 수 있어, 外感秋燥傷肺, 津液이 傷하여 黏痰이 되는 것과, 咳嗽痰吐質黏을 치료했는데, 이것은 『醫宗金鑒』과 『溫病條病』兩方을 따른 것으로, 별도의 새로운 의미가 있다.

【醫案】

1. 不食 『吳鞠通醫案』: 慶室女, 16세. 10여 일을 먹지 않았는데, 여러 의사를 찾았지만 효과가 없었고, 面赤하고, 脈이 洪하여, 五汁飮의 降胃陰法과 우유를 함께 복용하여, 3일 만에 많이 먹었다.

2. 低熱 『吳鞠通醫案』: 구, 18세. 溫熱이 나은 후, 오후에 微熱이 없어지지 않고, 脈이 弦數하고, 얼굴이 붉었는데, 五汁飮 3일에, 열이 내려가고 음식을 먹었으며, 7일 만에 완치되었다.

3. 噎膈 『吳鞠通醫案』: 傳, 55세. 술집에서 술을 마시며, 구운 돼지 響皮를 먹고 갓 삼켰는데, 집안 사람이 친구의 나쁜 소식을 말해주었다. 즉시 아래로 내려가 차를 찾았는데, 차가 어디로 갔는지 몰라, 4, 5리를 걸으면서 친구를 찾아 구해주려고 했다. 만나지 못하여 다시 4리를 걷고, 또 만나지 못했는데, 목이 말라 급히 氷鎭烏梅湯 한두잔을 마신 후 차를 불러 집으로 돌아왔다. 心下에 은은하게 작은 통증이 있었는데, 한달 후 통증이 더해져, 의사를 불러 調治했지만 1년여 동안 효과가 없었다. 다음 해 5월에 물 한 모금을 마셨는데, 위의 통증이 칼로 베이는 것 같았고, 마른 밥이 넘어가지 않는 것이 한 달여였다. 閏5월초8일에 한 알도 넘어가지 않는 것이 이미 10일이 되어 장작처럼 말랐으며, 얼굴이 赭처럼 붉고, 脈이 沉洪하고 힘이 있었는데, 위에서 아픈 곳이 복숭아 크기만큼 올라왔는데, 그것을 누르면 더욱 아파 참을 수 없었다. 내가 말하기를 "此食隔也, 當下之."라 했다. 大承氣湯에 牽牛를 더해 세 그릇을 만들었다. 伊家는 方이 중한 것을 보고 복용하지 않았는데, 서명을 요구한 후 한 그릇을 마셨는데, 통증이 배꼽까지 미쳤다. 두 그릇을 복용하니 통증이 小腹에 이르렀고; 세 그릇을 마시니 통증이 항문까지 왔는데 큰 아픔을 참을 수 없어서, 또 마실 수 없었다. 그래서 다시 반제를 만들어 한 그릇을 복용하고, 밖으로 밀도법을 더하니, 처음으로 계란과 같은 것이 내려왔는데, 검고 털이 있었으며, 단단하여 깰 수 없었다. 다음날 먼저 爛麵 반 그릇을 먹고, 또 다음 날 粥湯을 마시고, 3일째에 粥을 먹고, 5일째에 마른 밥을 먹었다. 내려간 후 사용한 것이 五汁飮이다.

考察: 이상의 3 의안은 모두 吳瑭의 의안이다. 의안1은 胃陰不足의 不食으로 五汁飮으로 益胃陰하여 三日이 되어 大食한 것이고, 의안2는 溫病을 앓고 난 뒤에 餘熱이 없어지지 않은 것으로 陰津損傷의 所致이다. 五汁飮을 써서 열이 물러간 것이고, 의안3은 食隔致病으로 攻下方藥을 써서 堅積은 없어지고 이어서 바로 五汁飮으로 滋陰益胃하여 뒤를 좋게 하였다. 病證의 표현이 다르지만 胃陰不足의 病機는 오히려 공통점이 있으므로 五汁飮을 써서 異病同治한 것이다.

增液湯

(『溫病條辨』卷2)

【組成】 玄參 一兩(30 g) 麥冬連心 八錢(24 g) 細生地 八錢(24 g)

【用法】 물 8잔을 끓여 3잔을 취하는데, 입이 마르면

마시는데 다 마시고, 不便하면 다시 만든다.

【效能】 增液潤燥.

【主治】 陽明溫病, 津虧便秘症. 大便祕結, 口渴, 舌乾紅, 脈細한데 간혹 沉而無力에 이르기도 하는 사람.

【病機分析】 陽明은 手陽明大腸과 足陽明胃이다. 陽明溫病은, 溫病의 邪가 胃腸에 있다. 陽明溫病은 매번 다수가 大便秘結 증세가 있는데, 便秘는 熱結과 津枯의 구분이 있다. 增液湯은『溫病條辨』卷2의 中焦篇에서 모두 4회 나타난다. 첫 번째는 "陽明溫病, 無上焦證, 數日不大便, 當下之. 若其人陰素虛, 不可行承氣湯, 增液湯主之"이며, 두 번째는 "下後數日, 熱不退, 或退不盡, 口燥咽乾, 舌苔乾黑, 或金黃色, 脈沉而有力者, 護胃承氣湯微和之; 脈沉而弱者, 增液湯主之"이며, 세 번째는 "…… 陽明溫病, 下後二三日, 下證復現, 脈不甚沉, 或沉而無力, 止可與增液, 不可與承氣"이며, 네 번째는 "…… 津液不足, 無水舟停者, 間服增液, 再不下者, 增液承氣湯主之."이다. 病이 陽明으로 들어가서, 수일간 不大便하였는데, 환자의 病歷을 참조하면 그 사람이 陰液素虛한데, 여기에 攻下法을 실시한 후, 口燥咽乾하고 熱不退하거나 下證이 다시 나타나고, 脈沉無力하게 된 것이다. 이것은 모두 胃腸陰液이 耗傷하여 腸道糟粕의 轉輸에 津液의 潤滑이 부족하여 停滯하게 된 것으로, 소위 "無水舟停"이다. 이런 종류의 津枯便秘에는 承氣湯類로 下하는 것을 愼勿하여야 한다. 下할 경우에는 반드시 그 陰을 더욱 傷하게 한다.

【配伍分析】 陽明溫病은 津이 어그러져 便秘가 생기며, 치료는 津液潤燥로 通便하는데, 소위 "增水行舟"가 그것이다. 方中 玄參을 重用하여 君이 되는데, 苦咸而凉하고, 養陰增液, 軟堅潤下, 瀉火散結의 효능이 있고, 吳瑭은 그것을 "味苦咸微寒, 壯水制火, 通二便, 啓腎水上潮于天, 其能治液干, 固不待言,『本經』稱其主治腹中寒熱積聚, 其幷能解熱結可知"(『溫病條辨』卷2)라고 했다. 麥門冬과 生地黃은 臣藥이 되는데, 玄參의 滋陰潤燥 효력을 강화하며, 그중 麥門冬은 甘寒質潤하여, 胃腸陰液을 滋益하는데 장점이 있고; 生地黃은 甘苦而寒하여, 養陰潤燥, 淸熱凉血한다. 三藥을 합해 사용하면, 重劑로 투약하게 되는데, 大補陰液, 潤滑腸道하여, 糟粕을 下行하게 하여, 또 三藥 滋潤의 寒凉을 빌려 淸熱할 수 있고, 그로써 여러 증상이 풀어질 수 있다.

본방의 배오 특징은 養陰藥을 重用하고 純用하는 것인데, 增液潤燥로 瀉下通便하는데, "妙在寓瀉于補, 以補藥之體, 作瀉藥之用, 旣可攻實, 又可防虛"(『溫病條辨』卷2)이다.

【類似方比較】 增液承氣湯은 본방에 大黃·芒硝를 더해 만들었는데, 兩方 모두 增液潤燥의 효능이 있어 陽明溫病의 便秘를 치료할 수 있다. 단 增液承氣湯은 瀉熱攻邪와 養陰扶正 兩法을 결합해 陽明溫病, 熱結陰虧의 便秘를 主治하고; 增液湯은 단순히 養陰潤燥하여, 補藥之體로 瀉藥之用을 만들어 陽明溫病, 津液乾枯의 便秘를 主治한다. 두 종류의 方劑는 관계가 있으면서 또 구별이 있고, 臨床에서도 연관하여 사용할 수 있는데,『溫病條辨』卷2에서 말한 "津液不足, 無水舟停者, 間服增液, 再不下者, 增液承氣湯主之."라고 했다.

【臨床應用】

1. 證治要點: 本方은 溫熱病의 熱이 甚하여 津을 傷한 것, 腸燥便祕秘를 치료하는데, 便秘, 口渴, 舌乾紅, 脈細數 혹은 沉而無力을 證治要點으로 한다. 本方의 養陰潤燥의 효능이 상당히 좋기 때문에, 陰虛液虧의 여러 증상을 치료하는데 사용할 수 있다.

2. 加減法: 津虧燥熱이 비교적 심하고, 增液湯을 복용해도 大便이 내려가지 않는 사람은 生大黃·芒硝를 넣고 淸熱瀉下한다. 陰虛燥熱, 虛火上炎으로 치통이

생긴 사람은 川牛膝·牡丹皮 등을 넣어 降火涼血한다. 胃陰不足, 舌質光澤, 口干脣燥인 사람은 沙蔘·石斛 등을 넣어 養陰生津한다.

3. 增液湯은 다음 한국표준질병사인분류(KCD)에 해당하는 환자가 陽明溫病, 津虧便秘證으로 辨證되는 경우 본 처방의 사용을 고려해볼 수 있다.

처방 목표	한국표준질병사인분류(KCD)
習慣性便秘	K59.0 변비
慢性咽喉炎	J31.2 만성 인두염
	J37.0 만성 후두염
復發性口腔潰瘍	K12.0 재발성 구강 아프타
	K12.3 구강점막염(궤양성)
慢性牙周炎	K05.3 만성 치주염
糖尿病	E10~E14 당뇨병
放射線治療 後 생긴 口腔反應	K12.3 구강점막염(궤양성)

【注意事項】 本方은 藥量이 重해야 하는데, 그렇지 않으면 增液通便의 효과가 없다. 吳瑭이 말하기를 本方은 "增水行舟之計, 故湯名增液, 但非重用不爲功"(『溫病條辨』卷2)라 했다.

【變遷史】 外感溫熱病邪熱內結陽明, 『傷寒論』에서 三承氣湯으로 다스려야한다고 주장했는데, 후대에 寒下劑를 운용하는데 기준을 제공했다. 그러나, 溫熱病邪結陽明에 대해서는 동시에 陰傷의 치료가 있어, 난지 大承氣湯으로 그것을 급히 내리는 것을 주장하고, 다른 方藥을 내지는 못했다. 明代 吳有性은 承氣養榮湯(『瘟疫論』卷上, 知母·當歸·芍藥·生地·大黃·枳實·厚朴으로 구성)을 만들어, 溫疫熱邪內結兼 陰液乾枯에 사용하고, 瀉下와 滋潤을 결합했는데, 『傷寒論』承氣湯法에 대해 더욱 발전한 것이다. 吳瑭은 陽明溫病, 陰津虧耗, 大便秘結의 실제를 근거로, 增水行舟의 治法을 창조적으로 주장했는데, 대제 玄參·麥門冬·生地黃으로 增液湯을 구성했다. 吳瑭은 일찍이 스스로 이르기를 "此方所以代吳又可承氣養榮湯法也. 妙在寓瀉于補, 以補藥之體, 作瀉藥之用, 旣可攻實, 又可防虛"(『溫病條辨』卷2)라고 했는데, 남다른 독창성이 있다고 할 수 있다.

【醫案】

1. 鼻衄 『北京中醫學院學報』(1989, 1:29): 여성, 성년. 鼻衄이 있다가 없다가 한 것이 약 10여 년이었다. 이번 發病은 8일來에 있었는데, 먼저 모의원 耳鼻咽科에서 치료를 청하였으나 효과가 없었고, 나중에 中醫를 청해 淸熱瀉火·涼血止血의 방제를 받았지만 역시 효과가 없었다. 양측 鼻孔의 막힌 것으로 인해 출혈이 있었고 홍색이었으며, 滲血로 끊이지 않고 옆에서 흘러나왔고, 가끔 吐血도 나타났다. 面色이 萎黃하고, 脈虛尺大하며 數했다. 證脈合參으로, 腎陰虧損, 虛火上浮, 熱迫血行, 血行淸道로 진단하고, 급히 增液湯을 주었다: 麥門冬 30 g, 生地黃 30 g, 玄參 45 g. 一劑로, 衄血이 크게 감소하고, 二劑로 衄血이 그쳤다.

考察: 原案에서 이르기를 "鼻衄者, 多以涼血瀉火爲急務, 然腎水干涸, 虛火上浮者, 非滋陰降火不效, 增液湯之脈冬補肺金以益水之源, 生地·玄參滋腎水以降虛火, 使火降而衄止, 故其效如神."이라 했다.

第十六章

祛濕劑

무릇 祛濕藥은 化濕利水, 通淋泄濁 등의 작용이 있고 水濕病證을 치료하는 方劑로 조성되어 있으며 濕을 치료한다. 祛濕劑는 유구한 역사를 가지고 있는데, 일찌감치 『內經』에서 사용 원칙을 명확하게 제시하고 있다. "水鬱折之"라고 『素問』「六元正紀大論」에 나와 있고, "去宛陳莝, ……開鬼門, 潔淨府"라고 『素問』「湯液醪醴論」에 나와 있으며, 以及"濕淫於內, 治以苦熱, 佐以酸淡, 以苦燥之, 以淡泄之"라고 『素問』「至真要大論」 나와 있다. ; "濕淫所勝, 平以苦熱, 佐以酸辛, 以苦燥之, 以淡泄之.濕上甚而熱, 治以苦溫, 佐以甘辛, 以汗爲故而止"라고 『素問』「至真要大論」에도 나와 있는 등 많은 곳에 기록되어 있다. 이것은 濕을 없애고자 하는 논리이다. 중국 최초의 약학 전문 서적인 『神農本草經』에는 대량의 祛濕類의 中藥이 있는데, 그중에는 獨活·秦艽·茯苓·猪苓·茵陳蒿·篇蓄등 유명한 祛濕藥物이 포함되어 있다. 이들 기록물은 濕을 제거하는데 밑거름이 되었다. 東漢末 『傷寒雜病論』의 茵陳蒿湯·五苓散·猪苓湯·眞武湯 등의 方劑는 엄격하고 적절히 배합되어 후대의 利水滲濕·溫化水濕 등 祛濕劑의 시초가 되었다. 역대 祛濕劑의 배오와 조성은 臨床에 지대한 영향을 끼쳤다. 당대부터 시작하여 祛濕方劑의 광범위한 이용에 따라 祛濕劑는 점차 方書에서 하나의 전문적인 분야로 나열되었는데, 唐·陳藏器는 『本草拾遺』에서 "燥可去濕"을 十劑 중 하나로 열거했다. 『備急千金要方』에서는 前代 사람들의 유명한 祛濕方인 獨活寄生湯·小續命湯 등을 후대에 널리 알리게 되었다. 『外臺秘要』의 續命湯 등도 그러하다. 宋대 『太平惠民和劑局方』은 각지의 문헌에 기재된 祛濕方을 더욱 광범위하게 수집하고 驗證했는데, 지금까지 일반적으로 쓰이는 藿香正氣散·八正散·六和湯·五淋散 등이 있다. 이러한 祛濕劑들은 널리 알려진 후 광범위하게 인용될 뿐 아니라, 규범으로 전해지기도 한다. 그 외 『濟生方』·『類編朱氏集驗醫方』·『增補內經拾遺方論』 등에도 대량의 祛濕方劑를 수집되었는데, 實脾散·柴平湯·雞鳴散 등이 있다. 金·元시대 劉·李·張·朱 4대의 名醫가 祛濕劑에 대한 운용을 발전시키고 새로운 시도를 하여 새로운 단계를 맞이하게 되었다. 『黃帝素問宣明論方』의 防風湯, 『內外傷辨惑論』의 羌活勝濕湯, 『蘭室秘藏』의 中滿分消丸·通關丸·清震湯·清肺飮子, 『丹溪心法』의 胃苓湯·萆薢分清飮이 있다. 明代 의학자들은 先代 祛濕方에 대한 加減을 잘 했는데, 『醫學正傳』의 三妙丸·『明醫指掌』의 四苓散·『景岳全書』의 大分清飮·『婦科撮要』의 全生白朮散·『古今醫鑒』의 加味二妙丸 등이 있다. 清代 의학자들은 祛濕劑의 사용 범위를 광범위하게 넓혔는데, 王四雄, 吳瑭를 비롯한 溫病학파는 祛濕劑를 사용하여 溫病에 대한 치료범위를 확장하였다. 『霍亂論』에선 連朴飮이 霍亂吐利를 치료하고, 蠶矢湯이 霍亂轉筋을 치료한다고 하였고, 『溫病條辨』에선 三仁湯이 濕溫初期를, 宣痹湯이 濕熱痹證을, 黃芩滑石湯이 濕溫濕熱膠結難解者등을 치료한다고 하였다. 그 외『溫病條辨』에선 古方을 통해 藿香正氣散을 변화시켜 五個加減正氣散등을 만들었다.『醫宗金鑒』에선 祛濕劑를 운용하여 內·外·婦·兒 各 과를 다뤘는데, 香砂平胃散으로 內科病傷食脘腹脹痛을 치료하고, 除濕胃苓湯으로 外科病纏腰火丹을, 加味五淋散으로 孕婦小便頻數窘澀를, 木通散으로 新生兒胎熱過盛·小便不通등을 치료하였다. 當代는 현대 과학기술을 이용하여 祛濕劑 작용의 메커니즘에 대해 실험연구를 진행하고, 祛濕劑의 水液代謝 등 방면에 대한 영향을 밝혀냈다.

祛濕劑는 濕病을 치료하기 위한 것이다. 濕에는 外濕과 內濕의 분류가 있다. 外濕은 습기가 있는 곳에 오래 있거나, 비에 젖거나, 땀에 옷이 젖어 생기는 것이고, 內濕은 날 음식과 찬 음식을 먹고 술과 유제품을 제멋대로 먹어, 脾陽失運한 것이다.『醫學心悟』3卷에서 말하길 "凡人嗜食肥甘, 或醇酒乳酪, 濕從內受.或山嵐瘴氣, 久雨陰晦, 或遠行涉水, 坐臥濕地, 則濕從外受."라고 하였다. 外濕의 病變은 肌表, 經絡, 關節 등의 부위에 잘 나타나는데, 자극이 많이 생기고, 머리가 붓고 몸이 무겁고, 얼굴이 붓고 눈이 노랗게 되고, 사지에 부종이 생기고, 몸이 무겁고 쑤시는 것이다. 內濕의 病變은 臟腑, 氣血에 잘 나타나는데, 胸痞腹滿·嘔惡泄痢·黃疸·足跗浮腫 등이다. 그러나 外濕과 內濕은 서로 영향을 주기 때문에, 外濕이 臟腑에 영향을 줄 수도 있고, 內濕이 肌表에 영향을 미칠 수도 있다. 때문에 外濕과 內濕의 병은 서로 공존한다. 그래서 濕病의 범위가 워낙 넓고 체질이 다양한 탓에 證候이 많거나 겸하거나 변화할 수 있는 것이다. 그리하여 濕邪는 熱을 끼거나 熱化되기도 하고, 寒을 끼거나 寒化되어 虛證에 이르기도 하며, 實證에 이르기도 하여 복잡하다. 치료 방법과 방약배오는 증상에 따라 다르다. 邪氣가 밖과 위쪽에 있는 것은 表散微汗으로 그것을 풀고, 안과 아래에 있는 것은 芳香苦燥로 그것을 풀거나, 甘淡滲利로 그것을 없앤다. 寒化한 것은 溫陽化濕해야 하고, 熱化한 것은 清熱祛濕해야 하고, 體虛濕盛한 것은 祛濕扶正을 함께 고려해야 한다. 그래서 祛濕劑의 분류는 燥濕和胃·清熱祛濕·利水滲濕·溫化水濕·祛風勝濕의 5가지가 있다.

燥濕和胃劑는 濕이 뭉쳤을 때 사용하는데, 脾胃失和의 병증에 사용한다. 脾主升清, 胃主降濁;脾主運化, 胃主受納한다. 만약 濕濁中阻하면, 脾胃가 피곤해지고 脘腹痞滿·噯氣吞酸·嘔吐泄瀉·食少體倦 등의 증상이 보인다. 燥濕和胃方劑 조성은 苦溫燥濕藥과 芳香化濕藥이 주가 되고, 사용 약물로는 蒼朮·厚朴·藿香·白荳蔻 등이 있다. 약의 배오는 아래와 같은 방법이 있다. ① 陳皮·木香·砂仁 등과 같은 氣藥을 배오하는 것이다. 濕은 陰邪이기 때문에 성질이 무겁고 끈적끈적하고 쉽게 기를 뭉치게 만든다. 더하여 脾胃가 濕으로 피곤하게 되면 升降이 잘되지 않고 기가 쉽게 뭉친다. 行氣藥을 배오하여 脾를 각성시키고, 氣를 흐르게 하여 濕을 흐르게 하면, 濕邪의 化解에 유리하다. 예를 들어 平胃散·不換金正氣散의 陳皮·厚朴, 藿香正氣散의 陳皮·厚朴·大腹皮 등이 있다. ② 人蔘·白朮·炙甘草·大棗 등의 建脾藥을 배오하는 것이다. 脾에 濕이 생겨서 脾가 피곤하게 되면 반드시 脾가 虛해져 運化기능이 떨어진다. 建脾藥을 배오하면 脾를 강하게 하여 濕이 머무르지 못하게 한다. 平胃散의 蒼朮, 藿香正氣散의 白朮·甘草·大棗, 六和湯의 人蔘·甘草·白朮·白扁豆 등이 있다. ③ 藿香·蘇葉·白芷·香薷 등의 解表藥을 배오하는 것이다. 濕이 안에 머물면 外邪가 침입하게 되는데, 解表藥을 배오해 外邪를 흩어지게 하여 祛濕劑를 돕는 것이다. 藿香正氣散의 藿香·白芷·蘇葉, 柴平湯의 柴胡, 六和湯의 香薷 등이 있다. 燥濕和胃劑의 대표적인 처방으로 平胃散·藿香正氣散·不換金正氣散·六和湯 등이 있다.

清熱祛濕劑는 濕熱外感, 濕熱內盛, 濕熱下注로 생기는 病證에 활용한다. 暑熱挾濕은 暑濕으로 胸脘痞悶·心煩·身熱·舌苔黃膩의 증상이 보인다. 夏季外感濕熱은 濕溫으로, 頭痛惡熱·身重疼痛·面色淡黃·胸悶不饑·午後身熱 등의 증상이 보인다. 濕熱熏蒸은 膽汁外溢은 즉 黃疸이 되는데, 一身面目이 모두 황색이고, 황색이 선명하며, 舌苔黃膩 등의 증상이 보인다. "濕熱

不攘, 大筋軟短, 小筋弛長, 軟短爲拘, 弛長爲痿"라고 하였다. 濕熱下注는 小便短赤·身重疲乏·舌苔黃膩 등의 증상이 보인다. 淸熱祛濕劑의 조성은 淸熱利濕藥이 주가 되고, 일반적으로 茵陳蒿·薏苡仁·滑石·山梔 등을 사용한다. 배오방법은 아래와 같다: ① 杏仁(宣上焦)·白蔻仁(暢中焦)·薏苡仁(導下焦)등의 宣暢三焦藥을 배오하는 것이다. 三焦가 뭉치면 응결되는데, 三焦를 통하게 해주는 약을 써서 응결되지 않게 한다. 三仁湯의 杏仁·白蔻仁·薏苡仁이 있다. ② 大黃류의 寒性瀉下藥을 배오하는 것이다. 濕熱의 有形實邪는 瀉下藥을 빌어 씻겨 나오게 할 수 있다. 茵陳蒿湯과 八正散의 大黃이 있다. ③ 理氣藥을 배오하는 것이다. 砂仁·厚朴·枳實의 종류가 있다. ④ 補養氣血藥을 배오하는 것이다. 人蔘·白朮·甘草·當歸 등이 있다. 濕熱의 邪가 사람의 氣血을 상하게 하는데, 苦燥淸熱藥, 淡滲利濕藥 역시 사람의 기혈을 상하게 할 수 있기 때문에, 濕熱의 증상에 대해서는 氣血不足을 겸하는 사람은, 淸熱祛濕과 동시에 扶正을 잊지 말아야 한다. 五淋散의 當歸, 中滿分消丸의 人蔘·白朮·甘草, 當歸拈痛湯의 當歸·人蔘·甘草가 있다. 淸熱祛濕劑의 대표적인 약으로 茵陳蒿湯·八正散·五淋散·通關丸·三仁湯·甘露消毒丹·連朴飮·當歸拈痛湯·二妙散·中滿分消丸 등이 있다.

利水滲濕劑는 水濕壅盛으로 생긴 病證에 활용한다. 水濕壅盛이나 水濕이 下焦에 쌓여 淋濁·癃閉·水腫·泄瀉 등이 일어났을 때 쓴다. 利水滲濕劑의 조성은 利水滲濕藥을 주로 하고, 상용 약물은 防己·茯苓·猪苓·澤瀉 등이 있다. 배오하는 법은 아래와 같다. ① 黃芪·白朮·甘草의 종류의 健脾藥을 배오한다. 五苓散의 白朮, 防己黃芪湯의 黃芪·白朮·甘草가 있다. ② 桂枝류의 溫陽化氣藥을 배오한다. 水濕內停하여 膀胱氣化가 잘 되지 않을 때 쓴다. 五苓散·防己茯苓湯의 桂枝가 있다. ③ 阿膠류의 養陰藥을 배오한다. 水濕이 鬱하면 熱이 되어 傷陰耗液하기 쉽다. 예를 들어, 猪苓湯의 阿膠가 있다. 利水滲濕劑의 대표처방으로는 五苓散·猪苓湯·防己黃芪湯·防己茯苓湯·五皮散 등이 있다.

溫化水濕劑는 濕從寒化 혹은 濕이 寒과 맺혔을 때 쓴다. 寒飮水濕의 邪氣가 腸胃에 머물면 痰飮이 된다: "感於寒濕, 則民病身重胕腫, 胸腹痛"(『素問』「六元正紀大論」)라고 말했는데, 寒濕內停은 곧 水腫이다. "寒濕之中人也, 皮膚不收, 肌肉堅緊, 營血泣, 衛氣去"(『素問』「調經論」)라고 말했다. 寒濕이 肌膝에 막히면, 즉 患痹證이다: 寒濕이 外侵하면, 經氣와 血脈이 不和해져서 寒濕脚氣 등을 만든다. 溫化水濕劑의 조성은, 溫陽藥과 利濕藥을 주로 하고, 상용 약물로는 桂枝·附子·茯苓·白朮 등이 있다. 배오는 아래와 같다. 健脾補腎藥을 배오하는 것이 있는데, 白朮·甘草·大棗·益智仁·附子의 종류가 있다. 脾와 腎의 오랜 병으로 耗氣傷陰하거나, 오랜 痢疾이나 水邪가 오래되면, 腎陽이 虛衰하여 脾陽을 도와주지 못하거나 脾陽이 虛衰하여 腎陽을 채우지 못하게 되니, 종국에 脾腎陽氣가 모두 虛하게 되어 脾는 運化水濕하지 못하고 腎은 化氣行水 작용을 하지 못하게 된다. 補脾腎藥을 배오하여 병의 근본을 치료한다. 實脾散의 白朮·大棗·甘草, 苓桂朮甘湯의 白朮·甘草, 眞武湯의 附子·白朮, 萆薢分淸飮의 益智仁 등이 있다. ② 理氣藥을 배오하는 것이 있는데, 厚朴·烏藥·木香·陳皮·大腹子의 종류가 있다. 實脾散의 木香·厚朴, 萆薢分淸飮의 烏藥, 雞鳴散의 陳皮·檳榔 등이 있다. 溫化水濕劑의 대표적인 처방은 苓桂朮甘湯·甘草乾薑茯苓白朮湯·眞武湯·附子湯·實脾散·萆薢分淸飮·雞鳴散 등이 있다.

祛風勝濕劑는 外感風濕에 의한 병증에 활용한다. 風濕相搏은 肌表·頭面·血脈·關節에 氣血不暢과 經脈不舒을 일으켜 頭痛·身痛·腰膝頑麻痹痛, 脚氣足腫 등의 증상을 일으킬 수 있다. 祛風勝濕劑의 조성은 祛風勝濕藥物이 주가 되고 상용 약물로는 羌活·獨活·防風·秦艽 등이 있다. 배오 방법은 아래와 같다. ① 活血藥을 배오하는 것인데, (『婦人大全良方』卷3)에서 "醫風先醫血, 血行風自滅"라고 말했다. 川芎·桂心·牛膝·當歸의 종류이다. 獨活寄生湯의 當歸·牛膝·桂心·川芎, 桂枝芍藥知母湯의 桂枝, 蠲痹湯의 當歸·赤芍등이 있다. ② 補養氣血藥을 배오하는데, 人蔘·黃芪·甘草·當歸·地

黃·芍藥의 종류이다. 風濕이 오래되면 氣血을 상하게 한다. 祛風濕藥은 다수가 辛溫香燥하여 역시 氣血을 상하게 한다. 補養氣血藥을 배오하여 風濕을 제거하지만 正을 상하지 않고, 氣血을 足하게 하고, 風濕을 제거한다. 獨活寄生湯의 人蔘·甘草·當歸·地黃, 蠲痺湯의 當歸·黃芪·甘草, 桂枝芍藥知母湯의 芍藥·甘草·白朮 등이 있다. ③ 補益肝腎藥을 배오하는 것도 있는데, 杜仲·牛膝·桑寄生의 종류이다. 腎主骨하고 肝主筋한다. 腰는 腎之府이고, 膝은 肝之府이다. 風濕痺가 오래되면, 氣血不暢하고, 肝腎失養하게 된다. 補肝腎藥을 배오하여 筋骨을 강건하게 하면, 腰膝酸軟이 자연히 낫는다, 獨活寄生湯의 杜仲·牛膝·桑寄生 등이 있다. 祛風勝濕劑의 대표 처방은 獨活寄生湯·蠲痺湯·桂枝芍藥知母湯 등이 있다.

祛濕劑를 응용할 때에 아래와 같은 점에 주의해야 한다. 우선, 여러 臟腑와 밀접한 관련이 있다. 사람의 몸에서 腎은 水를 主하고 脾는 水를 制하며 肺는 水를 調한다. 고로 肺脾腎 3臟이 水濕과 가장 많이 관련되어 있다. 脾虛하면 生濕하고 腎虛하면 水泛하고 肺失宣降은 水津不布하게 된다. 그래서 치료시에 健脾하면 化濕할 수 있어 물을 제어할 수 있고, 溫腎하면 行水할 수 있어 水濕이 풀어지게 할 수 있고, 宣肅肺氣하면 水道通調하게 된다. 三焦와 膀胱도 水濕과 관련이 있다. 三焦氣阻하면 決瀆無權하고, 膀胱不利하면 小便不通한다. 三焦를 잘 통하게 하고, 膀胱의 氣를 잘 化하면 水濕을 빠르게 제거할 수 있다. 두 번째로, 水와 濕은 관련이 있다. 濕은 水와 동류이다. 濕은 水의 근본이고 水는 濕이 모인 것이다. 이 두 개는 구별하기 어렵기 때문에, 일반적으로 水濕을 竝稱한다. 세 번째는, 본래 체질이 陰虛津虧하고 病後體虛 및 妊婦水腫에 대해서는 祛濕劑를 신중하게 이용해야 한다. 祛濕劑의 다수가 辛溫하고 燥하거나 苦寒滲利하기 때문에 쉽게 耗陰傷津할 수 있기 때문이다.

第一節 化濕和胃劑

平胃散

(『簡要濟衆方』卷5)

【異名】 天下受拜平胃散(『嶺南衛生方』卷中)·受拜平胃散(『雜類名方』)·神效平胃散(『保命歌括』卷19)

【組成】 蒼朮 去黑皮, 搗爲粗末, 炒黃色 四兩(120 g) 厚朴 去粗皮, 塗生薑汁, 炙令香熟 三兩(90 g) 陳橘 皮洗令淨, 焙乾 二兩(60 g) 甘草 炙黃 一兩(30 g)

【用法】 上爲散. 每服 二錢(6 g), 水一中盞, 加生薑 2편, 大棗 2매를 함께 六分까지 끓이고, 찌꺼기를 제거하여, 식전에 따뜻하게 복용한다.

【效能】 燥濕運脾, 行氣和胃

【主治】 濕滯脾胃證. 脘腹脹滿, 不思飮食, 口淡無味, 惡心嘔吐, 噯氣呑酸, 肢體沉重, 怠惰嗜臥, 常多自利, 舌苔白膩而厚, 脈緩.

【病機分析】 本證의 病機는 濕滯脾胃, 運化失職이다. 脾는 土에 속하고, 濕은 土의 氣이다. 『素問』「陰陽應象大論」에서 이르길 "其在天爲濕, 在地爲土, 在體爲陰, 在臟爲脾."라고 하였다. 脾는 運化를 주관하고, 燥를 좋아하고 濕을 싫어하는데, 脾가 濕困하면 運化失司되니 음식이 생각나지 않거나 적게 먹고 맛을 모르게 된다. 濕은 陰邪에 속하며, 성질은 粘滯하고, 阻遏氣機하고 氣滯不行하면 脘腹脹滿하게 된다. 濕의 성질은 重滯한데, 脾는 四肢와 肌肉을 주관하는데, 濕이 脾에 鬱하게 되면, 몸이 무겁고 눕기를 좋아하게 된다. 『血證論』 6권에 이르길 "身體沉重, 倦怠嗜臥者, 乃

脾經有濕."이라고 하였다. 脾와 胃는 서로 表裏가 되고, 脾가 健運을 잃으면, 胃가 和降을 잃게 되고, 심하면 胃氣가 上逆하니, 惡心嘔吐와 噯氣呑酸이 생긴다. 濕이 脾胃에 뭉치면 升降기능이 사라지고, 아래로는 大腸을 迫하게 되어, 自利가 생긴다. 苔는 白膩厚하고, 脈은 緩하며, 濕滯脾胃之征에 이르게 된다.

【配伍分析】 本 方劑는 濕滯脾胃의 증상을 위해 만들어졌기 때문에, 燥濕運脾, 行氣和胃의 법을 사용한다. 『臨證指南醫案』卷3에서 말하길 "脾宜升則健, 胃宜降則和, 太陰濕土, 得陽始運, 陽明陽土, 得陰始安"이라고 하였다. 本 方劑에서 蒼朮이 君藥이 되는데, 味苦하고 性은 溫燥하고, 燥濕을 아주 잘 하며, 健脾도 겸하는데, 濕을 제거해 脾運을 잘 하게 하고, 脾健하면 濕邪가 化한다. 그래서『本草正義』卷1에서는 말하길 "凡濕困脾陽, ……非茅朮芳香猛烈, 不能開泄. 而脾家鬱濕, 茅朮一味, 最爲必需之品."이라고 하였다. 脾氣가 잘 운행하면 濕邪가 運化되고, 氣의 운행이 끊이지 않게 되는데, (『溫病條辨』卷1)에서 말한 "氣化則濕亦化"의 의의가 있다. 濕邪는 氣機운행을 방해하며, 氣가 통하지 않으면, 祛濕을 하는 중에 行氣하는 약재가 필요한데, 그래서 厚朴이 臣이 된다. 이것은 苦溫하고 行氣消滿 능력이 뛰어나고, 苦燥芳化의 성질이 있어 行氣와 祛濕을 겸하게 된다. 『本草彙言』에서 말하길 "厚朴, 寬中化滯, 平胃氣之藥也.凡氣滯於中, 鬱而不散……或濕鬱積而不去, 濕痰聚而不淸, 用厚朴之溫可燥濕, 辛可以淸痰, 苦可以下氣也."라고 하였다. 蒼朮과 서로 배오하면, 燥濕健脾하고, 行氣化濕하여 脾氣健運하게 한다. 두 약을 함께 사용하면 燥濕運脾 효능을 강화한다. 佐藥으로 陳皮는 理氣和胃하고, 芳香醒脾하여 蒼朮의 燥濕을 돕고, 厚朴의 行氣를 돕는다. 陳皮·厚朴은 芳香化濕하여, 醒脾調中의 효능이 있다. 甘은 먼저 脾로 들어가는데, 脾가 健運한다. 그래서 甘草를 使藥으로 하면, 여러 약을 조화롭게 하면서 또한 甘緩和中 할 수 있다. 用法 중 生薑·大棗를 넣으면, 調和脾胃의 효능을 더욱 크게 한다. 전체 方劑는 燥濕을 위주로 하고, 行氣로 輔하여, 俾濕을 化하고, 氣機가 調暢하게 하여, 脾가 健運을 얻고, 胃氣가 和降하게 되어, 濕阻氣滯의 證이 저절로 낫게 된다. 그러므로 本 方劑는 苦燥를 사용하는데, 특히 有濕有滯한 사람에게 적당하다. 즉, 吳氏가 말한 "惟濕土太過者能用之"이다(『醫方考』卷1). 脾濕이 제어되면, 胃氣가 相平하게 되고, 脾胃가 平和하게 되고, 升降은 저절로 질서를 얻게 된다.

本 方劑의 명명에 관하여, 張介賓이 말하길 "夫所謂平胃者, 欲平治其不平也"(『景岳全書』卷 17)라고 했다. 本 方劑는 胃土의 不平한 것을 平하게 만들어 胃氣를 치료하기 때문에 "平胃散"이라고 불렀다.

本 方劑의 배오 특징은 두 가지이다. 하나는 燥濕과 行氣를 병행하는데, 燥濕이 주가 되는 것이고, 두 번째는 여러 약이 모두 脾經으로 들어가, 본 방제는 脾濕을 치료하는데 중점을 두며, 胃氣를 和하는 것을 겸한다는 것이다.

【臨床應用】

1. 證治要點: 本 方劑는 임상운용 시에 脘腹脹滿하고 舌苔厚膩를 證治要點으로 하는, 燥濕和胃를 위한 기본적인 方劑이다.

2. 加減法: 濕熱에 속하는 사람은 黃連·黃芩을 더하여 淸熱燥濕하고, 寒濕에 속하는 사람은 乾薑·草豆蔻을 가하여 溫化寒濕하고, 濕이 盛하여 泄瀉하는 사람은 茯苓·澤瀉을 더하여 利濕止瀉하고, 嘔하는 사람은 半夏를 더하여 和胃止嘔하고, 食滯를 겸하고, 腹脹滿이 보이고, 大便이 秘結한 사람은 萊菔子·神曲·檳榔·枳實을 더하여 消食除滿한다.

3. 平胃散은 다음 한국표준질병사인분류(KCD)에 해당하는 환자가 濕滯脾胃證.으로 辨證되는 경우 본 처방의 사용을 고려해볼 수 있다.

처방 목표	한국표준질병사인분류(KCD)
傳染性肝炎	B15~B19 바이러스간염
慢性胃炎	K29.3 만성 표재성 위염
	K29.4 만성 위축성 위염
	K29.5 상세불명의 만성 위염
胃十二指腸潰瘍	K25 위궤양
慢性腸炎	K26 십이지장궤양
腸梗阻	K52 기타 비감염성 위장염 및 결장염
蛔蟲性食道梗阻	K56 탈장이 없는 마비성 장폐색증 및 장폐색
閉經經前期緊張綜合征	B77.8 기타 합병증을 동반한 회충증
子宮頸炎	N95 폐경 및 기타 폐경전후 장애
百日咳	N72 자궁경부의 염증성 질환
小兒壓食證	A37 백일해
소아거식증	F98.2 영아기 또는 소아기의 급식장애
	F50.0 신경성 식욕부진
	R63.0 식욕부진
嬰幼兒腹瀉	(질병명 특정곤란)
	A09.9 상세불명 기원의 위장염 및 결장염_신생아의 설사 NOS
急性濕疹	L20~L30 피부염 및 습진
男性性功能低下	F52.0 성욕감퇴 또는 상실
	F52.2 생식기반응의 부전
口腔粘膜腺癌	C06 입의 기타 및 상세불명 부분의 악성 신생물

【注意事項】 本 方劑는 辛苦溫燥하기 때문에 쉽게 正을 상하고 陰을 소모할 수 있어, 陰虛氣滯나 脾胃虛弱者나 孕婦에겐 사용하지 않아야 한다.

【變遷史】 平胃散의 이름이 처음 언급된 것은 北宋 王袞의 저작인『博濟方』(1047) 卷2에서 이다. 厚朴·炙甘草·蒼朮·陳皮·人蔘·茯苓으로 이루어져 있으며, 효능은 治氣利膈, 消食平胃이고, 적응증은 脾胃不和, 不思飮食이다. 현재까지 전해 내려오는 平胃散方은, 北宋 周應이 쓴『簡要濟衆方』卷5(1051)에 기록되어 있는데, 胃氣不和를 치료한다고 하였다. 후에『太平惠民和劑局方』卷3에서 더 명확해졌는데 "平胃散治脾胃不和, 不思飮食, 心腹脅肋脹滿刺痛, 口苦無味, 胸滿短氣, 嘔噦惡心, 噫氣呑酸, 面色萎黃, 肌體瘦弱, 怠惰嗜臥, 體重節痛, 常多自利, 或發霍亂, 及五噎八痞, 膈氣反胃, 並宜服."이라고 하였다. 卷2에서 藥味는 같지만 용량이 다른 對金飮子(厚朴·蒼朮·甘草 各二량(60 g), 陳皮 반근(240 g)에 대한 것이 있는데, "治諸疾, 無不愈者.常服固元陽益氣, 健脾進食, 和胃祛痰, 自然榮衛調暢, 寒暑不侵, 此藥療四時傷寒."이라고 하였다. 本 方劑에 기초해 나온 加減方인 和解散(厚朴·蒼朮·陳皮·甘草·薑·棗·藁本·桔梗)은 "治男子婦人四時傷寒頭痛, 憎寒壯熱, 煩躁自汗, 咳嗽吐痢"라고 되어있다.『內經拾遺方論』卷3에 平胃散과 小柴胡湯을 합한 것이 瘵痃瘧을 치료한다고 하였는데, 이름을 柴平湯이라고 하였다. "方用小柴胡湯以散風寒, 平胃散以消飮食, 故曰柴平". 元代에 이르러, 朱震亨『丹溪心法』卷2에는 胃苓湯(平胃散與五苓散合方)이 나와서 "夏秋之間, 脾胃傷冷, 水穀不分, 泄瀉不止"를 치료한다고 되어 있고, 加味平胃散(平胃散加神曲·麥芽)을 써서 "治呑酸或宿食不化"(『丹溪心法』卷3) 한다고 하였다. 葛可久는『十藥神書』에서 參苓平胃散(平胃散加人蔘·茯苓)을 사용하여 濕阻中焦, 氣虛乏力, 脘腹脹痛, 舌苔膩, 食少便溏한 것을 치료한다고 하였다. 明代에 이르러 龔廷賢『壽世保元』卷3에서 香砂平胃散(平胃散에 香附·砂仁·白朮·茯苓·半夏·神曲·白芍을 더함)을 사용하여 "腹痛甚而泄瀉, 瀉後痛減者, 食積也"를 치료했다. 또 加味平胃散(平胃散에 半夏·川芎·香附·枳實·木香·神曲·山楂·乾薑)을 사용해, "食積腹痛, 其脈弦, 其痛在上, 以手重安愈痛, 甚欲大便, 利後其痛減是也."(『壽世保元』卷5)를 치료했다. 王肯堂『證治準繩』「類方」의 調氣平胃散(平胃散에 木香·烏藥·白荳蔲仁·檀香·砂仁·藿香을 더함)을 "突然手足逆冷, 肌膚粟起, 精神不守, 或錯言妄語, 牙緊口噤或頭旋暈, 昏倒不知人……頭面靑黑" 등 中惡의 후유증 치료에 사용한다고 했다. 秦景明『症因脈治』卷3은 枳桔平胃散(平胃散에 枳殼·桔梗을 더함)으로 "氣結腹脹", "胸前飽悶"을 치료하고, 茵陳平胃散(蒼朮·厚朴·陳皮·山梔·茵陳·淡豆豉)로 "食谷頭眩, 心中怫鬱, 胃中苦濁, 小便不通, 遍身俱黃"

의 穀疸을 치료했다. 이 책 卷2의 家秘消滯湯(平胃散에 萊菔子·枳實·山楂·麥芽를 더함)은 "胸前滿悶, 暖氣作痛, 痛則嘔吐, 得食愈痛, 按之亦痛"의 食積嘔吐를 치료했다. 荊防平胃散(平胃散에 荊芥·防風을 더함)은 "惡寒發熱, 暴吐不止, 嘔出淸液, 不雜糟粕穀食", "脈浮身熱者"를 치료했다. 二陳平胃散(半夏·茯苓·陳皮·甘草·蒼朮·厚朴)은 "食積咳嗽, 脈沉滑, 胸滿悶者"를 치료했다. 『醫宗金鑑』「外科心法要訣」卷63의 芩連平胃散(平胃散에 黃連·黃芩을 더함)은 "燕窩瘡在下頦生, 如攢粟豆痒熱痛, 形類黃水瘡破爛, 此證原來濕熱成"을 치료했다. 이 책 『雜病心法要訣』卷42는 香連平胃散(平胃散에 木香·黃連을 더함)으로 "濕痢"를 치료했다. 『傅靑主女科』「産後編」은 平胃散에 朴硝를 더해 煎服하여, "死産者, 子死腹中也, 驗母舌靑黑, 其胎已死, 先用平胃散一服, 酒水各一鍾, 煎八分, 投朴硝, 煎服卽下, 用童便亦好, 後用補劑調理". 當代『北京市中藥成方選集』香砂平胃散은 平胃散을 기초로, 行氣寬中, 順氣止嘔의 木香·砂仁을 더해, 脾濕에 氣逆이 비교적 현저하고, 嘔吐惡心, 倒飮嘈雜의 증상을 치료한다. 『中醫治法與方劑』의 枳朮平胃散은 平胃散과 枳朮湯을 合用하여, 下氣消痞, 健脾化濕의 효능을 강화하고, 脾虛濕盛, 氣機阻滯, 心下痞堅을 치료한다. 茵陳胃苓湯(胃苓湯에 茵陳을 더함)은, 陰黃을 치료한다. 上海中醫學院이 編著한 『方劑學』의 楂曲平胃散은 平胃散을 기초로, 山楂·神曲·麥芽를 더해, 飮食積滯, 痞脹呑酸, 不思飮食, 倦怠嗜臥 등의 증상을 주치한다.

상술한 方劑의 구성을 보면, 여러 方劑가 비록 蒼朮·厚朴·陳皮·炙甘草를 주로 하지만, 배오하는 약물은 각자 다르다. 藁本·桔梗·荊芥·防風·藿香 등을 배오하여, 解表를 겸하고, 神曲·麥芽·山楂·萊菔子·砂仁 등을 배오하여, 消食을 겸하고, 木香·香附·砂仁·枳殼·桔梗·檀香·烏藥 등을 배오하여, 調氣를 겸하고, 猪苓·茯苓·澤瀉·茵陳 등을 배오하여, 利濕을 겸하고, 黃連·黃芩·梔子 등을 배오하여, 淸熱을 겸하고, 二陳湯을 배오하여 燥濕化痰을 겸하고, 小柴胡湯을 배오하여, 和解少陽을 겸하고, 芒硝를 배오하여, 促下死胎를 겸하고, 脾虛明顯한 사람은 人蔘·茯苓·白朮 등을 배오한다. 이와 같이 많은 배오 방법은 平胃散方의 발전변화와 광범위한 치료 작용을 구현했다.

【難題解說】

1. 本 方劑의 方源에 관하여: 과거의 方劑 전문 저작과 교재는 모두 平胃散이 『太平惠民和劑局方』卷3에서 나왔다고 기록했다. 『局方』전에 『簡要濟衆方』卷5에 이미 平胃散의 기재가 있었다. 日·丹波元胤은 周氏의 『簡要濟衆方』을 고증할 때 "平胃散一方, 世爲出『局方』, 不知其本于是書"(『中國醫籍考』卷45)를 지적했다. 柯琴은 "李東垣制平胃散"(錄自『古今名醫方論』卷4): 冉雪峰은 "此方原出『聖惠』, 見『中國醫籍考』, 『和劑局方』犹是轉輯"(『歷代名醫良方注釋』)이라고 했는데, 모두 타당하지 않다.

2. 平胃의 뜻에 관하여: 吳昆은 平胃를 "平敦阜之土"라고 이해하고, 柯琴은 平胃土의 卑鑒을 "培其卑者而使之平, 非削平之謂"라고 이해했다. 두 관점은 서로 대립하는 것처럼 보이지만, 사실상 통일할 수 있다. 前者는 病邪에 착안하여, 本 方劑의 燥濕祛邪로, 理氣和胃하여, 平和胃土하고, 後者는 病胃를 기반으로, 脾胃運化의 失健에, 平胃散을 이용해 中焦의 健運을 촉진하고, 土燥하면 濕滯가 스스로 없어진다고 말했다. 입론의 각도는 다소 차이가 있지만 平胃散의 목적은 일치한다고 볼 수 있다.

【醫案】

1. 泄瀉 『宋元明淸名醫類案』「朱丹溪醫案」: 70살의 노인이 천성은 장사인데, 형체가 매우 말랐다. 늦여름 설사에 걸려 가을에 더 심해졌는데 백약이 무효했다. 병이 오래 되었으나 정신은 멀쩡하고, 소변은 짧고 적었으나 적색은 아니었으며 양손의 맥은 澀하고, 자못 弦했다. 스스로 말하길 胸膈이 微悶하고 식욕이 감소했다고 했다. 이것은 틀림없이 여러 해 쌓인 것이 腸胃에 있는 것이었다. 평소 어떤 음식 먹는 것을 좋아하냐고 했는데 대답하길 鯉魚를 좋아하는데 3년간 하루도 먹

지 않은 날이 없었다고 했다. 내가 말하기를 痰이 肺에 쌓였는데, 肺는 大腸의 臟이므로, 마땅히 大腸이 不固하도록 해야 한다. 그 근원을 깨끗하게 하면, 흐르게 되어 자연히 맑게 될 것이다. 茱萸·青蔥·陳皮·苜蓿根·生薑의 煎濃湯에 砂糖을 녹여서 한 대접을 마시고, 스스로 손가락을 목구멍에 넣고, 반 시간이 되자, 끈적끈적한 痰을 반 升 정도 토했다. 밤엔 반으로 줄이고, 다음날 아침에 또 마셨는데, 다시 痰을 반 升 토하고 利가 그쳤다. 平胃散에 白朮·黃連을 더하여 10일 동안 10여 첩을 복용하니 안정되었다.

考察: 본 예의 환자의 설사는 “積痰在肺”, “大腸不固”로 인해 생긴 것으로, 涌吐痰의 치료법으로, “利止”하게 되었다. 脾는 痰이 생기는 근원이기 때문에 후에 다시 平胃散에 白朮·黃連을 더하여 치료했다.

2. 心胃痛 『續名醫類案』卷18: 程沙가 泰興에 부임할 때, 한 유모가 차가운 고기를 먹고 心脾脹痛을 참을 수가 없어, 錢을 주어 陳茱萸 50~60환을 얻고, 물 한 잔을 끓여 찌꺼기를 제거하고, 官局平胃散 三錢을 넣고 다시 끓여 따뜻하게 복용했다. 한 번 먹고 통증이 사라졌고, 두 번 먹고 완전히 없어졌다. 이르기를 高宗이 이것을 가까운 신하에게 주어 맛보게 하였는데, 질병이 매우 많이 나아서, 실로 신기한 처방이라고 했다.

3. 閉經 『新中醫』(1984, 6:24): 여성, 22세, 학생, 미혼. 5개월 전부터 月經이 오지 않았다. 복부 불편감이 없고 식사량은 정상인데, 좀 뚱뚱한편이고, 면색은 윤택있는 편이고, 몸과 사지가 무거운 편이었으며, 舌은 胖하고 苔는 薄白한데 中根部에 苔稍滑膩하고, 脈은 沉實했다. 이전에 逍遙散加味方과 桃紅四物湯加減方을 먹었는데 효과가 없었다. 병은 痰濕脂膜에 해당하며 胞宮經脈이 阻滯했기 때문에 생긴 것이다. 平胃散에 芒硝을 더해 2첩을 먹였다. 1첩을 먹고 월경이 돌아왔고, 주기가 정상이 되었다. 2개월 추적 관찰 동안 월경은 정상이었다.

【副方】

1. 枳朮平胃散(『中醫治法與方劑』): 平胃散과 枳朮湯의 合方.

- 用法: 물에 달여 복용한다.
- 作用: 燥濕健脾, 行氣消痞.
- 適應症: 平胃散證과 脾虛濕勝, 氣機阻滯, 心下痞堅인 사람.

2. 香砂平胃散(『疫疹一得』卷下): 蒼朮炒 一錢半(4.5 g) 厚朴炒 一錢(3 g) 陳皮 一錢(3 g) 木香 五分(1.5 g) 砂仁 八分(2.4 g) 甘草 五分(1.5 g) 生薑 一片

- 用法: 물에 달여 복용한다.
- 作用: 燥濕健脾, 行氣寬中.
- 適應症: 疫病이 나은 후, 남은 열이 없어지지 않고, 위장이 허약하여, 먹을 수 없는데 강제로 먹이고, 열이 숨어 있기 때문에, 穀氣가 留搏하고, 兩陽이 서로 합하여 병이된 것을 食腹이라고 한다. 또 脾虛傷食하고, 脘腹痞滿, 納呆, 惡心嘔吐 등이 있다.

3. 柴平湯(『景岳全書』「古方八陣」卷54): 柴胡 人蔘 半夏 黃芩 甘草 陳皮 厚朴 蒼朮

- 用法: 水二盅에 薑·棗를 넣고 달여 복용한다.
- 作用: 和解少陽, 祛濕和胃.
- 適應症: 濕瘧, 一身의 盡痛, 手足이 沉重하고, 寒多熱少하며, 脈이 儒하다.

위 세 方劑는 모두 平胃散에 加味하여 만들었다. 枳朮平胃散은 平胃散에 枳實·白朮을 더한 것으로, 一升一降하고, 下氣消痞를 증강시키고, 健脾除濕하는 효능이 있어, 脾虛濕勝, 心下痞堅의 濕滯脾胃證에 적당하다. 香砂平胃散은 平胃散에 木香·砂仁을 더하여 行氣和胃하고 行氣를 증강하고 健脾·止嘔의 효능이 있어, 濕阻氣滯로 痞滿惡嘔에 이른 증상에 알맞다. 柴平湯은 小柴胡湯과 平胃散의 合方한 것으로 和解少陽의 효능을 증가시키고, 素多痰濕, 複感外邪, 濕痰이 少陽을 막은 것, 寒多熱少의 濕瘧에 적당하다.

不換金正氣散 (不換金散)

(『易簡方』)

【異名】 正氣淸肌飮·藿香安胃散(『內經拾遺方論』卷3)·眞方不換金正氣散 (『普濟方』卷147)·藿香正氣散(『症因脈治』卷4).

【組成】 藿香 厚朴 蒼朮 陳皮 半夏 甘草 各等分.

【用法】 위의 것을 가루로 만든다. 매회 四錢(12 g)을 복용하는데, 물 1잔에 生薑 3편을 넣고 六分까지 끓여 찌꺼기를 제거하고 따뜻하게 복용한다.

【效能】 燥濕化濁, 和胃止嘔.

【主治】 濕濁內停, 兼有表寒證. 嘔吐腹脹, 惡寒發熱, 霍亂吐瀉하거나, 不伏水土하거나, 舌苔가 白膩한 것 等.

【病機分析】 本 方劑의 病機는 濕濁中阻, 風寒束表한 것이다. 濕濁內停, 阻遏氣機, 氣滯不行하면 腹脹滿하게 된다. 濕滯中焦하고 氣機의 升降이 일상을 잃고, 寒邪가 肌膚이 外束을 겸하면 衛陽이 發越하지 못하게 되어 "胃氣得寒則逆"(『傷寒貫珠集』卷 1)라고 하였고, 內外가 서로 합하여, 胃氣가 上逆하면 嘔吐가 심해진다. 風寒이 外束되고, 衛陽이 막히면, 正邪가 相爭하게 되어, 惡寒發熱하게 된다. 혹은 寒濕의 더러운 氣가 中焦에 뭉치고, 陽氣는 막혀, 淸氣가 올라가지 못하고, 濁氣가 내려오지 못해, 淸濁이 어지럽게 섞이면, 上吐下瀉에 이른다. 舌苔가 膩한 것은 寒濕의 증상이다.

【配伍分析】 本 方劑는 濕濁內停한데 風寒束表를 겸한 것을 위해 만들어졌는데, 燥濕化濁으로, 和胃止嘔하고, 解表散寒를 겸하도록 치료법을 세운다. 本 方劑는 平胃散에 藿香·半夏을 더하여 구성하는데, 용량은 같다. 方劑에서 藿香은 성질과 맛이 辛하고 微溫하여, 脾胃肺經에 歸經하고, 芳化濕濁하는 要藥이다. 『本草圖經』卷10에서 "治脾胃吐逆, 爲最要之藥"이라고 하였다. 『本草述』에서 말하길 "散寒濕·暑濕……治外感寒邪, 內傷飮食, 或飮食傷冷濕滯, 山嵐瘴氣"라고 하였다. 外散表寒, 內化濕濁, 理氣和中, 辟穢止嘔하는 효능이 있어 君藥이 된다. 蒼朮은 燥脾濕을 잘 하며, 또한 表로 가서 祛風除濕을 하니 君藥과 서로 배오되어 表裏之濕을 제거하고 山嵐瘴氣를 없앤다. 厚朴은 下氣除滿, 芳香化濁하여 蒼朮과 서로 합하면 燥濕運脾의 능력을 강화시켜 함께 臣藥이 된다. 半夏는 降逆止嘔에 좋고, 또한 燥濕化痰·消痞하는데, 『重修政和經史證類備用本草』卷 10에서 이르길 "消痰涎, 開胃健脾, 止嘔吐"라고 하였다. 陳皮는 理氣和胃, 芳香醒脾하여 佐藥이 된다. 使인 甘草는 여러 약을 조화롭게 하며, 用法에서 生薑을 넣는 것은 辛散走表, 和胃止嘔하기 위해서이다. 모든 약이 相伍되면 穢濁이 사라지고, 嘔吐가 멈추고, 腹脹이 없어지고, 表寒을 흩어지게 할 수 있다.

本 方劑는 燥濕健脾·芳香化濁·和胃止嘔하는 효능이 있다. "俾正氣得以轉輸, 邪氣無由乘襲, 可貴孰甚焉, 故名不換金也". "方名曰正氣者, 謂其能正不 正之氣故爾". 그러므로 이름하여 不換金正氣散이라고 했다.

本 方劑의 配伍의 특징은 두 가지가 있다: 하나는 表裏同治하되 治裏를 우선하여, 안에 머물러 있는 濕濁을 제거한다. 두 번째는 升降을 같이 쓰되 降이 主가 되어, 逆上하는 胃氣를 내린다.

【類似方比較】本 方劑와 平胃散은 모두 蒼朮·厚朴·陳皮·炙甘草를 사용하여 燥濕和胃·理氣의 효능이 있고, 濕濁中阻한 腹脹·嘔吐·苔膩 등의 病證을 치료한다. 다른 점은 平胃散은 濕滯脾胃證을 치료하고, 燥濕運脾에 효능을 치중하여, 蒼朮이 君藥이 된다. 하지만 本 方劑는 平胃散을 기초로 藿香·半夏을 더해 조성하여 濕濁內停과 表寒證을 겸한 것을 치료하고, 효능은 化濁止嘔에 解表를 겸한 것에 중점을 두어, 藿香이 君藥이 된다.

【臨床應用】

1. 證治要點: 本 方劑는 濕濁內停에 表寒證을 겸한 것을 치료하는 것으로 臨床運用에서 嘔吐, 腹脹, 惡寒發熱, 苔膩를 證治要點로 한다.

2. 加減法: 頭痛을 겸한 사람은 川芎·白芷를 더하여 祛風活血止痛하고, 冷瀉가 멈추지 않고 腹痛이 심한 사람은 乾薑·官桂를 더하여 溫中散寒止痛하고, 嘔逆하면 丁香·砂仁으로 溫胃散寒, 降逆止嘔한다.

3. 不換金正氣散은 다음 한국표준질병사인분류(KCD)에 해당하는 환자가 濕濁內停, 兼有表寒證으로 辨證되는 경우 본 처방의 사용을 고려해볼 수 있다.

처방 목표	한국표준질병사인분류(KCD)
腸型感冒	A08 바이러스성 및 기타 명시된 장감염
	A09 감염성 및 상세불명 기원의 기타 위장염 및 결장염
慢性淺表性胃炎	K29.3 만성 표재성 위염
腸易激綜合征	K58 과민대장증후군
急性胃腸炎	K29 위염 및 십이지장염
	K50~K52 비감염성 장염 및 결장염

【注意事項】『太平惠民和劑局方』卷2에서 이르기를 忌生冷·油膩·毒物이라고 했다. 本 方劑는 辛苦溫燥, 易耗陰血하여 陰虛·脾胃虛弱과 孕婦에게 사용해서는 안 된다.

【變遷史】本 方劑는 원래 이름은 "不換金散"이었다. 『易簡方』에서 主治가 "外感風寒, 內傷生冷, 憎寒壯熱, 頭目昏疼, 肢體拘急, 不問風寒二證及內外之殊, 以及山嵐瘴氣, 四時瘟疫"이라고 하였다. 『太平惠民和劑局方』卷2 吳直閣增諸家名方에서 이름을 不換金正氣散이라 하고, "四時傷寒, 瘴疫時氣, 頭痛壯熱, 腰背拘急, 五勞七傷, 山嵐瘴氣, 寒熱往來, 五膈氣噎, 咳嗽痰涎, 步行喘乏, 或霍亂吐瀉, 臟腑虛寒, 下痢赤白"에 사용했따. 이후 역대 의학자들이 本 方劑는 主治病證에 대해 많이 서술했다. 『仁齋直指方論』卷23에는 "腸風便血"; 『世醫得效方』卷11에서는 "久在卑濕, 或雨露所襲, 身重脚弱, 關節疼, 發熱惡寒, 小便澀, 大便泄, 身汗或浮滿"; 『普濟方』卷404: "痘瘡外爲風寒所折, 榮衛不和, 內有乳食所傷, 內氣壅遏"; 『景岳全書』「古方八陣」卷64에선 "瘡瘍, 脾氣虛弱, 寒邪相搏, 痰停胸膈, 致發寒熱"; 『濟陰綱目』卷9에선 "妊婦傷濕泄瀉"; 『類證治裁』卷4에서는 "疫瘧因染時邪, 寒熱成瘧, 其症沿門合境"이라고 하였다.

역대 의학자들은 本 方劑를 기초로 하여 증상에 따라 가감하여 적지 않은 수의 비슷한 처방으로 발전시켰다. 配伍의 變化는 대략 이하 몇 개의 내용으로 정리할 수 있다. ① 木香·砂仁·香附·枳實 類의 行氣藥을 더한다. 『症因脈治』卷4의 不換金正氣散은 즉 본 方劑에서 半夏를 빼고 木香을 더하여 "治表邪發熱"했다. 『雜病源流犀燭』卷3의 加減正氣散은 본 方劑에서 砂仁·香附·燈心을 더하여, "異鄉人初到他方, 不伏水土, 亦吐利兼作"를 치료했다. ② 人蔘·白朮의 類의 補氣健脾藥을 더한다. 『內經拾遺方論』卷3의 除濕湯은 本方에 白朮·茯苓을 더하여 "大病後, 脾土虛弱, 風濕所致的面腫, 足脛腫"에 사용하고, 『外科精要』 卷下의 不換金正氣散은 本方에 人蔘·木香을 더하여 "癰疽感冒風寒, 或傷生冷, 或瘴瘧, 或疫癘."을 치료했다. ③ 附子·草果의 類의 溫裏祛寒藥을 더한다. 『是齋百一選方』卷3의 除濕湯이라고, 本方劑에 附子·白朮·茯苓을 더하여 "一切中濕自汗, 淅淅惡風, 翕翕發熱, 陽虛自汗, 呼吸少氣"를 치료하고, 『古今醫統大全』卷76의 不換金正氣

散은 本 方劑에 草果를 더하여 "一切山嵐瘴氣, 八般瘧疾, 四時傷寒, 五種膈氣, 腹痛脹滿, 呑酸噫氣, 噎塞乾嘔, 惡心;內受寒濕, 外感風邪, 頭痛頭眩, 鼻塞;及一切霍亂時氣, 不伏水土."를 치료했다. ④ 黃連 類의 淸熱燥濕藥을 더한다.『壽世保元』卷3의 加減不換金正氣散은 本 方劑에 黃連·枳實·白朮·茯苓·白豆蔻를 더하여, "噎食轉食"를 치료했다.

【醫案】 白細胞減少『浙江中醫藥』(1975, 2:30): 某某, 白細胞減少를 앓았는데, 利血生하는 등의 약을 복용했으나 효과가 없었다. 증상은 肝腎陰虛, 內有濕阻에 속했다. 먼저 本方에 茯苓을 더하여 5첩을 복용한 후, 胸悶이 호전되어, 계속해서 肝腎을 보호하는 처방을 加減하여, 15첩 만에 완치되었다.

考察: 이것은 虛實夾雜의 병증이다. 원래 먼저 祛邪하고 후에 補虛하는 것을 원칙으로, 不換金正氣散에 茯苓을 더하여 燥濕化濁, 健脾和胃로 邪를 제거하고, 濕濁이 제거되면 재차 肝腎을 보호하는 處方으로 그 虛를 補하여 좋은 효과를 거두었다.

藿香正氣散

(『太平惠民和劑局方』卷2)

【異名】 正氣散(『傷寒全生集』卷2)·藿香正氣湯(『醫宗金鑒』「幼科雜病心法要訣」卷52).

【組成】 大腹皮 白芷 紫蘇 茯苓 去皮 各一兩(各 30 g) 半夏麯 白朮 陳皮 去白 厚朴 去粗皮, 薑汁炙 苦桔梗 各二兩(各 60 g) 藿香 去土 三兩(90 g) 甘草 炙 二兩半(75 g)

【用法】 위의 재료를 고운 가루로 만든다. 매번 二錢을 복용하는데, 물 1잔, 薑 3편, 棗 1매를 함께 七分까지 달여, 따뜻하게 복용한다. 땀을 내고 싶으면, 옷을 덮고, 다시 달여 함께한다(현대용법: 모두 고운 분말로 하여, 매번 9 g을 복용하고, 薑·棗를 煎湯으로 送服하거나, 탕제로 만들어 물로 달여 복용하는데, 용량은 原方의 비례에 따라 증상에 따라 정한다).

【效能】 解表化濕, 理氣和中.

【主治】 外感風寒, 內傷濕滯證. 霍亂吐瀉, 惡寒發熱, 頭痛, 脘腹疼痛, 舌苔白膩와 山嵐瘴瘧 等.

【病機分析】 本 方劑가 치료하는 霍亂吐瀉證은, 外感風寒, 內傷濕滯으로 인한 것이다.『素問』「生氣通氣論」에서 "春傷於風, 邪氣留連, 乃爲洞泄."이라고 하였다.『素問』「金匱真言論」에서도 "長夏善病洞泄寒中."이라고 하였다.『素問』「陰陽應象大論」에서는 "濕盛則濡泄"이라고 하였다. 대개 風寒之邪가 外束하면 衛陽이 막혀 正邪가 서로 다투어, 惡寒發熱이 있게 된다. 足太陽之脈이 上額交巓하면, 邪가 太陽之脈을 범하여 經氣가 不利하게 되어, 頭痛이 생긴다. 脾는 "陰土"의 臟이며 燥를 좋아하고 濕를 싫어하는데, 濕邪가 脾土를 포위하여 막게 되면, 運化가 失職하여, 氣機가 不暢하기 때문에 脘腹滿悶脹痛이 생기게 된다. 그리고 脾는 升淸을 주관하고, 胃는 降濁을 주관하는데, 濕이 中焦를 막아, 升降이 되지 않으면, 惡心嘔吐와 腸鳴泄瀉가 생기기 때문에 "濕多成五泄"와 "無濕不成泄"의 설이 있는 것이다.『素問』「陰陽應象大論」에서 "淸氣在下, 則生飧泄;濁氣在上, 則生䐜脹. 此陰陽反作, 病之逆從也."라고 하였다. 風寒의 邪가 肺衛를 침습하여, 겉에서 안으로 들어오면, 역시 運化가 失常하여, 淸濁이 나뉘지 않아 嘔吐와 泄瀉에 이르고, 반드시 濕邪가 서로 겸하게 되어 病을 일으키게 된다. 그리하여『雜病源流犀燭』卷4에서는 "濕盛則飧泄, 乃獨由於濕耳, 不知風·寒·熱 虛雖 皆能爲病, 苟脾强無濕, 四者均不得而乾之, 何自成泄? 是泄雖有風·寒·熱·虛之不同, 要未有不原於濕者也."을 강조했다. 그 외에 飮食不當, 停滯不化, 혹은 恣食肥甘, 濕熱內蘊이 있거나; 誤食이

나 生冷하고 불결한 것을 잘못 먹어 脾胃가 상해 運化가 失職하고, 水穀精微가 흡수되지 못하여, 도리어 濕滯가 생기면, 역시 嘔吐와 泄瀉를 일으킬 수 있다. 『景岳全書』卷2에서는 "飮食不節, 起居不時, 以致脾胃受傷, 則水反 爲濕, 穀反爲滯, 精華之氣不能輸化, 乃致合汗下降而瀉利作矣."라고 했다. 종합하면, 本 方劑의 主治病證은, 그 病位가 脾胃와 大·小腸에 있으며, 濕邪가 병을 일으키는 중요한 요인임을 볼 수 있다.

【配伍分析】 本 方劑는 外感風寒, 內傷濕濁의 증상을 위해 만들어졌으며, 치료는 마땅히 外散風寒, 內化濕濁하며 理氣和中을 겸해야 한다. 그러므로 方劑에서 藿香을 君藥으로 중용하여, 그 辛溫함을 취하여 表의 風寒을 풀고, 또한 芳香性의 효능으로 裏의 濕濁을 없애며, 辟穢和中, 升淸降濁할 수 있어 霍亂吐瀉를 치료하는 要藥이 된다. 『本草逢原』卷2에 "藿香人手·足太陰, 芳香之氣, 助脾醒胃, 故能止嘔逆, 開胃進食, 溫中快氣, 去瘴氣, 止霍亂, 治心腹痛. 凡時行疫癘, 山嵐瘴瘧, 用此醒脾健胃, 則邪氣自無容而愈矣."라고 하였다. 藿香은 어떻게 惡氣를 제거하고 霍亂心腹痛을 멈추는 것과 같은 효능이 있을까? 『本草經解』卷2에서는 "藿香氣微溫, 稟天初春之木氣……味辛甘無毒, 得地金土之二味, 人手太陰肺經·足太陰脾經, 氣味俱升. ……濕毒歸脾, 甘可解毒也.惡氣, 邪惡之氣也.肺主氣, 辛可散邪, 所以主之. 霍亂, 脾氣不治, 揮霍擾亂也.芳香而甘, 能理脾氣, 故主之也.心腹亦脾肺之分, 氣亂於中則痛, 辛甘而溫, 則通調脾肺, 所以主之也."라고 지적했다. 臣은 辛溫한 紫蘇인데, 解表散寒, 行氣和胃한다.辛溫한 白芷는 解表散寒, 祛風除濕한다. 紫蘇·白芷는 모두 辛香發散하는 약재로, 藿香의 外解風寒의 효능을 강화하며 동시에 芳化濕濁하기도 한다. 濕滯가 안에 있어, 半夏曲의 燥濕化痰, 和胃止嘔을 佐로 하여, 惡心嘔吐를 없앤다.厚朴은 行氣化濕, 寬胸止痛하고,陳皮는 理氣燥濕하고 和中할 수 있고, 大腹皮로 下氣寬中, 利水消腫한다. 네 가지 약을 함께 사용하면, 燥濕行氣, 降逆和胃하고 藿香과 함께 霍亂吐瀉를 치료하여, 濕阻氣滯, 脘腹痞悶脹滿 등의 症에 가장 적합하다. 또한 桔梗이 宣肺하는 것을 이용하여, 胸隔 간의 滯氣를 利하여 痞悶을 치료한다. 肺는 水의 上源이며 肺氣의 宣降기능이 정상이면 通調水道할 수 있다. 桔梗과 大腹皮를 배오하면, 行氣利水하여 濕邪를 小便을 통해 내보낸다. 白朮·茯苓을 배오하면 健脾祛濕하고 脾胃의 運化之功을 도와 위의 약재가 모두 佐藥이 된다. 使는 甘草로써 여러 약을 조화롭게 한다. 用法에서 약간의 薑·棗를 더하는 것은 脾胃를 調理하는 것이다.

本方의 組方 특징은 두 가지이다. 첫 번째, 表裏雙解이다. 辛溫解表藥으로 發散風寒하고, 또한 苦溫化濕藥으로 燥濕理氣和中한다. 두 번째는 扶正祛邪이다. 疏散表寒, 芳化濕濁으로 邪를 없애고, 또한 健脾補中으로 扶正하여, 邪를 없애지만 正을 傷하게 하지 않게 하는데, 扶正이 祛邪를 도와, 양자가 서로 도와 서로의 장점을 더욱 돋보이게 한다.

【類似方比較】

1. 本 方劑와 平胃散은 모두 厚朴·陳皮·甘草·生薑·大棗를 사용하여 芳香化濕, 理氣和中의 작용이 있고, 모두 濕邪가 中焦를 포위하고 막은 病證을 치료할 수 있다. 차이점은 平胃散은 辛溫香燥의 蒼朮이 君藥이 되어 燥濕運脾, 行氣和胃의 작용이 있고, 濕滯脾胃을 치료하는 主方으로, 主治가 濕困中焦, 脾胃不和의 病證을 치료하는데, 그 燥濕의 作用이 비교적 강하다. 藿香正氣散은 辛溫芳香의 藿香이 君藥이 되어 外散風寒, 內化濕濁, 理氣和中하는 효능이 있고, 外有風寒·內有濕滯의 증상을 치료한다.

2. 本 方劑와 不換金正氣散은 모두 藿香·厚朴·陳皮·半夏·炙甘草를 사용하고, 化濕和中의 효능이 있어, 濕濁中阻, 外感風寒의 表證을 치료한다. 차이점은 本方劑와 白芷·紫蘇을 배오하여 解表散寒하고, 白朮·茯苓으로 健脾化濕하고, 大腹皮로 行氣利水하고, 桔梗으로 宣利肺氣하는데; 不換金正氣散은 蒼朮을 배오하여 燥濕運脾하고, 表寒을 흩어지게 하는 것을 겸한

다. 本方은 解表와 化濕作用이 모두 强하고, 치료하는 表寒과 內濕의 증상이 모두 不換金正氣散에 비해 중하다.

3. 本 方劑와 香薷散은 暑月의 乘涼飮冷, 外感於寒, 內傷於濕의 증상을 치료할 수 있다. 그러나 香薷散이 치료하는 病證은 병세가 비교적 가볍고, 病位가 表에 편중되어 있어 方에서 辛溫芳香한 香薷가 解表散寒, 祛暑化濕하고, 厚朴·扁豆를 이용하여 行氣祛濕和中한다. 本 方劑가 치료하는 증상은 脾胃濕滯이 비교적 重하고, 동시에 外感風寒을 겸하는데, 腹痛吐瀉 위주이며, 惡寒發熱에 땀이 없는 등의 表證을 겸하고, 임상증상은 비교적 前方보다 重하기 때문에, 厚朴·大腹皮·半夏·陳皮·茯苓·白朮·甘草·大棗 등의 理氣健脾燥濕의 약물을 사용하는 것 외에, 동시에 藿香·蘇葉·白芷·生薑을 사용하여 發汗解表, 疏散風寒한다. 方劑의 用藥이 비교적 많고 효능 또한 비교적 전면적이다.

【臨床應用】

1. 證治要點: 本 方劑는 外感風寒, 內傷濕滯의 病證을 치료하는 중요한 方劑이다. 臨床에서는 寒熱頭痛·嘔吐泄瀉·脘腹脹滿, 舌苔白膩가 證治要點이 된다.

2. 加減法: 表邪가 重한편이고, 寒熱無汗하면 香薷을 더하거나, 蘇葉의 용량을 더하여, 祛風解表의 효능을 강화할 수 있고, 食滯, 胸悶腹脹을 겸하면 膩滯한 甘草·大棗를 빼고, 神曲·萊菔子·雞內金을 더해 消食導滯하고, 濕이 중한편이고, 苔厚垢膩하면, 蒼朮을 白朮로 바꾸어 이용하여, 化濕作用을 강화시킬 수 있고, 氣滯로 脘腹脹痛한 자는, 木香·延胡索를 더하여 行氣止痛할 수 있다.

3. 藿香正氣散은 다음 한국표준질병사인분류(KCD)에 해당하는 환자가 外感風寒, 內傷濕滯證으로 辨證되는 경우 본 처방의 사용을 고려해볼 수 있다.

처방 목표	한국표준질병사인분류(KCD)
急性胃腸炎	K29 위염 및 십이지장염
	K50~K52 비감염성 장염 및 결장염
胃腸型感冒	A08 바이러스성 및 기타 명시된 장감염
	A09 감염성 및 상세불명 기원의 기타 위장염 및 결장염

【變遷史】 本 方劑 『太平惠民和劑局方』卷2에서 나왔다. 책에 "治傷寒頭痛, 憎寒壯熱, 上喘咳嗽, 五勞七傷, 八般風痰, 五般膈氣, 心腹冷痛, 反胃嘔惡, 氣泄霍亂, 臟腑虛鳴, 山嵐瘴瘧, 遍身虛腫, 婦人產前·產後·血氣刺痛, 小兒推傷, 並宜治之."라고 기록되어 있다. 『證治准繩』「類方」卷1에는 그것을 "除山嵐瘴氣."라고 했다.

本 方劑는 후대 의학자들에게 感寒傷濕으로 생긴 각종 病證을 치료하는데 典範을 세웠다. 예를 들어 宋·駱龍吉의 『增補內經拾遺方論』卷3에 本 方劑는 白芷·蘇葉·大腹皮를 빼고 猪苓·澤瀉·蒼朮·肉桂을 더하여, 藿苓湯이라고 했는데, 이 方劑는 內濕을 제거하는 효능을 강화시켜, 霍亂, 內外兩傷, 吐瀉交作의 증상을 치료한다. 그리고 주석에서 "口渴者, 去桂."라고 명확히 하였다. 明代 陶華『傷寒全生集』卷2에도 藿苓湯方이 기록되어 있는데, 그 組成은 本方에서 大棗를 빼고 澤瀉·猪苓·官桂를 더한 것으로, 原方의 解表散寒 작용을 보존할 뿐만 아니라, 原方의 祛除內濕 효능을 더욱 강화하여, "傷寒作瀉口渴, 小水不利" 등의 증상을 치료하는 데 사용했다. 동시대 王肯堂의『證治准繩』「類方」卷1에 기재된 藿薷湯은 本 方劑에 香薷·扁豆·黃連을 더한 것이다. 그것을 이용하여 傷寒頭疼, 憎寒壯熱, 혹은 濕氣霍亂吐瀉를 치료했다. 常服山嵐瘴氣, 伏暑吐瀉, 脚轉筋者. 이 증상은 外感寒濕에 濕熱이 中에 交錯된 것으로, "伏暑吐瀉" 증상으로, 처방에 黃連 하나를 더하여 淸熱하고 原方의 치료범위를 확대했다. 『萬氏家抄濟世良方』卷2에서, 本 方劑에서 白芷·蘇葉·桔梗·茯苓·大腹皮를 빼고, 蒼朮 한 가지를 더하여 藿香養胃湯이라 하는데, 胃氣不和로 구토가 일어나고,

겨울에 위가 한랭을 받아, 구토가 그치지 않는 것을 치료하는데 이용했다. 더불어 설명하기를 "元氣虛者, 加用人蔘·乾薑."이라고 하였다. 그 후 本 方劑의 가감운용이 훨씬 더 넓어졌는데, 예를 들어 薛己 『內科摘要』卷下에 기록된 藿香正氣散은 本 方劑에서 白芷·白朮·陳皮·半夏를 빼서 外感風寒, 內停飮食, 頭痛寒熱, 霍亂泄瀉 혹은 作瘧疾 등을 치료했다. 江涵暾은 『筆花醫鏡』卷1에 역시 藿香正氣散을 기록했는데, 本 方劑에서 大腹皮·生薑과 大棗을 빼고, 辛散溫通, 芳香化濕行氣하는 砂仁을 더하여 憎寒壯熱, 胸膈滿悶, 口吐黃涎 등의 증상을 치료했다. 또한 日本人 攝湯下津의 저작 『幼科證治大全』一書에서 小兒傷寒頭痛, 憎寒壯熱, 痰喘咳嗽, 心腹疼痛, 吐瀉虛腫, 疳傷 등의 증상을 치료하는데 本方에서 蘇葉·茯苓·半夏를 빼서 만든 것이다. 吳謙은 『醫宗金鑒』卷53에서 藿香正氣散을 "藿香正氣湯"이라고 바꾸었다. 顧澄은 『瘍醫大全』卷9에서 역시 藿香正氣湯을 기록했는데, 즉 本方에서 大腹皮와 大棗를 빼고, 砂仁을 더해 사용했다. 이 處方은 散風寒, 消飮食, 止嘔吐, 定瀉痢의 作用이 있다. 程國彭의 『醫門八法』卷2에 역시 藿香正氣湯이 기재되었는데, 蒼朮을 白朮로 바꾸고, 烏梅를 더하여 霍亂吐瀉가 중한 사람을 치료했다. 淩奐이 지은 『飼鶴亭集方』에서는 藿香正氣散을 丸劑로 바꾸어, 그 운용이 더욱 편리해졌다. 淸代 溫病學者들은 本方의 運用을 훨씬 발전시켰는데, 특히 그 加減으로 濕溫病을 치료하는 것에 풍부한 경험을 축적했다. 예를 들어 『溫病條辨』卷2의 5개의 加減正氣散이 있는데, 本 方劑를 가감운용하는 모범이라고 할 수 있다. 一加減正氣散: 本方劑에서 紫蘇·白芷·生薑·半夏·桔梗·白朮·甘草·大棗을 빼고 杏仁을 더해 上焦의 氣機를 宣降하고, 麥芽·神曲으로 中焦를 暢利하여 食積을 化하고, 茵陳으로 下焦를 滲利하여 濕熱을 제거한다. 그것으로 濕熱病邪가 中焦를 막아서 생기는 氣機不暢, 脘腹脹滿의 출현, 大便이 시원하지 않은 것을 치료한다. 二加減正氣散의 藥物變化는 비교적 큰데, 原方에서 藿香·桔梗·陳皮·厚朴의 4가지 藥만을 사용하고, 별도로 防己·薏苡仁을 더하여 通絡宣痹하여 身痛을 그치게 하고, 大豆黃卷·通草로 利水滲濕한다. 그것으로 濕熱이 中焦에 성하게 있어 생기는 胸脘滿悶과 便溏身痛등의 증상을 치료한다. 三加減正氣散은 藿香·茯苓皮·厚朴·陳皮·杏仁·滑石을 이용해 조성하고, 역시 濕熱이 中焦에 鬱滯한 것을 치료하는데, 病證은 위와 같지만, 濕이 이미 熱化되어, 苔黃脘悶, 大便不爽이 나타난다. 四加減正氣散은 芳香化濕하는 藿香·厚朴·陳皮·茯苓을 제외하고, 별도로 草果를 더하여 芳香化濁, 溫運脾陽하고 山楂·神曲으로 消食導滯하여, 濕濁偏重·阻滯脾陽으로 氣機運行이 不暢하게 되어, 胸脘痞滿, 舌苔白滑者이 보이는 것을 치료했다. 五加減正氣散은 藿香·陳皮·厚朴·茯苓에 다시 大腹皮를 더하여 行氣除滿利濕하고, 蒼朮로 燥濕運脾, 穀芽로 消食和胃, 升發胃氣하여 "穢濕著裏, 脘悶便泄"者를 치료했다. 이상 다섯 가지의 處方은 藿香正氣散을 加減化裁하여 만든 것으로, 藿香正氣散은 解表透邪하고, 和裏化濕의 方劑로 寒濕을 치료하는데 반해, 다섯 개의 加減正氣散은 治裏에 편중하여, 脾胃를 病변의 중점으로 하는데, 一·二·三加減正氣散은 모두 濕이 熱보다 중한 것을 치료하는 方劑이고 四·五 加減正氣散이 치료하는 증상은 즉 寒濕이 환이 된 것이다.

本方은 원래 散劑인데, 현대 臨床에서는 자주 丸劑나 캡슐로도 쓰여, 각각 "藿香正氣丸", "藿香正氣膠囊"이라고 한다. 현재, 또한 本 方劑를 "藿香正氣水"로 만들기도 한다. 이런 새로운 제제는, 가공과 配料의 선택에서, 韓藥성분의 복잡하고, 유효성분이 쉽게 손실되는 문제를 비교적 잘 해결하고, 미세한 미립자를 고도로 분산시켜, 양호한 유동성과 비교적 높은 理化안정성을 가지며, 劑型이 새롭고, 복용이 편리하다. 그중 부드러운 캡슐은 可塑性이 강하고, 용량이 정확하여, 아동이 복용하기에 더욱 편리하다.

【難題解說】

1. 方名 "正氣" 두 글자에 대한 이해: "正氣"의 의미는 많은 의학자들이 本 方劑가 四時不正之氣를 바르게 할 수 있다고 이해했기 때문에, 그렇게 명명했다. "四

時不正之氣"는 종류가 꽤 많은데, 風寒暑濕燥火가 모두 그것에 속하고, 山嵐瘴氣 역시 不正之氣의 범주에 속한다. 단, 本方藥은 溫燥한편이라 風寒襲表, 濕滯脾胃와 山嵐瘴氣으로 생긴 病證에 대해 더욱 적합하다. 만약 證이 濕熱 혹은 暑熱에 의해 생긴 것이라면 사용하지 않아야 한다. 辨證이 반드시 정확해야 작은 것으로 큰 차이가 나는 잘못을 면할 수 있다.

2. 方劑에서 白朮·茯苓을 사용하고, 黨參·蒼朮을 쓰지 않는 이유에 대한 이해: 白朮은 甘苦하고 溫하고, 甘溫益氣하여 脾胃를 乾薑하게 하고 吐瀉를 그치게 할 수 있는데, 苦溫은 燥濕할 수 있고 脾胃의 寒濕을 풀 수 있으며, 茯苓의 甘淡性平은 利水滲濕하고 健脾도 할 수 있어, 두 가지를 함께 사용하면 健脾和中하고 또 運濕止瀉할 수 있다. 黨參은 비록 益氣健脾할 수 있지만, 祛濕의 효능이 없고, 味甘하고 補하여 壅滯氣機의 폐가 있어, 濕邪內阻, 胸膈痞悶, 脘腹脹滿한 사람에게 부적합하다. 어떻게 蒼朮을 쓰지 않을 수 있겠는가? 蒼朮과 白朮은 모두 脾胃를 위한 要藥이며, 性味가 苦溫하고, 健脾燥濕의 효능이 있다. 다만 蒼朮은 맛이 辛하고 성질이 燥烈하여, 燥濕運脾가 主가 되고, 風濕을 제거하고, 發汗解表할 수 있다. 白朮은 맛이 달고, 성질이 和緩하여 健脾益氣가 主가 되는데, 本方劑는 風寒濕邪가 침입하여 생긴 것이기 때문에, 藿香·陳皮·半夏·大腹皮 등의 芳香化濕을 이용하여, 理氣和中한다. 白朮·茯苓·生薑·大棗의 扶正을 이용하여 邪를 제거한다. 蒼朮은 즉 溫燥가 과하여 正氣를 손상시킬 수 있어 적합하지 않아 보인다. 濕盛體實한 사람에게는 蒼朮을 더하여 사용할 수 있다. 전략이 승패를 가르는 것이다.

【醫案】

1. 外感腹瀉『時方的臨床應用』: 남성, 24세. 受凉後 7시간이 지나 惡寒·發熱·頭痛이 있었고, 계속해서 腹瀉가 생겼다고 말했다. 7시간 내에 大便을 4회 보았고, 물과 같은 便에 腹脹이 있었고 약간의 통증이 있으며 토하려고 하였고, 舌苔는 白薄稍膩하고 脈은 浮하여서 藿香正氣散 2첩을 투여하여, 물로 달여 복용했다. 複診: 상술한 처방을 1첩 복용 후에, 땀이 나고 身凉해진 동시에, 腹瀉가 완전히 멈추었는데, 다만 腹脹은 남아있었다. 두 첩을 먹은 후에, 腹脹이 소실되고, 밥 먹는 것이 정상적으로 되었다.

考察: 泄瀉 증상은, 病에 이르게 하는 原因이 아주 많다. 感受外邪, 飮食所傷 및 情志不遂 등이 모두 本病證의 중요한 발병 요인인데, 本 案은 外感風寒濕의 病邪가, 안으로 들어와 脾陽을 포위하고 막아, 脾失健運하여, 水穀이 相雜하여 내려가 泄瀉가 발생한 것이다. 이 때 表邪가 풀어지지 않으면, 惡寒發熱·頭痛 등의 증상이 보인다. 증상이 表裏同病에 속하기 때문에, 藿香正氣散을 2첩을 투여하여 편안해졌다.

2. 暑濕感冒『河南中醫』(1984, 6:41): 여성, 發熱, 頭痛如裹, 惡心欲吐, 胃脘不適, 肢節이 酸痛沉重한 증상이 한 달여간 있었다. 양약과 기타 中成藥을 여러 번 먹었지만 낫지 않았다. 舌苔는 白膩이고·脈은 浮緩하여 藿香正氣散을 복용했는데, 3첩을 복용하니 땀이 비교적 많이 나왔고, 發熱頭痛이 땀을 따라 없어졌다. 또한 咳嗽吐痰이 있을 때는, 砂仁·杏仁·川貝을 넣어 재차 3첩을 먹었더니 병이 나았다.

考察: 暑는 반드시 濕을 동반하는데, 濕은 土로 돌아가기 때문에, 感受暑濕한 사람은 發熱頭痛頭이 重한 증상 외에 필수적으로 脾胃氣機가 不暢하게 되고, 升降失常, 嘔惡溏瀉, 胃脘不適의 증상이 따라 나타난다. 치료는 마땅히 解表祛暑化濕으로 脾胃氣機升降을 조절해야 한다. 藿香正氣散을 이 증상에 대한 처방으로, 3첩을 투여하여 여러 증상이 감소되었다. 濕이 모이면 痰이 생기고, 그로 인하여 咳嗽가 생기기 때문에, 처방에 砂仁 등의 芳化濕濁을 더하여, 濕을 제거하여 痰을 없애도록 했다. 杏仁·貝母를 더하여 降氣化痰止咳하고, 脾肺를 겸치하면, 藥과 病證이 서로 부합하여 더욱 좋은 효과를 거둘 수 있다.

3. 失眠『四川中醫』(1987, 12:33): 남성, 21세. 반년 전에 失眠證을 앓았는데, 모 의원에서 歸脾湯加味를 사용하여 완치되었다. 두 달 전 失眠이 다시 생겨서, 歸脾湯 20 餘 첩을 복용하고, 또 天王補心丹을 內服했는데, 효과가 조금도 없었다. 최근 보름 동안, 밤새 잠을 이루지 못했는데, 頭身困重 수반하고, 胸悶하여 飮食이 생각나지 않고, 泛惡欲嘔하고, 舌苔는 白膩하고, 脈은 濡緩했는데, 思慮가 過度하여, 勞傷心脾하고, 心神失養한데, 濕邪外受까지 더해져, 하나는 困遏中州하고, 둘째는 濁邪害淸하니, 內外相因으로 心神가 편안하지 못하게 된 것이다. 먼저 芳香化濕하는 藿香正氣散加減으로 치료했다. 5첩을 복용한 후에, 白膩苔가 化해지고, 頭身重困이 나았고, 매일 밤 5~6시간을 자게 되었는데, 여전히 頭暈乏力, 多夢, 納少神疲하고, 動則心慌이 있었다. 이것은 濕邪는 풀어지고, 心脾兩虛의 症이 보이는 것이기 때문에, 곧 歸脾湯에 藿香·石菖蒲를 더하여 10첩을 복용한 후, 失眠이 나았고, 모든 질병이 나아져 지금까지 재발하지 않았다.

考察: 생각이 과도하여 心脾까지 상하게 되었는데, 心이 상하게 되면, 즉 心血暗耗, 神不守舍하게 되고, 脾가 상하게 되면 運化失常, 化源不足하여 血不養心하게 된다. 이것은 心脾兩虛의 證이니, 마땅히 益氣補血, 健脾養心하여야 하니, 처음에는 歸脾湯加味를 투여하여 잠시 나았다. 脾胃의 기능이 회복되지 않으면, 納化之機가 운행하지 못하니, 偶感濕邪하고, 困阻中州하여 脾胃不和에 이르게 된다. 經에서 말하기를 "胃不和則臥不安"라고 했으니, 失眠證이 재발한 것이다. 脾胃가 濕으로 인해 포위되어, 다시 歸脾湯과 天王補心丹 등의 膩滯한 약을 투여하였으나, 효과가 없었고 도리어 濕을 도와버려서, 새로 藿香正氣散類의 方劑를 투여하여, 濕化健脾하게 하니, 中焦가 安和되고, 氣血生化가 근본이 있게 되어, 心이 양분을 얻어 정신이 편안하게 되었기 때문에, 不寐의 證이 치유될 수 있었다.

4. 頑固流涎『浙江中醫雜誌』(1989, 4:20): 남아, 4세 2개월. 어머니가 대신 말하기를: 아이가 1세쯤 되었을 때에, 중병에 한 번 걸렸는데, 그 후 大便不調, 口水增多, 流涎不止하였다. 진찰해보니 침이 줄줄 흐르고, 입가가 붉고 궤양이 있었고, 食欲不振, 大便不調하고 舌紅, 苔白膩, 脈細滑하였다. 이것은 脾虛濕阻挾熱에 속하여 健脾祛濕하고 淸熱로 보좌해야 했다. 藿香正氣散에 黃連을 조금 더해 사용하여, 2첩으로 나았다.

考察: 환아는 重病으로 脾胃가 損傷되어 運化가 정상적이지 않았는데, 아이가 飮食에 조심하지 않고 무절제하게 生冷한 것을 먹어 脾胃가 濕滯하게 되었다. 脾는 본래 喜燥惡濕하여 濕阻하면 脾氣가 점차 虛하게 된다. 脾가 액체 상태에 있으면 涎이되고, 脾虛하면 攝津할 수 없기 때문에, 입가에 항상 涎水가 흐르게 된다. 이때 健脾하고자 하면 化濕해야 하기 때문에, 藿香正氣散을 투여해 芳化濕濁, 理氣和中하면, 濕이 없어져 脾健하게 되어, 攝津이 가능하게 되어 流涎이 저절로 멈추게 된다. 濕이 번성하면 熱이 되기 때문에 黃連을 약간 넣어 淸熱燥濕하였다.

5. 急性酒精中毒『四川中醫』(1993, 3:29): 27세 여성. 음주가 과도하여 급히 내원하였다. 수차례 구토를 했는데, 모두 위내용물이었다. 핵심진단: 面色潮紅, 汚穢, 口鼻酒氣熏人, 神志模糊, 때로 헛소리를 하고, 躁動不安, 呼吸氣粗, 時有嘔吐, 舌胖質暗, 脈弦滑하다. 먼저 淸水로 胃를 씻고, 이어서 藿香正氣散을 급히 달여 灌服했는데, 2번을 다 복용한 후, 정신이 멀쩡해지고, 여러 증상이 緩解되었다. 환자가 퇴원을 요구하여 1첩을 가지고 가게 했다. 이튿날 가족들에게 알리고, 약을 다 복용한 후 다 나아서 출근했다.

考察: 술은 濕性이 최고로 강하여, 그것을 먹으면, 사람의 체질에 따라 달라 熱化되거나 寒化된다. 陽이 盛하면 熱化되어 濕熱이 되고, 陽이 虛하면 寒化되어 寒濕이 된다. 환자가 과량의 음주를 하여, 濕濁의 氣가 중간에 모여, 心을 어지럽히면 즉 정신이 模糊하게 되고, 胃을 침범하면 惡心嘔吐하게 되고, 제반 증상이 보이는데, 모두 濕濁鬱滯로 인한 것이고, 不正之氣가 患이 된다. 그러므로 먼저 理氣和中, 辟穢化濁하는 藿香正氣散을 사용하여, 不正之氣를 바르게 한다. 辨證이 정확하고, 처방의 선택이 합당했기 때문에, 2첩을 먹고 병이 나았다.

【副方】

1. 一加減正氣散(『溫病條辨』卷2): 藿香梗 二錢(6g) 厚朴 二錢(6 g) 杏仁 二錢(6 g) 茯苓皮 二錢(6 g) 廣皮 一錢(3 g) 神曲 一錢五分(4.5 g) 麥芽 一錢五分(4.5 g) 綿茵陳 二錢(6 g) 大腹皮 一錢(3 g)

- 用法: 다섯 잔의 물을 두 잔이 남을 때까지 끓여, 再服한다.
- 作用: 芳香化濁, 行氣導滯.
- 適應症: 三焦가 濕鬱하고, 升降이 失司하여 생긴 脘腹悶脹, 大便이 시원하지 못한 것.

2. 二加減正氣散(『溫病條辨』卷2): 藿香梗 二錢(9g) 廣皮 二錢(6 g) 厚朴 二錢(6 g) 茯苓皮 三錢(9 g) 木防己 三錢(9 g) 大豆黃卷 二錢(6 g) 川通草 一錢5분(4.5 g) 薏苡仁 三錢(9 g)

- 用法: 물 여덟 잔을, 세 잔이 될 때까지 끓여서 3번 복용한다.
- 作用: 化濁利濕, 行氣通絡.
- 適應症: 濕鬱三焦로, 脘悶便溏에 이르고, 身痛, 舌苔가 白하고, 脈象이 模糊한 것.

3. 三加減正氣散(『溫病條辨』卷2): 藿香 三錢(9 g) 連梗葉 茯苓皮 三錢(9 g) 厚朴 二錢(6 g) 廣皮 一錢五分 (4.5 g) 杏仁 三錢(9 g) 滑石 五錢(15 g)

- 用法: 물 다섯 잔을 두 잔이 될 때까지 끓여 再服한다.
- 作用: 化濕理氣, 兼以淸熱.
- 適應症: 濕濁阻滯, 氣機不暢. 오랜 鬱이 熱되어 생긴 胸脘이 滿悶하고, 舌苔가 黃膩한 것.

4. 四加減正氣散(『溫病條辨』卷2): 藿香梗 三錢(9 g) 厚朴 二錢(6 g) 茯苓 三錢(9 g) 廣皮 一錢五分(4.5 g) 草果 一錢(3 g) 楂肉 五錢(15 g) 炒神麴 三錢(6 g)

- 用法: 물 다섯 잔을 두 잔이 될 때까지 끓이고, 찌꺼기를 다시 한 잔 끓여, 세 번 복용한다.
- 作用: 化濕理氣, 溫中消導.
- 適應症: 穢濁한 濕阻가 안에 있고, 邪가 氣分에 鬱하여, 脘腹이 脹滿하고, 舌苔가 白滑하고, 脈右가 緩한 것.

5. 五加減正氣散(『溫病條辨』卷2): 藿香梗 二錢(6 g) 廣皮 一錢五分(4.5 g) 茯苓塊 三錢(9 g) 厚朴 二錢(6 g) 大腹皮 一錢五分(4.5 g) 穀芽 一錢(3 g) 蒼朮 二錢(6 g)

- 用法: 물 다섯 잔을 두 잔이 될 때까지 끓여 하루 두 번 복용한다.
- 作用: 燥濕運脾, 行氣導滯.
- 適應症: 穢濁한 濕邪가 안을 막고 있고, 脘悶便泄한 것.

이상 다섯 가지 처방은, 모두 藿香正氣散의 加減化裁로 만들어졌기 때문에, 모두 이름을 "加減正氣散"이라고 했다. 藿香正氣散은 表裏 모두를 푸는 方劑로, 外感風寒, 內傷濕滯의 證에 활용한다. 다섯 가지의 加減正氣散은 解表散寒하는 紫蘇·白芷를 빼고, 안에 있는 증상을 치료하고, 濕滯中焦를 주로 한다. 一·二·三加減正氣散은 濕이 熱보다 중한 증상을 치료하는 方劑이며, 四·五加減正氣散이 치료하는 증상은 寒濕이 患된 것이기 때문에, 吳氏가 말하기를 "苦辛溫法"이라 하였다. 臨床에서는 마땅히 구별하여 사용해야 한다.

六和湯

(『太平惠民和劑局方』 卷2 續添諸局經驗秘方)

【異名】 六合湯(『普濟方』卷117).

【組成】 縮砂仁 半夏 湯泡七次 杏仁 去皮尖 人蔘 甘草 炙 各一兩(各 30 g) 赤茯苓 去皮 藿香 葉拂去塵 白扁豆 薑汁略炒 木瓜 各二兩(各 60 g) 香薷 厚朴 薑汁製 各四兩(各 120 g)

【用法】 위의 재료를 줄로 썰어, 매회 四錢(12 g)을 복용하는데, 물 1잔 반, 生薑 3편, 棗子 1매를 8분까지 달여, 찌꺼기를 제거하고 시간에 구애받지 않고 복용한다(現代用法: 물로 달여, 하루에 1첩을 3회로 나누어 복용한다).

【效能】 祛暑化濕, 健脾和胃.

【主治】 夏月外感於寒, 內傷於濕證. 惡寒發熱이 있고, 땀이 없으며, 머리가 어지럽고 두통이 있고, 痰喘咳嗽가 있고, 胸中이 煩悶하고, 霍亂吐瀉이 있고, 四肢에 힘이 없고, 식욕이 없고, 小便이 赤澀하고, 苔가 膩하고 脈이 濡한 것.

【病機分析】 여름은 暑氣가 있고, 기후가 炎熱하고, 雨水가 비교적 많아, 天暑가 下逼하여, 地濕이 上蒸하니, 濕熱 쉽게 서로 합해져 患이 되기 쉬운데, 濕熱이 안에서 서로 작용하고, 밖에서는 또 寒濕을 받으면, 매번 이런 증상에 이른다. 寒濕이 表를 상하게 하면, 表가 不和하여 惡寒發熱이 생기고, 땀이 없거나 땀이 적게 되고, 濕蒙淸陽하면, 즉 頭痛目眩하게 된다. 暑濕의 邪가 위로 肺를 범하면 肺氣가 宣降하지 못하여 痰喘咳嗽가 나타난다. 暑濕이 中焦에 困滯하면 脾胃의 升降 기능이 일상을 잃어, 胸中에 煩悶이 보이고, 淸濁이 서로 간섭하면, 胃氣가 上逆하게 되어 惡心嘔吐가 되고, 脾가 升淸하지 않으면, 아래에서 泄瀉하게 된다. 暑邪는 氣를 소모하고, 濕邪는 脾를 상하게 하여, 脾가 暑濕에 둘러싸이면 四肢에 힘이 부족해지고, 식욕을 잃게 된다. 小便이 赤澀하고, 苔가 膩하고 脈이 濡한 것은 모두 體內에 濕熱이 蘊積한 증상이다. 李杲가 이르기를 “時當長夏, 濕熱大勝, 蒸蒸而熾, 人感之多四肢困倦, 精神短少, 懶於動作, 胸滿氣短, 肢節沉疼, 或氣高而喘, 身熱而煩, 心下膨痞, 小便黃而數, 大便溏而頻……或渴或不渴, 不思飮食, 自汗體重汗少者……”(『脾胃論』卷中)라고 하였다. 이것은 本 方劑의 적응증 病機에 대한 비교적 좋은 서술이다. 本 方劑의 病證은 夏月의 暑濕이 脾를 상하게 하여 複感外寒한 사람에게 많이 보인다.

【配伍分析】 本 方劑는 寒濕이 外襲하고, 暑濕이 傷脾胃를 상하게 한 病證을 위해 만들어졌다. 方劑에서 중용하는 香薷·厚朴에 白扁豆를 합하면 香薷散(『太平惠民和劑局方』卷2)이 되는데, 祛濕解表, 化濕和中의 方劑이다. 여름에 더위를 피하여 차가운 것을 마시고, 暑濕이 陰寒으로 막혀, 바깥은 즉 表氣가 不宣하고, 안은 脾胃가 不和하여, 惡寒發熱, 無汗, 霍亂吐瀉 등의 증상을 앓는 것을 치료한다. 方劑에서 香薷은 辛溫하고, 發汗解暑, 行氣散濕하여 暑濕感寒을 치료하는 主藥이다. 『本草經疏』 卷9에서 “香薷辛散溫通, 故能解寒鬱之暑氣, 霍亂腹痛, 吐瀉轉筋, 多由暑月過食生冷, 外邪與內邪相並而作, 辛溫通氣, 則能和中解表, 故主之也. 散水腫者, 除濕利水之功也”라고 하였다. 『本草秘錄』卷3에서도 역시 “香薷, 主霍亂, 中脘絞痛, 治傷暑如神. 通小便, 散 水腫, 去口臭, 解熱去煩, 調中和胃, 有微上微下之功, 撥亂反正之妙, 能使淸氣上升, 濁穢下降也.”라고 하였는데, 本 方劑에서 香薷를 重用한 것은 病機에 매우 적절하다. 厚朴은 苦辛而溫하여, 行氣寬中化滯하고, 胃氣의 上逆을 다스릴 수 있다. 扁豆는 甘平하여 消暑化濕하고, 健脾氣하여 和中할 수 있다. 지금 이 처방엔 人蔘·赤茯苓·炙甘草를 더하여 健脾의 효능을 증가시킨다. 脾健하면 暑濕之

邪가 자연히 제거된다. 半夏·砂仁을 배오하면 和胃의 효능이 배가 되고, 胃和하면 嘔가 자연히 멈추게 된다. 다시 藿香葉으로 化濕和中하면, 香薷가 寒濕의 邪를 풀고 흩어지게 하는 것을 돕고, 杏仁의 苦降辛散溫通으로, 厚朴의 利氣를 돕는데, 氣行하면 즉 濕이 풀어진다. 木瓜의 和胃化濕·舒筋과 藿香·生薑 등을 함께 사용하여 霍亂吐瀉를 치료한다. 生薑·大棗·甘草는 和脾胃하고 여러 약을 조화롭게 한다. 全方을 종합하면, 함께 祛暑化濕, 健脾和胃하는 효능을 이루게 된다. 여름의 暑濕傷脾, 複感外寒에 사용하는데, 寒熱無汗, 霍亂吐瀉의 증상이 보이면 더욱 적합하다.

本 方劑의 배오특징은 解表祛濕藥과 健脾和胃·行氣化濕藥을 함께 사용하여, 表邪를 흩어지게 하고, 脾胃를 조화롭게 하고, 裏濕을 풀어지게 하여 表裏雙解의 효능을 이루는 것이다.

【類似方比較】

1. 本 方劑와 藿香正氣散은『太平惠民和劑局方』에서 나왔는데, 모두 濕이 胃腸을 상하게 한 것을 치료하고, 霍亂吐瀉, 胸膈滿悶, 脘腹疼痛, 舌苔白膩등의 증상이 보일 때 일반적으로 사용하는 方劑이다. 方劑에서 모두 藿香·白朮·茯苓·半夏·厚朴·甘草를 사용하기 때문에, 두 方劑의 주요 작용은 모두 化濕和中이다. 다른 점은 本 方劑의 病證의 病機는 여름의 內傷暑濕, 複感外寒이 主가 되고, 증상으로 惡寒發熱, 無汗, 四肢無力, 倦怠嗜臥, 霍亂吐瀉 등이 보이기 때문에, 香薷散의 外散表寒뿐만 아니라 人蔘·扁豆·木瓜·杏仁·砂仁를 써서 健脾和中, 理氣化濕한다. 다른 방제는 外感風寒, 內傷濕滯을 主로 하여, 증상으로 頭痛, 發熱惡寒, 霍亂吐瀉 등이 보인다. 紫蘇·白芷·陳皮·大腹皮·桔梗의 약으로 解表化濕, 理氣和中한다. 두 方劑를 비교하면, 本 方劑 化濕和中의 능력이 강하고, 理氣의 힘이 약한데, 補虛를 겸하여, 여름의 外感於寒, 內傷濕邪가 비교적 중하고, 氣滯는 비교적 가벼운, 脾胃가 虛弱한 사람에게 사용한다. 다른 하나는 化濕和中의 능력이 비교적 약하고, 理氣가 비교적 강하며, 解表를 겸하고, 濕傷脾胃, 外有表證, 氣滯가 비교적 중하고, 濕邪가 비교적 가벼운, 脾胃不虛인 사람에게 활용한다.

2. 本 方劑와 香薷散은 모두 여름의 外傷於寒, 內傷於濕의 寒熱吐瀉證에 사용할 수 있다. 本 方劑의 적응증은 여름에 飮食을 무절제하게 하여, 濕이 脾胃를 상하게 했는데, 脾胃가 본래 허한 사람이 다시 더위를 피해 차가운 것을 마시고, 暑濕이 陰寒에 의해 막히고, 밖으로 惡寒發熱, 無汗이 보이고, 안으론 嘔吐와 泄瀉가 있고, 심하면 霍亂轉筋 등이 보이는 것이다. 다른 하나는 다수가 여름에 感受寒濕으로, 表寒兼腹痛·吐瀉 등의 脾胃失和證이 보인다. 밖이 모두 寒邪에 손상되었기 때문에, 두 方劑 모두 香薷을 이용하여 祛暑解表하고, 안은 모두 濕에 손상되었기 때문에, 扁豆·厚朴으로 化濕和中한다. 그러나 本 方劑의 病證은 脾胃가 손상을 받은 면도 있어, 人蔘·茯苓·炙甘草를 배오하여 健脾祛濕하고 半夏·砂仁·木瓜 등의 藥을 배오하여 和胃化濕의 효능을 더욱 강화시킨다. 本 方劑는 祛暑化濕·健脾和胃의 효능이 香薷散보다 강하기 때문에, 두 方劑의 적응증은 輕重의 구별이 있을 뿐만 아니라 虛實의 구별도 있다.

3. 本 方劑와 參苓白朮散은 모두 人蔘·扁豆·砂仁·茯苓·甘草 등의 健脾祛濕의 약재를 사용했으며, 모두 脾胃氣虛에 濕이 끼어 있는 증상을 치료할 수 있다. 그러나 參苓白朮散은 白朮·山藥이 있어 健脾益氣의 효능이 비교적 강하며, 적응증은 脾虛挾濕에 속하여 오로지 純裏無表證으로 裏虛한편이다. 本 方劑는 香薷·藿香葉 등의 辛溫發散한 약재를 사용하여 解表散寒으로 外感於寒, 內傷於濕의 증상을 치료한다.

【臨床應用】

1. 證治要點: 本方은 여름의 음식을 조절하지 않고, 濕이 脾胃를 상하게 하거나 평소 脾胃가 虛弱한데, 거기에 더위를 피해 차가운 것을 마셔, 暑濕이 陰寒으로 막힌 증상을 치료하는데, 臨床에서는 바깥으로 惡寒發熱, 無汗하고, 안으로는 胸脘痞悶, 嘔吐, 泄瀉,

심하면 霍亂轉筋하며, 舌苔가 白滑한 것을 證治要點으로 한다.

2. 加減法: 表寒이 重하고 頭痛이 있는 사람은 羌活·白芷를 더하고, 咳嗽가 있고 痰吐가 不暢한 사람은 桔梗·前胡·枳殼·川貝母를 더하며; 腸鳴·腹瀉가 심한 사람은 蒼朮·煨訶子 등을 더한다.

3. 六和湯은 다음 한국표준질병사인분류(KCD)에 해당하는 환자가 外感於寒, 內傷於濕證으로 辨證되는 경우 본 처방의 사용을 고려해볼 수 있다.

처방 목표	한국표준질병사인분류(KCD)
令感冒	J00 급성 비인두염[감기]
支氣管炎	J40 급성인지 만성인지 명시되지 않은 기관지염
急慢性胃腸炎	K29 위염 및 십이지장염
	K50~K52 비감염성 장염 및 결장염

【注意事項】 本 方劑는 藥性이 偏溫하므로 濕熱霍亂한 사람은 사용을 금한다.

【變遷史】 本 方劑는 宋·『太平惠民和劑局方』卷2에서 나왔다. 적응증: "心脾不調, 氣不升降, 霍亂轉筋, 嘔吐泄瀉, 寒熱交作;痰喘咳嗽, 胸膈痞滿, 頭目昏痛, 肢體浮腫, 嗜臥倦怠, 小便赤澀;傷寒陰陽不分, 冒暑伏熱煩悶, 或成痢疾;中酒煩渴畏食, 婦人胎前產後, 並宜服之."이다. 이 학술 사상의 영향을 받아, 加減化裁를 거쳐 만들어진 同名異方이 많이 있다.

明代 吳昆이 『醫方考』卷1에 기록한 六和湯은, 조성으로 보면 吳氏의 六和湯이 본 方劑와 비교해 香薷가 없고, 白朮을 더하여, 健脾益氣祛濕의 효능을 강화했다. 錢氏家傳의 『胎產秘書』卷上의 六和湯은 本 方劑와 조성을 비교하면 香薷·厚朴을 줄이고, 竹茹를 더하여 妊娠으로 나타나는 霍亂吐瀉, 心躁腹痛을 치료하였다.

清代 『幼科鐵鏡』卷6의 六和湯은 처방에서 砂仁·杏仁·人蔘·生薑·大棗 등의 辛溫之品을 줄여서 빼고, 陳皮·黃連을 더하고, 또한 赤茯苓을 白茯苓으로 바꾸어, 本 方劑의 清內熱·化濕濁의 효능을 증가시켜, 긴 여름의 外感暑濕吐瀉를 치료하였다. 『不知醫必要』卷2의 六和湯은 그 조성을 本 方劑와 비교하면 杏仁·厚朴·香薷를 줄여 夏秋의 暑邪傷脾 혹은 飲冷乘風, 多食瓜果으로 客寒이 胃를 범하면, 食留不化가 생기고, 곧 霍亂이 되는 것을 치료하였다.

건국 후 출판된 여러 책에도 本 方劑가 수록되어 있는데, 그 조성과 적응증이 原方과 기본적으로 같지만, 약간의 변화가 있다. 예를 들어 『全國中藥成藥處方集』(福州方)에서는 방에서 香薷를 빼고 별도로 蒼朮·茶葉을 더하고 모든 약을 고운 분말로 만들어 물로 달여 복용하고, 이름을 "六和茶"라고 하였다. 香薷를 빼서 解表散寒의 능력을 줄이고, 蒼朮을 더하여 燥濕運脾의 효능을 증가시키고, 茶葉을 배오하여 清利頭目하여, 內傷濕濁, 脾胃不和의 증상에 사용하면 더욱 적합하다.

【難題解說】 方劑名 "六和"의 의의에 관하여: 이것에 대해서는 예로부터 두 가지 관점이 있다. 吳昆으로 대표되는 의학자들은 "六和者, 和六腑也.脾胃者, 六腑之總司, 故凡六腑不和之病, 先於脾胃而調之, 此知務之醫也"(『醫方考』卷1)라고 인식했다. 汪昂으로 대표되는 의학자들은 "六和者, 和六氣也.若雲和六腑, 則五臟又不當和乎?蓋風寒暑濕燥火之氣, 夏月感之爲多, 故用諸藥匡正脾胃, 以櫃諸邪而平調之也"(『醫方集解』「和解之劑」)라고 인식했다. 필자는 方劑名 "六和"는 당연히 和六腑로 이해하는 것이 맞다고 생각한다. 『靈樞』「五味」에서 이르기를 "胃者, 五臟六腑之海也, 水穀皆入於胃, 五臟六腑皆稟氣於胃."라고 했는데, 本方은 健脾和胃의 효능이 있는데, 胃氣가 조화롭게 되면 五臟六腑가 安和하게 되고, 正氣가 안에 머무르게 되어, 邪가 간섭할 수 없기 때문이다.

【醫案】

1. 關格『新中醫』(1989, 11:18): 여성, 32세. 慢性腎炎에 걸린 지 이미 8년이 되었는데, 浮腫이 반복적으로 나타나고, 여러 약으로 치료했지만 浮腫이 때때로 나타났다. 반년 전 感冒로 인해 浮腫이 재발했고, 尿少하고 納差하여 테라마이신·히드로클로로티아지드(HydroDIURIL) 등의 양약을 스스로 복용했는데 효과가 없었고, 점점 더 심해져서 소변이 감소하며 나오기 힘들어졌고, 嘔吐가 빈발하고, 精神이 委靡하게 되었다. 현대 의학에서 관련 검사를 거쳐 慢性腎炎合幷尿毒症으로 진단받았다. 한의학 진료와 치료에서, 증상으로 精神疲乏, 面色灰暗, 呼吸深大, 四肢浮腫, 누르면 진흙같고, 腹部가 脹滿하고 반응이 느리고, 舌淡苔白膩하고, 齒痕이 있고, 脈이 沉細한 것이 보였다. 脾陽不足, 濕濁壅盛, 淸陽不升, 濁陰不降해서 생긴 關格證으로 판별했다. 치료는 마땅히 和中化濕, 疏利三焦, 升淸降濁해야 한다. 六和湯에서 香薷·薑·棗를 빼고, 檳榔을 더하여 3첩을, 물로 달여 복용하였다. 二診: 嘔吐가 줄고, 尿量이 늘고, 症狀이 好轉되었다. 효과가 있어, 다시 5첩을 전과 같은 방법으로 복용했다. 三診: 嘔吐가 멈추고, 浮腫이 확실히 없어져 보이고, 明顯이 소실되고, 腹脹이 기본적으로 소실되고, 또한 流食을 먹을 수 있었는데, 매끼 2량을 먹었다. 이어서 半夏를 빼고, 黃芪를 더하여 연속 8첩을 먹은 후에 精神이 恢複되고, 음식이 好轉 되었다. 경과 관찰: 매일 尿量 700 mL 정도, 非蛋白質 60 mg/%검사, 이산화탄소 결합률 70%용적, 혈칼륨 4.5毫當量/升, 尿蛋白±, 나머지 이상이 없어 퇴원을 요구하였다. 1년 동안 재발하지 않았다.

考察: 本 案은 關格이 脾陽不足, 濕濁壅盛, 中焦濕阻, 淸陽不升, 濁陰不降에 속하여 생긴 것으로, 六和湯으로 和中化濕, 疏利三焦, 升淸降濁해서 효과를 거두었다. 表證이 없기 때문에 辛溫解表하는 香薷·生薑 등의 약을 뺐다. 檳榔을 더하여 下氣行水의 능력을 증가시켰다. 複診해보니 嘔吐가 멈춰서 降逆止嘔하는 半夏를 빼고 黃芪를 넣어 益氣健脾, 升發淸陽의 효능을 증가시켰다. 脾胃가 건강해지면 濕濁이 없어지고, 淸陽이 오르면 濁陰이 내려가니, 六腑가 通暢하여 關格의 증상이 저절로 나았다.

2. 疰夏『江西中醫藥』(1990,4:34): 여성, 36세, 농민. 환자가 지난 단오절에 포식하고나서 腹脹을 느끼고, 胃脘疼痛하고, 噯腐泄瀉가 나왔는데, 여러 치료가 무효했다. 진찰해보니 神疲乏力, 身困嗜睡, 頭脹痛, 胸脘滿悶, 惡心嘔吐, 口粘納差, 尿少便溏, 午後低熱이 보였다. 평소 월경이 늦춰지고, 色이 淡하고 白帶가 많았다. 舌苔는 白膩하고 脈은 濡細하다. 증상이 暑濕困脾에 속했다. 치료는 마땅히 健脾化濕, 淸暑暢中이 적당했다. 六和湯加減, 藥用: 太子蔘 15 g, 白朮 10 g, 茯苓 12 g, 炒扁豆 10 g, 厚朴 10 g, 砂仁殼 5 g, 藿香 12 g, 木瓜 8 g, 法半夏 8 g, 神曲 10 g, 甘草 3 g을 물로 달여 복용했는데, 每日 1첩씩 연속하여 3첩을 복용하고 병이 나았다.

考察: 患者는 평소 脾虛氣弱하고, 여름에 밭에서 일하고, 感受暑濕한데다 또한 飮食不節, 食滯가 中阻하여 脾胃被困에 이르렀다. 運化가 안 되고, 升降이 임무를 잃었다. 증상이 暑濕困脾에 속하여, 치료는 마땅히 健脾化濕, 淸暑行氣하고, 消食暢中을 겸해야 했다. 증상에 대한 方藥으로 매우 빠른 효과를 거두었다.

第二節 清熱祛濕劑

茵陳蒿湯

(『傷寒論』)

【異名】茵陳湯(『外臺秘要』卷4『範汪方』)·茵陳散(『太平聖惠方』卷 55)·滌熱湯(『聖濟總錄』卷60)·大茵陳湯(『證治准繩』「類方」卷5)·茵陳梔子大黃湯(『濟陽綱目』卷34)·茵陳大黃湯(『症因脈治』卷3).

【組成】茵陳蒿 六兩(18 g) 梔子 擘 十四枚(12 g) 大黃 去皮 二兩(6 g)

【用法】위의 세 가지 재료를 먼저 茵陳을 물 1두 2승으로 끓여서, 六升을 덜어 낸 다음, 二味를 넣고 끓여, 三升을 취하고 찌꺼기는 버린다. 3회로 나누어 복용한다. 小便當利하고, 尿가 皂莢汁 모양이고, 色이 正赤하면, 하룻밤을 줄여 복용하면, 黃이 小便을 따라 제거된다.

【效能】清熱利濕退黃.

【主治】濕熱黃疸. 一身面目이 모두 황색이고, 黃色이 鮮明하며, 열이 나고, 腹이 微滿하고, 입이 마르고, 식욕이 없고, 惡心欲吐가 생기고, 大便秘結하거나 시원하지 않고, 땀이 쉬지 않고 나오거나, 땀이 없거나 혹은 머리에서만 나오고, 劑頸而還, 小便이 不利하고, 舌苔가 黃膩하고, 脈이 滑數한 것이다.

【病機分析】本 증상의 病機는 陽明의 瘀熱이 안에 있어 發黃하고, 濕熱이 中焦에 壅滯되고, 土가 壅하고 木이 鬱하는 것을 일으켜, 肝膽의 疏泄이 실조되고, 濕이 下泄되지 못하고, 濕熱과 瘀熱이 肌膚를 鬱蒸하여 이 증상이 나타난 것이다. 黃疸이 만들어지는 요인 중 다수가 濕熱交蒸 혹은 寒濕이 안에 있기 때문이다. 黃疸은 濕邪와 많은 연관이 있기 때문에, “無濕不成疸”이란 말이 있고, 本 方劑가 치료하는 것이 즉 濕熱黃疸이다. 陽明病은 裏熱實證에 속하며, 그 주치증으로 發熱汗出이 있는데, 이것은 熱의 세력이 밖을 향하여 宣透하여 發黃할 수 없지만, 熱과 濕이 합해지면, 濕熱이 鬱遏熏蒸하고, 膽汁이 제 길을 순환하지 못하게 되면, 몸이 반드시 發黃하게 되는데, 色은 귤색으로 선명하고, 피부를 침범하면, 아래로 膀胱에 맺혀, 面目·小便이 모두 황색으로 된다. 땀이 없으면 熱이 밖으로 나가지 못하고, 小便이 不利하면 濕이 下泄하지 못하니, 濕熱內盛의 조건이 만들어진다. 濕熱이 內蘊하면 열이 난다. 布津上承하지 못하니 口渴하게 된다. 濕邪가 壅滯하면, 脾濕이 不運하고 腹이 微滿한다. 穀氣가 不化하면 不欲飮食하거나 惡心欲吐한다. 濕熱膠結이 풀어지지 않으면, 머리에서만 땀이 나고, 劑頸而還, 身體에는 땀이 없게 된다. 肝膽의 疏泄에 영향을 주어, 膽汁이 밖으로 흘러나오면 肌膚가 發黃하게 된다. 瘀熱이 안에 있으면 渴飮水漿하는데 이것이 또 濕邪를 길어지게 하는 것을 돕고 腑氣不通하게 하여, 大便秘結이나 不爽, 小便不利가 생긴다. 舌苔黃膩하고, 脈이 滑數한 것이 모두 濕熱의 증상이다. 汪昂은 “黃者, 脾胃之色也. 熱甚者身如橘色, 汗如蘗汁.頭爲諸陽之會, 熱蒸於頭, 故但頭汗而身無汗. 夫熱外越則不裏鬱, 下滲則不內存, 今便既不利, 身又無汗, 故鬱而爲黃. 內有實熱故渴. 熱甚則津液內竭, 故小便不利. 凡疲熱在裏, 熱人血室, 及水結胸, 皆有頭汗之證, 乃傷寒傳變, 故與雜病不同. 濕在經則日晡發熱, 鼻塞, 在關節則身痛, 在臟腑則濡泄, 小便反澀, 腹或脹滿, 濕熱相搏則發黃. 乾黃, 熱勝色明而便燥;濕黃, 濕勝色晦而便溏.又黃病與濕病相似, 但濕病在表, 一身盡痛, 黃病在裏, 一身不痛”(『醫方集解』「利濕之劑」)이라고 하였다.

【配伍分析】黃疸은 陽黃과 陰黃의 구분이 있다. 陽黃은 濕熱에 의한 것이고, 陰黃은 寒濕에 의한 것이다. 本 方劑의 病證은 濕熱이 鬱蒸한 것으로 清熱利

濕으로 退黃해야 한다. 茵陳蒿는 疏利肝膽, 芳香化濁하여, 淸除濕熱하여 黃疸을 물러나게 하는 主藥이 되어, 方에서 君藥이 된다. 楊時泰는 茵陳蒿에 대해 "發陳致新, 與他味之逐濕熱者殊, 而滲利爲功者, 尤難相匹……黃疸濕氣勝, 則如熏黃而晦, 熱氣勝, 則如橘黃而明, 濕固蒸熱, 熱亦聚濕, 皆從中土之濕毒以爲本, 所以茵陳皆宜"(『本草述鉤元』卷9)라고 하였다. 茵陳의 芳香은 醒脾하고, 淸熱하고, 또 利膽할 수 있는데, 黃疸 요인의 주된 책임이 肝膽脾胃에 있으므로, 黃疸의 치료에 茵陳이 제1의 要藥이 된다. 梔子는 祛除濕熱, 淸泄三焦, 通調水道, 利濕熱하여 자연히 小便이 나오게 되니 方劑에서 臣藥이 된다. 仲景은 梔子·茵陳을 사용했는데, 바로 그 利小便하는 것과 蠲濕熱하는 것을 취한 것이다. 大黃은 淸除瘀熱, 推陳致新하여 濕熱壅遏毒邪를 大小便으로 나가게 하니 佐藥이 된다. 濕熱瘀毒이 이 증상 중 네 가지와 동시에 병존하는데, 大黃은 네 가지를 동시에 고려하며, 通腑泄熱利濕하여 濕熱에게 출로를 열어준다. 大黃은 血分으로 가는데, 梔子와 서로 배오하면 涼血泄熱으로 脾胃肝膽이 瘀熱에 의해 發黃後動血하게 되는 것을 방지한다. 세 가지 藥은 모두 苦寒한데, 寒은 淸熱할 수 있고, 苦는 除濕할 수 있으니 瀉熱通腑, 淸熱利濕退黃, 排除瘀毒하여 濕淸熱除하여 黃疸이 사라지게 한다.

本 方藥은 3味 뿐인데 비록 모두 淸熱利濕으로 退黃할 수 있지만, 茵陳蒿를 君藥으로 사용하고 또 중용하기 때문에 茵陳蒿를 方名으로 삼았다.

本 方劑의 配伍의 특징은 淸熱利濕藥과 淸熱瀉火藥·瀉火通便藥을 함께 사용하여, 瘀熱을 二便으로 나가게 하는 것이다. 方劑에서 세 약은 모두 淸利濕熱하고 利小便하는 효능이 있어 원서의 方後에서 이르기를 "小便當利, 尿如皂莢汁狀, 色正赤, 一宿腹減, 黃從小便去也."라고 하였다.

【類似方比較】 茵陳蒿湯과 茵陳五苓散은 모두 濕熱黃疸을 치료하는데 일반적으로 사용하는方劑이고, 主要作用은 모두 淸熱利濕하여 退黃하는 것이다. 하지만 濕熱의 邪는 濕重과 熱重의 구분이 있어, 두 方劑의 用藥이 다르고, 적응증 또한 다르다. 茵陳蒿湯은 淸熱의 효능이 강하고 利濕의 효능은 약한데, 攻下作用이 있어 濕熱黃疸 중 熱이 重한 것에 활용한다. 茵陳五苓散은 淸熱의 효능이 약하고 利濕의 효능이 강한데, 攻下作用이 없어서 濕熱黃疸 중 濕이 重한 것에 활용한다.

【臨床應用】

1. 證治要點: 本 方劑는 淸熱退黃의 작용이 강하여 陽黃을 치료하기 위해 일반적으로 사용하는 방제인데, 臨床에서는 몸의 황색이 귤과 같고, 小便이 不利하고, 입이 마르고, 舌苔가 黃膩, 脈이 沉數한 것이 證治要點이 된다.

2. 加減法: 만약 寒熱이 왔다 갔다 하고, 胸脅이 苦滿하고, 입이 쓰고 嘔吐가 있는 사람은 黃芩·柴胡·半夏·生薑을 더하여 和解少陽, 和胃降逆한다. 惡寒·身痛·無汗 등을 겸하면 麻黃·杏仁·連翹를 더하여 解表散邪한다. 脅痛이 비교적 重한 사람은 鬱金·川楝子·延胡索 등을 더하여, 疏肝行氣止痛한다. 黃疸이 비교적 重하고, 熱勢가 비교적 심한 사람은 板藍根·黃芩·大靑葉·虎杖·黃柏 등을 더하여 退黃除熱한다. 濕熱黃疸에 병세가 악화되어, 高熱이 나타나고, 煩躁가 있으면, 심하면 즉 정신이 불분명해지고, 抽搐, 出血 등이 생기는데, 이것은 熱毒이 안에 있는 것으로 牛黃·丹皮·赤芍藥·鬱金·黃連·羚羊角 등을 더하여 涼血解毒한다.

3. 茵陳蒿湯은 다음 한국표준질병사인분류(KCD)에 해당하는 환자가 濕熱黃疸, 濕熱內蘊證으로 辨證되는 경우 본 처방의 사용을 고려해볼 수 있다.

처방 목표	한국표준질병사인분류(KCD)
急性黃疸型肝炎	B15 급성 A형간염
	B16 급성 B형간염
	B17 기타 급성 바이러스간염

처방 목표	한국표준질병사인분류(KCD)
B型肝炎	B16 급성 B형간염
	B18.1 B형 간염(바이러스성) NOS
痰結石	K80 담석증
膽囊炎	K81 담낭염
렙토스피라症	A27 렙토스피라병
장티푸스	A01.0 장티푸스
敗血症	(질병명 특정곤란)
	A00~B99 I. 특정 감염성 및 기생충성 질환
	A41.9 상세불명의 패혈증
肺炎	J09~J18 인플루엔자 및 폐렴
	J20~J22 기타 급성 하기도감염
	J18.9 상세불명의 폐렴
蠶豆病의 溶血性 黃疸	D55.0 포도당~6~인산탈수소효소결핍에 의한 빈혈

【注意事項】 方劑에서 大黃은 苦寒瀉下藥이라서 오래 쓰거나 대량으로 쓰면 正氣를 상하게 되고, 生大黃을 나중에 넣으면 瀉下作用이 강해지고, 넣고 끓이면 瀉下作用이 약해진다. 大黃은 타닌을 함유하고 있어 瀉後 대부분 변비가 생기니 주의해야 한다. 大黃의 利膽작용은 용량을 많이 쓰면 커지고, 달일 때 나중에 넣으면 강해지기 때문에, 환자의 구체적인 상황을 고려하여 유연하게 적용해야 한다.

陰黃은 本 方劑가 적당하지 않다. 孕婦는 신중하게 사용하는데, 方劑에서 大黃이 活血化疲 작용이 있어, 流産을 일으킬 수 있기 때문이다.

【變遷史】 茵陳蒿湯은 원래 『傷寒論』「辨陽明病脈證幷治」에 실려 있다. "陽明病, 發熱汗出者, 此爲熱越, 不能發黃也. 但頭汗出, 身無汗, 劑頸而還, 小便不利, 渴引水漿者, 此爲 瘀熱在裏, 身必發黃, 茵陳蒿湯主之"(『傷寒論』238條); "傷寒七八日, 身黃如橘子色, 小便不利, 腹微滿者, 茵陳蒿湯主之"(『傷寒論』261條)라고 적혀있다. 本方은 張仲景이 陽明病發黃證을 치료하는 대표적인 方劑이고, 또한 『金匱要略』「黃疸病脈證並治第十五」에는 穀疸을 치료하는 主方이라고 나와 있다. "穀疸之爲病, 寒熱不食, 食即頭眩, 心胸不安, 久久發黃爲穀疸, 茵陳蒿湯主之." 그 병은 모두 濕熱交蒸으로 인한 것으로, 仲景이 이 方劑를 만들어, 후대에 濕熱黃疸을 치료하는 기초를 만들었다.

사용상의 변화를 보면, 茵陳蒿湯으로 濕熱黃疸을 치료하는 현존하는 문헌 기록을 분석했는데, 『醫心方』卷10에서 인용한 『深師方』의 大茵陳湯은 즉 本 方劑에서 黃柏·黃連·甘草·人蔘을 더하여 穀疸發寒熱, 음식을 먹을 수 없고, 먹으면 즉시 머리가 어지럽고, 心中怫冒不安을 치료한다. 『備急千金要方』卷10에 기록된 大茵陳湯은, 本 方劑에서 黃柏·白朮·黃芩·栝樓根·甘草·茯苓·前胡·枳實을 더하여, 內實熱盛發黃인데, 금색과 같은 황색에, 脈이 浮大滑實한 사람을 치료한다. 『外臺秘要』卷4에서 인용한 『小品方』의 三物茵陳湯은, 本 方劑에서 大黃을 빼고 石膏를 더하여, 黃疸인데 몸과 눈이 모두 황색이고, 肌膚甲錯을 치료한다. 『外臺秘要』卷4에서 인용한 『近效方』의 茵陳湯은, 本 方劑에서 黃芩·升麻·龍膽草·枳實·柴胡를 더하여 發黃인데, 몸과 얼굴과 눈이 모두 금색과 같은 황색이고, 小便이 黃柏汁을 달인 것 같이 진한 것을 치료한다. 『太平聖惠方』卷10의 茵陳散은, 本 方劑에서 滑石·木通·甘草를 더하여 傷寒, 頭項汗出, 身作無汗, 小便不利, 渴欲飮水한 사람을 치료하는데, 瘀熱이 안쪽에 있어, 몸에 황색이 나타난 것이다. 『太平聖惠方』卷16의 茵陳丸은, 本 方劑에 豆豉·鱉甲·芒硝·杏仁을 더하여 時氣熱毒이 풀어지지 않고, 心胸躁으로 황색으로 변한 것을 치료한다. 『太平聖惠方』卷84의 茵陳丸은, 本 方劑에 秦艽·朴硝·甘草를 더하여 小兒가 脾胃熱毒으로, 肌肉이 황색으로 변하고, 小便이 赤少하며, 心中이 煩한 것을 치료한다. 『聖濟總錄』卷60의 茵陳丸은, 本 方劑에 龍膽草·枳殼·黃芩·升麻·柴胡를 더하여, 몸과 얼굴이 모두 황색이고, 小便이 치자즙과 같이 진하고, 酒疸, 食氣, 女勞疸의 여러 종류의 黃疸을 치료한다. 『醫學綱目』卷31의 茵陳湯은, 本 方劑에 柴胡·黃柏·黃芩·升麻·龍膽草를 더하여 傷寒發黃으로 눈이 모두 황색이고, 小便이 적색인 것을 치료한다. 『普濟方』卷369의 茵陳湯은, 本方에 芒硝·寒水石·木通을 더하여 小兒의 發黃으로, 몸이 귤색과 같은 것을 치료한다.

적응증 방면을 보면, 仲景은 茵陳蒿湯을 만들며 그 病機를 명확하게 "瘀熱在裏"라고 하였는데, 그것이 임상에서 몸이 귤색과 같은 황색으로 되고, 小便이 不利하고, 腹이 微滿하고, 渴引水漿, 心胸不安, 久久發黃으로 표현된다. 역대 濕熱黃疸을 치료하는 것은 모두 本方劑를 위주로 하였고, 후대에 또한 濕熱黃疸을 치료하는 데 "淸·利"의 기본 大法을 규범으로 했으며, 특히 茵陳에 대한 응용은, 역대에서 거의 모두 황달을 치료하는 대표약이 되었는데, 濕熱이 억눌렀건 혹은 寒濕으로 發黃한 것을 막론하고 모두 茵陳을 사용한다. 陰黃을 치료하는 데는 『傷寒微旨論』卷下의 茵陳四逆湯이 있는데, 甘草·茵陳·乾薑·附子의 구성으로 陰黃, 脈沉細遲, 肢體逆冷, 허리 위에서 땀이 나는 사람을 치료한다. 『醫學心悟』卷2의 茵陳朮附湯은 茵陳·白朮·附子·乾薑·甘草·肉桂를 사용하여 陰黃證을 치료하고, 『醫醇賸義』卷3의 茵陳朮附湯은 茵陳·白朮·附子·茯苓·當歸·廣皮·半夏·砂仁·苡仁·薑皮를 사용하여 陰黃인데, 얼굴과 눈이 황색이며, 몸이 차갑고 갈증이 나지 않으며, 小便이 약간 황색이고 利한 것을 치료한다. 酒疸를 치료하는 데는 『醫醇賸義』卷3의 茵陳玉露飮이 있는데 茵陳·玉竹·石斛·花粉·葛根·山梔·廣皮·半夏·茯苓·萆薢·苡仁을 사용하여 酒疸인데, 평소에도 술을 좋아하여, 濕熱이 熏蒸하고, 얼굴과 눈이 황색이며, 황색이 심하면 흑색이 되고, 嘈雜하고, 시고 매운 것을 잘 먹고, 小便이 赤澀한 것을 치료한다.

黑疸을 치료하는 것은, 淸代 沈金鼇도 茵陳蒿湯을 變通하여 黑疸을 치료하는데 사용했다. 예를 들어 『沈氏尊生書』卷16의 治黑疸方은 "用茵陳蒿四兩, 搗取汁一合, 瓜蔞根一斤, 搗取汁六合, 沖和頓服之, 必有黃水自小便中下. 如不下, 再服, 此金鼇自制方也. 『簡便方』單用瓜蔞根汁以泄熱毒, 爲黑疸良方, 餘複加茵陳汁, 以爲濕邪引導, 較爲真切, 故用之輒效也."이다.

劑型 방면을 보면, 原方 湯劑를 다른 劑型으로 바꾸어, 복용이나 병세에 더욱 잘 맞도록 하여, 치료효과를 높이기도 했다. 예를 들어 仲景은 茵陳五苓散을 사용했고, 후대에서는 丸劑·飮劑·注射劑 등이 있었다. 王氏 등의 臨床과 실험 관찰에 의하면, 茵梔黃 주사액이 체내에서 病毒을 유도하는 것을 돕고 인터페론을 만드는 작용을 돕고, 체내의 백혈구를 증가시켜 인터페론의 효과를 유도하며, 환자의 인터페론 수준를 향상시켰다.1)

虞氏 등은 茵梔黃 주사액과 茵陳蒿湯 복용을 이용하여 신생아황달을 치료했는데, 두 집단은 효과에 현저한 차이가 없었다.2)

黃氏는 解放軍 302의원에서 茵梔黃 80 mL에 10% 葡萄糖 500 mL를 더해 매일 1회 滴注했다. 10~14일을 1회 치료과정으로 하고, 다른 간염의 중도 황달을 치료하는 약물을 종합적으로 조치했는데, 치료효과가 비슷하여, 명확한 차이가 없었다.3)

【難題解說】

1. 茵陳先煎의 機制: 原方은 茵陳을 먼저 달일 것을 강조하는데, 주로 外散之氣를 가볍게 날려 제거하는 것이 주요점이고, 厚味로 苦降하고, 表에 도달하지 않고 직접 안으로 들어가 利濕熱하여 小便을 통해 나가 黃疸이 자연히 없어지게 한다. 周岩은 "茵陳發揚芳鬱, 稟太陽寒水之氣, 善解肌表之濕熱, 欲其驅邪由小便而去, 必得多煮以厚其力"(『本草思辨錄』卷2)이라고 하였다.

2. 大黃을 이용하는 것에 관하여: 濕熱黃疸은 濕熱이 中焦脾胃에 뭉쳐 肝膽을 熏蒸하여 肝이 疏泄을 잃고, 膽汁 순환이 잘 안 되고, 肌膚로 흘러 넘쳐 만들어지는데, 便溏不爽 혹은 大便秘結을 막론하고 大黃을 모두 쓸 수 있어, 濕熱의 邪를 대변을 통해 내보내기 때문에, 大黃의 이용을 소홀히 할 수 없다. 그것은 腸道를 청결하게 하고, 腹部의 氣脹을 없애고 독소의

부작용을 제거하는 것을 돕는다. 周岩은 “大黃止二兩而又後煮, 則與茵陳走肌表之氣相浹, 且能促之使下也”(『本草思辨錄』卷2)라고 하였다.

3. 祛瘀와 解鬱의 관계: 張仲景은 本 方劑의 發黃機制를 “瘀熱在裏”라고 인식하고, “瘀”에 대해서는 역시 “鬱”解를 해야 한다고 했다. 예를 들어 『傷寒論講義』에서 말하기를 “瘀熱, 瘀與鬱可通用, 疲熱即鬱熱, 鬱滯在裏的意思.”라고 하였다. 사실 『傷寒論』“瘀”·“鬱”의 이용에는 구별이 있는데, “瘀熱”은 대부분 身黃하여, 用藥은 반드시 祛瘀해야 하는데, 『傷寒論』128條에서 “太陽病, 六七日表證仍在, 脈微而沉, 反不結胸, 其人發狂者, 以熱在下焦, 少腹當硬滿;小便自利者, 下血乃愈.所以然者, 以太陽隨經, 瘀熱在裏故也, 抵當湯主之.”라고 하였다. 瘀는 血瘀이고, 鬱은 氣鬱로, 하나는 血病이며 다른 하나는 氣病이다. 黃疸의 발생은 血分과 관련이 있기 때문에, 活血祛瘀의 효능으로, 活血하는 大黃을 選用하여 活血하게 하는 것은 당연하지만, “鬱”이 大黃을 쓰는 것의 근거가 되지는 않는다.

4. 方中 君·佐藥에 관하여: 本 方劑는 세 약물로 구성되어 있는데, 역대 의학자들이 모두 茵陳蒿를 君藥으로 인식하는데, 전혀 이의가 없었다. 단, 吳有性은 『溫疫論』卷上 發黃中에서 “茵陳爲治疸退黃之專藥, 今以病證較之, 黃因小便不利, 故用山梔除小腸屈曲之火, 瘀熱既除, 小便自利.當以發黃爲標, 小便不利爲本.及論小便不利, 病原不在膀胱, 乃系胃家移熱, 又當以小便不利爲標, 胃家爲本.是以大黃爲專功, 山梔次之, 茵陳又其次也.設去大黃而服山梔·茵陳, 是忘本治標, 鮮有效矣.或因茵陳五苓, 不惟不能退黃, 小便間亦難利.”라고 하였다. 吳有性은 本方에서 大黃을 君藥으로 이해한 것을 알 수 있으며, 그가 이용한 “茵陳湯” 역시 “茵陳一錢, 山梔二錢, 大黃五錢, 水薑煎服”으로 조성했다. 仲景의 茵陳蒿湯과 吳有性의 茵陳湯의 구성 藥味가 동일한 것을 생각하면, 黃疸에 대한 이해가 서로 달라, 두 方劑의 약물 배오와 용량에 약간 차이가 있었는데, 茵陳蒿湯은 茵陳을 君藥으로 하여, 梔子·大黃이 보조하는데 반해 吳有性의 茵陳湯은 大黃을 重用하고 茵陳·山梔의 양을 줄였다. 吳氏는 黃疸이 만들어지는 것을 “胃家移熱”이라고 이해했기 때문에 그 主要藥物의 이해와 용법도 달랐다. 佐使藥에 관해서 吳謙은 “佐以大黃, 使以梔子”(『醫宗金鑒』「訂正傷寒論注』卷4)라고 이해하였다. 그러나 吳瑭은 “梔子通水源而利三焦, 大黃除實熱而減腹滿, 故以之爲佐也”(『溫病條辨』卷2)라고 인식했다. 이것으로 보면, 方中二藥의 주차관계에 대해 각자 견해가 다르다. 그러나 현재 茵陳蒿湯의 사용 상황을 보면, 吳瑭의 말이 더욱 仲景方의 의의와 맞는 것처럼 보인다.

【副方】

1. 梔子柏皮湯(『傷寒論』): 肥梔子 擘 十五個 甘草 炙 一兩 黃柏 二兩

- 用法: 위의 세 가지 약물에 물을 四升을 담아, 煮하여 一升半을 얻고, 찌꺼기를 제거하고, 따뜻하게 두 번으로 나누어 마신다.
- 作用: 淸熱祛濕退黃.

方劑에서 梔子는 苦寒하여 內熱을 맑게 하고, 鬱熱結氣을 치료하고, 三焦의 火를 泄하여 소변을 따라 배출하고, 黃柏은 淸熱燥濕하고 炙甘草는 甘緩和中한다. 모든 처방이 脾胃中氣를 손상하지 않고 退黃하게 한다. 吳謙 등은 “傷寒身黃發熱者, 設有無汗之表, 宜用麻黃連翹赤小豆汗之可也, 若有成實之裏, 宜用茵陳蒿湯下之亦可也.今外 無可汗之表證, 內無可下之裏證, 故惟宜以梔子柏皮湯淸之也”(『醫宗金鑒』卷4)라 하였다. 梔子柏皮湯과 茵陳蒿湯 모두 濕熱黃疸, 身目俱黃, 小便短少하고, 색이 진한 차와 같은 증상이 보이는 것을 치료한다. 茵陳蒿湯은 濕熱이 모두 重하고, 胃腸에 영향을 주기 때문에, 脘痞, 嘔惡, 腹脹, 苔黃膩 등 증상이 비교적 무겁고 또 大便秘結에 쓴다. 梔子柏皮湯은 淸熱을 위주로 하고, 熱이 濕보다 중한 데에 쓰니, 따라서 發熱, 心煩, 口渴이 비교적 심할 때 쓴다.

2. 茵陳四逆湯(『傷寒微旨論』卷下) 다른 이름으로 加味薑附湯(『壽世保元』卷3)·茵陳附子乾薑甘草湯(『醫門法律』卷6)·茵陳薑附湯(『類證治裁』卷4)이라고 한다. 本 方劑의 구성은 四逆湯에 茵陳을 더한 것이다.

- 作用: 溫裏助陽, 利濕退黃.
- 適應症: 陰黃, 黃色으로 晦暗하고 윤택이 없으며, 四肢가 不溫하고, 皮膚가 차갑고, 身體가 무겁고, 정신이 피로하고 적게 먹으며, 舌淡하고, 苔가 白膩하고, 脈이 沉細澀하다. 『衛生寶鑒』에서 이르길 적응증은 陰黃, 皮膚가 차갑고, 心下가 단단하고, 누르면 아프고, 身體가 무겁고, 등에 惡寒이 있고, 눈을 뜨고 싶지 않으며, 언어가 느리고, 땀이 저절로 흐르고, 小便이 利하고, 대변을 보았음에도 끝나지 않은 것 같고, 脈은 緊細하고 發黃한다고 했다.

본방과 茵陳蒿湯을 비교하면, 모두 황달을 치료하는 처방인데, 다만 황달의 성질이 달라, 茵陳蒿湯은 濕熱로 인한 陽黃(黃色이 환하여 광택이 남. 귤색 같음)을 치료한다. 茵陳四逆湯은 寒濕으로 인한 陰黃(黃色이 어둡고 無華함. 그을린 것 같음)을 치료한다. 오래된 병과 慢性病에서 많이 보인다.

【參考文獻】

1) 王國中, 李家琦, 巫善明, 等. 複方中藥爲主治療亞急性重型肝炎臨床及實驗觀察. 中西醫結合雜誌. 1985;5(6): 329.
2) 虞佩蘭, 張潤秋. 中藥茵梔黃注射液等治療新生兒黃疸的治療觀察. 中醫雜誌. 1981;(2):23.
3) 黃輝釗. 中西醫結合治療肝炎重度黃疸的療效觀察. 中西醫結合雜志. 1984;4(2):84.

八正散

(『太平惠民和劑局方』卷6)

【異名】 八珍散(『世醫得效方』卷16)·八正湯(『宋氏婦科』)

【組成】 車前子 瞿麥 萹蓄 滑石 山梔子仁 甘草 炙 木通 大黃 麵裹煨 去麵, 切, 焙 各一斤(500 g)

【用法】 이상의 약을 가루로 만들어 매일 二錢(6 g)을 먹는데, 물 1잔을 燈心에 넣고 끓여 7분이 되게 하고 찌꺼기를 제거한 다음 따뜻하게 복용하고, 식후에 누워 있는다. 소아는 양과 약력을 적게하여 준다(현대용법: 물로 달여 복용하는데, 매일 1첩을 3회로 나누어 복용한다).

【效能】 清熱瀉火, 利水通淋.

【主治】

1. 濕熱淋證. 尿頻尿急, 溺時澁痛, 淋瀝不暢, 小便渾赤, 심하면 癃閉하여 不通하거나, 小腹이 急滿하고, 입이 마르고 목구멍이 건조하고, 舌苔가 黃膩하며, 脈이 滑數하다.

2. 心經熱毒證. 갈증이 나서 음료가 당기고, 煩躁不寧하며, 눈이 붉고 눈동자가 아프고, 唇焦鼻腦하며, 口舌에 瘡이 생기고, 咽喉에 腫痛이 있다.

【病機分析】 본 방제가 치료하는 여러 증상은 모두 下焦 膀胱에 濕熱이 쌓여 생긴 것이다. 『太平惠民和劑局方』에서는 "治大人·小兒心經邪熱, 一切蘊毒"이라고 했다. 膀胱은 津液의 腑로, 吳鞠은 "通周水道, 下輸膀胱, 三焦之職也. 受臟津液, 氣化能出, 膀胱之職也. 若水道不輸, 則內蓄喘脹, 外泛膚腫, 三焦之病也. 若受藏不化, 則諸淋澀痛, 癃閉不通, 膀胱之病也."(『醫

宗金鑑』卷29)라고 했다. 濕熱이 膀胱을 막아서, 膀胱의 氣化가 不利하면, 尿頻尿急, 溲時澀痛, 淋瀝不暢, 小便渾赤이 보이고, 심하면 癃閉不通, 小腹急滿 등이 나타난다. 邪熱이 안에 쌓여 독이 되면, 濕熱을 끼고 위를 薰蒸하여 津液이 灼하게 된다. 이로 인해 口燥咽乾, 口渴引飮, 目赤睛痛, 唇焦鼻衄, 口舌生瘡, 咽喉腫痛, 煩躁不寧이 나타난다. 苔가 노랗고, 脈이 數한 것이 濕熱의 증상이다.

【配伍分析】 本 方劑는 많은 淸熱利水通淋藥을 하나로 모으고, "淸"·"利"·"通"에 중점을 두어 熱淋을 치료하는데 일반적으로 사용하는 方劑이며, 石淋, 血淋도 치료한다. 本 方劑 중의 瞿麥과 萹蓄은 淸熱瀉火, 利水通淋하여 君藥이 된다. 그중 瞿麥은 "苦寒, 降心火, 利小腸, 逐膀胱濕熱, 爲治淋要藥"(『本草從新』卷3)"하며, 血分으로 갈 수 있어, 活血하여 通淋한다. 萹蓄은 利水通淋하여 특히 濕熱淋證에 비교적 좋다. 木通, 滑石, 車前子, 梔子는 淸熱利濕通淋하여 같이 臣藥이 된다. 그중 木通은 苦寒하고 淸熱利水하며, 濕滯를 터서 잘 통하게 하고, 九竅를 이롭게 하고 鬱熱을 제거하며 小腸의 熱을 아래로 이끈다. 滑石은 성질이 寒하고 沉降하며, 능히 水道를 매끄럽고 이롭게 하고, 濕熱이 새어 나가게 하니, 갈증이 스스로 멈추게 된다. 車前子는 利水通淋하고 氣를 상하지 않게 하며, 水道를 이롭게 하여 濁分을 맑게 하기 때문에 『醫方考』卷4에 이르기를 "木通……通其滯", "車前, 滑石滑其着"이라고 하였다. 熱이 성하면 淋이 생기는데, 상술한 利水通淋만 單用하면, 淸熱의 힘이 부족한 듯하여, 梔子와 大黃을 佐로 삼아서, 淸熱瀉火하고 濕熱을 아래로 이끈다. 그중 梔子는 三焦의 濕熱을 淸泄하고, 氣分으로 가서 邪熱을 제거하고, 血分에 들어가 凉血止血하니, 熱淋과 血淋을 치료할 수 있다. 大黃은 泄热降火, 淸利湿热, 淸血分實热, 活血止血하고, 氣病이 血에 미쳐, 熱이 血을 핍박하여 나오는 "鼻衄"·"血淋"에 대하여, 淸热活血止血의 효능을 이룰 수 있고, 이미 만들어진 瘀血을 아래로 내려, 넘치지 않게 하여 血이 평안하게 한다. 吳崑이 말하기를 "重者, 熱已結實, 不但痛甚勢急, 而且大便亦不通矣, 宜用八正散兼瀉二陰, 故于群走前陰藥中, 加大黃直攻後竅也."(『醫宗金鑒』「删補名醫方論」卷4). "大黃, 山梔瀉其秘"(『醫方考』卷4).라고 하였다. 炙甘草는 甘緩하고 止痛하며, 苦寒하여 위를 상하게 하는 모든 약을 막고, 또한 모든 약을 조화롭게 할 수 있으며, 끝부분을 쓰면 藥力을 끌어당겨서 前陰에 바로 이르게 하고, 약물로 하여금 주로 방광에 작용하게 하여 요도를 조화롭게 하여 使藥이 된다. 용법 중 燈心草는 맛이 淡하고 氣輕을 더하여, 淸心瀉火, 導熱下行한다. 全方이 같이 淸熱瀉火, 利水道通淋澀의 효능을 이룬다. 상술한 약물은 아래의 通淋을 치료하는 것 외에, 中上部 病位에 있는 熱毒을 깨끗하게 하는 것을 겸한다: 木通, 瞿麥, 燈心草는 瀉心火를 겸할 수 있고, 淸肺熱는 肺熱을 깨끗하게 하는 것을 겸할 수 있고, 梔子는 三焦를 淸利하게 할 수 있고, 大黃은 通暢腑氣하여, 導泄瘀熱을 내보내도록한다. 여러 약을 서로 배오하면, 비록 下焦를 위주로 치료하더라도, 사실상 三焦를 모두 맑고 이롭게 할 수 있다. 그러므로 본방을 "治大人, 小兒心經邪熱, 一切蘊毒"(『太平惠民和劑局方』卷6)에 이용할 수 있다.

本 方劑 八味의 淸熱利水通淋의 약의 용량이 같고 모두 散劑로 이용하기 때문에, "八正散"이라고 부른다.

【類似方比較】 八正散과 導赤散 모두 熱淋을 치료하는데 일반적으로 사용하는 方劑이고, 주요 작용은 모두 淸熱利水通淋이다. 八正散은 淸熱利水通淋하는 힘은 비교적 강하고 治下에 치중하고 있으며, 養陰하는 작용이 없고, 濕熱下注, 蓄於膀胱, 濕邪과 熱邪가 모두 심한 熱淋, 小便頻數, 赤澀熱痛, 淋瀝不暢에 적용한다. 導赤散은 淸熱利水通淋하는 작용은 비교적 약하고 心火를 깨끗이 하는 데 치중하며, 養陰작용이 있고, 心經熱盛, 小腸의 移熱로 생긴 口糜口瘡, 小便赤澀熱痛, 병세가 비교적 가벼운 데 적용한다. 八正散과 小薊飮子 모두 苦寒하고 通利를 주로 하는 조성이고, 동일하게 淸熱瀉火하고 利水通淋하는 효능이 있고, 下焦熱結하여 생긴 小便赤澀熱痛, 淋瀝不盡을 치

료하는 데에 주로 사용한다. 다만 小薊飮子은 小薊, 生地, 藕節, 蒲黃의 涼血止血藥을 위주로 滑石, 木通, 淡竹葉, 梔子가 利尿通淋하고, 當歸가 養血和血하며, 全方이 涼血止血를 위주로 하고, 中寓를 淸利하고 滋養하며, 熱結膀胱하여 血絡이 손상되어 생기는 血淋, 尿血에 쓴다. 八正散의 瞿麥, 篇蓄, 木通, 滑石, 車前子는 모두 利水通淋을 많이 하고 淸利濕熱 하며 梔子, 大黃(淸熱瀉火, 導熱下行)와 배합하는데, 全方이 苦寒通利, 淸利濕熱를 주로 하며, 補益하는 효능은 없고, 방광에 濕熱이 內蘊하여 생기는 熱淋에 적용한다.

【臨床應用】

1. 證治要點: 本 方劑는 膀胱濕熱證에 적용하며, 尿頻尿急, 溺時澀痛, 舌苔黃膩, 脈數가 證治要點이 된다.

2. 加減法: 朱震亨은 "治膀胱不利爲癃, 癃者, 小便閉而不通, 八正散加木香以取效, 或去滑石亦可"라고 하였다(『丹溪心法』卷3). 처방에 木香을 더하는 것은 대단히 중요한 임상적 가치가 있는데, 첫째로 木香은 辛香溫散하여 방광이 氣化하는 것을 돕고, 둘째로 苦寒泄降한 약에, 木香을 더해 溫運하면, 寒凝이 陽을 상하게 하는 문제점을 방지할 수 있다.

臨床 증상이 淋證이 濕熱에 속하는 경우에는 모두 八正散을 쓸 수 있다. 血淋에는 大薊·小薊·白茅根·石韋을 더해 涼血止血할 수 있다. 石淋澀痛에는 金錢草·海金沙·琥珀·冬葵子를 더해 化石通淋할 수 있다. 膏淋小便混濁에는 草薢·石菖蒲를 더해 分淸化濁할 수 있다. 熱毒熾盛, 發熱寒戰에는 마땅히 蒲公英·金銀花를 더해 淸熱解毒한다. 腰痛에는 牛膝을 더해 補益肝腎 및 通淋한다. 濕熱帶下, 色黃味腥, 腰腹脹痛, 口苦咽乾에는 蒼白朮·黃芩·薏苡仁을 더해 消除濕熱할 수 있다.

3. 八正散은 다음 한국표준질병사인분류(KCD)에 해당하는 환자가 濕熱淋證, 心經熱毒證으로 辨證되는 경우 본 처방의 사용을 고려해볼 수 있다.

처방 목표	한국표준질병사인분류(KCD)
膀胱炎	N30 방광염
尿道炎	N34.1 비특이성 요도염
	N34.2 기타 요도염
急性前立腺炎	N41.0 급성 전립선염
前列腺增生	N40 전립선증식증
泌尿道結石	N21.1 요도결석
急性腎炎	N00 급성 신염증후군
腎盂腎炎	N10 급성 세뇨관~간질신장염
	N11 만성 세뇨관~간질신장염
	N12 급성 또는 만성으로 명시되지 않은 세뇨관~간질신장염
急性腎不全	N17 급성 신부전
産後 尿閉	(질병명 특정곤란)
	O90.4 분만후 급성 신부전
	O90.9 산후기의 상세불명의 합병증
手術後 尿閉	(질병명 특정곤란)
	Z54.0 수술후 회복기
	R39.1 기타 배뇨곤란
盆腔炎	(질병명 특정곤란)
	N73 기타 여성골반염증질환
	R10 복부 및 골반 통증
絲狀蟲症	B74 사상충증
乳糜尿	(질병명 특정곤란)
	B74 사상충증
	A18.1 비뇨생식계통의 결핵
	R80 고립된 단백뇨

【注意事項】

1. 本 方劑는 苦寒通利를 위한 方劑로서, 과복용하면 陽氣를 손상시키고, 陰津을 소모하고 손상하며, 허약증후를 일으키는데, 예를 들어 頭暈, 心跳, 四肢無力, 胃納欠佳 등과 같은 것이다. 그러므로 實證에 적합하여, 허약한 사람은 사용하는 것을 삼간다.

2. 方劑에 많은 通利의 약재를 포함하고 있기 때문에, 임산부는 사용하는 것을 삼간다.

【變遷史】 중국 고대에 治淋을 方劑의 수가 아주 많았다. 明代『普濟方』의 小便淋秘門와 『醫方類聚』의 諸淋門 등이 모두 治淋의 효험방을 많이 모았는데, 熱淋을 치료하는 가장 유명한 方劑로 당연히 八正散을 추천했다. 이 方劑가 가장 일찍 기록된 것은『太平惠民和劑局方』卷6인데, 이르기를 "八正散, 治大人·小兒心經邪熱, 一切蘊毒, 咽乾口燥,大渴引飮, 心忪面熱, 煩躁不寧, 目赤睛痛, 唇紅鼻衄, 口舌生瘡, 咽喉腫痛. 又治小便赤澀, 或癃閉不通, 熱淋·血淋, 幷宜服之."

이 方劑가 세상에 알려지기 전에도, 通利作用을 갖고 있는 方劑가 이미 많이 있었는데, 예를 들어『太平聖惠方』의 三首木通散가 있는데, 一首는 木通·赤茯苓·車前葉·滑石·瞿麥으로 조성되어 있고, 이고, 傷寒 후 下焦熱일 때, 소변불통이 2,3일 있을 때 쓴다(卷72에 기록). 一首는 木通·車前子·石韋·瞿麥·赤茯苓·石燕으로 조성되었고, 小便難, 澀痛, 소변이 많이 나오지 않고, 身體壯熱을 치료한다(卷58에 기록). 또 다른 一首는 木通·葵子·茅根·楡白皮·瞿麥·火麻仁·貝齒·滑石·甘草로 조성되어 있고, 부인의 五淋을 치료한다(卷72에 기록). 세 가지 方 모두 利水通淋하는 약재인 瞿麥·木通·滑石·車前子 등으로 조성되었다. 이 책 卷13에 있는 瞿麥散은 利水通淋을 기초로 하여 淸熱藥과 瀉下藥을 더하여 넣었는데, 예를 들어 梔子黃芩·大黃·朴硝 등의 종류로, 八正散의 組方과 특히 유사하다. 원문에는 "治傷寒, 小便不通, 尿血澀痛, 宜服瞿麥散方. 瞿麥三分, 車前根三分, 木通一兩, 梔子仁一兩, 川大黃一兩, 銼碎, 微炒, 黃芩一兩, 川升麻一兩, 牽牛子三分, 微炒, 滑石半兩, 川朴硝一兩, 甘草半兩, 炙微赤, 銼.右件藥, 搗篩爲散, 每服五錢, 以水一中盞, 人蔥白二莖, 燈心半束, 煎至六分, 去滓, 不計時候溫服, 以通利爲度."라 하였다. 八正散과 비교하면, 조성 중 萹蓄이 적고, 黃芩·升麻·牽牛子·朴硝가 많으며, 車前은 根을 사용하고 子를 쓰지 않았는데, 두 方劑 모두 八味藥이 서로 동일했으며, 모두 散劑로 만들었다. 八正散이 瞿麥散로부터 유래했음을 알 수 있다.

八正散이 세상에 나온 이후, 의학자들이 臨床에서 널리 이용했으며, 또 자신들이 경험한 것과 결합하고, 증상에 따라 化裁하여 한 발 더 나아가 새로운 方劑를 만들어냈다. 예를 들어 淸利의 과도함을 방지하기 위해, 朱震亨이 木香을 더한 경험을 근거로 하여, 吳昆은『醫方考』卷4에 八正散加木香湯을 전하였고, 또 "取其辛香, 能化氣於中"라며 木香을 더한 원리를 설명하였다. 八正散과 이름이 같은 方劑도 고대 의서에서 드물지 않게 볼 수 있다. 구체적으로 ①『痘疹全書』卷上의 八正散은 木通·赤茯苓·滑石·甘草·連翹·升麻·猪苓·淡竹葉·瞿麥·燈心으로 조성되었고, 痘疹, 小便不通을 주치한다. 이 方劑와『太平惠民和劑局方』의 八正散은 모두 木通·滑石·甘草·瞿麥·燈心을 이용했다. 그러나 후자는 瀉火通淋作用이 더 강하다. ②『萬氏家傳片玉痘疹』卷3의 八正散은 大黃·滑石·甘草·赤芍藥·瞿麥·車前子·木通·赤茯苓·萹蓄으로 조성되었고, 燈心·水竹葉을 사용하였으며, 痘疹發熱, 小便不通을 치료했다. 이 方劑와『太平惠民和劑局方』의 八正散은 모두 大黃·滑石·甘草·瞿麥·車前子·木通·萹蓄·燈心을 사용하였고, 두 方劑의 작용이 기본적으로 같았다. ③『症因脈治』卷4의 八正散은 瞿麥·滑石·山梔·木通·甘草·車前子·澤瀉·赤茯苓·淡竹葉으로 구성되었고, 濕熱痢, 無表邪, 腹痛後重을 치료했다. 이 方劑와『太平惠民和劑局方』의 八正散은 모두 淸熱利濕하나, 단『太平惠民和劑局方』의 藥力이 더 강하고, 적응증 또한 명확히 구별된다. ④『症因脈治』卷4의 또 다른 八正散은 瞿麥·滑石·木通·萹蓄·甘草·車前子·山梔·赤茯苓으로 조성되었고, 二便皆滯를 치료한다. 이 方劑와『太平惠民和劑局方』의 八正散을 비교하면 단지 방제의 赤茯苓을 大黃으로 바꾸었을 뿐이고, 작용은 기본적으로 같았다. 이 외에, 八正散 원본은 "一切蘊毒"을 치료하는데, 그래서 후대에도 이를 기초로 加味하여 熱毒의 여러 증상을 치료했다. 예를 들어 徐春甫는 本 方劑에 赤茯苓·黃芩을 더하여 "小兒胎熱, 諸熱腸腑閉澀, 瘡毒丹斑. 母子同服"한다고 했다.(『古今醫統大全』卷88).

현대의 사용 방면을 보면, 八正散은 이미 濕熱下注의 淋證 또는 癃閉를 치료하는 主方이 되었다. 요도결석을 치료할 때 대부분 이 方劑를 기초로 하여, 石韋·金錢草·海金沙·琥珀·冬葵子 등의 排石通淋효능을 강하게 하는 排石通淋藥을 더하여 사용한다. 下焦濕熱蘊毒, 發熱形寒한 사람은 淸熱解毒藥을 더하여 배합하는데, 일반적으로 蒲公英·金銀花·金錢草·半枝蓮·牛膝 등의 淸熱解毒作用을 강하게 해주는 약들을 사용한다. 濕熱이 이미 오래되어 正氣가 손상된 사람은 黃芪·白朮·當歸·白芍 등의 補益藥을 배오하여, 扶助正氣할 수 있고, 또 八正散의 通利가 지나치게 심하여 正氣를 손상하는 것을 막을 수 있다. 濕熱下注하고 또 氣滯血瘀한 사람은 대부분 行氣活血藥을 배오하는데, 赤芍藥·牛膝·琥珀·檳榔·王不留行 등의 通淋止痛作用을 강하게 하는 약을 사용한다. 下焦濕熱에 瘀血이 끼어 있는 사람에 대해서는,『太平惠民和劑局方』의 두 가지 五淋散方을 사용할 수 있는데(각각 赤茯苓·當歸·甘草·赤芍藥·山梔子仁 및 木通·滑石·甘草·山梔仁·赤芍藥·茯苓·淡竹葉·山茵陳로 조성), 두 가지 모두 活血化瘀藥을 배오하여, 止痛作用을 강화했다.

역대 八正散의 사용 상황을 분석하면, 原方 중의 滑石·篇蓄·車前子·甘草는 대부분 유지되었으나 大黃·梔子는 자주 빠졌는데, 이는 大黃이 비록 泄熱할 수 있지만, 주요작용이 攻下通便이라 오래 쓰기에 적합하지 않기 때문이다. 梔子 역시 通導大便할 수 있는데 張仲景이 말한 "病患舊微溏者, 梔子豉湯不可與服之"가 그 例證이다. 현재 일반적으로 八正散을 기본방으로 加減하여 비뇨기계통의 질병(結石에 많이 사용)에 사용하며, 濕熱下注인 사람에게, 특히 더 많이 사용한다.

八正散은 전통적으로 散劑였으나, 현대에는 주로 湯劑로 사용하며, 合劑로 사용하는 것도 있는데, 예를 들어 八正合劑(四川省藥品標准, 1985年版)가 있는데, 매회 15~20 mL를, 매일 3회 口服한다.

【難題解說】

1. 方劑 중 大黃에 관하여: 大黃은 攻下通便藥으로, 속칭 將軍이라 하는데. 方劑에서 대량의 利水通淋의 약재를 이용할 때, 大黃을 배오하는 것은 아래와 같은 의의를 지닌다. ① 前後分消. 濕熱下注는 방광의 기능 실조, 溺時疼痛, 혹은 癃閉不通에 이르게 하는데, 이때 大黃의 淸利濕熱 작용을 취하여 前陰에 다다르고, 또 大黃의 通導大便을 취하여 後陰에 이르러, 前後를 나누어 없애면, 濕熱病證의 제거에 더욱 유리하다. 본 약이 前陰에 도달하여 利濕熱하는 효능에 관해서, 옛 사람들이 일찍이 논술했는데, 예를 들어『日華子本草』에서는 "利大小便"이라 하였고,『主治秘要』에서는 "除下焦濕"라 하였다. 현대 연구에서 大黃의 유효성분에 利尿作用이 있다는 것을 밝혀냈다. ② 瀉火解毒, 引熱下行. 大黃은 비교적 강한 淸熱瀉火解毒 작용이 있고, 通降下行하는 효능이 뛰어나서, 濕熱이 달라붙어 정체되어있거나 혹은 "大人, 小兒心經邪熱, 一切蘊毒" 등에 쓰는데, 大黃은 다른 약물의 淸利作用을 증강시킬 수 있고, 또 火熱을 降瀉하여 熱邪가 지나치게 심하여 독이 되는 것을 방지할 수 있기 때문에, "一切蘊毒"을 치료하는 良藥이라 한다. ③ 涼血止血. 八正散原方의 大黃은 "面裹煨, 去面, 切, 焙"으로, 이런 종류의 炮制法은 大黃의 涼血止血하는 효능을 강화하는데, 만약 熱迫血溢, 尿中帶血하면 大黃을 이용해 淸熱活血, 涼血止血 하도록 하여 만들어진 瘀血을 下行시키고, 未溢한 血을 寧謐하게 하므로 능히 血淋을 치료할 수 있다. ④ 上病下治.『太平惠民和劑局方』에서 서술한 八正散의 적응증을 보면, "咽乾口燥, 大渴引飮, 心忪面熱, 煩躁不寧, 目赤睛疼, 唇焦鼻衄, 口舌生瘡, 咽喉腫痛" 등의 火熱毒盛의 증상이 있는데, 이때 大黃을 사용하여 문제를 근본적으로 해결하는데, 上病下取의 妙는, 方劑에 梔子를 배오하여, 三焦之熱을 導泄하고 瀉火解毒의 효능을 증강시킬 수 있는 것이다. 原書에 기록된 八正散 적응증을 보면, 大便秘結의 증상이 없는데, 본방에서 大黃의 쓰임이 주로 "以下爲淸"의 의미를 취하기 위해서라는 것을 알 수 있다.

2. 八正散의 적응증에 관하여: 原書에서 본방은 "治積熱"을 위해 만들어진 것으로, 원래는 "一切蘊毒"을 치료하며, 주로 "心經邪熱"을 치료한다. 諸痛痒瘡은 모두 心에 속한다. 熱이 쌓인 것이 오래되면, 心經의 熱이 왕성해지고, 熱毒이 上部를 공격하기 때문에, 咽乾口燥, 大渴引飮, 心忪面熱, 煩躁不寧, 目赤睛疼, 唇焦鼻衄, 口舌生瘡, 咽喉腫痛이 발생한다. 方劑에서 사용하는 주요 약물은 淸心經熱邪의 藥으로, 예를 들어 木通·梔子·大黃·瞿麥·甘草·燈心이다. 그래서 『太平惠民和劑局方』에서 이용한 八正散은 주로 心經에 邪熱毒盛한 증상을 치료한다. 宋代 이후, 의학자들은 적지 않은 淸熱解毒藥이 八正散방의 약물 효능보다 더욱 좋고 더욱 강하다는 것을 체득하였기 때문에, 八正散을 이용하여 "一切蘊毒"을 치료한 사람이 점차 줄었지만, 그것으로 小便赤澀한 사람을 치료하는 것은 많아지게 되었다. 현대의 八正散 사용 상황을 분석하면, 주로 "小便赤澀, 或癃閉不通, 及熱淋, 血淋"을 치료할 때 쓰는데, 이것은 全方이 양호한 利水通淋 작용을 갖고 있기 때문이다. 濕熱病證은 위치가 下焦에 있어, 淸利하지 않으면 안 된다.

【醫案】

1. 泌尿系結石 『浙江中醫雜誌』(1983, 2:59): 남성, 22歲. 腰痛陣發이 근래에 더 극심해졌는데, 특히 노동 후에 더 심했고, 통증이 격렬할 때는 사방으로 퍼져 少腹, 陰莖까지 이르렀는데, X선으로 右腎 쪽에 2개의 0.5×1.5 cm의 결석의 음영이 보였고, 스스로 神疲乏力을 느끼고, 面色에 윤기가 없고, 때때로 冷汗이 나오고, 小便이 短澀하고 색이 赤하며, 舌質이 紅하고 苔는 薄白하고, 脈은 細緩하였다. 단백뇨+, 적혈구+++, 백혈구+였다. 濕熱로 正氣가 소모되고 상했고, 久利로 陰液이 손상되었다고 판단하여, 八正散에서 大黃을 去하고 黨參·黃芪·生地를 加하여 益氣養陰했다. 5첩 복용 후 정신이 좋아졌다. 다시 牛膝·地龍을 加하여, 3첩을 복용하는 동안 2개의 黃豆만한 크기의 결석이 배출되었다. 이후 요통이 발생하지 않았고, 소변이 정상과 같아졌고, 모든 병이 호전되었다.

考察: 위 案은 結石의 病例로, 辨證은 모두 濕熱에 속하는 질환이다. 『太平惠民和劑局方』에서 언급한 八正散의 主治病證은 다음과 같다: 小便赤澀, 或癃閉不通, 及熱淋·血淋". 結石이 血絡을 손상시켜, 血淋·小便出血이 발생했다. 八正散이 淸熱利濕通淋하여, 濕熱病證을 제거하는 데에 특히 효과가 있는데, 더욱이 結石을 배출하는 작용이 탁월하므로 충분한 효과를 거둘 수 있었다.

2. 전립선염 『新医学』(1975, 5:263): 남성, 50세. 面色이 蒼白하고, 尿急, 小便이 困難하고 點滴과 같이 나오고, 尿道의 灼痛이 이틀 동안 있었는데, 오늘 아침에는 小便不通, 尿急, 下腹의 脹痛이 견디기 힘들고, 大便이 乾結하고, 舌質은 紅했으며, 苔는 白厚했다. 외과 진단은 전립선비대 및 감염이었다. 이는 濕熱이 下焦에 壅結한 것으로, 마땅히 淸熱散結, 通陽利水으로 치료한다. 약은 木通·車前子·梔子·甘草·瞿麥·篇蓄 各 9 g, 大黃 6 g, 滑石 25 g, 肉桂 3 g(焗服), 北芪 15 g, 黃柏 6 g으로 조성했다. 2첩을 연달아서 먹은 후, 대소변이 통하고, 尿急과 尿痛이 감소하고, 睡眠이 호전되며, 舌質이 淡紅하고, 苔根이 黃厚하고, 脈이 弦細해졌다. 다시 上方에서 大黃을 빼고 白朮 12 g을 더하여 5첩을 복용하니, 원래 있었던 증상이 소실되었다. 健脾滲濕, 養血活血하는 방법으로 바꾸어 완치하였다.

考察: 현대의학에서 말하는 전립선염은 다수가 한의학의 淋證의 범주에 속하는데, 특히 濕熱型이 많이 보인다. 本案은 濕熱이 下焦에 壅結하여 생긴 것이다. 八正散加味를 투여하여 下焦를 淸利하고, 小便을 暢利하게 하여 낫게 된 것이다.

3. 血尿 『江蘇中醫雜誌』(1986, 2:22): 남성, 43세. 1년 3개월 동안 소변 중에 血塊가 나타났는데, 때때로 있기도 없기도 하며, 수차례의 뇨검사에서 적혈구는 +~++++으로 달랐다. 膀胱鏡, 비뇨계X선 사진, 조영검사에서, 모두 병리적 손상이 발견되지 않았고, 腰痛·腹痛 및 浮腫이 없었으며, 小便利, 舌質紅, 苔薄白,

脈細했다. 치료는 木通 15 g, 車前子(包)· 篇蓄 各 10 g, 甘草 5 g, 翟麥·山梔 各 10 g, 燈心草 3 g, 琥珀(分呑) 3 g, 鮮茅根 30 g을 水煎하여 매일 1첩을 복용했다. 15첩을 복용하니 소변 중의 血塊가 사라졌고, 鏡검사에서 적혈구가 (–)가 되었다.

考察: 本案은 현대 의학의 여러 가지 검사에서 원인이 불명했는데, 한의학의 辨證은 濕熱이 膀胱에 積聚하고 心火가 이동하지 않고, 熱이 血絡을 상한 것에 속했다. 따라서 八正散으로 清熱寧絡, 熱淸하여 血이 妄行하지 않고 止血의 효과에 도달하도록 하였다.

五淋散(山梔子湯)

(『鷄峰普濟方』卷18)

【異名】五淋湯(『醫學實在易』卷7).

【組成】當歸 赤芍藥 赤茯苓 甘草 山梔子 各等分(各 9 g)

【用法】위 약재를 고운 가루로 만들어, 매회 二錢(6 g)을 복용하는데, 물 한잔을 넣고 8분이 될 때까지 달여, 食前 공복에 복용한다.

【效能】清熱涼血, 利水通淋.

【主治】濕熱血淋證. 溺時澀痛, 尿中帶血, 혹은 尿가 豆汁과 같거나, 溲가 砂石과 같고, 臍腹에 急痛이 생기는 것.

【病機分析】本 方劑의 적응증은 濕熱血淋證이다. 濕熱血淋은 대부분 嗜食肥甘하고, 飮酒가 지나쳐, 釀이 濕熱이 되고, 또는 濕熱外邪를 받아 생긴다. 濕熱이 下注膀胱하여, 熱이 血絡을 상하게 하고, 피가 妄行하게 되면, 溺時할 때 澀痛이 있고, 尿中에 血이 비치는데, 혹은 豆汁과 같다. 만약 濕熱이 蘊結하고, 尿液이 煎熬하여 돌이 되면, 小便이 艱澀刺痛하고 砂石이 끼게 된다. 濕熱下注하여 壅滯氣機하게 되면 臍腹에 疼痛이 생긴다.

【配伍分析】本 方劑는 濕熱下注, 血熱妄行의 血淋證을 위해 만들어졌다. 치료는 마땅히 清熱涼血, 利水通淋해야 한다. 方劑에서 山梔子는 苦寒하고, 體輕하여 氣로 들어가고, 성질이 陰하여 血로 들어가서, 清熱利濕하여 濕熱下注를 치료할 수 있을 뿐만 아니라, 瀉火涼血하여 血熱妄行을 치료하니 君藥이 된다. 赤茯苓은 甘淡하고 利竅하여 膀胱의 濕熱을 제거한다. 『本草綱目』卷31에서 "瀉心·小腸·膀胱濕熱, 利竅行水"라고 하였다. 梔子와 같이 사용하여 利水通淋의 효능을 증가시킬 수 있다. 赤芍藥은 맛이 쓰고 微寒하여, 血分으로 가서 血分의 鬱熱을 제거하는데, 梔子와 같이 배오하여 清熱涼血작용을 강화할 수 있다. 熱淸血寧하니, 出血을 멈추게 한다. 經에서 떨어진 혈은 즉 瘀血이 되고, 濕熱이 蘊結하면 역시 瘀가 되는데, 赤芍藥은 行血의 효능을 겸하니, 瘀滯의 질환을 방지한다. 이 외에 일찍이 『神農本草經』卷2에서 본 약재에 대해 말하길, "主邪氣腹痛……止痛, 利小便."라고 하였다. 위의 두 가지가 같이 臣藥이 된다. 當歸는 養血活血하니, 한 가지는 열이 陰血을 상하게 하고, 出血傷血을 방지하는 것이고, 또 한 가지는 赤芍藥과 함께 活血하여 瘀滯를 막는 것이니, 臍腹의 疼痛를 완화시켜, 佐藥이 된다. 甘草는 瀉火解毒하고 여러 약을 조화롭게 하여 使藥이 된다. 모든 약을 서로 합하면, 함께 清熱涼血, 利水通淋하는 효능을 이룰 수 있다.

本 方劑는 散劑이며, 원래 五淋을 치료하는 것을 목적으로 하기 때문에, 五淋散이라고 이름 붙여졌다.

本 方劑의 배오특징은 清熱과 利濕을 병행하고, 涼血과 行血을 서로 겸하는 것이다.

【類似方比較】本 方劑 및 八正散이 치료하는 증상은 모두 濕熱下注, 蘊結膀胱으로 인해 생긴다. 모두 溺時澀痛, 淋瀝不暢, 腹痛등의 증상이 나타난다. 하지만, 前者는 梔子를 赤芍藥과 배오하여 清熱涼血에 중점을 두어, 血淋에 비교적 적합하다. 後者는 車前子·木通·滑石·瞿麥·篇蓄 등의 苦寒清利하는 약을 모아, 降泄火熱하는 大黃과 배오하여 瀉火通淋에 중점을 두고, 濕熱의 邪를 二便을 따라 없애도록 하니, 熱淋에 더욱 적합하다.

【臨床應用】

1. 證治要點: 本方의 主治는 濕熱血淋證이고, 기타 濕熱淋證에도 사용할 수 있다. 임상에서는 때때로 尿中帶血, 溺時澀痛, 臍腹急痛를 證治要點으로 한다.

2. 加減法: 만약 出血이 뚜렷하면, 白茅根·大小薊 등을 더해 涼血止血할 수 있고, 石淋을 치료하려면, 金錢草·海金沙를 더해서 化石通淋할 수 있다.

3. 五淋散은 다음 한국표준질병사인분류(KCD)에 해당하는 환자가 濕熱血淋證으로 辨證되는 경우 본 처방의 사용을 고려해볼 수 있다.

처방 목표	한국표준질병사인분류(KCD)
尿道炎	N34.1 비특이성 요도염
	N34.2 기타 요도염
膀胱炎	N30 방광염
膀胱結石	N21.0 방광의 결석
腎結石	N20.0 신장의 결석
淋病	A54 임균감염
	N34.1 비특이성 요도염

【注意事項】遺瀝이 오래된 것은 虛寒病證에 속하니, 本 方劑의 사용하지 않도록 하여, 正氣를 손상시키지 않도록 한다.

【變遷史】本 方劑가 최초로 등장하는 것은 宋代의 『雞峰普濟方』卷18인데, 原名은 "山梔子湯"이었고, 적응증은 五淋 및 血淋이었다. 『太平惠民和劑局方』卷6(寶慶新增方)에서는 그것을 "五淋散"으로 바꾸었고, 더불어 各 약의 용량도 바꾸었다: 赤茯苓 六兩, 當歸去蘆·甘草生用 各 5량, 赤芍藥·山梔 各 20량이었고, 腎氣不足, 膀胱有熱, 水道不通, 淋瀝不宣, 出少起多, 臍腹急痛, 蓄作有時, 勞倦即發, 尿가 豆汁과 같거나 砂石과 같고, 冷淋이 膏와 같거나, 熱淋便血을 치료했다. 바꾼 후 赤芍藥·山梔의 용량이 특히 더해졌는데, 나머지 세 약의 총량이 2.5배가 되어, 그 清熱涼血하는 작용이 더욱 현저해졌다. 후세의 의학자들은 대부분이 方名, 용량, 치료를 따랐다.

本 方劑와 이름과 조성이 같고, 적응증이 비슷한 方劑가 매우 많은데, 예를 들어 『太平惠民和劑局方』卷6 (續添諸局經驗秘方)의 五淋散은 原方에서 當歸를 빼고 木通·滑石·淡竹葉·山茵陳를 더했고, 적응증이 비록 서로 같으나, 加減한 약물에 미루어 추정해볼 때, 이 처방은 利水通淋, 清熱祛濕을 前方보다 강하고, 活血의 효능이 조금 약하여, 濕熱淋證에 사용하면 비교적 좋다. 『仁齋直指方論』卷16의 五淋散은 原方에 黃芩을 더한 것으로, 主治는 여러 淋證이다. 清熱藥을 더했기 때문에, 熱邪가 편중된 諸淋을 치료하는 데 비교적 좋다. 또 黃芩이 除熱安胎의 요약이기 때문에, 『濟陰綱目』卷9에서는 임산부의 熱結膀胱, 小便淋瀝證을 치료하는 데 사용했다. 『醫宗金鑒』卷46에서는 胎前의 여러 질환을 치료하는 데 사용했다. 『奇效良方』卷64의 五淋散은 本方에서 山梔를 뺀 것으로, 적응증은 小兒腎氣不足, 膀胱有熱, 水道不通, 淋淅不出이다. 소아는 稚陰稚陽의 몸이라, 陽氣가 未充하기 때문에, 苦寒傷陽하는 山梔를 줄이거나 제거해야 한다. 『丹台玉案』卷5의 五淋散은 本 方劑에 小薊을 더한 것으로 적응증은 비록 前方과 동일하나 涼血止血 작용이 비교적 강하여, 出血이 비교적 많은 사람에게 쓰기 적합하다. 『血證論』卷8의 五淋散은 原方에서 赤茯苓·赤芍藥을 빼고 車前子를 더한 것으로, 心에서 小腸으로 熱이

옮겨가 結하여 생긴 淋證을 치료한다. 이 처방은 淸熱涼血 작용이 前方에 미치지 못하지만, 利尿通淋 작용은 조금 더 강해서, 因勢利導하여 心熱을 소변으로 배출되도록 한다. 『醫學金針』卷5는 方劑에서 赤芍藥을 白芍藥으로 바꾸어 물로 달여 복용하고 이름을 五淋湯이라고 했다. 白芍藥이 赤芍藥보다 養陰斂營하는 작용이 비교적 강해서, 邪를 제거하고 陰을 상하지 않게 하기 때문에, 이 처방은 陰傷을 겸한 사람들에게도 사용할 수 있다. 日本人 山本岩은 宋代『太平惠民和劑局方』의 五淋散을 근거로, 木通·車前子·滑石·澤瀉·黃芩을 더하여 日本五淋散을 만들어냈다. 그 용량은 다음과 같다: 梔子 2 g, 甘草 3 g, 木通 3 g, 車前子 3 g, 滑石 3 g, 茯苓 6 g, 澤瀉 3 g,當歸 3 g,芍藥 3 g,黃芩 3 g, 일본의 製藥倉에서 精散으로 만들어 판매했다.

이 외에도, 후대 사람들이 原方의 적응증 범위를 넓혀 나갔는데, 『薛氏醫案』는 그것을 이용하여, 肺에 伏熱이 있어, 물을 만들어내지 못해 喘이 생기는 것을 치료하고, 또 그것으로 소아의 解顱·코피·頞間의 色이 붉은 것 등을 치료했다. 상술한 여러 증상이 비록 모두 上部에 있지만, 本 方劑의 利水通淋, 淸熱涼血의 효능을 빌어서 폐의 伏熱을 下行하게 하여 머리의 積水를 下流케 하고, 위로 올라가는 鼻腔 및 頞間의 血熱을 아래로 내려가게 하니, 上病下取의 뜻이 있다.

【難題解說】

1. 白茯苓과 赤茯苓에 관하여: 두 가지는 동일한 기원을 취하는데, 白茯苓은 다多孔菌科의 眞菌茯苓의 건조한 균핵이고, 赤茯苓은 多孔菌科 眞菌茯苓의 건조한 균핵의 외피부에 가까이 있는 연한 적색 부분이다. 白茯苓은 甘·淡·平하고, 心·脾·腎으로 歸하며, 작용이 和緩하고, 寒熱의 편중이 없고, 淡滲利水할 수 있어, 寒熱虛實의 各 종 水腫에 쓴다: 健脾補中할 수 있어, 脾虛의 여러 증상에 사용한다: 心脾를 이롭게하고 寧心安神할 수 있어, 心脾兩虛, 氣血不足으로 인한 心悸, 失眠에 사용한다. 赤茯苓은 甘·淡·平하고 心, 脾, 膀胱經으로 歸하며, 行水, 利濕熱할 수 있어, 小便不利·淋濁·瀉痢에 주로 사용한다. 赤茯苓의 淸熱利濕 작용은 白茯苓보다 강하나, 補脾寧心의 효능이 뚜렷하지 않고, 작용도 비교적 단순하다. 『本草通玄』卷5에는 "赤茯苓但能瀉熱行水, 並不及白茯苓之多功也." 라고 쓰여 있는 것과 같다. 本 方劑의 적응증은 濕熱下注膀胱, 熱傷血絡, 血熱妄行으로 인한 증상인데 赤茯苓은 "瀉心·小腸·膀胱濕熱, 利竅行水"(『本草綱目』卷37)하므로, 그것을 사용하는 것이 매우 적합하다.

2. 白芍藥과 赤芍藥에 관하여: 두 약이 모두 같은 실물의 뿌리인데, 白芍藥은 毛茛科 식물 작약 재배종의 뿌리이고, 赤芍藥은 毛茛科식물 작약 야생종의 뿌리(草芍藥·川赤芍 등의 뿌리를 사용하는 것도 있다)이다. 『神農本草經』卷2에 기재에는 작약이 있지만, 赤白을 구분하지 않았다. 宋代 이후로부터, 赤·白의 2종으로 구분하기 시작하였다. 白芍藥은 苦·酸·甘, 微寒하고 肝·脾經으로 歸하고, 養血調經할 수 있어, 血虛 또는 陰虛有熱한 月經不調·崩漏 등의 證에 사용한다. 또한 養肝陰, 調肝氣, 平肝陽, 緩急止痛하므로, 肝陰不足, 肝氣不舒 또는 肝陽偏亢으로 인한 두통, 眩暈, 脅肋疼痛에 사용한다. 또 斂陰和營止汗하므로 陰虛盜汗 및 營衛不和로 인한 自汗證에 사용한다. 赤芍藥은 苦·微寒하고 肝經으로 歸하고, 血分으로 잘 가서, 血分鬱熱을 제거하고 淸熱涼血하고 散瘀消斑하는 효능이 있으니 熱人營血, 斑疹吐血에 쓴다. 본 약재는 苦降하여, 活血通經, 散瘀止痛하는 효능이 있어서, 經閉癥瘕, 跌打損傷, 癰腫瘡毒에 쓴다. 또한 肝火를 瀉할 수 있어 瘀血을 제거하므로, 目赤翳障에 사용한다. 또 肝火를 瀉하고, 瘀血을 없앨 수 있어, 目赤翳障에 사용한다. 종합하면 白芍藥은 養血斂陰, 柔肝止痛하므로 血虛肝旺으로 인한 증상에 많이 사용하고, 赤芍藥은 血分에 잘 들어가서 血分鬱熱을 제거하고, 涼血止血, 活血散疲하므로 血瘀로 인한 증상에 많이 사용한다. 本 方劑는 濕熱의 下注膀胱, 熱傷血絡, 血熱妄行으로 인하여 생기기 때문에, 赤芍藥을 취하여 血分에 잘 들어가게 하여, 血分의 鬱熱을 제거하고, 涼血止血하게 한다. 특히 活血散瘀의 효능이 있어, 일부 經

에서 떨어지고 아직 體에서 떨어지지 않은 瘀血을 없애고 풀어준다.

3. 五淋에 관하여: 五淋은 즉 5종류의 淋證이다. 4종류의 구분법이 있다. ① 石淋·氣淋·膏淋·勞淋·熱淋(『外臺秘要』卷27에서 인용한 『集驗』). ② 冷淋·熱淋·膏淋·血淋·石淋(『三因極一病證方 論』卷12) ③ 血淋·石淋·氣淋·膏淋·勞淋(『證治要訣』卷8) ④ 氣淋·熱淋·勞淋·石淋·小便不通(『醫學綱目』卷14) 本 方劑는 비록 五淋을 치료한다고 하나, 그 조성과 효능의 분석은 마땅히 血淋을 치료하는 것이 위주로, 나머지 淋證은 加減하여 사용할 수 있다.

【醫案】

1. 小便不利『保嬰金鏡』: 한 아이가 小便不利 및 莖中澀痛, 혹은 尿血石이 있었다. 이것은 稟賦 腎熱이 질병이 된 것으로, 먼저 五淋散을 사용해 疏導하고, 또 滋腎丸과 地黃丸을 사용해서 肝腎을 補하여 점차 완치되었다. 出痘가 紫色이고, 小便이 짧고 적색이며, 頦間右腮이 빨갛거나 하얗다. 肺腎氣虛한 熱에 속한다. 補中益氣湯과 六味地黃丸을 사용하여 나았다.

考察: 이 아이의 血淋은 어른과 달랐다. 하나는 소아는 稚陰稚陽한 몸으로 陰陽이 모두 부족하고, 게다가 稟賦 腎熱이 병이 되어, 陰이 상함이 더욱 뚜렷하여, 먼저 五淋散으로 濕熱을 제거하고 滋腎丸과 地黃丸을 사용하여, 腎陰을 補해 나을 수 나을 수 있다. 점점 완치된 것은, 陰液이 한 번에 충만해지기 어렵고, 또 疫毒의 邪에 感하여 肺氣가 손상되어 出痘가 紫色이 되어, 補氣養陰을 위주로 치료하고, 氣로 하여금 陰이 충족되게 하였더니 邪가 자연히 제거되었다.

【副方】 石韋散(『證治彙補』卷8): 石韋 12 g, 冬葵子 9 g, 瞿麥 9 g, 滑石 15 g, 車前子 12 g.

- 用法: 모두 고운 분말로 만들어 매번 9 g씩 복용하는데, 따뜻한 물과 함께 복용한다.
- 作用: 清熱利濕, 通淋排石.
- 適應症: 石淋, 小便淋滴澀痛, 少腹拘急, 尿中或見砂石, 혹은 排尿가 갑자기 中斷되는 것.

原方은 용량과 용법이 없고, 상술한 용량과 용법은 현대 임상응용 상황에 근거해 정한 것이다. 石淋은 "砂淋"이라고도 불리는데, 濕熱蘊結下焦로 인해 많이 발생하고 尿中 불순물이 凝結하게 하여 생긴다. 濕熱互結, 膀胱氣化가 失調하면, 즉 小便淋瀝이 생긴다. 濕熱交阻, 氣滯不行하면 즉 少腹拘急이 생긴다. 尿中砂石이 발견되거나, 排尿가 갑자기 중단되면, 砂石이 구멍을 막고 있는 것이 분명한 증상이다. 마땅히 清熱利濕, 通淋排石하여 치료한다. 처방에서 石韋는 성질이 苦甘微寒하여 清熱利尿通淋에 일반적으로 사용하는 약이라 濕熱淋證에 많이 사용한다. 冬葵子·車前子는 甘寒하고 滑利通竅하여 清熱利濕通淋하는 효능이 있다. 滑石은 성질이 甘淡寒하여 膀胱의 熱結을 깨끗이 하고, 通利水道한다. 瞿麥은 성질이 苦寒하고 降泄하여 利尿通淋하니, 淋을 치료하는 要藥이다. 이상의 여러 약은 性味와 효능이 서로 유사하여, 합하여 사용하면 각자의 능력을 더욱 잘 나타낼 수 있고, 효능이 더욱 증가하고 힘이 광대해져, 濕熱을 제거하여 砂石이 생기고 모이지 않게 하고, 小便이 利하여 砂石이 정체되어있지 못하게 하니, 병을 치료하기 위해 근본을 구하는 법이다. 만약 처방에 海金沙·金錢草·雞內金 등을 더하면, 化石通淋 작용이 더욱 좋아질 것이다. 石韋散은 石淋을 전문적으로 치료하는 처방이다. 五淋散·八正散 등과 더불어 淋을 치료하는 처방으로서 제각기 장점을 가지고 있으니, 임상의 병증에서는 증상에 따라 선택하여 사용한다.

通關丸(滋腎丸)

(『蘭室秘藏』卷下)

【異名】坎離丸(『明醫指掌』卷2)·知母黃柏滋腎丸·大補滋腎丸(『醫林繩墨大全』卷6)·泄腎丸(『古今圖書集成』「醫部全錄」卷265)·通關滋腎丸(『全國中藥成藥處方集』上海方)·滋腎通關飮(『丁甘仁醫案』卷6).

【組成】黃柏 去皮, 銼, 酒洗, 焙 知母 銼, 酒洗, 焙乾 各一兩(各 30 g) 肉桂 五分(1~5 g)

【用法】위의 약재를 고운 분말로 만들고, 익힌 물로 梧桐나무 열매 크기로 丸을 만든다. 매일 100환씩 먹는데, 공복일 때 白湯에 투하하여 먹고, 양 발을 동동 굴러 약이 下行하기 쉽게 한다(현대 용법: 위의 약을 가루로 만들어, 水로 반죽하여 丸으로 만든다. 매회 9 g씩, 매일 1~2회 먹고, 따뜻하게 끓인 물과 함께 送服한다).

【效能】淸熱滋陰, 通關利尿.

【主治】熱在下焦의 癃閉. 小便不通, 小腹脹痛, 尿道澀痛, 口不渴.

【病機分析】本 方劑의 病證은 주로 熱이 下焦에 있어, 膀胱의 氣化가 不利하여 일어난다. "膀胱者, 州都之官, 津液藏焉, 氣化則能出矣"(『素問』「靈蘭秘典論」). 熱이 下焦에 있으면, 膀胱의 氣化를 不利하게 하여 小便不通, 尿道澀痛 또는 熱感이 있게 된다. 水濕이 不行하면, 氣機가 막혀 小腹이 脹滿하게 된다. 陰分이 邪를 받으면, 熱邪가 熏蒸하고, 津液이 上騰하여 입이 잠시 潤하기 때문에 渴하지 않다.

【配伍分析】本 方劑의 病證은 熱蘊膀胱, 氣化不利에 陰傷이 겸해 있다. 李杲는 "熱在下焦, 塡塞 不便, 須用感北方寒水之化, 氣味俱陰之藥, 以除其熱, 泄其閉塞"(『蘭室秘藏』卷下)라고 하였다. 따라서 마땅히 淸熱滋陰, 通關利尿하여 치료한다. 方劑에서 黃柏은 苦寒하고 腎과 膀胱에 들어가, 下焦의 熱을 깨끗하게 하는 것을 잘하고, 熱을 제거해서 津을 보존하므로 君藥이 된다. 羅美가 "此時以六味補水, 水不能遽生也; 以生脈保金, 金不免猶燥也.惟急用黃柏之苦以堅腎, 則能殺龍家之沸火, 是謂浚其源而安其流"(『古今名醫方論』卷4)라고 말한 바와 같다. 知母는 苦寒하여 肥潤多脂한데, 寒으로 淸熱할 수 있고, 黃柏의 下焦의 邪熱을 淸泄하는 효능을 강화할 수 있다. 또한 滋陰養液하고, 손상 받은 진액을 補하고, 陰足陽化하고, 氣가 化出하니 臣藥이 된다. 肉桂는 辛熱하고, 引火歸源할 수 있어, 火를 그 위치에 안정하도록 하여, 津을 상하게 하거나 해를 끼치지 않는다. 또한 通陽化氣하여, 膀胱의 氣化가 움직여 小便이 自通하도록 하여 佐藥이 된다. 李疇人이 말하길, "知母, 黃柏苦寒, 瀉下焦相火而平虛熱, 少用肉桂通陽化氣, 則腎陽振動, 膀胱氣化得力, 使知, 柏純陰不致呆滯.乃滋腎在知, 柏, 通關在肉桂"(『醫方概要』)라고 하였다. 그 말이 매우 정확하다. 여러 약을 서로 합하면, 함께 淸熱滋陰, 通關利尿하는 효능을 이룰 수 있다. 原書에 "如有小便利, 前陰中如刀刺痛, 當有惡物下爲驗"라는 문구에서 惡物은 血絲와 血條 혹은 血塊 등을 가리키는데, 熱이 下焦에 있으면, 灼傷血絡하고, 血液이 경을 떠나 밖으로 흘러 생긴 것이다. 本 方劑는 火熱을 제거하고, 小便을 통하게 하여 惡物이 그것을 따라 아래로 내려간다.

本 方劑는 모두 淸熱滋陰, 振奮腎陽, 化氣行水하는 효능이 있어 下關을 통하게 하고, 小便을 利하게 한다. 적응증은 下焦의 腎, 膀胱陰分이 熱을 받아, 그 흐름이 폐색되어 생긴 小便不通으로, 通關丸이라 이름 붙였다.

本 方劑의 배오특징은 淸熱 중에 滋陰을 함께 고려하며, 苦寒을 主로 하고 辛熱을 佐로 한다는 것이다.

【類似方比較】 本 方劑 및 大補陰丸은 모두 知母·黃柏을 사용해서 火를 내리는데, 다만 大補陰丸은 대량의 滋陰하는 약물, 예를 들어 熟地黃·龜甲등을 배오하여, 滋陰潛陽으로 肝腎陰虛나, 相火亢盛으로 생긴 潮熱盜汗, 遺精咯血의 여러 증상에 사용하는데, 그 증상이 陰液虛에 편중되어 있다. 그러나 本 方劑는 肉桂만 배오하여 通陽化氣利水하여, 熱이 下焦에 있고, 膀胱의 氣化가 不利하고, 小便不通 등에 사용하는데, 그 증상이 邪熱이 盛한데 편중되어 있다.

本 方劑 및 八正散은 모두 清熱祛濕의 方劑에 속하며, 모두 膀胱有熱, 氣化不利로 생긴 小便不通을 치료하는데 사용한다. 다만 本 方劑는 黃柏·知母를 肉桂와 배오하여 清熱滋陰, 通陽化氣의 효능이 있으므로 熱在下焦, 灼傷腎陰한 사람에게 사용하기 적합하다. 八正散은 車前子·木通, 瞿麥·篇蓄·滑石을 大黃·梔子와 배오하여 清利濕熱, 瀉火通淋에 뛰어나므로, 膀胱濕熱의 증상에 사용하기 적합하다.

【臨床應用】

1. 證治要點: 本 方劑의 적응증은 熱이 下焦에 있는 病證으로, 小便不通, 口不渴, 舌紅脈數를 證治要點으로 한다.

2. 加減法: 처방에 桔梗을 더하여, 上焦를 통하게 하고, 利尿를 돕는다. 濕熱이 비교적 심한 사람은 車前子·滑石·猪苓·木通 등을 더해서, 滲濕清熱, 利尿通淋 작용을 강화한다. 氣虛한 사람은 黃芪·白朮을 더해서 益氣한다. 陰虛한 사람은 生地·女貞子 등을 더해서 養陰한다. 熱毒이 심한 사람은 薢草·貫仲등을 더해서 清熱解毒한다. 瘀血을 겸한 사람은 琥珀을 더해서 利尿通淋, 活血化疲한다. 만약 本 方劑를 복용하고 효과가 좋지 않은 사람은 肉桂·芫花를 배오하여, 中極穴에 도포하여 膀胱氣化를 도와 利尿하도록 한다.

3. 通關丸은 다음 한국표준질병사인분류(KCD)에 해당하는 환자가 熱在下焦證으로 辨證되는 경우 본 처방의 사용을 고려해볼 수 있다.

처방 목표	한국표준질병사인분류(KCD)
前立腺肥大	N40 전립선증식증
尿瀦留	(질병명 특정곤란)
	N31 달리 분류되지 않은 방광의 신경근육 기능장애
	R39.1 기타 배뇨곤란
妊娠期 急性尿路感染	O23 임신중 비뇨생식관의 감염
急性腎小球腎炎	N00 급성 신염증후군
緊張性排尿遲緩綜合征	(질병명 특정곤란)
	F45.3 신체형자율신경기능장애
	R39.1 기타 배뇨곤란

【注意事項】 脾虛食少便溏한 사람은 本 方劑를 사용해서는 안 된다: 尿道가 막히고, 腎氣가 虛弱하여 생긴 小便不通할 경우에 本 方劑를 사용하면 안 된다.

【變遷史】 通關丸, 일명 滋腎丸이라고 하는데, 金代 名醫인 李杲가 처음 만든 것으로, 『蘭室秘藏』卷下의 小便淋閉門에 나오며, "熱在下焦血分", "不渴而大燥, 小便不通"의 증상을 치료한다. 原書에서 "滋腎"이라는 이름은 더한 것은 두 方劑가 있는데, 모두 卷上의 眼耳鼻門에있다. 하나는 加味滋腎丸으로, 本 方劑에 薑黃·苦參·苦葶藶·石膏을 더해서 眼內障을 치료한다. 다른 하나는 療本滋腎丸으로, 本 方劑에서 肉桂를 뺀 것인데, 腎虛目昏을 치료한다. 세 方劑 모두 黃柏·知母를 핵심으로, 清熱瀉火하여 腎陰을 補한다. 후대의 의학자들이 그 뜻을 숭상하고, 발전하고 변화시켜 약간의 새로운 처방들을 만들어냈다. 利尿通淋 방면에 사용하는 것으로, 예를 들어 『古今醫鑒』卷8의 通關丸이 있는데, 本 方劑를 기초로 하여 滑石·木通을 더하여, 熱在下焦血分, 小便不通를 치료하고, 여러 淋證을 겸하여 치료한다: 『魯府禁方』卷2의 肉桂를 빼고 靑鹽을 더한 것은 이름이 加味滋腎丸으로, 熱淋管痛을 치료하고, 兩足熱도 치료한다. 『雜病證治新義』에서 加味滋

腎湯은 車前·木通·滑石을 더한 것인데, 濕熱結於下焦로 인한 淋病, 尿意頻數, 淋瀝不暢을 치료한다. 기타 방면에 사용하는 것으로, 예를 들어『醫方集解』「補養之劑」의 黃柏滋腎丸은 本 方劑에 肉桂를 빼고 黃連을 더해서 淸心瀉火除煩하여, 上熱下冷, 水衰心煩을 主治한다.

李杲 이후에, 本 方劑의 임상이용이 다소 확대되고 발전했다. 예를 들어『衛生寶鑒』卷6은 本 方劑를 이용하여, "治下焦陰虛, 腰膝軟而無力, 陰汗, 陰痿, 足熱不能履地";『證治准繩』「瘍醫」卷2에서는 "治瘡瘍腎 經陰虛, 發熱作渴, 便赤足熱"라고 하였다.『醫學正傳』卷5에서는 "治耳鳴耳聾"라고 하였다.『醫學人門』卷5에서는 "治睛痛有火者"하였는데, 이것은 肝腎陰虛, 虛火上炎의 증후이다.『臨證指南醫案』에서는 일찍이 여러 곳에 本 方劑를 운용했는데, 卷1에서는 腎虛有熱, 腿肢筋骨痛을 치료하는데 사용하고, 卷3에서는 遺泄을 치료하는데 사용하고, 卷4에서는 足痲僂廢을 치료하는데 사용하고, 卷6에서는 火升頭痛이 부정기적으로 왔다 사라지고, 咽喉垂下, 心悸, 二便不爽 및 帶下不巳을 치료하는데 사용하고, 卷8에서는 久疝· 疝瘕·風火證, 頭巓至足麻木刺痛 등을 치료하는데 사용되었다. 상술한 여러 증상은 비록 각자 서로 동일하지는 않으나, 면밀히 생각해보면 모두 腎虛有熱에서 벗어나지 않는다.『薛氏醫案』은 즉 본 方劑를 이용하여 "治小兒脾肺積熱作喘"했다. 그 熱이 비록 下焦에 있지는 않으나, 本 方劑의 淸熱利尿, 導熱下行을 이용했는데, 上病下取의 뜻이 있는 것이다. 이 외에,『醫學百科全書』「方劑學」에서는 본 方劑를 이용하여 熱盛傷陰으로 인한 肺痿를 치료했다. 이것으로, 이미 熱邪나 있거나 陰傷한 사람은 병이 下焦에 있거나 또는 上·中焦에 있는 것과 상관없이, 모두 本 方劑를 투여하여, 瀉火保陰, 引熱下行하여 효과를 얻을 수 있는 것을 알 수 있다. 劑型 방면에서, 原方은 익힌 물로 丸으로 만들고,『中藥成藥學』은 蜜制하여 丸으로 만들고,『丁甘仁醫案』卷6에서는 湯劑로 바꾸었다. 炮制 방면에서, 原方은 黃柏·知母 두 약을 酒洗하고, 焙하여 사용했는데,『中藥成藥學』에서는 도리어 鹽制를 하였는데, 鹽은 味鹹하고 腎으로 들어가니, 藥을 끌어당겨 病所에 도달하게 한다.

【難題解說】

1. 方劑에서 滋腎藥에 관하여: 通關丸은 다른 이름이 滋腎丸으로, 이것을 만든 사람이 本方劑의 滋腎의 효능이 있다고 이해하고 있었음을 알 수 있다. 그렇다면 方劑의 어떤 약이 滋腎하는가? 이것에 대하여 줄곧 여러 사람들의 의견이 분분하였는데, 어떤 사람은 黃柏이라고 하였는데, 예를 들어 羅美같은 사람은 "惟急用黃柏之苦以堅腎, 則殺龍家之火……於是坎盈莒而流漸長矣"(『古今名醫方論』卷4)하고, 王肯堂 역시 "黃柏之苦寒, 瀉熱補火潤燥"(『證治准繩』「類方」卷6)라고 말하였다. 어떤 사람은 知母라고 했는데, 예를 들어 徐大椿은 "知母潤燥, 滋腎水之不足"(『醫略六書』「雜病證治」卷4)라고 하였다. 어떤 사람은 黃柏과 知母라고 했는데, 예를 들어 汪昂은 "柏苦寒微辛, 瀉膀胱相火, 補腎水不足, 人腎經血分; 知母辛苦寒滑, 上淸肺金而降火, 下潤腎燥而滋陰, 故二藥每相須而行, 爲補水之良劑"(『醫方集解』「補養之劑」)라고 하였다. 또한 方劑에 滋腎의 약이 없다고 하는 사람도 있었는데, 劉德儀은, "滋腎丸幷無滋養腎陰之藥, 其意在降火利濕, 火淸濕去而保腎陰"(『中藥成藥學』)라고 하였다.『蘭室秘藏』에서 이른 "滋腎"하는 方劑는 兩首가 있는데, 하나는 加味滋腎丸으로, 즉 本 方劑에 薑黃·苦參·苦葶藶·石膏를 더한 것이고, 療本滋腎丸은 本 方劑에서 肉桂를 제거한 것이다. 세 方劑의 조성은 모두 知母와 黃柏이 있다. 분명히 알 수 있는 것은, 李杲의 원래 뜻이 黃柏과 知母를 사용하여 "滋腎"한다는 것이었다. 우리들은 本 方劑의 滋腎은 주로 두 개의 방면을 거쳐 나타난다고 이해한다: 첫째는 苦寒한 黃柏이 下焦의 火를 淸瀉하여, 火를 제거하고 腎陰을 保하는 것이다. 둘째는 涼潤한 知母의 滋養腎陰으로, 陰을 생기게 하여, 火를 제어하고, 동시에 淸熱作用이 있어, 黃柏의 淸熱瀉火하는 효능을 강화할 수 있다는 것이다. 바로 李疇人이 말한 "乃滋腎在知, 柏, 通關在肉桂" (『醫方概要』)와 같

다. 滋陰과 淸熱을 두 가지를 비교하면, 本 方劑는 淸熱瀉火에 중점이 있고, 方證病機는 마땅히 下焦에 열이 있는 것이 주가 된다.

2. "熱在下焦血分"에 관해서: 原書에서는, "如不渴而小便不通者, 熱在下焦血分."라고 하였다. 우리는 이 血分이 衛氣營血辨證에서의 血分과 같은 것이 아니라, 여기서의 下焦는 陰을 지칭한다고 생각한다. 달리 말하자면, "下焦"·"血分"은 의미가 서로 동일한 단어를 거듭 말한 것이다. 예들 들어 李杲는 原書에서, "熱閉於下焦者, 腎也, 膀胱也.乃陰中之陰, 陰受熱邪, 閉塞其流."라고 하여, 일목요연하게, 原書 중의 血分이 "陰受熱邪"의 "陰", 역시 腎과 膀胱이라고 했다. 또 原書에서 이르길, "熱火之邪, 而閉其下焦, 使小便不通也."라고 하여, 下焦와 血分의 의미가 동일함을 재차 명시하였으니, 하나를 선택함이 가능하다. 그 외에, 口不渴은 꼭 熱이 血分에 있는 것이 아니라, "凡病在下焦者, 皆不渴也"(『醫學正傳』卷2)라고 하였다.

3. 용법 중 "頓兩足"에 관하여: 本方證의 病變部位는 下焦로, 丸劑를 일반적으로 쓰고 流暢한 湯劑는 쓰지 않으며, 多澀하고 難行하므로 藥力이 病所에 바로 도달하게 해야 하기 때문에, "頓兩足令藥易下行故也"(『蘭室秘藏』卷下)라고 하였다. 이 외에, 頓兩足은 惡物을 아래로 배출하게 하는데 유리하다.

【醫案】

1. 癃閉 『名醫類案』卷9: 東垣이 한 사람을 치료했는데, 병이 小便不利, 目睛突出, 腹脹如鼓, 膝의 윗부분이 堅硬하고, 皮膚가 欲裂되고, 음식이 넘어가지 않았다. 甘淡滲泄의 약을 복용했는데 모두 효과가 없었다. 李東垣이 말하길, 병이 심하여, 精思하지 않으면 다스릴 수 없다고 했다. 밤새 생각하다가 깨달았다고 말했다. 內經에 이르길, 膀胱은 津液之府로, 반드시 氣化하여 내보낼 수 있다고 했다. 금일 淡滲한 약을 먹고 병이 더욱 깊어진 것은, 氣가 不化한 것이니, 啟元子가 말하길, 無陽하면 즉 陰이 生하지 못하고, 無陰하면 즉 陽이 化하지 못한다고 하였다. 甘淡氣薄한 것은 모두 陽藥으로 獨陽無陰하니, 어찌 化할 수 있겠는가? 다음날 滋腎丸 등 陰의 方劑를 투여하고 다시 복용하여 나았다.

『名醫類案』卷9: 東垣이 長安의 王善支를 치료하였는데, 병이 小便不通, 漸成中滿, 腹大, 돌과 같이 단단하고, 壅塞之極, 腿脚堅脹, 裂出黃水, 雙睛突出, 晝夜로 잠을 자지 못하고, 음식이 넘어가지 않고, 고통을 이루 말할 수 없다고 했다. 그 친척 趙謙甫가 李東垣을 찾아가 치료를 부탁하였다. 보니, 밤부터 낮까지 耿耿하여 잠을 자지 못하였다.『素問』에 이르는 것이 있었는데, 無陽하면 陰이 生하지 못하고, 無陰하면 陽이 化하지 못한다고 하였다. 또 말하길, 膀胱은 州都의 官으로, 津液을 저장하고 氣化하면 나갈 수 있다라고 하였다. 이 병은 小便이 癃閉한 것인데, 無陰하면 陽氣가 화하지 않는다. 무릇 利小便하는 약은 모두 淡味滲泄하여 陽이 되니, 다만 이 氣藥은 陽中之陰하고, 北方寒水가 아니라, 陰中之陰으로 化하는 것이다. 이에 奉養이 太過하면, 膏粱積熱이 北方之陰을 손상시킨다. 腎水不足이 오래되면, 膀胱腎室이 乾涸하고, 小便이 不化하면, 火가 또 역상하여, 嘔噦이 되는데, 膈위에서 생긴 것이 아니다. 오직 關이며, 格病이 아니다. 潔古가 말하길, 熱在下焦, 填塞不便는 關格이라 하였다. 금일 환자가 內關外格의 병을 모두 갖추면, 죽음이 가까워졌다. 다만, 下焦를 치료하면 나았다. 北方寒水를 大苦大寒한 味로 化하고 黃柏, 知母, 桂로 引하여 사용한다. 오동나무 열매 크기로 환을 만들어, 끓는 탕에 200환을 넣었다. 잠시 뒤 복용하는데, 약을 먹고 잠시 뒤, 前陰에 칼로 찌르는 것처럼 火燒之痛이 발생하고, 오줌이 폭포처럼 새어나왔다. 이부자리가 濕하고, 침대 아래로 흘렀다. 顧盼한 사이에 腫脹이 사라졌다. 李東垣이 놀라 기뻐하며 말하길, "大哉聖人之言, 豈可不遍覽而執一者也"라고 하였다. 그 증상은 小便閉塞하고 不渴하고 때로 躁가 나타나는 것이다. 무릇 下焦에 거하는 모든 병이 不渴하다. 두 가지 병이 있는데, 하나는 上焦에 거하고, 氣分에 있으면 반드시

渴하다. 또 하나는 下焦에 거하는데, 血分에 있으면 不渴하다. 血 중에 濕이 있으므로, 不渴한 것이다. 두 가지는 다른데, 구분하기 쉽다.

『名醫類案』卷9: 滑伯仁이 한 부인을 치료하였는데, 나이는 60여 세였고, 병은 小溲가 閉하여 淋狀과 같아지고, 小腹이 부풀고, 입술이 渴했다. 진찰한 즉 脈이 沉澀하니 이 病은 下焦血分에 있고, 陰火가 盛하고 水가 不足하다고 하였다. 마땅히 血을 치료하며, 血과 水는 동일하고, 血은 形이 있고, 氣는 形이 없다. 치료법은 마땅히 血을 치료해야 하는데, 혈과 물은 같아서, 血은 형태가 있는데, 氣는 형태가 없다. 형태가 있는 질병은 마땅히 유형의 법으로 치료해야 하는데, 동원의 滋腎丸을 복용하여 나았다.

2. 淋濁 『臨證指南醫案』卷3: 汪, 脈이 左로 堅하며 尺으로 들어가고, 濕熱下墜, 淋濁痛이 나타났다. 滋腎丸을 사용했다.

『臨證指南醫案』卷3: 周, 二二, 변이 탁하고 莖에 통증이 있었다. 滋腎丸 三錢을 복용했다.

考察: 이상의 6가지 案例는 모두 소변에 이상이 있는 것으로, 비록 증상이 동일하지 않았으나, 病機는 서로 비슷한데, 모두 熱이 下焦에 있고, 陰液까지 손상되고, 氣化가 不利하여 생긴 것으로, 모두 清熱滋陰, 通關利尿하는 通關丸으로 완치하였다.

3. 二便不通 『臨證指南醫案』卷4: 李, 34세. 잘 먹고 맛도 느낄 줄 아나, 먹은 후에 脹하고 小便不利, 氣墜가 더욱 나오지 못하여, 대변을 4일에 한번 보았다. 小腸火腑까지 깊어져서, 먼저 滋腎丸을 사용했다. 매일 아침에 三錢을 먹는다. 淡鹽湯으로 삼켰다.

4. 遺泄 『臨證指南醫案』卷3: 程, 左脈剛堅, 火升, 神氣欲昏, 잠시 회복되면 마치 병이 없는 것 같았다. 이는 모두 勞心, 五志의 陽이 動하고, 龍相無制하여, 당연히 遺泄의 증상이었다. 먼저 滋腎丸 三錢을 복용했는데, 淡鹽湯으로 삼켰다.

考察: 案6은 小便不利하지만, 대변도 불통하여, 증상이 전후에 구별이 있었지만, 사실 모두 濕熱과 陰傷으로 같았다. 小腸이 濕熱하고, 氣化가 不行하면 小便이 不利하고, 濕熱이 阻滯되어 津이 下滲하지 못하고, 거기에 上陰의 虧까지 더해져 腸이 윤활을 잃고, 大便이 불통했기 때문에, 하나의 처방으로 그것을 치료했다. 案7은 勞心, 五志의 陽動으로 인한 것으로, 龍相無制로 遺泄했다. 慈腎丸의 慈陰瀉火로, 龍相이 제어를 얻고, 遺泄이 스스로 멈추었다.

三仁湯

(『溫病條辨』卷1)

【組成】 杏仁 五錢(12 g) 飛滑石 六錢(18 g) 白通草 二錢(6 g) 白蔻仁 二錢(6 g) 竹葉 二錢(6 g) 厚朴 二錢(6 g) 生薏苡仁 六錢(18 g) 半夏 五錢(10 g)

【用法】 甘瀾水 八碗에 삶아서 三碗을 취하고 매번 一碗씩 복용해서 하루 3번 복용한다.(현대 용법: 물로 달여서 하루 3회 복용)

【效能】 宣暢氣機, 淸利濕熱.

【主治】 濕溫初起 및 暑溫夾濕證. 頭痛 싸맨 것 같고, 惡寒이 있고, 몸이 무겁고 疼痛이 있고, 肢體가 倦怠스럽고, 午後에 身熱이 있고, 입이 건조한데 목이 마르지 않고, 또는 목이 마르지만 마시고 싶지는 않고, 痞悶脹滿하고, 脹하거나 痛하고, 納差泛惡하고, 便이 묽고 시원하지 않고, 小便이 短赤하고, 面色이 淡黃하고, 舌苔가 白膩하고, 脈이 弦細하고 濡하다.

【病機分析】本 方劑의 病證은 濕溫初起에 속하고, 濕重熱輕하고, 衛氣同病의 증후이다. 肺는 氣를 주관하고 衛에 속하는데, 衛陽이 濕邪에 막혀, 惡寒이 나타난다. 濕鬱衛表, 淸陽被阻하여, 頭痛이 싸맨 것과 같으니, 葉桂가 말한 "濕與溫合, 蒸鬱而蒙蔽於上, 淸竅爲之壅塞, 濁邪害淸"(『外感溫熱論』)이다. 熱이 濕중에 있는데, 濕으로 인해 막히게 되면, 비록 發熱하나, 身熱이 不揚하게 된다. 濕熱이 교대로 蒸하면, 濕이 陰邪가 되는데, 그 성질이 粘滯하며, 濕이 熱을 막아 숨게 하고, 三焦를 가로막고 氣分을 떠나가지 않아, 發熱이 오후가 되어 심해진다. 濕은 성질이 重着하고, 肌表에 머무르니 몸이 무겁고 팔다리가 피로해진다. 身濕이 濁하고 中阻하면, 津이 上承하지 않아 입이 건조하나 목이 마르진 않다. 濕이 氣機를 막으면, 中州의 運化가 失常되어 痞悶腹脹, 納差泛惡, 便溏不爽해진다. 濕熱이 內蘊하면 小便이 短赤해진다. 舌苔가 白膩하고, 脈이 弦細하고 濡한 것은 모두 濕熱의 형상이다.

【配伍分析】本 方劑는 濕溫初起, 濕重熱輕의 증상을 위해 만들었다. 吳瑭이 일찍이 말하길, "濕爲陰邪, 自長夏而來, 其來有漸, 且其性氤氳粘膩, 非若寒邪之一汗而解, 溫熱之一涼則退, 故難速已." "惟以三仁湯輕開上焦肺氣, 蓋肺主一身之氣, 氣化則濕亦化"(『溫病條辨』卷1)라 하였다. 濕邪가 사람을 상하면, 三焦까지 미쳐 上焦의 肺氣가 不宣하게 되고, 中焦의 脾氣가 不運하고, 下焦의 腎과 膀胱의 氣化가 失常하게 되니, 病症이 매우 많은데, 만약 苦辛溫燥의 方劑만 사용한다면 熱을 도와 燥가 되기 쉽고, 단순하게 苦寒淸熱의 약만 사용하면 脾傷濕留하기 쉬우니, 더욱 芳香苦辛으로, 輕宣淡滲, 宣暢氣機, 分解濕熱해야 한다. 本 方劑는 三仁을 君藥으로 하는데, 그중 杏仁은 苦溫하여 上焦의 肺氣를 宣暢하고, 氣化하게 하여 濕 또한 化하게 하여 開上한다. 黃玉璐가 말하길, "肺主藏氣, 降於胸膈而 行於經絡, 氣逆則胸膈閉阻而生喘咳, 臟病而不能降, 因此痞塞, 經病而不能行, 於是腫痛. 杏仁疏利開通, 破壅降逆, 善於開痹而止喘, 消腫而潤燥, 調理氣分之鬱, 無以易此"라 하였다(『長沙藥解』卷3). 白蔻仁은 辛溫하여 芳香化濕, 行氣寬中, 宣暢脾胃, 轉樞中焦하니, 水濕之機를 振複運化케 하므로 暢中하게 된다. 薏苡仁은 甘淡寒하고, 利濕淸熱, 健脾, 疏導下焦하므로, 소변을 따라 濕熱을 제거하므로, 滲下하게 된다. 陳嘉謨가 말하길, "薏苡仁, 去濕要藥也"라 하였다(『本草蒙筌』卷1). 三仁이 나뉘어 三焦로 들어가서, 宣發肺氣하여 水源을 열고, 燥濕化濁하여 脾運을 회복하고, 淡滲利濕하여 水道를 흐르게 하여; 氣機宣暢, 濕祛熱淸하게 한다. 濕熱이 交阻하면 下焦의 水道가 不利하니 마땅히 淸利하는데, 治濕하였는데도 小便不利하면 그 치료가 아닌 것이니, 滑石·通草·竹葉의 甘寒淡滲, 利濕淸熱, 疏導下焦를 배오하여, 熱透於外, 濕滲於下케 하니 세 약이 모두 臣藥이 된다. 半夏는 燥濕和胃, 止嘔除痞하므로 嘔惡에 더욱 적합하다. 厚朴은 行氣化濕하니 濕困中焦, 脘悶納呆, 惡心嘔吐에 모두 적합하다. 두 약은 또 寒涼한 약으로 淸熱하게 하나 濕이 방해가 되지 않게 하니, 모두 佐藥이 된다. 原方은 甘瀾水에 煎하는데, 甘淡하고 성질이 가벼운 것을 취하여 滲濕에 이롭다. 徐大椿이 말하길, "治濕不用燥熱之品, 皆以芳香淡滲之藥, 疏肺氣而和膀胱, 此爲良法"라 하였다(錄自『臨證指南醫案』卷5). 本方은 藥性이 平和하여, 溫燥辛散이 너무 지나친 문제점이 없고, 宣上暢中滲下하여 上下分消하는 효능이 있고, 寓啟上閘, 開支河, 導水下行하는 이치가 있어 氣暢濕行, 暑解熱淸, 脾運複健, 三焦通暢하게 하여, 여러 증상이 자연히 사라지니, 확실히 濕溫濕重熱輕한 증상에 좋은 처방이다.

本 方劑는 가볍고 宣暢利竅하는 약재를 選用하고, 芳香化濕·淡滲利濕·苦溫燥濕한 것을 하나로 모아, 宣展氣機로 上焦의 津氣의 暢行에 막힘이 없게 하고, 中焦의 水濕運化를 평상시와 같게 하고, 下焦의 濕邪가 스스로 나가게 하는 것을 겸하여, 그 뜻은 除濕이 주가 되고, 淸熱이 輔가 되는 立方의 뜻을 구현했다.

本 方劑는 杏仁·白蔻仁·薏苡仁 三仁을 方에서 君藥으로 삼았기 때문에, 方名을 "三仁湯"이라고 했다.

【臨床應用】

1. 證治要點: 本 方劑는 濕溫初起 또는 暑溫挾濕, 濕重於熱한 病證을 치료한다. 임상에서 胸悶, 午後身熱, 體倦身重, 脘腹不適, 舌苔白膩, 脈濡를 證治要點으로 한다.

2. 加減法: 濕溫初期에, 衛分證이 끝나지 않았는데, 惡寒이 있는 사람은 藿香·香薷·佩蘭을 더해서 解表化濕한다. 만약 濕이 熱보다 중하고, 증상으로 嘔惡, 脘痞較重, 舌苔垢膩가 보이면 蒼朮·石菖蒲·草果를 더해 芳化燥濕한다. 熱이 濕보다 중하여 身熱口渴, 滿悶, 心煩嘔惡, 또는 汗出不解, 繼而複熱, 邪熱尚不深重의 증상이 보이는 사람은 連翹·黃芩· 黃連을 더해 清熱祛濕한다. 熱盛濕阻하여 高熱, 汗多, 身重, 面赤, 口渴, 心煩한 증상이 나타나면 半夏·厚朴을 빼고 生石膏·知母·蒼朮을 더해서 瀉火하고 除濕한다. 熱盛傷津하여 口渴, 唇焦, 苔黃而乾, 舌邊尖紅한 증상이 나타나면 厚朴·半夏를 빼고 天花粉·麥冬을 더해서 生津止渴한다.

3. 三仁湯은 다음 한국표준질병사인분류(KCD)에 해당하는 환자가 濕溫初起 및 暑溫夾濕證으로 辨證되는 경우 본 처방의 사용을 고려해볼 수 있다.

처방 목표	한국표준질병사인분류(KCD)
表層性胃炎	K29.3 만성 표재성 위염
胃竇炎	K29 위염 및 십이지장염
急性結腸炎	K52 기타 비감염성 위장염 및 결장염
	A09 감염성 및 상세불명 기원의 기타 위장염 및 결장염
慢性結腸炎	K52 기타 비감염성 위장염 및 결장염
	A09 감염성 및 상세불명 기원의 기타 위장염 및 결장염
黃疸型肝炎	B15~B19 바이러스간염
	K70~K77 간의 질환
	K80~K87 담낭, 담도 및 췌장의 장애
腸傷寒	A01.0 장티푸스
腎盂腎炎	N10 급성 세뇨관~간질신장염
	N11 만성 세뇨관~간질신장염
	N12 급성 또는 만성으로 명시되지 않은 세뇨관~간질신장염
브루셀라病	A23 브루셀라병
關節炎	M15~M19 관절증

【注意事項】濕溫初期에 邪氣가 氣分에서 머물러 변하면, 病勢가 비록 완화되지만 떨쳐버리지 못하고 낫기 어렵고, 치료에 조금 실수가 있으면, 병을 치료하기 어렵게 되거나 시일을 끌게 된다. 따라서 吳瑭은 세 가지 禁忌를 말했다: "汗之則神昏耳聾, 甚則目瞑不欲言, 下之則洞泄, 潤之則病深不解." 다만 辛苦芳香, 輕宣淡滲의 방법으로 宣暢氣機, 利濕清熱하는 方이 합당하다. 여기서 말한 禁汗은 주로 濕溫病 初起에 傷寒에 辛溫發汗解表의 약을 잘못 투여하지 말아야 한다는 것으로, 그렇지 않으면 心神이 손상을 입을 수 있고, 또 宣化表濕하는 방법도 배제하지 말고, 表의 濕邪를 풀어야 하기 때문에, 따라서 땀이 나는 것이 병이 풀리는 治法의 시작이다. 喩昌이 말한, "凡治濕病, 禁發其汗, 而陽鬱者不微汗之, 轉致傷人, 醫之過也. 濕家不可發汗, 以身本多汗, 易致亡陽, 故濕溫之證, 誤發其汗, 名曰重暍, 此爲醫之所殺, 古律垂戒深矣.其久冒風涼, 恣食生冷, 乃至以水灌汗, 遏抑其陽者, 不微汗之, 病無從解.『內經』謂: 當暑汗不出者, 秋風成瘧, 亦其一也, 不當汗者反發其汗, 當微汗者全不取汗, 因噎廢食, 此之謂矣"(『醫門法律』卷4)가 바로 그것이다. 禁下라는 것은, 주로 腑實한데 실수로 일찍 주어 공략하지 않아야 한다는 것인데, 그렇지 않으면 脾氣가 下陷하고, 濕熱이 內漬하여 生變하게 된다는 것이다. 만약 濕熱이 化溫하여 燥屎와 腸道에서 결합할 경우에는 下法을 사용해야 하는데, 다만 濕熱內結의 下法은 마땅히 輕하고 緩해야 한다. 이는 葉桂가 말한 "此多濕邪內搏, 下之宜輕"(『外感溫熱論』)과 같다. 禁潤이라는 것은, 주로 陰虛에 滋陰을 잘못 남용하지 말라는 것으로, 그렇지 않으면 濕濁中阻하여 膠結이 풀어지기

어렵게 되는데, 後期化燥陰傷한 사람에게도 역시 滋陰의 법을 사용할 수 있다. 本 方劑는 宣·化·利를 겸한 方劑로, 邪가 다하면 氣陰을 상하게 할 우려가 있으므로, 中病이 생기면 중지하고, 久服하지 말고, 만약 濕이 이미 燥가 된 사람 또한 사용이 적당하지 않다.

【變遷史】 三仁湯이라는 이름은 吳瑭의 『溫病條辨』卷1에서 처음 보이는데, 原書에서는: "頭痛惡寒, 身重疼痛, 舌白不渴, 脈弦細而濡, 面色淡黃, 胸悶不饑, 午後身熱, 狀若陰虛, 病難速已, 名曰濕溫. 汗之則神昏耳聾, 甚則目瞑不欲言, 下之則洞泄, 潤之則病深不解, 長夏深秋冬日同法, 三仁湯主之."라 하였다. 三仁湯이 비록 吳氏의 上焦에 있는 濕溫病을 치료하기 위한 主方이었지만, 다만 이 方劑의 조성과 약물 선택을 보면, 그 근원이 葉桂의 醫案에 이르게 된다. 어떤 보고에서 말하기를 "『指南』(按: 『臨證指南醫案』과 『未刻本葉氏醫案』에서, 三仁湯을 이용한 것이 60여 案에 달했다. 그중 『條辨』(按: 『溫病條辨』)三仁湯은 8味의 藥物 중 7味가 같은 것이 2案, 6味가 같은 것이 6案(나머지는 모두 4~5味가 같았다)……이 8案은 모두 吳鞠通이 三仁湯을 만든 주요 근거"[1]라고 했다. 葉氏는 濕을 치료하였는데, 濕阻上焦한 사람에게는 芳香淡滲한 약을 많이 사용하여 開肺氣, 通膀胱하였으며; 濕滯中焦한 사람에게는 항상 苦溫燥濕한 약을 사용하여 運化하게 하였다. 『臨證指南醫案』卷5에 "舌白, 頭脹, 身痛, 肢疼, 胸悶, 不食, 溺阻, 當開氣分除濕, 飛滑石·杏仁·白蔻仁·大竹葉·炒半夏·白通草."라 기록되었다. 같은 권 濕門에 또 적기를, "某, 汗多身痛, 自利, 小溲全無, 胸腹白疹, 此風濕傷於氣分, 醫用血分涼藥, 希冀熱緩, 殊不知濕鬱在脈爲痛, 濕家本有汗不解. 苡仁·竹葉·白蔻仁·滑石·茯苓·川通草."라고 하였다. 이 두 처방을 합쳐 하나로 만들면, 茯苓을 제거하는데, 즉 三仁湯의 7味에서 厚朴이 없는 것이다. 厚朴은 또 葉氏가 濕을 치료하는데 일반적으로 이용하는 藥이다. 『臨證指南醫案』濕門 중 52案을 종합적으로 보면, 厚朴을 이용한 경우가 18案에 달할 정도이다. 『溫病條辨』에서 서술한 적응증을 보면, 역시 葉氏 醫案에서 서술한 증상이다. 吳瑭 『溫病條辨』의 三仁湯의 原文과 自注의 큰 문단을 보면 역시 『臨證指南醫案』卷5 邵新甫의 안어에서 찾은 최초의 근거에 의한 것이다.

『臨證指南醫案』卷5: "天之暑熱一動, 地之濕濁自騰, 人在蒸淫熱迫之中, 若正氣設或有隙, 則邪 從口鼻吸人, 氣分先阻, 上焦淸肅不行, 輸化之機, 失於常度, 水穀之精微, 亦蘊結而 爲濕也……人身一小天地, 內外相應, 故暑病必挾濕者, 即此義耳.……地卑氣薄, 濕勝熱蒸, 當此時候, 更須防患於先……蓋暑濕之傷, 驟者在當時爲患, 緩者於秋後爲伏 氣之疾.其候也, 脈色必滯, 口舌必膩, 或有微寒, 或單發熱, 熱時脘痞氣窒, 渴悶煩 冤, 每至午後則甚, 人暮更劇, 熱至天明, 得汗則諸恙稍緩, 日日如是……然是病比之 傷寒, 其勢覺緩, 比之瘧疾, 寒熱又不分明, 其變幻與傷寒無二, 其愈期反覺纏綿, 若表之, 汗不易徹, 攻之, 便易溏瀉, 過淸則肢冷, 嘔惡, 過燥則唇齒燥烈.每遇秋末, 最多是症……不比風寒之邪, 一汗而解, 溫熱之氣, 投涼即安.夫暑與濕, 爲熏蒸粘膩 之邪也, 最難驟愈, 若治不中窾, 暑熱從陽上熏, 而傷陰化燥, 濕邪從陰下沉, 而傷陽 變濁, 以致神昏耳聾, 舌乾齦血, 脘痞嘔惡, 洞泄肢冷, 棘手之候叢生, 竟至潰敗莫救矣." 이것을 보면, 吳瑭은 葉桂의 경험을 받아들이고, 자신의 경험을 결합하여 三仁湯을 새로 만들었음을 알 수 있다. 葉桂이 임상에서 수시로 처방을 만들고 이름을 붙이지 않았기 때문에, 다른 사람이 본받기 쉽지 않았다. 三仁湯이 세상에 알려진 것은, 葉氏의 경험을 계승하여, 온병 치료학의 발전을 추진했다는 데, 긍정적인 의미가 있다.

三仁湯이 보여준 芳香宣透·行氣化濕의 법은, 후세에 濕溫初起의 濕重熱輕證을 치료하는 기본 治法이 되었다. 이 方劑를 참조하고 化裁하여 새로운 것을 만든 예가 많이 있다. 예를 들어 『醫原』卷下에서 나오고, 이름이 『濕溫時疫治療法』에서 보이는 藿朴夏苓湯은 三仁湯의 기초 위에 滑石·竹葉을 제거하고 藿香·猪苓·茯苓·澤瀉를 더해 만들어졌는데, 원래는 "濕氣內蘊,

氤氳濁膩"등의 病證을 치료하는데, 현재는 濕溫 초기의 邪遏衛氣證에 많이 쓰고, 化濕解表의 대표적인 방으로 자리잡았다. 『感證輯要』卷4의 和解하는 약 중 첫 번째인 藿朴夏苓湯과 본 처방을 서로 비교하면, 기본 조성 위에 通草가 적고, 豆豉가 많으며 解表하는 효능이 매우 뛰어나다. 慶雲閣의 『醫學摘粹』의 첫 번째인 三仁湯은, 輕淸宣散한 桑葉과 吳氏의 溫燥한 厚朴을 쓰며, 主治는 濕溫頭痛惡寒, 身重疼痛, 舌白或渴, 午後身熱, 脈浮虛이다.

三仁湯의 劑型은 전통적인 湯劑 외에도 三仁合劑로 약을 만들어 편리하게 사용한다.(『重慶市中藥成方制劑標准』 1965년판): mL당 生藥 1 g 함유, 100 mL 병(瓶) 제품, 口服, 매회 20~30 mL씩 복용. 매일 3회 복용.

【難題解說】

1. "惡寒"에 관해서: 『溫病條辨』 三仁湯의 自注에서 "頭痛惡寒, 身重疼痛, 有似傷寒, 脈弦濡, 而非傷寒矣."라고 하였다. 이 글을 분석해 보면, 앞의 "頭痛惡寒, 身重疼痛"은 表證을 말하고, 뒤에는 또 "非傷寒"을 말하는데, 여기서 말하는 "頭痛惡寒"은 濕熱病邪가 肌表을 막고, 뭉쳐 생긴 衛分證이다. 表證에는 모두 惡寒·頭身疼痛등의 임상표현이 있고, 感邪之初에는 傷寒과 濕溫病이 모두 생길 수 있다. 吳瑭이 自注에서 말한 "頭痛惡寒, 身重疼痛"은, 마땅히 濕溫病表證의 구체적인 표현이다. 이와 같은 표현과 傷寒表證은 다른 것이다. ① 太陽傷寒은 겨울철에 많이 발생하는데, 이는 風寒之邪의 外襲으로 생긴 것이다. 本 方劑의 증후는 長夏濕盛한 때에 많이 발병하는데, 濕溫病邪를 받아서 생긴 것이다. ② 太陽傷寒頭痛은 비교적 重하고, 惡寒發熱 역시 비교적 극렬하고, 또 全身에 骨節疼痛이 많이 나타난다. 本 方劑의 증후는 頭痛이 비교적 미약하고, 頭脹이 主가 되며, "身熱不揚"하는 발열 양상이 특징이다. 그 身痛 역시 太陽傷寒보다 비교적 가볍고, 周身困重이 主가 된다. ③ 太陽傷寒病은 밀려오는 기세가 비교적 急하고, 또한 빠르게 제거한다. 本 方劑의 증후는 病勢가 완만하고, 去하는 것 역시 완만하여, 치료 과정이 비교적 길다. 吳瑭이 말한 "病難速已"이다. ④ 太陽傷寒은 出汗하는 것이 비교적 많고, 汗出하면 熱이 풀리고, 熱退한즉, 邪가 去한 것이니, 脈이 浮하거나 浮緊하다. 本 方劑의 증후는 땀이 나는데 양이 적고 粘하며, 脈象이 浮하고 細軟하거나 또는 濡하다. 이러한 표현들과 傷寒의 發熱惡寒은 같지 않고, 혼동해서도 안 된다. 三仁湯을 사용하는 상황을 분석하면, 邪가 衛分에 있는지의 여부에 상관없이 사용할 수 있고, "惡寒" 증상을 강구할 필요가 없다.

2. 氣化와 濕化에 관해서: 氣化는 三焦의 氣가 흘러 宣化한 것이다. 三仁湯의 구성 목적은 宣暢氣機에 있고, 氣化하여 濕또한 化하게 하는데 있다. 氣化의 능력은 주로 肺·脾·膀胱(腎)과 관련되어 있는데, 肺의 宣降하는 능력은 자유롭고, 脾의 運化하는 능력은 健全하고 膀胱의 氣化하는 능력은 정상이면 濕邪가 스스로 의탁할 바가 없다. 濕邪阻滯하면, 반드시 臟腑의 氣化하는 능력에 영향을 준다. 本方은 濕熱病의 濕邪偏重을 치료할 수 있는데, 이것은 처방 구성의 立意가 氣化능력을 조정하고, 宣化가 위에 있고, 運化아 중간에 있고, 滲利가 아래에 있으며, 三焦에 도달하여 그 濕을 제거하는 목적에 도달하는 것에 중점을 두고 있기 때문이다. 濕溫濕勝熱微한 병증에 쓰는 것에 그치지 않고 內傷雜病의 氣機不暢, 濕熱阻滯한 사람에게도 쓸 수 있다.

3. 濕熱과 陰虛에 관해서: 濕溫濕遏熱伏, 午後身熱은 陰虛같지만 결코 陰虛가 아니다. 陰虛證은 항상 舌紅少苔, 또는 兩顴發赤, 五心煩熱, 口乾喜飮이 보인다. 이 병증은 도리어 "舌白不渴", "面色淡黃" 하니 당연히 陰虛가 아니다. 濕溫病이 뒤엉켜서, 병이 속히 낫기 어렵고, 오직 芳香苦辛, 輕宣淡滲하여 濕熱을 없애야 한다. 만약 이를 陰虛로 잘못 알아 滋陰한 약을 쓰면 濕이 粘滯陰邪가 되고, 두 陰이 서로 합해져, 더욱 약하게 하고, 고질적이고 낫기 어려운 병이 되니, 주의해야 한다.

4. 祛濕과 淸熱에 관해서: 濕熱病은 濕熱이 膠結하고, 濕鬱熱蒸하고, 三焦에 彌漫하고, 濕中에 熱이 거하니, 빨리 낫기가 극히 어렵다. 이는 熱에 濕이 달라붙기 때문인데, 濕이 제거되지 않으면, 熱을 깨끗하게 하기 어렵다. 따라서 濕邪를 제거하고, 濕熱을 분리하는 것이 濕熱病을 치료하는 관건이다. 임상에서 본 方劑를 이용할 때는, 융통성 있게 변화를 주어, 濕이 氣分에 계속 자리하고, 鬱遏하여 도달하지 못한 경우에는 苦辛溫燥한 약으로 化濕할 수 없는데, 熱이 더욱 타오르는 것을 방지하고자함이다. 濕熱이 같이 심한 證에 대해, 苦寒약으로 그 熱을 깨끗이 할 수는 있으나, 너무 과용하여 그 熱을 모두 꺼뜨리지는 말아야 하는 이유는, 脾陽까지 상하게 되어 濕이 풀어지지 않는 것을 막기 위함이다. 따라서 本 方劑는 滑石·通草·薏苡仁·竹葉의 淸熱과 祛濕할 수 있는 약재를 選用하며, 厚朴·半夏의 燥濕으로, 이는 淸熱藥이 성질을 억제하고, 熱淸과 祛濕을 함께 시행하는 목적에 도달한다.

5. 上焦를 치료하는 것과 中焦를 치료하는 것에 관하여: 三仁湯은 宣暢氣機·化濕·燥濕·利濕藥으로 구성되어 있다. 濕熱病證은 上焦·中焦·下焦의 病理機轉이 같지 않은데, 吳瑭은 三仁湯의 自注에서 "濕溫較諸溫, 病勢雖緩而實重, 上焦最少, 病勢不甚顯張, 中焦病最多, 以濕爲陰邪故也, 當於中焦求之"(『溫病條辨』卷1)라고 하였다. 三仁湯을 上焦篇에 나열했는데, 그렇다면 三仁湯은 도대체 어느 부위의 濕熱病證을 치료하는 것일까? 吳瑭의 本意를 보면, 本方은 上焦篇에 나와 있으며, 마땅히 上焦의 濕熱을 치료하는 약에 속하는 것에 의심의 여지가 없다. 上焦濕熱의 證候는 濕溫初起 단계에서 발생하고, 濕熱邪氣가 口鼻로 들어와, 肺로 침습해서 肺氣가 宣降을 잃어버려, 밖을 지키는 능력을 잃어버리고, 수액 대사 장애가 생기기 때문에 발생한다. 임상적으로 惡寒發熱, 身熱不揚, 頭身重痛, 脈濡 등이 중요한 특징이다. 濕邪가 병이 되어, 脾胃가 상하기 쉽고, 따라서 胸悶脘痞, 納呆不饑 등의 증상을 겸한다. 吳氏가 서술한 三仁湯의 치료 증후와 기본적으로 일치한다.

濕溫治法은 病이 上焦에 있으면 宣肺化濕을 위주로 하고, 병이 中焦에 있으면 疏運化濕을 위주로 하고, 병이 下焦에 있으면 滲利祛濕을 위주로 한다. 濕熱의 邪로 인하여 彌漫三焦하기 쉬우니, 이상의 치료법을 늘 같이 써야 한다. 三仁湯의 배오를 보면, 宣上·暢中·滲下로 三焦를 같이 치료하고, 濕邪가 彌漫한 특징을 함께 고려하지만, 중점은 上焦肺氣를 宣開하는것에 있다. 吳氏의 조성은 우선 杏仁 五錢을 사용했다. 肺는 華蓋기 때문에 그 위치가 가장 높고, 一身의 氣를 주관하고, 바깥으로는 皮毛와 합하여, 肺氣宣通하고 氣行濕化하며, 內外의 濕을 스스로 없앨 수 있다. 吳氏는 三仁湯의 작용에 대하여 상세하고 매우 분명하게 서술했는데, "三仁湯輕開上焦肺氣, 蓋肺主一身之氣, 氣化則濕亦化也"(『溫病條辨』卷1)라고 하였다. 이것을 근거로 三仁湯은 宣暢肺氣하는 것에 중점을 두고 만들어진 것으로, 中焦를 調治하는 것에 중점을 두고 만들 것이 아니라는 것을 알 수 있다.

다만 三仁湯이 中焦病變을 치료한다고 이해한 사람도 있는데, 秦伯未가 말하기를, "三仁湯爲濕溫證的通用方, 它的配合, 用杏仁辛宣肺氣以開其上, 蔻仁·厚朴·半夏苦辛溫通以降其中, 苡仁·通草·滑石淡滲濕熱以利其下, 雖然三焦兼顧, 其實偏重中焦"(『謙齋醫學講稿』)라 하였다. 濕熱病은 脾胃가 病變의 中心으로 하여, 上焦證候가 가장 적고, 病勢가 불분명하다. 즉, 질병 초기 단계라도 中焦 증상이 나타날 수 있다. 三仁湯은 본래 輕宣淡滲하는 약으로, 처방 중에 蔻仁·半夏·厚朴이 化濕暢中하고, 또 苡仁이 健脾利濕하고, 杏仁을 배오하여 氣化로 濕 역시 化하는 의미를 취하기 때문에, 濕溫邪가 氣分에 머물고, 病이 脾胃에 있고, 濕邪가 偏勝한 자에게 투여하면, 매우 적합하다. 따라서 병이 上焦에 있든 中焦에 있든, 濕重熱輕한 證이기만 하면 모두 本 方劑의 적용대상이다.

6. 甘瀾水에 관하여: 甘瀾水는『金匱玉函經』에 "甘爛水"라고 나왔는데, 또 勞水라고도 부르고, 즉 水를 盆 안에 두고, 물에서 박을 위로 올리고, 아래로 내리

고, 이와 같은 것을 몇 번 반복하여 수면 위에 무수히 많은 물방울이 생기면 완성된다. 『傷寒論』65條의 茯苓桂枝甘草大棗湯 뒤에 "作甘瀾水法, 取水二升, 置大盆內, 以杓揚之, 水上有珠子五六千顆相逐, 取用之."라고 쓰여있는데, 가장 일찍이 甘瀾水를 사용한 것은『內經』의 半夏秫米湯이다. 三仁湯은 물을 쓰는 것을 어찌 이와 같이 중요시 여기는가? 甘瀾水의 효능의 관점에서 보면『本草品彙精要』이『名醫別錄』을 인용하여 말하길 "甘爛水, 主霍亂及人膀胱, 治奔豚藥用殊勝."라고 하였다. 劉文泰 역시 말하길, "仲景治奔豚之藥用甘爛水煎, 以杓揚之而緩其本然之性, 故曰甘也. 水上有珠數千顆相逐, 其光燦然, 故曰爛也.蓋腎屬水, 恐水從類而助邪, 故揚之使其無力不能助矣"(『本草品彙精要』卷6)라고 하였다. 甘瀾水는 또 "使水氣下行, 不再上逆"(中醫研究院『金匱要略語譯』)한다고 하였다. 동시에 물을 반복하여 휘저어, "可去其水寒之性"(李培生主編『傷寒論講義』)고 하였다. 치료하는 病證의 관점에서, 본 처방는 濕熱로 인한 病證을 적응증으로 하고, 濕熱을 나누어 없애는 것이 본 처방을 사용하는 목적이다. 甘瀾水의 下走하는 힘을 이용하여, 濕邪를 재촉하여 바깥으로 배출할 수 있는데, 甘瀾水가 직접적인 利濕 효능이 없더라도, 그것이 "入膀胱"하여, 다른 利濕藥物의 작용을 강화할 수 있다. 그러므로, 三仁湯은 宣通肺氣를 통해, 약물과 甘瀾水의 작용 추세를 결합하여, 濕熱을 나누어 없애는 작용을 강화할 수 있다.

7. 禁汗에 관하여: 濕溫初起에 頭痛頭重, 惡寒, 倦怠, 身體困重은 濕傷肌表, 衛陽被遏로 인해 발생한다. 그 증상표현을 보면, 太陽病의 表實證과 유사하고, 또한 溫熱病의 衛分證과 비슷하다. 다만 치료에서는 濕이 陰邪가 되는데, 그 성질이 점착되기 때문에, 寒邪의 사용이 辛溫으로 한 번 땀을 내서 풀 수 없으면, 溫邪에 쓰이는 辛涼한 약으로 一表하여 물러날 수 있다. 만약 잘못 땀을 내면, 濕熱蒸騰이 上로 향하여, 蒙蔽清竅, 出現神昏·耳聾·目瞑 등으로 證이 변한다. 그러나 濕熱이 肌表에 있기 때문에, 解表하는 법을 포기하면, 表에 있는 邪를 제거할 수 없는데, 葉桂가 말하길 "在衛汗之可也"(『葉香岩外感溫熱篇』)라 하였다. 『薛生白濕熱病篇』에서 "濕熱證, 惡寒無汗'身重頭痛, 濕在 表分, 宜藿香·香薷·羌活·蒼朮皮·薄荷·牛蒡子等味, 頭不痛者, 去羌活."라 하였다. 選藥을 보면, 모두 解表發汗하는 약이다. 濕溫初起에, 邪가 肌表에 있으면, 汗法이 필수적인데, 다만 마땅히 微汗하여야 하는 것이다. 吳瑭이 禁汗을 제기한 것은 다만 辛溫을 땀을 크게 내는 것을 금한 것이다. 구체적으로 약을 사용할 때에는, 濕熱이 邪와 결합하는 특성이 있으므로, 마땅히 藿香·佩蘭·香薷·蘆根·竹葉·大豆黃卷·牛蒡子 類의 輕淸透達·芳香宣化하는 약을 선택해 사용해야 한다.

8. 禁下에 관해서: 濕溫病은 脾胃를 침범하여, 中焦의 氣機를 不暢하게 하고, 升降이 失調하게 하여, 脘腹痞滿, 脹悶不舒, 大便失常이 나타나니, 胃腸腑實로 잘못 알고 苦寒한 약을 투여하여 攻下해서는 절대로 안 된다. 그렇지 않으면 脾陽이 손상을 받고, 脾氣가 下陷하여 洞泄不止하게 된다. 그러나 만약 濕熱化燥, 胃腑結實, 혹은 濕熱挾滯, 交阻胃腸하면, 이때는 또 마땅히 攻下해야 할 때이다. 王四雄이 말하길, "惟濕未化燥, 腑實未結者, 不可下耳, 下之則利不止. 如已燥者, 亟宜下奪, 否則垢濁熏蒸, 神明蔽塞, 腐腸爍液, 莫可挽回"(『溫熱經煒』薛生白濕熱病篇)라 하였다. 薛雪은 濕熱化燥에 대해, 邪가 胃腑에 맺혀 陽明腑實을 만든 것에 대해 承氣湯을 사용해 急下하여 陰을 보존했는데, 吳瑭은 濕熱病證과 腑實證에도 역시 通下法을 사용했다. 『吳鞠通醫案』卷1 濕溫篇 중 王某 1案이 기재되었는데, 溫熱이 아니면 濕溫이니, 먼저 生薑瀉心湯·玉女煎合犀角地黃湯을 쓴다. 面赤, 舌黃大渴, 脈沉, 肢厥, 十日不大便, 轉矢氣, 譫語, 下症이면, 小承氣湯, 그리고 調胃承氣湯, 增液承氣등을 먼저 사용하여 攻下하고, 뒤에 複脈法治하여 나았다. 즉 濕溫을 전부 禁下한 것이 아님을 알 수 있다.

9. 禁潤에 관해서: 濕溫病邪는 衛氣에 있고, 항상 午後에 身熱이 나타나고, 陰虛같은 양상을 보이니, 이는 濕이 陰邪가 되어 陰分에 왕성하기 때문이다. 濕熱

內蘊으로 인해 氣機鬱滯하면, 敷布津液上承 할 수 없고, 늘 口渴이 나타난다. 이런 종류의 口渴은 목이 마르나 많이 마시지 않는다. 午後 熱이 심한 것을 陰虛증상으로 오진하여, 津液의 소모와 손상으로 인한 口渴로 보고 柔潤한 약을 투여하면, 두 陰이 서로 합쳐져, 반드시 病邪가 붙어 낫기 어려운 형세가 만들어질 것이다. 그리하여 吳瑭이 후세인들에게 濕溫病에는 마땅히 禁潤하라고 훈계한 것이다. 다만 禁潤 역시 절대적인 것은 아니다. 만약 濕熱化燥, 耗血動血, 陰液劫傷하는 때에는 滋陰法이 마땅히 응용되어야 한다. 예를 들어 『薛生白濕熱病篇』35條에는 "濕熱證, 口渴, 苔黃起刺, 脈弦緩, 囊縮舌硬, 譫語, 昏不知人, 兩手搐搦, 津枯邪滯, 宜鮮生地·蘆根·生首烏·鮮稻根等味."라 하였다. 이것은 濕溫禁潤이 고정불변하는 절대적 법칙 같은 것이 아니라는 것을 보여준다. 만약 濕邪停滯한 경우에는, 함부로 柔潤한 약을 투여하여 邪를 돕지 않도록 한다. 구체적으로 사용할 때에는, 柔潤한 약은, 滋膩한 성질이 매우 강한 사람에게는 적합하지 않고, 보통 麥冬·玉竹·石斛·沙參·蘆根 등을 선택해 사용한다.

【醫案】

1. 濕溫『福建中醫藥』(1983, 1:16): 남성, 47세. 10일 전부터 惡寒發熱, 頭痛身痛, 食慾不振하였다. 發熱은 수일 동안 상승하여, 오후에 더욱 심해지고, 面色이 蒼黃하며, 肌膚가 灼熱하고, 微汗이 있고, 체온은 38.2~39℃였으며, 手足心熱하고, 頭暈이 심하여 머리를 싸맨 듯 하였고, 胸脘痞悶, 口中黏膩, 胃納呆, 뜨거운 음식을 선호하고, 복부가 불편하며, 軟便, 小便赤, 脈濡數, 苔黃膩했다. 따라서 陰虛燥熱 혹은 濕燥熱伏의 증상과 비슷하며, 병은 오래 되었지만, 邪는 여전히 氣分에 남아있다고 판단하였다. 三仁湯加減: 苦杏仁·白蔻仁(後下)·半夏·厚朴·鬱金·黃芩 各 6 g, 茯苓·淡竹葉 各 9 g, 薏苡仁 12 g, 六一散(布包) 15 g. 7첩 복용하고 호전되었다.

『福建中醫藥』(1983, 1:16): 남성, 47세. 10일 전, 스스로 불편함을 느끼고, 惡寒發熱, 頭痛身痛, 食慾不振, 發熱이 수일 동안 상승하여, 오후에 더욱 심해지고, 面色이 蒼黃하고, 肌膚가 灼熱하고, 微汗이 있고, 체온의 오전 오후 파동이 38.2~39℃ 사이였고, 手足心熱, 頭暈이 심하여 싸맨 것 같았고, 胸脘痞悶, 口中黏膩, 胃納呆, 뜨거운 음식이 좋고, 복부가 편하지 않고, 便이 무르고 소변이 붉고, 脈이 濡數하고, 舌苔가 黃膩했다. 증상이 陰虛燥熱과 비슷하고, 濕燥熱伏의 증상과 비슷했다. 병이 비록 많은 날 동안 이어졌지만, 邪가 여전히 氣分에 남아있었다. 三仁湯加減: 苦杏仁·白蔻仁(後下)·半夏·厚朴·鬱金·黃芩 各 6 g, 茯苓·淡竹葉 各 9 g, 薏苡仁 12 g, 六一散(布包) 15 g. 이 方 加減을 모두 7첩 복용한 후 병이 나았다.

考察: 本案은 濕燥熱伏의 病機를 잡았는데, 三仁湯의 宣上·暢中·滲下에 鬱金·黃芩·茯苓 등을 더해 行氣淸熱利濕의 효능을 증가시켰기 때문에, 완치될 수 있었다. 뒤의 案은 濕燥熱伏의 病機를 잡았는데, 三仁湯의 宣上·暢中·滲下에 鬱金·黃芩·茯苓 등을 더해 行氣淸熱利濕의 효능을 증가시켰기 때문에, 완치될 수 있었다.

2. 小兒風水『中醫雜誌』(1980, 12: 63): 남아, 8세. 보름 전 寒熱, 咽痛咳嗽이 발생하였고, 현재 증상이 이미 사라졌는데, 새벽부터 面目浮腫, 尿少, 神疲乏力, 納食不佳, 面膚蒼白少華, 目胞浮腫, 양 다리를 누르면 약간 함몰되고, 舌質이 순수한 紅色이고, 苔가 白하고 膩하며, 脈은 沉緩하다. 소변검사: 尿蛋白+++, 적혈구++, 顆粒管型+. 三仁湯加減: 杏仁 6 g, 白蔻仁 3 g, 苡仁 30 g, 通草 6 g, 淡竹葉 6 g, 滑石粉 15 g, 法半夏 6 g, 厚朴 6 g, 赤小豆 30 g, 茯苓皮 15 g. 3첩. 소변량이 많아지고, 浮腫이 감소하고, 精神이 振作되고, 病情이 호전되어, 黃芪 9 g을 더했다. 13첩을 복용했다. 약을 복용한 뒤에 浮腫이 전부 소실되었으며, 舌脈이 정상이었다.

考察: 이 案은 邪가 氣分에 머물고, 肺氣가 失宣하여, 脾가 水을 제어하지 못하고, 水濕이 肌膚에 범람하여 水腫이 만들어졌으므로, 三仁湯을 투여하여 上焦가 宣暢하고, 中焦가 運轉하고, 下焦가 通利하게 하여 水腫이 사라졌다.

3. 高熱『新中醫』(1984, 8:19): 여성, 52세. 外感 1주 후 아직 풀리지 않아, 현재 寒顫高熱에 기침이 더욱 극심하고, 복통과 설사가 있고, 尿頻, 尿急, 尿痛을 겸하고, 體溫은 최고 41℃에 달하며, 정신이 몽롱하고, 때로 헛소리를 하고, 高熱이 사라지지 않고, 汗出粘手하고, 얼굴이 빨갛고 기름때가 끼며, 머리가 무겁고 아픈 것이 싸맨 것과 같았고, 脘腹이 脹痛하며, 泛惡嘔吐하고, 물과 같은 변을 보며, 肛門에 灼熱이 있고, 소변이 빈번하고 滴瀝하며, 疼痛이 풀리지 않고, 목이 마르나 마시고 싶지 않고, 舌이 胖嫩하고 가장자리가 尖紅하고, 苔는 黃厚하고 膩하며, 脈이 滑數하여, 診斷은 左下肺炎, 急性胃腸炎, 急性泌尿系感炎으로 했다. 外邪를 받았는데 또 음식으로 인해 傷하고, 濕熱의 邪가 氣分을 막아 三焦가 彌漫하니, 三仁湯으로 化濕淸熱했다. 白蔻仁·法半夏·厚朴 各 6 g, 滑石 18 g, 竹葉·木通·杏仁 各 10 g, 銀花·苡仁·連翹 各 15 g을 쓴다. 3첩을 먹은 후, 熱이 사라졌고, 다시 증상에 따라 加減했다. 약을 먹은 1주일 후, 王氏淸暑益氣湯 5첩으로 사후조리하여 병이 나았다.

考察: 이 案은 肺炎, 急性胃腸炎, 泌尿系感炎으로 진단했는데, 中醫의 濕熱彌漫三焦證과 관계되어 있어, 三焦를 宣暢하고, 上下를 나누어 없애고, 淸熱利濕하는 방법을 사용했는데, 三仁湯이 매우 잘 맞아, 완치될 수 있었다.

4. 黃疸『北京中醫』(1987, 3: 58): 남아, 14세. 힘이 없고, 納差가 이미 10일이 되었고, 目黃·尿黃이 있고·때로 윗배에 통증이 있고, 전신의 피부가 發黃하고, 새벽부터 구역질이 나고, 嘔吐가 일어나고, 大便이 溏하고 不暢하며, 舌邊이 尖紅하고, 苔는 灰膩하며, 脈은 弦滑했다. 황달 지수는 30U이고, gPT는 280U였다. 진단은 急性黃疸型 肝炎이고, 證이 濕熱蘊於三焦에 속하고, 울체되어 發黃한 것이다. 치료는 마땅히 開暢氣機, 淸利濕熱해야 했다. 白蔻仁 6 g,薏苡仁 12 g, 杏仁 6 g, 厚朴 9 g, 法半夏 12 g, 大腹皮 10 g, 茵陳 15 g, 虎杖 15 g, 通草 3 g, 滑石 20 g, 淡竹葉 6 g. 18첩을 복약한 후, 간기능이 정상이 되었고, 여러 증상이 소실되었다.

考察: 本案은 濕熱이 肝膽에 쌓이고, 三焦에 鬱滯되고, 쌓여서 發黃하여, 三仁湯을 투여해서 宣化三焦, 開暢氣機, 淸利濕熱하여 氣機를 暢通하게 하고, 濕熱의 邪를 제거하고, 肝膽疏泄이 정상이 되게 하여, 黃疸濕熱이 자연히 사라졌다.

【副方】

1. 藿朴夏苓湯(『醫原』卷下): 杏仁 2~三錢(6~9 g) 蔻仁 八分(3 g), 半夏 2~三錢(6~9 g), 厚朴 八分~一錢(2~3 g) 藿梗 1~二錢(4.5~6 g) 薏苡仁 4~六錢(12~18 g) 通草 3~五錢(9~15 g), 茯苓 3~四錢(9~12 g) 猪苓 1.5~二錢(4.5~6 g) 澤瀉 1.5~二錢(4.5~6 g)

- 用法: 먼저 通草 달인 탕으로 물을 대신하여 사용하고, 위의 약을 달여 복용한다.
- 作用: 化濕解表.
- 適應症: 濕溫初起, 身熱惡寒, 肢體倦怠, 胸悶口膩, 舌苔薄白, 脈濡緩.

本 方劑는『醫原』하권에서 유래했지만, 책에 方名이 없고, 용량이나 용법도 없다. 다만 "濕氣論"에서 이르길: 濕氣內蘊, 氤氳浊膩하고 얼굴색이 기름처럼 흐리고, 口氣가 濁膩하고 맛을 모르거나 혹 生甜水하고 舌苔가 白膩하고 膜原邪中하며, 舌苔가 가득 펴져 가루처럼 쌓이고, 板貼不松하고, 脈과 숨쉬는 것이 모호하고 깨끗하지 않거나, 沉細하여 伏脈과 비슷하고, 연속적으로 균일하지 않으며, 정신이 많이 가라앉아 피곤하고 잠을 많이 자는 사람의 治法은 輕開肺氣를 주로 하며, 약은 마땅히 가볍고 그 味가 辛淡한 것을 사용하는데, 辛은 杏仁·蔻仁·半夏·厚朴·藿梗을 사용하며, 淡한 것은 薏苡仁·通草·茯苓·猪苓·澤瀉類를 사용하여

上閣을 열고, 支河를 열어, 濕을 下行시켜 빼낸다. 이후『温病时疫治疗法』에서 그것을 인용하여, 처음으로 "藿朴夏苓湯"이라 명하였으며 용량과 용법을 추가 하였다.

本 方劑는 藿香의 芳化宣透로, 疏邪解表하고, 化濕和中한다. 厚朴·半夏·白蔻仁을 통해 燥濕行氣, 寬中快脾하며; 杏仁을 통해 위를 輕開肺氣하고, 氣化濕行하도록 하고, 茯苓·苡仁·猪苓·澤瀉를 통해 아래에서 淡滲利濕하고, 水道를 通暢시켜, 邪를 빠져나가도록 한다. 여러 약을 함께 사용하면, 表裏의 濕을 內外로 나누어 풀어지게 할 수 있다.

本 方劑와 三仁湯은 모두 三仁·半夏·厚朴·通草가 있어서 각각 宣上·暢中·滲下로 濕熱을 제거하는데, 모두 濕溫初起에 邪遏衛氣하고 表裏合邪, 濕이 重하고 熱이 가벼운 증상을 치료한다. 단 本 方劑는 藿香·二苓·澤瀉를 배오하여 解表와 利濕의 효능이 비교적 뛰어나서, 表證과 濕氣內蘊이 명확한 데 적용한다. 三仁湯은 별도로 滑石·竹葉이 있어, 清熱의 힘이 약간 강하여, 濕이 점차 熱이 되는 데 적용한다.

2. 黃芩滑石湯(『溫病條辨』卷2): 黃芩 三錢(9 g) 滑石 三錢(9 g) 茯苓皮 三錢(9 g) 大服皮 二錢(6 g) 白蔻仁 一錢(3 g) 通草 一錢(3 g) 猪苓 三錢(9 g)

- 用法: 물 6잔을 넣고, 끓여 2잔을 취하고, 찌꺼기를 다시 달여 1잔을 취하여 3번에 나누어서 따뜻하게 하여 복용한다.
- 作用: 清熱利濕.
- 適應症: 濕溫邪在中焦, 發熱身통(痛), 汗出熱解, 계속되고 반복되는 熱, 갈증이 나지만 물을 많이 마시지 않거나 갈증이 없고, 舌苔淡黃하고 滑하고, 脈緩하다.

本 方劑는 황금의 苦寒清熱燥濕, 滑石·茯苓皮·通草·猪苓의 清利濕熱, 白蔻仁·大腹皮의 化濕利水와 暢氣를 겸하여, 氣化하여 濕化하게 한다. 여러 藥을 合用하면 濕祛熱清하여, 여러 증상이 자연히 풀어진다.

本 方劑와 三仁湯은 모두 蔻仁·通草·滑石으로 清熱祛濕하여 濕溫을 치료한다. 단 本 方劑는 黃芩·二苓·大服皮를 배오하여, 清熱과 化濕을 모두 시행하는 方劑이고, 그 清熱作用이 三仁湯보다 강하여, 邪滯中焦, 濕熱并重하고, 膠着되어 풀어지지 않는 사람에게 적용한다. 三仁湯은 杏仁·薏苡仁·竹葉·半夏·厚朴을 사용하여, 化氣利濕의 中佐를 清熱하는데, 그 祛濕作用이 本方보다 우월하여, 濕溫初期, 濕이 重하고 熱이 가벼운 증상에 활용한다.

【參考文獻】

1) 應志華. 三仁湯加味治療急性黃疸型肝炎72例. 浙江中醫雜誌. 1985;(9):397.

甘露消毒丹

(『醫效秘傳』卷1)

【異名】 普濟解疫丹(『溫熱經緯』卷5)·普濟消毒飲(『續名醫類案』卷5)·甘露消毒丸(『中藥製劑手冊』).

【組成】 飛滑石 十五兩(450 g) 淡黃芩 十兩(300 g) 茵陳 十一兩(330 g) 藿香 四兩(120 g) 連翹 四兩(120 g) 石菖蒲 六兩(180 g) 白蔻仁 四兩(120 g) 薄荷 四兩(120 g) 木通 五兩(150 g) 射干 四兩(120 g) 川貝母 五兩(150 g)

【用法】 분말을 햇볕에 건조시킨다. 매번 三錢(9 g)을 복용하고 물로 삼키거나 혹은 神曲으로 彈子 크기의 환으로 만들어 물에 녹여 복용하는 것 역시 가능하다(현대용법: 혹은 탕제로 만들어 물로 달여 복용한다).

【效能】 利濕化濁, 清熱解毒.

【主治】濕溫·時疫. 發熱倦怠, 혹은 午後身熱, 頤腫口渴, 嘔惡, 咽喉腫痛, 身目發黃, 胸悶腹脹, 泄瀉, 淋濁, 小便短赤, 舌苔가 淡白하고, 厚膩하거나 乾黃하고, 이와 더불어 水土不服한 것을 치료한다.

【病機分析】本 方劑는 濕熱·時疫·毒邪가 氣分에 머무르는 것, 濕熱并重의 증상, 濕熱이 쌓여 毒이 된 증상을 主治한다. 濕溫病의 바른 치료는 氣分을 중점적으로 치료하는데 葉桂는 "其邪始終在氣分流連者", "其病有不傳血分, 而邪留三焦"의 견해가 있었다. 病機의 측면에서는 "裏濕素盛, 外邪入裏, 裏濕爲合, 在陽旺之軀, 胃濕恒多, 在陰盛之體, 脾濕亦不少, 然其化熱則一"(『外感溫熱論』)이 있다. 그러므로 熱이 濕보다 重하여 형성된 것, 濕이 熱보다 重하여 형성된 것, 濕熱이 모두 重하여 형성된 것, 濕熱化毒하여 형성된 것 등의 다른 유형이 있다. "熱得濕則鬱遏而不宣, 故愈熾, 濕得熱則蒸騰而上薰, 故愈橫, 兩邪相合, 爲病最多."(『溫熱經緯』 卷4, 「薛生白濕熱病篇」 11條 考察). 溫疫은 코와 입으로부터 들어오는데, 肺胃가 처음 그 공격을 받아, 津氣의 운행에 영향을 주고, 이로 인해 濕邪가 머물러 여러 증상이 발생하게 된다. 더불어 濕熱이 交蒸하여 氣分에 머물러 三焦에 두루 영향을 미치면, 身熱倦怠, 肢體酸楚하게 된다. 濕은 陰邪이기 때문에 오후에 더욱 심하다. 濕이 淸陽을 덮고, 氣機를 막으면, 胸悶腹脹하게 되고, 上吐下瀉하게 된다. 熱毒이 上部를 막으면, 곧 咽喉腫痛하고 口渴하게 된다. 熱이 濕으로 인해 막히면, 안에서 막혀서 發越하지 못하여, 肝膽의 疏泄기능의 실조에 영향을 주며 膽汁이 肌膚로 넘쳐, 몸과 눈에 發黃이 나타나게 된다. 濕熱이 下注하여 淸濁이 구분되지 않으면, 小便이 短赤하고 심하면 淋濁·泄瀉하게 된다. 舌苔가 白하거나 膩하거나 黃한 것은 邪가 氣分에 있는 표현이며, 舌絳 혹은 苔가 벗겨져 無苔인 것은 邪가 營血에 있는 것으로 동일하지 않다.

【配伍分析】本 方劑는 濕熱이 모두 중하고, 毒邪가 병이 되고, 기분에 가득차서 생긴 병증을 치료한다. 治濕은 邪에게 출로를 열어주어야 하고, 治熱은 宣散淸泄하고, 治毒은 瀉火解毒하여, 濕邪得利하게 하고 毒熱得淸하게 해야 한다. 그러므로 本 方劑의 立法은 祛濕·淸熱·消毒이다. 本 方劑에서 滑石·茵陳·黃芩을 중용하여 君이 되는데, 그중 滑石은 淸利濕熱하고 解暑할 수 있고, 體滑하여 利竅를 주관하고, 味淡하여 滲熱을 주관하여, 六腑를 蕩滌하고 克伐의 폐단이 없다. "滑石甘寒, 滲瀉水濕, 滑竅墜而開凝鬱, 淸膀胱而通淋澀, 善治黃疸·水腫·前陰閉癃之證"(『長沙藥解』卷4). 茵陳은 淸熱利濕退黃하며, 『神農本草經』卷1에서 이르기를 "主風濕寒熱邪氣, 熱結黃疸."이라 했는데, 그것이 濕熱病證에 대해 가장 알맞다. 黃芩은 淸熱解毒, 燥濕하며 능히 "上行瀉肺火, 下行瀉膀胱火"한다.(『滇南本草』 卷1) 이 세 가지 약이 하나로 모여 利濕化濁解毒하게 된다. 石菖蒲는 濕濁을 제거하고 滌痰辟穢하며 九竅를 宣通한다. 『神農本草經』卷1에서 이르기를 "開心孔, 補五臟, 通九竅, 明耳目"이라 했다. 九竅를 通利하게 하여, 濕熱이 자연히 빠져나오도록 한다. 白荳蔻는 行氣悅脾하고 芳香化濕하여, "上入肺經氣分, 而爲肺家散氣要藥, 且其辛溫香竄, 流行三焦, 溫暖脾胃"(『本草求真』卷3)로, 氣가 통창하고 濕을 행하게 한다. 藿香은 芳香化濕하며 辟穢和中하며 濕濁이 凝滯한 證을 치료하며, 그 芳香은 峻烈하지 않고 溫煦하고 燥烈하지 않아서, 陰霾濕邪를 제거할 수 있다. 藿香·石菖蒲·白蔻仁은 모두 辛溫하여, 開泄氣機, 芳香化濕하는데, 熱에 있는 것이 從治가 되고, 濕에 있는 것이 正治가 되어, 모두 臣약이 되는데, 이 세 가지 약은 濕阻中焦에 대해 더욱 적당하다. 藿香·茵陳은 合用하면 곧 芳化淸利하여 醒脾하고 濕의 운행을 도우며 淸熱하고 化濁할 수 있다. 木通은 淸利濕熱하고 滑石을 도우며, 茵陳은 濕熱을 인도하여 없애고 氣血의 통행을 돕는다. 射干은 咽喉를 淸利하고 "咳逆上氣, 喉鼻咽痛不得消息, 散結氣, 腹中邪逆, 食飮大熱"(『神農本草經』卷3); 더욱이 "治喉痹咽痛爲要藥"이라고 했다(『本草綱目』卷17). 貝母는 肺經의 약으로 痰火上攻하면, 그것의 淸肺利咽을 射干과 함께 배오하여 淸咽利喉하는 효능을 강화한다. 連翹는 淸熱解毒하

며 黃芩과 협력하여 그 작용을 강하게 한다. 木通·貝母·射干·連翹는 모두 佐藥이 된다. 薄荷는 辛凉하여 宣肺透熱하며 淸利咽喉하고 그 성질이 凉하고 輕淸하여 頭面으로 잘 간다. 陳嘉謨가 이르기를, "下氣令脹滿消弥, 發汗俾關節通利, 淸六陽會首, 驅諸熱生風, 退骨蒸解勞乏, 善引藥入營衛"(『本草蒙筌』卷2)라고 했다. 역시 佐藥이 된다. 熱毒上壅, 咽頤腫痛은, 薄荷로 射干·貝母·連翹의 利咽解毒 효능을 강화시키고, 또한 氣機를 通暢시켜 水濕을 통리하도록 한다.

全方은 淸解滲利에 중점을 두고, 芳化行氣, 解毒利咽하여, 氣化로 濕 역시 化하게 하는데, 濕이 化하게 되면 熱은 고립되어 熱退로 解毒한다. 淸熱하되 苦寒이 심하지 않고, 化濕하되 香燥한 것이 심하지 않으면, 宣發宿降하고, 약물이 輕淸하고 平淡하여 不偏不倚하다. 本 方劑는 약물의 선택에서 三焦를 보호하는 것을 고려하고 있고, 또 宣上·暢中·導下의 치료원칙을 포함하고 있으며, 除濕藥을 사용하는 방면으로는, 위에서는 辛開肺氣하여, 上閘을 터서 水源을 열고, 가운데에서는 芳香化濁하여 理脾濕하여 脾腸의 운행을 복구하며; 아래에서 淡滲利濕하여, 通調水道하여 濕濁을 제거한다. 全方 배오는 利濕化濁, 淸熱解毒, 流暢氣機하는데, 특히 단 맛의 甘露水가 淸熱解毒하기 때문에, "甘露消毒丹""普濟解毒丹"으로 이름했다. 王四雄은 이것을 "治濕溫·時疫之主方"이라고 칭송했다.

【類似方比較】 甘露消毒丹과 三仁湯은 모두 淸熱利濕作用이 있어 濕溫을 치료할 수 있지만, 두 方은 쓰이는 곳이 다르다. ① 약물의 조성을 볼 때 두 방은 모두 滑石·白蔻仁의 두 약이 있는데 利濕化濕하는 약들이며 그 작용이 和平하다. 三仁湯에서 사용되는 약물들은 杏仁 외에, 모두 직접 祛濕하는 작용이 있고, 그 중 利濕하는 滑石·通草·竹葉·薏苡仁이 있고, 燥濕하는 厚朴·半夏가 있고, 化濕하는 白蔻仁이 있다. 甘露消毒丹에 사용되는 약물 역시 祛濕하는 약물인데, 예를 들면 滑石·茵陳·木通이 있고, 化濕의 石菖蒲·藿香·白蔻仁·茵陳; 燥濕作用을 하는 黃芩이 있어, 이 方劑는 특히 解毒利咽을 중시하고, 解毒하는 방면에서는 黃芩·連翹·射干을 사용하며, 貝母는 淸肺利咽한다. ② 약물의 작용을 볼 때, 두 方劑는 모두 淸利濕熱할 수 있는데, 이것은 淸熱利濕藥을 배오했기 때문이다. 하지만, 三仁湯은 宣暢氣機하여, 氣機를 流暢하게 하여, 濕熱을 分解하고, 淸熱作用이 강하지 않기 때문에 濕盛熱微를 주로 치료한다. 甘露消毒丹은 濕熱蘊毒을 치료하며, 全方에 解毒化濕이 두드러지는데, 그 淸熱作用이 三仁湯보다 뛰어나다. ③ 病證의 치료 측면에서 볼 때, 두 방제는 모두 濕溫病을 치료하지만, 그 輕重과 緩急은 같지 않다. 三仁湯은 濕溫初起, 衛氣가 함께 병든 것, 三焦를 함께 치료하고, 또 暑溫이 濕을 끼고 있는 것을 치료하며, 化濕에 편중되어 있고, 臨證으로 頭痛惡寒, 身痛倦怠, 午後身熱, 舌苔膩, 脈濡를 특징으로 한다. 甘露消毒丹은 濕溫時疫을 치료하는데, "疫"이 광범위하고 보편성과 전염성이 있고, 臨證으로 身熱困倦, 口渴尿赤, 咽痛胸悶, 舌苔厚膩를 특징으로 한다. 치료하는 병증은 "毒盛", "咽喉腫痛"으로 그것이 三仁湯과의 차이점이다. ④ 치료하는 濕熱의 정도를 보면, 三仁湯은 祛濕에 중점을 두고, 濕重熱輕을 치료하고, 甘露消毒丹은 解毒에 두드러지며, 濕熱病重을 치료하거나, 熱이 濕보다 重하고, 또 蘊毒上壅을 치료한다.

【臨床應用】

1. 證治要點: 本 方劑는 濕熱이 모두 重한 병증에 쓰이며 身熱困倦, 口渴, 尿赤, 苔白厚膩하거나 黃한 것이 證治要點이 된다.

2. 加減法: 高熱口渴, 身目發黃, 肢體酸痛, 二便不暢한 것은 濕熱幷重에 속하여, 梔子·大黃·白茅根을 더하여 淸熱瀉火, 解毒退黃할 수 있다. 低熱이 不退하고 胸悶, 納呆, 肢倦, 口苦, 口粘, 小便短赤, 脈滑數하면 秦艽·金錢草·柴胡·靑蒿를 더해서 疏泄肝膽하고 熱邪를 제거할 수 있다. 頤腫하고 濕이 重하지 않은 경우에는 靑黛나 혹 板藍根을 더하여 해독작용을 강화시킬 수 있다. 만약 咽腫하면 板藍根·牛蒡子·金銀花·山豆根을 더해서 利咽散結 할 수 있다. 만약 黃疸이

있다면 秦艽·梔子·大黃·金錢草 등을 더해서 黃疸을 없앨 수 있다. 만약 熱淋이 있고 小便澀痛하다면 白茅根·竹葉·石葦·萹蓄을 써서 淸熱通淋할 수 있다.

3. 甘露消毒丹은 다음 한국표준질병사인분류(KCD)에 해당하는 환자가 濕溫·時疫, 濕熱幷重證으로 辨證되는 경우 본 처방의 사용을 고려해볼 수 있다.

처방 목표	한국표준질병사인분류(KCD)
장티푸스	A01.0 장티푸스
발진티푸스	A75 발진티푸스
렙토스피라	A27 렙토스피라병
黃疸型 傳染性肝炎	B15~B19 바이러스간염
膽囊炎	K81 담낭염
急性胃腸炎	K29 위염 및 십이지장염
	K50~K52 비감염성 장염 및 결장염
細菌性痢疾	A03 시겔라증
	A00~A09 장감염질환
류마티스熱	I00 심장침범에 대한 언급이 없는 류마티스열
	I01 심장 침범이 있는 류마티스열
알레르기性 紫斑	D69.0 알레르기자반증
바이러스性 心筋炎	I41.1 달리 분류된 바이러스질환에서의 심근염
流行性耳下腺炎	B26 볼거리
腎盂腎炎	N10 급성 세뇨관~간질신장염
	N11 만성 세뇨관~간질신장염
	N12 급성 또는 만성으로 명시되지 않은 세뇨관~간질신장염

【注意事項】 本 方劑는 淸利濕熱, 易傷陰液하기 때문에, 陰虛한 경우에는 사용하지 않는다.

【變遷史】 本 方劑는 葉桂(天四)方으로 전해지는데, 高等醫藥院校統編敎材 『方劑學』1·2·3·5판에서 이 方劑가 『溫熱經緯』에 수록되어 있다고 하였고, 4판 교재에서는 『溫病條辨』에 수록되어 있다고 했다. 『溫病條辨』을 조사하면 이 方劑가 없는데, 착오로 보인다. 『醫效祕傳』卷1을 살펴보면, 이 方劑가 기록되어 있다. 이 책의 옛 이름은 葉天四述, 吳金壽校라고 되어 있는데, 이 책의 "序"에 따르면, "吾吳葉天四先生, 當時爲十全之醫, 四方求治者戶履常盈, 惜著作甚少, 雖有『指南』一書行世, 然總以未窺全豹爲憾. 余自留心斯道, 訪求先生遺編, 往來胸中者已二十餘年矣. 辛卯春, 同門徐子雪香過草堂, 談及先業師翁春岩有抄藏先生『醫效祕傳』三卷, 余聞之而喜, 急索徐自副本讀之, 前二卷辨別傷寒, 後一卷摘擇經者, 中明脈要, 法取應驗, 理歸簡明, 不泥古, 不好奇, 眞如月印千潭, 只是一月, 非學有本原, 何能臻此. 因與同志者重爲校讎, 付諸梨棗, 以廣其傳, 讀是書者勿以平易近情而忽之, 其妙正在平易近情中也. 道光辛卯(1831)夏四月笠澤後學吳金壽撰." 이 책의 "瘟疫"篇에는 "雍正癸丑, 疫氣流行, 撫吳使者屬先生製此方, 全活甚衆, 時人比之普濟消毒飮云. 先生云, 時毒癘氣, 必應司天, 癸丑太陰濕四氣化運行, 後天太陽寒水, 濕寒合德, 挾中運之火, 流行氣交, 陽光不治, 疫氣乃行. 故凡人之脾胃虛者, 乃應其癘氣, 邪從口鼻皮毛而入, 病從濕化者, 發熱目黃, 胸滿, 丹疹, 泄瀉, 當察其舌色, 或淡白, 或舌心乾焦者, 濕邪猶在氣分, 用甘露消毒丹治之. 若將熱旬日不解, 神昏譫語, 斑疹, 當察其舌, 絳乾光圓硬, 津涸液枯, 寒從火化, 邪已入營矣, 用神犀丹." "撫吳使者屬先生製處方"을 분석하면, 本 方劑는 확실히 葉桂에 의해 만들어진 것이다. 魏之琇의 『續名醫類案』卷5의 疫門에도 역시 같은 문자기록이 있는데, 이것을 뒷받침하는 증거이다. 葉桂는 일생이 진료에 바빴고, 남긴 필묵은 모두 문인에 의해 정리된 것이다. 『醫效祕傳』의 "重印導言"에서 이르기를 "本書相傳爲淸代名醫葉天四的撰述, 据吳金壽序文中說, 得之同門徐雪香從乃師翁春岩處抄藏的副本. 一說本書系出自吳金壽的托名;但是除了別處未曾見到此書和葉氏門弟子沒有提及外, 也沒有更充足的理由 來證實這一說."이라 했다.

『溫熱經緯』는 咸豐 2년, 즉 1852년에 쓰여졌는데, 『醫效祕傳』과 『溫熱經緯』의 연대를 비교하면, 『醫效祕傳』가 『溫熱經緯』보다 21년 이르며 또한 아울러 본방을 "時人此之普濟消毒飮"이라고 명확하게 언급했다. 이것으로 보아, 본방은 결코『溫熱經緯』에서 나온 것이 아니다.

甘露消毒丹은 비록 "丹"이라고 부르지만, 劑型上 다수가 丸劑로 만들어 복용하니, 이름을 甘露消毒丸이라고 하고(『中國藥物大辭典』, 中國醫藥技術出版社, 1991年版), 『中藥成藥學』(1984年版) 역시 丸劑로 기재했고(50粒重 3 g, 每袋重 18 g), 口服하며, 1차례에 6~9 g을 하루에 1~2차례 복용한다. 또한 片劑로도 만들 수 있어, 甘露消毒片이라고 부른다(『中國中成藥産品集』, 中國醫藥技術出版社, 1991年版).

【難題解說】

1. 除濕藥物의 選用에 관하여: 本 方劑는 上閫을 터서 水源을 열고, 芳香化濕醒脾하여 脾運을 돕고, 淡滲利濕하여 水道를 통하게 하며 濕濁을 제거하는 효능이 있다. 除濕의 관점으로 보면, 化濕·燥濕·利濕의 세 가지 종류로 나뉜다. 첫 번째, 化濕의 약재는 本 方劑에서는 白蔲仁·藿香·石菖蒲를 선택했는데, 이 세 약은 모두 芳香하고 助脾醒胃하며 여러 惡을 피할 수 있고, 正氣를 通하여 邪氣를 제거되도록 한다. 濕蔽淸陽 때문에, 氣機가 막히면, 上蒙淸竅하여, 肺脾의 기능에 영향을 주는데, 輕開肺氣로 치료하여, 芳香化濕하면, 脾運이 회복된다. 肺가 一身의 氣를 주관하기 때문에, 肺氣가 열리면 즉 脾濕 역시 化하는데, 邪가 兼하여 있으면, 역시 그것과 함께 모두 化하기 때문에, 體輕하고, 味辛하고 성질이 微溫한 약재를 사용하여, 上閫을 열어주는 작용에 도달하여, 氣通濕祛하게 한다. 그 다음으로는 燥濕의 약재는 苦溫燥濕·苦寒燥濕·祛風燥濕으로 나눌 수 있다. 처방에서 苦溫燥濕의 黃芩을 選用하고 또 重用하는데, 그것은 解毒하고, 肺·胃·肝膽·大腸濕熱을 치료하여, 濕이 浸淫하고, 熱이 侵犯하고 火가 勝한 것을 모두 제거할 수 있다. 세 번째는 利濕의 약재로, 茵陳·滑石·木通을 선용한다. 滑石은 그 성질이 滑하여 얻은 이름으로 "開竅利濕, 不獨盡由小便而下, 蓋能上開腠理而發表, 是除上·中之濕熱;下利便溺而行, 是除中·下之濕熱. 熱去則三焦寧而表里安, 濕去則闌門通而陰陽利矣"(『本草求眞』卷5)한다. 세 가지 약은 淸熱의 역량을 강화할 수 있고, 熱邪를 아래로 빼내어, 淸熱利濕하는 주요 조성성분이 되며, 濕이 제거되면 熱이 홀로 남아, 熱邪로 막히지 않아 毒이 생성되지 못하여, 여러 증상이 쉽게 낫는다.

2. 川貝母의 選用에 관하여: 川貝母는 본래 化痰藥으로 咳嗽之證을 치료하는데 사용되어 왔는데, 이 方劑는 왜 貝母를 선용했을까? 하나는 濕熱蘊毒으로 咽喉腫痛이 생기면, 射干을 배오하여 解毒散結利咽했기 때문이다. 두 번째는, 王四雄이 甘露消毒丹의 病因을 서술한 것에서 보면, "溫濕蒸騰"·"口鼻吸受其氣, 留而不去, 而成濕溫疫癧之病", "尙在氣分"이지만 血分이 아니라, 血分의 藥을 選用하기에 알맞지 않은데, 川貝는 즉 肺經氣分藥으로, 開鬱·下氣·化痰할 수 있고, 黃芩과 배오하여 化痰降火하고, 連翹와 배오하면 鬱毒을 풀 수 있기 때문이다. 王好古가 이르기를 "貝母能散胸中鬱結之氣, 殊有功"(『湯液本草』卷4)라고 했다. 川貝母는 이 방에서 오직 화담만 하는 것이 아니라, 下氣를 취하여, 그것으로 더 좋은 "消毒"·"解毒"의 효과에 도달하는 것을 볼 수 있다.

3. 本 方劑의 方名에 대하여: 本 方劑는 "甘露消毒丹"이라 명명되었으며, 또한 "普濟消毒丹"이라고도 한다. 甘露는 곧 달고 아름다운 것이 이슬이다. 本 方劑가 선택하는 약물을 보면, 苦寒의 약재로 黃芩·茵陳·木通·連翹·射干이 있고, 甘寒한 약물로 滑石·川貝母가 있고, 辛散한 약물로 石菖蒲·藿香·白蔲仁·薄荷가 있다. 각 약의 용량과 그 性味의 배합을 보면, 苦味가 甘·辛味 보다 우세한데, 왜 이와 같이 명명했을까? ① 製方의 각도에서 분석. 葉桂는 이 方劑를 疫氣流行에 딱 맞추어 만들었는데, "時毒癧氣, 必應司天"을 구하여, 天下之降의 甘露로, 사람들을 위험한 것으로부터 구하니, 藥味가 비록 쓰더라도, 실제로는 사람을 구하는 좋은 약이고, 良藥은 비록 쓰지만 병에는 이롭고, 藥味가 비록 달지 않지만, 사람을 구하는 것은 달고 맛있

는 露水와 같아, 이름을 "甘露"라고 한 것이다. ② 약물 이용에서 보면, 全方이 苦寒한 약물이 두드러져, 淸熱瀉火가 主가 되며, 熱이 盛하고 火가 盛한 것을 毒이라고 하기 때문에, 熱退火降을 즉 "解毒"·"消毒"이라고 하여, 方名을 消毒丹이라고 한 것이다. ③ 病因分析. 本 方劑는 疫氣를 치료하고, 병에 걸린 사람이 매우 많았는데, 論治 역시 대동소이했고, 이 方劑의 치료효과가 확실했기 때문에, 이름을 "普濟"라고 했는데, 普遍救濟의 뜻이며, 佛家의 "普渡衆生", "普濟衆生"의 함의와도 조금 비슷하다. 雍正 癸丑年 疫癘가 유행할 때 , 일반적으로 치료하는 方劑는 많았지만 효과가 없었는데, 本 方劑가 淸熱解毒, 利濕化濁할 수 있어, 당시 유행하던 疫癘를 치료하는데 사용하여, 보편적으로 많은 사람들을 질병의 고통으로부터 구제하였기 때문에, 이름을 普濟解毒丹이라고 한 것이다.

4. 劑型에 관하여: 본 方名은 "丹"이라고 명명했는데, 丹劑는 일반적으로 두 가지 상황이 있다. 원시의 丹은 즉 丹砂製劑로, 원래 수은을 말하는 것으로 晉·唐의 여러 朝에서 道家가 수은류의 약으로 升化法을 하였고, 단련하여 약제를 만들어 鍊丹術이라고 하였는데, 후에는 내복하면 장생하는 것이 아니라 반대로 몸을 상하게 하여, 곧 복용하는 것을 폐했고, 紅升丹·白降丹과 같이 外用만 하였다. 다른 한편으로, 후대 사람들이 다른 製劑에서 精製를 거쳐 배합한 것을 丹이라고 불러, 그 현저한 효과를 과시하고자 했는데, 이것은 원시 단약과 실제로 비슷하지 않았고, 게다가 다수가 식물 혹은 동물약으로 만들어진 丸劑 혹은 散劑였고, 심지어 膏滋劑 혹은 錠劑 등이었지만, 小金丹·三才封髓丹·七寶美髯丹 등처럼 제형이 같지 않았고, 사용 범위가 매우 넓었다. 『上海市中藥成藥製劑規範』(1965年)에 서술된 甘露消毒丹은 "共硏細粉, 用冷開水泛丸, 如綠豆大"로, 이 方은 사실 丸劑이며, 옛 의미와 같지 않다. 환제는 服用이 편리하고, 달이고 끓이는의 번거로움이 줄어들었다. 단, 현재 임상에서는 일반적으로 이 方劑의 약물을 湯劑로 만들어 사용한다.

5. 時疫과 時病에 관하여: 본 방제는 濕溫時疫을 치료하는데 時疫은 時病이 아니다. 時疫은 가장 일찍 『世醫得效方』「時疫」에서 볼 수 있다. 時疫은 통상적으로 瘟疫을 칭하며 溫疫이라고 하기도 한다. 疫癘之氣를 감수하여 발생한 많은 종류의 유행성급성 전염병의 총칭이며, 즉 『素問類篇』「刺法論」에서는 "五疫之至, 皆相染易, 無問大小, 病狀相似."라고 했다. 그 發病은 "疫者感天地之癘氣, 在歲運有多寡, 在方隅有厚薄, 在四時有盛衰, 此氣之本, 無論老少强弱, 觸之者卽病, 邪從口鼻而入, 則其所害, 內不在臟腑, 外不在經絡, 舍于夾脊之內, 去表不遠, 附近于胃, 乃表裏之分界, 是爲半表半裏, 卽針經所謂橫連膜原是也" 때문이다(『瘟疫論』卷上). 時病은 時令病을 가리킨다. 雷豊이 말하기를 "時病者, 乃感四時六氣爲病之證也, 非時疫之時也"(『時病論』「凡例」)라고 했다. 時病은 다수가 계절에 따라 많이 발생하는 병을 가리키는데, 예를 들어 봄의 春溫·風溫, 여름의 中暑·泄瀉·痢疾, 가을의 瘧疾·秋燥·濕溫, 겨울의 冬溫·傷寒 등이다. 甘露消毒丹은 時疫을 치료하는데 사용하며, 향토의 유행성 질병을 치료하는 方이 명백하다.

【醫案】

1. 腸傷寒『吉林中醫藥』(1990, 5:31): 남성, 35세. 10일 전 發熱이 시작되었고, 체온이 계단형으로 상승했으며, 腹脹, 納差를 수반했는데, 肥達氏反應을 검사하여 腸傷寒으로 확진했다. 현재 체온이 내려가지 않으며 고열로 39.4℃이고, 頭目이 昏脹하고, 四肢가 권태롭고 酸痛하며, 口渴思飮, 胸痞納呆, 小便短赤, 表情淡漠하고, 舌邊이 尖紅하고, 舌苔가 厚膩하고 脈은 濡緩하다. 이것은 濕熱이 鬱結되고, 氣機가 失暢한 것이다. 치료는 化濕淸熱, 宣氣透邪가 알맞다. 飛滑石 18 g, 藿香 10 g, 連翹 10 g, 薄荷 6 g, 白荳蔻 6 g, 綿茵陳 20 g, 黃芩 10 g, 石菖蒲 10 g, 木通 10 g을 복용했다. 4첩을 복용한 후 열이 물러났다. 黃芩을 빼고, 계속해서 4첩을 복용하니, 남아있던 모든 증상이 감소했고, 보름을 조리하고 병이 나았다. 考察:腸傷寒은 중의학에서 濕溫의 범주에 속하며 다수가 濕熱病邪에 感

受되어 생긴다. 濕熱이 鬱伏하고, 氣機가 失宣하고, 高熱에 이르기 때문에, 淸熱化濕에 중점을 두고, 宣氣透邪한다. 王邪雄은 甘露消毒丹을 일러 "治濕溫時疫之主方"이라고 했는데, 실제로 요점을 말한 것이다.

2. 빈발성 심실 조기 수축(頻發室性早搏)『四川中醫』(1991, 5:18): 남성, 45세. 심실 조기 수축이 빈발한 지 2년 여 되었다. 평소 頭暈, 胸悶, 心悸하며 음주 후 병세가 가중되고, 胸脘이 痞悶하고, 身重困倦하며, 小便赤澀, 大便不爽하고, 舌質은 暗紅하고, 苔는 灰黃, 厚膩하며 脈은 細結하며, 심실의 조기 수축이 빈발했다(8~12회/분), 부분적으로 二聯律을 띈다. 증상은 濕熱交阻, 氣機不宣에 속한다. 치료는 마땅히 淸熱利濕, 行氣寬胸해야 한다. 滑石·茵陳·苦蔘 各 20 g, 石菖蒲·藿香·白蔻仁·連翹·枳殼·甘松 各 10 g, 川貝母·射干·薄荷·木通 各 6 g, 瓜蔞 15 g. 6첩 복용 후에 胸脘痞悶이 크게 감소하였고, 조기 수축은 4~8회/분으로 감소하였다. 다시 十二劑를 복용하고 증상이 대부분 소실되었다. 10제를 더 복용하여 여러 증상이 소실되었다. 심전도가 정상으로 되었다.

考察: 환자는 평소 술을 즐겨 濕熱內蘊하고 氣機不宣하였기 때문에, 바로 淸熱利濕, 解毒化濕하는 甘露消毒丹을 투여하였고 寬胸利氣의 약재와 抗心律失常의 甘松·苦蔘을 배오하여 효과를 거두었다.

3. 喉痹『北京中醫』(1991, 2:26): 여성, 15세. 咽痛發熱이 5일되었고, 체온은 39.4~37.8℃, 최근 2일간 咽痛이 현저히 가중되었고 치통을 동반했고, 음식을 먹는 것이 곤란하고, 얼굴색이 黃白하였고, 때때로 땀을 흘렸으며, 大便을 4일 동안 보지 못하고, 舌苔가 白黃厚膩하고, 口臭氣熱하며, 脈細滑, 略數하고, 咽粘膜이 充血되었고, 咽側이 막히고 목젖에 紅腫이 있었고, 咽喉壁에 淋巴濾泡가 增生하고, 側索·咽喉壁에 모두 백색의 膿點이 산재해 분포했고, 牙根이 부었고, 膿腐같은 분비물이 붙어있으며, 牙根에 출혈이 있었고, 右側舌齶上에 0.5cm×0.4cm 크기의 궤양이 있고, 표면에는 황백색의 膿苔가 있었고, 체온은 38.9℃였다. 熱毒喉痹였다(急性咽炎). 淸熱解毒, 化濁利濕해야 했다. 射干 10 g, 黃芩 10 g, 連翹 10 g, 梔子 10 g, 馬勃 3 g, 滑石 30 g, 茵陳 10 g, 木通 3 g, 薄荷 6 g, 白蔻仁 5 g. 6첩을 복용하고 나았다.

4. 五更泄『新中醫』(1992, 10:47): 남성, 28세. 최근 2개월 내 발병. 새벽에 복통이 있었는데, 장에서 설사 소리가 나고, 설사 후 편안해졌으며, 口苦, 口臭, 尿黃을 동반했고, 10여 일 전에 四神丸을 복용하였으나 복통이 가중되었고 설사가 시원하지 않았고, 舌淡하고, 苔는 厚膩微黃하고, 脈은 弦滑하며, 大便검사에서 이상은 없었다. 濕熱積滯, 阻滯腸道였다. 淸熱化濕, 行氣導滯하여 치료했다. 茵陳·藿香 各 15 g, 滑石·黃芩·石菖蒲·川貝母·木通·射干·連翹·薄荷·白蔻仁·山楂·神曲 各 10 g. 연속해서 5첩을 복용하고, 임상증상과 징후가 모두 소실되었다.

考察: 五更泄은 일반적으로 腎陽이 虛衰하여, 封藏기능을 잃고, 食積·寒積·酒積 등으로도 생긴다. 本案은 濕熱이 積滯되어 腸道를 막고, 淸濁이 혼재되어 생긴 것이다. 그러므로 淸熱化濕, 行氣醒脾하는 甘露消毒丹을 투여하여 효과를 거두었다.

連朴飮

(『霍亂論』卷4)

【異名】 王氏連朴飮(『溫病學講義』).

【組成】 製厚朴 二錢(6 g), 川黃連 薑汁炒 石菖蒲 製半夏 各一錢(3 g) 香豉 炒 梔子 焦 各三錢(9 g) 蘆根 二兩(60 g)

【用法】 물로 달여, 따뜻하게 복용한다.

【效能】 淸熱化濕, 利氣和中.

【主治】 濕熱霍亂. 上吐下瀉, 胸脘痞悶, 心煩躁扰, 小便短赤, 舌苔黃膩, 脈滑數 等.

【病機分析】 霍亂은 여름과 가을 사이에 많이 발병하는데, 그 발병이 급하고 요란한 기세가 있기 때문에 霍亂이라 이름 붙였다. 霍亂이라는 이름은『內經』에서 최초로 보인다.『素問』「六元正紀大論」에서 이르기를 "太陰所至爲中滿, 霍亂, 吐下"라고 했고, 또 말하기를 "土鬱之發……故民病心腹脹, 腸鳴而數後, 甚則心痛脇䐜, 嘔吐霍亂"이라고 했다.『傷寒論』과『金匱要略』두 책에서는 각각 "嘔吐而利, 名曰霍亂"과 "驢馬肉合猪肉, 食之成霍亂"이라는 조문을 기재했다.『諸病源候論』卷22에서는 霍亂病의 증상을 구체적으로 묘사했다: "其亂在腸胃之間者, 因遇飮食而變發, 則心腹絞痛. 其有先心痛者, 則先吐; 先腹痛者, 則先利; 心腹幷痛者, 則吐利俱發. 挾風而實者, 身發熱, 頭痛體痛而復吐利; 虛者, 但吐利·心腹刺痛而已" 霍亂의 원인에는 다섯 가지가 있는데, 첫째는 濕熱, 둘째는 寒濕, 셋째는 虛寒, 넷째는 食滯, 다섯째는 時疫이다. 본 方劑는 濕熱로 인한 霍亂을 치료한다. 여름과 가을 사이에 濕熱이 交蒸하고, 淸濁이 서로 섞이고, 穢濁한 기운이 체내로 침입하여 中焦를 막아서 脾胃의 升降이 정상적인 것을 잃어버리게 되면, 胃는 和降하는 기능을 잃어 上吐하게 되고, 脾는 升淸하는 기능을 잃어서 곧 下瀉하게 된다. 濕熱이 막혀, 氣滯不行하면, 즉 胸脘이 痞悶해지고, 熱邪가 상부를 어지럽히면 심신이 不寧하여 곧 心煩躁擾하게 된다. 濕熱이 울체되어 막히면 水道가 不利하게 되어 小便이 短赤하게 된다. 舌苔가 黃膩하고 脈滑數 등은 濕熱鬱遏의 증상이다.

【配伍分析】 본 방제는 濕熱이 中焦를 막고, 脾胃가 升降의 기능을 잃고, 氣機의 운행이 不暢한 霍亂吐瀉를 위해 만들어졌다. 치료는 마땅히 淸熱化濕, 利氣和中해야 한다. 바로 冉씨가 말한 "治法不在止瀉止吐, 惟求濕熱一淸, 脾胃得和, 則諸證自愈"(『歷代名醫良方注釋』)와 같다. 方劑는 黃連과 厚朴이 君이 된다. 黃連은 그 성미가 苦寒한데, 苦는 燥濕하고, 寒은 淸熱하여, 한 번에 濕熱을 모두 제거할 수 있기 때문에, 中焦濕熱의 嘔吐·瀉利에 사용하면 매우 좋다. 厚朴은 苦辛溫하고, 苦燥辛散하여, 行氣燥濕에 좋고, 消脹除满을 위한 要藥이다. 둘을 함께 사용하면 濕去熱淸하여, 氣行胃和하게 된다. 梔子는 苦寒한데, 黃連의 淸熱燥濕을 돕고, 또 三焦를 通利할 수 있어, 濕熱의 邪를 體外로 배출하게 한다. 半夏는 辛溫하고 燥하여 燥濕化痰의 要藥이며 降逆和胃止嘔하는데 특히 좋다. 두 약이 함께 臣藥이 된다. 佐는 石菖蒲의 辛香走竄으로 하는데, 濕濁을 풀고 脾胃를 깨어나게 하여, 濕이 中焦를 막는 脘腹脹悶에 사용한다. 淡豆豉는 芳香化濕하고 和胃除煩한다. 蘆根은 甘寒하고 그 성질이 가벼워서 肺胃氣分의 實熱을 淸透할 수 있고, 또 養胃生津하고, 止渴除번하는데 戀邪의 患이 없다. 여러 약을 함께 사용하면, 모두 淸熱化濕, 利氣和中의 효능을 이룬다. 濕을 제거하고 熱을 깨끗하게 하여, 氣를 움직이고 胃를 화하게 한다. 濕熱이 제거되고 脾胃가 조화롭게 되면 곧 吐瀉가 스스로 멈추고 腹脹은 스스로 사라진다.

本 方劑는 黃連과 厚朴을 君藥으로 하여, 飮劑로 만들기 때문에, 蓮朴飮이라고 이름했다. "飮"은 劑型의 일종이며, 湯劑인데 冷服이 필요한 것을 가리킨다. 차가운 것은 막고 그치게 하는 효능이 있어, 임상에서는 자주 涌吐藥을 복용하여 嘔吐가 그치지 않고, 瀉下藥을 복용하여 瀉利가 그치지 않는 사람이 있는데, 차갑고 묽은 죽을 마셔 그것을 그치게 하는 법이 있다. 本 方劑의 病證은 吐瀉間作으로, 湯藥을 차갑게 마셔야 한다. 단 현재 임상에서는 이 方劑를 여전히 따뜻하게 마시는 경우가 비교적 많다.

本 方劑의 배오특징은 辛開苦降, 溫淸을 병용하여, 藥物이 精專하고, 배오가 합당한 것이다.

【類似方比較】

1. 本 方劑와 藿香正氣散은 모두 化濕·利氣·和中의

효능이 있고, 모두 濕燥中焦, 脾胃升降失常, 氣機運行不暢으로 생긴 霍亂吐瀉, 胸脘痞悶 등의 증상에 사용할 할 수 있다. 이것 외에, 본 방제는 淸熱의 효능이 있어, 상술한 증상에 熱邪가 함께 있어 心煩躁擾·小便短赤·舌苔黃膩한 사람을 치료한다. 藿香正氣散은 解表의 효능이 있어, 상술한 증상에 表證이 있고 發熱惡寒·頭痛·舌苔白膩한 사람을 치료한다.

2. 本 方劑와 甘露消毒丹은 모두 淸熱化濕의 효능이 있고, 모두 濕熱內蘊이 야기한 嘔吐·泄瀉·胸悶·小便短赤 등의 증상을 치료한다. 단 前方은 利氣和胃의 효능이 있어, 濕熱이 中焦를 막고, 脾胃升降失常이 야기한 증상에 사용하고, 後方은 解毒의 힘이 비교적 강하여, 濕溫時疫과, 邪가 氣分에 있어 생긴 증상, 病位가 三焦에 미치는 것, 上焦의 咽痛·頤腫, 中焦의 胸悶·腹脹·泄瀉, 下焦의 淋濁 등의 증상에 모두 사용할 수 있다.

【臨床應用】

1. 證治要點: 本 方劑는 濕熱霍亂을 위한 主方이다. 임상에서 사용할 때에는 吐瀉煩悶, 小便短赤, 舌苔黃膩, 脈滑數가 證治要點이 된다.

2. 加減法: 本 方劑의 적응증은 嘔吐가 主가 되는데, 腹瀉가 비교적 현저하면, 炒車前子·薏苡仁으로 利濕止瀉하고, 胸腹脹滿하면, 草果·白蔻仁을 더해 利氣消脹하고, 大便에 혈이 있으면, 地楡炭·貓草炭을 더해 凉血止血한다.

3. 連朴飮은 다음 한국표준질병사인분류(KCD)에 해당하는 환자가 濕熱霍亂, 濕熱幷重 證으로 辨證되는 경우 본 처방의 사용을 고려해볼 수 있다.

처방 목표	한국표준질병사인분류(KCD)
急性胃腸炎	K29 위염 및 십이지장염
	K50~K52 비감염성 장염 및 결장염

처방 목표	한국표준질병사인분류(KCD)
腸傷寒	A01.0 장티푸스
副傷寒	A01 장티푸스 및 파라티푸스

【注意事項】 寒濕霍亂한 경우 本 方劑가 부적당하다.

【變遷史】 連朴飮은 『霍亂論』卷4에서 기록되었는데, 적응증은 濕熱溫伏하여 霍亂한 것이고, 증상으로 上吐下瀉, 胸脘痞悶, 心煩躁擾, 小便短赤, 舌苔黃膩, 脈滑數 등이 보인다. 그 근원을 찾아 올라가면 王氏가 仲景의 梔子豉湯과 宋·魏峴『魏氏家藏方』의 連朴丸에서 영감을 얻어, 두 가지를 하나로 만들고 加味하여 本方을 만들었을 가능성이 있다. 仲景의 梔子豉湯은 梔子·香豉 두 가지로 구성되어 있다. 發汗土下後, 虛煩不得眠을 치료하는데, 심한 사람은 반드시 반복해서 顚倒되고, 心中이 懊憹하다. 魏氏의 連朴丸은 黃連(好者)5량, 厚朴 10량(거친 껍질을 제거)로 구성되었는데, 생강 10량을 사용하여, 自然汁浸을 내어 煮乾하여 고운 분말로 만들어, 淸面糊를 오동나무 열매 크기의 丸으로 하여, 매회 五七十九를 복용하는데, 빈속에 미음으로 삼킨다. 瀉利를 치료한다. 本 方劑와 梔子豉湯은 모두 梔子·香豉 두 약이 있는데, 모두 吐·瀉·心煩 등의 증상을 치료한다. 本 方劑와 連朴丸의 方名이 비슷하고, 조성에 모두 黃連·厚朴이 있는데, 두 가지 용량의 비가 모두 1:2로 같으며, 적응증 역시 모두 瀉利이다. 근대 많은 의학자들이 그 적용범위를 확대시켰는데, 예를 들어 趙紹琴 등은 『溫熱縱橫』에서 그것을 사용하여 濕溫病의 濕熱幷重과, 阻滯中焦로 생긴 身熱心煩, 胸脘痞悶, 惡心嘔吐, 大便溏泄, 色黃味臭, 舌苔黃膩, 脈滑數를 치료했다.

【難題解說】

1. 本 方劑의 君藥에 대해: 普通高等教育中醫藥類規劃教材『方劑學』·高等中醫藥院校教學參考叢書『方劑學』 등에서는, 蘆根이 本 方劑의 君藥이라고 명백히 말하고 있지 않지만, 그것을 첫 부분에 두고 중점적으

로 논술하고 있다. 中醫學院試用教材重訂本『中醫方劑學講義』·高等醫藥院校教材『方劑學』역시 黃連·厚朴을 君이라고 명확하게 말하지 않지만, 그것을 위쪽에 두고 중점적으로 자세히 설명하고 있다.『中醫歷代方論選』은 명확하게 黃連·厚朴을 君이라고 지적하고 있다. 우리가 이 논리를 비교적 합당하다고 생각하는 이유는 다음과 같다. ① 일반적으로 말해, 方名에 있는 약물이 대부분 君藥이 된다. ② 本方이 치료하는 霍亂은 濕熱이 中焦를 막고, 脾胃의 升降이 정상적이지 않아 생기는 것으로, 방제에서 黃連은 淸熱燥濕하여, 일거에 濕熱을 모두 깨끗하게 하고, 厚朴은 利氣化濕和中하여, 두 약을 함께 사용하면 즉 熱淸濕化하고, 氣機가 정상으로 회복되어, 사실상 本 方劑 病證의 主病 主證을 겨兩해 주된 치료 작용을 일으키기 때문에, 그 논리로 당연히 君藥이 된다. ③ 蘆根의 주요 작용은 閉胃에 있고, 淸利濕熱하고, 生津止渴할 수 있고, 濕熱을 제거하는 효능이 있지만, 利氣和中의 힘이 없기 때문에, 君藥의 책임을 다하기 어렵다. ④ 蘆根의 重用은 이렇게 이해할 수 있다. 일반적인 상황에서 蘆根은 마른 것은 9~15 g 사용하고, 신선한 것은 60~120 g을 사용한다. 霍亂證은 다수가 여름과 가을에 발생하는데, 이때는 신선한 蘆根이 어디에나 있어, 손을 뻗으면 얻을 수 있기 때문에, 이것이 方劑에서 신선한 蘆根을 사용하는 이유일 것이다. 原方에서 2량을 사용하는 것을 重用한다고 말할 수 없다. 즉 마른 蘆根으로 한다면, 일반적인 용량과 비교하여 용량이 특별히 중하다고 할 수 없다.

2. 霍亂에 대해: 옛날의 의학자들은 上吐下瀉가 동시에 생기고, 병세가 揮霍擾亂한 증상인 사람을 霍亂이라고 불렀다. 그것은 현대의 烈性傳染病 “霍亂”을 포함하며, 또 일반적으로 여름과 가을 사이에 흔히 보이는 急性胃腸炎을 포함한다. 주로 두 종류로 분류되는데, 하나는 胃腸中 病理性 내용물이 吐瀉로 나오는 것을 “濕霍亂”이라고 하고, 다른 하나는 腹脹絞痛, 煩燥悶亂하여, 吐하고 싶지만 吐가 나오지 않고, 설사하고 싶지만 설사가 나오지 않는 것을 “乾霍亂” 혹은 “絞腸痧”라고 한다.『諸病源候論』卷22에서는 “霍亂者, 由人溫涼不調, 陰陽淸濁二氣, 有相乾亂之時”라고 했다. 이것은 霍亂의 발병 기제를 요약한 것이다. 連朴飮으로 치료하는 것은 당연히 濕霍亂이다.

【醫案】

1. 霍亂轉筋『回春錄新詮』: 段尧卿의 太夫人, 霍亂轉筋을 앓았는데, 나이가 70이 넘었다. 孟英이 스스로 連朴飮을 만들어 三啜로 나았다.

考察: 이 案은 脈證이 기록되어 있지 않은데, 連朴飮을 이용한 것을 근거로 논하면, 마땅히 그것은 脈濡하거나 微數하고, 舌苔가 白하거나 薄黃하고, 胸痞煩燥하고, 입이 黏膩하지만 갈증이 심하지 않고, 惡心嘔吐가 있고, 泄瀉轉筋 등의 증상이 있었을 것이다. 대다수가 濕熱蘊伏, 氣滯痰多에 속했다.『隨息居重訂霍亂論』「熱論」에 이르기를 “云或安享乎醇酒膏粱之奉, 則濕熱自內而生, 宜梔豉湯, 黃芩加半夏湯, 連朴飮之類”라고 했다. 黃連·梔子의 苦寒淸熱을, 豆豉와 합하면 消痞除煩하게 된다. 厚朴·蘆根은 利氣祛濕한다 ;菖蒲·半夏를 배오하여 痰을 없앤다. 藥味가 많지 않은데, 苦辛微溫을 취하여, 濕熱痰氣 네 가지를 개괄하는 치료이다.

【副方】 蠶矢湯(『霍亂論』卷下): 晩蠶砂 三錢(9 g) 生薏苡仁 大豆黃卷 各四錢(各 12 g) 陳木瓜 三錢(9 g) 川黃連 薑汁炒 二錢(6 g) 半夏 醋炒 黃芩 酒炒 通草 各一錢(各 3 g) 梔子 焦 二錢(6 g) 陳吳茱萸 炒 六分(2 g)

- 用法: 地漿 혹은 陰陽水로 달여서 조금 식힌 후 천천히 복용한다.
- 作用: 淸熱利濕, 升淸降濁.
- 適應症: 濕熱霍亂, 吐瀉轉筋, 口渴煩燥, 舌苔黃厚하고 乾하며, 脈濡数한 것.

本方은 霍亂轉筋을 치료하는데 일반적으로 사용하는 방제이다. 霍亂轉筋은, 즉 霍亂病으로 足腓의 근육이 경련으로 疼痛을 掣引하고, 심하면 腹部까지 미쳐, 轉筋入腹이라고 한다. 本 方劑의 病證은 濕熱蘊伏과 吐瀉傷津으로 생긴다. 淸利濕熱, 升淸降濁하여 치료한다. 方劑에서 蠶砂는 味辛性溫하고, 化濁和胃, 吐瀉를 멈출 수 있어, 濕濁內阻의 吐瀉轉筋에 일반적으로 사용하며, 그것을 君으로 한다. 王四雄은『霍亂論』卷上에서 그것을 "旣引濁下趨, 又能化濁使之歸淸, 性較鷄矢更优, 故余用以爲霍亂轉筋之主藥, 頗奏膚功"이라고 했다. 木瓜는 除濕和中할 수 있어, 舒筋活絡하여 攣急을 완화시키고, 吐瀉를 제거하여, 濕濁中阻, 升降失常의 嘔吐泄瀉, 腹痛轉筋에 상용하여, 그것을 臣으로 한다.『名醫別錄』에서 그것을 "主濕痹邪氣, 霍亂大吐下, 轉筋不止."라고 하였다. 君臣을 서로 배오하면, 서로 더욱 이익이 되니, 霍亂轉筋을 치료하는 데 좋다. 薏苡仁은 甘·淡, 微寒한데, 濕을 치료할 수 있고, 또 轉筋을 펴지게 하고, 攣急을 완화할 수 있으며, 淸熱도 할 수 있다. 大豆黃卷은 化濕淸熱하는데,『神農本草經』卷2에서 말하길 그것이 "主濕痹筋攣膝痛"한다고 했다. 黃連·黃芩·焦梔 3약은 淸熱燥濕한데, 半夏는 燥濕하고, 降逆止嘔하고,通草는 滲利濕濁하여, 濕熱이 내려가 제거되게 한다. 吳茱萸는 辛熱하여, 黃連 등의 苦寒한 약이 傷胃碍濕하는 것을 막을 수 있고, 半夏의 降逆을 도울 수 있고, 黃連과 합용하면 더욱 降火止嘔할 수 있어, 이상의 여러 약이 모두 佐藥이 된다. 여러 약을 合用하면 祛濕淸熱, 升淸降濁, 舒筋緩急, 止嘔止瀉하기 때문에,濕熱霍亂인데 轉筋이 보이는 증상에 활용한다. 藥은 地漿 혹은 陰陽水를 달여서 사용하여, 調中을 취하면 吐瀉가 그친다. 地漿은 土漿이라고도 하는데, 黃土를 파서 땅에 깊은 구멍을 파서, 새로 퍼 올린 물(차가운 우물 물)을 넣고 그것을 휘저은 다음 잠시 후에 맑은 물을 취하여 그것을 이용한다.『本草綱目』卷5에서 그것이 霍亂을 치료할 수 있다고 말했다. 陰陽水는 生熟湯이라고도 하는데, 새로 퍼올린 물과 끓인 물을 반반씩 고르게 섞는다. 李時珍이 말하기를 "濁陰不降, 淸陽不升, 使其得平也"(위와 같음)이라고 했는데, 잠시 식힌 후에 천천히 복용하면, 양이 많고 맛이 중하여, 胃로 들어가 오히려 吐하는 것을 방지할 수 있다.

本 方劑와 連朴飮은 모두 王四雄이 만든 것으로『霍亂論』에서 나왔는데, 濕熱霍亂을 치료하는 주요 方劑이다. 차이점은, 連朴飮은 淸熱化濕, 理氣和中에 편중되고, 和胃止嘔에 중점으로 두는데; 蠶矢湯은 淸熱利濕, 化濁舒筋에 편중되고, 霍亂轉筋을 치료한다.

當歸拈痛湯

(『醫學啓源』卷下)

【異名】 拈痛湯(『蘭室秘藏』卷中)·當歸止痛湯(『仁術便覽』卷1)·當歸拈痛散(『鄭氏家傳女科萬金方』卷4).

【組成】 羌活 半兩(15 g) 防風 三錢(9 g) 升麻 一錢 3 g) 葛根 二錢(6 g) 白朮 一錢(3 g) 蒼朮 三錢(9 g) 當歸身 三錢(9 g) 人參 二錢(6 g) 甘草 五錢(15 g) 苦蔘 酒浸 二錢(6 g) 黃芩 一錢(3 g) 知母 酒洗 三錢(9 g) 茵陳 酒炒 五錢(15 g) 猪苓 三錢(9 g) 澤瀉 三錢(9 g)

【用法】 위의 것을 麻豆 크기로 썰어, 매회 1량(30 g)을 복용하는데, 물 2잔 반을 먼저 섞은 다음 잠시 기다린 후 달여서 한 잔으로 만들어 찌꺼기를 제거하고 따뜻하게 마시는데, 잠시 기다려 美膳으로 그것을 누른다.

【效能】 利濕淸熱, 疏風止痛.

【主治】 濕熱相搏, 外受風邪證. 遍身의 肢節이 煩痛하거나 肩背가 沉重하거나, 脚氣腫痛하고, 脚膝生瘡하고, 舌苔가 白膩微黃하고, 脈이 弦數하다.

【病機分析】 本 方劑는 濕熱內蘊, 外受風邪, 혹은 風濕化熱로 인해 생긴 증상을 치료한다. 風과 濕熱이 서로 속박하면, 經絡과 關節로 흘러 들어가서, 氣血이 流通할 수 없기 때문에, 遍身의 肢節이 煩痛하고, 아픈 곳에 灼熱感이 있다. 濕이 陰邪가 되면, 그 성질이

重하고 濁하고 黏滯하여, 氣機가 阻滯하기 쉽고, 濕熱이 肩背의 肌腠經絡으로 흘러 들어가면, 肩背가 沉重하게 된다. 濕熱이 下注하면, 經絡이 阻遏하기 때문에, 脚氣腫痛이 생기고, 濕熱毒邪가 血分으로 깊이 들어가면, 血行이 遲滯되고, 瘀血이 阻滯되어, 熱壅이 肉腐하게 되고, 瘀熱이 毒을 생산하고, 脚膝에 모여, 脚膝에 瘡이 생기게 된다. 濕熱이 內蘊하게 되면, 舌苔가 白膩微黃하고, 脈이 弦數한 증상 등을 볼 수 있다.

【配伍分析】 本 方劑는 濕熱이 相搏한 것과, 외부에서 風邪를 받은 병증을 치료한다. 치료는 利濕清熱, 疏風散邪가 적당하다. 방제 중 羌活은 辛溫하고 氣雄하며, 발현력이 강하여, 외부로부터 받은 風邪를 흩어지게 하며, 勝濕·通利關節하며 止痛하는 효능이 있으며, 더욱이 상부 肩背肢節에 疼痛이 있는 사람에게 좋다. 『湯液本草』卷3에서 "羌活氣雄, 治足太陽風濕相搏, 頭痛·肢節痛·一身盡痛者, 非此不能際."라고 했다. 茵陳은 苦泄下降하여, 清利濕熱에 좋아, 그것을 소변을 통해 나오도록 하는데, 두 약을 서로 합하면, 疏風清熱利濕하여, 濕熱祛·經絡疏·痹痛除의 효능을 거둘 수 있어, 함께 本 方劑의 君藥이 된다. 猪苓·澤瀉는 痰濕利水하고, 또한 그 성질이 차갑고 또 泄熱할 수 있고, 下焦濕熱에 더욱 적합하다. 黃芩·苦蔘 두 약은 熱邪를 제거할 수 있고, 또한 濕邪를 말릴 수 있는데, 苦蔘은 下焦濕熱을 없앨 수 있고, 通利小便할 수 있어, 濕熱을 소변을 따라 나가도록 한다. 防風·升麻·葛根 세 약은 解表疏風하는데, 羌活을 배오하면 곧 疏風解表力이 더욱 강해진다. 이상의 여러 약을 합용하면, 밖으로 風邪를 흩어지게 할 수 있고, 안으로는 濕熱을 제거할 수 있어, 함께 臣藥이 된다. 脾는 運化를 주관하는데, 濕邪가 內阻하면, 즉 脾의 運化가 무력해지고, 濕邪가 더욱 정체되어 흐르지 않고, 뭉쳐서 흩어지지 않게 된다. 白朮·蒼朮은 健脾燥濕하고 表와 本을 兼顧하는데, 健脾하면 즉 脾의 運化에 힘이 있게 되고, 濕邪가 다시 안에 머무르지 않고, 燥濕하면 즉 이미 정체되어 있는 水濕을 제거할 수 있다. 외부로부터 들어온 風邪, 내부에 뭉친 濕熱, 막혀있는 邪氣가 내외로 합쳐져서 氣血을 손상시킬 때 方에서 辛香走竄하는 藥·苦燥藥·滲利藥 등을 더하면 모두 쉽게 사람의 氣血을 소모하고 상하게 하기 때문에, 邪를 제거하고 正을 상하게 하지 않기 위해, 人蔘·當歸를 통해 益氣養血, 扶正祛邪하고, 또 當歸는 그 질이 潤하여, 여러 약들의 燥한 성질을 제어할 수 있다. 이 외에도 當歸는 活血止痛하는 효능이 있으며 "醫風先醫血, 血行風自滅"(『婦人良方大全』卷3)의 뜻이 있고, 知母는 苦寒하나 燥하지 않아서, 위의 약들과 서로 화합하여 清熱養陰하는 힘을 더욱 현저하게 하여, 위의 약물이 함께 佐藥이 된다. 甘草는 佐使藥으로, 여러 약을 조화롭게 하고, 또 人蔘·白朮 등의 益氣健脾하는 효능을 강화한다. 함께 利濕清熱, 疏風散邪의 효능을 이룬다.

本 方劑는 湯劑로, 止痛의 효과가 비교적 좋아, 拈除疼痛할 수 있기 때문에, 拈痛湯이라 명하였다. 『增補內經拾遺方論』卷4에서 "當歸和氣血藥也, 氣血各有所歸, 則經絡流通而痛止, 如手拈去也, 故云然."이라고 했다.

本 方劑의 배오특징은 表裏同治와, 邪正兼顧이다. 즉 밖으로는 風邪를 흩어지게 하고, 안으로는 濕熱을 내릴 수 있다. 散風清熱利濕하며 邪氣를 없애고, 益氣健脾養血하여 그 正氣를 떠받친다.

【臨床應用】

1. 證治要點: 本 方劑는 風濕熱痹가 및 濕熱脚氣初起 치료를 위해 일반적으로 사용하는 方劑이며, 임상에서 응용할 때에는 肢節이 沉重하고 腫痛하는 것, 舌苔가 白膩微黃한 것, 脈數한 것이 證治要點이다.

2. 加減法: 만약 脚膝 腫痛이 심하면, 防己·木瓜를 더하여 祛濕消腫한다. 身痛이 심하면 薑黃·海桐皮를 이용해 活血通絡止痛한다. 關節痛이 심한 경우에는 乳香·沒藥을 더하여 活血行氣止痛한다. 關節腫脹이 심한 경우에는 生地·大服皮·薏苡仁을 더하여 清熱利濕消腫한다. 局部의 灼熱感이 심한 경우에는 金銀花·連

翹·生石膏를 더하여 淸熱解毒한다.

3. 當歸拈痛湯은 다음 한국표준질병사인분류(KCD)에 해당하는 환자가 濕熱相搏, 外受風邪證證으로 辨證되는 경우 본 처방의 사용을 고려해볼 수 있다.

처방 목표	한국표준질병사인분류(KCD)
류마티스 關節炎	M05 혈청검사양성 류마티스관절염
	M06 기타 류마티스관절염
류마티스性 關節炎	M15 다발관절증
	M13.0 상세불명의 다발관절염
喘息	M10 통풍
下肢의 皮膚疾患	(질병명 특정곤란)
	L00~L99 XII. 피부 및 피하조직의 질환
무좀	B35.3 발백선
옴	B86 옴

【注意事項】 風寒濕痹證에는 본방의 사용을 금한다.

【變遷史】 張元素는 金代의 名醫로 門人들을 가르치고, 『醫學啓源』을 저작했으며, 책에서 두 가지 方劑를 들어, 사람들에게 比證立方의 道를 보였는데, 그 첫 번째가 當歸拈痛湯이며, 그것으로 "濕熱爲病, 肢節煩痛, 肩背沉重, 胸膈不利, 遍身痛, 下注于足脛, 腫痛不可忍"을 치료했다. 張元素의 제자인 李杲는 스승의 가르침을 이어 받아, 이 方劑를 『醫學發明』卷8에 수록했다. 升麻·蒼朮·黃芩·白朮의 용량의 미약한 변화(升麻 一錢을 二錢으로, 蒼朮 三錢을 二錢으로, 黃芩 一錢을 五錢으로 白朮 一錢을 1.五錢으로)외에는 方名·조성·각각의 약의 용량·적응증·용법·용량 등이 완전히 동일하다. 단 『蘭室秘藏』卷中에 이 方劑를 수록할 때는 이름을 "拈痛湯"으로 바꾸었는데, 그 내용은 『醫學發明』과 완전히 동일하다. 후대의 의학자들은 모두 본방을 매우 추종했는데, 조성·용량·적응증 등 각 방면에 다소 변화가 있었다. 『景岳全書』卷57에는 기록된 방명의 방은 약물 조성과 용량을 『蘭室秘藏』卷中과 비교하면 약간의 변화(防風·歸身·知母·猪苓·澤瀉를 모두 반으로 줄이고, 白朮 一錢을 一錢 반으로 바꿈)를 제외하고, 그 외 나머지는 완전히 동일하다. 『古今圖書集成』「醫部全錄」卷227에는 『蘭室秘藏』卷中에서 각 약이 용량이 10분의 1로 줄었는데, 즉 錢이 分으로 바뀌고, 아울러 茯苓 三分을 더해 健脾利濕했고, 적응증은 이전과 동일하다. 『醫宗金鑒』「外科心法要訣」卷70에서는 본방에 黃柏을 더하여 淸熱除濕하고, 腿流風으로 인해 양쪽 다리에 갑자기 생긴 赤腫을 치료했는데, 형태가 겹겹이 쌓인 구름과 같고, 掀熱疼痛이 있었다. 그 외에 『醫略六書』卷24의 當歸拈痛湯은 본방과 비교해 升麻·葛根·人蔘·甘草·苦蔘·知母·茵陳이 적고, 黃柏이 많았는데 酒炒하여 一錢 반이었다. 濕熱脚氣, 表邪不解, 脈浮數한 것을 치료한다. 이와 같이 큰칼과 거친 도끼로 철저하게 죽이는 작용과 적응증 모두 큰 변화가 없는데, 이것은 이 책 작자가 原方에 대한 이해가 매우 깊고, 체득한 것이 매우 적절하여, 힘들이지 않고 일을 처리하는 지경에 도달했음을 알 수 있다. 『丹臺玉案』卷2에서는 本 方劑에서 苦蔘·黃芩·猪苓·澤瀉의 네 가지의 淸熱利濕하는 약을 빼고, 黃芪·黃柏·玄參·茯苓 네 가지의 益氣健脾, 淸熱祛濕하는 약을 더하고, 散劑로 만들고, 이름을 當歸拈痛散이라고 하여, 濕熱이 病이 된, 肢節煩痛, 肩背沉重, 流注足脛, 痛不可忍, 口乾壯熱, 양 다리가 濕毒瘡痛癢하며 脾虛不運을 겸한 것을 치료한다. 『鄭氏家傳女科萬金方』卷4에서는 本 方劑에 健脾滲濕하는 茯苓을 더하고 散劑로 만들어, 이름을 當歸拈痛散이라하였으며, 양 발이나 왼쪽 혹은 오른쪽이 갑자기 붓고 아픈 것을 치료하는데, 이것은 濕熱이라, 脚氣(『仁術便覽』卷1에서는 本 方劑에 茯苓을 더하고 本 方劑를 當歸止痛湯이라 하였다.) 『醫宗金鑒』「雜病心法要訣」卷39에서는 本方劑의 疏風藥을 제거하고, 健脾祛濕藥인 防己·茯苓을 더하고, 역시 이름을 當歸拈痛湯이라 하였고, 濕熱脚氣와 形氣가 虛한 것을 치료하였다. 적응증 방면에서, 역대 의학자들은 原方의 利濕淸熱·疏風止痛의 효능과 濕熱相搏, 外受風邪의 方證病機를 근거로 그 적응 병기를 대대적으로 발전시켰다. 예를 들어 『玉機微義』卷15에서 本 方

劑를 이용하여 風濕熱毒의 浸淫, 瘡瘍下注, 濕毒脚氣, 生瘡赤腫, 裏外臁瘡, 脈數不絶, 가렵거나 아픈 것, 脈이 沉緊實數動滑한 것을 치료했다. 『醫方考』卷5에서는 本 方劑로 脚氣疼腫, 濕熱發黃을 치료했고, 『外科正宗』卷3에서는 本 方劑로 濕熱下注, 腿脚生瘡, 赤腫作痛이나 腰脚酸痛, 혹은 四肢遍身重痛하거나, 下部가 頑麻作癢하거나 血風이 형성된 것을 치료하였고, 『醫宗金鑒』「外科心法要訣」卷70에서는 本 方劑를 이용하여 腿游風을 치료했는데, 증상으로 兩腿 內外에 홀연히 赤腫이 생긴 것이 형태가 구름이 켜켜이 쌓인 형태를 한 것, 焮熱疼痛이 보였다. 이상은 內科病과 外科病, 끊임없이 변화하는 증상에도 불구하고, 그 만가지 변화가 그 근원을 떠나지 않으면, 그들의 病因·病機가 일치하는 것으로, 이것은 그 法을 따르지만 그 方劑를 맹목적으로 따르지는 않아, 하나의 方劑로 많은 병을 치료하는 진리가 있는 것이다.

【難題解說】

1. 本 方劑의 出處에 관하여: 많은 의학자들은 모두 本 方劑를 東垣方으로 인식하고 있었다. 예를 들어 明·徐用誠의 『玉機微義』卷15·清·汪昂의 『醫方集解』「利濕之劑」, 清·吳儀洛의 『成方切用』卷7下·謝觀의 『中國醫學大辭典』 등이 모두 이와 같은 견해이다. 普通高等教育中醫藥類規劃教材 『方劑學』역시 본방의 출처를 『蘭室秘藏』으로 보고 있다. 中醫研究所·廣州中醫學院 主編의 『簡明中醫辭典』과 『中醫大辭典』「方劑分冊」에서는 本方이 『醫學發明』에서 나왔다고 말하고 있다. 사실 東垣의 스승인 張元素가 『醫學啓源』에서 이미 本 方劑를 기록하였고, 『蘭室秘藏』·『醫學發明』 중의 當歸拈痛湯은 모두 『醫學啓源』을 인용한 것으로, 이들의 조성과 용법·적응증도 모두 동일한데, 단지 升麻·白朮·蒼朮·黃芩 네 가지 약의 양이 약간 다를 뿐이다. 이것으로, 우리는 본 방제가 당연히 『醫學啓源』卷下에서 나왔으며, 張元素의 것으로 이해하고 있다.

2. 本 方劑가 치료하는 "脚氣"에 관하여: "脚氣"는 다른 이름으로 "脚濕氣"라 하는데, 발가락에서 생기며, 濕熱下注 혹은 濕毒邪氣와 접촉하여 발생한다. 초기에 발가락 사이에 작은 水瘡이 발생하고 가려움이 심하며, 긁으면 수포가 터져 농액이 흐르고, 부분적으로 각질이 떨어지거나 딱지가 생긴다. 발가락 사이의 반복되는 濕爛 생기기 때문에, 水漬瘡이라고도 한다. 脚濕氣는 항상 속발성 감염이 있고, 중증은 삼출액이 현저히 증가하며, 특이한 냄새가 나고, 국소 피부에 찰과로 인한 홍색 糜爛面이 쉽게 관찰되며, 국부가 점차 붓고, 심지어 발바닥까지 미쳐, 이름을 "臭田螺"라고 한다. 또한 "香港脚"이라고도 하였다. 그 외 다른 종류의 脚濕氣는 발가락 사이가 건조하고, 부분적으로 피부에 각질이 떨어지며, 기후가 한랭할 때 균열이 쉽게 출현한다.

【醫案】

1. 脚氣 『名醫類案』卷6: 東垣이 한 고관을 치료했는데, 나이는 40에 가까웠고, 신체는 비만하고 脚氣가 생기기 시작했는데, 頭面이 渾하고 身節이 약간 붓고, 모두 赤色이며, 足脛에 赤腫이 생기고, 통증을 참기 힘들었으며, 손과 가까운 피부의 통증이 심해지고, 일어나면 다시 눕고, 누우면 다시 일어나고, 밤낮으로 통증이 그치지 않았다. 봄에 이씨가 그것을 치료했는데, 그 사람은 北土의 苦寒한 지역의 사람이라 飮酒를 많이 하였다. 오랫동안 쌓여 脾를 상하게 하고, 運化가 불가능하게 되고, 음식이 下流하여 생겼다. 當歸拈痛湯을 一量 二錢 투여하여, 통증이 반으로 줄었다. 다시 복용하니, 붓기가 모두 사라지고, 오른 손가락 끝만 약간 붉은 붓기가 남았다. 三棱針으로 손톱 끝을 자극하니, 검은 피가 많이 나오고, 붉은 붓기가 모두 사라졌다.

『名醫類案』卷6: 羅가 中書粘合公을 치료했는데, 나이가 40이었다. 體乾魁梧하였고, 봄에 출정하여 揚州에 이르렀는데, 脚氣가 갑자기 발생하여, 전신의 肢體가 약간 붓고, 아파서 손을 가까이 할 수 없었는데, 足脛이 더욱 심하였고, 신을 신지 못하여 말을 타고, 맨발로 다녔고, 兩蹬을 통제하고 竹器로 그것을 성하게 했는데, 困急했다. 東垣이 말하기를: 『內經』에서 이르길 飮發於中, 跗腫於上이라 했다. 또 이르기를, 여러 통증이 實하면, 血이 實한 사람은 그것을 터지게 해야 한다고 했다. 三棱針으로 수차례 그 腫上을 찌르면, 피가 2尺 여 솟다가, 점차 선처럼 땅에 흐르게 되는데, 약 반승 정도이고, 그 색이 紫黑하며, 잠시 후에 붓기가 없어지고 통증이 줄어든다. 當歸拈痛湯을 1량 반 복용하고, 밤에 잠을 잘 수 있었고, 다시 복용하여 나았다.

2. 脚痛『名醫類案』卷6: 나의 친구 余近峰이, 賈秣陵하고, 나이가 오십여 세였다. 脚痛을 앓아, 누워 일어날 수 없는 것이 일 년 여였다. 脛과 허벅지의 살이 모두 말랐는데, 邑醫 徐古塘이 옛날에 痹疾을 앓았다가 완치되었는데, 그 처방을 구하여, 처음에는 當歸拈痛湯을 두 번 복용하고 효과가 있었고, 다음으로는 十全大補湯에 梔子·防己·牛膝·萆薢를 더하여 복용하였으며, 아침에는 六味地黃丸에 虎脛骨·牛膝·川萆薢·鹿角膠를 더하여 3년을 복용하고 처음과 같이 회복하였다. 徐書에서 이르기를, 오래 복용하여 큰 이익을 스스로 얻었는데, 다행히 짧은 기간에 효과가 있었다. 사실이었다.

『續名醫類案』卷4: 張路玉이 沈汝楫子를 치료하였는데, 여름에 양쪽 무릎과 정강이에서 허벅지까지 통증이 있고 지극히 뻣뻣하여, 굽히지 못한 지가 10여 일이 넘었는데, 바르는 치료법을 이용했지만 효과가 없었다. 그 脈은 軟하고 大하고 數하였다. 바르는 약을 제거하도록 하고, 當歸拈痛湯을 2첩 사용하자 땀을 흘리며 나았다.

考察: 本 方劑로 치료하는 脚氣는 濕熱이 下注하거나 濕毒邪氣를 접촉하여 발생한다. 案1의 前者는 많은 飮酒가 오래 쌓여 脾를 傷하게 하고, 運化가 불능하여, 濕濁이 안에 쌓이고, 모여 熱이 되고, 濕熱이 下注하여 발생했다. 그러므로 當歸拈痛湯을 한 번 복용하자 통증이 절반으로 감소하였고 다시 복용하자 붓기가 다 사라졌다. 후자는 환자가 "體乾魁梧, 春間從政至揚州, 偶脚氣復作"했는데, 이 질병은 濕毒邪氣를 접촉하여 발생한 것으로 알았다. 體實邪盛했기 때문에, 먼저 三棱針으로 그 腫上을 자극하여 그것을 해결하고, 계속해서 當歸拈痛湯으로 복용하여 나았다. 案2에서는 脚痛인데, 역시 脚氣의 종류이며, 前例는 평소 氣血이 부족하고, 肝腎이 虧損한데, 또 風濕熱邪를 받아 생긴 것으로, 當歸拈痛湯을 사용하여 그 濕邪를 내려 標를 치료하고, 다음으로 十全大補湯으로 補氣血益肝腎으로 本을 치료하여, "脚氣無補法"에 구애되지 말아야 한다. 뒤의 例는 여름에 발병했는데, 여름은 습기가 비교적 심하여, 濕熱이 交蒸하고, 膝脛脚足에 留注하기 때문에, 양쪽 膝脛에서 脚에 이르기까지 아프고 뻣뻣하여, 屈伸할 수 없어, 當歸拈痛湯을 사용하여 그 濕熱을 제거하고 병이 나았다.

3. 遍身痛『名醫類案』卷7: 江應宿이 休寧程群膏의 장자를 치료했는데, 18세였고, 遍身에 疼痛이 있었고, 脚膝이 크게 붓고, 몸에 열이 있고 얼굴이 붉었다. 이것은 風濕相搏으로, 當歸拈痛湯을 두 세 번 복용하자 열이 물러나고 나았다.

『續名醫類案』卷13: 龔子才가 張太仆을 치료했는데, 날이 흐릴 때마다 遍身의 통증이 송곳으로 찌르는 것 같은 것이 이미 수년 째였는데, 左脈이 微數하고, 右脈이 洪數했다. 이것은 血虛하고 濕熱이 있는 것으로 當歸拈痛湯에 生地·白芍·黃柏을 더하고 人蔘을 빼서 주었다. 數劑를 복용하고 나았다.

考察: 전례에서는 遍身疼痛, 脚膝腫大, 體熱面赤은 風濕相搏으로 발생한 것이기 때문에, 當歸拈痛湯의 祛風除濕으로 나았다. 後例에서는 遍身이 아프며 血虛하고 濕熱이 있어 생긴 것이기 때문에 當歸拈痛湯을 사용하여 利濕淸熱, 祛風止痛하고, 또 生地·白芍藥·黃柏 등의 養血淸熱을 더하여, 수년 동안 계속되었던 질병이 몇 첩으로 나았다.

【副方】 宣痹湯(『溫病條辨』卷2): 防己 五錢(15 g) 杏仁 五錢(15 g) 滑石 五錢(15 g) 連翹 三錢(9 g) 山梔 三

錢(9 g) 薏苡仁 五錢(15 g) 半夏 三錢(9 g) 晩蠶砂 三錢(9 g) 赤小豆皮 三錢(9 g) 五穀 中 赤小豆는 味酸肉赤하여, 차가운 물에 담가 겁질을 벗겨 사용

- 用法: 물 8잔을 끓여 3잔을 취하고 3번에 나눠서 따뜻하게 복용한다. 통증이 심하면 片子薑黄 二錢(6 g), 海桐皮 三錢(9 g)을 더한다.
- 作用: 淸熱祛濕, 通絡止痛.
- 適應症: 濕熱이 經絡에 쌓인 것, 寒戰熱熾, 骨節煩疼, 面目萎黃, 舌色灰滯 等.

『溫病條辨』에는 두 首의 宣痺湯이 있는데, 하나는 卷1 上焦篇에서 보이며, 枇杷葉 二錢, 鬱金 一錢 五分, 射干 一錢, 白通草 一錢, 香豆豉 一錢 五分으로 구성되고, 太陰濕溫, 氣分痺鬱로 인한 噦를 치료한다. 다른 하나는 卷2 中焦篇에서 보이는데, 바로 本 方劑이다. 本 方劑가 비록 『溫病條辨』에 수록되어 있지만, 사실은 『臨證指南醫案』에서 유래되었는데, 葉氏가 方名을 쓰지 않았을 뿐이다. 『臨證指南醫案』卷5에 "徐, 溫瘧初愈, 驟進濁膩食物, 濕聚熱蒸, 蘊於經絡, 寒戰熱熾, 骨骱煩疼, 舌起灰滯之形, 面目痿黃色, 濕然濕熱爲痹. 仲景謂濕家忌投發汗者, 恐陽傷變病. 盖濕邪重着, 汗之不却, 是苦味辛通爲要耳. 防己·杏仁·滑石·醋炒半夏·連翹·山梔·苡仁·野赤豆皮"라고 했다. 두 방은 다만 하나의 약만 다르고, 적응증은 동일하다. 방제의 防己는 淸熱利濕, 通絡止痛하여 君藥이 되고, 滑石·薏苡仁은 甘寒淡滲하여 君藥의 淸熱利濕하는 효능을 돕고, 杏仁은 宣肺利氣로 氣化하여 濕도 역시 化하게 하여, 함께 臣藥이 된다. 蠶砂·半夏·赤小豆皮는 除濕化濁하고, 連翹·梔子는 淸泄鬱熱하여 모두 佐藥이 된다. 여러 약을 合用하면, 淸熱祛濕, 通絡止痛하는 효능을 이룰 수 있다. 痛症이 심하면 片子薑黃·海桐皮를 더하여 宣絡하여 止痛한다. 本 方劑는 苦辛通法하여, 濕을 제거하고 熱을 내리게 하여, 經絡을 宣通시켜, 痹痛이 저절로 낫게 되어, 이름을 "宣痹蕩"이라고 하였다. 當歸拈痛湯과 宣痹蕩은 모두 濕熱痹證을 치료하는데 일반적으로 사용하는 方劑이다. 前者는 利濕淸熱하는 중에 疏風을 겸하여, 濕熱痹에 風濕表證을이 보이는 것을 치료한다. 後者는 利濕과 淸熱이 모두 重하여, 濕熱痹에 風邪를 겸하지 않은 것을 치료한다.

二妙散

(『丹溪心法』卷4)

【異名】 二妙蒼栢散(『醫學入門』卷7)·蒼栢散(『瘍科選粹』卷5)·二妙丸(『醫學綱目』卷20에서 인용한 朱震亨方)·蒼栢二妙丸(『症因脈治』卷3).

【組成】 黃柏 炒 蒼朮 米泔水浸, 炒(各 15 g)

【用法】 위의 두 약을 끓여서 薑汁에 넣어서 복용한다(현대용법: 散劑로 만들어, 똑같이 나누어 매회 3~5 g을 복용하거나, 혹은 丸劑로 만들거나, 湯劑로도 할 수 있는데 물로 달여서 복용한다.)

【效能】 淸熱燥濕.

【主治】 濕熱下注證. 濕熱이 下注하여 筋骨에 疼痛이 있거나, 혹은 濕熱이 下注하여, 양 발이 痿軟하고 無力하거나, 足膝에 紅腫熱痛이 생기거나; 濕熱에 帶下가 있거나; 下部에 濕瘡이 있거나, 濕疹이 생기고, 小便이 短黃해지고, 舌苔가 黃膩한 것.

【病機分析】 本 方劑가 치료하는 여러 증상은 모두 濕熱이 下注하여 일어난다. 『素問』「生氣通天論」에서 이르기를 "濕熱不攘, 大筋軟短, 小筋弛長, 軟短爲拘, 弛長爲痿"라 했다. 濕과 熱이 서로 속박하여 下肢에 붙으면, 濕熱이 下注하게 된다. 經脈과 筋骨을 막으면 筋骨에 疼痛이 생기고, 足膝에 紅腫熱痛이 생긴다. 濕熱이 不攘하고, 筋脈이 弛緩되면, 두 발이 痿軟하고 無力하게 되어, 痿證이 된다. 濕熱이 帶脈과 前陰으로

下注하면 곧 帶下가 혼탁해지고, 비린 냄새가 나며, 하부에 濕瘡이 생기기도 한다. 小便이 短黃하고, 舌苔가 黃膩한 것은 모두 濕熱下注의 증상이다.

【配伍分析】本 方劑의 黃柏은 苦寒淸除濕熱하여 君藥이 되는데, 寒은 淸熱할 수 있고, 苦로 燥濕하고, 또한 下焦로 가는데, 특히 骨節走痛, 足膝에 酸痛이 있고 無力한 데에 神妙하고, 陰分의 火를 흩어지게 하고, 下部의 熱을 깨끗하게 하고, 足膝의 濕을 제거하여, 下焦濕熱을 치료하는 要藥이 된다. 蒼朮은 苦溫하여 燥濕할 수 있다. 혹자는 濕熱下注의 증상에 어찌하여 苦溫의 蒼朮을 臣藥으로 사용하는지를 묻기도 한다. 첫 번째 이유는, 諸濕이 腫滿한 것은 모두 脾에 해당하는데, 濕邪가 患이 되면, 健脾는 즉 濕을 제거할 수 있어, 蒼朮의 苦溫香燥, 燥濕健脾의 효능으로 脾의 健運기능을 회복시키면, 濕이 생기지 않게 되고, 濕이 물러나면 熱이 붙어 있을 수 없어, 열이 쉽게 떨어지는 것이 근본을 치료하는 의도이다. 張秉成이 이르기를 "濕熱之邪, 雖盛於下, 其始未嘗不從脾胃而起, 故治病者, 必求其本, 淸流者, 必潔其源"(『成方便讀』卷3)이라고 했다. 바로 이 뜻이다. 두 번째 이유는 黃柏·蒼朮은 痿를 치료하는 要藥으로, 下焦의 濕熱과, 腫脹으로 통증이 생기는 것을 제거하려면, 마땅히 淸熱燥濕해야 하는데, 强筋壯骨의 약재를 사용해서는 안 된다. 苦寒한 黃柏을 사용하여 淸熱燥濕하되 津液이 손상되는 것을 피하고 淸熱함으로 인해 寒凝하는 폐단이 없게 한다. 苦溫한 蒼朮은 燥濕運脾하며, 健運하여 지나치게 腸胃를 공격하는 害가 없고, 苦溫하여 火를 움직일 염려가 없다. 두 약을 배오하면 陰陽이 相濟하고, 寒溫이 협조하며, 합쳐져서 淸熱燥濕을 이루고, 標本을 함께 고려하여, 熱을 물러나게 하고 濕을 제거하니, 여러 증상이 자연히 낫게 된다. 佐는 生薑汁의 辛溫으로 하는데, 첫째로는 黃柏의 苦寒한 성질을 제어하고, 두 번째는 胃氣를 공고하게 보호하기 때문이다. 全方을 合用하면 모든 濕熱內盛하거나 濕熱下注로 병에 이른 것에 적용할 수 있다. 본 方劑는 조성이 엄격하고, 약이 적고 힘이 전문적이어서, 君臣藥味를 바꾸어 변환할 수 있고, 相補相成의 묘가 있다.

本 方劑는 黃柏·蒼朮 두 약으로 濕熱下注를 치료하면서, 그 효능이 현저하고 기묘하여 얻은 이름이다. 이 외, 본방의 용법에서 "藥痰熱者, 先以舟車丸, 或導水丸·神芎丸下伐, 後以趁痛散服之."를 지적하고 있다. 導水丸(『丹溪心法』卷2)는 神芎導水丸이라도 하는데, 藥用은 大黃·黃芩 各 2량, 丑末·滑石 各 4량을 가루로 만들고, 물을 떨어트려 丸을 만들어, 매번 4~50丸을 따뜻한 물과 함께 복용한다. "神芎丸, 大黃·黃芩·滑石·牽牛, 右爲末, 滴水爲丸"(『丹溪心法』卷3). 導水丸은 즉 神芎丸으로, 효능은 淸熱瀉下가 분명해 보인다. "趁痛散: 乳香·沒藥·桃仁·紅花, 當歸·地龍酒炒·牛膝酒浸·羌活·甘草·五靈脂酒淘·香附童便浸, 或加酒芩·炒酒柏, 右爲末, 酒調二錢服"(『丹溪心法』卷4). 舟車丸·導水丸·趁痛散의 여러 方劑를 분석하면, 주로 利水除濕淸熱과 活血行氣通絡 작용을 강화했는데, 이것은 二妙散이 발휘하는 치료작용에 더욱 이롭다.

【臨床應用】

1. 證治要點: 本 方劑는 濕熱이 下注하여 생긴 痿·痹·脚氣·帶下·濕瘡과 小便短赤·足膝腫痛·舌苔黃膩가 보이는 것을 證治要點으로 한다.

2. 加減法: 濕이 熱보다 重한 경우 蒼朮을 君藥으로 하며 黃柏보다 용량을 많게 한다. 熱이 濕보다 重한 경우에는 黃柏을 君藥으로 하며 蒼朮보다 용량을 많게 한다. 濕熱이 幷重할 경우에는 두 약의 양을 같게 한다. 만약 濕熱痿證이 있다면 豨薟草·木瓜·灰牛膝·萆薢 등을 더하여 濕熱을 제거하고, 筋骨을 강화한다. 만약 濕熱脚氣가 있으면, 薏苡仁·木瓜·檳榔 등을 더하여 滲濕泄濁할 수 있다. 만약 濕熱帶下가 있을 경우 赤茯苓·梔子·薏苡仁·車前子 등을 더하여 滲濕止帶할 수 있다. 만약 下部濕瘡·濕癢이 있을 경우 龍膽草·澤瀉·赤小豆·土茯苓을 더하여 濕熱을 제거하고 瘡毒을 풀어줄 수 있다.

3. 二妙散은 다음 한국표준질병사인분류(KCD)에 해당하는 환자가 濕熱下注證으로 辨證되는 경우 본 처방의 사용을 고려해볼 수 있다.

처방 목표	한국표준질병사인분류(KCD)
關節炎	M15~M19 관절증
腰膝關節骨質增生	M13 기타 관절염
痛風	M10 통풍
腓腸肌痙攣	M62.9 근육의 상세불명 장애
陰囊炎	N45.01 고환염, 농양을 동반한
	N45.91 고환염, 농양을 동반하지 않은
陰道炎	N76.0 급성 질염
	N76.1 아급성 및 만성 질염
慢性盆腔炎	N73 기타 여성골반염증질환
	R10 복부 및 골반 통증

【注意事項】 本 方劑는 濕熱下注의 病證을 치료하기 때문에 寒濕에 해당하는 환자에게는 사용해서는 안 된다.

【變遷史】 本 方劑는 『丹溪心法』卷4 痛風門에 기록되어 있는데 原書에서 이르기를 "二妙散治筋胃疼痛因濕熱者, 有氣加氣藥, 血虛者加補藥, 痛深者加生薑汁熱辣服之. ……二物皆有雄壯之氣, 表實氣實者, 加酒少許佐之."라고 하였다. 단 本 方劑보다 일찍 元·危亦林의 『世醫得效方』卷9의 脚氣門에 蒼朮散이 기록되어 있는데, 역시 蒼朮과 黃柏 두 가지로 구성되어 있지만, 薑汁으로 調服하지 않는다. 이 책에서 이르기를 "蒼朮散治一切風寒濕熱, 令足膝痛或赤腫, 脚骨間作熱痛, 雖一點, 能令步履艱苦及腰膝臀髀大骨疼痛, 令人痿躄, 一切脚氣, 百用百效."라고 했다. 危亦林과 朱震亨은 같은 시대 사람으로, 危氏가 朱氏보다 4세 연장자이다. 『世醫得效方』은 1345년에 간행되었고, 『丹溪心法』은 1481년에 간행되었는데, 두 책을 비교하면, 危氏의 方劑가 朱氏의 方劑보다 136년 빠르다. 이것으로 두 방제의 원류 관계를 알 수 있다.

『丹溪治法心要』卷3 腰痛門 중, 朱震亨은 따로 蒼朮湯을 만들었다. "治濕熱腰腿疼痛, 兩脇搐急, 露臥濕地, 不能轉側. 蒼朮湯: 蒼朮·黃柏·柴胡·附子·杜仲·川芎·肉桂, 作湯服之." 그 구성과 적응증으로 볼 때, 마땅히 二妙散의 비교적 이른 加味 응용이라고 할 수 있다.

그 후 明·虞摶이 저작한 『醫學正傳』卷5에 本 方劑에 川牛膝을 넣어, 고운 가루로 만들어, 풀처럼 하여 오동나무 열매 크기의 丸으로 만들고, 三妙丸이라고 하며, 매번 5~70환을 공복에 薑·鹽湯으로 녹여 먹었다. 濕熱下流, 兩脚麻木, 혹은 火烙같은 熱을 주치료 한다. 방제에 牛膝을 넣은 후, 즉 下行의 힘이 증가했고, 濕熱下注로 생긴 脚氣病, 腰膝關節酸痛, 濕瘡 및 帶下와 淋濁을 치료하는데 좋았다. 當代의 名醫 秦伯未는 『謙齋醫學講稿』에서 즉 本 方劑에 知母를 더하여 三妙丸이라고 부르고, 濕熱下注에 해당하는 下肢痛을 치료했다.

淸·祁坤은 『外科大成』卷2에 加味二妙散을 기록했는데, 즉 二妙散에 當歸尾·赤芍藥·桃仁·天南星·牛膝·膽草·黃芩·連翹·羌活·紅花·木通·甘草·金銀花를 더하고, 濕腫初起를 치료했다. 徐大椿은 『醫略六書』 卷26의 加味二妙散에서, 二妙散에 龜甲·萆薢·知母를 더하여 조성하고 陰內生瘡, 脈細數한 것을 치료했다. 羅國綱의 『羅氏會約醫鏡』卷12의 加味二妙散은, 二妙散에 當歸·川牛膝·川萆薢·防己·龜甲을 더한 것으로 濕熱痹痛을 치료했는데, 骨節疼痛이 불과 같거나 麻木痿軟한 것을 치료한다고 하였다. 當代 『中醫婦科治療學』에 기록된 加味二妙散은 二妙散에 藿香·茯苓·車前子·冬瓜皮·蓮須·白芷를 더해 구성하고, 濕熱帶下, 濕邪偏重, 白帶量이 많고 稠黏하고, 頭脹胸悶, 面目과 四肢에 浮腫이 약간 두드러지고, 脈濡, 苔垢膩한 것을 치료했다. 이 책에는 다른 加味二妙散方이 있는데, 二妙散을 기초로 土茯苓·白芷·蛇床子·銀花를 더하여 濕熱下注, 陰內 혹은 外陰部의 瘙癢이 심상치 않고, 시시때때로 물이 나오고, 심하면 疼痛이 있고, 앉으나 누우나 편하지 않고, 小便이 黃赤短澀하고, 淋瀝가 끊이지 않고, 便

을 볼 때 疼痛이 있거나, 식욕이 감소하고, 咽乾口苦心煩하고, 睡眠이 不安하고, 舌苔가 黃膩하고, 脈이 弦滑하고 數한 것을 치료한다.

吳謙 등은『醫宗金鑒』「外科心法要訣」卷6에서 本方劑에 檳榔을 같은 양으로 넣고, 三妙散이라고 칭하고, 臍痛을 주치했으며, "共研細末, 乾撒肚臍, 出水津淫成片, 止癢滲濕, 又治濕癬, 以蘇合油調搽甚效"라고 했다. 단 이 처방은 內服하지 않고, 外用으로만 사용한다.

張秉成은『成方便讀』卷3에서 三妙丸을 기초로 薏苡仁을 더하여 濕熱을 제거하고 筋骨을 이롭게 하고, 이름을 四妙丸이라고 했다. 濕熱下注, 下焦痿弱, 腫痛, 小便不利를 치료했는데, 濕熱이 小便을 따라 나가도록 했다.

【難題解說】

1. 濕熱下注證에 왜 蒼朮을 이용하는가?: 蒼朮은 辛苦하고 溫하며, 燥濕健脾, 祛風勝濕, 發汗解表, 明目의 작용을 갖고 있으며, 또한 芳香化濕한다. 이 약은 그 성질이 峻烈하면서, 溫燥의 성질이 강하여, 寒濕症을 치료하는 主藥이 된다. 辛은 散할 수 있고, 溫은 寒을 물러나게 하고, 苦는 燥濕使然한다. 二妙散方에서는 왜 濕熱을 치료하는 데 그것을 이용할까? 蒼朮의 작용을 보면, 健胃安脾할 수 있어, 諸濕의 腫滿은 이것이 아니면 제거할 수 없고, 이 藥은 苦溫燥濕·芳香化濕·祛風勝濕을 하나로 모아, 다른 약이 미칠 수 없는 바이다. 蒼朮은 濕을 치료하는데 상·중·하 모두에 응용 가능하며 또한 여러 鬱證에 總解할 수 있다. 痰·火·濕·食·氣·血의 여섯 가지의 鬱證은 모두 傳化失常으로 인한 것으로, 升降할 수 없어, 病이 中焦에 있기 때문에, 藥은 반드시 升降을 겸해야 하며, 올라가면 반드시 먼저 내리고, 내려가면 반드시 먼저 올려야 하는데, 蒼朮은 足陽明經의 약으로 氣味가 辛烈하고, 强胃健脾하여, 水穀의 氣를 宣發하고, 陽明의 濕을 小泄한다. 濕邪가 患이 되면, 蒼朮의 芳香猛烈이 아니면 疏泄할 수 없고, 脾는 濕을 주관하고, 脾는 濕을 싫어하기 때문에, 蒼朮이 濕을 치료하는 가증 중요한 약이 된다. 그러나 濕과 熱이 합해지면 濕熱이 되어, 膠結하여 풀기 어려울 때, 除濕을 단독으로 사용하면, 熱邪를 도울 수 있기 때문에, 黃柏의 苦寒清熱瀉火와 배오하면, 苦寒燥濕하여, 下焦로 들어가, 黃柏의 苦寒이 辛溫한 蒼朮을 제약하니, 이것은 그 성질을 버리고 용법을 취하는 것이다. 고대 의학자들은 두 약 배오의 특수한 의의에 대해 깊게 인식했는데, 예를 들어 張介賓은 蒼朮에 대해 "與黃栢同煎, 最逐下焦濕熱痿痹"(『景岳全书』「本草正」卷48)이라고 했다. 蒼朮과 黃柏을 배오하여 痿를 치료하면, 足膝이 힘을 갖게 되어, 二妙散方에서 蒼朮의 溫性을 취하여 寒을 흩어지게 하고, 蒼朮의 苦燥로 濕을 제거하며, 또 黃柏과 배오하여, 濕을 제거하지만 溫燥의 위험이 없게 하고, 淸熱하지만 陽을 손상하는 우려가 없으며, 藥性이 相反相成하여, 相補相成으로 작용하는, 寒溫藥性을 함께 사용하는 절묘한 배오인 것이다.

2. 加減法에 관하여: 二妙散을 구체적으로 사용할 때, 원서에서는 "有氣加氣藥, 血虛者加補藥, 痛甚者加生薑汁, 熱辣服之"라고 했다. 우선, "有氣加氣藥", 여기에서 말하는 氣藥은 다음 구절인 "血虛者加補藥"을 보면 補氣藥을 더하는 것으로 이해해야 한다. 二妙散은 濕熱로 인한 筋骨疼痛을 치료하는데, 특히 痿의 치료에 많이 사용한다. 위는 하나의 症으로, 많은 경우 濕熱로 인해 생기는데, 酒色이 지나치게 과하여, 氣血이 공허한데, 勞碌이 더해지고, 筋骨이 상하면, 濕熱이 그것을 틈 타, 熱이 元氣를 상하게 하여, 舒暢其筋할 수 없어, 軟短· 疼痛이 나타나며, 손상이 營血까지 미치면, 곧 혈이 근육에 영양을 공급하지 못하여 근육이 뼈를 묶어주지 못하므로, 小筋이 弛長되고 오히려 痿弱하게 되는 것이다. 그러므로 "有氣加氣藥"은 "有氣加補氣藥" 혹은 "有氣虛加補氣藥"으로 해석해야 한다. 朱震亨은 加味四物湯으로 여러 위를 치료한 方이 있는데, 四肢軟弱하여 거동이 불가능한 것을 치료했다. 當歸身 一錢, 熟地黃 三錢, 白芍藥, 川芎 各七分

半, 五味子 九枚, 麥門冬 一錢, 人蔘 半錢, 黃柏 一錢, 黃連 半錢, 知母 三分, 杜仲 七分半, 牛膝 三分(발이 연하지 않은 자에게는 사용할 수 없음), 蒼朮 一錢, 이상을 잘게 잘라서, 한 번 복용할 것을 만드는데, 물 2잔을 1잔이 될 때까지 달여, 공복에 따뜻하게 복용하거나, 술로 빚어 丸으로 복용하는 것 역시 가능하다(錄自『雜病廣要』). 朱震亨이 사용한 처방을 보면, 즉 四物湯·三妙丸·生脈散 加味로 만들었는데, 처방에서 人蔘이 補氣藥이며, 行氣藥은 사용하지 않았는데, 이것은 補氣藥을 더해 筋骨의 疼痛과 痿證을 치료하는 방법이기 때문이다.『丹溪醫集』「金匱鉤玄」卷2에서 말하기를: "濕熱, 東垣健步方中加燥濕降火藥, 芩·栢蒼朮之類……氣虛, 四君子湯加蒼朮·黃芩·黃柏之類; 血虛, 四物湯中蒼朮·黃柏, 下補陰丸."이라고 했다. 朱震亨이 말하기를 "肺金體燥而居上, 主氣畏火者也. 脾土性濕而居中, 主四肢畏木者也. 火性炎上, 若嗜欲無節, 則水失所養, 火寡於畏而侮所勝, 肺得火邪而熱矣. 木性剛急, 肺受熱則金失所養, 木寡於畏而侮所勝, 脾得木邪而傷矣. 肺熱則不能管攝一身, 脾傷則四肢不能爲用, 而諸痿之病作. ……東垣先生取黃栢爲君, 黃芪等補藥爲補佐以治諸痿, 而無一定之方"(『局方發揮』)라고 했다. 濕熱의 痿證을 치료하는 것은 구체적인 상황에 근거하여 정해야 하는 것을 설명한다. 두 번째로, 血虛한 자는 補血藥을 쓴다는 것은 역시 二妙散의 중요한 加減法인데, 加味四物湯에서 사용한 약물로 보면, 血虛한 사람은 일반적으로 當歸·熟地黃·白芍藥 등을 사용하는데, 四物湯이 補血의 要方이기 때문에, 朱震亨은 바로 그것의 補血을 취하여 經絡을 통하게 하였다. 세 번째로, "痛甚者加生薑汁, 熱辣服之."라고 하였는데, 朱震亨의 生薑에 대한 사용을 보면, 生薑汁을 濕痰으로 인한 痿證에 많이 사용하였는데, 바로 "治痿因濕痰, 二陳加蒼朮·白朮·黃芩·黃柏·生薑汁·竹瀝"(『丹溪治法心要』卷6)이다. 이것이 대개 生薑을 더한 이유이다. 二妙散은 濕熱로 인한 病證을 치료하고, 동시에 "黃柏· 蒼朮, 治痿之要藥也"이기 때문에, 二妙散은 濕熱病證에 대해, 특히 病이 下焦에 있는 것에 가장 적합하다.

【副方】

1. 三妙丸(『醫學正傳』卷5): 黃柏 酒拌略炒 四兩 蒼朮 米酒浸十二宿, 細切焙乾 六兩 川牛膝 去蘆 二兩

- 用法: 위의 재료를 고운 가루로 만들고, 반죽하여 오동나무 열매 크기의 환으로 만든다. 매번 五七十丸을 공복에 복용하는데, 薑·鹽湯으로 삼킨다. 魚腥·메밀·熱麵·볶음이나 튀김류를 피한다.
- 作用: 清熱燥濕, 補益肝腎.
- 適應症: 濕熱下注. 두 다리가 麻木되고, 불과 같이 熱이 나거나, 痿軟無力하다.

本 方劑는 二妙散을 기초로 牛膝을 더하여 만든 것이다. 牛膝은 肝腎을 보양하고 筋骨을 강화하고 風濕을 제거할 수 있고, 引藥·引熱·引血하여 下行함과 동시에, 利濕通淋, 活血化瘀할 수 있고, 濕熱을 下行하도록 유도하여, 足膝의 紅腫을 없애, 下焦病症의 濕熱痿痹에 특히 적당하여, 前人들이 "無牛膝不過膝"이라고 했고, 또 下焦로 들어가는 黃柏과 배오하면, 下部의 濕熱을 치료하는 데 더욱 기묘한 효능이 있다.

2. 四妙丸(『成方便讀』卷3): 黃柏 蒼朮 牛膝 薏苡仁 各八兩

- 用法: 물에 불려 丸으로 만들고, 매번 6~9 g을 복용하는데, 따듯한 물로 삼킨다.
- 作用: 清熱利濕, 舒筋壯骨.
- 適應症: 濕熱下注. 양발 마비, 痿软, 腫痛.

四妙丸은 三妙丸의 기초에 薏苡仁을 더해 만든 것이다. 薏苡仁은 健脾利濕, 清熱除痹의 효능을 갖고 있는데, 특히 濕阻肌肉으로 인한 麻木과 筋脈不利에 많이 쓰인다. 그러므로, 四妙丸은 濕熱下注의 痿證에 더욱 좋다.

中滿分消丸

(『蘭室秘藏』卷上)

【組成】白朮 人蔘 甘草 炙 猪苓 去黑皮 薑黃 各一錢(各 3 g) 白茯苓 去皮 乾生薑 砂仁 各二錢(各 6 g) 澤瀉 橘皮 各三錢(各 9 g) 知母 炒 四錢(12 g) 黃芩 炒 一兩二錢(36 g) 黃連 淨, 炒 半夏 湯洗七次 枳實 炒 各五錢(15 g) 厚朴 薑製 一兩(30 g)

【用法】위의 것에서 澤瀉·茯苓·生薑을 제외하고, 모두 고운 분말로 만들어, 위의 세 약과 고루 섞어, 탕약에 담궈서 증편하여 오동나무 열매 크기의 丸으로 만든다. 매회 100환을 복용하는데, 불에 쬐여 뜨겁게 하여, 백탕으로 삼키고, 식사를 한 후에 복용한다. 病人의 크기에 따라 加減한다.

【效能】行氣健脾, 泄熱利濕

【主治】濕熱臌脹. 腹大堅滿, 脘腹撑急疼痛, 煩渴口苦, 갈증이 나지만 마시고 싶지 않고, 小便黃赤, 大便이 祕結하거나 垢溏하고, 苔는 黃膩하고, 脈은 弦數하다.

【病機分析】本 方劑의 적응증은 濕熱臌脹으로 즉 中滿熱脹·鼓脹·氣脹·水脹으로 濕熱에 속하는 것이다. 『素問』「至眞要大論」에서 "諸濕腫滿, 皆屬於脾"; "諸脹腹大, 皆屬於熱"이라고 했다. 外邪를 받고, 평소에 厚味한 음식을 좋아하거나, 酒酪과 五辛한 것을 좋아하면, 脾胃가 손상을 받아, 健運失職하고, 濕熱이 안에 생겨 없어지지 않하게 된다. 濕熱이 안에서 얽혀 막히게 되면, 氣機의 운행이 失暢하게 되어, 腹大堅滿, 脘腹撑急疼痛이 생기게 된다. 濕熱의 邪가 鬱阻하게 되면, 腸胃가 그 傳導和降의 임무를 잃어, 大便이 祕結하여 나오기 힘들어지거나, 垢溏不爽하게 된다. 熱이 안에 모이면, 心神이 소란해져, 心煩口苦하게 된다. 濕熱을 겸하게 되면, 입이 마르지만 마시고 싶기 않게 되고, 濕熱이 下注하게 되면, 小便이 黃赤하게 된다. 苔白膩, 脈弦數은 모두 濕熱蘊結의 증상이다.

【配伍分析】本 方劑의 中滿熱脹·鼓脹·氣脹·水脹을 치료하는데 濕熱阻滯, 脾胃受傷, 氣機失暢으로 인해 생긴 것이다. 李杲가 말하기를 "中滿治法, 當開鬼門, 潔淨府. 皆鬼門者, 謂發汗也; 潔淨府者, 利小便也. 中滿者, 瀉之於內, 謂脾胃有病, 當令上下分消其濕"(『蘭寶秘藏』卷上)이라고 했다. 즉 本方證을 치료할 때는 李杲의 "宜以辛熱散之, 以苦瀉之, 淡滲利之, 使上下分消其濕"의 뜻을 따라, 辛散·苦泄·淡滲의 약을 배오하여 만들어야 한다. 本 方劑는 六君·四苓·瀉心·二陳·平胃의 여러 方劑를 하나로 만들었다. 방제에서 厚朴·枳實을 중용하는 것은 厚朴이 三物의 半이며, 薑黃의 苦溫開泄, 行氣除滿과 합해져, 脾胃升降의 失職, 氣機阻滯, 脘腹脹滿疼痛의 여러 증상을 치료한다. 黃芩·黃連·生薑·半夏를 같이 이용하는 것은 瀉心을 취하는 뜻으로, 辛開苦降으로 氣機를 順暢하게 하고, 開結除痞하고, 分理濕熱하는데, 半夏는 더욱이 降逆和胃止吐 할 수 있다. 위의 두 가지 모두 大黃이 없는 것은, 그것이 脾虛하여 有形의 實邪가 없기 때문이다. 知母는 비록 苦寒하지만, 肥潤多脂하여, 淸熱瀉火로 그 邪를 없앨 수 있고, 滋陰潤燥로 그 正을 일으킬 수 있다. 澤瀉·猪苓·茯苓·白朮은 뜻이 四苓을 취하여 理脾滲濕을 통해, 決瀆의 氣化를 도달하게 하여, 濕熱을 소변을 통해 배출하는데, 소위 "潔淨府"이다. 少佐의 橘皮·砂仁·四君은 六君의 方法으로, 祛邪 中 扶正을 돕는 약이며, 補脾法이 分消解散法에 있어, 脾胃를 補하여, 運化가 힘을 얻게 하고, 升降이 정상을 회복하며, 또 扶正으로 祛邪하고, 祛邪하지만 正을 상하지 않을 수 있다. 여러 약을 합용하면, 함께 健脾行氣, 泄熱利濕의 효능을 이룬다. 단 全方을 종합적으로 보면, 辛散의 힘이 확실히 부족한데 어찌된 일일까? 本方證이 비록 外邪가 있지만, 이미 안으로 들어왔는데, 바로 李杲이 말한 "外感風寒有餘之邪, 自表傳里, 寒熱鬱於內而成脹滿."한 것과 같다.

本 方劑는 行氣健脾, 泄熱利濕의 효능이 있고, 上下의 濕을 나누어 中滿을 치료할 수 있고, 또 丸劑이기 때문에 이름을 中滿分消丸이라고 했다.

本 方劑의 배오특징은 辛散·苦泄·淡滲藥을 함께 사용하여, 祛邪를 扶正의 약으로 돕고, 補脾法이 分消解散 가운데 있다는 것이다.

【類似方比較】 本 方劑와 枳實消痞丸은 모두 行氣消痞除滿, 健脾祛濕清熱의 효능이 있고, 치료하는 증상은 모두 脾胃虛弱, 濕熱內蘊, 氣機失暢을 基本病機로 한다. 本 方劑는 枳實消痞丸에서 麥芽를 빼고, 砂仁·陳皮·薑黃을 더해 行氣暢中하고, 澤瀉·猪苓으로 滲利水濕하고, 黃芩·知母로 清熱祛邪하여 만들어졌기 때문에, 行氣除滿, 利濕清熱의 힘이 枳實消痞丸보다 더욱 뛰어나다. 임상적용은 일반적으로 脾虛氣滯를 주로 하며, 濕熱不化를 겸한 사람에게는 우선 枳實消痞丸을 선택하고, 脾虛氣滯, 濕熱壅聚한 사람은 中滿分消丸으로 치료한다.

【臨床應用】

1. 證治要點: 本 方劑는 濕熱에 해당하는 熱脹·鼓脹·氣脹·水脹을 치료하기 위한 일반적인 방제로, 임상에서 사용할 때에는 腹大堅滿腹痛, 煩熱口渴, 갈증이 나지만 마시고 싶지 않고, 苔가 黃膩하고, 脈이 弦數한 것을 證治要點으로 한다.

2. 加減法: 脾胃濕熱, 薰蒸肝膽하며, 面目皮膚에 황색이 나타나는 사람은, 人蔘·生薑을 빼고, 茵陳·梔子·大黃을 더해 清利濕熱한다. 濕熱下注하고, 小便이 赤澁하고 不利한 사람은 滑石·萹蓄·瞿麥을 더하여 利尿通竅한다. 熱壅氣滯水阻하며 血瘀가 있고, 증상으로 腹大皮蒼, 絡脈暴露, 舌紫脈澀이 보이는 사람은, 三稜·莪朮·丹參·牛膝·桃仁紅花를 더하여 活血化瘀한다.

3. 中滿分消丸은 다음 한국표준질병사인분류(KCD)에 해당하는 환자가 濕熱壅盛, 氣機阻滯證으로 辨證되는 경우 본 처방의 사용을 고려해볼 수 있다.

처방 목표	한국표준질병사인분류(KCD)
肝硬化腹水	K74.1 간경화증
傳染性黃疸型肝炎	B15~B19 바이러스간염
泌尿系感染	N30 방광염
	N34 요도염 및 요도증후군
	N39.0 부위가 명시되지 않은 요로감염

【注意事項】 本 方劑는 濕熱中滿臌脹을 위해 만들어진 것으로, 臟寒으로 滿病이 생기고, 中滿이 寒脹하면, 본방이 적당하지 않다. 臨證에서는 虛實의 輕重, 濕熱의 많고 적음을 주의해서 판별해야 하고, 증상을 참작하여 補寫를 모두 베푸는데, 苦辛하며 進法한 합리적인 배오와 그에 변화를 주어 부분에 맞게 방제 약물 용량에 대해 증감을 진행해야 한다.

【變遷史】 中滿分消丸는 金元 四大家의 한 사람인 李杲에 의해 만들어졌는데, 그 근원을 거슬러 올라가면, 仲景의 半夏瀉心湯의 辛開·苦降의 배오방법을 따른 것으로, 그 조성약물 전부를 사용하였다. 半夏瀉心湯은 脾胃虛弱, 寒熱互結, 升降失常의 心下痞滿 등의 증상을 위해 만들어졌다. 中滿分消丸은 脾胃虛弱, 氣機失暢, 濕熱阻滯의 熱脹을 위해 만들었다. 그러므로 前方과 비교하여 知母·澤瀉·茯苓 등 清熱利濕藥을 더하고, 다른 방면의 약 역시 전방에 비해 충실하다. 명백히 알아볼 수 있는 것은 本 方劑는 瀉心·六君·四苓·二陳·平胃의 여러 方劑를 하나로 모아, 여러 방제의 장점을 취합하고, 각 의학자의 이용을 종합했다는 것이다. 본 방제는 제일 처음『蘭室秘藏』卷上의 中滿腹脹門에서 볼 수 있는데, 같은 책 卷下의 小兒門에서도 볼 수 있다. 뒤의 방은 前方에 비해 人蔘과 知母 두 가지가 적고, 方中 乾生薑을 生薑으로 하고, 용량이 조금 다를 뿐이다. 이것은 작자 본인이 소아의 특징이 맞추어 각 약의 용량을 줄이고, 補氣의 人蔘과 清熱의 知母를 뺀 것이다. 乾生薑을 生薑으로 쓴 것은 변화가 아니라 원방에서도 본래 生薑(난제해석 참고)을 사용한 것이

다. 이 후, 많은 의학자들이 조성과 적응증, 혹은 劑型을 본방에서 발전시켰다. 예를 들어 淸代 張璐는 原方에서 薑黃·砂仁·橘皮·知母를 빼고, 中满分消丸이라고 이름했으며, 中滿熱脹을 치료했다(『張氏醫通』卷13). 이 처방으로 증상을 추측하면, 張氏方이 原方과 이름이 같고, 역시 中滿熱脹을 치료하지만, 그 腹脹氣滯 정도와 邪熱 등이 모두 原方證에 비해 가볍다. 『方症會要』卷2는 原方에서 知母를 빼고, 蘿卜子·山楂·蒼朮을 더해, 加減分消丸이라고 이름하고, 中滿氣脹·臌脹·水脹을 치료했다. 이 처방을 원방과 비교하면, 淸熱의 힘이 비교적 약하고, 消食導滯·祛濕의 힘이 증가되어, 食積濕邪가 비교적 심하고 熱邪가 비교적 가벼운 사람에게 사용한다. 人蔘은 귀하기 때문에, 近代에서는 黨参으로 많이 대체하였는데, 예를 들어 김씨는 原方에서 乾生薑을 빼고, 人蔘을 黨参으로 바꾸어, 肝失疏泄, 脾失健運, 氣機阻滯로 인한 胸脘痞悶, 肚腹이 膨脹하여 북과 같이 된 것, 오래되어도 없어지지 않는 것, 음식 생각이 없는 것, 小便不利, 피부색이 蒼黃하고, 四肢가 마르는 등의 증상을 치료했다(『中成藥的合理使用』). 中醫研究員 中藥研究所 主編의 『中藥製劑手冊』은 원방의 薑黃·砂仁·橘皮·知母를 빼고, 水丸을 만들어, 水濕中阻, 脾不運化로 일어난 胸滿脘悶, 腹脹水腫, 濕盛痰多, 二便不利를 치료했다. 이것은 원방과 비교해 구성·주치·제형 세 가지 모두 변화한 것이다. 그 외, 黃連消痞丸·消痞丸·中滿分消丸·枳實消痞丸 네 가지 方劑가 『蘭室秘藏』卷上에 나오는데, 조성약물이 대부분이 같고, 적응증 역시 비슷하다. 黃連消痞丸은 枳實·陳皮·薑黃·白朮·茯苓·炙甘草·猪苓·澤瀉·黃連·黃芩·半夏·乾生薑으로 구성되었다. 消痞丸은 黃連消痞丸에서 茯苓을 빼고 厚朴·砂仁·人蔘·神曲을 더했으며; 中滿分消丸은 消痞丸에서 神曲을 빼고, 茯苓·知母를 더하고, 枳實消痞丸은 中滿分消丸에서 澤瀉·薑黃·陳皮·猪苓·黃芩·砂仁·知母를 빼고, 麥芽를 더해 만들었다. 네 가지 方이 모두 消痞除滿 작용이 있고, 주치병증에 모두 脾胃虛弱, 升降失常의 內因, 濕熱蘊結, 壅滯不散의 外因이 있다. 그중 黃連消痞丸은 心下痞滿, 壅滯不散으로 생긴 煩熱·喘促不安 등을 치료하고, 消痞丸은 心下痞悶, 일체의 상한 것과 오래되어도 낫지 않은 것을 치료하고, 中滿分消丸은 中滿熱脹·臌脹·氣脹·水脹을 치료하는데, 이것은 寒脹類가 아니다. 枳實消痞丸은 脾胃虛弱, 升降失司, 寒熱互結, 氣壅濕聚의 心下痞滿, 不欲飮食, 倦怠乏力, 大便失調 등을 주치한다. 이 네 가지 방의 원류관계는 아직 더 알아봐야 하지만, 그 立法用藥과 사고체계는 의심할 바 없이 같다.

【難題解說】

1. 方中 乾生薑에 관하여: 『丹溪心法』·『張氏醫通』에서 원방을 인용할 때 乾生薑이라고 썼다. 『醫方集解』·『成方便讀』·『中醫大辭典』「方劑分冊」·『醫方發揮』는 본방구성에서 직접적으로 乾生薑을 乾薑으로 고쳤다. 『中醫方劑學講義』(統篇教材第2版)에서는 본방 구성에 여전히 乾生薑이라는 글자를 남겨두었지만, 方解에서는 乾薑이었다. 高等中醫院校教學參考叢書『方劑學』에서는 본방의 조성용법항과 방의종합론항 모두 원문을 존중했으며, 乾生薑 글자를 남겨두었다. 본방의 乾生薑은 乾薑인지 아니면 생강인지? 지금까지 거의 모든 사람들이 한 목소리로 乾薑이라고 했다. 그러나 본방의 乾生薑은 사실 生薑이다. 이유는 다음과 같다. ①『蘭室秘藏』卷下의 小兒門에도 中滿分消丸이 있는데, 그 조성은 枳實·黃連去須·厚朴 各 五分, 生薑·薑黃·猪苓 各 一錢, 橘皮·甘草·白朮 各 一錢 五分, 砂仁·澤瀉·茯苓 各 三錢, 半夏 四錢, 黃芩 一量 二錢, 모두 14가지 약이 있다. 卷下의 中滿分消丸은 단지 卷上의 中滿分消丸에 비해 人蔘·知母 두 가지가 적을 뿐이고, 이미 직접적으로 乾生薑을 生薑이라고 쓰고 있다. ②『蘭室秘藏』卷上의 中滿腹脹門에 있는 中滿分消丸은 비록 구성에서 乾生薑이 있지만, 바로 뒤에 이어진 용법에는 “除茯苓·澤瀉·生薑外, 共爲細末”에서 명시하듯이 방중 乾生薑은 즉 生薑으로 보인다. ③『蘭室秘藏』卷上의 飮食勞倦門의 木香人蔘生薑枳朮丸은 生薑 二錢 五分, 木香 三錢, 人蔘 三錢 五分, 陳皮 四錢, 枳實 1량 炒, 白朮 1량 五錢, 모두 여섯 가지 약으로 조성되었다. 방명 중의 生薑은 조성에서 乾生薑이라고 되어 있는데, 이것으로 이 방제의 乾

生薑은 즉 生薑이라는 것을 쉽게 알 수 있다. ④『蘭室秘藏』卷上의 飮食勞倦門의 扶脾丸에는 乾生薑과 乾薑이 동시에 한 妻方에 출현한다. 의심할 바 없이 이 方의 乾生薑은 즉 生薑인 것이다. 만약 乾生薑을 乾薑으로 표시했다면, 이 처장에 동시에 두 종류의 乾薑이 출현한 것인데 이것은 정황에 맞지 않는다. 만약 한 방에 두 개의 "乾薑"이라는 글자가 나타났다면, 잘못해서 중복된 것이며, 이 방은 乾生薑·乾薑 두 종류의 글자가 다른 종류의 약이며 용량 역시 차이가 있는데, 乾生薑은 五分이고, 乾薑은 一錢이다. 상술한 扶脾丸·木香人蔘生薑枳朮丸과 中滿分消丸 三方은 한 사람의 손에서 나온 것으로, 같은 책에 기재되어 있고, 같은 권 안에 있으며, 세 가지가 上下門으로 붙어있는데, 앞의 두 처방과 뒤의 처방 사이에는 단지 13과 15방이 있을 뿐으로, 三方의 乾生薑이 가리키는 것은 반드시 동일 약물인 生薑일 것이다. 그러므로 中滿分消丸의 乾生薑도 사실은 生薑인 것이다. ⑤『東垣時效方』卷1의 藥象門에는 乾生薑과 乾薑이 따로 서술되어 있는데, 이책이 비록 東垣이 직접 편찬한 책이 아닐지라도, 책에 있는 논술은 東垣에게서 나온 것임은 의심할 바 없다. 그 외, 東垣의 스승 張元素의『醫學啓源』卷下의 藥類法象에도 乾生薑과 乾薑이 따로 기술되어 있다. 이것으로 책의 乾生薑은 반드시 乾薑이 아님을 알 수 있다. ⑥ 李時珍은『本草綱目』卷26에서 乾生薑과 薑皮·薑葉을 함께 生薑條에 붙이고, 그것을 乾薑條에 붙이지 않았다. 李時珍 역시 乾生薑과 乾薑을 혼동하여 하나로 보지 않았다는 것을 충분히 설명하는 것이다. 그 외, 生薑의 附方에 "消渴飮水, 乾生薑一兩, 以鯽魚膽汁和, 丸如梧桐子. 每服七丸, 米飮下"의 문장에서도 의심할 바 없이, 乾生薑이지 乾薑이 아닌 것이다.

2. 中滿에 관하여: 中滿은 腹中脹滿의 증상이다. 氣虛·食滯·寒濁上壅·濕熱困阻 등의 원인으로 脾胃運化가 失常되고, 氣機가 痞塞하여 생긴다. 本 方劑가 치료하는 中滿은 濕熱이 안쪽에서 서로 막아, 氣機의 升降이 失常되어 생긴 것으로 熱脹에 속한다.

【副方】 中滿分消湯(『蘭室秘藏』卷上): 川烏 澤瀉 黃連 人蔘 靑皮 當歸 生薑 麻黃 柴胡 乾薑 蓽澄茄 各 二分(3 g) 益智仁 半夏 茯苓 木香 升麻 黃芪 吳茱萸 厚朴 草豆蔻仁 黃柏 各 五分(6 g)

- 用法: 위의 약물을 麻頭 크기로 썰어, 한 번 복용하도록 만드는데, 큰 잔으로 물 두 잔을 달여 한 잔을 만든다. 식전에 뜨겁게 복용한다. 房事·술·濕麵·生冷하고 기름진 것을 피한다.
- 作用: 益氣溫中, 開鬱化濕.
- 適應症: 中滿寒脹, 寒疝, 大小便 不通, 陰躁, 足不收, 四肢厥逆, 먹고 다시 토해내는 것, 下虛中滿, 腹中寒, 心下痞, 下焦가 躁熱沉厥하고, 奔豚不收한 것.

中滿分消湯과 中滿分消丸은 모두 한사람의 손에서 나왔는데, 어떤 사람은 後方을 前方의 加減方이라고 한다. 分消湯 처방에서 川烏·乾薑·生薑·吳茱萸·蓽澄茄·益智仁·草頭蔲 등의 약은 모두 辛溫한 약재로, 辛은 맺힌 것을 풀어주고, 溫은 寒을 이기므로, 除濕開鬱暖胃溫腎으로 그 한을 없앤다. 靑皮·厚朴은 辛散走竄의 약재로, 行氣散滿除脹할 수 있다. 升麻·柴胡는 升淸하고, 茯苓·澤瀉는 瀉濁하는데, 이와 같이 하면 濁分을 깨끗이하고, 脾胃를 펴주고, 升降이 다시 회복 된다. 人蔘·黃芪는 益氣健脾補中하여, 脾胃升降의 임무를 회복하고, 木香은 氣를 조화롭게 하고, 當歸는 和血하여, 氣血을 조화롭게 하여, 온갖 병이 생기지 않도록 한다. 麻黃은 泄寒開毛竅하여, 濕을 寒으로 풀어주고, 半夏는 燥濕化痰하고, 黃連·黃柏은 燥濕하여, 濕鬱化熱을 방지하고, 처방에서 溫熱藥을 제어하는 작용도 있다. 여러 약을 合用하면, 益氣溫中, 開鬱化濕의 효능을 이룰 수 있다. 中滿分消丸과 中滿分消湯 두 方은 모두『蘭室秘藏』卷上에서 나왔고, 모두 脹滿을 치료한다. 단 前者는 熱脹을 치료하며, 약으로 枳實·厚朴·黃連·黃芩이 주가 되고, 효능은 生氣泄熱化濕할 수 있고, 後者는 寒脹을 치료하며, 약은 川烏·吳茱萸·草頭蔲仁·厚朴을 주로 하며, 효능은 行氣溫中化濕할 수 있다. 두 처방은 많은 비슷한 점이 있지만 寒溫이 달라, 적응증도 각자 다르다.

第三節 利水滲濕劑

五苓散

(『傷寒論』)

【異名】猪苓散(『太平聖惠方』卷9)·五苓湯(『黃帝素問宣明論方』卷5)·生料五苓散(『仁齋直指方論』卷5)·吳苓飮子(『類編朱氏集驗醫方』卷2)

【組成】猪苓 十八銖(9 g) 澤瀉 一兩六銖(15 g) 白朮 十八銖(9 g) 茯苓 十八銖(9 g) 桂枝 去皮 半兩(6 g)

【用法】빻아서 가루로 만들고, 미음에 녹여 方寸匕(6 g) 정도를 복용하는데, 하루에 세 번 복용하고, 따뜻한 물을 많이 마시고, 땀을 내면 낫는데, 이와 같은 방법으로 하면서 휴식을 취한다(현대 용법: 原方을 물로 달여, 하루에 세 번으로 나누어 복용한다).

【效能】利水滲濕, 溫陽化氣.

【主治】

1. 蓄水證. 小便이 不利하고, 머리가 아프고 微熱이 있으며, 煩渴하여 물을 마시는데, 심하면 물을 마시는 즉시 토하고, 舌苔가 白하며, 脈이 浮하다.

2. 水濕內停證. 水腫, 泄瀉, 小便不利, 霍亂 등.

3. 痰飮. 臍下動悸, 涎沫을 吐하고 머리가 어지럽거나 숨이 가쁘고 기침을 한다.

【病機分析】本 方劑는 『傷寒論』에서 원래 太陽病의 表邪가 풀어지지 않은 것을 치료하는데, 안으로는 太陽 膀胱腑에 전해지고, 下焦에 물이 쌓여, 太陽經腑와 같은 病이 형성된다. 밖으로는 太陽表邪가 있어, 正邪가 서로 다투기 때문에, 頭痛과 發熱이 생기고 脈이 浮하게 된다. 『素問』「靈蘭秘典論」에서 말하기를 "膀胱者, 州都之官, 津液藏焉, 氣化則能出矣"라고 했다. 邪가 太陽 膀胱腑에 전해지면, 膀胱의 氣化가 정상을 잃게 되어, 小便이 不利해진다. 물이 쌓여 不化하게 되면, 精津이 운반되고 퍼지지 못해, 煩渴하여 欲飮하게 된다. 원래 물을 마시면 下焦에 머물러 모이게 되는데, 거기에 들어온 물이 輸布되지 못하면, 마시면 마실수록 쌓이게 되어 물이 밖으로 나가지 못하고, 오히려 上逆하게 되면, 물을 마시면 토하는 "水逆證"이 생긴다. 『素問』「至眞要大論」에서는 "諸濕腫滿, 皆屬于脾"라고 했다. 水濕이 안에 머무르면, 脾陽을 困阻하거나, 脾虛로 不運하여, 脾胃가 失和하고, 胃氣가 上逆하여 嘔吐하게 되고, 肥濕이 下注하면 설사를 하게 되는데, 두 가지가 함께 있으면 곧 上吐下瀉의 霍亂證이 된다. 痰飮과 水濕은 다른 이름 같은 종류인데, 濕이 모이면 痰이 되고, 물이 머무르면 飮이 되고, 水濕이 머물러 모인 것이 오래되어도 물러나지 않으면 痰飮이 되어, 痰飮이 위로 넘치게 되면, 肺氣가 불리하게 되고, 涎沫을 토하고, 숨이 가쁘며 기침을 하게 된다. 痰飮은 陰邪로, 쉽게 陽氣를 蔽阻하고, 淸陽이 오르지 못하고, 濁陰이 내려가지 않아 臍下가 悸動하고, 頭暈目眩하게 된다.

【配伍分析】本 方劑의 病證은 表邪가 푸러지지 않고, 안으로 전해져 腑에 들어오고, 물이 膀胱에 쌓여, 氣化가 不行하여 생긴다. 치료는 利水滲濕과 化氣解表를 겸해야 한다. 方劑에서 澤瀉를 중용하여 君으로 하는데, 그것이 腎과 膀胱에 직접 도달하여 痰滲利濕하는 작용을 취하는데, 利水作用이 茯苓에 비해 강하여, 水腫·小便不利·泄瀉와 痰飮 등에 사용하면 매우 좋다. 『藥品化儀』에서는 "此爲利水第一良品"라고 했다.

『本草綱目』卷19에서는 그것을 "滲濕熱, 行痰飮, 止嘔吐·瀉痢·疝痛·脚氣"라고 했다. 臣은 茯苓·猪苓으로 하여 痰滲하는데, 澤瀉의 利水滲濕의 효능을 강화시킨다. 『本草思辨錄』卷4에서 말하길: "猪苓·茯苓·澤瀉, 三者皆淡滲之物, 其用全在利水."라고 했다. 佐로 白朮을 사용하는데, 補氣健脾하고, 또 燥濕利水할 수 있어, 脾虛水停으로 痰飮·水腫이 되고, 小便不利한 사람에게 매우 적당하다. 그것이 標本을 함께 치료하고, 補氣健脾하면, 즉 脾健運化가 힘을 얻게 되고, 水濕이 멈추어 모이지 않게 된다. 燥濕利水는 이미 머물고 있는 水濕을 직접 제거할 수 있다. 水濕이 膀胱에 쌓이면, 化氣行水의 효능에 영향을 주고, 桂枝로 보좌하면 膀胱의 氣를 溫和하게 하여 小便을 나오게 하고, 또 疏表散邪할 수 있어, 太陽의 表證을 풀어 제거할 수 있다. 하나의 약으로 두 가지에 사용하여, 겉과 속을 함께 치료한다. 方劑에서 澤瀉를 茯苓·猪苓과 배오하여, 利水作用을 강화하고, 茯苓을 白朮과 배오하여, 實脾利水하고, 桂枝를 茯苓과 배오하여, 溫和水飮, 通陽利水한다. 다섯 가지 약을 합용하면, 利水滲濕, 溫陽化氣의 효능을 이룰 수 있다. 水腫·泄瀉·霍亂·痰飮의 여러 증상은, 모두 脾虛로 인한 不運과, 水濕의 泛濫으로 생긴 것이다. 本 方劑는 利水滲濕하고, 또 健脾助運할 수 있어, 하나로 모두 치료할 수 있다. 만약 그 表를 풀고자 하면, 약을 복용한 후 따뜻한 물을 많이 마셔 땀을 흘려야 한다. 水熱의 氣로, 人體의 陽氣를 돕고, 그 發汗을 지원하여, 表邪가 땀을 통해 풀어지도록 한다.

本 方劑는 5가지 약으로 조성되었고, "苓"으로 水行하기 때문에, 이름을 "五苓散이라고 했다.

本 方劑 배오 특징은 表裏를 같이 치료하고, 邪正을 함께 고려하여, 氣를 풀어주고 水을 움직이게 하고 表를 풀어주고 脾를 건강하게 하여 蓄水停飮을 제거할 수 있다는 것이다.

【類似方比較】

1. 本 方劑와 白虎湯 두 方劑는 모두 煩渴의 증상을 치료할 수 있는데, 다른 점은 本 方劑는 渴하여 마시고 싶지만 마실 수 없고, 심하면 물이 들어가면 토하고, 微熱을 겸하고 있고, 後者는 갈증으로 물이 당겨, 비교적 많이 마시며, 큰 熱을 겸한다. 本 方劑 病證의 煩渴은 水濕停蓄, 氣化不行으로, 津이 상승하지 못해 생기는 것이고, 後者는 陽明의 熱이 盛하여, 津液이 소모되고 상하여 생긴 것이다.

2. 本 方劑와 茯苓甘草湯 두 方劑는 모두 停飮蓄水證을 치료할 수 있으며, 모두 溫陽化水의 효능이 있다. 다른 점은: 前者는 膀胱을 온화하게 하여 소변을 편하게 하는데 중점을 두어, 水蓄於下, 口渴, 小便不利를 치료한다. 後者는 胃陽을 溫和하게 하여 水飮을 없애는 것에 중점을 두어, 물이 가운데에 멈추고, 입이 마르지 않고 心下가 두근거리는 것을 치료한다.

【臨床應用】

1. 證治要點: 本 方劑는 滲濕利水에 중점을 두면서, 化氣健脾의 효능을 겸하고 있다. 임상에서 水飮內停, 小便不利, 蓄水, 水逆, 水腫, 泄瀉, 痰飮 등이 보이며, 증상이 脾虛不運, 氣不化水에 해당하는 사람은 모두 本方加減을 이용해 치료할 수 있다. 小便不利, 舌苔白, 脈浮를 證治要點으로 한다.

2. 加減法: 腹脹을 겸하는 사람은 陳皮·枳實을 더해 理氣消脹하고, 熱이 있는 사람은 桂枝를 빼고, 黃芩을 더해 淸熱하고, 中暑霍亂泄瀉가 있는 사람은 滑石을 더해 利濕淸熱하고, 伏暑身熱로 크게 渴한 사람은 白虎加人蔘湯을 합해 益氣淸熱生津하고, 水腫이 비교적 심한 사람은 桑白皮·橘皮·大服皮·車前子를 더해 行水消腫作用을 강화하고, 水氣壅盛하면, 五皮散과 합해 이용할 수 있는데, 利水消腫의 힘이 더욱 커진다.

3. 五苓散은 다음 한국표준질병사인분류(KCD)에 해당하는 환자가 停飮蓄水證으로 辨證되는 경우 본 처방의 사용을 고려해볼 수 있다.

처방 목표	한국표준질병사인분류(KCD)
腎小球腎炎	N00 급성 신염증후군
	N03 만성 신염증후군
肝硬化로 생긴 水腫	K74.1 간경화증
腸炎	K52 기타 비감염성 위장염 및 결장염
	A09 감염성 및 상세불명 기원의 기타 위장염 및 결장염
尿豬留	(질병명 특정곤란)
	N31 달리 분류되지 않은 방광의 신경근육기능장애
	R39.1 기타 배뇨곤란
腦積水	G91 수두증
胸水	J90 달리 분류되지 않은 흉막삼출액
	J91 달리 분류된 병태에서의 흉막삼출액
傳染性 肝炎	B15~B19 바이러스간염
泌尿系感染	N30 방광염
	N34 요도염 및 요도증후군
	N39.0 부위가 명시되지 않은 요로감염
中心性視網膜炎	H30 맥락망막염증
青光眼	H40 녹내장

【注意事項】 本 方劑는 약성이 滲利한편으로, 脾氣虛弱, 腎氣不足한 환자가 本 方劑를 과용하면, 頭暈·目眩·口淡·食欲減退·胃納差 등의 반응이 나타날 수 있다. 本 方劑는 長服해서는 안되며, 체력이 약한 사람은 항상 補養脾胃劑와 함께 복용해야 한다. 本 方劑의 전통적인 劑型은 散劑로, 약을 삼킨 후 물을 많이 마시는데, 약간 땀이 나는 것이 좋다. 현대에서는 일반적으로 湯劑로 뜨겁게 마시며, 오래 달여 滲利의 성질이 약해지지 않도록 주의한다. 津液耗傷에 속하는 口渴 혹은 小便不利는 本 方劑의 사용이 적절하지 않고, 오용하면 진액이 더욱 상하여 變證을 일으키기 쉽다.

【變遷史】 五苓散은 醫聖 仲景이 만든 것으로 『傷寒論』과 『金匱要略』에서 볼 수 있다. 역대 의학자들은 모두 本 方劑의 연구와 운용을 중시해왔으며, 各 방면에서 모두 비교적 큰 발전을 이룩했다.

조성방면에서, 치환약을 사용하면서, 方名이 변하지 않은 것으로 『備急千金要方』卷9에서는 桂心으로 桂枝를 대신했고, 『三因方』卷5는 赤茯苓을 사용하여 茯苓을 대신하고, 桂心으로 桂枝를 대체했고, 『溫病條辨』卷2는 赤朮(蒼朮)을 사용해 白朮을 대신한 것 등등이 있다. 모두가 알다시피, 白茯苓과 赤茯苓은 동일한 식물로, 前者는 多孔菌科 植物 茯苓의 乾燥菌核이고, 後者는 그 乾燥菌核 가까운 外皮部의 淡紅色 부분이다. 前者는 甘補淡滲하여, 작용이 완화하며, 寒과 熱에 편향됨이 없다. 後者는 行水利濕淸熱하나, 補氣의 효능이 명확하지 않다. 그러므로 赤茯苓을 사용하여 茯苓을 대신하면, 이 方劑의 淸熱利濕 작용이 강화된다. 桂枝·肉桂(官桂·桂心)는 모두 桂樹에서 나왔는데, 桂枝는 桂樹의 嫩枝이고, 肉桂는 桂樹의 樹皮이다. 두 가지는 모두 營血을 따뜻하게 하고, 氣化를 도와, 寒凝을 흩어지게 하는 작용이 있다. 그러나 桂枝는 작용이 비교적 완만하여, 發表散寒에 좋고, 주로 上行하여 通脈하고, 肉桂는 작용이 비교적 강하여, 溫裏去寒에 좋고, 下焦로 들어가 腎陽을 보한다. 그러므로 肉桂를 사용하여 桂枝를 대신하면, 이 方劑의 溫陽化氣 작용이 강화된다. 『神農本草經』에 朮이 기재되어 있는데, 蒼·白의 구분이 없었고, 漢代 이후에 蒼朮과 白朮이 구분되기 시작했다. 두 가지는 모두 脾胃에 대한 要藥으로, 性味가 苦溫하여, 健脾燥濕의 효능이 있다. 그러나 蒼朮은 매운 맛을 겸하고 性質이 조열하여, 燥濕運脾를 주로 하며, 風濕을 제거하고, 發汗解表할 수 있다. 白朮은 단 맛도 있고 성질이 和緩하여, 補脾益氣에 장점으로 보이며, 利水止汗의 효능이 있다. 그러므로 蒼朮로 白朮을 대신하면, 이 方劑의 燥濕運脾 작용이 강화된다.

후대에는 이 방제를 기초로 한 加減 변화가 많았는데, 그 수를 헤아리기 어렵다. 어떤 것은 茵陳·木通·滑石·黃芩·黃連 등의 淸熱祛濕藥을 더하여, 濕과 熱이 합해 진 것을 치료하는데, 예를 들어 『衛生寶鑒』卷17에서 그것에 滑石·琥珀·炙甘草(桂心으로 桂枝를 대체)를 더하여, 이름을 茯苓琥珀湯이라고 하고, 濕熱內蘊, 小便頻數, 臍腹脹痛, 腰脚沉重 등을 치료했다. 어떤 것은 滑石·石膏 등 祛暑利濕藥을 더하여, 暑濕이 患이 된 것을 치료했는데, 예를 들어『黃帝素問宣明論方』卷6에서 그것에 石膏·滑石·寒水石·炙甘草(肉桂로 桂枝를 대신)를 더하여, 桂苓甘露飮이라고 이름하고, 中暑水濕, 頭痛發熱, 煩渴引飮, 霍亂吐下, 腹痛滿悶, 小兒吐利 등을 치료했다. 어떤 것은 乾薑·蒼朮 등 溫化寒濕藥을 더하여, 濕과 寒이 결합된 것을 치료했는데, 예를 들어『備急千金要方』卷10에서 그것에서 猪苓을 빼고, 乾薑·杜仲·牛膝·甘草(桂心으로 桂枝를 대신)를 더하여, 이름을 腎着散이라고 하고, 身體가 重하고, 腰中이 冷하며, 如水洗狀하며, 不渴하고, 小便不利 등을 치료했고,『醫方集解』「利濕之劑」에서는 그것에 蒼朮을 더하여, 蒼桂五苓散이라고 이름하고, 寒濕證을 치료했다. 어떤 것은 車前子·平胃散 등의 祛濕藥을 더하여, 濕濁壅盛한 것을 치료했는데, 예를 들어『丹溪心法』卷4에서 그것에 平胃散을 서로 합하여, 이름을 胃苓湯이라고 하고, 傷濕停食, 脘腹脹悶, 小便短少 등을 치료했고, 羌活·防風·柴胡 등 去風解表藥을 더하여, 表證을 겸한 것을 치료했는데, 예를 들어『景岳全書』「古方八陣」卷54에서 그것에 羌活을 더하고, 각각 五苓散을 가미하여, 風濕寒濕, 濕勝身痛, 小便不利, 體痛發渴 등을 치료했고, 어떤 것은 人蔘·麥冬·阿膠 등을 扶正固本藥을 더하여, 正虛를 겸한 것을 치료했는데, 예를 들어『證治要訣類方』卷1에서 그것에 人蔘을 더하여, 이름을 春澤湯이라고 하고, 傷暑氣虛 등을 치료했고, 어떤 것은 厚朴·陳皮·川楝子·小茴香 등 理氣導滯藥을 더하여, 氣滯를 겸한 것을 치료했는데, 예를 들어『醫宗金鑒』「雜病心法要訣」卷42에서 그것에 川楝子·小茴香 등을 더하여, 이름을 茴楝五苓散이라고 하고, 膀胱水疝, 小便不利 등을 치료했다.『太平惠民和劑局方』卷2에서는 그것에 辰砂를 더하여 安神定志(赤茯苓으로 茯苓을 대신하고, 肉桂로 桂枝를 대신했다)하고, 이름을 辰砂五令散이라고 했으며, 頭痛發熱, 心胸鬱悶, 脣口乾焦, 神志昏沉 등을 치료했고『丹溪心法』卷2에서는 桂枝를 빼고, 이름을 四苓散이라고 했으며, 脾虛濕勝, 水瀉, 小便短少 등을 치료했다.

적응증 방면으로 후대에서는 本 方劑의 사용 범위가 확대되었는데, 예를 들어『外科經驗方』에서 그것을 사용하여 "治下部濕熱瘡毒, 小便赤少"했고,『醫方集解』「利濕之劑」에서는 그것을 사용하여 "通治諸濕腹滿, 水飮水腫, 嘔逆泄瀉, 水寒射肺, 或喘或咳, 中暑煩渴, 身熱頭痛, 膀胱積熱, 便秘而渴, 霍亂吐瀉, 痰飮濕瘧, 身痛身重" 한 것 등등이 있다.

劑型 方面으로는 原方은 散劑이지만, 후대에는 다수가 가루를 끓여서 복용했고, 湯劑로 만든 사람도 있었다. 그것을 片劑로 바꾸어 복용과 휴대하기 편한 劑型을 만든 것도 있었는데, 예를 들어『中成藥硏究』1983年 11期에 기재된 것은 本 方劑를 片劑로 만들어 복용했고,『河北中醫』1982年 3期에 기재된 것은 本 方劑를 浸膏로 만들어 복용했고,『國外醫學』「中醫中藥分冊」1986年 6期에 기재된 것은, 本 方劑를 顆粒劑로 만들어 복용했고,『日本東洋醫學雜志』1991年 3期에 기재된 것은, 本 方劑를 추출물로 만들어 灌腸했고,『國外醫學』「中醫中藥分冊」1994年 5期에 기재된 것은, 本 方劑를 栓劑로 만들어 直腸에 삽입했다. 그 외 本 方劑를 粉劑와 酊劑로 만든 것도 있다.

本 方劑 病證의 病機에 대한 연구는 질적으로 더욱 성장했다. 근대 의학자들은 細胞學·分子學 등 현대과학을 이용하여, 病理·生理 등의 방면으로 세세하게 연구를 진행했다. 예를 들어 일본인 伊藤氏는 임상과 실험 연구의 정리를 통해, 五苓散證의 病機가 機體滲透壓 조절점의 저하로, 體液이 稀釋增量 狀態를 띄는 것이라고 해석했다(『國外醫學』「中醫中藥分冊」(1979, 1:13).

【難題解說】

1. 本 方劑 病證의 病機에 관하여: 本 方劑가 세상에 나온 후, 역대 의학자와 학자들이 그 적응증과 病機에 대해 광범위하게 연구를 진행했는데, 주로 이하 8가지 견해로 정리할 수 있다. ① 蓄水證. 이 견해를 가진 사람이 비교적 많고, 영향이 넓어 일정한 대표성을 가지고 있다. 예를 들어 南京中醫學院傷寒教研組

[1]·湖北中醫學院[2] 등이 모두 本 方劑를 太陽腑證에 열 거하여 講解하였다. ② 蓄水證이 主가 아니며, "當屬太陽表證合陽明裏熱津傷證"[3]이다. ③ 蓄水와 失水가 竝存한다. 그 病機를 汗·吐·下 등의 津液이 크게 傷하는 것이 선행하고, 氣化가 본래 기능을 잃고, 水液이 안에 머무르는 것을 후에 일어나는 것으로 여긴다.[4,5] 일본인 伊藤嘉紀 역시 "이것은 胃內와 細胞間隙 中에 水液이 瀦留하여, 血液 中에 水分이 부족 하기 때문이다".[6]라고 여겼다. ④ 水熱이 膀胱에 머 물러 쌓인다. 吳昆이 말한 "水道爲熱所秘, 故令小便不利"(『醫方考』卷1)과 같다. 羅美가 말하기를 "熱在膀胱, 故以五苓利水瀉熱"(『古今名醫方論』卷3)이라고 했다. 汪昂은 "太陽之熱, 傳入膀胱之腑, 故口渴而便不通"(『醫方集解』「利濕之劑」)라고 했다. 吳謙은 "乃治水熱小便不利之主方也"(『醫宗金鑒』「刪補名醫方論」卷6)이라고 했다. ⑤ 脾가 轉輸를 잃는다. 張錫駒, 張志聰, 趙錫武 등은 모두 "渴"과 "小便不利"를 脾가 轉輸를 잃어 생기는 것(『傷寒論直解』·『傷寒論集注』·『趙錫武醫療經驗』)이라고 했다.[7] ⑥ 水寒이 서로 맺힌다.[8]는 "因爲太陽寒水之經, 本寒而標熱, 太陽表邪不解, 病邪入裏, 從本化寒, 使水寒之氣互結三焦"라 했고; 柯琴은 말하기를 "是寒邪在太陽之半表裏, 用五苓散飮暖水利水而發汗"(『傷寒論蘇集』「傷寒附翼」卷上)이라고 했다. ⑦ 太陽과 少陰이 함께 병든다. 어떤 사람[9]은 太陽少陰이 서로 表裏를 이루 기 때문에, 太陽이 병들었는데 치료하지 못하거나 혹은 잘못 치료하면, 邪가 少陰을 犯하여, 氣化가 미치지 못하여 寒水不化를 일으킨다고 했다. ⑧ 太陽에 있지 않고, 三焦에 있다. 沈果之가 이르기를 "此治小便不利之主方, 乃治三焦水道, 而非治太陽藥也"(『吳醫匯講』卷4)라고 했다. 필자는 첫 번째 견해가 비교적 정확하다고 여기는데, 이 方劑는 太陽經의 表邪가 풀어지지 않아, 안으로 太陽膀胱의 腑에 전해져, 下焦에 물이 쌓여 생기는 것이다.

2. 散劑에 관하여: 『傷寒論』 原 方劑에서 散劑로 만들어 복용하는 것은, 그 뜻이 藥性을 비교적 장시간 胃에 머무르게 하고, 經絡을 緩行하게 하여, 輸脾歸肺하고, 아래로 膀胱에 도달하고, 水津을 四方으로 퍼지게 하고, 五經을 병행하여, 水를 모두 제거하여, 津液을 상하지 않게 하기 위해서이다. 그러므로 徐大椿이 강조하여 지적하기를 "此乃散方, 近人用以作湯, 往往鮮效."라고 했다. 그러나 사실상 本 方劑를 지금 임상에서는 많이 湯劑로 만들어 복용하고 있다.

3. 方寸匕에 관하여: 方寸匕는 古代의 식기 중 하나로, 손잡이가 구부러지고 머리가 얕아, 모양이 지금의 숟가락과 비슷하다. 또 말하기를 그 형태가 刀匕와 같고, 크기가 古代의 一寸 正方이기 때문에 이름 붙여졌다. 一方寸匕는 약 2.74 mL이며, 金石藥의 분말을 담을 때는 약 2 g이고, 草木藥의 분말은 약 1 g 정도이다. 『名醫別錄』에서 이르길 "方寸匕者, 作匕正方一寸, 抄散不落爲度."라고 했다.

4. 本 方劑의 君藥에 관하여: 어떤 사람은 茯苓을 君으로 이해하는데, 예를 들어 成無己는 "五苓之中, 茯苓爲主"(『傷寒明理論』卷4)라고 했다. 어떤 사람은 茯苓·猪苓을 君으로 이해했는데, 汪昂은 "二苓甘淡入肺而通膀胱爲君"(『醫方集解』「利濕之劑」)이라고 했다. 어떤 사람은 猪苓을 君으로 이해했는데, 예를 들어 일본인 矢數道明은 "本方名五苓散之苓者, 則猪苓之苓, 以此爲主藥"(『臨床應用漢方處方解說』)이라고 했다. 어떤 사람은 澤瀉를 君으로 했는데, 예를 들어 吳謙은 "君澤瀉之咸寒, 咸走水府, 寒勝熱邪"(『醫宗金鑒』「刪補名醫方論卷6)라고 했다. 이 외에, 아직 白朮·桂를 君이라고 명확하게 말하지는 않았지만, 그것을 首位에 놓고 중점적으로 토론한 사람이 있는데, 沈金鰲는 "其人必眞火衰微, 不能化生脾土, 故水無所攝, 泛溢於肌肉間, 法惟助脾扶火, 足以槪之. 而助脾扶火之劑, 最妙是五苓散. 肉桂以益火, 火暖則水流; 白朮以補土, 土實則水自障"(『雜病源流犀燭』卷5)이라고 했다. 沈果之는 "此方用桂以助命門之火, 是釜底加薪, 而後胃中之精氣上騰; 再用白朮健脾, 以轉輸於肺"(『吳醫匯講』卷4)라고 했다. 本 方劑는 주로 下焦에 물이 쌓인 것을 치료하는데, 치료는 마땅히 利水滲濕을 주로 하며, 方

劑에서 澤瀉를 重用하여, 직접 腎과 膀胱에 도달하여 淡滲利濕하며, 그 利水作用이 二苓에 비해 강하다. 그러므로 澤瀉를 君으로 하는 설이 비교적 합당하다.

5. 原 方劑의 "桂"에 관하여: 역대 의학자들의 의견이 분분하다. ① 어떤 사람은 桂枝라고 여겼는데, 費伯雄은 "方中宜用桂枝, 不可用肉桂"(『醫方論』卷3)라고 했다. 陸淵雷는 "桂枝爲此方之關鍵, 有人畏桂枝如虎, 特去此味……方意盡失"(『傷寒論今釋』)라고 했다. 근대의 대다수의 醫書들은 모두 原方 중의 "桂"를 桂枝로 쓴다. ② 어떤 사람은 肉桂라고 여기는데, 예를 들어 汪昂은 "故以肉桂辛熱爲使, 熱因熱用, 引入膀胱以化其氣"(『醫方集解』「利濕之劑」)라고 했다. ③ 어떤 사람은 桂枝·肉桂 모두 가능하다고 여기는데, 예를 들어 張璐는 "欲兼溫表, 必用桂枝; 專用利水, 則宜肉桂, 妙用全在乎此"(『傷寒纘論』卷1)이라고 했다. 羅美는 "傷寒之用五苓, ……然用桂枝者, 所以宣邪而仍治太陽也. 雜證之用五苓者, ……茲必肉桂之厚以君之, 而虛寒之氣始得運行宣泄"(『古今名醫方論』卷3)이라고 했다. ④ 어떤 사람은 桂枝과 肉桂를 合用한다고 했는데, 근대의 吕新茂는 "然五苓散原方之桂, 非惟桂枝, 亦非惟肉桂也, ……此系桂枝合肉桂矣"(湖南中醫雜誌, 1981, 1:11)라고 했다. 仲景이 本 方劑를 만든 뜻은 太陽表邪가 풀리지 않고, 안으로 太陰膀胱의 腑로 전해져 下焦에 물이 쌓이는 것을 치료하기 위함이다. 필자는 본방은 마땅히 桂枝를 사용해야 한다고 생각하는데, 桂枝가 溫陽化氣할 수 있을 뿐 아니라, 解表할 수 있어, 하나의 藥으로 두 가지 쓰임새가 있고, 表裏를 同治할 수 있는 반면 肉桂는 이런 효능이 없기 때문이다. 本 方劑는 表證이 없는 痰飮·水腫 등의 증상에 사용하는데, 桂枝는 또한 매우 좋은 溫陽化飮利水의 효능을 갖고 있다.

【醫案】

一. 內科

(1) 泌尿系疾病

小便不通 『名醫類案』卷9: 程仁甫가 孚譚 汪尚新의 부친을 치료하게 되었는데, 환자의 나이는 50쯤 되었다. 6월 사이에, 갑자기 소변이 나오지 않아, 여러 번 의사를 부른지 이미 5일이 되었다고 한다. 診脈 결과 六脈이 沈細하였으므로, 여름에 陰邪가 내부에 잠복한 것으로, 차가운 음료와 凉藥을 과다하게 복용한 까닭에, 氣가 不化하여 소변이 나오지 않은 것이라고 말했다. 五苓散에서 肉桂의 양을 배로 늘리고, 蔥白을 달인 물로 씻어주자, 1첩으로 곧 소변이 나왔다.

考察: 여름에 濕이 많고, 冷水·凉藥을 과다하게 사용하여 그 陽을 손상시켜, 陽氣가 不化하고, 津氣가 不行하며, 水濕이 서로 뭉쳐서, 소변이 나오지 않게 된 것이다. 五苓散을 사용하여 利水濕해서, 陽氣를 풀어주었다. 肉桂를 중용하고, 蔥白을 달인 물로 씻어주어, 다시 陽氣를 通行하게 하니, 氣化가 힘을 얻어, 한 첩으로 통하게 되었다.

(2) 消化系疾病

1. 泄瀉 『名醫類案』卷4: 江應宿이 余氏의 하인을 치료하게 되었는데, 환자의 나이는 17세였다. 5월 초에 환자가 설사를 하고, 6월에 피골이 상접하기에 이르렀으며, 쌀 한 톨도 먹지 못한 것이 5일이 되었고, 죽을 날이 멀지 않았었다. 診脈하니 그 脈이 沉細하고, 濡弱하며 緩하였다. 그 주된 바를 설명하길, 濕이 脾를 상하게 한 병이었다. 五苓散에 蔘과 朮을 各 三錢씩 더하니, 한 첩을 먹기 전에 죽을 먹었고, 3첩을 먹고 나았다.

考察: 濕이 盛하면 설사를 했는데, 五苓散으로 滲濕健脾하여, 濕邪를 물러나게 하고, 脾健運化가 힘을 얻게 되어, 설사가 스스로 그쳤다.

2. 水逆 『名醫類案』卷1: 친구 王曉同이 雲中에 있을 때, 한 하인이 19세였는데, 傷寒發熱을 앓아, 음식을 삼키고 조금 있으면 전부 토했다. 차가운 물 마시기를 좋아했는데, 목구멍으로 들어가면 역시 토하고, 큰 소리를 내고, 脈이 洪大浮活했다. 이것은 水逆證으로,

五苓散을 투여하여 나았다.

考察: 水氣가 胃腑에 정체하여, 中焦의 轉輸의 일상에 영향을 주어, 胃가 和降을 잃고 水逆이 생기게 되었다. 갈증이 나서 물을 마시고 싶지만, 水氣가 不化하고, 津液이 상승하지 않아, 五苓散을 이용해 化氣利水하고, 津液을 輸布하여, 藥을 복용한 후 구토가 곧 그쳤다.

3. 呃逆『續名醫類案』卷14: 늙은 하인 王忠의 부인이 嘔逆厄氣했는데, 편안할 때가 거의 없었다. 脈의 右寸이 獨大하고, 餘脈이 虛微했다. 이것은 中州土敗하고, 水氣가 不行하고, 五陽이 不布하여, 濁陰이 上逆한 것이다. 五苓散 1첩을 주었다. 복용 후 한 시간 정도가 지나자, 吐逆이 그쳤다. 桂理와 함께 中湯하여 연복하니, 다음날 兩脈이 평화롭게 되고, 呃逆 역시 그쳤는데, 약간 권태감이 있었다. 桂理와 함께 中湯하여 4,5첩을 복용하니 편안해졌다.

考察: 脾虛가 不運하여, 水濕이 안에 머물고, 濁陰이 上逆하여, 嘔吐厄氣가 생겼다. 五苓散으로 健脾祛濕하고, 溫陽利水하여, 呃逆이 자연히 그치게 되었다.

4. 二便不通『續名醫類案』卷26: 왕씨가 發熱頭痛의 병이 생겼는데, 腹脹이 심했다. 의사가 그것을 풀어주어, 熱은 내렸지만 통증은 전과 같았고, 또 대소변을 보지 못했다. 다시 大黃으로 그것을 통하게 하여, 대변은 조금 통했지만, 소변이 赤澀했고, 脹痛이 특히 심했다. 여전히 熱이 맺혀 있는 것으로 이해하여, 다시 그것을 내리려고 했다. 橋가 진찰하여 말하기를 병이 세 가지가 있는데, 勞倦으로 인한 內服飮冷이다. 안으로 腎이 손상되었는데, 勞倦食冷으로 즉 脾를 손상하게 되었다. 腎은 대소변을 주관하는데, 腎이 손상되면 즉 轉輸할 수 없어, 濕熱이 만들어지고 腹滿하게 된다. 藉令亟下하면, 즉 亡陰하게 되어, 腹滿이 더해지게 되는 것이 위급함의 도리이다. 王俯가 머리를 조아리며 말하기를, 정말 公의 말과 같습니다, 세 가지가 모두 보이는 것과 같습니다라고 했다. 곧 人蔘五苓散을 투여하여, 한 번 먹고 소변을 보았고, 또 복용하자 대변이 통하고, 통증 역시 감소했다. 병자는 대변을 통하게 하는 것이 급했다. 橋가 말하기를 公은 六脈이 沉微하니, 반드시 이틀 밤을 쉬어야, 脾氣가 회복되기 시작하는데, 脾가 주관하기 시작하면, 濕熱이 스스로 움직이게 되니, 조급해하지 않아도, 내일 대변이 자연히 나올 것입니다라고 했다.

考察: 水濕이 안에 머물러, 膀胱의 氣化가 임무를 잃게 되어 小便不通하게 되었다. 水濕이 정체되어 모여 大腸으로 가지 않으면 대변 역시 불통하게 되었다. 五苓散으로 利水滲濕하고, 溫陽化氣하여, 小便이 通利하게 되었을 뿐만 아니라, 大腸 역시 津液이 濡潤하게 되어 스스로 통하게 되었다.

(3) 기타

1. 頭痛(顱內壓 상승)『故方妙用』: 여성, 33세. "腦囊蟲病"으로 인해 어느 병원에서 치료했는데, 알벤다졸 치료를 한 차례 받았다. 皮下囊蟲 結節이 사라졌지만, 두개골 내압이 상승하여, 쪼개질 것 같은 두통이 나타나고 사물이 흐리게 보였고, 눈에 꽃이 피는 것 같고, 惡心이 있고 토를 하고 싶었으며, 시험삼아 腰穿을 했을 때 압력은 170 mmHg였다. 그래서 "마니톨" 등의 약을 이용하였다. 연속해서 1주일 동안 쓰니 두통의 여러 증상이 완화되었다. 그러나 약을 끊은 후 다시 나타나, 퇴원해서 나를 찾아 진찰했다. 舌淡苔滑하고, 脈이 沉弦하였다. 소변이 적은지 묻고 水逆으로 辨證하였다. 五苓散 처방: 茯苓 30 g, 猪苓 20 g, 澤瀉 20 g, 白朮 10 g, 桂枝 10 g. 연이어 2첩을 복용한 결과 頭痛과 嘔惡 등의 증상이 매우 경감하였고 소변이 증가하였다. 또 연이어 2첩을 복용한 결과 전신이 가벼워지는 것을 느끼고, 걷는 것이 공중에 떠있는 것 같았고, 후에 복용을 1주간 중단하였는데, 상술한 증상이 소실되고 두통 역시 재발하지 않았다. 추적검사에서 현재까지 괜찮다.

考察: 水가 역행하여 두개골강까지 이르러 두통이 발생했는데, 五苓散을 이용해 水를 끌어 下行시키니 두통이 자연히 멈추었다.

2. 水氣上沖『傷寒論方醫案選編』: 남성, 18세. 병이 생겼을 때 한쪽 다리에서 아래에서부터 위로 기가 上衝한 것을 느꼈는데, 心胸으로 도달하여 煩亂하여 견디기 힘들고, 머리에 도달하여 昏厥하고 인사불성이 되고, 잠시 氣가 흐르지 않으면 정신을 회복했다. 소변이 빈번하지만 다만 양이 많지 않고, 脈沉하고 舌淡苔白水滑했다. 辨證: 水가 下焦에 쌓여 소변이 불리하고, 水氣가 上衝하여 陰이 陽을 속박하게 되어, 昏厥 등의 증상이 나타났다. 治法: 利水下氣하고 通陽消陰한다. 처방: 茯苓 30 g, 澤瀉 12 g, 猪苓 9 g, 白朮 9 g, 桂枝 9 g, 肉桂 3 g 위의 처방을 九劑 복용하니 병이 나았다.

考察: 水가 下焦에 쌓이고 거슬러 上衝하여 다리에서 아래부터 위로 올라가 여러 곳에 이르러 모두 정상적이지 않게 되었다. 五苓散을 써 利水滲濕하여 水濕을 아래로 보내 陰을 감소시키고 陽을 통하게 하니 여러 증상이 자연히 나았다.

3. 疝『名醫類案』卷6: 許學四가 歙縣尉 宗荀甫를 치료했는데, 膀胱氣作痛을 참을 수 없었다. 의사가 강한 약을 주었지만, 통증이 심해졌고, 소변이 3일 동안 통하지 않았다. 許가 그 脈을 보고, 熱藥을 너무 과하게 투여했다고 말했다. 五苓散을 셋으로 나누어 먹이면서, 그 이름을 바꾸었고, 연이어 파 한줄기와 茴香과 소금 약간 그리고 물 한잔 반으로, 7분까지 끓여, 그것을 연용했다. 한밤중에 검은 즙과 같은 소변 1,二升을 보고 잠을 잘 잘 수 있었고, 다음날 脈이 이미 평온해졌다. 계속해서 硼砂丸을 수일 사용하니 나았다. 대개 병의 근본은 虛로 인한 것인데, 補藥을 갑작스럽게 복용하는 것은 적당하지 않은데, 邪가 모며, 氣가 반드시 虛하게 된다. 머물러 제거되지 않으면, 그 병은 實해진다. 그러므로 먼저 축적된 邪를 씻어내고, 그 후 補한다.

考察: 水滲下聚하여 疝瘕가 만들어졌다. 五苓散은 利水濕하여, 膀胱의 氣를 化하고, 水濕을 소변을 통해 나가게 하여, 여러 증상이 자연히 나았다.

二. 兒科

1. 多尿(尿崩症)『傷寒解惑論』附篇: 남아, 7세. 환아는 多飮多尿로, 지역 병원에서 일찍이 尿比重 검사를 한 결과 1.007이 나와 尿崩症으로 진단하고 치료했으나 효과가 없어 齊南으로 왔다. 내가 진찰하여 보니, 神色脈象에는 이상이 없고, 오직 舌色이 淡하고, 白滑한 苔가 있었는데, 불규칙하게 풀을 바른 것과 같은 얇은 층으로 되어 있었다. 환자의 이 증세는, 水飮이 안에 맺혀서, 津液의 輸布를 막아, 이로 인해 갈증을 느끼고 물을 마셔도 갈증이 해결되지 않았다. 五苓散方: 白朮 12 g, 茯苓 9 g, 澤瀉 6 g, 桂枝6 g. 물로 달여 복용했다. 위의 처방을 모두 2첩 복용했는데, 家長이 와서 증상이 경감되었다고 말하여, 또 原方 2첩을 주어 나았다.

考察: 소아는 稚陽한 몸으로 陽氣가 아직 차지 않고, 氣化가 無力하여, 津이 상승하지 못하여 多飮이 되었다. 陽이 弱하고 蒸騰하는 힘이 모자라, 多飮으로 多尿에 이르게 되었다. 五苓散으로 溫陽利水하여 陽氣를 蒸騰하고 津液을 상승시켜 갈증을 해소하고, 陽氣通利하여 水津의 운반이 정상을 회복하였다.

2. 遺尿『中醫名方異用指南』: 남아, 11세. 1980년 10월 6일 진료. 환아는 근 2개월간 매일 밤 침대에 오줌을 누고, 갈증을 느껴 물을 먹으려 하며, 정신이 피곤하고 음식을 먹지 못하여 일찍이 縮泉丸·恐堤丸·補中益 氣湯 등의 처방을 加減하여 치료하였으나 효과가 없었다. 진료: 얼굴색에 윤택이 없고, 형체가 마르고 야위었고, 舌質이 淡하고, 苔가 얇고 하얗고 적은 津이 있었으며, 舌邊에 齒痕이 보이고, 脈이 濡緩한 증상이 보였다. 증상은 脾虛濕困, 氣化失司에 해당하였다. 五苓散加味: 白朮 12 g, 白茯苓 12 g, 猪苓 6 g, 澤瀉 6 g,

肉桂 3 g, 益智仁 10 g. 2첩 복용 후 遺尿와 口渴이 소실되었지만 식욕이 아직 회복되지 않았고, 倦怠乏力이 있었다. 뒤이어 五味異功散 5첩으로 조리를 하였다. 2달 후 재검에서, 환아의 피부가 紅潤하고 체력이 넘쳤고, 재발하지 않았다.

考察: 脾虛濕困, 氣化失司는 遺尿를 야기할 수 있는데, 이 症은 小便不利 증상과 반대지만 그 기전은 유사하다. 이 처방을 사용하여 膀胱氣化가 정상이 되니, 遺尿가 곧 나았다.

三. 皮膚科

浸淫瘡(濕疹)『傷寒解惑論』附篇: 남성, 64세, 환자는 양쪽 上肢와 頸部에 濕疹이 생긴 것이 이미 1년 여 되었는데, 양한방약을 매우 많이 복용했지만, 치료 효과가 뚜렷하지 않았고, 병세가 때로는 가볍고 때로는 무거웠다. 이번 발작은 한 달 여 되었는데, 증상으로 양쪽 상지와 頸部에 과립모양으로 퍼진 발진이 있고, 滲水가 매우 많아, 물이 방울방울 떨어졌고 가벼운 가려움이 있었다. 몸에 약간의 惡寒이 있고, 땀이 비교적 많이 나며, 입이 말라 물을 마시고, 대변은 정상이었지만, 소변이 약간 황색이었다. 舌苔는 薄白하고, 脈은 濡緩했다. 증상은 陽이 虛하여 化氣利水할 수 없는 것에 속하여, 濕邪가 肌表를 막아, 津液이 위나 밖으로만 향할 수 있어, 皮毛 밖으로 나와, 水道를 通調하는 기능이 지체되었다. 치료는 마땅히 溫陽化氣利水하고, 처방은 五苓散을 사용했다: 茯苓 15 g, 桂枝 9 g, 澤瀉 9 g, 白朮 9 g, 薏苡仁 24 g을 물로 달여 복용했다. 약을 3첩 복용하고, 환처의 滲水가 명백히 줄어들고, 전신에 흐르던 땀이 멈추고, 오한이 없어지고, 입이 마르는 것이 줄었다. 이것은 陽化水降으로, 원래 처방대로 다시 3첩 복용했다. 1년 후 추적검사에서 재발하지 않았다.

考察: 陽이 虛하여 化氣行水할 수 없어, 水濕이 안에 머무르게 되었다. 濕邪가 피부를 막아, 양쪽 上肢와 頸部에 과립양상의 發疹이 보였고, 滲水가 매우 많고, 물방울이 흘러내렸다. 五苓散을 사용하여 利水滲濕, 溫陽化氣하여, 水濕이 아래로 내려가 소변으로 나와서, 濕疹이 나았다.

【副方】

1. 四苓散(『丹溪心法』卷2): 白朮 茯苓 猪苓 各一兩半(各 45 g) 澤瀉 二兩半(75 g)

- 用法: 四味를 모두 가루로 만들어, 매번 12 g을 물로 달여 복용한다.
- 作用: 健脾利濕.
- 適應症: 脾胃虛弱, 水濕內停證. 小便赤少, 大便溏泄.

脾虛運化가 失常하여, 濕이 안에 생기면, 사람이 溏泄하게 된다. 濕이 방광에 있으면 함께 있으면, 膀胱의 氣化가 失常하여, 小便不利하게 된다. 方劑에서 白朮은 燥濕健脾하고, 茯苓은 淡濕利濕하고, 猪苓은 茯苓의 利水滲濕을 도와 그 힘을 더욱 강하게 하며, 澤瀉는 甘淡滲濕 利水作用이 茯苓과 비슷하다. 方劑에서 茯苓·猪苓·澤瀉 三藥은 모두 利小便의 효능이 있어, 水濕의 邪를 소변으로 배출되게 하니, 바로 張元素가 말한 "治濕不利小便, 非其治也"(『醫學啓源』卷下)와 같다.

2. 茵陳五苓散(『金匱要略』): 茵陳蒿末 十分(4 g) 五苓散 五分(2 g)

- 用法: 二味를 섞어, 先食飮方寸匕(6 g), 하루 세번 복용한다.
- 作用: 利濕退黃.
- 適應症: 濕熱黃疸, 濕多熱少, 小便不利.

本 方劑는 淸熱利濕退黃의 효능이 있어, 濕熱黃疸인데 濕이 熱보다 重한 사람을 치료한다. 증상으로 身目具黃, 小便不利, 頭重身困, 胸脘痞滿, 口淡不渴, 惡油膩, 腹脹便溏, 舌苔黃膩 혹 淡黃, 脈濡微數 혹

濡緩 등이 보인다. 方劑에서 茵陳蒿는 苦寒하고, 肝膽으로 들어가, 淸熱利濕退黃에 좋아서, 黃疸을 위한 必用之品이며, 五苓散은 利水滲濕한다.

3. 胃苓湯(『世醫得效方』卷5): 五苓散과 平胃散(各 3 g)

- 用法: 위의 것을 합하고, 薑·棗를 넣고 달여, 공복에 복용한다.
- 作用: 祛濕和胃, 行氣利水.
- 適應症: 夏秋之間, 脾胃傷冷, 水穀不分, 泄瀉不止.

胃苓湯은 五苓散과 平胃散을 합방한 것으로 五苓散의 利水滲濕과 平胃散의 燥濕運脾, 行氣和胃를 취하여, 함께 祛濕和胃, 行氣利水의 효능을 얻는다.

위의 세 方劑는 모두 五苓散 加減으로 만들었다. 四苓散은 즉 五苓散에서 桂枝를 뺀 것으로, 효능은 健脾利濕을 전담하고, 脾虛濕勝, 泄瀉, 小便不利의 여러 증상을 치료한다. 茵陳五苓散은 五苓散에 2배의 茵陳을 더한 것으로 淸熱利濕退黃作用이 있어, 黃疸病으로 濕이 熱보다 重하고, 小便不利에 활용한다. 胃苓湯은 平胃散과 五苓散을 합방한 것으로 祛濕和胃,

行氣利水작용이 있어, 水濕內盛으로 인한 泄瀉와 浮腫·腹脹·小便不利 등에 활용한다.

【參考文獻】

1) 南京中醫學院傷寒教研組. 傷寒論譯釋. 第2版. 上海: 上海科學技術出版社, 1980:17.
2) 湖北中醫學院. 傷寒論選讀. 上海: 上海科學技術出版社, 1979:29.
3) 劉吉善. 五苓散不主蓄水證. 四川中醫. 1986;(2):6.
4) 葉發正. 五苓散證病機初探. 浙江中醫雜誌. 1983;(4):158.
5) 張正昭. 五苓散證及五苓散作用機制的探討. 中國中西醫結合雜誌. 1983;3(2):121.
6) 伊藤嘉紀. 關於五苓散證的探討. 日本東洋會志. 1978;28(4):22.
7) 趙錫武. 趙錫武醫療經驗. 第1版. 北京:人民衛生出版社, 1980:38.
8) 童增華. 『傷寒論』蓄水部位初探. 四川中醫. 1985;(2):2.
9) 萬小剛. 亦談五苓散證—兼與劉吉善同志商榷. 四川中醫. 1987;(1):20.

猪苓湯

(『傷寒論』)

【異名】 猪苓散(『太平聖惠方』卷16).

【組成】 猪苓 去皮 茯苓 澤瀉 阿膠 滑石 碎 各一兩(9 g)

【用法】 물 4승을 넣고, 四味를 먼저 넣고, 2승을 취하여, 찌꺼기를 제거한 뒤, 阿膠를 넣어 녹인 후, 따뜻하게 하여 七合을 하루 3번 복용한다(현대용법: 원래의 처방을 물에 끓이고, 阿膠를 넣어 녹인 후, 하루 3번 복용한다).

【效能】 利水淸熱養陰.

【主治】 水熱互結證. 小便不利, 發熱口渴欲飮, 心煩하여 잠을 못 이루거나, 咳嗽를 동반하거나, 嘔惡, 不利 등, 舌紅苔白 혹은 微黃하고, 脈이 細數한 사람.

【病機分析】 腎은 水를 주관하며, 膀胱과 表裏를 이룬다. 人體의 水液代射는 주로 腎臟의 氣化 기능에 의존한다. 傷寒의 邪가 인체의 陽明 혹은 少陽으로 들어가면, 물과 서로 속박하게 되어, 곧 水熱이 서로 맺히게 되는데, 邪熱傷飮의 증상이다. 水熱이 서로 속박하여 氣化가 不行하면, 小便不利가 된다. 邪熱이 陰을 상하

게 하고, 또 氣化가 不利하게 되면, 水津이 퍼지지 않아, 口渴欲飮하게 된다. 水氣가 안에 머물러, 퍼지지 못하면, 肺까지 거슬러 올라, 肺氣가 不利하여, 咳逆이 된다. 水濕이 아래로 大腸에 스며들면, 胃腸升降이 轉倒되어 失職하고, 淸濁이 서로 어지럽게 섞여, 下利하게 된다. 水濕이 가운데로 胃를 공격하면, 胃氣가 上逆하여, 嘔逆이 되고, 陰虛邪熱이 위를 어지럽히면, 心神이 不寧하여, 心煩不寐하게 된다.

【配伍分析】 이 方劑의 病證은 水熱互結에 해당하는데, 陰津의 損傷과, 水氣의 不化로 인해 일어나는 것이다. 마땅히 理水淸熱養陰의 방법을 써야 한다. 方劑에서 猪苓을 君藥으로 하는데, 腎과 膀胱으로 들어가 痰濕利水하는 것을 취하는데, 利水作用이 茯苓보다 강하여, 水濕이 정체된 사람은 모두 선택하여 사용할 수 있다. 臣藥이 되는 澤瀉·茯苓은 甘淡하여, 猪苓의 利水三濕의 효능을 돕는데, 그중 澤瀉의 차가운 성질은 泄熱의 쓰임이 있다. 猪苓·茯苓·澤瀉 세 약은 相須爲用하고, 相得益彰하여, 그 효력이 더욱 커지고, 水道를 通利하게 하여, 水濕이 모두 나오는데, 그 熱이 어찌 붙어있겠는가? 『本草思辨錄』卷2에서 말한 "猪苓·茯苓·澤瀉三者, 皆淡滲之物, 其用全在利水. 仲聖五苓散·猪苓湯, 三物竝用而不嫌于復. ……三物利水, 有一氣輸瀉之妙. 水與熱結之證, 如五苓散·猪苓湯, 若非三物幷投, 水未必去, 水不去則熱不除, 熱不除則渴不止, 小便不通, 其能一擧而收全效哉." 滑石은 甘淡寒하고, 膀胱의 熱結을 깨끗하게 하여, 通利水道하여, 위의 세 약의 利水滲濕의 효능을 강화할 수 있고, 또 淸熱의 효능도 강화할 수 있어, 하나의 약으로 두 가지 쓰임이 있고, 물을 물러나게 하고 열을 내려가게 하여, 水熱互結이 당연히 없어지게 된다. 그러나 이상의 여러 약은 祛邪의 효능만 있고, 復陰의 효능이 없고, 또 滲利之品은 그 陰을 더욱 傷하게 하기 때문에, 阿膠의 滋陰潤燥로, 腎의 養陰에 쓸 수 있을 뿐 아니라, 滲利의 藥이 傷陰耗液하는 폐단을 방지할 수 있어, 滑石과 함께 佐藥이 된다. 여러 약을 合用하면, 利水淸熱養陰의 효능을 이룰 수 있다.

本 方劑는 猪苓을 君藥으로 하고, 또한 湯劑라서 猪苓湯이라고 불리게 되었다. 바로 王子接이 『絳雪園古方選註』卷上에서 말한 "五者皆利水藥, 標其性之最利者名之, 故曰猪苓湯."이라고 한 것과 같다. 方中 阿膠를 烊消하는데, 烊消는 즉 烊化로, 미리 사전에 阿膠에 물을 더해 燉烊하고, 찌꺼기를 제거한 藥汁에 다시 더해 넣는다.

본방의 배오 특징은 利水滲濕과 淸熱養陰을 함께 넣어, 利水하지만 傷陰하지 않고, 滋陰하지만 斂邪하지 않고, 水濕을 물러나게 하고, 邪熱을 깨끗이 하고, 陰津을 회복시켜, 여러 증상을 제거하는 것이다.

【類似方比較】

1. 本 方劑와 五苓散은 같은 利水之劑로, 猪苓·茯苓·澤瀉 세 약이 있고, 모두 小便不利·口渴·身熱 등을 치료한다. 그러나 그 증상이 비록 비슷하지만, 病因과 病機 등이 판이하게 다르다. 五苓散證은 表邪가 제거되지 않고, 안으로 太陽의 臟腑에 전해져, 膀胱의 氣化가 不行하게 되기 때문에, 澤瀉·二苓의 利水를 사용하고, 白朮과 배오하여 補氣健脾, 燥濕, 利水한다. 桂枝는 肌表의 邪를 外散시키고, 안으로는 膀胱의 氣化를 도와, 함께 溫陽化氣利水의 劑가 된다. 猪苓湯證은 邪가 이미 안으로 침입하여 熱로 변화한 것으로, 水熱互結하여, 熱이 陰津을 손상시키기 때문에, 澤瀉·二苓의 利水를 사용하여, 滑石의 淸熱, 阿膠의 養陰을 보좌하여, 利水淸熱養陰之劑가 된다.

2. 本 方劑와 五苓散·白虎湯·白虎加人蔘湯은 모두 "渴"을 치료한다. 차이점은 本 方劑의 病證의 渴은 水熱互結에 해당하고, 邪熱이 陰을 손상하여, 小便不利·發熱·口渴欲飮이 보이는데, 五苓散證의 渴은 水濕停蓄에 해당하며, 氣化가 不利하고, 津이 상승하지 못해, 小便不利·頭痛發熱·물이 들어가면 토하게 된다. 白虎湯證의 渴은 陽明熱이 盛하고, 灼傷陰津하여, 大熱·大渴引飮·大汗하고 脈이 洪大하며 有力하고, 白虎加人蔘湯證의 渴은 이미 熱이 盛한데, 또 氣陰이 모두

傷하여, 비록 發熱, 口渴欲飮이 있지만, 땀이 많이 나고, 脈이 洪大無力하다.

【臨床應用】

1. 證治要點: 本 方劑는 利水를 주로 하고, 養陰清熱을 겸한다. 임상에서 사용할 때에는 小便不利·口渴·身熱·舌紅·脈細數이 證治要點이 된다.

2. 加減法: 本 方劑는 熱淋·血淋이 濕重熱輕이면서 陰虛에 해당하는 것에 사용할 수 있다. 만약 熱淋을 치료하려면, 梔子·車前子를 더하여 清熱利水通淋해야 하고, 血淋에는 白茅根·大薊·小薊를 더해 凉血止血해야 한다.

3. 猪苓湯은 다음 한국표준질병사인분류(KCD)에 해당하는 환자가 水熱互結證으로 辨證되는 경우 본 처방의 사용을 고려해볼 수 있다.

처방 목표	한국표준질병사인분류(KCD)
急性腎炎	N00 급성 신염증후군
慢性腎炎	N03 만성 신염증후군
腎結石	N20.0 신장의 결석
腎盂腎炎	N10 급성 세뇨관~간질신장염
	N11 만성 세뇨관~간질신장염
	N12 급성 또는 만성으로 명시되지 않은 세뇨관~간질신장염
膀胱炎	N30 방광염
尿道炎	N34.1 비특이성 요도염
	N34.2 기타 요도염
癃閉	R30.0 배뇨통_융폐
嬰幼兒腹瀉	(질병명 특정곤란)
	A09.9 상세불명 기원의 위장염 및 결장염_신생아의 설사 NOS
子宮出血	N92 과다, 빈발 및 불규칙 월경
	N95.0 폐경후출혈

처방 목표	한국표준질병사인분류(KCD)
腸出血	(질병명 특정곤란)
	K52 기타 비감염성 위장염 및 결장염
	A09 감염성 및 상세불명 기원의 기타 위장염 및 결장염
	K92.1 흑색변
	K92.2 상세불명의 위장출혈
咯血	(질병명 특정곤란)
	R04.2 객혈
血尿	(질병명 특정곤란)
	R31 상세불명의 혈뇨
腸炎	K52 기타 비감염성 위장염 및 결장염
	A09 감염성 및 상세불명 기원의 기타 위장염 및 결장염
直腸潰瘍	K62.6 항문 및 직장의 궤양
	K51.2 궤양성 (만성) 직장염
浮腫	(질병명 특정곤란)
	R60 달리 분류되지 않은 부종
痙攣	(질병명 특정곤란)
	R25.2 경련 및 연축
癲癇	G40 뇌전증
不眠	G47.0 수면 개시 및 유지 장애[불면증]
	F51.0 비기질성 불면증

【注意事項】

內熱이 盛하여 陰津이 크게 어그러진 사람은 사용을 금한다. 『傷寒論』에서 이르기를 "陽明病, 汗出大而渴者, 不可與猪苓湯, 以汗多胃中燥, 猪苓湯復利其小便故也."라고 했다. 水濕이 안에 정체되었는데 陰虛 증상이 없는 사람도 사용을 금하는데, 阿膠가 滋潤하는 것을 방해하여, 濕을 도와 邪를 머무르게 할 수 있기 때문이다.

【變遷史】 猪苓湯은 仲景方으로, 『傷寒論』「辨陽明病脈證幷治」226條, 『傷寒論』「辨少陰病脈證幷治」319條, 『金匱要略』「消渴小便不利淋病脈證幷治第十三」等에 기술되어 있다. 역대 의학자들의 本 方劑에 대한 발

전은 조성방면에 있는데, 『聖濟總錄』卷23에서는 본방에서 阿膠를 빼고, 葛根을 더하여 發汗解表, 淸熱生津하고, 이름을 猪苓湯으로 하여, 傷寒煩渴, 小便不利를 치료했다. 『雲岐子脈訣』은 本 方劑에서 茯苓을 빼고, 역시 이름을 猪苓湯으로 하여, 淋瀝失血, 脈芤를 치료했다. 『奇效良方』卷35는 茯苓을 赤茯苓으로 바꾸고, 역시 이름을 猪苓湯으로 하여, 五淋을 치료했다. 『痘疹全書』卷下에서는 本 方劑에서 阿膠를 빼고, 甘草·黃連을 넣어 淸熱燥濕하고, 升麻로 解毒透疹(赤茯苓으로 茯苓을 대체)시켰으며, 역시 이름은 猪苓湯으로 했고, 疹毒發熱自利한 사람을 치료했다. 『痲科活人全書』卷3에서는 本 方劑에 甘草를 더해 淸熱解毒하고, 약을 조절하고 위를 조화롭게 했는데(赤茯苓으로 茯苓을 대체), 이름을 역시 猪苓湯으로 하고, 痲疹泄瀉를 치료했다. 적응증 方面에서 후대 의학자들은 그 적응증이 水熱互結이고, 邪熱傷陰으로 인한 病機에 근거하여, 그 사용범위를 확장시켰다. 예를 들어 『世醫得效方』卷8에서는 五淋을 치료하는데 本 方劑를 사용하였다. 『醫學入門』卷4에서는 先嘔後渴, 頭痛身痛, 胃燥와 秋疫發黃을 치료하는데 사용했다. 『幼科發揮』卷3에서는 濕熱과, 설사할 때 복통이 있는 것을 치료하는데 사용하고, 통증이 있다가 없다가 하거나, 완전한 곡물이나 소화되지 않은 음식물을 배설하거나, 糟粕으로 된 것이 있는 것; 『萬氏家傳片玉痘疹』卷13에서는 부스럼 초기의 발열과 설사를 치료하는데 사용했다. 『醫方集解』「利濕之劑」에서는 濕熱黃疸, 尿赤에 쓴다고 했다. 『溫疫明辨』卷3에서는 時疫이 처음에 表에서 생길 때, 頭痛發熱, 小便不利를 치료하는데 사용했다. 『奇正方』에서는 子腫을 치료하는데 사용했는데, 임신 7~8개월에 面目이 浮腫하고, 소변이 적게 나오는 데에 사용했다. 『醫學金針』卷5에서는 水停腹脹을 치료하는데 사용했다 등등이 있다. 劑型方面으로는, 原方은 湯劑인데, 『三人極一病證方論』卷12는 煮散劑로 바꾸고, 이름을 猪苓散이라고 했는데, "右爲銼散, 每服四大錢, 水一盞半, 煎七分, 去滓, 不以時"라고 했다. 『實用內科學雜志』에서는 1991년 1월에 本方을 浸膏劑과 顆粒劑로 바꾸어 사용했는데, 本 方劑가 복용하기 편하게 되고, 또 藥材를 절약할 수 있게 되었으며, 저장과 휴대에 편리하게 되었다.

【難題解說】

1. 阿膠의 方劑 중 배오와 작용: 阿膠는 甘平하고 肺·肝·腎經으로 돌아가고, 血肉의 有情之品으로, 補血을 위해 아주 좋은 약이 되어, 血虛萎黃·眩暈·心悸 등에 사용한다. 또한 止血작용이 양호하여, 陰虛와 血虛證을 동반한 出血에 대해 특히 적당하여, 여러 종류의 血證에 사용한다. 또한 滋陰潤燥할 수 있어, 陰虛證과 燥證에 사용한다. 猪苓湯은 傷寒의 邪가 陽明이나 少陰으로 들어가, 열로 변화하여 水熱互結을 이루는, 邪熱傷陰의 증상에 쓰이는데, 阿膠를 배오하여 腎陰의 부족함을 滋潤하게 하고, 虛煩을 해소하고, 또 滲濕의 藥이 傷陰耗液하는 폐단을 막는다. 熟地 등의 養陰之品과 비교하여, 阿膠의 성질이 平하고 不溫하여, 熱을 돕지 않는다. 또 阿膠는 養陰을 제외하고, 止血도 할 수 있어, 血淋에 고려할 수 있는데, 다른 약에는 이런 작용이 없다. 다만 各 의학자마다 이 설명에는 차이가 있는데, 예를 들면 成無己는 "滑利竅, 阿膠·滑石之滑, 以利水道"(『注解傷寒論』卷5)라고 하고, 許宏은 역시 "阿膠·滑石爲使, 鎭下而利水道者也"(『金鏡內台方議』卷8)라고 말했다. 그러나 滑利로만 이 약의 方中 작용을 논한다면 작자의 원 뜻을 잃어버리는 것으로, 임상의 실제와도 부합하지 않는다.

2. 猪苓湯의 금기에 관하여: 『傷寒論』227條에 "陽明病, 汗出多而渴者, 不可與猪苓湯." 成無己는 "汗多爲津液外泄, 胃中乾燥, 故不可與猪苓湯利小便也"(『注解傷寒論』卷5)라고 했다. 喩昌은 "陽明胃經主津液者也, 津液充則不渴, 津液少則渴矣. 故熱邪傳入陽明, 必先耗其津液, 可以汗多而奪之於外, 復利其小便而奪之於下, 則津液有立亡而已, 故視戒也"(『尙論篇』卷2)라고 했다. 또 어떤 사람은 "猪苓湯의 口渴은 비록 陰虛有熱, 水氣不利라고 말하지만, 陰虛가 첫 번째 요인이 아니라, 그 주요 원인은 역시 水氣不化로, 津液이 위로 퍼지지 못하기 때문이다. 만약 口渴이 津

液때문이고, 水氣不化때문이 아니라면, 猪苓湯을 즉 절대 사용해서는 안 된다."(『傷寒論譯釋』下篇)라고 했다. 우리는 喩氏의 말이 비교적 좀 더 적절한 것으로 인식하고 있다. 비록 猪苓湯이 養陰作用이 있지만, 주요 작용은 여전히 利水淸熱에 있다. 만약 陽明病에 땀이 많고 갈증이 난다면, 邪熱이 陽明으로 轉入하여, 津液을 손상시켜 생기는 것으로, 그것에 더해 땀이 많이 나 津液을 밖으로 나가게 하는데, 만약 여기에 또 猪苓湯으로 利小便하여 津液을 아래로 배출한다면 津液을 重傷하게 되어, 猪苓湯 중의 養陰藥으로 彌補할 수 없고, 심지어 亡陰의 變까지 일으킬 수 있기 때문에, 이것을 禁하는 것이다.

3. 本 方劑의 病變部位에 대한 인식: 어떤 사람은 "下焦"를 논하는데, 예를 들어 許宏은 "乃下焦熱也", "乃實熱也"(『金鏡內台方議』卷8)라고 하여, 즉 病變部位가 下焦에 있으며, 實熱에 속한다고 인식했다. 朱揚俊은 "熱盛膀胱"(『傷寒論三注』卷7)이라고 인식했다. 病變이 上焦에 있다고 보는 論者도 있다. 成無己는 "三焦俱帶熱也. 脈浮發熱者, 上焦熱也; 渴欲飮水者, 中焦熱也; 小便不利者, 邪客下焦, 津液不得下通也"(『注解傷寒論』卷5)라고 했다. 病變이 "太陽·陽明"에 있다고 보는 논자도 있다. 예를 들어 張秉成은 "治太陽病里熱不解, 熱傳陽明"(『成方便讀』卷2)라고 하였다. 病變이 "陽明·少陽"으로 논하는 사람도 있다: 예를 들어 王子接은 "猪苓湯治陽明·少陽熱結"(『絳雪園古方選註』卷上)라고 했다. 李飛는 "適用於傷寒之邪, 傳入陽明與少陰, 化而爲熱, 與水相搏"(『中國歷代方論選』)이라고 했다. 우리는 마지막 관점이 비교적 정확하다고 인식하는데, 腎이 水를 주관하고, 膀胱과 서로 表裏에 있어, 인체의 水液代射가 주로 腎의 氣化 공능에 의존하고 있기 때문이다. 陽明氣燥하고, 燥火閉結하면 陰液을 傷하기 쉬운데, 傷寒의 邪가 陽明·少陰으로 들어가, 熱이 되어 물과 相搏하게 되면, 곧 水熱이 서로 결합하여, 邪熱傷陰의 증상이 된다.

4. 本 方劑의 君藥에 관하여: 어떤 사람은 猪苓·茯苓이 君藥이라고 인식한다. 예를 들면 成無己는 "猪苓·茯苓之甘, 利行小便"(『注解傷寒論』卷5)이라고 했고, 柯琴은 "二苓不根不苗, 成於太空元氣, 用於交合心腎, 通虛無氤氳之氣也(이 두 사람은 비록 猪苓·茯苓을 君이라고 확실히 말하지 않았지만, 그것을 首位에 열거했는데, 그 뜻은 말하지 않아도 분명하다). 어떤 사람은 猪苓·阿膠를 君藥이라고 인식하고 있는데, 예를 들어 일본인 矢數道明은 "猪苓·阿膠爲主藥"『臨床應用漢方處方解讀』)이라고 했다. 어떤 사람은 猪苓을 君으로 인식했는데, 예를 들어 許宏은 "故用猪苓爲君"(『金鏡內台方議』卷8)이라고 했다. 于世良은 "方中以猪苓甘淡滲濕, 通利水道, 爲君藥"(『中醫名方精解』)라고 했다. 마지막 관점이 비교적 확실한데, 猪苓은 腎과 膀胱으로 들어가, 滲濕利水하는데 그 利水作用이 茯苓보다 강하여, 水濕熱邪를 소변을 통해 배출하고, 모든 水濕滯留한 사람이 選用할 수 있다.

【醫案】

一. 內科

(一) 泌尿系疾病

1. 淋濁

『類聚方廣義』: 임산부가 7, 8개월 이후에, 음부에 열이 나면서 붓고 아파 일어나지 못하고 소변이 찔끔찔끔 나와, 三棱鈝으로 아픈 곳을 가볍게 자극하여, 瘀水가 나온 후 猪苓湯을 복용했는데, 腫痛이 사라지고, 소변이 빠르게 나오고 편안해졌다.

『古方便覽』: 남자가 血淋을 2~3년 앓았는데, 하루는 二~三升 정도로 대량의 出血이 있었고, 통증을 참을 수 없었다. 출혈 이후 어지러워서 사람을 알아볼 수 없었는데, 猪苓湯을 복용하자 점차 호전되었고, 재발하지 않았다.

考察: 상술한 2개의 案은 小便 淋瀝, 陰戶焮熱腫痛이 있거나, 血淋에 속하여, 통증을 참을 수 없었는데, 모두 濕熱이 下注하여, 陰液을 灼傷(血絡損傷)하여 생긴 것으로, 猪苓湯의 利水淸熱養陰을 이용하여 치료한 것이다.

2. 膏淋(乳糜尿)『古方妙用』: 남아, 7세. 白尿가 나온 지 1년여 정도 되었는데, 매번 소변을 볼 때마다 아팠고, 백색의 끈적끈적한(膏狀) 물질이 있었으며, 그릇에 담으면, 약간의 과립상태의 작은 물질들도 볼 수 있었다. 환아는 몸이 야위고, 얼굴색이 萎黃했다. 집안 사람들이 심하게 걱정했다. 내가 진료를 했는데, 처음에는 萆薢分淸飮을 주어 10여 劑를 복용했으나 효과가 없었다. 그 후 병세를 자세히 물으니, 집안 사람들이 말하기를 환아가 자주 목이 마르고, 또 차가운 음료를 좋아하고, 밤에 항상 땀을 흘린다고 했다. 내가 이것이 陰虛의 증상인데, 반대로 溫利固澀의 方劑를 주어 효과를 보지 못한 것을 갑자기 깨달았다. 증상에 따른 처방: 猪苓 12 g, 茯苓 20 g, 滑石(另包) 18 g, 阿膠(烊化兌服) 10 g, 澤瀉 10 g, 蓮子肉 10 g을 6첩을 복용하고 합해서 10첩을 또 복용한 후 병이 나았다. 지금까지 추적 관찰에서 재발하지 않았다.

3. 小便不禁『經方發揮』: 남성, 45세. 기차 운전사. 여름날 장거리 여행으로 인해 暑熱과 飢渴로 괴로워했는데, 수일 후에 소변이 스스로 통제되지 않아 스스로 흐르고, 요량이 많지 않고, 방울방울 나오게 되었다. 또한 입과 혀가 건조하고, 몸에서는 미열이 나는 등의 증상이 있었다. 이는 여름날에 暑에 傷한 것으로 暑熱의 邪가 膀胱에 머물러, 氣化의 失常을 유발하여, 소변을 제어할 수 없게 되어, 猪苓湯을 주었는데, 5첩으로 나았다.

考察: 案2에서 膏淋(乳糜尿)에 약을 투여했지만 효과가 없던 것은 辨證이 정확하지 않아서인데, 濕熱에 陰虛를 겸했는데, 어떻게 溫利固澀의 方劑를 받을 수 있겠는가? 꼭 淸利養陰을 함께 투여해야 한다. 案3의 小便不禁은 虛가 極에 달해 생긴 것이 아니라, 열름날 暑에 傷하게 되어, 暑熱의 邪가 膀胱에 남아 생긴 것이다. 상술한 두 가지 案의 병기가 서로 같아 하나의 처방을 이용해 치료했다.

4. 血尿(腎結核)『經方發揮』: 남성, 36세. 尿頻·尿急·尿痛·尿中帶血을 앓았는데, 반복적으로 발작한 것이 근 2년이 되었고, 腰痛·口渴能飮·易汗 등의 증상을 수반했다. 내과진단은 右腎結核이었다. 수술치료를 건의했다. 환자는 수술을 거부하고, 中藥을 복용해볼 것을 요구했다. 얼굴색이 창백하고, 兩顴이 홍조를 띠고, 입이 건조하여 마시고 싶지만 많이 마시지 않고, 五心이 潮熱하고, 식욕부진, 心悸易汗하고, 밤낮으로 소변을 40차례 넘게 보고, 尿中帶血이 있고, 수면에도 영향을 미치고, 脈이 數하고 無力하고, 舌紅苔少했다. 猪苓 30 g, 澤瀉 15 g, 茯苓 15 g, 阿膠 15 g, 滑石 12 g, 黃柏 10 g, 知母 10 g. 물로 달여 복용했다. 5첩을 복용한 후, 소변 횟수가 원래의 40여 차례에서 20여 차례로 감소했고, 潮熱易汗 역시 정도로 감소했지만, 尿中帶血은 오히려 전보다 많아졌는데, 前方에 黑梔子 10 g, 當歸 15 g, 丹皮 10 g을 더하여, 계속해서 5첩을 복용한 후, 소변에서 피가 나오지 않았고, 소변 횟수도 10여 차례까지 감소했으며, 다른 증상도 모두 다른 정도로 호전되었다. 이 방을 따라 加減을 달리하여, 모두 50여 첩을 복용하니, 臨床證狀이 기본적으로 치료되었고, 이 처방을 참조하여 丸藥 1첩을 만들어 공고히 하였다.

考察: 이 例는 비록 역시 血淋에 속하지만, 陰虛가 먼저 있기 때문에, 처방에 滋陰淸熱藥인 知母와 黃柏을 더했는데, 병을 앓은 기간이 비교적 길고, 치료과정 역시 길어서, 임상에서는 滋陰補腎藥인 旱蓮草 등을 더했다.

5. 尿痛(慢性腎盂腎炎)『岳美中醫案集』: 여성, 慢性腎盂腎炎에 걸렸는데, 체질이 비교적 약하여, 병에 대항하는 능력이 줄어들고, 장기적이고 반복적으로 발작하여, 오랜 치료에도 낫지 않았다. 발작할 때, 고열, 두통, 요산요통, 식욕부진, 尿意가 급박하고, 배뇨가 적고 시원하지 않고 疼痛感이 있었다. 尿檢査에서는 상피세포

에서 膿이 발견되었고, 적·백혈구 등이 발견되었다. 尿培養에서는 대장균이 검출되었다. 辨證은 濕熱이 下焦에 침입한 것이다. 淋證의 범주에 속한다. 치료는 마땅이 淸利下焦濕熱하는 것으로 猪苓湯을 써야 한다. 猪苓 12 g, 茯苓 12 g, 滑石 12 g, 澤瀉 18 g, 阿膠 9 g(烊化兌服). 六劑를 복용 후, 여러 증상이 없어졌다.

考察: 慢性腎盂腎炎이 오래되어 낫지 않았는데, 체질이 비교적 약하고, 濕熱이 下焦까지 침입하고, 또 체력이 약하고 陰이 어그러져, 養陰淸熱利濕의 方劑를 투여하여 여러 증상이 사라졌다.

6. 慢性腎炎『老中醫經驗選』: 남아, 14세. 스스로 慢性腎炎이 있다고 말했는데, 眼瞼과 얼굴 부분이 약간 부었고, 정강이와 발등이 모두 부어있고, 腰酸體疲하고, 오후에는 양쪽 광대가 홍조를 띄었고, 소변이 短少하고, 舌이 약간 홍색이고, 脈이 細數했다. 尿檢査: 단백질++, 적혈구+, 백혈구+가 나타났다. 처방은 猪苓湯으로 猪苓·茯苓·澤瀉 各 12 g, 滑石 24 g, 阿膠 12 g(烊化兌服). 이 처방을 九劑를 복용한 뒤, 증상이 호전되고, 뇨검사에서 이상이 발견되지 않았다. 약을 중단하고 7일 후에 다시 재발했는데, 뇨단백(+)이었다. 다시 猪苓湯 六劑를 복용하고 완치되었다. 추적 검사 2년 동안, 재발하지 않았다.

考察: 한의학에서는 慢性腎炎의 명칭이 없고, 다수가 浮腫이라는 이름이다. 浮腫은 虛와 實이 있는데, 이것은 實中挾虛로, 즉 濕熱이 안에 머물러 있는 外邪이며, 또 腎陰不足의 正虛이기도 하여, 猪苓湯의 利水淸熱로 邪를 제거하고, 養陰補腎으로 正을 세워 좋은 효과를 거두었다.

7. 遺精『臨證指南醫案』卷3: 어떤 사람이 몽유병이 었는데, 이것은 陰氣走泄로, 濕熱二氣가 虛를 틈타 아래로 함몰하는데, 腰中에서 囊까지 내려가고, 環跳·膝蓋의 여러 곳에서 볼 수 있다. 오랫동안 남아서 八脈이 모두 傷하여 通藥 겸 陰氣를 다스리는 약을 의논했는데, 猪苓湯이었다.

考察: 遺精의 10중 7은 虛한 것인데, 實로 인해 일어날 수도 있다. 이것은 陰氣走泄하여, 濕熱理氣가 虛를 틈타 아래로 함몰하여, 精室을 어지럽혀 생긴 것으로, 猪苓湯의 通利濕熱 겸 陰氣를 다스리는 작용으로, 한 번에 성공하였다.

(二) 消化系疾病

下痢『續名醫類案』卷8: 여성, 35세. 産後 腹瀉를 앓았는데, 虛로 오해하여, 여러 번 溫補한 약을 투여하였는데, 효과가 없었다. 脈은 沉하고 약간 滑하며 혀의 색은 紅絳하며 苔는 薄黃했다. 初診에서는 下利하며 또 口渴하여, 厥陰下利가 생겨 그것을 치료했는데, 白頭翁湯을 투여했지만 효과가 없었다. 하루는 또 진료받으러 왔는데, 스스로 말하기를 수면이 좋지 않고, 咳嗽가 있고 또 下肢浮腫, 小便不利, 대변을 매일 3~4회 보고, 口渴飮水한다고 했다. 듣고 난 후 오랫동안 생각했는데, 猪苓湯證인 것을 문득 깨달았다. 『傷寒論』제319조에서 "少陰病, 下利六七日, 咳而口渴, 心煩不得眠者, 猪苓湯主之"라고 했다. 지금 嘔咳下利의 主證이 이미 보이니, 의심할 여지가 없었다. 증상에 따른 처방: 猪苓 10 g , 茯苓 10 g, 澤瀉 10 g, 滑石 10 g, 阿膠 10 g. 이 처방을 5첩 복용하고 나서 소변보는 것이 편해지고, 설사가 그치고, 여러 증상이 모두 사라졌다.

考察: 産後에는 많이 陰血이 부족한데, 설사는 곧 濕熱作崇이고, 咳嗽·수면이 좋지 않고, 口渴 등의 증상이 이미 보이기 때문에, 猪苓湯의 淸熱利濕養陰을 이용하여 치료했다.

二. 婦科

産後癃閉『湖南省老中醫醫案選』「第一集」「易聘海醫案」: 여성, 23세. 분만하고 오래되지 않아, 소변이 癃閉되고, 小腹이 脹急拘痛하고, 心煩渴飮했는데, 尿閉로 인한 것이므로, 조금 마실 수 없었다. 病이 급하여 진찰을 했는데, 먼저 현대의학의 利尿劑는 뚜렷한 효과가 없었고, 오직 導尿方만 조금 緩解시킬 수 있을 뿐이었다. 3일이 넘어, 導尿로 인해 尿道口가 붓고, 통증을 감당하기 어려워져, 나를 찾아 진료받았다. 그 舌이 紅하고, 苔가 없고, 脈이 洪數無倫한 것이 보였다. 育陰利水法을 사용했는데, 仲景의 猪苓湯의 뜻을 좇아, 烏藥·小茴香을 더해 行氣하고, 陰陽互根하게 하니, 소변이 자연스럽게 通利되고 막히지 않았다. 한 劑를 사용하니 소변이 잘 나오고, 다시 한 첩을 복용하니 소변이 쏟아지듯 나왔고, 脹痛도 없어졌다. 3첩으로 병이 나았다.

考察: 産後에 陰血이 손상되어, 膀胱의 氣化가 불리하게 되고, 水熱互結로 癃閉가 생겼다. 猪苓湯의 育陰利水와 또 烏藥·小茴香의 溫通化氣를 더하여 주니, 氣化하여, 水濕이 풀어지게 되었다.

防己黃芪湯

(『金匱要略』)

【異名】 防己湯(『脈經』卷8)·木防己湯(『深師方』, 錄自『外臺秘要』卷20)·漢防己湯(『傷寒類證活人書』卷17)·逐濕湯(『風科集驗方』, 錄自『永樂大典』卷13879)·白朮煎(『仙拈集』卷I)·黃芪防己湯(『雜病源流犀燭』卷5).

【組成】 防己 一兩(12 g) 黃芪 去蘆 一兩一分(5 g) 甘草 炒 半兩(6 g) 白朮 七錢半(9 g)

【用法】 위의 재료를 麻豆 크기로 썰고, 각각 五錢匕(15 g)씩, 生薑 4편, 大棗 1매를 더하고, 물 1잔 반으로 八分까지 달여, 찌꺼기를 빼서 따뜻하게 복용하는데, 아주 오랜 시간 再服한다. 복용 후 피부에 벌레가 기어가는 것 같고, 허리 아래가 얼음처럼 차가우면, 이불 위에 앉아서, 허리 아래를 감싸고, 땀을 조금 내도록 하면 낫는다(현대용법은 湯劑로 만드는데, 물로 달여 하루에 3회로 나누어 복용하고, 原方의 비례대로 증상을 참작하여 줄인다).

【效能】 益氣祛風, 健脾利水.

【主治】 風濕或風水. 汗出惡風, 身重, 小便不利, 舌淡苔白, 脈浮.

【病機分析】 張仲景은 本 處方이 한편으로 “風濕”을 치료하며, 또 한편으로 “風水”를 치료한다고 하였다. 水와 濕은 다른 이름이지만 같은 종류인데, 濕은 水이 스며드는 것이고, 水는 濕이 쌓인 것이다. 그러므로, 양자는 정도의 차이만 있을 뿐, 실제로 다를 바가 없어, 함께 치료할 수 있다. 風濕과 風水는 表虛와 表實의 다른 점이 있는데, 본 처방이 치료하는 바는 表虛不固하여, 밖으로 風邪를 받아, 水濕이 모두 肌表와 經絡 사이를 막아 생기는 것이다. 肺는 氣를 주관하는데, 밖으로 皮毛와 합해지면 또한 表를 주관한다. 脾는 運化水濕을 주관하고, 역시 肌肉도 주관한다. 이 병은 대개 평소 脾肺가 不足하여, 脾虛로 失運하고 水濕이 不行하여 안에 쌓여 생기게 된다. 肺虛하면 表가 不固하여 腠理가 疏松하게 된다. 일단 風邪에 感受되면 水濕이 肌表에서 서로 속박하게 된다. 脈浮는 風을 주관하고 表를 주관하는데, 風이 皮毛에 가면 이것으로 脈浮하게 된다. 水濕이 肌腠에 뭉치면 經絡이 不和하는데, 이것으로 몸이 무겁게 되고, 肺虛하면 즉 表가 弱해져, 衛陽이 不固해지고, 肌腠이 空疏하게 되니, 이것으로 汗出惡風하게 된다. 小便不利로 水濕이 안에 머무는 것은 脾虛가 不運하여 생기는 것이고, 舌淡苔白한 것은 脾肺不足의 명백한 증상이다.

【配伍分析】 본 처방은 表가 虛하여 不固하고, 바깥에서 風邪를 받고, 水濕이 肌表經絡에 막혀있는 것을 위해 만들어졌다. 밖에서 風邪를 받고, 水濕이 表에 있으면 마땅히 汗解시켜야하는데 그 사람이 表虛하여 陽이 不固하고, 腠理가 疏松하여 그 汗을 감당하지 못하는데, 만약 강한 汗法을 이용하는 약을 쓰면 반드

시 그 表를 크게 상하게 된다. 表가 虛하면 마땅히 견고하게 하여야 하는데, 그 사람이 水濕이 안에 머무르고 邪가 肌表를 막으면 表를 견고하게 되어 風邪가 제거되지 않고, 水濕이 물러나지 않는, 반대로 문이 닫히는 폐단이 일어나게 된다. 益氣固表하면서 祛風行水除濕을 같이 해야 처방이 합당하게 된다. 처방은 黃芪를 중용하여 益氣固表하여 扶正하게 하고, 또한 利水消腫하여 邪를 없앨 수 있다. 『本草求真』卷5에서 말하길 "人肺補氣, 人表實衛, 爲補氣諸藥之最."라고 했으며 『本草思辨錄』卷1에서 역시 말하길 "黃芪從三焦直升至肺, 鼓其陽氣, 疏其壅滯, 肺得以通調水道, 陰氣大利, 此實黃芪之長技."라고 하였다. 防己는 大辛苦寒하여 十二經을 통하게 하고 祛風利水, 除濕止痛한다. 『本草求真』卷4에서 말하길 "防己辛苦大寒, 性險而健, 善走下行, 長於除濕·通竅·利道, 能瀉下焦血分濕熱及療風水要藥."이라고 하였다. 防己와 黃芪를 배오하면, 補氣, 利水, 扶正, 祛邪하여 邪正을 모두 고려하고 利水하면서 正을 상하게 하지 않고, 扶正하면서도 邪를 남겨놓지 않으니 함께 君藥이 된다. 白朮은 健脾祛濕하여 防己를 도와 水濕을 제거하고, 또한 黃芪의 益氣固表를 도우니 臣藥이 된다. 芪·朮은 서로 배오하면, 健脾氣, 補肺氣하니 서로 뚜렷한 이득을 얻는다. 甘草는 益氣健脾, 培土制水하여 脾氣를 健運하게 하여, 水濕이 머무르지 못하게 하고, 여러 약을 조화롭게 할 수 있고, 薑·棗는 和脾胃, 調營衛하여 같이 佐·使가 된다. 모든 약이 합쳐져서 邪正을 같이 돌보고, 益氣祛風, 健脾利水의 효능을 이룬다. 복용 후 앉아서 허리에 이불을 덮고 약간 땀을 내게 하면 風邪가 사라지고, 衛陽이 固하게 되고, 脾氣健運, 水濕通利되어 風濕·風水의 表虛證이 낫게 된다. "服後如蟲行皮中"은 바로 衛陽振奮, 風濕欲解의 좋은 징조이다.

본 처방은 防己의 祛風除濕, 黃芪의 益氣固表가 같이 君藥이 되고, 湯劑로 만들어 이름을 "防己黃芪湯"이라고 하였다.

본 처방 配伍의 특징은 補氣와 利濕을 함께 베풀고, 脾肺를 모두 補하여, 利水하지만 正을 상하게 하지 않고, 扶正하면서 邪를 남기지 않는다는 것이다.

【類似方比較】 防己黃芪湯과 五苓散·猪苓湯 세 처방의 효능과 적응증이 공통점과 차이점이 있다. 세 약 모두 利水消腫의 작용이 있으며, 모두 水濕內停의 水腫證을 치료할 수 있다. 다만, 防己黃芪湯은 益氣利水에 편중되어서 氣虛而濕하여 風水證이 된 것을 치료하며, 五苓散은 化氣利水에 치중하여 水濕內停으로 氣化不行하여 蓄水證이 된 것을 치료하고, 猪苓湯은 滋陰清熱利水에 치중하여 陰虛와 水熱互結證을 치료한다.

【臨床應用】

1. 證治要點: 본 처방은 表虛證에 속하는 風濕·風水은 치료하기 위해 일반적으로 사용하는 方劑이다. 標本을 모두 돌보는 方劑이다. 본 처방을 사용할 때 汗出惡風, 小便不利, 苔白脈浮를 證治要點으로 한다.

2. 加減法: 腹痛을 겸한 사람은 肝脾가 不和한 것이므로, 마땅히 白芍藥을 더하여 柔肝理脾, 緩急止痛하고, 喘이 있는 사람은 肺氣不宣한 것이므로, 마땅히 麻黃을 약간 더하여 하여 宣肺平喘하고, 氣가 上衝하는 사람은, 마땅히 桂枝를 더하여 平衡降逆하고, 水濕이 성한편이고, 腰膝이 부은 사람은 마땅히 茯苓·澤瀉를 더하여 利水退腫한다.

3. 防己黃芪湯은 다음 한국표준질병사인분류(KCD)에 해당하는 환자가 表虛에 속하는 風濕·風水證으로 辨證되는 경우 본 처방의 사용을 고려해볼 수 있다.

처방 목표	한국표준질병사인분류(KCD)
急慢性腎小球腎炎	N00 급성 신염증후군
心臟性浮腫	I50 심부전
류마티스性 關節炎	M15 다발관절증
	M13.0 상세불명의 다발관절염

【注意事項】水腫實證에 惡心·腹脹·便溏 등의 腸胃症狀이 겸한 사람은 본 처방을 사용해서는 안되며; 水濕壅盛에 땀이 나오지 않는 사람은 비록 脈浮惡風이 있어도 이 처방이 적절하지 않다. 이 처방을 사용할 때는 반드시 완급과 허실을 따져, 합당하게 배오하여, 表가 견고해져 邪가 남지 않게 하며, 祛邪하되 正을 상하지 않게 해야 하는데, 輔로 인해 邪氣가 반대로 實해지기 때문에, 그것을 너무 과도하게 흩어지게 하면, 表氣가 더욱 虛해진다. 이 처방을 사용할 때는 미미하게 땀이 나야 적당하고, 크게 땀이 나서는 안 되는데, 濕이 陰邪이고, 그 성질이 重濁粘滯하며, 특히 이것이 表虛證이어서, 더 신중해야 한다. 복약법과 복약 후의 조리와 간호에 주의해야 한다. 원서에 있는 "良久再服", "坐被上, 又以一被繞腰以下, 溫令微汗"를 본보기로 삼을만하다.

【變遷史】防己黃芪湯은 醫聖인 張仲景의 처방이며, 『金匱要略』「痙濕暍病脈證治第二」에 나와 있다. 역대 의학자들이 모두 이 처방을 사용했고, 또 많은 발전이 있었다. 조성의 측면에서 보면, 原方은 益氣健脾와 祛風利水에 초점을 맞춰 邪正을 모두 고려하는 것을 배오의 큰 법으로 하고, 祛邪藥을 증감하거나, 혹 扶正藥에 변화를 주어 치료범위를 확대하고, 병세의 필요에 따라 적용했다. 예를 들어 『聖濟總錄』卷20에서 본 처방에 發散風邪, 利水消腫하는 麻黃을 더하여 祛邪의 효능을 강화하고, 防己湯이라고 이름했으며, "風濕痹, 脈浮身重, 汗出惡風"으로 外邪가 비교적 중한 사람을 치료했다. 『普濟方』卷193에서 인용한 『鮑氏肘後方』은 본 처방에서 益氣固表하는 黃芪를 빼고 또한 防己湯이라고 하여, "濕氣浮腫"인데 表虛汗出이 심하지 않은 사람을 치료했다. 『醫學綱目』卷32는 본 처방에 補脾益肺, 斂汗止汗하는 人蔘을 더해, 防己湯이라 하여, 風濕脈浮, 身重, 表虛汗出이 비교적 심한 사람을 치료했다. 『傷寒全生集』卷4에서는 본 처방에 淸熱解毒하는 大靑을 더하고 防己湯이라고 하며, 風濕·身重·汗出에 열을 겸한 사람을 치료했다. 『觀聚方要補』卷1에선 본 처방에 木瓜·蒼朮·薏苡仁·獨活을 더하여 祛風除濕, 通痹止痛하고 加味防己黃芪湯이라고 불렀으며, "風濕相搏, 客於皮膚, 四肢乏力, 關節煩痛" 등 濕氣가 비교적 중한 것에 속하는 사람을 치료했다. 적응증 방면으로, 후대 의학자들은 原方의 적응증이 表虛不固, 外受風邪, 水濕이 肌表經絡의 사이에 얽혀있어 생겨난다는 원 뜻을 존중하며, 적용범위를 확대했다. 예를 들어 『脈經』卷8에는 원래 처방의 적응증 증상에 대해 분석과 보충을 진행했을 뿐 아니라, 그것을 이용해 水濕이 半身 이하에 편중된 "病者但言下重, 故從腰以上和, 腰以下當腫及陰, 難以屈伸"을 치료했다. 어떤 사람은 원래 처방에서 黃芪·白朮 등의 약들이 益氣健脾·托毒排膿·鼓邪外出의 효능이 있는 것을 근거로, 이 처방을 이용하여 陰證瘡瘍이나 脾肺氣虛, 正不勝邪, 無力托毒排膿의 膿成難潰, 已潰難斂, 膿稀不止 등의 증상을 치료했다. 예를 들어 『類聚方廣義』에서는 이 처방을 이용하여 "風毒腫毒, 附骨疽, 穿踝疽, 稠膿已歇, 稀膿不止, 或痛或不痛, 身體瘦削, 或見浮腫者, 若惡寒或下利者, 更加附子爲佳."를 치료했다. 그 외 『醫方集解』「利濕之劑」에서는 그것으로 諸風諸濕과 麻木身痛을 치료했다. 『治疫全書』에선 本方으로 "風濕誤汗, 恐致亡陽"를 치료했다. 이것은 본 처방의 적응증 방면을 잘 발휘한 것이다. 劑型 방면으로, 옛 사람들은 湯劑, 煮散劑로 많이 만들어 사용했다. 當代에는 일본인 田中政彦 등이 이 처방을 추출제로 하여 류마티스성관절염을 치료했고(國外醫學; 中醫中藥分冊, 1990, 4:21); 野口蒸治 등은 본 처방을 顆粒劑로 만들어 變形性膝關節病(國外醫學; 中醫中藥分冊, 1997, 5:40)을 치료하였다.

【難題解說】

1. 본 처방의 計量單位에 관하여: 본 처방의 계량단위는 모든 『傷寒論』처방과 다르며, 또 『金匱要略』의 다른 처방과도 다르다. 『傷寒論』의 여러 처방은 모두 銖·兩·后로 나누어 계량했는데, 金匱要略』에 기록된 다른 처방은 "分"의 계량단위를 사용했고, 주로 丸·散方이었으며, "錢"이라는 계량단위는 『古今錄驗』續命湯에만 있었다. 防己黃芪湯 중 黃芪가 1량 一分이고 白朮이 七

錢 반이다. 이 처방은 "分"과 "錢"이라는 단위가 같이 쓰였는데, 이것은 『傷寒論』여러 처방과 『金匱要略』다른 처방과 확연히 다른 것이다. 일본인 丹波元簡은 본 처방의 용량과 煎法을 후대 사람이 개정한 것이라고 이해했다. 『備急千金要方』에 실린 것이 원방인데, 이 책에 "防己四兩, 甘草一兩, 白朮三兩, 黃芪五兩, 生薑三兩, 大棗十二枚."이라고 하여, 이 설이 일정한 일리가 있다.

2. 본 처방이 風水를 치료하는 것에 관하여: 日人 丹波元簡은 "按此條(風水, 脈浮身重, 汗出惡風者, 防己黃芪湯主之, 腹痛者, 加芍藥)校之於『痙濕暍篇』, 唯濕作水爲異耳, 蓋此後人誤入者."라고 했는데 이 말은 차이가 있어 동의하기 어렵다. 모두 알다시피 水는 濕으로, 이름만 다를 뿐 같은 종류이고, 정도의 차이만 있을 뿐 본질의 차이가 없다. 濕은 水가 스며드는 것이고, 水는 濕이 쌓인 것이다. 이 처방이 風濕을 치료할 수 있는데, 어찌 風水를 치료할 수 없겠는가?

3. 본 처방에 風藥이 없는 것에 관하여: 趙以德이 『金匱玉函經二注』卷2에서 말하길 "然則風濕二邪, 獨無散風之藥何耶?蓋汗多, 知其風已不留, 以表虛, 而風出入乎其間, 因之惡風爾.惟實其衛, 正氣壯, 則風自退, 此不治而治者也."라고 하였다. 처방 중의 防己가 解表之藥에 속하지는 않지만 辛이 宣散할 수 있고, 苦가 降泄할 수 있어, 風濕을 제거하고, 利水消腫할 수 있다. 단 趙氏의 이론에서 영감을 얻은 것은, 이때 疏風之藥이 과다하면 안 되는데, 表虛有汗하고, 毛竅疏松하면, 한편으로 風邪가 스스로 땀을 통해 나오고, 다른 한편으로 汗은 津液이 化한 것이므로, 汗이 재발하면 더욱 津液을 상할까 걱정된다. 당연히 利水濕을 주로 하며, 거기에 益氣固表藥을 더하여, 衛表를 固密해지게 하여 風邪가 다시 안으로 들어오지 못하게 하여, 津液을 상하지 않도록 해야 한다.

4. 본 처방의 君藥에 관하여: 대다수의 의학자들은 防己가 처방 중 君藥이라고 알고 있는데, 예를 들어 程林은 "防己療風腫水腫, 故以爲君"(『金匱要略直解』卷1)이라고 이해하고, 汪昂은 "防己大辛苦寒, 通行十二經, 開竅瀉濕, 爲治風腫·水腫之主藥"(『醫方集解』「利濕之劑」)라고 이해했다. 어떤 사람은 白朮·甘草가 君이 된다고 했는데, 예를 들어 徐彬은 "以朮·甘健脾强胃爲主"(『金匱要略論注』卷14)라고 했다. 어떤 사람은 防己·黃芪가 君藥이 된다고 했는데, 예를 들어 일본인 矢數道明은 "正如方名之防己·黃芪爲主藥" (『臨床應用漢方處方解說』라고 하였다. 湖北中醫學院에선 "防己與黃芪配伍, 能祛風化濕, 益氣固表, 扶正祛邪之功俱備, 用於本證, 頗能切中病機, 故同爲本方之主藥"(『古今名方發微』)이라고 하였다. 위에 서술한 의학자들 외에, 또 黃芪가 君藥이라는 사람들이 있는데, 高等中醫藥院校教學參考叢書『方劑學』에서는"是以方中用生黃芪爲君藥."이라고 하였다. 필자는 본 처방의 組成藥物의 효능과 적응증을 분석해봤을 때, 防己·黃芪가 같이 君藥이 되는 것이, 임상의 실제와 중경의 원 뜻에도 비교적 부합한다고 생각한다.

【醫案】

一. 內科

1. 風濕病『古方妙用』: 남성, 40세. 寒濕痹證에 걸린 지 2년이 되었고, 四肢의 關節이 酸痛하고 비가 오거나 흐리면 더 심해진다. 최근 1주 전부터 感冒로 發熱이 있어 解表藥으로 熱을 내린 후에, 關節痛이 더 심해지고, 自汗·惡風·短氣·脈浮澀·苔白膩의 증상도 동반되었다. 寒濕痹阻에 衛氣가 이미 虛한 것으로 진단하고, 防己黃芪湯으로 益氣固衛行濕하였다. 복약 후 땀이 나고 통증이 감소되었다. 生黃芪 30 g, 白朮 15 g, 防己 12 g, 桂枝 10 g, 甘草 7 g, 生薑 二片, 大棗 4 枚를 사용했다.

考察: 寒濕痹證에 걸린 지 오래되어, 衛表가 이미 많이 상했는데, 거기에 解表藥을 더하여 衛氣를 더 상하게 했기 때문에, 關節痛이 더 심해진 것이다. 이 때 行濕祛邪와 益氣固衛를 같이 사용하여, 복약 후 땀이 나며 통증이 감소했다.

2. 痙攣『古方新用』: 남성, 42세. 患者는 10일 전, 갑자기 우측 上下肢가 抽搐되었는데, 원인을 찾아내지 못했다. 風藥을 여러 첩 투여했지만 효과가 없었다. 腦電圖 등의 검사가 抽搐의 원인을 알아내지 못했다. 병세가 날이 갈수록 심해졌고, 抽搐으로 인한 호흡 정지가 3분 정도 있었다. 환자는 抽搐외에, 自汗·惡風을 수반했는데, 발병 전 강물에서 모래를 3일 씻었으며, 舌淡紅, 苔白膩하고 脈浮中帶滯하여 風濕으로 辨證하였다. 防己 15 g, 黃芪 15 g, 白朮 12 g, 生薑 6 g, 大棗 二枚를 물로 달여 2회로 나누어 복용했다. 3첩 복용 후에, 환자는 抽搐이 다시 나타나지 않았고, 스스로 느끼기에 땀이 줄었고, 惡風도 경감하고, 그 脈도 전보다 더 좋아졌다. 3첩을 더 복용한 후에 스스로 땀이 완전히 그친 것을 느끼고, 惡風하지도 않았으며, 苔膩도 이미 없어지고, 脈이 流利하게 되었다. 총 9첩을 복용하고 여러 증상이 사라졌다.

考察: 환자의 우측 上下肢가 抽搐했는데, 水에서 작업한 경력이 있고, 自汗惡風, 苔白膩, 脈浮中帶滯 등이 보이니 風濕으로 인한 질환으로 진단한 것이 매우 적합했다. 濕은 성질이 粘膩하고 經脈을 막아 津液이 퍼지지 못하여 肢體에 抽搐이 나타나게 된 것으로 防己黃芪湯을 투여하여 나았다.

3. 慢性腎炎『嶽美中醫案選集』: 남성, 40세, 1973년 6월 25일 진료. 下肢沉重을 주로 호소했는데, 脛部浮腫, 피로하면 즉 後跟痛이 있었고, 汗出惡風, 脈浮虛而數, 舌質이 淡白하고 단백뇨(++++), 적혈구(+), 慢性腎炎으로 진단하였다. 防己黃芪湯으로 그것을 주관했다. 漢防己 18 g, 生黃芪 24 g, 白朮 9 g, 炙甘草 9 g, 生薑 9 g, 大棗 四枚를 사용했다. 10개월을 복용한 후에, 단백뇨(+)가 되었고, 2개월을 더 복용한 후엔 단백뇨가 사라지고 일체의 증상이 소실되었다.

考察: 慢性腎炎은 한의학의 風水에 해당하는데, 오래되어도 낫지 않아, 岳氏가 防己黃芪湯을 투여하여, 1년을 복약하고 나았다. 만성병 치료는 처방을 지키며 바꾸지 않는 것을 도리로 해야 하며, 절대 급하게 효과를 구하여 가볍게 方劑를 바꾸어서는 안 된다.

『老中醫醫案醫話選』: 여성, 42세. 慢性腎炎에 걸린 지 5년 되었고, 腎盂腎炎도 10개월 되었는데 지금까지 낫지 않았다. 현재 全身浮腫, 頭暈失眠, 腰酸, 口乾이 나타나고, 상반신엔 열감이, 하반신에 냉감이 느껴지고, 양쪽 눈에 눈물이 나고, 땀이 그치지 않고, 舌苔가 거칠고 더러우며, 舌質이 暗紅하고, 脈이 遲했다. 頭部皮下에서 足趾에 이르기까지 전신에 함몰성 부종이 있었다. 『金匱』의 防己黃芪湯을 주었다: 漢防己 12 g, 黃芪皮 30 g, 生白朮 12 g, 炙甘草 9 g, 生薑 12 g, 大棗 四枚. 복약 1주 후에 口乾失眠·上身發熱 등의 증상이 소실되었고, 水腫은 사라지고, 舌苔가 白膩한 것이 紅하게 되고, 脈遲하여, 전의 처방에 炮附子 6 g, 茯苓 9 g을 더하여 사용했다. 1주일 복용 하고 尿量이 증가하고 횟수는 감소했다. 전신부종이 기본적으로 소실되었다. 精神이 좋아져, 다른 약으로 바꾸어 調理했다.

考察: 慢性腎炎은 水濕停留로 생긴 것인데, 거기에 오랜 병은 반드시 허하게 되므로, 益氣固表, 祛濕蠲痹하는 防己黃芪湯으로 여러 증상이 나았다.

防己茯苓湯

(『金匱要略』)

【異名】 木防己湯(『外臺秘要』卷20에서 인용한 『深師方』)·防己湯(『聖濟叢錄』卷32)·茯苓湯(『鷄峰普濟方』卷19)·防己加茯苓湯(『赤水玄珠全集』卷5)

【組成】 防己 三兩(9 g) 黃芪 二兩(6 g) 桂枝 三兩(9 g) 茯苓 六兩(18 g) 甘草 二兩(6 g)

【用法】 위 다섯 가지를 물 六升으로 삶아서 二升을 취하고, 나누어서 따뜻하게 3번 복용한다.

【效能】 益氣通陽, 利水消腫.

【主治】 皮水. 四肢腫, 肢體沈重疼痛, 四肢聶聶動者.

【病機分析】 본 처방의 적응증은 皮水證이다. 皮水란 병은 대게 水腫 實證이 길어져, 치료를 놓쳐 일어나는데, 손상이 오래되어 脾陽까지 미치거나 혹은 勞倦傷脾로 인해 脾虛運化가 힘을 잃고, 陽虛로 水를 제어할 수 없어, 水濕이 멈추어 모여 이루어진 것이다. 脾는 四肢·肌肉을 주관하는데, 水氣가 밖으로 흘러넘쳐 四肢의 皮中에 머물러 있으면, 四肢浮腫이 나타나고, 肢體가 沈重하고 疼痛이 생긴다. 四肢聶聶動은, 四肢肌肉이 부은 곳이 바람에 나뭇잎이 가볍게 날려 움직이는 것처럼 瞤動하는 것을 형용하는 것이다. 옛 사람들은 그 증상의 형태를 근거로 "脈亦浮, 外證胕腫, 按之沒指, 不惡風, 其腹如鼓不渴"등의 증상이 있을 것으로 추측했다.

【配伍分析】 본 처방은 脾虛失運으로, 水濕이 四肢 피부 중에 豬留하여 皮水에 이르는 것을 치료한다. 치료는 마땅히 益氣通陽하고 利水消腫해야 한다. 처방에서 茯苓은 滲濕利水하여 消腫하고, 健脾扶正하여 濕이 생기는 원천을 막아, 한 가지 약에 두 가지 용도가 있고, 標本을 함께 고려한다. 防己는 表로 가서 腠理를 통하게 하고, 水濕을 제거하여, "利大小便, 主水腫, 通行十二經"(『本草綱目』卷3)하고, 茯苓의 利水消腫을 도와 함께 君藥이 된다. 桂枝는 通陽化氣行水하여, 水濕의 邪를 소변을 따라 내보내 臣藥이 된다. 黃芪는 益氣健脾하고 또 補衛實表하여 佐藥이 된다. 甘草는 여러 약을 조화롭게 하여 使藥이 된다. 그중 茯苓과 桂枝의 배오는 一溫一利하여 通陽化氣行水를 더욱 강화하는데, 桂枝와 黃芪의 배오는 通陽行痹하고, 衛陽을 떨쳐, 肌의 表皮 중의 水濕을 쉽게 흩어지게 한다. 黃芪·甘草·茯苓 세 가지 약을 서로 배오하면 健脾益氣로 脾의 運化를 더욱 힘 있게 하여, 水濕이 다시 멈추어 머무르지 않도록 하는 것이 治病求本의 뜻이 된다. 여러 약을 合用하면, 脾氣가 강건해져, 水濕이 흩어지고, 함께 益氣通陽 利水消腫하는 효능을 이룬다.

처방은 防己·茯苓을 君藥으로 하며, 湯劑로 만들어졌기 때문에, 防己茯苓湯이라고 이름했다.

본 처방의 배오 특징은 補中有利하고, 扶正祛邪하여, 양쪽을 함께 고려하는 것이다.

【類似方比較】 防己茯苓湯은 防己黃芪湯에서 白朮·生薑·大棗를 빼고, 桂枝·茯苓을 더하여 이루어진 것이다. 두 처방이 모두 防己·黃芪·甘草로 益氣利水하는데, 水氣가 表에 있어서 水腫에 이르는 것을 치료하데 사용하는 일반적인 처방이다. 다른 점은 防己黃芪湯은 防己·黃芪를 君으로 하고, 白朮을 臣으로 하는데, 처방 중 補益藥이 많은 편이기 때문에, 風水表虛證에 적용하며, 증상으로 脈浮身重, 汗出惡風이 보인다. 防己茯苓湯은 防己·茯苓을 君으로 하고, 桂枝를 臣으로 하여, 全方이 通陽利水에 중점을 두어, 皮水이면서 氣虛한 증상에 적용하며, 증상으로 四肢와 피부에 浮腫이 盛하고, 누르면 陷沒되고, 不惡風, 몸이 붓고 차가우며, 四肢聶聶動한 것이 보인다.

【臨床應用】

1. 證治要點: 본 처방은 皮水證을 치료한다. 임상응용 시에 四肢浮腫, 聶聶動한 것을 證治要點으로 한다.

2. 加減法: 脾虛가 重하면,黨參을 더하여 益氣健脾하고, 腎陽이 虛하면 附子·仙靈脾 등을 더하여 溫壯腎陽하고. 水濕이 비교적 重하면, 澤瀉·豬苓을 더하여 利水滲濕의 효능을 강화한다.

3. 防己茯苓湯은 다음 한국표준질병사인분류(KCD)에 해당하는 환자가 皮水證으로 辨證되는 경우 본 처

방의 사용을 고려해볼 수 있다.

처방 목표	한국표준질병사인분류(KCD)
腎小球腎炎	N00 급성 신염증후군
	N03 만성 신염증후군
腎病綜合症	N04 신증후군
妊娠子癎	O15.0 임신중 자간
關節炎	M15~M19 관절증
營養不良性浮腫	E43 상세불명의 중증 단백질~에너지영양 실조
	E44 중등도 및 경도의 단백질~에너지영양 실조
	E46 상세불명의 단백질~에너지영양실조
心性浮腫	(질병명 특정곤란)
	I50 심부전

【注意事項】 만약 皮水 환자가 안으로 鬱熱이 있다면, 본 처방을 사용할 수 없다. 裏水證으로 몸 전체와 얼굴과 눈에 황색으로 부어있으면서, 脈이 沉한 사람은 본방을 사용해서는 안 된다.

【變遷史】 防己茯苓湯은 『金匱要略』「水氣病脈證幷治第十四」에서 나왔다. 후대 의학자들이 이 처방을 발전시켰는데, 조성 방면으로 『備急千金要方』卷8에서는 그것에서 黃芪를 빼고, 白朮·生薑·烏頭·人蔘 등의 風寒의 邪를 발산하는 약을 더하고, 人蔘·白朮·茯苓·甘草의 益氣健脾로 血氣虛弱한데, 風寒이 侵襲하여, 血氣가 凝澁하게 되어, 關節을 流通하지 못하는 "歷節風, 四肢疼痛如錘鍛, 不可忍者"를 치료했다. 『聖濟總錄』卷20에서는 本方에서 桂枝·茯苓을 빼고 麻黃·茯苓을 더하여 發汗散寒, 益氣健脾, 燥濕固衛하여 "治風濕痺, 脈浮身重, 汗出惡風"했다. 『普濟方』卷243에서는 本方에서 黃芪를 빼고, 桑白皮·麻黃을 더하여 利水消腫하고, 赤芍藥을 더하여 散瘀止痛해서, "治脚氣痺攣腫悶"했다. 『普濟方』卷251에서는 本方에서 黃芪·茯苓을 빼고, 防風을 더하여 이름을 防己散(『備急千金要方』卷24에도 이 방이 있지만, 方名이 없다) 이라고 하여, "解芫花毒"했다. 『古今圖書集成』「醫部全錄」卷310은 本方에 桑白皮를 더하여, 역시 이름을 防己散이라고 하고, "治脾虛水腫如裏水在皮膚中, 四肢勻勻然動动"등 했다. 적응증 방면에서는 역대 의학자들이 많은 종류의 水腫病을 치료하는데 사용했다. 예를 들어, 『聖濟總錄』卷52에서는 "治傷寒後氣虛, 津液不通, 皮膚虛滿"에 이용했다. 현대에는 腎小球腎炎·尿毒症·關節炎·營養不良性水腫·心源性浮腫 등 脾虛이며 水濕瀦留에 속하는 것에 광범위하게 사용된다.

【難題解說】

1. 防己에 관하여: 『本草求眞』卷4에서 "防己辛苦大寒, 性險而健, 善走下行, 長於除濕·通竅·利道, 能瀉下焦血分濕熱, 及療風水要藥."이라고 말했다. 개괄하면, 이 약의 주요 작용 중 첫 번째는 苦寒降泄, 善走下行으로, 濕熱을 깨끗하게 하고, 소변을 보게 할 수 있는데, 특히 下焦 膀胱의 濕熱을 내보내는데 장점이 있다. 두 번째는 本品은 辛能散散하고, 苦寒降泄하여, 風濕을 제거하고, 清熱通絡止痛할 수 있다. 하지만 그 품종이 두 종류가 있는데, 하나는 이름이 漢防己이고, 다른 하나는 이름이 木防己이다. 두 가지는 치료에 사용하는 효능이 서로 비슷하지만, 각자 장점이 있다. 漢防己는 利水消腫 작용이 비교적 좋고, 木防己는 祛風止痛 효능이 비교적 강하다. 본 처방의 효능·주치를 보면, 방중에선 마땅히 漢防己를 사용하는 것이 좋다.

2. 四肢聶聶動에 관하여: 聶聶은 가지와 잎이 흔들리는 모양이다. 四肢聶聶動은 四肢肌肉이 瞤動하는 모양으로, 肌肉이 경미하게 요동치는 것이다. 水濕이 四肢 皮膚에 瀦留하면 陽氣가 울체되고, 邪正이 서로 다투기 때문에, 四肢肌肉이 경미하게 움직이는 것이다. 바로 『醫宗金鑒』「訂正金匱要略注」卷21에서 말한 "皮水之病, 是水氣相搏在皮膚之中, 故四肢聶聶動也."라고 한 것과 같다.

【醫案】

1. 皮水 『謙齋醫學講稿』: 남성, 28세. 浮腫이 1년

되었는데, 때로 가볍고 때로 중하여, 양약도 사용해 보고, 한약의 健脾·溫腎·發汗·利尿法 등을 사용해 보았지만 효과가 명확하지 않았다. 회진 시, 全身浮肿, 腹大腰粗, 小便短黃, 脉象弦滑, 舌质嫩红, 苔薄白하였고, 脾腎陽虛의 증후는 없었다. 한 걸음 더 나아가 관찰하니, 배가 크고, 그것을 누르면 단단하지 않고, 두드리면 不實하고, 胸膈이 不悶하고, 먹을 수 있고, 식후에 부풀어 오르지 않고, 대변은 매일 1회 보았으며, 방귀는 아주 적었는데, 水氣가 안이 아니라 肌表에 있다는 것을 설명하고 있었다. 『金匱要略』에서 말한 "風水"와 "皮水"를 고려했는데, 이 두 가지 증후는 모두 肌表에 있지만, 風水는 外感風寒 증상이 있고, 皮水는 아니다. 그래서 麻黃加朮湯과 越婢加朮湯으로 發汗하는 것을 선택하지 않고, 防己茯苓湯으로 行氣利尿했다. 漢防己·生黃芪·帶皮苓 各 15 g, 桂枝 6 g, 炙甘草 3 g, 生薑 二片, 紅棗 3개. 2첩을 복용한 후, 소변이 점점 증가하여 원방에 가감하니, 반 개월 후에 증상이 완전히 소실되었다.

考察: 환자는 全身浮肿, 腹大腰粗, 小便短黃이 있었는데, 다만 배를 누르면 단단하지 않고 두드리면 실하지 않고, 胸膈不悶하고, 能食不脹하여, 水가 안에 있지 않고, 肌表에 있는 것을 알았다. 그래서 防己茯苓湯을 복용하여 通陽利水하여 나았다.

2. 腎炎『金匱要略淺述』卷中: 남아, 6세. 환자는 腎炎을 4개월 앓고 있었으며, 面色蒼白하고, 四肢浮腫이 있고, 精神이 疲倦하고, 汗出惡風하고, 食納이 좋지 않고, 小便이 短少했고(화학실험실 검사: 적혈구 0~1, 백혈구 0~3, 단백질+++), 舌質胖淡하고, 脈이 緩하고 無力했다. 이는 脾氣가 허약하고 衛陽이 부진한 까닭이다. 마땅히 衛陽을 떨치고, 健脾制水하여 치료해야 했다. 防己茯苓湯 加味는 防己 6 g, 茯苓 10 g, 黃芪 6 g, 桂枝 5 g, 甘草 2 g, 白朮 6 g, 陳皮 3 g이었다. 5첩을 복용하고, 식욕이 점점 좋아졌고 소변이 증가했다. 다시 5첩을 복용하니, 浮腫이 사라지고 정신이 호전되었다(소변검사: 단백질+). 후에 蔘苓白朮汕에 芡實·黑豆·粳米를 더하여 곱게 갈아 분말로 만들어, 엿을 더하고 고르게 섞어, 쪄서 익혀 健脾 효능이 있는 떡으로 만들어 常服했다. 반년 후, 부모님이 말하길: 환아의 소변이 여러 차례 화학검사에서 정상이었고, 이미 건강을 회복하여 학교에 갔다고 했다.

考察: 本案은 脾腎陽虛로 水濕이 肌膚에 넘쳐흘러 생긴 것이다. 防己茯苓湯은 효능이 益氣通陽하고, 利水消腫할 수 있어, 투약하여 효과를 얻었다.

3. 妊娠子癎『臨床應用漢方處方解說』: 여성, 24세, 첫 임신. 임신 8개월을 전후로, 顔面과 下肢에 輕度의 浮腫이 있었는데, 尿蛋白은 陰性이고 혈압은 기본적으로 정상이었다. 다음 달 하순에 嘔吐와 頭痛이 발생하여 진찰을 받았다. 전신 부종이 嚴重하여, 보행이 곤란하고, 뇨량이 감소했으며, 뇨단백은 陽性이 되었다. 검사 중 子癎發作을 일으켰고, 혈압은 170/110 mmHg였다. 응급처치를 하고, 降壓劑와 防己茯苓湯을 함께 사용했다. 尿量이 매일 2,000~7,000 mL가 됐고, 대체적으로 출산예정일에 정산 분만을 하여, 편안하게 퇴원했다.

考察: 子癎의 痙攣과 發作은 四肢의 聶聶而動이 심한 것이며, 水氣가 심하여 皮水가 보였기 때문에, 본 처방을 사용할 수 있었다.

4. 手足振掉『勿誤方函口訣』: 어떤 사람이 비만하여 뜻대로 움직일 수가 없었고, 수족이 떨렸다. 전에 의사가 苓桂朮甘·眞武 종류 혹은 痰으로 인한 것이기 때문에 痰을 풀어주는 약을 사용했지만 모두 효과가 없었는데, 이 처방으로 완치되었다.

考察: 비만한 사람은 脾陽多虛하고, 脾虛로 運化가 그 힘을 잃고, 陽虛로 水를 제어할 수가 없어, 水濕이 四肢肌膚에 머물러 모이고, 濕性이 무겁고 탁해져 黏滯되기 때문에, 뜻대로 움직일 수가 없고, 수족이 떨리는 것이 四肢가 聶聶動한 것과 비슷한데, 四肢肌肉의 腫處가 瞤動하여 생긴 것이다. 그러므로 防己茯苓

湯으로 나았다.

五皮散

(『華氏中藏經』「附錄」)

【異名】 五皮飮(『三因極一病證方論』卷14).

【組成】 生薑皮 桑白皮 陳橘皮 大腹皮 茯苓皮 各等分(9 g)

【用法】 위 약재를 거친 가루로 만들어, 매회 三錢(9 g)을 복용하는데, 물 1잔 반으로 8분까지 달이고, 찌꺼기를 제거하여, 시간에 구애받지 않고 따뜻하게 복용한다.

【效能】 利水消肿, 理氣健脾.

【主治】 皮水. 전신이 모두 붓고, 肢體가 沉重하고, 心腹이 脹滿하고, 上氣喘急, 小便不利와 妊娠水腫 등이 있고, 舌苔가 白膩하고, 脈이 沉緩하다.

【病機分析】 본 처방은 皮水를 치료하는데, 이것은 脾虛濕盛으로 말미암아 泛濫肌膚으로 생긴 것이다. 脾는 運化를 주관하여, 脾虛하면 運化가 힘을 잃고, 水濕이 안에 머물게 된다. 水濕이 피부로 범람하면 얼굴과 四肢가 모두 붓는데, 바로 『素問』「六元正紀大論」에서 말한 "濕勝則濡泄, 甚則水閉胕腫"과 같다. 濕은 陰邪로 그 성질은 重濁하고 粘滯하고, 氣機를 막기 쉽다. 水濕의 邪는 四肢 肌腠의 사이를 막아서 肢體沈重하게 된다. 濕이 氣機를 막고, 거기에 더해 脾虛하면 脾胃升降이 기능을 잃어, 氣滯不行하게 되어 脘腹脹滿하게 된다. 肺는 水의 上源으로, 水濕이 肺를 犯하면, 肺가 肅降의 기능을 잃어 肺氣가 上逆하면 喘急이 생긴다. 通調水道, 下輸膀胱하지 못하면 水道가 통하지 않아 小便不利하게 된다. 妊娠水腫은 주로 脾腎의 陽이 虛하거나 氣滯하여, 水濕이 피부에 범람하여 생기는데, 水腫 외에 환자는 항상 피부색이 창백하고 精神이 疲乏하고 口淡厭食 등의 증상을 보인다. 그 病因과 病機가 유사하므로 한 번에 아울러 치료할 수 있다.

【配伍分析】 본 처방은 脾虛不運, 水濕이 피부에 범람한 皮水를 위해 만들어졌다. 치료법은 마땅히 健運脾土하여, 脾의 運化하는 힘을 회복시키고, 水濕이 일상적인 길을 다라 순환하여, 정체되어 모이지 않도록 해야, 범람하여 재난이 되지 않도록 한다. 다른 한편으로는 水道를 疏通하여 水濕의 邪가 나가는 길이 생기도록 한다. 이것으로 標本을 함께 치료하고 邪正을 함께 고려한다. 본 처방은 바로 健脾와 利水를 함께 사용하는 配伍法度를 구현했다. 본 처방에서 茯苓皮는 甘淡滲濕하여 實土하고 利水하는데, 그 효능은 皮膚水濕에 전문적으로 행하여, 皮膚水腫에 多用하여 君藥이 된다. 濕沮 하면 氣滯하고, 氣行하면 濕行한다. 大腹皮는 行氣導滯할 수 있어, 寬中理氣를 위한 빠른 약으로, 利水消腫할 수 있는데, 『本草綱目』卷31에 그것을 "降逆氣, 消肌膚中水氣浮腫"이라고 말하여, 臣藥이 된다. 陳橘皮는 健脾理氣燥濕하는데, 健脾하면 脾運이 힘을 얻어 水濕이 머무르기 어려워진다. 理氣하여 大腹皮의 行氣導滯의 효능을 강하게 하여 氣滯不行을 치료할 수 있고 또한 氣行으로 水濕을 行하게 한다. 肺는 水의 上源으로, 通調水道를 주관하고 下輸膀胱한다. 水濕은 脾虛 단독으로 병이 되지 않고 肺의 宣降 기능의 실조로 생기기도 한다. 그러므로 桑白皮의 肅降肺氣, 通調水道하여 利水消腫하는데, 근원을 淸流하게 하여 스스로 깨끗하게 되도록 한다. 『藥性論』에서는 그것을 "治肺氣喘滿, 水氣浮腫, 主傷絶, 利水道, 消水氣"라고 하였다. 위의 두 약은 佐藥이 된다. 生薑皮는 辛散水氣하고, 和脾行水消腫하는데, 주로 水腫小便不利에 사용하여, 역시 佐藥이 된다. 다섯 가지 약재를 서로 배오하면 行水消腫, 理氣健脾하는 효능을 이룬다.

본 처방의 다섯 약재는 모두 그 皮를 사용하고, 散劑로 만들었기 때문에, 五皮散이라고 이름하였다.

본 처방은 健脾祛濕의 전제 하에, 行氣와 利水를 同用하는 배오 특징을 구현하며, 氣行으로 水行하도록 한다. 본 처방은 藥性이 平和롭고, 標本을 동시에 고려하기 때문에, "消水腫之通劑"가 된다.

【類似方比較】

1. 五皮散과 防己茯苓湯 두 처방은 모두 皮水를 치료할 수 있다. 그러나 前者는 肌膚水腫을 치료하며, 증상으로 頭面·四肢浮腫, 不惡寒, 身無汗의 증상을 보인다. 後者는 陽氣不足으로, 身腫而冷, 四肢聶聶動의 증상을 보인다. 이 외, 前者는 理氣의 효능이 있으며 心腹脹滿, 飮食不下의 증상을 보일 수 있다.

2. 五皮散과 五苓散은 모두 小便不利와 水腫을 치료하며, 또한 자주 함께 활용한다. 그러나 前方은 健脾理氣利水의 효능이 있고, 脾虛氣滯의 水氣가 表에 편중한 皮水를 치료하고, 後方은 化氣行水의 효능이 있고, 水蓄膀胱, 氣化不利와 水氣가 裏에 편중한 蓄水證을 다스린다.

【臨床應用】

1. 證治要點: 본 처방은 皮間의 水氣로 잘 가기 때문에, 皮水를 치료하는 데 통용하는 처방이다. 전신이 모두 붓고, 心腹脹滿, 小便不利가 證治要點이 된다.

2. 加減法: 만약 허리 이상의 腫이 심하고 風邪를 겸한 경우 防風·羌活·蘇葉을 더하여 散風祛濕하고, 허리 이하의 腫이 심하고, 小便短少한 경우 일반적으로 五苓散과 함께 사용하여 利水의 효능을 강화하고, 寒이 편중된 경우 附子·乾薑을 더하여 溫陽利水하고, 熱이 편중된 경우 滑石·木通을 더하여 利水淸熱하고, 妊娠水腫에는 白朮을 더하여 健脾利濕하여 安胎하고, 腹中脹滿에는 萊菔子·厚朴·麥芽를 더하여 消滯行氣하고, 正氣不足, 脾虛體弱하면, 堂蔘·白朮을 더하여 補氣健脾한다.

3. 五皮散은 다음 한국표준질병사인분류(KCD)에 해당하는 환자가 皮水, 脾虛濕盛證으로 辨證되는 경우 본 처방의 사용을 고려해볼 수 있다.

처방 목표	한국표준질병사인분류(KCD)
急·慢性腎小球腎炎	N00 급성 신염증후군
	N03 만성 신염증후군
心臟病水腫	I50 심부전
妊娠水腫	O12 고혈압을 동반하지 않은 임신성 [임신~유발] 부종 및 단백뇨

【注意事項】

본 처방은 藥性이 辛散滲泄하여, 利水하는 힘이 비교적 약하기 때문에, 임상에서는 일반적으로 다른 利水消腫方과 함께 사용한다. 복약 후에는 날 음식과 차가운 음식, 기름진 음식을 피한다.

【變遷史】 五皮散은 『華氏中藏經』「附錄」에서 기원하는데, 원서의 적응증은 "男子婦人脾胃停滯, 頭面四肢悉腫, 心腹脹滿, 上氣促急, 胸膈煩悶, 痰涎上壅, 飮食不下, 行步氣奔, 狀如水病"이다. 본 처방은 후대에 대한 영향이 비교적 큰데, 조방구성면으로 『太平惠民和劑局方』卷3 新添諸局經驗祕方은 地骨皮·五加皮로 陳橘皮·桑白皮를 대체하고, 그 方名을 같게 하고, 적응증도 변화하지 않았다. 『全生指迷方』 卷4는 益氣健脾, 利水安胎의 白朮을 桑白皮로 바꾸고, 이름을 白朮散이라고 하고(후대에는 全生白朮散이라 칭함), 妊娠水腫, 脾虛濕盛을 치료했다. 『育兒祕訣』卷4 는 五加皮로 陳橘皮를 바꾸고, 이름을 五皮湯이라고 하고, 小兒腫病을 치료했다. 『麻科活人全書』卷1은 桑白皮로 五加皮를 바꾸고 五皮飮이라 이름하고 麻疹初出, 四肢浮腫을 치료했다. 적응증 방면에 있어서는 후대의 발전이 비교적 컸다. 예를 들면 『三因極一病證方論』卷14는 그것을 이용하여 皮水를 치료한다는 것을 명확히 지적했는데, "治皮水, 四肢頭面悉腫, 按之沒指"라

고 했다. 『御約院方』卷8에서는 "治他病愈後或久痢之後, 身體面目四肢浮腫, 小便不利, 脈虛而大"라고 했다. 『婦人大全良方』卷15에서 인용한 『指迷方』에서는 "治胎水腫滿."이라고 했다. 『奇效良方』卷64에서는 "治小兒諸般浮腫."이라고 했다. 『增補內經拾遺方論』卷3은 "治風水"라고 했다. 『傅靑主女科』「産後編」卷下에서는 "治産後水腫"이라고 했다. 『雜病廣要』「內因類」에서는 "治暴發頭面四肢腫喘"이라고 했다. 『嶺南衛生方』卷中에서는 "治瘴瘧飮水過渡或食毒物所致腫疾."이라고 했다. 劑型 방면으로, 원래 처방은 煮散劑인데, 『三因極一病證方論』卷14에서는 飮劑로 칭하였다. 『證治準繩』「幼科」卷6 에서는 湯劑로 바꾸었다. 『中藥成藥學』에서는 藥汁丸으로 바꾸었다. 『中藥成藥的合理使用』에서는 水丸으로 만들어 사용한 것 등등이 있다. 炮制 방면에서, 원방은 各 약물을 모두 生用하였고, 『三因極一病證方論』卷14에서는 桑白皮, 大腹皮를 모두 炙用하였는데, 그 뜻은 利水之勢를 減緩하는데 있었다. 『醫學心悟』卷3에서는 大腹皮를 黑豆汁에 씻은 후 약에 넣었는데, 利水消腫의 효능을 강화하기 위해서이다.

【難題解說】 본 처방 출처에 관하여: 本方을 어떤 사람은 『澹寮集驗方』에서 유래하였다고 하였지만, 대다수의 의학서적은 모두 『華氏中藏經』에서 나온 것이라고 밝히고 있다. 『華氏中藏經』은 비록 舊題가 華佗의 저술이라고 하지만, 그 책의 완성시기와 작가를 모두 확실하게 고증하기 어렵다. 이 책은 역대로 줄곧 宋代의 의학자가 이름을 빌려 지은 것으로 인식되었다. 그 문장 의미의 古奧함 때문에, 어떤 사람은 華佗의 제자인 吳普·樊阿 등이 華佗가 남긴 뜻을 모아서, 후대 사람들이 傳寫하여 전해진 것이라고 여긴다. 宋代 鄭樵의 『通志藝文略』과 陳振孫의 『節錄解題』에 모두 기록이 있다. 그 외, 해방 후 발간된 『中藏經』에는 모두 五皮散方의 기록이 보이지 않는다. 淸·光緖 6年 江左书林에서 校刊하고, 上虞徐舜山에서 重校한 『中藏經』에 五皮散에 대한 기록이 있다. 그러므로, 본 처방의 출처에 대해서는 아직 더 연구가 필요하다. 지금 찾을 수 있는 본 처방이 기록된 서적은 조성과 용량이 서로 같고 적응증 또한 기본적으로 같은데, 연대가 가장 빠른 것은 宋·陳言의 『三因極一病證方論』이다. 이 책의 卷14에서 "五皮飮, 治皮水, 四肢頭面悉 腫, 按之沒指, 不惡風, 其腹如故, 不喘, 不渴, 脈亦浮. 大腹皮炙, 桑白皮炙, 茯苓皮, 生薑皮, 陳橘皮各等分. 右㕮咀, 每服四錢, 水盞半, 煎七分, 去滓, 熱服, 日二三. 近日磨木香水同煎, 亦妙."라고 했다. 『澹寮集驗方』에 기록된 五皮散은 "治病後身面四肢浮腫, 小便不利, 脈虛而大. 此愈諸氣不能運行, 散漫於皮膚肌腠之間, 故令腫滿, 此藥最宜. 大腹皮, 陳皮, 生薑皮, 桑白皮(炒), 赤茯苓皮各等分. 右㕮咀, 每服五六錢, 水一大鍾, 煎八分, 不拘時溫服, 日三次. 忌生冷·油膩, 堅硬之物."이다. 상술한 바와 같이, 두 책의 五皮散과 『華氏中藏經』의 五皮散은 구성·용량·적응증·煎服法 등의 내용이 모두 같은데, 단지 몇 곳의 작은 차이가 있을 뿐이다: ① 『華氏中藏經』은 매번 三錢을 복용하였고, 『三因極一病證方論』은 매번 四錢을 복용하고, 『澹寮集驗方』에서는 매번 5~六錢을 복용한다. ② 『三因極一病證方論』은 처방에서 大腹皮·桑白皮 뒤에 "炙"가 붙어 있으나, 나머지 두 책에는 붙어있지 않다. ③ 『澹寮集驗方』에는 茯苓皮 앞에 "赤"이 붙어있으나, 나머지 두 책에는 붙어있지 않고, 그 외에는 다른 점이 없다. 도대체 본 처방은 어느 책에서 나왔을까? 필자는 당연히 『華氏中藏經』이라고 생각한다. 첫째, 吳普·樊阿와 華氏는 동시대 인물이다. 둘째, 鄭樵(1103~1162)는 비록 陳言과 같은 宋朝人이지만, 陳言이 『三因極一病證方論』을 지을 때(1174)에는 이미 세상을 떠난 지 10여 년이 되었기 때문이다.

第四節 溫化水濕劑

茯苓桂枝白朮甘草湯
(『傷寒論』)

【異名】 苓桂朮甘湯(『金匱要略』卷中)·甘草湯(『備急千金要方』卷18)·茯苓白朮湯(『傷寒總病論』卷3)·茯苓湯(『聖濟總錄』卷54)·茯苓散(『普濟方』권43)·茯苓白朮桂枝甘草湯(『醫學入門』卷4)·苓桂湯(『杏苑生春』卷4)·桂苓朮甘草湯(『景岳全書』卷54)·桂苓朮甘湯(『醫方集解』「除痰之劑」).

【組成】 茯苓 四兩(12 g) 桂枝 去皮 三兩(9 g), 白朮 二兩(6 g), 甘草 炙 二兩(6 g)

【用法】 위의 네 가지 약재를 물 六升을 끓여 三升을 취하고, 찌꺼기를 버린 다음, 3번으로 나누어 따뜻하게 복용한다.

【效能】 溫陽化飮, 健脾利水.

【主治】 痰飮. 胸脇支滿, 目眩心悸, 短氣而咳, 舌苔白滑, 脈眩滑 혹은 沈緊.

【病機分析】 본 처방은 痰飮病을 지료하는데 효과적인 방제이다. 痰飮이란 人體水液代謝의 病理性 産物이다. 사람은 水穀을 그 근본을 삼고, 水液의 정상적인 代謝는 臟腑의 협동작용에 의지한다. 바로 『素問』「經脈別論」에서 말하는 "飮入於胃, 游溢精氣, 上輸於脾, 脾氣散精, 上歸於肺, 通調水道, 下輸膀胱, 水精四布, 五經竝行"과 같다. 만약 臟腑의 기능이 정상이면, 水液이 정상적으로 代謝되어, 津血이 조화롭게 되어, 痰이 생기지 않는다. 만약 臟腑의 기능이 紊亂해지면, 그 正을 잃어, 머물러 모이게 되어 痰이 되고 飮이 된다. 이것으로 痰飮의 생산이 臟腑의 기능이 정상적으로 유지되는가와 밀접하게 관계있는 것을 알 수 있는데, 특히 肺·脾·腎 三臟과의 관계가 가장 밀접하다. 본 처방이 치료하는 痰飮은 中陽이 평소 虛하고, 脾가 健運을 잃고, 氣化가 不利하고, 水濕이 內停하여 생기는 것이다. 脾는 中州를 주관하고, 그 임무는 運化인데, 氣機승강을 樞紐하여, 脾의 運化기능이 정상이면, 散精歸肺할 수 있는데, 脾陽이 不足하고, 健運이 임무를 잃게 되면, 濕滯하여 痰이 되고 飮이 된다. 바로 『醫宗必讀』卷9에서 말한 "脾土虛濕, 淸者難升, 濁者難降, 留中滯膈, 淤而成痰."과 같다. 痰이라는 물질은 氣를 따라 승강하여, 도달하지 않는 곳이 없는데, 胸脇에 머물게 되면, 胸脇支滿이 보이고, 中焦에서 막히게 되면, 淸陽이 不升하여, 頭暈目眩이 보이고, 上凌心肺하면, 心悸하게 되어, 숨이 가쁘고 기침을 하고, 舌苔白滑·脈이 沉活하거나 혹은 沉緊한 것은 모두 痰飮內停의 징후이다.

【配伍分析】 본 처방은 中陽不足, 水飮內停으로 인한 증상을 위해 만들어진 것으로, 傷寒吐·下의 後이거나, 雜病痰飮內停이거나 병을 이르게 한 원인이 모두 中焦陽虛, 脾失健運, 水飮內停이다. 仲景이 말하기를 "病痰飮者, 當以溫藥和之"(『金匱要略』)이라고 했다. 그 治法은 마땅히 溫陽和飮, 健脾和中해야 한다. 陰邪가 생기면, 우선 化飮해야 하기 때문에, 처방에서 甘淡한 茯苓을 君으로 삼는다. 『神農本草經』卷上에서 "茯苓味甘平, 主胸脇逆氣, 憂恚驚邪恐悸, 心下結痛, 寒熱煩滿咳逆. 口焦舌乾, 利小便."이라고 했다. 『本草經疏』卷12에서는 또 "茯苓, 其味甘平……甘能補中, 淡而利竅, 補中則心脾實, 利竅則邪熱解, 心脾實則憂恚驚邪自止, 邪熱解則心下結痛·寒熱煩滿·咳逆·口焦舌乾自除."라고 했다. 본 처방은 그것을 이용하여, 健脾利水, 滲濕化飮을 취하여, 이미 응집한 痰飮을 없앨 뿐 아니라, 生痰의 원인도 치료할 수 있다. 飮은 陰邪로, 추워지면 결집하고, 따뜻해지면 흩어지는데, 溫藥이 發越陽氣하고, 開宣腠理, 通行水道할 수 있어, 臣으로 辛甘하며 따뜻한 桂枝를 삼아 溫陽化氣한다. 『長沙藥

解』卷1에거는 桂枝를 "升淸陽之脫陷, 降濁陰之衝逆"할 수 있다고 했다. 『本草經解』卷3에서도 "桂枝性溫溫肺, 肺溫則氣下降, 而咳逆止矣. ……桂枝辛溫散結行氣, 則結者散而閉者通.……中者脾也, 辛溫則能暢達肝氣, 而脾經受益, 所以補中益氣者."라고 했다. 桂枝는 中州의 陽氣를 따뜻하게 할 수 있고, 茯苓과 함께 사용하면, 肺를 따뜻하게 하여 化飮을 돕고, 咳逆을 그치게 할 수 있고, 暖脾化氣로 利水를 풍부하게 하고, 平衝降逆할 수 있다. 苓·桂를 서로 배오하면, 一利一溫하고, 通陽化飮하여, 水飮留滯로 寒한편인 사람에게 진실로 溫化滲利의 뛰어난 효능이 있다. 濕原은 脾에 있는데, 脾陽이 부족하면, 濕從中生하기 때문에, 白朮로 佐를 삼는다. 『本草祕錄』卷1에서 "白朮味甘氣溫, ……去濕消食, 益氣强陰, ……健脾除濕, 爲後天之聖藥, 眞緩急可恃者也."라고 했다. 『本草經疏』卷6에서도 역시 그것을 "安脾胃之神品"이라고 했다. 本方의 主治證은 脾虛濕盛이고, 그 健脾燥濕을 이용하면 病機와 잘 맞게 된다. 白朮이 桂枝를 얻으면 溫運의 힘이 더욱 넓어져 脾의 運化를 돕고, 脾氣가 健運하도록 하며여, 水濕이 자연히 제거된다. 처방에서는 또한 炙甘草로 佐를 삼는데, 甘草의 和中함은 白朮을 얻어 崇土의 힘이 더욱 배가 되고, 桂枝와 합해지면 辛甘化陽의 효능이 더욱 절묘해진다. 苓·朮을 배오하면, 健脾祛濕의 효능이 더욱 좋아진다. 甘草와 茯苓을 같이 사용하면, 茯苓이 甘草가 일으킨 中滿腹脹을 없앨 수 있다. 바로 汪昻이 말한 "甘草得茯苓, 則不資滿反能泄滿"(『醫方集解』「除痰之劑」)와 같다. 처방에서 네 가지 약을 함께 사용하면, 溫陽健脾로 그 本을 치료하고, 祛濕化陰으로 그 標를 치료하여, 標本兼顧하니, 실로 痰飮 치료의 良方이 된다.

본 처방의 배오 특징은, 通陽化氣藥과 健脾利水藥을 함께 사용하여, 배오가 엄근하고, 따뜻하면서 건조하지 않고, 利하면서 不峻하여, 痰飮病을 치료하는 和劑가 된다는 것이다.

【類似方比較】 苓桂朮甘湯과 五苓散 두 처방 모두 溫陽利水하는 작용이 있고, 처방에 모두 白朮·茯苓과 溫陽化飮하는 桂枝를 사용하며, 陽虛水飮內停證을 치료하는 데 쓴다. 다만 苓桂朮甘湯은 健脾滲湿하고 温化痰饮하는 효능이 있고, 적응증의 病機가 脾陽이 虛하여 水를 제어할 수 없고, 물이 胸脇에 머물러 있는 것으로 생긴 痰飮病이다. 臨床에서는 胸脇脹滿, 目眩, 心悸, 短氣而咳 등의 증상을 볼 수 있다. 五苓散 적응증의 病機는 太陽經腑同病, 膀胱氣化의 不利로 인한 蓄水證으로 小便不利, 渴欲飮水, 水入卽吐, 水腫 등을 임상의 주요 증상으로 하며, 효능은 利水滲濕, 溫陽化氣이다.

【臨床應用】

1. 證治要點: 痰飮은 四飮 중 하나이다. 본 처방을 이용할 때는 胸脇支滿, 目眩心悸, 舌苔白滑, 脈沉緊을 證治要點으로 한다.

2. 加減法: 眩暈이 심하면 澤瀉를 더하여 利水滲濕하여, 飮邪를 없애고, 咳嗽嘔吐稀涎하면 半夏·陳皮를 더해 燥濕化痰하고, 乾嘔, 巓頂疼痛, 肝胃陰寒水氣上逆하면, 吳茱萸를 더해, 溫中暖肝, 開鬱止痛하고, 身瞤動하고 水氣上泛하면, 附子를 더하여, 溫散水氣하고, 脾氣虛弱하면 黨參·黃芪를 더해 益氣健脾한다.

3. 茯苓桂枝白朮甘草湯은 다음 한국표준질병사인분류(KCD)에 해당하는 환자가 脾陽虛, 水飮內停證으로 辨證되는 경우 본 처방의 사용을 고려해볼 수 있다.

처방 목표	한국표준질병사인분류(KCD)
眩暈(耳源性眩暈·高血壓性眩暈·腦震蕩後遺症眩暈·스트렙토마이신 中毒으로 인한 眩暈)	H81 전정기능의 장애
	I10 본태성(원발성) 고혈압
	I15 이차성 고혈압
	F07.2 뇌진탕후증후군
	T36.5 아미노글리코시드

처방 목표	한국표준질병사인분류(KCD)
慢性氣管支炎	J41 단순성 및 점액화농성 만성 기관지염
	J42 상세불명의 만성 기관지염
喘息	J45 천식
류마티스性 心臟疾患	I09 기타 류마티스심장질환
冠狀動脈疾患	I20 협심증
	I24 기타 급성 허혈심장질환
	I25 만성 허혈심장병
心包炎	I30 급성 심장막염
	I31 심장막의 기타 질환
	I32 달리 분류된 질환에서의 심장막염
	I33 급성 및 아급성 심내막염
心臟神經官能症	F45.3 신체형자율신경기능장애
十二指腸潰瘍	K26 십이지장궤양
胃下垂	K31.88 위 및 십이지장의 기타 명시된 질환_위하수
胃弛緩症·舞蹈病	K31.0 위의 급성 확장
習慣性痙攣	G10 헌팅톤병
	G25.5 기타 무도병
	I02 류마티스무도병
內分泌失調로 인한 건갈증(뜨거운 물을 좋아함)	G40 뇌전증
	R56.8 기타 및 상세불명의 경련
	R56.0 열성 경련
慢性腎炎	(질병명 특정곤란)
	E00~E90 Ⅳ. 내분비, 영양 및 대사 질환
	R63.1 다음다갈증
乳腺小葉增生(乳癖)	N03 만성 신염증후군
慢性軸性視神經炎	D24 유방의 양성 신생물
夜盲症	H46 시신경염
視網膜炎	H53.6 야맹증
角膜炎	H30 맥락망막염증
	H16 각막염
副鼻腔炎	J01 급성 부비동염
	J32 만성 부비동염
中耳炎	H65 비화농성 중이염
	H66 화농성 및 상세불명의 중이염
	H67 달리 분류된 질환에서의 중이염

처방 목표	한국표준질병사인분류(KCD)
迷路神經疾	H83.2 미로기능장애
頸椎病耳鳴	H93.1 이명
單純性肥滿症	E66.9 상세불명의 비만

【注意事項】

1. 본 처방은 약성이 辛溫한 편이라, 陰虛火旺, 濕熱阻遏로 생긴 痰飮에는 사용할 수 없다.

2. 원래 처방에는 복약 후 "小便則利"라는 구절이 있는데, 가장 깊이 새겨 볼 만 하다. 필자가 생각하기에는 飮과 水가 동류이므로 飮을 제거하고 싶으면 마땅히 利水해야 하는데, 이것이 "當從小便去之"의 의미이다. 복약 후 小便不利한 것이 利해지고, 소변이 적은 경우 많아지는데, 이것이 바로 飮邪가 소변을 따라 제거된다는 좋은 징조이다.

【變遷史】 본 처방은 張仲景의 『傷寒論』에서 나왔다. 이 책의 제 67條에 "傷寒若吐·若下後, 心下逆滿, 氣上衝胸, 起則頭眩, 脈沉緊, 發汗則動經, 身爲振振搖者, 茯苓桂枝白朮甘草湯主之"라고 하였다. 『金匱要略』 또한 이 처방을 실었는데, "心下有痰飮, 胸脇支滿, 目眩, 苓桂朮甘湯主之." "夫短氣有微飮, 當從小便去之, 苓桂朮甘湯主之."라고 하였다. 본 처방이 구현한 치료원칙은 후세에 심원한 영향을 주었는데, 예를 들어 尤怡는 "飮, 水類也, 治水必自小便去之"(『金匱要略心典』卷中)라고 하였다. 飮과 水가 同類이므로 飮을 제거하고 싶으면 마땅히 利水해야 하기 때문에 行氣行水法을 써서 氣化水行시키면 飮이 나가는 길이 생긴다. 후대의학자들이 痰飮과 水濕病을 치료할 때 모두 이 법을 따랐다. 예를 들어 『聖濟總錄』卷370에는 本方에서 白朮을 빼고 麻黃을 더하여 散劑로 만들어, 瘧疾, 熱이 나지만 不寒하고, 온몸이 發黃하고, 小便澁滯를 치료했다. 『聖濟總錄』卷25에도 茯苓白朮湯을 실었는데, 즉 본 처방에 川芎을 더한 것이다. 적응증은 傷寒吐下, 心下逆滿, 忪悸不定, 起卽頭眩이다. 이 책의 같은 권에 또한 茯苓桂枝湯을 실었는데, 즉 본 처

방에서 白朮을 빼고, 半夏와 生薑을 더한 것이다. 傷寒發汗 後, 引飮이 過多하고, 心下가 悸動한 것을 치료한다. 『衛生寶鑒』卷17의 茯苓琥珀湯은 본 처방에 琥珀·澤瀉·滑石·猪苓을 더하여 만든 것으로 小便이 빈번하고 부족하여, 밤낮으로 약 20여 회를 보고, 臍腹이 脹滿하고, 腰脚이 沈重하여, 편안하게 누울 수 없고, 脈이 沉緩하고, 때때로 帶數한 것을 치료한다. 『景岳全書』卷61에서는 본 처방에 人蔘·乾薑·半夏·陳皮·枳殼을 더하여 가루로 만들고 煉蜜하여 丸으로 만든 것을 茯苓丸이라 이름하고, 妊娠煩悶, 頭暈, 聞食吐逆이나 胸腹痞悶을 치료했다. 『醫方類聚』卷54에는 『通眞子傷寒括要』를 인용하여 茯苓湯을 실었는데, 즉 본 처방에서 白朮을 빼고 散劑로 만들어, 주로 太陽病을 치료했는데, 소변이 적은 경우는 津液이 胃中으로 들어가기 때문이다. 發汗이 지나치게 과하면, 대소변이 어렵다. 太陽病은 大熱이 없고, 그 사람이 躁煩한데, 이것은 陽去入陰 등의 病症이다. 『四聖懸樞』卷3에서는 본 처방에서 白朮을 빼고 人蔘·乾薑·厚朴을 더하여 茯苓蔘甘厚朴湯이라고 이름하고, 傷寒太陽腹滿證을 치료했다. 『傷寒摘粹』卷1에서는 본 처방에서 白朮을 빼고, 生薑·浮萍을 더하여 茯苓桂枝甘草生薑浮萍湯이라고 이름하고, 中風, 口眼喎斜를 치료했다. 『醫學金針』卷8에는 본 처방에서 白朮을 빼고 人蔘·黃芪·蘇葉·附子·升麻를 더하여 茯苓桂枝蔘甘芪附麻蘇湯이라고 이름하고, 痘疹痒塌黑陷을 주치했다. 종합하면, 역대 의학자들의 苓桂朮甘湯 이용은 이미 이 처방의 주치 범위를 크게 확장시킨 것을 알 수 있다. 현대 임상에서는 그 加減을 이용하여, 五官科·外科 및 內科 의 각 계통의 질병, 脾虛飮停으로 생긴 것에 속하는 것이면 모두 일정한 효과를 얻는다.

【難題解說】

1. "痰飮"의 인식에 관하여: 痰飮은 病因과 證狀에 근거하여 명명한 것으로, 광의와 협의 두 종류가 있다. 광의의 痰飮은 다양한 水飮病을 총칭한다. 이것은 水液이 체내에서 運化輸布가 失常하여, 體腔·四肢 등에 停積된 질병을 가리킨다. 外感寒濕, 飮食不節, 陽氣虛弱 등의 원인으로 肺脾腎 기능의 失常이 생기는데, 그 중 특히 脾陽이 虛하여 健運을 잃고, 三焦의 氣化가 막히고, 水飮이 머물러 쌓이는 것이 주요 원인이다. 痰飮이 병을 일으키는 것은, 도처에 쌓여, 腸間으로 가면 漉漉有聲하고, 脇下에 머무르면 咳唾引痛하고, 四肢로 넘치면 身体疼重하고, 위로 肺를 핍박하면 咳逆倚息, 短氣로 누울 수가 없게 된다. 협의의 痰飮은 水飮病의 일종으로 虛證·實證 두 종류가 있다. 虛證의 주요 표현은 胸脇支滿, 脘部에 振水音이 있고, 嘔吐淸涎, 頭暈, 心悸, 氣短, 몸이 야위는 것이며, 이는 脾腎陽虛로 인해 運化水穀하지 못해 水飮이 胃腸에 쌓여 생긴 것이다. 實證의 주요 표현은 胃脘部의 堅滿, 腹瀉, 설사 후 약간 편안함을 느끼지만, 胃脘部에 또 금방 堅滿하고, 水液이 腸間으로 흘러들어가, 漉漉한 소리가 있는데, 역시 水飮이 胃腸에 留伏해 있어 생기는 것이다.

2. "病痰飮者, 當以溫藥和之"에 대한 인식: "病痰飮者, 當以溫藥和之", 이것은 張仲景이 『金匱要略』「痰飮咳嗽病脈證幷治」에서 제기한 광의의 痰飮에 대한 치료원칙으로, 후대에 영향이 매우 크다. 대개 溫藥은 振奮陽氣, 開泄腠理, 通行水道 등의 작용이 있어, 表裏의 陽氣를 溫升宣通하게 할 수 있고, 水液을 化하여, 水穀精微가 전신에 영양을 줄 수 있어, 舊飮이 제거되고 新飮이 생산되지 않는다. 소위 "和之"라고 하는 것은, 調和·調理의 의미가 있어, 非燥之·補之이다. 과도하게 剛燥하면 正氣를 傷한다. 張從正이 말한 "飮當去之, 溫補轉劇" (『儒門事親』卷3)이 바로 이 뜻이다. 당연히 "以溫藥和之"는 溫藥을 위주로 처방을 구성하고, 또 반드시 구체적인 상황에 근거하여 적당하게 行氣·化飮·升陽·滲利하는 등의 藥을 배오하여, 그것으로 방제를 더욱 완벽하게 하는 것이다. 張仲景은 溫化痰飮의 方劑가 상당히 많은데, 苓桂术甘湯이 그 대표 方劑이고, 眞武湯·腎氣丸·五苓散·小靑龍湯 등 역시 溫化痰飮의 유명한 方劑이다.

【醫案】

1. 咳嗽『湖北中醫醫案選集』「第1輯」: 남성, 34세. 평소에 咳嗽가 있었는데, 여러 번 발병하고 여러 번 치료했으나 효과를 얻기 어려웠다. 최근 傷風으로 인해, 옛 병이 재발했는데, 咳唾清痰, 頭暈目眩, 胸脇脹滿, 口淡食少, 心下에 어떤 것이 躁動하는 듯하고, 등 부분에 손바닥 크기의 곳에 차가움이 특히 심하고, 脈은 沈細弦하고, 舌嫩苔白滑하며, 호흡이 짧고 얕으며 이어지기 어렵고, 소변이 깨끗하고 양이 적으며, 대변은 스스로 조절되었다. 이 證은 飮停中焦에 속하며, 치료는 溫陽化飮해야 하여, 본방을 煎湯하여 內服하고, 外用藥을 등 부위의 차가운 곳에 餠熨하여, 5첩에 여러 증상이 다 안정되었으며, 현재 2년을 관찰했는데, 아직 재발이 보이지 않았다.

考察: 本案은 痰飮으로 진단하였는데, 증상 지극히 명확하여 苓桂朮甘湯을 베풀었는데, 매우 적합하였다.『金匱要略』에서 말하기를 "心下有痰飮, 胸脇支滿, 目眩, 苓桂朮甘湯主之"으라고 하였고, 또 말하기를 "短氣有微飮……苓桂朮甘湯主之"라고 했다. 本案은 여러 증상이 있었기 때문에 그것을 이용하여 효과를 얻었다. 外治의 방법 역시 조금 도움이 되었다.

甘草乾薑茯苓白朮湯

(『金匱要略』)

【異名】甘薑苓朮湯(『金匱要略』)·甘草湯(外臺秘要』卷17에서 인용한『古今錄驗』)·腎着湯(『千金翼方』卷19)·除濕湯(『三因极一病證方論』卷9)·苓薑朮甘湯(『類聚方』)·茯笭乾薑白朮甘草湯(『奇正方』)

【組成】甘草 二兩(6 g) 白朮 二兩(6 g) 乾薑 四兩(12 g) 茯苓 四兩(12 g)

【用法】위의 네 가지를 물 五升으로 끓여 三升을 취하여, 따뜻하게 3번으로 나누어 복용하면 腰中이 따뜻해진다.

【效能】溫脾勝濕.

【主治】腎着病. 身重, 腰下冷痛, 허리가 五千錢을 매단 것처럼 무겁고, 飮食은 옛날과 같고, 입이 마르지 않고, 小便이 自利하고, 舌淡苔白하고, 脈이 沈遲하거나 沈緩하다.

【病機分析】본 처방의 적응증 病證은 寒濕의 邪가 外襲한 것으로, 痹가 腰部에 막혀 생긴 것이다. 腰는 腎의 府이고, 寒濕의 邪가 腰部에 미치고, 붙어 물러나지 않으면, 그것을 腎着이라고 한다. 그 病에 이르는 원인을 헤아려보면 첫째 과도한 노동으로, 땀이 많이 나고, 腠理가 開泄되어, "衣裏冷濕"하고, 寒濕의 病邪가 肌腠로부터 침입하기 때문에, 원서에서 "身勞汗出, 衣裏冷濕, 久久得之"라고 하였다. 두 번째는 淋雨涉水이고, 세 번째는 久居濕地인데, 모두 寒濕의 邪가 經을 따라 들어온 것이다. 寒邪는 凝斂收引하고, 濕邪는 重着粘滯한다. 腰部가 寒濕을 느끼면, 陽氣가 통달하지 못하여 痹着不行하고, 오래되면 다스리지 못하게 된다. 즉 氣血의 運行이 막하면 不通하여 아프니, 腰部冷痛이 나타나거나, 沈重不舒하게 된다. 原書에서 말한 "如坐水中"·"形如水狀"·"腰中如帶五千錢"이 모두 腰部가 冷하고 무거운 것을 형용하는 말이다. 본 처방의 病變部位는 신체하부에 있다. 비록 下焦에 속하지만 內臟에는 오히려 병변이 없다. 上焦에 열이 없음으로 입이 마르지 않다, 飮食如故는 胃腑에 병이 없음을 보여준다. 小便이 淸長하고 自利한 것은 下焦에 寒이 있어 생긴 것이다. 舌淡苔白, 脈이 沉遲하거나 沉緩은 모두 寒濕阻滯, 陽氣不通의 증상이다.

【配伍分析】본 처방은 寒濕之邪의 外襲, 痺阻腰部하여 생기는 腎着을 치료하기 위해 만들었다. 腎着은 腎의 本臟에 있는 것이 아니라 腎의 외부에 있는데, 실

제로는 脾不勝濕으로 말미암아 肌肉에 유착하여 생긴 것이다. 그러므로 치료할 때, 溫腎할 필요가 없고, 肌肉經絡의 寒濕만 제거하면 腎着의 증상이 나을 수 있다. 바로 尤怡가 말한 "其病不在腎之本臟, 而在腎之外府, 故其治法, 不在溫腎以散寒, 而在燠土以制水"(『金匱要略心典』卷中)과 같다. 그러므로 방은 乾薑을 重用하여 君藥이 된다. 『神農本草經』卷2에서 이르길 "溫中", "逐風濕痹"라고 했다『本草經解』卷中에서는 또한 "辛溫能散寒也, 逐風寒痺着, 辛溫能散風濕, 而通血閉也"라고 했다. 대개 本品의 性味는 辛熱하니 辛은 곧 能散能行하여, 散寒除濕通痺한다. 溫熱之性은 곧 通陽化氣할 수 있기 때문에 君이된다. 濕邪가 비교적 重하기 때문에, 茯苓이 臣藥이 되어 健脾利水 하여 水濕의 邪氣가 소변을 통하여 제거된다. 茯苓과 乾薑을 배오하면, 一溫一利하며, 습을 제거하면서 정기를 상하지 않는다. 白朮을 佐藥으로써 益氣健脾燥濕 한다. 『本經逢源』卷1에서 이르길 "生用則有除濕益燥, 消痰利水"의 효능이 있다고 했다. 본품은 性味가 甘苦溫하여 益氣健脾 할 수 있고, 또한 燥濕和胃할 수도 있어, 乾薑과 배오하면 一溫一補 하여 脾胃를 乾薑하게 하여 寒濕을 제거하는데, 이것이 근본을 치료하는 것이다. 甘草를 使藥으로 사용하여 和中健脾하고, 여러 약을 조화롭게 하단. 네 약물은 서로 배오하면, 함께 溫中散寒 補脾勝濕의 효능을 이룰 수 있다. 寒去濕消, 陽氣通達하면 즉 모든 증상이 나을 수 있다.

본 처방의 배오특징은 溫中散寒과 健脾祛濕 兩方面의 약물조성으로, 身熱溫散으로 거한하고, 甘淡健脾로 滲濕한다는 것이다. 寒濕外侵하여, 痹가 肌肉·經絡 사이를 막고, 외부에는 表證이 없고, 시간이 길어지면 허리 아래의 冷痛이 重着되는 증상에 적용한다.

【類似方比較】

1. 본 처방과 理中丸은 모두 乾薑·白朮·甘草를 사용한다. 다만 理中丸은 人蔘과 乾薑을 배오하여, 溫中散寒之劑가 되어 주로 中焦虛寒을 치료한다. 本 처방은 茯苓과 乾薑을 배오하여 溫中祛濕之方이 되어 寒濕之邪로 痹阻于腰部之證을 치료한다.

2. 본 처방과 苓桂朮甘湯을 비교하면 용약에서 一味의 차이가 있다. 苓桂朮甘湯은 茯苓이 君, 桂枝가 臣이 되어 溫陽利濕化飮에 뜻을 두는데, 이것은 水飮을 없애는 주된 方劑이다. 本方은 乾薑이 君이 되고 茯苓이 臣이 되어 溫中散寒祛濕에 뜻을 두는데, 이는 寒濕을 없애는 주된 方劑이다.

【臨床應用】

1. 證治要點: 본 처방은 寒濕下侵으로 생긴 寒濕痺着證을 주로 치료한다. 臨床에서 身重하고, 허리 아래가 냉통하고, 舌苔白, 脈이 沉緩하거나 沉遲한 것이 證治要點이 된다.

2. 加減法: 본 처방에 杏仁을 더하면 孕婦浮腫, 小便自利, 腰體冷痛을 치료할 수 있다. 紅花를 더하면 婦人의 오래된 腰冷帶下를 치료할 수 있다. 附子·益智仁을 더하면 老人의 小便失禁, 腰腿沉重冷痛 및 40세가 이르도록 치료되지 않는 남여의 遺尿를 치료할 수 있다. 寒多痛甚한 사람은 다시 細辛을 더해 附子와 배오하여 溫經散寒의 효력을 돕는다.

3. 甘草乾薑茯苓白朮湯은 다음 한국표준질병사인분류(KCD)에 해당하는 환자가 寒濕痺着證證으로 辨證되는 경우 본 처방의 사용을 고려해볼 수 있다.

처방 목표	한국표준질병사인분류(KCD)
腰肌勞損	M54.5 요통
	S33.5 요추의 염좌 및 긴장
坐骨神經痛	M54.3 좌골신경통
風濕性關節炎	M05 혈청검사양성 류마티스관절염
	M06 기타 류마티스관절염
類風濕性關節炎	M15 다발관절증
	M13.0 상세불명의 다발관절염
血栓閉塞性脈管炎	I73.1 폐색혈전혈관염[버거병]
樞管狹窄	M48.0 척추협착

처방 목표	한국표준질병사인분류(KCD)
冠心病	I20 협심증
	I24 기타 급성 허혈심장질환
	I25 만성 허혈심장병
胃腸機能 紊亂	F45.3 신체형자율신경기능장애

【注意事項】 身重·腰痛이 濕熱內浸에 해당하는 것에는 본 처방을 금한다.

【變遷史】 본 처방은 『金匱要略』「五臟風寒積聚病脈證幷治」에서 나왔다. 原書에서 이르기를 "腎着之病, 其人身體重, 腰中冷, 如坐水中, 形如水狀, 反不渴, 小便自利, 飮食如故, 病屬下焦, 身勞汗出, 依裏冷濕, 久久得之, 腰以下冷痛, 腹中如帶五千錢, 甘薑苓朮湯主之"라고 했다. 본 방제가 腎着을 치료하므로 『備急千金要方』卷19에서는 그것을 "腎着湯"이라고 칭했다. 본 방제는 후대에 영향이 비교적 큰데, 그 조성변화와 임상응용 방면에 모두 발전이 있었다. 방제의 조성을 분석하면 이하 몇 가지 내용이 있다. ① 肉桂·附子類 같은 溫裏祛寒藥을 더한다. 예를 들면 『外臺秘要』卷17에서 인용한 『經心錄』의 腎着散은 本方에 桂心을 더하고, 아울러 杜仲·牛膝·澤瀉를 더하여 腎着腰痛을 주치한다. 『血證論』卷8 腎着湯은 처방에서 茯苓·乾薑을 빼고, 附子·紅棗를 더하여 허리 이하의 冷痛, 배가 五千錢을 두른 것처럼 무거운 것을 치료한다. ② 蒼朮·澤瀉·防己·薏苡仁類의 化濕利水藥을 더한다. 예를 들면 『易簡方』의 腎着湯은 본 처방에 蒼朮을 더하여 허리가 무겁고 冷痛이 있는 것을 치료한다. 『辨證論』卷2 腎着湯은 본 처방에서 乾薑을 빼고, 防己·薏苡仁·附子·桂枝·山茱萸·杜仲·石斛·地骨皮를 더하여 腎痺, 腰膝重痛, 兩足無力등을 치료한다 ③ 人蔘類의 補氣健脾藥을 더한다. 예를 들면 『普濟方』卷108에서 인용한 『如宜方』의 腎着湯은 본 처방에 人蔘을 더하여 中濕, 몸의 관절이 다 아프고, 小便自利, 脈이 沉緩하고 微한 것을 치료한다. ④ 杏仁·陳皮·香附·木香·川芎類 같은 宣肺와 理氣活血藥을 더한다. 예를 들면 『三因極一病證方論』卷17 腎着湯은 본 처방에 杏仁을 더하여 妊娠腰脚腫痛을 치료한다. 『陳素庵婦科補解』卷3 腎着湯은 본 처방에서 乾薑을 빼고, 香附·陳皮·木香·川芎·蘇葉·當歸·白芍藥·大腹皮·蒼朮·黃芩·羌活을 더하여 妊娠胎水腫滿을 치료한다. 적응증 방면으로는 身重·腰痛을 외에도, 妊娠胎水腫滿, 中濕關節로 몸의 관절이 다 아픈 것까지 확장되었다. 『雜病源流犀燭』卷16 腎着湯은 女勞疸, 薄暮發熱惡寒, 額黑微汗, 手足熱, 腹脹如水, 小腹滿急, 大便時溏, 身目黃赤, 小便不利를 치료한다. 근년에 출판된 『金匱要略講義』는 본 처방의 적응증을 비교적 체계적으로 정리했는데, 嘔吐·腹瀉·妊娠下肢浮腫, 혹은 老年人小便失禁·遺尿·遺精·婦人年久腰冷帶下 등의 脾陽不足으로 寒濕한 것에 속하는 것으로 정리하고 있다.

【難題解說】 腎着의 함의에 관하여: 腰는 腎之外府로, 寒濕의 邪가 腰部를 손상하고, 달라붙어 물러나지 않아 생긴 腰部冷痛, 沉重不舒 등의 증상을 腎着이라고 부른다.

【醫案】

1. 尿頻·遺精 『臨床應用漢方處方解說』: 남성, 73세, 武四. 평소에 小便이 빈번하고, 허리가 물 속에 있는 것처럼 차가워, 의복과 신발을 두텁게 하고 앉아 있었고, 정액이 자기도 모르게 나오는데, 오래 치료했지만 효과가 없었는데, 이와 같은 것이 10여 년이었다. 내가 진찰하니, 心下에 두근거림이 있어 甘薑苓朮湯을 주어 나았다.

考察: 70세면 脾腎이 모두 虛해지는데, 脾虛하면 統攝기능을 잃고, 腎虛하면 즉 封藏기능을 잃는다. 따라서 寒濕의 邪氣가 침습하여, 腰部가 冷痛해지고, 小便頻數 및 滑精遺泄 등의 증상이 보이게 되었다. 病程이 비교적 길어서, 인해 빠른 효과를 얻기가 어려워, 본 방제의 培補中土를 투여하여, 그 資化源하는 것으로 脾가 왕성해지고 곧 腎氣 또한 왕성해졌다. 만약 처방에 溫辛苦澁의 약재를 더했다면, 그 효과가 더욱 좋았을 것이다.

眞武湯

(『傷寒論』)

【異名】 玄武湯(『千金翼方』卷10)·固陽湯(『易簡方』)

【組成】 茯苓 三兩(9 g) 芍藥 三兩(9 g) 生薑 切 三兩(9 g) 白朮 二兩(6 g) 附子 炮, 去皮, 破八片 一枚(9 g)

【用法】 위의 다섯 가지 약재를 물 八升으로 三升이 될 때까지 끓인 후 찌꺼기를 제거한 후, 따뜻하게 하여 七合씩 하루 세 번 복용한다.

【效能】 溫陽利水.

【主治】

1. 脾腎陽虛, 水氣內停證. 小便不利, 四肢沈重疼痛, 腹痛下利, 혹은 肢體浮腫, 苔白不渴, 脈沈.

2. 太陽病, 發汗, 汗出不解, 그 사람이 여전히 發熱하거나, 心下의 두근거림, 頭眩, 身瞤動, 振振欲擗地.

【病機分析】 본 처방은 脾腎陽虛, 水氣內停을 치료하는 주요 方劑이다. 『傷寒論』에 기록된 眞武湯 처방의 병증 두 가지가 있는데, 하나는 太陽病發汗이 지나쳐 水氣가 內動한 것이고, 다른 하나는 少陰病으로, 腎陽 虧虛하여, 水氣가 內停한 것이다. 두 종류는 시작이 비록 다르지만 그 발병이 모두 陽虛水泛으로 인해 생긴 것이다. 인체의 水液代謝가 많은 臟腑 기능의 정상여부와 관련있지만, 그중 脾·腎과의 관계가 가장 밀접하다. 水를 制하는 것이 脾에 있고, 主하는 것은 腎에 있다. 『素問』「逆調論」에서 말한 "腎者水臟, 主津液."과 같다. 지금 腎陽이 虛하여 氣化가 失常하고, 開合이 失司하면 小便不利등의 증상이 나타난다. 『素問』「水熱穴論」에서 이르기를 "腎者, 胃之關也, 關門不利, 故聚水而從氣類也. 上下溢於皮膚, 故浮腫. 浮腫者, 聚水而生病也."라고 하였다. 이것 외에도, 水不化氣를 일으켜, 小便淸長과 尿量이 증가하는 증상을 볼 수 있다. 腎陽은 人身陽氣 근본으로, 장부조직기관을 溫煦生化 할 수 있다. 脾陽의 근본은 腎陽에 있는데, 腎陽이 虛衰하게 되면 즉 脾陽 또한 부족해진다. 脾는 運化水濕을 주관하니 脾陽이 虛하여 運化할 수 없고, 수액이 停聚되어 여러 질환이 되는바, 水濕이 肌膚에 넘치면 肢體浮腫으로 沈重하게 된다. 水濕이 腸間을 流走하면 "濕盛則濡泄"하기 때문에, 下痢·便溏이 나타난다. 淸陽의 氣가 不升하고 濁陰이 不降하면, 濕濁의 邪氣가 淸空에 울체되어 頭眩頭重이 나타난다. 寒濕이 안에 응결되어 水停氣滯하면 복통이 나타난다. 水氣가 심장으로 상충하면 즉 心悸가 나타난다. 『素問』「生氣通天論」에서 "陽氣者, 精則養神, 柔則養筋"이라고 하였다. 表證發汗이 너무 지나치면, 傷陽耗陰하고, 陽氣가 大虛하면, 근육이 失養하고, 경맥이 溫煦를 잃어, 筋肉瞤動하며, 일어서는것이 안정적이지 않고, 震顫하여 넘어지려고 하는 증상 등이 나타난다. 종합하면, 상술한 여러 증상의 출현은, 腎陽虛로 인해 脾陽 또한 虛해진 것으로, 水濕不運으로 인한 것으로, 脾腎陽虛가 "本"이되고 水氣內停이 "標"가 된다.

【配伍分析】 본 처방은 脾腎陽虛, 水氣內停의 증상을 치료하기 위해 만들었다. 陽虛水停의 증상을 치료하는 것은, 溫補腎陽과 利水滲濕을 결합하여 운용해야 한다. 처방에서 大辛大熱의 附子를 君藥으로 사용하여 峻補元陽하는데, "益火之源, 以消陰翳"한다. 본품은 純陽燥烈의 약재로, 心·腎·脾로 귀경하며, 그 성질이 善走하여 命門眞火를 보하는 데 장점이 있고, 또한 안의 寒邪를 몰아낼 수 있다. 바로 『本草求眞』卷1에서 말하는 "附子大辛大熱, 純陽有毒, 其性走而不守, 通行十二經, 無所不至. 爲補先天命門眞火第一要劑. 凡一切沉寒痼冷之症, 用此無不奏效"라고 했다. 張錫純 또한 "附子味辛, 性大熱. 爲補助元陽之主藥"(『醫學衷中參西錄』 中冊)이라고 했다. 水를 주관하는 것이 비록 腎에 있지만, 制水는 脾에 있다. 지금 腎陽이 虛衰하면, 반드시 脾陽이 不足해지고, 脾胃의 氣가 虧虛하게 되기 때

문에, 처방에 白朮을 배오하여 益氣健脾燥濕한다. 『本草求眞』卷1에서 "白朮緣何專補脾氣? 蓋以脾苦濕, 急食苦以燥之, 脾欲緩, 急食甘以緩之. 白朮味苦而甘, 旣能燥濕實脾, 復能緩脾生津, 且其性最溫, 復則能以健食消穀, 爲脾臟補氣第一藥也"라고 하였다. 茯苓은 甘淡性平하고, 健脾利水滲濕을 잘하여, 水濕이 소변을 따라 나가도록 한다. 특히 脾虛不健, 水濕內停의 증상에 활용한다. 苓·朮을 서로 배오하면, 益氣健脾祛濕하여, 모두 臣藥이 된다. 生薑은 辛하며 微溫하고, 움직이고 지키지 않으니, 附子를 도와 化氣할 수 있고, 또한 苓·朮을 도와 溫中健脾하고, 또 직접 肌表에 넘친 水濕을 溫散할 수 있기 때문에, 佐藥이 된다. 仲景이 처방에 芍藥 一味를 配伍한 것은 자못 깊은 뜻이 있는데, 대개 芍藥은 맛은 酸苦하고 성질은 寒하여, 이 처방에 사용되어 한 가지 약재로 세 가지 쓰임을 갖춘다. 첫 번째, 芍藥은 利小便하여, 利水氣할 수 있는데, 『神農本草經』卷2에서 그것이 "利小便"할 수 있어, 苓·朮을 도와 水濕을 제거할 수 있다. 두 번째, 본품은 益陰柔肝, 緩急止痛할 수 있어, 水飮이 腸間으로 下注하여 생긴 腹痛을 치료한다. 세 번째, 斂陰舒筋으로 筋惕肉瞤을 그치게 하고, 附子의 燥熱로 陰이 傷하는 것을 막아준다. 補陽利水藥에 酸斂護陰의 약재로 보좌하는 것은, 陰陽互根의 뜻으로, 補陽하지만 致亢하지 않고, 護陰하지만 留邪하지 않는다. 陽生陰長하게 하여, 水火相濟한다. 진실로 趙羽皇이 말한 "更得芍藥之酸, 以收肝而斂陰氣, 陰平陽秘"(『古今名醫方論』卷3)라고 말한 것과 같다. 위에서 볼 수 있듯이, 중경의 組方用藥은 확실히 초인의 경지에 있다. 방중 모든약의 배오가 溫脾腎, 利水濕하여 溫陽利水의 효능을 이룬다.

본 처방의 배오특징은 두 가지가 있다. 첫 번째는 溫陽藥과 利水藥을 배오하여, 溫補脾腎之陽으로 그 근본을 치료하고, 利水祛濕으로 그 標를 치료하여, 標本兼顧하고, 扶正祛邪한다는 것이다. 두 번째는 補陽藥과 養陰藥을 함께 사용하여, 溫陽하며 陰을 상하지 않고, 益陽하며 留邪하지 않고, 陽生陰長, 剛柔相濟, 陰平陽秘하여 여러 증상이 나을 수 있다는 것이다.

【類似方比較】 본 처방과 苓桂朮甘湯을 비교하면 모두 茯苓·白朮의 健脾利濕과 溫陽化氣의 약품을 사용하고, 모두 溫陽利水의 작용이 있어, 陽虛水氣內停의 증상을 치료할 수 있다는 것이다. 그러나 본 처방 적응증은 病變의 중점이 腎에 있고, 또 많이 腎陽이 虛한 증후를 수반하기 때문에, 附子가 君이 되어, 溫陽散寒하고, 여기에 生薑을 배오하여 附子를 도와 溫散水邪한다. 苓桂朮甘湯은 病變의 중점이 脾에 있고, 또 水氣上泛을 주치증으로 하기 때문에, 茯苓의 健脾利水를 君으로 하고, 桂枝와 배오되어 溫陽化氣한다.

【臨床應用】

1. 證治要點: 본 처방은 脾腎陽虛, 水氣內停에 유효한 方劑로, 臨床에서 四肢沈重, 小便不利, 舌淡苔滑, 脈沈弱을 證治要點으로 한다.

2. 加減法: 原書에서 이르기를 "若咳者, 加五味子·細辛·乾薑; 若小便利, 去茯苓; 若下利者, 去芍藥加乾薑; 若嘔者, 去附子加生薑, 足前爲半斤."이라고 했다. 대개 咳嗽는 水氣가 위로 肺를 범한 것이기 때문에 細辛·乾薑을 더하여 溫肺和飮하고 五味子로 斂肺止咳한다. 小便利는 茯苓을 빼는데 이는 과한 小便利는 腎을 상할게 할까 우려해서이다. 脾陽의 虛가 심해 下利하는 것은 白芍藥의 酸寒을 빼고, 乾薑을 더하여 溫運脾陽한다. 嘔는 水가 胃에 머물러 있는 것으로, 병이 下焦에 있는 것이 아니기 때문에 附子를 빼고, 生薑을 加重해 溫胃散水하여 구토를 멈춘다.

본 처방에 麻黃連軺赤小豆湯을 합하면 宣肺發表利水의 효능을 강화할 수 있고, 頑固性濕疹에서 및 皮膚潰瘍·流水가 오래되었지만 낫지 않는 사람에게 사용하면 그 효과가 매우 뛰어나다. 본 처방에 桂枝·黨參 등 溫經健脾益氣의 약재를 더하여 風濕性關節炎 및 婦人寒濕帶下등의 증상을 치료할 수 있다. 본 처방에 黨參·桑螵蛸·炙甘草 등 益氣固澁의 약재를 더하여 尿崩症을 치료할 수 있다.

3. 眞武湯은 다음 한국표준질병사인분류(KCD)에 해당하는 환자가 脾腎陽虛, 水氣內停證證으로 辨證되는 경우 본 처방의 사용을 고려해볼 수 있다.

처방 목표	한국표준질병사인분류(KCD)
慢性腎炎	N03 만성 신염증후군
腎病綜合徵	N04 신증후군
慢性腎功能衰竭	N18 만성 신장병
充血性心力衰竭	I50.0 울혈성 심부전
慢性支氣管炎	J41 단순성 및 점액화농성 만성 기관지염
	J42 상세불명의 만성 기관지염
支氣管哮喘	J45 천식
胃下垂	K31.88 위 및 십이지장의 기타 명시된 질환_위하수
腹瀉	(질병명 특정곤란)
	K59.1 기능성 설사
	K52.9 상세불명의 비감염성 위장염 및 결장염
內耳眩暈症	H81 전정기능의 장애
高血壓	I10 본태성(원발성) 고혈압
	I15 이차성 고혈압

【注意事項】 酢·猪肉·桃·李·雀肉 등을 금한다.

【變遷史】 본 처방의 출처는 張仲景『傷寒論』이다. 이 책 제82條에서 "太陽病發汗, 汗出不解, 其人仍發熱, 心下悸, 頭眩, 身瞤動, 振振欲擗地者 眞武湯主之"라고 하였다. 제316조에서는 "少陽病 二三日不已, 至四五日, 腹痛, 小便不利, 四肢沈重疼痛, 自下利者 , 此爲有水氣, 其人或咳, 或小便不利, 或下利, 或嘔者, 眞武湯主之."라고 하였다. 본 처방은 濟火로 鎭水하는데, 이것은 溫陽利水의 대표 方劑이며, 임상에서는 脾腎陽虛, 水氣內停등 병을 치료하는 방제의 다수가 본방의 化裁로 만들어졌다.『飼鶴亭集方』의 眞武丸은 그 用藥이 本方과 相同한데 다만 방중의 일부 약물의 용량을 증감하고, 薑汁으로 丸을 만든 것이다. 그 치료증상은 眞武湯과 기본적으로 일치하며, 그 병세가 비교적 완만하여 빠른 효과를 취할 수 없을 때, 환제로 완만하게 도모하여, 古方의 운용을 잘한 것이라고 할 수 있다.『胎産秘書』卷下에 기재된 同名의 眞武湯은 仲景의 眞武湯에 當歸身·肉桂·酸棗仁·炙甘草를 더하여 조성한 것으로 脾腎陽虛, 水氣內停의 증상을 치료하는 것 외에 婦女의 産後類中風痙症을 치료한다. 대개 婦女産後에는 陰血이 虧虛하고 陽氣 또한 손상을 받기 때문에, 방중에 溫陽養血의 약재를 더하였다. 그 법을 배우면서 그 처방을 고집하지 않고, 그것을 통해 원방의 치료범위를 넓혔다.

【難題解說】

1. 본 처방의 方名에 관하여: 方名 "眞武"는 본 처방이 溫腎行水의 효능으로 인한 것인데, 특히 眞武之神과 같이 降龍治水할 수 있고, 그 위엄이 水患을 물리쳐 이름붙인 것이다.『醫宗金鑒』「刪補名醫方論」卷33에서 "眞武者, 北方司水之神也, 以之名湯者, 借以鎭水之義也"라고 했다.『漢方簡義』 역시 "名眞武者, 全在鎭定坎水, 以潛其龍也."라고 했다. 本方을 또한 "玄武"라고도 하는데, 별자리의 이름인데, 이것은 北方 七宿의 총칭으로, 그 虛·衛 兩宿의 형태가 龜(玄)·蛇(武)와 같다. 玄武는 水神의 이름으로, 고대 신화에서 북방의 신이다. 마찬가지로, 靑龍·白虎·朱雀을 합해 四方四臣이라고 부른다. 이것의 형상은 龜 혹은 龜蛇의 합체이다.

2. 처방에 熟附子·生薑을 이용하는 것에 대한 이해: 본 처방 陽虛水泛을 위해 만든 것이지만, 처방 중 溫暖脾腎之陽의 목적을 위해 生附子·乾薑 사용하는 것이 아니라 熟附子에 生薑을 배오하였다. 仲景의 四逆湯類의 方劑를 보면, 附子는 모두 生用하고, 배오하는 것은 乾薑이다. 그 이치가 무엇일까? 生附子와 熟附子, 生薑과 乾薑의 작용은 각각 서로 다른데, 程知가 말하기를 "白通·通脈·眞武皆爲少陰下利而設. 白通四證, 附子皆生用, 惟眞武一證熟用者, 盖附子生用則溫經散寒, 炮熟則溫中祛陰. 白通諸湯以通陽爲重, 眞武以益陽爲先, 故用藥有輕重之殊. 乾薑能佐生附子

以溫經, 生薑能資熟附以散飮也”(錄自『醫宗金鑒』「訂正傷寒論注」卷7). 본 처방의 적응증은 陽虛가 있을 뿐 아니라, “水氣”도 있다. 生薑은 辛溫하여, 行散水飮의 효능이 있다. 乾薑의 辛熱은 비록 溫陽 효능이 강하지만 다만 行散의 힘은 없다. 만약 陽虛寒盛한 사람을 위해서는 처방에 또한 乾薑을 더할 수 있는데, 仲景이 原方 뒤의 注에 이르기를 “若下利者, 去芍藥加乾薑加”이라고 한 것이, 즉 이 뜻이다.

3. 처방에 芍藥을 배오하는 것에 대한 이해: 처방에 芍藥을 사용하는 뜻은 여러 의견이 있다. 어떤 사람은 본장의 적응증 陰虛水泛證으로 인식하여, 白芍藥을 사용하면 陰水의 邪를 모을 수 있기 때문에, 사용하지 않는 것이 좋다고 했다. 또 어떤 사람은 본 처방 白芍藥을 뺄 수 없는데, 白芍藥이 利水의 작용을 강화할 수 있기 때문이라고 했다. 『本經疏證』卷7에서 “芍藥能破陰凝, 布陽和. 盖陰氣結, 則陽不能入, 陰結破則陽氣布焉, 是布陽和之功, 又因破陰凝而成也.”라고 했다. 그것을 溫陽藥에 보좌하도록 넣으면, 寒性이 줄고, 利水의 효능이 있게 된다. 또 芍藥은 辛熱과 滲利之品으로 인한 傷陰을 막아주며, 身瞤動에 있어 斂陰緩急하여, 筋惕肉瞤을 그치게 할 수 있다. 腹痛에 대해, 寒水不化, 脾虛肝乘으로 인한 것은 芍藥이 柔肝理脾, 緩急止痛할 수 있다. 이것으로, 芍藥의 方中 작용을 무시할 수 없다는 것을 알 수 있다. 다만 융통성있게 사용하고, 만약 陽虛寒이 심한 사람은 白芍藥을 뺄 수 있다. 腹痛과 身瞤動이 없는 사람 또한 사용하지 않아도 된다.

【醫案】

1. 咳喘 『名醫類案』: 吳孚先이 趙太學을 치료했는데, 水氣咳嗽로 천식이 있었는데, 傷風으로 오인하여 風藥을 투여했더니, 面目이 붓고 천식이 더욱 심해졌다. 말하기를: 風起면 즉 雲涌하는데, 약을 잘못 사용한 것이다. 眞武湯의 溫中鎭水로 여러 증상이 모두 나았다.

考察: 咳喘 증상은 그 병에 이르는 원인으로 外感과 內傷의 구별이 있다. 外邪를 느껴 發病한 사람은 去邪를 우선으로 해야 하고, 內傷으로 발병한 사람은 治本을 주요하게 해야 한다. 이 처방의 병증으로 앓는 咳喘은 脾腎陽虛, 水氣內停, 寒飮射肺로 인해 생긴 것이다. 이전의 의사의 진단이 정확하지 않아, 치료법을 어긋나게 세워 함부로 祛風消邪의 方劑를 투여하여, 나아짐이 없고, 正氣만 상하였다. 陽氣가 더욱 虛해지고, 水液이 범람하는 것이 제어되지 않아 “面目盡腫”과 “喘逆愈甚”이 나타난 것이다. 溫陽利水하는 眞武湯을 투여했다. 腎陽이 회복되어 氣化가 움직이고, 脾氣가 왕성해져 水가 제어되고, 寒飮이 물러나서 肺氣가 평안해지고, 咳喘이 자연히 나았다. 辨證이 정확했기 때문에, 用藥이 합당하여, 매우 빠른 효과를 얻었다.

2. 頑固性盜汗 『新中醫』(1984, 1:23): 남성, 41세. 盜汗을 앓은 지 5년 되었는데, 2~3일마다 한 번 있었고, 오래 치료 받았지만 아직 효과를 얻지 못했다. 盜汗이 날이 갈수록 심해져, 매일 한밤 중 2시 정도에 땀이 나서 옷을 적시고, 이불까지 스며들었으며, 깬 후에는 땀이 멈추고, 전신이 차가워지고, 낮에는 피곤하고 힘이 없고, 움직이면 심장이 두근거리고, 下肢浮腫이 있고, 안면에 윤택이 적고, 舌淡苔薄하고, 脈이 沉細했는데, 脈證을 합해 참고하니, 증상이 陽氣虛衰, 陰寒內盛에 속했기 때문에, 扶陽抑陰의 眞武湯을 사용하여 치료했다. 五劑를 복약한 후, 盜汗이 갑자기 그치고, 정신이 좋아지고, 脚腫이 사라졌으며, 계속해서 金匱腎氣丸으로 調治하고, 지금까지 추적관찰했는데, 재발하지 않았다.

考察: 한의학의 汗證은 自汗과 盜汗의 구분이 있다. 옛 사람들은 自汗은 대부분 陽虛에 속하여, 溫陽益氣로 치료하여, 固表止汗해야 하고, 盜汗은 대부분 陰虛에 속하며, 滋陰降火로 치료하여, 斂陰止汗해야 한다고 했는데, 이것이 일반적인 방법이었다. 그러나 질병은 복잡한 것이라, 盜汗이 陰虛에만 속한다고 할 수 없다. 바로 張景岳이 말한 “自汗·盜汗, 亦名有陰陽之

證, 不得謂自汗必屬陽虛, 盜汗必屬陰虛也."(『景岳全書』卷12)라고 한 것과 같다. 本例의 盜汗은 脾腎陽虛로 인해 생긴 것으로, 眞武湯을 투여하여, 扶陽益陰했다. 5첩을 복용하고 수년 동안의 盜汗이 완치되어, 그 치료효과가 좋지 않다고 말할 수 없다. 이것으로, 한의학의 치료법은 반드시 病機를 엄격하게 지켜서, "有者求之, 無者求之"해야 하는 것을 알 수 있다. 일반적인 것을 알고 변화에 도달해야, 처방을 자기 마음대로 사용할 수 있으며, 주변이 순조롭게 진행될 수 있다.

附子湯

(『傷寒論』)

【組成】 附子 炮, 去皮破八片 二枚(18 g) 茯苓 三兩(9 g) 人蔘 二兩(6 g) 白朮 四兩(12 g) 芍藥 三兩(9 g)

【用法】 위의 재료를 물 八升으로 끓여 三升을 취하고, 찌꺼기를 제거하고, 따뜻하게 一升을, 하루에 3회 복용한다.

【效能】 溫經助陽, 祛寒除濕.

【主治】 陽虛寒濕內侵證. 背에 惡寒이 있고, 手足이 冷하고, 身體가 아프고, 骨節이 아프고, 입이 마르지 않고, 舌이 淡하고 苔가 白滑하며, 脈이 沉無力한 것이다. 혹은 여성이 임신 6~7개월에 腹脹 보이고, 腹痛과 惡寒이 나고, 少腹冷痛이 부채로 바람을 부치듯하며, 脈弦發熱을 수반하는 것이다.

【病機分析】 본 처방은 중경이 少陰寒化證을 치료하기 위해 만들었다. 少陰은 手少陰心과 足少陰腎을 포괄하는데, 心은 君主의 官이고, 腎은 先天의 本이다. 만약 心腎陽氣가 衰微하면 病이 寒으로부터 생기게 되고, 陰寒이 內盛하면, 반드시 일련의 虛寒證狀에 이르게 된다. 腎陽은 命門眞火로, 人身陽氣의 근본이며, 안으로는 五臟六腑, 밖으로는 四肢百骸가 모두 溫煦에 의지하고 있다. 腎陽이 虛衰하면 四肢를 溫暖하게 할 수 없기 때문에, 手足厥冷이 나타나고, 동시에 등의 惡寒을 수반한다. 등은 督脈에 속하며, 여러 陽의 기능을 총괄한다. 陽氣가 不足하면 寒濕의 邪가 督脈에 정체되기 때문에 등에 오한이 나타나는 것이다. 본 처방병증의 惡寒은 太陽表證의 등 惡寒과 陽明經證의 등 惡寒과 모두 근본적인 차이가 있다. 太陽病의 背惡寒은 外感風寒으로, 衛陽이 막혀 생기는 것으로, 동시에 發熱·頭痛·脈浮 등의 증상이 보인다. 그러나 陽明經證의 背惡寒은 邪가 안에 들어온 것으로, 熱盛寒多하고, 津氣가 손상을 입어 생긴 것이다. 背惡寒과 心煩, 口乾舌燥 등이 함께 보인다. 一表一裏, 一虛一實하여, 더욱 상세히 변증해야 한다. 그러므로 『傷寒論』에 "無熱惡寒者, 發於陰也"의 明訓이 있는 것이다. 『傷寒貫珠集』卷7에서 인용한 『元和紀用經』에서는 "少陰中寒而背惡寒者, 口中則和; 陽明受熱而背惡寒者, 則口燥而心煩, 一爲陰寒下乘, 陽氣受傷, 一爲陽熱入裏, 津液不足, 是以背惡寒雖同, 而口中和與燥則異, 此辨證之要也."라고 했다. 陽氣가 虛衰하여, 寒濕의 邪가 內侵하고, 筋脈骨節 사이에 유착하기 때문에, 몸의 疼痛과 전신 골절의 동통이 나타나는 것이다. 惡寒身痛의 증상은 太陽病 역시 그것이 있다. 그러나 太陽病의 心脈은 浮하고 發熱이 있고, 본 처방의 병증 脈이 沉하고 發熱이 없는 것이 그 鑑別要點이다. 寒이 안이 있기 때문에, 입이 마르지 않는다. 舌淡苔薄, 脈이 沉細하고 무력한 것은 모두 陽氣虛衰, 陰寒內盛의 증상이다. 여성이 임신이 6, 7개월에 腹痛과 惡寒, 부채질 한 것 같은 少腹冷痛이 나타나면 역시 陰寒이 안으로 심하여, 陽氣가 溫煦胞宮하지 못해 생기는 것이다. 仲景은 原文에서 "所以然者, 子臟開故也"(『金匱要略』「婦人妊娠病脈證幷治」)라고 했다. "子臟"은 즉 胞宮이다. "開"는 즉 "不斂"의 뜻이다. 魏念庭이 말하기를 "腎主開合, 命門火衰, 氣開能散不能合……婦人子臟開亦此理也"(『金匱要略方論本義』卷20)라고 했다. 腎陽虛衰, 子臟이 열려 닫히지 않으면, 風冷의 氣가 그것을 타고

오르기 때문에, 부채질 한 것 같은 少腹冷痛이 나타나는 것이다. 종합하면, 본 처방 치료하는 증상은 모두 陽氣가 衰弱하여, 寒濕이나 風冷이 침입하여 생긴 것이다.

【配伍分析】 본 처방은 少陰陽虛하고, 寒濕이 침입한 증상을 위해 만든 것이다. 처방에서 附子의 溫腎助陽을 重用하여, 陰寒의 邪를 흩어지게 하여 君藥으로 삼았다. 附子는 맛이 辛甘하고, 성질이 大熱하여, 溫陽散寒의 聖藥이다. 張景岳이 말하기를 "附子乃陰證要藥, 凡傷寒傳變三陰及中寒夾陰, 雖身大熱而脈沉者, 必用之. 或厥冷腹痛, 脈沉細, 甚則唇靑囊縮者, 急須用之, 有退陰回陽之力, 起死回生之功"(『景岳全書』「本草正」卷48)이라고 했다. 张秉成 역시 "附子味辛性熱, 能回脾腎元陽, 質燥氣剛, 可逐下中寒濕, 斬關奪門之將, 痼冷何愁, 善行疾走之功, 沉寒立解; 或溫經發汗, 痹病賴此以宣通; 或益氣和營, 補藥仗之有力"『本草便讀』卷1)이라고 했다. 본 처방이 君으로 삼았는데, 病機와 매우 알맞다. 臣은 白朮·茯苓으로 益氣健脾祛濕하여, 濕이 出路를 가지게 하였다. 氣는 陽에 속하는데, 陽虛하면 반드시 氣가 虛해지기 때문에, 人蔘을 이용하여 補脾益氣하고, 後天의 근본을 배양하여 佐藥으로 삼았다. 芍藥의 養陰和營으로 血痹를 통하게 하는 것으로 더욱 보좌하는 것과 동시에, 緩急止痛하여, 身痛·腹痛 등의 증상을 치료한다. 본 처방의 방증은 본래 陽虛에 속하는데 왜 養血斂陰의 약재인 芍藥을 배오하는 것일까? 본방에서 芍藥을 이용하여, 附子와 배오하면, 溫經護營할 수 있고, 少陰津陽의 不足, 陰寒이 內盛하거나 寒濕이 內侵하고, 營衛의 運行이 滯澀하여, 惡寒肢冷하고, 身體骨節에 疼痛이 있는 증상에 대해 매우 적합하게 된다. 여러 약을 함께 사용하여, 溫經助陽, 祛寒除濕의 효능을 이룬다.

본 방제의 배오 특징은 溫裏助陽과 甘溫益氣, 健脾滲濕藥을 서로 배오하는 뜻은 溫補로 寒濕을 제거하고, 養陰和營의 약재를 보좌하여, 溫裏助陽하지만 陰을 상하게 하는 폐단이 없도록 하기 위해서이다.

【類似方比較】 본 처방과 眞武湯 두 방제는 모두 附子·白朮·茯苓·白芍藥이 있으며, 모두 溫經散寒, 滲濕止痛의 효능이 있고 陽虛證을 치료할 수 있다. 그러나 두 처방 치중하는 점이 따로 있어, 임상에서 감별해야 한다. 본 처방은 眞武湯에서 生薑을 빼고 白朮·附子를 배로 하고 다시 人蔘을 더했는데, 뜻이 溫陽補虛로 寒濕을 제거하는데 있고, 陽虛, 寒濕이 침입하여 생긴 肢節·腹部의 동통 증상에 적용한다. 그러나 眞武湯은 生薑을 重用하고, 처방에서 附子·白朮의 용량이 비교적 가벼운데 그 뜻이 溫陽散寒으로 水邪를 게거하는 데 있어, 陽虛水氣內停의 증상, 肢體重痛·水腫 등의 증상이 나타나는 것에 적용한다.

【臨床應用】

1. 證治要點: 본 처방은 溫經助陽, 祛寒除濕의 方劑로, 임상에서 운용할 때는 痹痛, 畏寒肢冷을 겸하며, 苔白脈遲를 證治要點으로 한다.

2. 加減法: 본 처방에 증상을 참작하여 羌活·獨活·威靈仙·豨薟草 등의 風濕藥을 함께 사용하면 그 효과가 더욱 좋을 수 있다. 寒濕이 비교적 심하면, 桂枝·制川烏·制草烏를 더하여 溫經散寒하고, 痹痛이 오래 지속되고, 血行이 막히면, 乳香·沒藥을 더하여 活血止痛한다.

3. 附子湯은 다음 한국표준질병사인분류(KCD)에 해당하는 환자가 陽虛寒濕內侵證으로 辨證되는 경우 본 처방의 사용을 고려해볼 수 있다.

처방 목표	한국표준질병사인분류(KCD)
風濕性關節炎	M05 혈청검사양성 류마티스관절염
	M06 기타 류마티스관절염
類風濕性關節炎	M15 다발관절증
	M13.0 상세불명의 다발관절염
心血管疾病	I00~I99 IX. 순환계통의 질환
胃腸道疾病	K20~K31 식도, 위 및 십이지장의 질환
	K55~K64 장의 기타 질환

【注意事項】 처방 중 附子는 毒이 있는데, 그 주요 독성의 성분은 diester diterpenoid alkaloids로, 3~4 mg이면 사망에 이를 수 있는데, 단 熱을 가하여 끓이면 물에 쉽게 풀어져, 독이 적은 hypaconitine이나 독이 없는 aconine으로 변한다. 그러므로 본 처방을 이용할 때는 반드시 합리적인 煎煮·炮製와 용량에 주의하여 中毒을 방지해야 한다.

【變遷史】 본 처방은 『傷寒論』에서 나왔다. 이 책 304條에서 이르기를 "少陰病, 得之十二日, 口中和, 其背惡寒者, 當炙之, 附子湯主之."라고 했고, 305조에서 또 이르기를 "少陰病, 身體痛, 手足寒, 骨節痛, 脈沉者, 附子湯主之."라고 했다. 『金匱要略』「婦人妊娠病脈證幷治」에서 이르기를 "婦人懷妊六七月, 脈弦發熱, 其胎愈脹, 腹痛惡寒者, 少腹如扇, 所以然者, 子臟開故也, 當以附子湯溫其臟."이라고 했다. 이것으로 보면, 본 처방은 주로 少陰病, 陽虛寒盛의 病證을 위해 만들어졌고, 그 학술사상의 영향 아래, 唐代 孫思邈의 『備急千金要方』卷7에서 본 처방에 桂心·甘草를 더해 이름을 附子湯이라고 하고, 濕痹緩風, 身體疼痛으로 몸이 끊어질 것 같고, 살을 송곳으로 찌르는 것 같은 것을 치료했다. 『千金方衍義』卷7 평하여 말하기를 "南陽太陽例中, 甘草附子湯本治風濕相搏, 骨節疼痛, 如欲折, 掣痛. 『千金』借治濕痹緩風, 可謂當矣. 又恐辛溫太過, 津隨汗泄, 更合少陰例中附子湯, 取人蔘固氣, 芍藥斂津, 茯苓滲濕, 幷助桂·附之雄, 庶無風去濕不去, 虛風復入之患矣."라고 했다. 宋代에 이르러 『太平聖惠方』卷9에서는 본 처방의 茯苓을 赤茯苓으로 바꾸고, 芍藥은 赤芍藥을 이용하고, 桂心을 더하여, 역시 이름을 附子湯이라고 했는데, 다시 生薑과 大棗를 넣고 달여서 복용하여, 傷寒 1일에 그 등이 惡寒한 것을 다스리는데 사용했다. 傷寒因下後, 脾胃虛冷하고, 腹脇脹滿 등의 증상에 사용했다. 『聖濟總錄』은 본 처방을 加減衍化하여 同名異方을 만들었는데, 치료는 ① 中風欲死, 身體緩急, 눈을 뜨지 못하고, 혀가 뻣뻣하여 말을 하지 못하고, ② 風曳, 手足을 마음대로 할 수 없고, 신체를 구부리고 펼 수 없고, ③ 歷節風疼痛, 밤낮으로 참을 수 없고, ④ 傷寒憎寒壯熱, 頭痛膈悶, 四肢疼痛倦怠, ⑤ 傷寒 後 虛羸少力 등의 병증을 치료했다. 후대 본 처방의 발전은 약물조성의 가감뿐 아니라 적응증의 범위가 확대되었고, 또 劑型도 飮·散·粥·煎·膏 등으로 변화했다. 예를 들어 『醫略六書』卷30에도 附子散이 기재되어 있는데, 本方에서 茯苓을 빼고 桂心·炙甘草·吳茱萸·丁香·木香을 더해 烏梅湯을 끓여 찌꺼기를 제거하고 따뜻하게 복용했다. 婦人이 産後 氣陽兩虧하여, 化育生土할 수 없고, 寒邪가 안에 정체하기 때문에 생긴, 腹痛吐瀉, 脾陰暗耗, 脈細軟微澀微한 것을 主治했다.

【難題解說】

1. 본 처방을 妊娠에 사용하는 것에 관하여: 『金匱要略』「婦人妊娠病脈證幷治」에 본 처방으로 여성 임신의 陽虛寒甚의 腹痛證을 치료했다. 비록 책의 條에서 方名만 수록하고 藥物을 열거하지 않았지만, 후대 의학자들은 모두 본 처방 사용할 것을 주장했다. 처방에서 附子는 毒이 있어, 墮胎의 폐단이 있기 때문에 『名醫別錄』卷3에서 지적하기를 附子"墮胎, 爲百藥長"이라고 했는데, 仲景은 왜 그것을 이용해 妊娠의 病을 치료했을까? 본 처방의 병증은 陽虛寒甚으로 인해 생긴 것인데, 附子는 溫陽散寒을 위한 좋은 약재이므로, 寒을 물러나게 하고 陽을 회복시켜, 胎를 자연히 편안해진다. 바로 『素問』「六元正紀大論」에서 말한 "有故無殞, 亦無殞也."와 같다. 張璐 역시 말하기를 "用附子湯以溫其臟, 則胎自安. 世人皆以附子爲墮胎百藥長, 仲景獨用以爲安胎聖藥, 非神而明之, 幕敢輕試也."(『張氏醫通』卷10)라고 했다. 이것을 보건데, 본 처방을 이용하여 安胎하려면 반드시 辨證에 주의해야 하며, 함부로 투약해서는 안 된다.

2. 처방에 芍藥을 배오하는 문제에 관하여: 이 처방은 溫陽祛濕하는 方劑인데 왜 陰柔한 芍藥을 중용할까? 藥證을 분석하면, 芍藥의 처방 중 작용을 다음의 세 가지로 정리할 수 있다. 첫 번째, 芍藥은 養陰和營하여, 血痹를 通行하게 하는 효능이 있고, 또 緩急止

痛할 수 있어, 그것으로 身痛과 骨節痛 등의 증상을 치료한다. 두 번째는 陽虛의 증상이 종종 陰精不足을 겸하는데, 陰陽은 서로 근본이 되기 때문에, 芍藥의 養陰으로 陰中求陽의 뜻이 있어, 陽이 陰의 도움을 얻어 生化無窮하도록 한다. 세 번째는 少陰陽虛의 증상으로, 附子의 溫陽을 단독으로 사용하면, 虛陽浮越이 수렴되지 않게 되는데, 芍藥을 배오하여 養陰하게 되면 陽이 따르는 바를 얻게 되고, 또 芍藥의 滋潤하고 制附子의 溫燥에 기댈 수 있어, 補陽하며 陰을 상하지 않게 할 수 있다. 桂枝加附子湯·芍藥甘草附子湯·眞武湯 등의 모두 이런 배오 방법으로, 우리가 참고할 만하다.

【醫案】

1. 關節炎『湖北中醫醫案選集』「第一辑」: 남성, 30세. 처음에 背의 惡寒에서 시작하여, 손발이 차고, 정신이 不振하고, 倦怠로 편안하지 않고, 계속해서 身體關節疼痛이 있었고, 대변이 溏泄하고, 하루에 두 세 차례 보았으며, 口中이 和하고, 發熱이 없고, 음식 생각이 없고, 기운이 없고 말이 느리고, 脈이 沉하고 弱했으며, 舌淡하고 潤했다. 진찰해보니 脾腎陽虛하고, 寒濕이 經脈關節에 留滯하여, 仲景의 附子湯證을 준비했다. 그러나, 身形이 瘦瘠하여, 이 처방을 가볍게 쓰지 못하고, 蔘苓白朮散에 桂枝·薑·棗를 더한 처방으로, 益脾氣調營衛부터 착수했다. 再診에서 대변의 횟수가 줄었고, 식욕이 조금 생겼지만, 體痛肢冷의 여러 증상이 아직 있었다. 仲景의 附子湯이 아니면 효능이 없다고 판단하여, 그것을 주었다. 三診에서는 여러 증상이 이미 물러났는데, 疲憊가 아직 회복되지 않아, 平補脾胃의 方劑에 의거하여 사후 조리를 하였다.

考察: 本案은 脾腎陽虛로, 初診에서 後天의 氣가 水로 들어온 것을 補하여, 先天의 陽을 뒷받침했는데, 힘이 얕아 효능이 느렸다. 用藥이 脾에만 유익하고, 腎에 미치지 못했기 때문에, 효과가 뚜렷하지 않았다. 반드시 脾腎의 양을 둘 다 補하여, 서로 돕도록 해야 했다. 附子湯은 비록 峻劑이기는 하지만, 실제로 평온한 처방이다. 그러므로 증상이 虛寒하고, 형체가 瘦瘠하여, 그것을 사용하여 無害하고, 효과도 더욱 빠르게 얻었다.

2. 背惡寒『北京中醫雜誌』(1991, 4:38): 남성, 42세. 보름 전에 피로 누적으로 땀이 난 후, 등의 惡寒이 극심함을 느꼈는데, 진찰 시에 얼굴색이 靑晦하고, 입이 갈증이 나거나 건조하지 않는지 물었고, 입이 쓰지 않고, 몸이 沈重하고, 정신이 疲憊했다. 舌淡苔白하고 滑했으며, 脈은 沉弱했다. 陽氣虛弱, 寒濕不化證으로 진단하여, 附子湯의 溫陽益氣를 이용하고, 祛寒化濕하여, 十二劑로 나았다.

考察: 평소 몸이 허한데, 피로 누적으로 땀이 과다하게 나서, 氣가 汗을 따라 배출되고, 陽氣가 虧損되었기 때문에, 등에 惡寒이 나타나고, 몸이 무겁고, 정신이 피곤한 등의 증상이 나타났다. 증상은 陽氣虛弱, 寒濕不化에 속했고, 陽明經證의 등 惡寒에서 口苦·煩燥가 보이는 것과 달랐다. 치료는 溫陽益氣, 祛寒化濕해야 해서, 附子湯을 투여하여 완치되었다.

3. 胖大舌(舌血管神經性水腫)『新中醫』(1986, 10:46): 남성, 50세. 혀가 살이 찌고 크고, 麻木하고, 언어가 분명하지 않고, 활동이 민첩하지 않은 것이 5년여 되었다. 진료에서 얼굴색이 晄白하고, 형체가 조금 뚱뚱하고, 神疲氣短하고, 尿酸怯冷하고, 納小腹脹, 便溏이 심할 때에는 하루에 10여 차례 보고, 소변을 자주 보았다. 검사에서 舌體가 뚱뚱하고 커서 입을 다 차지하고, 가장자리에 齒痕이 있고, 舌質이 淡嫩하고 舌苔는 白滑하며, 脈은 沉細하고 遲했다. 이는 脾腎陽虛로, 水濕이 안에 머물다가 위로 범람하여 혀에 침범한 것이다. 치료는 溫腎助陽, 健脾祛濕이 적당하여, 附子湯에 乾薑을 더해 20여 첩을 사용한 후, 여러 증상이 모두 없어졌고, 추적 관찰 2년 동안 재발하지 않았다.

考察: 本案은 脾肾陽虛로, 水濕이 위로 넘쳐 혀에 침범하여 舌體가 뚱뚱하고 커진 것이다. 본방에 乾薑

을 더하여 溫運脾腎하고, 通化氣機하여, 脾腎을 乾薑하게 하고, 水濕을 化했기 때문에, 여러 증상이 모두 평온해졌다.

4. 인공유산 수술 후 高熱『上海中醫藥雜誌』(1994, 7:29): 여성, 25세. 인공유산 수술 후, 惡露淋瀝가 그치지 않고, 1주 후부터 점점 畏寒發熱하여, 급히 진료를 받았는데, 여러 종류의 항생제를 5일 동안 사용했는데도, 열이 지속되고 내리지 않았다. 한의 진료에서 얼굴색이 창백하고, 표정이 淡漠하고, 땀이 나면 증발하고, 말이 없고 잠을 자기를 원하고, 음식 생각이 없고, 手足이 逆冷하고, 少腹이 冷痛한 것이 冷風이 少腹에 솔솔 부는 것 같았고, 脈은 沉細微數하고, 舌顫, 色은 淡嫩하고 선명하지 않았고, 苔膩灰黑한 것이 중간 부분이 더욱 심했고, 삼일 동안에 체온이 39.5℃까지 올랐다. 脈證을 참고하니, 증상이 脾腎陽虛, 胞宮虛寒에 속했다. 附子湯을 주었다. 1제 복용 후, 手足이 따뜻하게 되었고, 少腹에 부채질하는 것 같은 것이 감소했고, 정신이 나아지고, 점차 먹을 수 있었고, 체온이 38℃까지 떨어졌다. 계속해서 처방을 지켜 복용했는데, 附子의 용량을 줄이고(15 g에서 10 g까지), 1첩 복용 후, 체온이 정상이 되었고, 惡露도 이미 그치고, 여러 증상이 평소를 회복했다.

考察: 환자가 인공유산 수술을 한 다음, 땀이 나서 陽을 상하게 되고, 또 惡露淋瀝가 그치지 않아, 陰血이 더욱 허해졌다. 高燒가 나타났지만, 陽熱證이 아니었고, 脈證을 합해 참고하니, 脾腎陽虛, 胞宮虛寒에 속하는 것이 의심할 바 없었다. 그러므로 附子湯을 주어 효과가 정확히 들어맞았다.

實脾散

(『重訂嚴氏濟生方』)

【異名】 實脾飮(『證治準繩』「類方」卷2).

【組成】 厚朴 去皮, 薑製炒 白朮 木瓜 去瓤 木香 不見火 草果仁 大腹子 附子 炮, 去皮臍 白茯苓 去皮 乾薑 炮 各 一兩(30 g) 甘草 炙 半兩(15 g)

【用法】 上㕮咀, 매회 四錢(12 g)을 복용하는데, 水 1잔 반에 生薑 五片, 大棗 一個를 더해 7분까지 달이고, 찌꺼기를 제거하고 따뜻하게 마시는데, 시간에 구애받지 않는다.

【效能】 溫陽健脾, 行氣利水.

【主治】 陽虛水腫證. 半身 이하의 붓기가 심하고, 手足이 따뜻하지 않고, 갈증이 없고, 胸腹脹滿하고, 대변이 溏薄하고, 舌苔가 厚膩하고, 脈이 沉遲하다.

【病機分析】 본 처방의 병증은 脾腎虛寒, 陽不化水, 水濕內停으로 생긴 것이다. 『素問』「至眞要大論」에서 말하기를 "諸濕腫滿, 皆屬於脾"라고 했다. 脾는 運化水濕을 주관하는데, 脾腎이 陽虛하면, 水濕이 運化할 수 없기 때문에 腫滿이 생긴다. 『丹溪心法』卷3에서 陰水·陽水의 분류 방법을 제기했다. "若遍身腫, 煩渴, 小便赤澀, 大便閉, 此屬陽水. ……若遍身腫, 不煩渴, 大便溏, 小便少, 不澀赤, 此屬陰水."라고 지적했다. 『景岳全書』卷22에서 말하기를 "凡水腫等證, 乃脾·肺·腎三臟相干之病. 盖水爲至陰, 故基本在腎; 水化於氣, 故其標在肺; 水準畏土, 故其制在脾."라고 하였다. 그중 脾와 腎의 관계가 가장 밀접하다. 腎은 先天의 本이고, 脾는 後天의 本이 되는데, 脾氣의 運化는 腎陽의 溫煦가 필요하고, 腎精이 충족되어야 하여, 반드시 脾가 흡수하는 水穀精微가 滋養에 의지하게 된

다. 病理上 兩臟은 또 상호 영향을 주는데, 하나는 腎陽이 부족하면 脾陽을 溫暖하게 할 수 없어, 脾陽 역시 부족하게 된다. 脾陽이 虛衰하면, 水穀正氣를 운화할 수 없어, 또한 腎氣虛損에 이르게 된다. 脾陽이 虛衰하면 土가 水를 억제할 수 없어서, 水邪가 妄行하고, 肌膚로 범람하기 때문에, 肢體浮腫이 나타난다. 水는 陰邪가 되는데, 그 성질이 아래로 향하는 까닭에 허리 이하의 浮腫이 심하게 된다. 脾陽이 不振하면, 運化가 무력해져, 물이 氣機를 막아, 胸腹이 脹滿하게 되고, 納減便溏하게 된다. 腎陰이 부족하면 즉 氣不化水하여, 水濕이 腸道로 흘러 便이 묽게 된다. 脾는 四肢를 주관하는데, 陽氣가 四肢를 溫養하지 못하게 되어, 手足이 不溫하게 된다. 갈증이 없고, 舌淡苔膩, 脈이 沉遲하거나 沉細한 것은 모두 脾陽이 虛하여 水濕을 運化할 수 없는 증상이다.

【配伍分析】 본 처방은 飮水를 치료하는 대표적인 방제로, 그 증상은 脾腎虛寒에 속하며, 陽不化水하여, 水邪가 患이 된 것이다. "虛則補之, 寒者溫之"의 원칙에 따라, 溫陽實脾하여, 脾腎의 制水行水 효능을 회복시켜야 한다. 水의 不利는 또한 氣滯와 관계가 있어, 또 行氣利水를 겸해야 한다. 처방은 乾薑·附子를 君으로 삼는다. 그중 乾薑은 辛熱하여 溫運脾陽할 수 있어, 中焦를 健運하게 하고, 脾陽이 振奮하여 溫化水濕하게 된다. 『本草求眞』卷3에서 말하기를 "乾薑大熱無毒, 守而不走, 凡胃中虛冷, 元陽欲絶, 合以附子同投, 則能回陽立效"라고 했다. 附子는 辛熱하여, 溫腎助陽할 수 있고, 腎陽이 따뜻해지면, 化氣行水할 수 있다. 曹民宇가 輯注한 『本草經』卷上에는 附子가 "大熱純陽, 衝鋒陷陳, 入足太陰·厥陰經, 又通行十二經, 陰寒當之, 無不瓦解……引溫暖藥以去在裏之寒濕."한다고 했다. 두 가지 약재를 함께 사용하여, 溫養脾腎하고, 扶陽抑陰하기 때문에 方에서 君藥이 된다. 臣는 白朮·茯苓으로 삼아 健脾和中, 滲濕利水한다. 그러니 土氣가 부족하면, 木氣가 강해져 凌弱하게 되어, 木克土하게 되는데, 처방에서 木瓜의 酸溫함으로 土中瀉木할 수 있어, 祛濕利水를 겸하여, 木不克土하여 肝和하게 된다. 氣는 水을 풀어줄 수 있는데, 氣滯하면 즉 水이 멈추게 되고, 氣行하면 즉 濕化하게 되기 때문에, 처방에 厚朴을 배오하여 寬腸降逆하고, 木香으로 脾胃의 滯氣를 調理하고, 大腹子로 行氣의 가운데 利水消腫을 겸할 수 있도록 하고, 草果는 辛熱燥烈의 성질이 비교적 강하여 濕鬱伏邪를 치료하기 좋아서, 五藥과 함께 사용하면 모두 醒脾化濕, 行氣導滯의 효능을 이루게 되어, 佐藥이 된다. 甘草를 使로 하여 여러 약을 조화롭게 한다. 用法 에 生薑·大棗를 더하여 益脾和中한다. 여러 약을 서로 배오하면 溫脾暖腎, 行氣利水의 효능을 이루게 된다.

이 처방은 溫補脾土의 효능이 뛰어난 편이고, 治病求本의 원칙을 구현하며, 脾實은 즉 水治이므로 "實脾"라는 이름을 얻었다.

이 처방의 배오특징 健脾利水藥과 溫陽祛寒藥을 서로 배오하여, 健脾로 利水하도록 하고, 陽을 회복시켜 寒을 제거하며, 行氣化濕의 약재를 배오하여, 扶正祛邪, 標本兼顧한다.

【類似方比較】 본 처방과 眞武湯의 비교 實脾散의 조성은 眞武湯에 비해 芍藥이 적고, 生薑의 양이 감소되고, 乾薑·厚朴·木香·草果·檳榔·甘草와 大棗를 더하여 만들었다. 이 두 가지는 모두 溫暖脾腎, 助陽行水 할 수 있고, 陽虛水腫證을 치료한다. 그러나 眞武湯은 溫腎化氣한편으로 溫腎을 위주로 하며, 腎陽虛弱, 水濕內停의 陰水證을 치료하며, 증상으로, 水腫, 小便不利 및 水氣凌心과 筋脈失養으로 생긴 心悸氣短, 身瞤動 등의 증상이 보인다. 본 처방의 작용은 溫脾利水, 行氣化濕한편이고, 脾를 치료하는 것을 주로 하는데, 그러므로 그 적응증의 증후는 脾陽虛弱, 水氣內停의 陰水證이며, 그 증후로 水腫, 허리 이하의 水腫이 심한 것 외에, 畏寒肢冷, 身重腹脹, 便溏 등이 보인다.

【臨床應用】

1. 證治要點: 본 처방은 陰水를 치료하는 주요 方

劑이다. 임상에서는 하반신의 붓기가 심하고, 胸腹脹滿하고, 舌淡苔膩, 脈沉遲를 證治要點으로 한다.

2. 加減法: 만약 氣短乏力을 겸하고, 懶怠, 懶言하는 사람은 黃芪·黨參 등을 더하여 補氣하고, 尿少腫盛한 사람은 澤瀉·猪苓을 더하여 利小便의 효능을 강화하고, 脘腹脹이 심하면, 陳皮·砂仁을 더한다. 이 외, 小便에서 蛋白이 陽性을 띄면, 甘草를 빼고, 鹿銜草와 芡實을 빼고, 心悸怔忡하면, 附子의 용량을 더하고, 生龍骨·靈磁石을 더한다. 肝區가 脹通하면 靑皮·三稜·莪朮을 더하고, 大便이 溏邪하는 사람은 大腹子를 大腹皮로 바꾸고, 大便이 祕結한 사람은 牽牛子를 더하여 通利二便한다.

3. 實脾散은 다음 한국표준질병사인분류(KCD)에 해당하는 환자가 陽虛水腫證으로 辨證되는 경우 본 처방의 사용을 고려해볼 수 있다.

처방 목표	한국표준질병사인분류(KCD)
慢性腎小球腎炎	N03 만성 신염증후군
心源性水腫	I50 심부전
肝硬化腹水	K74.1 간경화증

【注意事項】 본 처방은 溫陽行氣의 효능이 강하므로, 陽水에 속하는 자는 사용을 금한다.

【變遷史】 본 처방은 南宋(13세기)의 의학자 嚴用和가 만든 方劑이다. 『重訂嚴氏濟生方』에 의하면 "實脾散治陰水, 先實脾土. 陰水爲病, 脈來沉遲, 色多靑白, 不煩不渴, 小便澀少而淸, 大便多泄, 此陰水也, 則宜用溫暖之劑, 如實脾散·復元丹是也."라고 했다. 고증을 했는데, 北宋 의학자 許叔微가 지은 『普濟本事方』卷4에 "實脾散"이 이미 기록되어 있었다. 이 책에서 말하기를 "治脾元虛浮腫, 實脾散. 入附子(一個炮去皮)·草果子(去皮)·乾薑(炮)各二兩, 甘草(炙)一兩, 大腹(連皮)六個, 木瓜(去瓤切片)一個."라고 했다. 方劑組成을 보면, 두 처방 상당히 비슷한 곳이 있는데, 許氏方에서 이용한 藥物이 嚴氏方에 모두 사용되고 있는 것은, 嚴氏의 實脾散이 사실상 許氏方을 기초로 加味하여 만들어진 것이라는 것을 설명한다. 白朮·茯苓·厚朴·木香을 더 사용했기 때문에, 健脾行氣利水의 효능이 더욱 현저하다. 그러므로 후대의 임상에서 모두 嚴氏方을 선택했고, 許氏方을 선택한 사람은 매우 적었다. 본 처방은 溫陽利水하고, 陰水證을 치료하는 유명한 方劑로, 후대에 미친 영향이 매우 크다. 예를 들면, 『普濟方』卷371의 實脾散은 본 처방 비교하여, 그 조성에서 木果·大腹子·附子·乾薑·厚朴이 적고, 人蔘·砂仁·良薑·丁香·山藥·陳皮·麥芽·蓮肉·曲餠·靑皮·冬瓜仁·薏米仁·扁豆·香附·陳米를 더했다. 그 溫陽의 힘이 비교적 완만하여, 健脾消食의 효능을 강화할 수 있고, 그 작용은 주로 健脾止瀉이며, 小兒脾胃虛冷, 乳食不進, 吐瀉不止, 慢驚과 痘證下痢, 收澀할 수 없는 것을 치료한다. 『奇效良方』卷40의 實脾散은, 陰水發腫을 주로 치료하는데, 본 처방에서 茯苓·白朮을 빼고, 大腹子를 大腹皮로 바꾸었다. 『醫略六書』卷20의 實脾散은 그 조성이 木瓜·生薑·大腹皮·草豆蔻가 적고, 澤瀉·猪苓과 薑皮를 더하여, 命火衰微, 脾土를 만들지 못하여 氣滯가 不化하고, 寒水가 侵入하여, 肌肉 사이에 범람하여, 腫滿이 진흙같고, 脈이 沉遲한 것을 주치했다. 『醫宗金鑒』卷54의 實脾散은 본 처방을 토대로 하여 附子·乾薑·生薑을 줄이고, 陰水, 腫脹, 二便不實, 身不熱, 心不煩한 것을 치료했다.

【難題解說】 본 처방의 기원에 대해: 대부분 의학자들이 南宋 의학자 嚴用和의 『濟生方』에서 나왔다고 여겼다. 그러나 연대가 오래되고, 여러 번의 兵火戰亂으로, 이 책이 이미 완전하게 전해지지 않는다. 관련 자료의 기록에 의하면, 『濟生方』 원서는 모두 10권이고, 기재된 방은 400여 수가 있는데, 현존하는 『濟生方』은 단지 8권만 남아 있고, 수록된 처방은 240수이다. 『四庫全書提要』에서 이르기를 "明以來傳體頗稀, 又大抵脫佚錯謬, 失其本旨"라고 했다. 그러므로 현존하는 『濟生方』에서 본 처방이 보이지 않는 것이다. 어떤 사람은 본방이 元·危亦林의 『世醫得效方』에서 나왔다고 했는데, 『世醫得效方』이 세상에 알려진 시기는 『濟生方』에

비해 수십 년 늦기 때문에, 인정하기 어렵다. 근년에 浙江省中醫硏究所 등의 단체에서 새롭게 정리하여 편집한 『重訂嚴氏濟生方』은 기본적으로 『濟生方』의 원모를 반영하여, 국내의 다른 현행본에 비해 완벽하다. 이 책의 "水腫門"에 본 처방이 실려 있다. 그러므로 實脾散方은 嚴用和의 『濟生方』에서 나왔다는 설이 비교적 믿을 만하다.

【醫案】

1. 水腫 『湖南省老中醫醫案選』「朱卓夫醫案」: 남성. 遍身水腫, 腹脹, 面色蒼白, 二便通利, 口不渴, 食欲不振하여 나를 찾아와 진료를 받았다. 脈을 살피니 一息三至하고 舌苔는 白滑했다. 이는 곧 陰寒水腫으로, 實脾飮을 고려했다. 厚朴·白朮·木瓜·腹皮·附子·木香·草果·茯苓·乾薑·生薑. 5첩을 복용한 후, 붓기가 점차 없어졌고, 原方에 螻蛄 2只를 더하여, 硏末泡兌한 것을 다시 5첩 복용하여 병이 나았다. 내가 陰寒水腫을 치료하는데, 이 처방을 투여하서 여러 번 시험했는데 모두 효험이 있었다.

考察: 本案은 陰寒水腫證에 속하는 것으로, 脾陽不足하고, 水氣內停으로 생긴 것이다. 본 처방의 溫陽健脾를 이용하여, 行氣利水하고, 螻蛄를 더하여 利水通便하니, 一擧에 효과를 거두었다.

萆薢分淸飮
(萆薢分淸散)

(『楊氏家藏方』卷9)

【異名】 分淸散(『濟生方』卷4)·分淸飮(『瑞竹堂經驗方』卷1)·萆薢飮(『古今醫鑒』卷8)·萆薢散(『壽世保元』卷5)

【組成】 益智仁 川萆薢 石菖蒲 烏藥 各等分(9 g)

【用法】 위의 재료를 꺾는다. 매회 三錢(9 g)을 물 一盞半에 소금 一捻(0.5 g)을 넣고, 食前에 따뜻하게 복용한다.

【效能】 溫腎利濕, 分淸化濁.

【主治】 膏淋, 白濁. 小便頻數, 混濁不淸, 白如米泔, 稠如膏糊.

【病機分析】 본 처방이 치료하는 膏淋·白濁은 下焦虛寒, 濕濁不化로 생긴 것이다. 腎은 先天의 本이고, 封藏을 주관하며, 水火의 臟인 동시에 開合을 담당한다. 腎氣가 왕성하면, 氣化가 정상이며, 開合에 절도가 있어, 소변이 정상이다. 만약 노인이 몸이 허한데, 병후 허약에 과도한 노동, 房室不節 등은 모두 腎陽虧虛, 氣化不利, 水液代謝障礙를 일으켜, 水濕內停, 濕濁下注하게 된다. 腎虛하면 下元不固하고 封藏하는 기능을 잃어, 膀胱 역시 約束하지 못하여 小便이 빈번하게 된다. 脂液下泄하면 소변이 혼탁해지고 맑지 않고, 하연 것이 米泔과 같고, 끈적끈적한 것이 膏糊와 같다. 증상은 임상에서 또한 형체가 나날이 야위고, 神疲乏力, 頭暈目眩, 腰膝酸軟, 舌淡苔白膩 脈細無力한 것 등을 볼 수 있다. 본 처방 병증의 발전 機制에 대해 전대 의학자들의 논술이 매우 상세하다. 예를 들어 『諸病源候論』卷4에서 "勞傷於腎, 腎氣虛冷故也. 腎主水, 而開竅在陰, 陰爲溲便之道, 胞冷腎損, 故小便白而濁也."라고 했고, 『景岳全書』卷29에서도 역시 "淋久不止, 及痛澀皆去, 而膏液不已, 淋如白濁者, 此惟中氣下陷及命門不固之證也."라고 하였다. 종합해 보면, 본 처방 치료하는 膏淋·尿濁은 下焦虛寒, 濕濁不化로 인해 생긴 것이며, 濕熱下注와는 다른 것으로, 臨證에서 상세하게 판별하여 虛虛實實의 잘못을 범하지 않도록 한다.

【配伍分析】 본 처방이 치료하는 膏淋·白濁은 그 병이 下焦에 있고, 이것은 腎氣虛弱, 濕濁不化로 생긴다. 치료는 마땅히 溫腎利濕, 分淸化濁하는 방법을 사용한다. 처방 중의 川萆薢는 味苦性平하여 利濕祛濁

에 뛰어나 白濁과 膏淋을 다스리는 일반적으로 사용하는 약이다. 『本草綱目』「草部」卷18에서 말하기를 "萆薢能除陽明之濕, 而固下焦, 故能去濁分清."라고 했다. 『藥品化義』에서는 "男子白脈, 莖中作痛, 女子白帶, 病由胃中濁氣下流所致, 以此人胃驅濕, 其症自愈."라고 했다. 본 처방에서는 그것을 君藥으로 삼는다. 腎은 益智仁의 辛温으로, 溫暖脾腎, 縮泉止遺한다. 『本草綱目』「草部」卷14에서 "益智仁, 治遺精虛漏, 小便餘瀝, 益氣安神, 補不足, 利三焦, 調諸氣, 夜多小便者."라고 했다. 『本草求眞』卷3에서는 "益智氣味辛热, 功專燥脾溫腎, 及斂脾腎氣逆, 藏納歸源, 故又號稱補心補命之劑, ……腎氣不溫, 而見小便不縮, 則用此鹽炒, 與烏藥等分爲末, 酒煮山藥粉爲丸, 鹽湯下, 名縮泉丸以投."라고 지적하였다. 君藥과 함께 사용하면, 腎氣를 회복시키고 分清祛濁하는 힘을 강화한다. 腎虛로 인해 濕濁不化, 阻滯下焦하므로 烏藥으로써 佐하는데, 대개 烏藥 역시 辛温之品에 속하여 능히 行氣開鬱할 수 있어, 溫中止痛하는데 일반적으로 사용하는 약이다. 『本草綱目』「木部」卷34에서 말하기를 "烏藥辛溫香竄", "止小便頻數及白濁."이라고 했다. 『本草從新』卷7에서는 그것을 "上人脾肺, 下通膀胱與腎, 能疏胸腹邪逆之氣, ……治膀胱冷氣, 小便頻數, 白濁."이라고 하였다. 또 말하기를 "氣血虛而內熱者勿服"이라고 하여, 본 처방에서 그것을 이용하여, 溫腎行氣하면, 氣를 움직여 水 역시 움직이게 한다. 石菖蒲는 味辛性微温하고 芳香氣勝하여 化濁祛濕할 수 있다. 『本草求眞』卷3에서 "腸胃旣溫, 則膀胱之虛寒, 小便不禁自止."라고 했다. 그러므로 본 처방 역시 그것을 佐藥으로 삼는다. 처방 중의 약은 단지 네 가지에 불과한데, 그중 益智仁·烏藥·石菖蒲 세 가지가 모두 辛溫한 약물로 합하여 이용하면, 溫腎暖脾, 固脬止遺할 수 있기 때문에, 下焦虛寒의 小便頻數에 이용하며, 君藥인 萆薢와 배오하여, 溫陽利濕, 分清化濁의 효능을 이루어, 陽虛白濁을 치료하는 것이 핵심이 되는 방이다. 原方 뒤에 "一方加茯苓·甘草"라고 하여, 그 利濕化濁의 효능을 더욱 좋게 하였다. 服藥할 때 소금을 조금 넣으면 그 짠맛이 腎으로 들어가 藥을 下焦에 직접 도달하게 하여, 효과가 더욱 빨라진다.

본 처방은 처방 중의 君藥인 萆薢가 分清化濁의 효험을 가지고 있어 명명된 것이다.

본 처방의 배오특징은 溫腎行氣藥과 祛濕藥을 배오하는데, 그중 溫化를 주로 하며 祛濕을 輔로 한다. 본 처방의 적응증이 下焦虛寒, 濕濁不化로 인해 생기기 때문에, 이와 같이 配方하면 腎氣가 따뜻해져, 濕濁 역시 化하게 된다.

【類似方比較】 본 처방과 導赤散·八正散은 모두 小便不利 혹은 頻數不禁 혹은 濕濁不清한 淋濁證을 주치한다. 그러나 본 처방의 적응증인 膏淋·白濁은 下焦虛寒 濕濁不化로 인한 것으로, 溫腎利濕, 化濁分清로 치료해야 하기 때문에, 萆蘇·益智仁 등의 利濕劑와 溫腎의 약재를 배오하여 조방한다. 導赤散은 口瘡과 小便赤澁刺痛을 치료하는데, 이것은 心火가 小腸으로 열이 이동하여 생긴 것으로, 淸心利小便을 주로 하여야 하기 때문에, 生地·竹葉·木通 등 清熱과 利濕藥을 위주로 조방한다. 八正散은 下焦濕熱로 인한 熱淋을 치료하는데, 치료는 마땅히 清熱瀉火, 利水通淋해야 하기 때문에 萹蓄·瞿麥·梔子·大黃·木通 등 清熱瀉火와 利濕藥을 배오하여 조방한다. 세 가지 처방은 적응증의 病機가 모두 달라서 그 治法과 用藥 역시 모두 다른데, 한의학의 辨證 論治의 이론을 충분히 구현하고 있다.

【臨床應用】

1. 證治要點: 본 처방은 腎氣虛弱, 濕濁不化로 인한 膏淋·白濁을 치료한다. 소변이 빈번하고·混濁不淸을 證治要點으로 한다.

2. 加減法: 虛寒腹痛을 겸한 사람은 肉桂·小茴香으로 溫裏祛寒하고, 오랜 병으로 기가 허하고, 中氣가 부족하고, 증상으로 面白氣短·舌質淡·脈虛 등이 보이면, 人蔘·黃芪·白朮 등을 더해 益氣健脾하고, 腰膝酸

痛하면 川斷·狗脊·鹿角膠 등을 더해 益腎壯腰한다.

3. 萆薢分清飮은 다음 한국표준질병사인분류(KCD)에 해당하는 환자가 腎虛寒濕證으로 辨證되는 경우 본 처방의 사용을 고려해볼 수 있다.

처방 목표	한국표준질병사인분류(KCD)
前立腺炎	N41 전립선의 염증성 질환
慢性腎盂腎炎	N11 만성 세뇨관-간질신장염
慢性腎炎	N03 만성 신염증후군
慢性盆腔炎	N73 기타 여성골반염증질환
	R10 복부 및 골반 통증
滴蟲性陰道炎	A59.0 비뇨생식기의 편모충증

【注意事項】 膀胱濕熱壅盛에 해당하는 白濁·膏淋에는 본 처방의 사용이 적절하지 않다.

【變遷史】 본 처방은 南宋 의학자 楊倓의 『楊氏家藏方』卷9(1178年 간행)에서 나왔는데, 원명은 "萆蘇分淸散"이다. 眞元不足, 下焦虛寒, 小便白濁 등의 증상을 치료한다. 그 후 嚴用和의 『濟生方』도 本方을 수록하고 있는데, 『濟生方』이 완성된 것은 1253년으로, 책 중 『赤白濁遺精論治』篇에서 말하기를 "白濁者, 腎虛有寒也, 過於嗜欲而得之, 其狀漩而如油, 光彩不定, 漩即澄下, 凝如膏糊"라고 하였다. 뒤에 "分淸散; 治小便白濁漩面如油, 或小便頻數. 川萆薢·益智仁·天臺烏藥·石菖蒲, 上等分, 爲細末, 每服三錢, 水一盞, 入鹽少許, 煎至七分, 午後及臨睡溫服."이라고 기재했다. 嚴氏는 그것에 "分淸散"이라는 이름을 붙였다. 宋·楊四瀛의 『仁齋直指方論』卷10에 이 方이 수록되었는데, 茯苓·甘草 二味를 더하였다. 동시에 이르기를 "分淸飮……益智仁一兩(醋浸), 川萆薢·石菖蒲(去毛)·天臺烏藥·白茯苓各一兩, 甘草四錢, 右爲末, 每三錢, 鹽少許, 同煎, 食(前)煎服"이라고 했다. 苓·草를 더 넣어 본 처방의 理脾祛濕 작용을 강화했다. 明·朱橚의 『袖珍方』(1391년 간행)에서는 이 처방을 인용하여 遺尿와 小便失禁 증상을 치료했다. 『丹溪心法』(1481년 간행) 역시 이 처방을 인용하며, 이름을 "萆薢分淸飮"으로 바꾸었다. 원서의 처방 뒤에 이르기를 "一方加茯苓·甘草"라고 하며 膏淋과 白濁을 치료했다. 『女科切要』卷2에서는 이 처방을 인용하고, 또 飛滑石·茯苓·甘草·鹽을 더하여, 陽虛白濁을 치료했고, 淸代 의학자 程鐘齡이 지은 『醫學心悟』에서도 책에 "萆薢分淸飮"을 수록하고 있다. 方名은 비록 같지만, 약물조성에는 매우 큰 차이가 있다. 程氏는 原方에서 辛溫한 烏藥·益智仁을 빼고, 黃柏·白朮·茯苓·蓮子心·丹参·車前子 등을 넣었다. 이와 같이 溫暖下元, 利濕化濁의 方劑로 변하여, 淸熱利濕, 分淸化濁의 처방이 되어, 白濁으로 下焦의 濕熱鬱滯에 해당하는 것에 적용했다. 『北京市中藥成方選集』에서는 본 처방을 丸劑로 바꾸고, 이름을 "萆薢分淸丸"라고 하여 그 사용이 더욱 편리해졌다.

【難題解說】 본방의 기원에 관하여: 과거 출판된 『方劑學』 교재와 방제학 저작들은 모두 본방이 『丹溪心法』(1481년)에서 나왔다고 인식하고 있다. 고증에 따르면, 일찍이 『丹溪心法』이전의 醫書에 이미 본 방제가 수록되었는데, 그중 가장 빠른 것이 『楊氏家藏方』(1178年)이다. 方劑의 조성약물·용량·용법 등이 모두 같고, 다른 것은 方劑의 이름이 "萆薢分淸散"으로 되어 있다. 丹溪學說을 私淑하고 그것을 배운 虞摶이 그의 저작 『醫學正傳』에서 萆薢分淸飮이 『杨氏家藏方』에서 나왔다고 명확히 밝히고 있다. 이것으로 보아 본 방제의 출처는 『杨氏家藏方』이 정확한 것이다.

【醫案】

1. 小兒單純性尿頻症 『山西中醫』(1989, 6:28): 여아, 10세. 처음에는 매일 소변을 10여회 보았고, 또 스스로 통제가 가능했는데 나중에 점점 심해져, 매일 수십 회로 증가했으며, 모두 낮에 일어나고, 밤에는 소변을 보지 않았다. 배뇨 시 소변이 빈번하고, 급하며. 소변이 맑고 양이 적었지만 疼痛은 없다. 검사는 陰性이었고, 脈이 沉細하고 無力하고, 舌苔는 薄白하고, 舌質은 淡紅에 津이 있었다. 증상이 腎陽虛衰에 속하고, 腎氣가 부족하여, 치료는 마땅히 溫腎補陽法으로 하여, 본 처

방에 茯苓·甘草를 더하여 물로 달여 복용했는데, 아침 저녁 1회씩 공복에 따뜻하게 복용했다. 모두 12첩을 먹고 완치되었다.

考察: 本案은 單純性尿頻症으로 소아의 腎氣不足, 腎陽衰弱, 固攝無權으로 膀胱이 失約하여 開合을 조절할 수 없어 생긴 것으로 치료는 마땅히 溫補腎陽을 주로 하는데, 본 처방에 茯苓을 더하여 利小便하고, 甘草로 補益五臟하고 여러 약을 조화롭게 했다. 全方은 補腎溫陽, 溫化水濕, 調理氣機하는 작용을 하여 虛寒性尿頻證에 사용하여 효과가 상당히 좋았다.

【副方】 萆薢分淸飮(『醫學心悟』卷4): 川萆薢 二錢(6 g), 黃柏炒褐色 石菖蒲 各 五分(1.5 g) 茯苓 白朮 各一錢(3 g) 蓮子心 七分(2 g) 丹參 車前子 各一錢五分(5 g).

- 用法: 물로 달여 복용한다.
- 作用: 淸熱利濕, 分淸化濁.
- 適應症: 濕熱膏淋·白濁. 小便混濁, 尿有餘瀝, 舌苔黃膩 등.

본 처방은 『楊氏家藏方』의 萆蘇分淸散을 加減하여 만들어졌다. 赤白濁이 濕熱로 인해 膀胱으로 스며들어 발생한 것을 치료한다. 程國彭 말하기를 "濁之因有兩種: 一由腎虛敗精流注; 一由濕熱滲入膀胱. 腎氣虛, 補腎之中必兼利水, 盖腎精有二竅, 溺竅開, 精竅閉也; 濕熱者, 導濕之中必兼理脾, 盖土旺則能勝濕, 且土堅凝則水自澂淸也."라고 했다. 그러므로 원래 처방에서 辛溫한 烏藥·益智仁을 빼고, 理脾하는 白朮·茯苓을 더해 사용하여, 脾를 건강하게 하여 濕을 제거한다. 黃柏·丹參·蓮子心·車前子를 더하는 것은 어째서인가? 程氏가 말하기를 "濁有赤者, ……此濁液流多, 不及變化, 又或心火盛, 亦見赤色, 宜加入蓮子心·燈心·丹參等藥, 則愈矣."라고 했다. 위의 약물로 淸熱瀉火할 수 있기 때문에, 그것을 사용하는 것이다.

鷄鳴散

(『類編朱氏集驗醫方』卷1)

【組成】 檳榔 七枚(15 g) 陳皮 木瓜 各一兩(12 g) 吳茱萸 二錢(3 g) 紫蘇莖葉 三錢(4 g) 桔梗 半兩(6 g) 生薑 和皮 半兩(6 g)

【用法】 위 약물들을 거친 가루로 하여, 8번 복용하도록 만든다. 하룻밤을 넘겨 물을 큰 대접으로 셋을 이용하여 천천히 달인 후, 1대접 반을 남긴 뒤 찌꺼기를 제거한다. 물 두 대접을 이용하여 찌꺼기를 달여 작은 대접으로 하나를 취한다. 두 차례 달인 것을 합하여, 침대 머리맡에 놔두고 다음날 五更에 2, 3번 나누어 복용한다. 오로지 차게 복용하는데, 겨울에는 약간 따뜻하게 해도 되고, 복용할 땐 떡처럼 눌러 먹는다. 다 먹지 못하면, 남겨두고 다음날 차차 먹어도 된다. 이 약을 먹고 아침이 되면, 대변이 黑糞水로 한 사발 정도 나오는데, 腎家의 感寒濕毒의 氣가 아래로 나온 것이다. 아침 식사 전후로, 통증이 멎고 붓기가 사라지는데, 천천히 먹게 두어, 약력이 지나가길 기다린다. 이 약은 宣藥이 아니라 금하는 것이 없다.

【效能】 行氣降濁, 宣化寒濕.

【主治】

1. 濕脚氣. 足脛의 붓기가 심하고 힘이 없으며, 麻木冷痛하여, 행동이 불편하거나 攣急上衝하여 심하면 胸悶까지 泛惡하게 되는 것.

2. 風濕流注. 發熱惡寒, 脚足의 통증을 견딜 수 없고, 筋脈이 浮腫한 것.

【病機分析】 脚氣病은 足脛腫重無力하고, 행동이 불편해지는 증상을 특징으로 한다. 병이 다리에서 생기기 때문에 이름이 脚起이다. 『外臺秘要』卷18에서 "此

病初得, 即先以脚起, 因卽脛腫, 時人號爲脚起." 또 그 양쪽 발이 緩縱不隨, 이름을 "緩風"·"脚弱" 또는 "軟脚病" 등으로 부르기도 한다. 그 病因은 세 가지 방면을 벗어나지 않는다. 첫 번째, 外感風寒濕邪, 특히 濕邪를 주로한다. 예를 들어 水濕雨霧風毒의 邪氣를 받거나, 濕地에 오래 누워있으면, 濕邪가 虛를 틈타 皮肉筋脈 안으로 들어오고, 이 병이 水濕의 낮은 부분에 있게 되는데, 긴 여름 濕土主令의 때에 비교적 많이 나타난다. 『諸病源候論』「脚氣病諸候」卷13에서 이르기를 "凡脚氣病, 皆由感受風毒所致."라고 하였다. 두 번째는 飮食失調 역시 그 원인 중 하나로, 음식을 과도하게 먹거나, 기름진 것이나 酒醋乳酪의 음식을 많이 먹으면, 脾胃를 손상시켜 運化가 기능을 잃고, 水濕이 下焦에 흐르게 되어, 足脛에 모여 經脈을 막아 脚氣가 생긴다. 세 번째는, 不服水土이다. 『備急千金要方』卷7에서 "自永嘉南渡, 衣纓四人, ……不匀水土, 往者皆遭."라고 하였고, 또 말하기를 "夫風毒之氣, 皆起於地, 地之寒暑風濕, 皆作蒸氣, 足常履之, 所以風毒之中人, 也必先中脚."라고 하였다. 이상의 세 가지 요인은 서로 영향을 미친다. 脚氣의 病機는 寒濕의 邪氣가 下焦經絡을 막아 氣血이 고루 퍼지지 못하여 足脛腫重無力, 麻木冷痛하게 된 것이다. 寒濕은 위로는 胃를 어지럽혀, 脾胃의 升降이 조절을 잃고, 胸悶泛惡하게 된다. 처음 風濕의 邪氣에 감모되면 肌表를 손상시켜 惡寒發熱하게 된다. 濕性은 重濁粘膩하여, 經絡으로 흘러 들어가기 때문에, 脚痛을 견딜 수 없게 되고, 筋脈부종 등의 증상이 나타난다.

【配伍分析】 脚氣病의 발병 증후의 차이에 따라, 임상에서 濕脚氣와 乾脚氣 큰 종류로 나누어진다. 脛足의 腫大가 重着되고, 軟弱麻木한 것은 濕脚氣이다. 반대로 足脛의 腫이 없으면서 枯瘦, 麻木酸痛한 것은 乾脚氣이다. 전자는 다수가 寒濕에 속하며, 후자는 다수가 濕熱로 인해 일어나는 편으로, 결국 濕邪壅滯가 주요 원인이다. 따라서 치료는 마땅히 宣通하여야 하는데, 이것은 바로 楊大受가 말한 "脚氣是爲壅疾, 治以宣通之劑, 使氣不能成壅也"와 같다(『證治準繩』「雜病」卷4). 본 처방이 치료하는 脚氣는 寒濕으로 인한 것이기 때문에, 마땅히 溫化寒濕, 宣通氣機로 치료해야 한다. 처방 중의 檳榔을 君藥으로 하는데, 성질이 重하고 아래로 도달하여, 行氣逐濕의 효능을 갖고 있다. 『本草從新』卷10에서 "槟榔苦溫破滯, 辛溫散邪, 瀉胸中至高之氣, 使之下行, 性如鐵石, 能墜諸藥至於下極, 攻堅除脹.……水腫脚氣, 脚氣衝心者尤须用之."라고 하였다. 『瘟疫論』卷上에서도 역시 "槟榔能消能磨, 除伏邪, 为疏利之药, 又除岭南瘴氣."라 하여, 檳榔이 脚氣病의 要藥으로서 病機를 정확히 다스릴 수 있는 君藥이 되는 것을 알 수 있다. 木瓜는 化濕舒筋하여 臣藥; 陳皮는 理氣燥濕하여 檳榔의 行氣除濕의 효능을 돕는다. 『本草經解』卷3은 "木瓜氣溫味酸無毒. 主治濕痹脚氣, 霍亂大吐下, 節筋不止."라 하였고, 『本草秘录』卷5에서도 역시 木瓜를 "人手太陰·足厥陰之經, 氣脫能固, 氣滯能和, 平胃以滋脾, 益肺而去濕, 助穀氣, 調榮衛, 除霍亂, 止轉筋, 去脚氣, 禁水利.……乃人肝益筋之品, 養血衛脈之味."라 하였다. 따라서 본 처방에서 그것을 사용하면, 근육을 강하게 하여 "脚弱"을 다스리는데 그 뜻이 있다. 또한 처방 중 佐藥을 紫蘇梗葉·桔梗로 하여, 宣通氣機하고, 表邪를 흩어지게 할 수도 있고, 邪를 바깥으로 나가게 한다. 또한 吳茱萸·生薑을 佐로 삼아, 溫化寒濕, 降逆解鬱하여 "腎家感寒濕"의 氣를 제거할 수 있다. 王子接은 "紫蘇色赤氣香, 通行氣血, 專散風毒, 同生薑則去寒, 同木瓜則收濕, 佐以桔梗开上焦之氣, 廣皮開中焦之氣, 妙在吳茱萸泄降下逆, 更妙在槟榔沉重性墜, 諸藥直達下焦, 開之, 散之, 泄之, 收之, 俾毒邪不得上壅人腹衝心而成危候"(『絳雪園古方選註』卷中)라고 하였다. 全方이 함께 行氣解鬱, 溫散寒濕의 효능을 이룬다. 본 처방은 寒濕壅滞하여 氣不宣通의 濕脚氣에 적용한다.

처방의 이름인 鷄鳴散의 뜻은 본 처방이 五更의 닭이 우는 시간에 복용하여야 효과가 가장 좋은 것을 뜻하는 것으로, 하나는 그것을 공복에 취해야 藥力이 쉽게 움직이고, 또 하나는 그 陽氣의 升發을 빌어, 寒濕의 氣가 陽氣를 따라 升發하여 흩어지도록 하는 것으로, 藥物이 더욱 좋은 치료효과를 발휘하도록 하는 것이다.

본 처방의 배오 특징은 行氣祛濕藥이 주가 되며, 溫散寒邪藥으로 보좌하고, 또 宣通氣機의 약물로 도와, 함께 溫宣開上, 降濁導下의 효능을 이루는 것이다.

【臨床應用】

1. 證治要點: 본 처방을 운용할 때 足脛腫大重着, 痲木冷痛을 辨證要點으로 한다.

2. 加減法: 만약 自汗惡風, 脈浮緩이 나타난다면, 痛濕이 盛한편에 속하므로, 桂枝·防風을 더하여 祛風勝濕하고, 無汗身痛, 脈沉遲가 보이면, 寒濕이 盛한편이기 때문에, 肉桂·附子를 더하여 溫散寒濕하고, 脚氣衝心·胸悶·泛惡하면, 紫蘇·陳皮·桔梗의 升散을 빼고, 肉桂·沉香·附子·制半夏를 더하여 溫散寒濕, 降其逆氣한다.

3. 鷄鳴散은 다음 한국표준질병사인분류(KCD)에 해당하는 환자가 證으로 辨證되는 경우 본 처방의 사용을 고려해볼 수 있다.

처방 목표	한국표준질병사인분류(KCD)
膝關節疼痛	(질병명 특정곤란)
	M17 무릎관절증
	M25.8 기타 명시된 관절장애
水腫	(질병명 특정곤란)
	R60 달리 분류되지 않은 부종
絲蟲病으로 생긴 象皮腫	B74 사상충증
慢性腎炎	N03 만성 신염증후군

【注意事項】

1. 乾脚氣와 濕熱脚氣에는 본 처방을 사용할 수 없다.

2. 본 처방을 복용하고 黑糞水 설사를 하면, 이는 檳榔의 힘이다. 『本草綱目』卷3에서 檳榔이 "治大小便氣秘"라고 기록하고 있다. 그것이 緩瀉通便의 작용이 있기 때문에, 用量이 조금 重하면 腹瀉를 일으킬 수 있어, 脾虛便溏인 사람은 신중하게 사용해야 한다.

【變遷史】 본 처방은 『類編朱氏集驗醫方』에서 나왔는데, 『集驗方』이라고 부르기도 하며, 책에 기재된 처방의 다수가 名家의 驗方과 민간에서 나온 驗方을 選錄한 것을 말한다. 朱氏는 원서에서 본 처방이 "淮頭老兵方"이라고 注에서 명백하게 밝히고 있는데, 민간에서 나온 것으로, 朱氏 본인이 만든 것이 아님을 설명하는 것이다. 그 원류를 찾아 올라가면, 唐·王燾의 『外台秘要』卷19 脚氣門에 기록된 唐侍中이 脚氣를 치료한 功心方인데, 그 약물조성을 본방과 비교하면, 桔梗 하나가 없고, 方名이 없을 뿐이었다. 이것으로, 후세에 기록된 鷄鳴散은 사실 이 처방에서 化裁하여 나온 것을 알 수 있다. 淸代 王子接은 "『經』以脚氣名厥, 漢名緩風, 宋·齊後始名脚氣, 按前賢論, 皆由風寒暑濕乘虛襲入三陰經, 宜急爲重劑二治之. 『外臺』療脚氣, 惟唐侍中方爲最驗"(『絳雪園古方選註』卷中)이라고 지적했다. 明代 王肯堂은 『證治準繩』「類方」卷4에 역시 鷄鳴散을 기재했는데, 그 組成이 朱氏方과 기본적으로 같았고, 단지 처방에서 吳茱萸의 용량이 朱氏方에 비해 一錢이 무거울 뿐이었다. 王氏가 글에서 말하기를 "上㕮咀, 只作一遍煎, 用水三大碗, 慢火煎至一碗半, 去滓, 再入水二碗煎滓, 取一小碗, 兩次藥汁相和, 安置床頭, 次日五更分作三·五服."라고 했는데, 朱氏의 용량과 다르고, 8배의 차이가 있는 것은, 朱氏 용량의 부족한 것을 보충한 것으로 보인다. 현대 임상에서는 본 방제의 치료 범위가 더욱 확대되었는데, 그것을 加減하여 五更泄·絲蟲病·象皮腫·水腫·膝關節腫痛 等 寒濕으로 인한 것을 치료하여 모두 비교적 만족할 만한 효과를 거두었다.

【難題解說】

1. 복용시간과 차갑게 복용하는 문제에 관하여: 원래 처방은 처방의 복용시간에 대해 말하며, "次日五更

分二三服"과 "只是冷服"이라고 주장했다. 五更의 시간에 사람들이 공복으로 藥力이 專行하고, 흡수가 용이하기 때문이다. 五更에, 인체의 陰氣가 다하기 시작하고, 陽氣가 올라가기 시작한다. 이 때 服藥하면 陽氣가 升發하는 힘을 빌려 藥力을 도울 수 있고, 寒濕의 사가 陽氣의 升發을 따라 흩어지게 된다. 王子接은 "雞鳴時服者, 從陽注於陰也"(『絳雪園古方選注』卷中)라고 했다. 陳念祖도 『時方歌括』卷下에서 역시 말하기를 "說其服於雞鳴時奈何? 一取其服空, 則藥力前行; 一取其陽盛, 則陽藥得氣也."라고 했다. 차게 복용하는 것은 熱藥을 차갑게 복용하면, 그 病의 성질을 따라, 病體가 그것을 받아들이기 쉽게 된다. 즉 陳氏가 말한 "以陰從陰, 混爲一家, 先誘之而後攻之"의 뜻이다.

2. 복용량의 문제에 관하여: 원서는 그것을 "爲粗末, 分作八服"하고, 물로 달여 2회 복용하는데, 그 약즙을 두 대접 반을 남겨 취하여 2, 3회로 나누어 복용하라고 하였다. 『證治准繩』의 같은 이름의 처방은 吳茱萸의 용량을 一錢 더했는데, 복약량도 역시 같지 않다. 王氏는 全方에 대해서 "只作一遍煎"이라고 하며, 약즙 두 대접 반을 남겨 취하고, 3, 5회로 나누어 복용한다라고 했다. 그 용량이 원래 처방을 많이 초과한 것이다. 朱氏는 全方을 8번 복용할 것으로 만들고, 매회 1량 못 되게 하고, 물 세 대접을 이용하여, 약은 적고 물은 많이 했는데, 일반적인 방법과 맞지 않는다. 그러나 濕脚氣症은 寒濕의 邪가 下焦의 經絡에 壅滯한 것으로, 氣血이 宣暢하지 못해 생긴 것이다. 이런 종류의 病證을 치료하려면, 반드시 量이 크고 효과가 넓은 方劑가 적당하다. 바로 『素問病機氣宜保命集』卷上에서 말하는 "治腎肝在下而遠者, 宜分量多而頓服之是也."와 같다. 임상에서는 환자의 年齡·體質·證狀을 참작하여 그 용량을 정하는 것이 맞다.

第五節 祛風勝濕劑

蠲痹湯

(『楊氏家藏方』卷4)

【組成】 當歸 去土, 酒浸一宿 羌活 去蘆頭 薑黃 黃芪 蜜炙 白芍藥 防風 去蘆頭 各一兩半(45 g) 甘草 炙 半兩(15 g)

【用法】 上㕮咀. 매번 반량을 복용하는데(15 g), 물 2잔에 生薑 五片, 棗 三枚를 넣고, 1잔이 될 때까지 같이 끓여, 찌꺼기를 제거하고 따뜻하게 복용하는데, 시간이나 계절에 구애받지 않는다.

【效能】 祛風除濕, 益氣和營.

【主治】 風痹. 身體煩疼, 項背拘急, 肩臂肘痛, 擧動艱難, 手足麻痹.

【病機分析】 "痹者, 風寒濕三氣雜至, 合而成痹. 其狀肌肉頑厚, 或疼痛. 由人體虛, 腠理開, 故受風邪也"; "風多者爲風痹, 風痹之狀, 肌膚盡痛."(『諸病源候論』卷1). 본 처방 병증의 病機는 營衛가 兩虛하고, 風寒濕의 氣가 乘濕하여, 痹가 肌肉·經絡에 달라붙은 것이다. 三氣 중에 특히 風氣가 盛한편이다. 營衛가 兩虛하기 때문에 實表御邪하고, 風寒濕邪가 虛를 틈타 機體로 침입하고, 肌肉에 정체하며, 經絡을 막고, 氣血과 서로 부딪혀, 氣血運行을 不暢하게 하고, 肌肉·經脈이 不榮하기 때문에, 肩臂肘痛하고, 擧動이 곤란하고, 手足이 마비되는 것이다. 『素問』「痹論」에서 말하기를 痹는 "在於脈則血凝而不流……在於肉則不仁"『素問』「逆調論」에서 말하기를 "營氣虛則不仁, 衛氣虛則不用."이라고 했다.

【配伍分析】 본 처방은 營衛兩虛하고, 風寒濕 三氣가 乘襲한 風痹를 위해 만들어진 것으로, 祛風除濕, 益氣和營으로 立法한다. 처방에서 羌活·防風을 君藥으로 하여, 祛風勝濕, 通痹止痛한다. 羌活은 상반신의 風濕을 제거하는데 좋아서, 『本草匯言』卷1에서 이르기를 "羌活功能條達肢體, 通暢血脈, 攻徹邪氣, 發散風寒風濕"이라고 했다. 『醫學啓源』卷下에서 "羌活, 治肢節疼痛, 手足太陰經風藥也."라고 했다. 防風은 風藥의 潤劑가 되는데, 『本經疏證』卷2에서는 "防風通陽中之陰, 卽除濕以絶風之源"이라고 인식했다. 『長沙藥解』에서 그것을 "引經絡, 逐濕淫, 通關節, 止疼痛, 舒經脈, 伸急攣, 活肢節, 起癱瘓."이라고 말했다. 風痹가 생기는 것은 營衛가 兩虛하기 때문으로, 黃芪로 益氣實衛한다. 當歸와 芍藥은 養血和營하여, 營衛를 조화롭게하고 祛邪에 이로워, 함께 臣藥이 된다. 『本草匯言』에서는 黃芪를 "實衛斂汗, 驅風運毒之藥也"라고 했다. 『本經逢原』卷1에서 黃芪를 "同防己·防風則除風濕."이라고 했다. 薑黃은 佐가 되어, 活血行氣하는데, "橫行手臂"하여 肩臂掣痛을 치료하는 것에 장점이 있다. 『本草綱目』卷14에서 薑黃을 "治風痺臂痛"이라고 했다. 甘草는 益氣하고 여러 약을 조화롭게 하니 使藥이 된다. 용법 중 生薑·大棗를 더하여 營衛를 조화롭게 하고, 祛風除濕, 益氣와 營衛의 효능을 강화한다. 全方을 종합적으로 관찰하면, 黃芪와 防風의 配伍는 相畏하며 相使하여, 實衛로 邪를 정체되게 하지 않고, 散風으로 氣를 傷하게 하지 않아, 서로 더욱 도움이 된다. 羌活은 歸·芍을 얻어 勝濕하여 燥血하지 않고, 歸·芍은 薑黃과 합해져, 竇血和營하고, 더욱 "治風先治血, 血行風自滅"의 뜻이 있게 된다.

"蠲, 去之疾速也; 痹, 濕病也, 又言痛也."(『絳雪園古方選註』卷中)本方은 祛風除濕, 益氣和營의 효능이 있어, 病邪를 제거하여, 痹證을 치료할 수 있기 때문에, 이름을 蠲痹湯이라고 하였다.

본 처방의 배오특징은 祛風除濕藥을 주로 하고, 益氣和血의 약재를 輔로 하여, 邪正을 함께 고려하고, 營衛를 조화롭게 하고, 散水를 같이 사용하고, 潤燥를 서로 합하여, 함께 祛風除濕, 益氣和營의 효능을 이룬다는 것이다.

【臨床應用】

1. 證治要點: 본 처방 병증은 營衛兩虛, 風寒濕 三氣가 乘襲하여, 痹가 肌肉과 經絡에 달라 붙는 것을 주요 病機로 하기 때문에, 임상에서는 身體煩痛, 項背拘急, 肩臂肘痛, 手足麻痹를 證治要點으로 한다.

2. 加減法: 만약 寒邪가 偏重되어 痛症이 극렬한 사람은 桂枝·細辛 등을 더해 溫經散寒止痛하고, 肢體가 沉重하고 疼痛이 있는 사람은 蒼朮·防己·薏仁으로 除濕하고, 手臂麻木이 비교적 重한 사람은 黃芪를 重用하고, 桂枝·全蝎 등을 더하여, 補氣和血, 通絡止痛의 작용을 강화한다.

3. 蠲痹湯은 다음 한국표준질병사인분류(KCD)에 해당하는 환자가 營衛兩虛, 風寒濕痹證으로 辨證되는 경우 본 처방의 사용을 고려해볼 수 있다.

처방 목표	한국표준질병사인분류(KCD)
肩周炎	M75.0 어깨의 유착성 관절낭염
類風濕性關節炎	M15 다발관절증
	M13.0 상세불명의 다발관절염

【注意事項】 본 처방은 藥性이 溫補에 치우쳐있기 때문에, 風濕熱實證에 속하는 痹證은 그것이 적당하지 않다. 본 처방은 약의 찌꺼기를 사용하여 바르거나 달인 물로 아픈 곳을 熏洗할 수 있는데, 단 熨洗한 이후 風寒을 피해야 한다.

【變遷史】 蠲痹湯은 가장 일찍 宋代에 楊倓이 저술한 『楊氏家藏方』卷4에서 볼 수 있고, 主治는 "風濕相搏, 身體煩疼, 項臂痛重, 擧動艱難, 及手足冷痹, 腰腿沉重, 筋脈無力."이다. 宋代에 王繆의 『是齋百一選方』卷3에도 본 처방이 기록되어 있다. 이후, 많은 醫書

에서 모두 蠲痹湯의 同名異方이 기록되어 있는데, 그 기원은 楊氏의 蠲痹湯이지만, 또한 楊氏의 蠲痹湯과는 다르다. 예를 들어『魏氏家藏方』卷8의 蠲痹湯은 즉 본 처방에 기초하여 白朮·附子·薏苡仁을 더했는데, 氣弱當風飮啜, 風邪는 외부에 있고, 陰濕은 안에 정체되어 있어, 風濕이 내외에서 서로 부딪혀, 體倦舌麻하고, 심하면 惡風多汗, 頭目混眩, 遍身不仁하게 되는 것을 치료한다.『嵩崖尊生全書』卷7의 蠲痹湯은 본 처방에서 防風을 빼고, 薄荷·桂枝를 더하여, 手機, 水腫脹 혹은 손가락이나 손바닥에서 팔, 팔뚝까지 연결되는 통증을 치료하였다.『醫宗金鑒』卷39의 蠲痹湯은, 본 처방에서 薑黃, 芍藥을 빼고, 附子·官桂를 더하여, 冷痹를 치료하였는데, 冷痹는 痹痛이 있으면서 몸이 차고 열이 없는 四肢厥冷 상태를 말한다.『醫學心悟』卷3의 蠲痹湯의 組方(羌活·獨活·桂心·秦艽·當歸·川芎·甘草·海風藤·桑枝·乳香·木香)은 이미 楊氏 蠲痹湯과는 다르며, 적응증은 風寒濕 三氣가 합하여 痹證이 되어 肢體關節이 疼痛하거나 沉重麻木하여, 熱을 얻으면 통증이 감소하며 陰雨寒冷하면 가중된다.『婦人大全良方』卷3의 舒經湯은 즉 楊氏 蠲痹湯에서 黃芪·防風을 빼고, 白朮·海桐皮를 더하여 臂痛을 치료하였다. 管見大全良方』(錄自『醫方類聚』卷21)에서는 갖춰진 처방에다 다시 沉香을 더해서, "治風寒所傷, 蠲痹作痛及腰下作痛." 했다.『飼鶴亭集方』은 본 처방을 丸劑로 바꾸어, 蠲痹丸이라고 불렀다.

【難題解說】 본 처방의 方源에 대하여: 본 방제의 출처에 대해 역대 출판된 高等醫藥院校教材『方劑學』은 모두『是齋百一選方』(1196)이라고 말하고 있지만, 같은 宋代의『楊氏家藏方』이 1178년에 완성되어, 前者보다 빠르다.

【醫案】 痹脉『類證治裁』卷5: 張, 50이 넘었고, 좌측 어깨에 평소 腫痛이 있었는데, 어느 날 밤에 강을 건너다가 바람을 맞아, 전신이 마비되고, 脈이 虛濡했다. 이것은 眞氣가 虛하여 風濕이 病이 된 것으로, 痱中根萌이다.『經』에서 말하기를 營虛하면 不仁하고, 衛虛하면 不用한다. 營衛가 失調하면, 邪氣가 虛를 틈타 經絡으로 침입하는데, 蠲臂湯이 그것을 주관한다. 수차례 복용하여 나았다고 했다.

考察: 이 痹脉은 평소에 痹疾이 있음으로 인하여 營衛가 虛損되게 한 것이며, 또 "涉江受風"하여 風濕의 邪로 痹가 經絡을 막게 된 것이다. 그러므로 蠲痹湯을 써서 祛風除濕하고 益氣和營하니 全身麻痹가 곧 나았다.

【副方】 三痹湯(『婦人大全良方』卷3): 川續斷 杜仲去皮切, 薑汁炒 防風 桂心 細辛 人蔘 白茯苓 當歸 白芍藥 甘草 各一兩(30 g) 秦艽 生地黃 川芎 川獨活 各半兩(15 g) 黃芪 川牛膝 各一兩(30 g)

- 用法: 上吹咀, 가루로 만들어, 매회 五錢(15 g)을 복용하는데, 물 2잔, 薑 三片, 棗 一枚를 달여 1잔으로 만들고, 찌꺼기를 버리고, 때에 구애받지 않는데, 약간 공복에 복용한다.
- 作用: 補益肝腎, 益氣和血, 祛風除濕.
- 適應症: 肝腎氣血不足, 手足拘攣, 風痹, 氣痹 등의 질환.

蠲痹湯과 三痹湯은 효능과 적응증이 약간 비슷하다. 그러나 蠲痹湯은 營衛兩虛에 치중하고, 身體煩痛·項背拘急·肩臂肘痛이 주가 되며, 三痹湯은 氣血虛·肝腎虧에 치중하고, 手足拘攣疼痛에 이르고 심하면 활동이 자유롭지 않은 것을 주로 한다. 蠲痹湯은 상반신의 痹痛에 좋고, 三痹湯은 하반신의 痹痛에 뛰어나다.

獨活寄生湯

(『備急千金要方』卷8)

【異名】 獨活湯『聖濟總錄』卷162·萬金湯(『類編朱氏集驗醫方』卷1)

【組成】 獨活 三兩(9 g) 桑寄生 杜仲 牛膝 細辛 秦艽 茯苓 肉桂心 防風 川芎 人蔘 甘草 當歸 芍藥 生地黃 各二兩(6 g)

【用法】 위의 一味를 㕮咀하여, 물 一斗로 끓이고 三升을 취한 후 3번에 나누어 복용한다. 몸을 따뜻하게 해야 하며 차게 하지 말아야 한다. 喜虛下利하는 경우에는 乾地黃을 뺀다. 湯을 복용한 후 蒴藋(넓은잎딱총나무)의 잎으로 화롯불 땔감으로 사용하여, 잠자리를 편안하게 하거나, 따스한 잠자리를 만드는데 사용하며, 실내가 차가워지면 다시 불을 땐다. 겨울에는 뿌리를 취하고, 봄에는 줄기를 취하여, 잠자리에 사용하면 좋다. 제반 風濕에 의한 질환에는 이 방법을 이용한다. 환자가 腹痛으로 인해 몸을 움직이지 못하고, 腰脚에 攣痛이 있고, 屈伸할 수 없고, 痺弱한 사람은 이 湯을 복용하여, 除風消血하여야 한다(현대용법: 물로 달여 하루에 2회 복용한다).

【效能】 祛風濕, 止痹痛, 益肝腎, 補氣血.

【主治】 痹證이 오래되어 肝腎兩虛, 氣血不足證. 腰膝疼痛과 肢節의 屈伸이 자유롭지 못하거나, 麻木不仁하고, 畏寒喜溫, 心悸氣短, 舌淡苔白, 脈細弱.

【病機分析】 "夫風濕寒三氣雜至, 合而爲痹. ……三氣襲人經絡, 入於筋脈·皮肉·肌膚, 久而不已, 則入五臟"(『三因極一病證方論』卷3). 본 병증은 風寒濕邪를 感受하여 痹證에 걸렸는데, 오래되어도 낫지 않고, 邪氣가 제거되지 못하여, 肝腎이 이미 손상되고, 氣血이 소모된 것이다. 腎은 骨을 주관하고, 腰는 腎의 府이다. 肝은 筋을 주관하고, 膝은 筋의 會이다. 肝腎이 부족하고 氣血이 虧虛하고, 筋骨이 失養하기 때문에 四肢관절의 屈伸이 자유롭지 않게 되는 것이다. 또한 風寒濕邪가 腰膝筋骨에 깃들었기 때문에, 腰膝疼痛, 畏寒喜溫, 또는 麻木不仁하게 된다. 『儒門事親』卷1에서 말하기를, "夫痹之爲狀, 麻木不仁, 以風·濕·寒三氣合而成之."라고 했다. 『素問』「痹論」에서는 "痹在於骨則重, 在於脈則血凝而不流, 在於筋則屈不伸, 在於肉則不仁."이라고 했다. 『素問』「逆調論」에서는 "營氣虛則不仁, 衛氣虛則不用, 營衛久虛則不仁且不用."이라고 했다. 心悸氣短, 脈細弱은 모두 氣血不足의 증상이다. 이것으로, 風寒濕邪의 痹가 筋骨에 달라붙고, 肝腎不足, 氣血兩虛가 本 병증의 기본 病機임을 알 수 있다.

【配伍分析】 본 처방은 痹證이 오래되어 脾腎兩虛하고, 氣血不足의 증상을 위해 만들어졌기 때문에, 祛風濕, 止痹痛, 益肝腎, 補氣血로 立法한다. 처방 중 獨活을 君藥으로 삼아, 그것이 下焦와 筋骨 사이의 風寒濕邪를 없애는 것을 취한다. 『本草備要』卷1에서는 이르기를 獨活 이 "氣緩善搜, 入足少陰氣分以理伏風"이라고 했다. 『藥品化義』에서도 말하기를 "獨活能宣通氣道, 自頂至膝, 以散腎經伏風, 凡頸項難舒, 臀腿疼痛, 兩足痿痹, 不能動移, 非此莫能效也."라고 했다. 臣은 細辛의 散陰經風寒으로 하여, 筋骨의 風濕을 찾고, 通絡止痛하는데,『實用藥性字典』에서 말하기를 "細辛爲風痛要藥, 功能深入以散風祛寒"이라고 했다. 防風은 祛風하여 勝濕하는데, 『長沙藥解』에서 그것을 "引經絡, 逐濕淫, 通關節, 止疼痛, 舒經脈, 伸急攣, 活肢節, 起癱瘓"이라고 했다. 秦艽는 除風濕舒筋하고, 『名醫別錄』卷2에서는 "療風無問久新, 通身攣急"이라고 했으며, 옛 사람들은 防風·秦艽를 "風藥中潤劑, 散藥中補劑"라고 하여, 祛邪하며 正을 상하지 않는 妙가 있다고 했다. 肉桂心은 溫裏祛寒, 通利血脈한다. 佐는 桑寄生·牛膝·杜仲의 補肝腎, 壯筋骨, 祛風濕으로 한다. 當歸·川芎·地黃·芍藥의 養血活血은 소위 "治風先

治血, 血行風自滅”(『成方便讀』卷2)이다. 人蔘·茯苓·甘草는 補氣健脾하고 正氣를 扶助한다. 甘草는 여러 약물을 조화롭게 하여 使藥이 된다. 여러 약을 배오하면 祛邪扶正하고 標本을 겸고하니, 氣血이 채워져 風濕이 제거되고, 肝腎이 강하게 되어, 痹痛이 낫는다.

본 처방은 모두 祛風濕, 止痹痛, 益肝腎, 補氣血의 효능이 있기 때문에, 獨活과 桑寄生 두 약을 취하여, 본 처방에 이름붙였다.

본방의 배오 특징은 祛風寒濕하는 藥을 주로 하고, 補肝腎, 養氣血하는 약물로 보좌하여, 邪正을 함께 고려하고, 祛邪하지만 正을 상하게 하지 않고, 扶正하지만 邪를 막지 않는 뜻이 있다.

【類似方比較】 獨活寄生湯과 蠲痹湯, 두 처방은 모두 防風·當歸·芍藥·甘草를 사용하며, 祛風除濕止痛의 효능이 있고, 痹證麻木不仁 등을 치료한다. 다른 점은 獨活寄生湯은 獨活을 君으로 하고, 秦艽·細辛·肉桂·桑寄生·杜仲·牛膝·人蔘·茯苓·地黃·川芎 등의 祛風散寒·補肝腎·益氣血의 약품을 배오하여, 痹證이 오래되고, 肝腎兩虛, 氣血不足하고, 증상으로 腰膝疼痛, 畏寒喜溫, 心悸氣短 등이 보이는 것을 치료하는데, 下部의 痹證이 주가 된다. 蠲痹湯은 羌活을 君으로 하고, 黃芪·薑黃을 배오하여 益氣和營하고, 風痹, 營衛兩虛하며, 증상으로 身體煩痛, 項背拘急, 肩臂肘痛 등이 보이는 것을 치료하는데, 上部의 痹證이 主가 된다.

【臨床應用】

1. 證治要點: 본 처방의 병증은 風寒濕邪痹가 筋骨에 달라붙고, 肝腎이 부족하고, 氣血이 虧虛한 것을 주요 病機로 하며, 임상에서는 腰膝冷痛, 肢節屈伸이 자유롭지 않고, 心悸氣短, 舌淡苔白, 脈細弱을 證治要點으로 한다.

2. 加減法: 痹證에 疼痛이 비교적 심한 경우에는 증상을 참작하여 川烏·制草烏·白花蛇·地龍·紅花 등을 더하여 搜痛通絡·活血止痛의 효능을 돕고, 寒邪가 盛한편이면, 증상을 참작하여 附子·乾薑을 더해 溫陽祛寒하고, 溫邪가 盛한편이면 地黃을 빼고, 증상을 참작하여 防己·薏苡仁·蒼朮을 더하여 祛濕消腫하고, 正虛가 重하지 않으면, 地黃과 人蔘을 줄일 수 있다.

3. 獨活寄生湯은 다음 한국표준질병사인분류(KCD)에 해당하는 환자가 久痹, 肝腎兩虛, 氣血不足證證으로 辨證되는 경우 본 처방의 사용을 고려해볼 수 있다.

처방 목표	한국표준질병사인분류(KCD)
風濕性關節炎	M05 혈청검사양성 류마티스관절염
	M06 기타 류마티스관절염
類風濕關節炎	M15 다발관절증
	M13.0 상세불명의 다발관절염
坐骨神經痛	M54.3 좌골신경통
頸腰椎骨質增生	M46 기타 염증성 척추병증
肩周矄	M75.0 어깨의 유착성 관절낭염
腰椎間盤突出證	M51 기타 추간판장애
	G55.1 추간판 장애에서의 신경근 및 신경총 압박(M50~M51)
頸椎病	M54.2 경추통
小兒痲痺證	A80 급성 회색질척수염
慢性布氏桿菌病	B95 다른 장에서 분류된 질환의 원인으로서의 연쇄알균 및 포도알균
顳頜關節功能紊亂綜合征	K07.6 턱관절장애
新産腹痛腰背痛	(질병명 특정곤란)
	U32.7 산후풍(産後風)
	O86 기타 산후기감염
	O90 달리 분류되지 않은 산후기의 합병증
隱性脊椎裂	M43.0 척추분리증
濕疹	L20~L30 피부염 및 습진

【注意事項】 본 처방은 辛散濕燥하고 扶正하는 약재로 구성되어 있어, 痹證이 濕熱實證에 속하는 사람에게는 적절하지 않다.

【變遷史】 본 처방은 孫思邈의『備急千金要方』卷8에서 가장 일찍이 보이는데, "腰背痛, 因腎氣虛弱, 臥冷濕地, 當風氣得, 不時速治, 流入脚膝, 爲偏枯冷痹, 緩弱痛重, 腰痛, 攣脚重痹"; "新産便患腹痛, 不得轉動, 腰脚攣痛, 不得屈伸, 痹弱"을 치료한다. 이후 역대 의학자들의 본 처방의 病證에 대한 더욱 발전한 설명과 발휘가 있었다. 예를 들어『普濟方』卷155에서 인용한『簡易方』에서 "風濕搏於腰背, 氣血凝滯, 連引疼痛"이라고 했고, 또 인용한『如宜方』에서는 "歷節走注, 徹骨節疼痛, 風濕氣毒".이라고 했다.『保嬰撮要』卷13에서는 "鶴膝風, 氣血虛弱, 四肢頸項等處腫, 不問腫潰, 日久不斂"이라고 했다.『外科理例』卷7에서는 "風濕流氣, 有毒自手足起, 遍身作痛, 頸項結核如貫珠"라고 했다.『醫方集解』「祛風之劑」에서는 "肝腎虛熱, 風濕內攻, 腰膝作痛, 冷痹無力, 屈伸不便"이라고 했다. 동시에 역대 의학자들은 그 法을 모방하고, 이름을 취했다. 본 처방을 기초로 加減化裁를 진행하여, 病勢의 변화에 적용했는데, 예를 들어『雞峰普濟方』卷4의 獨活寄生湯은 곧 본 처방에서 秦艽·人蔘·甘草·當歸·芍藥을 빼고, 공용과 적응증은 비슷한데, 益氣養血의 힘이 비교적 가벼웠다.『世醫得效方』卷3의 獨活寄生湯은 본 방제에서 牛膝·秦艽·茯苓을 뺐는데, 작용은 역시 같았다.『慎齋遺书』卷7의 獨活寄生湯은 본 방제에서, 秦艽·茯苓을 빼고, 白芷를 더해 祛風止痛하고, 적응증을 "鶴膝風, 痛甚, 因於風者, 幷主痛風"이었다.『醫略六書』卷30의 獨活寄生湯은 곧 본 처방에서 細辛·秦艽·防風·人蔘·甘草를 빼고, "産後血實空虛, 邪氣陷伏而下注於脚"의 "脚氣疼痛, 脈虛澀弦浮者"를 치료한다.『醫醫偶錄』卷1의 獨活寄生湯은 곧 본 처방에서 杜仲·川芎·人蔘·芍藥·生地를 빼고, 威靈仙·金毛狗脊을 더해 祛風濕·强腰膝하여, "産後腰痛, 上連脊背, 下連腿膝"한 사람을 치료한다. 이 외,『外臺秘要』卷17에서 인용한『古今錄驗方』의 獨活續斷湯은 본 처방을 기초로, 桑寄生을 續斷으로 바꾸어 補養肝腎하고, 筋骨을 康健하게 하여, 通利血脈하고, "冷痹, 痛弱重滯或偏枯, 腰脚痙攣, 脚重急痛"을 치료했다. 본 처방을 丸劑로 바꾸고, 이름을 獨活寄生丸(『全國中藥成藥處方集』)이라고 하고, 腰背痛으로 病程이 길고, 병세가 완만한 사람에게 사용하는데, 長服하기에 좋다. 현대 임상에서는 즉 그 사용이 넓어져, 內·外·婦·兒·皮膚를 막론하고, 風寒濕痹가 오래 달라붙어 있고, 正氣가 부족한 사람이면 본 처방의 加減化裁로, 모두 효과를 얻을 수 있다.

【難題解說】

1. 用法 중의 蒴藋에 관하여: 原方의 用法 중, 湯을 복용한 후 蒴藋 잎을 불에 태우거나 볶아서, 침상에 갈아 놓아, 환자에게 그 위에 눕게 하여, 疼痛 부위를 지져서, 風濕을 제거하고, 經絡을 통하게 하는 힘을 돕도록 한다. 蒴藋는『名醫別錄』卷3에서 처음 보이는데, 그것을 "味酸·溫, 有毒"하며, "風瘙癮疹, 身痒, 濕痹, 可作浴湯."을 치료한다고 했다.『上海常用中草약』에서는 그것을 "莖葉, 發汗利尿. 根, 活血散瘀, 祛風活絡."이라고 했는데, 이 방법은 지금은 적게 사용된다. 만약 다른 熱熨法으로 보좌할 수 있다면 역시 치료효과를 높이는데 도움이 될 수 있다.

2. 본 처방의 扶正祛邪는 무엇을 주로 하는가?: 原書에서 말하기를 "夫腰背痛者, 皆猶腎氣虛弱, 臥冷濕地當風所得也."라고 했다. 본 처방은 獨活을 重用하고, 桑寄生·防風·秦艽·細辛·肉桂 등을 배오하여, 祛風勝濕, 溫裏散寒의 약품으로, 조성을 분석하면, 祛邪를 主로 하여, 단 益氣養血, 補養肝腎의 약품 역시 많기 때문에, 扶正方面과 마찬가지로 상당히 비중이 있다. 그러므로 痹證이 길어지고, 肝腎不足, 氣血兩虛한 사람에게 비교적 적합하다.

3. 본 처방을 性別에 따라 加減하여 應用하는 문제에 관하여: 남성 환자에 대해서는 본래 "男子以氣爲用"의 뜻이 있어, 補氣에 치중하는데, 원래 처방에서는 四君子湯에서 白朮의 補氣를 빼고 이용하는데, 臨床에서는 黃芪로 黨參을 대체할 수 있는데, 치료효과가 원래 처방보다 뛰어나다. 여성 환자에 대해서는 "女子以血爲用"의 이치가 있어, 四物湯을 이용하여 寶血하는

데 치중하는데, 환자의 월경이 정상이면, 川芎을 重用할 수 있고, 그러므로 藥이 血中氣藥이 되므로, 活血行氣할 수 있고 또 祛風止痛하여, 거기에 地·芍을 같이 이용하면 그것이 補하면서 또 不滯하게 할 수 있다(『陝西中醫』, 1994, 9:423). 필자는 遺方用藥의 관건이 辨證論治에 있다고 생각한다.

4. 본 처방이 活血藥을 배오하는 것에 관하여: 『類證治裁』卷5에서 "諸痹……良由營衛先虛, 腠理不密, 風寒濕虛內襲, 正氣爲邪所阻, 不能宣行, 因而留滯, 氣血凝滯, 久而成痹."라고 했다. 王淸任은 『醫林改錯』卷下에서 "痹證有瘀血"이라고 지적하며, 더불어 "總逐風寒·去濕熱, 已凝之血, 更不能活"이라고 말하여, 活血化瘀治痹를 주장했다. 본 처방 중의 當歸·牛膝·川芎·桂心 등의 약품은 모두 活血化瘀, 溫通血脈 작용이 있는데, "治風先治血, 血行風自滅"(『成方便讀』卷2)의 이치가 있다. 임상에서는 것은 어떤 유형의 痹證을 막론하고 모두 活血化瘀의 약품을 더하고, 病勢에 근거하여 가볍고 무거운 것을 결정한다. 病이 가볍고 오래되지 않았으면, 瘀가 아직 형성되지 않아, 活血行血에 중점을 두어, 부분적으로 氣血流通하게 하고, 外邪에게 立足의 여지를 주지 않고, 祛風散寒逐濕藥으로 邪를 바깥으로 몰아낸다. 病이 무겁고 오래되면, 瘀血이 형성이 된 것으로 活血化瘀에 뜻을 두어, 瘀血을 제거하고, 結滯를 깨끗이 하고, 脈絡을 通暢하게 하여야, 痹가 통하여 그칠 수 있다.

【醫案】

1. 兩脚痿癱 『近代中醫流派經驗選集』「朱松慶醫案」: 潘姓, 40여 세, 건축업. 兩脚痿癱을 앓아 걷지 못하여, 한양방 진료를 두루 청하였는데, 그 형체가 야위었기 때문에, 노동이 과도하고 宗筋이 이완되고, 肝腎이 虛損하여 생긴 것으로 생각하여, 대량의 滋膩補藥, 예를 들어 鹿茸·狗脊·熟地·首烏 類의 약을 주고, 테스토스테론을 주사했는데, 효과를 보지 못했다. 또 大便祕結이 생겨, 몹시 우울했다. 이에 先君(朱南山)을 불러 진료하였다. 그 형색을 보니 아직 敗象이 없었고, 그 음성을 들으니 正氣가 아직 괜찮았다. 진맥을 하니 弦滑하고, 舌苔厚白했다. 그 始末을 물어, 환자가 病前에 비를 맞아 젖었던 것을 알게 되었는데, 증상이 風濕浸淫에 속하고, 進補가 너무 일렀으며, 外邪가 안에 사로잡혀 虛象이 나타나고, 안은 實證인 것을 깨달아, 獨活寄生湯에 熟地를 더하여 처방했는데, 약을 먹은 후 대변이 잘 나오고, 두 다리가 가볍게 움직이는 것이 보였다. 연속해서 5첩을 복용하니, 병세가 나날이 좋아지고, 열흘이 되지 않아 평소같이 걸을 수 있었고, 병이 다 사라졌다.

考察: 本例는 양 다리가 마비되고, 형체가 마르고 약하여, 肝主筋·腎主骨·脾主肌肉으로 논하면, 脾腎陽虛 혹은 肝腎陽虛가 보였다. 단, 滋補가 무효하여, 虛證이 아닌 것을 알았다. 朱氏가 그 형색·음성·脈舌을 관찰하니, 모두 虛敗의 象이 없었고, 그 病史를 물으니, 발병 전에 비를 맞아 젖은 적이 있었기 때문에, 獨活寄生湯을 투여해 치료했는데, 과연 효과를 보았다. 이것으로, 辨證은 반드시 전면적으로 고찰해야 하며, 병력을 묻고, 그 발병원인을 구명하는 것이 특히 중요한 것을 알 수 있다.

桂枝芍藥知母湯

(『金匱要略』 卷上)

【異名】 桂芍知母湯(『沈注金匱要略』卷五).

【組成】 桂枝 四兩(12 g) 芍藥 二兩(9 g) 甘草 二兩(6 g) 麻黃 二兩(6 g) 生薑 五兩(15 g) 白朮 五兩(15 g) 知母 四兩(12 g) 防風 四兩(12 g) 附子 炮 二枚(15 g)

【用法】 위의 아홉 가지를, 물 七升으로, 끓여서 二升을 취하고, 따뜻하게 七合씩, 하루에 세 번 복용한다.

【效能】 祛風除濕, 溫經宣痹, 養陰淸熱

【主治】 歷節. 肢體가 크게 붓고 아프며, 발은 벗겨지듯이 붓고, 머리가 어지럽고 숨이 가쁘고, 토하고 싶고 또는 發熱이 있거나, 舌淡苔白, 脈沉細하다.

【病機分析】 本證 病機는 素體陽虛, 風濕이 關節로 흘러들어가, 오랫동안 鬱滯되고 熱이 되어 陰을 상하게 하고, 筋脈이 痹阻하여 不通한 것이다. 風濕이 筋脈關節로 흘러들어가면, 氣血의 通行이 不暢하게 되므로, 肢體에 疼痛腫大가 생기게 된다. 病이 오래되어도 풀리지 않으면, 正氣가 나날이 傷하고, 邪氣가 나날이 盛하게 되어, 身體가 점차 마르고 여위게 된다. 風邪가 위쪽을 침범하면, 즉 頭眩이 된다. 濕이 中焦를 막으면 胃氣가 上逆하기 때문에, 吐하고 싶어지는 것이다. 濕이 出路가 없으면, 下肢로 흘러 들어가서, 다리가 벗겨지는 것처럼 붓는다. 病이 오래되면, 陰虛하여 內熱이 생기기 때문에, 發熱이 나타난다. 舌淡苔白, 脈沉細는 寒濕의 증상이다.

【配伍分析】 본 처방은 歷節이 오래되고, 邪가 남아 물러가지 않고, 鬱滯되어 熱이 되고 陰을 傷하는 증상을 위해 만들어졌기 때문에, 祛風除濕, 溫經宣痹, 養陰淸熱을 法으로 한다. 처방 중의 桂枝·附子를 君으로 하는데, 桂枝는 辛甘하고 溫하여, 歸心·肺·膀胱經하는데, 『神農本草經』卷上에서 그것을 "利關節"이라고 했고, 『名醫別錄』卷1에서는 "溫筋通脈"이라고 하였고, 『本草綱目』卷34에서는 "能解肌而風邪去"라고 했다. 附子는 辛甘大熱하고, 歸心·腎·脾經하는데, 『神農本草經』卷下에서 "寒濕, 痿躄拘攣, 膝痛不能步行", 『本草綱目』卷17에서는 "風濕麻痹, 腫滿脚氣"라고 하였다. 두 藥을 合用하면 祛風除濕하여 通脈할 수 있고, 溫經散寒하여 陽을 도울 수 있다. 臣은 麻黃·防風·白朮로 한다. 麻黃은 辛微苦溫하여, 歸肺·膀胱經하는데, 『神農本草經』卷中에서 말하기를 "主中風傷寒頭痛, 溫瘧, 發表出汗, 去邪熱氣"라고 했다. 防風은 辛甘溫熱하여, 歸膀胱·肝·脾經하는데, 『本經疏證』卷2에서 "防風通陽中之陰, 卽除濕以絶風之源"이라고 하였다. 白朮은 苦甘溫하여, 歸脾·胃經하는데, 『神農本草經』卷上에서 "主風寒濕痹死肌"라고 하였고, 『本草經疏』에서는 그것을 "除風痹之上藥"이라고 하여, 세 가지 약을 합쳐 사용하면, 疏風散寒, 祛濕止痛할 수 있다. 麻黃·白朮과 桂枝를 서로 배합을 하면 發汗·表裏의 風濕을 제거할 수 있다. 白朮과 附子를 서로 배오하면 寒濕을 제거하고, 痹痛을 그치게 한다. 佐는 知母·白朮과 生薑으로 하였다. 知母는 淸熱滋陰하고, 白朮은 養血和營, 生薑은 和胃止嘔한다. 甘草를 使로 삼아 여러 약을 조화롭게 하고, 甘草와 生薑을 서로 배오하여, 和胃調中한다. 甘草와 白芍藥을 서로 배오하면, 緩急舒筋止痛한다. 본 처방은 대대적인 祛風勝濕·助陽行痹 藥中, 白芍藥·知母의 養陰淸熱을 배오하여, 그 溫燥傷陰의 성질을 제거할 수 있고, 또 化燥의 邪熱을 깨끗하게 할 수 있어, 相補相成의 妙가 있다. 全方을 종합하면, 宣痹通經의 효능을 이루어, 邪를 물러나게 하고 熱을 내려, 痹痛이 낫게 된다. 본 처방은 祛風除濕, 溫經宣痹, 養陰淸熱의 효능을 갖고 있고, 桂枝·芍藥·知母는 이 처방에서 특수성이 있기 때문에, 그것으로 명명하여, 桂枝芍藥知母湯이라고 했다.

본 처방의 배오특징: 寒溫幷用인데, 溫을 主로 하며, 溫經散寒으로 陽을 돕는다. 攻補를 같이 베푸는데, 攻을 主로 하여, 祛風除濕으로 痹痛을 그치게 한다. 剛柔相濟하여, 溫燥가 陰을 상하게 하지 않고, 凉柔가 邪를 남기지 않는다.

【臨床應用】

1. 證治要點: 본 처방은 風寒濕邪가 筋骨에 오래 머물러, 痹가 經脈을 막아, 正氣가 손상된 것을 주요 病機로 하기 때문에, 임상운용시에 肢體疼痛腫大, 身體瘦弱과 더불어 반복적인 發作을 證治要點으로 한다.

2. 加減法: 통증이 매우 격렬하여 屈伸이 어렵고, 熱을 얻어서 통증이 줄면, 麻黃·附子를 倍加하여 溫經散寒, 宣痹止痛하고, 身體關節이 重着腫脹한데, 흐

리고 비가 오면 가중되는 사람은 白朮을 倍加하여 燥濕한다. 濕邪가 盛하면, 薏仁·蒼朮을 더해 濕邪를 化한다. 濕熱이 重하면, 芍藥·知母를 重用하고, 石膏·黃柏을 더하여 淸熱化濕하고, 正虛한 사람은 黃芪를 더하여 益氣扶正하고, 瘀가 있는 사람은 桃仁·乳香·沒藥을 더해 活血祛瘀한다.

3. 桂枝芍藥知母湯은 다음 한국표준질병사인분류(KCD)에 해당하는 환자가 風濕痹着, 正氣受損證으로 辨證되는 경우 본 처방의 사용을 고려해볼 수 있다.

처방 목표	한국표준질병사인분류(KCD)
風濕性關節炎	M05 혈청검사양성 류마티스관절염
	M06 기타 류마티스관절염
化膿性關節炎	M00 화농성 관절염
類風濕性關節炎	M15 다발관절증
	M13.0 상세불명의 다발관절염
肩關節周圍炎	M75.0 어깨의 유착성 관절낭염
坐骨神經痛	M54.3 좌골신경통
氣管支炎	J40 급성인지 만성인지 명시되지 않은 기관지염
痲疹肺炎	B05.2 폐렴이 합병된 홍역(J17.1)
肺心病心衰	I27 기타 폐성 심장질환
	I27.9 상세불명의 폐성 심장병
植物神經機能紊亂	G90 자율신경계통의 장애
메니에르症候群	F45.8 기타 신체형장애
深部組織炎	(질병명 특정곤란)
	L03 연조직염
	M60 근염
痛經	N94.4 원발성 월경통
	N94.5 이차성 월경통
	N94.6 상세불명의 월경통
齒痛	(질병명 특정곤란)
	K00~K14 구강, 침샘 및 턱의 질환
	K08.80 치통 NOS
關節型銀屑病	L40.5 관절병성 건선(M07.0~M07.3, M09.0)

【注意事項】 附子는 毒이 있어, 반드시 먼저 30분 끓이고, 生甘草와 함께 사용해야 附子의 毒性을 완화할 수 있다.

【變遷史】 本 처방은 張仲景의 『金匱要略』卷上에서 처음 보였는데, "諸肢節疼痛, 身體尫羸, 脚腫如脫, 頭眩短氣, 溫溫欲吐"를 치료했다. 이후 의학자들 그 적응증 病證을 增補했는데, 예를 들어 『皇漢醫學』에서 인용한 『類聚方廣義』가 그것에 대해 말하기를 "治風毒腫痛, 憎寒壯熱, 渴而脈數, 欲成膿者; 治痛風, 走注, 骨節疼痛, 手足攣痛者, 兼用蕤賓丸; 痘瘡其貫膿不足, 或過期不結痂, 憎寒身熱, 一身疼痛, 而脈數者."라고 하여, 肢節疼痛의 특징으로 아픈 곳이 游走性을 띄는 것을 보충했으며, 또 瘡瘍과 痘瘡을 치료하는 것을 더했다. 『皇漢醫學』「別論」은 "此方用於腰痛, 鶴膝風等, 又俗稱脚氣, 此方有效". 『古方新用』에서 "脚腫疼痛不能覆地, 足底足背腫脹增厚, 壓之不凹陷, 時好時壞, 反復發作者"라고 했다. 脚腫에 대해서는 좀 더 발전된 설명이 있었는데, 더불어 이 病의 病程이 길고, 반복적으로 생기는 등의 특징을 지적했다.

이 외에도, 후대 의학자들은 仲景의 뜻을 존중하여, 桂枝芍藥知母湯을 기본방으로, 病勢의 수요에 따라 加減化裁했는데, 예를 들어 『外臺秘要』卷14에서 인용한 『古今錄驗方』의 防風湯이 즉 桂枝芍藥知母湯에서 麻黃을 빼고 桂心을 桂枝로 바꾸어, 走表散寒의 효능을 줄이고, 溫裏通脈의 힘을 강화하여, 裏寒이 비교적 중한 "肢體四肢關節疼如墮脫, 腫按之皮急, 頭眩短氣, 溫溫悶亂欲吐"를 치료한다. 혹은 이 처방 法을 모방하여, 新方을 조성하고, 中風 등의 病證에 이용했다. 예를 들어 唐·『備急千金要方』卷8의 小續命湯(麻黃·桂心·甘草·生薑·人蔘·川芎·白朮·附子·防己·芍藥·黃芩·防風)은 "中風冒昧, 不知痛處, 拘急不得轉則, 四肢緩急, 遺失便利."를 치료했다. 宋代·『太平惠民和劑局方』卷2의 五積散(白芷·川芎·甘草·茯苓·當歸·肉桂·芍藥·半夏·陳皮·枳殼·麻黃·蒼朮·乾薑·桔梗·厚朴)은 "外感風寒, 內傷生冷, 心腹痞悶, 頭目昏痛, 肩背拘急, 肢體

怠惰, 寒熱往來, 飮食不進"을 치료했다. 『普濟本事方』卷1排風湯(白鮮皮·芍藥·防風·當歸·川芎·甘草·杏仁·白朮·茯神·麻黃·獨活), "中風"을 치료했다. 明代『審視瑤函』卷5의 補陽湯(炙甘草·羌活·獨活·人蔘·熟地黃·白朮·黃芪·茯苓·生地黃·知母·柴胡·肉桂·白芍藥·陳皮·澤瀉·防風·當歸身), 眼科의 "視正反斜症"을 치료했다. 淸代『類證治裁』卷5의 薏苡仁湯(薏仁·當歸·川芎·生薑·桂枝·羌活·獨活·防風·白朮·甘草·川烏·麻黃), 濕痺를 치료한다. 이렇게 본 처방의 운용범위가 더욱 확대되었다. 현대 임상에서는 內·外·婦·五官科 등에 이용한다.

【難題解說】

1. 본 처방의 君藥에 관하여: 『金匱方百家醫案評議』「桂枝芍藥知母湯證案」에서 지적하기를 "桂枝利關節通血脈, 芍藥活血止痛, 知母下水消腫, 共爲君藥"이라고 했다. 李文生은 桂枝芍藥知母湯이 痺를 치료한다는 생각으로 논문에서, 藥物劑量·方名 및 主證病機를 분석한 후, "桂枝·芍藥·知母三藥在本方中爲君藥"(『新中醫』1991, 4:8)라고 했다. 그러나 『歷代名醫良方注釋』에서는 "防風·附子祛風痛痺, 麻黃·桂枝散寒通絡, 白朮·生薑健脾散濕, 各藥配合爲君"이라고 했다. 前者는 方名·主證으로 君藥을 정했고, 後者는 藥物配伍功用으로 君藥을 정했다. 필자는 본 처방은 祛風散寒하고, 除濕痛痺하는 桂枝·附子를 君藥이라고 생각한다.

2. 처방에서 知母의 작용에 관하여: ① 知母는 淸熱開陽의 효능이 있어, 溫燥藥에 들어가면, 祛濕하고 陰을 傷하지 않게 하고, 散寒하며 熱을 돕지 않는다. 風濕이 오래되어, 熱이 되었거나, 祛風濕藥을 비교적 많이 복용하여, 燥하게 된 사람에게 사용하면, 相補相成의 妙가 있다. ② 知母는 利水消腫하는 효능이 있다. 『本經疏證』卷7에서 이르기를 "凡腫在一處, 他處反消瘦者, 多是邪氣勾留水火相阻之候……『金匱要略』中桂枝芍藥知母湯, 治身體尪羸, 脚腫如脫, 亦其一也"라고 했다. 또 말하기를 "『本經』所著下水之效, 見於除肢體浮腫, 而知母所治之肢體浮腫, 奈邪氣肢體浮腫, 非泛上肢體浮腫比矣!". ③ 知母는 益氣·消腫·宣痺止痛한다. 『本經疏證』卷7에서는 知母가 "味苦寒, 主消渴熱中, 除邪氣, 肢體浮腫, 下水, 補不足, 益氣"라고 하였다. 歷節證은 邪氣가 關節에 오래 머물러 局部의 氣血과 섞여 한 덩어리로 되어, 交着變性되어 關節의 腫脹變形을 일으키고, 안으로 虛燥의 火가 생겨 氣血을 耗蝕하게 된다. 오직 知母의 苦寒한 성미만이 그 虛燥之火로 堅陰化氣한 것을 직접 꺾고, 肺金을 도와 淸淑하고 一身의 氣化之機를 활발하게 촉진할 수 있는데, 즉 水精을 사방으로 퍼트리고, 五經에 竝行하여, 津液이 生化를 얻어서 內燥가 제거될 수 있고, 체내에 交着變性된 곳이 윤택해질 수 있고, 脾燥한 氣血이 宣通할 수 있고, 오래된 邪가 松動할 수 있고, 陽藥의 推動下에 驅散할 수 있기 때문에, 腫大로 변형한 관절이 회복을 바랄 수 있다(『新中醫』1991,4:8). 필자는 知母의 처방 중 작용은 주로 養陰淸熱이라고 생각한다.

3. "尪羸"에 관하여: ① 不正하게 행동하는 모양 ② 身體羸瘦. 羸: 消瘦, 瘦弱. 尪羸: 身體가 瘦弱한 것을 말한다. 『脈經』卷8에서는 "魁瘰"이라 하였는데, 이것은 關節이 크게 부은 상태를 표현한 것이다.

【醫案】

1. 鶴膝風 『重印全國名醫驗案類編』「易華堂醫案」: 周奐章, 20세. 遠行으로 땀이 났는데, 물에 빠져, 風濕이 곧 筋骨로 침입했으나 느끼지 못했다. 그 증상이 처음에는 양쪽 발이 酸麻하고, 계속해서 足膝이 크게 붓고, 屈伸할 수 없고, 거기에 양 손이 떨리고, 때때로 遺精하며, 몸이 역시 야위어서, 3년 동안 치료했으나 효과가 없어서 거의 폐인이 되었다. 診脈하니, 왼쪽은 沉弱하고, 오른쪽은 浮濡하여, 脈證을 合診하니, 이것이 鶴膝風證이었다. 땀이 난 상태에서 물에 들어가니, 汗이 물로 인해 막혀, 모여서 濕이 된 것인데, 濕이 형성되면 즉 關節로 들어가기 쉽다. 關節은 骨이 만나는 곳이고, 筋이 연결되는 곳으로, 外風을 받아, 들어가 筋骨을 傷하게 되고, 風濕이 서로 다투었기 때문에, 脚膝이 크게 부어 鶴膝風이 되었다. 前醫가 병자를 보았

을 때 환자의 손이 떨려, 그것을 虛로 오인하여, 溫補를 사용하니 세가 더욱 위급해졌다. 어떻게 손 떨림의 원인이 風濕이 肝으로 들어갔는데, 肝이 筋을 주관하니, 筋이 의지대로 움직일 수 없었기 때문임을 알 수 있었겠는가? 遺精은 風濕이 肝으로 들어갔는데, 腎은 精을 저장하므로, 精이 스스로 지킬 수 없었던 것이다. 그 致病의 원인을 거슬러 올라가면 모두 風濕의 厲이다. 驅風去濕이 아니고서는 그 병이 낫지 않을 것이었다. 桂芍知母湯을 택해 사용했다. 桂·芍·甘草로 調和營衛하고, 麻黃·防風으로 驅風通陽하고, 白朮로 補土去濕하고, 知母로 利溺消腫하고, 附子로 通陽開痹하고, 生薑을 重用하여 脈絡을 通하게 하고, 사이에 芍藥甘草湯補陰을 服用하여 筋을 부드럽게 하고, 麻黃·松節·芥子로 患處를 감싸서, 모공을 열어 風濕을 제거했다. 處方: 桂枝 12 g, 生白芍 9 g, 知母 12 g, 白朮 12 g, 附子 12 g(先煎), 麻黃 6 g, 防風 12 g, 炙甘草 6 g, 生薑 15 g. 外用方: 麻黃·松節·芥子 各 30 g을 고르게 연마하여, 술로 섞고, 布로 싸서 患處에 이용했다. 前方을 반일 정도 복용하고, 다리가 약간 펴져, 전의 방법대로 다시 복용하고, 반 개월만에 다리로 설 수 있었으며, 또 1개월을 복용하고, 점차 걸을 수 있었고, 후에 반 개월을 복용하고, 손이 떨리지 않았고, 정액을 흘리지 않았고, 보행이 정상이 되었는데, 지금 이미 20여 년이 되었다.

考察: 鶴膝風은 증상으로 足膝이 크게 붓고, 屈伸이 불가능하고, 肢體가 야윈 것이 보이는데, 이것은 風濕이 筋骨을 침입하여 생긴 것이다. 그것이 손 떨림·遺精을 겸했기 때문에, 前醫가 虛로 오인하여 溫補藥을 투약했지만, 약이 증상과 맞지 않아, 병세가 더욱 가중되었다. 易氏가 지적하기를 "豈知手戰者, 系風濕入於肝, 肝主筋, 而筋不爲我用; 遺精者, 系風濕入於腎, 腎藏精, 而精不爲我攝"이라고 했는데, 實證에서 羸象이 있다. 桂枝芍藥知母湯을 선택하여 祛風除濕하고, 다시 外治의 法을 배합하여, 內外兼治하여, 風濕이 숨어들어가게 된다.

2. 痛痹『上海中醫藥雜誌』(1983, 3:17): 여성, 27세. 初診: 7년 전 心肌炎을 앓았고, 현재 心慌·胸悶·膽怯이 있고, 양 무릎 관절에 극심한 통증이 있고, 보행에 힘이 없고, 자주 咽痛이 있고, 耳鳴, 面萎, 쉽게 땀이 나고, 전날에는 熱이 나서 체온이 38℃였고, 脈이 細數(92회/분) 結代(6~8회/분)했다. 病이 氣血兩虛에 속하고, 風濕이 絡으로 들어갔다. 이는 氣血이 모두 虛한 것으로 風濕이 경락에 침입한 것이다. 치료는 益氣養心, 化疲通絡하는 것에 기초하여 다스려야 한다. 처방: 炙甘草 9 g, 桂枝6 g, 赤白芍 各 9 g, 制川烏 9 g(先煎), 知母 15 g, 板藍根 30 g, 茶樹根 30 g, 糯稻根 9 g, 丹參 12 g. 5첩. 二診 시에는 전날 일어나니 무릎관절 통증이 조금 줄었고, 현재는 완전히 소실되었는데, 두통이 항상 있고, 脈數는 이미 감소(81회/분)하였고, 結代하고, 苔는 薄膩하고, 舌質은 淡했다. 原方을 7첩을 복용하였다. 三診 시에는 下肢關節의 통증이 소실되었고, 脈은 細(80회/분)하지만 結代가 없었다. 처방: 炙甘草 9 g, 桂枝 6 g, 赤白芍 各 9 g, 制川烏 9 g(先煎), 知母 15 g, 丹參 9 g, 川芎 9 g, 南星 9 g. 7첩을 복용하였다.

考察: 본례는 양 무릎관절의 통증이 극심하고, 脈이 細數結代했다. 桂枝芍藥知母湯加減을 사용하여, 關節酸痛이 사라지고, 脈數가 느리게 바뀌고, 結代 역시 없어져서, 치료효과가 만족스러웠다.

3. 化膿性關節炎『上海中醫藥雜誌』(1983, 4:26): 남성, 15세. 右膝腫大가 7개월 되었는데, 외과에서 "化膿性關節炎"으로 진단받았다. 전이 이미 5차례, 모두 약 10리터의 물을 빼냈으며, 침 치료 역시 한달 여 받았지만 효과가 없었다. 진찰하여 보니, 右膝이 腫大하고, 무릎 둘레가 38 cm였으며, 局部에 酸痛이 있었고, 만지면 熱感이 있고, 屈伸이 자유롭지 않고, 보행이 부자연스럽고, 畏寒이 있고, 흐린 날에 통증이 심해지고, 아픈 쪽 다리의 근육이 마르고 위축되었고, 苔는 白潤하고, 脈弦했다. 辨證은 寒濕流注, 氣血鬱阻였다. 치료는 散寒除濕, 溫經活血하여야 했다. 처방은 桂枝芍藥知母湯加味를 이용했다: 桂枝 10 g, 炒白芍 30 g, 知

母 10 g, 生麻黃 6 g, 炮附子 6 g, 炒白朮 10 g, 防風 10 g, 生薑 六片, 大棗 十枚, 白芥子 10 g. 10첩을 달여 복용한 후 右膝 둘레가 34 cm까지 줄었고, 통증이 경감되었으며, 屈伸이 자유로워졌다. 계속 10첩을 복용하고 여러 증상이 소실되었으며, 양쪽 무릎둘레가 32 cm가 되었고, 주행에 불편한 것이 없어졌다.

考察: 本例는 병에 걸린 지 이미 반년이 지났고, 물을 뽑아내고 침 치료를 병행했지만 크게 효과가 없었고, 근육이 위축되는 것이, 病虛에 實症이 겸해 있었다. 膝腫大·疼痛·畏寒 등의 특징이 있어, 芍藥知母湯加味을 선택했는데, 치료효과가 뚜렷했다.

4. 植物神經機能紊亂『上海中醫藥雜誌』(1986, 2:34): 남성, 38세. 3개월 동안 매일 오후와 저녁에 양 손목 관절부위와 양발 정강이부위부터 목에 이르기까지 저절로 땀이 났다. 땀이 날 때는 畏風寒하여 옷을 껴입었다. 옷을 입으면 땀이 줄줄 흘러 양쪽 옷소매와 바지·옷깃 등이 흠뻑 젖을 정도였다. 땀이 난 후에는 四肢가 酸脹하고 凉하며, 뒷목이 당겼다. 모 의원에서는 "植物神經機能紊亂"으로 진단하여, 谷維素·止汗片 등을 복용했지만 효과가 없었다. 진찰하여보니 舌苔白膩하고, 脈이 濡했다. 증상은 風濕의 邪가 經絡을 막고 정체되어, 氣血이 失調하고, 營衛가 견고하지 못한 것에 속했다. 처방은 桂枝芍藥知母湯加減으로 했다. 桂枝·白芍藥·生薑·防風·白朮·麻黃根·附子·秦艽·大棗 各 10 g, 知母 6 g. 5첩을 달여 복용한 후 자연히 땀이 그쳤고, 肢酸項强이 이미 나았지만, 전신에 가려움을 느꼈는데, 이것은 氣血이 충분하지 못한 까닭이었다. 계속해서 益氣活血을 방법으로, 上方에서 知母·麻黃根·秦艽를 빼고, 當歸 10 g, 黃芪 30 g, 丹參 15 g을 더하여, 다시 5첩을 복용했더니, 여러 증상이 모두 없어졌다.

考察: 이 증상은 風濕의 邪가 經絡에 阻滯되어, 氣血이 失調되고, 營衛가 不固한 것에 속하기 때문에, 이므로 桂枝芍藥知母湯으로 祛風除濕하였다. 땀이 많으므로 麻黃 대신에 麻黃根을 사용했다. 甘草에 빼고 大棗와 生薑을 더하여 영위를 조화롭게 하여, 땀이 그치고 肢酸項强이 모두 없어지게 되었다.

【副方】 烏頭湯(『金匱要略』卷上): 麻黃 芍藥 黃芪 甘草 各 三兩(9 g), 川烏 五枚(15 g)

- 用法: 㕮咀, 蜜二升으로 달여 一升을 취한 후 烏頭를 꺼내고, 위 다섯 가지의 약물 중 네 가지를 㕮咀하여, 물 三升으로 끓여 一升을 취하고, 찌꺼기는 버리고, 달이는 중에 꿀을 넣고 다시 달인다. 七合을 복용하는데, 알지 못하게, 전부 복용한다.
- 作用: 溫經祛濕, 散寒止痛.
- 適應症: 寒濕歷節. 關節이 심하게 아프고, 屈伸할 수 없고, 畏寒喜熱하고, 舌苔薄白, 脈沉弦. 혹은 痛痹·脚氣·腦頭風.

본 처방은 川烏와 麻黃을 배오하여 祛痹止痛의 효능이 비교적 현저하다. 黃芪와 芍藥·甘草를 함께 사용하여, 益氣養血, 和營緩急하고, 烏·麻의 峻烈함을 制約할 수 있다. 그 止痛益氣는 桂枝芍藥知母湯보다 뛰어나지만, 走表散寒의 힘은 비교적 약하다.

第十七章

祛痰劑

祛痰劑는 祛痰藥을 위주로 해서 구성되며 消除痰飮작용을 해서 다양한 痰病을 치료하는 방제이며, 祛痰劑라고 부른다. "八法" 중의 消法의 범주에 해당한다.

『內經』의 無痰에 대한 專篇論述에서 이를 飮·濕의 종류로 분류하였다. 『素問』「五常政大論」에서 이르길: "太陰司天……濕氣變物, 水飮內蓄, 中滿不食"라고 하였다. 『素問』「六元正紀大論」에서는: "太陰所至, 爲積飮痞膈"라고 말했다. 이 모두가 濕淫土鬱 때문에 발병하는 것이다. 하지만 痰을 치료하는 방제는 수재되어 있지 않다. 『傷寒論』에서 寒痰結胸·熱痰結胸·痰阻胸陽 등의 痰證에 대한 辨證論治를 모두 언급하였다. 小陷胸湯은 小結胸證을 치료하기 위해 만들었다. 이 방제에서 구현한 淸熱化痰法은 후세에 추앙을 받았다. 예를 들면 『重訂通俗傷寒論』의 柴胡陷胸湯은 小柴胡湯과 小陷胸湯을 합하고 넣고 빼서 구성한 것으로 邪陷少陽, 痰熱內阻한 증상에 사용한다. 『金匱要略』「痰飮咳嗽病脈證并治」편에서 처음으로 痰飮의 病名에 대해 언급했다. 아울러 이를 "痰飮"·"懸飮"·"溢飮"·"支飮"과 같이 네가지로 분류하고, "痰飮病을 앓는 경우에는 반드시 溫藥和之하게 치료해야 한다"라는 大法을 제기하였다. 소위 病機는 비록 水飮을 위주로 하지만, 또한 痰證도 겸하고 있다. 제조한 苓甘五味薑辛湯은 본 篇에서 "治其咳滿"하고, 작용은 溫肺化飮하며 또한 "溫藥和之"의 원칙에 부합한다. 또한 溫化寒痰한 治法이 기초를 마련하게 되었다. 『金匱要略』의 小半夏加茯苓湯·半夏厚朴湯은 모두 주로 痰飮證에 사용한다. 두 방제에서 半夏·茯苓를 사용하는 것은 燥濕化痰法·健脾滲濕祛痰法의 효시가 되었다. 이밖에도 半夏厚朴湯에서 伍用 行氣祛痰한 약을 配伍해서 사용하는 것 또한 行氣祛痰法의 시초가 되었다. 동시에, 仲景이 十棗湯으로 懸飮을 치료하고, 甘遂半夏湯으로 留飮을 치료하는 것 모두가 후세에 瀉下祛痰法에 대해 중요한 계도작용을 하였다. 唐·孫思邈이 만든 溫膽湯은 藥簡力宏하며, 처음에는 "膽寒"을 치료하기 위해 만들어 졌다. 후세의 의학자들이 매번 증상에 적용할 때마다 變通해서 사용했다. 예를 들면 宋·陳言이 『三因極一病證方論』에서 만든 溫膽湯은 "理氣化痰·淸膽和胃"한 효과가 두드러지며, 후세에 흔히 사용되었다. 다양한 "溫膽湯"方을 고찰해 본 결과, 모두 "二陳"藥을 포함하며, 이는 그야말로 전반적으로 燥濕化痰法의 淵薮를 구현했다고 말할 수 있다. 宋의 『太平惠民和劑局方』에 수재된 二陳湯은 濕痰을 치료하는 기본방이 되며, 후세에 큰 영향을 끼쳤다. 元·王珪의 『泰定養生主論』滾痰丸에 이르러서는, 주로 "實熱老痰"를 치료하였고, 이 방제는 二陳治痰을 원칙으로 하고 또한 大黃을 사용해서 瀉下逐痰하게 했다. 이는 仲景이 甘遂半夏湯에 甘遂를 사용하는 뜻에서 유래되었다고 말할 수 있지만, 이와는 다른 점은 茯苓丸에서 芒硝를 사용하는 것에서 다르면서 같은점이 있다. 또한 老痰을 치료하는데 성질이

重墜沉降한 礞石을 配伍해서 독창적이고 새로운 治法을 만들어 냈다. 元·朱丹溪는 수많은 저작에 있는 "痰門"에서 痰病·痰症의 理法方藥에 대해 탐구했다. 특히 『金匱鉤玄』에서는 총 139門이 있으며, 이중 53門에는 痰으로부터 論治하는 것에 중점을 두고 있다. 王綸는 明代의 저명한 의학자로 朱丹溪를 스승으로 모시고, 二陳湯·滾痰丸의 運用 등에 대해 자신의 견해를 제시하였고, 『明醫雜著』을 저술하고, 化痰丸을 제조했다. 방제는 天門冬·黃芩·海浮石·芒硝·瓜蔞·香附·連翹·靑黛으로 구성하며 火鬱에 의한 痰을 치료한다. 明·李時珍은 『瀕湖脈訣』에서 "痰生百病食生灾"하는 관점을 제기하고, 『本草綱目』에 痰을 치료하는 처방 300여 수를 輯錄해서, 책 속에서 증상에 따라 처방의 輯錄을 가장 많이한 사람이다. 『雜病廣要』는 『皆效方』의 三子養親湯을 인용해서 祛痰하는 가운데 納消食해서 痰을 치료하는 또 다른 방법을 개척하였다. 明·吳昆의 『醫方考』에 있는 淸氣化痰丸은 仲景의 小陷胸湯을 특히 발전시켰으며 熱痰을 치료하는 기본방이 되었다. 淸·程國彭의 『醫學心悟』에 수재된 治痰方에는 半夏白朮天麻湯·定癎丸·止嗽散·消瘰丸·貝母瓜蔞散 등이 있으며 風化痰과 潤燥化痰를 치료하는 代表方이 되었다. 淸·費伯雄이 이르길: "濕則宜燥, 火則宜淸, 風則宜散, 寒則宜溫, 氣則宜順, 食則宜消"라고 하며, 제기한 治痰大法은 역대 治痰法에 대해 규칙적인 총 정리라고 볼 수 있다. 淸·汪昂의 『醫方集解』에서부터 "除痰之劑"에 대해 분류하기 시작했다.

晋·唐시기에는 『脈經』·『千金翼方』 등의 의서에서 "痰飮"을 "淡飮"으로 기록했다. 丹波元堅은 『雜病廣要』「痰涎」에서: "痰本作淡, 淡, 澹動也; 故水走腸間名爲淡飮; 今之痰者, 古之云涕, 云唾, 云涎, 云沫是也"라고 지적했다. 隋·巢元方의 『諸病源候論』은 痰을 熱痰·冷痰·膈痰·痰結 등으로 분류하고, 飮을 懸飮·溢飮·支飮·癖飮·留飮·流飮 등으로 분류하였으며, "痰飮候"·"諸痰候"와 "解散痰癖候" 등의 여러 篇을 전문적으로 개설했다. 이는 최초로 痰·飮을 분류한 것이다. 宋·楊士瀛의 『仁齋直指方』은 痰·飮을 형태적으로 구분하기 시작하고 稠濁한 경우에는 痰이되고, 이는 燥熱로 인해 발생하는 것이고, 淸稀한 경우에는 飮이 되고, 이는 寒濕으로 인해 발생하는 것이라고 주장했다. 明·張介賓의 『景岳全書』은 한 걸음 더 나아가 주장하길: "痰之與飮, 雖曰同類, 而實有不同也.蓋飮爲水液之屬, 凡嘔吐淸水及胸腹膨滿, 呑酸噯腐, 渥渥有聲等證, 此皆水穀之餘停積不行, 是即所謂飮也. 若痰有不同于飮者, 飮淸澈而痰稠濁; 飮惟停積腸胃, 而痰則無處不到; 水穀不化而停爲飮者, 其病全由脾胃; 無處不到而化爲痰者, 凡五臟之傷皆能致之"라고 말했다. 痰飮에 의한 증상·발병 특징·病變臟腑 등에서 질병을 판별하는 것은, 오늘날까지도 여전히 중요한 지도적 의의가 있다.

痰病이 『諸病源候論』에서 "熱痰·冷痰·膈痰·痰結" 등으로 분류되어온 이래로 의학자들의 의견은 분분하다. 『儒門事親』卷11에는: "凡人病痰證發者, 其證不一, 蓋有五焉.一曰風痰, 二曰熱痰, 三曰濕痰, 四曰酒痰, 五曰食痰"라고 주장하였다. 『醫宗必讀』卷9에는 "在脾經者名曰濕痰, ……在肺經者名曰燥痰, 又名氣痰, ……在肝經者名曰風痰, ……在心經者名曰熱痰, ……在腎經者名曰寒痰"라고 주장하였다. 반면 『雜病源流犀燭』卷16에는 痰은 氣를 따라 升降해서, 온몸의 안과 밖 그리고 五臟六腑에 퍼지며, 이는 風痰·寒痰·濕痰·熱痰·鬱痰·氣痰·食痰·酒痰으로 구분해야 한다고 주장했다. 『類證治裁』卷2에는 五臟을 나누어서 痰證에 대해 논하였다. 오늘날 임상에서는 痰病의 분류는 주로 발병원인과 病邪를 동반한 성질에 의해서 정해진다. 분류 유형은 아래와 같다: 脾不健運, 聚濕生痰한 경우에는 대부분 濕痰으로 되기 때문에 燥濕化痰하게 치료해야 한다. 火熱內鬱해서 煉津이 痰이 된 경우에는 대부분 熱痰으로 되기 때문에 淸熱化痰하게 치료해야 한다. 陰虛肺燥, 虛火灼津이 痰이 된 경우에는 대부분 燥痰으로 되기 때문에 潤燥化痰하게 치료해야 한다. 脾腎陽虛·飮邪不化하거나 肺寒留飮한 경우에는 대부분 寒痰으로 되기 때문에 溫化寒痰하게 치료해야 한다. 痰濁內生, 肝風內動, 夾痰上擾하거나 外風夾痰

한 경우에는 대부분 風痰으로 되기 때문에 治風化痰하게 치료해야 한다. 본 장의 방제는 위에서 말한 痰病의 성질과 治法에 따라서 燥濕化痰·淸熱化痰·潤燥化痰·溫化寒痰·治風化痰 다섯가지 유형으로 분류한다.

燥濕化痰劑는 濕痰證에 사용한다. 증상은 痰多色白易咯, 胸脘痞悶, 嘔惡眩暈, 肢體困倦, 舌苔白膩或白滑, 脈緩滑하거나 弦滑하게 나타난다. 濕痰이 생기는 것은 주로 脾虛에 의한 것이다. 素體의 脾胃가 허약한데 또 肥甘.生冷항 식품을 과식하면 脾가 健運한 기능을 상실해서, 水穀精微가 心肺로 上歸할 수 없으면 오히려 停聚하여 痰이 된다. 즉『諸病源候論』卷3의 虛勞痰飮候에서 말한: "勞傷之人, 脾胃虛弱, 不能克消水漿, 故爲痰飮也."이다. 또한『景岳全書』卷31에서: "蓋痰涎之化, 本由水穀, 使果脾强胃健, 如少壯者流, 則隨食隨化, 皆成血氣, 焉得留而爲痰? 惟其不能盡化, 而十留一二, 則一二爲痰; 十留三四, 則三四爲痰矣." 라고 논술하였으며, 또한 이르길: "化得其正, 則形體强, 榮衛充"; "化失其正, 則臟腑病, 津液敗, 而血氣即成痰涎"라고 했다. 이는 바로 "夫人之多痰, 皆由中虛使然"와 같은 것이다. 만약 지나치게 걱정하고 과로한 나머지 脾를 상해서, 生活이 조절이 안되면, 中土가 虛弱해지고, 運化의 기능을 잃어서, 水穀精微가 正化하지 못하면 또한 痰이 생길 우려가 있다.『醫宗必讀』卷9에서 이르길: "脾土虛濕, 淸者難升, 濁者難降, 留中滯膈, 淤而成痰."라고 했다. 만약 濕地에 오랫동안 머물거나 비를 맞고 흠뻑 젖어서 濕邪가 외부에서 침입해서 脾土로 들어가면, "濕土之氣, 同類相召"(『溫熱經緯』「卷4·薛生白濕熱病篇」에 수재됨)해서, 脾土가 濕을 막지 못하고, 濕이 응집해서 痰이 된다. 즉『赤水玄珠全集』卷6·痰飮門에서 "濕은 脾로 들어가서 濕痰이 된다"고 했다. 濕痰이 병으로 변화하는 것은 다양한 증상으로 나타난다. 肺에서는 咳嗽痰多하고, 胃에서는 惡心嘔吐·胸膈痞悶하고 脾에서는 肢體困倦하면 淸陽을 막아서 위로 올라가지 못하면 頭眩心悸로 발병한다. 痰이 많고 색이 하얗거나 뱉으면 덩어리가 지고, 舌苔가 白滑하거나 膩하고, 脈濡緩하면 이 모두가 濕痰內蘊證이다. 燥濕化痰劑는 주로 半夏·南星·白芥子·白前 등을 위주로 구성된 燥濕化痰藥으로 사용한다. 代表方에는 二陳湯·茯苓丸·溫膽湯 등이 있다. 구성 配伍 특징은 아래의 몇 가지가 있다: ① 理氣藥을 配伍한다. 濕은 陰邪가 되고, 痰은 氣滯에 의해 발생하는 것이다.『濟生方』卷4에서 지적하길(指出): "人之氣道貴乎順, 順則津液流通, 決無痰飮之患. 若調攝失宜, 氣道閉塞, 水飮停于胸膈, 結而成痰. 其爲病也, 症狀非一"하고 하였으며, 또한 "善治痰者, 不治痰而治氣, 氣順則一身之津液亦隨氣而順矣"라고 주장했다. 따라서 燥濕化痰劑는 주로 理氣藥을 配伍한다. 예를 들면 二陳湯에는 陳皮를 配伍하고, 導痰湯·滌痰湯·溫膽湯에는 陳皮·枳實를 配伍하고, 指迷茯苓丸에는 枳殼를 配伍하며, 이 모두가 理氣法으로 다스려서 行滯化痰하게 하고, 氣順하게 해서 痰을 제거하려는 뜻을 담고 있다. ② 健脾滲濕藥을 配伍한다. "脾氣充盛, 自能健運, 內因之濕何由生, 外來之濕何自成, 痰即不能爲患矣"(『雜病源流犀燭』卷16에 수재됨)라고 하였다. 濕濁은 주로 脾虛할 때 생겨나는 것이기 때문에, 따라서 濕痰을 치료할 때 또한 자주 滲濕健脾藥을 配伍해서 滲濕하게 해서 化痰의 효력을 도울 수 있고, 또한 健脾해서 生痰之源을 막을 수 있다. 예를 들면 二陳湯·導痰湯·茯苓丸에는 모두 茯苓를 사용한다. ③ 扶正之品을 配伍한다.『讀醫隨笔』卷3에서 "多痰者, 血必少"라고 여겼다. 게다가 溫燥化痰藥은 매번 陰血을 상하게 할 우려가 있기 때문에 金水六君煎에 熟地·當歸를 넣어서 滋陰養血하게 하고, 十味溫膽湯에 人蔘 등을 넣고 益氣하게 하면, 모두가 祛痰扶正劑에 해당하기 때문에, 痰을 제거해서 正氣를 상하지 않게 하거나 扶正祛痰한 효과를 볼 수 있다.

淸熱化痰劑는 熱痰證에 사용한다. 증상은 咳嗽痰黃, 黏稠難咯 및 痰熱로 인한 胸痛·眩暈·驚癎 등으로 나타난다. 熱痰이 생기는 것은 水濕·津液과 熱邪搏結에 의한 것이다. 心은 火臟으로 火熱之氣가 心으로 통한다. 肺는 嬌臟으로 寒熱에 매우 취약하다. 또한 이 두 臟은 모두 津液代謝와 관련이 있으므로 熱痰과

心肺는 매우 밀접한 관계가 있다. 예를 들어 七情內傷하면 五志化火한 증상으로 나타나게 되고, 기름진 음식을 과도하게 섭취하면, 火熱內生, 心火熾盛하게 되고, 風熱이나 風寒가 외부에서 침입하거나 鬱久化熱로 인하여 肺熱內盛에 이르게 되고, 大病.久病으로 인해서 耗傷心肺, 陰虛火旺하게 되는 이 모두가 水火相搏하여, 火熱灼津으로 煉液이 痰이 되어서 몸 안에서 痰熱이 발생하는 것이다. 동시에 濕痰.寒痰이 鬱積日久하여도 또한 痰熱이 될 수 있다. 痰熱으로 인한 나타나는 증상은 그 종류가 다양하다. 痰熱壅肺하면 咳嗽痰黃, 黏稠難咯의 증상으로 나타날 수 있고, 痰熱이 胸陽을 閉阻하면 胸痛.胸悶을 일으킬 수 있고, 上蒙淸陽하면 眩暈.驚癎 등으로 나타날 수 있으며, 痰火擾心, 蒙閉心包하면 神昏抽搐 등으로 나타날 수 있다. 舌質紅, 舌苔薄黃하거나 黃膩하고, 脈滑數한 증상은 공통적으로 나타날수 있다. 淸熱化痰劑는 주로 淸熱化痰藥으로 사용하며 瓜蔞.膽南星.竹茹.貝母.礞石 등을 위주로 해서 구성한 방제이다. 代表方에는 예를 들면 淸氣化痰丸.小陷胸湯.滾痰丸 등이 있다. 본 방제의 구성 配伍 특징은 아래의 몇 가지가 있다: ① 健脾滲濕藥을 配伍해서 標本兼顧한다. 예를 들면 淸氣化痰丸에서 茯苓을 사용한다. ② 淸熱藥을 配伍해서 방제에서 부족한 淸熱의 효력을 보충한다. 예를 들면 淸氣化痰丸에서 黃芩을 사용하고, 小陷胸湯에서 黃連을 配伍하며, 滾痰丸에서는 大黃을 配伍한다. ③ 理氣藥을 配伍한다. 淸氣化痰丸에서 사용하는 杏仁은 降氣止咳의 효능이 있고, 枳實은 下氣消痞한 효능이 있으며, 橘紅은 理氣化痰한 효능이 있어서, 理氣藥이 氣順해서 火가 自降할 수 있도록 하는 治法을 구현했다. 滾痰丸은 沉香을 사용해서 降逆下氣하게 해서 또한 痰을 치료하는데 있어서 반드시 우선적으로 順氣 해야 한다는 이치를 구현했다.

潤燥化痰劑는 燥痰證에 사용한다. 증상은 痰稠而黏, 咯之不爽, 咽喉乾燥하고 심할 때는 嗆咳, 聲音嘶啞 등으로 나타난다. 燥痰의 발생 원인은 外感이나 內傷에 의한 것이다. 素體가 陽盛하고 외부에서 燥邪의 침입을 받고 나서 오랜 시간이 경과한 후에 外證은 이미 사라졌지만, 肺에 머무르게 되면, 耗液煉津해서 痰濁이 생기게 된다. 七情內傷은 心火亢盛해서 熏蒸肺陰하거나, 근심하고 분노해서 肝이 條達의 기능을 상실하고, 氣鬱痰凝하거나; 肝氣鬱結해서, 鬱而化火, 木火刑金하거나; 飮食不節해서, 酒食鬱積하면 脾가 運化의 기능을 상실해서, 蘊濕生痰, 鬱久化燥하게 된다. 水液의 輸布와 運化는 肺·脾·腎三臟과 연관되어 있으며 각자의 주된 기능은 서로 다르다. 燥痰이 발생하는 것은 대부분 肺에 의한 것이다. 張秉成은『成方便讀』에서 이르길: "燥痰者, 由于火灼肺金, 津液被灼爲痰"라고 했고. 李中梓은『醫宗必讀』卷9에서 直言하길: "在肺經者, 名曰燥痰"라고 했다. 肺는 娇臟으로, 淸虛之體는 畏寒畏熱해서 조금도 容入할 수 없고, 火熱이 熏蒸하면 煉液이 痰으로 되고, 燥勝해서 마르면 쉽게 陰液을 상하게 되므로 결국에서 痰稠而黏, 咯之不爽, 咽喉乾燥한 증상으로 나타나게 된다. 肺는 宣降의 기능을 담당하며 上焦에 위치한다. 肺가 火刑을 받아서 淸肅의 기능을 행하지 못하면 咳嗽陣作하고 심할 때는 嗆咳가 나타난다. 苔厚少津, 脈細滑 등은 모두가 燥痰에 의한 증상이다. 潤燥化痰劑는 주로 潤肺化痰藥으로 사용하며 貝母·瓜蔞 등을 위주로 해서 구성한다. 代表方에는 貝母瓜蔞散이 있다. 辛燥한 性味를 띈 약재는 悖燥痰의 病機를 갖고 있으며, 苦寒한 性味를 띈 약재는 傷肺할 뿐만 아니라 또한 脾胃를 상하게 하기 때문에 쉽게 본 증상을 變生하게 한다. 따라서 大苦大寒한 종류의 약은 燥痰證 치료에 사용하는 것은 알맞지 않다. 燥者潤之이 治法에 있어서, 肺는 潤한 것은 좋아하지만, 燥한 것은 싫어한다. 熟地黃·當歸·天門冬·麥門冬은 모두 性味가 味甘滋膩해서 肺燥를 潤하게 할 수 있지만, 味厚質膩하기 때문에 쉽게 氣機壅滯, 胸膈生滿, 蘊濕하거나 痰을 새로 생기게 할 수 있다. 이는 바로 喩昌이 말한: "木雖喜潤, 然太潤則草木濕烂"와 같다. 燥痰證에서 選用한 약은 性味가 辛燥하거나 苦寒할 수 없고 또한 滋膩해서도 안 된다는 것을 알 수 있다. 淸平한 효능이 있는 맛이 辛苦甘寒하고 성질이 淸平한 효능이 있는 맛이 辛苦甘寒하고 성질이 潤한 약을 選

用해야 한다. 예를 들면 貝母.瓜蔞.花粉.知母 등은 苦寒한 약에 비해 성질이 烈하지 않고, 辛溫한 약에 비해 燥하지 않아서, 正中燥痰의 病機가 된다. 燥痰을 치료하는데 사용하는 약물은 凉하게 해서 傷中하지 않고, 潤하게 해서 膩膈하지 않고, 淸中有化하게 해서 肺燥得潤, 稠痰得化하게 한다. 본 방제의 구성 配伍 특징은 아래의 몇 가지가 있다: ① 理氣宣肺藥을 配伍한다. 肺는 宣發肅降을 주관하며, 燥痰가 肺에 발생하면, 宣降의 기능을 상실하기 때문에 마땅히 理氣宣肺한 약을 配伍해서 사용해야 한다. 예를 들면 貝母瓜蔞散의 陳皮·桔梗가 있다. ② 淸熱養陰藥을 配伍한다. 燥熱가 비교적 심한 경우에는 적당량의 淸熱養陰한 약을 配伍해서 淸熱한 효력을 돕고, 과도하게 攻擊받을 수 있는 우려를 없게 해야 한다. 예를 들면 貝母瓜蔞散에서 花粉을 輔用한다. 健脾滲濕한 약은 또한 이와 같은 방제에서 자주 配伍하는 약에 해당한다.

溫化寒痰劑는 寒痰冷飮證에 사용한다. 증상은 咳喘, 痰多淸稀色白하거나 거품이 섞여 있거나 嘔逆水飮, 胸悶痞塞, 食少難消, 舌苔白滑, 脈滑 등으로 나타난다. 寒痰冷飮 또한 痰이 생기고 변하는 일반적인 규칙을 따르며, 즉 "痰原于腎, 動于脾, 客于肺."(『醫學入門』卷4에 수재됨)한다. 寒痰이 생기는 이치는 바로 『景岳全書』卷31에서 말한: "脾虛不能制濕, 腎虛不能約水, 皆能爲痰, 此即寒痰之屬也."와 같다. 『臨證指南醫案』卷5에서는 한층 더 "陰盛陽虛則水氣溢而爲飮"라고 강조하였다. 이는 寒痰의 病機는 本虛標實으로, 陽虛는 本이 되고, 飮盛은 標가 된다는 것을 가리킨다. 위의 내용을 종합해 보면, 寒痰冷飮은 肺·脾·腎三臟과 밀접한 관계가 있으며, 脾·腎은 寒痰이 생성됨에 있어 근본적인 원인이 되며, 肺는 寒痰이 稽留하는 부위가 된다. 溫化寒痰劑는 주로 溫肺化痰藥을 사용하며 乾薑·細辛·白芥子 등을 위주로 해서 구성한다. 代表方에는 苓甘五味薑辛湯·三子養親湯·冷哮丸 등이 있다. 본 방제의 구성 配伍 특징은 아래의 몇 가지가 있다: ① 溫陽藥을 配伍한다. 『內經』에서 이르길: "寒者熱之"라고 했다. 寒痰冷飮證은 脾腎陽虛를 本으로 하기 때문에, 溫陽한 약을 넣고, 腎陽을 溫煦하게 해서 氣化有力하게 하고, 脾陽을 振奮하게 해서 運化有權하게 하고, 水液의 代謝輸布을 회복하게 해서 이미 생긴 痰을 저절로 제거하고, 아직 생기지 않은 痰은 생길 수 있는 기회를 주지 않게 하므로, 生痰의 근원을 방지하는 근본적인 治法이 된다. 예를 들면 冷哮丸의 川烏·蜀椒, 三建膏의 桂枝·附子 등이 있다. ② 止咳平喘藥을 配伍한다. 肺는 宣發肅降의 기능을 주관하며, 寒痰冷飮이 肺에 침입하면 宣降의 기능을 상실하게 되어서 咳喘이 발생하게 된다. 宣肺·降肺하면 肺가 宣降의 기능을 정상적으로 수행해서 開闔有度하게 된다. 예를 들면 冷哮丸의 麻黃·杏仁·紫菀·款冬花가 있다. ③ 收澀효능이 있는 약을 配伍한다. 寒痰冷飮에는 마땅히 辛溫한 약재를 사용해야 한다. 하지만 辛溫한 약재는 비록 肺寒을 제거할 수 있지만, 啓門逐寇의 효능이 있고 또한 傷肺耗氣할 염려가 있다. 『經』에서 이르길: "肺欲收, 急食酸以收之."라고 했다. 性味가 酸收한 약과 辛溫한약을 함께 配伍하면, 一收一散해서, 肺의 성질과 맞아 肺가 규칙적으로 開闔하게 한다. 예를 들면 苓甘五味薑辛湯의 五味子 등이 있다. ④ 消食化積藥을配伍한다. 脾虛하면 쉽게 生濕化痰하게 할뿐만 아니라 똑같이 食積에 이르게 한다. 食積은 脾虛를 加重 시킬 수 있으며, 脾虛는 또한 化生痰濁하게 할 수 있다. 따라서 임상에서 이와 같은 종류의 方證을 치료할때 증상에 따라 消食化積藥을 사용한다. 예를 들면 三子養親湯에서 蘿葍子를 사용한다.

治風化痰劑은 風痰證에 사용한다. 風痰은 外風과 內風으로 구분한다. 外風夾痰은 대부분 肺·脾와 관련이 있다. 肺는 五臟의 꼭대기에 위치하며, 華蓋라고 부른다. 寒熱에 취약하며, 쉽게 邪氣의 侵擾를 받는다. 脾는 中州에 위치하며, 運化水濕해서, 飮食不節하거나 過食厚味하고 脾가 健運의 기능을 상실해서, 痰濁이 생겨나서 肺臟에 稽留하게 한다. 外風은 주로 寒邪를 품고 肺臟에 침입하고, 몸 내외의 邪가 합해지면 宣肅의 기능을 상실하게 되고, 肺氣가 上逆해서, 咳嗽이 발생하게 된다. 임상에서는 惡寒, 發熱, 咳嗽痰多 등의 증상으로 나타난다. 外風夾痰은 辛散疏表化痰하게 치료해야 하고, 주로 宣肺解表藥과 化痰藥을 함께 배오하는 것은 風邪가 사람의 피부를 상하게 하는 것은 寒邪가 심해서 衛氣를 막지 못하고, 그 성질이 疏泄하고, 鬱表輕淺한 것과는 다르기 때문이다. 예를 들면 『溫病條辨』卷4에서 이르길: "治上焦如羽, 非輕不擧"라고 했다. 따라서 주로 輕淸宣散한 약을 選用하며, 예를 들면 荊芥 등의 解表한 약을 사용해서 外散風邪하고, 辛潤和平한 紫菀·款冬花·白前 등을 사용해서 化痰止咳平喘하게 한다. 代表方에는 止嗽散이 있다. 內風挾痰은 대부분 肝·脾와 관련이 있다. 肝脾二臟은 五行에서 "相克"의 관계에 있다. 肝은 風木의 臟이고, 주로 升動하고 藏泄한 기능을 위주로 하며, 剛柔曲直한 성질을 띈다. 脾는 濕土이며, 運化水濕하며, 喜燥惡濕한 성질을 갖고 있다. 生理學적으로 볼 때, 脾의 運化는 肝木之疏에 의지하며, 즉 "土得木而達"(『素問』「寶命全形論」에 수재됨)하고, 病理學적으로 볼 때, 만약 木旺乘土하면, "風木過動, 中土受戕, 不能御其所勝…… 飮食變痰"(『臨證指南醫案』卷1에 수재됨)하거나, 木不疏土하면 土壅木鬱하거나, 土虛木乘하면 모두 生痰生風하게 할 수 있다. 이른바: "風生必挾木勢而克土, 土病則聚液而成痰"(『醫學從衆錄』卷4에 수재됨)을 말한다. 증상은 眩暈頭痛, 腦轉耳鳴, 嘔吐痰涎하거나 發癲癎하고 심할 때는 昏厥, 不省人事 등의 증상으로 나타난다. 內風夾痰는 熄風化痰하게 치료해야 하며, 痰의 성질에 따라 다른 化痰藥을 選用해야 한다. 痰은 濕痰·熱痰으로 나누어 진다. 燥濕化痰한 경우에는 반드시 半夏·茯苓·天南星 등을 사용해야 하고, 淸熱化痰한 경우에는 膽南星·貝母 등을 사용해야 한다. 代表方은 半夏白朮天麻湯·定癎丸 등이 있다. 본 방제의 구성配伍 특징은 아래의 몇 가지가 있다: ① 平肝息風藥을 配伍한다. 예를 들면 半夏白朮天麻湯에는 天麻를 사용하고, 定癎丸에는 天麻·全蝎·白殭蠶 등을 사용한다. 平肝息風藥과 化痰藥을 함께 配伍하면, 痰化風息하게 해서, 脾胃를 정상적으로 運化하게 하고, 肝木을 편안하게 할 수 있다. 脾胃健運하면 肝木의 乘을 막을 수 있고, 平肝息風하면 風木의 橫恣를 억제해서 傷脾에 대한 근심을 없앨 수 있다. ② 健脾滲濕藥을 配伍한다. 內風은 대부분 脾虛로 인해서 발생하며, 脾가 이미 虛하기 때문에 마땅히 扶正해서 生痰의 근원을 제거해야 한다. 예를 들면, 半夏白朮天麻湯의 茯苓·白朮, 定癎丸의 茯苓 모두가 이에 해당한다.

祛痰劑를 사용할 때 아래의 몇 가지를 주의해야 한다: ① 生痰의 근원을 가려내서, 원인에 따라 근본적인 치료를 중시한다. 痰飮의 형성은 肺·脾·腎三臟의 기능 불균형과 관련있으며, 특히 脾失健運과 밀접한 관계가 있다. 바로 李中梓이 말한: "脾爲生痰之源, 治痰不理脾胃, 非其治也"(『醫宗必讀』卷9에 수재됨)이다. 『臨證指南醫案』卷5에도 또한 "善治者, 治其所以生痰之源, 則不消痰而痰自無矣"라고 지적한 바가 있다. ② 遣方用藥에 있어서 攻利藥·滋膩藥·涌吐藥의 사용 및 體質特征을 주의해야 한다. 예를 들면 『醫學正傳』卷2에서 말하길: "治痰用利藥過多, 致脾氣虛, 痰反易生"라고 하였고, 『醫門法律』卷5에서는: "凡熱痰乘風火上入, 目暗耳鳴, 多似虛證, 誤行溫補, 轉錮其痰, 永無出路, 醫之罪也. 凡痰飮隨食并出, 不開幽門, 徒溫其胃, 束手無策, 遷延誤人, 醫之罪也"라고 지적했다. 또한 "體虛, 積勞, 素慣失血者, 均不可用吐法" 등의 用藥에 있어서의 금기사항에 대해서도 언급했다. 이는 임상에서의 遣方用藥에 있어서 매우 참고할 만한 가치가 있다. ③ 祛痰劑는 보통 蜜丸을 사용하는 것을 적절하지 않으며, 助濕을 예방하는 효능이 있다.

第一節 燥濕化痰劑

二陳湯

(『太平惠民和劑局方』 卷4 紹興續添方)

【組成】 半夏 湯洗七次 橘紅 各五兩(各 15 g) 白茯苓 三兩(9 g) 甘草 炙 一兩半(4.5 g)

【用法】 위의 약을 가늘게 썰어서 매번 四錢(12 g)을 복용하는데, 물 一盞, 生薑 七片, 烏梅 1개를 함께 넣고 10분의 6으로 달여서 찌꺼기는 제거하고 시간에 구애받지 않고 뜨겁게 복용한다(현대용법: 生薑 七片, 烏梅 1개를 물을 넣고 달여서 복용한다).

【效能】 燥濕化痰, 理氣和中.

【主治】 濕痰證을 치료한다. 咳嗽痰多, 色白易咯, 胸膈痞悶, 惡心嘔吐, 肢體倦怠하거나 頭眩心悸, 舌苔白潤, 脈滑하다.

【病機分析】 濕痰證은 대부분 脾肺의 기능이 조절되지 않아서 발생한 것이다. 脾의 運化 기능이 상실되면, 濕이 제거되지 않고 모여서 痰이 된다. 따라서 "脾는 痰을 만드는 源泉이다"라고 말한다. 痰은 脾에서 생기지만 肺에 藏한다. 따라서 肺는 "痰을 모아두는 臟器"라는 주장이 있다. 濕痰中阻하면, 脾의 運化 기능이 상실하고, 肺의 宣降 기능을 상실해서, 咳嗽하게 하고 痰多色白한 증상을 동반하게 된다. 痰阻氣機하면, 胃가 和降 기능을 상실하고, 肺는 宣發 기능을 상실하게 되어서, 胸膈痞悶, 惡心嘔吐 증상을 보이게 된다. 痰濁中阻하면, 脾氣가 運化하지 못하고, 淸陽이 위로 올라가지 못해서 결국에는 肢體倦怠, 頭眩心悸한 증상이 나타난다. 苔白潤·脈滑한 것은 痰濕에 의한 증상이다.

【配伍分析】 본 방제는 濕痰咳嗽證을 치료하며, 燥濕化痰, 理氣和中하게 치료해야 한다. 따라서 半夏를 君藥으로 삼고, 辛溫而燥한 性味를 취해서 燥濕化痰하고 降逆和胃하게 치료해야 한다. 치료 효능은 세 가지가 있다. 첫째 辛燥한 性味가 있기 때문에 蠲濕痰하게 한다. 둘째 降逆한 효능으로 嘔惡을 멎게 한다. 셋째 散結한 효능으로 痞滿을 제거한다. 이는 바로『本草從新』卷2에서 이에 대해 "體滑性燥, 能走能散. 和胃健脾, 除濕化痰, 發表開鬱, 下逆氣, 止煩嘔, ……爲治濕痰之主藥."과 같다고 말했다. 痰의 생성은 水濕이 운행하지 않으면; 液이 모이고, 氣機가 순조롭게 기능을 수행하지 못하기 때문에 性味가 辛苦而溫한 橘紅을 臣藥으로 삼아서 치료한다.『本草綱目』卷30에서 이에 대해 "苦能泄能燥, 辛能散, 溫能和."라고 말했다. 燥濕化痰, "下氣消痰"(『本草求眞』卷3에 수재됨)하고 아울러 理氣健脾한 효능을 뛰어나게 해서 氣順痰消, 脾運得健, 痰濕得除하게 한다. 半夏와 함께 配伍해서, 濕痰을 제거하고, 調暢氣機해서, 胃氣를 조화롭게 하고, 淸陽을 升하게 하고, 眩悸를 멎게 할 수 있다. 濕痰이 생기는 것은, 대부분 中州가 기능을 상실해서 濕聚成患하게 되는 것으로, 바로『古今醫統大全』卷43에서 논술한: "其源出于脾濕不流, 水穀津液停滯之所致也."이다. 따라서 맛이 甘淡하고 동시에 脾로 入經하는 茯苓을 佐藥으로 삼아서, 健脾滲濕해서 濕去脾運하게 하면, 痰이 생길 이유가 없게 된다.『本草求眞』卷4에서 이르길: 茯苓은 "利水除濕要藥, 書曰健脾, 即水去而脾自健之謂也"이 된다고 하였다.『世補齋醫書』에서 또한 이르길: "茯苓一味, 爲治痰主藥. 痰之本, 水也, 茯苓可以行水; 痰之動, 濕也, 茯苓又可以行濕."라고 하였다. 橘紅과 함께 配伍하면, 脾濕得化하고, 脾氣得暢하고, 運化有權해서, 生痰의 근원을 억제해서 君藥의 祛痰의 작용을 돕는다. 生薑은 맛이 辛하고 성질이 溫하기 때문에, 降逆化痰해서 止嘔하게 하며 佐藥이 된다. 半夏·橘紅를 도와서 行氣消痰, 和胃止嘔하

게 할 뿐만 아니라; 또한 半夏의 毒性을 억제할 수 있으며, 治法에 있어서 "小半夏湯"의 뜻을 담고 있다. 또한 소량의 烏梅를 넣는 것은 세가지 뜻을 나타낸다. 첫째, 性味가 酸澀하기 때문에 "入肺則收"(『本草求眞』卷2에서 발췌함)해서, 肺氣를 斂하게 하고, 半夏·生薑과 함께 配伍하면, 散하면서 收해서 서로 반대되면서도 어울려서 痰을 제거하면서 正氣는 상하지 않고, 邪氣를 제거하면서 正氣를 회복하게 한다. 둘째, 劫하고자 한다면 먼저 聚해야 한다는 뜻은, 바로 李時珍이 말한 "涌痰"의 작용이다. 셋째, 烏梅는 또한 "去痰"(陳藏器)·"止久嗽"(『本草鋼目』卷29에서 발췌함)할 수 있다. 甘草를 사용하는 목적은 調和藥性하고 또한 益肺和中의 효능을 겸하기 때문이다. 모든 약재를 함께 配合하면 모두 燥濕化痰, 理氣和中의 작용을 하게 된다.

본 방제의 配伍 특징은 燥濕祛痰을 위주로 하고, 行氣健脾로 보조해서, 標本兼顧하고, 散하면서 收해서 濕痰을 치료하는 主方이 된다.

방제의 君臣藥인 半夏·橘紅는 모두 오래 묵을수록 약효가 좋기 때문에, 따라서 "二陳"으로 불리며, 이는 바로 『醫方集解』「除痰之劑」에서 말한: "陳皮·半夏貴其陳久, 則無燥散之患, 故名二陳."과 같다.

【臨床應用】

1. 證治要點: 본 방제는 濕痰을 치료하는 상용 대표 방제이다. 임상에서는 咳嗽痰多易咯, 舌苔白膩或白潤, 脈緩·滑을 치료의 요점으로 삼는다.

2. 加減法: 본 방제는 加減法을 통해서 또한 다양한 痰證에 광범위하게 응용할 수 있다. 『醫方集解』「除痰之劑」편에서 말하길: "治痰通用二陳. 風痰加南星·白附·皂角·竹瀝; 寒痰加半夏·薑汁; 火痰加石膏·青黛; 濕痰加蒼朮·白朮; 燥痰加瓜蔞·杏仁; 食痰加山楂·麥芽·神曲; 老痰加枳實·海石·芒硝; 氣痰加香附·枳殼; 脇痰在皮裏膜外加白芥子; 四肢痰加竹瀝."라고 했다. 현대 임상에서 주로 사용하는 加減法은: 風痰을 치료하는데 南星·竹瀝 등을 넣고 息風化痰하게 한다. 熱痰을 치료하는데 黃芩·膽星 등을 넣고 淸熱化痰하게 한다. 寒痰을 치료하는데 乾薑·細辛 등을 넣고 溫化痰飮하게 한다. 食痰을 치료하는데 蘿菖子·神曲 등을 넣고 消食化痰하게 한다. 氣痰을 치료하는데 枳實·厚朴 등을 넣고 理氣化痰하게 한다. 皮裏膜外에 있는 痰을 치료하는데 白芥子을 넣고 通絡化痰하게 한다.

3. 二陳湯은 다음 한국표준질병사인분류(KCD)에 해당하는 환자가 濕痰證으로 辨證되는 경우 본 처방의 사용을 고려해볼 수 있다.

처방 목표	한국표준질병사인분류(KCD)
慢性支氣管炎	J41 단순성 및 점액화농성 만성 기관지염
	J42 상세불명의 만성 기관지염
肺氣腫	J43 폐기종
慢性胃炎	K29.3 만성 표재성 위염
	K29.4 만성 위축성 위염
	K29.5 상세불명의 만성 위염
妊娠嘔吐	O21 임신중 과다구토
神經性嘔吐	F50.2 신경성 폭식증
	F50.0 신경성 식욕부진
	F50.5 기타 심리적 장애와 연관된 구토

【變遷史】 痰의 생성 원인은 대부분 濕에 있으며; 痰의 근원(本)은 脾를 벗어나지 않으며; 痰의 제거하는데 있어서는 마땅히 行氣하게 해야 한다. 二陳湯의 配伍遣藥은 燥濕化痰·健脾滲濕·行氣祛痰를 하나의 방제에 모았기 때문에, 오랜 기간 동안 痰을 치료하는 좋은 방제가 되었다.

二陳湯의 방제조합을 자세히 분석해 보면 仲景의 小半夏加茯苓湯·半夏厚朴湯에서 진수를 엿볼 수 있다. 『金匱要略』의 小半夏加茯苓湯은 "卒嘔吐, 心下痞, 膈間有水, 眩悸者"를 치료하며, 病證은 痰飮으로 인해서 발병한 것이다. 방제에서 半夏·茯苓은 燥濕化痰降逆와 健脾滲濕祛痰의 治法을 구현하였다. 『金匱要

略』의 半夏厚朴湯은 痰氣互結에 의한 梅核氣를 치료하고, 방제에서 半夏·茯苓을 넣고 痰을 치료할 뿐만 아니라, 또한 行氣해서 痰의 제거를 돕는 厚朴·蘇葉 등을 추가한다. 이는 바로 二陳立法組方의 목적이라고 할 수 있다. 이후에 『外臺秘要』卷17에서 『集驗方』의 溫膽湯을 인용하였으며, 방제에서 半夏·生薑·橘皮·枳實 등을 넣고 膽寒有痰證을 치료하였고, 『傳信適用方』에서는 皇甫坦之導痰湯을 인용해서 半夏·天南星·橘紅·枳實·赤茯苓 등을 넣고 痰飮證을 치료하였다. 이 또한 본 방제의 치법 확립에 있어 시조(始祖)라고 볼 수 있다.

二陳湯은 藥味가 精當하고 配伍가 엄격하며, 痰을 치료하는 燥濕·健脾·行氣의 기본 법칙을 총 망라해서 후세 의학자들의 주목을 받았으며, 임상에서 넣고 빼서 수많은 二陳類方을 만들어서 다양한 痰證에 광범위하게 응용했다.

宋·王璆의 『是齋百一選方』卷5의 茯苓丸은 半夏·茯苓·枳殼·風化朴硝을 사용해서 痰停中脘證을 치료한다. 방제에서 半夏는 燥濕化痰하게 하고, 茯苓는 健脾滲濕하게 하고, 枳殼는 陳皮로 바꿔서 行氣祛痰하게 사용하는 것은 二陳湯의 治法과 동일하다. 다만 치료가 "痰伏在內"에 해당하기 때문에 風化朴硝를 넣고 정체된 伏痰이 제거해서 下泄하게 되면 祛痰의 효력을 강화하게 된다. 『濟生方』卷3의 茯苓湯은 二陳湯의 夏苓橘草를 기초로 하고, 별도로 枳實·桔梗을 넣고 行氣祛痰의 효력을 두배로 강화해서 痰飮手足麻痹, 眩暈과 같은 증상을 치료한다. 이와같은 진화를 통해서 二陳湯에서 行氣를 구현하는 陳皮는 또한 증상에 맞게 枳殼·枳實·桔梗 등으로 바꿔서 脾肺의 氣機를 暢達하게 하고 痰飮이 저절로 없어지게 한다는 것을 보여준다.

金·張元素의 『潔古家珍』에 수재된 玉粉丸은, 방제에서 半夏·陳皮를 사용하고, 또한 南星을 넣어서 燥濕化痰한 효력을 강화한다. 비록 茯苓은 없지만 人蔘·生薑湯으로 약을 복용하는 목적은 調補脾氣해서 中州運化를 도와서, 痰이 생겨나니 않게 해서, 咳嗽痰喘證을 잘 치료하고자 하는데 있다. 李杲은 병을 치료할 때 특히 補土을 강력히 주장하였으며, 二陳湯을 運用해서 痰을 치료할 때에도 주로 人蔘·白朮 등의 益氣健脾한 약을 配伍했다. 예를 들면 『醫學發明』卷6의 參蘇溫肺湯이 바로 이에 해당한다. 朱丹溪은 二陳湯을 극도로 추앙하며 주장하길: "痰之爲物, 隨氣升降, 無處不到, 二陳湯, 一身之痰無所不治, 可以隨證加味應用"(『丹溪活套』에 수재됨)라고 여겼다. 王綸曾이 이르길: "丹溪先生治病, 不出乎氣·血·痰, 故用藥之要有三: 氣用四君子, 血用四物湯, 痰用二陳湯"(『明醫雜著』卷1에 수재됨)라고 말했다. 예를 들어 酒痰을 치료하는 경우에는 二陳湯에 葛根·枳椇子·砂仁 類의 약을 넣고, 寒痰을 淸稀하게 하는 경우에는 二陳湯에 乾薑·附子·益智·草豆蔻 類의약을 넣고, 眩暈嘈雜, 火動其痰을 치료하는 경우에는 二陳湯에 山梔·黃芩·黃連 類를 넣는다. 아울러 지적하길: "治痰者, 不治痰而治氣. 氣順則一身之津液, 亦隨氣而順矣"라고 하였으며, 또한 "治痰法, 實脾土, 燥脾濕, 又是治其本也"(『丹溪心法』卷13에 수재됨)라고 말했다. 예를 들면 『丹溪心法』卷3의 加味二陳湯은 半夏·橘皮·茯苓·甘草·生薑 이외에도 별도로 入砂仁·丁香을 넣고 調理脾氣, 化其濕濁하게 해서 停痰結氣에 의한 구토 증상을 치료한다. 元·危亦林의 『世醫得效方』卷9의 加味茯苓湯은 二陳四藥 이외에도 또한 東垣이 蔘을 사용해서 補脾하는 뜻을 계승하였으며, 香附를 도와서 行氣祛痰의 효력을 강화시켜서, 痰迷心包, 健忘, 言語如痴를 치료하는 방제가 되었다.

明『奇效良方』卷1의 滌痰湯法은 二陳을 응용하고, 또한 南星·枳實을 넣어서 燥濕化痰·行氣의 효력을 두배로 강화하고, 人蔘을 도와서 補氣健脾하게 하고, 菖蒲로 開竅豁痰하게 해서, 中風痰迷, 舌强難言한 증상을 치료한다. 본 저서 卷24의 芎辛導痰湯 또한 二陳湯을 化裁하고, 川芎·細辛·天南星을 넣어서 痰厥頭痛을 치료한다. 『證治準繩·類方』卷22의 橘皮湯·前胡半夏湯은 桔梗·靑皮 등을 佐入하거나, 前胡·木香·紫蘇·枳實 등의 行氣祛痰한 약재를 配伍해서 痰盛證을 치료한다. 陳實功의 『外科正宗』卷2의 芩連二陳湯은 二陳湯

으로 祛痰하고 또한 芩·連 등의 淸熱한 약재를 넣고 淸化痰熱한 방제를 만들어서 痰熱으로 인해 발생한 頸項瘰癧結核證을 치료하였다. 吳昆『醫方考』의 淸氣化痰丸은 膽星·黃芩 등의 寒凉한 약을 넣은 것은 사실상 二陳湯이 淸化熱痰한 효능으로 바뀌는 본보기가 된다는 것을 엿볼 수 있다. 『景岳全書』「新方八陣」卷51의 六安煎은 二陳湯에 杏仁을 넣고 理肺하게 하고, 白芥子를 넣고 溫化寒痰하게 해서, 風寒咳嗽, 痰滯氣逆한 증상을 치료한다. 본 저서의 같은 卷에 있는 金水六君煎은 특별한 비법을 개척하였으며 養陰補血한 효능이 있는 熟地黃·當歸과 二陳湯을 함께 配伍해서, 燥潤이 서로 보완하게 하고, 肺腎의 부족한 痰喘을 치료한다. 『症因脈治』卷2에 수재된 수많은 二陳湯衍化方인 南星二陳湯·二母二陳湯·香芎二陳湯·梔連二陳湯·蒼朴二陳湯·枳朴二陳湯·防葛二陳湯·二陳平胃散 등은 모두 二陳湯을 기초로 해서 行氣하거나 淸熱하거나, 健脾하거나, 燥濕한 약재를 넣고 다양한 痰證을 치료하는데 사용한다. 이로써 二陳湯의 燥濕化痰·健脾·行氣의 세가지 治法은 모두 널리 응용되고, 또한 증상에 따라 넣고 빼서 끊임없이 진화해서 濕痰을 치료하는 것 이외에도 또한 寒痰·風痰·熱痰 및 氣虛·陰虛하면서 痰證을 동반한 환자를 치료하는데 응용한다.

淸代의 名醫인 李用粹은 스승인 丹溪를 뜻을 본받아서, 그 요점을 깊이 이해하고 있으며, 또한 二陳湯을 運用해서 선대 스승의 미비한 부분을 보충하고 잘 化裁하는데 뛰어나다. 二陳湯을 활용하는 방법은『證治滙補』에서 흔히 볼 수 있는데, 中風·傷風·痰證·鬱證·中寒·氣證·飮證 등의 다양한 病證에 광범위하게 응용하였다. 첫째로 痰의 성질을 판별한다. 예를 들면 風痰을 치료하는 경우에는 南星·貝母·全蝎·白附子를 넣고, 濕痰을 치료하는 경우에는 蒼朮·白朮을 넣고, 火痰 및 酒積痰을 치료하는 경우에는 黃芩·黃柏·黃連·山梔를 넣고, 食痰을 치료하는 경우에는 山楂·麥芽·蘿葍子를 넣고, 鬱痰을 치료하는 경우에는 香附·靑皮 등을 넣는다. 둘째로 痰의 부위를 판별한다. 예를 들면 痰이 腸胃에서 내려갈 수 있는 경우에는 枳實·大黃·芒硝 類를 넣고, 痰이 脇下에 있는 경우에는 白芥子가 아니면 그 효능에 도달할 수 없고, 痰이 四肢에 있는 경우에는 竹瀝·薑汁가 아니면 안되고, 痰이 皮裏膜外에 있는 경우에도 반드시 이 竹瀝·薑汁 二味를 사용한다. 痰이 膈下에 있는 경우에는 반드시 竹瀝를 넣고, 痰이 經絡으로 들어가서 結核이 된 경우에는 夏枯草·海藻·昆布 등을 넣는다. 셋째로 환자의 체질을 판별한다. "肥人氣滯必挾痰, 以二陳湯加香附·枳殼(如理氣降痰湯)燥以開之, 甚者加蒼朮·白芥子"한다. "肥人多濕痰, 宜二陳湯加蒼朮·香附; 瘦人多濕火, 宜二陳湯加黃連·蒼朮"한다. 넷째로, 病機의 차이에 따라 융통성있게 化裁한다. 예를 들면 癲狂를 치료하는 경우에는 "皆心神耗散, 不能制其痰火而然"한다. "狂由痰火膠固心胸, 陽邪亢極"하고, "癲由心血不足"하며, "狂主二陳湯加黃連·枳實·瓜蔞·膽星·黃芩等; 癲亦主二陳湯加當歸·生地·茯神·遠志·棗仁·黃連·膽星·天麻等"한다. 또한 呃逆를 치료하는 경우에는 "主以二陳湯, 平人氣呃, 加枳殼·蘿葍子; 食呃加山楂·麥芽; 痰火加山梔·黃連; 水氣加猪苓·澤瀉; 胃虛加人蔘·白朮; 胃寒加丁香·炮薑"한다. 다섯째로 病勢의 차이에 근거해서 상황에 맞게 유리하게 이끌고 융통성있게 化裁한다. 예를 들면 傷食病을 치료하는 경우에는 "食塡上焦, 宜單鹽湯或二陳加桔梗蘆吐之, 吐後以二陳加香砂和之"한다. "初起自吐者, 二陳加藿香·豆蔻·厚朴·砂仁; 自瀉者, 二陳加白芍藥·木香·木通·神曲"하게 한다. 또한 霍亂病을 치료하는 경우에는 "當引淸氣上升, 濁氣下降, 吐瀉未徹者, 二陳湯加蒼朮·防風探吐, 以提其氣; 如吐涌不止, 二陳湯加木瓜·檳榔, 以降其氣"하게 한다. 동시대의 張璐는『張氏醫通』卷16에서 二朮二陳湯·祛風導痰湯·十味導痰湯·加味導痰湯 등을 수록하였으며, 이는 또한 二陳을 核心加味해서 脾虛痰盛하거나 風痰 및 濕熱痰證을 치료하는 방제에 해당한다. 程國彭이『醫學心悟』卷4에 기록한 半夏白朮天麻湯은 수많은 선현들이 二陳湯을 加味해서 風痰을 치료한 경험을 運用해서 하나로 총정리한 것으로, 이는 風痰을 치료하는 代表方劑가 되었다. 또한『醫宗金鑑』에도 二陳湯의 加減運用에 대해 충분히 잘 나타나 있으며, 특히 食積을 동반한 痰濕을 치료하거나 化熱 및 小兒의 다양한 종류의 痰證을 치료하는 방제로서 후세에 이르기 까지 칭송을 받고 있다. 예를 들면 化堅二陳丸·枳桔二陳湯·曲麥二陳湯·加味二陳湯·淸心滌痰湯·黃連二陳湯 등이 있다.『雜病源流犀燭』에 기록된 治痰諸方은 대부분 二陳湯에 넣고 빼서 化裁한 것이다. 예를 들면 痰飮嘔吐를 치료하는 茯苓半夏湯·火喘을 치료하는 桔梗二陳湯·痰鬱을 치료하는 升發二陳湯·痰涎口麻를 치료하는 止麻淸疾飮·風痰哮證을 치료하는 千緡導痰湯·素有痰飮을 치료하는 茯苓湯 등이 있다. 이중에서, 二陳湯을 運用하는데 있어서 특히 특색을 지닌 것은 大半夏湯과 白朮湯이다. 大半夏湯은 二陳湯에서 甘草의 壅·烏梅의 斂을 빼고, 차멀미(暈車)·배멀미(暈船)에 의한 嘔吐를 치료한다. 白朮湯은 二陳原方을 사용하고, 白朮을 넣어서 燥濕健脾의 작용을 강화시킨다. 비록 烏梅를 빼지만, 五味子를 사용해서 斂肺止咳하게 해서 濕痰咳嗽證을 치료한다. 대체로 이 二陳湯에서 넣고 빼고 演化해 온 다양한 방제들은 모두가 규칙적이고 또한 새로운 뜻을 보여주기 때문에 확실히 깊이 연구할 만한 가치가 있다.

【難題解說】

1. 烏梅의 配伍 의의에 대해서: 二陳湯은 濕痰을 치료하는 기본방이며, 방제의 半夏·陳皮·茯苓·甘草를 함께 配伍해서, 君藥과 臣藥의 질서가 정연하며, 함께 돕고 어우러져서, 각기 그 효능이 뚜렷해진다. 따라서 수많은 의학자들이 본 방제의 配伍관계에 대해 상세히 설명할 때, 모두 半夏·陳皮·茯苓·甘草 네가지 약을 위주로 하고, 본 방제의 "煎服法"에서 烏梅·生薑에 대한 언급은 매우 적다. 예를 들면『醫方集解』刪에서는 烏梅를 빼고 사용하지 않고,『方劑學』統編教材 2판에서는 "近代用法, 不用生薑·烏梅"라고 말했으며,『簡明中醫詞典』에서도 또한 현대의학에서 대부분 사용하지 않는다고 하였다. 古今의 名方을 자세히 분석하면, 煎服法에서 사용하는 약은 대부분 심오한 配伍의의를 갖지만 후세의 의학자들은 이에 대해 충분한 중시를 받지 못했다. 방제에서 配伍를 가장 중요시 여긴다. 二陳湯은 濕痰證을 치료하며, 病症은 肺脾二臟에서 나타난다. 방제의 半夏는 燥濕化痰하고, 陳皮는 理氣祛痰해서, 氣順해서 痰이 제거되게 한다. 茯苓은 健脾滲濕해서, 痰이 생길 수 있는 근원을 막고, 甘草는 調和諸藥하게 한다. 이와 같이, 비록 痰脾의 주된 모순을 고려했지만 痰咳은 肺와 밀접한 관계가 있다. 肺는 "華蓋"의 臟으로, 주로 宣發과 肅降의 기능을 한다. 따라서 肺를 치료하는 諸方은 모두 매번 肺의 성질에 부합하는 宣發肅降한 특징을 갖는 配伍遣藥에 중점을 둔다. 예를 들면 小靑龍湯·苓甘五味薑辛湯 등이 있다. 본 방제는 소량의 맛이 酸하고 성질이 澀한 烏梅를 넣는다.『本草求眞』卷2云에서 이에 대해 이르길 "入肺則收"라고 했다. 방제에서 사용하는 약재의 특징에 대해 자세히 분석해 보면 아래의 다섯 가지가 있다: 첫째, 斂肺止咳하다. 李時珍이 이에 대해 이르길 "止久嗽"한다고 했다. 둘째, 性味가 辛散한 半夏·生薑과 같은 약과 配伍해서 散中有收하고, 散하게 하되 正氣를 상하지 않게 하고 收不斂邪하게 하면, 恰適 肺의 宣發肅降한 성질에 딱 들어맞게 된다. 즉『經』에서 이르길: "肺欲收, 急食酸以收之"라고 하였으며, 이는 散收相宜에 목적을 둔다. 셋째, 酸斂한 性味가 있기 때문에 聚收痰濕의 작용을 한다. 이른바 "欲劫之而先聚之"의 뜻을 말하며, 이는 李時珍의 "涌痰"의 작용을 말한다. 넷째, 陶弘景이 이에 대해 이르길 "去痰"이라고 하였으며, 즉 烏梅 자체에 痰을 제거하는 작용을 한다. 다섯째, 烏梅는 酸斂生津해서, 이 潤性으로 半夏 등의 과도하게 辛燥한 것을 예방할 수 있고, 肺는 燥를 싫어하고, 또한 烏梅의 用量이 비교적 적기 때문에, 助濕斂痰을 일으키지 않는다. 그러므로 二陳湯에서 烏梅를 넣는 것은 당연히 충분하게 중요시해야 하며, 본 방제는 原方의 配伍 요지에 대해서 전반적으로 이해할 수 있게 한다.

2. 二陳湯의 치료 범위에 대해서: 李中梓이 이르길: "二陳爲治痰之妙劑, 其于上下左右無此不宜"(『古今名醫方論』卷1에서 발췌함)라고 했다. 陳念祖은『時方歌括』卷下에서 이르길: "此方爲痰飮之通劑也"라고 했다. 결국 수많은 학자들로 하여금 二陳湯을 "痰을 다스리는 主方"이라고 불렀다.

痰은 寒·熱·燥·濕·風·氣·食으로 구분한다. 寒痰과 濕痰 혹은 熱痰과 燥痰은 비록 비슷한 점이 있지만 寒濕과 燥熱은 오히려 판이하게 다르다. 따라서 치법·方劑의 확립의 목적에 있어서도 당연히 차이가 있어야 한다. 二陳湯이 治痰을 치료하는 主方이라고 주장하는 경우에는, 痰의 근본이 濕에 있다는 뜻에서 이른바 "濕聚而成痰"라고 말한다. 二陳의 方劑를 확립한 의미를 연구해 보면 辛溫而燥한 半夏를 君藥으로 삼고, 溫燥한 성질로 燥化濕痰하게 치료한다는 것이다. 君藥은 방제의 主가 되며, 이른바 主病이나 主證에 대해 주요한 치료 작용을 하는 경우에는 그 性味가 흔히 전체 방제의 작용과 적응증을 직접적으로 결정하거나 영향을 미친다. 따라서 溫燥한 성질이 비교적 강한 半夏를 군약으로 삼을 수 있고, 二陳湯으로 濕痰을 치료하거나, 濕痰을 다스리는 主方은 나무랄데가 없다고 말할 수 있다. 『成方便讀』卷3에서 이르길: "夫痰爲病, 當先辨其燥濕兩途. 燥痰者, 由于火灼肺金, 津液被灼爲痰, 其嗽則痰少而難出, 治之宜用潤降淸金. 濕痰者, 由于濕困脾陽, 水飮積而爲痰, 其咳則痰多而易出, 治之又當燥濕崇土, 如此方(二陳湯)者是也."라고 했다. 하지만 이를 확대해서 모든 痰證을 치료하는 主方으로 여겨서는 안 되며, 특히 본 방제로 燥痰을 다스리면 안 되기 때문에, 이른바 "渴而喜飮水者, 宜易之"(『醫方考』卷2에 수재됨)라고 하였다. 임상에서 圓機活法를 사용하고, 넣고 빼서 變通해서, 二陳의 理氣·健脾한 治法을 겸해서 사용하는 것은 바로 『醫方論』卷4에서 말한: "二陳湯爲治痰之主藥, 以其有化痰理氣·運脾和胃之功也. 學者隨症加減, 因病而施, 則用之不窮也."와 같다.

【醫案】

1. 多寐 『新醫藥學雜誌』(1977, 11:34): 환자는 4개월 동안 밤낮으로 계속해서 잠이 오고, 식사를 한 후에는 더욱 심해지다가, 呼之理會하고, 깨어나면 또 다시 잠에 들고, 가슴이 답답하고, 먹으면 바로 구토가 났다. 頭沉目眩, 身重乏力, 舌苔白膩, 脈濡而緩했다. 일찍이 다방면으로 치료를 받았으나 효과가 없었다. 脾虛濕盛證으로 진단하고, 二陳湯에 白朮·石菖蒲를 넣고 健脾燥濕하게 치료해야 하며 약을 2첩 복용하게 한 후에 다 나았다.

考察: 본 醫案은 痰濁濕盛에 의한 多寐으로 방제는 二陳에 白朮·石菖蒲를 넣고, 한편으로는 健脾化濕의 작용을 강화해서 本을 치료하고, 한편으로는 芳香化濁하게 치료해서 醒神하게 한다. 약 2첩을 복용한 후 치유되었다.

2. 小兒流涎 『新醫藥學雜誌』(1977, 10:38): 남자, 4세. 流涎症에 걸린지 2년 가까이 되었으며, 입가는 涎水에 浸漬해서 짓무르고, 몸이 마르고, 식욕이 좋지 않으며, 舌苔滑膩, 脈稍數無力했다. 脾虛해서 攝涎할 수 없다고 진단하고, 방제에서 二陳湯에 益智仁을 넣고 약을 15첩 복용하게 한 후 치유되었다.

考察: 어린 아이가 流涎하는 것은 대부분 脾虛해서 攝涎할 수 없기 때문에 발생하는 것이므로 健脾燥濕攝涎하게 치료해야 한다. 방제에서 二陳湯을 넣고 健脾燥濕하게 치료하고, 益智仁을 넣고 健脾攝涎하게 치료한다.

3. 鼻淵 『中醫耳鼻喉科學硏究雜誌』(2007, 4:34): 여자, 32세. 코막힘이 심하고 계속되었으며 콧물이 탁하고 양이 많았다. 嗅覺이 감퇴하고, 頭昏悶, 倦怠乏力, 胸脘痞悶, 納呆食少, 二便正常, 舌質淡紅, 苔白膩, 脈濡滑했다. 검사 결과 鼻黏膜이 淡紅腫脹하고, 中鼻道에서 黏性分泌物이 보였다. 본 증상은 痰濕困脾, 邪阻鼻竅으로 판단하고, 방제는 二陳湯에 藿香·石菖蒲·蒼耳子·辛夷를 넣고 달여서 1개월 정도 약을 복용한 후 코막힘이 완전히 사라졌다.

考察: 본 醫案은 鼻塞·鼻流濁涕으로 鼻淵으로 진단할 수 있으며, 동시에 頭昏悶 등의 濕痰이 中焦를 막히게 하는 증상을 동반하기 때문에 방제는 二陳湯을 넣고 化濕痰하게 치료하고, 별도로 藿香 등의 芳香

開鼻竅藥을 넣고, 化濕濁를 겸해서 치료해서, 코막힘이 통하게 되어서 모든 증상이 사라졌다.

4. 小兒遷延性肺炎『黑龍江中醫藥』(1988, 5:39): 남자, 2세. 환아는 폐렴 때문에 입원해서 항생제 치료를 받고 나서 고열이 내리고, 咳嗽喘 또한 줄어들었으나 肺부위에 水泡音이 오랫동안 사라지지 않고, 계속해서 咳嗽, 痰聲漉漉했다. 몸은 뚱뚱하고, 面色萎黃, 舌質淡潤했다. 본 증상은 脾虛濕盛, 痰濕阻肺으로 진단내리고, 방제는 二陳湯에 葶藶子·蘿菖子·杏仁를 넣고 달여서 약 2첩을 복용하게 한 후 다 나았다.

考察: 小兒遷延性肺炎은 한의약에서 말하는 正虛邪戀에 해당한다. 대부분 脾虛濕盛하고 痰濕阻肺해서 발병하는 것이다. 補脾益氣·燥濕化痰하게 치료해야 한다. 방제는 二陳湯을 넣고 燥濕化痰하게 하고, 葶藶子를 넣고 瀉肺實하게 하고, 杏仁를 넣고 降肺氣하게 하고, 蘿菖子를 넣고 順氣祛痰하게 치료했다.

5. 不孕症『江西中醫藥』(1994, 1:34): 여자, 32세. 본 환자는 결혼 후 3년 동안 임신을 하지 못하고, 몸은 풍만하고, 월경이 불규칙적이며, 월경을 할 때마다 四肢困重하고, 白帶는 涕같고 양이 많으며, 舌苔厚白, 脈沉細했다. 痰濕이 胞宮에 붙어 있는 증상으로 판단했다. 방제는 二陳湯에 香附·神曲·川芎·芒硝을 넣고 달여서 약 30첩을 복용하고 나서 4개월 후 월경이 멎고 임신하였으며, 다음 해에 남아 한 명을 순산했다.

考察: 본 환자는 몸이 肥盛하고, 痰濕이 오랫동안 胞宮에 머물렀으며,『女科要旨』卷1에서 말한 "脂滿子宮"과 같다. 子宮에 痰濕이 肥盛하면 攝精으로 임신하기 어렵다. 방제는 二陳湯을 위주로 사용해서 燥濕化痰하게 치료하고, 芒硝를 넣고 瀉下消脂하게 하고, 香附·神曲·蒼朮·川芎를 넣고 燥濕化痰하게 돕고, 또한 行氣化瘀의 작용을 한다. 이와 같이 딱 맞게 사용해서 痰濕을 제거하고, 胞宮을 淸하게 하여 자연적으로 임신하게 되었다.

【副方】

1. 金水六君煎(『景岳全書』卷51): 當歸 二錢(6 g) 熟地 三~五錢(9~15 g) 陳皮 一錢半(5 g) 半夏 二錢(6 g) 茯苓 二錢(6 g) 炙甘草 一錢(3 g)

- 用法: 물 2盅에 生薑 三·五·七片을 넣고, 10분의 7~8분으로 달여서 식후에 따뜻하게 복용한다.
- 作用: 益陰化痰.
- 適應症: 肺腎不足하고, 水泛으로 인한 痰證을 치료하며, 咳嗽, 嘔惡多痰, 喘急 등의 증상을 치료한다.

본 방제는 二陳湯에 熟地黃·當歸를 넣는다. 二陳湯은 化痰한 효능이 있기 때문에 痰咳를 치료하고, 熟地黃·當歸를 넣으면 滋陰養血한 효능을 갖기 때문에 肺腎不足을 滋하게 한다. 증상은 본래 肺腎의 陰血不足해서 발생하는 것으로, 熟地黃·當歸를 넣고 腎水를 자양하고 肺金을 保하게 하며, 二陳湯의 네가지 약과 함께 어우러진다. 따라서 "金水六君煎"라고 부른다. 오직 방제의 熟地黃의 用量만 虛의 輕重에 따라 증감해야 한다. 熟地黃이 滋膩한 성질은 祛痰의 기능을 방해할 수 있고, 半夏의 辛燥한 성질 또한 傷陰할 수 있기 때문에, 두 약의 용량을 2:1 정도의 비율로 조절하고, 滋補陰血해서 助濕한 염려를 없애고, 燥濕化痰해서 또한 傷陰할 우려가 없게 한다. 用法에 이어서 오직 生薑의 和中한 효능으로 化痰止嘔하게 하고, 烏梅의 酸斂한 성질을 빼는 것 또한 이러한 뜻을 반영한 것이라고 볼 수 있다.

2. 理中化痰丸(『明醫雜著』卷6): 人蔘 白朮 炒 乾薑 甘草 炙 茯苓 半夏 薑製(원서에는 用量이 없음)

- 用法: 위의 약재를 가루로 분쇄해서 물을 넣고 벽오동 열매 크기의 丸으로 만든다. 40~50개의 丸(8~10 g)을 1첩(服)으로 하여 白滾湯과 함께 복용한다.
- 作用: 益氣健脾, 溫化痰涎.
- 適應症: 脾胃虛寒, 痰飮內停證을 치료하며, 嘔吐

少食하거나 大便不實, 飮食難化, 咳唾痰涎한 증상을 치료 한다.

본 방제는 理中丸에 半夏·茯苓을 넣고 구성한 것이다. 증상은 中焦脾胃虛寒, 運化失權, 痰飮內停한 것이다. 따라서 理中丸은 溫中祛寒, 補氣健脾한 효능이 있고, 半夏는 燥濕化痰하고, 茯苓은 健脾滲濕하기 때문에, 二陳湯苓·夏를 配伍해서 치료한다.

二陳湯과 金水六君煎·理中化痰丸은 모두 祛痰 작용을 하여 濕痰證을 치료한다. 二陳湯은 燥濕化痰을 위주로 치료한다. 비록 健脾의 의미는 있지만 補益治虛의 작용을 하지 않기 때문에 痰을 치료하는 基本方이 된다. 반면 金水六君煎과 理中化痰丸은 모두 補益의 작용을 해서 痰咳에 虛證이 있는 환자를 치료한다. 金水六君煎은 陰虛不足하기 때문에 熟地黃·當歸를 사용해서 滋陰養血하게 하고, 理中化痰丸은 脾胃虛寒하기 때문에 乾薑·人蔘·白朮을 사용해서 溫中補氣하게 치료한다.

導痰湯

(皇甫坦方, 『傳信適用方』卷1에 수록됨)

【組成】 半夏 湯洗七次 四兩(12 g) 天南星 細切, 薑汁浸 枳實 去瓤 橘紅 赤茯苓 各一兩(各 3 g)

【用法】 위의 다섯 가지 약을 곱게 갈아서 3대錢(10 g)을 1첩(服)으로 하여 물 二盞, 生薑 十片을 넣고 一盞으로 달여서 찌꺼기는 제거하고 식후에 따뜻하게 복용한다(현대용법: 生薑 四片을 넣고 물을 넣고 달여서 복용한다).

【效能】 燥濕祛痰, 行氣開鬱.

【主治】 痰厥을 치료한다. 頭目旋暈, 或痰飮壅盛, 胸膈痞塞, 脇肋脹滿, 頭痛嘔逆, 喘急痰嗽, 涕唾稠黏, 舌苔厚膩, 脈滑하다.

【病機分析】 본 증상은 濕痰內阻, 氣機不暢해서 발생한 것이다. 厥은 陰陽이 서로 맞지 않아서 생기는 것이다. 이는 痰濁內阻로 인해서 厥이 발병한 것이기 때문에 "痰厥"이라고 부른다. 痰濁內阻, 淸陽不升, 空竅失養하면 頭目旋暈, 頭痛으로 나타난다. 痰飮中阻, 胸陽不暢, 肝脾不舒, 肺氣失宣하면 胸膈痞塞, 脇肋脹滿, 嘔逆喘急, 涕唾稠黏 등의 증상으로 나타난다. 苔膩·脈滑는 모두 痰濕內阻한 증상에 해당한다.

【配伍分析】 본 방제는 濕痰中阻, 氣機不暢에 의한 증상을 치료한다. 따라서 燥濕祛痰, 行氣開鬱하게 치료해야 한다. 方劑 중에서 痰을 치료하는 聖藥半夏四兩을 重用해서 君藥으로 삼고, 溫燥한 성질로 燥濕化痰의 작용을 하며 本을 치료한다. 또한 半夏는 胸中痞滿과 降逆止嘔를 제거하는데 뛰어나서 이른바 "消心胸結滿, 咳逆頭眩之痰"(『本草易讀』卷5에 수재됨)라고 부른다. 溫燥한 성질을 증대하기 위해서, 天南星을 臣藥으로 삼고, 燥烈한 성질이 특히 강하기 때문에 半夏와 配伍하면 함께 內阻한 濕痰을 제거한다. 본 증상은 濕痰中阻해서, 氣機가 막혔기 때문에 따라서 枳實을 넣어서 破氣化痰하고 消積除痞하게 한다. 『本草從新』卷9에서 이르길 枳實은 "苦, 酸, 微寒"하고, "能破氣, 氣順則痰行喘止, 痞脹消"하기 때문에, "痰癖癥結, 嘔逆咳嗽"를 치료한다고 했다. 또한 半夏·天南星과 함께 配伍하면, 祛痰의 작용을 도울 뿐만 아니라, 또한 이 두 약의 行氣除痞한 작용을 증가시킬 수 있다. 본 방제의 行氣健脾한 효력을 증대하기 위해서, 橘紅·赤茯苓을 넣는다. 橘紅을 사용하는 것은, 燥化한 성질로 半夏·天南星로 痰을 제거하는 것을 도울 뿐만 아니라 또한 枳實과 배합해서 行氣하게 하고, 특히 善理脾氣해서, 中焦痰阻한 氣를 통하게 하고자 하는 뜻이 있다. 赤茯苓을 사용하는 목적은 祛濕의 효능을 강화하고자 하는 것이지만, 여전히 健脾의 기능을 잃

지 않았다. 痰이 생기는 것은 본디 脾運不化에 의한 것이기 때문에, 橘紅·赤茯苓을 함께 배합해서, 脾氣得理하고, 脾濕得化하면 함께 君臣藥을 도와서 濕痰을 제거하게 하고, 근본부터 다스리는 작용을 한다. 방제에서 生薑을 넣는 것은, 첫째는 半夏·天南星의 독을 해독하는 것으로, 이른바 "相殺"로 사용하는 것이고, 둘째는 半夏를 도와서 降逆止嘔하게 하는 것이고, 셋째는 君臣藥을 도와서 化痰해서 咳逆을 멎게 하는 것이다. 諸藥을 함께 배합하면 濕痰이 제거되어 氣機가 통하게 된다.

【類似方比較】 본 방제와 二陳湯은 모두 濕痰을 치료하는 방제이다. 하지만 導痰湯으로 치료하는 濕痰證은, 痰濁中阻, 氣機不暢에 의한 痰厥 등의 증상이다. 따라서 二陳湯을 기초로 해서 天南星을 넣어서 燥化한 효력을 돕고, 枳實을 넣어서 行氣한 효능을 강화한다. 따라서 본 방제는 燥濕化痰하고 行氣한 효능 모두가 二陳湯에 비해 뛰어나다.

【臨床應用】

1. 證治要點: 본 방제는 濕痰內阻, 氣機阻滯를 치료하는 常用方이다. 임상에서 胸膈痞塞, 頭目旋暈, 嘔逆, 苔厚, 脈滑 등과 같은 증상을 치료의 요점으로 삼는다.

2. 加減法: 만약 濕痰內阻하고 氣機不暢하면서 寒한 증상을 동반하는 경우에는 乾薑·細辛을 넣고 溫化痰飮하게 치료하고, 化熱한 증상을 동반하는 환자의 경우에는 竹茹·天竺黃 등을 증상에 맞게 넣어서 痰鬱所化에 의한 熱을 淸化하고, 痰阻風動하고 眩暈 증상이 비교적 심한 경우에는 天麻·白朮 등을 넣고 息風止眩하게 한다.

3. 導痰湯은 다음 한국표준질병사인분류(KCD)에 해당하는 환자가 痰厥證으로 辨證되는 경우 본 처방의 사용을 고려해볼 수 있다.

처방 목표	한국표준질병사인분류(KCD)
慢性支氣管炎	J41 단순성 및 점액화농성 만성 기관지염
	J42 상세불명의 만성 기관지염
內耳眩暈症	H81 전정기능의 장애
胸膜炎	J90 달리 분류되지 않은 흉막삼출액_삼출액을 동반한 흉막염
	R09.1 흉막염 NOS

【注意事項】 본 방제는 溫燥한 성질이 비교적 강하기 때문에 燥痰에 해당하는 환자의 경우에는 신중하게 사용한다.

【變遷史】 導痰湯은 『傳信適用方』에서 시작되었으며, 南宋·吳彦夔이 皇甫坦方을 인용했다. 본 방제의 방제조합의 法은 二陳湯에서 비롯되었다. 후세에 導痰湯이라고 불리는 방제는 20수에 달한다. 비록 모두 痰을 치료하는 것을 立論의 근거로 삼지만, 配伍遣藥하는 것은 각기 다르다. 『濟生方』·『丹台玉案』·『醫林繩墨大全』·『傷寒大白』·『雜病源流犀燭』·『羅氏會約醫鏡』 등에 수재되어 있는 導痰湯과 『傳信適用方』에서의 用藥은 동일하지만, 各 방제의 치료 대상이 되는 적응증은 서로 다르다. 이밖에도, 또한 『症因脈治』·『嵩崖尊生書』·『仙拈集』·『女科切要』 등에 수재된 導痰湯은 모두 半夏와 天南星을 重用하며, 본래의 導痰湯이 燥濕化痰을 위주로 하는 治法에는 변화를 주지 않았다. 또한 대부분 枳殼 혹은 枳實·陳皮 혹은 橘紅를 配伍해서 行氣化痰하게 치료한다. 또한 痰阻 증상이 위에서 말한 各 방증과 비교해서 가벼운 경우에는 半夏를 단독으로 사용하고 天南星을 빼고, 예를 들면 『鄭氏家傳女科萬金方』의 導痰湯이 있다. 또한 痰飮證이 있고 寒한 증상을 동반해서 乾薑·桂心를 配伍하고 溫化痰飮하게 한 경우는 예를 들면 『是齋百一選方』卷5에서 인용한 費達可의 導痰湯이 있다. 혹은 痰鬱化熱로 인해서 黃芩·黃連·瓜蔞 등의 淸熱化痰한 약을 配伍한 경우는 예를 들면 『壽世保元』卷3의 導痰湯·『雜病源流犀燭』卷16의 淸熱導痰湯이 있다. 이밖에도 예를 들면 『脈因症治』·『治痧要略』·『一盤珠』·『馬培之醫案』·『性病』 등에서 수재한

導痰湯은 비록 痰을 치료하는 방제에 해당하지만, 立法遣藥에 있어서『傳信適用方』導痰湯의 類方에 해당한다고 보기는 어렵다.

【難題解說】

1. 본 방제의 方源에 대해서: 導痰湯이라는 이름은 宋代의 齊家醫籍에서 보이기 시작했다.『方劑學』統編敎材 제5판에서 이르길 본 방제는『婦人大全良方』에서 유래되었다고 하였으며, 또 다른 방제학 교재에서는『濟生方』에서 유래되었다고 하였다. 하지만『中醫大辞典』「方劑分册」편에서는『校注婦人良方』에 해당한다고 하였으며,『方劑學通釋』에서 또한 이와 같다고 주장했다. 오직『中醫方劑大辞典』에서 본 방제는『傳信適用方』에서 유래되었다고 말했다.『傳信適用方』은 南宋의 淳熙 7년(서기 1180년)에 책으로 완성되었으며『婦人大全良方』은 嘉熙元年(서기 1237년)에 책으로 완성되었으며『濟生方』는 寶祐 원년(서기 1253에)에 출간되었다. 따라서 책이 완성된 연도를 보았을 때,『傳信適用方』은 현재까지 보여진 醫籍 중에서 가장 먼저 導痰湯을 기록한 서적으로 보아야 한다.

南宋·吳彦夔의『傳信適用方』에서 治痰嗽門에서 기록하길: "導痰湯: 治痰厥頭昏暈, 淸虛皇甫坦傳"라고 했다. 본 서적은 하나의 驗方彙編으로 주로 당시의 醫案과 民間에서 전해지는 방제를 수록했다. 이중에서 導痰湯이라는 방제는 吳氏가 동시대의 名醫인 皇甫坦과 왕래하면서 얻은 것이지만, 皇甫坦 본인은 著述이 전해지는 것을 보지 못했다.『婦人大全良方』에는 導痰湯이 없으며,『校注婦人良方』卷6에 기록된 導痰湯은 明·薛己가 추가한 것으로,『婦人大全良方』의 原書에는 기록되지 않았다. 반면 薛氏가 책을 완성할 때는 導痰湯이 전해진지 300년이 넘은 이후였다. 이밖에도,『濟生方』의 원서에도 導痰湯이 없으며, 그 후에『重訂嚴氏濟生方』의 咳喘痰飮門·痰飮論治에 기록된 導痰湯은 그 치료·조성에 있어서 사실상『傳信適用方』에서 비롯된 것이며, 또한 후세의 의학자들에 의해 보충된 것이다. 즉『濟生方』에 기록된 導痰湯은 후세에까지 전해졌으며 그 연대 또한『傳信適用方』이후이다. 따라서 導痰湯은『傳信適用方』에서 기원되었으며, 皇甫坦方을 인용했다는 것은 의심한 여지가 없는 것 같다.

2. 방제에 甘草가 있는지 없는지에 대해서:『傳信適用方』에 기록된 導痰湯에는 원래 甘草가 없다. 오직『普濟方』에 導痰湯 3수를 수재하였다. 이 중 하나인『濟生方』의 導痰湯은 方後注에서 이르길: "一方無甘草"라고 했다. 현행『重訂嚴氏濟生方』의 導痰湯 구성에도 甘草가 있다. 따라서 導痰湯(『傳信適用方』으로 구성한 경우를 가리킨다)에 甘草를 넣은 것은, 아무리 빨라도『濟生方』이후부터였다는 것을 알 수 있다. 방제에서 甘草를 사용하는 것은 주로 모든 약을 조화롭게 하고, 中州를 調補하는 효능을 겸할 수 있다. 甘草의 사용은 비록 原方의 적응증과 작용에 지장을 주지는 않지만 넣고 사용하면, 확실히 導痰湯의 방제조합에 있어서 더욱 전체적이고, 또한 二陳湯의 뜻에 부합할 수 있도록 한다. 吳昆·汪昂 등이 논한 導痰湯은 모두 二陳湯을 근거로 해서 立論하였으며, 二陳湯으로 頑痰膠固를 치료하는데 있어서 효능이 미치지 못하기 때문에 星·枳를 넣는다고 말했다.

【醫案】

1. 上胞下垂『江西中醫雜誌』(1985, 12:24): 남자, 44세. 1982년 1월부터 점차 두 눈의 눈꺼풀이 쳐지고, 아침에는 가볍고 밤이 되면 무거운데, 날이 갈수록 심해져서 風輪 전체를 가릴 정도로 심해졌다. 여러 곳에서 치료를 받고 "頑固性上胞下垂"로 진단받고, 한의학과 현대의학에서 40일 넘게 치료를 받았으나 뚜렷한 효과가 없어서, 6월 22일에 진료를 받으러 왔다. 초진 당시: 환자는 안검하수 이외에도 체질이 뚱뚱하고, 또한 胸膈脹悶, 咳嗽痰多, 心悸頭眩, 時有嘔惡, 舌淡苔白, 脈滑한 증상을 동반했다. 痰濕이 經絡을 壅阻하면, 精氣가 上榮하기 어려우므로, "上胞下垂症"으로 진단하고, 燥濕化痰, 行氣通絡하게 치료해야 한다. 방제는 導痰湯을 사용해서: 陳皮 6 g, 茯苓 30 g, 法半夏·枳

實 各 10 g씩, 南星·甘草 各 6 g씩을 넣고, 약을 3첩 복용하게 했다. 재진 당시: 胸膈脹悶은 조금 편해지고, 咳嗽痰少, 餘症은 예전과 같아서 原方을 다시 6첩 복용했다. 세 번째 진료에서: 嘔惡가 줄어들고, 心悸증상이 덜해지고, 頭眩이 사라졌으며, 上胞를 약간 들어 올릴 수 있지만 오랫동안 지속되지 않았다. 계속해서 原方에 升麻·柴胡를 各 10 g씩 넣고 升擧의 효력을 도왔으며, 다시 10첩을 복용했다. 네 번째 진료 당시: 두 눈의 上瞼이 정상으로 회복하였으며, 눈을 뜨고 감는 것이 자연스럽고, 모든 증상이 사라져서, 방제를 그대로 해서 黨參·白朮을 各 10 g씩 넣고 建脾培本하게 해서 치료 효과를 안정시켰다. 지금까지의 방문조사에서 재발하지 않았다.

考察: 醫案1은 上胞下垂를 主症으로 하기 때문에 原方에 升麻·柴胡를 넣고 升提의 효력을 강화한다.

滌痰湯

(『奇效良方』卷1)

【異名】 滌痰散(『蘭台軌範』卷2).

【組成】 南星 薑製 半夏 湯洗七次 各二錢半(各 7.5 g) 枳實 麩炒 茯苓 去皮 各二錢(各 6 g) 橘紅一錢半(4.5 g) 石菖蒲 人蔘 各一錢(各 3 g) 竹茹 七分(2 g) 甘草 半錢(2 g)

【用法】 위의 약을 1첩(服)으로 만든다. 물 二盞에 生薑 五片을 넣고, 一盞으로 달여서 식후에 복용한다(현대용법: 生薑 三片을 넣고 물을 넣고 달여서 복용한다).

【效能】 滌痰開竅.

【主治】 中風, 痰迷心竅을 치료한다. 혀가 뻣뻣하고 굳어져서 말을 하지 못한다.

【病機分析】 본 방제는 濕痰이 心竅를 장애하여 생기는 증상을 치료한다. 본 증상은 脾虛하여 정상적으로 運化의 기능을 수행하지 못하면, 濕이 모여서 痰을 만들고, 痰濁不化해서, 心竅에 장애를 가져온 것이다. 舌는 心之苗이므로, 痰이 心竅에 장애를 가져오면, 혀가 딱딱하게 굳어져서 말을 할 수 없게 된다. 본 증상은 喩昌이 말한 바와 같다: "此證最急"(『醫門法律』卷3에 수재됨), 하며 마치 바람이 부는 형세와 같아서 "中風"이라고 부른다고 했다. 汪昂이 이에 대해 설명하길: "心脾不足, 風即乘之, 而痰與火塞其經絡, 故舌本强而難語也"(『醫方集解』「除痰之劑」에 수재됨)라고 했다.

【配伍分析】 방제에서 君藥을 薑制한 南星으로 삼는 것은 溫燥한 성질을 취해서 濕痰을 제거하고, 또한 祛風의 효능을 겸해서, 痰濁이 經絡을 壅阻해서 발생되는 증상을 치료하고자 하는 뜻이다. 臣藥인 半夏는 燥濕化痰해서, 南星과 함께 配伍하면 祛痰을 돕는 효능을 갖는다. 佐藥인 枳實은 破氣化痰하고, 橘紅은 理氣化痰하기 때문에, 둘을 함께 배합하면, 痰阻한 氣를 순환하게 해서 君藥의 祛痰 효능을 증대시키고, "氣順痰消"의 작용을 한다. 茯苓을 配伍하면, 健脾滲濕하고, 生痰의 근원을 막을 수 있고, 半夏·橘紅과 함께 燥濕化痰健脾하는 데 쓰인다. 人蔘은 補氣健脾하게 때문에 茯苓과 함께 健脾運하고, 後天之本을 도와서, 脾氣가 健하게 하면, 痰이 생길 이유가 없게 된다. 石菖蒲는 첫째는 祛痰하고, 둘째는 開竅한다. 君臣과 함께 配伍하면 痰을 삭여서 鬱滯된 氣를 통하게 하고, 痰濁을 제거해서 醒神하게 하며, 혀가 딱딱하게 굳어서 말을 할 수 없는 증상을 치료한다. 竹茹는 化痰의 기능을 할뿐만 아니라, 또한 달고 微寒한 성질을 띠기 때문에, 星·夏 등의 溫燥한 성질을 制해서, 傷陰할 우려를 예방할 수 있다. 따라서 위의 약은 모두 佐藥이 된다. 使藥인 甘草는 모든 약을 조화롭게 한다. 또한 人蔘·茯苓과 함께 配伍하고, 四君子湯을 사용해서 中焦의

脾를 益하게 한다. 用法 중에 生薑을 넣는 것은, 化痰의 기능이 있을 뿐만 아니라 또한 南星·半夏의 독을 잘 해독할 수 있기 때문이다. 諸藥을 함께 配伍하면 滌痰開竅의 작용을 한다.

【類似方比較】 본 방제와 導痰湯은 모두 二陳湯을 化裁해서 만들어 진 것이며, 모두 燥濕化痰의 작용을 한다. 二陳湯은 濕痰證을 치료한다. 導痰湯은 二陳湯에서 烏梅를 빼고, 南星·枳實을 넣으며, 燥濕化痰行氣의 작용에 있어서 모두 二陳湯에 비해 뛰어나기 때문에 痰厥 및 頑痰膠固한 眩暈·咳嗽 등의 증상을 치료한다. 본 방제는 導痰湯을 기초로 하고, 또한 石菖蒲·竹茹·人蔘을 넣는다. 導痰湯과 비교했을 때 또한 開竅扶正의 작용이 뛰어나므로 中風痰迷을 치료하는 常用方이 된다.

【臨床應用】

1. 證治要點: 본 방제는 中風痰迷心竅을 치료한다. 임상에서 혀가 딱딱하게 굳어서 말을 할 수 없는 증상을 치료의 요점으로 삼는다.

2. 加減法: 만약 高熱煩躁, 神昏譫語, 舌質紅絳한 증상이 나타나는 경우에는 痰鬱化熱, 内陷心包에 의한 것이기 때문에 黃連·天竺黃을 넣고, 清熱化痰하게 할 수 있다. 만약 舌質紫暗한 경우에는 内有瘀血에 의한 것이기 때문에 丹參·桃仁·牡丹皮 등을 추가해서 活血化瘀通絡하게 할 수 있다.

3. 滌痰湯은 다음 한국표준질병사인분류(KCD)에 해당하는 환자가 中風, 痰迷心竅證으로 辨證되는 경우 본 처방의 사용을 고려해볼 수 있다.

처방 목표	한국표준질병사인분류(KCD)
癲癎	G40 뇌전증
暈症	(질병명 특정곤란)
	G90 자율신경계통의 장애
	R42 어지럼증 및 어지럼
言語障礙	(질병명 특정곤란)
	R47 달리 분류되지 않은 언어장애

【注意事項】 대체로 風邪가 直中經絡하거나 虛風内動 등으로 인해 발생한 혀가 딱딱하게 굳고 말을 할 수 없는 증상에는 모두 본 방제를 사용하지 않는다.

【變遷史】 본 방제는『奇效良方』卷1에서 보이기 시작하였으며, 二陳湯을 기초로 하고 加味해서 濕痰證을 치료한다. 溫燥한 성질의 南星을 重用하면, 燥化한 성질을 배가할 수 있고, 枳實를 配伍하면 行氣의 효능을 강화할 수 있고, 또한 人蔘을 配伍하면 脾運의 기능을 돕고, 石菖蒲·竹茹는 袪痰開竅하기 때문에, 痰迷舌强을 치료할 수 있다. 이렇게 변화 발전하면서 二陳의 燥濕化痰하고 行氣健脾한 효력을 강화시켰으며, 治濕痰을 치료하는 것은 비록 溫燥한 성질의 약을 위주로 하지만 또한 竹茹 등의 寒凉한 성질의 약을 配伍해서 溫燥한 성질을 佐制한다는 것을 말해 준다. 이밖에도『普濟本事方』卷2의 茯苓丸은, 半夏·南星(羊膽汁制)·茯苓·石菖蒲·人蔘을 사용하는 것 이외에도 辰砂·遠志·茯神·眞鐵粉 등의 重鎭安神 효능이 있는 약을 配伍해서 風痰을 치료하고, 또한 滌痰開竅安神治法의 시초가 되었다. 그 후『外科正宗』卷2·『傷寒溫疫條辨』卷5·『痲症集成』卷4 등에 기록된 滌痰湯은 모두 南星을 膽南星으로 바꾸고, 또한 竹茹를 넣고 清化痰熱하게 하거나 黃連·黃芩를 넣고 清熱瀉火를 겸하게 한다. 滌痰湯의 原方에서 南星을 重用하는 것은 濕痰을 중점적으로 치료하기 위해 만든 것이다. 하지만 痰濕이 心竅에 장애를 가져오고, 날이 갈수록 化熱한 기세를 보여서 燥熱한 약을 과도하게 사용하면, 化熱을 도와서, 더욱더 痰迷心竅, 内陷心包하고 熱痰이 많아지게 된다. 따라서 후세의 滌痰湯類方은 비록 여전히 半夏를 사용해서 燥化痰濁하지만, 매번 南星을 爲膽星으로 바꾸고, 또한 竹茹을 계속 사용하거나 芩·連 등의 寒凉한 성질을 약을 사용해서, 肺痿·呃逆·不孕 등과 같이 滌痰湯의 응용 범위를 넓혀서 임상에서 다변하는 病證에 사

용하는 것이 더욱 적합하다. 『醫宗金鑑』「婦人心法要訣」卷45의 滌痰湯은 성인 여성을 전문적으로 치료하기 위해 만든 것이다. 이는 二陳湯을 기초로 하고, 補養氣血한 약을 넣고 婦人肥盛, 痰濕中阻에 의한 불임증을 치료하며, 調養氣血法을 兼顧한다.

【難題解說】

1. 본 방제의 方源에 대해서: 본 방제는 대부분 『證治準繩』에서 유래되었다고 여겨진다. 『證治準繩』가 책으로 만들어진 시기는 明 萬歷 30년(1603년)이지만, 반면 『奇效良方』이 책으로 만들어진 시기는 明 成化 7년(1471년)이므로, 『證治準繩』에 비해 122년이 이르다. 따라서 본 방제의 方源은 마땅히 『奇效良方』으로 보아야 한다.

2. 방제에서 竹茹를 配伍하는 의미에 대해서: 본 방제는 二陳湯을 기초로 하고 溫燥한 성질의 天南星을 重用해서 君藥으로 삼으며, 溫燥한 성질은 半夏보다 훨씬 강하기 때문에, 따라서 본 방제는 여전히 濕痰을 치료하는 방제가 되며, 燥化를 위주로 한다. 하지만 방제에서 淸熱化痰한 竹茹를 넣고 치료하는 痰證은 熱痰이 아니라, 甘寒한 성질을 취하는 것으로, 첫째는 南星·半夏 등의 辛溫燥烈한 性味의 약을 佐制해서 化燥傷陰하게 한다. 둘째로는 竹茹는 또한 化痰의 작용을 하기 때문에 君臣藥의 효력을 도울 수 있다. 셋째로는 痰濕이 心竅에 장애를 가져오고, 날이 갈수록 化熱한 기세를 보이면, 寒凉한 성질의 약을 조금 넣고 초기에 근절할 수 있다. 竹茹를 사용하는 것은, 이후의 滌痰湯類方의 변화 발전에 큰 영향을 끼쳤다.

茯苓丸(治痰茯苓丸)

(『全生指迷方』, 『是齋百一選方』 卷5에 수록됨)

【異名】 茯苓丸(『婦人大全良方』卷3에 수재됨)·消痰茯苓丸(『仁齋直指方論』卷18에 수재됨)·指迷茯苓丸(『玉機微義』卷4에 수재됨)·千金指迷丸(『醫學入門』卷7에 수재됨)·世傳茯苓丸(『證治準繩』「女科」卷2에 수재됨)·茯苓指迷丸(『不居集』「上集」卷17에 수재됨)·指迷丸(『醫宗金鑑』「雜病心法要訣」卷41에 수재됨).

【組成】 茯苓 一兩(6 g) 枳殼 麩炒, 去瓤 半兩(3 g) 半夏 二兩(9 g) 風化朴硝 一分(3 g)

【用法】 위의 네 가지 약을 분말로 갈고, 生薑自然汁을 풀처럼 끓여서 벽오동 열매 크기의 환으로 만든다. 매번 30丸(6 g)을 복용하는데 生薑湯으로 복용한다(현대용법: 분말로 갈고, 薑汁에 풀어서 환으로 만들고, 6 g을 매번 복용하는데, 薑湯이나 따뜻한 물로 복용한다).

【效能】 燥濕行氣, 軟堅化痰.

【主治】 痰이 中脘에 정체해서, 經絡으로 흐르는 증상을 치료한다. 양 팔에 疼痛이 있고, 손은 위로 올릴 수 없거나, 좌우로 가끔씩 움직이거나, 두 손이 마비되거나, 四肢에 水腫이 있거나, 舌苔白膩, 脈이 沉細하거나 弦滑한 증상을 치료한다.

【病機分析】 본 방제는 양 팔에 疼痛이 있거나 四肢에 浮腫이 있는 증상을 치료하며, 痰이 中脘에 정체해서, "滞于腸胃, 流于經絡"(『徐大椿醫書全集』「雜病證治」卷2에 수재됨)로 인해서 발병한 것이다. 四肢는 脾로 稟氣하는데, 脾가 運化의 기능을 제대로 하지 못하면, 濕이 모여서 痰이 생기게 된다. 痰飮이 四肢로 흘

러 들어가면, 四肢에 疼痛이 생기고, 심할 때는 浮腫이 나타나게 된다. 이는 바로 『是齋百一選方』卷5에서 논술한: "伏痰在内, 中脘停滞, 脾氣不流行, 上與氣搏, 四肢屬脾, 滞而氣不下, 故上行攻臂."와 같다. 舌苔白膩·脈沉細한 것은 濕痰内阻에 의한 증상이다.

【配伍分析】 본 방제는 痰이 中脘에 정체해서 四肢의 양 팔로 흘러 들어가서 疼痛으로 나타나는 모든 증상을 치료한다. 따라서 燥濕行氣, 軟堅化痰하게 치료해야 한다. 방제에서 半夏로 燥濕化痰하게 치료하며 君藥으로 삼고, 茯苓으로 健脾滲濕化痰하게 치료하며 臣藥으로 삼는다. 두 약을 함께 사용하면, 이미 생긴 痰을 제거할 뿐만 아니라, 또한 生痰의 근원을 제거할 수 있다. 枳殼은 理氣寬中하기 때문에 痰이 氣를 따라서 돌게 해서, 氣順하면 痰이 제거된다. 風化朴硝는 軟堅潤燥하기 때문에, 結滞된 伏痰을 消解해서 下泄하게 한다. 生薑汁을 풀처럼 끓여서 丸으로 만드는 것을 半夏의 독을 해독할 뿐만 아니라 또한 化痰散飮하게 할 수 있다. 諸藥을 함께 사용하면 燥濕化痰의 작용을 하게 되고, 또한 작용이 강화되기 때문에, 痰이 中脘에 정체된 증상을 본 방제를 사용해서 消痰潤下하게 치료하는 것은 확실히 "潛消默運"한 효과가 있다.

【臨床應用】

1. 證治要點: 본 방제는 濕痰病을 치료하며, 양 팔의 疼痛, 舌苔白膩, 脈이 沉細하거나 弦滑한 증상을 치료의 요점으로 삼는다.

2. 加減法: 臂痛이나 肢節腫痛에 사용하는 경우에는 桑枝·地龍 등과 같은 通絡活血한 효능이 있는 약을 사용하며; 咳嗽痰稠를 치료할 때는 증상에 따라 海蛤壳·瓜蒌 등을 넣는다.

3. 茯苓丸은 다음 한국표준질병사인분류(KCD)에 해당하는 환자가 濕痰滞于腸胃, 流于經絡證으로 辨證되는 경우 본 처방의 사용을 고려해볼 수 있다.

처방 목표	한국표준질병사인분류(KCD)
慢性支氣管炎	J41 단순성 및 점액화농성 만성 기관지염
	J42 상세불명의 만성 기관지염
上肢血管性水腫	T78.3 혈관신경성 부종

【注意事項】 본 방제는 化痰한 효력이 비교적 강할 뿐만 아니라, 또한 攻下痰結할 수 있기 때문에 병이 나으면 사용을 멈추고, 虛人의 경우 신중하게 사용한다.

【變遷史】 古今의 醫書에 수재된 茯苓丸이라는 이름의 방제는 50여 수가 넘는다. 이중, 痰을 치료하는 방제는 대부분 半夏·茯苓·枳殼(혹은 枳實)을 함께 配伍한다. 『醫心方』卷22가 인용한 『小品方』의 茯苓丸은 문헌에 가장 먼저 기록된 방제이다. 이 방제는 參·苓·术·草 등의 補氣健脾한 약과 夏·枳의 祛痰行氣한 약을 함께 配伍해서, 痰을 치료할 때 반드시 理脾하는 治法으로서 후세 의학자들의 존경받는 치법이 되었다. 수많은 治痰劑는 모두 茯苓을 사용해서 滲濕健脾하게 해서 生痰의 근원을 제거한다.

본 방제를 구성하는 기원을 거슬러 올라 가보면, 마치 仲景의 小半夏加茯苓湯에서 나온 듯 하다. 본 방제는 비록 嘔·悸를 치료하지만, 발병 원인을 살펴보면 痰飮으로 인해 발생한 것이라고 보아야 한다. 방제의 半夏는 燥濕化痰하고, 茯苓은 滲濕健脾·寧心安神해서, 후세의 痰을 치료하는 여러 방제에 큰 영향을 미쳤다. 본 방제는 이를 기초로 하고 또한 枳殼을 넣고 行氣의 효력을 강화해서 氣順하게 해서 痰을 제거한다. 風化朴硝는 軟堅潤燥하기 때문에 痰飮을 제거한다. 生薑自然汁을 사용해서 풀처럼 끓여서 丸으로 빚고, 生薑湯으로 복용한다. 그 다음에 二陳湯에 枳殼을 陳皮로 바꾸고, 半夏의 行氣를 돕고, 또한 茯苓과 함께 배합해서 滲濕健脾하게 하기 때문에, 따라서 濕痰을 치료하는 基本方이 된다. 반면 본 방제가 芒硝를 配伍해서, 痰이 中脘에 정체된 증상을 치료하는 것은 사실상 매우 독창적이라고 말할 수 있다. 하지만 본 방제의 配伍 목적은, 여전히 仲師의 "甘遂半夏湯"의 뜻을 벗어나지 않는다. 甘遂半夏湯은 留飮을 치료하며 본 방제에 비해 重用한다. 따라서 甘遂를 사용하거나, 風化朴硝를 사용하거나, 두 약이 모두 瀉下한 효능이 있는 약이기 때문에 痰을 치료하는 본보기가 된다.

【難題解說】

1. 본 방제의 方源에 대해서: 『方劑學』統編教材 제5판에서 본 방제는 『是齋百一選方』에서 인용한 『全生指迷方』에서 유래되었다고 하였다. 반면 다른 교재에는 『婦人大全良方』·『玉機微義』·『醫學入門』 등에서 유래되었다고 여겼다. 하지만 편찬 연도가 비교적 이른 것은 『是齋百一選方』·『全生指迷方』과 『婦人大全良方』이다. 셋은 모두 宋代에 편찬된 서적이다. 王貺의 『全生指迷方』은 12세기 초에 편찬되었으며, 明代이후에는 原書가 전해져 내려오지 않으며, 『四庫全書』를 편찬할 때 원작인 『永樂大典』 편집해서 완성한 것이다. 王璆의 『是齋百一選方』은 1196년에 편찬되었다. 陳自明의 『婦人大全良方』은 1237년에 편찬되었으며, 위의 두 서적보다 편찬 시기가 늦다. 따라서 『是齋百一選方』이 『全生指迷方』를 인용했다는 주장은 옳다고 볼 수 있다.

2. 본 방제의 적응증에 대해서: 본 방제가 痰이 中脘에 정체된 증상을 치료한다는 것은 古今 의학자들이 공감하고 있는 바이지만, "臂痛"을 위주로 하고 다른 痰證 증상을 보지 못했기 때문에 후세 의학자들의 납득하기 어려웠다. 본 방제의 臂痛의 원인을 살펴보면, 다수의 의학자들이 痰이 中脘에 정체해서, 臂를 上攻해서 발생하는 것으로 여긴다. 四肢가 모두 脾로 稟氣하고, 脾濕이 痰을 생기게 하면, 痰이 四肢로 흘러 들어가게 되기 때문에 四肢疼痛이 나타나게 된다. 喩昌이 지적하길: "四肢屬脾, 脾滯而氣不行, 故上行攻臂"(『醫門法律』卷5에 수재됨)라고 했다. 하지만 양 팔의 疼痛만을 보고 痰停中脘證이라고 판단하기는 어렵다. "以方測證", 방제의 半夏·茯苓 등은 모두 痰을 치료하는 常用藥이 되며, 특히 본 방제에서 半夏를 重用해서 君藥으로 삼는다. 따라서 본 방제로 痰證을 치료한다는 말은 일리가 있다. 물론, 임상에서 舌苔白膩, 脈弦滑 등의 증상을 보여야 한다.

3. 방제에서 사용하는 風化朴硝에 대해서: 본 방제는 治痰劑로, 방제에서 瀉下軟堅한 작용을 하는 약인 風化朴硝를 넣고, 痰이 中脘에 정체된 증상을 치료하는 것은 매우 특색이 있으며, 사실상 軟堅瀉下한 작용을 하는 약과 祛痰한 약을 함께 配伍하는 효시가 되었다. 왜냐하면 본 방제는 痰이 中脘에 정체해서, 臂로 上攻해서 발생하는 臂痛을 치료하기 때문이다. 痰이 中脘에 정체해서, 肢節로 흘러 들어가는 것은, 일반적인 化痰藥으로 치료할 수 있는 것이 아니다. 따라서 鹹寒軟堅한 性味의 風化朴硝를 넣고, 消痰破結하게 치료하면, 中脘의 伏痰을 蕩滌할 뿐만 아니라, 또한 肢臂의 流痰을 제거할 수 있어서, 源流를 모두 제거하고 아울러 上行緩消의 뜻을 나타낸다. 『本草鋼目』「金石部」卷11에서 말한: "風化硝甘緩輕浮, 故治上焦心肺痰熱, 而不泄利."이다.

【醫案】

1. 梅核氣 『四川中醫』(1984, 4:48): 여자, 36세. 咽嗌이 불편해서 마치 이물질이 막혀 있는 것 같고, 뱉어도 나오지 않고, 삼켜도 들어가지 않았으며, 증상이 나타난지 6개월이 되었다. 이비인후과 검사에서 이상이 없었다. 환자의 咽喉를 검사한 결과 붉지도 붓지도 않았으며, 증식물(贅生物)이 발견되지 않았다. 脈滑하고 苔白해서 "梅核氣"로 진단했다. 방제에 指迷茯苓丸을 방제했다. 환자는 약 10첩을 복용한 후 병이 나았다.

考察: 梅核氣의 病機는 痰滯氣鬱해서 咽喉에 걸린 것이다. 指迷茯苓丸의 法半夏와 生薑은 燥濕化痰하게 한다. 茯苓은 淡滲利濕해서 濕을 제거하면 痰化하게 된다. 枳殼은 疏理氣滯해서, 氣順하면 痰이 제거된다. 芒硝는 潤下軟堅해서 潤下하면 痰이 내려가고, 軟堅하면 痰이 제거된다. 따라서 痰滯氣鬱에 의한 梅核氣을 치료하는데 사용하는 것은 매우 적절하다.

2. 肺部包塊『四川中醫』(2004, 3:37) 모씨, 여자, 75세. 2년 전 신체검사 당시 오른쪽 폐에 2 cm×2 cm 크기의 包塊 하나가 있다는 것을 우연히 발견했다. 그 후에 몇몇의 큰 병원에서 CT 등의 관련 검사를 받고 나서, 폐부위에 양성(良性) 包塊가 있는 것으로 의심하고 開胸검사를 권했다. 환자가 수술을 두려워해서 항균소염치료를 1개월 동안 받았으나, 包塊가 작아지지 않아서 나에게 韓醫藥 치료를 받기 위해 내진했다. 환자는 고통이 없고, 정신과 식용이 모두 양호하지 않으며, 舌脈 역시 이상이 없다고 했다. 痰氣凝結한 것을 論治하고, 이를 해소하기 위해 指迷茯苓丸에 浙貝母 30 g을 추가했다. 고령 환자인 데다가 초진이어서 藥量을 原方의 절반만 사용했다. 약은 매일 1첩씩 복용하며, 우선 3첩을 복용하게 한 후 환자의 상태를 살폈다. 두 번째 진료 당시 환자는 불편함이 늘지 않아서, 위의 방제를 계속해서 사용하고 藥量은 全量으로 늘렸다. 만약 뚜렷한 불편함이 없으면 1개월 동안 계속해서 복용하라고 환자에게 당부했다. 세 번째 진료: 위의 방제로 모두 35첩의 약을 복용하고 나서, 흉부X선 검사 결과 包塊가 절반으로 줄어들었으나, 약을 복용한 후 묽은 대변을 하루에 2~3회씩 보고, 몸에 힘이 없고, 脈象이 예전에 비해 軟弱해졌다. 계속해서 原方을 방제하고, 風化硝를 5 g까지 줄이고, 黨參 30 g·炒白朮 15 g을 넣고 달여서 30첩을 복용하게 했다. 환자는 완쾌하려고 애썼고, 약을 20첩 복용하고 나서 다시 흉부X선 검사를 하였고 包塊가 이미 사라졌다. 좀 더 확실히 하기 위해서 CT검사를 실시한 결과 胸肺는 여전히 정상이었다. 六君子湯으로 바꾸고 桔梗·枳殼를 추가해서 조리했다. 최근 腹瀉 때문에 본 원에 내원해서 치료를 받았으며, 흉부X선 검사에서 包塊가 발견되지 않았다.

考察: 본 病例는 肺部에 包塊가 있는 것 이외에는 어떠한 고통도 없고 舌脈도 정상이다. 肺는 貯痰之器이기 때문에 肺部의 包塊는 대부분 痰濁凝結해서 발생하는 것이다. 방제에서 指迷茯苓丸을 위주로 사용하고, 浙貝母를 넣고 化痰散結한 효력을 강화했다. 치료 중에 더욱더 많은 質稀·神疲脈弱한 증상이 나타나는 것은 고령에 몸이 허약한데 게다가 緩瀉傷正이 더해졌기 때문에, 風化硝의 양을 줄이고, 黨參·白朮을 넣고, 原方의 茯苓과 함께 배합했다. 이는 바로 四君子湯으로 健脾益氣할 뿐만 아니라 또한 生痰의 근원을 막을 수 있다. 包塊가 사라진 후에는 六君으로 바꾸고 枳·桔을 넣는 것은 健脾化濕하고, 培土生金하게 해서 재발을 막기 위한 것이다.

溫膽湯

(『三因極一病證方論』卷9)

【組成】 半夏 湯洗七次 竹茹 枳實 麩炒, 去瓤 各二兩(各 6 g) 陳皮 三兩(15 g) 甘草 炙 一兩(3 g) 茯苓 一兩半(4.5 g)

【用法】 위의 약을 썰어 뭉쳐 있는 것을 흩뜨리고 매번 四大錢(12 g)을 물 一盞半에 生薑五片, 大棗一枚를 넣고, 10분의 7이 되게 달여서 찌꺼기는 제거하고 식전에 복용한다(현대용법: 生薑 五片, 棗一枚을 넣고 물을 넣고 달여서 복용한다).

【效能】 理氣化痰, 淸膽和胃.

【主治】 膽胃不和, 痰熱內擾證을 치료한다. 心煩不寐, 觸事易驚, 或夜多異梦, 眩悸嘔惡, 或 혹은 癲癎을 치료한다.

【病機分析】 본 증상은 膽胃不和, 痰熱內擾로 인해 발생한 것이다. 膽은 淸净之腑가 되며, 寧謐한 것을 좋아하고, 煩擾한 것을 싫어한다. 柔和한 것을 좋아하며, 抑鬱한 것을 싫어한다. 張介賓이 이르길: "肝氣雖强, 非膽不斷, 肝膽相濟"(『類經』「藏金類」卷3에 수재됨)라고 하였다. 만약 寒熱이 심하거나 七情이 손상을 입으면, 少陽의 冲和之氣를 상하게 해서, 膽鬱氣滯하

게 되고, 疏泄의 기능이 장애를 입어서, 脾胃의 運化에 영향을 미치게 되어서, 脾는 生痰의 근원이 되므로, 이곳에서 痰濕이 생기게 된다. 만약 病後나 飮食勞倦하면 또한 脾胃가 기능을 잃고, 疏泄悖常하고, 氣機不暢하고, 水濕이 정체되어서 痰飮이 생기게 된다. 痰濁內阻하면 土壅木鬱하고, 少陽이 生發의 기능을 제대로 수행하지 못해서(少陽失其生發之令), 膽熱하게 하고(故令膽熱) 결국에는 膽胃不和證이 나타나게 된다. 본 증상이 발병 원인은 결국에는 痰濕膽熱 및 氣機鬱滞을 벗어나지 않는다. 痰熱이 上擾神明하면 곧 心煩不寐하거나 夜多異梦하게 된다. 膽이 병을 앓아서 決斷의기능을 일게 되면 외부 자극에 쉽게 놀라고 정신이 아득해진다(觸事易驚); 痰濁이 淸竅를 上蒙하면 현기증(頭眩)이 나고, 심할 때는 癲癇으로 나타난다. 痰濕內阻해서 胃氣上逆하면 嘔惡가 발병한다.

【配伍分析】 본 방제는 膽胃不和, 痰熱內擾한 증상을 치료한다. 祛痰理氣, 淸膽和胃하게 치료해야 하며, 방제는 半夏를 君藥으로 삼고, 性味가 辛溫하기 때문에 燥濕化痰, 降逆和胃한 기능이 뛰어나다. 본 증상은 膽熱과 痰熱이 함께 나타나기 때문에, 따라서 竹茹을 臣藥으로 삼고 淸化熱痰, 除煩止嘔하게 해야 한다. 본 약의 맛은 甘하고 성질이 微寒하며, 肺·胃·膽으로 歸經한다. 따라서 『本草思辨錄』卷4에서 이르길: "黃芩爲少陽臟熱之藥, 竹茹爲少陽腑熱之藥, 古方療膽熱多用竹茹, 而後人無知其爲膽藥者."라고 하였다. 두 약을 함께 배합하면, 痰濁을 삭이게 할 뿐만 아니라 또한 膽熱을 제거해서, 膽氣가 淸肅하게 하고, 胃氣가 順降하게 해서 膽胃得和하게 하고, 嘔煩이 저절로 멎게 된다. 治痰은 마땅히 理氣해야 하며, 氣順하면 痰이 사라진다. 따라서 枳實을 佐藥으로 삼고, 苦辛微寒한 性味로 破氣消痰하게 해서, 痰이 氣를 따라 내려가서 痞塞를 통하게 하는 작용을 하게 한다. 枳實은 半夏와 함께 配伍하면 氣順痰消, 氣滞得暢, 膽胃得和하게 한다. 陳皮는 맛이 辛苦하고 성질이 溫하기 때문에 燥濕化痰하게 하며, 半夏를 도와서 祛痰하고 또한 健脾할 수 있으며, 또한 枳實의 行氣한 작용을 강화할 수 있다. 이는 바로 『本草鋼目』「果部」卷30에서 말한: "橘皮, 苦能泄能燥, 辛能散, 溫能和. 其治百病, 總是取其理氣燥濕之功. 同補藥則補, 同瀉藥則瀉, 同升藥則升, 同降藥則降. 脾乃元氣之母, 肺乃攝氣之籥, 故橘皮爲二經氣分之藥, 但隨所配而補瀉升降也."와 같다. 痰이 생기는 것은, 邪之本이 濕에 있고, 臟之本이 脾에 있기 때문이다. 따라서 茯苓은 健脾滲濕하게 하기 때문에, 生痰의 근원을 막고, 또한 寧心安神의 효능을 띈다. 陳念祖가 이르길: "痰之本, 水也, 茯苓制水以治其本; 痰之動, 濕也, 茯苓滲濕以鎭其動"(『時方歌括』卷下에 수재됨)라고 하였다. 이상은 모두가 佐藥이 된다. 使藥이 되는 甘草는 益脾和中하고 協調諸藥하게 한다. 달일 때 生薑을 넣으면, 君臣藥을 도와서 祛痰止嘔할 뿐만 아니라, 半夏의 독성을 제거할 수 있다. 大棗를 사용하면, 첫째 甘草·茯苓과 함께 配伍해서, 健脾補土하게 해서 濕을 치료하고, 둘째 生薑과 함께 配伍하면 調和脾胃해서, 中州健運하게 할 수 있다. 諸藥을 함께 배합하면, 化痰해서 過燥하지 않고, 淸熱해서 過寒하지 않게 해서, 痰熱得化, 膽熱得淸, 胃氣和降하게 하므로, 함께 理氣化痰, 淸膽和胃한 효능을 갖게 된다.

【臨床應用】

1. 證治要點: 본 방제가 치료하는 痰熱證은 濕痰하고 化熱이 있는 증상으로, 心煩不寐, 眩悸嘔惡, 舌苔白膩微黃, 脈弦滑하거나 略數한 증상을 치료의 요점으로 삼는다.

2. 加減法: 만약 心中煩熱한 환자의 경우에는 黃連·麥門冬를 넣고 淸熱除煩하게 하고, 口燥舌乾한 환자의 경우에는 半夏는 빼고, 麥門冬·天花粉을 넣고 潤燥生津하게 하고, 癲癇抽搐한 경우에는 膽星·鈎藤·全蝎을 넣고 息風止痙하게 할 수 있다.

3. 溫膽湯은 다음 한국표준질병사인분류(KCD)에 해당하는 환자가 膽胃不和, 痰熱內擾證으로 辨證되는 경우 본 처방의 사용을 고려해볼 수 있다.

처방 목표	한국표준질병사인분류(KCD)
神經官能症	F00~F99 V. 정신 및 행동 장애
急性胃炎	K29.1 기타 급성 위염
慢性胃炎	K29.3 만성 표재성 위염
	K29.4 만성 위축성 위염
	K29.5 상세불명의 만성 위염
慢性支氣管炎	J41 단순성 및 점액화농성 만성 기관지염
	J42 상세불명의 만성 기관지염
梅尼埃病	H81.0 메니에르병
妊娠嘔吐	O21 임신중 과다구토

【注意事項】 본 방제는 膽胃不和, 痰熱內擾한 증상을 치료하지만 熱象이 비교적 약한 증상을 치료한다. 만약 痰熱이 심한 경우에는 본 방제의 효력이 미치지 못하기 때문에, 증상에 맞게 化裁해야 한다.

【變遷史】 溫膽湯라는 명칭은 北周·姚僧垣의『集驗方』에서 처음으로 나왔다. 본 저서는 이미 산실되었지만 일부의 내용은『外臺秘要』에 수재되어 있다. 孫兆가『外臺秘要』序를 校正하면서 이르길: "古之如張仲景·『集驗』·『小品方』最爲名家, 今多亡軼. 雖載諸方中, 亦不能別白. 王氏編次, 各 题名號, 使後之學者, 皆知所出."라고 했다. 姚氏의 溫膽湯은 현재『外臺秘要』卷17의 病後不得眠 조항에 싫려 있다. 책에서 이르길: "『集驗』溫膽湯, 療大病後虛煩不得眠, 此膽寒故也, 宜服此湯方"라고 했다. 방제는 生薑四兩, 半夏二兩(洗), 橘皮三兩, 竹茹二兩, 枳實二枚(炙), 甘草一兩(炙)으로 구성된다. 방제에서 生薑을 重用하고 半夏·陳皮의 溫한 성질로 보조하기 때문에, "溫膽"을 위주로 한다.『備急千金要方』卷12에 수재된 溫膽湯의 치료는『集驗方』의 溫膽湯과 동일하다. 단지 "枳實二枚"를 "枳實二兩"으로 바꿔서 구성하였으므로 이 또한 "溫膽"방제에 해당한다. 위에서 말한 두 방제가 生薑의 용량이 비교적 重하고, 성질이 偏溫한 것을 제외하고, 나머지 약 및 상호 配伍관계가 모두『三因極一病證證方論』卷9의 溫膽湯과 유사하거나 혹은 방제조합 立法의 원천이라고 말할 수 있다.

宋·陳言의『三因極一病證方論』을 고찰한 결과, 溫膽湯 3首를 기록하고 있다. 첫째는 卷8의 溫膽湯이다. 膽虛寒, 眩厥, 足痿, 指不能摇, 臂不能起, 僵仆, 目黃, 失精, 虛勞煩擾, 因驚膽慴, 奔氣在胸, 喘滿, 水腫, 不睡한 증상을 치료한다. 방제에서 半夏·麥門冬·茯苓·酸棗仁·炙甘草·桂心·遠志·黃芩·萆薢·人蔘·糯米를 넣는다. 약물 구성이『備急千金要方』에서 虛煩不得眠을 치료하는 千裏流水湯과 거의 동일하며, 卷9의 溫膽湯과는 거리가 멀다. 둘째는 卷9의 溫膽湯이며, 현재 논하고 있는 방제이다. 셋째는 卷10의 溫膽湯이다. 心膽虛怯, 觸事易驚하거나 梦寐不祥하거나 異象眩惑, 遂致心驚膽慴, 氣鬱生涎, 涎與氣搏, 變生諸證, 혹은 短氣悸乏하거나 復自汗, 四肢浮腫, 飮食無味, 心虛煩悶, 坐卧不安한 증상을 치료한다. 약물 구성이 卷9의 溫膽湯과 동일하며, 즉『集驗方』의 溫膽湯은 生薑을 五片으로 줄이고, 별도로 大棗一枚·茯苓一兩반을 넣고, 枳實二枚는 二兩으로 바꾼다. 비록 卷9에서 발하는 본 방제는 "膽寒"을 치료하지만, 치료 후에 또한 이르길: "又治驚悸"라고 하였으며, 而 卷10의 驚悸를 치료하는 溫膽湯에서는 "膽寒"을 치료한다고 언급하지 않았다. 陳氏는 본 病機가 "心膽虛怯"하고, "遂致心驚膽慴, 氣鬱生涎, 涎與氣搏, 變生諸證."이라고 생각했다. 溫膽이라는 이름은『集驗方』을 계승했기 때문이며, 또한 生薑의 양을 줄여서 心膽虛怯, 痰涎爲患한 증상을 치료한다.

후세의 의학자들이 生薑의 용량을 줄여서 "心膽虛怯, 觸事易驚, 氣鬱生涎"이 變生한 모든 증상을 치료할 뿐만 아니라, 또한 膽鬱痰熱에 의한 膽胃不和한 모든 질병을 치료하는 것으로 발전하였고 계속해서 그 응용 범위를 넓혀서 化痰理氣하고 肝膽脾胃를 調和하는 방제가 되었다. 임상에서 볼 수 있는 情志不遂, 憂思鬱怒해서 肝膽의 氣가 疏泄不利하고, 津液不布해서 응결해서 痰이 되거나 肝(膽)脾(胃)不和를 동반하고, 不寐·驚悸·嘔吐·呃逆·眩暈·耳聾·耳鳴及癲·狂·癎 등의 증상이 나타나는 경우에는 모두 본 방제를 넣고 빼서 치료한다. 예를 들면『直指小兒方』卷1의 溫膽湯은

酸棗仁1味를 넣고 心神을 편안하게 해서 "小兒驚悸頑痰"을 치료하고, 竹茹 소량을 넣으면, 대체로 熱象이 드러나지 않는다. 『醫方類聚』卷23에서 인용한 『經驗秘方』의 溫膽湯은 "定心志"의 작용을 하며, 竹茹·大棗는 빼고, 遠志·酸棗仁를 넣으면, 그 이치는 거의 같다. 『明醫雜著』卷6의 溫膽湯 방제 또한 竹茹을 빼고 "膽氣怯弱, 驚悸少寐" 등의 증상을 치료한다. 『世醫得效方』卷9에 기록된 溫膽湯은, 人蔘을 넣고 補虛해서, "補虛除煩, 化痰和胃"의 작용을 하며, "大病後虛煩不得眠" 등의 증상을 치료한다. 효능이 없는 경우에는, 遠志·五味子·酸棗仁을 넣어서 斂汗安神의 작용을 강화한다. 『證治準繩·類方』卷5의 十味溫膽湯은 竹茹의 清膽和胃한 효능을 빼고, 益氣養血, 寧心安神한 人蔘·熟地·五味子·酸棗仁·遠志를 넣어서, 心驚膽怯하고 氣鬱한 모든 증상을 치료한다. 婦科 방면에 있어서, 『陳素庵婦科補解』卷1에서 溫膽湯을 사용해서 "婦女經行, 卒遇驚恐, 因而膽怯, 神志失守, 經血忽閉, 面青筋搐, 口吐涎沫"를 치료한다고 하였으며, 방제는 安神志·調氣血·燥痰濕의 작용을 하며, "溫膽湯"이라는 이름이 있다. 또한 방제는 오직 "半夏·廣皮·甘草·茯苓"만을 사용한다. 『萬病回春』卷4에 수재된 溫膽湯의 구성은 비교적 복잡하다. 黃連·梔子를 넣고 清熱瀉火하게 하고, 酸棗仁·茯神·辰砂 등을 넣고 定驚安神하게 한다. 또한 補氣養血의 효능이 뛰어난 參·术·歸·地 등을 넣고, 半夏·枳實·竹茹 등의 化痰清熱한 약과 배합해서 "內有痰火, 驚惕不眠"한 증상을 치료하므로, 그야말로 "扶正達邪"의 묘약이라고 말할 수 있다. 『活人方』卷6의 溫膽湯은 대부분 黃連·黃芩·天麻·厚朴·蘇子 등으로 구성해서 "痰氣火并結于中宮"에 의한 眩暈, 干嘔作酸, 腹痛便燥한 모든 증상을 치료한다. 『增補萬病回春』卷2의 加減溫膽湯은 "痰火煩躁, 驚惕失志, 神不守舍"한 증상을 치료하며, 炒梔子·黃連을 넣고 清熱瀉火하게 하고, 人蔘·麥門冬·當歸·白朮을 넣고 補虛扶正하게 하며, 朱砂·酸棗仁을 넣고 神魂을 편안하게 하며, 竹瀝을 약을 복용할 때 추가해서 清熱化痰의 작용을 강화할 수 있다. 全方의 작용은 『萬病回春』의 溫膽湯과 비슷하며, 약효는 전자에 비해 뛰어나다. 李中梓의 『醫宗必讀』에서는 溫膽湯을 驚·不眠證 두 종류(門)으로 분류하고, 心膽虛怯, 觸事易驚하거나 梦寐不祥, 心驚膽怯, 氣鬱生涎하거나 短氣하고하거나 自汗한 증상을 치료한다고 여겼다. 또한 不眠의 원인은 다섯 가지가 있다고 하였다: 氣虛·陰虛·痰滯·水停·胃不和이다. 예를 들면 痰滯 때문에 잠을 이루지 못하는 경우에는 溫膽湯에 南星·棗仁·雄黃末를 넣는다. 『醫宗金鑑』「婦科心法要訣」卷46의 加味溫膽湯은 방제가 陳皮·半夏·茯苓·甘草·枳實·竹茹·黃芩·黃連·麥門冬·蘆根으로 구성되며, 물을 넣고 달일 때 生薑을 넣는다. 清熱除煩, 和胃化痰의 작용을 하기 때문에 孕婦惡阻에 사용한다. 『醫宗金鑑』「幼科心法要訣」卷5의 加味溫膽湯은 前方과 비교했을 때 黃芩·蘆根이 없고, 灯心을 넣고, 물을 넣고 달여서 복용한다. 작용은 거의 동일하지만 약효는 조금 떨어진다. 小兒胃熱, 食入即吐, 口渴飲冷, 嘔吐酸涎, 身熱唇紅, 小便色赤한 증상을 치료한다. 『雜病源流犀燭』卷6의 溫膽湯은 "怔忡, 包絡動者"를 치료하며, 구성은 『攝生秘剖』의 天王補心丹과 비교했을 때 丹參·玄參·桔梗·天門冬·當歸身이 없고, 金石斛·甘草 두 약을 넣는다. 대체로 滋陰養血, 補心安神한 治法을 따르며, 溫膽라고 부르는 것은, "怔忡"을 치료하기 때문에, 膽怯과 관련이 있는 것 같다. 『雜病源流犀燭』卷6의 加味溫膽湯은 參胡溫膽湯라고도 부르며, 『三因極一病證方論』의 溫膽湯을 기초로 하고 香附·陳皮·人蔘·柴胡·麥門冬·桔梗·大棗를 추가한 후 "補心養肝, 理氣化痰"의 작용을 하며, "心肝兩虛而善悲"을 치료한다. 『古今醫彻』卷1의 溫膽湯은 『三因極一病證方論』의 溫膽湯에 鈎藤을 넣고 구성한 것이며, 鈎藤의 清熱平肝, 息風止痙의 작용으로 "傷寒夾驚"한 증상을 치료하고, 이는 넓은 의미의 傷寒夾驚이 되므로 반드시 痰熱內擾한 증상으로 나타나게 된다. 『笔花醫鏡』卷2의 溫膽湯은 竹茹의 寒한 성질은 빼고, 人蔘·熟地黃·炒棗仁 등의 益氣養血安神한 약을 넣고 男科病에 사용해서 "膽氣虛寒, 梦遺滑精"한 증상을 치료한다. 『六因條辨』卷上은 본 방제를 기초로 하고 黃連 한 가지를 넣고 黃連溫膽湯이라고 부른다. 清熱除煩, 化痰和胃를 위주로 해서 痰熱內擾로 인한 失眠·眩暈·心煩·口苦·舌苔黃膩 등의 모든 증상을 치료한다. 王海洲 등(『河南中醫』 1985, 3:24)은 임상에서 溫膽湯을 증상에 따라 加味하고, 변화 발전시켜서 運用하였으며, 각각 參芪溫膽湯·生脈溫膽湯·芩連溫膽湯·五子溫膽湯·四君溫膽湯·建中溫膽湯·三黃溫膽湯·柴芩溫膽湯·桃紅溫膽湯·血府溫膽湯 등으로 분류해서 부른다. 이는 溫膽湯의 응용범위를 현대 의학에서의 심혈관계통·신경계통·호흡기계통·소화기계통·내분비계통 등 임상의 각 과로 확대시켰으며, 중국 의학의 수십 가지 증후, 여러 개의 臟腑와 연관되어 있다. 『三因極一病證方論』의 溫膽湯은 『集驗方』의 溫膽湯을 원천으로 해서 만들어 졌으며, 후세에 융통성있게 변해서, 適應證의 범위를 확대하고, 內·婦·兒科 등의 다양한 종류의 肝(膽)脾(胃)不和한 痰證을 치료하는데 널리 사용되었다는 것을 알 수 있다.

【難題解說】 方名인 "溫膽"의 함의에 관하여: 溫膽湯은 도대체 "溫膽"인지 "淸膽"인지에 대해 논란이 있어왔으며, 다양한 견해가 존재한다. 姚氏의 溫膽湯은 성질이 溫한 약인 生薑四兩, 半夏二兩, 橘皮三兩, 甘草一兩을 합해서 총 十兩을 넣는다. 성질이 凉한 竹茹二兩, 枳實二枚(二兩)을 합해서 총 四兩을 넣는다. 방제의 藥性은 溫을 위주로 하고 또한 "此膽寒故也"를 치료한다고 明言하였다, 따라서 본 방제는 "溫膽"을 위주로 해서 치료한다는 것은 이의가 없는 것 같다. 그러나 陳氏의 溫膽湯은 生薑四兩을 五片으로 줄여서 방제의 溫한 성질의 효능을 크게 줄이고, 상대적으로 凉한 성질이 증가했으므로, "淸膽"한 효력이 있다고 말할 수 있다. 방제조합의 立法이 姚氏의 방제에서 유래되었기 때문에 "溫膽"의 명칭을 그대로 사용한다.

膽은 中正의 官으로, 決斷을 위주로 한다. 『素問』「六節藏象論」편에서 이르길: "凡十一臟, 皆取決于膽也"라고 했다. 膽의 생리적 특징은 바로 羅美가 말한: "膽爲中正之官, 淸淨之府, 喜寧謐, 惡煩擾, 喜柔和, 不喜壅鬱, 蓋東方木德, 少陽溫和之氣也"(『古今名醫方論』卷2에서 발췌함)과 같다. 따라서 膽을 치료하는 방제는 대부분 "溫和"를 위주로 한다. 如 姚氏의 방제는 溫한 성질로 膽寒을 치료하고자 하므로, 生薑을 重用해서 구성하며, 비록 溫하지만 剛燥하지 않다. 반면 陳氏의 방제는 淸膽하게 치료하고자 하므로 生薑의 양을 과도하게 줄여서 竹茹이 "甘而微寒, 又與膽喜溫和相宜,"(『本草思辨錄』卷4에 수재됨)한 성질이 두드러지게 했다. 따라서, 溫膽方劑와 淸膽方劑는 모두 膽의 喜靜惡擾한 특징과 "以溫爲常候"(『醫方考』卷2에 수재됨)한 생리적인 특징을 두루 살펴서 和順膽氣를 위주로 치료한다.

【醫案】

1. 腦鳴 『甘肅中醫』(1993, 5:22): 여자, 38세, 기혼. 1986년 4월 5일 진료. 환자는 頭顱內隆隆作响하고 좌측이 더 심하고, 증상이 나타난 지 반년이 넘었으며 한약과 양약의 병용치료를 받았으나 효과가 없어서 나를 찾아 내진했다고 했다. 상세히 문진한 결과, 6개월 전 이웃 간의 갈등으로 가슴이 답답하고, 계속해서 좌측 腦鳴이 나타났으며, 자주 이 때문에 失眠多梦, 膽小易驚, 煩悶易動, 舌質紅, 脈弦滑했다. 방제는 溫膽湯에 加味해서 치료하였으며, 半夏 10 g, 云苓 12 g, 陳皮 12 g, 竹茹 10 g, 生薑 10 g, 甘草 6 g, 柴胡 8 g, 香附 12 g, 菖蒲 10 g를 넣고 약 4첩을 복용하게 했다.

두 번째 진료(4월 9일): 증상이 크게 호전되었으며 失眠·煩悶 등도 크게 줄어들어서, 계속해서 上方에 따라 4첩을 복용하게 한 후 환자는 모든 병이 다 나았다고 기쁘게 알려왔다.

考察: 본 증상의 발병 원인은, 情志不調, 氣機不暢으로 인해, 鬱이 오랬동안 痰으로 변하고, 痰熱과 鬱氣가 서로 搏擊하고, 上擾淸竅해서 나타난 것이다. 따라서 溫膽湯을 넣고 淸熱化痰을 위주로 하고, 柴胡·香附을 넣고 條達氣機하게 도와서, 鬱開氣暢하게 하면, 痰이 自生하지 않게 되고, 다시 石菖蒲를 配伍해서 開竅하게 하였다. 諸藥을 함께 사용하면, 서로 돕고 보완해서 각자의 장점을 더욱 잘 드러내게 되고, 鬱結을 開하게 하고, 痰熱을 淸하게 하고, 上竅를 利하게 해서,

腦鳴이 낫게 된다.

2. 味覺失常『中醫雜誌』(1964, 10:27): 여자, 44세, 교사. 1963년 8월 7일 초진. 환자에 따르면 매번 여름철이 되면 미각을 잃고, 두달 전 갑자기 또 미각을 잃어서 병원에서 여러 차례 검사를 받았으나 원인을 알 수 없었다. 약을 1개월 정도 복용하고 침구 치료를 병행했으나 모두 효과가 없었다. 脈濡, 舌苔薄膩해서 溫膽湯과 祛痰法으로 本하고, 和胃開竅한 治法으로 標의 치료를 도왔다. 處方: 薑夏·茯苓 各 三錢, 炒陳皮·炒枳殼 各 一錢半, 淸炙草 一錢, 炒竹茹 二錢, 烏梅 三錢, 干石菖蒲 一錢을 넣었다.

上方으로 약 3첩을 복용하고 나서, 수박을 먹었을 때 약간의 단맛을 느꼈고, 原方을 계속해서 복용하고 나서 8월 24일이 되어서는 미각이 완전히 정상으로 회복되었다.

考察: 『難經』「三十七難」에서 이르길: "脾氣通于口, 口和則知五味矣; 心氣通于舌, 舌和則知五味矣"라고 하였다. 예를 들면 痰이 膽經게 머물면 脾胃로 거꾸로 올라와서, 沃于心竅하게 된다. 따라서 이 때문에 口舌不和하고 미각을 잃게 된다. 방제에서 溫膽湯을 넣고 淸凈膽氣하게 치료해서, 膽이 淸하면 心脾氣和하고, 竅開하면 미각이 민감해 진다. 방제에 烏梅를 넣는 것은 『局方』에서 이르길 二陳湯에 烏梅를 넣고 함께 달여서 주로 和胃化痰의 작용을 취하는 것이다.

3. 病態眨眼症『中成藥研究』(1982, 10:37): 남자, 9세, 초등학생, 1979년 3월 5일 초진. 화자는 不自主眨眼症을 앓은지 3년 정도 되었으며, 최근 1주일 동안 증상이 심해졌다. "病態眨眼症"으로 진단받은 후에, 환자는 눈 깜빡임(眨眼) 증상을 반복해서 보이고, 자율적으로 조절할 수 없으며, 자주 두통이 나타나고, 精神呆滯, 遺尿, 納呆, 惡心, 脈細數, 舌苔薄膩했다. 따라서 化痰理氣하게 치료해서 補腎을 도왔다. 溫膽湯에 加味해서 處方했다: 制半夏 12 g, 陳皮 9 g, 茯苓 12 g, 甘草 9 g, 枳殼 9 g, 薑竹茹 9 g, 遠志 9 g, 陳膽星 9 g, 生牡蠣 30 g, 夜交藤 30 g, 仙靈脾 20 g을 넣고 연속해서 약 14첩을 복용한 후 眨眼症이 사라지고 遺尿 또한 나았다.

考察: 본 醫案의 모든 증상은 痰濕上擾, 腎虛不固에 의한 것이다. 痰濁中阻하면 舌苔薄膩, 納呆, 惡心으로 나타나고, 痰濁上擾하면 頭暈, 精神呆滯으로 나타나고, 또한 痰阻氣滯하고 鬱氣이 두 눈을 上竄하면 눈 깜빡임(眨眼) 증상이 멎지 않는다. 『醫學入門』「雜治賦」편에서 이르길: "怪病多痰"하기 때문에 따라서 溫膽湯에 陳膽星·遠志을 넣고, 化痰理氣, 調和肝胃하게 하고 牡蠣·夜交藤을 배합해서 安神하게 하고, 仙靈脾를 넣고 補腎하게 치료하면, 오랫동안 앓았던 고질병이 "痰"을 치료하면서 낫게 되었다.

4. 嗜睡『實用中醫內科雜志』(1989, 1:27): 여자, 45세. 1988년 4월에 초진했다. 환자는 체형이 뚱뚱하고, 時時欲睡, 呼之即醒, 醒後欲睡, 伴有神疲乏力, 胸悶不舒, 食欲不振, 舌苔白膩, 脈細했다. 예전의 의학자가 平胃散·補中益氣湯을 방제해서 좋은 효과를 보았다. 舌·脈·症을 종합해보니, 본 증상은 痰濕이 안에서 막고, 升降의 기능을 잃어서 발생한 것으로 溫膽湯으로 바꿔서 치료하였다. 方藥: 半夏 10 g, 橘紅 10 g, 茯苓 10 g, 枳實 10 g, 竹茹 10 g, 冬棗 三枚, 甘草 3을 넣고 달여서 약 3첩을 복용한 후 거의 치유되었고, 다시 六君子湯 5첩을 복용하고 조리한 후 다 나았다.

考察: 『靈樞』「寒熱病」편에서 말하길: "陽氣盛則瞋目, 陰氣盛則瞑目."라고 하였다. 『血證論』卷6에서 이르길: "倦怠嗜卧者, 乃脾經有濕."이라고 했다. 본 病例는 濕이 머문지 오래 되었고, 寒氣가 응체되어 쌓이고, 痰濕이 三焦에 머무르고, 中陽을 막은 것이기 때문에 환자가 눈을 감고 누워있으려고만 한다. 溫膽을 방제해서 痰濕을 제거하고 竹茹·生薑·甘草를 사용해서 和胃補脾하게 하고, 痰濕을 제거해서 三焦를 통하게 하고, 濁陰을 내려가게 해서 淸陽이 올라가게 해서 수면도 이에 따라 정상으로 회복하게 되었다.

【副方】十味溫膽湯(『世醫得效方』卷8): 半夏湯洗七次 枳實 去瓤·切·炒 陳皮去白各 三兩(각 15 g) 白茯苓 去皮 一兩半(7.5 g) 酸棗仁 微炒 大遠志 去心, 甘草水煮, 薑汁炒 各一兩(各 3 g) 北五味子 熟地黃 切·酒炒 條蔘 各一兩(各 3 g) 粉草 五錢(1.5 g)

- 用法: 위의 약을 썰어서 뭉쳐있는 것을 흩트려서, 四錢(12 g)을 1첩(服)으로 하여 물 一盞半에 薑 五片, 棗 1煤를 넣고 달여서 수시로 복용한다.
- 作用: 化痰寧心.
- 適應症: 心膽虛怯, 觸事易驚, 四肢水腫, 飮食無味, 心悸煩悶, 坐卧不安 등을 치료한다.

본 방제는 『三因極一病證方論』의 溫膽湯에에 淸膽和胃한 竹茹를 빼고, 益氣養血·寧心安神한 人蔘·熟地黃·五味子·酸棗仁·遠志를 넣고 구성한 것이다. 따라서 비록 淸熱의 작용을 하지는 않지만 增補養心神의 효력이 있기 때문에 化痰寧心한 방제가 되며 痰濁內擾, 心膽虛怯, 神志不寧 등의 모든 증상에 사용한다.

第二節 淸熱化痰劑

淸氣化痰丸

(『醫方考』卷2)

【組成】陳皮 去白 杏仁 去皮尖 枳實 麩炒 黃芩 酒炒 瓜蔞仁 去油 茯苓 各一兩(各 30 g) 膽南星 製半夏 各一兩半(各 45 g)

【用法】薑汁을 넣고 丸으로 빚어서 6 g을 一服으로 하여 따뜻한 물에 복용한다(현대용법: 분말로 갈아서 薑汁을 넣고 환으로 빚어서 6 g을 一服으로 하여 따뜻한 물로 복용하거나 湯劑로 生薑을 넣고 물을 넣고 달여서 복용한다.).

【效能】淸熱化痰, 理氣止咳.

【主治】痰熱咳嗽證을 치료한다. 痰稠色黃, 咯之不爽, 胸膈痞悶, 甚則氣急嘔惡, 舌質紅, 苔黃膩, 脈滑數하다.

【病機分析】본 증상은 대부분 脾의 健運의 기능에 장애가 오고, 津液이 凝滯하면 火邪煎熬해서 痰熱이 된 것으로 痰稠色黃, 咯之不爽한 증상으로 나타난다. 痰은 火의 升降에 따라 변화하고, 火는 痰의 橫行을 야기한다. 肺에 흘러 들어가 막으면(流阻) 肺氣가 失宣해서 咳嗽한 증상으로 나타난다. 胃를 방해하면 胃氣가 내려가지 않아서 嘔惡로 나타난다. 氣機를 막으면 氣가 行하지 못해서 胸膈痞悶한 증상으로 나타나게 된다. 舌紅·苔黃膩, 脈滑數한 증상은 모두 痰熱에 의한 증상에 해당한다.

【配伍分析】본 방제는 痰熱咳嗽를 치료하며, 淸熱

化痰, 理氣止咳하게 치료해야 한다. 『醫方集解』「除痰之劑」에서 이르길: "氣有餘則爲火, 液有餘則爲痰, 故治痰者必降其火, 治火者必順其氣也."라고 하였다. 방제에서 膽南星을 君藥으로 삼고 苦한 맛과 凉한 성질을 갖고 있기 때문에, 淸熱化痰해서, 痰熱이 壅閉한 것을 치료한다. 黃芩·瓜蔞仁을 臣藥으로 삼아서, 黃芩은 性味가 苦寒하기 때문에 淸瀉肺火한 효능이 뛰어나고, 瓜蔞仁은 性味가 甘寒하기 때문에 淸肺化痰한 효능이 뛰어나다. 이 둘을 함께 사용하면, 肺火를 瀉하게 하고, 痰熱을 化하게 해서, 膽南星의 효력을 돕게 된다. 痰을 치료할 때는 반드시 理氣해야 한다. 따라서 또한 枳實를 사용해서 行氣化痰하고, 消痞除滿하게 하며, 『本草從新』卷9에서 이르길 "痰癖結"하게 치료해야 한다고 하였다. 陳皮는 理氣寬中하고 또한 燥濕化痰을 겸할 수 있다. 脾는 痰이 생기게 하는 원천이며, 肺는 貯痰之器이다. 따라서 茯苓을 사용해서 健脾滲濕하게 하고, 杏仁을 사용해서 宣利肺氣하게 하고, 半夏를 사용해서 燥濕化痰하게 하면, 이미 생긴 痰을 제거할 뿐만 아니라 또한 痰이 생길 수 있는 근원을 막을 수 있다. 이들은 모두 佐藥으로 삼는다. 生薑汁을 넣고 丸으로 빚으면, 첫째 半夏의 독성을 제거할 수 있고, 둘째 半夏의 降逆化痰한 효능을 도울 수 있다. 모든 약을 함께 配伍하면, 淸熱化痰, 理氣止咳한 효능을 갖게 된다.

본 방제의 配伍의 특징은 淸熱하고 化痰하는 효능을 함께 사용하며 淸化하는 가운데 理氣한 약으로 도와서 熱淸火降하고, 氣順痰消하게 하면 모든 증상이 저절로 낫게 된다.

【臨床應用】

1. 證治要點: 본 방제는 熱痰을 치료하는 常用方劑이다. 咳嗽痰稠色黃, 苔黃·脈數와 같은 증상을 치료의 요점으로 삼는다.

2. 加減法: 肺熱이 비교적 심하면서 身熱口渴한 증상이 나타나는 경우에는 石膏·知母를 넣고 淸熱瀉火하게 하고, 痰多氣急한 경우에는 魚腥草·桑白皮 등을 넣고 淸瀉肺熱하게 하고, 熱結便秘가 있는 경우에는 大黃·芒硝 등을 넣고 瀉熱通便하게 한다.

3. 淸氣化痰丸은 다음 한국표준질병사인분류(KCD)에 해당하는 환자가 痰熱咳嗽證으로 辨證되는 경우 본 처방의 사용을 고려해볼 수 있다.

처방 목표	한국표준질병사인분류(KCD)
肺炎	J09~J18 인플루엔자 및 폐렴
	J20~J22 기타 급성 하기도감염
	J18.9 상세불명의 폐렴
支氣管炎	J40 급성인지 만성인지 명시되지 않은 기관지염

【注意事項】 脾虛寒痰한 증상이 나타나는 환자의 경우에는 본 방제를 사용하지 않는다.

【變遷史】『醫方考』卷2의 淸氣化痰丸은 淸熱化痰한 방제조합을 고찰해 보았을 때 小陷胸湯과 二陳湯에서 유래했다고 말할 수 있다. 『傷寒論』의 小陷胸湯은 黃連·半夏·瓜蔞를 配伍해서 淸熱化痰, 寬胸散結하게 하고, 痰熱互結한 小結胸病을 치료한다. 본 방제에서 黃連를 黃芩으로 바꾸고, 痰熱에 肺에 머물러 있는 咳嗽를 치료한다. 또한 二陳湯을 기초로 하고 膽星을 사용해서 君藥으로 삼고 化痰의 효력을 배가시킨다. 또한 枳實·杏仁을 넣고 行氣利肺한 효능을 강화시킨다. 같은 이름의 비슷한 방제를 고찰해 보면, 丹溪方까지 거슬러 올라갈 수 있다. 『景岳全書』卷55에서 인용한 丹溪方의 淸氣化痰丸은 본 방제와 비교해서 黃連·甘草 2가지가 더 많으며, 上焦에 痰火가 壅盛한 咳嗽·煩熱·口渴·胸中痞滿한 증상을 치료한다. 본 방제에 비해 痰熱이 비교적 심하기 때문에 南星·半夏를 각각 三兩씩 넣고 祛痰하게 하고, 黃連·黃芩을 각각 五兩씩 넣고 淸熱하게 치료한다. 이는 만약 痰壅이 비교적 심하면서, 비록 熱痰에 해당하지만 또한 南星·半夏 등의 溫燥한 약을 사용할 수 있으며, 黃連·黃芩 등의 寒凉한 약을 重用해야 한다는 것을 말해준다. 본 방제가 후세에 미친 영향은 매우 크다. 예를 들면 『攝生衆妙方』

卷6·『古今醫鑑』卷4(劉少保方을 인용하였다) 등의 清氣化痰丸은 모두 이와 같이 配伍한다. 『醫方考』卷2의 清氣化痰丸에 이르러서는 天南星을 膽南星으로 바꾸고, 또한 黃芩만을 사용해서 清熱化痰하게 하면, 熱痰을 효과적으로 치료하는 基本方이 된다. 『醫學啓蒙』卷3의 清氣化痰丸은 본 방제를 기초로 하고 滑石·山梔 등의 清利한 약을 넣고 降火順氣化痰한 방제가 되게 한다. 하지만 만약 痰熱內壅해서 痞證이 비교적 심한 경우에는 방제의 黃芩을 黃連으로 바꾸고, 半夏와 함께 配伍하며, 만약 痞滿한 증상을 降辛開消하면, 이는 곧 仲師가 방제한 "瀉心"除痞의 治法이 된다. 예를 들면 『萬病回春』卷2의 清氣化痰丸이 바로 이에 해당한다.

【難題解說】 方名인 "清氣"에 대해서: 본 방제는 痰熱證을 치료하며, 清熱化痰을 기본 治法으로 삼는다. 『丹溪心法』卷2에서 이르길: "見痰休治痰, 善治者, 不治痰而治氣."라고 하였다. 『醫方集解』「除痰之劑」에서 이르길: "治痰者必降其火, 治火者必順其氣"라고 하였다. 痰은 氣를 따라 움직이기 때문에, 氣滯하면 痰阻하게 되고, 氣順하면 痰이 사라지게 된다. 즉 『醫方考』卷2에서 吳昆이 해석하길: "氣之不清, 痰之故也, 能治其痰, 則氣清矣."라고 하였다. 龐安常이 일찍이 이르길: "人身無倒上之痰, 天下無逆流之水. 善治痰者, 不治痰而治氣, 氣順則一身之津液亦隨之而順矣"(『證治準繩』「雜病」卷2에서 발췌함)라고 하였다. 따라서 본 방제는 清氣化痰丸이라고 부른다.

【醫案】

1. 胃脘作熱 『山西中醫』(1990, 2:19): 남자, 65세. 본 환자는 여러 해 동안 유난히 술을 즐겨 마시고, 최근 2주 동안은 胃脘作熱증상이 나타나고 마치 숯불이 몸 안에 있는 것 같아서, 초겨울에도 옷을 벗고 배를 내놓고 얼음 조각으로 문지르며, 늘 차가운 음료를 다량 복용하였으나 여전히 큰 효과를 보지 못했다. 환자의 체형은 뚱뚱하고, 面色晦暗하며, 胃脘 부위에는 灼熱감이 전혀 느껴지지 않았으며, 脈弦實, 舌質較紅, 苔黃膩했다. 清氣化痰湯으로 치료하였다: 陳皮·制半夏·杏仁·瓜蔞殼·枳實 各 10 g, 黃芩 6 g, 茯苓 30 g, 膽南星 3 g을 넣고 매일 1첩씩 약 9첩을 복용한 후 胃脘이 다시 作熱하지 않았다.

考察: 四診合參하여 증상의 발병 원인에 대해 고찰한 결과, 본 환자의 증상은 痰熱로 인해 발병한 것으로, 환자가 여러 해 동안 술을 즐겨 마셔서, 酒醴가 生火滋痰하게 하고, 痰熱이 胃脘에 머물면서 부분적인 熱感을 일으킨 것이다. 清氣化痰丸을 湯劑로 바꾼 다음에 약효가 크게 좋아졌다.

2. 舌麻 『山西中醫』(1990, 2:19): 여자, 52세. 환자는 혀끝이 저릴 때마다 이로 頷을 깨문지 9일이 되었다. 현대의학의 치과에서 진료하고 感覺神經過敏으로 진단받았으나 효과 있는 약이 없다고 해서 한방병원을 찾아 치료를 받았다. 진료 결과 환자는 舌質紅, 淡黃滑苔, 脈弦數했다. 清熱除痰을 治法으로 삼고, 방제는 清氣化痰湯을 사용했다: 陳皮·制半夏·杏仁·瓜蔞殼·枳實 各 10 g, 茯苓 20 g, 黃芩·膽星 各 6 g을 넣고 매일 약 1첩을 복용하게 하였으며, 6첩 정도 복용한 후 熱清痰除하면서 舌麻한 증상이 이에 따라 사라졌다고 했다.

考察: 舌麻는 『雜病廣要』에서 이르길: "此因痰氣滯于心胞絡也."것으로 舌脈이 痰熱이 가득한 증상으로 진단했다. 痰熱이 해가 되면 經隧를 막아서 氣血의 運行에 영향을 미쳐서 舌體發麻하게 된다. 痰熱이 제거되면 병이 낫게 된다.

3. 心悸 『河北中醫學院學報』(1987, 1:19): 남자, 67세. 평소에 咳嗽, 咳痰, 氣喘을 앓은 병력이 있으며, 겨울철에 감기를 앓은 후 咳嗽가 더욱 심해지고, 痰에서 白黃색의 稠黏가 나오고, 胸悶하고, 조금만 움직여도 氣喘하고, 心悸不已, 煩躁不安했다. 脈搏이 빈번하게 間歇적으로 뛰는 것으로 나타났고, 특히 감정이 격할 때 더욱 심해졌다. 嘔惡食少, 脘腹脹滿, 大便不暢, 少有矢氣, 舌苔白黃厚膩, 脈滑數結代했다. 심전도검사(心電圖)에서 室性早搏으로 인해 三聯律이 나타나

는 것으로 판단하고, 디아제팜(diazepam), 베라파밀(verapamil)로 치료했으나 효과가 없었다. 淸氣化痰丸에 넣고 뺀다: 黃芩 12 g, 瓜蔞 15 g, 杏仁 9 g, 半夏 6 g, 制南星 6 g, 陳皮 6 g, 枳實 6 g, 茯苓 9 g, 遠志 6 g, 棗仁 9 g을 넣고 달여서 약 6첩을 복용한 후, 痰을 뱉으면 조금 시원해지고, 咳喘이 줄어들었으며, 心悸가 호전되고, 脈搏間歇증상이 없어졌다. 두 번째 심전도 검사(心電圖) 결과 室性早搏 증상이 사라졌다.

考察: 본 病例의 心悸, 脈搏間歇는 痰熱이 肺를 막고, 心神이 편안하지 않아서 발병한 것이다. 淸氣化痰丸을 사용해서 淸化痰熱하게 치료하고, 遠志·棗仁을 넣고 養心安神하게 하면 痰이 제거되고 咳이 줄어들어서, 心悸 증상이 사라지고 脈이 회복하게 되었다.

4. 口臭『新中醫』(2003, 5:70): 某, 女, 27세. 초진 黨시: 환자는 입 냄새가 난지 2년 정도 되었으며, 이 때문에 매우 고민이었다. 치과(口腔科)·이비인후과(耳鼻喉科)에서 검사를 받았으나 이상증상은 발견되지 않았다. 다양한 종류의 含化片을 복용해 보았으나 효과가 크지 않았다. 진료 당시 口臭가 심해서 몹시 우울하고, 식용부진에, 大便이 시원하게 나오지 않고, 온몸이 불편하다고 느껴지고, 舌質紅·苔薄黃黏, 脈滑數했다. 본 증상은 痰火가 中焦에서 쌓여서 뭉쳐 있어서 灼腐上溢한 것이다. 따라서 淸火化痰, 利氣通腑하게 치료해야 한다. 방제는 淸氣化痰丸에 넣고 뺀다. 處方: 全瓜蔞·梔子 各 15 g, 黃芩·膽南星·陳皮·炒苦杏仁·枳實·佩蘭 各 12 g, 茯苓·薑半夏 各 9 g을 넣었다. 두 번째 진료: 약을 복용한 후 口臭가 눈에 띄게 줄어들었으며, 大便暢利하고, 전신이 편안하다고 느끼고, 舌質紅·苔薄白, 脈滑했다. 위의 방제를 계속해서 5첩 복용한 후 입 냄새가 나지 않고, 식욕이 회복되었으며, 온몸이 편안하고 완치되었다. 단백한 음식을 먹고, 규칙적으로 생활할 것을 당부했다.

考察: 본 病例의 舌質紅·苔黃而黏하면서 脈滑數한 증상은 痰火에 해당한다는 것을 의심할 여지가 없다. 식욕이 부진하고 大便이 시원하게 나오지 않지만 肺에는 뚜렷한 증상이 나타나지 않는다. 따라서 痰熱蘊肺한 것이 아니라 中焦에 병이 나는 것이다. 痰火가 中焦에 쌓여서 뭉쳐있으면, 淸胃散으로 치료하는 것도 아니고, 枳實導滯丸으로 치료하는 것 또한 아니며, 淸氣化痰丸을 사용해서 淸火化痰, 行氣通腑하게 치료하고, 梔子를 넣고 淸火하게 하고, 佩蘭을 넣고 除穢하게 하면, 약효가 맞아서 빠른 효과를 보게 된다.

【副方】

1. 淸金降火湯(『古今醫鑑』卷4): 陳皮 一錢五分(5 g) 半夏 泡 一錢(3 g) 茯苓 一錢(3 g) 桔梗 一錢(3 g) 枳殼 麸炒 一錢(3 g) 貝母 去心 一錢(3 g) 前胡 一錢(3 g) 杏仁 去皮尖 一錢半(5 g) 黃芩 炒 一錢(3 g) 石膏 一錢(3 g) 瓜蔞仁 一錢(3 g) 甘草炙 三分(1 g)

- 用法: 위의 약을 1첩으로 해서 잘게 잘라 生薑 三片을 넣고 물에 달여, 식후와 잠자기 전에 복용한다.
- 作用: 淸金降火, 化痰止嗽.
- 適應症: 熱痰咳嗽을 치료한다.

본 방제는 肺胃熱痰으로 인한 咳嗽를 치료한다. 따라서 石膏·黃芩을 사용해서 肺胃의 火를 淸降하게 하고, 또한 瓜蔞·半夏와 함께 配伍해서 淸化熱痰하게 한다. 이중 石膏·黃芩의 寒凉한 성질은 半夏의 따뜻한 성질을 억제하고, 瓜蔞의 潤한 성질은 半夏의 燥한 성질을 억누른다. 본 방제는 咳한 증상을 위주로 해서 치료하기 때문에 또한 貝母를 넣고 淸熱化痰止咳하게 하고, 前胡·桔梗을 넣고 化痰하게 하고, 杏仁을 넣고 宣肺止咳하게 하고, 枳殼·陳皮를 넣고 理氣化痰하게 해서, 氣順痰消하게 한다. 茯苓은 健脾滲濕해서 痰의 근원을 제거한다. 甘草는 調胃和中하고, 또한 石膏의 寒한 성질을 막는다. 함께 肺胃의 火을 淸降하게 하고, 化痰止咳한 방제가 된다.

淸氣化痰丸과 본 방제는 모두 痰熱로 인한 咳嗽를 치료한다. 하지만 상대적으로 전자는 咯痰黃稠를 위주로 하고, 후자는 肺熱咳嗽을 위주로 치료한다. 따라서 淸氣化痰丸은 膽星을 君藥으로 삼고 淸化痰熱한 효능이 매우 뛰어나며, 또한 枳實을 사용하면 消痰行氣한 효력 역시 강해진다. 반면 淸金降火湯은 石膏를 사용해서 淸熱瀉火의 작용을 강화하고, 또한 貝母·前胡·桔梗 등과 配伍하는 것은 止咳하기 위함이다.

2. 黛蛤散(『丸散膏丹集成』): 靑黛 蚌粉 用新瓦將蚌粉炒令通紅, 拌靑黛少許.

- 用法: 매번 三錢(15 g)을 1첩으로 하여 미음과 함께 복용한다.
- 作用: 淸肝瀉火, 化痰止咳.
- 適應症: 肝肺의 火熱에 의한 痰嗽, 眩暈耳鳴, 咯痰帶血을 치료한다.

본 방제는 肝經火盛, 木火刑金에 의한 咳痰帶血證을 치료한다. 方劑 중의 靑黛는 性味가 咸寒하기 때문에 肝火를 제거하고, 肺熱을 내리는 작용을 한다. 『本草求眞』卷4에서 이르길 "大瀉肝經實火及散肝經鬱火"라고 하였으며, 肺經으로 들어가는 蛤粉과 配伍하면 淸肺化痰하게 한다. 『神農本草經』에서 이르길 "主咳逆上氣"라고 하였으며, 『本草鋼目』「介部」卷46에서는 "淸熱利濕, 化痰飮."라고 하였다. 두 약을 함께 배합하면, 肝火를 降하게 하고, 肺熱을 淸하게 하고, 痰熱을 가라앉혀서, 妄行한 血을 歸經하게 한다. 본 방제는 淸氣化痰丸·淸金降火湯과 비교했을 때, 비록 모두 熱痰證을 치료하지만 淸熱化痰한 효력이 둘에 비해 매우 떨어지고, 오직 淸肝瀉火의 작용은 나머지 두 방제에는 없다.

黛蛤散의 原名은 "粉黛散"이다. 방제는 『醫說』卷4에서 인용한 『類編』方에서 유래되었으며, 명칭은 『醫略六書』卷22에서 보여진다. 黛蛤散의 명칭은 1935년 鄭显庭이 저술한 『丸散膏丹集成』에서 처음으로 보이기 시작하였다. 이밖에도 元·危亦林의 『世醫得效方』卷5에 기록된 咳嗽門에서 "滴油散"라고 불렀으며, 이후의 『普濟方』卷158의 咳嗽門·『古今圖書集成』「醫部全錄」卷245에서 모두 이 명칭을 이어서 사용하였다. 『醫學從衆錄』卷2의 咳嗽에서 본 방제의 명칭을 "靑黛蛤粉丸"라고 기록하였으며, 『衛生鴻寶』에서는 또한 "靑蛤丸"라고 불렀다.

小陷胸湯

(『傷寒論』)

【異名】 陷胸湯(『太平聖惠方』卷15).

【組成】 黃連 一兩(3 g) 半夏 洗 半升(6 g) 括蔞實 大者 一枚(30 g)

【用法】 위의 세 가지 약에서, 물 六升을 넣고 먼저 瓜蔞를 三升으로 달여서 찌꺼기를 제거하고, 나머지 약을 넣고 二升으로 달여서 찌꺼기는 버리고 3회에 나누어서 따뜻하게 복용한다.

【效能】 淸熱化痰, 寬胸散結.

【主治】 痰熱互結證을 치료한다. 胸脘 부위가 더부룩하여 불편하고, 누르면 바로 통증이 느껴지거나 咯痰黃稠, 舌苔黃膩, 脈滑數하다.

【病機分析】 본 방제는 원래 傷寒表證에 誤下해서, 邪熱이 內陷하고, 痰熱이 心下에 뒤엉킨 小結胸病을 치료한다. 『傷寒論』에서 이르길: "小結胸病, 正在心下, 按之則痛, 脈浮滑者, 小陷胸湯主之."하였다. 邪가 上焦에 머물면, 熱結이 不深하고, 胃實이 되지 않는다. 痰熱이 서로 뒤엉키고, 氣鬱이 통하지 않으면 胸脘 부위가 더부룩하여 불편하며, 누르면 바로 통증이 느껴지게 된다. 熱痰蘊肺하면 咯痰黃稠하게 된다. 苔黃膩, 脈滑數하면 痰熱內蘊한 증상이 나타난다.

【配伍分析】 痰熱互結證은 清熱化痰하고 理氣散結하게 치료해야 한다. 방제에서 瓜蔞實은 君藥이 되며, 清熱化痰, 理氣寬胸해서 胸膈의 痹를 통하게 한다. 黃連은 臣藥이 되며 苦寒한 性味는 瓜蔞를 도와서 清熱降火하고 心下之結를 開하게 하고, 半夏는 佐藥이 되며 辛燥한 性味는 降逆化痰하고, 瓜蔞를 도와서 消痰散結하고 心下之痞를 散하게 한다. 黃連·半夏를 함께 사용하면, 하나는 苦하고 하나는 辛해서, 苦한 맛은 降하게 하고 辛한 맛은 開하게 한다. 半夏와 瓜蔞를 함께 配伍하면, 潤한 성질과 燥한 성질을 함께 얻어서 清熱滌痰하게 하니, 清熱化痰하고 寬胸散結의 작용이 더욱 뚜렷해진다. 세가지 약을 함께 배합하면, 痰去熱除하고 結開痛止해서, 胸脘痞痛을 치료하는 良劑가 된다. 임상에서 傷寒에 의한 小結胸病을 치료할 뿐만 아니라 또한 痰熱이 서로 뒤엉킨 증상에 해당하는 內科의 다양한 질병 환자를 치료하는데 매우 효과적이다.

본 방제의 配伍 특징은 苦降辛開, 潤燥相得하다. 즉 瓜蔞의 潤한 성질은 半夏의 燥한 성질을 억제하고, 두 약을 함께 배합하면, 祛痰의 효력이 배가된다. 黃連는 苦降한 性味를 갖고, 半夏는 辛散한 性味를 갖으며, 苦降과 辛開한 性味를 配伍하면, 痰熱이 뒤엉킨 증상을 제거할 수 있다.

【類似方比較】 본 방제와 大陷胸湯은 모두 結胸病을 치료하지만, 정도의 차이는 있다. 心下에 痰熱이 맺히고, 눌렀을 때 바로 통증이 느껴지는 경우에는 小結胸病이라고 부르고, 小陷胸湯으로 치료한다. 방제에서 瓜蔞와 黃連·半夏를 配伍해서, 清熱滌痰하게 치료한다. 만약 胸腹에 水熱이 맺히고, 心下부터 少腹까지 鞕滿하고 통증으로 손을 가까이 댈 수 없는 경우에는 大結胸病이라고 부르며, 증세가 小結胸病에 비해 위중하다. 따라서 大陷胸湯으로 치료한다. 방제에서 芒硝·大黃과 甘遂를 함께 配伍해서 瀉熱逐水하게 한다. 두 증상의 輕重緩急 사이에서 증상에 알맞은 治法을 판단한다. 바로 尤怡가 말한: "黃連之下熱, 輕于大黃; 半夏之破飮, 緩于甘遂; 瓜蔞之潤利, 和于芒硝. ……故曰小陷胸湯"(『傷寒貫珠集』卷2에 수재됨)과 같다.

【臨床應用】

1. 證治要點: 胸脘 부위가 더부룩하여 불편하며, 누르면 바로 통증이 느껴지고, 舌苔黃膩, 脈滑數한 증상을 치료의 요점으로 삼는다.

2. 加減法: 만약 脇肋 통증을 동반하는 경우에는 鬱金·柴胡를 넣고 疏肝止痛하게 하고, 痰稠難咯에는 膽南星·川貝母를 넣고 清熱化痰한 효력을 강화시키고, 痰熱蘊肺하고 胸悶氣急한 경우에는 葶藶子·杏仁을 넣고 宣泄肺熱하게 한다.

3. 小陷胸湯은 다음 한국표준질병사인분류(KCD)에 해당하는 환자가 痰熱互結證으로 辨證되는 경우 본 처방의 사용을 고려해볼 수 있다.

처방 목표	한국표준질병사인분류(KCD)
急性胃炎	K29.1 기타 급성 위염
慢性胃炎	K29.3 만성 표재성 위염
	K29.4 만성 위축성 위염
	K29.5 상세불명의 만성 위염
胸膜炎	J90 달리 분류되지 않은 흉막삼출액_삼출액을 동반한 흉막염
	R09.1 흉막염 NOS
胸膜粘連	J94.9 상세불명의 흉막병태
急性支氣管炎	J20 급성 기관지염
肋間神經痛	G58.0 늑간신경병증
心絞痛	I20 협심증

【注意事項】 방제의 瓜蔞는 緩瀉작용을 하기 때문에 脾胃虛寒, 大便溏薄한 경우에는 신중하게 사용한다.

【變遷史】 小陷胸湯은『傷寒論』「辨太陽病脈證并治」에서 유래되었다. 仲景이 이르길: "小結胸病, 正在心下, 按之則痛, 脈浮滑者, 小陷胸湯主之."라고 하였다. 본 방제는 임상에서 치료효과가 탁월하기 때문에 역대

의학자들이 풍부한 실천 경험을 쌓았으며, 아울러 그 치료 범위가 점차적으로 확대되었다. 『金鏡内台方議』卷5에서 이르길 "按之則痛"한 小結胸病을 치료할 뿐만 아니라 또한 "治心下結痛, 氣喘而悶"한 痰熱이 胸부위에 맺힌 증상을 치료한다고 하였다. 『丹溪心法』卷2에서 또한 본 방제를 사용해서 食積痰이 옹체(壅滯)한 喘急환자를 치료하고, 食痰이 쌓인 것을 제거한다고 여겼다. 『壽世保元』卷3에서 이르길 傷寒病에 갈증이 생겨서 물을 과도하게 많이 마셔서 생긴 水結胸과 딸꾹질(呃) 증상을 치료한다. 清代에 이르러서는 『張氏醫通』卷4에서 이르길: "凡咳嗽面赤, 胸腹脇常熱, 惟手足有凉時, 其脈洪者, 熱痰在膈上也, 小陷胸湯主之."라고 하였다. 치료 증상은 비록 膈에 있지만 증상이 肺·腹脇 및 手足으로 확장되었다. 秦之楨이 『傷寒大白』卷3의 방제에서 甘草 한 가지 약을 추가하였고 또한 小陷胸湯하고 불렀다. 少陽表裏熱邪하고 痰結을 동반하는 증상을 치료한다.

본 방제는 약물의 조성은 정밀하고 藥力은 전문적이며, 配伍가 엄격해서 清化痰熱·苦降辛開한 治法을 구현했으며, 후세의 수많은 의학자들이 이를 따랐다. 임상에서 넣고 빼서 運用하면서 많은 良效를 얻어서 끊임없이 변화 발전하였다. 明·『醫方考』卷2의 清氣化痰丸에서는 黃連을 黃芩으로 바꾸고, 별도로 清熱化痰·行氣止咳한 약을 넣어서 清熱化痰한 또 하나의 名方을 만들었다. 『醫學入門』卷4의 柴陷湯은 본 방제와 小柴胡湯을 함께 사용해서 結胸痞氣 초기 및 水結·痰結·熱結 증상을 치료한다. 『傷寒大白』卷3의 柴胡陷胸湯은 본 방제를 기초로 하고 柴胡·青皮·枳殼·甘草를 넣어서 또 清熱除痞의 작용을 얻고, 아울러 疏肝行氣한 효과를 강화했다. 『重訂通俗傷寒論』 卷2의 柴胡陷胸湯은 小陷胸湯에 柴胡·黃芩을 넣고 和解少陽하게 하고, 枳實·桔梗을 넣고 理氣寬胸하게 해서 少陽結胸, 胸膈痞滿, 按之痛을 치료하는 방제를 만들었다.

【難題解說】 본 방제의 치료 病證에 대한 감별(鑑別): 小陷胸湯은 小結胸病을 치료한다. 結胸病은 傷寒表證이 해소되지 않고, 誤下邪陷으로 인해서 발병한 것이다. 『傷寒論』에서 熱實結胸을 치료하는 방제는 세가지가 있다. 첫째는 大陷胸湯이다. 水熱이 서로 맺히고, 증상이 心下에서 少腹까지 이르러서, 鞕滿하고 통증으로 손을 가까이 댈 수 없는 증상을 치료한다. 둘째는 大陷胸丸이다. 이 또한 水熱이 서로 맺히고, 病位가 위로 치우쳐서, 項背가 강직되고 마치 柔痙와 같은 증상을 치료한다. 셋째는 小陷胸湯이다. 痰熱이 서로 맺히고, 心下에 있어서, 누르면 통증이 느껴지는 증상을 치료한다. 세 가지 방제는 비록 모두 熱과 痰水가 서로 뒤엉킨 증상을 치료하지만, 발병원인(病因)·발병위치(病位)·병세(病勢)에 있어 차이가 있다. 따라서 각 방제의 用藥 및 用法이 서로 다르다.

【醫案】

1. 懸飮 『河南中醫』(1984, 6:30): 남자, 32세. 1983년 5월 11일 진료를 받았다. 환자는 畏寒發熱 증상이 나타난지 1주일 정도 되었으며, 최근 이틀 동안 좌측 胸脇이 悶脹하고 통증이 느껴졌으며, 呼吸急促, 氣短乏力, 夜寐盜汗, 脘痞納呆, 便干尿黃, 苔黃膩, 脈沉滑했다. X선 흉부 촬영 결과, 우측 胸腔에 中等量積液이 있는 것으로 나타났다. 현대의학에서 滲出性胸膜炎(結核性)으로 진단했다. 본 증상은 痰熱水飮하면, 脇下에 막히고, 絡道가 가로막혀서 氣機가 잘 통하지 않아서 발생한 것이다. 치법은 滌痰逐飮, 理氣清熱하게 한다. 處方: 黃連 6 g, 半夏 10 g, 瓜蔞實 20 g, 葶藶子 30 g, 杏仁 10 g, 車前子(包煎) 15 g, 大棗十枚를 넣고 달여서 약 2첩을 복용한 후 胸悶氣短 증상이 크게 줄었으나 寒熱은 떨어지지 않았다. 위의 방제(上方)에서 葶藶·大棗는 빼고, 柴胡 10 g, 黃芩 10 g을 넣어서 다시 3첩을 복용한 후에, 증상이 모두 없어졌다고 느꼈다. X선 촬영 검사에서 胸水가 사라졌으며, 이후에 抗癆 양약치료를 계속했다.

考察: 본 醫案의 懸飮의 病機는 痰熱이 서로 뒤엉키고, 胸脘을 옹저(壅阻)해서 나타난 것으로 小陷胸湯을 위주로 해서 杏仁을 넣고 宣肺調氣, 葶藶逐飮

하게 하고, 車前子를 넣고 利小便하게 치료해서, 氣化를 行하게 하고, 水飮을 제거해서, 뛰어난 효과를 보게 되었다.

2. 膽囊炎『吉林中醫藥』(1989, 6:32): 여자, 32세. 1986년 9월 28일 진료를 받았다. 기름진 음식을 과도하게 복용한 후 胃脘 및 오른쪽 옆구리 부위에 脹痛이 느껴지고, 오른쪽 어깨 부위까지 통증이 이어져서, 한 병원에서 膽囊炎으로 진단했다. 입원 치료를 하는 동안 한동안 호전되었으나, 퇴원 후 다음날 疼痛이 또 발병했다. 당시의 진단: 오른쪽 옆구리 통증이 어깨 부위까지 이어지고, 胸悶納呆, 口苦噯酸, 易怒易躁, 尿黃, 時有寒熱, 苔黃膩, 脈弦數했다. 본 증상은 中焦의 濕熱痰濁이 肝膽에 쌓이면서, 肝膽이 疏泄의 기능을 잃어서 발생한 것이다. 치법은 마땅히 清熱化痰, 疏肝利膽하게 해야 한다. 방제는 小陷胸湯에 金錢草 30 g, 炒川楝·炒玄胡索·鬱金 各 10 g을 넣고, 물을 넣고 달여서 약 3첩을 복용하고 나서 통증이 멎었다. 유일하게 식용이 떨어져서 陳皮 6 g, 焦楂曲 各 15 g을 넣고 계속해서 약 5첩을 복용한 후 남은 증상이 모두 사라졌다.

考察: 肝脈은 脇 아래에 분포해 있으며, 膽脈은 脇肋을 循行한다. 만약 濕熱痰濁가 中焦를 가로막아서, 肝膽에 蘊結하면, 肝膽의 條達疏泄의 작용을 상실하고, 통하지 않아서 통증이 생기게 된다. 따라서 清熱化痰利濕, 疏肝利膽하게 치료해야 한다. 小陷胸湯配은 炒川楝·炒玄胡索을 사용한다. 鬱金을 넣으면 理氣止痛하고, 金錢草를 넣으면 利濕하게 치료한다. 모든 약을 함께 사용하면 약효가 매우 뛰어나다.

【副方】 柴胡陷胸湯(『重訂通俗傷寒論』卷2): 柴胡 一錢(3 g) 薑半夏 三錢(9 g) 小川連 八分(2.5 g) 苦桔梗 一錢(3 g) 黃芩 錢半(4.5 g) 瓜蔞仁 杵 五錢(15 g) 小枳實 錢半(4.5 g) 生薑汁 四滴, 分冲.

- 用法: 물에 달여서 복용한다.
- 作用: 清熱化痰, 寬胸利膈, 和解少陽.
- 適應症: 少陽證에 胸膈痞滿하고 누르면 아픈 증상을 치료한다.

柴胡陷胸湯은 小柴胡湯과 小陷胸湯 두 방제를 넣고 빼서 만든 것이다. 小柴胡湯에서 人蔘·甘草·大棗 등의 扶正한 약을 빼고, 瓜蔞仁·桔梗·黃連·枳實 등의 清熱化痰·理氣寬胸한 약을 넣으면, 和解少陽, 清化熱痰, 寬胸散結한 효능을 띄게 되므로, 邪가 少陽으로 들어가서, 痰과 熱邪가 몸 안에서 서로 방해해서 나타난 寒熱往來, 胸脇痞滿疼痛, 嘔惡不食하거나 咳嗽痰稠, 口苦苔黃, 脈滑數有力한 환자를 치료하는데 가장 적합하다.

滾痰丸

(『泰定養生主論』, 『玉機微義』 卷4에 수록됨)

【異名】 沉香滾痰丸(『墨寶齋集驗方』卷上에 수재됨)·礞石滾痰丸(『痘疹金鏡錄』卷上에 수재됨).

【組成】 大黃 酒蒸 片黃芩 酒洗淨 各八兩(各 240 g) 礞石 搥碎, 同焰硝一兩, 投入小砂罐內蓋之, 鐵線縛定, 鹽泥固濟, 曬乾, 火煅紅, 候冷取出 一兩(30 g) 沉香 半兩(15 g)

【用法】 위의 약을 곱게 분말로 갈아서 물을 넣고 벽오동 열매 크기의 환으로 빚는다. 매번 40~50丸을 복용하는데, 虛實을 판단한 다음 넣고 빼서 식후나 잠자기 전에 清茶·溫水로 복용한다(현대용법: 水을 넣고 작은 丸으로 만들어서, 8~10 g을 1첩(服)으로 하여 하루 1~2회씩 따뜻한 물로 복용한다).

【效能】 瀉火逐痰.

【主治】 實熱老痰證을 치료한다. 癲狂驚悸, 怔忡昏

迷, 咳喘痰稠, 胸脘痞悶, 眩暈耳鳴, 繞項結核, 口眼蠕動, 不寐하거나 꿈속에서 이상한 모습을 보고, 뼈마디의 卒痛은 형언하기 어렵고, 噎塞煩悶, 大便秘結, 舌苔黃厚, 脈이 滑數有力하다.

【病機分析】 본 증상은 實熱老痰, 久積不去, 變幻多端학 것으로 소위 말하는 "百病多因痰作祟"이다. 또한 『泰定養生主論』에서 말한: "痰證, 變生千般怪症"이다. 만약 上蒙淸竅하면 癲狂하거나 昏迷할 수도 있고, 心神을 어지럽히면, 驚悸하고, 심할 때는 怔忡하고·꿈에서도 괴상한 형상을 보게 되고, 痰熱이 肺에 몰리면 咳喘痰稠하고 심할 때는 噎塞煩悶하게 된다. 痰阻氣機하면 胸脘痞悶하고, 痰火上蒙해서, 淸陽이 올라가지 못하면 眩暈하고, 淸竅를 막아서 耳鳴이 빈번하게 들리게 된다. 痰熱이 經絡·關節에 머물러 있으면, 口眼蠕動하고, 목둘레(繞項)에 結核이 생기거나 骨節에 卒痛이 발생한다. 痰火가 몸안에 쌓이고, 腑氣가 통하지 않으면 大便이 秘結한다. 舌苔黃厚, 脈滑數有力한 것은 모두 實熱老痰한 증상이다.

【配伍分析】 본 방제는 實熱老痰을 치료하는 峻劑이다. 礞石은 性味가 甘鹹平한데, 火硝로 법제하여, 攻逐下行의 효력이 특히 뛰어나기 때문에, 방제에서 燥悍重墜한 성질을 취해서 下氣消痰하게 하고, 오랫동안 쌓어서 숨겨져 있는 頑痰을 攻逐하고, 동시에 본 약재는 平肝鎭驚할 수 있어서, 驚癎을 치료하는데 뛰어나고, 방제에서 君藥으로 삼는다. 이는 바로 『本草綱目』「金石部」卷10에서 말한: "治積痰驚癎, 咳嗽喘急."에 뛰어나다는 것과 같다. 大黃은 性味가 苦寒하기 때문에 蕩滌實熱하고, 痰火가 내려가는 길을 열어준다. 『神農本草經』卷3에서 이르길: 大黃은 "留飮宿食, 蕩滌腸胃, 推陳致新, 通利水穀."한 것 이외에도 礞石과 함께 配伍하면, 攻下하고 重墜한 성질을 함께 사용할 수 있고, 특히 攻堅滌痰瀉熱한 효력이 뛰어나기 때문에 방제에서 臣藥으로 삼는다. 黃芩은 性味가 苦寒하기 때문에 肺火 및 上焦의 實熱을 제거하는데 뛰어나다. 大黃을 도와서 痰熱을 치료하며, 두 약의 용량이 가장 重하고 또한 酒制하기 때문에 上行에 특히 뛰어나고, 淸熱瀉火한 효능이 있어서 이를 사용해 熱痰을 치료한다. 『成方便讀』卷3에서 이르길: "黃芩之苦寒, 以淸上熱之火; 大黃之苦寒, 以開下行之路."라고 하였다. 이는 근원을 제거한다(澄本淸源)는 뜻을 담고 있다. 沉香은 반兩만 사용하며, 性味가 辛而苦溫하기 때문에, 行氣開鬱, 降逆平喘해서 氣順痰消하게 할 수 있을 뿐만 아니라, 또한 따뜻한 성질로 大黃·黃芩의 차가운 성질을 억제할 수 있어서, 과도하게 苦寒傷中하는 것을 예방하며, 방제에서 佐藥으로 삼는다. 네가지 약을 함께 배합하면 瀉火逐痰의 작용을 하며, 약재의 조성은 간단하지만 효능은 뛰어나다. 즉 吳謙이 말한: "二黃得礞石·沉香, 則能迅掃直攻老痰巢穴, 濁膩之垢而不少留, 滾痰之所由名也"(『醫宗金鑑』「删補名醫方論」卷5에 수재됨)이다.

본 방제의 配伍 특징은, 淸瀉가 서로 조화를 이루고, 升降이 적당하며, 降을 위주로 해서 치료한다. 본 방제의 치료 病證인 痰火證은 黃芩·大黃으로 淸熱降火하게 치료하고, 大黃은 비록 주로 降瀉를 담당하지만, 이 두 약을 함께 酒制하면, 上焦의 痰熱을 제거할 수 있을 뿐만 아니라, 또한 痰火를 下行하게 할 수 있다. 하지만 頑痰痼疾은, 降瀉한 효력이 부족하기 때문에 重墜한 성질의 礞石과 沉降한 성질의 沉香을 사용해서, 上攻한 痰을 氣를 따라 내려가게 하면, 氣機를 통하게 하고, 升降의 기능을 원활하게 수행하게 할 수 있다.

【臨床應用】

1. 證治要點: 본 방제는 實熱老痰證을 전문적으로 치료한다. 癲狂驚悸 등의 증상에 大便乾燥, 苔黃厚膩, 脈滑數有力을 동반하는 증상을 치료의 요점으로 삼는다.

2. 본 방제는 현대 의학에서 대부분 精神分裂症·神經官能症·癲癎·慢性支氣管炎·肺感染·慢性結腸炎·病毒性腦炎 등과 같異 實熱老痰한 증상에 해당하는 환자

를 치료하는 데 사용한다.

3. 滾痰丸은 다음 한국표준질병사인분류(KCD)에 해당하는 환자가 實熱老痰證으로 辨證되는 경우 본 처방의 사용을 고려해볼 수 있다.

처방 목표	한국표준질병사인분류(KCD)
精神分裂症	F20 조현병
神經官能症	F00~F99 V. 정신 및 행동 장애
癲癇	G40 뇌전증
慢性支氣管炎	J41 단순성 및 점액화농성 만성 기관지염
	J42 상세불명의 만성 기관지염
肺感染	J09~J18 인플루엔자 및 폐렴
	J20~J22 기타 급성 하기도감염
慢性結腸炎	K52 기타 비감염성 위장염 및 결장염
	A09 감염성 및 상세불명 기원의 기타 위장염 및 결장염
病毒性腦炎	A80~A89 중추신경계통의 바이러스감염

【注意事項】 본 방제의 약효가 매우 峻猛하기 때문에, 中氣不足, 脾腎陽虛, 脾胃虛弱水瀉하거나 임산부의 경우 본 방제의 사용을 금한다. 形氣壯實, 痰火膠固한 환자의 경우에는 본 방제를 사용할 수 있으나, 증상이 없어지면 바로 복용을 멈추고, 오랫동안 과도한 양을 복용하지 않는다. 이는 바로 虞摶이 말한: "夫滾痰丸, 止可投之于形氣壯實, 痰積膠固爲病者; 若氣體虛弱之人, 決不可輕用也"(『醫學正傳』卷2에 수재됨)와 같다.

【變遷史】 본 방제는 元·王珪가 처음 만든 것으로, 王氏의 저서인 『泰定養生主論』에 처음으로 기록되었다. "痰證, 變生千般怪症."을 치료하며 『玉機微義』卷4에서 처음으로 인용하였고, 이후에 『丹溪心法附餘』·『景岳全書』·『攝生秘剖』·『醫宗金鑑』 등에서 모두 본 방제를 수재하여 그 치료효과가 탁월하다는 것을 알 수 있다. 『證治準繩』「類方」卷2에서 본 방제를 인용하였으며, 百藥煎을 복용하게 하고, "此丸得此藥, 乃能收斂周身頑涎, 聚于一處, 然後利下, 甚有奇功."라고 말했다. 그 用法과 적응증 또한 크게 확대되었다. 방제에서 가장 특색 있는 配伍는, 剽悍重墜한 성질의 青礞石과 攻下蕩滌한 성질의 大黃을 넣고 頑痰痼疾을 치료하는 것이다. 본 방제의 근원을 거슬러 올라가 보면, 礞石으로 頑痰을 치료하는 방제는 이미 존재한다. 예를 들면 『中藏經』「附方」의 礞石丸·『醫學正傳』卷2의 青礞石丸 모두가 礞石을 위주로 해서 痰疾을 치료한다. 이밖에도 『直指小兒方』卷2의 礞石丸는 青礞石 한 가지 약을 사용해서 焰硝炮製해서, 利痰의 작용을 하게 된다. 또 예를 들면 『醫學鋼目』卷26의 礞石丸은 痰證을 치료하며, 아울러 半夏·南星·茯苓·風化硝 등을 약재를 추가해서 化痰의 작용 증대를 돕는다. 治痰에 瀉下를 치료하는 약재를 配伍하고, "瀉"로 痰을 제거하는 것 역시 본 방제의 配伍 특징이다. 이는 멀게는 仲景이 甘遂半夏湯에서 甘遂를 사용하여 留飮을 치료하고 茯苓丸에서 芒硝를 사용하여 痰停中脘를 치료하는 것까지 거슬러 올라가 볼 수 있다. 다만 이 증상은 痰熱에 해당하기 때문에 性味가 苦寒瀉熱한 大黃을 사용하고, 甘遂를 사용하지 않는다. 또한 이 증상은 茯苓丸을 위주로 해서 芒硝를 大黃으로 바꾼다. 清·陶承熹 등의 저서인 『惠直堂經驗方』에 수재된 礞石化痰丸은 본 방제를 기초로 하고, 별도로 半夏·陳皮를 넣고, 祛痰行氣한 효력을 도와서 모든 痰症과 熱이 심한 환자를 치료한다. 이는 본 방제의 配伍遣藥에 대한 진일보 발전이다. 나머지 『治疹全書』卷下의 礞石利痰丸·『幼科金針』卷上의 礞石滾痰丸 등은 巴豆霜을 配伍해서 攻利한 효력을 증가시키고, 또한 行氣祛痰한 약을 넣는다. 그러나 이는 본 방제의 配伍방법과 다르지만 똑같은 효과를 낸다.

【難題解說】

1. 본 방제의 方源에 대해서: 『方劑學』 統編教材 제6판(規劃教材)에서 본 방제의 方源은 "王隱君方, 錄自 『丹溪心法附餘』"라고 여겼다. 『中醫方劑大辭典』에서는 "『玉機微義』에서 인용한 『養生主論』"方이라고 했다. 『養生主論』은 『泰定養生主論』이며, 元代의 王珪가

저술한 것으로 총 16권이고, 책속에 痰證에 대한 논술이 매우 상세하다. 비록 구체적인 간행 년도는 알려지지 않았지만, 史料의 기록은 위에서 언급한 各 저서보다 모두 앞선다. 『玉機微義』는 1396년에 책으로 완성되었고·『丹溪心法附餘』는 1536년에 책으로 완성되었다. 따라서 본 방제의 方源은 마땅히 『泰定養生主論』으로 보아야 하며, 『玉機微義』에서 발췌한 것이 맞다.

2. 방제의 礞石에 대해서: 방제에서 사용하는 礞石은 靑礞石이다. 『本草鋼目』「金石部」卷10에서 이르길: "礞石, 有靑白兩種, 以靑者爲佳. 堅細而靑黑, 打開, 中間有白星點, 煅後則星黃如麸金, 其無星點者不可入藥."라고 하였다. 현대 의학 연구에서 靑礞石은 변질암흑운모편암(變質岩黑雲母片岩)이거나 연니석화운모탄산염편암(綠泥石石化云母碳酸鹽片岩)으로, 녹검색(綠黑色)이나 녹회색(綠灰色)을 띠며 유리와 같은 광택이 있고 별점 같은 섬광(閃光)을 낸다는 것을 증명했다. 주요 성분은 鎂·鋁·鐵·硅酸 등이며, 현저한 低鐵을 함유하고 있기 때문에 주로 청록색을 띈다. 맛이 鹹하고 沉降한 성질을 띄기 때문에 특히 下氣重墜, 消痰鎮驚에 뛰어나다. 또한 礞石는 같은 양의 硝石과 함께 煅해야 한다. 『本草鋼目』「金石部」 卷10에서 이르길: "礞石, 制以硝石, 其性疏快, 使木平氣下, 而痰積通利, 諸症自除." 라고 하였고, 또한 『醫林纂要探源』卷3에서 이르길: "以此石硝石各 半, 打碎拌勻, 入罐内煅至硝盡而色如金爲度, 蓋所以去其毒也."라고 하였다. 따라서, 예로부터 지금까지 礞石을 사용할 때 모두 煅用해서 사용해야 하며, 이를 통해 "生石"한 성질을 제거할 뿐만 아니라, 또한 祛痰한 효력을 증가시킬 수 있다. 이는 마치 『本草問答』에서 말한: "礞石必用火硝煅過, 性始能發, 乃能墜痰, 不煅則石質不化, 藥性不發, 又靑不散, 故必煅用."과 같다. 『醫學入門』卷2에서 또한 이르길: "礞石得焰消能利濕熱痰積從大腸而出."라고 하였다.

3. 본 방제의 복용 방법에 대하여: 原方에도 취침 전, 식후 복용"이라는 말이 있다. 『景岳全書』「古方八陣」卷52滾痰丸의 뒷부분에서 이르길: "凡服滾痰丸之法, 必須臨卧就床, 用熱水一口許, 只送過咽即便仰卧, 令藥徐徐而下. 服後須多半日勿飮食起坐, 必使藥氣除逐上焦痰滞惡物過膈入腹, 然後動作, 方能中病. 或病甚者, 須連進二三次."라고 하였다. 대부분 식후 약을 복용하는 것은 "病在胸膈以上者, 先食後服藥"하다는 이치에 해당한다. 잠자기 전에 복용하는 것은 약효를 천천히 발산하게 하는 것으로, 峻藥緩用의 뜻을 담고 있어서 下多傷正을 예방한다. 이밖에도, 또한 病情의 輕重緩急에 따라 각기 다른 약물 투여 방법을 사용한다. 증세가 위급한 重病에는 速給法을 사용해서, 用量을 조금 늘리고(매회 8~10 g씩, 하루 2~3번 복용한다), 병이 나으면 복용을 멈춘다. 慢性病에는 緩給法을 사용하고 저용량부터 시작(매회 2~3 g, 하루 3번 복용한다)하고, 暢瀉 조절이 돼서 설사를 하지 않으면, 다음날 용량을 늘리고, 瀉가 멎은 후에도 여전히 저용량을 복용한다.

【醫案】

1. 癲症 『南雅堂醫案』: 정신이 멍하고, 갑자기 울다 웃다가를 반복하고, 말에 두서가 없으며 脈沉兼滑한 것은 頑痰實火가 膠結해서 나타나는 것으로, 본 증상은 虛寒은 아니지만, 峻劑를 사용해서 치료해야 한다는 것은 의심할 여지가 없다. 본 증상은 滚痰法을 위주로 해서 치료한다: 靑礞石三兩, 焰硝一兩, 大黃八兩(酒蒸), 淡黃芩八兩(酒洗), 沉香一兩(研)을 넣는다. 우선 앞의 두 가지 약을 함께 瓦罐에 넣고, 소금과 진흙을 섞어서 단단히 봉한 후 불속에 넣고 石이 황금색이 날 때 까지 煅한 다음에, 淸水로 飛净하고, 나머지 세 가지 약과 물을 넣고 丸으로 빚어서 매번 二錢을 복용하는데, 薑湯으로 복용했다.

考察: 본 病例는 癲證으로 頑痰實火가 膠結해서 발병한 것이다. 따라서 峻劑인 滚痰丸으로 치료한다.

2. 善驚 『陝西中醫』(2002, 8: 57): 여자, 34세, 회계사. 3년 동안, 가슴이 두근거린다고 느끼고, 쉽게 놀라

고 안절부절해서 예전에 오랫동안 한약인 養血安神한 약을 복용했으나 효과가 없었다. 진찰 당시 病勢가 심해지고, 겁을 먹고 불안해하며, 조바심을 내고, 화를 잘 내고, 날이 어두워지면 밖에 나갈 엄두를 내지 못하고, 혼자 집에 있으면 어떤 사람이 방에 들어와 방해를 한다고 환각을 느꼈다. 환자의 얼굴과 귀는 붉고, 舌質紅·苔黃厚膩, 脈象滑數有力했다. 본 증상은 痰火가 鬱結해서 心神을 혼란스럽게 한 것이기 때문에 滾痰丸을 사용해서 매번 6 g씩 식후·취침전 薑湯으로 복용한다. 하루 3회 15일 동안 약을 복용한 후 恐懼善驚, 急躁易怒, 面紅目赤 증상이 어느 정도 호전되어서 다시 계속해서 45일 동안 약을 복용한 후 모든 증상이 치유되었다.

考察: 본 病例는 업무가 과중되고, 자주 情緖急躁暴怒해서, 肝이 疏泄의 기능을 잃게 되고, 氣鬱化火해서 灼津해서 痰이 생기고, 痰火가 心神을 擾及한 것으로, 이는 또한 『丹溪心法』卷4에서 말한 "痰因火動"이라고도 한다. 痰火實證의 증상은 방제에서 滾痰丸을 사용해서 뚜렷한 효과를 거둘 수 있었다.

3. 嘔吐 『河北中醫』(1986, 6: 30): 남자, 14세. 頭昏嘔吐가 반복적으로 발병한지 1년 정도 되었고, 어제 또 발병했다. 환자는 예전에 病毒性腦炎을 앓아서 치료 후 치유한 적이 있으나, 현재 한 달에 한 번 정도씩 아침에 일어나면 심한 어지럼증이 꼭 나타나고, 구토를 하고 나서 침대에 오랫동안 누워 있으면 편안해지고, 舌紅苔薄白潤한 증상이 함께 나타났다. 礞石滾痰丸을 매일 3 g씩 하루 3회 1개월 정도 복용할 후 모든 증상이 사라졌고, 9개월 동안의 방문 조사에서 재발하지 않았다.

考察: 본 病例는 病毒性腦炎 때문에 발병한 것으로, 치료는 했지만 痰毒이 아직 다 제거되지 않고 肝膽에 남아 있어서 肝膽陽升할 때 頭昏·嘔吐가 나타나게 된 것이다. 礞石滾痰丸을 사용해서 下氣滌痰, 瀉火淸熱하게 치료하면 좋은 효과를 볼 수 있다.

【副方】 竹瀝達痰丸(『攝生衆妙方』卷6): 半夏二兩(60 g) 湯泡洗七次, 再用生薑汁浸透, 曬乾切片, 瓦上微火炒熟用之 人蔘 一兩(30 g) 去蘆 白茯苓 二兩(60 g) 去皮 陳皮 二兩(60 g) 去白 甘草 炙 一兩(30 g) 白朮 三兩(90 g) 微火炒過 大黃 三兩(90 g) 酒浸透熱, 曬乾後用 黃芩 三兩(90 g) 酒炒 沉香 五錢(15 g) 用最高者 礞石 一兩(30 g) 同焰硝一兩(30 g), 共火煅金色

- 用法: 위의 약을 모두 곱게 분말로 갈고, 竹瀝을 한 대접 반과 生薑自然汁二盞을 넣고 잘 섞은 다음 솥 안에 넣고 15분 정도 달여서 뜨겁게 달구고, 위의 약(前藥) 분말을 섞어서 묽은 장처럼 만들고 사기그릇에 담아서 건조한다. 다시 竹瀝·薑汁을 위의 방법과 동일하게 갈고 섞어서 다시 건조하고, 이와 같은 방법을 3번 반복해서 竹瀝으로 팥알 크기의 丸으로 빚는다. 백알을 一服으로 하여 식후 한참 뒤에 白米湯으로 복용한다.
- 作用: 降火逐痰, 益氣扶正.
- 適應症: 老痰이 膠固하고 오랫동안 쌓여서 제거되지 않아서 正氣가 부족한 환자를 치료한다.

본 방제는 滾痰丸에 四君子湯을 배합하고 化裁해서 만든 것이다. 滾痰丸의 瀉火逐痰한 효능을 취하고, 또한 竹瀝은 淸熱化痰하고, 半夏·薑汁은 燥濕化痰·和胃止嘔한 성질이 있기 때문에, 함께 사용하면 滾痰丸의 祛痰한 효력을 돕는다. 四君子湯은 "溫和脾胃, 進益飮食"하고, 補氣扶正하기 때문에, 攻中有補, 瀉不傷正하게 한다.

滾痰丸은 순전히 老痰을 重墜攻逐하는 약재가 되며, 또한 본 방제에서 半夏·竹瀝·薑汁을 넣고 祛痰의 효능을 강화하고, 四君子湯으로 調理中州, 益氣扶正해서 祛痰하되 傷正하지 않게 한다. 따라서 老痰이 아교처럼 딱딱하게 굳고, 오랫동안 쌓여서 제거되지 않고, 正氣가 이미 虛해지고, 滾痰丸의 峻攻을 견지지 못하는 환자에게 본 방제를 사용하는 것이 적절하다. 攻補兼施의 名方이라고 할 만하다.

消瘰丸

(『醫學心悟』卷4)

【異名】 消癧丸(『瘍醫大全』卷18).

【組成】 玄參 蒸 牡蠣 煅, 醋硏 貝母 去心, 蒸 各四兩(各 120 g)

【用法】 위의 약을 고운 분말로 갈고, 煉蜜해서 丸으로 빚는다. 매번 三錢(9 g)을 복용하는데, 하루 2번 따뜻한 물로 복용한다. 본 방제는 湯劑로 바꿀 경우에는 "消癧湯"이라고 부른다(『外科眞詮』卷上에 수재됨).

【效能】 淸熱化痰, 軟堅散結.

【主治】 瘰癧, 痰核, 癭瘤를 치료한다. 咽乾, 舌紅, 脈弦滑略數하다.

【病機分析】『醫學心悟』卷4에서 이르길: "瘰癧, 頸上痰核瘰癧串也. 此爲肝火鬱結而成."이라고 하였다. 또한 이르길: "瘰癧者, 肝瘤也. 肝主筋, 肝經血燥有火, 則筋急而生瘰. 瘰多生于耳前後者, 肝之部位也."라고 하였다. 본 질병은 대부분 肝腎陰虧하고, 水不涵木되면 肝火가 鬱結하고 灼津해서 痰이 되고, 痰火가 凝聚해서 발병한 것이다. 『醫宗金鑑』「外科心法要訣」卷64에서 말하길: "瘰癧形名各異, 受病雖不外痰·濕·風·熱, 氣毒結聚而成, 然未有不兼恚怒·忿鬱·幽滯·謀慮不遂而成者也."라고 하며 본 방제의 형성은 情志失常과 관계가 있다고 지적했다. 陰液虧乏하면 咽乾舌紅하고 脈弦滑略數해서, 脈弦하면 주로 肝經에 병이 생기고, 脈滑하면 주로 痰證이 생기고, 脈略數하면 주로 熱證이 생긴다.

【配伍分析】 본 증상은 痰熱鬱結한 것으로 치료는 마땅히 淸熱化痰, 軟堅散結하게 해야 한다. 방제에서 苦微寒한 性味의 貝母를 君藥으로 삼아서, 淸熱化痰, 消瘰散結하게 치료한다. 牡蠣는 性味가 鹹平微寒하고 軟堅散結한 효능이 있어서 君藥을 도와서 痰熱鬱結한 瘰癧을 깨끗하게 없앤다. 『本草備要』卷4에서 이에 대해 이르길 "鹹以軟堅化痰, 消瘰癧結核"라고 하였다. 玄參은 苦咸而寒한 性味를 띠고, 軟堅散結, 滋潤淸熱하여 치료한다. 『名醫別錄』에서 이에 대해 "散頸下核"라고 말했다. 旣能助 貝母·牡蠣를 도와서 軟堅散結하게 치료해서 痰核瘰癧을 제거할 뿐만 아니라; 또한 滋陰降火, 滋水涵木한 효능을 갖고 있어서 牡蠣와 配伍하면 抑肝氣하게 되므로 모두 臣藥이 된다. 세가지 약을 함께 사용해서 淸熱化痰·軟堅散結을 위주로 하고, 滋陰降火·平抑肝氣로 보조한다. 藥精力專, 標本兼顧하고, 熱을 제거해서 痰消하고 結散하게 하면 瘰癧·痰核이 저절로 없어진다.

【臨床應用】

1. 證治要點: 본 방제는 痰熱鬱結로 인한 瘰癧·痰核 등의 증상을 치료한다. 임상에서 頸項에 結塊나 구슬을 꿰어놓은 것 같은 멍울이 생기고, 咽乾·舌紅·脈弦滑略數를 동반하는 증상을 치료의 요점으로 삼는다.

2. 加減法: 만약 腫塊 크기가 크고 딱딱한 경우에는 牡蠣를 重用하고 海藻·昆布·夏枯草 등을 추가해서 軟堅散結하게 해야 한다. 痰火가 심한 경우에는 玄參을 重用하고 生地·麥門冬 등을 추가해서 滋養陰液하게 한다. 肝火가 왕성한 경우에는 牡牡丹皮·龍膽草·夏枯草 등을 추가해서 淸泄肝火하게 한다. 肝鬱氣滯를 동반하는 경우에는 柴胡·香附·鬱金·靑皮 등을 넣고 疏肝理氣解鬱하게 한다.

3. 消瘰丸은 다음 한국표준질병사인분류(KCD)에 해당하는 환자가 痰熱鬱結證으로 辨證되는 경우 본 처방의 사용을 고려해볼 수 있다.

처방 목표	한국표준질병사인분류(KCD)
單純性甲狀腺腫	E04 기타 비독성 고이터
甲狀腺功能亢進	E05 갑상선독증[갑상선기능항진증]
淋巴結結核	A18.2 결핵성 말초림프절병증
	A18.32 장간막림프절의 결핵(K93.0)
	A15.4 세균학적 및 조직학적으로 확인된 흉곽내림프절의 결핵
單純性淋巴結炎	A18.2 결핵성 말초림프절병증
	A18.32 장간막림프절의 결핵(K93.0)
	A15.4 세균학적 및 조직학적으로 확인된 흉곽내림프절의 결핵

【注意事項】

1. 丸劑를 만들 때 방제의 牡蠣는 반드시 煅用해야 하며, 그렇지 않으면, 쉽게 부서지지 않는다. 湯劑를 만들 때 生牡蠣를 사용하면 효과가 더욱 커진다. 본 방제의 貝母는 浙貝母를 사용하는 것이 가장 좋다.

2. 瘰癧가 오래돼서 화농이 생긴 경우에도 본 방제를 복용할 수 있다.

3. 화내는 것을 경계해야 하고, 지지거나 볶은 음식, 성나게 하거나 기를 막히게 하는 음식 등을 끊으면 膿水淋漓하거나 점점 虛損하게 되는 것을 막을 수 있다.

【注意事項】

1. 丸劑를 만들 때 방제의 牡蠣는 반드시 煅用해야 하며, 그렇지 않으면, 쉽게 부서지지 않는다. 湯劑를 만들 때 生牡蠣를 사용하면 효과가 더욱 커진다. 본 방제의 貝母는 浙貝母를 사용하는 것이 가장 좋다.

2. 瘰癧가 오래돼서 화농이 생긴 경우에도 본 방제를 복용할 수 있다.

【變遷史】 程氏의 消瘰丸은 痰熱結聚로 인한 瘰癧을 치료하기 위해 만든 것이다. 瘰癧의 초기 "化痰淸熱可漸安"에 대해 消散의 작용을 한다. 病久潰爛한 경우에도 본 방제를 응용할 수 있다. 이후에 鄒岳의 『外科眞詮』에서는 본 방제를 湯劑로 바꾸고 "消癧湯"라고 불렀다. 『醫學衷中參西錄』上册에 수재된 消瘰丸은 본 방제를 기초로 해서 牡蠣를 重用하고 또한 海帶를 넣고 消痰軟堅하게 하고, 또한 三棱·莪术·血竭·乳香·没藥 등의 活血한 약을 넣고 消瘰한 효력을 강화하고, 黃芪를 넣고 補氣扶正하게 하고, 龍膽草를 넣고 淸瀉肝火의 효력을 증가시켰다. 본 방제와 비교했을 때 淸熱散結의 작용이 더욱 강하고, 活血化瘀한 효능은 독보적이다. 痰火結聚, 氣血壅滞, 痰瘀互結한 증상을 치료에 적합하며, 후세에 본 증상을 치료할 때 遣方用藥에 있어서 活血化瘀法을 함께 고려하는 본보기가 되었다.

【難題解說】 방제의 君藥에 대해서: 본 방제는 熱痰鬱結로 인한 瘰癧·痰核諸證을 치료한다. 『中醫方劑臨床手册』·『中醫方劑學通釋』·協編『方劑學』教材 등에서 비록 君臣佐使를 자세하게 구분하지 않았지만 모두 玄參의 작용을 가장 앞부분에 해석해 놓았다. 그러나 방제에서 세가지 약의 用量은 동일한데, 오로지 貝母의 淸熱化痰한 효능이 독보적이고, 玄參·牡蠣의 사용 목적은 貝母를 도와서 散結해서 痰熱을 없애고, 平涵肝木을 겸하는 것이다. 따라서 본 방제에서 淸熱化痰散結한 貝母를 君藥으로 삼는 것이 비교적 타당해 보인다.

【副方】 海藻玉壺湯(『外科正宗』卷2): 海藻 貝母 陳皮 昆布 靑皮 川芎 當歸 半夏 連翹 甘草節 獨活 各 一錢(各 3 g) 海帶 五分(1.5 g)

- 用法: 위의 약에 물 2盅을 넣고, 10분 중의 8분으로 달여서, 증상에 맞게 양을 조절해서 식사 전후에 복용한다.
- 作用: 化痰軟堅, 消散癭瘤.
- 適應症: 癭瘤 초기에 腫하거나 硬하고, 赤하거나 不赤하지만, 터지지 않는 증상을 치료한다.

본 방제의 方源과 관련하여 최근 출판된 교재·사전 등의 서적에서 모두 그 출처가 『醫宗金鑑』라고 기록하고 있다. 考『外科正宗』卷2의 海藻玉壶湯은 명(明)·만력 정사년(萬歷 丁巳年)(1617년)에 간행되었고, 『醫宗金鑑』은 청(淸)·건륭 임술년(乾隆 壬戌年)(1742년)에 간행되었으며 전자(前者)와 비교해 125년이 늦다. 또한 『外科正宗』이전의 의학 서적에는 본 방제의 기록이 없기 때문에 海藻玉壶湯의 方源은 『外科正宗』으로 보아야 한다.

본 방제는 肝이 條達의 기능을 상실하고, 氣阻痰凝에 의한 癭瘤를 치료하기 위해 만들어 졌다. 따라서 방제에서 海藻·昆布·海帶를 사용해서 化痰軟堅하고 散結消癭하게 하며 君藥으로 삼는다. 半夏·貝母는 君藥을 도와서 化其痰滯하게 한다. 連翹는 消腫散結하며, 痰鬱所化한 熱을 淸散하는 성질을 겸하며, 모두 臣藥이 된다. 陳皮·靑皮는 行氣解鬱한 성질이 있어서, 氣順痰消하고 또한 陳皮의 燥濕化痰한 성질은 散結을 돕기 때문에 또한 臣藥이 된다. 當歸·川芎은 調和氣血한 성질을 갖고, 獨活은 祛風勝濕한 성질을 갖고 있어서 通絡작용을 해서 風氣가 통하게 되면 濕濁이 가라앉게 되며, 佐藥이 된다. 佐使藥인 甘草는 海澡와 서로 반대된 성질을 갖지만 또한 조화를 이루어서 약효를 북돋울 뿐만 아니라 또한 다른 약을 調和되게 할 수 있다. 모든 약을 함께 배합하면 化痰散結, 行氣和血하고 消散癭瘤한 효능을 갖게 된다. 본 약을 복용할 때 우선 기름진 음식(厚味)·육류(大葷)의 섭취를 금하며, 욕심을 버리고 마음을 비워야 한다.

본 방제와 消瘰丸은 모두 癭瘤를 치료하는 방제이며, 또한 軟堅散結한 약을 사용한다. 본 방제는 氣滯痰凝을 위주로 해서 치료하며, 消瘰丸은 주로 痰火結聚한 증상을 치료한다. 모두 痰을 원인으로 하지만, 消瘰丸은 火와 痰이 호결하여 발생하는 것이고, 본 방제는 氣와 痰이 응집해서 발생하는데 있어 차이가 있다. 비록 化痰散結을 공통의 治法으로 하지만 海藻玉壶湯은 消散軟堅한 효력이 消瘰丸에 미치지 못하며, 더욱 行氣活血의 작용을 한다. 하지만 消瘰丸처럼 滋陰瀉火한 효능을 갖는 것은 아니다.

본 방제의 海藻와 甘草에 대하여 甘草는 海藻와 성질이 반대되며, 두 약의 配伍는 "十八反"에 기록되어 있으며, 『儒門事親』卷14에서 이르길: "藻戟芫遂俱戰草"라고 하였다. 『神農本草經』에서 일찍이: "勿用相惡·相反者."라고 명시한 바 있다. 그러나 방제의 창시자인 仲景의 방제조합에서도 역시 相惡相反한 약을 하나의 방제에 모아놓은 경우가 있다. 예를 들면 甘遂半夏湯에서 甘草와 甘遂을 함께 사용해서 留飮을 치료한다. 『金匱要略心典』卷中에서 해석하길: "甘草与甘遂相反, 而同用之者, 欲一戰而留飮盡去, 因相激而相成也."라고 하였다. 본 방제에서 甘草와 海藻을 함께 사용하는 것 또한 相激하면서 相成한 이치를 따르는 것이며, 이를 통해 軟堅散結의 작용을 증대시킨다. 대량의 임상자료는 본 방제가 임상에서 약을 복용한 후 부작용이 발생한 환자가 없으며, 또한 치료 효과에 모두 만족했다는 것을 나타낸다. 물론 古訓의 "相反"하다는 것은 임상에서 신중하게 다루어야 하며 함부로 해서는 안된다. 甘草와 海藻의 성질이 상반된다는 주장에 대해서는 아직 그 配伍機制에 대해서 깊이 연구해야 한다.

임상 보고에 따르면, 본 방제의 化裁는 體表良性腫瘤·乳腺增生·脂膜炎·卵巢囊腫·多發性疖病·甲狀腺功能亢進 등의 肝失疏泄, 氣滯痰阻에 해당하는 증상을 치료했을 때 큰 효과를 볼 수 있다.

第三節 潤燥化痰劑

貝母瓜蔞散

(『醫學心悟』卷3)

【組成】 貝母 一錢五分(5 g) 瓜蔞 一錢(3 g) 花粉 茯苓 橘紅 桔梗 各八分(各 2.5 g)

【用法】 물을 넣고 달여서 복용한다.

【效能】 潤肺淸熱, 理氣化痰.

【主治】 燥痰咳嗽를 치료한다. 咯痰不爽, 澀而難出, 咽乾口燥, 苔白而乾하다.

【病機分析】 『醫學心悟』卷3에서 이르길: "濕痰多生于脾, 燥痰多生于肺."라고 하였다. 肺는 嬌臟으로 寒熱에 매우 취약하며, 淸肅한 것을 좋아 하지만 燥한 것은 싫어한다. 燥痰證은 『成方便讀』에서 말한: "燥痰者, 由于火灼肺金, 津液被灼爲痰, 其咳則痰少而難出."와 같다. 따라서 肺가 火刑을 당해서 水津不布하고 오히려 火이 灼爍해서 痰이 되면 燥痰證이 발병하게 된다. 燥痰이 肺에 머물면, 肺가 肅降의 기능을 잃게 되어서 咳嗽痰黏한 증상이 발생한다. 津傷液少하면 氣道가 乾澀해서 痰을 뱉는데 개운치 않고 막혀서 잘 나오지 않게 된다. 肺燥陰傷하고 燥勝則乾하면 咽乾口燥한 증상이 발생한다. 陰津이 부족하고 痰濁이 在裏하면 苔白而乾한 증상이 발생한다.

【配伍分析】 본 방제는 燥痰을 치료한다. 程國彭이 이르길: "濕痰治在脾, 燥痰治在肺"(『醫學心悟』卷3에 수재됨)라고 했다. 肺燥有痰한 증상에 대한 방제조합의 용약에 대해 상세히 퇴고를 가하였다. 『素問』「至眞要大論」의 뜻에 따르면 "燥者潤之"하다. 하지만 滋潤한 성질의 약은 대부분 濕을 도와서 祛痰에 방해가 된다. 化痰한 성질의 약은 대부분 辛燥苦溫한 性味를 띄는 약에 해당하기 때문에 耗陰傷津할 우려가 크다. 따라서 潤其燥, 淸其熱, 化其痰하게 치료해야 한다. 방제에서 貝母은 君藥이 되며 淸熱潤肺, 化痰止咳의 작용을 한다. 『本草汇言』에서 이르길: "貝母開鬱, 下氣化痰之藥也, 潤肺消痰, 止咳定喘, 則虛勞火結之證, 貝母專司首劑."라고 했다. 臣藥이 되는 瓜蔞는 潤肺淸熱하고 理氣化痰해서 胸膈의 壅痺를 통하게 하며, 『本草正』에서 이르길: "瓜蔞仁性降而潤, 能降實熱痰涎, 開鬱結氣閉, 解消渴, 定脹喘, 潤肺止咳."라고 하였다. 天花粉을 넣고 潤燥生津, 淸熱化痰하게 한다 『醫學衷中参西錄』에서 이르길: "天花粉爲其能生津止渴, 故能潤肺, 化肺中燥痰, 寧肺止嗽."라고 하였다. 橘紅은 理氣化痰한 성질을 갖고 있기 때문에 氣順痰消하게 한다. 茯苓은 健脾滲濕하기 때문에 痰이 생기는 원천을 막는다. 桔梗은 宣利肺氣하기 때문에 淸肅之令을 行하므로, 모두 佐藥이 된다. 모든 약을 함께 配伍하면, 淸潤하면서 化痰한 효능을 갖게 되어서 理氣祛痰해서 化燥의 우려가 없고, 淸中有化해서 潤하되 膩하지 않게 된다. 이처럼 肺가 淸潤해서 燥痰이 자연적으로 가라앉고 宣降의 기능이 원활해 지면 咳逆가 저절로 멎게 된다.

『醫學心悟』卷3에 있는 또 다른 貝母瓜蔞散은 본 방제와 비교했을 때 天花粉·茯苓·桔梗은 빼고 膽南星·黃芩·黃連·黑山梔·甘草를 넣어서 肺火壅遏에 의한 "火中"를 치료한다. 방제에서 黃芩·黃連·山梔는 성질이 苦寒淸熱瀉火하고, 膽南星은 淸熱化痰息風하다. 따라서 痰火壅肺한 종류의 中風證을 치료할 수 있으며, 비록 갑자기 쓰러지고 목구멍에서 痰鳴이 울리더라도 歪斜偏廢한 증후는 없다.

【類似方比較】 본 방제와 桑杏湯·淸燥救肺湯은 모두 潤肺止咳한 효능이 있어서 燥證을 치료할 수 있다. 貝母瓜蔞散은 燥痰에 의한 咳嗽를 치료하며, 病位가 肺에 있으나 痰咳를 위주로 해서 치료한다. 따라서 淸

潤祛痰을 위주로 하고 潤燥과 化痰 이 둘을 兼顧하면, 痰濁을 가라앉게 해서 燥咳를 멎게 한다. 반면 뒤의 두 방제는 淸潤宣散한 효능이 주가 되기 때문에 모두 溫燥를 치료하기 위해 만들어 졌다. 桑杏湯은 溫燥外襲, 肺燥津傷과 같은 輕證을 치료하는데 적합하며, 宣散한 효력은 강하지만 淸潤化痰한 효력은 약하다. 淸燥救肺湯은 肺燥를 淸하고 氣陰을 養하는 특성을 띄는 약물로 구성하며, 養陰潤肺한 효능이 주가 되기 때문에 溫燥傷肺, 氣陰兩傷한 重證을 치료하는데 적합하다.

燥痰은 陰虛燥咳과는 다르다. 陰虛를 오랫동안 앓아서 乾咳하고 痰이 적거나 없고, 咽乾口燥이 심하면 陰虛해서 內熱이 생기지만 潮熱盜汗, 五心煩熱 등으로 나타난다. 따라서 滋陰潤燥한 治法을 사용해야 하며, 예를 들면 麥門冬湯·百合固金湯 등이 있다. 본 方證은 단지 咳痰만 나오기 어려울 뿐 뚜렷한 陰虛內熱 증상이 나타나지 않는다. 따라서 淸潤化痰한 治法을 사용해야 하고, 滋膩한 성질의 약을 과용해서는 안 되며, 이로써 濕을 도와서 痰이 생성되는 것과 氣를 방해하여 滿이 생기는 것을 방지할 수 있다.

【臨床應用】

1. 證治要點: 본 방제는 潤燥化痰을 치료하는 代表方이며 咯痰難出, 咽喉乾燥하고 苔白而乾한 증상을 치료의 요점으로 삼는다.

2. 加減法: 風邪犯肺한 증상이 함께 나타나는 경우에는 桑葉·杏仁을 넣고 疏風宣肺하게 치료하고, 喉中作痒한 증상에는 前胡·牛蒡子를 넣고 宣肺利咽하게 치료하고, 肺火가 비교적 盛한 경우에는 石膏·知母를 넣고 淸泄肺熱하게 하고, 熱重陰傷한 경우에는 沙參·麥門冬을 넣고 養陰生津하게 하고, 咳痰帶血한 경우에는 元參·阿膠·仙鶴草를 넣고 凉血止血하게 치료하고 아울러 橘紅의 辛燥한 性味때문에 傷陰動血한 효능은 뺀다.

3. 貝母瓜蔞散은 다음 한국표준질병사인분류(KCD)에 해당하는 환자가 燥痰咳嗽證으로 辨證되는 경우 본 처방의 사용을 고려해볼 수 있다.

처방 목표	한국표준질병사인분류(KCD)
肺結核	A15 세균학적 및 조직학적으로 확인된 호흡기결핵
	A16 세균학적으로나 조직학적으로 확인되지 않은 호흡기결핵
肺炎	J09~J18 인플루엔자 및 폐렴
	J20~J22 기타 급성 하기도감염
	J18.9 상세불명의 폐렴

【注意事項】 虛火上炎·肺腎陰虛한 乾咳·咳血·潮熱·盜汗 등의 증상에는 본 방제를 사용하는 것은 적합하지 않다.

【變遷史】 본 방제는 燥痰咳嗽를 치료하며, 방제조합의 관건은 潤燥한 성질의 약과 祛痰한 성질의 약을 어떻게 함께 配伍하느냐에 있다. 근원을 거슬러 올라가 보면, 이 방제조합의 방법은 仲景의 麥門冬湯에서 실마리가 보인다. 『金匱要略』의 麥門冬湯은 肺胃陰虛하거나 肺胃內燥證을 말하는데, 방제에서 養陰한 성질의 麥門冬과 辛燥한 성질의 半夏를 7:1의 비율로 해서 사용하면, 潤燥하고 降逆한 두 가지의 작용이 뛰어나게 된다. 이러한 配伍사상은 滋潤한 성질의 약과 溫燥한 성질의 약을 함께 運用해서 配伍하는데 있어 지대한 영향을 미쳤다. 이후에 『太平聖惠方』卷70의 貝母丸은 婦人燥咳를 치료한다. 貝母·百合与紫菀·款款冬花·杏仁 등을 사용해서 配伍하며, 본 방제와 配伍방법과 비슷한 점이 많다. 이밖에 예를 들면 『聖濟總錄』卷82의 貝母丸은 貝母·款款冬花·紫菀을 사용해서 燥痰久咳한 증상을 치료한다. 貝母瓜蔞散은 위에서 언급한 各 방제를 기초로 하고, 潤燥한 성질의 약을 함께 配伍하는 방법을 채택했을 뿐만 아니라, 또한 貝母 등의 潤肺化痰한 약재를 바로 사용하는 방법을 위주로 한 立方의 뜻을 받아들였으며, 게다가 痰을 치료하는 방제를 함

께 配伍해서 行氣하게 하는 治法을 채택했다. 따라서 潤肺·化痰·清熱·理氣한 모든 治法이 하나가 되게 해서 燥痰을 치료하는 좋은 방제(良方)가 되었다.

『證因方論集要』卷1의 貝母瓜蔞散은 본 방제에서 花粉를 빼고 瓜蔞는 瓜蔞霜으로 바꾼다. 肺燥痰咳, 頭眩한 증상을 치료한다. 이는 또한 본 방제의 配伍法則이 변화 발전하는 과정에서 나온 하나의 방제라고 볼 수 있다. 또 예를 들면 『笔花醫鏡』卷3의 貝母瓜蔞散은 伏燥로 인해서 나타나는 小兒内熱을 치료한다. 방제에서 川貝母·瓜蔞仁의 용량을 各五分씩 더 늘리고, 橘紅은 二分 더 늘려서 사용하고, 山梔·黃芩을 各一錢씩 넣어서, 清肺熱을 돕는다. 熱이 심한 경우에는 川連을 八分넣고, 痰이 많은 경우에는 膽星 五分을 넣는다. 두 방제를 비교해 보면, 이 방제는 清熱한 효능이 강하지만, 여전히 『醫學心悟』의 貝母瓜蔞散의 본뜻을 잃지 않았다.

【難題解說】 본 방제의 貝母에 대해서: 본 방제의 작용은 潤燥化痰에 있으며 燥痰을 치료하는 주요한 方劑가 된다. 『丹溪心法』卷2에는 일찍이 "肺燥者當潤之"하고 "口燥咽乾有痰者, 不用半夏·南星, 用瓜蔞·貝母"하다는 논술이 있다. 程氏는 貝母瓜蔞散을 만들 때 이 뜻을 따랐다. 방제에서 貝母는 川貝母을 사용하는 것이 좋고, 浙貝母는 그 다음이다. 川貝母는 맛이 甘苦하고 성질이 微寒하기 때문에 潤肺化痰의 작용을 하고, 浙貝母는 맛이 苦하고 성질이 寒하기 때문에 清熱化痰의 작용이 뛰어나다. 『本草從新』에서 이르길: 貝母는 心肺를 潤하게 하고 燥痰을 가라앉히며, "川産最佳, 圓正底平, 開瓣味甘. 象山貝母, 體堅味苦, 去時感風痰. 土貝母, 形大味苦, 治外科證痰毒"라고 하였다. 『本草求眞』卷4에서 또한 이르길: "大者爲土貝母, 大苦大寒(如浙貝母之類), 清解之功居多; 小者川貝母, 味甘微寒, 滋潤勝于清解, 不可不辨"라고 하였다.

第四節 溫化寒痰劑

苓甘五味薑辛湯

(『金匱要略』)

【異名】 五味細辛湯(『鷄峰普濟方』卷11)·苓甘味薑辛湯(『普濟方』卷140)·桂枝五味甘草去桂加薑辛湯(『張氏醫通』卷13).

【組成】 茯苓 四兩(12 g) 甘草 三兩(9 g) 乾薑 三兩(9 g) 細辛 三兩(5 g) 五味子 半升(5 g)

【用法】 위의 다섯 가지 약물에 물 八升을 넣고 三升으로 달여서 찌꺼기는 제거하고 따뜻하게 半升을 하루 3회 복용한다.

【效能】 溫肺化飮.

【主治】 寒飮咳嗽을 치료한다. 咳痰量多, 清稀色白, 胸滿不舒, 舌苔白滑, 脈弦滑하다.

【病機分析】 본 방제는 원래 小靑龍湯을 복용한 후 기침은 비록 줄었지만, 氣가 小腹에서 胸咽까지 上衝해서, 계속해서 桂苓五味甘草湯을 방제하고 복용했지만 冲氣는 비록 가라앉았지만 咳嗽·胸滿이 또 발생한 증상을 치료한다. 이는 上焦의 飮邪가 해소되지 않았는데 寒飮이 계속해서 발생하는 증상이다. 바로 尤怡가 말한: "下焦冲逆之氣即伏, 而肺中伏匿之寒飮續出也"(『金匱要略心典』卷中에 수재됨)이다. 寒飮은 脾陽이 부족해서 水濕이 溫化되지 못하여, 寒濕內生하면 運化의 기능을 상실해서 뭉쳐서 飮이되거나; 外邪傷肺하고, 津이 敷布되지 못하면 液聚해서 생기는 것이다. 寒飮이 肺에 머물면 肺의 宣降한 기능에 장애가 오고

氣機가 阻滯해서 결국에는 咳嗽痰多, 清稀色白하게 된다. 飮이 胸陽을 막으면 陽氣가 不布하지 못해서 胸滿不舒하게 된다. 舌淡苔白滑, 脈弦滑은 모두 寒飮이 몸 안에 머물러서 나타나는 증상이다.

【配伍分析】본 방제는 寒飮이 몸 안에 머물러 있는 증상을 치료한다.『金匱要略』「痰飮咳嗽病脈證并治」에서 이르길: "病痰飮者, 當以溫藥和之"하면서 溫肺化飮의 治法을 만들었다. 방제의 乾薑은 君藥이 되며 맛이 辛하고 성질이 熱해서, 肺로 入經해서 약성이 한쪽으로만 가고 다른 쪽으로 가지 않으며, 溫肺化飮한 효능이 있다.『神農本草經』卷3에서 이에 대해 이르길: "主胸滿咳逆上氣"하며 또한 溫運脾陽해서 濕을 가라앉게 한다. 臣藥이 되는 細辛 역시 맛이 辛하고 성질이 溫해서 肺로 入經하고 溫肺化飮한 효능이 있다. 바로『本草求眞』卷3에서 말한: "味辛而厚, 氣溫而烈"하면 "水停心下"를 치료할 수 있다고 한 것과 같으며, 仲景은 항상 이 두 약이 溫肺化飮해서 止咳한다고 하였다. 두 약은 모두 辛溫한 性味를 띈 약재에 해당하며 모두 溫肺化飮의 작용을 한다. 乾薑은 溫熱을 위주로 하며 溫陽化飮한 효력이 비교적 강하다. 細辛은 辛散을 위주로 하며 開鬱散飮한 효력이 뛰어나다. 이 두 약을 함께 配伍하면 두 약의 뛰어난 溫肺化飮 효능을 취할 수 있다. 飮이 생기는 것은 대부분 脾가 不運하면 水濕이 內停하기 때문이다. 따라서 臣藥이 되는 茯苓은 性味가 平淡해서 脾로 入經해서 健脾滲濕하게 한다. 이는 乾薑과 함께 配伍하면 痰이 생기는 근원을 막을 수 있다. 하지만 기침 증세가 오래되면 반드시 肺를 상하게 할 수 있고, 溫散하면 肺氣를 더욱 상할까 두렵다. 따라서 佐藥인 五味子는 맛이 酸하고 성질이 斂하기 때문에 斂肺해서 기침을 멎게 한다.『素問』「臟氣法時論」에서 이르길: "肺欲收, 急食酸以收之"라고 하였다. 乾薑·細辛과 配伍하면 散하면서 收할 수 있으며(有散有收) 辛散이 과다해서 肺氣가 耗傷하는 것을 막고, 散하지만 傷正하지 않고, 收하지만 留邪하지 않게 한다. 또한 肺金의 開闔 기능과 宣降의 기능을 원활하게 수행해서 飮邪가 숨을 곳이 없게 한다. 使藥인 甘草로 潤肺和中하고 모든 약을 조화롭게 한다. 모든 방제(全方)를 종합해 보면 함께 溫肺化飮한 효능을 갖는다.

본 방제의 配伍특징은 溫散을 동시에 행하며 開闔相濟해서 寒飮을 제거하고 肺氣를 편안하게 한다. 약은 비록 다섯 가지이지만 신중하게 잘 配伍하면 溫化寒飮한 효능이 있는 좋은 방제가 된다.

【臨床應用】

1. 證治要點: 본 방제는 寒飮咳嗽한 증상을 치료하며, 임상에서 痰多色白清稀, 舌苔白滑한 증상을 치료의 요점으로 삼는다.

2. 加減法: 咳喘痰多하고 邪가 肺에 몰려 있으면, 可酌加 紫菀·款冬花·杏仁·蘇子 등을 추가해서 宣肺降氣止咳하게 할 수 있고, 喜唾清涎하고 邪가 胃에 몰려 있으면, 半夏·陳皮·白朮·生薑 등을 넣고 健脾溫中降逆하게 할 수 있고, 寒飮이 沖氣上逆을 유발해서 嘔逆心悸眩暈한 증상을 보이는 경우에는 桂枝平沖降逆할 수 있고, 外兼表寒하거나 表邪가 內飮을 유발한 경우에는 蘇葉·荊芥를 추가하고, 또한 生薑을 乾薑으로 바꿔서 溫化痰飮하면서 아울러 表邪를 제거하거나 小靑龍湯과 상호 參用한다.

3. 苓甘五味薑辛湯은 다음 한국표준질병사인분류(KCD)에 해당하는 환자가 寒飮咳嗽證으로 辨證되는 경우 본 처방의 사용을 고려해볼 수 있다.

처방 목표	한국표준질병사인분류(KCD)
慢性支氣管炎	J41 단순성 및 점액화농성 만성 기관지염
	J42 상세불명의 만성 기관지염
肺氣腫	J43 폐기종

【變遷史】본 방제는『金匱要略』에서 유래한 것으로 原書에서 服 桂苓五味甘草湯을 복용한 후 沖氣는 이미 가라앉았지만 支飮이 또 발병한 증상을 치료한다. 방제에서 비록 "沖氣卽低" 때문에 桂枝를 빼지만 여전

히 성미가 辛溫한 약인 乾薑과 甘淡滲利한 茯苓를 配伍하기 때문에 이는 다른 측면에서 仲景의 "病痰飮者, 當以溫藥和之"한 치법을 구현했다고 볼 수 있다. 동시에, 방제에서 五味子와 細辛를 배오하는 것은 小青龍湯을 配伍하는 방법과 동일하기 때문에 飮咳을 치료하는데 있어 有散有收하고, 肺의 성질에 딱 맞는 配伍방법을 구현했다고 볼 수 있다. 이 두 가지의 配伍방법은 仲景小青龍湯·苓桂朮甘湯·苓桂草棗湯 및 桂苓五味甘草湯·桂苓五味甘草去桂加乾薑細辛半夏湯·苓甘五味加薑辛半夏杏仁湯·苓甘五味加薑辛半杏大黃湯 등의 방제에서 모두 구현되었다.

후세의『外臺秘要』卷9는 仲師方의 乾薑湯을 인용한 것으로 즉 본 방제의 治法을 응용해서 乾薑·五味子를 함께 배합하고 아울러 麻黃·紫菀·杏仁·桂心 등을 넣고 冷嗽氣逆하게 치료했다. 반면『太平聖惠方』卷46의 五味子散은 五味子·乾薑·細辛을 함께 배합하고 아울러 桂心·甘草·紫菀·麻黃을 넣고 寒飮氣嗽한 증상을 치료했다.『太平惠民和劑局方』卷4가 인용한『易簡方』의 杏子湯은 咳嗽痰飮한 寒證에 해당하는 증상을 치료하며 乾薑과 茯苓를 配伍하거나·五味子와 細辛을 配伍하고 별도로 人蔘·半夏·甘草를 넣는다. 이러한 방제 조합의 方法은 苓甘五味薑辛湯과 일치한다. 본 방제의 配伍방법을 응용해서 방제를 구성한 후세의 방제 중에서 특히 전형적인『聖濟總錄』卷48의 溫肺散은 細辛를 二兩으로 줄이고 나머지 네 가지 약은 모두 四兩씩 사용하며, 또한 乾薑을 炮薑으로 바꾼다. 또한 炮薑과 茯苓를 함께 배합해서 溫肺化飮, 健脾祛濕하게 하고, 細辛과 五味子를 함께 配伍하면 散收相益해서 각각의 효과가 더욱 뚜렷해진다. 肺中寒, 咳唾濁沫한 飮證을 치료한다.

【副方】 冷哮丸(『張氏醫通』卷13): 麻黃 泡 川烏生 細辛 蜀椒 白礬生 牙皂 去皮弦子, 酥炙 半夏麯 陳膽星 杏仁 去雙仁者, 連皮共用 甘草 生 各一兩(各 30 g) 紫菀茸 款冬花 各二兩(各 60 g)

- 用法: 모두 고운 분말로 갈아서 薑汁을 누룩가루(麯末)를 넣고 반죽해서 丸으로 빚어서 매번 발병했을 때 복용한다. 침상에 누워 있는 환자의 경우에는 生薑湯을 二錢(6 g) 복용하고, 허약한 환자의 경우에는 一錢(3 g)을 복용하며, 또한 三建膏를 肺俞穴에 붙인다. 복용 후 頑痰을 토해 내면 胸膈이 저절로 편안해진다. 며칠 동안 본 방제를 복용한 후, 脾肺를 補하는 藥으로 몸조리를 하며, 증상이 예전과 같이 나타나면 다시 복용한다.
- 作用: 散寒滌痰.
- 適應症: 등 부위에 寒邪를 感受하고 날씨가 추워지면 바로 喘嗽가 발병하고 頑痰이 結聚하면, 가슴이 더부룩하고 그득해지고 숨이 차서 몸을 무언가에 기대고 숨을 쉬며 잠을 이룰 수 없게 된다.
- 附: 三建膏方 天雄 附子 川烏各一枚 桂心 官桂 桂枝 細辛 乾薑 蜀椒 각二兩 위의 약을 조각으로 자르고 麻油 1근을 넣고 달여서 찌꺼기는 제거하고 黃丹을 넣고 고약으로 만든 다음 펼쳐서 麝香을 조금 넣고, 肺俞 및 華蓋穴·膻中穴에 붙인다.

冷哮丸은 몸의 안과 밖에 모두 寒이 있는 實證을 치료한다. 방제에서 麻黃·細辛을 넣고 外寒을 없애고, 蜀椒·川烏을 넣고 裏寒을 따뜻하게 하고, 皂莢·膽星을 넣고 頑痰을 가라앉게 하고, 明礬·半夏를 넣고 燥濕化痰하게 하고, 紫菀·款冬花·杏仁을 넣고 利肺止咳化痰하게 치료한다. 방제에서 사용하는 약은 비교적 燥烈한 성질이 있어서 몸이 허약한 환자에게는 신중하게 사용해야 한다. 張璐가 일찍이 본 방제에 대해 考察에서 말하길: "此少變麻黃附子細辛湯之法, 而合稀涎散以涌泄其痰, 開發肺氣之剛劑, 但氣虛食少, 及痰中見血營氣受傷者禁用. 以其專司疏泄, 而無溫養之功也"라고 하였다.

痰飮丸

(『陜西新醫藥』1972, 1:6)

【組成】蒼朮 白朮 蘿菖子 各 90 g 肉桂 30 g 乾薑 30 g 附片 甘草 白芥子 各 45 g 蘇子 60 g

【用法】위의 약을 분말로 갈아서 물을 넣고 丸으로 빚어서 매번 6 g을 복용하는데, 하루 2회 복용한다.

【效能】溫肺散寒, 理氣化痰.

【主治】寒痰咳嗽을 치료한다. 痰多稀薄, 氣促, 多因感寒加重, 舌苔白하다.

【病機分析】본 방제는 寒痰證을 치료한다. 肺는 氣司呼吸을 주관하며, 肺氣가 和順하면 곧 宣發肅降하게 된다. 만약 痰飮內阻해서 肺氣가 宣發의 기능을 상실하면 氣가 위로 올라가서 咳嗽·咯痰하게 된다. 본 증상은 원래 本에 寒痰이 생긴 것인데, 化熱한 증상이 없으면 결국에는 痰이 많으면서 稀薄해진다. 痰이 氣道를 막으면 氣急而促하게 된다. 본 증상은 寒痰에 해당하며 만약 반복해서 寒을 感受하면, 두 寒이 서로 충돌해서 증세가 심해지게 된다. 舌苔白한 것 또한 寒痰으로 인한 증상이다.

【配伍分析】본 증상은 寒痰阻肺한 것으로 溫肺散寒, 理氣化痰한 治法으로 치료한다. 따라서 방제에서 附子·白芥子를 君藥으로 삼는다. 附子는 性味가 辛熱해서, 溫陽散寒한 효능을 띠며 "能行十二經無所不至"(『本草通元』卷3에 수재됨)하다. 『神農本草經』卷4에서 이르길: "主風寒咳嗽邪氣, 溫中"라고 하였다. 白芥子는 性味가 辛溫하고, 주로 肺로 入經하기 때문에, 溫肺散寒하고 利氣消痰한 효능을 띠며, 특히 寒痰停飮을 제거하는 데 뛰어나다. 『本草鋼目·菜部』卷26에서 이르길: "利氣豁痰, 除寒暖中, ……治喘嗽."라고 하였다. 附子와 함께 配伍하면, 하나는 溫裏散寒를 위주로 하고, 다른 하나는 肺로 入經해서 痰을 제거하니 利氣하게 된다. 寒痰을 가라앉게 하고, 氣가 막힌 것을 통하게 한다. 君藥의 消痰한 효능을 강화하기 위해서 臣藥인 蘿菖子·蘇子·乾薑을 넣는다. 蘿菖子는 降氣消痰한 효능이 있어서 "下氣定喘"(『本草鋼目·菜部』卷26에 수재됨)하고, 蘇子는 "尤能下氣定喘, 止咳消痰"『本草備要』하다. 두 약과 白芥子를 함께 配伍하면 곧 "三子養親湯"이 된다. 乾薑은 肺로 入經하고 溫肺散寒, 燥濕化痰한 효능을 띄기 때문에 함께 寒痰을 제거하는 효능을 증진시켜서 咳痰이 사라지게 된다. 白朮·蒼朮을 넣는 것은 痰이 생기는 근본을 치료하는데 있다. 白朮은 益氣健脾한 성질을 위주로 하고 蒼朮은 燥濕健脾한 성질을 위주로 하기 때문에 두 약을 함께 配伍하면, 脾氣得健, 水濕得運한 효능을 갖게 되어서 함께 君臣藥을 도와서 痰飮을 제거한다. 肉桂를 佐藥으로 삼은 것은, 첫째 附子의 溫裏한 효력을 도울 수 있고, 둘째는 祛痰의 성질을 지닌 약과 함께 配伍해서 "溫藥和之"의 작용을 하게 된다. 甘草를 넣고, 모든 약을 조화롭게 하고, 中州를 補益하게 한다. 모든 방제(全方)를 종합해 보면 溫肺祛痰의 작용을 하고, 장점을 취해서 溫肺散寒, 理氣化痰의 작용을 하게 된다.

【臨床應用】

1. 證治要點: 본 방제는 寒痰咳嗽를 치료하며, 임상에서 痰多稀薄, 氣促, 舌苔白한 증상을 치료의 요점으로 삼는다.

2. 加減法: 본 방제는 만약 湯劑로 바꿔서 제조하려고 한다면, 방제의 各 약을 비율에 맞게 줄여서 臨證常用量으로 사용할 수 있다. 만약 寒證이 비교적 심한 경우에는 乾薑·細辛 등을 넣고 溫肺散寒하게 하고, 기침이 심한 경우에는 紫菀·款冬花 등을 넣고 化痰止咳하게 하고, 氣促 증상이 비교적 심한 경우에는 桔梗·枳殼 등을 넣고 理氣寬胸하게 할 수 있다.

3. 痰飮丸은 다음 한국표준질병사인분류(KCD)에 해당하는 환자가 寒痰咳嗽證으로 辨證되는 경우 본 처방의 사용을 고려해볼 수 있다.

처방 목표	한국표준질병사인분류(KCD)
慢性支氣管炎	J41 단순성 및 점액화농성 만성 기관지염
	J42 상세불명의 만성 기관지염

【注意事項】 본 방제의 구성 약물은 따뜻한 성질 이 비교적 강하기 때문에 熱痰이나 痰證이 오래돼서 化熱로 나타나는 경우에는 사용을 금한다.

【變遷史】 痰飮丸은 『陝西新醫藥』 1972, (1):6에서 나왔으며 陝西省中醫研究所方이다. 그러나 방제조합을 거슬러 올라가 보면 크게 두 가지로 나누어 볼 수 있다: 첫째, 방제에 三子養親湯의 모든 약물을 포함하고 있는 목적은 行氣祛痰한 효력을 취하는 데 있고, 또한 溫을 위주로 해서 寒痰咳嗽를 치료하는데 사용하는 것은 "治痰先理氣, 氣順痰自消"한 治法을 잘 보여준다. 둘째, 仲師는 "病痰飮者, 當以溫藥和之"한다고 분명하게 훈계하였으며, 苓桂术甘湯·附子理中丸을 넣고 빼서 방제에서 寒痰證을 위주로 해서 치료하고, 桂枝 등의 일반적인 溫한 성질의 약으로는 효력을 미칠 수 없기 때문에 桂枝를 附子·肉桂 등의 辛熱한 성질의 약으로 바꾸고, 祛痰의 성질을 지닌 약과 함께 配伍하면, 寒을 제거하고 또한 痰을 가라앉히기 때문에, 이는 옛 治法을 본받되 옛 약에 얽매이지 않는다고 말할 수 있다.

三子養親湯

(『皆效方』, 『雜病廣要』에 수록됨)

【異名】 三子湯(『壽世保元』卷3).

【組成】 白芥子(9 g) 蘇子(9 g) 蘿菖子(9 g)

【用法】 위의 세 가지 약을 각각 깨끗하게 씻은 뒤 微炒하여 빻는다. 어떤 증상이 심한지 보고 이를 치료하고 君藥으로 삼고 나머지는 그 다음 순으로 한다. 一錢은 三錢을 넘지 않으며, 생견(生絹)으로 만든 작은 주머니에 이를 넣고 湯劑로 달여서 복용한다. 차를 대신해서 마시고, 과도하게 오랜 시간 동안 달이지 않는다(현대용법: 세 가지 약을 빻아서 부수고 거즈로 싸서 묶은 다음에 湯劑로 달여서 나누어 복용한다).

【效能】 祛痰, 降氣, 消食.

【主治】 痰壅氣滯證을 치료한다. 咳嗽喘逆, 痰多胸痞, 食少難消, 舌苔白膩, 脈滑하다.

【病機分析】 본 방제는 원래 노인의 邪氣가 實하여 痰이 盛한 증상을 치료한다. 대체로 나이가 연로해서 中虛하고, 脾運이 健旺하지 못하면 津液이 不布해서 매번 停食生濕하면 濕聚해서 痰이 된다. 痰濁이 阻滯하고 氣機가 壅塞하고 肺가 肅降의 기능을 잃으면 咳嗽喘逆, 胸膈痞悶하게 된다. 脾가 健運의 기능을 상실하고 水穀이 胃에 停滯되고, 게다가 濕濁困阻하면 결국에는 食少難消하게 된다. 舌苔白膩는 痰證으로 寒한 증상이고, 脈滑 또한 痰證이 된다.

【配伍分析】 증상에 맞게 化痰消食法으로 치료한다. 三子는 모두 溫化寒痰, 平治咳喘하게 할 수 있다. 白芥子는 行氣暢膈에 뛰어나서 숨어있는 寒痰을 찾아서 제거한다. 이는 바로 『本草鋼目』「菜部」卷26에서 말한: "辛能入肺, 溫能發散, 故有利氣豁痰之功."하고 "因其味厚氣輕, 故開導雖速, 而不甚耗氣"(『景岳全書』「本草正」卷48에서 수재함)한 것과 같다. 蘇子는 降氣行痰, 止咳平喘한 효능이 뛰어나다. 『藥品化義』卷8에서는 이에 대해 "味辛氣香主散, 降而且散, 故專利鬱痰."라고 말했다. 蘇子는 降氣行痰하지만 傷氣耗氣하지 않는다. 즉 『本經逢原』卷3에서 말한: "諸香皆燥, 惟蘇子獨潤."이다. 蘿菖子는 消食導滞, 行氣祛痰한 효능이 뛰어나다. 『本草鋼目』「菜部」卷26에서 이르길: "蘿菖子

之功, 長于利氣. 生能升, 熟能降……降則定痰喘咳嗽." 라고 했다. 세 가지 약은 모두 消痰理氣한 약에 해당한다. 하지만 白芥子는 溫性이 약간 강하고, 蘇子는 降氣한 성질이 뛰어나고, 蘿菖子는 消食한 효능이 유독 뛰어나다. 세 가지 약을 함께 배합해서 사용하면 氣順痰消하게 해서, 食積이 제거되고 咳喘이 저절로 편안해 진다. 임상에서 어떤 증상이 두드러지는지 관찰해서 "이를 위주로 해서 치료하고 君藥으로 삼는다".

본 방제의 세 가지 약은 모두 辛溫한 성질을 갖는 약이기 때문에 化痰行氣의 작용을 한다. 化痰藥과 消食藥을 配伍하는 것은 본 방제의 配伍 특징이다. 하지만 본 방제에는 健脾한 성질의 약재를 포함하지 않고, 治標에 뜻을 둔다. 만약 약을 복용한 후 효과가 있다면 本을 兼顧해야지 그렇지 않으면 과도하게 消導해서 中氣가 더욱 상하게 된다. 바로 吳昆이 말한: "治痰先理氣, 此治標之論耳, 終不若二陳有健脾去濕治本之妙也. 但氣實之證, 則養親湯亦徑捷之方矣"(『醫方考』卷2에 수재됨)와 같다.

【臨床應用】

1. 證治要點: 본 방제는 痰壅氣滯證을 치료하며, 임상에서 喘咳痰多色白, 食少脘痞, 苔白膩한 증상의 치료의 요점으로 삼는다.

2. 加減法: 만약 食滯脘滿을 위주로 치료하는 경우에는 蘿菖子를 重用하고 枳實·白朮·神麯 등을 추가해서 化食行滯를 돕고, 氣滯氣逆을 위주로 하는 경우에는 蘇子를 重用하고 厚朴·杏仁·沉香 등을 넣고 行氣降逆을 돕고, 寒痰凝滯를 위주로 하는 경우에는 白芥子를 重用하고 乾薑·細辛·半夏 등을 추가해서 溫化寒痰을 돕는다.

3. 三子養親湯은 다음 한국표준질병사인분류(KCD)에 해당하는 환자가 痰壅氣滯證으로 辨證되는 경우 본 처방의 사용을 고려해볼 수 있다.

처방 목표	한국표준질병사인분류(KCD)
慢性支氣管炎	J41 단순성 및 점액화농성 만성 기관지염
	J42 상세불명의 만성 기관지염
支氣管哮喘	J45 천식
肺氣腫	J43 폐기종

【注意事項】 본 방제에서 溫化降氣消食을 우선으로 하는 것은 標를 치료한다는 뜻이다. 게다가 蘿菖子·白芥子 등은 開破한 효력이 비교적 강하기 때문에 體虛脾弱한 사람의 경우 오랫동안 복용해서는 안 되며, 증상이 조금 해소되면 바로 標本兼顧해야 한다.

【變遷史】 본 방제는『雜病廣要』이 인용한『皆效方』에서 선정하였으며, 원래는 고령의 담이 많고 氣實한 증상을 치료하기 위해 만들어 졌다. 임상에서 의학자들이 본 방제를 응용할 때 痰·食을 위주로 해서 치료한다. 예를 들면『壽世保元』卷3의 三子養親湯은 본 방제를 二陳湯과 함께 배합하고, 아울러 南星·片芩·枳實 등을 넣어서 祛痰行氣한 효력을 증가시키고, 또한 健脾의 효능을 더욱 강화시켜, 본 방제에 없는 治本의 효능을 보충하였기 때문에 痰多咳嗽氣逆喘急한 증상을 치료하는데 알맞다.『症因脈治』卷2의 三子養親湯은 蘇子를 山楂로 바꿔서 化痰降氣한 효능을 약화시키고 또한 消食導滯한 효력을 배가시켜서 食積를 위주로 해서 치료하고, 飽滿不食, 惡心嘔吐한 食積痰證을 치료한다.『鎬京直指』卷2의 三子養親湯은 枳實三錢·葶藶子四錢·瓜蔞子八錢을 넣고 君臣藥의 配伍관계에 변화를 주고, 본 방제의 降逆祛痰한 효능을 취해서 治痰한 효능이 있는 약재를 추가로 配伍해서 氣逆痰火, 膈膜痰裹, 大便秘結한 증상을 치료한다. 근대의 痰飮丸은 본 방제를 기초로 해서 附子·肉桂를 넣고 溫化不足를 도와서 寒痰을 잘 다스리고, 또한 蒼朮·白朮·甘草를 넣는 것은 健脾祛濕하고, 痰의 근본을 다스려서 補脾해서 부족한 것을 보충하려는데 있다. 후세에 三子養親湯을 運用해서 化裁할 때 모두 이 降氣祛痰한 효력을 추앙했다는 것을 알 수 있다. 하지만 溫性이 부족한 것을 고려해서, 健脾力微하거나 溫化한 성질의 약을 配

伍해서 寒痰을 치료하거나 健脾한 성질의 약을 配伍해서 本을 치료한다.

【難題解說】

1. 본 방제의 분류에 대해서: 三子養親湯은 痰壅氣滯證을 치료하며, 降逆祛痰의 작용을 할 뿐만 아니라 또한 消食의 효력을 갖고 있어서 痰壅食積證을 치료하는데 가장 적합하다. 본 방제가 降逆의 작용을 하여, 어떤 사람은 응당 理氣劑의 降氣類로 분류해야 한다고 주장했다. 또한 본 방제가 消導하는 효능를 갖고 있기 때문에 消食類方으로 분류할 수 있을 것 같다. 하지만 推敲方에서의 三子는 모두 祛痰한 효력을 갖고 있고 또한 치료의 대상이 되는 증상은 氣逆과 食積에 관계없이 모두 痰證과 관련이 있다. 따라서 이를 祛痰劑로 분류하는 것이 이치에 맞다. 방제의 세 약은 비록 溫性이 桂附 등의 辛熱한 성질의 약에 미치지 못하지만, 결국에는 溫性이므로, 만약 넣고 빼지 않았다면 "以方測證"한 것으로 치료한 痰의 성질은 寒痰에 해당하므로, 따라서 이를 祛痰劑의 溫化寒痰類로 보는 것이 비교적 타당하다.

후세의 의학자들 또한 대부분 본 방제가 降逆祛痰과 消食한 효능을 겸하며 이 둘을 위주로 한다고 주장했다. 비록 방제가 溫性에 해당한다 하더라도, 만약 寒痰이 비교적 심한 경우에는 溫熱한 성질의 약을 넣어야 하고, 예를 들면 痰飮丸이 있다. 또한 방제의 성질은 溫하지만 뜨겁지 않기 때문에 痰熱證에도 "三子"의 降逆祛痰한 효능을 사용해서 치료하고, 아울러 淸化한 성질의 약을 配伍해서 氣逆痰火한 증상을 치료한다. 예를 들면 『鎬京直指』의 三子養親湯이 있다.

2. 본 방제의 方名에 대해서: 본 방제에서 사용하는 약은 오직 세 가지이며, 모두 "子"라는 이름으로 되어 있으며, 원래는 老年痰喘을 치료하기 위해 만들어졌다. 親은 父母를 가리킨다. 父母는 人倫情이 최고 절정에 이르기 때문에 따라서 親이라고 부른다. 『孟子』「盡心」에서 말하길』:"孩提之童, 無不知愛其親者."라고 했다. 여기서 말하는 "親"은 또한 일반적으로 연로한 노인을 가리킨다. "子"라는 이름의 약은 "노인"병을 치료한다. 따라서 "養親"이라고 부른다. 이는 바로 韓懋가 말한: "夫三子者, 出自老圃, 其性度和平芬暢, 善佐飮食奉養, 使人親有勿藥之喜, 是以仁者取焉. 老吾老以及人之老, 其利博矣(『韓氏醫通』卷下에 수재됨)."과 같다. "三子養親"라고 이름붙인 것은 모두 이 뜻에서 나왔다.

第五節 治風化痰劑

半夏白朮天麻湯

(『醫學心悟』卷4)

【組成】 半夏 一錢五分(4.5 g) 天麻 茯苓 橘紅 各一錢(各 3 g) 白朮 三錢(9 g) 甘草 五分(1.5 g)

【用法】 生薑 一片, 大棗 二枚를 넣고 물을 넣고 달여서 복용한다.

【效能】 燥濕化痰, 平肝息風.

【主治】 風痰上擾證을 치료한다. 眩暈頭痛, 胸悶嘔惡, 舌苔白膩, 脈弦滑한 증상으로 나타난다.

【病機分析】 본 방제는 風痰上擾로 인한 眩暈證을 치료한다. 본 증상은 대부분 脾氣가 虛弱하고, 運化의 기능을 상실해서 水濕이 內停하고 쌓여서 痰이되고, 痰이 淸陽을 막아서 발병한 것이다. 『素問』「五運行大論」에서 이르길: "其不及, 則己所不勝, 侮而乘之."하다고 했다. 土虛하면 木橫하고, 肝木이 脾土를 乘하게 되어서, 결국에는 肝風內動하고, 痰을 동반해서 上擾

淸空한 증상이 된다. 『素問』「至眞要大論」에서 이르길: “諸風掉眩, 皆屬于肝”라고 했다. 風의 성질은 行이 뛰어나고 여러 번 변하며, 주로 動搖해서, 肝風內動하면, 頭眩物搖하게 되고, 또한 痰濁이 위로 올라가고, 濁陰이 내려가지 않으면, 淸陽을 阻遏해서, 眩暈한 증상이 심해지고, 하늘과 땅이 빙빙 도는 것처럼 느껴져서 惡心嘔吐하게 된다. 痰濕이 中焦를 막으면 胸悶하게 된다. 舌苔白膩, 脈弦滑은 모두 風痰에 의한 증상이다.

【配伍分析】 본 방제는 風痰을 앓는 환자를 치료하기 위해 만들어 졌으며 化痰息風한 증상을 치료한다. 따라서 방제에서 半夏·天麻는 君藥이 된다. 半夏는 성질이 溫하고 맛이 辛하기 때문에, 燥濕化痰, 降逆止嘔한 효력이 매우 강하고 治痰한다. 바로 『本草綱目』「草部」卷17에서 이르길: “半夏能主痰飮……爲其體滑而味辛性溫也.”라고 했다. 天麻는 맛이 甘하고 성질이 平하며, 厥陰으로 入經하기 때문에 善 平肝息風한 효능이 뛰어나서 止眩하게 되며 이는 治風을 뜻한다. 『本草綱目』「草部」卷12에서 또한 이르길: “天麻乃肝經氣分之藥, 入厥陰之經而治諸病. 按羅天益云: 眼黑頭旋, 風虛內作, 非天麻不能治. 天麻乃定風草, 故爲治風之神藥.”라고 말했다. 半夏·天麻를 配伍하면 함께 化痰息風한 효력을 갖게 되며 風痰, 眩暈, 頭痛을 치료하는 要藥이 된다. 따라서 『脾胃論』卷下에서 이르길: “足太陰痰厥頭痛, 非半夏不能療; 眼黑頭眩, 風虛內作, 非天麻不能除.”라고 하였다. 白朮은 臣藥이 되며 성질이 溫하고 맛이 苦甘하기 때문에 健脾燥濕한 효능을 갖고 生痰의 근본을 치료한다. 『本經疏證』卷2에서 이르길: “白朮治眩, 非治眩也, 治痰飮與水耳.”하고 하였으며, 半夏·天麻와 함께 配伍 해서 標本同治하고 祛濕化痰하면 止眩의 작용이 더욱 뛰어나게 된다. 茯苓·橘紅을 넣는다. 茯苓은 맛이 甘淡하고 성질이 平해서 健脾滲濕하며, 白朮과 함께 健脾祛濕의 작용을 하게 되므로 生痰의 근본을 치료한다. 橘紅은 맛이 辛苦하고 성질이 溫하기 때문에 理氣化痰한 효능이 뛰어나서 氣順해서 痰消하게 한다. 『食物本草』卷8에서 이를 “下氣”, “消痰涎”라고 했다. 대체로 治痰은 반드시 理氣해야 하고, 氣利하면 痰이 저절로 치료된다. 半夏·茯苓·橘紅 세 약을 配伍하면 祛痰·健脾·理氣가 각자 효과를 나타내게 되므로 이는 사실상 二陳湯 配伍의 진수이다. 使藥인 甘草는 모든 약의 藥性을 조화롭게 하고 또한 和中健脾하게 하기 때문에 薑·棗를 넣고 달여서 調和脾胃하게 한다. 모든 약을 함께 사용하면 化痰息風한 효능을 갖게 된다. 風을 息하게 하고, 痰을 消하게 하면, 眩暈이 저절로 낫게 된다.

본 방제는 二陳湯에 加味해서 만들어진 것으로 燥濕健脾를 기초로 하고 平肝息風의 天麻를 넣으면 祛痰 속에 息風을 놓게 된다. 健脾燥濕한 白朮을 넣으면 健脾治本한 효력을 배가시킨다. 모두 化痰息風한 방제가 된다.

『醫學心悟』卷3에 별도로 있는 半夏白朮天麻湯은 그 방제조합이 본 방제와 거의 동일하다. 하지만 白朮 二錢 生薑 一片을 줄이고, 大棗 一枚를 늘렸기 때문에 健脾한 효력이 본 방제에 미치지 못한다. 또한 蔓荊子 三錢을 넣어서 淸利頭目의 작용이 유독 뛰어나다. 따라서 痰厥頭痛한 증상을 치료한다.

【臨床應用】

1. 證治要點: 본 방제는 風痰眩暈을 치료하기 위해 만들었다. 眩暈, 嘔惡, 舌苔白膩한 증상을 치료의 요점으로 삼는다.

2. 加減法: 만약 濕痰이 유독 심하고 舌苔白滑한 경우에는 澤瀉·桂枝를 넣고 利濕化飮하게 하고, 肝陽이 유독 심한 경우에는 鉤藤·代赭石을 넣고 潛陽息風하게 치료한다.

3. 半夏白朮天麻湯은 다음 한국표준질병사인분류(KCD)에 해당하는 환자가 風痰上擾證으로 辨證되는 경우 본 처방의 사용을 고려해볼 수 있다.

처방 목표	한국표준질병사인분류(KCD)
耳源性眩暈	H81 전정기능의 장애
神經性眩暈	(질병명 특정곤란)
	R42 어지럼증 및 어지럼

【注意事項】 肝腎陰虛·氣血不足한 眩暈에는 본 방제를 사용하지 않는다.

【變遷史】 본 방제는 風痰眩暈한 증상을 치료하며, 기본적인 방제조합의 원칙은 息風와 祛痰이 된다. 방제에서 祛痰 약물의 配伍 관계를 보면, 바로 二陳湯에서 유래되었으며 半夏를 위주로 해서 陳皮·茯苓·甘草를 配伍해서 사용하면 燥濕祛痰의 작용을 하게 된다. 또한 본 방제의 치료증상은 痰飮으로 인한 嘔惡를 동반하며, 이를 치료하는 약물은 半夏·生薑이고, 이에 대한 治法은 멀게는 仲景小半夏湯으로 거슬러 올라간다. 방제에서 息風止眩하는데 天麻를 사용하고, 祛痰한 약과 配伍해서 痰 때문에 발생한 眩證을 치료하고, 그 治法은 『脾胃論』卷下의 半夏白朮天麻湯에서 유래되었다. 이후 『奇效良方』卷31·『古今醫鑑』卷7의 半夏白朮天麻湯은 모두 天麻에 半夏·白朮을 配伍하거나 陳皮·茯苓 등을 넣고 痰眩, 痰嘔를 치료하며, 또한 虛한 경우에는 人蔘·黃芪류를 配伍한다. 『衛生寶鑑』卷19의 天麻散은 본 방제에서 陳皮 한 가지를 빼고, 配伍하는 방법은 이와 비슷하며 祛痰息風, 健脾化飮의 작용을 하고, 痰 때문에 動風한 小兒急性驚風 및 성인 中風涎盛, 반신불수, 언어곤란, 不省人事 등의 증상에 사용한다. 『醫學正傳』卷3의 茯苓半夏湯은 본 방제와 비교해서 甘草는 빼고 神曲·麥芽를 넣고 消食 효능을 증대시키려는 의도로, 脾虛痰阻하기 때문에 食氣不消하다는 것을 고려했다는 것에서 신선하다. 健脾消食, 祛痰息風한 효능을 갖고 脾胃虛弱, 身重有痰, 嘔惡頭眩한 증상을 치료한다.

결론적으로 말하면, 본 방제는 前賢의 類方 治法을 기초로 하고, 息風祛痰의 방제조합을 특징으로 두드러지게 해서 후세에 지대한 영향을 미쳐서 수많은 의학자들이 추앙하였다.

定癎丸

(『醫學心悟』卷4)

【組成】 明天麻 川貝母 半夏 薑汁炒 茯苓 蒸 茯神 去木, 蒸 各一兩(各 30 g) 膽南星 九製者 石菖蒲 石杵碎, 取粉 全蝎 去尾, 甘草水洗 白殭蠶 甘草水洗, 去咀, 炒 眞琥珀 腐煮, 灯草研 各五錢(各 15 g) 陳皮 洗, 去白 遠志 去心, 甘草水泡 各七錢(各 4.5 g) 丹參 酒蒸 麥門冬 去心 各二兩(各 60 g) 辰砂 細研, 水飛 三錢(9 g)

【用法】 竹瀝 한 종지에 薑汁 1잔을 넣고 다시 甘草 四兩을 넣은 다음에 고약으로 달이고 나서 나머지 약과 섞어서 탄환 크기의 환으로 빚은 다음 辰砂로 옷을 입힌다. 매번 一丸을 복용하는데 하루에 두 번 복용한다(현대 용법: 곱게 분말로 간 후에 甘草 120 g을 넣고 고약으로 달이고, 竹瀝100 mL· 薑汁50 mL를 넣고 잘 섞어서 작은 환으로 빚는다. 매번 6 g을 복용하는데 아침과 저녁에 한 번씩 따뜻한 물로 복용한다).

【效能】 滌痰息風, 淸熱定癎.

【主治】 痰熱癎證을 치료한다. 忽然發作, 眩仆倒地, 不省高下, 甚則抽搐, 目斜口歪, 痰涎直流, 叫喊作聲하고, 또한 癲狂를 치료한다.

【病機分析】 癎證의 발병원인은 대부분 七情이 균형을 잃어서 발생하는 것으로, 선천적인 요인에 의한 것이며, 頭部外傷, 飮食不節, 勞累過度 혹은 罹患과 같은 질병이 발생한 후에 발병한다. 情志가 조절되지 않으면, 驚恐恚怒할 때마다, 驚하면 氣亂하게 되고, 恐하면 氣下하게 되고, 怒하면 氣上하게 되고, 氣機紊亂하면 積痰을 觸動하게 되고, 혹은 유년기에 "胎氣 때

문에 병을 앓기"시작하거나, 外傷 후 神志逆亂, 臟腑失調하거나, 飮食不節하고 勞累過度해서 脾胃가 손상되면 精微가 不布하고, 痰濁에 몸안에 쌓여서 오랜 시간이 흐르면 失調하게 된다. 이러한 유인을 만나면, 肝氣가 균형을 잃고 肝風이 痰濁을 동반하여 氣를 따라 올라가서 經絡를 壅閉하고 淸竅를 蒙蔽해서 갑자기 발병하게 된다.

【配伍分析】 본 방제는 風痰에 열이 나는 癎證을 치료한다. 따라서 마땅히 滌痰息風淸熱한 治法을 사용한다. 방제에서 竹瀝은 君藥이되며 성질은 寒하고 맛은 甘苦하기 때문에 淸熱滑痰, 鎭驚利竅한 효능이 뛰어나고, 『本草從新』卷8에서 이를 "治痰迷大熱, 風痙癲狂"라고 했다. 『本草秘錄』卷4에서 또한 이르길: "止驚怪去痰."라고 했다. 臣藥이 되는 膽南星은 성질이 凉하고 맛이 苦하기 때문에 淸火化痰, 鎭驚定癎한 효능을 갖고, 竹瀝를 도와서 豁痰利竅의 작용을 한다. 半夏는 성질이 溫하고 맛이 辛하기 때문에 燥濕化痰, 降逆止嘔의 작용을 하며, 『本草綱目』「草部」卷17에서 이르길: "半夏能主痰飮"라고 했다. 薑汁을 配伍해서 化痰涎, 通神明하게 하고, 『本草備要』卷4에서 이르길: "通神明, 去穢惡, 救暴卒"라고 하였으며 또한 半夏의 독성을 제거할 수 있다. 貝母는 성질이 寒하고 맛이 苦하기 때문에 淸熱化痰한 효능을 띠며, 『本草易讀』卷3에서 이르길: "淸熱除痰之良藥."하다고 하였다. 陳皮는 맛이 辛苦하고 성질이 溫하기 때문에 燥濕化痰한 효능을 갖고 肺經氣滯에 뛰어나다. 『本草通元』卷4에서 이를 "下氣消痰."라고 했다. 茯苓은 성질이 平하고 맛이 甘淡하기 때문에 利水滲濕健脾해서 生痰의 근원을 막는다. 본 방제는 半夏·陳皮와 配伍하면 함께 二陳의 뜻을 이루게 되고 君臣藥을 도와서 化痰의 작용을 하게 된다. 全蝎는 맛이 辛하고 성질이 平하기 때문에 주로 肝으로 入經하고 특히 息風止痙에 뛰어나다. 『本草通元』卷4에서 이 治法에 대해 명확하게 이르길: "小兒驚風尤爲要藥."라고 했다. 白殭蠶은 맛이 鹹辛하고 성질이 微寒하기 때문에 肝으로 入經해서 息風止痙, 化痰泄熱한 약효가 있다. 『神農本草經』卷4에서 이에 대해 이르길 "主小兒驚癎夜啼."라고 했다. 天麻는 맛이 甘고 성질이 平하기 때문에 平肝息風의 작용을 하며 『本草從新』卷1에서 "諸風眩掉"을 위주로 한다고 말했다. 세가지 약을 함께 배합하면, 息風止痙한 효력이 배가되어 抽搐를 안정시킬 수 있다. 丹參은 성질이 微寒하고 맛이 苦하기 때문에 凉血活血, 淸心除煩하고 또한 安神의 작용을 한다. 『本草備要』卷1에서 이르길 "除煩熱功兼四物."라고 했다. 麥門冬은 맛이 甘하고 성질이 微苦하기 때문에 養陰淸心해서 除煩하고 또한 燥藥傷津을 예방한다. 石菖蒲은 맛이 辛苦하고 성질이 溫하기 때문에 開竅化痰, 化濕和胃하게 한다. 『本草綱目』「草部」卷19에서 "客忤癲癎."을 치료한다고 했다. 『本草從新』卷3에서 또한 이에 대해 이르길: "辛苦而溫, 芳香而散, 開心孔, 利九竅."라고 했다. 辰砂는 성질이 寒重하고 맛이 甘하며, 重한 성질은 鎭怯할 수 있고, 寒한 성질은 淸熱할 수 있기 때문에 주로 心으로 入經하고 重鎭淸心, 安神定驚한 약효가 있다. 『本草從新』卷5에서 "瀉心經邪熱, 鎭心定驚, ……定癲狂."라고 하였다. 琥珀는 맛이 甘하고 성질이 平하기 때문에, 五臟을 편안하게 하고, 魂魄을 바로잡으며, 鎭驚安神의 효능이 있다. 茯神는 맛이 甘하고 성질이 平하기 때문에 平肝安神의 효능이 있으며 『本草秘錄』卷4에서 이르길: "茯神抱松本之根而生者也, 犹有顧本之義, 故善補心氣, 止驚悸恍惚."라고 했다. 遠志는 맛이 辛苦하고 성질이 微溫하기 때문에 利心竅해서 寧神하게 하고, 또한 祛痰止咳해서 利肺하게 한다. 『新修本草』卷6에서 이르길: "定心氣, 止驚悸."라고 했다. 모든 약은 佐藥이 되며, 鎭驚安神한 효능을 갖고, 君臣藥을 도와서 醒神定癎한 약효를 갖게 된다. 使藥인 甘草는 모든 약을 조화롭게 하고, 補虛緩急해서 抽搐에 의한 응급상황을 해결할 수 있다. 전체를 종합해 보면, 본 방제는 滌痰利竅해서 醒神하게 하고, 淸熱息風해서 定癎하게 하므로, 따라서 痰熱內閉한 癲癎을 치료하는데 적합하다.

본 방제의 配伍특징은 淸熱化痰와 平肝息風한 治法을 함께 사용하고 醒神開竅와 鎭驚安神을 함께 돕는 것이며, 사실상 癇證을 치료하는 常用良方이 된다.

【臨床應用】

1. 證治要點: 본 방제는 癇證이 발병했을 때 사용하며, 痰熱에 해당하는 증상을 치료하는데 적합하다. 舌苔가 白膩微黃하거나 脈滑略數한 증상을 치료의 요점으로 삼는다.

2. 加減法: 原書에서 이르길: "癇證, 照五癇分引下: 犬癇, 杏仁五枚, 煎湯化下; 羊癇, 薄荷三分, 煎湯化下; 馬癇, 麥門冬二錢, 煎湯化下; 牛癇, 大棗二枚, 煎湯化下; 猪癇, 黑料豆三錢, 煎湯化下."라고 하였다.

3. 定癇丸은 다음 한국표준질병사인분류(KCD)에 해당하는 환자가 痰熱癇證으로 辨證되는 경우 본 처방의 사용을 고려해볼 수 있다.

처방 목표	한국표준질병사인분류(KCD)
癲癇	G40 뇌전증

【注意事項】癇證은 병세의 輕重, 急緩의 차이가 있고, 병의 경과의 長短의 차이가 있다. 일반적으로 증상이 처음에는 비교적 가벼우나, 반복해서 발병하면 正氣가 점점 쇠약해지고 痰結이 시간이 지날수록 심해지면 갈수록 빈번하게 발생해서 증상이 점점 심해진다. 본 증상이 발병했을 동안에는 滌痰息風를 위주로 해서 치료해야 하며, 우선 標를 먼저 치료해야 한다. 증상이 발생한 후에는 健脾養心, 補益肝腎, 調補氣血하게한 다음에 本을 천천히 치료해야 한다. 본 방제는 滌痰息風하게 치료하는 방제이다. 따라서 痰熱上擾로 인해서 발생한 癇證發作 환자를 치료하는 것이 알맞다. 癇證이 완화될 때까지 기다려서, 化痰과 培本의 치법을 아울러 고려해야 하며, 또한 음식에 주의하고, 精神을 調攝하고, 扶正氣해야만 전체적인 효과를 볼 수 있다. 『醫學心悟』卷4의 定癇丸 뒷부분의 附에 있는 河車丸 방제에서 이르길: "既愈之後, 則用河車丸以斷其根"라고 했다.

附: 河車丸은 紫河車 1具 茯苓 茯神 遠志를 各一兩씩, 人蔘五錢 丹參七錢을 넣고 煉蜜을 넣고 환으로 만든 다음 매일 아침 따뜻한 물로 三錢씩 복용한다.

오랫동안 병을 앓은 환자의 경우 반드시 正氣를 調補하는데 중점을 두고 치료해야 하며, 原方의 뒷부분에 "方内加人蔘三錢尤佳" 말이 있는 것은 바로 이러한 뜻이다.

【變遷史】본 방제의 치료 증상인 癇證의 病機는 在于痰熱로 인해 風動을 야기한데 있다. 따라서 去痰法의 하나인 半夏·陳皮·茯苓 등을 넣은 二陳湯을 기초로 하고, 또한 증상이 痰熱에 해당하기 때문에, 淸熱化痰한 효능을 갖는 淸氣化痰丸을 사용하고 膽南星 등을 넣고 아울러 川貝母·竹瀝과 배합하면, 淸熱化痰한 효력이 배가된다. 본 증상은 또한 風動으로 인해 발생한 것이기 때문에 風痰內動을 치료하는 治法은 半夏白朮天麻湯과 아주 비슷하며, 全蝎·白殭蠶 및 重墜鎭驚한 성질을 띈 琥珀·辰砂를 넣으면 息風化痰의 작용이 증가하게 된다. 이처럼 熱淸痰化風息하면 증상이 저절로 사라진다. 程氏의 定癇丸은 配伍가 적절하고, 治法이 엄격하며 후세에 대한 영향이 매우 커서 많은 의학자들의 추앙을 받았다.

止嗽散

(『醫學心悟』卷3)

【組成】桔梗 炒 荊芥 紫菀 蒸 百部 蒸 白前 蒸 各二斤(各 10 g) 甘草 炒 十二兩(4 g) 陳皮 水洗, 去白 一斤(5 g)

【用法】위의 약을 분말로 갈아서 매번 三錢(9 g)을 복용하는데 식후 혹은 잠자기 전에 따뜻한 물에 타서 복용한다. 風寒 증상 초기에는 生薑湯에 타서 복용한다.

【效能】止咳化痰, 疏表宣肺.

【主治】咳嗽을 치료한다. 咳嗽咽痒, 咯痰不爽하거나 약간의 惡風發熱이 있고, 舌苔薄白, 脈浮緩하다.

【病機分析】본 방제가 치료하는 咳嗽은 外感咳嗽 때문에 解表宣肺藥을 복용했으나 기침이 여전히 멎지 않았다. 風邪가 肺를 범하면 肺가 淸肅의 기능을 잃게 되고, 發散한다 하더라도 완벽하게 解表하지 않으면 邪가 여전히 남아있어서 肺속으로 전달되고, 肺氣鬱하지만 不宣하면 咽痒咳嗽하게 된다. 肺氣가 鬱閉하면 津凝不布하기 때문에 咯痰不爽하게 된다. 이때 外邪에 의한 경우가 대부분으로 약간의 惡風發熱 증상이 나타난다. 舌苔薄白, 脈浮緩한 것은 表邪外襲한 증거이다.

【配伍分析】본 방제가 치료하는 咳嗽는 남아있는 邪氣(餘邪)를 다 제거하지 못해서 肺의 宣降기능을 원활하게 수행하지 못해서 발병한 것으로, 이를 치료하는 방법은 마땅히 化痰宣肺止咳하게 하고, 아울러 疏散한 성질의 약을 넣고 몸 밖으로 祛邪해야 한다. 방제의 紫菀·百部는 君藥으로 삼으며, 두 약은 모두 肺로 入經하며, 맛은 苦하고 성질은 溫하지만 熱하지 않고, 潤하되 寒하지 않고, 작용은 止咳化痰해서 咳嗽를 치료하는데 있어서 久新을 구분하지 않는다. 臣藥인 桔梗·白前은 하나는 宣하고 하나는 降해서, 肺氣를 회복해서 宣降하게 하고, 君藥의 止咳化痰한 효력을 강화시킨다. 佐藥인 橘紅을 사용해서 理氣化痰하게 하고, 荊芥는 맛이 辛하지만 조금 微溫한 성질을 갖으며 風邪를 疏散하고 몸 밖으로 祛邪하며 肺氣를 宣發하게 하고 閉鬱된 것을 펼쳐서 啓門逐寇의 작용을 한다. 甘草는 모든 약의 조화를 이루게 하고, 合桔梗은 또한 利咽止咳한 효능이 있으므로 佐使藥이 된다. 모든 약을 함께 배합하면 宣肺止咳, 疏風散邪의 작용을 한다.

본 방제의 약은 단지 7가지이나, 용량 또한 輕微해서 溫하지만 燥하지 않고, 潤하지만 膩하지 않고, 散寒하지만 熱을 돕지 않고, 解表하지만 不傷正한 특징이 있다. 이는 바로: “旣無攻擊過當之虞, 大有啓門驅賊之勢”라고 하며, 溫潤平和한 방제라고 말할 수 있다. 본 방제는 宣肺止咳한 효능이 뛰어나기 때문에 증상에 따라 넣고 빼서 다양한 종류의 咳嗽를 치료할 수 있다.

【類似方比較】본 방제와 杏蘇散은 모두 外感咳嗽를 치료하며, 解表宣肺, 化痰止咳한 약을 配伍해서 구성한 것이지만, 두 방제는 解表한 효력이 모두 부족하다. 杏蘇散은 外感凉燥한 咳을 치료하고, 二陳湯을 기초로 해서 祛痰의 효력이 止嗽散에 비해 뛰어나다. 止嗽散은 外感風寒한 咳을 치료하고, 桔梗·紫菀·百部·白前을 配伍해서 止咳한 효력이 杏蘇散에 비해 뛰어나다. 따라서 임상에서 증상을 판단할 때 응용해야 한다.

【臨床應用】

1. 證治要點: 본 방제는 咳嗽咽痒, 咳痰不爽, 苔薄白한 증상을 치료의 요점으로 삼는다.

2. 加減法: 만약 風寒 초기에 頭痛鼻塞하고 發熱惡寒 등의 表證이 비교적 심한 경우에는 荊芥·防風·蘇葉·生薑을 넣고 散邪하고, 暑氣에 傷肺해서 口渴煩心溺赤한 증상이 심한 경우에는 黃連·黃芩·花粉을 넣고 그 火를 直折하고, 濕氣生痰하고 痰涎이 稠黏한 경우에는 半夏·茯苓·桑白皮를 넣고 痰을 제거하고, 燥氣焚金, 乾咳無痰한 경우에는 瓜蔞·貝母·知母를 넣고 潤燥하게 한다.

3. 止嗽散은 다음 한국표준질병사인분류(KCD)에 해당하는 환자가 風邪犯肺證으로 辨證되는 경우 본 처방의 사용을 고려해볼 수 있다.

처방 목표	한국표준질병사인분류(KCD)
上呼吸道感染	J00~J06 급성 상기도감염
急慢性支氣管炎	J20 급성 기관지염
	J41 단순성 및 점액화농성 만성 기관지염
	J42 상세불명의 만성 기관지염

처방 목표	한국표준질병사인분류(KCD)
百日咳	A37 백일해

【注意事項】 陰虛勞嗽하거나 肺熱咳嗽 등의 表邪가 없는 증상에는 사용을 금한다. 表邪가 심한 경우 또한 본 방제를 사용하는 것은 알맞지 않다.

【變遷史】 본 방제는 程氏가 "苦心揣摩而得也"(『醫學心悟』卷3에 수재됨)라고 했다. 방제에서 紫菀·百部를 위주로 하고 溫하되 不熱하고, 潤하되 不寒한 성질을 취해서 止咳化痰하면 치료효과가 탁월하여 후세에 알려진 대로 그 방제조합의 근원을 거슬러 올라가 보면 『聖濟總錄』卷66의 紫菀丸·百部丸과 遣藥立法에 있어서 계승관계가 있는 것 같다. 紫菀丸은 紫菀·貝母·人蔘·赤茯苓·陳皮·桂枝·款款冬花·百部·杏仁·甘草로 구성되었으며 咳嗽上氣, 胸膈煩滿한 증상을 치료한다. 止咳化痰, 宣肺理氣에 있어서 본 방제의 用藥과 거의 일치한다. 貝母를 사용해서 潤肺化痰하게 하고, 款冬花를 사용해서 祛痰止咳하게 하지만, 본 방제는 별도로 白前를 사용해서 理肺化痰止咳하게 한다. 紫菀丸은 用杏仁과 陳皮를 配伍해서 宣利肺氣하게 하지만, 반면 본 방제는 桔梗을 陳皮와 함께 配伍해서 肺宣利하게 한다. 오직 參·苓을 사용하는 것은 健脾化濕하다는 것을 의미하며 生痰의 근원을 막는 것은 본 방제로는 할 수 없다. 桂枝를 사용하면 溫化痰飮한 효과가 있을 뿐만 아니라 또한 表散의 효능을 갖는다. 따라서 『普濟方』卷161에서 紫菀丸은 "肺感風冷, 咳嗽失聲"한 증상을 치료한다고 했다. 하지만 본 방제는 桂枝의 辛溫한 성질에 치우치는 것을 꺼려서 荊芥로 바꾸면 또한 表散外邪의 작용을 한다. 百部丸은 百部·款款冬花·天門冬·貝母·桔梗·紫菀으로 구성되며 咳嗽上喘, 胸膈不利之한 증상을 치료하고, 본 방제의 化痰止咳의 작용과는 비슷하지만 潤養肺陰한 효능이 뛰어나서 表散한 효력은 부족하다. 『醫學心悟』卷2의 止嗽散은 본 방제에 비해 荊芥 한 가지 약이 적게 들어 있으며 傷寒咳嗽하지만 表邪가 이미 제거된 증상을 치료한다.

【難題解說】 본 방제의 분류 귀속(歸屬)에 대해서: 본 방제의 분류는 여러 교재에서 본 방제를 解表劑로 분류하고, 방제의 荊芥는 表에 머물러 있는 風寒을 제거할 수 있고, 또한 이 적응증은 風邪가 肺를 범해서 발병한다고 여겼다. 반면 방제에서 荊芥의 약효를 따져보면, 用量도 重하지 않고, 주도작용(主導作用)을 하지는 않는다. 하지만 解表한 효력이 있지만, 方劑 중에는 다른 약의 작용을 주도적으로 재배할 수 있는 힘은 없다. 방제에서 모든 약을 함께 配伍한 결과는 化痰止咳한 효능을 두드러지게 하는 것이다. 반면 적응증은 비록 風邪가 肺를 침범해서 발생하지만 咳嗽가 가장 현저하게 나타나고, 表證은 輕淺하고, 또한 或然症狀에 해당한다. 따라서 본 방제를 祛痰劑로 분류하는 것은 오늘날 방제의 기능별 분류법의 기본 원칙과 더욱 일치하는 것 같다.

【副方】 金沸草散(『博濟方』卷1): 荊芥穗 四兩 旋覆花 三兩 前胡 三兩 麻黃去節 三兩 甘草 一兩炙 半夏 一兩洗浄, 薑汁略浸 赤芍藥 一兩

- 用法: 위의 7가지 약을 함께 분말로 갈아서 二錢(6 g)을 一服으로 하여 물 一盞을 넣고, 生薑·棗를 함께 넣고 10분의 6이 되게 달여서 뜨겁게 복용한다. 만약 汗出하면, 三服을 함께 복용한다.
- 作用: 發散風寒, 降氣化痰.
- 適應症: 傷寒에 壯熱이 나고 風氣가 꽉 막히면 頭目心胸이 온전하지 못하게 되며, 婦人의 경우에는 血風朝發하고, 丈夫의 경우에는 風氣가 상부를 공격해서 모두 傷風과 유사한 中脘有痰, 壯熱頭疼, 項筋緊急, 時發寒熱하게 발생한다. 寒氣가 있으면, 땀을 내서 배출하며, 이는 마치 風盛하면 解利하는 것과 같다.

본 방제와 止嗽散은 모두 風邪犯肺를 치료하는 常用方이다. 止嗽散은 紫菀·白前·百部·桔梗 등의 利肺止咳藥을 위주로 하지만, 解表宣肺한 효력이 부족하기 때문에 따라서 外邪將盡, 肺氣不利한 咳嗽不止를 치료한다. 본 방제는 旋覆花·麻黃·荊芥穗 등의 宣肺解表藥을 위주로 하고 또한 化痰한 성질의 약을 넣기 때문에, 따라서 風邪犯肺의 초기에 咳嗽痰多한 증상을 치료한다.

第十八章

消食劑

消食藥 위주로 조성되고, 消食·化積·導滯·健脾 등의 작용이 있으며, 각종 食積證을 치료하는 方劑를 消食劑라고 칭한다. "八法" 중 消法의 범위에 속한다.

消法의 적용범위는 매우 광범위하며, 消食法은 그중 한 가지일 뿐이다. 일반적으로 음식이 윗배에 머물러 있어 위로 올라가려는 기운이 있는 사람은 마땅히 토하게 하여야 하는데 즉 "因而越之"이다. 음식이 장부에 머물러 있고 단단하고 뭉친 모양이 있는 사람은 마땅히 배변을 시켜야 되는데, 즉 "引而竭之"이다. 本章의 方劑가 치료하는 것은 오래된 음식이 中脘에 멈추어 있는 것으로, 위로 올라가려는 기운과 단단하고 뭉친 모양이 없으면, 토하게 하는 것과 배변을 시키는 것이 모두 마땅하지 않으면, 오직 사라지게 하고(消之) 변화시키고(化之), 흩어지게 하여야(消之散之) 비로소 사기를 없애고 정기를 편안하게(邪去正安) 할 수 있다.

漢末의 『名醫別錄』을 시작으로, 消食藥에 대한 기록은 계속 있었다. 梁代의 『補闕肘 後百一方』에 처음으로 麥芽를 사용해 方劑를 조성하여 飽食후 바로 눕는 사람을 치료한 기록이 있다. 宋代에 이르면, 前賢들이 消食劑의 운용을 더욱 중시하여, 관련 方劑를 창제했다. 그중 『小兒衛生總微論方』卷12의 肥兒丸의 영향이 비교적 컸는데, 이 方劑는 소아가 蟲食之積을 앓기 쉬운 것과 化熱成疳하는 특징에 대해 消食· 殺蟲·淸熱·行氣를 병용하여 치료했는데, 標本을 함께 고려한 것이다.

金·元時期에는 특별히 四大流派가 일어났는데, 消食劑의 운용을 더욱 풍부하게 하고 발전시켰다. 이 시기 여러 의학자들은 서로 다른 食積證을 근거로 더욱 합리적이고 전면적인 消食方劑를 연구해 냈는데, 임상 실용에도 적합했다. 張元素는 옛것을 배우지만 거기에 얽매이지 않고, 仲景『金匱要略』枳朮湯의 枳實과 白朮의 용량을 바꾸고 湯을 丸으로 바꾸어, 脾虛氣滯의 食積證을 전문적으로 치료하는 枳朮丸으로 발전시켰다. 攻下派의 창시자 張從正은 汗·吐·下 三法에 정통한 것으로 유명하다. 그가 만든 木香檳榔丸(『儒門事親』卷12)은, 行氣·瀉下·淸熱에 비교적 좋은 약재를 하나의 처방으로 융합하여 濕熱食積重證을 치료했다. 張氏는 食積重證에 下法을 결합하고, 瀉痢에 대해 "通因通用"의 治法사고를 채용하여, 다른 사람들에게 깨우침을 주었다.

補土派의 대표인물인 李杲는 후세에 전해지는 脾胃病을 치료하는 많은 종류의 名方을 만들었는데, 그중 食積에 사용하는 것 역시 예를 많이 들 수 있다. 예를 들어 枳實導滯丸(『內外傷辨惑論』卷下)은, 그 효능과 主治가 비록 木香檳榔丸과 비슷하고, 모두 行氣導滯, 攻積瀉熱의 方劑로, 濕熱食積證에 사용하지만,

本方은 滲利의 약재를 더해, 濕熱食積하게 하고, 대·소변으로 나누어 나가게 하여, 濕이 重한편인 사람에게 효과가 더욱 좋다. 枳實消痞丸(『蘭室秘藏』卷上)은 脾虛氣滯, 寒熱互結의 痞滿證에 대하여 만든 것으로, 이 방제의 배오 특징은 消補兼施, 溫淸幷用, 苦降辛開이다. 이것은 李氏가 상술한 虛實寒熱夾雜證의 비교적 복잡한 증상을 치료하는데, 모든 면을 함께 고려하는 처방구성의 좋은 예이다. 그 외 강조할 만한 것은, 李杲가 또 하나의 名方 葛花解酲湯(『脾胃論』卷下)으 로 酒濕食積을 치료하는 先例를 열었다는 것인데, 그는 本證의 특징에 근거하여, "止(只)當發散, 汗出則愈矣, 其次莫如利小便, 兩者乃上下分消其濕"라는 유명한 관점을 명확하게 주장했으며, 發汗·利小便·理氣·健脾藥物을 공동으로 함께 처방구성하여, 酒毒을 上下內外로 나누어 없애며, 병을 치료하는 목적에 달했다. 李氏의 이런 생각은 임상에서 지도적 의의가 있을 뿐만 아니라 깊은 영향을 끼쳤다.

補陰派의 대가 朱震亨이 창제한 保和丸(『丹溪心法』卷3)·大安丸(『丹溪心法』卷5)은 모두 消食平和의 方劑로, 처방으로 消食藥物을 주로 조성하고, 理氣·祛濕·淸熱之品을 적당히 배오하여 일체의 食積의 輕症을 치료했다. 이 方劑가 세상에 알려지면서, 消食方劑의 내용이 풍부하고 충실해졌다.

明·淸에 이르면 消食劑의 발전이 나날이 개선되었는데, 특히 健脾와 消食藥物을 함께 쓰는데 진전이 있었다. 『證治準繩』「類方」卷5의 健脾丸, 『成方便讀』卷4의 啓脾散은 비록 앞에 서술한 枳朮丸과 같이 消補兼施, 補重于消하지만 뒤의 兩方의 選藥이 더욱 완벽하여, 收補하며 不滯하고, 消하되 正氣를 상하게 하지 않는 효과가 있다. 伐木丸(『本草綱目』卷11에서 인용한 張三豐仙傳方)은 脾濕不運, 食積不化로 黃腫病에 이른 것을 치료하는 要方인데, 이 方劑는 辛苦酸澀之品(蒼朮·酒麯·皂礬)을 병용하여, 자못 특색이 있었고, 독특했다. 요컨대 消食劑의 운용역사는 오래되었고, 前賢들이 우리에게 풍부한 경험과 귀중 한 자료를 많이 남겨주었다.

食積證의 病因·病機 및 方劑의 작용 특징에 근거하여, 本章 方劑를 消食化滯와 消補兼施 두 종류로 나누었다. 消食化滯劑는 食積內停證에 사용하는데, 증상으로 胸脘痞悶, 噯腐呑酸, 惡心嘔吐, 腹痛泄瀉, 苔膩, 脈滑 등의 實證을 보인다. 消補兼施劑는 脾虛食積證에 사용하는데, 증상으로 食少難消, 脘腹痞悶, 大便溏薄, 體倦乏力, 舌淡苔白, 脈弱 등의 虛實夾雜이 보인다. 食積은 有形實邪이기 때문에 매우 쉽게 氣機를 막아, 痞悶脹滿에 이르기 때문에, 行氣의 枳實·厚朴·陳皮·木香·檳榔 종류를 일반적으로 배오하여, 消脹除滿하고 消積을 돕는다. 여기에 더해, 食積은 또 生濕化熱하기 쉽기 때문에, 어떤 경우는 澤瀉·茯苓·連翹·黃芩·黃連 등의 滲濕·淸熱의 약재를 배오하는데, 保和丸이 대표적인 방제이다. 食積重症에 대해서는 瀉下藥인 大黃을 이용하거나 行氣導滯의 木香·檳榔을 위주로 方劑를 구성하는데, 대표적인 방제로 枳實導滯丸·木香檳榔丸이 있다. 蟲食積滯에는 殺蟲하는 使君子 등을 배오하거나, 혹은 消食藥을 위주로 함께 處方을 구성하는데, 대표적인 방제로 肥兒丸이 있다. 食積寒化에는 乾薑·吳茱萸류의 溫裏散寒藥을 배오해야 한다. 이상은 食積實證에 대한 것이다.

만약 脾虛食積의 虛實夾雜에 속하면, 종종 人蔘·白朮·當蔘·甘草 등의 健脾益氣藥을 배오하여, 消補兼施한다. 대표적인 처방으로는 枳朮丸·健脾丸·枳實消痞丸 등이 있다. 酒食積에 대해서는, 解酒의 전문약인 葛花를 위주로 선택하여 처방을 구성해야 하고, 滲利효능의 약물을 배오하여 술과 습을 나누어 없애는(分消酒濕) 것이 적당한데, 대표적인 처방으로는 葛花解酲湯이 있다.

消食劑와 瀉下劑를 비록 모두 飮食積滯證에 사용할 수 있지만, 단 兩者의 작용 특징과 임상 적용에는 차이가 있다. 消食劑의 작용은 일반적으로 비교적 緩和하여, 漸消緩散의 方劑에 속하고, 病程이 비교적 길고 病勢가 비교적 완만한 食積證에 적용하며, 劑型은 丸劑를 주로 하는데, 緩消의 뜻을 취하는 것이다. 그러나 瀉下劑는 작용이 峻猛하고, 빠른 효과를 거둘 수 있어, 發病이 急驟하고, 病勢가 비교적 급한 積滯重症에 적용하며, 劑型은 湯劑가 많은 부분을 차지하고 있으며, 李杲가 말한 "大抵湯者蕩也, 去大病者用之"(『珍珠囊補遺藥性賦』卷2)와 잘 맞는다. 病勢가 急重하여, 꼭 下法을 써야 하는 사람에게 消食方劑를 투여하면, 病은 重한데 藥은 가벼워, 효과를 기대하기 어렵다. 病은 重한데 藥은 가벼워, 효과를 기대하기 어렵다. 만약 病勢가 輕緩한데 瀉下劑를 이용하면, 病은 輕한데 藥은 重하여 반대로 脾胃正氣를 상하게 된다. 朱震亨이 지적하기를 "凡積病, 不可用下藥, 徒損眞氣, 病亦不去, 當用消積藥使之融化, 則根除矣" (『丹溪心法』卷3)라 했다.

이 종류의 方劑의 효능이 비교적 완만하지만 그래도 攻伐하는 방제에 속하기 때문에 장기 복용에 적당하지 않고, 純虛無實한 사람은 신중하게 사용해야 한다.

第一節 消食化滯劑

保和丸

(『丹溪心法』卷3)

【組成】 山楂 六兩(180 g) 神麯 二兩(60 g) 半夏 茯苓 各三兩(各 90 g) 陳皮 連翹 萊菔子 各一兩(各 30 g)

【用法】 위의 재료를 가루로 만들고 떡찌듯 쪄서 오동나무 열매 크기의 丸으로 만든다. 매회 70~80丸을 복용하는데, 식후에 따뜻하게 끓인 물로 삼킨다(현대 용법: 모두 가루로 만들고, 물로 반죽하여 丸으로 하여, 매회 6~9 g을 식후에 따뜻하게 끓인 물로 마신다. 역시 물로 달여 복용할 수 있고, 용량은 原方에 비례해 증상에 따라 줄인다).

【效能】 消食和胃.

【主治】 食積證. 胸脘痞滿, 腹脹時痛, 曖氣呑酸, 壓食嘔惡 或 大便泄瀉, 舌苔厚膩微黃, 脈滑.

【病機分析】 食積證은 傷食이라고 부르기도 하는데, 많은 경우 飮食過度 혹은 暴飮暴食이나, 寒溫不調, 혹은 술, 고기, 기름진 음식들을 마음대로 먹는 식습관 등으로 인해 생긴다. 飮食過度로 인해 脾運不及하게 된다. 運化에 힘이 없으면, 停滯되어 食積이된다. 즉, 所謂 "飮食自倍, 腸胃乃傷"(『素問』「痹論」)이다. 음식이 中脘에 머물러 氣機가 막히게 되면, 胸痞脘悶腹脹이 되는데, 심하면 腹痛이 일어난다. 胃納脾運은 一降一升으로써 정상적인 소화기능을 유지하는데, 음식으로 인해 상하게 되면 納運이 조화롭지 않아 升降의 일을 잃고, 噯腐呑酸하고, 먹기를 싫어하고 토하고 설

사하게 된다. 苔膩·脈滑은 즉 食積의 징후이다.

【配伍分析】 本 方劑은 食停中脘證을 主治하는데, 발병부위는 吐法이나 下法이 모두 알맞지 않으면 마땅히 消食化滯를 먼저 사용하고, 理氣和胃의 治法을 사용해야 한다. 方劑에서 山楂를 君으로 重用하는데, 本品은 酸甘微溫하고, 藥力이 비교적 강하여, 각종 飮食積滯를 없앨 수 있는데, 특히 고기와 기름진 음식 을 먹어 쌓인 것에 적용하면 좋다. 『本草綱目』卷30에서 그것을 "化飮食, 消肉積"이라고 했다. 神麯은 辛甘而溫하고, 醱酵를 거쳐 완성된다. 이 약은 消食積과 동시에 健脾胃할 수 있어 술과 음식이 오래 되어 쌓인 것을 푸는데 더욱 장점이 있다. 『藥性論』卷中에서 그것을 "善化水穀宿食"이라 했고, 『本經逢原』卷3에서 역시 "功專于消化穀麥酒積, 陳久者良"이라 했 다. 萊菔子는 下氣消食하는데, 穀麵의 積을 없앤다. 『本草綱目』卷26에 本品을 "下氣, 定喘, 治痰, 消食, 除脹"이라 했다. 이상 두 약은 함께 臣藥이 되어, 山楂와 함께 배오하면 효력이 더욱 뛰어나서 일체의 飮食積滯를 없앤다. 半夏를 佐로 삼아 和胃降逆하여 구토를 멈추게 한다. 陳皮의 理氣健脾 효능은 氣機를 通脹하게 하여, 消脹할 수 있고, 또 消食化積에 이롭다. 이 두 약물은 또 燥濕의 효능을 갖고 있다. 茯苓은 健脾滲濕으로 설사를 멈추게 하고, 連翹는 清熱散結하여, 食積이 쉽게 습을 만들고 열로 변화하는 것을 치료하기 위해 배오되어 역시 佐藥이 된다. 모든 약물이 함께 消食和胃의 효능이 있어, 食積을 없어지게 하고, 胃氣和降, 熱清濕去하여 여러 증상이 자연히 치유된다.

본방의 배오특징은 消食藥을 위주로 食積內停를 제거하는 本을 중시하여, 行氣·化濕·清熱의 약재를 배오하고, 氣滯·濕燥·化熱의 標를 함께 고려한다. 요컨대, 本方의 효능인 消食和胃는 胃氣를 和順하게 하여, 全身이 恬神安適되고, 保和를 얻기 때문에 方名이 "保和丸"이다.

【臨床應用】

1. 證治要點: 本 方劑는 消導平劑로, 일체의 食積輕證을 치료하는데 일반적으로 사용하는 方劑이다. 臨證時 脘腹脹滿, 曖腐呑酸, 壓食吐泄, 苔膩를 證治要點으로 한다.

2. 加減法: 食積이 비교적 重하고, 脹滿이 명확한 사람은 枳實·厚朴·木香·檳榔 등을 더해 消食導滯의 힘을 강화하고, 食積化熱이 비교적 심하고, 苔黃·脈數이 함께 보이는 사람은 증상에 따라 黃芩·黃連 등 清熱한 효능의 약물을 더한다. 大便이 祕結한 사람은 大黃을 더해 瀉下通便하고, 脾虛를 겸한 사람은 白朮·黨參·甘草 등 健脾益氣 효능의 약물을 더한다.

3. 保和丸은 다음 한국표준질병사인분류(KCD)에 해당하는 환자가 食積證으로 辨證되는 경우 본 처방의 사용을 고려해볼 수 있다.

처방 목표	한국표준질병사인분류(KCD)
消化不良	(질병명 특정곤란)
	K30 기능성 소화불량_소화불량
	F45.3 신체형자율신경기능장애_소화불량
	R10.19 상세불명의 상복부통증_소화불량 NOS
急慢性胃炎	K29.1 기타 급성 위염
	K29.3 만성 표재성 위염
	K29.4 만성 위축성 위염
	K29.5 상세불명의 만성 위염

【注意事項】 本 方劑는 消導의 효능이 비교적 완만하여, 일반적으로 食積이 심하지 않고, 正氣가 아직 虛하지 않고, 熱이 있는 편인 사람에게 적용해야 하며, 만약 正氣가 이미 虛하거나 寒한편인 사람은 적당하게 加減해야 한다.

【變遷史】 本 方劑는 원래 『古今醫統大全』卷89에 인용된 『直指小兒方』의 保和丸이다. 이 方劑는 白朮·

茯苓·半夏·山楂·神麯·陳皮·連翹·蘿卜子·蒼朮·枳實·香附子·厚朴·黃芩·黃連 모두 14味의 약으로 구성되었는데, 藥味가 비교적 복잡하고, 小兒食滯, 脾胃不和의 증상을 치료한다. 『丹溪心法』에 기재된 保和丸은 모두 3首인데, 本方 외에, 나머지 두 처방은 각각 山楂·白朮 各四兩, 神麯 二兩을 가루로 만들어 오동나무 열매 크기로 떡을 쪄서 丸으로 만들어, 매번 70丸을 복용하는데, 白湯으로 삼키는 것과 山楂 三兩, 白朮 二兩, 陳皮·茯苓·半夏 各一兩, 連翹·黃芩·神麯·萊菔子 各반량을 가루로 만들어 오동나무 열매 크기로 떡을 쪄서 환으로 만들어, 식후 生薑湯으로 마시는 것이다.

처방 구조를 분석하면 『丹溪心法』 保和丸은 모두 『直指小兒方』 保和丸의 減味로 만든 것인데, 단 本方이 비교적 합리적이고 전면적이기 때문에 영향이 가장 깊고 넓다. 후대 의학자들이 本方을 인용할 때, 조성에 약간 차이가 있는데, 『醫學正傳』卷2의 加麥蘗面, 『證治準繩』「類方」卷20의 加麥芽와 黃連, 『醫方集解』「消導之劑」의 小保和丸은 本方에서 半夏·萊菔子·連翹를 빼고, 白朮·白芍을 더하여 만들어졌는데, 保和丸에서 발전한 方劑라고 할 수 있다. 適應症은 原書에서 "治一切食積"이라 매우 개괄적으로 기재되었다. 그 후, 『醫學正傳』卷2에서 "腹中有食積癖塊"를 지적했고, 『赤水玄珠』卷13에서 "食積痢"를 치료했다. 『證治準繩』「類方」卷20에서 그 主治證候를 다음과 같이 더욱 잘 설명했다: "飮食停滯, 胸膈痞滿, 暖氣呑酸, 或吐瀉腹痛". 『醫宗金鑒』「幼科雜病心法要訣」卷52에서 "乳食過飽蓄胃中, 乳片不化吐頻頻, 身熱面黃腹膨脹, 消乳保和有神功"을 강조했다. 이상의 내용은 임상 적용에 상당한 교육적 의의를 가지고 있다.

【難題解說】 本 方劑의 方名에 대해: 吳昆은 "是方藥味平良, 補劑之例也, 故曰保和"(『醫方集解』卷4)라고 인식했다. 張秉成은 "此方雖純用消導, 畢竟是平和之劑, 故特謂之保和"(『成方便讀』卷3)을 지적했다. 이상의 서술은 모두 本方의 조성약물의 性味가 平和하기 때문에 이름을 취한 것이라고 말하고 있는데, 사실은 隨門衍義에 속하여, 그 원뜻에 도달할 수 없다. 그런데 『古今醫統大全』卷89에서 인용한 『直指小兒方』의 保和丸은 藥性이 평화롭지 않은데도 保和라고 칭한 것은 어떻게 해석할 것인가? 무릇 保는 養이다. "保和"는 心情和順, 身體安適을 유지하는 의미를 포함하고 있다. 『魏書』「崔浩傳」: "愿陛下遣諸憂虞, 恬神保和, 納御嘉福." 韓愈도 『順宗實錄三』에서 역시 "居唯保和, 動必循道."라고 했는데, 문장에서 "保和"는 모두 和順·安適을 말하고 있다. 本 方劑가 치료하는 증상은 食停中脘, 胃氣不和를 일으키기 때문에, 消食和胃하여 치료해야 한다. 『中藏經』卷上에서 "胃者, 人之根本, 胃氣壯, 五臟六腑皆壯也."라고 한 것은 胃氣가 順暢하여야만, 人體가 恬神安適할 수 있고, 保和를 얻을 수 있기 때문에, 方名을 "保和丸"이라고 하였다.

【醫案】

1. 小兒疳積 『陝西中醫』(2004, 8:754): 田某, 男, 4세. 患兒는 壓食이 반년 되었는데, 점점 精神이 不振하고, 얼굴이 황색이고 근육이 마르고, 피곤하여 누워있기를 좋아하고, 腹脹, 納差하고, 야간에 低熱이 있고, 수면이 편안하지 않고, 때때로 露睛하며, 大便이 溏薄하고, 舌苔가 濁膩하며, 脈이 滑細했다. 증상이 積滯傷脾에 속했다. 消積和胃理脾로 치료하는데, 方은 保和湯에 山藥·檳榔을 더했다. 2첩 복용 후, 飮食이 명확히 증가하고, 腹脹이 경감했는데, 계속해서 原方 三劑를 복약한 후, 食納이 정상과 같아졌고, 정신이 좋아지고, 나머지 증상이 모두 없어지고, 후에 蔘苓白朮湯으로 조리하였다.

考察: 積은 疳의 어머니이므로, 疳을 치료하기 위해 반드시 먼저 積을 없애야 한다. 극히 虛한 사람은 빠르게 그것을 공략하므로, 積이 아직 물러나지 않았는데, 正氣를 유지하기 어려워 消食導滯의 輕劑인 保和湯에 甘平한 약성의 淮山藥을 더해 健脾胃護中氣의 효능을 강화하고, 거기에 消積殺蟲효능의 檳榔을 더해, 下氣破滯로 積滯를 없어지게 하고 正氣를 손상하지 않게 하여, 脾胃와 疳積을 치료할 수 있다.

2. 胃石症『時珍國醫國藥』(2003, 3:161~162): 여, 43세. 主訴:胃痛沉重·暖氣泛酸·納呆少食·食後脹滿沉重이 특히 두드러졌는데, 진료에서 舌淡苔白膩·脈弦滑이 보였다. 처음엔 三九胃泰와 胃友를 복용하여 治療를 했는데, 증상의 호전이 보이지 않았다.

바륨 조영술 보고: 胃內에 中等瀦留液이 있었고, 胃底에서 1.0 cm×4.0 cm 楕圓形의 이동 가능한 食物團形影을 볼 수 있었고, 食積이 不化로, 結聚하여 돌이 되었다. 消食導滯, 散結破積으로 치료하였다. 保和丸加減(山楂 15 g, 神麯 20 g, 半夏 10 g, 雲苓 30 g, 陳皮 15 g, 連翹 15 g, 萊菔子 20 g, 元胡 15 g, 川朴 15 g, 內金 20 g, 炙甘草 15 g)으로 치료하였다. 3첩 후 여러 증상이 모두 감소했다. 모두 12첩을 복용했는데, 임상 증상이 없어지고, 바륨 조영술 재검에서 胃內 結石影이 보이지 않았다.

考察: 『諸病源候論』卷19「癥病諸候」에서 말하기를 "由寒溫失節, 致腑之氣虛弱, 而飲食不消, 聚結在內, 染漸生長塊段, 盤勞不移動者, 是也."이라 했다. 保和丸 중의 山楂는 油膩의 積을 없애는 데 좋고, 神麯은 술과 음식이 오래되어 쌓인 것을 없앨 수 있고, 萊菔子는 下氣하여 化面積하고, 連翹는 淸熱散結한다. 食積으로 鬱이 되면 많은 경우 반드시 痰滯하게 되기 때문에, 二陳湯으로 化痰行氣한다. 처방에 元胡·川朴을 더해 行氣消脹除滿으로 통증을 멈추게 하고, 內金은 山楂·神麯·萊菔子를 도와 消食積하기 때문에 胃內 結石症을 치료하는데 이용하면 유효하다.

3. 膽~心綜合征『現代中醫藥』(2002, 6:44): 남, 52세. 1일 전 갑자기 右脇에 격렬한 통증이 있었는데, 스스로 "去痛片" 四片을 복용한 후에도 증상이 줄어들지 않았는데, 다음날 다시 胸悶·心悸·氣短이 나타났다.

초음파 검사에서 膽囊炎이 보이고, 심전도에서 빠른 심방조동이 보였다. 과거의 "관상동맥 경화성 심장질환"을 부인했다. 舌質이 紅하고, 苔가 薄黃했으며, 脈은 結代했다. 현대 의학의 診斷에서 膽~心綜合征이었고, 한의학 診斷은 脇痛이었다. 증상은 肝氣鬱結에 속했다. 柴胡疏肝散加味를 이용해 치료했는데, 환자가 복용하자마자 吐하고, 받아들이기 힘들어 했고, 또 嘔吐物이 腥臭가 심해 받아들이기 힘들었는데, 안에 소화되지 않은 頑穀이 끼어 있었고, 服滿하고 拘急했다. 다시 검사했는데, 환자의 체질이 마르고 야위어서, 그것이 中州本虛한 것을 알았는데, 柴胡·黃芩은 傷中敗胃할 수 있기 때문에 받아들이기 어려웠던 것이다. 健中行氣의 法으로 바꾸어, 保和丸에 木香·瓜蔞·砂仁을 더한 것을 선택했다. 1첩 후 失氣하여 瀉下가 한 차례 있었고, 다시 2첩 복약 후 脇痛이 감소했는데, 심전도를 보니 심방조동(心房纖顫)이 없어지고, 굴리듬으로 바뀌었다.

考察: 膽~心綜合征은 膽道感染時에 일어나는 협심증·放射性 疼痛·심장 기능 문란·심전도 변화 등의 綜合性症候群이다. 그것은 과거에 심장질환 병력이 있는 환자에게 자주 발생했다. 한의학자들은 肝膽이 서로 表裏를 이루어, 疏泄不利가 肝膽·心經循行 부위에 동시에 病變이 나타날 수 있다고 인식한다. 『素問』「臟氣法時論」에서는 "心痛者, 胸中痛, 脇之滿, 脇下痛……" 이라고 했다. 疏泄를 위주로 치료해야 하는데, 환자가 柴胡疏肝散을 복용하여 여러 증상이 오히려 重해졌고, 嘔吐物 腥臭와 內雜頑穀이 합해져, 食積이 안에 보이게 되고, 환자가 中州本虛했기 때문에 치료법으로 消導가 적절했다. 保和丸은 消導積滯하고, 調補中虛하며 暢中行氣를 겸하여, 3첩 後 脇痛이 크게 경감하고, 肝膽疏泄 효능이 정상으로 된 후, 심장질환이 자연히 나았고, 심전도가 굴리듬으로 전환되고, 심방세동(房顫)이 소실되었는데, 이것이 바로 『薛氏醫案』에서 말한 "肝氣通則心氣和, 肝氣滯則心氣乏."이다.

4. 高脂血症『實用中醫內科雜誌』(2004, 4:348): 남성, 42세. 스스로 말하기를 신체검사에서 혈중 지질이 높아지고, 총 콜레스테롤 6.69 mmol/L, 중성지방(trigliceride) 4.72 mmol/L, 고밀도지질단백질(high~density

lipoprotein) 0.54 mmol/L였는데, 스스로 음식 통제를 했지만 효과가 불명확하여, 치료를 하러 왔다고 했다. 환자를 관찰하니, 體質이 肥胖하고, 舌質이 暗紅하고, 신체가 胖大하고, 苔白略厚하고, 脈이 滑數했다. 保和丸 8粒을 매일 3회 口服했는데, 3개월 후 재검에서 확실히 호전되었고, 계속해서 복용할 것을 당부했는데, 추적검사 2년 동안 혈중 지질이 모두 정상범위에 있었다.

考察: 高脂血症은 한의의 痰濁範圍에 속하는데, 일부 환자에서 頭昏眩暈·胸脘滿悶 等의 痰濕이 증상으로 보일 수 있고, 상당부분 환자는 어떤 증상도 없었다. 환자는 膏粱厚味한 음식을 먹는 것을 좋아하고, 음식이 과도하여, 脾升胃降 기능이 상대적으로 부족해져 食積內停하고, 水濕不化하여, 모여서 痰이 된다. 그러므로 保和丸의 健脾消中·化痰降濁으로, 水穀이 化生精微할 수 있게 하여, 痰濁消散하고, 血脂가 정상으로 회복하게 된다.

5. 皮膚瘙痒『陝西中醫』(2006, 12:1583): 남성, 40세. 전신 피부의 심한 가려움이 5년 여 반복되어, 1년 전 모 의원에서 알레르기 원인을 100여 종을 검사했는데, 심지어 토마토·부추 등의 채소에도 알레르기가 있었다. 약을 무수히 사용했지만, 호전이 없었다. 진찰 시 전신소양이었는데, 疹塊가 은은하여 나타나지 않았고, 心煩失眠, 面白, 舌苔垢膩, 脈滑數했다. 保和丸加味를 사용했다. 山楂 10 g, 神麯·制半夏·防風 各 12 g, 炒白朮·當蔘·茯苓·當歸 各 15 g, 陳皮·萊菔子·蟬蛻 各 6 g, 連翹 9 g, 全蝎(研吞) 2 g, 물로 달여 매일 1첩 복용했다. 모두 17첩을 복용하고, 증상이 없어졌다.

考察: 本例는 병이 오래된 脾胃虛弱에 속했는데, 運化失司, 宿食內停, 濕濁內生, 鬱于肌膚로 발생했다. 치료는 保和丸을 주로 사용하고, 증상에 따라 白朮·當蔘의 健脾益氣를 더하면 運化를 돕고, 防風·蟬蛻는 祛風止痒, 當歸·全蝎은 養血活血, 息風止痒작용을 한다.

【副方】 大安丸(『丹溪心法』卷5): 山楂 二兩(60 g) 神麯 炒 半夏 茯苓 各一兩(各 30 g) 陳皮 蘿卜子 連翹 各半兩(各 15 g) 白朮 二兩(60 g)

- 用法: 위의 약물을 가루로 하여 粥糊로 丸服한다.
- 作用: 消食健脾.
- 適應症: 食積 兼 脾虛證. 飮食不消, 脘腹脹滿, 大便泄瀉와 小兒食積.

本方은 保和丸과 비교하여 白朮 一味가 많은데, 나머지 약의 용량 역시 비교적 줄어들었다. 配伍는 消中兼補하여, 즉 消食하는 가운데 健脾하는 효능이 있어, 食積과 脾虛를 겸한 사람에게 적용하는데, 小兒食積證에 특히 적합하다.

枳實導滯丸

(『內外傷辨惑論』卷下)

【異名】 導氣枳實丸(『醫學入門』卷8)

【組成】 大黃 一兩(30 g) 枳實 麩炒, 去瓤 神麯 炒 各五錢(各 15 g) 茯苓 去皮 黃芩 去腐 黃連 揀淨 白朮 各三錢(各 9 g) 澤瀉 二錢(6 g)

【用法】 위의 재료를 고운 가루로 만들어 뜨거운 물에 담그고(湯侵) 떡찌듯 쪄서 오동나무 열매 크기의 환으로 만든다. 매회 50에서 70환을 복용하는데, 식후에 따뜻하게 끓인 물로 삼킨다(현대용법: 모두 고운 가루로 만들어 물로 반죽하여 작은 丸으로 만들고, 매회 6~9 g을 식후에 따뜻하게 끓인 물로 삼키는데 매일 2회 복용한다).

【效能】 消食導滯, 淸熱利濕.

【主治】 濕熱食積證. 脘腹脹痛, 下痢泄瀉 혹은 大便祕結, 小便黃赤, 舌苔黃膩, 脈沉有力.

【病機分析】 本 方劑의 病證의 成因은 飮食積滯가 비교적 오래되고, 生濕化熱하거나, 평소 濕熱이 있고 食積이 腸胃에 서로 맺히는 것으로, 즉 濕熱食積證이다. 食積內停하여, 阻遏氣機하면, 脘腹脹痛하게 되고, 濕熱積滯가 아래를 압박하면 下痢 혹은 腹瀉하게 된다. 濕熱積滯가 內壅하게 되면 腑氣가 不通하여, 또 大便이 祕結할 수 있다. 小便이 黃赤하고, 舌苔가 黃膩하고, 脈沉有力한 것은 모두 濕熱의 증후이다.

【配伍分析】 本 方劑의 病證은 食積과 濕熱이 竝存하는 發病機制로, 치료법으로 消食導滯와 淸利濕熱을 함께 사용해야 한다. 方劑에서 大黃의 用量이 비교적 중한데, 목적이 攻積瀉熱에 있으며, 積熱을 大便으로 내려가게 하여, 君藥이 된다. 臣藥인 枳實의 行氣導滯消積 효능으로써 痞滿脹痛을 없앨 뿐만 아니라 또 大黃의 瀉下之功을 증가시키는데, 『藥品化義』卷2에서 "專泄胃實, 開導堅結……逐宿食, 破結胸, 通便秘"라고 했다. 이 두 약은 下痢 혹은 泄瀉에 대해 "通因通用"의 治法을 구현한다. 神麯의 효능은 消食和胃인데, 大黃·枳實과 서로 합해, 함께 병에 이르는 원인을 제거하여, 역시 臣藥이 된다. 黃芩과 黃連은 淸熱燥濕止痢 효능으로써 보좌한다. 茯苓과 澤瀉는 利水滲濕止瀉의 효능으로 濕熱을 小便으로 分消하게 하여, 通腑의 大黃과 서로 배오하면 "邪有出路"하게 한다. 白朮은 健脾燥濕益氣의 효능으로 보존하면서 쌓인 것을 치기 때문에 正氣를 상하지 않게 하는 효과가 있다. 여러 약을 합해 사용하면, 함께 食消積去, 熱淸濕化의 목적에 도달하는데, 濕熱食積證이 비교적 중한 사람에게 적합하다.

本方의 배오특징은 方劑에서 消下와 淸利를 竝用하는데, 消下가 主가 된다는 것이다. 白朮 一味로, 正氣를 兼顧하여, 邪를 없애지만 正을 상하지 않는데 방제의 묘미가 있다.

【臨床應用】

1. 證治要點: 本 方劑는 濕熱食積證을 치료하는데 일반적으로 사용하는 方劑이다. 임상 적용 시에, 脘腹脹痛, 瀉痢 혹은 便祕, 苔黃膩, 脈沉實을 證治要點으로 한다.

2. 加減法: 脹滿이 심한 사람은 木香·檳榔을 더해 行氣消脹의 힘을 강화하고, 納差한 사람은 山楂·鷄內金 等의 消食之品을 더해야 한다. 腹痛이 명확한 사람은 芍藥·甘草를 더해 緩急止痛한다.

3. 枳實導滯丸은 다음 한국표준질병사인분류(KCD)에 해당하는 환자가 濕熱食積證으로 辨證되는 경우 본 처방의 사용을 고려해볼 수 있다.

처방 목표	한국표준질병사인분류(KCD)
胃腸功能紊亂	F45.3 신체형자율신경기능장애
細菌性痢疾	A03 시겔라증
	A00~A09 장감염질환
腸炎	K52 기타 비감염성 위장염 및 결장염
	A09 감염성 및 상세불명 기원의 기타 위장염 및 결장염
消化不良	(질병명 특정곤란)
	K30 기능성 소화불량_소화불량
	F45.3 신체형자율신경기능장애_소화불량
	R10.19 상세불명의 상복부통증_소화불량 NOS

【注意事項】 瀉痢하지만 積滯가 없는 사람에게는 무분별하게 투약해서는 안 된다.

【變遷史】 本方은 李杲가 만든 것으로 『內外傷辨惑論』卷下에서 나왔다. 구성분석에서, 張璐는 "此枳朮丸合三黃湯而兼五苓之制, 以祛濕熱宿滯也"(『張氏醫通』卷13)라고 인식했다. 만약 그 기원을 거슬러 올라가면, 『金匱要略』 枳朮湯에 瀉心湯 처방을 합해 만든 것이다. 그 主治證에 대해 原書는 氣滯證狀을 중요하게

묘사했다. "傷濕熱之物, 不得施化, 而作痞滿, 悶亂不安". 최근에 출판된『中藥製劑手冊』에서는 더욱 자세하게 기재했다. "脾胃濕熱引起的胸滿腹痛, 消化不良, 積滯瀉泄, 或下痢膿血, 裏急後重." 枳實導滯丸의 구성변화는『醫學正傳』卷2에서 木香·檳榔 兩味를 더해, 이름을 "木香導滯丸"이라고 했는데, 즉 行氣消脹의 효능이 더욱 뛰어났다. 그 외,『張氏醫通』卷13에서 本方을 丸劑에서 湯劑로 바꾸고, 生薑 3편을 더하여, 이름을 "枳實導滯湯"이라고 했는데, 주로 그 빠른 효과를 취하는 의미가 있다.

【難題解說】 本 方劑의 分類歸屬에 관해: 本 方劑는 食積證을 위한 常用方劑이기도 한데, 왜 消食藥物(木香檳榔丸 역시 이 종류)을 주로 구성하지 않았을까? 게다가 처방 중에서 神麯 一味만을 사용하고 있다. 그 이유를 분석하면, 이 方劑의 病證은 食積 혹은 濕熱이 비교적 重한 사람을 위한 것으로 그 病位가 아래에 있는 편이라, 만약 消食약물을 主로 하면 종종 힘이 미치지 못하고, 밀어내고 흩어지게 하여야만 처방이 邪去正安하게 할 수 있다. 그러나 "大黃乃蕩滌熱結之品, 爲推送濕熱積滯之首"로, "枳實破滯氣以推積"(『醫略六書』「雜病證治」卷8)을 배오하여, 두 약을 합쳐 사용하면, 서로 더욱 뛰어남을 얻을 수 있어 便祕가 즉시 통하고, 下痢는 반대로 멈추어, 증상이 비록 다르지만 治法用藥은 일치한다. 이것을 위해『醫方集解』는 枳實導滯丸을 攻裏之劑에 속한다고 분류했는데, 일정한 이치가 있지만, 方證과 方義를 근거로, 이 처방을 消食劑로 분류하여 귀속시키는 것이 더욱 적절해 보인다.

【醫案】

1. 陰吹『甘肅中醫』(1995, 1:17): 여성. 스스로 陰道出氣로 주르륵 소리가 난 지가 한 달 여 되었는데, 口臭, 口渴, 煩熱, 上腹脹悶을 동반하고, 呃逆이 빈번하게 일어나고, 대변이 건조하고 祕結하며, 5일에 한 번 볼 일을 보고, 舌紅, 苔黃膩, 脈弦滑했다. 辨證은 濕熱蘊結, 腑氣不通했다. 치료는 邪熱通腑해야 했다. 枳實導滯丸加減, 藥用 枳實 20 g, 大黃·神麯 各 15 g, 黃芩·黃連·白朮·澤瀉·茯苓 各 10 g. 물로 달여 1일 1첩씩, 연속 3첩을 복용하니, 여러 증상이 나았다.

考察: 陰吹證은 비교적 보기 드물다. 本例는 실 상 濕熱蘊結, 腑氣不通으로 일어난 것이다. 이 처방을 투여하여 熱淸濕利하고, 積去腑通하니, 陰吹가 자연 히 없어졌다.

2. 腹痛『山西中醫』(2004: 增刊: 62): 남성, 37세. 腹痛이 3년 여 되었는데, 최근 음주가 과도하여 복통이 가중되어 진료하러 왔다. 진찰에서 복통이 보이고, 대변의 黏膩臭穢가 보통과 다르고, 便後 腹痛이 輕減했는데, 하루에 2~3회였다. 口臭·消食·善饑를 동반했다. 舌暗紅·苔黃膩·根部가 더욱 중하고, 脈은 滑數했다. 증상은 濕熱이 大腸에 정체한 것에 속했는데, 치료는 祛濕淸熱導滯로, 枳實導滯丸加味를 주었다. 藥用: 大黃(後下)·枳實·葛根 各 12 g, 澤瀉·雲苓·檳榔·黃芩·黃連 各 9 g. 하루에 一劑, 水煎으로 150 mL를 아침 저녁으로 나누어 복용했다. 복약기간에는 기름진 것과 飮酒를 엄금했다. 5첩 복용 후, 脘腹이 편안해지고, 大便이 상쾌하고 뚫리고, 舌根의 膩苔가 점차 없어져, 계속해서 20첩을 복용할 것을 당부하고 마지막으로, 健脾丸으로 사후조리하도록 했다.

考察: 本證의 發病原因은 酒積內停, 濕熱이 病이 된 것으로, 熱이 濕보다 重하고, 病이 술로 인해 일어나기 때문에, 茯苓·澤瀉·葛根 등으로 化濕醒酒하고, 大黃·黃芩·黃連으로 淸熱燥濕하여 通因通用하고, 濕熱의 邪를 大便으로 빠져나가게 하고, 枳實·檳榔으로 行氣化濕했다. 本病은 病因이 단순하고, 病機가 명확하여, 비교적 좋은 효과를 거두었다.

木香檳榔丸

(『儒門事親』卷12)

【組成】 木香 檳榔 靑皮 陳皮 廣朮(卽莪朮) 燒 黃連 商枳殼 麩, 去瓤 各一兩(各 30 g) 黃柏 大黃 各三兩(各 90 g) 香附子 炒 牽牛 各四兩(各 120 g)

【用法】 위의 것을 고운 가루로 하고 물로 丸을 작은 콩 크기로 만든다. 매회 30환을 복용하고, 식후 生薑湯으로 삼킨다(현대용법: 함께 고운 가루로, 물로 반죽해 小丸을 만들고, 매회 3~6 g을 식후에 生薑湯 혹은 따뜻하게 끓인 물로 삼키는데, 하루에 2회 한다).

【效能】 行氣導滯, 攻積瀉熱.

【主治】 濕熱積滯證. 脘腹痞滿脹痛, 혹은 泄瀉痢疾, 裏急後重, 혹은 大便祕結, 舌苔黃膩, 脈沉實.

【病機分析】 本方은 濕熱積滯가 안으로 中焦에 쌓인 증상을 치료한다. 積滯와 濕熱이 서로 교차하면, 積滯가 더욱 중해지고, 氣阻가 더욱 심해져, 곧 脘腹痞滿脹痛이 보인다. 濕熱蘊蒸하면, 腸胃의 정상적 기능을 잃어 곧 泄瀉, 혹은 下痢赤白, 裏急後重이 된다. 苔가 黃膩하고, 脈이 沉實한 것은 모두 濕熱積滯의 표현이다.

【配伍分析】 本 方劑가 치료하는 濕熱積滯證은 積滯가 主가되는데, 일반적인 상황에서 積滯가 심해질수록 氣의 막힘이 더욱 심해지고, 반대로 또 積滯가 加重되어, 양자가 서로 원인과 결과가 된다. 그러므로 치료법은 行氣導滯에 중점을 두고, 攻積邪熱을 보조로 해야 한다. 方劑에서 木香·檳榔은 모두 辛苦하고 溫한 약성을 갖는데 前者는 通行胃腸·三焦氣滯에 좋은 行氣止痛의 良品이며, 『本草綱目』卷4에 "木香, 下氣寬中, 爲三焦氣分要藥"이라고 했다. 後者는 즉 "破氣墜積, 能下腸胃有形之物耳"(『本草經疏』卷13)이다. 두 약은 痞滿脹痛을 없애고, 裏急後重을 제거하는 효능이 더욱 좋아 함께 君藥이 된다. 臣藥은 通便瀉熱, 推蕩積滯의 효능이 있는 牽牛·大黃으로 邪氣를 下行하도록 한다. 佐藥은 疏肝破氣의 효능이 있는 香附·莪朮인데 그중 莪朮은 혈중의 氣를 깨는데 장점이 있다. 靑皮·陳皮·枳殼의 理氣寬中의 효능은 함께 木香·檳榔의 行氣導滯를 돕고, 黃連·黃柏은 淸熱燥濕의 효능으로 瀉痢를 멈춘다. 여러 약을 배오하면 積滯가 내려가고, 濕熱이 제거되고, 脹痛이 緩解되고, 二便이 스스로 조절된다.

본 방제의 배오특징은 大量의 行氣藥을 하나의 방제에 모아서, 行氣導滯의 효능이 두드러지고, 氣行으로 脹滿이 제거되도록 하고, 氣行으로 積이 쉽게 사라지도록 한다는 것이다. 瀉下·淸熱之品을 배오하고, 消下兼淸하여, 主次가 적당하다. 瀉痢에 대해서도, 이 방은 또한 "通因通用"의 治法을 구현했다.

【類似方比較】 木香檳榔丸과 枳實導滯丸은 모두 消下兼淸하고, "通因通用"의 方劑이며, 모두 濕熱積滯의 痢疾 혹은 便祕를 치료한다. 단, 같지만 다른 점이 있는데, 전자는 行氣攻積의 힘이 비교적 강하여, 積滯가 비교적 중하고, 氣滯脹滿이 비교적 심한 사람에게 사용하고, 후자는 淸熱利濕의 효과가 비교적 좋고, 攻逐作用이 비교적 和緩하여, 濕熱瀉利에 사용하는 것이 비교적 적당하다.

【臨床應用】

1. 證治要點: 本方은 濕熱積滯의 重症을 주로 치료하는데, 이용 시에 下痢後重 혹은 便祕, 苔黃膩, 脈沉實을 證治要點으로 한다.

2. 加減法: 食慾不振에는 神麯·山楂·萊菔子를 더해 消食和胃하고, 舌苔厚膩한 사람은 蒼朮 등을 더해 燥濕化濁해야 한다.

3. 木香檳榔丸은 다음 한국표준질병사인분류(KCD)에 해당하는 환자가 濕熱積滯證으로 辨證되는 경우 본 처방의 사용을 고려해볼 수 있다.

처방 목표	한국표준질병사인분류(KCD)
細菌性痢疾	A03 시겔라증
	A00~A09 장감염질환
急慢性胃腸炎	K29 위염 및 십이지장염
	K50~K52 비감염성 장염 및 결장염
急慢性膽囊炎	K81.0 급성 담낭염
	K81.1 만성 담낭염

【注意事項】 本 方劑는 行氣破滯의 힘이 비교적 강하여, 虛人·孕婦 등에는 사용을 금한다.

【變遷史】 本 方劑는 처음에 『儒門事親』卷12에서 보이는데, 原書의 그 적응범위에 대한 기술이 비교적 구체적이다. "一切冷食不消, 宿食不散, 亦類傷寒, 戰栗頭痛, 腰背强, 一切沉積, 或有水, 不能食, 使頭目昏眩, 不能淸利, 一切蟲獸所傷, 又背瘡腫毒, 杖傷焮發, 或透入裏者, 痔漏腫毒." 이것은 張氏가 당시 광범위하게 운용하였음을 볼 수 있다. 그 후 의학자들이 부분적인 내용을 보충했다. 예를 들어, 『醫學正傳』卷4에서 "南子婦人嘔吐酸水, 痰涎不利, 頭目昏眩, 幷一切酒毒食積, 及米穀不化, 或下利膿血, 大便秘塞, 風壅熾熱, 口苦煩渴, 涕唾黏稠, 膨脹氣滿." 곧이어, 『御藥院方』卷3에서 "一切氣滯, 心腹滿悶, 脇肋膨脹, 大小便結滯不快利者", 『不居集』「下集」卷5에서 "肺痰喘嗽, 胸膈不利, 濕熱黃癉"이라고 했다. 본방의 후대의 연관방제가 비교적 많은데, 『中醫方劑大辭典』의 기록에 따르면 8首가 있다. 이들 方劑는 본방을 기초로, 減味하거나 혹은 加減을 동시에 진행했다. 그중 『醫方類聚』卷153에서 인용한 『經驗祕方』의 木香檳榔丸은 沉香·巴戟天·當歸를 더해 行氣의 힘을 더했고, 助陽補血, 消下寓補를 도울 수 있었고, 正氣兼顧했다. 『丹溪心法』卷3에서 인용한 『心印紺珠』·『普濟方』卷168에서 인용한 『瑞竹堂經驗方』과 『醫學啓蒙』卷3의 木香檳榔丸, 三方은 모두 當歸·黃芩 二味를 더하여, 淸熱의 힘을 더하고, 養血活血하여, 모두 積滯證에 쓰였다. 그중 『紺珠』方은 三棱을 더해, 行氣를 도와, 臌脹有熱한 사람에게 적용하기 알맞았다. 『啓蒙』方은 즉 厚朴·乾薑을 더해, 이 方劑는 散寒할 수 있다. 『赤水玄珠』卷8의 木香檳榔丸은 黃連·陳皮를 빼고, 藥力이 조금 줄어, 전문적으로 痢疾里急後重을 치료했다. 『杏苑生春』卷4의 木香檳榔丸은 香附를 빼고, 當歸를 더해, 氣鬱成熱인 사람에게 사용했다. 『簡明醫彀』卷3은 黃柏을 빼고, 當歸·甘草·木通·蘿卜子·鬱金·三棱을 더해, 行氣作用이 증가되고, 正氣를 함께 고려했다. 『萬崖尊生書』卷7은 青皮를 빼고, 當歸·田螺殼·茵陳을 더해, 淸熱利濕作用을 강화하여, 酒積腹痛 치료에 좋았다. 상술한 여러 方의 구성에 비록 약간 차이가 있지만, 다수는 當歸 一味를 더하여, 補血活血했다. 前賢들이 去邪不傷正의 치료원칙을 매우 중시한 것을 설명한다.

【難題解說】

1. 本 方劑의 君藥에 관하여: 本方은 木香·檳榔을 君으로 하지만, 두 약재의 용량이 방제에서 크지 않은데 어떤 뜻일까? 이것은 이 방제의 병증이 脘腹脹痛을 主로 만들어졌고, 동시에 다른 行氣의 약재를 배오하여, 本丸이 行氣導滯에 입론의 중점을 두었다는 것을 두드러지게 했는데, 本 方劑에서 君藥의 용량이 다른 약보다 수위를 차지할 필요가 없다는 것을 충분히 보여준다. 이것이 木香·檳榔으로 命名한 이치이다.

2. 本方의 조성에 관하여: 『醫學正傳』卷4와 『醫方集解』「攻裏之劑」는 각각 當歸와 三棱·芒硝를 더했다. 後代의 方論과 『中國藥典』 1985년版은 모두 『醫方集解』에 근거했다.

【醫案】 胃結石 『醫學資料選編』(1974, 5:16): 某患兒, 空腹에 黑棗 40~50개를 먹고, 胃脘痛이 일어났는데, 바륨 조영술로 胃結石症을 진단받았다. 小承氣湯에 消導藥을 더해 시작했는데, 효과가 있었지만 진전이 비교적 느렸는데, 患兒의 신체가 비교적 좋아, 正氣

가 아직 손상되지 않았고, 結石 형성도 오래되지 않아, 나중에 木香檳榔丸加減(木香·三棱·莪朮·砂仁 各 6 g, 炒檳榔 15 g, 青皮·陳皮·大黃·抄黑棗粉 各 9 g, 炒三仙·枳實·生牡蠣 各 30 g)으로 消導通便, 推蕩實積했는데, 13첩을 복약하고, 큰 결석이 崩解되기 시작했고, 19첩까지 복용하고 결석이 완전히 崩解되었는데, 환아의 복약기간에 대변은 맑고 묽렀으며, 胃納은 반대로 服藥 前보다 증가했고, 다른 이상 반응은 없었다.

考察: 胃結石은 腸胃積滯範圍에 속하지만, 비교적 堅實하여 제거하기 어렵다. 의사는 本方의 淸熱을 제거하는 약재를 선택하고, 軟堅散結消食의 약재를 더해, 그 行氣導滯의 攻積 작용을 두드러지게 했는데, 結石의 崩解消散에 좋아서, 효과를 거두었다.

肥兒丸

(『小兒衛生總微論方』卷12)

【異名】 七味肥兒丸(『景岳全書』「小兒則古方」卷62)·大蕪肥兒丸(『不居集』「上集」卷30).

【組成】 黃連 去須 神麯 炒 各一兩(各 30 g) 使君子肉荳蔻 面裹煨, 去面 麥糵 炒 各半兩(各 15 g) 木香 二錢(6 g) 檳榔 不見火 二枚(12 g)

【用法】 위의 재료를 고운 가루로 하여, 麵糊로 환으로 만드는데, 蘿卜子 크기로 한다. 매회 20~30丸을 복용하고, 한 번 끓인 물로 삼키는데, 空腹에 복용한다(현대용법: 모두 가루로 만들어, 糊丸을 蘿卜子 크기로 한다, 매회 20~30환을 공복에 따뜻하게 끓인 물로 삼킨다).

【效能】 殺蟲消積, 淸熱健脾.

【主治】 小兒蟲積疳疾. 消化不良, 面黃體瘦, 肚腹脹大, 發熱口臭, 大便溏薄, 舌苔黃膩, 脈虛弱. 蟲積腹痛도 치료한다.

【病機分析】 本 方劑의 病證은 유약한 소아에게 잘 발생하는데, 일반적으로 中焦에 蟲積이 생기는데, 음식을 절제하지 않아, 蟲食이 쌓이고, 鬱이 오래되어 火가 되면, 脾胃까지 傷하게 되어, 疳疾이 된다. 『小兒藥證直訣』卷上에서 일찍이 "疳皆脾胃病, 亡津液之所作也."를 강조했다. 脾虛失運하면 설사하게 되고, 生化乏力하면, 영양이 불량하여, 面黃體瘦하게 된다. 積이 氣滯를 막으면, 肚腹이 脹大하게 되거나 疼痛이 생긴다. 發熱口臭, 苔黃膩 등은 모두 積熱로 인해 일어나는 것이다.

【配伍分析】 本 方劑 蟲積疳疾에 대해 殺蟲消積, 淸熱健脾로 치료해야 한다. 방 중 神麯은 消食에 중점을 두고, 使君子는 전문적으로 殺蟲하는데, 『本草綱目』「草部」卷18에 "凡大人小兒有蟲病, 侵晨空腹食使君子仁數枚, 或以殼煎湯咽下, 次日蟲皆死而出也."라고 기재되었다. 그 외, 使君子는 또한 "補脾健胃之要藥"(『本草綱目』卷9)이어서, 두 약을 서로 합하면, 함께 食蟲之積을 없애고, 病에 이르는 원인을 제거할 수 있고, 동시에 脾胃를 상하지 않게 하여, 君藥이 된다. 臣藥은 麥芽로써 神麯의 消食의 효능을 강화하는데, 穀類이기 때문에 健脾和胃할 수 있다. 檳榔은 驅蟲할 수 있어 使君子의 구충의 효력을 도울 수 있고, 또 行氣消腸하는 효능으로 脹滿을 제거할 수 있다. 黃連은 淸熱燥濕의 효능으로 瀉其疳熱하고, 쓴 맛의 약성과 기생충을 배출하는 효능으로 使君子와 檳榔을 돕는다. 行氣止痛의 효능이 있는 肉荳蔻·木香은 佐藥이 되는데, 肉荳蔻가 澀腸止瀉할 수 있다. 모든 약물이 標本兼顧하여, 食消蟲去, 氣暢熱淸하게 한다.

【臨床應用】

1. 證治要點: 本方은 小兒疳積을 위해 일상적으로 치료하는 효과적인 처방이다. 임상에서 적용 시 面黃

體瘦, 肚腹脹大, 發熱口臭를 證治要點으로 한다.

2. 加減法: 脾虛腹瀉가 명확한 사람은, 白朮·茯苓·山藥을 더해 健脾止瀉할 수 있고, 蟲積腹痛에는 苦楝根皮·鶴草芽 등을 더해 殺蟲의 효력을 강화한다.

3. 肥兒丸은 다음 한국표준질병사인분류(KCD)에 해당하는 환자가 小兒蟲積疳疾證으로 辨證되는 경우 본 처방의 사용을 고려해볼 수 있다.

처방 목표	한국표준질병사인분류(KCD)
小兒腸道蛔蟲病	B77 회충증
小兒慢性消化不良	(질병명 특정곤란)
	K30 기능성 소화불량_소화불량
	F45.3 신체형자율신경기능장애_소화불량
	R10.19 상세불명의 상복부통증_소화불량 NOS

【注意事項】 本 方劑의 이름이 비록 肥兒丸이지만, 極伐하는 방제에 속하며, 補益作用이 없기 때문에, 蟲積疳疾의 증상이 아닌 사람은 복용이 불가하고, "肥兒"의 이름으로 인해 소아에서 잘못 常服하게 해선 안된다.

【變遷史】 肥兒丸은 처음에 『幼幼新書』卷25에서 인용한 『朱氏家傳』에서 보이는데, 白蕪荑·黃連·神麴·麥蘖 四味로 구성되기 때문에, 『小兒痘疹方論』에서 그것을 四味肥兒丸이라고 불렀다. 『小兒衛生總微論方』卷12에 기재된 것은, 白蕪荑를 빼고, 使君子·肉荳蔻·木香·檳榔을 더해 모두 七味로 구성되었기 때문에, 七味肥兒丸이라고 불렀다. 原書는 주로 疳疾의 증상을 치료하는 것을 기재하고 있다. "諸疳, 久患臟腑胃虛蟲動, 日漸羸瘦, 腹大不能行, 發竪作穗, 肌體發熱, 精神衰弱." 그리고 후에 『普濟方』에 인용된 『全嬰方』·『太平惠民和劑局方』卷10(寶慶新增方)에 이것에 대해 보충한 것이 있는데, 각각 "好食泥土"·"面黃口臭"였다. 그 외, 『醫方類聚』에서 인용한 『澹寮方』에는 "爛根"을 치료한다고 했다. 『保嬰金鏡』에서는 "食積五疳或頸項結核"이라고 했다. 本方을 다른 질병에도 사용 가능한 것을 보여주고 있다. 조성을 분석하면, 본 방제는 消食藥·驅蟲藥·行氣藥·清熱藥과 收澀藥 다섯 종류의 약물로 구성되었는데, 蟲食內積에 대해, 氣滯化熱과 脾虛泄瀉 등 병기특징으로 만들어졌다. 후대에 이것을 기초로 발전한 方劑가 매우 많았는데, 『中醫方劑大辭典』에 기재된 것이 즉 40方이 있었고, 本方加減方으로 만들어진 것 역시 11首가 있었는데, 『魏氏家藏方』卷10의 肥兒丸에 蟾蜍를 더한 것은 殺蟲治疳의 효력을 더한다. 『醫林纂要探源』卷9는 肥兒丸에 川楝子를 더했는데, 즉 行氣止痛 작용이 비교적 좋다. 『證治準繩』「幼科」卷8의 肥兒丸은 黃連을 빼고 胡黃蓮을 더했다. 加減藥物이 비교적 많은 方劑는 대략 두 종류이다. 하나는 正氣를 兼顧하는 것인데 예를 들어 『傳信適用方』卷4에서 인용한 荊南候醫方의 肥兒丸인데, 木香·檳榔·肉荳蔻를 빼고, 青皮·蕪荑茶·蘆薈·人蔘을 더했다. 『北京市中藥成方選集』 肥兒丸은 黃連을 빼고, 白朮·山楂·枳實·胡黃蓮을 더했다. 이상 三方은 서로 다른 정도로 行氣清熱·殺蟲消食作用을 강화하는 것 외에, 모두 健脾益氣의 약품을 더해 正氣를 보호한다. 『古今醫鑒』卷13에서 인용한 劉尙書方 肥兒丸은 木香·檳榔·肉荳蔻를 빼고, 四君子湯의 益氣健脾하는 효능을 더하고, 胡黃蓮·山楂·蘆薈는 清熱消食殺蟲 효능이 있는데 이 방은 補益의 효능이 더욱 강하고, 小兒脾虛蟲積으로 생긴 여러 疳을 主治한다. 두 번째는 전문적으로 祛邪하는데, 예를 들어 『仁術便覽』卷4의 肥兒丸에서 消食의 神麴·麥芽를 빼고 胡黃蓮·龍膽草·銀柴胡·訶子·蕪荑·蘆薈·阿魏를 더해, 清熱殺蟲澀腸의 효능이 모두 강화되었다. 『醫學啓蒙』卷3·『活幼心法』卷8 및 『攝生秘剖』의 肥兒丸, 三方은 모두 澀腸止瀉의 효능이 있는 肉荳蔻를 빼고, 理氣의 陳皮·青皮를 더했다. 그중 『活幼心法』方은 또 三棱·莪朮·香附·蘆薈·蕪荑·胡黃蓮을 더하여, 行氣殺蟲의 효능이 더욱 강하다. 『攝生秘剖』方은 三棱·沉香·白果·白荳蔻·蛤蟆를 더해, 위의 방제에 비해 理氣와 澀腸止瀉의 효능이 더욱 좋다.

【難題解說】本 방제의 기원에 관하여: 일반적인 方書는 모두『太平惠民和劑局方』卷10(寶慶新增方)에서 나왔다고 말하고 있는데,『局方』이 1078~1085년 사이에 완성되어,『小兒衛生總微論方』(1156년간)보다 이르지만, 그중 寶慶新增方은 1225~1227년 사이에 쓰여져,『衛生總微』보다 늦다. 그러므로 本方의 方原은 후자가 되어야 할 것이다.

【醫案】小兒疳積『不居集』「上集」卷30: 汪石山이 소아의 병을 많이 치료했는데, 乳食이 너무 일찍 모자라 생기거나, 臟腑胃虛의 蟲動을 오래 앓아서, 나날이 마르고, 배가 커져 움직일 수 없고, 發竪, 發熱하며, 정신이 없었는데, 大無肥兒丸 1첩을 사용하여 나았다.

第二節 消補兼施劑

健脾丸

(『證治準繩』「類方」卷5)

【異名】大健脾丸(『不居集』「下集」卷9)

【組成】白朮 炒 二兩半(75 g) 木香 另研 黃連 酒炒 甘草 各七錢半(各 22 g) 白茯苓 去皮 二兩(60 g) 人蔘 一兩五錢(45 g) 神麯 炒 陳皮 砂仁 麥芽 炒, 取麵 山楂 取肉 山藥 肉荳蔻 麵裹煨熱, 紙包搥去油 各一兩(30 g)

【用法】위의 재료를 고운 분말로 하고, 떡찌듯 쪄서 綠豆 크기의 丸으로 만든다. 매회 五十丸을, 공복, 오후에 각 1회를 복용하는데, 陳米湯으로 삼킨다(현대용법: 모두 고운 가루로 만들고, 糊丸 혹은 물로 버무려 작은 환으로 만든다, 매회 6~9 g을 따뜻하게 끓인 물로 하루에 2회 삼킨다).

【效能】健脾和胃, 消食止瀉.

【主治】脾虛食積證. 食少難消, 脘腹痞悶, 大便溏薄, 倦怠乏力, 舌苔가 膩하고 微黃하며, 脈이 虛弱하다.

【病機分析】本 方劑는 여러 증상이 모두 脾胃虛弱하고, 運化가 정상적인 기능을 잃어 생기는 것을 치료한다. 胃納欠振하고, 脾失健運하기 때문에 먹는 것이 적고 소화하기 어렵고, 大便이 溏薄하다. 氣血生化의 원천이 부족하기 때문에, 倦怠乏力하게 되고, 脈象이 虛弱하다. 脾胃가 虛弱하면, 음식이 소화되기 어렵 고, 氣機를 막기 때문에, 脘腹痞悶이 생긴다. 食積이 熱이 되면, 苔膩微黃하게 된다.

【配伍分析】本 方劑는 脾虛食積證에 대해 만들어졌는데, 치료는 健脾와 消食을 함께 해야 한다. 方劑에서 白朮·茯苓의 용량이 많은 부분을 차지하는데, 健脾化濕으로 설사를 멈추는 것에 중점을 두어 모두 君藥이 된다. 臣藥은 消食和胃의 효능이 있는 神麯·麥芽로 하며 이미 停滯한 積을 제거한다. 佐藥은 益氣健脾의 효능이 있는 人蔘·山藥으로 하고, 朮·苓의 健脾止瀉 효능을 보조한다. 木香·砂仁·陳皮·肉荳蔻는 모두 芳香性이 있어, 理氣開胃, 醒脾化濕할 수 있고, 痞悶을 제거하고 모든 약물이 補하되 滯하지 않도록 하는데, 山藥·肉荳蔻는 澀腸止瀉할 수 있다. 黃連은 淸熱燥濕한다. 甘草는 補中益氣와 여러 약을 조화롭게 할 수 있어 使藥이 된다. 이와 같이 배오하면, 脾健으로 瀉止하고, 食消로 胃和하며, 氣行으로 除痞하여, 正氣가 회복되고, 邪氣가 물러난다.

본 방제의 배오특징은 補氣健脾약과 消食行氣藥을 함께 사용하는 消補兼施의 方劑로, 補하되 滯하지 않고, 消시키되 正氣를 상하지 않는 목적에 도달하는 것이다. 方에서 四君子湯과 山藥 등 益氣健脾의 약물이 많은 부분을 차지하여, 補가 消보다 크고, 食消脾自健하기 때문에, 방명이 "健脾"이다.

【臨床應用】

1. 證治要點: 本方은 脾虛食積을 위한 良方이다. 임상증상은 食消, 便溏, 脘悶, 苔膩微黃, 脈弱을 證治要點으로 한다.

2. 加減法: 증상이 寒한편이면, 乾薑 혹은 肉桂를 더해 溫中散寒하고, 濕性腹瀉하는 사람은 苡仁·扁豆·澤瀉를 더해 滲濕止瀉해야 한다.

3. 健脾丸은 다음 한국표준질병사인분류(KCD)에 해당하는 환자가 脾虛食積證으로 辨證되는 경우 본 처방의 사용을 고려해볼 수 있다.

처방 목표	한국표준질병사인분류(KCD)
慢性胃炎	K29.3 만성 표재성 위염
	K29.4 만성 위축성 위염
	K29.5 상세불명의 만성 위염
消化不良	(질병명 특정곤란)
	K30 기능성 소화불량_소화불량
	F45.3 신체형자율신경기능장애_소화불량
	R10.19 상세불명의 상복부통증_소화불량 NOS

【注意事項】 實證에 속하는 食積에는 사용할 수 없다.

【變遷史】 本方은 『證治準繩』「類方」卷5의 "不能食"門에서 기원했다. 原書는 그 主治證에 대한 기재가 매우 간단하다: "一應脾胃不和, 飮食勞倦". 그러나 『不居集』「下集」卷9에서는 "食積"을 보충했다. 兩者는 각자 하나의 측면을 반영했는데, 두 가지를 하나로 합해야 비교적 완전하게 本方의 病機인 "脾虛食積"에 이르게 된다. 현재의 『中醫方劑學講義』(統編教材 2版, 南京中醫學院主編)는 臨床과 결합해 그것을 "脾胃虛弱, 飮食不化, 脘腹痞脹, 大便溏薄, 苔膩微黃, 脈氣較弱"으로 확충했다. 그 후 다른 方書도 대부분 이를 따랐다. 本方의 근원을 분석하면 繆希雍의 『先醒齋醫學廣筆記』卷2의 資生丸에서 변화해 나왔는데, 資生丸에서 薏苡仁·白扁豆·藿香葉·連肉·澤瀉·桔梗·芡實을 덜고, 木香·神麴을 더해 만들었다. 王肯堂은 『證治準繩』「類方」卷5의 健脾之丸 앞, 資生丸方 아래에 이르기를 "余初識繆仲淳時, 見袖中出彈丸咀嚼, 問之曰: 此得之秘傳, 飢者服之卽飽, 飽者食之卽饑. 因疏其方, 余大善之, 而頗不信其消食之功, 已于醉飽後頓服二丸, 經投枕臥, 夙興了無停滯, 始信此方之神也. 先慕簡年高脾弱食少痰多, 餘齡葆攝, 全賴此方. 因特附著于此, 與世共之."라 했다. 『中醫方劑大辭典』第八冊에 기록된 健脾丸은 모두 17首인데, 구성분석에서 本 방제와 가장 비슷한 것은 7首이고, 이들의 方劑는 본 방제를 기초로 하며, 어떤 것은 滲濕의 효과가 좋고, 어떤 것은 補養의 효과가 뛰어나며, 어떤 것은 消食의 힘이 강하다. 그중 『痘疹傳心錄』卷17의 健脾丸은 消食의 神麴·麥芽 및 澀腸止瀉의 肉荳蔻를 빼고, 扁豆·蒼朮·芍藥의 健脾化濕을 더해, 和營泄熱하고, 전문적으로 小兒脾虛身熱을 치료했다. 『墨寶齋集驗方』卷上에는 두 首의 健脾丸이 있는데, 하나는 人蔘·茯苓·肉荳蔻·神麴을 빼고, 枳實·白芍·苡仁·連肉을 더했고, 다른 하나는 肉荳蔻를 빼고, 半夏·枳實·卜子·厚朴·香附·扁豆·藿香·滑石·白芍을 더했다. 兩方 모두 行氣止痛滲濕作用을 강화했는데, 단 後方의 작용이 더욱 현저하여, 飮食多進, 生肌長肉할 수 있게 하여, 小兒糞後紅에 사용한다. 『幼科金針』卷下의 健脾丸은 砂仁·木香·甘草·麥芽·肉荳蔻를 빼고, 扁豆·薏苡仁·澤瀉·遠志·桔梗·連肉·五穀蟲·白芍을 더해, 滲濕化痰하여, 消積의 효능이 증가하고, 小兒食積을 치료한다. 上述한 다섯 가지의 방제는 모두 서로 다른 정도의 滲濕作用을 강화한다. 『羅氏會約醫鏡』卷20의 健脾丸은 山藥·甘草·麥芽·木香·砂仁·肉荳蔻를 빼고, 黃芪·當歸·白芍·地骨皮·百合·橘紅·扁豆를 더했다. 이 方은 行氣消食作用이 비록 『證治準繩』 健脾丸에 미치지 못하지만, 따로 養血의 효능이 있고, 全面을 함께 고려하여, 病後失調, 體瘦氣虛, 혹은 疳疾이나 生泄瀉에

사용한다. 이 외에『慈航集』卷下의 健脾丸은 山藥·肉荳蔲·砂仁·木香을 빼고, 五穀蟲·鷄肫皮·蝦蟆皮를 더해, 益脾行氣의 효능을 약화하고, 淸熱消食의 효능을 강화하여, 小兒脾虛腹大, 四肢消瘦, 一切의 傷脾疳證에 사용한다. 그리고『中華人民共和國衛生部藥品標準』「中藥成方製劑」第10冊의 人蔘健脾片은 黃連·茯苓·砂仁·麥芽·肉荳蔲를 빼고, 蓮子·芡實·扁豆·薏苡仁·草豆蔲·靑皮·枳殼·穀芽·當歸를 더해, 健脾滲濕行氣의 힘을 강화했는데, 역시『準繩』健脾丸처방으로 만들어졌다.

【難題解說】 肉荳蔲의 炮製에 관하여: 이 方中의 肉荳蔲는, 繆希雍이 일찍이 "爲理脾開胃, 消宿食, 止泄瀉之要藥"(『本草經疏』卷9)라고 평가했다. 本品의 炮製에 대해, 原書는 "面裹煨熱, 紙包搥去油"라고 규정했다. 전통에서는 이와 같이 가공 후, 肉荳蔲 油質含量이 저하하여 滑腸을 면하고, 자극성이 감소하고, 澀腸止瀉作用이 증가하며, 또 마른 것을 없앨(去其燥) 수 있다고 인식했다. 현대의 연구는 炮製後의 肉荳蔲와 生品을 비교하면, 그 물에 달인 것과 揮發油가 腸蠕動 作用의 증가를 억제하고, 비교적 좋은 지사 작용이 나타난다는 것을 보여주고 있다. 동시에 煨製品에서 미리스티신(Myristicin, 肉荳蔲醚)이 명확히 감소했으며, 急性中毒이 生品에 비해 낮았는데, 상술한 관점과 서로 부합했다.[1)]

【醫案】

1. 便祕『新中醫』(1992, 11:44): 여성, 産後大便祕結로 배변을 위해 애썼지만 힘이 없고, 糞塊가 건조하고 단단하며, 5~6일에 한 번 보았다. 많은 곳으로 치료를 다녔지만 효과가 없었다. 現診: 面色晄白, 小氣懶言, 神倦乏力, 納食不香, 舌淡苔白, 脈細弱했다. 健脾丸加減, 處方: 當蔘·白朮 各 25 g, 雲茯苓·淮山藥 各 20 g, 黃芪·萊菔子·陳皮·砂仁 各 15 g, 麥芽·神麯·山楂·甘草 各 10 g. 3첩 복용 후 전신증상이 감소하고, 변이 약간 부드러워졌고, 계속해서 10첩을 복용하고, 健脾丸으로 한 달여를 복용하니, 여러 증상이 모두 사라졌다. 추적검사 4년 동안 재발이 없었다.

考察: 産後에 脾胃虛弱, 運化無力, 飮食難消로 健脾丸을 사용하여 補氣健脾消食했는데, 변비를 치료하지 않고, 便이 通하게 되었다.

2. 虛火喉痹『河北中醫』(2002, 1:29): 여성, 40세. 咽部에 慢性充血이 있었고, 咽喉壁에 림프소절이 흩어져 增生하고, 양쪽 聲帶가 肥厚했는데, 운동성은 좋고, 열고 닫힘이 좋지 않다. 舌質淡紅, 苔薄白했다. 진단은 慢性咽喉炎이었다. 人蔘健脾丸 60粒·黃芪響聲丸 20粒을 같이, 매일 2회 복용했다. 10일 후 再診에서 咽喉痛이 경감했고, 發聲이 점차 나아졌다. 人蔘健脾丸을 3개월 동안, 매회 60립, 매일 3회를 연속해서 복용할 것을 당부하고, 咽證이 제거되었다.

考察: 脾胃受損, 健運失常하면, 精微不化, 肺陰失陽, 腎水不充, 咽喉失濡하여 이병이 생긴다. 人蔘健脾丸으로 효과를 거두었다.

3. 만성 두드러기『陝西中醫』(2002, 6:556): 여성, 43세. 매번 서늘해서 놀랄 정도의 바람을 받을 때마다 가렵고, 風團이 나타난 지가 3년이 되었다. 스스로 "클로르페니라민(chlorpheniramin: 扑爾敏)" 등 西藥을 복용하여 증상이 사라졌지만, 風凉을 받으면 또 일어나고, 風團이 나타나지 않기도 하고 나타나기도 했는데, 정신이 피로하고 움직이기를 싫어했으며, 飮食, 대·소변은 정상이었다. 검사에서 形體가 비만하고, 전신의 피부에 淡紅色 風團이 있었고, 皮膚劃痕症이 陽性이었고, 舌이 淡紅하고·苔膩微黃, 脈弱했다. 診斷은 만성 두드러기이었고, 辨證은 脾虛證이어서, 健脾丸을 하루에 3회 복용하고, 保溫과 防風을 당부한 후, 3일 후에는 2회로 하여 연속 반개월을 복용했다. 3년 후 진찰에서 재발이 없었다.

考察: 濕邪性重蟲·黏滯는 病이 纏綿留着을 일으키게 하여, 쉽고 빠르게 사라지지 않는다. 本病은 脾虛濕滯이고, 매번 風邪로 인해 유발되는데, 健脾丸의 四君子湯과 砂仁·肉荳蔲·陳皮·木香·山藥으로 醒脾·理脾·

健脾하며 滲濕·化濕·燥濕하고, 神麯·麥芽·山楂로 消食健胃·健脾를 돕고, 黃連으로 淸熱燥濕한다. 本例는 治本之法으로 그것을 이용했다.

【副方】 啓脾散(『成方便讀』卷4): 潞堂蔘元 米炒黃, 去米 製冬朮 建蓮肉 各三兩(各 90 g) 楂炭 五穀蟲炭 各二兩(各 60 g) 陳皮 砂仁 各一兩(30 g)

- 用法: 위의 약물을 가루로 한여 매회 二錢을 따뜻한 물로 삼킨다.
- 作用: 健脾益氣, 消食導滯.
- 適應症: 脾虛食積證.

소아가 병 때문에 허해지면, 먹는 것이 적어지고 야위게 되고, 장차 疳積이 생기거나, 평소 약한 기질을 타고나거나, 脾虛가 薄弱하면, 가장 병이 생기기쉽다. 本方은 小兒의 消化不良, 營養不良 등 脾虛食積에 일반적으로 쓰인다. 啓脾散과 健脾丸은 모두 消補兼施의 方劑인데, 전자는 처방의 효력이 弱하고 平穩하기 때문에 小兒에게 더욱 적당하다.

【参考文獻】

1) 李鐵林, 周杰, 徐植 等. 炮製對肉荳蔻揮發油含量的影響及肉荳蔻揮發油化學成分的硏究. 中國中藥雜誌, 1990; 15(7):405~407.

枳朮丸

(張潔古方, 錄自『內外傷辨惑論』卷下)

【組成】 白朮 二兩(60 g) 枳實 麩炒黃色, 去瓤 一兩(30 g)

【用法】 위의 재료를 매우 고운 가루로 하여, 연잎으로 싸서 밥을 짓듯 하여서 오동나무 열매 크기의 丸으로 만든다. 매회 50환을 따뜻하게 끓인 물을 이용하여 삼키는데, 시간에 구애받지 않는다(현대용법: 모두 매우 고운 가루로 하여, 糊丸으로 만들고, 매회 6~9 g을 荷葉煎湯 혹은 따뜻하게 끓인 물로 하루에 2회 복용한다).

【效能】 健脾消痞.

【主治】 脾虛氣滯食積證. 胸脘痞滿, 不思飮食, 食亦不化, 舌淡苔白, 脈弱.

【病機分析】 本 方劑가 치료하는 것은 脾胃虛弱, 食積氣阻로 생기는 것이다. 脾虛失運, 胃納無力하게 되면, 즉 음식이 생각나지 않고, 먹어도 소화가 되지 않는다. 음식이 안에 정체되면 氣機를 막아 胸脘痞滿이 된다. 舌淡苔白, 脈虛는 모두 脾虛의 증후이다.

【配伍分析】 脾虛는 補해야 하고, 氣滯는 行해야 하고, 食積은 消해야 한다. 健脾하지만 消痞가 안 된다면 즉 적체하여 없애기 어렵고, 消痞하고 健脾가 아니라면, 積滯를 잠시 물러나게 하지만 다시 積滯되는 잘못이 생긴다. 오직 健脾와 消痞가 서로 같이 이루어져야正氣와 邪氣를 함께 돌볼 수 있다. 方中 白朮의 용량을 枳實보다 배로 하여, 補脾益氣燥濕에 중점을 두어, 脾의 運化를 돕고, 脾가 得補得燥하게 하면, 즉 運化가 자연히 회복된다. 臣藥은 行氣化滯, 消痞除滿의 효능이 있는 枳實이다. 李杲가 말하기를 "本意不取其食速化, 但令人胃氣强實, 不復傷也"(『內外傷辨惑論』卷下)라 했다. 더욱이 연잎으로 싸서 밥을 짓듯하여 丸으로 하면, 그중 荷葉의 성질은 升淸에 좋고, 枳實과 서로 배합하면, 하나는 升淸하고, 하나는 降濁하여, 淸升濁降하게 되어, 脾胃가 조화롭게 된다. 함께 밥을 지으면 脾胃에 영양을 줌으로써 白朮을 돕는다. 本方은 구성이 간단하지만, 깃들어 있는 뜻이 깊은, 健脾消痞를 위한 平劑이다.

본 방제의 배오특징은 消補를 함께 베푸는데, 補가 消보다 重하고, 消가 補에 의지하고 있는 것이다.

【類似方比較】 枳朮丸과 健脾丸은 모두 消補兼施의 方劑이며, 補가 消에 비해 크고, 모두 脾虛食積證에 사용하지만, 각각의 특징이 있다. 그중 前方은 약의 구성이 간단하고 약성이 평온하여, 증상이 비교적 단순한 사람에게 적당하고, 後方은 用藥이 비교적 많고, 살펴야 할 것이 많고 補脾消食의 힘이 모두 枳朮丸에 비해 크며, 滲濕止瀉를 겸할 수 있고, 適應症으로 便溏·苔膩微黃 등이 보이는, 증상이 비교적 복잡한 사람에게 사용한다.

【臨床應用】

1. 證治要點: 本方은 脾虛氣滯食積證을 치료하기 위해 일반적으로 사용하는 방제이고, 健脾消痞의 기본방이다. 임상에 적용 할 때에는 食少脘痞를 證治要點으로 한다.

2. 加減法: 脾虛가 비교적 重한 사람은 黨參·大棗·甘草를 더하여 健脾를 도와야하고, 腹瀉가 보이 는 사람은 茯苓·苡仁을 더해 滲濕止瀉하고, 食積이 명확한 사람은 神麯·山楂·麥芽 등을 더해 消食和胃해야 한다.

3. 枳朮丸은 다음 한국표준질병사인분류(KCD)에 해당하는 환자가 脾虛氣滯食積證證으로 辨證되는 경우 본 처방의 사용을 고려해볼 수 있다.

처방 목표	한국표준질병사인분류(KCD)
消化不良	(질병명 특정곤란)
	K30 기능성 소화불량_소화불량
	F45.3 신체형자율신경기능장애_소화불량
	R10.19 상세불명의 상복부통증_소화불량 NOS
慢性胃炎	K29.3 만성 표재성 위염
	K29.4 만성 위축성 위염
	K29.5 상세불명의 만성 위염
胃十二指腸潰瘍	K25 위궤양
	K26 십이지장궤양

【變遷史】 本 方劑는 張潔古가 『金匱要略』의 枳朮湯에서 발전시킨 것이다. 枳朮湯에서 枳實의 용량을 白朮보다 배로 하고 湯劑로 만들었는데, 原書에서는 "心下堅, 大如盤, 邊如旋盤, 水飮所作"을 主治한다. 그 증상은 氣滯水停에 속한다. 치료는 行氣消痞해야 한다. 그러므로 枳實을 중용하는데, 그 뜻이 消를 주로 하여 速去하는데 있다. 張氏는 脾虛氣滯食積證에 대해 枳·朮의 용량에 변화를 주었는데, 白朮을 중용하고, 또 연잎으로 싸서 밥 짓 듯하여 丸으로 했는데, 그 뜻은 補를 主로 하는데 있고, 湯을 丸으로 바꾸어 緩消로 치료하도록 했다. 兩方은 용량이 같지만 藥量의 比例와 劑型이 다르기 때문에, 그 功效 역시 緩急의 차이가 있다. 張璐가 칭찬하며 말하기를 "二方各有深意, 不可移易"(『張氏醫通』卷16)이라 했다. 이것은 潔古가 仲景方을 사용한 例證이다. 그 후, 『丹溪心法心要』卷4의 枳朮丸은 木香·陳皮·山楂·神麯·麥芽·半夏·薑黃을 더해 消食和胃의 효능을 강화하고, 主治病證은 心下가 滿하지만 통증이 없는 것이었다. 『文堂集驗方』卷1의 枳朮丸은 陳皮·赤芍을 더해 食積瀉, 脹 혹은 痛을 치료했는데, 통증이 심하면 설사가 있고, 설사 후에 통증이 줄었는데, 음식을 먹으면 다시 아프고, 糞色이 白色이었다. 그리고 『內外傷辨惑論』卷下의 麯蘗枳朮丸·木香枳朮丸·半夏枳朮丸·三黃枳朮丸, 『醫學入門』卷8의 橘半枳朮丸, 『景岳全書』「古方八陣」卷54의 香砂枳朮丸은 모두 枳朮丸加味로 만들어졌는데, 본 방제의 후대에 대한 영향이 심원한 것을 알 수 있다.

【難題解說】 本 方劑의 用法에 관하여: 本 處方의 二味를 빻아서 아주 고운 가루로 하여 "荷葉裹燒飯爲丸"으로 하는데 세운 뜻이 비범하다. 荷葉은 苦澁性平하여, 비록 더러운 진흙에서 나오지만 물위에 玉立하고, 淸勞挺撥하여, 脾氣의 升發에 좋고, 밥을 지어 丸으로 하는 것은, 穀類가 원래 實脾益胃의 효능이 있

고, 荷·米를 서로 배오하면, 脾主升淸의 성질에 순응하고, 또 白朮의 補中之力을 돕기 때문이다. 李杲가 말한 "食藥感此(荷葉)氣之化, 胃氣何由不上升乎?……更以燒飯和藥, 與白朮協力, 滋養穀氣而補令胃厚, 再不至內傷, 其利廣矣大矣."와 맞아떨어진다.(『內外傷辨惑論』卷下)

【醫案】

1. 老人消化道蠕動遲緩『天津中醫藥』(2003, 6:46): 남성, 71세, 咽食梗阻不暢이 3개월 여 되었는데, 食道癌은 배제할 수 있었다. 3개월 동안 음식을 삼킬 때마다, 막혀 삼키기 어려웠고, 일한 후에 두드러졌다. 아침에는 輕하고 저녁에 重했으며, 입이 마르지 않았다. 食道바륨 조영술로 食道蠕動이 느린 것을 보았다. 舌質이 淡紅하고, 苔가 薄白하고, 脈은 緩했다. 환자는 胃氣가 부족하고, 降順力乏, 虛로 인해 滯에 이른 것이다. 그러므로 枳朮湯加味를 중용하여 그것을 치료했는데, 生白朮 60 g, 炒枳殼 60 g, 當蔘 10 g, 茯苓 10 g, 炙甘草 5 g, 制半夏 8 g, 砂仁(後下) 5 g, 木香 5 g, 陳皮 5 g을 물에 달여 하루에 1첩을 복용했다. 4첩 복용 후 病이 가벼워지고, 10첩 후 病이 나았다.

考察: 老人消化道蠕動遲緩은 氣虛氣滯虛實이 복잡하게 끼어있는 것으로, 虛實을 함께 치료해야 한다. 現代의 藥理에 의하면, 生白朮은 胃腸分泌를 旺盛하게 하고, 蠕動을 증가시킬 수 있고, 枳實·枳殼의 水煎劑는 동물 胃腸에 흥분작용을 하여, 胃腸蠕動을 강화하고 리듬이 있어, 두 藥을 합해 老人消化道蠕動遲緩을 치료하는데 사용하였는데, 病機와 맞아 점차 효과를 거두게 되었다.

2. 脾虛便祕『吉林中醫藥』(2008, 2:128): 여성, 38세. 大便祕結을 앓은 지 1년 여 였는데, 항상 3~4일에 한 번 볼일을 보았고, 麻仁丸·莚蓉通便口服液 등을 겹쳐 복용했지만 효과가 떨어져서, 2007년 8월16일에 초진을 받았다. 환자의 복부가 항상 脹滿하고 편하지 않았으며, 매회 便後에도 腹脹이 여전했고, 食慾不振, 舌은 淡하고 苔는 薄白했으며, 脈이 濡했다. 증상과 脈을 함께 참고하니, 명확한 脾虛證候였다. 치료는 健脾益氣에 의했다. 方用은 炒白朮 80 g, 全瓜蔞 15 g, 炒當蔘 15 g, 枳實 10 g, 生地 10 g, 熟地 10 g, 當歸 15 g, 制首烏 10 g, 南沙蔘 15 g, 北沙蔘 15 g, 決明子 20 g, 玄參 10 g, 麥門冬 10 g, 山藥 15 g, 陳皮 5 g, 焦楂麯 15 g이었다. 7일 후 호전되었다.

考察: 枳朮丸이 치료하는 便祕는 다수가 脾氣가 虛하여 생기는 것으로 臨床에서 집단적인 脾虛의 증후를 볼 수 있다. 枳朮丸을 이용하여 이 症을 치료하는데 반드시 고용량으로 白朮을 사용해야 한다. 孟景春先生은 임상응용 시 겸하는 증상이 없으면 단순히 白朮 一味를 사용해도 효과를 볼 수 있고, 白朮의 용량을 120 g까지 늘일 수 있다고 인식했다.

【副方】 枳朮湯(『金匱要略』) 枳實 7개(12 g) 白朮 二量(6 g)

- 用法: 위 약물을 물 五升에 끓여 三升을 취하고 3회로 나누어 따뜻하게 服用한다. 뱃속이 부드러워지면 당연히(적체가) 흩어진 것이다.
- 作用: 行氣消痞.
- 適應症: 氣滯水停證. 心下가 단단하고, 크기가 소반만하고, 가장자리가 旋盤과 같고, 舌苔가 白滑하고, 脈이 弦滑하다.

枳朮丸과 枳朮湯은 구성이 같고, 消補兼施의 방제이다. 그러나 각자 치중하는 것이 있는데, 枳朮丸은 白朮의 용량이 枳實의 倍이고, 뜻은 補를 위주로 하며, 효능은 健脾消痞이고, 主治는 脾虛氣滯食積證이다. 枳朮湯은 枳實의 用量이 白朮의 倍이며, 消에 편중되어 있고, 行氣消痞의 힘이 비교적 우세하여, 氣滯水停證에 사용한다. 이외 두 방제의 제형 역시 서로 다르기 때문에, 효능의 緩急도 차이가 있고, 補消에 각각 치중하여, 製方의 妙를 볼 수 있다.

枳實消痞丸(失笑丸)

(『蘭室秘藏』卷上)

【組成】 乾生薑 炙甘草 麥蘗麵 白茯苓 白朮 各二錢(各 6 g) 半夏麯 人蔘 各三錢(9 g) 厚朴 炙 四錢(12 g) 枳實 黃連 各五錢(各 15 g)

【用法】 위의 재료를 고운 가루로 만들어 떡찌듯 쪄서 丸으로 하는데, 오동나무 열매 크기로 한다. 매회 五, 七十丸을 따뜻하게 끓인 물로 삼키는데, 식후에 복용한다(현대용법: 모두 고운 가루로 만들고, 물로 반죽하여 小丸 혹은 糊丸으로 만들어, 매회 6~9 g을 식후에 따뜻하게 끓인 물로 삼키는데, 하루에 2회 복용한다. 湯劑로 바꿀 수도 있는데, 물로 달여 복용한다).

【效能】 消痞除滿, 健脾和胃.

【主治】 脾虛氣滯, 寒熱互結證. 心下가 痞滿하고, 먹거나 마시고 싶지 않고, 피곤하며 힘이 없고, 大便이 不暢하며, 舌苔가 膩하며 微黃하고, 脈弦하다.

【病機分析】 本 方劑의 병증은 病因·病機가 비교적 복잡한데, 虛實이 서로 兼하여 있고, 寒熱이 복잡하게 교차해 있다. 脾虛失運, 胃納不振하면, 먹거나 마시고 싶지 않고, 먹어도 소화가 어렵다. 氣血生化가 不足하면, 倦怠乏力하게 되고, 食積이 안에 머무르면, 傳導失司하여 大便이 不暢하게 되고, 氣機가 막히면, 寒熱이 서로 맺혀 心下가 痞滿하고, 脈弦하게 되고, 食積氣鬱이 熱이 되면, 苔가 膩하고 微黃하게 된다.

【配伍分析】 本 方劑가 치료하는 것이 비록 脾虛氣滯, 寒熱互結, 虛實相兼에 속하지만, 그중 實多虛少, 熱重寒輕하기 때문에, 치법을 行氣淸熱에 중점을 두고 健脾和胃로 보조한다. 方劑는 行氣消痞의 효능이 있는 枳實을 君藥으로 선택하고, 臣藥인 下氣除滿의 효능이 있는 厚朴을 枳實과 함께 사용하여 치료효과가 더욱 현저하다. 黃連은 苦寒降泄, 淸熱燥濕하고, 半夏麯은 辛散開結, 降逆和胃하고, 乾薑은 溫中散寒하여, 三藥을 배오하면 辛開苦降으로 消痞除滿을 돕고, 溫淸을 함께 사용하여, 즉 寒熱을 함께 없앤다. 人蔘·白朮·茯苓의 健脾益氣化濕으로 脾運을 회복하고, 麥芽는 消食和胃하여, 이상이 함께 佐藥이 된다. 甘草로 調藥和中한다. 여러 약을 함께 사용하면 痞消積祛, 脾健胃和하게 되어 증상이 자연히 낫게 된다.

본방의 배오 특징인 消補兼施는 消가 主가 되고, 溫淸幷用은 淸이 主가 되고, 苦降辛開는 苦降이 主가 되는 것이다. 枳實의 용량이 비교적 重한데, 목적이 消痞에 있기 때문에 이름이 "枳實消痞丸"이다.

【類似方比較】 本 方劑와 健脾丸·枳朮丸은 모두 消補兼施의 方劑에 속하는데, 本方은 消가 補보다 크고, 主治는 心下의 痞滿 등 氣滯를 主로 한다. 그러나 뒤의 두 처방은 모두 補가 消보다 크고 食少體倦 등 脾虛爲主에 적용한다.

本 方劑와 半夏瀉心湯의 배오 특징은 모두 寒熱幷用을 구현하는 것으로, 苦降辛開, 補瀉同施한다. 다른 것은 本方은 行氣·淸熱·苦降이 主가 되고, 半夏瀉心湯은 行氣의 효능이 없는 것이다.

【臨床應用】

1. 證治要點: 本 方劑는 行氣消痞를 위한 중요한 方劑로, 心下痞滿, 食少, 體倦, 苔膩微黃을 證治要點으로 한다.

2. 加減法: 증상이 寒한편인 사람은 黃連의 量을 줄이고, 乾薑의 用量을 늘이거나, 附子 등 溫陽散寒의 약재를 더하고, 氣滯가 명확한 사람은 木香·陳皮를 더해 行氣止痛하고, 음식 소화가 안 되는 사람은 山楂·神麯을 더해 消食和胃해야 한다.

3. 枳實消痞丸은 다음 한국표준질병사인분류(KCD)에 해당하는 환자가 脾虛氣滯, 寒熱互結證으로 辨證되는 경우 본 처방의 사용을 고려해볼 수 있다.

처방 목표	한국표준질병사인분류(KCD)
慢性胃炎	K29.3 만성 표재성 위염
	K29.4 만성 위축성 위염
	K29.5 상세불명의 만성 위염
胃腸神經官能症	F45.3 신체형자율신경기능장애
消化不良	(질병명 특정곤란)
	K30 기능성 소화불량_소화불량
	F45.3 신체형자율신경기능장애_소화불량
	R10.19 상세불명의 상복부통증_소화불량 NOS

【變遷史】

本 方劑는 半夏瀉心湯에 枳朮湯과 四君子湯 처방을 합하여 만들어졌다. 枳實消痞丸은 李杲가 만들었지만, 사실 원류는 상술한 여러 방제이며, 李氏의 옛것을 배우지만 맹목적으로 따르지 않는 治學思想을 반영했다. 『名醫指掌』卷5의 枳實消痞丸은 이 방제의 기초에 麥芽·茯苓·半夏麯을 빼고, 山楂·神麯·豬苓·澤瀉·砂仁·陳皮·黃芩·薑黃을 더해, 즉 行氣·消導·淸熱의 효능이 더욱 뛰어나고, 주로 食積, 心下虛痞, 누르면 통증이 있는 것을 치료한다.

【難題解說】 本 方劑의 적응증에 관하여: 본 방제의 적응증은 痞滿을 주로 하고, 처방 중 蔘·朮·草 등 健脾益氣의 효능이 있는 약물들을 사용하는데, 혹시 壅滯增痞의 우려가 있는 것은 아닐까? 그 원리를 분석하면, "痞"의 成因부터 말하기 시작해야 하는데, 이 병증은 氣機阻滯가 있고, 또 寒熱互結이 있어, 동시에 脾胃氣虛의 不磨·不運과 食積·濕聚가 함께 있어 痞滿을 더욱 가중시킨다. 方劑 中 健脾藥을 배오하면 脾의 運化가 정상이 되고, 胃의 收納을 회복하도록 할 수 있는데, 害가 없을 뿐 아니라, 消除痞滿에 도움을 줄 수 있어, "塞因塞用"의 反治法을 구현했다.

葛花解酲湯

(『脾胃論』卷下)

【異名】 葛花解酒湯(『醫方大成』卷3)·解酲湯(『脈因症治』卷下)·葛花湯(『不知醫必要』卷3).

【組成】 白荳蔻仁 縮砂仁 葛花 各五錢(各 15 g) 乾生薑 神麯 炒黃 澤瀉 白朮 各二錢(各 6 g) 橘皮 去白 豬苓 去皮 人蔘 去蘆 白茯苓 各一錢五分(各 4.5 g) 木香 五分 蓮花靑皮 去瓤 三分(0.9 g)

【用法】 위의 재료를 고운 가루로 하여, 고르게 섞고, 매회 三錢 匕(9 g)을 복용하는데, 따뜻하게 끓인 물로 삼킨다. 단, 微汗이 생기면, 酒病이 없어지는 것이다(현대용법: 모두 극히 고운 가루로 하여, 고르게 섞어, 매회 9 g을 따뜻하게 끓인 물로 삼킨다).

【效能】 分消酒濕, 理氣健脾.

【主治】 嗜酒中虛, 濕傷脾胃證. 頭痛心煩, 眩暈嘔吐, 胸膈痞悶, 食少體倦, 小便不利, 大便泄瀉, 舌苔膩, 脈滑.

【病機分析】 술은 본래 水穀의 精液醞釀으로 만들어진 것인데, 體濕性熱하고, 그 성질이 剽悍하여, 적게 마시면 氣血을 通行할 수 있고, 안으로 消化를 돕고, 밖으로 風寒을 제어할 수 있다. 절도가 없이 함부로 마시면 酒毒薰蒸으로 頭暈頭痛心煩하고, 脾胃가 상하여, 升降이 失常하여, 즉 嘔吐腹瀉, 食少體倦하게 된다. 脾虛生濕, 濕阻氣機하면, 小便不利, 胸膈痞悶, 苔膩脈滑하게 된다.

【配伍分析】 本 方劑는 李杲가 酒積으로 인해 상한 것에 대해 만든 것이다. 李氏는 "夫酒者, 大熱有毒, 氣味俱陽, 乃無形之物也. 止(只)當發散, 汗出則愈矣,

此最妙也, 其次莫如利小便, 二者乃上下分消其濕, 何酒病之有"라고 주장했다(『內外傷辨惑論』卷下). 이것을 위해, 本 方劑는 分消酒食, 理氣健脾를 治法으로 한다. 方劑는 葛花를 君藥으로 하는데, 이 藥은 甘寒芳香의 약성으로 계속해서 解酒醒脾의 良品으로 인식되어 왔는데, 일찍이 『名醫別錄』卷2에 "消酒"작용이 기재되어 있고, 『滇南本草』卷2에서는 "治頭暈, 憎寒, 壯熱, 解酒醒脾, 酒痢, 飮食不思, 胸膈飽脹, 發呃, 嘔吐呑酸, 酒毒傷胃"라고 했다. 이것뿐 아니라, 葛花는 輕淸發散하여, 酒濕을 表로부터 풀어지도록 촉진할 수 있다. 『本經逢原』卷2에서는 즉 "以大開肌肉, 而發泄傷津也."라고 했는데, 그 말이 비록 반드시 옳다고 할 수는 없지만, 本品의 發散효력을 돋보이게 했다. 本 方劑의 原書 用法에 일찍이 "但得微汗, 酒病去矣"라고 했다. 즉 酒濕을 땀으로 풀어내는 중요한 임상의의 뿐만 아니라, 方劑에서 매우 중요한 작용을 일으키는 것이 葛花라는 것을 강조했다. 臣藥은 消食和胃의 효능이 있는 神麯인데 술과 음식이 오래되어 쌓인 것을 없애는데 좋고, 蔻仁·砂仁의 理氣開胃醒脾의 효능은 痞悶을 제거하고, 식욕을 증가시킨다. 二苓·澤瀉의 滲濕止瀉 효능은 酒濕을 소변으로 나가게 하여 없앤다. 飮酒가 過多하면, 반드시 脾胃를 상하고, 濕邪가 蘊結되어 매번 中氣를 막히게 하는데, 乾薑·人蔘·白朮은 和中健脾하고, 그중 乾薑은 辛熱溫散하기 때문에 더욱 化濕을 돕는다. 木香·靑皮(連花靑皮: 즉 靑皮를 나누어 쪼개는데, 형태는 蓮花와 비슷하다)·陳皮는 理氣疏滯하여 白蔻·砂仁을 도와, 이상이 모두 佐藥이 된다. 여러 약을 합해 사용하면, 酒濕을 물러나게 할 수 있고, 증상이 자연히 緩解된다.

本 方劑의 배오특징은 發汗과 利小便의 合用으로 酒濕을 上下로 나누어 없애고, 동시에 消食理氣와 補氣健脾의 약재를 배오하여, 邪正兼顧하는 것이다. 약물구성으로 보면, 本 方劑는 명확히 寒熱에 치우친 것이 없다. 酲이란 술이 깬 후 느끼는 困憊가 病이 있는 상태와 같은 것으로 『詩』「小雅」「節南山」에 "憂心如酲", 毛傳에 "病酒曰酲"이라 기록되어 있다. 本 方劑는 葛花를 主로 하고, 解酲의 효능이 있기 때문에, "葛花解酲湯"이라고 이름했다.

【臨床應用】

1. 證治要點: 本 方劑는 酒濕食積을 치료하는 要方으로, 臨床運用은 頭痛眩暈, 胸悶嘔吐, 食消體倦, 苔膩 등을 證治要點으로 한다.

2. 加減法: 嘔吐가 명확한 사람은 半夏·生薑을 더해 和胃止嘔하고, 食少納呆인 사람은 山楂·麥芽 등을 더해 消食化積하고, 寒한편인 사람은 吳茱萸를 더해 溫中祛寒하고, 濕熱한 사람은 黃連·黃芩을 더해 淸熱燥濕한다. 그 외, 枳椇子 역시 酒毒을 푸는 데 좋아, 臨證 時 증상에 따라 사용할 수 있다.

3. 葛花解酲湯은 다음 한국표준질병사인분류(KCD)에 해당하는 환자가 嗜酒中虛, 濕傷脾胃證으로 辨證되는 경우 본 처방의 사용을 고려해볼 수 있다.

처방 목표	한국표준질병사인분류(KCD)
飮酒過量에 의한 急性알코올中毒	F10.0 알코올 사용에 의한 급성 중독
알코올中毒	F10 알코올사용에 의한 정신 및 행동 장애
	Z72.1 알코올사용
	Y91 중독의 농도가 확인된 알코올 관여의 증거

【注意事項】 本 方劑는 耗氣傷津하여, 오래 복용하기에 적당하지 않다. 李杲는 "此藥氣味辛辣, 偶因酒病服之, 則不損元氣, 何者? 敵酒病故也, 若頻服之, 損人天年"(『內外傷辨惑論』卷下)라고 했다.

【變遷史】 본방은 『內外傷辨惑論』卷下에서 처음 보였다. 明代 『普濟方』卷172에서 인용한 『德生堂方』의 葛花解酲湯은 사실 散劑이고, 方에서 乾薑을 빼고 乾葛·甘草를 더해 解酲益脾의 효능을 더했다. 그 적용 범위가 다소 확장되었고, 시일이 오래되고, 酒疸로 面目이

모두 黃色이고, 음식 생각이 없는 사람을 치료했다. 현재의 『丸散膏丹集成』·『北京市中藥成方選集』은 각각 本方을 丸劑로 바꾸어, 이름을 葛花解酲丸으로 하였는데, 구성에 약간의 증감이 있다. 前者는 連花를 더하고, 後者는 砂仁·乾薑을 빼고 黃連을 더했다. 위의 三方은 本 方劑의 劑型을 바꾸었는데, 환자가 복용하기 더욱 편하다. 本 方劑의 영향이 깊은 것을 충분히 알 수 있다. 方劑 중 君藥인 葛花의 酲酒·淸濕熱 작용에 대해, 상술한 여러 方劑에서 구현하고 있을 뿐 아니라, 이하의 解酒의 여러 방제들도 역시 좋은 佐證이 된다. 예를 들어 『普濟方』卷297에서 인용한 『德生堂方』의 葛花黃連丸은 葛花가 主가 되는데, 淸熱燥濕의 黃連, 理氣導滯의 木香·枳殼, 升陽止瀉의乾葛과 止血의 槐花를 배오했다. 嗜欲恣情, 酒色無壓, 혹은 煎煿之肉을 먹고 생긴 痔漏便血 등에 사용한다. 『滇南本草』卷2의 淸熱丸은 葛花와 淸熱祛濕의 黃連·滑石 및 粉草를 함께 사용하여, 飮酒過度, 酒積熱毒, 損傷脾胃의 嘔血·吐血, 發熱煩渴, 小便赤少인 사람을 치료한다. 『不知醫必要』卷3의 葛花半夏湯은 葛花와 健脾益氣, 祛濕化痰, 降逆散結의 黨參·白朮·茯苓·炙甘草·半夏·生薑을 서로 합하여, 술을 좋아하는 사람의 噎膈에 적절하다. 『筆花醫鏡』卷2의 葛花淸脾飮은 葛花를 赤苓·茯苓·酒芩·山梔·車前子 같은 많은 淸熱利濕之品과 橘紅·厚朴·枳椇子·甘草 등과 같은 行氣藥과 배오하면, 酒濕生熱로 생긴 頭眩頭痛이 있는 사람에게 매우 좋다. 『症因脈治』卷1의 葛花平胃散은 葛花와 燥濕運脾의 平胃散(蒼朮·厚朴·陳皮·甘草)를 함께 사용하면, 酒濕으로 생긴 半身不遂를 치료하는데 좋다. 『審視瑤函』卷5의 葛花解毒飮은 그 구성에 葛花·玄參·當歸·龍膽草·茵陳·甘草·熟地·茯苓·山梔仁·連翹·車前子·黃連이 있는데, 酒毒을 푸는 효능과 濕熱을 깨끗이 하며, 養血益陰을 겸하여, 飮酒過多·濕熱薰蒸, 目中 風輪黃亮이 금의 색과 같고, 瞻視昏渺 등의 眼科疾患에도 사용한다. 위의 모든 서술은 葛花와 다른 약물을 배오하여 酒積으로 생긴 각종 질환에 사용하는데, 本品이 확실히 解酒의 良藥임을 명백히 보여준다.

【難題解說】 本 方劑의 적응증에 관하여: 本 方劑는 가장 처음 『內外傷辨惑論』卷下(1231년 간행)에서 보이는데, 어떤 方書에서는 『脾胃論』(1249년 간행) 혹은 『蘭室秘藏』(1274년 간행)이라고 인식하고 있다. 三書가 비록 모두 李杲가 지은 것이지만, 『內外傷辨惑論』의 완성 연대가 『脾胃論』과 『蘭室秘藏』에 비해 약간 빠르다. 그러므로 마땅히 前書가 方源이다.

【醫案】 酒癖 『長春中醫藥大學學報』(2007,4:9): 남성, 52세. 嗜酒. 症: 右脇 아래에 마치 물건이 떠받치고 있는 느낌이 있고, 胸悶納呆하고, 때때로 惡心嘔吐하고, 失眠多夢, 小便黃, 舌質은 隱靑한데, 양쪽의 색이 深紅하고 苔少했으며, 脈이 弦滑하고 힘이 있었다. 疏肝利膽, 祛除濕熱로 치료하고, 處方은 葛花解酲湯加減으로 치료했다. 處方: 葛花 15 g, 枳椇子 20 g, 土茯苓 20 g, 砂仁 15 g, 白蔻仁 15 g, 木香 10 g, 柴胡 10 g, 金銀花 20 g, 金錢草 20 g, 枸杞子 25 g, 川貝母 20 g, 竹茹 15 g. 4첩 후, 脇下의 마치 물건이 떠받치고 있는 느낌이 소실되었고, 식욕이 좋아졌는데, 잠잘 때 꿈이 많은 것은 여전했다. 두 번째 진료에서는 原來의 處方에서 柴胡를 빼고 炒棗仁 40 g을 더하여 주고 연속으로 8첩을 복용한 후 여러 증상이 소실되었다.

伐木丸

(『張三豊仙傳方』, 錄自『本草綱目』卷11)

【異名】 陰騭丸(『醫學入門』卷7)·三豊伐木丸(『中國醫學大辭典』).

【組成】 蒼朮 米泔水…浸二宿, 同黃酒麵麯 四兩(120 g) 炒赤色 二斤(1,000 g) 皂礬 醋拌曬乾, 入瓶, 火煅 一斤(500 g)

【用法】 위의 것을 가루로 하여, 醋糊로 丸을 만드

는데, 오동나무 열매 크기로 한다. 매회 30, 40환을 복용하고, 好酒·米湯으로 삼키며, 하루에 2, 3회 복용한다(현대용법: 모두 가루로 하여, 醋糊로 작은 丸을 만들어, 매회 30~40환을 복용하는데, 하루에 2, 3회를 식후에 米湯으로 삼킨다).

【效能】 消積, 驅蟲, 燥濕, 瀉肝.

【主治】 黃腫病. 面色萎黃, 面目浮腫, 胸腹滿悶, 心悸氣短, 體倦乏力, 舌苔白膩, 脈濡.

【病機分析】

本 方劑가 치료하는 黃腫病은 食積不化, 脾濕不運으로 생긴다. 食積傷脾, 肝旺克脾가 모두 脾虛를 야기할 수 있다. 脾虛하면 즉 生化가 無力해지는데, 面色萎黃, 心悸氣短, 體倦乏力이 보인다. 濕邪가 안에 맺히면, 피부로 올라와 面目에 浮腫이 생긴다. 濕이 氣機를 막으면, 胸腹滿悶하게 된다. 苔白膩, 脈濡는 모두 濕燥의 증후이다.

【配伍分析】 本 方劑가 치료하는 脾虛食積의 黃腫病에 대한 치료는 燥濕運脾, 消食化積의 法으로 해야 한다. 肝旺克脾를 防止하기 위하여, 瀉肝의 뜻이 더욱 깃들어 있다. 方劑에서 蒼朮을 중용하는데, 약성은 辛苦하고 溫하여 除濕을 위한 要藥이다. 『本草正義』卷1에서 "蒼朮, 氣味雄厚, 較白朮愈猛, 能徹上徹下, 燥濕而宣化痰飮, 芳香辟穢, 勝四時不正之氣, 故時疫之病多用之", "凡濕困脾陽, 倦怠嗜臥, 肢體酸軟, 胸膈滿悶, 甚至腹脹而舌濁厚膩者, 非蒼朮芳香猛烈, 不能開泄, 而痰飮彌漫, 亦非此不化"라고 했다. 臣藥은 皂礬(卽 綠礬)으로, 味酸澀性涼하고, 燥濕化痰하는 약성으로 蒼朮의 효능을 돕고, 消積殺蟲으로 病因을 제거할 제거할 수 있다. 동시에 補血의 효능까지 있어, 正氣를 함께 고려한다. 『本草綱目』卷11은 "蓋此礬色綠味酸, 燒之則赤, 既能入血分伐木, 又能燥濕化涎, 利小便, 消食積, 故脹滿, 黃腫, 瘧痢, 疳疾方往往用之"라고 인식했다. 黃酒面麯은 즉 술을 끓이는 용도의 酒麯인데, 消食化積에 장점이 있어, 佐藥이 된다. 三藥을 합해 사용하면, 濕祛食消腫退하여, 邪氣가 물러나고 正氣가 회복된다.

本 方劑의 배오특징은 辛苦酸澀을 병용하여 "肝欲散, 急食辛以散之, 用辛補之, 酸瀉之"(『素問』「臟氣法時論」)하는 것이다. 辛散苦燥하므로, 方劑는 祛濕 위주이다. 酸味가 肝으로 들어가 瀉肝하게 되어, 肝木克脾를 防止하고, 脾濕에 중점을 둔다. 瀉肝은 즉 伐木이므로, 이름을 "伐木"이라 했다.

【臨床應用】

1. 證治要點: 本 方劑는 脾虛食積의 黃腫病을 주로 치료한다. 臨床運用時 面黃水腫, 心悸, 乏力을 證治要點으로 한다.

2. 加減法: 濕盛인 사람은 平胃散과 合用하여, 燥濕運脾 作用을 강화하는 것이 좋고, 蟲積이 제거되지 않은 사람은 布袋丸을 더해 驅蟲扶正한다. 몸이 약한 사람은 益氣補血의 八珍湯과 合用하는 것이 좋다.

3. 伐木丸은 다음 한국표준질병사인분류(KCD)에 해당하는 환자가 黃腫病, 脾虛食積證으로 辨證되는 경우 본 처방의 사용을 고려해볼 수 있다.

처방 목표	한국표준질병사인분류(KCD)
鉤蟲病患者	B76 구충병
貧血	D50~D53 영양성 빈혈
	D55~D59 용혈성 빈혈
	D60~D64 무형성 및 기타 빈혈

【注意事項】 本 方劑은 補益作用이 없기 때문에, 正虛한 사람은 단독 운용이 적당하지 않고, 黃病綠礬丸과 함께 사용을 금해야 한다.

【變遷史】 本方은 『張三豊仙傳方』으로 전해지는데, 가장 처음으로 이 방을 인용한 『本草綱目』「石部」卷11

에서는 그 主治證을 "脾土衰弱, 肝木氣盛, 木來克土, 病心腹中滿, 或黃腫如土色"으로 인식했다. 그러나『醫學入門』卷5에서 인용한 周益公方에 더욱 발전한 증상 묘사가 있었다. "黃腫, 水腫腹脹, 溏瀉".『綱目』을 기초로 보충한 것이다. 伐木丸의 구성약물은 세 가지 뿐인데, 그중 皂礬은 顯綠色이기 때문에, 綠礬이라고 한다. 그것을 醋燒煆後 사용하면, 絳色으로 변할 수 있어 絳綠礬 혹은 絳礬 혹은 礬紅이라고 한다. 역대 의학자들은 계속해서 그것을 黃腫脹滿·血虛萎黃·疳積蟲證을 치료하기 위해 일반적으로 사용하는 약재로 보았지만, 주로 황산철($FeSO_4·7H_2O$)을 함유하고 있기 때문에 근대에는 그것을 鉤蟲 혹은 다른 원인으로 생긴 貧血에 사용했다. 아래에 서술할 皂礬 單方 혹은 複方의 임상응용은 매우 좋은 설명이다.『醫級』卷8의 皂礬散은 本品 一味를 사용해 黃疸腫滿을 치료했다.『小兒衛生總微論方』卷21의 綠礬丸 역시 단순하게 皂礬을 취하고, 猪膽汁을 丸으로 하여 疳疾有蟲, 愛食泥土인 사람에게 사용했다. 그 외『醫學綱目』卷21·『醫學正傳』卷6에서 인용한『集驗方』·『續名家方選』은 모두 3首의 綠礬丸이 있는데, 구성은 각각 綠礬·南星·神麯·大皂角·紅棗이며, 綠礬·五倍子·鍼砂·神麯, 綠礬·蜀椒·棗肉·胡桃이다. 모두 黃腫病에 적당하다. 皂礬이 黃腫病 등에 좋은 효과가 있는 것은 이미 고금의학의 실천을 통해 충분히 증명되었다. 伐木丸은 綠礬과 蒼朮·酒麯을 함께 이용하여 상술한 여러 방과 비교하여, 燥濕消積의 효력이 더욱 강하다.

【難題解說】本 方劑의 方源에 관하여: 本 方劑가 비록 가장 일찍『張三豊仙傳方』(1391년 간행)에서 보이지만, 이 책은 이미 전해지지 않고, 本 方劑와 관련된 내용이 후대의 많은 醫書에 인용되는데, 대체 어떤 醫書에서 가장 먼저 인용했을까? 현대인의 시각이 다른데,『方劑學』統編教材 4版 등에서는『絳雪園古方選註』(1732년 간행)이라고 인식하고 있는데, 사실상『本草綱目』(1578년 간행)에 伐木丸이 기록되어 있기 때문에, 方源은 마땅히『綱目』에서 나온 것이다.

【醫案】鉤蟲病『河北中醫』(1982, 4:11): 여성, 27세. 증상으로 面部가 萎黃無華하고, 심한 빈혈현상이 보였다. 頭昏心悸로 不寧하고, 足痿步履無力하고, 婚後 5년 동안 임신이 되지 않고, 脈來虛軟했다. 대변검사: 蛔蟲卵(+), 鉤蟲卵(++). 병이 오래되어, 함부로 치고 없애는 약을 쓸 수 없어 伐木丸을 1개월 복용한 후, 面部가 紅潤해지고, 脈象亦起하고, 분변 검사에서 鉤·蛔蟲卵(−)였다. 남성, 49세. 증상으로 面色不榮, 羸瘦乏困懶動, 心悸頭昏眼花, 兩足水腫, 脈象細弱, 舌苔薄白이 보였다. 스스로 伐木丸을 복용하고 38일이 지난 후, 증상이 완전히 없어졌으며 겉모습도 좋아졌다.

考察: 위의 2례는 鉤蟲病으로 생긴 것으로, 前者의 증상은 氣血不足에 속하지만 더 나아가 黃腫病이 발생할 수 있었고, 後者는 黃腫의 여러 증상이 이미 나타났기 때문에, 伐木丸을 사용하여 효과를 거두었다.

第十九章

驅蟲劑

驅蟲藥으로 주로 구성되어 驅蟲 혹은 殺蟲 작용이 있고, 人體 소화관 내의 기생충병을 치료하는 方劑를 鉤蟲劑라고 한다. 기생충은 주로 회충·조충·구충·요충 등을 말한다. 臍腹疼痛이 때로 발작했다가 때로 멈추며, 통증 발작 후에는 식사가 가능하고, 面色은 萎黃, 혹은 靑色, 혹은 白色이고, 白斑이 생기고, 혹은 赤絲가 보이며, 혹은 수면 중에 이를 갈거나, 혹은 胃脘이 嘈雜하여 淸水를 吐하고, 舌苔剝落, 脈乍大乍小하는 등 증상이 나타난다. 회충의 경우, 耳·鼻의 소양감, 입술 안쪽에 紅·白色의 點 등이 나타나는데, 『丹溪心法』卷3에 "有蟲病者, 面上白斑, 脣紅能食屬蟲"라고 한 것이 그것이다. 조충의 경우, 자주 大便에 白色의 蟲體節片이 나타나는데, 『諸病源候論』卷18 寸白蟲候에는 이렇게 배출된 蟲의 형태를 묘사하여 "寸白者, ……長一寸, 而色白, 形小褊"이라고 했다. 『金匱要略』에는 蟲病의 원인에 대하여 "食生肉……變成白蟲", "牛肉共猪肉食之, 必作寸白蟲"라고 기록되어 있다. 구충의 경우, 異物을 먹는 것을 좋아하고, 面色이 萎黃하고, 浮腫이 있기 때문에 黃腫病이라고도 칭한다. 『壽世保元』卷5에서 말하기를 "諸般痞積, 面色萎黃, 肢體羸瘦, 四肢無力, 皆緣內有蟲積, 或好食生米, 或好食壁泥, 或食茶炭咸辣等物者, 是蟲積"이라고 했다. 요충은 肛門이 발작적으로 소양감이 발생하는 특징이 있다. 『壽世保元』卷5에 "胃虛陽弱, 則蟯蟲乘之, 輕者或痒, 或蟲從穀道溢出, 重者侵蝕肛門瘡爛."이라고 기록되어 있다.

驅蟲藥은 『神農本草經』에도 기록이 있다. 『傷寒論』에는 安蛔止痛의 名方인 烏梅丸이 수록되어 있는데, 胃熱腸寒, 正氣虛弱의 蛔厥에 사용한다. 이 방은 驅蟲藥을 중심으로 구성하지 않고, 회충이 "遇酸卽止, 遇苦卽定, 遇辛則頭伏"하는 습성을 이용하였으며, 酸·苦·辛한 性味와 寒熱同用, 邪正兼顧의 配伍를 사용하여, 蛔安痛止厥回, 邪去正復하고자 하였다. 明代 『傷寒全生集』卷4의 理中安蛔湯과 淸代 『重訂通俗傷寒論』의 連梅安蛔湯이 모두 烏梅丸과 연관되어 있다.

驅蟲·殺蟲藥을 주성분으로 하는 方劑로는 대표적으로 宋代 『太平惠民和劑局方』卷4의 化蟲丸을 들 수 있다. 그러나 『古今醫統大全』卷78에서 "凡病氣血雖虛, 有蟲積者, 皆須用追蟲殺蟲等劑, 下去蟲積……不爾, 必不得效."라고 한 것처럼 氣血虛와 같은 病因에 대해서도 고려해야 한다. 그래서 明代에는 『補要袖珍小兒方論』卷5에 小兒脾虛蟲疳에 대해 驅蟲과 健脾를 병행하는 布袋丸을 硏制한 것이다. 張介賓은 자신의 임상경험을 통해 "治蟲之法, 雖當祛蟲, 而欲治生蟲之本, 以杜其源, 犹當以溫養脾腎元氣爲主, 但使臟氣陽强, 非惟蟲不能留, 亦自不能生也"(『景岳全書』「雜證謨」卷2)와 같이 구충에 있어서 溫養脾腎元氣의 중요성을 주장했다.

驅蟲藥에는 使君子, 苦楝根皮, 雷丸, 榧子, 川椒, 蕪荑, 鶴蝨, 檳榔, 南瓜子, 鶴草芽, 貫衆, 烏梅 등이 있으며, 蟲病에 따라 選用할 필요가 있다. 회충에는 使君子·苦楝根皮·鶴蝨·蕪荑를 선택하고, 蟲積腹痛에는 烏梅로 安蛔止痛하고, 조충에는 檳榔·南瓜子·鶴草芽·雷丸을 선택하고, 구충이면 榧子·貫衆 등을 선택하고, 蟲體의 배출을 촉진하기 위해서는 大黃·芒硝 등 瀉下藥을 配伍하는 것이 적당하다. 그중 檳榔은 驅蟲과 攻積 작용을 모두 갖추고 있는데, 檳榔을 重用한 代表方이 바로 化蟲丸이다. 그리고 夾症 및 환자의 체질을 근거로 상응하는 약물을 선택하여 배오한다. 예를 들어, 寒을 兼하는 사람은 乾薑·吳茱萸 등의 溫中散寒之品을 함께 사용하는 것이 좋은데, 대표방은 理中安蛔湯이다. 熱이 있는 사람은 黃芩·黃連·黃柏流의 淸熱藥物을 배오해야 하며, 대표방은 連梅安蛔湯이고, 脾虛를 수반하는 사람은 人蔘·黨參·白朮·甘草 등 健脾益氣之品을 배오하여 扶正驅蟲해야 하는데, 대표방은 布袋丸이고, 病機가 寒熱虛實에 속하며 夾雜한 사람은 散寒·淸熱·補益 약물을 배오하여, 全面兼顧해야 하는데, 대표방은 烏梅丸이다.

驅蟲劑를 內服할 때 다음을 주의해야 한다. ① 空腹에 복용하는 것이 좋고, 기름진 것을 피한다. ② 어떤 驅蟲藥은 毒이 있기 때문에, 용량과 기간을 적절하게 조절하여, 中毒 혹은 傷正을 피한다. ③ 어떤 驅蟲劑는 毒이 있을 뿐 아니라, 攻伐의 효력도 있기 때문에, 노년의 체력이 약한 사람과 임산부는 신중하게 이용하거나 이용을 금한다. ④ 臨證時 糞便檢驗을 결합하여, 만약 蟲卵이 발견되면, 辨證에 따라 驅蟲劑를 結合하여 사용한다. ⑤ 驅蟲 後, 脾胃의 調理에 주의하여, 그 후를 살펴야 한다.

烏梅丸

(『傷寒論』)

【異名】 烏梅丹(『醫方妙用』, 錄自『普濟方』卷399)·烏梅安胃丸(『飼鶴亭集方』)·殺蟲烏梅丸(『全國中藥成藥處方集』蘭州方)·安胃丸(『全國中藥成藥處方集』杭州方).

【組成】 烏梅 三百枚(480 g) 細辛 六兩(180 g) 乾薑 十兩(300 g) 黃連 十六兩(480 g) 當歸 四兩(120 g) 附子炮, 去皮 六兩(180 g) 蜀椒 出汗 四兩(120 g) 桂皮 去皮 六兩(180 g) 人蔘 六兩(180 g) 黃柏 六兩(180 g)

【用法】 위의 약들을 각각 분말로 하여 合한다. 烏梅는 苦酒에 하룻밤 담그고, 去核하여, 五斗의 米에 넣어 찌고, 쌀이 익으면 烏梅肉을 빻아서 진흙처럼 만들어, 다른 약과 섞어 절구에 넣고, 煉蜜로 반죽하여, 梧子大의 丸을 만든다. 매회 10丸을 복용하고, 식전에 물과 함께 삼키는데, 1일 3회 복용한다. 처음에는 소량을 복용하다가 조금씩 늘려서 20丸까지 용량을 늘릴 수 있다(현대용법: 烏梅를 50%의 식초에 하룻밤 담그고, 去核하고 다져서 다른 약과 함께 잘 섞어, 불에 쬐어 말리거나, 햇빛에 말려, 가루로 연마한 다음, 꿀을 加해 丸으로 만들고, 매회 9 g, 하루에 3회를 공복에 따뜻하게 끓인 물과 함께 삼킨다. 반드시 法製된 附子를 사용하여 毒性에 주의하도록 한다).

【主治】 蛔厥로 인하여 脘腹陣痛, 煩悶嘔吐가 때에 따라 발작하거나 멈추며, 음식을 먹으면 토하는데 심하면 蛔를 토하고, 手足이 厥冷하는 증상을 치료한다. 혹은 久痢久瀉를 치료한다.

【病機分析】 本方은 寒熱錯雜의 증상을 치료한다. 蛔蟲은 따뜻한 것을 좋아하고, 차가운 것을 싫어하기 때문에, "遇寒則動, 得溫則安"이라 하였고, 비집고 들어가는 것을 좋아하는 습성이 있어서 腸中에 寄生한

다. 胃腸의 寒熱이 交錯하여 蛔蟲의 생존에 불리할 때는 搖動하고, 혹은 不時에 上部를 搖動하면 脘腹陣痛, 煩悶, 嘔吐가 생기고, 심하면 蛔를 吐하기도 한다. 蛔蟲의 起伏에는 때가 없어, 蟲動하면 발작하고 蟲伏하면 그치므로, 腹痛과 嘔吐가 때로 발작하기도 하고 때로 멈추기도 하는 것이다. 통증이 심하면 氣機가 逆亂하여, 陽明의 氣가 서로 順接하기 않게 되어, 手足이 厥冷하고, 蛔厥이 발생한다. 久痢久瀉 역시 寒熱錯雜에 속하는데, 正氣가 虛弱하여 생기는 것이다.

【配伍分析】 本方은 蛔厥에 사용하기 위해 만들졌는데, 이 證의 病機는 寒熱錯雜에 속하고, 蛔蟲이 上擾하는 것이기 때문에, 치료는 寒熱幷調, 安蛔止痛 해야 한다. 方中의 烏梅는 君藥으로 重用하였는데, 散溫, 安蛔, 止痛할 뿐만 아니라, 澁腸하여 止瀉止痢하기 때문이다. 『本草綱目』「果部」卷29에 "烏梅·白梅所主諸病, 皆取其酸收之義. 唯張仲景治蛔厥烏梅丸, 及蟲䘌方中用者, 卽蟲得酸卽止之義, 稍有不同耳"라 하였다. 그리고 『本草求眞』卷2에는 "入蟲則伏"이라고 기록되었다. 『本草新編』卷5에는 "止痢斷瘧, 很有速效"이라고 기록되었다. 蜀椒·細辛은 모두 辛·溫하여 辛은 伏蛔하고, 溫은 腸寒을 去한다. 또한 蜀椒는 殺蟲한다. 黃連·黃栢은 苦·寒한데, 苦는 下蛔하고, 寒은 淸熱하기 때문에, 黃連·黃栢은 止痢의 要藥이며, 여기에 椒·辛·連·柏 四味를 배오하면 溫淸을 幷用하고, 伏蛔와 下蛔를 겸하니, 이들은 모두 臣藥이 된다. 附子·乾薑·桂枝는 溫腸하여 裏寒을 去하고, 人蔘·當歸는 氣血을 補養하고, 正氣를 扶助하므로, 이들은 모두 佐藥이 된다. 이 모든 약이 本方에 配伍되어 祛寒, 淸熱, 安蛔, 解痛, 回厥, 止痢한다.

本方의 配伍特徵은 酸·苦·辛을 함께 配伍한 것으로 "蛔得酸則靜, 得辛則伏, 得苦則下"하니, 寒熱錯雜, 正氣虛弱의 病機를 고려하여 溫淸合用, 邪正兼顧를 구현한 것이다. 方에 溫熱藥이 많기 때문에 性은 溫에 치우쳐 있다.

【臨床應用】

1. 證治要點: 本方은 寒熱錯雜, 蛔蟲上擾의 蛔厥을 치료하는 常用方이다. 臨床에서는 腹痛陣作, 煩悶嘔吐, 時發時止, 甚則吐蛔, 手足厥冷을 證治要點으로 한다.

2. 加減法: 本方은 安蛔에 중점을 두어 驅蟲의 힘이 약하므로 殺蟲驅蟲하는 使君子·苦欐皮·榧子·檳榔 등을 加하는 경우가 많다. 嘔吐가 심한 경우는 降逆止嘔하는 生薑·半夏·吳茱萸를 加한다. 腹痛이 심한 사람은 緩急止痛하는 白芍藥·甘草를 加한다. 驅蟲 효능을 강화하기 위해서는 瀉下藥인 大黃·芒硝 등을 加하기도 한다.

3. 烏梅丸은 다음 한국표준질병사인분류(KCD)에 해당하는 환자가 蛔厥證으로 辨證되는 경우 본 처방의 사용을 고려해볼 수 있다.

처방 목표	한국표준질병사인분류(KCD)
膽道蛔蟲症	B77.8 기타 합병증을 동반한 회충증
腸管蛔蟲症	B77.0 장합병증을 동반한 회충증
慢性細菌性痢疾	A03 시겔라증
	A06.1 만성 장아메바증
慢性腸炎	K52 기타 비감염성 위장염 및 결장염

【注意事項】 本方은 성질이 偏溫하기 때문에 寒重한 경우에 적합하다. 또한 『傷寒論』 "禁生冷·滑物·臭食等"이라고 기록되어 있다.

【變遷史】 本方은 『傷寒論』과 『金匱要略』에 처음으로 수록되어 蛔厥 및 久痢에 사용했다. 이 方은 후대에 다양하게 변화하였다. 宋代 『聖濟叢錄』卷56에 "産後冷熱痢, 久下不止."라고 하여 婦科의 運用을 보충하였다. 『玉機微義』卷8은 "胃腑發咳, 咳而嘔, 嘔甚則長蟲出"라고 하여 증상을 보강하여 기술했다. 秦伯未는 『謙齋醫學講考』에서 "久病腹痛, 嘔吐, 下痢, 蛔厥"이라고 하였으며, "肝臟正氣虛弱而寒熱錯雜之證"이라고

病因病機에 대해 언급했다. 현대 焦樹德은 烏梅丸의 운용 범위에 대해 구체적으로 기술하였다. ① 蛔厥: 中焦虛寒, 陰勝陽衰, 手足厥冷, 胃脘 혹은 右上腹部에 疼痛이 있고, 때때로 嘔逆心煩하거나 蛔蟲을 吐하고, 舌淡苔白, 脈弦 혹은 沉細하다. 西醫 診斷의 담도회충증에 上述한 증후가 있는 경우에 사용한다. ② 蟲病腹痛: 臍部의 주위 혹은 腹部에 絞痛이 있거나, 혹은 塊가 있고, 寒熱이 있거나, 嘔吐가 있고, 蛔蟲을 吐하거나, 便에 蛔蟲이 있거나, 蛔蟲의 병력이 있거나, 腹脹하지만 방귀가 나오지 않는다. 舌苔白厚或黃厚, 脈沉弦伏, 或細弦. 西醫 診斷의 회충성 장경색에 本方을 加減하여 사용한다. ③ 久痢: 痢疾이 오래되어도 낫지 않고, 寒熱錯雜하고, 때로는 輕하고 때로는 重하며, 下寒上熱하고, 格拒不和, 腹中에 隱痛이 있고, 白膿 혹은 黏液이 下利하고, 食慾不振, 四肢不溫, 舌苔白, 脈沉或沉緩을 겸한다. 西醫 診斷의 만성 이질에 위와 같은 증후가 나타나는데, 역시 이 方을 加減하여 사용한다.(『方劑心得十講』). 漢代 이후 烏梅丸이라는 이름을 사용한 方劑는 55首에 달하는데, 그중 組成과 主治가 『傷寒論』 烏梅丸과 관련된 것이 16首이고, 이 方에서 변화한 것이 5首가 있다. 『備急千金要方』卷15의 烏梅丸은 즉 本方에서 細辛·附子·人蔘·黃柏을 去하고, 吳茱萸를 加하여, 淸熱補虛의 힘이 약간 부족하지만, 수십 년 된 久痢에 사용한다. 『鄭氏家傳女科萬金方』의 烏梅丸은 本方에서 黃連·附子를 去하여, 婦女의 胎前腸毒腸風에 사용한다. 이때 환자의 체질에 따라 大苦·大寒한 黃連과 大辛·大熱한 附子를 減하거나 去하였기 때문에 方性이 비교적 平和溫妥하다. 『痘疹傳心錄』卷18의 烏梅丸은 本方에서 附子·人蔘을 去하여 溫腸補益 작용이 약한데, 주로 체질이 裏寒한 사람의 蛔蟲腹痛에 사용한다. 『醫學摘粹』卷3의 烏梅丸은 本方에서 黃連·黃柏·細辛을 去하여 淸熱 효능이 없고, 健脾滲濕하는 茯苓을 加하여 寒證에 속하는 蛔蟲證에 사용한다. 『保嬰撮要』卷18의 烏梅丸은 本方에서 人蔘·黃柏·桂枝를 去하여, 小兒痘疹에 사용한다. 이와 같이 烏梅丸의 類方을 다양한 病證에 사용할 수 있다. 뿐만 아니라, 烏梅丸에서 변화하여 만들어진 方劑로는 『傷寒全生集』卷4의 理中安蛔湯, 『溫病條辨』卷3의 椒梅湯, 『重訂通俗傷寒論』의 連梅安蛔湯이 있다.

【難題解說】 本方의 立法에 관하여: 烏梅丸의 組方과 配伍에는 독창적인 의의가 있다. 本方證의 病因病機는 복잡하여, 寒熱錯雜, 虛實相兼하기 때문이다. 그래서 選藥配伍는 寒熱竝用, 正邪兼顧, 溫淸補瀉의 여러 가지 방법을 융합하여 分消寒熱, 扶正祛邪한 것이다. 이것은 『傷寒論』과 『金匱要略』에 수록된 虛脾의 半夏瀉心湯, 調經의 溫經湯 등에도 사용된 방법이다. 金代의 李杲도 枳實消痞丸에 이와 같은 방법을 사용하였다.

【醫案】

1. 蛔厥 『中國鄉村醫藥』(2003, 3:57): 여성 50세. 환자는 蛔厥하여 吐蛔한 병력이 있었는데, 기름진 음식을 과식할 때마다 右上腹部에 疼痛이 있었다. 이번에도 기름진 음식을 먹고, 10여 분 후 右上腹部의 격렬한 疼痛이 발생하여 입원했다. 환자는 右脇下와 胃脘部의 疼痛이 못으로 뚫는 듯 참을 수 없고, 통증은 오른쪽 어깨 뒤로 放散되고, 惡心·嘔吐를 수반했고, 복부는 통증으로 인해 눌리는 것을 견딜 수 없었다. 며칠 동안 진경제, 진통제를 복용하였으나 통증은 더욱 심해졌다. 다른 검사를 통해 담석증과 췌장염은 배제되어 원인을 알 수 없었다. 통증이 격렬할 때, 脈은 乍大乍小하고, 手足指는 冷하며, 冷汗이 흘렀다. 舌質淡, 苔黃薄滑潤. 蛔厥(膽道蛔蟲證)로 진단하여, 溫腸安蛔하기로 하여, 烏梅丸加味를 處方했다. 烏梅 15 g, 制附片(先煎 1시간)·黨參·川欄·榔片 各 12 g, 桂枝·黃連·黃柏·乾薑·當歸 各 10 g, 使君肉 9 g, 細辛·炒川椒 各 5 g. 二劑를 1일에 복용하여, 4회로 나누어 溫服하도록 하였다. 2일 후, 疼痛이 완화되었다. 3일 후, 오전에 大便에서 죽은 蛔蟲이 1마리가 배출되었고, 疼痛이 해소되었다. 疏肝理氣, 健脾和胃하는 方劑로 조리하도록 하고 치료를 종료하였다.

考察: 本例는 胃熱腸寒하여 蛔蟲이 膽道에 잠복하여 생긴 蛔厥證이므로, 溫腸安蛔하기 위하여, 烏梅湯

에 殺蟲하는 川欄·檳榔·使君肉 등을 加했는데, 蟲이 膽道에서 배출된 후 疼痛이 완해되고, 厥逆이 회복된 것이다.

2. 潰瘍性結腸炎『實用內科學雜誌』(2007, 5:15): 53세 여성. 腹痛과 함께 점액성의 묽은 변을 보게 된지 5년 되었다가, 3일 전부터는 膿血便이 발생하여 궤양성 대장염으로 진단받고, 항생제 및 보존요법을 8일간 받았으나, 병은 점점 심해졌다. 진료시 환자의 腹痛은 그치지 않고, 하루 4~6회 농혈과 점액 양상의 대변을 보고, 裏急後重하며, 語聲이 低微하고, 식욕이 없고, 점점 정신이 혼미해지고, 四肢와 鼻準이 溫하며, 眼球가 灰暗하였다. 舌苔薄白, 脈沉無力. 이는 久痢로 인해 陽氣가 이미 衰한 것이므로, 溫陽益氣, 清熱止痢하기 위해, 烏梅丸加減을 處方했다. 烏梅·制附片(先煎) 各 20 g, 紅蔘·黃柏·枳實 各 15 g, 黃連 12 g, 桂枝·當歸·木香 各 10 g, 乾薑·細辛 各 6 g, 花椒 30粒. 二劑 복용 후, 痛症과 설사가 모두 감소하였다. 二劑 추가 복용 후, 통증이 소실되고, 痢가 멈췄다.

考察: 이 환자의 久痢는 寒涼한 西藥을 過用하여 陽氣가 손상되어 頑固한 證이된 것이다. 苦寒의 약을 사용하여 病이 제거되지 않고, 오히려 陽氣를 더욱 손상했을 것이므로, 溫固脾腎하면서 腸道의 濕熱餘邪를 제거하는 攻補兼施의 방법을 사용한 것이다.

【副方】

1. 理中安蛔湯(『傷寒全生集』卷4): 人蔘 七分(2 g) 白朮 一錢(3 g) 乾薑 五分(1.5 g) 茯苓 一錢(3 g) 烏梅 3個 花椒 一分(0.3 g)(『傷寒全生集』에는 烏梅를 제외한 다른 약물은 모두 용량이 없는데, 『萬病回春』을 근거로 보충하였다. 이것은 湯을 위한 용량으로, 만약 丸劑로 만든다면 증상을 참작하여 용량을 늘린다)

- 用法: 여기에 生薑을 넣어 물에 달여서 복용한다. 丸藥을 만들기 위해서는 烏梅를 浸爛蒸熟하고, 진흙처럼 빻아서 다른 약의 분말을 섞고 다시 진흙처럼 빻는다. 매회 十丸을 米湯과 함께 복용한다.
- 作用: 溫中安蛔.
- 適應症: 蛔蟲腹痛 혹은 吐蛔便蛔, 便溏尿清, 四肢不溫, 舌苔薄白, 脈虛緩.

2. 連梅安蛔湯(『重訂通俗傷寒論』): 胡黃連 一錢(3 g) 炒川椒 小粒(1.5 g) 白雷丸 三錢(9 g) 烏梅肉 二枚(10 g) 生川栢 八分(2.5 g) 尖檳榔 2個 磨汁, 冲(10 g)

- 用法: 물에 달여서 복용한다.
- 作用: 清熱安蛔.
- 適應症: 肝火胃熱의 蟲積腹痛, 不思飮食, 食則吐蛔, 甚하면 煩燥하거나, 厥逆한다. 身熱, 面赤, 口燥, 舌紅, 脈數 등을 수반한다.

이상의 兩方과 烏梅丸은 모두 治蛔之劑이며, 모두 蟲積腹痛에 사용한다. 그러나 서로 다른 점이 있는데, 그중 烏梅丸은 酸·苦·辛을 幷用하여, 寒熱同施, 邪正兼顧하여 安蛔止痛의 힘이 강하고, 寒熱虛實相兼의 蛔厥 및 久痢·久瀉 등 증상이 복잡할 때 사용한다. 理中安蛔湯은 理中湯을 포함하여, 溫中安蛔하므로 中焦虛寒의 蟲證에 사용하며, 환자는 대부분 便溏尿清, 四肢不溫 등을 겸한다. 連梅安蛔湯은 驅蟲力과 清熱作用도 좋으므로, 蟲積腹痛에 面赤·口渴 등 熱狀의 實證에 적당하다.

化蟲丸

(『太平惠民和劑局方』卷10)

【異名】 化蟲丹(『幼幼新書』권31)

【組成】 胡粉 炒 鶴蝨 去土 檳榔 苦楝根 去浮皮 各五十兩(各 1,500 g) 白礬枯 十二兩(375 g)

【用法】위 약재들을 분말로 만들어 麵糊로 반죽하여 麻子大의 丸으로 만든다. 一歲 小兒는 五丸을 복용하고, 溫漿水에 生麻油를 한 두 방울 떨어뜨려서 잘 섞어, 따뜻한 米飮으로 삼키는 방식도 가능하며, 시간에 구애받지 않고 복용한다. 蟲이 작은 것은 모두 풀어져 물로 용해되고, 큰 것은 그대로 배출된다(현대용법: 모두 粉末로 하여, 물로 반죽해서 작은 크기의 丸으로 만들고, 一歲兒는 五丸을 복용하는데, 空腹에 米湯으로 삼킨다).

【效能】驅殺腸中諸蟲.

【主治】蟲病으로 腹痛이 때로 발작하고 때로 그치고, 上下로 往來하며, 통증이 심하고, 淸水를 토하거나, 蛔蟲을 토하는 등의 증상을 치료한다.

【病機分析】本方은 蛔蟲·絛蟲·蟯蟲·姜片蟲 등 각종 위장관의 기생충 치료에 사용한다. 蟲이 腸에 있으면 搖動不安하여 腹痛하고, 胃에 있으면 嘔吐하고, 심하면 吐蛔한다.

【配伍分析】方中의 약은 모두 殺蟲의 효능이 있는데, 鶴蝨은 蛔蟲을 驅殺하고, 苦楝根皮는 蛔蟲·絛蟲··蟯蟲을 驅殺하며, 檳榔은 絛蟲·鉤蟲·姜片蟲 등을 驅殺하면서, 行氣導滯하여 蟲體의 배출을 촉진한다. 枯礬·胡粉(鉛粉)도 殺蟲作用을 갖고 있다. 모든 약을 배오하여 蟲去痛止하기 위해 사용하는 것이다.

方의 配伍特徵은 여러 殺蟲之品을 모아서 相補相成하고, 力專效宏하였다는 것이다. 특히 檳榔은 殺蟲과 瀉下의 작용을 동시에 갖고 있어, 蟲體의 배출에 강점이 있다.

【臨床應用】

1. 證治要點: 本方은 전문적으로 治蟲하는 方劑이며, 특히 蛔蟲의 驅殺에 좋다. 臨床에서는 때때로 腹痛하고, 嘔吐, 혹은 吐蛔를 要點으로 한다. 현대에는 糞便 검사상 蟲卵을 확인하여 진단한다.

2. 加減法: 驅蟲作用을 강화하기 위해 使君子·雷丸 등을 加할 수 있다. 體質이 壯實한 경우 大黃 등의 瀉下之品을 加하여 蟲體의 배출을 촉진할 수 있다. 體質이 弱한 경우 黨參·白朮 등의 補益藥을 加할 수 있다.

3. 化蟲丸은 다음 한국표준질병사인분류(KCD)에 해당하는 환자가 蟲病으로 辨證되는 경우 본 처방의 사용을 고려해볼 수 있다.

처방 목표	한국표준질병사인분류(KCD)
寄生蟲과 그로 인한 腹痛	B65~B83 연충증

【注意事項】方中의 胡粉은 毒性이 있고, 苦楝根 역시 毒性이 있기 때문에 다음의 내용에 주의해야 한다. 첫 번째, 적당한 용량을 사용한다. 두 번째, 장기간 복용하지 않아야 한다. 세 번째, 치료 후에는 脾胃를 調補하여, 扶正하면서 체질을 강화하여, 蟲疾의 발생을 根絶해야 한다.

【變遷史】本方은 『太平惠民和劑局方』卷10에 처음 수록되었으며 主治證이 다음과 같이 상세하게 기술되어 있다. "小兒疾病多有諸蟲, 或因臟腑虛弱而動, 或因食甘肥而動, 其動則腹中疼痛, 發作腫聚, 往來上下, 痛無休止, 亦攻心痛, 叫哭合眼, 仰身扑手, 心神悶亂, 嘔噦涎沫, 或吐淸水, 四肢羸困, 面色靑黃, 飮食雖進, 不生肌膚, 或寒或熱, 沉沉默默, 不得知病之去處, 其蟲不療, 則子母相生, 無有休止, 長一尺則害人." 또한, 本方은 전문적으로 諸蟲에 사용하며, 小兒에게 일반적으로 사용한다. 焦樹德은 일찍이 "我常用本丸治療兒童食積, 蟲疳, 消化不良, 體熱面黃, 肢瘦腹大, 肚腹脹滿, 發焦目暗, 口臭齒枯等症. 可用焦三仙, 烏梅煎湯送丸藥"(『方劑心得十講』)라고 하였다. 또한 本方에서 驅蟲과 行氣瀉下藥을 相配한 것은 상당한 의미가 있다. 『中醫方劑大辭典』에 따르면 化蟲丸이라는 이름의 方劑가 24首에 달하는데, 그중 本方을 변화시킨 것

이 9首이다. 『盛濟叢錄』卷179의 化蟲丸은 白礬을 去하고, 木香을 加해 驅蟲功이 비록 조금 약해졌지만 行氣止痛의 효능을 강화하여, "小兒寒氣傷脾蟲痛, 瀉淸黑色, 減乳食"에 사용했다. 『世醫得效方』卷12의 化蟲丸은 蕪荑·酸石榴皮·黃連을 加하여 驅蟲作用을 강화하고 淸熱燥濕을 겸하였다. 『幼科指掌』卷4의 化蟲丸은 胡粉·白礬을 去하고 蕪荑·使君子·蘆薈·木香·淸黛를 加하여 驅蟲과 瀉下淸熱의 효능을 모두 강화하여, 小兒疳積, 乳哺不調에 기인하는 臟腑濕熱, 化生疳蟲, 黃白赤色의 馬尾 혹은 絲發과 같은 蟲體가 頭頂腹背에서 다량 배출되는 경우에 사용한다. 『醫略六書』「雜病證治」卷19의 化蟲丸은 蕪荑·使君子·人蔘을 加해 攻補兼施하므로, 蟲이 있고, 체력이 약하며, 脈虛한 경우에 사용한다. 『續名醫方選』의 化蟲丸은 有毒한 胡粉·苦楝根皮를 去하고, 鷓鴣菜·蜀椒·甘草·牡蠣를 加해 약효가 비교적 완만하고, 老小를 막론하고 여러 蟲痛을 主治한다. 아래의 三方은 殺蟲之力이 더욱 강화되어, 모두 蟲積腹痛, 面黃肌瘦에 적용한다. 『全國中藥成藥處方集』에 수록된 두 首의 化蟲丸은 모두 胡粉·白礬을 去하고, 胡椒·雷丸·使君子를 加했다. 그중 大同方은 蕪荑·雄黃을 加했고, 禹縣方은 貫衆·大黃을 加했는데, 後者는 瀉下作用이 비교적 강하여 肚腹常熱을 수반하는 경우에 사용한다. 『北京市中藥成方選集』의 化蟲丸은 胡粉·白礬을 去하고, 蕪荑·使君子·雷丸·元明粉·黑丑(炒)·大黃을 加했는데, 이 方은 瀉下之功이 猛峻하기 때문에 驅蟲, 消積도 할 수 있다. 그 외에도, 『中華人民共和國衛生部藥品標準』「中藥成藥製劑」第6冊 驅蟲片은 上方에 雄黃 一味를 加했는데 驅蟲作用이 더욱 강력하다.

【難題解說】 本方의 君藥에 관하여: 方中 君藥이 확실하지 않은데, 苦白礬을 제외하고는 다른 약들의 용량이 모두 같기 때문이다. 따라서 임상에서는 蟲病의 종류에 따라, 蟲을 치료하는 약물의 劑量을 늘여 그것을 君으로 한다. 예를 들어, 蛔蟲이면, 鶴蝨·苦楝根을 重用하고, 縧蟲이면 檳榔 등을 重用한다.

【醫案】 蟲證 『河南中醫』(1982, 4:18): 남성, 25세. 근래 精神이 不振하고, 항상 어지러워 目黑面黃하고, 脈은 정상이었으나, 대변검사에서 鉤蟲이 확인되었다. 化蟲丸을 처방하였다. 15일 복용 후, 대변검사상 陰性이었다.

34세 여성. 때때로 腹痛이 있고, 大便溏雜, 食慾不振, 頭暈眼花, 惰怠嗜臥하였다. 脈은 정상이었으나, 대변검사에서 蛔蟲, 鉤蟲이 확인되었다. 化蟲丸을 처방하였다. 13일 복용 후, 대변검사상 蛔蟲·鉤蟲의 卵이 모두 없어지고, 건강해졌다.

考察: 上述한 二例가 복용한 化蟲丸(胡粉炒·鶴蝨 各 30 g, 訶子肉 30 g, 檳榔 30 g, 蕪荑 15 g, 使君子 15 g, 枯礬 6 g, 五處丸 12 g. 모두 極細末로 하여, 酒煮糊麵으로 반죽하여 丸을 만든다. 매회 6 g, 매일 3회 복용하고, 米湯으로 삼킨다)은 『局方』化蟲丸加減인데, 殺蟲의 효능이 더욱 강하여, 病이 오래되지 않고, 體質이 壯實한 사람에게 사용한다.

布袋丸

(『補要袖珍小兒方論』卷5)

【組成】 夜明砂 煉淨 蕪荑 炒, 去皮 使君子 肥白者, 微炒, 去皮 各二兩(各 60 g) 白茯苓 去皮 白朮 無油者, 去皮 人蔘 去蘆 甘草 蘆薈 硏細 各半兩(各 15 g)

【用法】 위 藥들을 細末하여, 湯浸한 다음 蒸餅하여, 彈子大의 丸을 만든다. 매회 一丸(현대에는 10 g)을 복용하는데, 生絹 자루에 그것을 담는다. 여기에 猪肉 二兩(60 g)을 넣어 함께 끓여서, 고기가 충분히 익으면, 빼내어 바람이 있는 곳에서 식혀서, 삶은 고기와 즙을 소아에게 먹게 한다. 다음 날에도 앞의 방법대로 제조하여 먹이는데, 약이 없어질 때까지 반복한다.

【效能】驅蛔消疳, 健脾益氣.

【主治】小兒蟲疳으로 인해 體熱面黃, 肢細腹大, 髮焦目暗, 舌淡苔白, 脈弱하는 증상을 치료한다.

【病機分析】本方의 主治證은 小兒에게 많으며, 正虛邪實에 속한다. 蟲積이 오래되면, 脾胃를 손상하여 運化가 失職하여, 氣血生化가 근원을 잃기 때문에 面黃, 肢細하고, 虛熱이 생긴다. 그래서 頭髮枯焦, 視力減弱하며, 脾虛氣滯하여 腹大해진다. 舌淡苔白, 脈細數한 것은 모두 脾虛의 症狀이다.

【配伍分析】本方이 치료하는 疳疾은 脾虛蟲積에서 기인한 것으로 正虛邪實에 속한다. 그래서 驅蟲하지 않으면 淸源할 수 없고, 補虛하지 않으면 正本할 수 없다. 驅蟲과 健脾의 兩法을 함께 사용해야만 邪正兼顧의 목적을 이룰 수 있다. 方中의 使君子·蕪荑는 모두 驅蟲消疳의 要藥인데, 使君子는 "主小兒五疳"(『開寶本草』)하고, 蕪荑는 "殺三蟲, 散五疳, 治小兒百病之藥也"(『本草匯言』卷9)하니, 이들은 모두 君藥이 된다. 人蔘·白朮·茯苓·甘草(四君子湯)은 補氣健脾하고, 正氣를 扶助하므로, 모두 臣藥이 된다. 君과 臣을 서로 配伍하면 蟲積을 몰아내면서 脾虛를 補하기 때문에 病因病機에 적합하게 된다. 夜明砂는 淸肝明目하고 散積消疳한다. 蘆薈는 瀉熱通便, 殺蟲療疳하면서 瀉下하여 蟲體의 배출을 촉진시키므로 佐藥이 된다. 甘草는 調和諸藥하니 使가 된다. 여러 약을 합하여, 邪正兼顧, 標本幷治한다. 本方의 용법은 매우 독특한데, 患兒에게 고기와 육즙을 통해 약을 먹게 하고, 간접적으로 복약하도록 한 것인데, 이는 補養하기 위함이다. 그래서 『醫燈續焰』卷16에서 "食肉不食藥者, 收藥味于肉, 幷肉幷味從類而歸脾."라고 말한 것이다. 또한, 小兒는 丸劑 복약보다는 고기나 육즙을 먹는 것이 쉽다. 이를 통해 制方에서의 苦心을 충분히 엿볼 수 있다.

본방의 配伍 특징은 殺蟲消疳과 補養脾胃를 겸한 것인데, 즉 祛邪하지만, 正을 傷하지 않는 것이다. 이 方의 命名을 "布袋丸"이라고 한 것은 布袋를 이용하기 때문이다.

【類似方比較】肥兒丸과 本方은 모두 殺蟲消疳 작용이 있어 小兒疳積에 面黃肌瘦, 肚腹脹大 등 증상이 나타날 때 사용한다. 단, 前者는 消積殺蟲에 편중하여, 蟲積腹痛에서 병세가 實에 속하는 것을 치료하지만, 本方은 補養脾胃之品을 배오하여 脾虛한 경우에 적당하다.

【臨床應用】

1. 證治要點: 本方은 脾虛蟲疳의 要方으로 소아에게 많이 사용한다. 임상에서는 面黃發焦, 肢細腹大를 證治要點으로 한다.

2. 加減法: 熱이 重한 경우는 黃連을 加하고, 食積을 겸하는 경우는 神曲·鷄內金을 加한다.

3. 布袋丸은 다음 한국표준질병사인분류(KCD)에 해당하는 환자가 小兒蟲疳으로 辨證되는 경우 본 처방의 사용을 고려해볼 수 있다.

처방 목표	한국표준질병사인분류(KCD)
小兒疳積	E46 상세불명의 단백질~에너지영양실조
消化不良	(질병명 특정곤란)
	K30 기능성 소화불량_소화불량
	F45.3 신체형자율신경기능장애_소화불량
	R10.19 상세불명의 상복부통증_소화불량 NOS
營養不良	E40~E46 영양실조

【變遷史】本方은 『補要袖珍小兒方論』卷5에 최초로 수록되었다. 그 主治證은 "諸疳疾, 面腹大, 飮食不潤肌膚"라고 기록되었는데, 이후 『醫述』卷14에서는 "小兒丁奚, 哺露, 無辜疳"라고 하여 主治症狀을 보충했다.

第二十章

涌吐劑

涌吐藥을 위주로 조성되고, 痰涎·宿食·毒物 등 의 涌吐작용을 갖고 있으며, 痰厥·食積·飮毒을 치료 하는 方劑를 涌吐劑라고 칭한다. 涌吐劑는 "十劑" 중의 "宣劑"에 속하고, "八法" 중의 "吐法" 범위에 속 한다.

涌吐劑의 역사는 유구하다. 先秦時期 이미 吐法의 治療原則·用藥特徵과 涌吐藥의 기록이 있었다. 『素問』「陰陽應象大論」"其高者, 引而越之", 『素問』「至眞要大論」"酸苦涌泄爲陰, 鹹味涌泄爲陰" 및 『神農本草經』卷2 "大鹽令人吐" 등의 논술이 涌吐劑에 대한 이론기초와 약물기초를 닦았다. 吐法의 사용은 西漢初期까지 거슬러 올라갈 수 있는데, "『名醫錄』 中, 惟見太倉公·華元化·徐文伯, 能明律用之"(『儒門事親』卷2)의 기록이 있다. 東漢·張仲景은 『傷寒雜病論』에서 吐法 및 涌吐方의 適應症·禁忌證과 사용주의 등에 대해 상세하게 논술하여, 당시의 수준을 반영했다. 이 책에 기재된 瓜蒂散과 鹽湯探吐方은 현존하는 자료 중 가장 빠른 涌吐劑로, "酸苦涌泄"과 "鹹味涌泄"의 대표방이며, 前者는 후세에 涌吐劑의 祖劑로 더욱 추앙받는다. 우선 涌吐方에 대해 분류를 진행한 金·元時代의 劉完素는 『素問病機氣宜保命集』卷上의 "本草論第九"에서 涌吐劑를 "十劑" 中의 "宣劑"로 귀속했으며, "涌劑"라고 이름 붙였다. 그가 말하기를 "涌劑, 瓜蒂·梔豉之類是也"라고 했다. 劉氏의 이 관점은 그 후 張從正이 더욱 발휘했는데, 張氏는 명확하게 "所謂宣劑者, ……爲涌劑明矣, 故風癇·中風·胸中諸痰飮, 寒結胸中, 熱鬱化上, 上而不下, 久則嗽喘·滿脹·水腫之病生焉, 非宣劑莫能愈也"(『儒門事親』卷1)라 지적했다. 張從正은 吐法에 대해 심도 깊은 연구를 진행했는데, 理·法·方·藥·宜忌 등 각 방면을 모두 상세하게 논술하여 전면적으로 정리하고 발휘했다. 張氏는 최초로 涌吐劑를 단독 一門으 로 나열했는데, 『儒門事親』卷12 중 처음으로 "吐劑"를 열거하고, 三聖散·瓜蒂散 等 涌吐方 9首를 기재했다. 『儒門事親』에 기재된 張氏의 醫案 중, 吐法과 涌吐方을 이용한 것이 약 75%을 차지했고, 張氏의 涌 吐劑에 대한 운용은 뜻하는 대로 되는 정도에 이르렀다. 元代 朱震亨은 吐法에 대해 혁신하여 倒倉法을 발명했는데, 三蘆飮"吐虛病"에 기초했다. 淸·『醫方集解』는 "涌吐劑" 一門을 나열했는데, 瓜蒂散·三蘆散·稀涎散 等 正方 5首를 수록했고, 附方 및 그 加減方이 10여 首였는데, 이는 淸代 이전 涌吐方의 집약이었다. 현재 涌吐劑 이용이 비교적 적은데, 그 원인은 주로 세 가지이다. 우선, 현대 의학의 발전에 따라, 어떤 질병은 치료상, 吐法이 이미 洗胃·吸痰 등 다른 치료방법으로 대체되어, 그 사용범위가 나날이 축소되었다. 다음으로, 吐法 자체가 제한적이고, 禁忌證이 비교적 많은데, 예를 들어 현대의학은 昏迷·驚厥·抽搐·食管靜脈曲張·主動脈瘤·支氣管擴張·肺結核咯血·胃潰瘍出血 및 腐蝕性毒物中毒 등을 催吐禁忌證으로 열거하고, 吐法의 사용을 제한했다. 그 외, 涌吐劑는 환자에게 불편함을 불러일으킬 수 있어, 종종 환자에게 받아들여지지 않는다. 그러나, 涌吐劑는 사용하기에 간편하고 병세에 따라 증상에 맞는 처방을 구성할 수 있기 때문에, 다른 治法에 없는 우월성이 있고, 그 작용도 대체할 수 없다.

涌吐劑의 운용은 그 목적이 咽喉·胸膈·胃脘에 停蓄되어 있는 痰涎·宿食·毒物을 입을 통해 토해내도록 하는 데 있기 때문에, 中風痰涎壅盛, 喉痺痰阻喉間, 宿食停積胃脘, 毒物尙留胃中 및 乾霍亂吐瀉不得·痰厥痰盛氣閉 등 병세가 급박하고 또 급히 吐出이 필요한 증상에 적용하고, 痰壅氣逆으로 생긴 癲·狂·癎症에 대해서도 역시 증상에 따라 사용할 수 있다. 涌吐劑는 일반적으로 瓜蒂·藜蘆·食鹽 등 氣味가 苦寒酸鹹한 涌吐藥을 주로 하여 구성하는데, 일반적으로 용약이 적당하고, 불과 몇 가지 약물이며, 심지어 單方을 사용한다. 그 상용배오는 ① 苦味藥에 味酸한 약물을 배오한다, 예를 들어 瓜蒂에 赤小豆를 배 오하여 "酸苦涌泄"을 취하고 ② 淸輕宣泄하는 약물을 배오한다, 淡豆豉를 배오하여 胸中鬱結을 宣越하고 ③ 辛溫豁痰하는 약물을 배오한다, 예를 들어 皂角으로 通關을 開竅한다. 대표방은 瓜蒂散·救急稀涎散·鹽湯探吐方·蔘蘆飮 등이다.

涌吐劑의 작용은 신속하고 맹렬하고, 부작용이 비교적 커서, 사용시 용약의 劑量·用法·禁忌·中毒의 해독조치와 복약 후 調養 등에 주의해야 한다. 涌吐劑는 다수가 苦·酸·鹹 등 자극성이 비교적 강한 약 물, 심지어 유독 약물로 구성되어 있는데, 胃氣를 상하기 쉬워, 사용 중 병이 생기면 즉시 멈춘다. 年老體弱·婦女胎前産後·幼兒에 대해서는 모두 신중하게 사용하고, 咯血·吐血者는 사용을 금한다. 涌吐劑 복용은 적은 양으로부터 시작해서 점차 용량을 늘려, 涌吐가 지나치게 과하여 正氣를 상하고 심지어 中毒되는 것을 방지한다. 병세가 비교적 중하고, 정황이 긴급한 사람에 대해서는, 빨리 吐하게 하는 것을 중요한데, 복약 후 10~20분에도 여전히 토하지 않으면, 그 자리에서 재료를 골라, 손가락·壓舌板 혹은 깃털 등으로 探喉하여 吐하는 것을 돕거나, 끓인 물을 많이 마시게 하여, 藥力을 도와 嘔吐를 촉진한다. 복약 후 嘔吐가 그치지 않는 것에 대해서는 薑汁을 약간 마시거나 차가운 죽·차가운 물로 嘔吐를 그치게 한다. 만약 여전히 嘔吐가 그치지 않으면, 사용한 약물의 차이에 따라 해독조치를 진행하는데, 예를 들어 瓜蒂散을 복용하고 吐를 그치지 않으면 麝香 0.03~0.1 g을 취하여, 물에 타서 그것을 풀거나, 丁香末 0.3~0.6 g을 복용한다. 三聖散을 복용하고 吐를 그치지 않는 사람은 蔥白煎濃湯을 사용해 그것을 풀어주고, 救急稀涎散을 복용하고 吐를 그치지 않는 사람은, 甘草·貫衆煎湯을 복용할 수 있다. 복약 후 吐하면 반드시 환자를 바람을 피해 휴식하도록 하여, 感冒風寒을 막고, 동시에 즉시 음식을 먹지 않도록 주의하고, 腸胃기능이 회복되기를 기다려, 유동식이나 소화하기 쉬운 음식물을 섭취하여, 脾胃를 調理하고, 절대 기름지고 소화가 어려운 음식을 갑자기 섭취하지 않도록 하여, 胃氣가 심하게 상하는 것을 피해야 한다.

瓜蒂散

(『傷寒論』)

【異名】 啓喉方(『輔行訣臟腑用藥法要』)

【組成】 瓜蒂 熬黃 一分(1 g) 赤小豆 一分(1 g)

【用法】 위의 두 재료를 따로 나누어 빻아 체에 거르고, 散으로 만들어, 그것을 합하고, 一錢匕(3 g)을 취하여, 香豉 一合(9 g)으로. 뜨거운 물 七合을 사용하여, 끓여 묽은 죽으로 만들고, 찌꺼기는 거르고 汁을 취하여 散과 합하여, 따뜻하게 頓服한다. 토하지 않으면 조금씩 더 마신다. 빨리 토하게 되면 멈춘다(현대용법: 瓜蒂·赤小豆를 고운 가루로 연마하여 잘 섞고, 매회 1~3회를 복용하는데, 淡豆豉 9 g을 湯으로 끓여 삼킨다. 빨리 토하게 하려면 복약 후 깨끗한 깃털로 목

구멍을 건드려 吐하게 할 수 있다).

【效能】 涌吐痰食

【主治】 痰涎·宿食, 毒物壅滯胸脘證. 胸中痞硬, 煩懊不安, 氣上衝咽喉不得息, 心腹疼痛, 寸脈微浮.

【病機分析】 본 방제의 병증은 痰涎壅塞胸膈, 혹은 宿食·毒物로 上脘에 머물러 일어나는 것이다. 痰食壅盛, 毒物로 인해 傷하여, 氣가 通할 수 없기 때문에, 胸中痞硬, 煩懊不安, 氣上衝咽喉不得息하고, 심지어 心腹疼痛이 있다.

【配伍分析】 本 方劑는 痰涎이 胸膈에 壅塞하거나, 宿食·毒物이 上脘에 머물러 쌓인 증상을 치료하기 위해 만들었다. 이것은 有形의 邪氣가 胸脘에 맺히고, 汗·下法으로 치료할 수 있는 것이 아니고 반드시 酸苦涌泄약물로 이끌어 위로 나오게 해야 한다. 『素問』「陰陽應象大論」의 "其高者, 因而越之"와 『素問』「至眞要大論」의 "酸苦涌泄爲陰"의 치료원칙에 근거하여, 涌吐痰食의 치법을 선택하여, 因勢利導하고, 病邪가 吐로 풀어지게 한다. 방제에서 瓜蒂는 매우 苦한 맛과 寒한 약성이 있어 痰涎·宿食·毒物을 涌吐하는데 좋아, 君藥으로 사용한다. 淡豆豉는 輕淸宣泄하여, 胸中邪氣를 宣解할 수도 있고, 涌吐에 유리하여 佐藥이 된다. 瓜蒂는 毒이 있고, 토하게 하는 효력이 크고, 胃氣를 쉽게 상하게하기 때문에, 赤小豆·淡豆豉類의 곡물과 배오하여, 穀氣를 취하여 安中護胃하여, 催吐하지만 胃氣를 상하지 않도록 한다. 三藥을 합쳐 사용하면, 痰食·毒物을 涌吐하게 할 수 있고, 胸中邪氣를 宣越하는 효능이 있다.

본방의 배오특징은 酸苦한 약성의 약물을 함께 배오하는데, 의미가 "酸苦涌泄"에 있고, 涌吐시키는 강렬한 약물과 곡물을 서로 배오하여, 吐하지만 胃를 傷하지 않게 한다.

【臨床應用】

1. 證治要點: 이 방제는 涌吐를 위한 常用方으로 痰涎·宿食·毒物停滯胸脘에 적용하며, 胸脘痞硬, 煩懊不安하고, 토하고 싶은 증상을 빨리 토하게 하는 것이 證治要點이다.

2. 加減法: 涌吐作用을 강화하기 위해서는 鹹豆豉를 사용할 수 있고, 痰濕이 중한 사람은 白礬을 더해 涌吐痰濕을 돕고, 痰涎壅塞한 사람은 증상에 따라 菖蒲·鬱金·半夏를 더해 開竅化痰하고, 風痰이 盛한 사람은 防風·藜蘆를 더해 涌吐風痰한다.

3. 瓜蒂散은 다음 한국표준질병사인분류(KCD)에 해당하는 환자가 痰涎·宿食, 毒物壅滯胸脘證으로 辨證되는 경우 본 처방의 사용을 고려해볼 수 있다.

처방 목표	한국표준질병사인분류(KCD)
急性胃炎	K29.1 기타 급성 위염
精神錯亂	(질병명 특정곤란)
	R41.0 상세불명의 지남력장애_착란 NOS
神經官能症	F00~F99 V. 정신 및 행동 장애
口服毒(藥)物 中毒	X40~X49 유독성 물질에 의한 불의의 중독 및 노출

【注意事項】

1. 本 方劑의 瓜蒂는 苦寒有毒하고, 正氣를 傷하기 쉽기 때문에, 용량이 과다하면 안되고, 中病이 있으면 그쳐야 한다.

2. 本 方劑는 涌吐峻劑로, 부작용이 비교적 크고, 形氣가 모두 실하지 않은 사람은 사용해서는 안 된다. 原方後注: "諸亡血虛家, 不可與瓜蒂散."이라 했는데, 모든 年老·體虛·孕婦·産後 및 吐血力이 있는 사람(潰瘍病出血 등)은 신중하게 사용해야 한다.

3. 宿食 혹은 毒物이 이미 胃를 떠나 腸으로 들어간 사람, 痰涎이 胸膈에 없는 사람은 모두 사용을 금

해야 한다.

4. 吐한 後胃를 傷하는 것이 걱정되면, 멀건 죽을 약간 먹어 自養한다.

5. 복약 후 嘔吐가 그치지 않으면, 麝香 0.1~0.15 g 혹은 丁香末 0.3~0.6 g을 취하여, 끓인 물에 타서 복용하여 해독한다.

【變遷史】 本 方劑는 漢·張仲景『傷寒雜病論』에서 나왔다.『傷寒論』「辨太陰病脈證幷治」에 "病如桂枝證, 頭不通, 項不强, 寸脈微浮, 胸中痞硬, 氣上衝咽喉不得息者, 此爲胸有寒也, 當吐之, 宜瓜蒂散."『傷寒論』「辨厥陰病脈證幷治」에 "病人手足厥冷, 脈乍緊者, 邪結在胸中, 心下滿而煩, 饑不能食者, 病在胸中, 當須吐之, 宜瓜蒂散."『金匱要略』「腹滿寒疝病脈證幷治第十」에 "宿食在上脘, 當須吐之, 宜瓜蒂散."이라고 기재되었다. 仲景은 본 방제를 邪氣가 胸膈에 있거나, 음식물이 上脘에 정체되어 있을 때, 涌吐를 통하여, 邪氣를 바깥으로 逐出하는데 이용했다.

현대에 發掘한 燉煌 遺書『輔行訣臟腑用藥法要』에는 "陶經隱居云: 中惡卒死者, 皆臟氣被壅, 致令內外隔絶所致也, 神仙有開五竅以救卒死中惡之方五者.", 그중 "啓喉以通脾氣: 治過食難化之物, 或異品有毒, 宿積不消, 毒勢攻注, 心腹痛如刀攪. 赤小豆·瓜蒂各等分, 共爲散, 每用鹹豉半升, 以水二升, 煮豉取一升, 去滓, 納散一匕, 頓服, 少頃當大吐則瘥(啓喉方: 救誤食諸毒及生冷硬物, 宿積不消, 心中疼痛方. 赤小豆·瓜蒂各等分, 爲散訖, 加鹽豉少許, 共搗爲丸, 以竹箸啓病者齒, 溫水送入口中, 得大吐卽愈)"라 했다. 이 방제는 咽喉를 트이게 하는 方으로, 여러 毒과 生冷硬物을 잘못 먹은 것 등의 증상을 치료하는데 사용한다. 방제에서 사용한 鹽制豆豉는 涌吐作用을 강화한다. 이전의 연구에서『輔行訣臟腑用藥法要』와『傷寒雜病論』두 책의 중요 方劑가『湯液經法』에서 비롯되었는데,『輔行訣臟腑用藥法要』의 작가가『湯液經法』과『傷寒雜病論』을 보았다고 밝히고 있다.[1~3] 그러나 啓喉方은 절대『傷寒雜病論』에서 기원한 것이 아니라 "神仙"이 주고 간 것이다. 그러므로 瓜蒂散과 啓喉方은 一源兩枝일 가능성이 높으며, 역사가 매우 길다.

本 方劑는 涌吐劑의 대표적인 방제로, 작용이 강렬하고, 효과가 신속하여, 중국의 고대에 영향이 비교적 컸다. 비슷한 方劑는 주로 豆豉를 뺀 것을 기초로 加味하였는데, 그중 상당 부분이 丁香 등 芳化濕濁의 약재를 더하여, 각종 黃疸 치료에 사용했다. 예를 들어『外臺秘要』卷4에서 인용한『延年祕錄』瓜蒂散은, 즉 본방에서 豆豉를 빼고 急黃을 치료했다.『外臺秘要』卷4에서 인용한『瓜蒂方』의 瓜蒂散은 瓜蒂·赤小豆·黍米·丁香·麝香·薰陸香 등으로 구성하여, 역시 急黃을 치료했다.『外臺秘要』卷4에서 인용한『救急方』瓜蒂散은 豆豉를 빼고 丁香을 더하여 여러 黃疸을 치료했다. 그러나『外臺秘要』卷4에서 인용한『延年祕錄』瓜蒂湯은 瓜蒂·赤小豆·丁香을 이용하여, 여러 黃疸을 滴鼻로 치료했다.

현대의 臨床은 이 治法을 계승하고 발전시켜, 瓜蒂製劑를 鼻腔에 給藥하여 黃疸性肝炎을 치료했다.[4~6] 그 외,『外臺秘要』卷1에서 인용한『范汪方』瓜蒂散은 본방에서 豆豉를 빼고, 痰飮·宿食을 치료했고,『外臺秘要』卷13에서 인용한『集驗方』瓜蒂散은 豆豉를 빼고, 雄黃을 더해, 飛尸·中惡을 치료했다.『聖濟總錄』卷167의 瓜蒂散은 豆豉를 빼고, 全蝎을 더해 小兒口噤을 치료했다.『儒門事親』卷12 瓜蒂散은 豆豉를 빼고, 人蔘·甘草를 더해 傷寒下後服滿을 치료했다.『瘟疫論』卷上의 瓜蒂散은 本方에서 豆豉를 빼고, 山梔子를 더해, 疫邪가 胸膈에 남은 것을 치료했는데, 모두 각 방면으로 본방을 조금 발전시켰다. 瓜蒂에 毒이 있고, 本方의 不良反應이 비교적 크기 때문에, 현대 臨床에서는 제한적으로 이용한다.

【難題解說】

1. 瓜蒂의 毒性과 用量에 관해: 瓜蒂는 주로 칼레바신(calebassine)B·E 및 B배당체를 포함하는데, 그중 칼

레바신(calebassine, 葫蘆素) B 함량이 가장 높은데 약 1.4%를 차지하고 있다. 瓜蒂는 저용량 시, 呼吸·血壓·心律에 명확한 영향이 없고, 용량 과다 시에(칼레바신 B·E 6 mg/kg 이상), 호흡이 불규칙하고 혈압이 내려가고 심장이 느리게 뛰는 것이 나타날 수 있고, 최후 사망에 이른다.[7)] 1976년, 撫順鑛物局醫院 內科 보고에서 瓜蒂 30~182 g을 복용한 瓜蒂 中毒 5례가 있었는데, 5례 중 3례가 사망했다.[8)] 그 후, 연속한 보고서에서 瓜蒂를 대량 사용하여 발생한 중독 반응이 있었는데, 그 용량이 30~60 g 사이였고, 劑型은 주로 湯劑였다.[9~12)] 어떤 사람은 사용한 瓜蒂의 용량이 비교적 많아, 20 g에 달했는데, 복용 후 반응이 강렬했다.[13)] 안전을 위해, 방제에서 瓜蒂의 용량을 엄격하게 통제해야 하는데, 특히 공복에 大量의 瓜蒂를 복용해서는 안 된다. 瓜蒂를 湯劑에 넣을 때의 일반적인 용량은 15 g을 넘지 않는데, 어떤 사람은 8 g 이하로 인식하기도 한다.[14)] 예를 들어 칼레바신(calebassine) B·E를 6 mg/kg 이하로 통제하는 것이 표준이며, 최대 용량을 15 g이 넘지 않도록 한다.

2. 赤小豆에 관해 本 方劑에서 赤小豆가 어떤 약물이냐에 대해서 의견이 일치하지 않는다. 일반적으로, 방제에서 赤小豆는 초본식물 赤小豆의 성숙한 種子로 인식되고 있는데, 그 맛이 甘酸하고, 瓜蒂와 서로 배오하여, 酸苦涌泄하게 된다. 그러나 어떤 사람은 木本植物 "蟹眼豆"라고 여기고 있는데, 예를 들어 『金匱要略語譯』(北京中醫研究院編)과 『金匱要略選續』(統編4版 敎材)는 모두 "赤小豆有兩種, 瓜蒂散所用, 俗稱'蟹眼豆'. 性酸溫, 有涌吐作用."이라고 했다. 현재에서 赤小豆로 入藥하는 것은 절대 木本植物 "蟹眼豆"가 아니라, 草本植物 赤小豆(1977년 이후 여러 版의 『中華人民共和國藥典』一部)이다.

【醫案】

1. 宿食: 『皇漢醫學叢書』「生生堂治驗」卷下: 한 남성이 胸膈痞滿, 惡食氣, 동작이 심히 느리고, 어두운 곳에서 앉아있거나 누워있기를 좋아했는데, 百方이 효험이 없는 것이 반 년되었다. 선생이 진단하기를, 心下右硬, 脈沉而數했는데, 즉 瓜蒂散으로 二升 여를 토하게 하여 나았다.

考察: 病은 胸膈痞滿, 心下右硬, 惡聞食氣, 少動喜臥한데, 宿食이 정체되어 소화되지 않아, 氣機가 막혔기 때문에, 瓜蒂散으로 토하게 하여 나았다.

2. 結胸: 『儒門事親』卷6: 陽夏賀義夫, 傷寒病이 들었는데 3일에 이르러 裏病이 되어(當三日以裏) 의사가 下法을 써서 結胸이 되어, 戴人을 찾아 치료했다. 戴人이 말하기를 이것은 風溫證이라, 下法을 쓸 수 없고, 또 너무 일찍 下法을 쓰면 發黃結胸한다. 이것은 이미 瘀血이 胸中에 있어, 다시 그것을 내리고자 하면, 이미 虛한 것이 걱정되어 오직 한 번 토하면 나을 수 있는데, 出血해도 놀라지 말아야 한다. 茶調瓜蒂散으로 그것을 吐하게 하니, 피 數升이 코로 나오고, 재채기를 했다. 수건으로 작은 바늘을 싸서 머리에 베고 자라고 하였더니(以巾捲小針 而使枕其刃) 수 일이 지나지 않아 회복했다.

考察: 本案은 傷寒誤下로, 發黃·結胸·瘀血이 안에 뭉치고, 病勢가 篤重했다. 病이 上焦에 있기 때문에, 吐法을 이용하여, 茶調瓜蒂散으로 瘀血을 涌吐시키는데, 배포가 큰 사람이 아니면 사용할 수 없다.

3. 寒痰 『儒門事親』卷7: 어느 婦人의 心下臍上에 국자 같은 것이 딱딱하게 맺혔는데, 그것을 누르면 돌과 같았고, 사람들은 모두 胎病으로 보고 針灸, 韓藥, 祈禱 등을 여러 번 썼으나 모두 소용이 없었다. 하루는 戴人이 그것을 보고 말하기를 "이것은 風痰이다. 진찰하니 두 손가락 尺脈이 모두 沉한데, 寒痰이 아니고 무엇이랴? 瓜蒂散으로 그것을 吐했는데, 연속으로 六, 七升을 토하여, 그 덩어리가 반이 넘게 없어졌다. 수일 후에 다시 그것을 토했는데, 그 거품이 鷄黃과 비슷했고, 腥臭가 특수했으며, 약 二, 三升이었다. 무릇 이와 같은 것이 3회였다. 후에 人蔘調中湯·五苓散으로 조리

하여, 배가 평온해졌다.

考察: 患者는 心下結硬, 兩寸이 모두 沉하고, 病이 胸膈胃脘에 있었는데, 吐法을 이용하여 다스려야하는데, 그것이 오래되고, 깊이 쌓여 한 번 토하고 다시 토하고, 세 번 토하여 없어졌고, 다시 健脾化濕시키는 방제로 조리하였다.

4. 傷寒極熱: 『儒門事親』卷6: 戴人의 하인이, 이웃과 傷寒을 함께 앓았는데, 6, 7일이 되어, 下法을 썼으나 배설하지 못해 이웃은 이미 사망했는데, 하인은 發熱이 극에 달해, 우물에 몸을 던졌다. 물을 퍼내어 건져내고, 난간으로 막아 그 가운데 앉혔다. 마침 대인이 다른 지방을 여행 중이었는데, 집안 사람이 戴人의 治法을 가끔 기록했는데, 말하기를 傷寒이 三日이 되도록 通하지 않는다면, 다시 공격할 수 없고, 그것을 涌하도록 해야 한다. 瓜蒂散을 시험복용하고 조금 지나니 끈끈한 침 세 사발 정도를 宿食과 섞여 땅에 토하는데, 아주 빠르게 쓸어내는 것과 같았고, 世醫가 죽인 사람이 많다는 것을 알 수 있다.

考察: 傷寒 6, 7일이면, 大熱에 冷水를 좋아하는데, 下法을 다시 사용하면, 반드시 實邪가 있게 되는데, 三下不通者는 사실 腸에 있는 것이 아니라 胸膈胃脘이 있다. 瓜蒂散은 "陽明涌泄之峻劑, 治邪結于胸中者也"(『傷寒來蘇集』「傷寒附翼」권하)이므로, 투여하니 반응이 있었다.

5. 浮腫: 『皇漢醫學叢書』「生生堂治驗」卷上: 六角新街東柊屋의 重兵衛, 얼굴 전체에 浮腫이 있어, 입이 막혀, 겨우 죽을 마시는 것이 수일이었는데, 다른 질환은 없었다. 선생이 진맥하니, 脈이 浮數하고, 背强, 惡風, 無汗, 頭痛이 송곳으로 찌르는 것 같아, 葛根湯 十數첩을 주었지만 반응이 없어서, 瓜蒂散 五分을 주니, 黏黃水 6, 7合을 토했다. 다음날 다시 葛根湯을 주니 땀이 흐르듯이 났고, 여러 증상이 확연하게 나았고, 腫氣 10여 개가 2, 3개로 줄어서, 葛根에 烏頭湯을 더해 이용했다.

考察: 仲景이 말하길 "腰以上腫, 當發汗乃愈(『金匱要略』「水氣病脈證幷治第十四」)였다. 환자의 얼굴에 浮腫은 表實證이 있는 것으로, 汗法을 이용해 다스려야 했다. 단, 病이 表에만 있는 것이 아니라, 胸膈에 濕熱阻滯가 있어, 肺氣가 선발할 수 없으므로, 누차 發表를 투약했지만 효과가 없었다. 瓜蒂散을 이용해 涌吐하니, 上焦의 濕熱이 나올 수 있었고, 氣機가 暢通하여, 다시 發表를 이용했다.

6. 停飮: 『儒門事親』卷8: 어떤 부인이 어릴 때부터 크게 슬피 울어 아파서 찬 물을 마시고 치쳐 누운 후 물이 心下에 멈추어, 점차 아프고 답답했다. 의사들이 모두 冷積이라고 여겨, 溫熱劑로 치료하고, 차가운 음식 먹는 것을 금했다. 茶氣를 맡으면, 病이 항상 생기는 것이 수년째였다. 침을 놓고 뜸을 떠서 상처가 수천개가 되었다. 십여 년 후, 小便이 赤黃色이고, 大便이 秘悶하고, 두 눈이 침침해지고 積水가 비교적 심해져, 兩脇에서 흘렀다. 세상에서는 水癖이라고 하거나, 支飮이라 했는데, 碙·漆·棱·茂, 등 攻磨의 약물로 줄곧 그것을 치료했다. 아침에는 약해졌다가 며칠 지나면 성해져 위로는 명치까지 이르고, 옆으로는 兩脇과 臍下까지 미쳤다. 그러나 발생할 때, 그것을 누르면 水聲과 같고, 心腹結硬하고, 손을 가까이할 수 없었는데, 한 달에 5, 7회 발생했으며, 심지어 죽고 싶었는데, 여러 약이 모두 싫증난 지가 20여 년이었다. 戴人의 치료를 구하고, 그 맥을 짚으니, 寸口가 獨沉而遲했는데, 이것은 胸中에 痰이 있는 것이었다. 먼저 瓜蒂散으로 痰 五, 七升을 涌하고, 수일이 지나지 않아 다시 痰水 를 토하는 것이 되에 이르고 수 일이 지나, 數升을 上涌했다. 三涌三下하니, 물과 같은 땀 역시 3번 흘렸고 그積이 모두 제거되었다. 濕飮을 흘려보내는 藥으로 그것을 조절하여, 한달 여 만에 다 나았다.

7. 腹滿面腫 『儒門事親』卷6: 肅令이 腹滿하고, 얼굴과 다리가 모두 붓고, 痰黃하고 喘急했으며, 먹는 것

이 줄었다. 3년 동안에 의사들이 모두 치료했지만, 효험이 없었다. 戴人이 瓜蒂散으로 그것을 涌하여, 寒痰 3,五升이 나왔다. 舟車丸, 濬川散으로 瀉下시켜 靑黃색 痰涎이 용변기에 가득하였다. 다시 桂苓白朮丸·五苓散으로 다스려, 보름만에 옛날로 돌아왔다.

8. 肥氣『儒門事親』卷8: 陽夏張主簿의 妻, 病은 肥氣였는데, 처음에는 술잔과 같았고, 寒熱이 크게 생겼다. 15년 후, 성질은 급하고 슬픈 감정으로 病이 더욱 심해졌다. 오직 心下 3指 정도에 病이 없었는데, 滿腹이 石片과 같아, 앉거나 누울 수 없었다. 針灸 치료를 두루했으나 모두 효력이 없었다. 이에 戴人을 요청하여 진료를 청하였다. 단언하여 말하기를 "此肥氣也, 得之季夏茂己日, 在左脇下, 如覆杯, 久不愈, 令人發痎瘧. 痎瘧者, 寒熱也" 瓜蒂散으로 토하게 하니 생선 비린내 나는 누런 痰涎을 용변기 한, 두 분량만큼 토하였다. 밤이 되어, 계속 舟車丸·通經散을 복용시켜 五更무렵 黃涎과 膿水가 섞은 것을 5, 6번 토했더니 모든 積이 든 곳이 다 아팠다. 다시 白朮散·當歸散 등 和血流經시키는 약물을 사용했다 이와 같이 涌泄하여, 3, 4회 만에 다 나았다.

考察: 『本草綱目』卷33에서 말하기를 "瓜蒂乃陽明經除濕熱之藥, 故能引去胸脘痰涎, 頭目濕氣, 皮膚水氣, 黃疸濕熱諸症."이라 했다. 案6은 停飮이 20여 년 되었는데, 누차 攻磨의 방제를 사용했지만 효과가 없었고, 병이 이미 胸脇脘腹까지 미쳤는데, 吐下兼用, 上下分消의 치료가 아니면 효과를 이룰 수 없었기 때문에, 바로 三涌三下로 그 積을 모두 물러나게 하였다. 案7은 腹滿하고, 얼굴과 다리에 모두 浮腫이 있는 것인데, 上·中·下 모두 병이 있었기 때문에, 먼저 上吐·下瀉로 병세를 나누어 없애고, 계속해서 健脾化濕하여 그중초를 치료하고, 차근차근하고 조심스럽게 치료하여 3년의 질병을 보름만에 낫게 했다. 案8의 肥氣는 15년 여 동안 낫지 않았는데, 氣滯濕阻血瘀, 膠結이 풀어지기 어렵기 때문에, 반복해서 涌吐·攻下·化瘀의 약물을 사용했다. 張從正은 胸腹의 大實大滿을 치료하는데, 매번 吐法과 下法을 함께 이용하며, 병후 조리를 더욱 중시했는데, 여러 번 사용해도 효과가 있었다.

9. 笑病: 『皇漢醫學叢書』「生生堂治驗」卷下: 下魚棚室街西綿屋의 彌三郞의 처가 웃기를 잘 했는데, 보고 들은 바에 웃지 않는 것이 없었고, 웃을 때 반드시 포복절도를 하여, 심하면 脇腹에 아픔이 느껴지고, 그칠 수 없는 것이, 일상이 되어 스스로 병이라고 여겼다. 여러 의사들이 그것을 치료했는데, 瓜蒂散 한 錢을 주어, 二升 여를 상용하니, 재발하지 않았다.

考察: 心在志爲喜. 이 案은 病이 웃는 것으로, 痰迷心竅하기 때문에, 痰出하면 병이 낫는다.

10. 癲癎: 『皇漢醫學叢書』「生生堂治驗」卷上: 어떤 부인이, 어릴 때 癲癎을 앓았는데, 자라면서 더욱 심해져, 일어서면 暈厥하고, 잠시 후면 깨어나기를 하루에 한 두 번 발작하고, 이와 같이 30여 년 되어, 여러 의사에게 각양각색으로 치료받았지만 효과가 없었다. 그 주인이 우연히 선생이 특이한 기술이 있다고 듣고 와서 치료를 청하였다. 往診하니 脈이 緊數하고, 心下가 硬滿하고, 乳下가 悸動했다. 이에 선생이 말하여 이르기를 "마음이 어지러워 잠시라도 편히 먹고 잘 수 없기를 수십 년을 하루같이 했구나" 그 顔色을 보니 시름있는 얼굴이 가여워서, 선생이 위로하며 말하기를, "치료할 수 있습니다"라고 했다. 病婦가 그 말을 믿고, 柴胡加龍骨牡蠣湯을 복용했는데, 정신이 자못 왕성해졌다. 瓜蒂散 五分을 조제하여 黏痰 一升 여를 토하게 하니, 냄새가 코를 찌르고, 독이 반 이상 줄었다. 5일 혹은 6일에 한 번 발작하고, 그 해에 모두 완치되었는데, 그 기간에 吐劑를 약 16번 행했다. 천둥을 싫어하여, 매번 雷聲이 隆隆함을 들을 때마다, 前의 病이 발작했는데, 瓜蒂散을 사용한 이후, 사나운 소리가 진동하고, 온 집안이 두려워 엎드려 귀를 막아도, 혼자 두려워하지 않았다.

考察: 朱震亨이 말하기를 "癎不必分五等, 專主在痰, 多用吐法"(『丹溪治法心要』卷5)라고 했다. 이 案은

病이 30년이 넘었는데, 伏痰이 단단하여 쉽게 움직일 수 없으므로(根深蒂固) 한 번 토하고, 다시 토하여, 1년 사이에 토를 16번을 하여, 痼疾이 나아졌다.

11. 狂癎: 『皇漢醫學叢書』「生生堂治驗」卷上: 夷夷川間街 北井筒屋 喜兵衛의 妻가 狂癎이 생는데, 겼 발작하면 칼로 자살하려 하거나, 우물에 몸을 던지려 하거나, 밤새 狂躁로 잠을 자지 않고, 잠깐 동안은 병이 나은 듯 勤愼篤厚하고, 집안일에 조금도 게으름이 없었다. 선생이 瓜蒂散 一錢 五分으로, 三二升을 上涌하게 하고, 계속해서 白虎加人蔘黃連湯을 복용하게 하니, 재발하지 않았다.

12. 癲狂: 『續名醫類案』卷21: 龔子材가 한 사람을 치료했는데, 癲狂亂打, 走叫上屋했는데, 瓜蒂散을 사용하여, 臭痰 數升을 토해내고, 또 承氣湯으로 그것을 瀉下시켜 나았다.

考察: 『證治匯補』卷下에서 이르기를 "狂由痰火膠固心胸, 陽邪充極, 故猖狂剛暴, 若有神靈所附."라 했다. 案11과 案12는 모두 痰火가 心을 어지럽힌 것이기 때문에, 먼저 瓜蒂散을 이용하여 痰熱을 涌吐했다. 前案은 陽明經熱이기 때문에, 계속해서 白虎湯類의 方으로 淸熱했고, 後案은 陽明腑實이기 때문에, 承氣湯으로 功下했다.

13. 精神錯亂: 『邢錫波醫案集』: 남성, 59세, 간부. 평소 性情이 暴躁하고, 생각이 과도하면, 자주 잠을 못자고, 뒤에 곧 自言自語하고, 精神이 正常을 잃고, 어떤 때는 미친 것처럼 포효하고, 어떤 때는 잡물을 던져 깨트리고, 기쁘면 웃고 화나면 소리지르는 것이 어린아이처럼 변하고 정상이 아니었는데, 한 달 후에 점차 사람을 보면 구타하게 되어, 그를 실내에 자물쇠로 잠가 가두고, 밖으로 나오지 못하게 하고, 수없이 의원을 옮겨 치료했지만, 모두 효과가 없었다. 나에게 치료를 요청했다. 옛 사람의 精神錯亂에 대한 인식은 痰涎蒙蔽淸竅로, 반드시 涌痰의 방제를 사용하여, 痰涎을 涌出시켜야 효과가 있을 수 있다고 했다. 이 증상은 寒痰壅塞胸膈에 속하며, 치료는 涌吐寒飮結滿해야 해서 나는 곧 瓜蒂散을 써서 주었다. 處方: 赤小豆 30 g, 瓜蒂 10 g, 豆豉 10 g을 湯으로 끓여 頓服했다. 연속 2첩을 복용하고, 모두 3회의 痰涎을 구토했는데, 조금의 효과도 없었다. 후에 자물쇠를 열고 기회를 보아 도망 나왔는데, 결국 이웃 사람을 구타하여 다치게 하고 모든 잡물을 깨트렸는데, 집안 사람이 어쩔 수 없어서, 다시 나에게 치료법을 만들도록 하여, 大劑瓜蒂散을 주었다. 處方: 赤小豆 30 g, 瓜蒂 20 g, 豆豉 20 g을 湯으로 끓여 頓服했다. 복용한 후 반 시간 만에 吐하기 시작하여, 연속으로 이틀 밤 동안 모두 20여 차례를 토했는데, 점액에 속하는 것까지 다하고, 구토가 시작되면서 음식 생각이 없고, 1일 후 온몸이 困頓하여 활동하기가 싫어져, 잠을 3일째까지 자고, 갑자기 깨어났는데, 후에 豁痰通竅安神의 방제로 조리하여 나았다.

考察: 瓜蒂散涌吐, "得快吐"를 度로 했는데, 의사가 瓜蒂를 重用하여 20 g을 사용하고, 환자가 이틀 밤을 嘔吐했는데, 위험한 가운데 효력을 얻을 수 있다 할 수 있어, 가볍게 시험해서는 안 된다.

14. 梅核氣: 『中醫函授通訊』(1983, 3:22): 여성, 28세, 가정주부, 1969년 4월 진료 받았다. 환자는 평소 神經衰弱병력이 있었다. 1968년 仲秋에 이웃과 다툼이 발생한 후, 心煩少眠, 惡夢紛紜, 胸悶不舒, 煩燥易怒, 善太息, 胸中에 어떤 것이 끼어 막힌 것 같아서, 그것을 뱉으려고 했지만 나오지 않고, 삼켜지지도 않았으며, 음식이 감소했는데, 神經證으로 진단받아서, 투약했지만 효과가 없었다. 증상으로, 表情淡漠, 鬱鬱寡歡, 飮食不佳, 胸悶欲嘔, 舌邊尖紅, 苔白膩, 脈弦滑이 보였다. 증상은 痰氣鬱結, 肝氣不舒에 속했다. 치료는 瓜蒂散 3 g으로 涌吐하고, 복약 후 頑痰 약 300 mL를 토했는데, 스스로 咽中이 異物感이 갑자기 사라지고, 胸悶이 크게 감소한 것이 느껴졌다. 후에 半夏厚朴湯加味로 바꾸고 연속 4첩을 복용하여 나았다.

考察: 이 案의 梅核氣는 痰氣鬱結로 생기는 것으로, 病位가 위에 있고, 吐法을 이용하여 祛痰順氣할 수 있다.

15. 痰熱急驚: 『山西中醫』(1991, 6:8): 남아, 3세 반, 1986년 3월 19일에 진료. 發熱로 체온이 40℃에 달해서, 일찍이 모 의원에서 항생제·해열제 치료를 3일 동안 했지만 효과가 없었다. 어머니에게 물어 평소 기름지고 단 음식을 먹는 것을 좋아했고, 열이 나기 전에 과식한 것을 알았다. 刻診: 체온 39.8℃, 顔面이 紅色이고, 手足心灼熱했고, 煩燥無汗, 喉間에 때때로 痰鳴이 있었고, 때때로 抽搐이 있었고, 舌質이 紅하고, 苔黃厚膩하고, 脈이 滑數했다. 辨證은 急驚風이었고, 證狀은 食滯胃腸에 속했으며, 鬱이 熱이 되고, 津液을 태워 痰이 되고, 痰火가 肝風을 끌어들였다. 이것은 實邪가 上脘을 점거한 것으로, 治法으로는 吐하는 것이 妙였다. 瓜蒂·赤小豆 등을 고운 가루로 연마하여, 약 3 g을 취하고, 淡豆豉 9 g을 湯으로 끓여 마셨는데, 痰涎과 소화되지 않은 물질을 吐하고, 반 시간 후에 열이 내려 몸이 차가워져, 保和丸으로 바꾸어 조리하여 나았다.

考察: 小兒痰熱急驚은 錢乙을 시작으로 대부분 凉瀉로 치료했는데, 本案은 食積化熱로 생긴 것으로 吐法을 사용해야 해서, 또 다른 독특한 치료법이라고 말할 수 있다.

16. 喘咳: 『四川中醫』(1985, 4:20): 남아, 15세, 1982년 12월 3일 진료했다. 환자의 喘咳가 이미 10여 년이었는데, 매해 겨울에 발생해서 여름에 끝나고, 여러 차례 치료했지만 효과가 없었다. 2개월 전에 魚蝦를 먹어 유발된 喘咳·痰鳴이 아직 낫지 않았고, 晝咳夜喘으로 누울 수 없었으며, 喉間에 痰鳴이 있었고, 痰이 淸稀하고 色이 白色이었고, 納穀不香, 神疲乏力, 舌苔膩, 脈弦滑을 수반했다. 이것은 脾虛生痰, 痰濕壅閉, 氣機不暢으로 생긴 것이다. 곧 瓜蒂散 3 g을 鹽湯으로 마셨다. 잠시 후에 稀白한 거품을 반 사발 정도 토하고, 다음날, 스스로 氣順息平함을 느끼고, 納穀이 배로 늘었으며, 저녁에 편안하게 잠자리에 들 수 있었으며, 후에 香砂養胃丸을 주어 胃氣를 養하고, 邪去正安하게 하였다.

考察: 喘咳宿疾은 반드시 伏痰留飮이 胸中에 있는데, 本 方劑를 이용하여 涌吐痰涎하면, 祛邪治表의 법이 되기 때문에, 吐한 후 더욱 발전한 辨證施治하고, 병후조리를 해야 한다.

【副方】 三聖散(『儒門事親』卷12): 防風 3量(90 g) 去蘆 瓜蒂 3量(90 g)껍질을 모두 벗겨 절구로 빻고, 종이로 말아 고정시킨 후에, 종이까지 잘게 썰어, 종이를 벗겨 낸 후, 거친 그물로 걸러내고, 따로 가루를 놓고, 찌꺼기를 미황색으로 볶은 다음, 가루를 넣어, 한 곳에서 황색으로 볶아 쓴다. 藜蘆 苗와 心을 빼고, 가감하여 사용한다. 혹 一兩(30 g), 혹 半量(15 g), 혹 一分(0.3 g)

- 用法: 위의 약을을 거친 가루로 하여, 매회 반량(15 g)을 복용하는데, 虀汁을 찻잔 세 개로 하고, 먼저 두 잔을 3, 5번 끓여 虀汁은 따라내고, 다음 한 잔을 넣고 3번 정도 끓인다. 먼저의 두 잔의 것과 한 곳에 넣고 2번 끓을 때까지 졸여서, 찌꺼기를 제거하고, 맑게 하여, 따뜻하게 한 다음 천천히 복용하는데, 다 마실 필요없이, 토할 때까지 마신다.
- 作用: 涌吐風痰.
- 適應症: 中風閉證, 失音悶亂, 口眼喎斜, 或 不省人事, 牙關緊閉, 脈浮滑實者. 癲癇, 濁痰이 胸中을 막아 上逆이 때때로 발생하는 사람과 毒物을 잘못 먹어 上脘에 멈추어 있는 것에 또한 사용할 수 있다.

方劑에서 瓜蒂는 苦寒하고 독이 조금 있고, 風熱痰涎과 宿食을 涌吐하여, 君藥으로 사용한다. 藜蘆는 苦辛하고 寒한 약성으로 風痰을 吐할 수 있어, 君藥과 함께 필수적으로 사용하여, 涌吐風痰의 효력을 강화하여 臣藥이 된다. 防風은 驅風升散하여 佐藥으로 작용한다. 三藥을 합쳐 사용하면, 相輔相成하고, 강렬한 涌吐作用을 갖게 되어 "三聖"이라고 이름 붙였다. 임상에서는 風痰壅塞의 中風·癲癎의 形體壯實한 사람에게 사용하며, 猝然昏仆, 牙關緊閉, 脈滑有力, 舌苔黃厚를 증치요점으로 한다. 本 方劑는 催吐峻劑로, 瓜蒂·藜蘆 모두 독성이 있어 사용에 신중해야 하고, 일반적으로 소량으로 시작하여, 토하지 않으면 점차 양을 늘여가고, 토하게 되면 복용을 중단하여, 中毒 혹은 吐가 과하여 正을 상하는 것을 방지한다. 痰涎을 토해내기를 기다려, 다시 더 발전한 辨證論治한다. 體虛한 사람 및 임산부는 사용을 금한다.

本 方劑와 瓜蒂散은 瓜蒂를 君藥으로 하며, 모두 涌吐峻劑인데, 本 方劑는 催吐峻藥에 升散의 약물을 배오하여 涌吐風痰에 장점을 보이고, 涌吐作用이 비교적 강하다. 그러나 瓜蒂散은 곡물로 輔佐하여, 涌吐痰食에 장점을 보이는데, 涌吐의 힘이 前者에 미치지 못한다.

【參考文獻】

1) 王淑民. 燉煌卷子『輔行訣臟腑用藥法要』考. 上海中醫藥雜誌. 1991;(3):36~39.
2) 王淑民. 『輔行訣臟腑用藥法要』與『湯液經法』·『傷寒雜病論』三書方劑關係的探討. 中醫雜誌. 1998;39(11):694~696.
3) 劉喜平. 燉煌古醫方的硏究概況. 中成藥. 2004;26(1):257~258.
4) 上海市傳染病總院. 中藥甜瓜蒂噴鼻治療病毒性肝炎免疫學機理的初步探討. 新醫藥雜誌. 1976;(9):42.
5) 孟踐, 瓜蒂散治療急性黃疸型毒性肝炎高膽紅質血症驗證. 吉林中醫藥. 1986;6(3):12.
6) 王憲波, 楊烈彪, 桑雁, 瓜蒂治療病毒性肝炎高膽紅質血症88例臨床分析. 實用中西醫結合雜誌. 1994;7(12):721~722.
7) 李崇山, 康秀英, 瓜蒂散新解. 山西中醫. 1989;5(6):39.
8) 撫順鑛物局醫院內科. 瓜蒂中毒5例報告. 遼寧醫藥. 1976;(4):60~61.
9) 娄香雲, 張秉恕 等. 甛瓜蒂中毒死亡1例報告. 新醫藥學雜誌. 1976;(12):15.
10) 李文碩. 1例服用"瓜蒂散"死亡的情況報道. 遼寧中醫雜誌. 1978;5(3):50~52.
11) 北京第二醫學院附屬宣武醫院內科. 搶救瓜蒂中毒1例. 中醫雜誌. 1980;21(6):39.
12) 雷蘊瑛, 何玉蘭. 瓜蒂中毒致雙眼視神經損害1例. 實用眼科雜誌. 1987;5(10):622.
13) 邢錫波, 『邢錫波醫案』. 北京: 人民國醫出版社, 1991:75~76.
14) 薛芳, 許占民. 『中國藥物大全』(中藥卷). 第3版. 北京: 人民衛生出版社, 2005:652~653.

救急稀涎散

(孫尚藥方, 錄自『經史證類備急本草』卷14)

【異名】急救稀涎散(『肘後備急方』卷3)·稀涎散(『本事方』卷1)·稀涎飮(『嶺南衛生方』卷中)·吐痰散(『萬氏家傳點點經』卷2).

【組成】猪牙皂角 須肥實不蛀, 削去黑皮 四挺 晉礬 光明通瑩者 一兩(30 g)

【用法】二味를 함께 빻아서, 고운 가루로 거르고, 다시 研磨하여 散으로 만든다. 환자가 있으면, 半錢을 복용할 수 있고, 重한 사람은 三錢匕(4.5 g)를 따뜻한 물을 부어 마신다. 嘔吐가 심하지 않고, 微微한 稀涎만 一升이나 二升 冷出하고, 당시 정신이 맑으면 나아지기를 기다려 調治한다. 크게 토하지 않도록 하는 것은 인명이 상할 것을 걱정함이다(현대용법: 모두 고운 가루로 하여, 매회 1.5~4.5 g을 따뜻한 물로 마신다).

【效能】開關催吐.

【主治】

1. 中風閉證 痰涎壅盛, 喉中痰聲漉漉, 氣閉不通,

心神瞀悶, 四肢不收, 혹은 倒仆不省하거나 口角似歪하고, 脈象이 滑實有力하다.

2. 喉痺.

【病機分析】 本 方劑의 病證은 痰壅氣閉로 인해 발생한다. 痰涎이 壅盛하여, 氣道가 不利하기 때문에, 喉中 痰聲이 漉漉하고, 痰濁이 위로 心竅를 막아, 心神이 瞀悶하거나, 넘어져 人事不省하고, 痰氣가 流竄하여 經脈을 막아, 筋脈이 영양을 잃어, 四肢不收 혹은 口角斜歪하게 된다. 喉痺 역시 咽喉阻塞, 氣閉不通한다.

【配伍分析】 本 方劑는 위에서 痰壅氣閉한 것을 위해 만들었다. 中風閉證, 痰涎壅盛, 喉痺가 氣道를 막거나, 병세가 긴급하면, 즉시 咽喉를 疏通하여, 위급을 緩解한 후, 다시 증상에 따라 調治해야 한다. 『素問』「至眞要大論」"其高者, 因而越之"의 치료원칙에 근거하여, 催吐開關, 稀涎通竅로 立法한다. 처방 중 白礬은 酸寒한 약성으로 涌泄하는데 『本草綱目』卷11에서 이르기를 "吐利風熱之痰涎, 取其酸苦涌泄"이라 하여, 頑痰을 化解할 수 있고, 또 開關催吐의 효능이 있어, 君藥이 된다. 皂莢은 辛溫하고 鹹한 약성인데, 辛한 약성은 開竅할 수 있고, 溫한 약성은 化痰할 수 있고, 鹹한 약성은 散結할 수 있어, 通關去閉에 좋고, 痰濁을 쓸어내어, 臣藥이 된다. 두 약을 합해 사용하면, 稀涎催吐, 開竅通關의 효능이 있다. 본 방제는 救急으로 사용하는 것으로, 喉中 壅盛한 痰涎을 희석하여 나오게 할 수 있기 때문에, 이름을 救急稀涎散이라고 했다.

【類似方比較】 瓜蒂散과 稀涎散은 모두 涌吐의 작용이 있지만, 瓜蒂散은 涌吐痰食에 좋고, 催吐作用이 迅猛强烈하다. 本 方劑의 효능은 通竅開關에 치중되어, 痰涎을 희석하여 배출할 뿐으로, 涌吐의 효력이 비교적 약하다.

【臨床應用】

1. 證治要點: 本 方劑는 中風閉證 初期, 痰涎壅盛, 阻塞氣機, 혹은 喉痺가 呼吸을 방해하는 것에 일반적으로 사용하는데, 痰涎壅盛, 喉中痰聲漉漉, 呼吸不暢, 脈象滑實有力을 證治要點으로 한다.

2. 加減法: 中風은 藜蘆를 더해 涌吐風痰할 수 있고, 喉痺는 黃連·巴豆를 더해 解毒利咽할 수 있고,化痰散結의 효능을 강화하기 위해 半夏를 더할 수 있다.

3. 救急稀涎散은 다음 한국표준질병사인분류(KCD)에 해당하는 환자가 中風閉證, 喉痺로 辨證되는 경우 본 처방의 사용을 고려해볼 수 있다.

처방 목표	한국표준질병사인분류(KCD)
白喉竝發喉阻塞	A36 디프테리아
急性亞硝酸鈉中毒	T65.5 니트로글리세린, 기타 질산 및 에스테르

【注意事項】

1. 本 方劑는 實證에 사용하는데, 만약 中風脫證 혹은 陰竭陽越, 戴陽痰壅한 사람은 사용을 금한다.

2. 本 方劑는 用量이 적어야 하는데, 적당량을 痰出하는 것을 한도로 하여, 크게 吐하지 않도록 한다. 그렇지 않으면, 氣機가 有升無降하여, 竅閉를 가중시킬 수 있다.

【變遷史】 本 方劑는 『經史證類備急本草』에서 나왔는데, 이 책 卷14의 "皂莢"條下에 "孫尙藥治卒中風, 昏昏若醉, 形體昏悶, 四肢不收, 或倒或不倒, 或口角似歪, 微有涎出, 斯須不治, 便爲大病, 故傷人也. 此證風涎潮于上膈, 痹氣不通, 宜用救急稀涎散."이라고 기재되어있다. 孫尙藥은 北宋의 의학자 孫用和이다. 이 사람은 醫書에 정통했는데, 張仲景의 傷寒 치료를 잘 사용했다. 本 方劑는 仲景의 皂莢丸에서 변화하여 온 것으로, 皂莢丸의 利竅滌痰, 宣壅導滯의 기초 위에 白礬의 涌吐稀涎을 더하여, 祛痰劑를 涌吐劑로 바꾸어, 痰涎을 위부터 나오도록 하였다. 本方의 類方은

주로 두 종류가 있는데, 하나는 逐痰의 약물로 그 祛痰의 효력을 강화하는데, 『世醫得效方』卷1의 稀涎散이 皂莢角·半夏를 이용하여, 胸膈에 맺힌 涎을 토하고, 『景岳全書』「古方八陣」卷55의 稀涎散은 猪牙皂·藜蘆를 사용하여, 頑痰을 토하고, 『醫宗金鑒』「删補名醫方論」卷28의 稀涎千緡湯은 本方에서 半夏·甘草·薑汁을 더하여 風痰壅盛, 昏仆, 中濕腫滿 등의 증상에 사용한다. 그 외 다른 종류는 解毒의 약물을 더하여, 그 辟穢開關의 효력을 강화하는데, 『赤水玄珠』卷1의 稀涎散은 本方에서 巴豆를 더하여, 中風·痰厥·乳蛾를 치료한다. 『御藥院方』卷9의 如聖散은 雄黃·藜蘆를 더하여 가루로 만들어 코에 불어 넣어 纏喉, 漸入咽塞, 水穀不下, 牙關緊, 不省人事를 치료한다. 본 방제는 현대 임상에서는 비교적 적게 이용한다.

【難題解說】 本 方劑의 出處에 관하여: 本 方劑의 출처에 대해서는 다른 학설이 있는데, 『中醫治法與方劑』는 本 方劑 출처를 『傳家祕寶方』, 方劑學(統編教材 6版)에서는 『聖濟總錄』이라 했고, 『中醫方劑大辭典』에서는 本 方劑의 出處를 『經史證類備急本草』卷14에서 인용한 孫尙藥方이라고 했다. 『聖濟總錄』은 1111~1117년 사이에 완성되었고, 『經史證類備急本草』는 11세기 말에 찬술되어, 당연히 후자가 더욱 이르다. 『中醫大辭典』「醫史文獻分冊」에서 孫用和는 北宋의 의학자로 『傳家祕寶方』3卷을 저술했는데, 光獻皇后의 병을 치료하여 尙藥奉御를 제수받았다 하였다. 孫尙藥은 孫用和가 醫官을 임할 때 부르는 것이다. 『傳家祕寶方』원서는 이미 실전되어, 孫尙藥의 救急稀涎散이 이 책에서 나왔는 지의 여부를 고증하기 어렵다. 그러므로 본 방제의 出處는 마땅히 『經史證類備急本草』卷14에서 인용한 孫尙藥方이라고 해야 더욱 타당하다.

【醫案】

1. 中風: 『續名醫類案』卷2: 李思塘의 어머니가 60세였는데, 몸이 심하게 뚱뚱했고, 정월 간에 갑자기 中風으로 졸도하여, 不省人事, 口噤喉鳴, 手足不隨하여, 牛黃丸·小續命을 복용했지만, 효과가 없었고, 脈이 浮洪하고 滑했는데, 오른손이 심했다. 어머니 奉養이 극히 厚하여, 形氣가 모두 盛하고 脈이 有餘했다. 『經』에서 이르기를 "消癉·缶仆·偏枯·痿·厥, 氣滿發逆, 肥貴人則膏粱之疾也."라고 했다. 또 이르기를 "土太過令人四肢不擧"라고 했다. 丹溪가 말한 바는 "濕生痰, 痰生熱, 熱生風也"이다. 당연히 먼저 張子和의 치법을 사용하여, 涌吐하며, 稀涎散齏汁을 입에 넣어 痰涎을 한 그릇 정도 涌出했다. 잠시 후에, 三化湯을 복용하도록 하여, 저녁까지 2, 3회를 사하시키니 喉聲이 갑자기 없어졌고, 말도 할 수 있었지만, 人事不省이 더욱 심했다. 上下의 障害가 이미 통했고, 中宮의 積滯가 아직 사라지지 않아서, 二陳湯에 枳實·黃連·萊菔子·木香·白豆仁을 더하여, 매일 두 번 복용했다. 수일이 지나, 정신이 점차 맑아지고, 배가 고픈 것을 알게 되어, 묽은 죽을 먹게 하고, 大便이 結했으며, 매일 潤字丸 五分을 白湯에 薑汁을 떨어트려 삼켰다. 가끔 拘攣·燥結의 병이 있었는데, 血耗津衰한 것을 알아, 四物湯에 秦艽·黃芩·甘草를 더하여 數十帖으로 3개월에 나았다.

2. 氣厥: 『中醫雜誌』(1990, 2:4): 여성, 40세, 몸이 본래 肥腴했다. 氣量이 狹窄했는데, 어느 날 집안 사람과 다투고 한 시간 정도 후에, 氣厥不醒이 되어, 開關散을 코에 불어넣고 재채기를 했는데 효과가 없었다. 사람들이 虛脫이라고 여겨 蔘湯을 달여 복용하도록 했다. 내가 그 脈을 진찰하니, 脈이 弦滑하고 힘이 있었고, 牙關緊閉하고, 舌苔는 보이지 않았다. 痰氣가 鬱閉하여 胸中에 막혀서, 大氣가 일시적으로 순환할 수 없기 때문에 厥이 보이는 것으로, 虛脫의 증상과는 차이가 있어, 蔘湯은 절대 복용할 수 없었다. 猪牙皂角·白礬 3 g, 細辛 2 g을 절구로 곱게 빻아서, 따뜻한 물로 녹여, 입을 비틀어 열고, 천천히 부었다. 복용 후 일각 정도가 지나자 痰涎을 매우 많이 토하기 시작했다. 환자가 크게 一聲을 내쉬고, 정신이 점차 깨어나서, 목이 마르다고 하여, 물을 주도록 했다. 開鬱理氣化痰散結의 약을 이용하여, 調理하여 안정되었다.

3. 喉閉: 『萬病回春』卷5: 孫押班이 都知 潘元從의 喉閉를 치료했는데, 孫은 약 半錢을 喉中에 불어 넣고, 잠시 후에, 膿血을 토해내고 나았다. 潘이 孫을 찾아가서 감사하며 말하기를 매우 급한 병은 明公이 아니면 구할 수 없고, 다른 사람의 위급함을 구하는 것은 藥이 아니면 치료할 수 없습니다. 金 百兩을 드리니, 원컨대 處方을 구해 비상지급에 대비하고자 합니다라고 했다. 孫이 말해기를 猪牙皂角·白礬·黃連을 같은 양으로 나누어, 새 기와 위에서 쬐어 말려 가루로 만드는데, 처방을 드리지만, 주신 것은 받지 않겠다고 했다.

考察: 案1·案2는 모두 神昏이 갑자기 발생하고, 입이 닫혀 열리지 않아, 치료하기에 곤란했기 때문에, 급히 本 方劑를 넣어 通關開竅하고, 계속해서 다른 약을 넣었다. 案1은 病位가 臟腑의 깊은 곳이 있었기 때문에, 3개월을 계속해서 치료하여 나았다. 案2는 氣逆痰壅, 痰出氣暢으로 病이 7·8이 나았다. 案3은 매우 급한 병으로 본 방제 加味로 직접 病所를 직접 고쳐, 막힌 것을 바로 통하게 했다.

鹽湯探吐方

(『金匱要略』)

【異名】 鹽湯(『三因極一病證方論』卷11)·獨聖方(『世醫得效方』卷6)·鹽湯探吐法(『醫方考』卷4)·燒鹽探吐法(『醫方集解』「涌吐之劑」)

【組成】 鹽 一升(30 g) 水 三升(600 mL)

【用法】 위의 二味를 소금이 없어질 때까지 끓여, 뜨겁게 1승(200 mL)을 마시고, 입을 자극하여, 宿食이 다 토해질 때까지 하는데, 吐하지 않으면 다시 복용하고, 吐하게 되면 다시 마셔, 세 번 토하면 그친다(현대용법: 끓인 물을 이용하여, 포화 소금물을 만들어, 매회 2~3 그릇을 마시는데, 복용 후 깨끗한 깃털이나 손가락으로 목구멍을 건드려 吐를 돕는다).

【效能】 涌吐宿食.

【主治】

1. 宿食이 上脘에 정체되고, 脘腹痛이 胸部로 연결되고, 痞悶이 不通한다.

2. 乾霍亂이 있고, 脘腹脹痛이 있으며, 吐하고 싶지만 吐하지 못하고, 瀉하고 싶지만 瀉할 수 없다.

3. 毒物을 잘못 먹었는데, 毒物이 胃 안에 여전히 머물러 있는 사람.

【病機分析】 本 方劑가 치료하는 증상은 宿食·穢濁·毒物로 인해 생기고, 病이 上脘에 있다. 宿食이 정체되어 소화되지 않거나, 穢濁의 氣를 感受하여, 氣機의 升降이 막히게 되고, 上下가 宣通할 수 없거나, 毒物이 胃에 여전히 있기 때문에, 脘腹脹痛, 吐瀉不得의 여러 증상이 보인다.

【配伍分析】 本 方劑는 宿食·毒物이 上脘에 정체되거나, 穢濁之氣의 中阻, 氣機不利의 증상을 치료하기 위해 만들어졌다. 『素問』「至眞要大論」“其高者, 因而越之”와 『素問』「至眞要大論」“鹹味涌泄爲陰”의 치료원칙에 근거하여, 吐法을 이용했는데, 因勢利導하여, 邪氣를 밖으로 배출했다. 食鹽은 味鹹涌泄하여, 單用으로 “令人吐”(『神農本草經』)卷2 할 수 있고, 그것을 포화용액으로 만들고 극히 짠맛을 빌어 嘔吐하도록 자극하여, 宿食·毒物 등을 吐하여 배출하도록 하면, 氣機가 通暢하게 되어 脹痛이 멈출 수 있다.

本 方劑는 涌吐효력이 비교적 완만하여, 복용 후 목구멍을 건드려 토하는 것을 도와야 하기 때문에 “鹽湯探吐方”이라고 명명했다.

【類似方比較】本 方劑 및 瓜蒂散·救急稀涎散은 모두 涌吐劑에 속하는데, 瓜蒂散은 涌吐痰食에 좋고, 涌吐作用이 비교적 강한데, 瓜蒂가 苦寒有毒하여, 체질이 壯實한 사람에게 적당하다. 救急稀涎散은 通竅開關에 치중하여, 涌吐의 힘이 비교적 약하고, 미미하게 涎만 나오도록 하는 稀涎作用을 가지고 있다. 鹽湯探吐方은 涌吐의 힘이 瓜蒂散이 미치지 못하지만, 재료를 쉽게 구할 수 있고, 藥性이 平和로워 사용이 편리하기 때문에 瓜蒂散에 비해 일반적으로 사용한다.

【臨床應用】

1. 證治要點: 本 方劑는 涌吐宿食·毒物 및 乾霍亂을 위한 良方이다. 임상에서 脘腹脹痛이 나아지지 않고, 吐하고 싶지만 할 수 없고, 瀉하고 싶지만 할 수 없는 것을 證治要點으로 한다.

2. 加減法: 食厥에는 薑汁을 더하여, 그 辛辣한 성질로, 豁痰通神할 수 있고, 乾霍亂에는 薑汁·童便을 더하여 袪痰降火할 수 있고, 癃閉에는 防風을 더해 閉氣宣發을 돕고 나아가 通利水道할 수 있다.

3. 鹽湯探吐方은 다음 한국표준질병사인분류(KCD)에 해당하는 환자가 食厥·氣厥·乾霍亂·癃閉로 辨證되는 경우 본 처방의 사용을 고려해볼 수 있다.

처방 목표	한국표준질병사인분류(KCD)
急性胃擴張	K31.0 위의 급성 확장
食物中毒早期	A04 기타 세균성 장감염
	A05 달리 분류되지 않은 기타 세균성 음식 매개중독
癃閉	R30.0 배뇨통_융폐

【變遷史】本 方劑는 張仲景의 『金匱要略』에서 나왔는데, 『金匱要略』「果實菜穀禁忌幷治第二十五」에 "治貪食, 食多不消, 心腹堅滿痛, 治之方. 鹽一升, 水三升 上二味, 煮令鹽消, 分三服, 當吐出食, 便瘥"라고 기대되어 있다. 鹽湯을 이용하여 涌吐하는 역사는 오래되었는데, 『神農本草經』卷2에 "大鹽, 令人吐"의 기재가 있고, 春秋시대에 "扁鵲治忤有救卒符幷服鹽湯法"(『肘後方』卷1)이 있었다. 仲景은 "勤求古訓, 博採衆方"(『傷寒雜病論』)하고, 그것을 계승하고 발전시켜, 配制하여 방제를 만들었다. 本 方劑는 원래 方名이 없었고, 方名이 처음으로 『三因極一病證方論』卷11에 보였는데, 당시에 습관적으로 鹽湯探吐方(『中醫方劑學講義』, 南京中醫學院方劑教研室主編)이라고 불렀다.

본 방제는 재료를 구하기가 쉽고, 配制가 간단하며, 효과가 빠르기 때문에, 救急처방으로 자주 사용한다. 예를 들어 『肘後方』에서는 卒得鬼擊·卒魘寐不寤·卒心痛·卒腹痛·中風腹中切痛 및 霍亂心腹脹痛, 煩滿短氣, 未得吐下 등의 증상에 사용했고, 『備急千金要方』卷25에서는 卒忤 등을 치료하는데 사용했다. 宋·陳言은 본방을 극히 찬양하며 "此法大勝諸治, 俗人以爲田舍淺近, 鄙而不用, 守死而已. 凡有此病, 卽先用之"(『三因極一病證方論』卷11)라 했다. 陳氏는 本方 배합으로 "刺口"探吐하여, 그 涌吐作用을 더욱 빠르게 했는데, "鹽湯探吐方"은 이로부터 명실상부해졌다. 본 방제는 지금까지도 비교적 자주 사용하는 催吐方의 하나이다.

【難題解說】本 方劑의 出處와 근원에 관하여: 『備急千金要方』卷25와 『金匱要略』「果實菜穀禁忌幷治第二十五」에 모두 本 方劑가 기재되어 있다. 『備急千金要方』은 唐代 孫思邈이 지은 것이고, 『金匱要略』은 『傷寒雜病論』의 雜病部分으로, 東漢末年에 張仲景이 지은 것이다. 仲景의 原著가 이미 散失되었는데, 宋代, 殘簡蠹遺中에 새로 발견되어, 비록 林憶 등의 교정을 거쳤지만, 그중 殘缺錯誤가 있는 곳이 여전히 많았는데, 역대 注家들이 모두 原本은 22篇뿐으로 "雜療方劑二十三"에서 "果實菜穀禁忌幷治第二十五"까지 최후 3편은 후대 사람이 注를 더한 것으로 仲景의 原文이 아니라고 했다. 『金匱要略』이 『備急千金要方』보다 이르지만, 현재 『金匱要略』 최후 3편이 후인이 더해 넣은 것인지, 언제 더해 넣은 것인지 확신하기 어렵기 때

문에, 본방의 출처를 잠시 『金匱要略』이라고 정했다.

『肘後方』卷1에는 "扁鵲治忤有救卒符幷服鹽湯法, 恐非庸世所能, 故不載"가 기재되었고, 『備急千金要方』卷25에는 "治卒忤方, 鹽八合, 以水三升, 煮一升半, 分二服, 得吐卽愈."라고 기재되었는데, 『神農本草經』卷1의 "大鹽, 令人吐"의 기재와 결합하여 분석하면, 가장 먼저 鹽湯을 사용하여 涌吐한 것은 아마 扁鵲일 것이다.

【醫案】

1. 急性胃擴張: 『中醫雜誌』(1987, 11:8): 남성, 29세, 농민, 1983년 4월 12일 진찰. 腹脹·腹痛·欲吐로 인해 치료를 요청했다. 病歷을 물었는데, 스스로 말하기를 평소에 신체가 건강하고, 식사량이 많은데, 한 시간 전에 다른 사람과 내기를 하여, 만두 2근·고구마 2근(다 먹지 못함)을 먹고 胃脹함을 느끼고 견디지 못해 패배를 인정했다. 현재 上腹이 脹滿하고 疼痛이 있는 것을 느끼고, 暖氣惡心하고, 吐하고 싶지만 吐가 나오지 않았다. 환자를 검사해 보니, 痛苦焦急하고, 腹脹如鼓에, 배 전체에 약간의 壓痛이 있었고, 그것을 누르면 水蕩聲이 있고, 허리를 구부릴 수 없었고, 호흡이 약간 얕고 짧고 촉박했으며, 苔白微厚하고, 脈滑小數했다. 진단은 急性胃擴張이었고, 즉시 吐法을 시행했는데, 食鹽 30 g을 炒黃하여 煎湯한 것 300 ml 중 100 mL 복용한 후 探吐했는데, 대량의 酸腐食物이 吐出되고, 5분 후에 또 100 mL를 복용하고, 探吐했는데, 이와 같이 세 차례를 하니, 胃內의 음식물을 기본적으로 깨끗이 吐하여, 腹脹이 크게 줄고, 곧 포도당 생리식염수 1,000 mL를 주사하여 調理하고, 계속해서 保和丸 2첩으로 완치되었다.

2. 停食感寒: 『續名醫類案』卷9: 어떤 侍婢가 停食腹痛이었는데, 먼저 消導藥에 發散藥을 약간 더해 사용했는데, 1첩으로 통증이 줄어들지 않아서, 炒鹽湯을 2碗 복용하고, 그것을 吐하자, 통증이 반감되어, 또 發散藥을 위주로 하고 消導藥을 더해 사용하자, 1첩으로 통증이 즉시 그쳤다.

考察: 患者는 停食感寒으로, 消散의 방제를 두 번 복용했는데, 결과가 달랐다. 消導가 食積을 빠르게 제거하기 힘들고, 發散은 또 宿食阻滯氣機로 宣散되기 어렵기 때문에, 吐後 다시 이용하여 효과를 얻었고, 食이 이미 8,9는 제거되었기 때문에, 氣機가 通暢하여, 적은 노력으로 많은 효과를 거두었다.

3. 食厥: ⑴ 『名醫類案』卷1: 王節齋가 壯年한 사람을 치료했는데, 갑자기 暴疾을 얻었는데, 中風과 같아서, 말을 할 수 없고, 사람을 알아볼 수 없고, 四肢를 들 수 없어, 급히 蘇合香丸을 투여했지만, 효과가 없었다. 王이 우연히 지나가다가 그것을 들었는데, 그 이유를 찾아 말하기를 "때마침 객지 음식을 배로 먹은 후에 이 증상이 생긴 것이니" 곧 生薑淡鹽湯을 달이는 것을 가르쳐주어, 많이 마시고 探吐하니, 음식 數碗을 吐出한 후에 나았다.

⑵ 『回春錄新詮』: 丁酉年 中秋 밤에, 牙行 張鑒錄이 나이가 60이 넘어 갑자기 땅에 넘어졌다. 급히 孟英을 초빙했는데, 脈이 弦滑하고 컸는데, 말하기를 "痰·氣·食相幷而逆于上也."라고 했다. 먼저 烏梅로 牙關을 열고, 대나무 젓가락을 가로로 입에 넣고, 淡鹽薑湯을 붓고, 곧 거위 깃털로 探吐하여, 크게 한 숨을 쉬고 깨어난 뒤 다음에 調氣和中하여 나았다.

⑶ 『續名醫類案』卷2: 陸養愚가 許省南이 갑자기 暴疾을 얻은 것을 치료했는데, 中風 상태와 같아서, 말을 할 수 없고, 사람을 알아볼 수 없고, 四肢를 들 수 없어, 蘇合牛黃丸을 복용했지만 효과가 없었다. 혹은 小續命湯을 주었지만, 반대로 喘急, 壯熱, 手足厥逆이 증가했고, 六脈沉微로, 附子理中湯을 이용했다. 진맥하니 양 寸脈이 있는 듯 없는 듯 했고, 兩關尺은 잡기가 어려웠는데, 이것은 氣壅逆으로 인한 것이었고, 부족한 것이 아니고 없어지려는 것이었다(非不足而欲脫). 그 가슴을 누르면, 눈썹을 찡그리고, 배를 누르면 몸을

일으켰다. 그 이유를 물으니, 낮에는 바빠서 밥 먹을 시간도 없었고, 밤까지 손님 접대를 끝내고 병이 발생했다. 말하기를 "饑極過飽, 此食中也."라고 했다. 昏憒不語하고, 脈伏했는데, 모두 飮食塡塞淸道로 생기는 것이다. 四肢不擧는 『經』에서 말하기를 "土太過之病也."라고 했다. 처음에는 한 번 吐하고 그치고, 지금 이미 3일째인데, 上·中·下 모두 병을 얻었고, 吐·下·消導를 병행하여, 그 勢를 나누어 약하게 했다. 이에 먼저 生薑淡鹽湯으로 그것을 探하고, 痰涎湯水 여러 그릇을 吐했다. 잠시 후에, 정신이 조금 깨끗해졌는데, 그것을 진맥하니 寸關逼逼하고, 또 棱·莪·檳·枳·橘·曲·木香·白荳蔻仁·萊菔子로, 潤字丸 五錢을 달여 마시고, 3, 4회를 내려, 勢가 크게 줄었다. 다시 關尺俱見하고, 또 沉實有力했고, 胸腹을 누르면 더욱 아파서, 다시 前方을 달여 潤字丸 二錢을 삼켰다. 4일 후 二陳湯에 歸·芎으로 榮血을 養하고, 蔘·朮로 胃氣를 扶하고, 木香·豆仁으로 그 남아 있는 痞症을 풀어주는 약물을 더한 처방과 묽은 죽을 주어 십일 만에 편안해졌다.

考察: 案(1)~(3)은 모두 食積으로 인한 患인데, 案(1)은 증상이 가벼워, 한 번 吐하고 나았다. 案(2)는 痰·氣의 上逆을 겸하기 때문에, 吐後 調氣和中을 주었다. 案(3)은 停食 後 이미 3일이 지나, 上·中·下 모두 病이 있어, 吐·下·消導를 순서대로 행했는데, 마지막으로 健脾化濕을 주로 하여 효과를 얻었다. 飽食塡胃로 생긴 食厥에 대해, 본 방제는 涌吐宿食을 통해, 氣機를 宣暢하게 하여, 厥逆을 회복할 수 있었다. 꼭 지적해야 할 것은 食厥이 卒病昏仆·四肢不擧가 있어, 中風과 같은 상황이지만, 그 發病과 暴食이 관계가 있는데, 일단 깨어나면, 偏癱 등의 후유증이 없어, 임상에서 반드시 中風과 鑑別해야 한다.

4. 呃逆不止: 『山西中醫』(1991, 6:9): 남아, 12세, 1986년 6월17일 진찰. 환아는 갑자기 呃逆이 발생한 지 하루가 되었고, 계속 소리가 나는 것이, 쉼이 없었고, 呃聲이 響亮하고, 맡아보니 食臭가 있었고, 煩渴喜飮했다. 진찰에서 面部紅赤, 呃聲不止, 胸脘痞硬不舒, 大便祕結, 舌質紅, 苔黃厚, 脈滑數가 보였다. 鹽湯探吐方을 취했다. 극히 짠 熱鹽湯을 한 그릇 복용하게 하고, 젓가락으로 목구멍을 건드리니, 곧 黃綠水·消化되지 않은 糯米 등을 吐했는데, 갑자기 가슴이 넓어지고 胃가 편해지는 것을 느끼고, 呃聲이 멈추었는데, 재발하지 않았다.

考察: 呃逆不止는 통상 降逆止呃하여 치료한다. 그러나 本案은 食積化熱로 胃氣上衝하여 생긴 것으로 本 方劑를 이용하여 宿食을 涌吐하고, 通因通用하는 것이 진실로 治本之策이다.

5. 邪祟: 『格致餘論』: 外弟가 정월 초하루에 醉飽後, 亂言·妄語·妄見했다. 물으니, 그이 죽은 형이 몸에 붙어 생전의 일을 심하게 말한 것이라 했다. 이에 숙부가 옆에서 그것을 질책하여 말하기를, 邪祟가 아니라 비린 음식과 술을 너무 많이 먹어, 담이 생겨 그런 것이다 하였다. 鹽湯을 큰 그릇으로 한 그릇 마시게 하니, 痰 一,二升을 吐하고, 땀이 많이 나고, 하룻밤을 곤히 자고 안정되었다.

考察: 『格致餘論』「虛病痰病有似邪祟論」에서 "痰客中焦, 妨碍升降, 不得運用, 以致十二官各失其職, 視聽言動皆有虛妄."라고 했다. 本 方劑는 痰食을 吐出하여 氣機 升降을 정상으로 회복시키고, 神明得主하여, 邪祟가 자연히 제거된다.

6. 乾霍亂: 『浙江中醫雜誌』(1985, 6:273): 남성, 25세. 신체가 보통이고, 가을 추수기에 갑자기 上腹이 아파 견딜 수가 없었는데, 집으로 돌아온 후 腹痛이 점차 가중되고, 惡心欲吐로 나갈 수 없었고, 脈이 沉弦하고, 舌痰苔微白했다. 이것은 과로로 中氣가 疲憊하고, 또 마침 穢濁한 기운을 만난 것인데, 증상이 乾霍亂에 속하여, 급히 그것을 吐해야 했다. 食鹽 30 g을 빻아서 가루로 만들어 炒焦하고, 맑게 끓인 물 약 1,000 mL에 녹여, 큰 그릇 두 개에 식혀서 급히 복용했다. 복용 후 惡心이 더욱 가중되어, 닭 깃털을 이용해 探吐하여, 소

화되지 않은 殘食汚物 약간을 토하니 증상이 곧 크게 줄어 편안해졌다.

考察: 『問齋醫案』卷2에서 "乾霍亂本是危疴, 昔柳子厚病此, 服炒鹽·童便而愈."라 했다. 본 방제는 乾霍亂의 吐瀉不得을 치료하는데, 薑汁·童便을 더 이용하여, 효과가 더욱 좋았다.

7. 喜笑不止: 『儒門事親』卷6: 戴人이 古亳를 지나는 길에, 한 부인을 만났는데, 病이 喜笑不止한 지가 이미 반 년이었다. 여러 의원들이 치료했지만 전부 소용없어, 戴人에게 치료를 구했다. 戴人이 말하기를 "이것은 쉽게 치료할 수 있다."라고 했다. 滄鹽 덩어리 二兩은 불로 빨갛게 달구어, 차갑게 식혀 두고 곱게 연마하여, 큰 그릇으로 강물 한 대접을 3, 5번 끓을 때까지 같이 달여, 따뜻하게 두고 세 번으로 나누어 마시고, 비녀로 咽中을 건드려 熱痰 五升을 토해냈다. 그 다음에 大劑黃連解毒湯을 복용하고, 數日에 웃는 것이 멈추었다.

8. 瘰癧: 『儒門事親』卷6: 한 부인이 瘰癧을 앓았는데, 胸臆까지 연장되고, 모두 大瘡이 되었으며, 서로 연결되어 성한 皮肉이 없어, 戴人에게 치료를 구했다. 戴人이 말하기를 "火淫所勝, 治以鹹寒."이라고 했다. 瘡鹽으로 그것을 토할 것을 명했다. 한 번 吐하자 딱지가 생기고, 그 다음 凉膈散·解毒湯 등의 方劑를 사용하니, 皮肉이 처음처럼 회복되었다.

考察: 瘰癧은 본래 痰濕에 속하는 것으로 현재는 釀成大瘡이 되었는데, 그것은 痰鬱化火에 책임이 있고, 病이 上焦에 있기 때문에, 鹹寒의 滄鹽으로 涌吐하는 것이다. 本案과 案7의 병이 비록 다르지만, 治法은 같아 모두 鹽湯探吐를 이용하여 清熱祛痰한다.

9. 噎膈: 『皇漢醫學叢書』「生生堂治驗」卷上: 伏見農人利兵衛, 50세, 噎膈을 앓았는데, 여러 치료를 했지만 조금도 효과가 없었다. 선생이 진찰하니, 脈澀했고, 누르면 힘이 있었고, 心下에서 臍下까지 돌과 같이 단단했으며, 몸이 고단하고 안색이 黧黑했다. 선생이 신신당부하며 말하기를 "이것은 의약으로 치료할 수 있는 것이 아니고 오직 한 가지 방법이 있는데, 매일 식전 새벽 소금 2, 3숟갈을 새로운 물에 먹으면 바로 끈적한 것을 토할 것이다" 그 사람이 선생을 굳건히 믿어, 가르쳐준 방법을 그대로 수개월 하기를 게을리 하지 않았다. 수개월 만에 와서 감사하며 말하기를 "내가 처음 가르침을 받들어 하길 며칠 지나지 않아 음식을 삼킬 수 있어 몸이 튼튼해졌습니다"라고 했다.

考察: 噎膈은 內科의 4대 증상 중 하나로, 치료가 힘들다. 食鹽이 潤下軟堅 할 수 있고, 積聚를 풀어지게 할 수 있기 때문에, 鹽湯探吐를 사용하여, 涌吐痰涎으로 軟堅破積하게 했다. 吐法의 반응이 격렬하여, 사람들이 그것을 두려워하는데, 지금 鹽湯으로 吐하게 하는 것은, 매일 아침 식사 전에 한 번으로 吐하고 편리하게 그치니, 峻法緩用이라 할 수 있고, 여러 달을 게을리 하지 않아, 결국 병이 낫게 되었다. 이것으로 방제의 효력은 크고 작은데 있는 것이 아니라, 증상에 맞고 안 맞음에 귀함이 있고, 法은 高下를 구분하기 어렵고, 妙는 잘 사용함에 있는 것을 알 수 있다.

10. 癃閉: 『浙江中醫雜誌』(1985, 11·12:546): 여성, 38세, 농민. 1970년 겨울에 진료. 아들의 喪으로 바람을 맞으며 슬피 울었는데 곧 尿閉不通이 되고, 下腹이 脹滿하여 견디기 어려워서, 針灸·按摩 및 한·양약을 모두 사용했지만 효과가 없었다. 오직 導尿에 의지하여, 병이 1주 길어지고, 脈이 弦滑했으며, 舌苔가 薄白膩했다. 導管을 빼고, 下腹(膀胱 부분)이 急脹하면, 즉시 靑鹽 15 g, 防風 6 g을 복용할 것을 당부했다. 藥後 涌吐가 극히 심했는데, 小便도 따라 나와 通하게 되었다.

考察: 肺는 위에 있으며, 宣發肅降을 주관하여, 물의 上源이 된다. 膀胱은 아래에 자리하며, 津液을 저장하고, 氣化를 배출한다. 肺가 슬픔으로 인해 그 宣降의 기능을 잃고, 膀胱이 열리기 어려워 尿閉에 이르게 되었다. 吐法은 開上宣肺하고, 膀胱의 氣化를 도와, 水道通利할 수 있다. 진실로 吳昆이 말한 "上竅通, 則下竅自利, 此用吐之意也."(『醫方考』卷4)라고 할 수 있다.

蔘蘆飮

(『格致餘論』)

【異名】 蔘蘆湯(『本草綱目』卷12)·人蔘蘆湯(『古今圖書集成』「醫部全錄」卷325).

【組成】 人蔘蘆 半兩(15 g)

【用法】 逆流水 한 잔반을 큰 대접으로 달여 마신다. 복용 후 작은 물건으로 깊이 건드려 吐한다.

【效能】 涌吐痰涎.

【主治】 痰涎壅盛證. 痰多氣急, 胸膈滿悶, 溫溫欲吐.

【病機分析】 本 方劑의 病證은 本虛表實의 痰涎壅盛을 위한 것이다. 痰涎이 胸膈을 막아, 氣機不利하기 때문에, 呼吸急促, 胸膈悶悶, 溫溫欲吐하게 되는 것이다.

【配伍分析】 本 方劑는 痰涎壅塞胸膈의 증상을 위해 만들어졌다. 『素問』「陰陽應象大論」의 "其高者, 因而越之"의 원칙에 따라, 因勢利導하고, 涌吐痰涎의 治法을 이용하여 病을 吐하여 풀어지도록 했다. 蔘蘆는 味苦辛溫한 약성이고, 그 성질이 緩和하여, 本虛表實에 속하는 痰涎壅盛으로 涌吐가 필요한 사람에 대하여 가장 적합하다. 바로 『本經逢原』卷1에서 말한 "蔘蘆能耗氣, 轉入吐劑, 涌虛人膈上淸飮宜之."와 같다.

【類似方比較】 瓜蒂散은 溶吐劑의 首方으로, 맛이 극히 쓰고, 催吐作用이 강렬하여, 痰食壅塞, 胸膈痞硬인 사람에게 적용한다. 救急稀涎散은 涌吐作用이 비교적 약하지만 開關通竅作用이 비교적 강하고, 稀涎作用이 있어, 中風閉證 및 喉痹, 痰涎壅盛, 氣閉不通인 사람에게 적용한다. 鹽湯探吐方은 맛이 짜고, 藥性이 평화롭고, 配制가 편리하고 빨라, 宿食·食厥·氣厥 및 乾霍亂, 吐瀉不得 등의 증상에 광범위하게 사용한다. 本 方劑는 자극성이 비교적 작고, 성질이 和緩하여, 특히 年高體弱하나, 막힌 痰을 마땅히 토해야만 하는 사람에게 알맞다.

【臨床應用】

1. 證治要點: 本 方劑는 涌吐痰涎을 위한 治標의 방제로, 특히 虛弱者의 痰涎壅盛에 알맞다. 痰壅氣急, 胸膈滿悶, 溫溫欲吐를 證治要點으로 한다.

2. 加減法: 本 方劑는 竹瀝을 더해, 化痰의 효력을 강화할 수 있다.

3. 蔘蘆飮은 痰涎壅盛證으로 辨證되는 경우 본 처방의 사용을 고려해볼 수 있다.

【注意事項】 本 方劑는 痰壅氣急者에 대한, 治標의 방제로, 吐後에도 여전히 "하루 건너 桔梗半兩·陳皮二錢·甘草二錢을 달여"(『丹溪心法』卷5)복용하여, 宣肺化痰하고, 계속해서 調理가 필요하다.

【變遷史】 本 方劑는 元·朱震亨이 만든 것이다. 朱氏는 吐法을 극히 추종하여, 상당히 깨달은 바가 있었는데, 그 저작 중 다수에서 명확히 설명하고 있다. 예를 들어 "脈浮當吐. ……痰在膈上, 必用吐法"(『丹溪心法』卷2)를 강조했는데, 倒倉法 등을 발명했다. 本方은 『格致餘論』「吃逆論」醫案 중 "一女子, 年逾笄, 性躁味厚. 暑月因大怒而吃作, 每作則擧身跳動, 神昏不知人. 問之乃知暴病. 視其形氣俱實, 遂以人蔘蘆煎湯, 飮一碗. 大吐頑痰數碗, 大汗, 昏睡一日而安."에서 볼 수 있

다. 『丹溪心法』卷5는 "論吐法九十七"에 역시 "人蔘蘆煎湯吐虛病, 凡吐, 先飮二碗, 隔宿煎桔梗半兩·陳皮二錢·甘草二錢."을 기재되었다. 本 方劑는 원래 方名이 없었는데, 明·李時珍이 『本草綱目』卷12에서 上案에 약간 변화를 주고, 蔘蘆의 劑量을 명확히 밝히며, 本方을 蔘蘆湯이라고 命名했다. 『全生指迷方』卷2는 本方을 散劑로 바꾸고 胸有留血, 煩燥欲吐자를 치료하는데 사용했다. 淸·『醫方集解』에 수록된 蔘蘆散은 鮮竹瀝을 첨가하여 복용하여, 化痰의 작용을 강화했다. 본 방제를 현재는 蔘蘆飮(『中醫方劑學講義』, 南京中醫學院方劑敎硏組主編)이라고 불린다.

【難題解說】

1. 本 方劑의 出處에 관하여: 本 方劑는 『丹溪心法』과 『格致餘論』에서 나왔다. 『丹溪心法』은 朱震亨 본인이 쓴 것이 아니라 그 제자가 그 학술경험과 평소 찬술한 것을 모아 만들어진 것이다. 『格致餘論』은 朱氏가 쓴 것이다. 『格致餘論』 중의 本 方劑에 대한 논술이 더욱 전면적이고, 朱氏 본인의 의견을 더욱 반영할 수 있기 때문에, 出處는 『格致餘論』으로 하는 것이 더욱 타당하다.

2. 人蔘蘆의 涌吐作用과 本 方劑의 用法에 관하여: 人蔘蘆의 涌吐作用에 대해, 古今의 의학자들은 다른 인식을 갖고 있다. 朱震亨 이후 고대 의학자들은 다수가 人蔘蘆가 涌吐作用이 있다고 여겨 臨床에 그것을 실험했는데, 『本草蒙筌』·『本草綱目』·『本草逢原』 등 本草 전문 저작에도 기재가 있다. 그러나 현대 의학자들은 다른 시각을 갖고 있는데, 어떤 사람은 실험을 통해, 人蔘蘆와 人蔘 함유 종류와 같은 人蔘사포닌(saponin)이 人蔘蘆 중 總사포닌(saponin)의 함량이 人蔘에 비해 현저하게 높았고, 人蔘蘆와 人蔘根사포닌(saponin)이 동일한 藥理作用이 있음을 실험으로 증명했다. 人蔘蘆는 집토끼에 대해 涌吐作用이 없었고, 50%의人蔘蘆水煎液 150 mL를 실험군 3인에게 매일 1회 주었는데, 시험한 사람 중 아무도 嘔吐가 발생하지 않았다. 또 어떤 사람은 人蔘蘆로 酒劑·茶劑·膠囊劑 등을 만들었는데, 용량을 3~12 g으로 같지 않게 하고, 蔘蘆를 單用하는 사람 1,500인, 복방자 2,000여 인 등 3,000여 례를 관찰했는데, 1례도 구토가 유발되지 않았다. 人蔘蘆가 涌吐作用이 있는지 없는지에 대해서는 아직 더 발전된 연구가 필요하다. 臨床에서 蔘蘆飮을 涌吐作用에 사용할 때는, 마땅히 "煎一大碗飮之"(『本草綱目』卷12), 심지어 "先飮二碗"(『丹溪心法』卷5)해야 하는데, 용량이 충분하고·頓服해야 하며, 探吐를 배합해야 효과가 더욱 좋다.

3. 本 方劑의 適應症에 관하여: 本 方劑의 適應症의 醫籍에 따라 설명이 다른데, 대략 虛實 兩端이 있다. 『丹溪心法』卷5는 "人蔘蘆煎湯吐虛病", 『方劑學』(統編敎材 6版)은 "虛弱之人, 痰涎壅盛, 胸膈滿悶, 溫溫欲吐, 脈象虛弱者"라고 했다. 그러나 『格致餘論』「呃逆論」에서는 "因大怒而呃作"의 "形氣俱實"한 사람, 『本草綱目』卷12에서는 "六脈洪數而滑"의 熱病, 『丹溪心法心要』卷3에서는 "呃逆"에 대해 논하며 "視有餘不足治之(詳見『格致餘論』). 有餘幷痰者, 吐之, 人蔘蘆之類, 不足者, 人蔘白朮湯下大補丸."이라고 했다. 人蔘蘆가 人蔘과 비슷한 補益作用이 있지만, 蔘蘆飮은 涌吐劑로 작용하며, 補虛를 위한 것이 아니라 祛實을 위한 것으로, 그 適應症은 마땅히 痰壅氣急 등의 標實證이 主가 되어야 하고, 만약 순수하게 "虛病"에 속하거나 虛多失少하면 모두 本方이 적당하지 않다. 本 方劑은 瓜蒂散과 鹽湯探吐方처럼 大苦大鹹하지 않기 때문에, 사용대상은 비교적 강한 자극을 받아들일 수 없거나, 심리상 吐法에 대해 두려움이 있는 사람을 대상으로도 사용한다.

【醫案】

1. 呃: 『本草綱目』卷12: 한 여성이 성미는 급하고 맛있는 음식을 좋아했는데, 여름에 노여움이 나서 呃을 앓게 되었는데, 딸꾹질이 일어날 때마다 몸을 훌쩍 일으켜 깡충깡충 뛰며, 昏冒하여 사람을 알아보지 못했다. 그가 形氣俱實한데, 痰이 怒로 인해 막히고, 氣가 내려가지 못해, 吐하지 않으면 안되었다. 곧 人蔘蘆

半兩, 逆流水 한 잔 반으로 큰 그릇으로 한 대접을 달여 마셨다. 頑痰 數碗을 크게 토하고, 땀을 많이 흘리고, 하루 동안 정신없이 잔 다음 안정되었다.

考察: 本案과 『格致餘論』「吃逆論」의 原文이 약간 다르다. 原文의 主症은 "吃", "吃, 病氣逆也, 氣自臍下直衝, 上出于口, 而作聲之名也"(『格致餘論』「吃逆論」)이다. 朱震亨은 本方의 의도를 이용했는데, 涌吐痰涎을 통해 降氣和胃했다.

2. 熱病: 『本草綱目』卷12: 한사람이 힘든 일을 한 뒤에 학질이 생겼다 했는데, 瘧藥을 복용하고 熱病으로 변했으며, 舌短痰嗽하고, 六脈이 洪數하고 滑했는데, 이 痰이 胸中에 쌓여 吐하지 않으면 낫지 않았다. 蔘蘆湯에 竹瀝을 더해 두 번 복용하여, 膠痰 세 덩어리를 湧出하고, 그 다음 人蔘·黃芪·當歸와 煎服하여, 반 개월 만에 안정되었다.

3. 氣厥: 『新中醫』(1987, 1:50): 남성, 86세, 湖南平江人. 1983년 3월 15일에 이웃과 말다툼이 발생하여, 怒氣가 上衝하고, 喘促이 가라앉지 않고, 밥알이 들어가지 않고, 手足이 떨리고, 말을 못하고, 정신이 昏糊하고, 가슴을 펴고 하품을하고, 어깨를 들썩이며 숨을 가쁘게 쉬고, 喉間에 痰鳴이 漉漉하고, 脣靑舌紫, 苔白膩, 六脈이 弦滑했다. 證辨에 의하면 怒則氣上, 痰隨氣逆의 증상이었다. 病勢가 심히 위급하여, 吐法을 사용하고자 했는데, 나이가 많고 체력이 약하여, 견디지 못할 것을 고려하여, 紫蘇煎湯을 취하여 등 부분을 熨燙하고, 通關散을 투약했지만 모두 효과가 없어서 蔘蘆飮을 이용해 涌吐했다. 급히 蔘蘆 15 g, 芫花 5 g을 취하여, 물로 달여 천천히 복용하고, 닭털로 探吐하니, 곧 痰涎과 음식물 찌꺼기가 한 대접 정도 나오고, 여러 증상이 크게 줄었다. 계속해서 紅棗·生薑·糯米를 죽으로 끓여 그 胃氣에 영향을 주고, 怒氣가 깨끗이 없어지기를 기다리니, 여러 증상이 전부 없어졌다.

考察: 患者는 痰壅氣急, 神識昏糊, 病情危急하여, 本方을 투약해야 했다. 만약 나이가 90에 가깝지 않았다면, 당연히 救急稀涎散으로 開竅通關했을 것이다.

第二十一章

治癰瘍劑

散結消癰·解毒排膿·生肌斂瘡 등의 작용이 있고, 이를 통하여 癰疽瘡瘍을 치료하는 方劑를 통칭하여 癰瘍劑라고 한다. 癰瘍劑는 八法 중에 消法의 범주에 해당한다.

癰瘍은 어떤 경우에는 內傷七情으로 鬱滯化火하여 발생하고, 어떤 경우에는 맵고 뜨겁고 굽고 말린(辛熱炙煿)의 음식물을 함부로 먹고 생긴 濕熱에 의하여 발생하고, 어떤 경우에는 外感六淫이 肌肉·經絡·筋骨·血脈에 침입하여 발생하고, 어떤 경우에는 陽虛寒凝하고 營血虛滯하고 痰濁壅阻하여 발생하면 氣血凝澁하고 經脈阻滯하며 營衛不和하여 癰瘍으로 변한 것이다. 그러나 여러 가지 원인 중에서 특히 濕熱과 火毒으로 인한 것이 많이 나타난다. 그러므로『靈樞』「癰疽第八十一」에서는 "營衛稽留於經脈之中, 則血泣而不行, 不行則衛氣從之而不通, 壅遏而不得行, 故熱. 大熱不止, 熱盛則肉腐, 肉腐則爲膿, 然不能陷骨髓, 不爲燋枯, 五臟不爲傷, 故命曰癰."이라고 하였다. 癰瘍을 유발한 주요 病機는 熱毒 혹은 陰寒의 邪氣가 凝滯하고 營衛가 失調하고 氣血이 凝滯하고 經絡이 阻塞하며 肉腐血敗하여 형성된다.

癰瘍의 病證은 그 發病 부위에 따라 內外의 癰瘍으로 구분된다. 外癰은 病邪가 肌表에 壅滯하면 軀幹·四肢 등의 體表 부위에 癰瘍·疔毒·瘰腫 등이 생기는 것을 가리키고, 內癰은 病邪가 臟腑에 맺혀서 체내의 臟腑에 생기는 肺癰·腸癰 등을 가리킨다. 癰瘍의 辨證치료에서 체표의 癰瘍은 반드시 먼저 그 陰陽의 속성을 변별하고 陽證에 해당되는 자는 대부분 濕熱瘀毒이 壅遏하고 氣血이 凝滯하여 형성된 것으로 局部의 紅腫熱痛과 根脚收縮이 특징이며, 陰證에 해당되는 자는 대부분 痰濕寒邪가 經脈을 凝滯하여 환부는 漫腫無根하고 皮色은 변하지 않으며 酸痛無熱이 그 특징이다.

체표 癰瘍의 內治法은 일반적으로 그 병증의 진행과정에 의하여 病期를 나누어 치료하는데, 初期·膿형성과 潰破後의 3단계를 목표로 여기에 대응하여 消·托 및 補의 三法을 채택한다.

消法: 張壽頤(字山雷, 1873~1934)는『瘍科綱要』에서 "治瘍之要, 未成者必求其消, 治之于早, 雖有大證, 而可以消散于無形"라고 하였다. 癰瘍초기에 특히 膿이 아직 형성되지 않았을 때에는 淸熱解毒·疏散透表·溫裏散寒·活血行氣 등의 消法을 합리적으로 응용하여 癰瘡을 "消散于無形"하게 한다.

托法: 申拱宸(字子極, 別號斗垣)은『外科啓玄』에서 "托者, 起也, 上也."라고 하였다. 托法은 일반적으로 癰瘍의 中期에 사용하는데, 正虛毒盛하고 托毒外出

할 수 없어서 瘡形平塌하고 根脚散漫하며 膿이 형성되었으나 潰破와 腐爛이 되기 어려운 것이 나타난다. 補益氣血과 透膿의 방법을 응용하여 扶助正氣하고 托毒外出하면 그 毒邪의 內陷을 막게 된다.

補法: 申拱宸은『外科啓玄』에서 "言補者, 治虛之發也."라고 하였다. 약물의 補養法을 응용하여 正氣를 보충하면 瘡口를 早期에 癒合시킬 수 있다. 補法은 癰瘍의 末期에 적합한데, 毒氣가 이미 물러나고 正氣는 虛弱하여 癰瘍의 膿水가 淸稀하고 혹은 瘡口가 오랫동안 아물지 않고 舌淡苔少하며 面色無華 등이 나타난다. 補法을 응용하여 補益正氣하고 生肌斂瘡하게 된다.

內癰은 證候의 寒熱虛實을 변별하는데 중점을 두어 치료는 逐瘀排膿과 散結消腫을 기본적인 大法으로하고, 熱毒이 있으면 淸熱泄火解毒을 겸하고, 寒濕이 있으면 溫裏寒濕을 겸하고, 正虛하면 扶正補虛를 겸한다.

癰瘍劑는 方劑의 작용에 따라 散結消癰劑·托裏透膿劑와 補虛斂瘡劑의 세가지로 나눈다.

임상에서 본 방제를 응용할 때는 체표의 옹양은 그 음양의 속성에 의하여 여기에 대응되는 방제를 선별하여 쓰고, 消·托 및 補의 三法을 응용할 때는 다음의 몇 가지를 주의해야 한다. ① 癰瘍의 膿이 이미 형성되면 內消 한 法만을 고집하는 것은 부적당하고, 반드시 箍圍藥[1]을 배합하여 淸熱消散 혹은 切開排膿함으로써 氣血이 손상되어 癰瘍의 潰破와 收斂을 어렵게 해서는 안 된다. ② 癰瘍의 中期에 毒은 盛하고 正氣는 아직 쇠약하지 않으면 透膿法을 응용하여 조기에 膿과 毒의 배설을 촉진하여 膿과 毒이 옆으로 숨어들어가고 깊이 潰破하지 않도록 해야 한다. 毒邪가 熾盛하면 또한 반드시 淸熱解毒法에 치중하여 祛邪의 藥力을 증강시키고, 膿이 형성되고 潰破가 어려우면 攻透藥을 配伍하여 透膿潰堅해야 한다. ③ 癰瘍의 末期에 瘡癰이 潰破가 되었으나 毒邪가 아직 다 없어지지 않았을 때는 절대로 조기에 補法을 써서 留邪의 患이 되지 않도록 해야 한다. 陽證의 瘡瘍에 熱毒이 여전히 盛할 때는 溫補를 忌하여 熱邪를 도와 實證을 더욱 實하게 하는 잘못을 범하지 않도록 해야 한다.

散結消癰劑는 癰瘍의 초기에 아직 膿이 형성되지 않고 邪氣盛實의 證에 적용한다. 본 병증은 복잡하게 나타나지만 그 病邪의 발병부위는 表와 裏로 구분되고 그 病證의 성질은 또한 陰·陽·寒·熱의 차이가 있다. 임상에서 陽證의 癰瘍은 흔히 국부의 紅腫熱痛·發熱·口渴 혹은 便祕溲赤·舌紅苔黃 및 脈滑數有力 등이 나타난다. 陰證의 癰瘍은 흔히 漫腫硬結·不紅不熱·隱隱作痛·神疲惡寒 및 苔白脈緩 등이 나타난다. 癰瘍의 초기에는 病因病機가 각각 달라서 혹은 熱毒壅聚 혹은 寒邪凝結에 해당되고 表邪·裏實·痰濁·濕毒·氣滯·血瘀 등을 겸할 수 있으므로 본 방제는 흔히 淸熱解毒藥 혹은 溫裏散寒藥을 주로 조성하고 證에 따라 解表散邪·攻裏敗毒·祛濕化痰·行氣通絡·活血散瘀 등의 약물을 配伍한다. 대표적인 방제에는 仙方活命飮·陽和湯 및 大黃牡丹湯 등이 있다.

托裏透膿劑는 瘡癰의 중기에 邪盛毒深하면서 正氣不足하고 혹은 正虛邪陷하여 膿은 이미 형성되어 潰破와 腐爛이 어렵고 膿毒이 배설하기 어려운 證에 적용한다. 증상으로는 瘡癰腫脹·灼熱劇痛과 液化하여 膿이 형성되기 어렵고 혹은 潰破後에 膿水가 稀少하는 등이 나타난다. 透膿潰堅藥인 穿山甲·皂角刺·白芷 등을 常用하여 주로 조성한다. 본 병증은 대부분 正氣不足으로 托毒外出할 수 없으므로 본 방제는 또한 흔히 補益氣血의 黃芪와 當歸 등의 약물을 配伍한다.

[1] 箍围药，是借药粉具有箍集围聚､收束疮毒的作用，从而促使肿疡初起轻者可以消散；即使毒已结聚，也能促使疮形缩小，趋于局限，达到早日成脓和破溃；就是在破溃后，余肿未消者，也可用它来消肿，截其余毒。

대표적인 방제에는 透膿散과 托裏消毒散 등이 있다.

補虛斂瘡劑는 癰瘍이 潰破後에 毒邪는 물러났지만 氣血이 虧虛하고 오랫동안 살이 돋고 상처가 아물지(生肌收口) 않아서 증상으로 膿水清稀·久潰不斂·新肉不生·面色無華와 神倦脈虛가 나타난다. 陰虛하여 營養하지 못하면 瘡面乾涸·久不收斂·形瘦色悴·咽喉乾燥 등이 나타나고, 陽虛陰盛하면 腫形軟漫·潰後肉色灰暗·新肉難生·便溏溲淸 및 肢冷自汗이 나타난다. 흔히 補益氣血陰陽의 약과 五味子·山茱萸·血竭·五倍子 및 兒茶 등의 收澁斂瘡藥을 配伍하여 방제를 조성한다. 대표적인 방제에는 內補黃芪湯과 保元大成湯 등이 있다.

第一節 散結消癰劑

仙方活命飮

(『女科萬金方』)

【異名】 秘方奪命散(『袖珍方』卷3)·眞人活命散(『癰疽神秘驗方』)·眞人活命飮(『攝生衆妙方』卷8)·神功活命湯(『瘡瘍經驗全書』卷4)·十三味敗毒散(『醫方考』卷6)·眞人奪命飮(『惠直堂經驗方』卷3)·當歸消毒飮(『醫林纂要探源』卷10).

【組成】 穿山甲 甘草 防風 沒藥 赤芍藥 各一錢(各 6 g) 白芷 六分(3 g) 歸梢 乳香 貝母 天花粉 角刺 各一錢(各 6 g) 金銀花 陳皮 各三錢(各 9 g)

【用法】 酒 三碗을 사용하여 一碗半이 되도록 달인다. 만약 上身에 있으면 食後服하고, 만약 下身에 있으면 食前服한다. 다시 飮酒 3~4잔을 더하여 藥勢를 돕는데, 변경하는 것은 옳지 않다.

【效能】 淸熱解毒, 消腫潰堅, 活血止痛.

【主治】 癰疽瘡瘍初期. 紅腫焮痛, 或身熱凜寒, 舌苔薄白或黃, 脈數有力.

【病機分析】 본 방제의 主治는 陽證의 癰疽瘡瘍이다. 『素問』「生氣通天論」에서 말하기를 "營氣不從, 逆於肉裏, 乃生癰腫."이라 하였고, 『靈樞』「癰疽」에서 말하기를 "夫血脈營衛, 周流不休, 上應星宿, 下應經數, 寒邪客於經絡之中則血泣, 血泣則不通, 不通則衛氣歸之, 不得復反, 故癰腫."이라고 하였다. 癰疽瘡瘍은 外感 六淫之邪가 邪氣를 따라 火化하거나, 혹은 膏粱厚味를 嗜食하여 痰熱이 內生하거나, 혹은 外來毒氣를 感受하여 邪毒壅聚가 야기되면 營衛不和하고 經絡阻塞하며 氣血凝滯하여 생성되는 것이다. 그러므로 『靈樞』「癰疽」에서 또한 말하기를 "營衛稽留於經脈之中, 則血泣而不行, 不行則衛氣從之而不通, 壅遏而不得行, 故熱. 大熱不止, 熱勝則肉腐, 肉腐則爲膿."이라고 하였다. 邪氣가 火化함으로 말미암아 氣血이 壅滯되면 津液을 煉熬하여 痰熱이 內生하게 되는데, 痰熱과 瘀血이 肌膚에 搏結하여 經絡皮肉之間에 壅滯하면, 모여서 형체를 만들게 되므로 癰腫이 발생하는 것이다. 총괄하면 癰疽瘡瘍의 病因·病機는 熱毒이 內壅하여 氣滯·血瘀·痰結한 것으로 紅·腫·痛의 모든 증상은 이것으로 인한 것이다. 表에서 邪氣와 正氣가 交爭하면 身熱微惡寒을 볼 수 있고, 正邪가 俱盛하여 血脈에 相搏하면 脈數有力한 것이다. 본 병증의 특징은 發病이 迅速하면서 易腫·易成膿·易潰·易斂한다는 것이다.

【配伍分析】 癰疽瘡瘍의 初期에 熱毒이 壅聚하면서 營氣鬱滯하고 氣滯血瘀한다. 그러므로 그 치료는 반드시 淸熱解毒을 위주로 하면서 理氣活血·消腫散結으로 輔佐해야 하니, 熱毒을 淸解시키고 氣血을 流通시키면 腫消하고 痛止한다. 방제로는 金銀花를 君藥으

로 삼는데, 性味가 甘寒하면서 輕清氣浮하여 清熱解毒·芳香透達·疏散邪熱하는 것이니, 『景岳全書』卷48에서 말하기를 "金銀花善於化毒, 故治癰疽·腫毒·瘡癬·楊梅·風濕諸毒, 誠爲要藥."이라고 하였다. 當歸尾·赤芍·乳香·沒藥·陳皮는 行氣通絡·活血散瘀·消腫止痛하는데, 氣行하면 營衛가 通暢하고, 營衛가 通暢하면 邪氣가 留滯하지 않아서 瘀去腫消痛止하게 할 수 있으므로 모두 臣藥이 된다. 白芷·防風은 辛溫으로 發散하여 疏散外邪하면서 또한 散結消腫할 수 있고, 天花粉·貝母는 清熱로써 化痰排膿하기에 아직 형성되지 않은 것을 消散시킬 수 있으며, 穿山甲·皂角刺는 解毒消腫·穿透經絡·攻堅排膿하여 阻滯한 것을 通行하게 만들기 때문에 膿이 형성된 것을 潰破시킬 수 있으니, 이상은 모두 佐藥이 된다. 甘草는 使藥이 되는데, 清熱解毒을 도우면서 아울러 調和諸藥한다. 약을 달일 때 술을 넣는 것은 그 活血하는 성질을 빌려서 周身을 운행하는 것이요, 藥力을 도와 직접적으로 病所에 도달하게 하려는 것이니, 곧 『醫方集解』에서 말하기를 "加酒者, 欲其通行周身, 使無邪不散也."라고 하였다. 모든 약재를 함께 사용하면 熱毒이 식으면서 痰滯血瘀가 제거될 것이요, 氣血이 통하면서 紅腫疼痛이 사라질 것이니 이와 같이 하면 癰瘡이 저절로 평안해지는 것이다. 그러므로 이전 사람들이 본 방제를 外科의 首劑로 칭송한 것이니, 복용하면 膿이 未成한 자는 消散시킬 수 있고, 膿이 已成한 자는 潰破시킬 수 있다.

본 방제는 外科 '消法'의 대표적인 방제이다. 전체 방제가 辛苦偏涼하여 清熱解毒·疏風解表·化瘀散結하는 모든 방법이 하나의 방제 속에 있어서, 전체 방제의 藥物 구성은 外科의 陽證을 內治로 消法하는 配伍 특징을 體現하고 있다.

【類似方比較】 본 방제와 普濟消毒飮은 모두 清熱解毒하는 방제에 속한다. 다만 普濟消毒飮이 치료하는 大頭瘟은 腫毒이 頭面에 발생한 것과 관계되는데, 清熱解毒·疏風散邪를 법칙으로 하면서 아울러 升陽散火·發散瘀熱로 輔助한다. 본 방제는 陽證腫毒을 通治하는데, 清熱解毒 중에 行氣活血·散結消腫하는 약재를 配伍하여 癰瘡 初期인 자를 치료한다.

【臨床應用】

1. 證治要點: 본 방제는 陽證이면서 體實한 각종 유형의 癰疽·瘡瘍·腫毒에 적용하는데, 局部가 紅腫焮痛하면서 심하면 身熱凜寒과 脈數有力을 동반하는 것을 證治의 要點으로 삼는다.

2. 加減法: 본 방제가 清熱解毒시키는 힘이 아직 부족하다고 느껴진다면, 임상에서는 金銀花를 重用하면서 아울러 蒲公英·紫花地丁·野菊花·連翹·黃連과 같은 종류를 넣어서 清熱解毒시키는 힘을 증강시킨다. 瘡瘍의 範圍가 不大不深한 자는 穿山甲·皂角刺의 攻堅破結하는 것을 뺀다. 痛症이 심하지 않다면 乳香 혹은 沒藥을 줄인다. 紅腫痛이 심한 자는 辛溫한 白芷·橘皮를 줄이고, 蒲公英·連翹를 넣어 清熱解毒시키는 힘을 강하게 한다. 血熱이 심한 자는 牡丹皮를 넣어 涼血散瘀한다. 大熱大渴하면서 傷津한 자는 辛燥한 白芷·橘皮를 빼고, 天花粉을 重用하며 아울러 玄參을 넣어 清熱生津한다. 별도로 瘡瘍腫毒이 있는 部位가 다른 것에 근거하여 적당하게 引經藥을 넣어서 藥力이 직접적으로 病所에 도달하게 할 수 있으니, 예를 들어 頭部에 있으면 川芎을 넣고, 頸項이면 桔梗을 넣으며, 胸部에는 瓜蔞皮를 넣고, 脇部에는 柴胡를 넣고, 腰背에는 秦艽를 넣고, 上肢에는 片薑黃을 넣고, 下肢에는 牛膝을 넣는 것이다. 본 방제는 煎煮取汁하여 內服하는 것을 제외하고도 그 약재의 찌꺼기를 찧어서 外敷할 수 있다.

3. 仙方活命飮은 다음 한국표준질병사인분류(KCD)에 해당하는 환자가 癰疽瘡瘍初期, 陽·實證으로 辨證되는 경우 본 처방의 사용을 고려해볼 수 있다.

처방 목표	한국표준질병사인분류(KCD)
軟部組織 化膿性炎症	L03 연조직염
癰	L02 피부의 농양, 종기 및 큰종기

처방 목표	한국표준질병사인분류(KCD)
蜂窩織炎	L03 연조직염
化膿性扁桃腺炎	J36 편도주위농양
乳腺炎	O91 출산과 관련된 유방의 감염
	N61 유방의 염증성 장애
膿皰瘡	L01 농가진
癤腫	L02 피부의 농양, 종기 및 큰종기
	L02.91 상세불명의 종기

【注意事項】 본 방제는 癰疽瘡瘍이 아직 潰膿하기 전에 사용하는 것이 마땅하고, 만약 이미 潰膿한 자는 사용하는 것이 마땅하지 않다. 陰證의 瘡瘍에도 사용을 忌한다.

【變遷史】 본 방제는 제일 먼저 『女科萬金方』(舊題: 宋代 薛古愚가 지음)에 보인다. 『丹溪心法附餘』卷16의 神仙活命飮은 본 방제와 비교하면 大黃·木鱉子가 많아서 瀉火解毒散結시키는 힘이 더욱 강하니, 癰疽發背 등 外科 疾病을 치료하는 것을 제외하고도 또한 血氣로 面目手足이 浮腫하는 것을 치료하였다. 明代 薛己의 『校注婦人良方』卷24에서 仙方活命飮으로 이름이 바뀌었는데, 본 방제는 13味로 약재가 구성되었기 때문에 吳昆은 『醫方考』에서 그것을 十三味敗毒散으로 불렀다. 본 방제는 『醫方集解』 등의 의학 서적 중에서는 赤芍藥 하나의 약재가 적다. 본 방제가 外科 '消法'의 대표적인 방제이기 때문에 그 立法 및 방제를 구성한 用藥은 外科陽證을 內治消法하는 配伍 특징을 體現하고 있으며, 淸熱解毒·疏風解表·化瘀散結하는 많은 방법이 하나의 방제에 있어서 陽證이면서 體實한 각종 종류의 瘡瘍腫毒에 적용하였으니 후세에 끼친 영향이 비교적 크다. 따라서 羅美는 그것을 찬양하여 "瘍門開手攻毒之第一方."이라고 하였다. 현대에는 仙方活命飮이 外科에 사용될 뿐만 아니라 또한 內科 疾病에도 응용되는데, 예를 들면 肝膿瘍·消化性潰瘍·逆流性食道炎·痹證 등이 있고, 婦科疾病인 眞菌性陰道炎·慢性子宮頸部炎·骨盤腔炎 등이 있으며, 五官科 疾病인 鼻炎·扁桃體周圍膿腫·中耳炎 등과 같은 各科의 疾病에 양호한 치료 효과를 보여주고 있다.

【醫案】

1. 急性 食道炎 『黑龍江中醫藥』(1985, 5:30): 某 남자, 38세, 1978년 12월 31일 初診. 自述하기를 酗酒醉酒로 인하여 惡心嘔吐하였는데, 이후에 胸窩部가 편치 않은 감각을 느끼면서 燒灼感이 들었으며, 음식물을 삼키면 疼痛이 있으면서 마치 어떤 물건이 막고 있는 것 같아서 음식을 먹지 못하였고, 口乾渴, 大便微乾, 小便黃赤을 동반하였다. 신체검사: 胃區 壓痛(+), 舌苔黃厚而乾, 脈見弦數. X-선 바륨 투시 소견: 食道 下段이 약간 狹窄해 있으면서 주변이 조금 거칠었다. 診斷: 急性食道炎이다. 증상은 熱擾胸膈하여 氣血瘀滯한 것에 속한다. 치료는 淸熱利膈·理氣化瘀으로 하고, 仙方活命飮에 加減한 것을 사용하였다: 金銀花 50 g, 連翹 20 g, 山梔 15 g, 桔梗 15 g, 當歸 15 g, 赤芍藥 20 g, 甲珠 15 g, 皂刺 10 g, 乳香 10 g, 沒藥 10 g, 陳皮 15 g, 花粉 15 g, 川芎 10 g, 知母 15 g, 生甘草 10 g. 5첩을 물에 달여 소량씩 자주 마셨다. 5일 후에 다시 진찰하였더니 自述한 모든 증상들이 다 사라졌다. 다시 血府逐瘀丸을 매일 二丸씩 투여하여 뒷마무리를 잘 하였다.

2. 風濕性 關節炎 『浙江中醫雜誌』(1987, 12:559): 某 남자, 61세, 1985년 9월 15일 初診. 평소에 술을 좋아하며 風濕性 關節炎을 앓은 지 이미 5년이 되었는데, 최근 2달 동안 四肢關節이 腫痛하면서 일어서 있기도 힘들고 물건을 잡기도 힘들 정도로 紅腫熱痛하였으며, 더욱 腕踝關節 부위가 뚜렷하였다. 心煩不眠, 飮食無味, 大便乾結, 小溲短赤, 舌紅, 邊有瘀點, 苔黃膩, 脈弦하였다. 처방은 仙方活命飮에 黃柏·蒼朮·地龍 各 10 g, 牛膝 15 g을 넣어 7첩을 복용하였더니 關節이 紅腫疼痛하던 것이 뚜렷하게 輕減하면서 능히 서서 서서히 걸을 수 있었으며, 飮食 맛이 있었고 밤에 잠자는 것이 편안해졌다. 原方에서 皂角刺·天花粉을 빼고 계속해서 7첩을 복용하였는데, 약재를 복용한 후에 腫消하고 痛止하였다. 계속해서 大活絡丹 10粒을

복용하여 調治함으로써 마무리를 잘 하였다.

考察: 예를 든 治驗案인 急性食道炎·류마티스성 관절염은 모두 仙方活命飮을 임상적으로 확대해서 응용한 것이다. 醫案1의 急性食道炎은 한의학의 辨證에서 熱擾胸膈·氣血瘀滯에 속하는 것인데, 仙方活命飮으로 淸熱解毒·消腫潰堅·活血止痛한 것은 對證 方藥한 것과 흡사하므로 효과가 마치 桴鼓相應하는 것과 같았다. 醫案2의 風濕性 關節炎은 辨證이 熱痹에 속하는데, 환자가 원래 氣滯血瘀가 있는데다가 평소에 술을 좋아하여 濕熱이 內鬱한 것이 더해진 것이니, 仙方活命飮에 淸熱除濕하는 三妙散을 더하여 氣血을 通利하면서 濕熱을 除去하니 痹痛이 자연스럽게 소실된 것이다. 仙方活命飮證의 發病 機制는 經脈이 阻滯되고 氣血이 不和한 것이 오래되면 積瘀化熱하면서 癰瘍으로 변화한 것이니, 위에 있는 입증된 사례의 發病 機制와 모두 서로 비슷하므로 異病同治할 수 있는 것이다.

【副方】

1. 連翹敗毒散(『傷寒全生集』): 連翹(15 g) 山梔(9 g) 羌活(8 g) 玄參(12 g) 薄荷(6 g) 防風(6 g) 柴胡(6 g) 桔梗(4.5 g) 升麻(4.5 g) 川芎(6 g) 當歸(9 g) 黃芩(9 g) 芍藥(9 g) 牛蒡(9 g) 加紅花(3 g)

- 用法: 同煎(원서에는 용량이 없다). 渴加天花粉, 面腫加白芷, 項腫加威靈仙, 大便實加大黃·穿山甲, 虛加人蔘.
- 作用: 疏散風熱, 淸熱解毒.
- 適應症: 傷寒汗下不徹, 邪結耳下硬腫, 名曰發頤.

仙方活命飮과 連翹敗毒散은 모두 淸熱解毒과 消散癰瘡의 작용이 있어서 熱毒壅結과 氣血瘀滯에 의한 局部의 紅腫熱痛과 脈浮而數 등의 癰瘡證을 치료한다. 그러나 仙方活命飮에서 겨우 金銀花 一味만 사용하면 淸熱解毒의 藥力이 弱하고 방제에서 乳香·沒藥·當歸尾·赤芍藥·陳皮를 응용하여 活血行氣하고, 穿山甲·皂角刺·白芷로 透膿潰堅하므로 活血止痛과 消腫潰堅의 藥力이 强하여 癰瘡초기·熱毒壅結·血瘀氣滯者를 치료하고, 連翹敗毒散에는 連翹·黃芩·梔子·玄參을 응용하여 淸熱泄火解毒하고 柴胡·羌活·升麻·川芎·防風·薄荷·牛蒡子를 配伍하여 疏散祛邪하고, 川芎·當歸·芍藥·紅花를 配伍하여 活血散瘀하므로 그 淸熱透邪의 藥力이 强하며, 風熱邪毒이 頭面을 上攻한 發頤 등 證을 치료한다.

五味消毒飮

(『醫宗金鑑』卷72)

【異名】 五味消毒湯(『外科探源』, 錄自『家庭治病新書』)·消毒飮(『吉人集驗方』下集).

【組成】 金銀花 三錢(20 g) 野菊花 蒲公英 紫花地丁 紫背天葵子 各一錢二分(各 15 g)

【用法】 물에 달여 無灰酒[2] 半盅을 넣고, 다시 2~3번 끓을 때까지 섞이게 한 다음에 熱服한다. 찌꺼기는 같은 방법으로 다시 달여서 복용한다. 이불을 덮어서 땀이 나는 것을 한도로 삼는다.

【效能】 淸熱解毒, 消散疔瘡.

【主治】 疔瘡初期, 發熱惡寒, 瘡形如粟, 堅硬根深, 狀如鐵釘, 以及癰瘡癤腫, 紅腫熱痛, 舌紅苔黃, 脈數.

【病機分析】 본 방제는 疔瘡을 主治하는데, 人體가 溫熱火毒을 感受하거나 혹은 辛辣炙煿한 음식물들을 제멋대로 즐기면서 臟腑 속에 積熱이 생기게 되고, 熱毒이 肌膚를 蘊蒸하는 것을 야기하면서 氣血이 經絡에 凝滯되어 생기는 것이다. 『醫宗金鑑』「外科心法要訣」卷72에서 말하기를 "疔者, 如丁釘之狀, 其形小, 其根深,

隨處可生. 由恣食厚味, 或中蛇蠱之毒, 或中疫死牛·馬·猪·羊之毒, 或受四時不正疫氣, 致生是證. 夫疔瘡者, 乃火證也. 迅速之病, 有朝發夕死, 隨發隨死. …… 若一時失治, 立判存亡."이라고 하여 疔毒이나 癰瘡의 발생은 外感六淫毒邪 혹은 飮食不節과 관련있음을 설명하였다. 熱毒이 肌膚에 蘊蒸하면서 氣血이 經絡에 凝滯되기에 局部에 紅腫熱痛의 증상이 나타난다. 疔毒은 火證이다. 火毒은 形勢가 猛烈하여 手足에 발생하는 것은 쉽게 '紅絲疔'을 야기하고, 顔面에 발생하는 것은 쉽게 '疔瘡走黃'을 야기하는데, 病勢가 凶險하고 病勢가 急驟하기 때문에 外科의 急證·危證이 된다.

【配伍分析】 疔毒은 火毒을 感受함으로써 內生積熱하여 생기는 것이다. 치료는 淸熱解毒·消散疔瘡하는 것이 마땅하다. 방제 중에 金銀花를 重用하여 君藥으로 삼은 것은 淸熱解毒·消散癰腫疔瘡하여 外로는 氣分의 毒을 맑게 하고 內로는 血分의 毒을 맑게 하여 瘡癰을 치료하는 聖藥이 된다. 紫花地丁·紫背天葵·蒲公英·野菊花 네 가지 약재의 작용은 서로 비슷한데, 淸熱解毒시키는 힘이 상당히 뛰어나고 또한 涼血消腫散結하기에 모두 治癰의 要藥이 되므로 함께 臣藥이 된다. 술을 조금 넣음으로써 通血脈·行藥勢하여 疔毒癰腫의 消散을 유리하게 하므로 佐藥의 쓰임이 된다. 또한 본 방제는 달인 후에 熱服하는데, 藥이 酒의 세력을 빌려서 周身을 通行하게 한다. 복약 후에 이불을 덮어서 微微하게 出汗함을 취한 것은 皮毛를 열어서 邪氣를 몰아서 바깥으로 나가게 하려는 것이니, 微汗出하면 곧 毒邪가 患處로부터 땀을 따라 풀리게 되는데, 이것이 곧 『素問』「五常政大論」에서 말한 "汗出則瘡已"라는 뜻이다. 합하여 방제를 만들면 약재는 겨우 다섯 가지에 불과하지만 효능을 오로지하여 힘이 굉장해지는데, 用法이 마땅함을 얻으면 함께 淸熱解毒·消散疔瘡의 효능을 발생시키는 것이다.

【臨床應用】

1. 證治要點: 본 방제는 淸熱解毒에 장점을 가지고 있어서 疔瘡 初期를 치료할 때 사용되는데, 局部의 紅腫熱痛 혹은 瘡形如粟하고 堅硬根深하며 舌紅脈數한 것으로써 證治의 요점으로 삼는다.

2. 加減法: 熱毒이 심한 자는 連翹·黃連·半枝蓮 등을 넣어 淸泄熱毒하고, 血熱毒盛한 자는 牡丹皮·生地黃·赤芍藥 등을 넣어 涼血散血하며, 腫이 심한 자는 防風·蟬蛻 등을 넣어 散風消腫·透邪外出하고, 膿成不潰하면서 根深하거나 혹은 潰而膿不易出하는 자는 皂角刺 등을 넣어 排膿하고, 만약 乳癰이나 局部가 紅腫熱痛한 자에게 사용할 때에는 瓜蔞皮·貝母·靑皮 등을 넣어 散結消腫할 수 있고, 急性腎炎으로 浮腫發熱하는 자에게 사용할 때에는 白茅根·玉米須 등을 넣어 淸熱利尿할 수 있다.

3. 五味消毒飮은 다음 한국표준질병사인분류(KCD)에 해당하는 환자가 疔瘡初期, 熱毒證으로 辨證되는 경우 본 처방의 사용을 고려해볼 수 있다.

처방 목표	한국표준질병사인분류(KCD)
多發性 癤腫	L02 피부의 농양, 종기 및 큰종기
乳腺炎	O91 출산과 관련된 유방의 감염
	N61 유방의 염증성 장애
盲腸炎	K35 급성 충수염
	K36 기타 충수염
	K37 상세불명의 충수염
結膜炎	H10 결막염
感染性疾病	(질병명 특정곤란)
	A00~B99 I. 특정 감염성 및 기생충성 질환
急性泌尿系感染	N39.0 부위가 명시되지 않은 요로감염
急性腎炎	N00 급성 신염증후군

【注意事項】 陰疽에는 사용을 忌하는데, 攻伐하여 正氣를 손상시키는 것에서 벗어나고자 하는 것이다. 脾胃가 평소에 虛한 자는 신중하게 사용한다.

【變遷史】 본 방제는 제일 처음 『醫宗金鑒』「外科心法要訣」卷72에서 보이는데, 그곳에서 말하기를 "又有

紅絲疔, 發於手掌及骨節間, 初期形似小瘡, 漸發紅絲, 上攻手膊, 令人寒熱往來, 甚則惡心嘔吐, 治遲著, 紅絲攻心, 常能壞人. 又有暗疔, 未發而腋下先堅腫無頭, 次腫陰囊睾丸, 突兀如筋頭, 令人寒熱拘急, 焮熱疼痛. 又有內疔, 先發寒熱腹痛, 數日間, 忽然腫起一塊如積者是也. 又有羊毛疔, 身發寒熱, 狀類傷寒, 但前心·後心有紅點, 又如診形, 視其斑點, 色紫黑者爲老; 色淡紅者爲嫩. 以上諸證, 初期俱宜服蟾酥丸汗之; 毒勢不盡, 憎寒壯熱仍作者, 宜服五味消毒飮汗之."라고 하였으니 본 방제는 火毒이 熾盛한 많은 종류의 疔瘡에 사용하는 중요한 처방임을 볼 수 있다. 본 方證이 火毒을 感受하거나 積熱이 內生하여 생긴 것이므로 본 방제를 火毒과 濕熱로 생기는 많은 종류의 기타 全身 感染性 疾病에도 또한 양호한 효과를 얻을 수 있다. 따라서 현대에는 多發性 癤腫·乳腺炎·盲腸炎·結膜炎 등 많은 종류의 感染性疾病 및 急性泌尿系感染·急性腎炎 등을 치료하는데 상용하고 있다.

【難題解說】 방제 중 君藥에 관한 것: 『方劑學』 통합편집교재 5版에서는 金銀花를 君藥으로 삼았지만, 山東中醫學院 『中藥方劑學』에서는 紫背天葵子·紫花地丁을 君藥으로 인식하였다. 모든 약재를 분석해보면 『本草綱目』卷15에서 말하기를 金銀花는 "諸腫毒, 癰疽, 疥癬, 楊梅諸惡瘡."을 치료할 수 있다고 하였고, 『本草備要』卷18에 실려 있는 紫花地丁은 "一切癰疽發背·疔瘡·瘰癧·無名腫毒·惡瘡."을 치료한다고 하였으며, 『滇南本草』卷2에 실려 있는 紫背天葵子는 "散諸瘡腫, 攻癰疽, 排膿定痛; 治瘰癧, 消散結核."이라고 하였다. 紫花地丁과 紫背天葵子는 疔毒瘡癤에 사용하는 상용약이니, 일체의 癰疽發背·癤腫瘰癧·無名腫毒·惡瘡을 치료하여 辛涼으로 散腫하기에 退熱에 長技를 가지고 있다. 野菊花는 "癰腫疔毒, 瘰癧眼息."(『本草綱目』卷15)을 치료하고, 蒲公英은 "性清涼, 治一切疔瘡癰瘍紅腫熱痛諸證."(『本草正義』卷3)한다. 본 方證은 熱毒이 肌膚를 蘊蒸하여 氣血이 壅滯되어서 생기는 것이니 방제를 구성한 중점이 淸熱解毒에 있으며, 방제 중 藥物을 사용한 용량으로 보더라도 金銀花를 三錢으로 重用하면서 기타 네 가지 약재를 모두 一錢二分으로 하여 配伍 상에 있어서도 金銀花의 淸熱解毒·消癰散結하는 작용을 돌출시켰다. 그러므로 마땅히 金銀花를 君藥으로 삼고, 紫花地丁과 紫背天葵子 등 네 가지 약재를 모두 輔佐로 삼아서, 이와 같이 방제를 구성해야 효력을 오로지 하면서 효과가 넓어지는 것이다.

【醫案】

1. 化膿性 中耳炎『浙江中醫雜誌』(1988, 7:307): 某 여자, 22세. 좌측 귀에서 膿이 흐르는데 때로는 흐르다가 때로는 그쳤다. 최근에 感冒로 인해서 膿이 흐르는 것이 뚜렷하게 증가하였고 耳中에 미약한 통증이 있었으며 귀를 막았을 때 편안하지 않았다. 檢査: 좌측 귀 鼓膜 中央에 穿孔이 있으면서 비교적 많은 黏膿性 分泌物이 넘쳐 나왔는데 色白하였고, 苔微黃膩, 脈細弦하였다. 이것은 오랜 세월 병을 앓다가 新感으로 인해 야기된 것이다. 치료는 淸熱解毒·疏風解表하는 것이 마땅하고, 五味消毒飮에 桑葉·菊花를 넣은 것을 취하였으며, 별도로 夏枯草를 넣어서 諸藥을 인도하여 肝經으로 들어가게 함으로써 淸肝熱하였다. 處方: 金銀花·蒲公英·紫花地丁·菊花·連翹·夏枯草 各 10 g, 桑葉·蚤休·桔梗 各 6 g, 甘草3 g. 5첩 복용한 후에 耳中의 閉窒感이 이미 제거되었고, 疼痛이 완화되었으며 膿液도 減少하였다. 原方에 加減하여 다시 5첩을 진행하여 治愈하였다. 수개월 후에 다시 검사해보니 鼓膜이 이미 자라서 온전하게 되었다.

2. 唇炎『浙江中醫雜誌』(1988, 7:307): 某 남자, 26세. 아랫입술이 가려우면서 紅腫疼痛하고 潰爛하였으며 또한 黏液이 스미면서 흘렀다. 병증이 발생한 것은 4일 되었고 口渴喜飮을 동반하였다. 檢查: 下唇의 黏膜이 充血·腫脹·糜爛하면서 頷下의 淋巴腺이 腫大하였다. 舌紅·苔薄, 脈浮大하였다. 이것은 外感 風熱에다가 內에 胃火가 있어서 風火가 相煽하여 上部를 熏灼하였기에 口唇糜爛에 이르게 된 것이다. 방제로는 五味消毒飮으로 淸熱解毒하고, 桑葉을 넣어 疏散風邪하였으며, 花粉·茅根·蘆根으로 淸熱生津하고, 荊芥로

散風消腫하였다. 外用으로는 黃連油膏에 綠袍散을 넣어 고르게 섞은 다음에 局部에 발랐다. 다시 진찰했을 때 下唇의 紅腫이 뚜렷하게 輕減하였고, 局部에 흐르던 黏液도 이미 그쳤기에, 여전히 原方에 養陰하는 약재를 조금 넣어 2周를 조리하면서 치료하여 나았다.

3. 帶狀疱疹『雲南中醫雜誌』(1994, 3:10): 某 여자, 56세, 1992년 11월 24일 初診. 스스로 호소하기를 10일 전부터 腰困酸痛함을 느꼈고 憎寒發熱하면서 全身이 편하지 않았다. 계속해서 우측 腹部의 肋下에서 胸部에 이르기까지 黃豆나 蠶豆大의 紅色疱疹이 여러 개 일어났으며, 灼熱疼痛하면서 모양이 마치 針刺하는 것과 같았다. 항생제 주사와 消炎시키는 洋藥을 복용하였지만 효과가 없었고, 痛勢가 심하여서 한의사에게 진단 받으러 왔다. 당시의 진단: 우측 腰腹脇肋에서 前胸에 이르기까지의 肌表에 紅斑과 水 皰가 한 덩어리로 모여 있는 조각이 약 3 cm×5 cm로 가득 찼고, 형태는 마치 帶狀가 같았으며 주변이 紅暈하였다. 口乾, 便秘, 煩躁, 夜難入寐, 舌質紅苔黃膩, 脈弦數하였다. 辨證은 濕熱이 內蘊한데다가 外感 毒邪하면서 瘀阻가 外發한 것에 속한다. 治法: 淸熱利濕·活血涼血·化瘀解毒. 방제로는 五味消毒飮에 加味한 것을 사용하였다: 銀花 15 g, 野菊花 10 g, 蒲公英·紫花地丁 各 12 g, 紫背天葵 10 g, 川芎 10 g, 當歸·赤芍藥·生地 各 15 g, 板藍根 15 g, 熟大黃 6 g, 6첩. 上方을 복용한 후에 모든 증상이 다 감소하였으며, 疱疹이 대부분 乾縮되면서 색깔도 紫褐結痂로 변하였다. 다만 心慌氣短한 것을 느끼면서 우측 肋部에 때때로 隱隱한 掣痛이 있었다. 이것은 氣陰이 이미 虛해지고 餘邪가 未盡하여 氣血鬱滯·阻遏經絡한 것에 속한다. 原方에서 熟大黃·板藍根, 銀花를 10 g으로 줄이고, 太子蔘 15 g, 麥門冬 10 g, 五味子 6 g, 土茯苓 15 g을 넣어 연속해서 3첩을 복용하였더니 疱疹이 消退하면서 疼痛도 消失되어 병이 나았다.

考察: 이상에서 열거한 입증된 사례는 모두 局部의 病變을 위주로 하지만, 辨證이 모두 熱毒熾盛한 증상에 속한다. 醫案1의 化膿性 中耳炎은 좌측 귀에 膿이 흐르는 것이 時作時休하였는데 새롭게 感冒를 앓으면서 야기된 것이니, 치료는 淸熱解毒에 疏風解表을 겸하는 것이 마땅하다. 그러므로 五味消毒飮에 桑葉·菊花를 넣었으며, 별도로 夏枯草를 넣어 諸藥을 인도하여 肝經으로 들어가게 함으로써 淸肝熱하여 10첩에 治愈한 것이다. 醫案2의 唇炎은 下唇이 가려우면서 紅腫疼痛하고 潰爛하며 또한 黏液이 스미면서 흘렀는데, 이것은 外感 風熱에다가 內에 胃火가 있어서 風火가 相煽하여 上部를 熏灼하였기에 口唇糜爛한 것으로 五味消毒飮으로 外解熱毒·內淸積熱하면서 별도로 疏散風邪하는 약재를 넣음으로써 현저한 효과를 거둔 것이다. 醫案3의 帶狀疱疹은 辨證이 濕熱이 內蘊한데다가 外感 毒邪하면서 瘀阻가 外發한 것에 속하는 것으로 五味消毒飮에 川芎·當歸·赤芍藥·生地黃·板藍根·大黃을 넣어 함께 淸熱利濕·活血涼血·化瘀解毒하는 효능을 발생시킨 것이다. 복약한 후에 모든 증상이 다 감소하였지만 氣陰이 이미 虛하면서 餘邪가 未盡하였으므로 生脈飮에 加減한 것을 합하여 마무리를 잘 한 것이다.

四妙勇安湯

(『驗方新編』卷2)

【組成】 金銀花 玄參 各三兩(各 90 g) 當歸 二兩(30 g) 甘草 一兩(15 g)

【用法】 물에 달여서 복용하는데, 한 번에 연속해서 10첩을 복용한다. 藥味를 감소시켜서는 안 되는데, 감소시키면 효과가 없다.

【效能】 淸熱解毒, 活血止痛.

【主治】 脫疽. 患肢皮色黯紅, 灼熱微腫, 疼痛劇烈,久則潰爛, 膿水淋漓, 煩熱口渴, 舌紅脈數. 或見發熱口渴, 舌紅脈數.

【病機分析】脫疽라는 하나의 증상은 그 病機가 다양하니 혹은 肝腎陰虧하여 熱毒蘊結하거나 혹은 腎陽虛衰하여 陰寒凝滯하거나 혹은 氣血虛弱하여 肢末을 濡養하지 못하여 생긴다. 이 병증은 病位 상으로 그 특징이 있으니 곧 四肢 末端에 잘 발생한다는 것으로, 初期에는 邪氣가 內蘊하여 氣血이 通暢하지 못하면 筋肉이 溫濡되지 못하므로 肢端怕冷하고 麻木하며 行動이 불편한 것을 보이게 되고, 계속해서 疼痛이 劇烈해지면서 오랜 시간이 지나면 紫黑해지고 腐爛하여 낫지 않게 되며, 심하면 指趾의 脫落에까지 이르게 된다. 본 병증의 인식에 관하여 제일 빠른 것은『內經』중에 이미 記載된 것이 있다. 예를 들어『靈樞』「癰疽」에서 말하기를 "發於足趾, 名曰脫癰(即脫疽). 其狀赤黑, 死不治; 不赤黑, 不死. 不衰, 急斬之, 不則死矣."라고 하였고, 明代 陳實功의『外科正宗』卷4에서는 脫疽의 發病 原因·症狀·治療 등에 대한 記載가 비교적 상세한데, "夫脫疽者, 外腐而內壞也. …… 凡患此者, 多生於手足, 手足乃五臟支乾. 瘡之初生, 形如粟米, 頭便一點黃泡, 其皮如煮熟紅棗, 黃色侵漫, 傳遍五指, 上至腳面, 其疼如湯潑火燃, 其形則骨枯筋縮, 其穢異香難解. …… 內服滋腎水·養氣血·健脾安神之劑."라고 하였다. 본 방제가 다스리는 脫疽는 寒濕이 久鬱하여 蘊而化熱하거나, 혹은 膏粱厚味나 辛辣炙煿한 음식물을 과식하여 火毒이 안에서 생기면 陰血을 暗耗하고 熱毒이 蘊結하여 氣血瘀滯·經絡不通한 것이니 증상으로는 患處黯紅·微熱微腫·痛甚이 나타난다. 熱毒이 안으로 心神을 요란하여 손상이 陰液에 미치므로 煩熱口渴·舌紅脈數하는 것이다. 經脈이 기울어져서 막히면 오래되면 肢端을 濡養하지 못하고 局部에 熱毒의 燔灼이 더해지면 四末의 肌肉이 腐敗하고 血敗하므로 肢端潰爛·膿水淋漓가 나타난다. 熱毒內蘊하므로 舌紅·脈數이 나타난다.

【配伍分析】본 方證은 熱毒內蘊·氣血瘀滯·陰血虧損해서 생기는 것인데, 세 가지 중에서는 더욱이 熱毒熾盛을 위주로 한다. 치료는 淸熱解毒·活血養血·通絡止痛하는 것이 마땅하다. 방제 중에 金銀花·玄參을 重用하여 君藥으로 삼아 淸熱解毒하는 것은, 두 가지 약재를 함께 사용하여 氣分의 邪熱을 맑게 할 뿐만 아니라 血分의 熱毒도 풀어주는 것이며, 하물며 玄參에는 더욱이 養陰散結하는 효능이 있다. 臣藥은 當歸의 溫潤함으로써 活血祛瘀·流通血脈·補養陰血함으로써 四末을 적셔준다. 甘草를 生用하면, 첫째 金銀花를 도와 瀉火解毒하며, 둘째 當歸·玄參과 합하여 養陰生津하며, 셋째 調和諸藥하니 佐使藥이 된다. 약재는 비록 네 가지이지만 양이 많고 藥力이 專一하여 함께 淸熱解毒·活血止痛의 효능을 발생시킨다.

본 方藥은 겨우 네 가지 약재지만 量이 많고 藥力이 專一하면서 작용이 巧妙하여 복용한 후에 藥物이 도달하여 病症이 제거되면서 영원토록 後患이 없으므로 '四妙勇安湯'('永'은 '勇'과 音이 같다)이라고 부르는 것이다. 또한 그 약재로 4味를 사용하면서 절묘하게 좋은 점이 있는데, 藥物의 양을 많이 하면서 藥力을 專一하게 하여 용맹스럽고 힘이 웅장하여 복용한 후에 藥物이 도달하면 病症이 제거되면서 사람이 편안해지므로 이렇게 부른 것이라고 말하는 것도 있다.

【臨床應用】

1. 證治要點: 본 방제는 熱毒이 비교적 심하면서 陰血이 耗傷된 脫疽에 적용되는데, 患處가 紅腫痛甚, 煩熱口渴, 舌紅, 脈數한 것을 證治의 要點으로 삼는다.

2. 加減法: 본 방제는 藥物의 숫자가 적고 量이 많아서 藥力이 專一한데, 임상에서 응용할 때에는 病勢에 근거하여 加味하여 사용한다. 예를 들어 毛冬靑·丹參을 넣음으로써 淸熱解毒·活血通絡하는 작용을 증강시키고, 痛劇하면 乳香·沒藥을 넣어 活血行氣定痛하며, 煩熱口渴에는 牡丹皮·生地黃을 넣어 淸熱養陰하고, 瘀阻가 뚜렷한 자는 桃仁·紅花를 넣어 活血祛瘀하

며, 患肢에 腫脹이 뚜렷하여 濕熱이 심한 것에 속하면 防己·澤瀉·黃柏을 넣어 淸熱祛濕하는 것이다.

3. 四妙勇安湯은 다음 한국표준질병사인분류(KCD)에 해당하는 환자가 脫疽, 熱毒證으로 辨證되는 경우 본 처방의 사용을 고려해볼 수 있다.

처방 목표	한국표준질병사인분류(KCD)
血栓閉塞性 脈管炎	I73.1 폐색혈전혈관염[버거병]

【注意事項】 脫疽가 陰寒型 및 氣血兩虛型에 속하는 자는 본 방제를 사용하는 것이 마땅하지 않다. 肢體의 壞死 및 死骨이 있는 자는 手術과 결합하여 死骨을 摘出해서 제거하는 것이 마땅하다.

【變遷史】 본 방제는 제일 처음 『驗方新編』卷2에 보이는데 본래 方名이 없었지만, 四妙勇安湯이라는 명칭이 『中醫雜誌』(1956, 8:409)에서부터 나오면서 脫疽(血栓閉塞性 脈管炎)를 치료하는 효과적인 名方이 되었다. 脫疽의 치료에 대하여 明·淸 時代에는 여전히 孫思邈의 치법에 근본하였는데 "在肉則割, 在指則切."하라 하였고, 手術과 藥物 治療를 겸하여 만약 變症이 없다면 또한 겨우 3~4割을 살릴 수 있었다. 淸朝 中葉에 이르러 王洪緖는 截指하는 방법을 반박하였으며, 鮑相璈의 『驗方新編』에서는 더욱 필사적으로 截指하는 것을 반대하였는데, 早期에 針灸와 內服하는 韓藥을 응용할 것을 주장하였고, 晩期에 발생하는 紫黑色의 壞死에 이른 자면 手術로 截除하는 것을 시행할 수 있다고 하여 치료 방법이 나날이 성숙하였다. 그중에 內服하는 韓藥은 明代 『外科正宗』卷4에서 제창한 "滋腎水·養氣血·健脾安神."하는 방법을 제외하면, 또한 大補氣血·淸熱解毒하는 顧步湯(出自『辨證錄』卷19: 牛膝·石斛·人蔘·黃芪·當歸·金銀花로 구성됨)이 있었다. 四妙勇安湯이 치료하는 脫疽는 寒濕이 久鬱하여 蘊而化熱하거나, 혹은 膏粱厚味나 辛辣炙煿한 음식물을 과식하여 火毒이 안에서 생기면 陰血을 暗耗하고 熱毒이 蘊結하여 氣血瘀滯·經絡不通한 것이다. 四妙勇安湯은 淸熱解毒·活血止痛을 위주로 하면서 겸하여 능히 補養陰血함으로써 扶正할 수 있다. 그 藥物의 구성(當歸·金銀花) 및 치법은 모두 顧步湯으로부터 근원하였음을 볼 수 있다.

현대에는 이 방제의 응용을 확대하여 血栓閉塞性 脈管炎을 치료할 뿐만 아니라 血栓性 靜脈炎·丹毒 및 癰疽癤腫·坐骨神經痛·類風濕關節炎·臁瘡 등이 熱毒型 혹은 濕熱型에 속하는 것에 대하여 모두 臨床 報道도 있으며 또한 치료 효과가 현저하였다. 현시대에 血栓閉塞性 脈管炎을 치료하는 한약으로 된 製藥인 通塞脈片[1)]은 當歸·黨參·生黃芪·石斛·玄參·金銀花·牛膝·生甘草로 구성된 것으로, 실제로는 顧步湯와 四妙勇安湯을 合方하여 만들어진 것이다. 通塞脈片 역시 腦血栓形成·腦動脈硬化·動脈硬化閉塞症·血栓性靜脈炎 및 糖尿病足 등을 치료하는데 상용하고 있다. 通塞脈片의 기초상에서 현대에 또한 개발되어 나온 한약으로 된 製藥인 脈絡寧(金銀花·牛膝·玄參·石斛)은 주로 冠狀動脈疾病 및 腦梗塞 등 위급한 증상을 치료하는 것에 사용되는데, 이것은 국가 中醫藥管理局에서 허가한 中醫院에서 중의사가 응급진료를 하는데 반드시 갖추어야 할 藥品 중 하나이다.

【難題解說】 본 방제의 方源에 관한 문제: 본 방제가 漢代 華佗의 『神醫秘傳』에 제일 처음 보인다고 인식하는 사람이 있는데, "此症發生於手指或足趾之端, 先癢而後痛, 甲現黑色, 久則潰敗, 節節脫落, 宜用生甘草, 研成細末, 麻油調服. …… 內服藥, 用金銀花三兩·玄參三兩·當歸二兩·甘草一兩, 水煎服."[2)]하라고 하였다. 다만 많은 종류의 古目錄書籍을 조사해 보았지만 모두 『神醫秘傳』이라는 책의 記載를 볼 수 없었으므로 고찰하고 연구할 수가 없었다. 이외에 또한 어떤 사람은 "此方原出華佗『中藏經』, 及鮑相璈『驗方新編』中, 有方無名, 由中醫釋加保山始定此方名."[3)]이라고 인식하였는데, 『中藏經』(人民衛生出版社 1963년 12월 新1版 및 淸·光緖 江左書林校刻版)을 조사해 보아도 이러한 방제는 없었다. 『中藏經』의 版本이 비교적

많으며, 또한 이 책은 華佗의 작품이라고 僞托한 것이니, 따라서 四妙勇安湯이 華佗의 『神醫秘傳』 혹은 『中藏經』에서 출전하였다는 것은 대개 古代의 말에 속한다. 본 방제는 제일 처음 淸代 『驗方新編』卷2에 보이는데, 본래 方名이 없었고, 현대의 方名은 『中醫雜誌』(1956, 8:409)에서 나왔다. 따라서 현재 파악할 수 있는 文獻으로 살펴본다면 본 방제의 方源은 『驗方新編』卷2에서 나온 것으로 정할 수 있으며, 명칭은 『中醫雜誌』(1956, 8:409)로 보는 것이 비교적 정확하다.

【醫案】

1. 扁桃腺炎 『中醫雜誌』(1996, 5:269): 某 남자, 14세, 1995년 1월 3일 初診. 扁桃腺炎이 반복해서 발작한 것이 이미 數年이 되었다. 최근에 發熱, 咽痛, 流涕하여 항생제를 복용하면서 輸液 치료를 5일 했는데 체온이 37.5~40℃였다. 扁桃體에 Ⅲ°의 腫大가 있으면서 咽痛이 극심하였으며, 밤이 되면 先寒後熱하면서 口苦心煩하고 耳發堵作痛하였고, 舌紅苔薄黃, 脈細弦數하였다. 방제로는 四妙勇安湯에 梔子豉湯을 합방하고 柴·芩을 넣어 化裁하였다: 銀花 18 g, 玄參 12 g, 當歸尾 6 g, 桔梗 10 g, 生山梔 10 g, 淡豆豉 10 g, 柴胡 10 g, 黃芩 10 g, 殭蠶 8 g, 蟬衣 4 g, 荊芥 6 g, 生甘草 8 g. 1첩을 복용한 후에 夜間 體溫이 37.5℃까지 떨어졌으며, 3첩을 복용한 후에 體溫이 正常이 되었고 咽痛이 대체로 소실되었다. 곧 四妙勇安湯에 桔梗·射干을 넣어 調理하여 나았다.

2. 口腔潰瘍 『中醫雜誌』(1996, 5:269): 某 남자, 33세, 1994년 6월 29일 初診. 환자는 口舌生瘡이 반복해서 발작한지 20여 년이 되었는데, 최근에는 가중되어 음식을 먹거나 睡眠하는 것에도 영향을 미치게 되었다. 舌邊 및 口腔黏膜에 潰瘍面이 여러 곳 보였는데, 舌邊의 潰瘍이 크면서 깊이 패였다. 脈弦細하고 苔薄白하였다. 방제로는 四妙勇安湯에 甘草瀉心湯을 합방한 것에 加減한 것을 사용하였다: 銀花 20 g, 玄參 15 g, 當歸 8 g, 生·炙甘草 各 8 g, 乾薑 5 g, 黃連 6 g, 黃芩 12 g, 法半夏 10 g, 黃柏 10 g, 砂仁 4 g. 7첩을 복약한 후에 口腔의 潰瘍이 점점 愈合하여 이미 苦痛이 없었으며, 睡眠과 飮食이 정상이 되었다. 같은 방제를 계속해서 1주일 복용하였다. 1년 동안 방문하면서 물어보았지만 재발하지 않았다.

考察: 醫案1의 扁桃腺炎은 반복해서 발작한지가 이미 數年이 되었는데, 증상은 熱毒이 안으로 咽部에 울체되면서 겸하여 少陽經에 침범한 것으로, 치료는 四妙勇安湯에 梔子豉湯을 합방한 것에 柴·芩을 넣어 化裁하여 祛邪利咽·和解淸熱한 것이다. 醫案2의 口腔潰瘍은 반복해서 발작한 것이 20여 년이 되었으니 再發性 口腔潰瘍에 속한다. 본 병증은 비록 局部에 발생하였지만 脾胃와 관련이 있는데, 『靈樞』「脈度」에서 말하기를 "脾氣通於口, 脾和則口能知五穀矣."라고 하였다. 따라서 치료는 脾胃에 착안하면서 다시 口腔의 局部 病變과 연계시켜야 하는데, 본 醫案의 辨證은 鬱火가 內伏하여 熱毒이 蘊結하면서 臟腑積熱한 것에 속하므로 치료는 四妙勇安湯에 甘草瀉心湯을 합방하고 가감함으로써 淸熱解毒·調和脾胃하는 것이고, 脾胃의 積熱이 제거되면 口腔의 潰瘍도 저절로 낫는 것이다.

【副方】

1. 五神湯(『洞天奧旨』): 茯苓 一兩(15 g) 車前子 一兩(15 g) 金銀花 三兩(45 g) 牛膝 五錢(9 g) 紫花地丁 一兩(15 g)

- 用法: 水煎服.
- 作用: 淸熱解毒, 分利濕熱.
- 適應症: 濕熱蘊毒에 의한 附骨疽·腿癰·委中毒·下肢丹毒 등의 질환.

四妙勇安湯과 五神湯은 모두 淸熱解毒의 작용이 있어서 癰腫瘡毒證을 치료한다. 그러나 四妙勇安湯은 淸熱解毒이 主이고 活血養陰을 兼하여 脫疽의 熱毒이 熾盛하고 瘀阻經脈하며 陰血이 이미 손상된 자에게 적용한다. 五神湯은 淸熱解毒에 分利濕熱을 兼하여 濕熱의 下行을 分利시켜 邪毒과 濕熱이 搏結한 癰

腫과 丹毒 등에 많이 사용한다.

【參考文獻】

1) 張世瑋, 許惠琪, 方泰惠, 等. "通塞脈片"的藥理研究J) 南京中醫學院學報, 1984,(4):35~38.
2) 尙德俊. 繼續努力發掘祖國醫學寶庫J) 山東中醫學院學報, 1978,(4):23~24.
3) 河北天津專區第一醫院中醫科. 治療血栓閉塞性脈管炎的報告J) 中醫雜誌, 1958,(11):752~753.

犀黃丸

(『外科證治全生集』卷4)

【組成】 犀黃 三分(15 g) 麝香 一錢半(75 g) 乳香 沒藥 各去油, 硏極細末 各一兩(500 g) 黃米飯 一兩(500 g)

【用法】 위의 약물에 黃米로 밥을 지어 짓이겨서 丸을 만들어 불에 말리지 말고 햇볕에 말려 묵은 술(陳酒)로 三錢을 복용한다. 환부가 상부이면 잠잘 즈음에 복용하고, 하부이면 공복에 복용한다(현대 용법: 이상의 四味에서 牛黃과 麝香는 제외하고 별도로 黃米 350 g을 쪄서 불에 말리고 乳香·沒藥과 곱게 가루를 내고, 牛黃과 麝香의 고운 가루를 위의 분말을 배합하여 체로 치고 잘 섞은 후 물로 丸藥을 만들고 陰乾한다).

【效能】 解毒消癰·化瘀散結.

【主治】 火鬱痰凝과 血瘀氣滯의 乳癌·橫痃·瘰癧·痰核·流注·小腸癰 등.

【配伍分析】 本方은 乳癌·橫痃·痰核·流注·小腸癰 등을 치료한다. 그 병은 다르지만 원인은 오히려 하나이다. 모두 氣火內鬱과 痰濁內聚로 점차 痰火壅滯하고 氣血凝結하여 형성되므로 그 치료는 반드시 淸熱解毒·化痰散結과 活血祛瘀로 法을 삼아야 한다.

方에서 犀黃(즉, 牛黃)은 性味가 苦寒하고 芳香性이 있어 淸熱解毒과 化痰散結에 장점이 있으므로 君藥이 된다. 麝香은 性味가 辛香走竄하고 活血散結과 通經活絡하므로 臣藥이 된다. 君藥과 臣藥을 같이 배합하여 사용하면 상부상조로 서로의 장점을 더욱 잘 돋보이게하여 化痰散結과 消腫潰堅의 藥力을 현저하게 한다. 그러므로 乳香과 沒藥은 活血散瘀와 消腫止痛을 하고, 黃米飯(丸을 만듬)은 胃氣를 調養하여 護中함으로써 病邪를 공격하되 正氣를 다치지 않게하고, 陳酒로 복용함으로써 그 宣通血脈을 취하여 藥力을 돕는다. 모두 佐藥이 된다. 全方의 配伍는 淸熱解毒하여 消痰火하고, 또한 活血化瘀하여 消腫止痛한다.

方劑配伍의 특징: 방제의 牛黃과 麝香의 配伍에서 하나는 寒하고 하나는 溫한데 같이 배합하여 사용하면, 牛黃이 麝香의 辛竄을 얻으면 化痰藥力이 더욱 현저해지고, 麝香이 牛黃의 寒涼을 얻으면 辛竄하면서 助熱의 우려가 없게 된다. 그러므로 解毒·化痰·散結의 효과가 두드러지는 것이다. 全方의 약물 配伍는 淸熱解毒藥과 豁痰散結藥을 主로하고 活血祛瘀藥을 輔로 하여 淸解熱毒과 化痰散瘀消腫의 목적에 도달하게 된다.

본방에서 치료하는 乳癌은 乳房에서 생긴 堅硬如石의 腫塊로 痰瘀互結하여 형성된 것이고, 瘰癧은 頸部에서 생긴 結核이 구슬꿰미가 주렁주렁 달린 모양으로 대부분 肝氣鬱結과 痰火凝結이 뭉쳐서 형성된 것이고, 痰核은 體表의 局限性 包塊로 대부분 脾弱으로 運化기능이 안되고 濕痰流聚하여 형성된 것이고, 流注는 肌肉의 深部에서 생긴 多發性 膿腫으로 邪毒結滯가 흐트러지지 않고 氣血이 凝滯하여 형성된 것이고, 橫痃은 梅毒이 腹股溝에 생긴 것이다. 본방의 치료는 비록 다르지만 病機는 모두 火鬱痰瘀와 熱毒壅結로 형성된 것이다.

【臨床應用】

1. 證治要點: 본방은 체표 혹은 체내의 옹양종독에 상용하는 것으로 임상에서 반드시 체질이 실하고 설질편홍과 맥활삭 등을 근거로하여 사용해야 한다.

2. 加減法: 본방의 약물은 대부분 辛香走竄하여 煎湯하여 복용하는 것은 부적절하다.

3. 犀黃丸은 다음 한국표준질병사인분류(KCD)에 해당하는 환자가 火鬱痰凝, 血瘀氣滯證으로 辨證되는 경우 본 처방의 사용을 고려해볼 수 있다.

처방 목표	한국표준질병사인분류(KCD)
림프節炎	I88 비특이성 림프절염
	I89 림프관 및 림프절의 기타 비감염성 장애
增殖囊性增殖	N60.1 미만성 낭성 유방병증
多發性	C50 유방의 악성 신생물
多發性膿瘍	L02.9 상세불명의 피부농양, 종기 및 큰종기
骨髓炎	M86 골수염

【注意事項】 본 방제는 辛香走竄과 破血散結의 藥力이 强하므로 膿潰外泄 혹은 潰破후 膿水淋漓가 氣血兩虛에 해당되는 자는 조심해서 사용해야 한다. 姙娠婦 혹은 陰虛火旺한 者는 사용을 禁한다.

【副方】

1. 醒消丸(『外科證治全生集』): 乳香 沒藥末 各一兩(各 30 g) 麝香 一錢五分(4.5 g) 雄精 五錢(15 g)

- 用法: 共研和, 取黃米飯一兩搗爛如末, 再搗, 爲丸, 如蘿卜子大, 晒乾, 忌烘, 每服三錢, 熱陳酒送服, 醉蓋取汗, 酒醒癰消痛息.
- 作用: 活血散結, 解毒消癰.
- 適應症: 一切紅腫癰毒.

2. 蟾酥丸(外科正宗』): 蟾酥 二錢, 酒化(6 g) 輕粉 五分(1.5 g) 枯礬 寒水石煆 銅綠 乳香 沒藥 膽礬 麝香 各一錢(3 g) 雄黃 二錢(6 g) 蝸牛 二十一個(21只) 朱砂 三錢(10 g)

- 用法: 以上各爲末, 稱準, 于端午日午時在淨室中先將蝸牛研爛, 再同蟾酥和研稠粘, 方入各藥, 共搗極勻, 丸如綠豆大, 每服三丸, 用葱白五寸(嚼爛), 吐于男左女右手心, 包藥在內, 用無灰熱酒一茶盅送下, 被蓋如人行五·六里, 出汗爲效, 甚者再進一服.
- 作用: 解毒消腫·活血定痛.
- 適應症: 疔瘡·發背·腦疽·乳癰·附骨疽·臀腿疽等, 一切惡瘡.

위의 犀黃丸·醒消丸 및 蟾酥丸은 모두 解毒散結·活血消腫의 작용이 있어 疔瘡癰疽에 사용할 수 있다. 다만, 犀黃丸은 淸熱解毒의 藥力이 强한편이고 또한 化痰散結·散瘀消腫의 작용이 있어 氣火內鬱과 痰瘀內結의 乳癌 등을 치료할 수 있다. 醒消丸은 犀黃을 雄精으로 바꾸고 性味가 溫燥에 치중하고 淸熱化痰의 藥力이 감소하고 解毒消癰의 藥力은 우세하여 癰瘍紅腫疼痛하면서 아직 潰破되지 않은 경우에 사용하는 것이 적절하다. 그리고 蟾酥丸은 以毒攻毒으로 解毒消散·祛瘀의 藥力이 强한편이라 癰疽에 모두 응용할 수 있다.

牛蒡解肌湯

(『瘡瘍心得集』)

【組成】 牛蒡子 12 g 薄荷 荊芥 各 6 g 連翹 山梔 丹皮 各 9 g 石斛 12 g 玄參 9 g 夏枯草 12 g(原書에는 用量이 없음)

【用法】 물에 달여서 복용한다.

【效能】 疏風淸熱, 涼血消腫.

【主治】 風邪熱毒이 上攻한 癰瘡. 頸項痰毒·風熱牙痛·頭面風熱에 表熱證을 兼한 경우, 外癰의 局部紅腫熱痛·熱重寒輕·汗少口渴·小便黃·苔白或黃·脈浮數.

【配伍分析】 風火痰熱이 頭面을 上攻하면 牙齦頰腮·紅腫熱痛하고, 熱鬱肌表하고 灼傷津液하면 熱重寒輕·汗少口渴·小便黃赤하고, 風熱이 表와 上에 있으면 苔白或黃·脈浮數한다. 본 병증은 外感風熱에 陽明痰火를 끼고 經을 따라 위를 공격하여 頭面에 壅結하여 형성된 것이다. 치료는 반드시 疏風淸熱·化痰消腫해야 한다.

방제에서 牛蒡子의 性味는 辛苦而寒하고 성질은 滑利에 치중하고 작용은 疏散風熱과 解毒散腫하므로 君藥이 된다. 薄荷와 荊芥는 辛散疏風透邪解表하고, 連翹는 淸熱解毒과 散結消癰한다. 세 약물을 서로 配伍하면 君藥을 도와서 淸熱透邪의 藥力을 증강시키고, 또한 淸 중에 散이 있어서 "火鬱發之"의 뜻을 포함하고 있다. 함께 臣藥이 된다. 夏枯草·山梔 및 丹皮는 淸熱泄火·涼血散血하고, 玄參은 滋陰涼血·解毒消癰하고, 石斛은 滋陰淸熱하여 모두 佐藥이 된다. 모든 약물을 配伍하면 散 중에 淸이 있고 淸 중에 養이 있어 함께 疏風淸熱·化痰消腫의 효과를 거두게 된다.

方劑配伍의 특징: 본 방제는 牛蒡子·薄荷·荊芥·連翹로 辛涼透邪와 疏風消腫하고, 山梔子·夏枯草·玄參을 配伍하여 淸熱解毒하고, 淸法과 散法을 배합하고 鬱火를 發越하였으며 특히 肌表의 病邪를 散解하였으므로 "解肌"라는 이름을 붙인 것이다.

【臨床應用】

1. 證治要點: 본 방제는 風邪熱毒이 上攻한 癰瘡에 적용한다. 임상에서는 반드시 頭面 혹은 頸項의 癰瘡痰毒 혹은 風熱牙痛에 熱重寒輕·脈浮數 등에 근거하여 응용해야 한다.

2. 加減法: 본 방제에 대하여 原書에는 頭面風熱痰毒에만 사용하였지만 현재 임상에서 응용범위가 확대되어 모든 癰腫痰毒에 風熱表證을 겸한 자에게 본 방제를 加減하여 치료할 수 있다. 화熱邪가 심하여 發熱과 煩渴이 있으면 黃芩과 生石膏를 넣고, 胃腸燥熱로 便祕가 있으면 瓜蔞仁과 萊菔子를 넣고, 癰瘍에 이미 膿이 생겨 腫塊가 堅硬하면 穿山甲·皂角刺·丹參 및 赤芍藥을 넣는다.

3. 牛蒡解肌湯은 다음 한국표준질병사인분류(KCD)에 해당하는 환자가 癰瘡, 風邪熱毒上攻證으로 辨證되는 경우 본 처방의 사용을 고려해볼 수 있다.

처방 목표	한국표준질병사인분류(KCD)
急性蜂窩織炎	L03 연조직염
齒齦炎	K05.0 급성 치은염
	K05.1 만성 치은염
急性頸部 림프節炎	L04.0 얼굴, 머리 및 목의 급성 림프절염

【注意事項】 본 방제는 瘡瘍陰證에는 부적합하다.

陽和湯

(『外科證治全生集』卷4)

【組成】 熟地 一兩(30 g) 肉桂 去皮, 研粉 一錢(3 g) 麻黃 五分(2 g) 鹿角膠 三錢(9 g) 白芥子 二錢(6 g) 薑炭 五分(2 g) 生甘草 一錢(3 g)

【用法】 물을 넣고 달여서 복용한다.

【效能】 溫陽補血, 散寒通滯.

【主治】 陰疽 貼骨疽·脫疽·流注·痰核·鶴膝風. 환부는 漫腫無頭, 皮色不變, 酸痛無熱하며, 口中不渴, 舌

淡苔白, 脈沉細하거나 遲細.

【病機分析】 본 방제가 치료하는 증상인 陰疽諸症은 환자가 陽氣不足, 營血虧虛, 寒邪乘虛入裏, 寒性收引, 津液凝滯, 寒痰이 근육·혈맥·근골, 관절에 정체되어 발생하는 諸證이다. 신체 일부는 寒邪의 침입을 받았으나 熱證이 없기 때문에 피부색이 변하지 않거나, 회백색을 띈다. 寒性은 陰에 속하여 陽氣를 상하게 하기 쉬워서 전신의 虛寒證候, 舌淡苔白, 脈沉細하거나 遲細한 증상으로 나타날 수 있다.

【配伍分析】 본 방제는 陰疽諸證을 위주로해서 만들어진 것이다. 『素問』·「至眞要大論」에서 "寒者熱之", "虛則補之"와 "結者散之"한 원칙에 근거해서, 溫陽補血, 散寒通滯하게 치료한다. 방제의 肉桂·薑炭는 性味가 味辛性熱해서, 既可 溫經通脈하고 또한 散寒祛邪할 수 있어서, 이로써 解散寒凝해서 標를 치료한다. 모두 君藥이 된다. 熟地는 溫補營血하기 때문에 血肉有情한 鹿角膠과 配伍해서, 溫腎助陽, 塡精補髓, 强壯筋骨한 효능이 뛰어나게 된다. 두 약을 함께 配伍하면 補血助陽하게 되어서 本을 치료한다. 모두 臣藥이 된다. 麻黃은 辛溫達衛하기 때문에, 表部에 머물러 있는 寒邪를 제거한다. 寒凝痰結한 경우에는 白芥子로 散寒開結하게 해서 皮裏膜外의 痰을 제거한다. 두 약을 함께 사용하면, 氣血宣通하게 할 수 있을 뿐만 아니라, 熟地·鹿角膠로 補해서 不滯하게 할 수 있기 때문에 방제에서 佐藥이 된다. 甘草는 解毒의 성질을 띠고, 諸藥을 조화롭게 하기 때문에 使藥이 된다. 諸藥을 함께 사용하면, 化陰凝, 布陽和해서, 陰疽諸證이 저절로 제거된다.

본 방제의 配伍 특징은 두 가지가 있다: 첫째, 補陰藥과 溫陽藥을 함께 사용해서, 營血不足을 溫補하고; 둘째, 辛散藥과 溫通한 약을 함께 配伍해서 陰寒이 응체된 것을 흩어지게 할 수 있다. 이 두 가지가 서로 보완하고, 溫하되 燥하지 않고, 散하되 傷正하지 않게 하면, 陰破陽振, 寒消痰化하게 할 수 있다.

본 방제의 명칭은 "陽和湯"이다. 陽和는 봄철의 따뜻한 기운을 가리킨다. 『史記』·「秦始皇本記」에서 "二十九年, 始皇東游……登之, 刻石, 其辞曰: 維二十九年, 時在中春, 陽氣方和起."라고 했다. 中春은 즉 仲春이며, 이는 음력 2월인 仲春이 되면, 陽和의 氣가 비로소 떠오른다는 것을 의미한다. 唐·柳宗元은 『詔追赴都二月至霸亭上』에 있는 詩에서 말하길: "詔書許逐陽至, 擇路開花處處新."라고 했다. 본 방제는 외과에서 陰疽를 치료하는 유명한 방제로서, 그 치료 효과가 마치 仲春和煦한 氣와 같이 대지를 잘 비추고, 陰霾를 제거해서, 陽和를 流布하기 때문에 "陽和"라고 부른다.

【臨床應用】

1. 證治要點: 본 방제는 외과에서 陰疽諸證을 치료한다. 환부의 피부색이 변하지 않거나, 漫腫無頭, 酸痛無熱, 舌淡脈細 증상을 응용 치료의 요점으로 삼는다.

2. 加減法: 만약 陽虛寒盛한 경우에는 附子를 加하여 溫陽散寒한다. 寒濕 정체가 비교적 심한 경우에는 細辛을 加하여 散寒通滯한다. 氣虛가 심한 경우에는 黨參·黃芪를 加하여 益氣한다. 통증이 심한 경우에는 乳香·没藥를 加하여 活血化瘀止痛한다.

3. 陽和湯은 다음 한국표준질병사인분류(KCD)에 해당하는 환자가 陰疽, 血虛寒凝證으로 辨證되는 경우 본 처방의 사용을 고려해볼 수 있다.

처방 목표	한국표준질병사인분류(KCD)
骨結核	A18.0 골 및 관절의 결핵
淋巴結核	A18.2 결핵성 말초림프절병증
	A18.32 장간막림프절의 결핵 (K93.0)
	A15.4 세균학적 및 조직학적으로 확인된 흉곽내림프절의 결핵
腹膜結核	A18.30 결핵성 복막염(K67.3)
慢性骨髓炎	M86 골수염

처방 목표	한국표준질병사인분류(KCD)
骨膜炎	M90.1 달리 분류된 기타 감염성 질환에서의 골막염
慢性淋巴結炎	A18.2 결핵성 말초림프절병증
	A18.32 장간막림프절의 결핵 (K93.0)
	A15.4 세균학적 및 조직학적으로 확인된 흉곽내림프절의 결핵
類風濕性關節炎	
血栓閉塞性脈管炎	I73.1 폐색혈전혈관염[버거병]
坐骨神經炎	G57.0 좌골신경의 병변
肌肉深部膿瘍	L03 연조직염
慢性氣管炎	J41 단순성 및 점액화농성 만성 기관지염
	J42 상세불명의 만성 기관지염
慢性支氣管哮喘	J45 천식
婦女痛經	N94.4 원발성 월경통
	N94.5 이차성 월경통
	N94.6 상세불명의 월경통

【注意事項】 만약 瘡瘍이 붉게 붓고 熱痛이 있거나, 陰虛에 열이 있는 경우나, 疽이 이미 潰破한 경우에는 본 방제를 사용하지 않는다. 馬培의 주장에 따르면: "此方治陰症, 無出其右. 乳岩萬不可用, 陰虛有熱及破潰日久者, 不可沾唇"(『馬評外科全生集』)라고 했다. 謝觀은 『中國醫學大辭典』에서 "半陰半陽之證忌用"라고 했다.

【變遷史】 본 방제는 淸代의 外科 名醫인 王維德에 의해 창시되었다. 『外科證治全生集』卷4에 실린 기록에 따르면, 본 방제는 "鶴膝風·貼骨疽及一切陰疽"을 主治하며, 후세에는 治療 陰證瘡瘍을 치료하는데 많이 쓰였기 때문에 본 방제는 또한 "陰疽活命丹"이라고도 불리며, 陰疽를 치료하는 방제의 시조이다. 王氏는 瘡瘍의 陰證을 치료할 때마다 肉桂·麻黃·炮薑 세 가지 약품을 즐겨 사용했다. 그 뜻은 陽氣를 돋우고 寒凝를 제거하는데 뜻을 두고 있으며, 이 책에서 陰疽惡核을 치료하는 "陽和丸"은 바로 이 세 가지 약물로 구성된 것이다. 陽和湯은 위에서 말한 세 가지 약에 熟地·鹿角膠를 더 加하여 養血하고, 白芥子를 加하여 化痰하고, 生甘草를 加하여 化毒해서, 營血本虛, 寒凝痰滯으로생긴 陰疽를 치료한다. 淸末의 外科 의사인 張正은 본 방제의 配伍用藥의 精髓와 臨證變通에 뛰어난 것을 깊이 깨닫고, 陽和湯의 뜻을 모방해서 陰疽를 치료하는 다수의 系列方劑를 만들었다. 모두 그의 대표 저서인 『外科醫鏡』에 기록해 놓았다. 예를 들면 陽和二陳湯·陽和化堅湯·陽和化癌湯·陽和救急湯·陽和救絶湯 등이 있다. 위에서 말한 방제는 모두 肉桂·炮薑·麻黃·甘草를 基本藥物로 삼고, 각각 入化痰·解毒·益氣·養血 등의 藥과 配伍해서 모든 骨槽風·乳癌·陰疽潰破 혹은 倒陷 등의 다양한 종류의 頑證을 치료했다. 이는 陰疽 치료법에 진일보한 발전을 가져왔다. 이밖에도, 후세의 의학자들은 본 방제가 溫陽養血化痰한 효능을 갖고 있고, 또한 본 방제를 加減하여慢性支氣管炎·支氣管哮喘·病態竇房結綜合症 등의 내과 만성 허약성 질환을 치료하는 것을 바탕으로 해서 또한 좋은 치료 효과를 거두었다.

【難題解說】 본 방제의 君藥에 대해서: 陽和湯의 配伍 구조에 대해 분석을 진행한 사람 중에 淸代의 張秉成을 으뜸으로 꼽는다. 그가 말하길: "病因于血分者, 仍必從血而求之, 故以熟地大補陰血之藥爲君"(『成方便讀』卷4)라고 하였으며, 후세의 많은 의학자들이 이 주장을 계승했다. 하지만 필자가 『外科證治全生集』을 자세히 들여다 보니: 王氏가 瘡瘍陰證을 치료하는 諸方에 있어서, 肉桂·薑炭·麻黃 세 가지 약의 사용빈도가 가장 높으며, 이 중 "陽和丸"은 이 세 가지 약으로만 구성된다. 이는 溫散寒凝이 王氏가 陰證瘡瘍을 치료하는 주요한 大法이라는 것을 알 수 있었다. 陰疽가 생기는 것은 陽氣가 부족하고, 營血虧虛하며, 寒邪가 乘虛하고 裏에 들어가서, 寒凝痰滯하고, 근육·혈맥·근골에 痹阻되면서 발생하는 것으로, 本虛標實한 증상에 해당한다. 하지만 治標와 治本 중에 어느 것을 위주로 해야 하는가? 王氏가 溫散藥物을 중요시하는 것에서부터 어렵지 않게 답을 찾을 수 있다. 따라서 필자는 陽和湯에서 溫藥을 君藥으로 삼는 것이 王氏의 立方 취지에 부합한다고 여긴다. 최근 몇 년 사이에도 학자

들이 이와 유사한 관점을 제시했다.[1] 하지만 임상에서 본 방제를 응용할 때 역시 탄력적으로 결정할 수 있다: 만약 寒한 증상이 비교적 심한 경우에는 肉桂·薑炭을 君藥으로 삼고; 虛損이 비교적 심한 경우에는 熟地·鹿膠를 君藥으로 삼고; 虛寒 증상이 함께 나타나는 경우에는 肉桂·熟地를 함께 君藥으로 삼을 수 있다.

【醫案】

1. 腦疽『經方實驗錄』: 친구 周慕蓮君이 腦疽에 걸렸을 당시 초기에는 陰性으로 나타나서 陽和湯으로 치료하였더니, 대변을 5일 동안 보지 못했다. 熱結이 있는 것으로 의심하고 확신하지 못하고 주저하고 있었는데, 약을 복용한 후 다음날 아침에 項背가 잘 돌아가고, 대변을 시원하게 볼 줄 누가 알았겠는가. 대변이 閉한 것은 또한 寒性에 속하기 때문이다.

2. 陰疽『四川中醫』(1986, 6:44): 여자, 51세. 환자는 왼쪽 종아리 바깥쪽을 개에게 물려서 상처가 난 후 5 cm×5 cm 크기의 청보라색 包塊로 커지더니 통증이 매우 심해졌다. 5일 후 한 병원에서 수술을 받았다. 절개한 후에 복숭아꽃 색깔을 띄는 清稀한 고름을 매우 많이 흐렸으며, 6개월 후 환부의 고름은 오히려 많아지고, 상처는 낫지 않았다. 진료 당시 증상은: 얼굴색이 희고, 상처 부위는 보라색을 띄었으며 만졌을 때 온기가 없었다. 口淡無味, 惡寒, 二便清利, 舌質淡, 苔白, 脈沉弱한 증상으로 나타나서, 助陽益氣散寒하게 치료해야 한다. 陽和湯에서 麻黃을 빼고, 黃芪·黨参·茯苓·蒼术을 加하여 五劑 복용한 후 환부의 피부색이 정상으로 회복했으며, 고름 분비물이 사라지고, 상처가 아물고 있었다. 계속해서 약을 二劑 복용한 후, 한달 후 방문조사 당시 이미 건강을 회복하였다.

3. 慢性骨髓炎『廣西中醫藥』(1994, 3:19): 남자, 18세. 2년 전부터 왼쪽 臀部에 붉은기·腫·熱痛 증상이 나타나기 시작해서, 열흘 넘게 肌内에 페니실린(青霉素)을 주사하고, 百炎净을 복용하고 紅霉素膏 등을 피부에 도포해서 다 나았다. 오래지않아 왼쪽 왼쪽 허벅지 아래부분이 붉게 붓고 통증이 있어서, 해당 지역 보건소를 찾았더니 膿腫이라고 진단하고, 환부를 절개해서 고름을 빼내고, 페니실린(青霉素)을 주사했다. 수술 후 고름이 줄줄 나고 오래도록 상처가 아물지 않았다. 한 병원에서 좌측 대퇴골 하단 만성 화농성 골수염(左股骨下段 慢性 化膿性骨髓炎)으로 진단하고, 死骨摘除·開窗引流術·肌注抗生素 등의 치료를 했으나 낫지 않았다. 현재 환자의 증상은 肌萎消瘦, 面色蒼白, 舌淡胖, 苔白, 脈沉細, 왼쪽 대퇴부 안쪽 아래부분에 竇口 하나가 있고 고름이 흥건했다. X-선 촬영 결과: 左股骨下段 化膿性骨髓炎을 左股骨附骨疽로 진단했다. 본 증상은 骨疽體虛, 元陽不足한 것으로 판단하고 陽和湯에 黃芪·鷄血藤·續斷·牛膝·角刺·當歸를 加하고, 金黃膏를 피부에 도포했다. 22일 동안 치료한 후 고름이 다 없어졌다. 계속해서 陽和湯을 60일 동안 복용하고 나서, X-선 촬영 결과 더 이상 死骨이 없다는 것을 확인하였으며, 骨膜이 두꺼워지지 않았으며, 骨小梁의 排列이 일정한 규칙이 있었다.

4. 病態竇房結綜合征『湖南中醫雜誌』(1986, 3:10): 남자, 92세. 감기로 인해 心悸·憋氣·胸悶해서 치료를 받으로 왔다. 심전도 결과: 심장이 과도하게 천천히 뛰고, 심실설 기외수축이 함께 나타나며, 심장박동률 40회/분으로 나타났다. 흉부 X-선 검사 결과는 정상이다. 환자의 증상은 혀가 붉은색을 띠고 瘀斑이 있으며, 脈遲했다. 病態竇房結綜合症(sick sinus syndrome)으로 진단하고, 陽和湯에 阿膠·白芍을 加하여 十劑 복용하게 한 후 심장박동률이 54회/분에 달했다. 赤芍을 加하여 다시 十劑를 복용한 다음에는 심장박동률이 62회/분에 달하고 혀에 있던 瘀斑이 사라졌다. 계속해서 약을 十劑 복용한 후 諸症이 개선되고, 심장박동률이 65회/분에 달했다.

5. 慢性支氣管炎『四川中醫』(1994, 10:32): 남자, 60세. 만성 咳喘을 앓은지 20년이 넘었으며, 조금만 寒冷하거나 피로해도 즉시 발병했다. 겨울과 봄철에 심해지고, 매년 적어도 2회 이상 발병했다. 발병 시에는 기침,

가래, 숨이 가쁘고 똑바로 누울 수 없었다. 최근 6년 동안 빈번하게 발병했다. 陽和湯에 紫河車·細辛·五味子를 加하여 30劑를 복용하게 했다. 그 결과 이번 겨울에는 발병하지 않았으며, 감기 증상도 눈에 띄게 감소하고, 체질이 좋아져서 예속으로 5년 동안 복용했다. 2년 동안의 방문조사에서 재발하지 않았다.

考察: 醫案1는 腦疽의 초기 증상으로 대변을 며칠 동안 보지 못했다. 이는 寒結에 의한 것으로 陽和湯을 처방해서 溫陽散寒通滯하게 치료해야 한다. 藥과 症狀이 잘 맞아서 陰寒에 의한 腦疽를 치료할 뿐만 아니라, 寒散結消하고, 便結 또한 해소되었다. 醫案2·醫案3은 모두 瘡瘍으로 고름이 흐르고 오랫동안 상처가 아물지 않아서, 氣血虧虛, 陽虛寒凝한 증상으로 판단했다. 따라서 모두 陽和湯을 사용한 후 완치했다. 醫案4는 陽虛寒凝하고 脈絡瘀阻로 인한 病態竇房結綜合症(sick sinus syndrome)으로 본 방제에 阿膠·白芍를 加하여 溫陽補血, 散寒通滯하면, 寒邪를 散하게 하고, 血脈을 充하게 하고, 瘀滯를 제거하고, 血流通暢하게 해서, 脈搏이 정상으로 회복될 수 있다. 醫案5는 慢性咳喘으로 身體虧虛, 寒邪內侵, 寒凝痰滯하기 때문에 陽和湯에 紫河車·細辛 등을 加하여 溫陽補血, 散寒化痰하면, 正氣를 充하게 하고, 寒痰을 化하게 해서, 喘病이 낫게 된다.

【參考文獻】

1) 孫世發. 陽和湯剖析. 河南中醫. 1986;(6):25.

小金丹

(『外科證治全生集』卷4)

【組成】 白膠香 草烏製 五靈脂 地龍 木鱉 各一兩五錢(150 g) 乳香 沒藥 各去油 歸身 俱淨末, 各七錢五分(75 g) 麝香 三錢(30 g) 墨炭 一錢二分(12 g)

【用法】 위의 약물을 각각 곱게 가루를 내고, 糯米粉 一兩二錢을 사용하여 위의 약 분말과 같이 진하게 풀을 쑤어 여러 번 다듬질 하여 芡實大 크기로 丸을 만든다. 매번 250粒을 만들어 陳酒로 1환을 복용하여 취기가 올라오면 대개 取汗을 하게 된다. 만일 流注가 궤양이 되고 궤양이 오래되면 10환으로 5일간에 걸쳐 모두 복용하고, 정처없이 흘러가는 것을 막아서 增入하는 것을 끊을 수 있다. 만일에 小兒가 탕액을 복용할 수 없으면 一丸을 갈아서 술에 타서 복용한다. 그러나 丸 안에 있는 五靈脂와 人蔘은 相反의 配伍이므로 절대로 人蔘製劑와 같은 날에 복용해서는 안 된다(현대 용법: 이상의 十味에서 麝香을 제외한 그 나머지 木鱉子 등 九味를 빻아서 곱게 가루를 내고, 麝香을 곱게 갈아서 위의 粉末과 배합한 후에 체질을 한다. 매번 100 g의 粉末에 澱粉 25 g를 넣어 고르게 섞는다. 5 g의 澱粉으로 묽은 풀을 쑤어 泛製法으로 丸[4]을 만든 다음 그늘에서 말리거나 저온에서 건조한다. 매회 二~五丸을 1일 2회 복용하고, 小兒는 참작하여 줄인다.

【效能】 化痰祛瘀, 除濕通絡, 消腫散結

【主治】 寒濕痰瘀가 經絡을 阻滯하여 생긴 流注·痰核·瘰癧·乳巖·橫痃·貼骨疽 等. 초기에는 皮膚色에 변화가 없고 腫硬作痛한다.

【配伍分析】 본 방제가 치료하는 것은 陰疽類에 해당된다. 대부분 寒濕痰瘀가 肌肉과 筋骨의 사이를 阻滯하고 凝結하여 발생하므로 임상의 소견은 초기에는 피부색이 변하지 않고 腫硬하여 痛症이 있고, 膿腫이 형성한 뒤에는 다른 곳으로 달아날 수 있으며, 潰瘍이 된 후에는 치유가 어렵고 늘 膿이 흐르는데 痰과 같이 묽다. 病證이 寒濕痰瘀가 經絡을 阻滯하여 형성된 것이므로 치료는 破瘀通絡·祛瘀散結·消腫止痛의 법이 적절하다.

방제에서 木鱉子는 祛風除濕·解散痰毒하여 "能搜筋骨入骱之風濕, 祛皮裏膜外凝結之痰毒"(『外科證治

全生集』)하므로 君藥이 된다. 草烏는 溫經止痛·祛風除濕하고, 木鱉子와 서로 配伍하면 解散寒凝의 藥力이 더욱 증대되므로 臣藥이 된다. 五靈脂·地龍·麝香·乳香·沒藥·白膠香·當歸는 活血破瘀·通絡開結·消腫定痛하고, 그중에 五靈脂·地龍·麝香은 散瘀·化滯·通絡에 장점이 있고, 乳香·沒藥·白膠香은 活血定痛·調氣散癰에 장점이 있으며, 當歸는 活血補血하여 破瘀하되 血을 다치게하지 않고, 墨炭은 黑色으로 血에 들어가 消腫化痰한다. 이상의 모든 약물을 가루를 내고 糯米粉으로 丸을 만들어 그 養胃和中을 취하여 모두 佐藥이 된다. 배합하여 방제가 형성되면 溫通祛瘀·化痰散結·消腫止痛·祛風除濕의 작용이 있게 된다.

본 방제는 陽和湯과 같이 外科 癰疽陰證의 초기에 사용할 수 있다. 그러나 본 방제는 化痰祛瘀·除濕通絡·溫通消散에 중점을 두고 攻邪를 목표로 설정한 것으로 寒濕痰瘀가 서로 맺혀서 經絡을 阻滯한 것에 적절하다. 陽和湯은 溫陽補血이 주가 되고 通에 補를 포함하여 陽虛寒凝하고 營血虛滯하며 痰濁阻滯로 인하여 생긴 陰疽에 적절하다.

【臨床應用】

1. 證治要點: 본 방제는 陰疽 초기에 적용되고, 病證은 寒濕痰瘀가 凝結에 해당되며 임상에서는 반드시 피부색이 변하지 않고 腫硬作痛이 사용 근거가 된다.

2. 加減法: 『外科證治全生集』에서 본 방제를 사용할 때는 항상 陽和湯과 병용하거나 교대로 사용하였다.

3. 小金丹은 다음 한국표준질병사인분류(KCD)에 해당하는 환자가 陰疽 초기, 寒濕痰瘀凝結證으로 辨證되는 경우 본 처방의 사용을 고려해볼 수 있다.

처방 목표	한국표준질병사인분류(KCD)
甲狀腺腫瘍	D34 갑상선의 양성 신생물
	C73 갑상선의 악성 신생물
甲狀腺癌	C73 갑상선의 악성 신생물

처방 목표	한국표준질병사인분류(KCD)
神經纖維腫症	D48.2 말초신경 및 자율신경계통
	Q85.0 신경섬유종증(비악성)
림프肉腫	C81~C96 림프, 조혈 및 관련 조직의 악성 신생물
脂肪腫	D17 양성 지방종성 신생물
骨腫瘍	C40 사지의 골 및 관절연골의 악성 신생물
	C41 기타 및 상세불명 부위의 골 및 관절연골의 악성 신생물
	D16 골 및 관절연골의 양성 신생물
乳癌	C50 유방의 악성 신생물
胃癌	C16 위의 악성 신생물
乳房 纖維 腺腫	D24 유방의 양성 신생물
耳下腺炎	B26 볼거리
腸結核	A18.3 장, 복막 및 장간막 림프절의 결핵
骨結核	A18.0 골 및 관절의 결핵
사타구니 淋巴線炎	L04.8 기타 부위의 급성 림프절염

【注意事項】 본 방제는 藥力이 峻猛하여 쉽게 正氣를 손상시키므로 正氣虛弱者는 조심해서 사용해야 한다. 임신부는 사용을 금한다.

葦莖湯

(『古今錄驗』, 錄自『外臺秘要』卷10)

【組成】 剉葦 一升(60 g) 薏苡仁 半升(30 g) 桃仁 去皮尖·兩仁者 50個(9 g) 瓜瓣 半升(24 g)

【用法】 잘게 부수어서 물 二斗로 먼저 葦를 달여서 五升이 되면, 찌꺼기를 제거하고 모든 약재를 다 넣어서 二升을 취한 후 2차에 나누어 복용한다.

【效能】 淸肺化痰, 逐瘀排膿.

【主治】 肺癰. 身有微熱, 咳嗽痰多, 甚則咳吐腥臭膿血, 胸中隱隱作痛, 舌紅苔黃膩, 脈滑數.

【病機分析】 肺癰이라는 병은 風熱의 邪毒이 肺로 들어감으로 인하여 痰熱이 內結하면 內外의 邪氣가 합하여 생기는 것이다. 風熱의 邪氣가 바깥에서 肺衛에 침습하면 身有微熱하거나 혹은 때때로 振寒하는 것이고, 邪氣가 肺를 壅塞하면 氣가 淸肅되지 못하면서 肺氣가 上逆하면 咳嗽를 일으키는 것이며, 손상이 血絡에 미치면서 熱毒瘀阻가 오랫동안 消散되지 않으면 血敗肉腐하고 癰膿破潰하여 입으로 나오기 때문에 咳吐腥臭膿血하는 것이고, 痰熱瘀血이 서로 胸中을 막아서 肺絡이 통하지 않으므로 胸中隱隱作痛이 나타나는 것이며, 舌紅苔黃膩하면서 脈滑數한 것은 痰熱이 內盛한 징후이다.

【配伍分析】 본 방제는 熱毒이 肺를 壅塞하여 痰瘀가 互結한 肺癰을 위하여 설계한 것이다. 치료는 마땅히 淸肺化痰·逐瘀排膿해야 한다. 방제에서 葦莖을 君藥으로 삼은 것은 그 성질이 甘寒하면서 輕浮하여 善淸肺熱하기 때문이니, 『本經逢原』卷2에서 말하기를 "專於利竅, 善治肺癰, 吐膿血臭痰."라고 하였으니 肺癰를 치료하는 要藥이다. 瓜瓣은 淸熱化痰·利濕排膿하기에 淸上徹下하여 肅降肺氣할 수 있어서 君藥인 葦莖가 더불어 배합하면 淸肺宣壅·滌痰排膿하는 것이고, 薏苡仁은 甘淡微寒하여 위로는 肺熱을 淸하게 함으로써 排膿하고 아래로는 腸胃를 이롭게 함으로써 滲濕하기에 함께 臣藥이 된다. 桃仁은 活血逐瘀하면서 또한 潤燥滑腸하기에 瓜瓣과 더불어 배합하면 痰瘀를 大便을 따라 해결할 수 있어서 瘀血이 제거되면 곧 癰膿이 消散하는 것이니 佐藥으로 사용하였다. 네 가지 약재를 합하여 사용하면 함께 淸熱·排膿·逐瘀하는 효능을 갖추고 있어서 肺에 癰膿이 아직 생성되지 않은 자는 복용하면 消散시킬 수 있고, 膿이 이미 생성된 자는 痰瘀를 모두 변화하도록 하여 癰을 治愈할 수 있다.

【類似方比較】 본 방제는 瀉白散과 함께 肺熱을 치료하는 방제이므로 모두 淸瀉肺熱하는 작용이 있다. 다만 瀉白散은 桑白皮·地骨皮를 위주로 하여 瀉肺淸熱·止嗽平喘하는 효능이 있어서 肺經의 鬱熱로 인한 咳嗽證을 주치하고, 본 방제는 葦莖·瓜瓣·苡仁·桃仁이 있어서 淸肺化痰·逐瘀排膿하는 기능이 있으니 熱毒이 壅肺하여 痰瘀互結한 肺癰을 주치한다.

【臨床應用】

1. 證治要點: 본 방제는 肺癰을 치료하는 有效한 방제이니, 肺癰에 그 膿이 將成하거나 혹은 已成한 것을 논할 것 없이 모두 본 방제를 사용할 수 있고, 胸痛, 咳嗽, 吐腥臭痰 혹은 吐膿血, 舌紅苔黃膩, 脈數을 證治의 요점으로 삼는다.

2. 加減法: 만약 肺癰에 아직 膿이 생성되지 않은 자는 金銀花·魚腥草를 넣어 淸熱解毒하는 효능을 증강시키고, 膿이 이미 생성된 자는 桔梗·甘草·貝母를 넣어 化痰排膿하는 효능을 증강시킬 수 있다.

3. 葦莖湯은 다음 한국표준질병사인분류(KCD)에 해당하는 환자가 肺癰으로 辨證되는 경우 본 처방의 사용을 고려해볼 수 있다.

처방 목표	한국표준질병사인분류(KCD)
肺膿腫	J85.1 폐렴을 동반한 폐의 농양
	J85.2 폐렴을 동반하지 않은 폐의 농양
	A06.5 아메바성 폐농양
肺炎球菌性肺炎	J13 폐렴연쇄알균에 의한 폐렴
氣管支炎	J40 급성인지 만성인지 명시되지 않은 기관지염
百日咳	A37 백일해

【注意事項】 본 방제의 藥材가 대부분 滑利하는 藥物이고, 아울러 活血祛瘀하는 작용이 있으므로 孕婦에게는 愼用해야 한다.

【變遷史】 본 방제의 方源은『方劑學』통합 편집 5版 및 6版 教材에서 모두『備急千金要方』에서 출전하는 것으로 인식하였는데,『備急千金要方』卷17을 조사해보니 확실하게 이 방제는 실려 있었지만 아직 方名은 없었다. 사실은 일찍이 北宋의 林億 等이『金匱要略方論』을 校定할 때에 이 방제의 명칭을 '『千金』葦莖湯'이라고 하여 '肺痿肺癰咳嗽上氣病脈證治'篇에 附方으로 收錄하였으니, 본 방제가『備急千金要方』에서 출전하였다고 인식하는 觀點의 由來가 이미 오래되었음을 볼 수 있다. 다만『外臺秘要』卷10의 '肺癰方'에서 인용한『古今錄驗』에도 역시 葦莖湯이 있는데,『備急千金要方』은 唐代 孫思邈이 지은 것으로 650년에 만들어졌고,『古今錄驗』은 唐代 甄立言(『舊唐書』「經籍志」에는 甄權이라고 적음)이 지은 것으로 627년에 만들어졌다. 따라서 본 방제의 方源은 마땅히『外臺秘要』卷10에서 인용한『古今錄驗』이라고 해야 할 것이다.

『外臺秘要』의 葦莖湯 아래에 있는 注釋에서 말하기를 "仲景『傷寒論』, 葦葉, 切, 二升."이라고 하였는데, 古本의『傷寒論』중에는 원래 葦葉·薏苡仁·瓜瓣·桃仁을 사용하여 肺癰을 치료한 방제가 있었음을 제시하였는데, 애석하게도 이미 失傳되었다. 다만『聖濟總錄』卷50에는 여전히 葦葉湯이 실려 있는데, 이 방제와 葦莖湯을 서로 비교하면 葦葉을 사용하면서 葦莖을 사용하지 않은 것을 제외한다면 나머지는 모두 같으니, 이 방제가 古本『傷寒論』에서 來源했을 가능성이 있으며,『古今錄驗』의 葦莖湯은 곧 古本『傷寒論』의 葦葉湯을 변화 발전시켜서 온 것과 관계되는 것이다. 본 방제가 制訂된 이래로 줄곧 역대의 의학자들에게 肺癰을 치료하는 要方으로 여겨져 왔으며, 現代方인 葦莖排膿湯(『醫方新解』)은 곧 본 방제에서 薏苡仁을 빼고, 桔梗湯과 합한 다음, 다시 魚腥草·銀花·柴胡를 넣어 만들어진 것으로, 清泄肺熱·解毒排膿하는 효능이 있어서 肺膿瘍·化膿性 肺炎·大葉性 肺炎·小兒 肺炎·急性 氣管支炎·慢性 氣管支炎 혹은 氣管支擴張에 感染을 동반한 등의 병증을 치료하였다.

【難題解說】

1. 본 방제를 肺癰의 어느 時期에 사용할 것인지에 관한 문제: 본 방제는 肺癰을 치료하는 要劑로 역대의 의학자들이 推仰하였는데, 冉雪峰은 본 방제를 "肺癰已成已化膿之治法"(『歷代名醫良方注釋』)이라고 말하였고, 王子接은 이 방제가 치료하는 肺癰을 膿未成이나 膿已成을 논할 것 없이 모두 사용할 수 있다(『絳雪園古方選注』卷中)고 인식하였다. 임상에서 실증해보면 王子接의 견해가 더욱 실제에 적합하다. 본 방제가 치료하는 肺癰은 膿未成한 자는 消散시키고, 膿已成한 자는 痰瘀를 모두 변화시켜서 膿液을 바깥으로 배출시키면 癰이 점점 낫는 것이다.

2. 본 방제가 吐劑에 속하는지 아닌지에 관한 문제: 본 방제를 복약한 후에는 원래 "當有所見吐膿血"이라는 말이 있었으므로 일부의 의학자들이 본 방제를 吐劑라고 인식하였다. 예를 들면 王子接이 말하기를 "是方也, 推作者之意, 病在膈上, 越之使吐也. 蓋肺癰由於氣血混一, 營衛不分, …… 因勢湧越, 誠爲先著."(『絳雪園古方選注』卷中)라고 하였고, 徐彬 역시 말하기를 "淸結熱而吐其敗濁, 所謂在上者越之耳."(『金匱要略論注』卷7)라고 하였다. 葦莖湯은 吐劑인가? 본 방제를 관찰하면 한 가지의 湧吐藥도 없는데, 복약한 후에 吐膿血이 출현하는 것은 본 방제를 肺癰 成膿期에 상용하기에 증상이 반드시 吐膿하는 것이고, 또한 본 방제에는 淸肺化痰·活血逐瘀하는 효능이 있기 때문에 복약한 후에 肺癰의 排膿을 촉진시킬 수 있으므로 환자에게 대량의 咳吐膿血痰이 출현할 수 있는 것이다. 이러한 종류의 상황은 外癰을 切開하여 排膿시키는 것과 서로 유사한 것이니, 이른바 본 방제를 "越之使吐"하는 것이라고 말하는 것은 일종의 문맥을 따라 말한 것이라고 볼 수 있다.

3. 葦莖에 관한 것으로 葦莖은 어떤 약재인가?: 두 종류의 설명 방법이 있다. 첫째는 이것을 禾本科 植物인 蘆葦의 줄기인 '蘆莖'이라고 인식하는 것과, 둘째는 蘆葦의 根莖인 '蘆根'이라고 인식하는 것이다. 첫 번째

관점을 지지하는 대표자로는 王子接과 張璐가 있다. 王子接이 말하기를 "葦, 蘆之大者; 莖, 乾也."(『絳雪園古方選注』卷中)라고 하였고, 張璐는 곧 말하기를 "葦莖專通肺胃結氣, 能使熱毒從小便泄去, 以其中空善達諸竅. 用莖而不用根, 本乎天者, 親上也."(『千金方衍義』卷7)라고 하였다. 두 번째 관점을 지지하는 자로는 張錫純이 있다. 그가 말하기를 "釋者謂葦用莖不用根, 而愚則以爲不然. 根居水底, 是以其性涼而善升. 患大頭瘟者, 愚常用之爲引經要藥, 是其上升之力可至腦部, 而況於肺乎? 且其性涼能清肺熱, 中空能理肺氣, 而又味甘多液, 更善滋陰養肺, 則用根實勝於莖明矣."(『醫學衷中參西錄』上冊)라고 하였다.

『備急千金要方』과 『外臺秘要』를 살펴보면 葦莖과 蘆根의 구분은 매우 분명하다. 예를 들어 『備急千金要方』卷2의 無名方은 蘆根·知母·靑竹茹와 粳米로 구성되었는데, 妊娠으로 頭痛壯熱하고 心煩嘔吐하면서 不下食하는 것을 치료하였고, 『千金翼方』卷22는 蘆根·地楡·五加皮로 구성된 것을 蘆根湯이라고 불렀는데 乳石이 發動하는 것을 치료하였으며, 『外臺秘要』卷6에서 인용한 『救急方』의 蘆根湯은 生蘆根·生薑·橘皮로 구성되어 있으며 霍亂으로 腹痛吐痢하는 것을 치료하였다. 따라서 王子接과 張璐가 말하는 葦는 곧 '蘆莖'이라는 것이 본 방제가 원래 사용했던 약재의 상황과 합하고, 張錫純이 말한 葦莖을 蘆根으로 사용해야 한다는 것은 순전히 의학 이론상의 추론일 뿐이지 문헌적으로 근거할 것이 없다. 현대 임상에서 葦莖湯을 사용할 때에는 일반적으로 蘆根을 사용하면서 蘆莖은 드물게 사용한다. 그렇다면 蘆根의 작용은 蘆莖보다 나은 것이 아닌가? 또는 蘆莖이 蘆根보다 나은 것인가? 아니면 두 가지의 작용이 서로 비슷한 것인가? 이러한 문제는 단지 임상에서 藥理硏究 혹은 動物實驗을 통해야 비로소 분명히 알 수 있다. 다만 葦莖湯의 原方에서 사용하는 것은 蘆莖이라는 것은 명확하게 할 필요가 있다.

4. 瓜瓣에 관한 것: 瓜瓣은 연구해보면 어떤 瓜의 瓣(子)을 사용한 것인가? 세 종류의 설명 방법이 있다. 첫째, 王士雄는 이것을 冬瓜子라고 인식하였는데, 그가 말하기를 "瓜瓣即冬瓜子, 冬瓜子依於瓤內, 瓤易潰爛, 子能不浥, 則其於腐敗之中自全生氣, 即善於氣血凝聚之中全人生氣, 故善治腹內諸癰, 而滌膿血濁痰也."(『溫熱經緯』卷5)라고 하였다. 둘째, 張璐는 이것을 甜瓜瓣이라고 하였는데, 그가 말하기를 "甜瓜瓣專於開痰, 『別錄』治腹內結聚, 破潰膿血, 善逐垢膩, 而不傷伐正氣, 爲腸胃內癰要藥."(『千金方衍義』卷17)이라고 하였다. 셋째, 王子接은 絲瓜瓣이라고 인식하였는데, 그가 말하기를 "其瓜瓣當用絲瓜者良. 時珍曰: 絲瓜經絡貫穿, 房隔聯屬, 能通人脈絡臟腑, 消腫化痰, 治諸血病, 與桃仁有相須之理."(『絳雪園古方選注』卷中)라고 하였다.

『中華本草』 精選本을 살펴보면 冬瓜子는 『新修本草』에서 나오는데 異名으로는 白瓜子(『神農本草經』), 瓜子·瓜瓣(『金匱要略』), 冬瓜仁(『名醫別錄』)이 있고, 甜瓜子는 『開寶本草』에 나오는데 異名으로는 甘瓜子(『名醫別錄』), 甜瓜仁·甜瓜瓣(『本經逢原』)이 있으니, 瓜瓣이 冬瓜子와 甜瓜子라는 두 가지 설명 중에서는 冬瓜子라는 설명이 비교적 확실함을 볼 수 있다. 絲瓜를 中國에서 栽培한 역사를 『本草綱目』卷28의 記載에 근거하면 "絲瓜, 唐·宋以前無聞. 今南北皆有之, 以爲常蔬."라고 하였으니, 絲瓜子는 明代에 이르러서야 겨우 藥用으로 사용하였다. 대개 絲瓜子는 제일 먼저 姚可成의 『食物本草』에 실려 있는데, 이 책은 明代 萬歷年間의 작품이다. 이것은 初唐時에 사용한 瓜瓣(子)은 絲瓜子가 불가능함을 설명하는 것이다.

【醫案】

1. 肺癰 『黑龍江中醫藥』(1985, 6:6): 某 남자, 45세, 敎師. 환자는 惡寒發熱, 頭痛身倦, 喉癢咳嗽를 10여 일 하였고, 舌質紅, 苔薄白, 脈浮數하였다. 風熱犯肺한 것으로 보고 施治하여 淸熱祛風·宣肺解表하는 방제를 투여하였다. 3첩을 복약하였는데, 惡寒은 비록 그쳤지만 나머지 증상들이 증가하면서 감소하지 않았다. 胸部疼痛, 咳吐腥臭膿痰, 舌苔黃, 脈滑數하였다. X-선 胸部

사진을 보니 肺膿瘍이었다. 증상은 한의학의 肺癰 범주에 속하는 것으로 熱毒犯肺하여 瘀結해서 생성된 것이니 『千金』의 葦莖湯에 加味하였다: 葦莖 20 g, 冬瓜仁 20 g, 桃仁 9 g, 貝母 15 g, 黃芩 10 g, 薏苡仁 20 g, 魚腥草 15 g. 매일 2차례 물에 달여 복용하였다. 3첩을 복약하였더니 發熱·胸痛이 뚜렷하게 輕減하였지만 여전히 咳痰不爽하여 上方에 桔梗 10 g을 넣어 전후로 20첩을 복약하였더니 모든 증상이 다 제거되었다.

2. 鼻淵『四川中醫』(1995, 6:49): 某 여자, 30세. 鼻塞不通한 지 10여 일 되었는데, 黃色 膿涕가 흐르면서 嗅覺이 減退하고 頭沉頭痛하였다. 양의사는 上顎洞炎으로 인식하여 다만 항생제로 치료하였는데 효과가 없었다. 양쪽 上顎洞 구역을 살펴보았더니 壓痛이 있었고, 鼻黏膜이 充血되었으며, 양쪽 下鼻甲이 腫大하였고, 양쪽 中鼻道에 膿涕가 있었으며, 舌紅, 苔黃하였다. 변증은 風熱邪毒이 襲表犯肺한 것으로 치료는 淸熱解毒·逐痰排膿하는 것을 적용하였다. 處方: 葦莖 15 g, 桃仁·薏仁·冬瓜子·蒼耳子·辛夷花(包煎)·路路通·忍冬藤 各 10 g, 連翹·蒲公英 各 15 g, 白芷 3 g. 매일 1첩씩 물에 달여 복용하여 연속으로 12첩을 복용하고는 나았다.

考察: 醫案1의 肺癰은 熱毒이 肺를 침범하여 瘀結해서 생긴 것으로 葦莖湯에 加味한 것을 투여하여 한 달 된 질병으로 하여금 治愈하게 한 것이다. 醫案2의 鼻淵은 外邪가 鼻竅에 侵襲하여 질병의 경과가 오래되고 시간을 끌면서 낫지 않아서 氣血壅塞하면서 痰·膿·濕濁 및 瘀血이 안에서 생기면서 만들어진 것이다. 그러므로 肺開竅於鼻하고 肺之液爲涕라는 이론에 근거하여 逐瘀排膿·化痰除濕·散結通竅하는 葦莖湯에 加減하여 양호한 효과를 거둔 것이다.

【副方】 桔梗湯(『傷寒論』): 桔梗 一兩(30 g) 甘草 二兩(60 g)

- 用法: 上二味, 以水三升, 煮取一升, 去滓, 溫分再服.
- 作用: 淸熱解毒, 消腫排膿.
- 適應症: 少陰客熱咽痛證及肺癰潰膿. 症見咳吐膿血, 腥臭胸痛, 氣喘身熱, 煩渴喜飮, 舌紅苔黃, 脈象滑數.

桔梗湯이 치료하는 증상은 少陰客熱에 책임이 있는데, 그 熱이 循經하여 위로 咽喉를 擾亂시키면 咽痛이 발생하는 것이고, 客熱이 肺를 침범하여 熱盛하면 肉腐化膿하여 肺癰이 되는 것이다. 방제 중 甘草는 生用함으로써 淸熱解毒하고, 桔梗과 配伍함으로써 辛開散結利咽·宣肺化痰排膿한다. 두 가지 약재를 합하여 사용하면 客熱이 제거되고 咽痛이 저절로 그치면서 또한 排膿去腐할 수 있다.

본 방제는 葦莖湯과 함께 淸熱解毒排膿하는 작용을 갖추고 있다. 본 방제의 主治는 少陰에 伏熱한 것이 上攻하고, 다시 邪氣에 감촉되면서 肺氣가 宣發되지 못해서 생긴 咽喉疼痛과 또한 風熱이 肺에 鬱遏하여 肺癰으로 吐膿하는 것을 치료하는데, 겨우 桔梗·甘草의 두 가지 약재를 사용하여 淸熱解毒排膿한 것이므로 藥力이 비교적 薄弱하다. 葦莖湯은 熱毒이 壅肺하고 痰瘀互結한 肺癰을 主治하는데, 淸熱解毒排膿할 뿐만 아니라 化痰逐瘀할 수 있어서 肺癰의 將成 혹은 已成을 논할 것 없으며, 혹은 調理를 잘 하기 위해서도 모두 이 방제를 사용하여 치료할 수 있다.

大黃牡丹湯

(『金匱要略』)

【異名】 瓜子湯(『肘後備急方』, 錄自『備急千金要方』卷23)·大黃湯(『外科集腋』卷4)·大黃牡丹皮湯(『雜病證治新義』).

【組成】大黃 四兩(12 g) 牡丹 一兩(3 g) 桃仁 五十個(9 g) 瓜子 半升(30 g) 芒硝 三合(9 g)

【用法】물 六升으로 달여서 一升을 취하여 찌꺼기를 버리고, 芒硝를 넣어 다시 달여서 끓으면 한 번에 服用한다. 膿이 있으면 당연히 나올 것이고, 만약 膿이 없다면 당연히 下血할 것이다(現代用法: 水煎하고, 芒硝는 녹여서 복용한다).

【效能】瀉熱破瘀, 散結消腫.

【主治】腸癰初期, 濕熱瘀滯證. 右少腹疼痛拒按, 甚則局部腫痞, 小便自調, 或善屈右足, 牽引則痛劇, 或時時發熱, 自汗惡寒, 舌苔薄膩而黃, 脈遲緊.

【病機分析】腸癰이란 腸內에서 발생하는 癰腫으로 少腹部疼痛이 나타나는 일종의 질환이다. 『靈樞』「上膈」에서는 본 질병이 "喜怒不適, 食飮不節, 寒溫不時."와 관계있다고 인식하였다. 『馮氏錦囊秘錄』卷19에서 인식하기를 "腸癰是膏粱積熱所致"라고 하였고, 『外科正宗』卷2에서 말하기를 "腸癰者, …… 饑飽勞傷, …… 或生冷並進, 以致氣血乖違, 濕動痰生, 多致腸胃痞塞, 運化不通, 氣血凝滯而成."이라고 하였다. 또 말하기를 腸癰은 "暴急奔走, 以致腸胃傳導不能舒利, 敗血濁氣壅遏而成."으로 생길 수도 있다고 하였고, 『外科醫鏡』에서 또한 인식하기를 "登高蹲下, 跳躍挫跌, 致瘀血阻腸中, 而成腸癰."이라고 하여, 急暴奔走나 跌仆損傷이 腸癰의 형성과 일정한 관계가 있음을 설명하였다. 본 方劑가 치료하는 것은 腸癰 초기의 症狀으로 濕熱이 鬱蒸함으로 말미암아 氣血이 凝聚하고 熱結하여 흩어지지 않으면 腸腑를 熏蒸하고 熱盛하여 肉腐해서 생기는 것이다. 右少腹은 闌門이 있는 곳으로 腸癰이 잘 발생하는 부위이다. 지금 濕熱瘀滯하여 안으로 이곳에 맺히면 熱盛하여 肉腐함으로써 膿液이 안에서 축적되면 腸絡이 통하지 못하면서 不通則痛하는 것이므로 右少腹이 疼痛拒按하는 것이고, 심하면 局部가 腫痞하면서 右足을 屈而不伸하는데까지 누를 끼치고 牽引하면 곧 痛症이 극심해지는 것이다. 病이 腸腑에 있고 膀胱의 氣化와는 무관하므로 小便은 여전히 自調한 것이다. 時時發熱, 自汗惡寒한 것은 熱이 腸腑에 있으면 氣血瘀積하여 正氣와 邪氣가 相爭하면서 營衛가 失調하여 그런 것이다. 舌苔薄膩而黃한 것은 腸腑에 濕熱이 蘊結한 징후이다. 脈沉緊한 것은 또한 實熱의 징후이다. 위에서 서술한 모든 症狀은 총체적으로 濕熱이 內結하여 氣血이 凝聚하면서 熱結不散하고 熱盛肉腐한 것이 그 病機의 특징이다.

【配伍分析】본 方劑는 腸癰 초기에 濕熱內結, 氣血凝聚, 熱結不散한 症狀이다. 그 병의 위치가 아래쪽에 있고, 病證이 腸中에 有形의 實積이 있기 때문에 『素問』「陰陽應象大論」의 "其下者, 引而竭之."하라는 것과 "其實者, 散而瀉之."하라는 치료 원칙에 근거하여 瀉熱破瘀, 散結消腫으로 법칙을 세운 것이다. 方劑 중 大黃은 苦寒하면서 脾胃·大腸經으로 歸經하며, 瀉熱逐瘀하면서 腸中의 濕熱瘀結의 毒을 蕩滌하니, 『神農本草經』卷4에서 말하기를 "主下瘀血, …… 蕩滌腸胃, 推陳致新."이라고 하였다. 牡丹皮는 苦辛微寒하면서 心·肝·肺經으로 歸經하여 涼血淸熱, 活血祛瘀하니 『神農本草經』卷3에서 말하기를 "主寒熱, …… 除癥堅瘀血留舍腸胃, 安五臟, 療癰瘡."이라고 하였다. 두 가지 약물을 함께 사용하면 瘀熱이 뭉친 것을 瀉해주기 때문에 함께 君藥이 된다. 芒硝는 鹹苦大寒하면서 주로 胃·大腸經으로 들어가서 軟堅散結하고 瀉熱導滯하니 『神農本草經』卷2에서 말하기를 "除寒熱邪氣, 逐六腑積聚, 結固留癖."이라고 하였으니, 大黃을 협조하여 蕩滌實熱하고 推陳致新한다. 桃仁은 苦平하면서 心·肝·肺·大腸經으로 歸經하는데, 성질이 破血을 잘하기에 『神農本草經』卷3에서 말하기를 "主瘀血, 血閉癥瘕, 邪氣."라고 하였으니, 君藥을 도와 活血破瘀하고 瀉熱散結하기에 모두 臣藥이 된다. 瓜瓣은 대부분 冬瓜子를 사용하는데, 본 약물은 甘寒하면서 淸腸利濕하고 排膿散結하기에 內癰을 치료하는 要藥이 되는데, 『本草綱目』卷28에 실려있기를 "治腸癰"이라고 하였으니 佐藥이 된다. 모든 약물을 함께 사용하면 瀉熱破

瘀·散結消腫하는 효능을 얻어서 濕熱瘀結로 하여금 蕩滌하여 제거하는 것이니, 熱結이 통하면 癰腫이 스스로 흩어지고, 血行이 통하면 痛症이 저절로 사라지는 것이다.

본 方劑의 配伍 특징: 寒性 瀉下藥인 大黃·芒硝와 涼血活血藥인 牡丹皮·桃仁이 서로 配伍되어 있어서 瀉熱破瘀하기에, 臨床에서는 濕熱內結하여 氣血凝聚한 腸癰의 初期 증상에 더욱 마땅하다.

【類似方比較】 본 方劑는 大承氣湯·大陷胸湯과 더불어 세 가지 方劑에 모두 大黃·芒硝의 苦寒瀉下를 사용하기에 같은 寒下方劑에 속하여 모두 瀉下熱結하는 效能이 있어서 裏熱積滯의 實證을 치료하는데 사용한다. 그중 大承氣湯은 大黃·芒硝에 厚朴·枳實을 配伍하여 瀉下와 行氣를 함께 사용한 것으로 效能이 오로지 峻下熱結하기에 陽明腑實로 大便秘結하고 腹脹滿硬痛拒按하면서 苔黃, 脈實한 자에게 적용된다. 大陷胸湯은 寒性瀉下藥으로써 大黃·芒硝와 逐水藥인 甘遂를 配伍하여 그 뜻이 邪熱과 水結을 蕩滌하여 瀉熱逐水하는 效能이 있기에 邪熱과 痰水가 서로 응결한 結胸證에 적용된다. 大黃牡丹湯은 寒性瀉下藥으로써 大黃·芒硝와 涼血活血藥인 丹皮·桃仁을 서로 配伍하여 瀉熱破瘀하기에 濕熱內結로 氣血凝聚하여 생기는 腸癰 初期에 膿이 아직 생성되지 않았을 때 적용된다.

【臨床應用】

1. 證治要點: 본 方劑는 腸癰 初期를 치료하는 상용 방제이다. 임상에서는 右少腹이 疼痛拒按하면서 右足을 자주 굽히고, 舌苔黃膩한 것이 證治의 요점이다.

2. 加減法: 만약 熱毒이 비교적 심한 자는 金銀花·連翹·蒲公英·敗醬草·白花蛇舌草 등을 넣어 淸熱解毒하는 힘을 강화시킬 수 있고, 血瘀가 비교적 심한 자는 赤芍·丹參·乳香·沒藥 등을 넣어 活血化瘀하는 效能을 증가시킬 수 있으며, 만약 高熱로 腹痛이 비교적 극심한 자는 黃連을 넣어 淸熱解毒할 수 있다. 만약 大便이 痢疾과 유사하면서 상쾌하지 않고, 舌質紅, 脈細數한 것은 陰液이 손상된 모양이니, 마땅히 芒硝를 빼서 瀉下시키는 힘을 완화시키면서 아울러 玄參·麥冬·生地黃을 넣어 養陰淸熱해야 한다.

3. 大黃牧丹湯은 다음 한국표준질병사인분류(KCD)에 해당하는 환자가 腸癰初期, 濕熱瘀滯證으로 辨證되는 경우 본 처방의 사용을 고려해볼 수 있다.

처방 목표	한국표준질병사인분류(KCD)
急性蟲垂炎	K35 급성 충수염
急性膽道感染	K80 담석증
	K81 담낭염
	K83.0 담관염
膽道蛔蟲	B77.8 기타 합병증을 동반한 회충증
急性膵臟炎	K85 급성 췌장염
急性 骨盤內感染症	(질병명 특정곤란)
	N73 기타 여성골반염증질환
	R10 복부 및 골반 통증
子宮附屬器炎	N70 난관염 및 난소염
輸精管 結紮 手術 後의 感染	(질병명 특정곤란)
	Z54.0 수술후 회복기
	A00~B99 I. 특정 감염성 및 기생충성 질환

【注意事項】 본 方劑는 重型의 急性化膿性 혹은 壞疽性 闌尾炎·闌尾炎과 합병된 腹膜炎(혹은 中毒性 쇼크가 있거나, 혹은 腹腔에 膿液이 많은 자)·嬰兒의 急性闌尾炎·妊娠의 闌尾炎과 합병된 사방으로 퍼지는 腹膜炎·闌尾寄生蟲病 等 및 老人·孕婦·體質이 지나치게 虛弱한 자는 모두 禁用하거나 혹은 愼用해야 한다.

【變遷史】 본 方劑는 漢代 張仲景의 『金匱要略』에 처음으로 보인다. 書中에 실려있기를 "腸癰者, 少腹腫痞, 按之即痛如淋, 小便自調, 時時發熱, 自汗出, 復惡寒. 其脈遲緊者, 膿未成, 可下之, 當有血; 脈洪數者, 膿已成, 不可下也. 大黃牡丹湯主之."라고 하였다. 이것에 근거하면 역대의 의학자들은 모두 본 方劑로 腸癰

을 치료하는 대표 方劑로 삼았으며, 아울러 각자가 발휘한 것들이 있었다. 예를 들어 『劉涓子鬼遺方』卷3의 大黃湯(大黃·牡丹皮·芥子·硝石·桃仁)은 腸癰으로 小腹腫痞堅한 것이 누르면 痛症이 있으며, 혹은 膀胱의 左右에 있으면서 그 색깔이 혹은 赤色이거나 혹은 白色이면서 손바닥크기 만큼이 堅大하면서 熱이 나고, 小便欲調하고 때로 汗出하거나 때로 復惡寒한 것을 주치하는데, 그 脈이 遲堅하면 아직 膿이 생성되지 않은 자이다. 『太平聖惠方』卷61의 牡丹散은 大黃牡丹湯의 기초상에서 敗醬草의 清熱解毒과 赤芍藥의 涼血散瘀와 木香의 行氣化滯를 더한 것인데, 腸癰으로 膿이 아직 생성되지 않았으며, 腹中이 血瘀氣滯로 통증을 참을 수 없는 것을 주치한다. 『普濟方』卷285의 牡丹湯은 곧 大黃牡丹湯에서 冬瓜仁을 瓜蔞仁으로 바꾼 것으로, 그 潤燥開結하는 효능을 취하여 蕩熱滌痰함으로써 大腸을 이롭게 한 것이다. 腸癰으로 小腹腫痞하면서 누르면 淋疾처럼 통증이 있고, 小便自調, 大便乾, 時時發熱, 自汗出, 惡寒, 其脈沉緊한 자를 주치한다. 『外科大成』卷4의 丹皮湯은 藥物의 구성이 『普濟方』의 牡丹湯과 서로 같지만, 主治에는 發揮한 것이 있으니 腸癰을 치료할 뿐만 아니라 胃痛을 치료하는데도 사용한다. 최근에 天津의 南開醫院은 大黃牡丹湯의 기초상에서 반복적인 임상 실천을 통하여 闌尾清化湯·闌尾化瘀湯·闌尾清解湯이라는 세 개의 서로 다른 方劑를 창제하였는데, 闌尾炎의 不同期(型)에 분별하여 운용한다. 闌尾清化湯은 清熱解毒하는 약물을 重用하여 急性闌尾炎의 蘊熱期에 氣血이 瘀滯한 症狀에 사용하고, 闌尾化瘀湯은 行氣藥을 重用하여 急性闌尾炎의 瘀滯期에 氣血이 瘀滯하였지만 熱象이 현저하지 않은 症狀에 사용하며, 闌尾清解湯은 通裏攻下를 위주로 하면서 清熱解毒·行氣活血을 보조하였으므로 急性闌尾炎의 毒熱期에 毒熱이 熾盛하여 腸腑의 實熱로 氣血瘀滯한 증상에 사용한다. 이상 세 가지 方劑는 적합성이 강하기 때문에 효과가 더욱 신속하면서 확실하다.

【難題解說】

1. 方劑 중의 瓜子에 관한 것: 이것에 대하여 歷代 醫學者들의 인식이 일치하지 않는데, 徐彬은 인식하기를 "冬瓜子下氣散熱, 善理陽明, 而復正氣."(『金匱要略論注』卷18)라고 하였고, 程林이 인식하기를 "瓜子當是甜瓜子, 味甘寒, 『神農經』不載主治, 亦腸中血分藥也, 故『別錄』主潰膿血, 爲脾胃腸中內癰要藥, 想亦本諸此方."(『金匱要略直解』)이라고 하였다. 冬瓜子는 性味가 甘寒하고 효능이 清肺化痰排膿하며 肺癰·腸癰을 주치하고, 甜瓜子는 性味가 甘寒하고 효능이 消瘀散結과 清肺潤腸하며 腹內結聚로 腸癰이 있으면서 咳嗽口渴하는 것을 주치한다. 두 가지 약물의 性味가 서로 같고 효능이 서로 비슷하며 모두 散瘀消腫하여 腸癰을 치료한다. 그러므로 임상에서 본 方劑를 응용할 때에는 濕痰이 왕성한 자는 冬瓜子를 사용하고, 瘀結하여 癰이 생긴 자는 甜瓜子를 사용하는데, 다만 습관적으로 冬瓜子를 사용한다.

2. 본 方劑가 치료하는 腸癰의 膿의 생성 여부: 『金匱要略』에서 지적하기를 "腸癰者, 少腹腫痞, 按之即痛如淋, 小便自調, 時時發熱, 自汗出, 復惡寒. 其脈遲緊者, 膿未成, 可下之, 當有血. 脈洪數者, 膿已成, 不可下也. 大黃牡丹湯主之."라고 하였고, 大黃牡丹湯의 복용법 뒤에 또 말하기를 "有膿當下, 如無膿, 當下血."이라고 하였다. 이것에 대하여 後世 醫學者들의 인식이 일치하지 않는데, 周揚俊이 인식하기를 "腸癰而少腹不可按, …… 治之者, 須以膿成·未成爲異. 欲知之法, 舍脈無由, 脈遲緊, 知未熟, 爲血瘀於內, 勿使成膿, 下之須早, 非桃仁承氣湯乎? 脈若洪數者, 則已成矣, 豈復有瘀可下? 此大黃丹皮以滌熱排膿, 勢所必用也."(『金匱玉函經二注』卷18)라고 하였고, 吳謙 등이 인식하기를 "腸癰者, …… 其脈遲緊, 則陰盛血未化, 其膿未成, 可下之, 大便當有血也. 若其脈洪數, 則陽盛血已腐, 其膿已成, 不可下也. 下之以大黃牡丹湯, 消瘀瀉熱也."(『醫宗金鑒』「金匱要略注」卷22)라고 하였으며, 王子接이 인식하기를 "服之當下血, 下未化膿之血也. 若膿已成, 形肉已壞, 又當先用排膿散及湯. 故原文云: 膿已成, 不可下也."(『絳雪園古方選注』卷下)라고 하였다. 최근의 현자인 陸淵雷가 인식하기를 "盲腸

闌尾之炎, 當其發炎而膿未成之際, 服本方則炎性滲出物隨下, 其狀亦似膿. 方後所云: 有膿當下者, 蓋指此. 非謂膿成之證亦可用本方也."(『金匱要略今釋』卷6)라고 하였다. 이상에서 논한 것에 근거한다면 본 方劑를 응용할 때에는 마땅히 有膿과 無膿을 변별해야 함을 설명하고 있다. 膿未成한 자는 응당 熱毒瘀滯를 瀉下하여 消散을 재촉해야 한다. 다만 모름지기 일찍 복용해서 아직 膿이 만들어지지 않았을 때 먼저 下法을 써야 치료 효과가 비교적 양호하다. 膿이 이미 완성된 것에 이르러서는『金匱要略』에서는 비록 "不可下也"라고 설명하고 있지만, 方後에 또 말하기를 "有膿當下"라는 것도 있으니, 지금의 임상 실제와 결합한다면, 본 방제는 腸癰의 治療에 대하여 膿未成커나 혹은 膿已成未潰를 논할 것 없이 모두 사용 가능하다. 다만 實證·熱證을 위주로 하면서 證候의 表現을 살펴서 靈活하게 운용해야 한다.

【醫案】

1. 腸癰『經方實驗錄』: 陸左. 初診: 痛症이 배꼽 우측 斜下方 一寸쯤에 있으니, 西醫에서 말하는 盲腸炎이다. 脈大而實하니 마땅히 下法을 써야 하는데 仲景法을 사용하였다. 生軍 五錢, 芒硝 三錢, 桃仁 五錢, 冬瓜仁 一兩, 丹皮 一兩. 二診: 痛症은 이미 대략 완화되었는데, 우측 足이 拘急하여 屈伸하지 못하였고, 다리를 펴면 腹中이 당기면서 통증이 있었으니 芍藥甘草湯이 마땅하다. 赤白芍 各五錢, 生甘草 三錢, 炙乳沒 各三錢. 三診: 우측 다리는 이미 펴졌는데, 腹中이 劇痛한 것은 여전하여 거듭 大黃牡丹湯으로 下法을 쓰는 것이 마땅하다. 生川軍 一兩, 芒硝 七錢沖, 桃仁 五錢, 冬瓜仁 一兩, 丹皮 一兩.

2. 慢性腸炎『劉渡舟臨證驗案精選』: 某 남자, 24세. 환자는 일년 내내 大便溏泄하면서 매일 3~4번 하고, 少腹이 疼痛한데 한 번 통증이 오면 곧 泄瀉를 하였지만 다 나오지 않은 느낌이 있었고, 비록 설사를 하더라도 그 腹痛이 감소되지 않았으며 大便에는 白色黏液을 띠고 있었다. 西醫가 진단하기로는 慢性腸炎이였다. 환자는 面色晦滯, 脇肋脹滿, 口雖乾而不欲飮, 舌質暗紅, 苔白膩, 脈弦小澀하였다. 이 증상은 腸에 정체된 熱이 있어서 熱灼津液하여 下注하면서 泄瀉가 되는 것이고, 또한 肝氣鬱滯로 疏泄기능이 불리해지면서 氣鬱化火 등 증상의 정황을 겸유하고 있어서 일반적인 泄瀉와 비교할 바가 아니다.

治療 原則: 마땅히 瀉熱破結하고 '通因通用'하며 散結理氣의 방법으로 치료해야 한다.

處方: 大黃牡丹湯에 四逆散을 합하여 가감한다: 大黃 3 g, 丹皮 12 g, 冬瓜仁 30 g, 桃仁 14 g, 雙花 15 g, 柴胡 12 g, 枳殼 10 g, 木香 10 g을 水煎服한다. 5번 복용을 다하고 나니 少腹疼痛이 크게 감소하고 大便 次數도 매일 2차례로 감소하였지만, 여전히 黏液과 下利不爽한 감각이 남아있었는데, 이것은 남아있는 邪氣가 다하지 않은 증상이므로 또 五劑를 복용했더니 少腹不痛하고 大便通暢하여 매일 1차례 보았으며, 黏液이 보이지 않게 되었다. 이후에는 調理脾胃하는 것으로 뒷마무리를 잘하였더니 數劑에 병이 나았다.

3. 產褥感染『黑龍江中醫藥』(2006, 1:30): 某 여자, 27세. 5일 전에 한 남자 아이를 分娩하였는데, 근래에 小腹灼熱疼痛·拒按하고 惡露가 처음에는 양이 많았는데 계속해서 양이 적어지면서 色紫黯하고 氣穢臭하였고, 發熱, 渴欲飮, 大便乾結, 小便短赤, 苔黃燥, 脈弦數을 동반하였다. 이것은 熱과 血이 뭉치면서 瘀血이 胞脈을 막은 裏實證이다.

治療 原則: 치료는 瀉瘀熱·活血止痛하는 것이 마땅하다.

處方: 大黃(後下) 6 g, 芒硝(沖服) 6 g, 丹皮 12 g, 桃仁 10 g, 冬瓜仁 15 g, 金銀花 15 g, 黃連 10 g. 매일 一劑씩 二劑를 먹은 후에 乾硬한 糞便을 배출하면서 腹痛이 緩解되었고, 계속해서 三劑를 복용했더니 모든 증상이 소실되면서 나았다.

考察: 産褥感染은 中醫의 '産後腹痛'에 해당되는데, 대부분의 원인이 평소 체질이 陽盛하거나 혹은 産後에 胞宮이 空虛해지면서 邪毒이 침입한 후 속으로 들어가면서 熱로 변화하여 沖任經脈을 손상시키면, 熱과 血이 뭉치면서 胞脈이 不通하여 통증이 생기는 것이다. 그러므로 通腑瀉熱하는 것을 급선무로 삼아야 한다.

4. 급성췌장염『黑龍江中醫藥』(2006, 1:30): 某 남자, 36세. 기름진 음식을 먹은지 30분 후에 갑자기 右側 脇下에 劇烈한 疼痛이 있으면서 背部로 放散痛이 생겼고, 發熱惡心과 嘔吐를 두 차례 동반하였다.

實驗室檢查結果: 백혈구 計數와 血清 아밀라아제가 모두 높아져서 西醫는 급성췌장염으로 진단하였고, 膽囊 X-선 촬영을 해 보았는데 뚜렷한 結石 陰影을 볼 수는 없었다.

診斷 所見: 고통스러워하는 病色으로 腹痛拒按하였고, 舌質紅·苔黃, 脈弦滑하였다. 증상이 肝鬱氣滯하여 實熱이 脾胃에 뭉친 것에 속한다.

治療 原則: 清熱解鬱通腑하는 것이 옳다.

處方: 處方으로는 大黃牡丹湯을 선택하여 化裁하였다: 大黃(後下) 10 g, 桃仁 10 g, 芒硝(沖) 10 g, 蒲公英 15 g, 枳實 10 g, 半夏 10 g을 급하게 달여서 복용함. 복용한 후에 腹痛이 풀리고 嘔吐가 그쳤으며 大便을 2차례 瀉下하였고, 계속해서 三劑를 복용하니 모든 증상이 나았다.

考察: 이 병은 대부분 暴飮暴食하거나, 肥甘厚味를 과식하거나, 辛辣한 음식물을 자주 먹음으로써 생기는 것으로, 濕熱이 蘊結하면 氣機가 鬱滯되므로 大黃牡丹湯을 사용하여 通裏瀉下하고 實熱積滯를 蕩滌하면, 濕熱이 제거되고 腑氣가 通하면서 通하면 痛症이 없어지기 때문에 그 병증이 스스로 낫는 것이다.

5. 癒着性腸閉塞『遼寧中醫雜誌』(2006, 5:618): 某 여자, 34세. 2일 전에 밥을 먹고나서 얼린 감을 먹은 후에 腹脹, 腹痛, 惡心하면서 胃內容物을 2차례 嘔吐하였고, 1일 동안 排氣·排便을 하지 못하였으며, 發熱(T: 37.8℃), 舌質紅, 苔黃膩, 脈弦滑하였다.

신체 검사결과: 전체 腹部에 산재성 壓痛으로 拒按하였고 腹皮攣急은 없었다. 腸鳴音이 항진되어 가스가 지나가면서 물 소리가 들렸다. 腹部의 立位 X-선 사진: 左上腹 및 右下腹部에 많은 숫자의 크기가 다른 氣液의 平面이 보였다.

일상적인 혈액검사: WBC: 10.5×10^{9}/L, gR: 75%. 일찍이 1년 전에 闌尾 절제수술을 받았다. 腹部에 熱敷할 것을 부탁하면서 大黃牡丹湯에 加減한 것을 투여하였다.

處方: 生大黃(後下) 15 g, 芒硝(沖服) 5 g, 桃仁 0 g, 牡丹皮 15 g, 冬瓜仁 10 g, 枳殼 15 g, 炒萊菔子 20 g, 厚朴·甘草 各 10 g. 一劑를 복약하면서 아울러 溫鹽水 500 mL로 灌腸하였더니 배출되는 大便이 비교적 많으면서 腹脹과 腹痛이 완화되었다. 계속해서 二劑를 복용했더니 腹脹이 소실되고 먹는 음식물이 증가되었으며, 묽은 변을 하루 2차례 배출하였다. 原方에서 芒硝를 빼고 玄參 20 g, 麥冬 15 g, 白芍 20 g을 넣어 六劑를 복용했더니 모든 증상이 사라지면서 나았다. 6개월 동안 방문하면서 물어보았지만 아직 재발하지는 않았다.

考察: 본 의안은 수술 후에 야기된 腸 癒着으로 생긴 것인데, 氣機가 불리해지면서 傳化를 하지 못하고 氣滯血瘀하면서 阻塞不通하여 생긴 것이다. 腸腑는 通降下行하는 것을 순조로운 것으로 삼기 때문에 通腑攻下하는 것을 治療의 大法으로 삼았다.

6. 乳汁不行『現代中西醫結合雜誌』(2006, 22: 3098): 환자는 25세로 産後 보름에 乳汁의 분비가 감소하여 일

찍이 湧泉下乳散을 복용하였으나 효과가 없었다.

診斷 所見: 焦躁失眠, 心中懊憹, 兩乳飽滿, 觸之硬而發熱, 胸滿痞悶, 口黏而苦, 納穀不香, 尤厭油膩, 便乾尿黃, 舌紫紅, 苔黃厚膩, 脈滑數하였다. 이것은 濕熱瘀의 세 가지 邪氣가 乳絡을 막은 것이다.

治療 原則: 淸熱利濕·祛瘀通絡해야 한다.

처방: 大黃牡丹湯에 通草 15 g, 穿山甲 12 g을 넣는다. 방제 중 芒硝 9 g을 취하여 外用하되, 蒲公英 30 g과 함께 찧어서 兩乳에 펼쳐 바른다. 빠르게 효과를 거두어 1주일 내에 완전히 나았다.

【副方】

1. 闌尾化瘀湯(『新急腹症學』): 川楝子 金銀花 各 15 g 延胡索 牡丹皮 桃仁 大黃 後下 木香 各 9 g

- 用法: 水煎服.
- 作用: 行氣活血, 淸熱解毒.
- 適應症: 瘀滯型闌尾炎初期, 發熱, 腹痛, 右下腹局限性壓痛, 反跳痛. 或闌尾炎症消散後, 熱象不顯著, 而見脘腹脹悶, 噯氣納呆.

본 方劑는 大黃牡丹湯에 芒硝·瓜子를 빼고, 川楝子·延胡索·木香·金銀花를 넣어 구성한 것이다. 方劑 중 川楝子는 延胡索·木香과 配伍하여 行氣止痛하고, 桃仁·牡丹皮는 活血化瘀하니, 다섯 가지 약물을 함께 사용하면 行氣活血한다. 瘡瘍의 聖藥인 金銀花의 淸熱解毒을 重用하고, 大黃의 通裏攻下·逐瘀解毒을 涼血散瘀하는 牡丹皮와 配伍하면 함께 瘀熱을 瀉하고, 活血潤腸하는 桃仁과 配伍하면 瘀滯를 통하게 한다. 모든 약물을 함께 사용하면 行氣活血·淸熱解毒의 효능을 얻는 것이니, 瘀滯型 闌尾炎의 初期나 혹은 闌尾의 炎症이 消散한 후에 사용한다. 『中西醫結合治療常見急腹症』에 실려 있는 闌尾化瘀湯은 본 方劑와 비교할 때 延胡索 한 개의 약물이 적으니 임상에서 참고할 만하다.

2. 闌尾淸化湯(『新急腹症學』): 銀花 蒲公英 牡丹皮 大黃 川楝子 赤芍 桃仁 生甘草

- 用法: 水煎服.
- 作用: 淸熱解毒, 行氣活血.
- 適應症: 急性闌尾炎蘊熱期, 或膿腫早期, 或輕型腹膜炎, 見低熱, 或午後發熱, 口乾渴, 腹痛, 便秘, 尿黃.

본 方劑 역시 大黃牡丹湯을 변화 발전시켜서 온 것으로, 방제 중 金銀花·蒲公英은 淸熱解毒하는데, 川楝子·赤芍·牡丹皮·桃仁과 配伍하면 行氣活血하고, 大黃은 逐瘀解毒·通裏攻下하며, 甘草는 解毒和藥한다. 합해서 사용하면 淸熱解毒·行氣活血의 효능을 얻는 것이니, 急性闌尾炎의 蘊熱期나 혹은 膿腫의 早期, 혹은 輕型의 腹膜炎에 사용한다.

3. 闌尾淸解湯(『新急腹症學』): 金銀花 60 g 大黃 25 g 蒲公英 冬瓜仁 各 30 g 牡丹皮 15 g 川楝子 生甘草 各 10 g 木香 6 g.

- 用法: 水煎服.
- 作用: 淸熱解毒, 攻下散結, 行氣活血.
- 適應症: 急性闌尾炎熱毒期, 發熱惡寒, 面紅目赤, 唇乾口燥, 口渴欲飮, 惡心嘔吐, 腹痛拒按, 腹肌緊張, 有反跳痛, 大便秘結, 舌質紅, 苔黃燥或黃膩, 脈洪大滑數.

본 方劑는 大黃牡丹湯에서 芒硝·桃仁을 빼고, 金銀花·蒲公英·木香·生甘草를 넣어 만든 것이다. 方劑 중에는 金銀花·蒲公英을 重用하여 淸熱解毒하여 熱毒瘡癰을 치료하고, 冬瓜仁은 大腸의 垢濁한 것을 인도하여 排膿消癰하며, 大黃은 苦寒攻下·瀉火逐瘀하고, 牡丹皮·赤芍·桃仁은 涼血散血하여 大黃을 도와 瘀熱을 瀉하고, 木香은 行氣止痛하는데 氣行하면 血行하

기 때문에 牡丹皮·赤芍·桃仁과 配伍하여 行氣活血함으로써 祛瘀하는 것이다. 모든 약물을 함께 사용하면 淸熱解毒·攻下散結·行氣活血의 효능을 얻는 것이니, 급성충수염의 熱毒期에 사용한다.

闌尾化瘀湯·闌尾淸化湯·闌尾淸解湯의 세 方劑는 古方인 大黃牡丹湯의 기초상에서 中醫學 理論에 근거하고, 현대적인 연구의 성과를 참조하여 創立한 급성충수염을 치료하는 최신 方劑이다. 闌尾化瘀湯은 行氣活血하는 약물을 위주로 하면서 淸熱解毒·通裏攻下하는 약물로 보조하여 方劑를 구성한 것으로, 行氣活血·淸熱解毒에 長技를 가지고 있기 때문에 瘀滯型 충수염의 초기나 혹은 충수의 염증이 消散된 후에 사용한다. 闌尾淸化湯은 淸熱解毒을 위주로 하면서 行氣活血·通裏攻下하는 藥物을 보조하여 方劑를 구성한 것으로, 淸熱解毒·行氣活血에 長技를 가지고 있기 때문에 급성충수염 蘊熱期나 혹은 膿腫의 早期, 혹은 輕型의 腹膜炎에 사용한다. 闌尾淸解湯은 淸熱解毒·攻下散結을 위주로 하면서 行氣活血로 보조하여 方劑를 구성한 것으로, 효능이 전적으로 淸熱解毒·攻下散結·行氣活血하니, 급성충수염의 熱毒期에 사용한다.

薏苡附子敗醬散

(『金匱要略』)

【異名】 附子湯(『聖濟總錄』卷129)·敗醬散(『校注婦人良方』卷24)·薏苡附子散(『證治准繩』「瘍醫」卷2)·薏苡敗醬湯(『張氏醫通』卷14).

【組成】 薏苡仁 十分(30 g) 附子 二分(6 g) 敗醬 五分(15 g)

【用法】 이상 세 가지 약물을 찧어서 가루로 만들고 方寸匕를 취하여 물 二升으로 달여서 반으로 줄어들면 한 번에 복용한다. 小便이 마땅히 나온다(現代用法: 水煎服).

【效能】 排膿消癰, 溫陽散結.

【主治】 腸癰, 膿已成證. 身無熱, 肌膚甲錯, 腹皮急, 按之濡, 如腫狀, 脈數.

【病機分析】 본 方劑가 주치하는 腸癰은 대부분 寒濕瘀血이 互結하거나 혹은 濕熱이 鬱蒸한 것이 오래되면 膿을 형성하게 되고 結聚하여 사라지지 않으면(않아서) 손상이 陽氣에게까지 미치면서 생기는 것이다. 腸癰에 膿이 형성되면 營血에게까지 累를 끼쳐서 肌膚가 영양분을 공급받지 못하므로 몸에 甲錯이 보이는 것이니, 곧 皮膚가 거칠어지면서 마치 鱗甲이 交錯한 상태와 같은 것이다. 癰膿이 腸間에 뭉치면 腑氣는 통하지 못하지만 腸內에 燥屎는 없으므로 "腹皮急, 按之濡, 如腫狀"이 나타나는 것이고, 膿이 형성된 것이 오래되어도 潰破되지 않으면 耗氣傷陰하게 되고 氣損하면 陽에게까지 영향을 미치므로 身無熱한 것이며, 腸間에 膿毒이 蘊結하여 邪氣와 正氣가 相搏하므로 脈數한 것이다. 위에서 서술한 모든 증상들은 腸癰으로 膿이 형성된 것이 오래도록 없어지지 않으면 손상이 陽氣에 영향을 미치는 것이 病理의 특징임을 표명하는 것이다.

【配伍分析】 본 方劑는 腸癰으로 膿이 형성된 것이 오래도록 사라지지 않으면 손상이 陽氣에게까지 미치는 증상을 위하여 설계한 것이다. 대개 癰膿이 사라지지 않으면 熱毒이 淸解되지 않고, 陽氣가 손상을 받으면 癰膿을 消散하지 못한다. 이때에 순수하게 淸熱하는 약물을 사용한다면 陽氣가 더욱 손상될 것이고, 단순히 溫陽하는 약물을 사용한다면 熱毒이 더욱 심해질 것이므로 치료는 排膿消腫과 溫陽散結의 두 가지를 함께 고려해야 한다. 方劑 중에 薏苡仁을 重用하였는데, 味甘淡하면서 性 微寒(띠우기)하고 脾·胃·肺經으로 歸經하면서 淸熱利濕排膿하기에 '治肺癰·腸癰'의

要藥이 되므로 본 方劑의 君藥이 된다. 敗醬草는 味辛苦(띄어쓰기)하면서 性 微寒(띄어쓰기)하고 胃·大腸·肝經으로 歸經하면서 排膿破血하기에 『神農本草經』卷3에서 말하기를 "主暴熱火瘡"이라고 하였고, 『名醫別錄』卷2에서 말하기를 "除癰腫"한다고 하였으니 이것이 臣藥이 된다. 君臣이 서로 配伍하여 排膿解毒하면 消癰시키는 效能이 극도로 우수해진다. 더욱 오묘한 것은 辛甘大熱한 附子로 조금 輔佐하는 것에 있는데, 辛熱로 散結하면서 振奮陽氣하기에 『神農本草經』卷4에서 말하기를 "主溫中·金瘡, 破癥堅積聚."라고 하였으니, 薏苡仁을 도와 溫散寒濕할 뿐만 아니라 薏苡仁·敗醬草의 苦寒한 성질이 陽氣를 손상시키는 것을 制約하고, 아울러 그 辛散開鬱하는 성질을 빌려서 氣機의 通調와 癰瘡의 消散을 유리하게 한다. 魏念庭이 말하기를 "附子微用, 意在直走腸中, 屈曲之處可達."(『金匱要略方論本義』卷中)이라고 하였으므로 附子는 또한 使藥의 작용도 겸하고 있다. 세 가지 약물로 方劑를 구성하면 함께 排膿消癰·溫陽散結하는 효능을 얻을 수 있어서 腸癰에서 膿이 형성된 것을 證治하는 유효한 方劑가 된다.

본 方劑는 配伍하는 것에 있어서 첫째, 濕熱鬱蒸하여 日久成膿하는 病機를 조준하여 薏苡仁을 重用하면서 敗醬草와 配伍하였으니, 곧 祛濕과 清熱을 함께 사용한 것이다. 둘째, 癰膿이 結聚하여 사그라들지(줄어들지) 않는 것과 손상이 陽氣에게까지 미치는 병리적인 특징을 함께 고려하여 附子의 辛溫散結하고 振奮陽氣하는 것으로 조금 輔佐하였으니, 薏苡仁을 도와 溫散寒濕할 뿐만 아니라 薏苡仁·敗醬草의 苦寒이 陽氣를 손상시키는 것을 제약하며, 아울러 힘을 빌려서 鬱滯한 氣를 운행시킨다. 그러므로 본 方劑는 祛濕·清熱·溫散을 함께 사용하는 配伍 특징을 갖추고 있다.

【類似方比較】 본 方劑와 大黃牡丹湯은 모두 『金匱要略』에서 腸癰을 치료하는 有效한 名方이다. 다만 두 가지는 區別해야 한다. 본 方劑는 祛濕清熱과 排膿消癰을 하는 薏苡仁·敗醬草와 더불어 辛溫大熱한 附子를 配伍하여 方劑를 구성하였으니, 취지가 祛濕·清熱·溫散을 함께 사용하여 효능이 오로지 消癰排膿·溫陽散結하는데 있다. 寒濕瘀血이 互結커나 혹은 濕熱이 鬱蒸한 것이 오래되면서 膿을 형성하고 結聚不消하여 손상이 陽氣에까지 미쳐서 생기는 腸癰에 사용하는데, 症狀으로는 其身甲錯, 腹皮急, 按之濡, 如腫狀, 腹無積聚, 身無熱, 脈數한 자이고, 현대에는 급성충수염으로 膿腫이 이미 형성되었거나 혹은 만성충수염의 급성발작으로 腹部柔軟하면서 痛不明顯하고, 아울러 面色蒼白, 裏熱不甚, 濕盛於熱, 體虛脈弱이 나타나는 자에게 사용한다. 大黃牡丹湯은 寒性 瀉下藥인 大黃·芒硝와 더불어 涼血活血藥인 牡丹皮·桃仁 및 除濕清熱·排膿散結藥인 瓜子(冬瓜仁)를 配伍하여 方劑를 구성한 것으로, 취지가 攻下瀉熱과 破瘀散結을 함께 사용하는 것에 있는데, 이러한 까닭으로 瀉熱破瘀가 위주가 되어 腸癰 초기에 腸에 濕熱瘀滯하여 症狀으로 右側腹痛拒按, 右足屈而不伸, 舌苔薄膩而黃, 脈遲緊이 나타나는데, 현대에는 급성충수염 초기에 아직 化膿이 되지 않으면서, 腹痛陣作, 按之加劇, 腹皮微急, 脘腹脹滿, 噯氣納呆, 惡心欲吐, 大便正常或秘結, 稍有發熱及惡寒, 舌質暗紅, 舌苔薄膩而黃, 脈弦緊하는 자에게 사용하는데, 증상이 濕熱瘀滯로 結於腸腑한 것에 속한다.

【臨床應用】

1. 證治要點: 본 方劑는 腸癰으로 膿이 이미 형성된 것을 치료하는 효력이 있는 方劑이다. 임상에서는 腹皮急, 按之濡, 身無熱, 舌苔薄膩, 脈數을 證治의 요점으로 삼는다. 최근의 어떤 사람은 본 方劑의 응용을 다음의 몇 개 방면으로 귀납시켰다(몇 가지로 정리하였는데): ① 慢性腸癰으로 病程이 비교적 긴 것. ② 癰膿이 아직 潰破되지도 않고 또한 消散되지도 않아서 右側 少腹이 痞腫한데 누르면 濡軟하면서 접촉해도 疼痛이 드러나지 않는 것. ③ 身熱이 심하지 않고 혹은 色白肢冷, 身無熱, 舌淡苔白, 口渴不顯或不渴, 脈虛小數 등을 동반한 경우이니 臨床에서 참고할 만하다.

2. 加減法: 만약 腹中에 腫塊가 있으면 氣血鬱滯가 비교적 심한 것이니 桃仁·牡丹皮·當歸 등을 넣어 化瘀消腫하고, 枳殼·橘核 등을 넣어 行氣散結한다. 만약 神疲體倦, 食少, 舌淡, 脈弱이 보이는 자는 脾氣虛弱한 것이니 黨參·黃芪·白朮·茯苓 등을 넣어 健脾益氣補虛하고, 밖으로 發熱이 있는 자는 金銀花·蒲公英·連翹 등을 넣어 淸熱解毒하며, 腹痛이 심한 자는 白芍·延胡索을 넣어 緩急止痛하고, 右少腹에 때로 灼痛이 있는 자는 濕熱瘀滯가 지나치게 심한 것이니 黃連·黃芩·赤芍·當歸·牡丹皮의 종류를 넣으면서 아울러 敗醬草를 重用하여 淸熱解毒祛濕과 涼血化瘀止痛하는 효능을 증강시킨다.

3. 薏苡附子敗醬散은 다음 한국표준질병사인분류(KCD)에 해당하는 환자가 腸癰, 膿已成證證으로 辨證되는 경우 본 처방의 사용을 고려해볼 수 있다.

처방 목표	한국표준질병사인분류(KCD)
慢性蟲垂炎	K36 기타 충수염
蟲垂 周圍의 膿腫	K35 급성 충수염
	K36 기타 충수염
	K37 상세불명의 충수염
局限性 腹膜炎 化膿性	K65.0 급성 복막염
子宮附屬器炎·	N70 난관염 및 난소염
痔漏	K60.3 항문루
腹股溝 淋巴結炎	A18.2 결핵성 말초림프절병증
腸結核	A18.3 장, 복막 및 장간막 림프절의 결핵
結核性 腹膜炎	A18.30 결핵성 복막염(K67.3)
局限性 硬皮症	L94.0 국소적 피부경화증
蛇皮症	L85.0 후천성 비늘증
	Q80 선천비늘증

【注意事項】 腸癰症 중에서 高熱·脈緊·痛甚하면서 便秘가 있는 자는 복용을 禁忌한다.

【變遷史】 본 方劑는 『金匱要略』「瘡瘍腸癰浸淫病脈證並治」에서 기원한 것으로 같은 책 중에 있는 大黃牡丹湯과 함께 腸癰을 치료하는 대표적인 方劑인데, 하나는 寒濕을 주관하고 하나는 濕熱을 주관하면서 지금까지 응용되고 있다. 역대의 의학자들이 腸癰을 치료할 때에는 대부분 이 方劑를 근본으로 삼아 발휘한 것들이 있었다. 예를 들어 『備急千金要方』卷23의 腸癰湯은 본 방제에 大黃牡丹湯을 합방하고 가감하여 만든 것으로, 효과가 전적으로 活血解毒·淸熱利濕하는데 있으므로 腸癰 初期에 아직 膿이 생성되지 않았으면서 濕熱瘀滯가 아직 뭉치지 않아서 下法을 쓸 수 없는 자에 속할 때 사용한다. 『外科發揮』卷4의 薏苡仁湯은 본 方劑에 附子·敗醬草를 빼고, 瓜蔞仁·牡丹皮·桃仁 등 潤腸散結, 活血止痛하는 약물을 넣어 만든 것으로, 利濕潤腸·活血止痛하는 효능이 있으며, 『外科正宗』卷3의 薏苡仁湯은 또한 이러한 기초상에서 白芍藥을 넣어 더욱 活血定痛하는데 뛰어나다. 두 가지 方劑는 모두 腸癰 初期에 아직 膿이 형성되지 않고 正氣가 아직 손상되지 않았을 때, 濕滯血瘀하면서 腹中疼痛을 보이거나 혹은 脹滿不食하고 小便澀滯하는 자에게 사용한다. 현대에는 본 方劑를 응용하여 더욱 발전시켰으니, 임상에서는 본 方劑에 冬瓜仁·忍冬藤·連翹 등을 넣어 慢性 骨盤腔炎으로 白帶가 지나치게 많은 자를 치료하였다.

【難題解說】 處方 뒤에 나오는 注釋인 "小便當下"의 이해에 관한 것: 이것에 대하여 소수의 의학자는 錯簡이 있는 것 같다고 인식하였다. 魏念庭이 지적하기를 "服後以小便下爲度者, 小便者也, 氣化也, 氣通則癰膿結者可開, 滯者可行, 而大便必泄汙穢膿血, 腸癰可已矣."(『金匱要略方論本義』卷中)이라 하였다. 癰膿이 內結하면 氣機를 壅滯하면서 小便의 氣化가 일어나지 않는다. 만약 약물을 복용한 후에 小便이 나오면 氣機가 通暢하여 氣化가 正常으로 되면서 癰膿이 그것을 따라 消散함을 표시한다. 임상에서 본 方劑를 사용하면서 발견하기를 환자의 小便을 通利하게 할 수 있을 뿐만 아니라 때때로 汗出도 있으며, 혹은 汗出과 小便

利가 동시에 함께 보이기도 한다. 그러므로 "小便得下"의 네 글자는 錯簡에 속하지 않는 것으로 魏氏의 이론을 믿을 만하다.

【醫案】

1. 蟲垂膿瘍:『四川中醫』(1987, 1:41): 某 남자, 60세. 1978년 10월 30일 진료. 우측 하복통을 앓은지 이미 2년 이상 되었는데, 某 醫院이 진단하기를 '충수농양'이라고 하였다. 8일 전에 우측 하복부에 갑자기 疼痛이 심하면서 發熱, 惡心欲吐, 脈沉弦有力, 舌苔黃을 동반하였다.

檢査 結果: 우측 하복부를 눌렀다 뗄 때 통증이 있으면서 덩어리가 있었다. 증상은 寒熱壅結·血氣鬱滯에 속한다.

治療 原則: 溫清散結·化瘀通下하는 것이 마땅하다.

處方: 薏苡仁 30 g, 敗醬草·冬瓜仁 各 15 g, 附子·大黃·甘草 各 6 g, 防風·當歸·赤芍·桃仁·丹皮 各 12 g. 水煎服하고 油膩하거나 生冷한 음식물을 禁忌한다. 三劑를 복용하니 통증이 반으로 줄면서 黑色의 漆과 같이 黏稠한 大便을 瀉下하였다. 계속해서 六劑를 복용하니 腹痛에 제거되고 모든 증상이 소실되었으며, 지금에 이르기까지 6년 동안 다시 재발하지 않았다.

考察: 본 醫案의 환자는 증상에 의거하고 맥을 참고하면 寒熱壅結·血氣鬱滯證으로 진단할 수 있다. 그러므로 薏苡附子敗醬散으로 消腫排膿·溫陽散結하고, 大黃牡丹湯으로 瀉熱破瘀·散結消腫하며, 아울러 活血止痛하는 약물을 더 넣어서 효과를 얻은 것이다. 필자가 체험하여 터득하기로는 만성충수염 혹은 만성충수농양에는 薏苡附子敗醬散과 大黃牡丹湯을 합하여 사용하는 것이 치료 효과가 비교적 우수하다.

2. 크론병『山東中醫雜誌』(2006, 7:494): 남자, 21세. 主訴: 우측 하복부의 脹痛과 함께 泄瀉를 3일 동안 동반하였다. 6년 전에 크론병을 진단받았으며, 아울러 結腸 수술을 받았다. 수술 후에 회복은 양호하여 정상적인 일을 하였다. 3일 전에 過勞로 인해서 睡眠이 좋지 못하면서 食欲減退가 나타났고, 갑자기 우측 하복부에 疼痛과 脹滿을 느꼈는데, 음식을 먹은 전후에 가중되었다. 大便稀溏한데 색깔이 醬 색깔과 같이 진하였고 黏液을 끼고 있으면서 매일 2~3차례 보았으며, 排便時에 후중감이 동반되었다. 반복적으로 생기기에 prednisone을 복용했는데 개선이 뚜렷하지 않아 진단받으러 왔다. 현재: 우측 하복부의 局部에 수술 흔적이 있었는데, 붉게 솟아 오르는 것이 없었으며, 가볍게 눌렀을 때에는 濡軟하였으나 깊이 누르니 통증이 심하였다. 面色萎黃, 形體消瘦, 易疲勞·汗出, 唇口乾燥, 舌質暗·邊尖紅, 苔薄黃, 脈沉細無力하였다. 증상은 寒濕蘊結·氣血壅滯에 속하였다.

治療 原則: 散寒除濕·理氣和血로 하였다.

處方: 薏苡附子敗醬散을 加減하였다: 薏苡仁 30 g, 熟附子 10 g, 敗醬草 15 g, 黨參 10 g, 炒白朮 10 g, 茯苓 15 g, 赤芍·白芍 各 15 g, 炙甘草 10 g, 牡丹皮 10 g, 當歸 10 g, 川芎 10 g, 黃芪 10 g. 七劑를 복용한 후에 우측 하복부의 脹痛이 輕減하였는데, 겨우 저녁밥을 먹은 후에 통증이 약 10분 정도 있었고, 大便의 質은 묽었으나 형태를 이루었으며 매일 1차례 보았다. 飮食과 睡眠이 개선되었다. 위의 방제에 黃芪를 빼고 肉桂·桃仁을 넣어 水丸을 만들어 매번 5 g씩 매일 3차례 口服하였다. 차츰차츰 호르몬의 양을 감소시킬 것을 부탁하였다. 연속해서 水丸을 한 달 정도 복용하였더니 모든 증상이 기본적으로 소실되었다. 본 방제에 가감하여 常服하였는데, 1년 정도 방문하면서 물어보았으나 재발하지는 않았다.

考察: 이 병증은 비록 수술을 했지만, 만성염증이 아직 제거되지 않으면서 病이 오래되어 正氣가 부족해지고 寒濕이 蘊結한 것이니, 病機는 慢性腸癰과 기본적으로 서로 같다. 그러므로 방제로 薏苡附子敗醬散

에 加減하여 사용한 것이다.

3. 만성충수염『江蘇中醫藥』(2008, 5:50): 某 남자, 65세. 만성충수염이 최근에 다시 발작하면서 우측 하복부에 包塊가 융기하였는데 만지면 통증이 있었고, 腹脹, 便溏不爽, 口乾苦黏, 舌苔黃膩, 脈小滑數하였다. 증상이 腸腑의 濕熱瘀結에 속하였다.

治療 原則: 淸腸化濕·活血消瘀하는 것을 주었다.

處方: 制大黃 5 g, 丹皮 10 g, 桃仁 10 g, 敗醬草 20 g, 生薏苡仁 12 g, 制附片 3 g, 厚朴 6 g, 紅藤 30 g, 土鱉蟲 5 g, 制乳香 5 g, 沒藥 5 g, 大白芍 12 g, 炒延胡索 10 g, 失笑散(包煎) 10 g. 五劑를 일상적인 방법으로 달여서 매일 一劑씩 복용하였다.

진단 결과: (1) 二診: 우측 하복부의 腫塊가 줄어들면서 부드러워진 것을 명백히 볼 수 있었고, 腹痛減輕, 大便偏乾, 口乾苦黏, 舌苔黃膩, 脈小弦滑하였다. 방제를 고수한채로 계속해서 진행하였는데, 原方에서 制大黃을 8 g으로 바꾸어서 十四劑 복용하였다.

(2) 三診: 우측 하복부의 包塊가 減縮하면서 腫痛이 호전되었고, 大便을 매일 2차례 보았는데 質溏하면서 상쾌하지 않았으며, 口乾苦黏, 欲飮水, 舌苔黃·中後部膩, 脈小弦滑하였다. 계속해서 腸腑의 濕熱瘀結로 보고 치료하였다.

治療: 制大黃 8 g, 丹皮 10 g, 桃仁 10 g, 敗醬草 15 g, 生薏苡仁 12 g, 紅藤 20 g, 土鱉蟲 5 g, 制乳香 5 g, 沒藥 5 g, 失笑散(包煎) 10 g, 蒲公英 15 g, 厚朴 5 g. 五劑. 四診: 우측 하복부의 통증이 감소하면서 腫塊도 이미 뚜렷하지 않게 되었다. 다만 여전히 부적절한 灼熱感이 있었고, 口乾苦黏, 舌苔黃膩, 舌尖紅·邊有齒印하여 원래의 방법으로 다시 진행하였다.

處方: 制大黃 5 g, 丹皮 10 g, 厚朴 6 g, 紅藤 30 g, 敗醬草 20 g, 制附片 3 g, 薏苡仁 15 g, 土鱉蟲 5 g, 制乳香 5 g, 沒藥 5 g, 赤芍 10 g, 白芍 10 g, 炒延胡索 10 g, 失笑散(包煎) 10 g, 七劑.

考察: 만성충수염의 치료는 급성충수염과는 어느 정도의 차이가 있으니, 마땅히 大黃牡丹湯과 薏苡附子敗醬散 두 가지의 장점을 취하여 합해서 사용해야 한다. 임상에서 증상에 임할 때에는 모름지기 아래의 세 가지 병면에서 주의하여야 한다: 첫째, 通腑하는 약물의 운용에 주의해야 한다. 둘째, 活血散瘀하는 약물의 운용에 주의해야 한다. 셋째, 溫通하는 약물의 운용에 주의해야 한다. 대부분의『金匱要略』주석가들이 인식하기를 본 방제의 치료는 腸癰 중에서 膿이 이미 형성된 자이지만, 실제는 膿이 이미 생성되었든 혹은 아직 膿이 생성되지 않았든 논할 것 없이 모두 사용할 수 있는데 오직 用量이 작아야 하며, 또한 病歷이 비교적 오래되거나 환자의 평소 체질이 陽虛하면서 面色萎黃·神疲畏寒·舌淡苔白 등을 치료하는 것이 요점이다.

4. 하복부의 거대림프절 增生『北京中醫雜誌』(1988, 2:48): 某 남자, 16세. 3개월 전에 某 醫院에 가서 충수절제술을 진행하였고, 수술 후 보름만에 하복부에 腫塊가 출현하면서 자라 나는게 신속히 커졌는데, 겨우 20여 일만에 좌측 하복부까지 널리 퍼졌다. 1개월 전에 배를 갈라서 探査하는 수술을 진행하였는데(개복수술하여 검사하였는데), 下腹腔·骨盤腔에 腫物이 後腹膜에서 前腹壁까지 균등하게 浸潤되어 있는 것을 볼 수 있었고, 冰凍 상태를 나타내어 腫塊가 堅硬하고 潤氣가 없으면서 活動性과 波動感이 없었고, 복부대동맥 곁의 장간막 림프절이 腫大하여 크기가 일정하지 않았다. 복막 후 림프절과 腹壁에 침입한 덩어리의 組織을 취하여 생체조직검사를 한 병리학적인 보고는 다음과 같다:(結果) 림프절의 반응성이 증가하였고, 근육조직에 림프세포의 침윤이 있었다. 환자의 체형은 말랐으며 안색은 창백하였고, 腫物이 전체 下腹部 즉 위로는 배꼽에서부터 아래로는 恥骨에 이르고

곁으로는 좌우의 腸骨 가까이까지 거의 점거하였는데, 경계가 뚜렷하였고 堅硬하면서 壓痛이 있었으며 활동감이 없었다. 10여 일 전에 배꼽 속이 潰破되면서 때때로 소량의 淡黃色 膿液이 넘쳐 나왔고, 無發熱, 食少, 便溏 日4~5次, 小便頻數量少, 盜汗하였으며, 舌偏紅, 苔薄白, 脈細無力하였다. 증상은 瘀血이 內結하여 蘊蓄하면서 膿이 생성된 것으로 脾胃虛弱·氣血兩虧에 속하였다.

治療 原則: 滋化源, 補後天, 消瘀散結, 排膿托毒하는 것이 마땅하다. 異功散과 薏苡附子敗醬散에 가미한 것으로 적용하였다.

處方과 治療 結果: 生薏苡仁 30 g, 附子 6 g, 敗醬草 15 g, 黃芪 30 g, 黨參 15 g, 白朮 10 g, 茯苓 10 g, 炙甘草 6 g, 陳皮 6 g. 달여서 30여 劑를 복용했더니 食增, 便不溏, 精神轉佳, 腫塊가 부드럽게 변하면서 대략 축소되었고, 배꼽 중의 膿液이 여전히 소량씩 넘쳐 나오는 것은 있었다. 50劑를 煎服한 후에 腫塊가 뚜렷하게 축소되면서 부드럽게 변하였고, 배꼽 중에서 넘쳐 나오던 膿은 이전과 같았으나, 신체가 조금씩 회복되면서 面色紅潤, 能食하였고 小便頻數하던 것이 적어졌다. 이후 줄곧 위의 方劑를 위주로 하여 皂刺 30 g을 넣고, 조금씩 異功散을 제거하면서 모두 100여 劑의 약제를 썼더니, 절개한 구멍의 주위를 눌렀을 때 약간 딱딱한 것을 제외한다면, 腫塊가 전부 소실되었고 배꼽 중의 膿孔도 아물었다. 행적을 더듬어 지금까지 탐방해 보았는데 평상인과 같이 건강하였다.

考察: 위에서 서술한 임상 경험안은 본 方劑의 용도가 매우 넓어서 『金匱要略』의 原書에서 主治한 '腸癰成膿'의 病證 범위를 멀리 초월함을 표명한다. 그러므로 內癰이 이미 형성되었으나 結聚하여 사라지지 않으면서 손상이 陽氣에까지 미친 자에 속하는 것들은 모두 이 方劑를 기초로 가감하여 치료할 수 있으니 그 치료 범위를 확대한 것으로, 위에서 서술한 病案을 통하여 그 臨床 운용의 한 부분을 볼 수 있다.

第二節 托裏透膿劑

透膿散

(『外科正宗』卷3)

【組成】 生黃芪 四錢(12 g) 穿山甲 炒末 一錢(3 g) 川芎 三錢(9 g) 當歸 二錢(9 g) 皂角針 一錢五分(6 g)

【用法】 물 2컵(盅)을 붓고 반으로 달여서 복용하고, 병이 다 나을 때까지 복용하되 복용할 때는 술 한잔을 넣어도 좋다(水二盅, 煎一半服, 隨病前後服, 臨服入酒一杯亦可. 물에 달여서 복용할 때에 술을 적당량 넣어도 좋다).

【效能】 益氣養血, 托毒潰膿.

【主治】 氣血이 不足하여 癰瘡의 膿이 형성되었으나 潰爛하기 어려운 證. 瘡癰은 이미 안에서 형성되었으나 쉽게 밖으로 潰爛되지 않고 漫腫無頭 혹은 痠脹熱痛한다.

【配伍分析】 『外科證治全生集』에서는 "膿之來, 必由氣血."라고 하였다. 瘡瘍과 癰疽가 化膿하고 밖으로 潰爛한 것은 正氣가 勝하고 邪氣는 물러나는 징조이고 邪毒은 膿을 따라서 밖으로 배설된다. 만일 正氣가 不足하고 氣血이 衰弱하면 化膿이 완만하고 즉 內膿이 이미 형성되었고 또한 速히 潰爛되기 어렵다. 그러므로 漫腫無頭 혹은 痠脹熱痛이 나타난다. 본 방제의 病證은 氣血이 虧虛하여 膿이 형성되었으나 潰爛되기 어렵다. 그러므로 치료는 補益氣血·活血化瘀·潰堅排膿을 법으로 하는 것이 적절하고, 扶助正氣하고 透膿托毒하여 毒邪를 밖으로 瀉하여 內陷을 막아야 한다.

방제에서 黃芪는 性味가 甘而微溫하고 歸經은 脾·肺經이며 生用하면 大補元氣와 托毒排膿에 특히 장점이 있으므로 선인들은 이를 일컬어 "瘡家之聖藥"이라고 하였으며 君藥이 된다. 當歸는 養血活血하고, 川芎은 活血行氣·化瘀通絡하며, 두 약물이 黃芪와 서로 配伍하면 補益氣血·扶正托毒하며 또한 通暢血脈하여 氣血을 充足하고 血脈을 通暢하게하면 營衛의 外發을 鼓動시키고 生肌長肉하고 透膿外泄하여 모두 臣藥이 된다. 穿山甲과 皂角刺는 消散穿透를 잘하여 病所로 직접 도달하고 軟堅潰膿하며, 술을 조금 넣으면 宣通血脈하여 藥力을 돕는다. 모두 佐藥이 된다. 모든 약물을 배합하여 사용하면 함께 托毒透膿·益氣養血의 효과를 거두게 된다.

黃芪를 生用하면 補하되 새어 나가게 하므로 본 방제에서 重用하여 大補元氣하고 托毒排膿한 것이며, 또한 黃芪와 當歸를 서로 配伍하면 氣와 血을 모두 補하여 扶正托毒의 藥力을 돕고, 穿山甲·皂角刺와 配伍하면 益氣潰堅하여 托毒排膿의 작용을 증가시킨다.

【臨床應用】

1. 證治要點: 본 방제는 氣血이 不足하여 癰瘡의 膿이 형성되었으나 潰爛하기 어려운 證에 적용한다. 임상에서는 반드시 瘡癰의 膿이 형성되었으나 신체가 허약하여 밖으로 潰爛할 힘이 없고 舌淡, 脈細弱이 사용근거가 된다.

2. 加減法: 氣血의 虛가 심하여 쉽게 潰膿이 밖으로 나가지 못하면 黨參·白朮을 넣는 것이 적당하고, 陽虛寒이 심하여 清稀한 膿이 나오면 肉桂心·鹿角片을 넣어 溫陽托毒하는 것이 적절하다.

3. 透膿散은 다음 한국표준질병사인분류(KCD)에 해당하는 환자가 氣血不足, 癰瘡不潰證으로 辨證되는 경우 본 처방의 사용을 고려해볼 수 있다.

처방 목표	한국표준질병사인분류(KCD)
化膿性疾病	B95 다른 장에서 분류된 질환의 원인으로서의 연쇄알균 및 포도알균

【注意事項】 腸癰 초기 혹은 膿이 아직 형성되지 않은 경우에는 본 방제의 사용을 금한다.

【副方】

1. 透膿散(『醫學心悟』): 黃芪 皂刺 白芷 川芎 牛蒡子 穿山甲 炒研 各一錢(3 g) 金銀花 當歸 各五分(1.5 g)

- 用法: 酒水各半煎服.
- 作用: 扶正祛邪, 托毒潰膿.
- 適應症: 癰毒內已成膿, 不穿破者, 服卽破.

2. 托裏透膿湯(『醫宗金鑑』): 人蔘 白朮土炒 穿山甲炒, 研 白芷 各一錢(3 g) 升麻 甘草節 各五分(1.5 g) 當歸 二錢(6 g) 生黃芪 三錢(9 g) 皂角刺 一錢五分(4.5 g) 青皮 五分 炒(1.5 g)

- 用法: 水三盅, 煎一盅. 病在上部, 先飮煮酒一盅, 後熱服此藥; 病在下部, 先服藥後飮酒; 瘡在中部, 藥內兌酒半盅, 熱服.
- 作用: 扶正祛邪, 托裏透膿.
- 適應症: 癰疽已成未潰.

『外科正宗』의 透膿散, 『醫學心悟』의 透膿散과 『醫宗金鑑』의 托裏透膿湯의 세 방제는 모두 扶正祛邪의 작용이 있고, 補養氣血과 托毒潰膿에 힘을 써서 함께 癰瘍膿成難潰證을 치료한다. 그 차이는 다음과 같다: 두 방제의 透膿散은 모두 益氣和血과 消散通透를 并用하지만, 『醫學心悟』의 透膿散은 『外科正宗』의 透膿散에서 白芷·牛蒡子·金銀花를 넣은 것으로 辛散透邪·清熱解毒·托毒潰膿의 藥力을 증강시켜 癰毒內已成膿, 不穿破者를 치료하는데 사용하였고, 『醫宗金鑑』의 托裏透膿湯은 人蔘·白朮·黃芪·甘草·當歸·升麻의 益氣養血에 穿山甲·皂角刺·白芷의 活血通經·托毒潰膿을

配伍한 것이다. 그 특징은 益氣升陷과 托裏透膿을 병용하였고, 그 補氣健脾의 藥力은 강한편이어서 補氣生血의 목적에 도달하고, 대략 升陽擧陷藥을 配伍하여 充氣와 升陷을 시켜 透膿泄毒에 유리하고, 氣血虧損하고 托毒外出할 수 없어서 생긴 癰疽가 이미 형성되었으나 아직 潰亂되지 않은 것을 치료한다.

托裏消毒散

(『外科正宗』)

【組成】 人蔘 川芎 白芍 黃芪 當歸 白朮 茯苓 銀花 各一錢(3 g) 白芷 甘草 皂刺 桔梗 各五分(2 g)

【用法】 물 2컵을 붓고 八分을 달여서 식간에 복용한다(현대용법: 물에 달여서 복용한다).

【效能】 補益氣血, 托裏解毒.

【主治】 癰瘍邪盛, 正虛不能托毒之證. 癰瘡은 평평하고 化膿은 느리며, 혹은 膿이 형성되었으나 潰亂이 어렵고 腐肉이 제거되지 않았고 새살(新肉)이 생기지 않으며, 혹은 潰亂後에 膿水가 稀少하다. 동시에 身熱神倦, 面色少華, 脈數無力이 나타난다.

【配伍分析】 氣虛하여 托毒할 수 없으면 癰瘡이 평평하고 膿이 형성되었으나 潰亂이 어렵고 腐肉이 제거되지 않으며, 氣血兩虛하여 膿을 만들 수 없으면 부패하여 化膿되기 어렵고 혹은 膿水가 稀少하고, 氣血이 榮華롭지 못하면 新肉이 생기지 않고 神倦面, 脈虛無力이 나타난다. 身熱脈數은 바로 邪熱이 盛한 象이다. 치료는 반드시 補益氣血, 托毒消癰해야 한다.

방제에서 黃芪·人蔘·白朮·茯苓·甘草는 健脾益氣와 托毒排膿하고, 當歸·川芎·白芍藥은 養血和血과 通經托毒한다. 두 조의 약물을 배합하여 사용하면 氣血雙補와 扶正托毒하여 排膿生肌에 유리하고 방제에서 주요 부분이 된다. 더욱이 皂角刺·桔梗·白芷는 透膿潰堅하고, 金銀花는 淸熱解毒하여 膿과 毒을 배출시키고 消散癰腫하여 방제에서 보조부분이 된다. 이상의 모든 약물 배합하여 사용하면 補益氣血·托裏消癰의 효과를 거두게 된다.

본 방제의 조성은 실제로 八珍湯에서 熟地黃을 빼고, 여기에 다시 金銀花·黃芪·桔梗·皂角刺·白芷를 넣어 이루어진 것이며, 益氣養血에 중점을 두고 扶助正氣하여 托裏消毒하므로 氣血兩虛하여 托毒이 밖으로 나갈 수 없는 癰瘡證에 적절하다.

【臨床應用】

1. 證治要點: 본 방제는 癰瘍邪盛, 正虛不能托毒之癰瘍에 적용한다. 아직 潰破되지 않고 혹은 膿이 아직 형성되지 않고 內消하지 할 수 없는 경우에도 사용할 수 있다. 임상에서 응용할 때는 반드시 癰瘡의 外形이 평평하고 腐潰가 어렵고 膿水가 稀少하며 潰亂後에 消가 어렵고 脈數無力을 사용근거로 한다.

2. 加減法: 乳癰膿毒不透者는 王不留行·路路通을 넣고, 脾氣虛하여 面白氣短體卷이 나타나는 자는 白芷를 빼고 人蔘을 倍로하며, 中陽不振하여 瘡形平塌, 食少口淡, 嘔惡泄瀉者는 附子·炮薑을 넣고, 陽氣虛弱하여 潰後膿水淸稀가 나타나는 자는 肉桂를 넣고, 中氣不和하여 食少腫堅이 나타나는 자는 二陳湯(半夏·橘紅·茯苓·炙甘草·生薑·烏梅)을 合方하고 加減하며, 癰瘡潰後 營血虛滯하여 痛不可忍者는 熟地黃·乳香·沒藥을 넣는다.

3. 托裏消毒散은 다음 한국표준질병사인분류(KCD)에 해당하는 환자가 癰瘍邪盛, 正虛不能托毒證으로 辨證되는 경우 본 처방의 사용을 고려해볼 수 있다.

처방 목표	한국표준질병사인분류(KCD)
만성골수염	M86 골수염
화농성중이염	H66 화농성 및 상세불명의 중이염
각막염	H16 각막염

第三節 補虛斂瘡劑

內補黃芪湯

(『劉涓子鬼遺方』卷3)

【組成】 黃芪 鹽水拌炒 麥門冬 去心 熟地黃 酒拌 人蔘 茯苓 各一錢(各 9 g) 炙甘草 三分(3 g) 白芍藥 炒 遠志 去心, 炒 川芎 官桂 當歸 酒拌 各五分(各 6 g)

【用法】 원방으로 한제를 지어 물 두 컵과 생강 3편 대추 1매로 八分이 되게 다려서 식후에 복용한다(현대 용법:물에 끓여 복용).

【效能】 溫補氣血, 生肌斂瘡.

【主治】 癰疽의 화농 이후 氣血兩虛한 證. 潰爛부위가 作痛하고, 혹은 瘡口가 오래토록 아물지 않으며 膿水가 淸稀하며, 倦怠懶言, 食少乏味, 自汗口乾하거나, 간혹 발열이 물러나지 않으며 舌淡苔薄 脈細弱하다.

【病機分析】 癰疽의 화농 이후 正氣가 크게 손상되어 氣血不足하거나, 혹은 선천적으로 元氣虧虛하면 去腐生肌와 收斂瘡口가 불가능하므로 따라서 瘡口가 오래토록 아물지 않는다. 氣血虧虛로 托毒化膿이 불가능하면 膿水淸稀가 나타난다. 氣虛陽弱하고 寒凝血滯로 經脈不暢하면 癰疽潰處가 作痛한다. 血은 氣를 싣고 氣는 攝血하여 서로 의존하는데 만약 氣血兩虛하여 血虛한 즉 氣가 의존할 곳이 없어지는데 따라서 陽氣가 외부로 浮越한다. 따라서 발열이 오래토록 지속된다. 中氣不足으로 脾胃運化의 힘이 모자라면 倦怠나 食少乏味가 나타난다. 氣虛로 固護肌表가 안되면 腠理疏鬆하고 陰液이 外泄하여 自汗이 나타난다. 氣虛로 氣不化津하면 津液이 상승치 못해 口乾이 된다. 舌淡, 脈細數은 모두 氣血虧虛의 현상이다. 마땅히 溫補氣血하여 生肌斂瘡하게 치료한다.

【配伍分析】 方中의 黃芪는 甘하고 微溫하며 脾肺經으로 들어가 脾肺의 氣를 補하는데 유리하고 겸하여 능히 生肌斂瘡하므로, 활용함에 있어 溫養脾胃로 生肌하고 또 補益元氣로 托瘡하기에 君藥이 된다. 人蔘은 大補元氣하고 補脾益肺하므로 黃芪와 더불어 相須로 작용하여 益氣扶正과 生肌斂瘡의 효능을 증강시킨다. 肉桂는 助陽散寒하고 通暢氣血하므로 君藥에 더하면 溫補陽氣함으로써 氣血생성의 힘을 고무시킨다. 熟地黃은 滋養陰血하므로 黃芪와 同用하면 益氣養血하여 去腐生肌와 收斂瘡口를 촉진하여 이 모두가 臣藥이 된다. 또한 當歸와 川芎을 활용하여 活血養血行滯通絡하고, 麥門冬과 白芍藥으로 滋陰補血 斂陰하여 配陽하며, 遠志로 宣泄通達, 疏泄壅滯하여 癰疽를 治하고, 茯苓은 健脾泄濁하고, 生薑과 大棗는 助補脾胃하는데 모두 君藥을 도와 益中州, 促運化하므로 모두 佐藥이 된다. 炙甘草는 益氣和中, 調和諸藥하므로써 佐使藥이 된다. 전체 처방의 모든 약을 함께 활용하면 溫補氣血과 生肌斂瘡의 효능을 갖춘다. 활용하면 氣血充盛, 腐祛肌生, 瘡口收斂함으로서 癰疽가 마침내 낫게 된다.

본 방중의 黃芪의 사용은 益氣升陽, 托毒生肌에 있으므로 따라서 黃芪는 癰瘡潰後에 瘡口不收한 것을 치료하는 중요한 약물이 된다. 본방은 실제로 十全大補湯에서 白朮을 제거하고 麥門冬과 遠志를 추가한 것으로 따라서 溫補氣血로 生肌斂瘡의 효능을 가진다.

【臨床應用】

1.證治要點: 본 방제는 瘡瘍潰後, 氣血兩虛한 증상을 치료한다. 임상응용에는 마땅히 癰疽潰後, 潰處作痛, 倦怠懶言, 飮食無味, 舌淡苔白, 脈細弱이 근거가 된다.

2.加減法: 만약 癰疽 潰處가 痛甚하면 乳香 沒葯을 추가하고, 腫硬하면 穿山甲 皂角刺를 추가한다.

3. 內補黃芪湯은 다음 한국표준질병사인분류(KCD)에 해당하는 환자가 癰疽, 氣血兩虛證으로 辨證되는 경우 본 처방의 사용을 고려해볼 수 있다.

처방 목표	한국표준질병사인분류(KCD)
옹종(Carbuncle)	L02 피부의 농양, 종기 및 큰종기
절창(Furuncle)	L02 피부의 농양, 종기 및 큰종기
	L02.91 상세불명의 종기

【注意事項】

瘡癰의 초기에 본방의 사용은 부적합하다.

保元大成湯

(『外科正宗』)

【組成】人蔘 白朮 黃芪 蜜水伴炒 各二錢(6 g) 茯苓 白芍 陳皮 當歸 炙甘草 附子 山萸肉 五味子 各一錢(3 g) 木香 砂仁 各五分(2 g) 煨薑 三片 大棗 三枚

【用法】물 2컵을 붓고 八分을 달여서 식간에 복용한다(현대용법: 물에 달여서 복용한다).

【效能】溫補氣血, 斂瘡生肌.

【主治】瘡瘍潰後, 正虛不斂之證. 膿水出多, 肉色淡紅, 精神怯弱, 嗜睡昏倦, 足冷身凉, 便溏或秘, 胸痞或實, 飮食乏味, 舌淡少津, 脈虛細.

【配伍分析】元氣虛脫하고 固攝無權하면 膿水出多·精神怯弱·嗜睡昏倦하고, 氣血不榮하고 新肌不生하면 肉色淡紅하고, 陽虛陰盛하고 溫運無權하면 足冷身凉·便溏胸痞·飮食乏味하며, 陽損及陰하고 腸燥失潤하면 大便秘結한다. 이밖에도 舌淡少津, 脈虛細 등은 元氣大虧하고 陰陽互傷의 象이다. 치료는 반드시 溫補氣血과 斂瘡生肌해야 한다.

방제에서 人蔘·黃芪·白朮·茯苓·炙甘草·大棗는 大補元氣하여 資助化源하고 攝津生肌하며, 附子·煨薑은 溫振中陽·祛散寒凝하고 같이 배합하면 溫補幷進하고 大振元陽之氣한다. 當歸·白芍藥· 山茱萸는 養血益陰하여 生肌長肉하고, 山茱萸는 五味子와 배합하여 酸收溫澁·收斂氣陰하여 斂瘡收口한다. 또한 陳皮·砂仁·木香은 理氣醒脾하고 氣의 停滯를 방지한다. 이상의 모든 약물을 배합하여 사용하면 陰陽氣血을 모두 補하고 특히 大補元氣를 主로하여 함께 斂瘡生肌의 효과를 거두게 된다.

【臨床應用】

1. 證治要點: 본 방제는 瘡瘍潰後, 正虛不斂之證에 적용한다. 임상에서 응용할 때는 반드시 膿水出多, 肉色淡紅, 精神怯弱, 嗜睡昏倦, 足冷身凉, 舌淡少津, 脈虛細를 사용근거로 한다.

2. 加減法: 陽虛精虧, 膿出淸稀者는 鹿茸 혹은 鹿角霜을 넣는 것이 적합하다.

3. 保元大成湯은 다음 한국표준질병사인분류(KCD)에 해당하는 환자가 瘡瘍潰後, 正虛不斂證으로 辨證되는 경우 본 처방의 사용을 고려해볼 수 있다.

처방 목표	한국표준질병사인분류(KCD)
화농성임파선염	B95 다른 장에서 분류된 질환의 원인으로서의 연쇄알균 및 포도알균
	L04 급성 림프절염
봉와직염	L03 연조직염

【注意事項】 본 방제에 조성된 약물은 대부분 辛溫燥散하여 長服해서는 안되고, 손발이 따뜻하고 살색이 紅色인 것을 복용 한도로 한다.

第二十二章

四象體質醫學의 方劑

第一節 四象體質의 基幹藥物

『東醫壽世保元』에 수재된 新方에 들어있는 약물이 가장 신빙성이 있으므로 이 사상체질의 各 약물을 종류별로 분류하여 사상체질에 따라서 달라지는 약리를 밝히고 그중에서 基幹이 된다고 인정되는 약물을 선택하여 사상체질의 基幹藥物을 정하고자 한다.

1. 少陰人體質의 약물분류

⑴ 補氣藥類

人參·黃芪·炙甘草·白朮·白何首烏·大棗

이상 6味는 少陰人方에 들어있는 補氣藥物이다. 이 6味는 일반적으로 중요하게 사용하는 補氣藥物의 전부이다. 少陰人體質은 氣虛하기 쉬운 체질적 素因을 內在한 체질이라 자연히 補氣藥物을 많이 사용하게 된다.

⑵ 理氣藥類

木香·香附子·益智仁·藿香·厚朴·大腹皮·砂仁·白豆蔲·枳實·陳皮·靑皮·枳殼

이상 12味는 少陰人方에 들어있는 理氣藥物이다. 일반적으로 중요하게 사용하는 理氣藥物의 대부분이 들어 있다. 少陰人은 內向性 성질이므로 氣鬱하기 쉽고 胃腸이 虛弱하여 胃腸不和로 氣實하기 쉬우며 理氣藥物에는 消化를 돕는 약물이 많기 때문에 자연히 많이 쓰게 된다. 그러나 理氣藥物이라도 藥性이 강렬하여 元氣를 다치는 약물은 忌하고 氣結이 심할 때는 破氣藥物을 아니 쓸 수 없을 때도 있다.

⑶ 溫熱藥類

附子·乾薑·肉桂(桂皮)·吳茱萸·小茴香·胡椒·良薑

이상 7味는 少陰人方에 들어있는 溫熱藥物이다. 일반적으로 중요하게 사용하는 溫熱藥物이 전부 들어 있다. 少陰人은 多陰少陽이라 寒하기 쉬운 素因을 內在한 체질이므로 자연히 溫熱藥物을 많이 쓰게 된다.

⑷ 理血藥類

當歸·芍藥·川芎·五靈脂·益母草

이상 5味는 少陰人方에 들어있는 理血藥物이다. 五靈脂·益母草를 제외하면 理血藥中 가장 광범위하게 사용되는 약물이요, 理血藥의 기본이 되는 약물로 補劑에도 많이 사용되는 약물이며 益母草는 順한 약물로 單味로도 調經을 목적으로 오랫동안 복용할 수 있는 약물이고 五靈脂도 順한 약물이다. 그러므로 理血藥 中에는 順한 약물만이 들어 있다.

氣와 血은 불가분의 관계가 있다. 氣가 行하지 않으면 血은 行하지 못한다. 반면에 營血이 和하여 順通해야 氣도 順行한다. 少陰人은 多血이라 補血할 필요는 없다. 그러나 營血이 和하여 通順血脈하여야 氣가 順行함은 자연의 이치다.

⑸ 發散風寒藥類

桂枝·蘇葉·葱白·生薑·蒼朮(黃芪)

이상 5味는 少陰人方에 들어 있는 發散風寒藥物이다. 괄호안에 있는 黃芪는 補氣藥類에 들어있는 약물이다. 그러나 少陰人에게는 發散風寒藥에 흔히 들어간다. 이는 多汗을 방지하기위해 사용하는 것으로 이런 경우에는 發散風寒藥類에 두어야 한다. 蒼朮은 主가 除濕·發汗·運脾하는 要藥이나 散風寒도 한다. 少陰人은 虛弱性 素因을 內在한 체질이므로 風寒에 잘 걸리나 강력한 發汗解表藥을 쓸 수 없으므로 자연히 위의 약물을 많이 쓰게 된다.

⑹ 止瀉藥類

罌粟殼·破古紙·赤石脂(訶子皮)

이상 3味는 少陰人方에 들어있는 止瀉藥物이며 괄호 안에 있는 訶子皮는 更定方에 들어있는 것인데 참고로 더 기입한 것이다. 少陰人은 泄瀉를 하기쉬운 素因을 內在한 체질이라 강력한 止瀉藥物이 필요하다. 그러나 胃腸에 부담이 되거나 元氣를 다치거나하는 약물은 피해야 할 것이니 자연히 위의 약물을 쓰게 된다. 이 약물들은 收斂性이 있는 약물로 收斂을 필요로 할 때는 泄瀉가 아니라도 쓰인다.

⑺ 特殊藥物類

이상 6種類로 나눈 이외에 胃腸에 지장이 생겨 便秘가 되어 부득이 瀉下가 필요하게 될 때라도 大黃·芒硝같은 苦寒劑는 쓸 수 없어서 巴豆의 溫性下劑를 쓰고, 痰은 胃腸不和나 胃寒으로 생기는 것이므로 半夏를 쓰며, 消化가 안되면 山楂肉같은 順한 消食藥을 쓰고, 黃疸같은 특수질환에는 黃疸 本藥을 쓸 것이다.

⑻ 雜藥類

臘茶·大蒜·淸蜜鷄·赤何首烏等은 雜藥類로 설명을 생략한다. 雜藥을 제외하면 43味가 된다.

2. 少陽人體質의 약물분류

⑴ 補陰·益水·滋養藥類

熟地黃·山茱萸·枸杞子·覆盆子

이상 4味는 少陽人方에 들어 있는 補陰·益水·滋養藥物이다. 이 4味는 일반적으로 중요하게 사용되는 補陰·益水·滋養藥物의 대부분이다. 少陽人體質은 陰虛하기 쉬운 체질적 素因을 內在한 체질이라 자연히 補陰·益水·滋養藥物을 많이 사용하게 된다.

⑵ 寒涼藥類

生地黃·知母·石膏·黃柏·黃連·地骨皮·苦蔘·玄參·連翹·梔子

이상 10味는 少陽人方에 들어있는 寒涼藥物이다. 이 10味는 일반적으로 중요하게 사용되는 寒涼藥物이 거의 다 들어 있다. 少陽人은 熱盛하기 쉬운 체질적 素因을 內在한 체질이라 자연히 寒涼藥物을 많이 사용하게 된다.

⑶ 利水·逐水藥類

茯苓·車前子·澤瀉·木通·甘遂·滑石·猪苓

이상 7味는 少陽人方에 들어있는 利水·逐水藥物이다. 이 약물 중 甘隧를 제외하면 利水藥物로 일반적으로 중요하게 사용되는 약물이며, 甘隧는 逐水藥物로 가장 센 약물이다. 少陽人은 水道가 不利하기 쉬운 素因을 內在한 체질이라 자연히 그러한 약물을 많이 쓰게 된다.

⑷ 散風寒·散風濕藥類

羌活·獨活·荊芥·防風·薄荷·柴胡·前胡

이상 7味는 少陽人方에 들어있는 散風寒·散風濕藥物이다. 이 7味는 일반적으로 많이 사용하는 散風寒·散風濕藥物로 少陽人은 虛弱한 素因을 內在한 체질이라 風寒에 잘 걸리고 熱盛한 체질로 水道가 不利하기 쉬우니, 風寒·風濕이 잘 발생한다. 그러므로 자연히 위의 약물이 많이 쓰이게 된다.

(5) 清熱藥類

忍冬藤·金銀花·牛蒡子

이상 3味는 少陽人方에 들어있는 清熱藥物이다. 이 3味는 일반적으로 가장 많이 사용하는 清熱解毒藥物이다. 少陽人은 체질적으로 熱盛하기 쉬운 素因을 內在하니, 자연히 清熱解毒藥物도 사용하게 된다.

(6) 特殊藥物類

牡丹皮는 火盛하면 血熱이 盛하므로 사용하게되고, 瓜蔞仁은 胸膈의 痰을 利하는데 사용된다.

(7) 雜藥類

朱砂·輕粉·水銀·黑鉛·乳香·沒藥 等은 雜藥類로 설명을 생략한다. 雜藥을 제외하면 33味다.

3. 太陰人體質의 약물분류

太陰人의 약물은 복잡하여 일반적인 분류법으로는 그 특성을 파악하기 어려우므로 새로운 각도에서 분류를 시도한다.

(1) 補益·生津藥類

黃栗·海松子·鹿茸·麥門冬·五味子

이상 5味는 太陰人方에 들어있는 補益·生津藥物이다. 補益·生津藥物에는 麥門冬·五味子와 같이 淸火·潤肺하여 生津하는 것이 있고, 乾栗과 같이 滋補하여 通津液하는 것이 있고, 海松子와 같이 滋補·潤肺하여 生津液하는 것이 있고, 鹿茸과 같이 下元眞陽을 峻補하여 生精하는 것이 있는데, 어째서 이것이 太陰人의 補益藥類로 사용되었나는 이해하기 어려우며 다만 임상적으로 인정된다. 그리고 太陰人은 肺熱이 盛하기 쉬운 체질로 肺熱이 盛하면 津液을 生하지 못하고 도리어 熱傷津液하기 때문에 生津하는 약물이 사용된다.

(2) 發散·疏通藥類

薏苡仁·萊菔子·桔梗·麻黃·石菖蒲

이상 5味는 太陰人方에 들어있는 發散·疏通藥物이다. 薏苡仁은 下氣·行水로 疏通하고, 萊菔子는 下氣·化滯·利大小便으로 疏通하고, 桔梗은 胸膈滯氣를 散하여 疏通하고, 麻黃은 發汗·宣通肺氣하여 發散·疏通하고, 石菖蒲는 宣通竅·行滯하여 疏通한다. 太陰人體質은 營血이 濁하고 衛氣가 濇하여 氣血이 多滯하기 쉬운 素因을 內在한 체질이라 자연히 疏通하는 약물을 많이 쓰게 된다.

(3) 治咳喘藥類

杏仁·桑白皮·白果·款冬花

이상 4味는 太陰人方에 들어있는 治咳喘藥物이다. 일반적으로 중요하게 사용하는 약물이다. 太陰人은 厚皮하여 汗出하기 어려우니 衛氣를 泄치 못하여 肺에 熱이 聚鬱하게 되므로 肺疾患을 발생하기 쉬운 素因을 內在한 체질이라 자연히 이에 관한 약물을 쓰게 된다.

(4) 安神藥類

酸棗仁·龍眼肉·柏子仁·蓮子肉·遠志·山藥

이상 6味는 太陰人方에 들어있는 安神藥物이다. 太陰人은 血濁·氣濇하고 生津하지 못하므로 神氣가 不振하여 守神安心치 못할 素因을 內在한 체질이라 자연히 安神藥物을 많이 쓰게 된다.

(5) 治熱藥類

葛根·黃芩·升麻·大黃·白芷·藁本·熊膽·天門冬

이상 8味는 太陰人方에 들어있는 治熱藥物이다. 葛根은 陽明熱을 치료하고, 黃芩은 心·肺·大小腸·胃·肝·膽熱을 치료하고, 升麻는 肌肉風熱을 풀고, 大黃은 下焦熱을 瀉하며 通便하고, 白芷는 陽明經熱과 肺經風熱을 散하고, 藁本은 寒邪犯腦와 風熱의 邪를 치료하고, 熊膽은 時氣熱을 치료하고 淸心退熱하며, 天門冬은 虛熱을 치료한다. 이 모든 熱의 원인이 厚皮로 衛를 泄치 못하여 胃陽의 熱이 蓄積하기 쉽고, 血濁·氣濇하여 邪熱이 盛하기 쉬운 체질적 素因이 內在함이니 자연히 이러한 治熱藥을 많이 쓰게 된다.

⑹ 以毒治毒藥類

蠐螬·皂角(皂莢)

이상 2味는 太陰人方에 들어있는 以毒治毒藥物이다. 太陰人體質은 血濁하여 留滯하기 쉬운 체질을 內在한 체질이다. 病毒이 들어오면 잘 移行하지 않는다(세균이 침입하면 번식하기 좋은 체질로 세균을 죽이는 毒을 쓰라는 뜻). 그러므로 以毒治毒하는 약물을 쓰게 된다.

⑺ 特殊藥類

蒲黃·犀角·大豆黃卷·羚羊角·龍腦·白蘞·金箔·牛黃·烏梅

이상 9味의 약물은 牛黃淸心丸에 들어있는 약물로 다른 데는 쓰여지지 않았으니 그 설명을 생략한다.

⑻ 雜藥類

甘菊·使君子·浮萍草·樗根皮·瓜蒂·麝香

이상 6味는 太陰人方에 들어있는 것이나 雜藥에 불과한 것으로 그 설명을 생략한다.

4. 太陽人體質의 약물분류

⑴ 雜藥類

五加皮·木瓜·葡萄根·蘆根·櫻桃肉·靑松節·蕎麥·松葉·松花·獼猴桃·杵頭糠·獼猴藤·蚌蛤·鯽魚·螃蛤 共15味다.

太陽人病의 특징은 不寒不熱·非實非虛한 것으로 血과 液과 髓가 耗損한다. 髓가 耗損한 병이 外感腰脊病으로 解㑊이고, 血과 液이 함께 耗損한 병이 內觸小腸病으로 噎膈·反胃이다. 太陽人은 外感六淫病이나 內傷病에 잘 걸리지 않으며 설령 걸렸다고 하더라도 곧 쉽게 치유된다. 그래서 그 약물이 雜藥類에 그친 것이다.

이상으로 四象體質의 新方에 들어있는 약물을 분류하고 간단한 설명을 하였다. 소음인·소양인·태음인·태양인의 各 체질에 약물이 따로 따로 고정되어 있는 것이 아니요, 各 체질에 따라 病證과 成因이 달라서 各 체질에 따라 사용된 약물이 자연히 다르게 된 것임을 위의 분류로서 알 수 있다.

예를 들면 소음인체질은 多血한 素因的 체질이므로 補血藥類가 필요없게 된 것이고, 水道가 過利하기 쉬운 체질적 素因을 內在한 체질이라 利水·逐水藥類도 없게 된 것이며, 寒하기 쉬운 체질적 素因을 內在한 체질이라 寒涼藥類가 없게 된 것이다. 만일 소음인에 있어서도 기계적으로 血液을 제거하여 危重한 貧血狀態를 만든다면 補血藥이 필요하게 될 것이다. 또 이런 경우에 있어 소양인이라면 더욱 위독할 것이요, 소음인은 회복이 쉽지만 소양인은 회복이 어려울 것이다.

소양인체질은 熱盛하기 쉬운 체질적 素因을 內在한 체질이라 溫熱藥類가 없으며, 胃陽이 盛하기 쉬운 체질적 素因을 內在한 체질이라 補脾나 補氣藥類가 필요없게 된 것이며, 태음인체질은 營血이 濁하고 衛氣가 濇하며 厚皮한 체질이라 그 약물이 또한 복잡하여진 것이다. 태양인체질은 氣血이 滑利한 체질이므로 熱盛이나 寒盛 또는 實과 虛가 생길 수 없게 생리활동이 활발한 체질이다. 만일 어떻게 하다가 일시적으로 寒熱虛實이 생겼더라도 곧 회복된다. 그러나 생리활동이 활발하여 점진적으로 血과 液과 髓가 소모되는 체질적 素因을 內在한 체질이라 그 소모가 지나치면 病證을 발생하는데 難治이다.

【參考文獻】

1) 尹吉榮 著. 『四象體質醫學論』. 3版訂正. 서울: 崇壹文化社, 1980: 333~338.

第二節 四象體質的 治病論

사상체질의 基幹藥物이라는 것은 태음인은 太陰人藥, 소음인은 少陰人藥, 소양인은 少陽人藥, 태양인은 太陽人藥 이렇게 따로 따로 있어 상호 혼용할 수 없다는 뜻이 아니다. 체질상 各 체질의 中心方을 조성하는데 基幹을 이루는 약물을 말한 것이다.

그러므로 소음인의 基幹藥物 예를 들면 人蔘·附子, 少陽人의 基幹藥物 예를 들면 甘遂·石膏, 太陰人의 基幹藥物 예를 들면 麻黃·大黃等 藥力이 峻烈한 약물에 있어서도 혼용해야 할 경우는 혼용해야 한다. 그러나 실제에 있어 체질적으로 汗多하기 쉬운 체질에 麻黃을 쓸 수 없고, 腹冷한 체질에 大黃을 쓸 수 없고, 熱이 높은 체질에 附子를 쓸 수 없고, 胃弱한 체질에 石膏를 쓸 수 없으며, 氣運이 實한데 人蔘을 쓸 수 없고, 水道가 過利하기 쉬운 체질에 甘遂를 쓸 수 없는 것은 당연한 이치로 실제 임상에서 보면 證의 根源이 체질적 素因을 떠날 수 없으니 자연히 混用해야할 경우가 별로 없다.

반면 證 파악을 잘못하여 峻烈한 약물을 誤用하므로 위험한 일이 많다. 이럴 때 사상체질을 감별하여 用藥하면 그런 위험을 면할 수 있다. 또 證治가 뜻대로 되지 않을 때 체질을 감별하여 用方하면 쉽게 낫는다. 그러므로 체질적으로 감별하고 本病證과 非本病證에 따라 그 證과 체질에 따라 方劑를 사용하면 될 것이다.

『傷寒論』은 一切病症을 六大分하고 이에 따라 證治하는 것이고, 後世家의 證治는 전자의 法을 확대시키어 證治하는 것이며, 사상체질의학은 이를 다시 체질적 분석으로 本病證과 非本病證으로 분별하여 체질에 따르는 證治를 하는 것이다. 그러므로 「상한론」의 證治, 후세가의 證治, 사상의학의 證治를 습득하여 혼연일체가 된 후에 임상에 임해야 할 것이다.

【参考文獻】

1) 尹吉榮 著.『四象體質醫學論』. 3版訂正. 서울: 崇壹文化社, 1980: 354.

第三節 四象體質의 方劑

1. 少陰人體質의 方劑

소음인체질은 氣脫·血敗·胃腸不和하기 쉬운 체질이므로 補氣·和營·補脾胃·理氣 등을 겸한 약물을 선택하는 것이 좋고, 이런 것들을 손상시키거나 藥力이 峻烈하여 손상될 우려가 되는 약물, 寒性藥物, 泄瀉나 小便이 過利하기 쉬운 약물, 發汗性이 强烈한 약물은 忌한다. 氣虛하기 쉬우니 補氣藥物, 氣鬱·氣滯하기 쉬우니 理氣藥物, 發汗하기 쉬우니 止汗性을 겸한 發散藥物, 虛寒하기 쉬우니 溫熱藥物, 血敗하기 쉬우니 理血藥物等을 선택하고, 發散風寒에는 虛弱性 체질에 맞추어 峻烈한 發汗藥物을 피하고, 止瀉에는 順하고도 强力한 收斂性 약물을 선택하고, 便祕에는 溫性下劑를 선택하며, 消導에는 脾胃氣를 다치지 않는 消導藥을 선택하고, 治痰에는 溫胃化痰하는 半夏가 좋다.

(1) 表證 主方

無汗에는 芎歸香蘇散을, 有汗에는 黃芪桂枝湯을, 多汗出에는 人蔘桂枝附子湯을 사용한다.

芎歸香蘇散

(『東醫壽世保元』)

【組成】 香附子 二錢(7.5 g) 紫蘇葉 川芎 當歸 蒼朮 陳皮 炙甘草 各一錢(3.75 g) 葱白 五莖 薑 三片(1.5 g) 棗 二枚(2 g)

【用法】 위의 약재를 가루로 만들고, 매번 二錢(7.5g)에 물 1잔을 붓고 七分이 되도록 달여서 찌꺼기는 버리고, 하루에 3회 복용한다.

【主治】 四時溫疫, 太陽證.

【配伍分析】 本方은 香蘇散의 變方이다. 香蘇散에서 蘇葉·蒼朮의 용량을 줄여 發汗力을 줄이고, 當歸·川芎을 넣어 理血한 것으로 血敗의 걱정이 없고, 生薑·葱白을 넣어 너무 弱해진 發汗力을 돕고, 大棗로 少氣를 補하고 脾氣를 기른다. 또한, 生薑은 溫和胃氣하고, 葱白은 和裏通陽하며, 蒼朮·川芎·香附子는 越鞠丸에서 神麯·梔子를 뺀 것이 되는데, 神麯은 胃를 손상하기 쉽고 外感藥에는 필요없으며, 梔子는 寒하여 陰을 돕기 쉬우니 빼고, 여기에 蘇葉을 合하여 解鬱하니 鬱氣가 散하고 外感이 스스로 풀린다. 여기서 當歸·川芎을 사용한 것은 補血을 위한 것이 아니요, 活血和血하여 血敗를 방지하고 川芎으로 行하게하여 發汗을 돕자는 것이다. 少陰人體質에는 적절한 方劑이다. 藥力을 좀 强하게 사용하려면 香蘇散을 쓸 것이다.

【参考文獻】

1) 李濟馬 著.『東醫壽世保元』. 重版印刷. 서울: 행림출판, 1993: 69.
2) 尹吉榮 著.『四象體質醫學論』. 3版訂正. 서울: 崇壹文化社, 1980: 355.
3) 전국 한의과대학 사상의학교실 엮음.『改訂增補 四象醫學』. 2판 3쇄. 서울: 집문당, 2006: 364.

黃芪桂枝湯

(『東醫壽世保元』)

【組成】 桂枝 三錢(11.25 g) 白芍藥 黃芪 各二錢(7.5 g) 白何首烏當歸 炙甘草 各一錢(3.75 g) 薑 三片(1.5 g) 棗 二枚(2 g)

【用法】 물에 달여서 복용한다.

【主治】 亡陽證 鬱狂初證.

【配伍分析】 本方은 桂枝湯의 變方이다. 桂枝湯에 黃芪·白何首烏·當歸를 넣은 것이다. 桂枝湯보다 止汗力이 강화된 것이다. 實表하는 黃芪를 넣고 補氣할 목적으로 人蔘을 쓸 것이나 아직 부적합하므로 白何首烏를 쓴 것이요, 當歸는 白芍藥과 合하여 活血和血하며 外走하지 않고 內守하므로 血敗를 방지하고 止汗의 功을 증대시킨 것이다. 散風寒하는 桂枝가 君藥이 되고, 實表하는 黃芪, 和營收斂하는 白芍藥이 臣藥이 되며, 補氣逐冷하는 何首烏, 和血活血하는 當歸, 和中하는 甘草, 散寒하는 生薑, 滋養和營하는 大棗가 佐使가 된 것으로 桂枝湯보다 强力한 止汗力을 가진 解表劑이다.

【臨床應用】 1. 加減法: ① 骨節痛에는 半夏·蘇葉을 넣는다. ② 痰喘에는 蘇子·白芥子를 넣는다. ③ 口味가 없을 때는 白何首烏를 넣는다.

【参考文獻】

1) 李濟馬 著.『東醫壽世保元』. 重版印刷. 서울: 행림출판, 1993: 69.
2) 尹吉榮 著.『四象體質醫學論』. 3版訂正. 서울: 崇壹文化社, 1980: 355.
3) 金洲 著.『四象醫藥 性理臨床論』. 서울: 大星文化社, 1997: 134~135.

4) 전국 한의과대학 사상의학교실 엮음.『改訂增補 四象醫學』. 2판 3쇄. 서울: 집문당, 2006: 363.

人蔘桂枝附子湯

(『東醫壽世保元』)

【組成】 人蔘 四錢 桂枝 三錢(11.25 g) 白芍藥 黃芪 各二錢(7.5 g) 當歸 炙甘草 各一錢(3.75 g) 炮附子 一錢(3.75 g) 或二錢(7.5 g) 薑 三片(1.5 g) 棗 二枚(2 g)

【用法】 물에 달여서 복용한다.

【主治】 陽明病 汗多亡陽病의 中期.

【配伍分析】 本方은 黃芪桂枝湯에서 白何首烏를 人蔘으로 바꾸고 附子를 넣은 것이다. 白何首烏를 人蔘으로 바꾼 것은 多汗으로 元氣를 손상하였으므로 何首烏 정도로는 미치지 못하는 것이라 人蔘으로 바꾼 것이요, 亡陽證은 扶陽回元이 필요하므로 附子를 쓴 것이다. 本方을 桂枝附子湯의 變方으로도 볼 수 있다. 桂枝附子湯은 桂枝去芍藥加附子湯과 藥味는 같으나 분량이 다를 뿐이다. 桂枝去芍藥湯보다 重劑라고 할 수 있다. 桂枝芍藥加附子湯證 보다 身體疼痛·不能自轉側의 證이 더한 것으로 風濕相搏의 證이라고 한다. 그러나『醫學入門』에서는 亡陽證을 치료한다고 하였다. 芍藥을 뺀 것은 胸滿하기 때문이라고 하였다. 그러나 少陰人體質은 血敗하기 쉬운 체질로 和營하는 白芍藥이 필요한 것이다.

【參考文獻】

1) 李濟馬 著.『東醫壽世保元』. 重版印刷. 서울: 행림출판, 1993: 67.
2) 尹吉榮 著.『四象體質醫學論』. 3版訂正. 서울: 崇壹文化社, 1980: 355.
3) 金洲 著.『四象醫藥 性理臨床論』. 서울: 大星文化社, 1997: 141.

(2) 裏證 主方

太陰에는 理中湯을, 少陰에는 官桂附子理中湯을, 厥陰에는 人蔘吳茱萸湯을 사용한다.

理中湯

(『東醫壽世保元』)

【組成】 人蔘 白朮 乾薑 各二錢(7.5 g) 炙甘草 一錢(3.75 g)

【用法】 물에 달여서 복용한다.

【主治】 太陰病 中焦脾胃虛寒證.

【配伍分析】 本方은『傷寒論』의 理中丸을 湯으로 한 것인데, 太陰病에 主方으로 中焦脾胃虛寒으로 일어나는 諸證을 치료한다. 桂枝人蔘湯에서 桂枝를 뺀 것이다. 乾薑·甘草는 中焦를 溫하는 主藥이요, 人蔘·白朮은 元氣와 脾를 補한다.

【參考文獻】

1) 李濟馬 著.『東醫壽世保元』. 重版印刷. 서울: 행림출판, 1993: 57~58.
2) 尹吉榮 著.『四象體質醫學論』. 3版訂正. 서울: 崇壹文化社, 1980: 356.

官桂附子理中湯

(『東醫壽世保元』)

【組成】 人蔘 三錢(11.25 g) 白朮 炮乾薑 官桂 各二錢(7.5 g) 白芍藥 陳皮 灸甘草 各一錢(3.75 g) 附子炮 一錢(3.75 g) 或二錢(7.5 g)

【用法】 물에 달여서 복용한다.

【主治】 少陰病證(특징: 手熱, 腰痛, 大便滑量多, 口中不和).

【配伍分析】 本方은 附子理中湯의 變方이요, 四逆湯의 變方이다. 少陰의 眞陽이 浮露한 것을 回陽歸元하는 方劑이다. 乾薑·甘草는 中焦를 溫하고, 人蔘·白朮은 大補元氣하고 脾를 補하며, 肉桂·附子는 少陰浮火를 回陽歸元하고, 白芍藥은 和營하며, 陳皮는 氣를 疏通한다. 소음인체질은 血敗하기 쉽기 때문에 表證이나 裏證에 白芍藥을 많이 쓴다.

【臨床應用】 1. 加減法: ① 과민성 대장증후군에는 官桂를 桂枝로 바꾸어 쓴다. ② 盜汗·自汗에는 官桂를 桂枝로 바꾸어 쓴다. ③ 반신불수에는 藿香 蘇葉各 五分을 넣는다. ④ 변비치료를 위하여 냉수를 마셔서 大便滑·汗多·頭痛이 온 경우에는 官桂를 桂枝로바꾸어 쓴다. ⑤ 暑病에는 官桂를 桂枝로 바꾸어 쓴다. ⑥ 오후 8시 이후에 대변을 보는 경우에는 人蔘을 白何首烏로 바꾸어 쓴다. ⑦ 咽喉症·連珠瘡, 急性咽喉病에는 본방에서 人蔘의 용량을 一兩(37.5 g)으로 증량한 獨蔘官桂附子理中湯을 사용한다. ⑧ 小兒 肺炎에는 香附子 半夏 各一錢(3.75 g)을 넣고 人蔘 대신에 白何首烏를 넣고 1첩을 3회에 나누어 복용한다. ⑨ 胸腹痛에는香附子 烏藥 附子 各一錢(3.75 g)을 넣고 하루에 3~4첩씩 3일간 연속해서 복용한다. 附子를 사용할 때에 小便淸白하면 一錢(3.75 g)을, 小便赤濁하고 소변량이 적으면 二錢(7.5 g)을, 調理期에는 一錢(3.75 g)을 사용한다.

【参考文獻】

1) 李濟馬 著.『東醫壽世保元』. 重版印刷. 서울: 행림출판, 1993: 72.
2) 尹吉榮 著.『四象體質醫學論』. 3版訂正. 서울: 崇壹文化社, 1980: 356.
3) 金洲 著.『四象醫藥 性理臨床論』. 서울: 大星文化社, 1997: 146~150.

人蔘吳茱萸湯

(『東醫壽世保元』)

【組成】 人蔘 一兩(37.5 g) 吳茱萸 生薑 各三錢(11.25 g) 白芍藥 當歸 官桂 各一錢(3.75 g)

【用法】 물에 달여서 복용한다.

【主治】 太陰厥陰證.

【配伍分析】 本方은 吳茱萸湯의 變方이다. 太陽病 厥陰證으로 下利·手足厥冷을 治한다. 厥陰證은 生氣를 보호하는 것을 가장 중요시한다. 그러므로 大補元氣하는 人蔘을 君藥으로하고, 厥陰本經藥인 吳茱萸와 和胃하는 生薑을 臣藥으로하고, 和血活血하는 當歸와 和營하는 白芍藥 그리고 扶火助陽하는 肉桂를 佐使藥으로 한 것이다. 以上 3方은 理中湯을 기초로 조성된 것으로 太陰證은 乾薑·甘草로, 少陰證은 乾薑·附子로, 厥陰證은 人蔘·吳茱萸로 치료한 것이다. 裏證에는 이상 3方을 主方으로 現證을 보아 加減變通하여 쓸 것이다.

【參考文獻】

1) 李濟馬 著.『東醫壽世保元』. 重版印刷. 서울: 행림출판, 1993: 72.
2) 尹吉榮 著.『四象體質醫學論』. 3版訂正. 서울: 崇壹文化社, 1980: 356.
3) 전국 한의과대학 사상의학교실 엮음.『改訂增補 四象醫學』. 2판 3쇄. 서울: 집문당, 2006: 370.

(3) 脾胃證 主方

和胃에는 香砂養胃湯을, 脾胃虛衰에는 補中益氣湯을 사용한다.

香砂養胃湯

(『東醫壽世保元』)

【組成】 人蔘 白朮 白芍藥 炙甘草 半夏 香附子 陳皮 乾薑 山楂肉 砂仁 白豆蔲 各一錢(3.75 g) 薑 三片(1.5 g) 棗 二枚(2 g)

【用法】 물에 달여서 복용한다.

【主治】 大腸怕寒, 陽明證 혹 胃家實, 太陰證 胃弱 및 食滯黃疸.

【配伍分析】 本方은 香砂六君子湯의 變方이요, 半夏瀉心湯類의 變方이다. 人蔘·白朮은 大補元氣·健脾하고, 白芍藥·甘草는 和營하고, 乾薑·甘草는 中焦를 溫하고, 半夏·香附子는 消痰하며, 陳皮는 疏氣하고, 砂仁·白朮은 進食하고, 山楂肉·香附子는 消食하고, 砂仁·白豆蔲는 溫胃下食하고, 生薑·大棗는 溫胃和胃한다.

【臨床應用】 1. 加減法: ① 寒性 太陽病의 重症에는 人蔘 대신에 白何首烏 二錢을 넣어 하루에 3첩을 복용한다. ② 食滯性 泄瀉에는 藿香 一錢(3.75 g)을 넣는다. 복용한 뒤에 大便燥如便祕者는 三稜 蓬朮 各三分~一錢(1.125~3.75 g)을 넣는다. ③ 胸腹痛에는 烏藥 一錢(3.75g)을 넣는다.

【參考文獻】

1) 李濟馬 著.『東醫壽世保元』. 重版印刷. 서울: 행림출판, 1993: 70.
2) 尹吉榮 著.『四象體質醫學論』. 3版訂正. 서울: 崇壹文化社, 1980: 356.
3) 金洲 著.『四象醫藥 性理臨床論』. 서울: 大星文化社, 1997: 126~127.

補中益氣湯

(『東醫壽世保元』)

【組成】 人蔘 黃芪 各三錢(11.25 g) 炙甘草 白朮 當歸 陳皮 各一錢(3.75 g) 藿香 蘇葉 各三分(1.125 g) 或 五分(1.875 g) 薑 三片(1.5 g) 棗 二枚(2 g)

【用法】 물에 달여서 복용한다.

【主治】 太陽證之亡陽初證, 勞困, 虛弱, 身熱, 心煩, 自汗.

【配伍分析】 本方은 李杲(1180~1251, 金代 醫學者. 字明之, 號東垣老人, 真定人)의 補中益氣湯에서 柴胡·升麻를 藿香·蘇葉으로 바꾸고 분량을 좀 높인 것이다. 升麻는 藥性이 苦寒으로 熱을 치료하고 發散하는 약물이요, 柴胡는 藥性이 苦平으로 三焦火를 瀉하고 淸熱하는 약물이라 和血·溫中·發表하는 蘇葉의 辛溫한 藥性과 升淸·降濁하고 淸陽을 끌어당기는 藿香의 辛溫한 藥性을 取한 것이다. 그러나 柴胡·升麻의 三分으로는 큰 害가 없으니 바꾸지 않더라도 무방하나, 그 方劑組成의 마음 쓰는 법(用心)을 배워야 할 것이다.

本方은 元氣가 손상하여 陽氣가 下陷하고 脾胃가 虛衰한 것을 치료한다. 人蔘·黃芪는 補元氣·固表하고, 當歸·陳皮는 和血·疏氣하고, 人蔘·白朮은 補脾하고, 甘草는 和中하며, 紫蘇葉·藿香은 升提하고, 生薑·大棗는 溫胃·和胃한다.

【臨床應用】 1. 加減法: ① 冷性 毒素가 악화하여 口味가 물러나거나 傷肺한 경우에는 人蔘을 빼고 白何首烏와 生甘草를 넣는다. ② 汗多·胸腹痛에는 香附子 烏藥 各一錢(3.75 g)을 넣는다. 肥人은 一錢(3.75 g)을 쓰고, 瘦人은 一錢半~二錢(5.625~7.5 g)을을 쓴다. 香附子와 烏藥은 氣가 沈한 정도가 심할수록 즉 氣運이 衰해질수록 용량을 높인다. ③ 乾咳에는 乾薑·半夏를 넣는다. ④ 喘에는 蘇子를 넣는다. ⑤ 痰에는 白芥子를 넣는다. ⑥ 흡연하면 脫肉이 잘되고, 脣靑·短喘이 오는 경우에는 半夏·蘇子·白芥子를 넣고, 人蔘은 白何首烏로 바꾸어 넣는다. ⑦ 갑상선질환에는 香附子 烏藥 各一錢(3.75 g) 半夏五分(1.875 g)을 넣고 人蔘은 白何首烏로 바꾸어 넣는다. ⑧ 과민성 대장증후군에는 人蔘 대신에 白何首烏를 넣는다. ⑨ 衄血에는 人蔘 五錢(18.75 g)을 사용한다. ⑩ 盜汗·虛汗에는 人蔘 대신에 白何首烏를 넣는다. ⑪ 傷肺者는 人蔘 대신에 白何首烏를 넣는다. ⑫ 生理痛이 있을 때에, 順氣에서 瘦人은 香附子 烏藥 各一~二錢(3.75~7.5 g)을 넣고, 肥人은 香附子 烏藥 各一錢(3.75 g)을 넣는다. 安神에는 砂仁을 넣는다. 下焦冷에는 官桂를 넣는다. ⑬ 大便燥와 消化不良에는 三稜 蓬朮 各五分~一錢(1.875~3.75 g)을 넣는다. ⑭ 妊娠惡阻에는 香附子 烏藥 當歸 各一錢(3.75 g) 砂仁 五分(1.875 g)을 넣는다. ⑮ 축농증에는 辛夷를 넣는다. ⑯ 胸腹痛에는 香附子 烏藥 各一錢五分(5.625 g) 넣는다. ⑰ 肝鬱에 의한 心下痞에는 靑皮 一錢(3.75 g) 生薑 二片(1 g)을 넣는다.

【參考文獻】

1) 李濟馬 著.『東醫壽世保元』. 重版印刷. 서울: 행림출판, 1993: 68~69.
2) 尹吉榮 著.『四象體質醫學論』. 3版訂正. 서울: 崇壹文化社, 1980: 356~357.
3) 金洲 著.『四象醫藥 性理臨床論』. 서울: 大星文化社, 1997: 132~134.

⑷ 表裏腸胃 通治方

病邪盛에는 藿香正氣散을 사용한다.

藿香正氣散

(『東醫壽世保元』)

【組成】 藿香 一錢五分(5.625 g) 紫蘇葉 一錢(3.75 g) 蒼朮 白朮 半夏 陳皮 靑皮 大腹皮 桂皮 乾薑 益智仁 炙甘草 各五分(1.875 g) 薑 三片(1.5 g) 棗 二枚(2 g)

【用法】 위의 약재를 가루로 만들고, 매번 二錢(7.5 g)에 물 1잔을 붓고 七分이 되도록 달여서 찌꺼기는 버리고, 하루에 3회 복용한다.

【主治】 太陽證 大腸怕寒, 陽明證 表不解, 太陽證 下利淸穀.

【配伍分析】 本方은『太平惠民和劑局方』(1078~1085)의 藿香正氣散에서 桔梗·白芷·厚朴·茯苓을 빼고, 蒼朮·靑皮·桂皮·乾薑·益智仁을 넣은 것이다. 厚朴을 뺀 것은 하나의 실책이며 益智仁은 반드시 필요한 것은 아니다. 少陽人은 利水를 필요로 하며, 少陰人은 利水를 忌하므로 茯苓을 빼고 下行하는 靑皮와 泄하면서도 氣를 손상하지 않고 收하면서도 壅滯하지 않는 益智仁을 넣어 茯苓의 利水·導氣하는데 대신한 것이요, 靑皮가 있어 破氣·下行하므로 厚朴을 뺀 것이요, 桔梗·白芷는 上行하여 肺經風寒을 치료하는 약물이니 胃腸을 主로 할 때는 필요가 없으므로 뺀 것이다. 그러나 茯苓은 泄하면서도 氣를 손상하지 않고 收하면서도 壅滯하지 않으니 구태여 厚朴·茯苓을 빼고 益智仁·靑

皮를 쓸 필요가 없다. 過利를 꺼린다면 行水하는 大腹皮를 빼는 것이 오히려 좋을 것이다. 本方은 表證·裏證·胃腸不和·風寒·溫熱·痰飮·大便不利·小便不利·一切病邪가 盛한데 사용하는 通治方이니 그 妙는 加減變通에 있다.

【臨床應用】1. 加減法: ① 眼充血, 痰喘, 오래된 咳嗽에는 白何首烏 二錢(7.5 g) 白芥子 蘇子 各一錢을 넣는다. ② 脣燥에는 白何首烏 二~三錢(7.5~11.25 g)을 넣는다. ③ 寒性太陽病의 初症에는 半夏를 一錢(3.75 g)으로 增量하고 白何首烏 一錢을 넣고 하루에 3첩을 복용한다.

【参考文獻】

1) 李濟馬 著.『東醫壽世保元』. 重版印刷. 서울: 행림출판, 1993: 69.
2) 尹吉榮 著.『四象體質醫學論』. 3版訂正. 서울: 崇壹文化社, 1980: 357.
3) 金洲 著.『四象醫藥 性理臨床論』. 서울: 大星文化社, 1997: 125~126.

(5) 虛證 主方

一切虛弱에는 八物君子湯을 사용한다.

八物君子湯

(『東醫壽世保元』)

【組成】人蔘 二錢(7.5 g) 黃耆 白朮 白芍藥 當歸 川芎 陳皮 甘草 各一錢(3.75 g) 薑 三片(1.5 g) 棗 二枚(2 g)

【用法】물에 달여서 복용한다.

【主治】鬱狂初證, 陽明證 胃家實.

【配伍分析】本方은 八物湯의 變方이다. 八物湯에서 熟地黃·白茯苓을 빼고, 黃芪·陳皮를 넣은 것이다. 여기에다 肉桂만 넣으면 十全大補湯에서 熟地黃·茯苓을 빼고 陳皮를 넣은 것이 된다. 少陰人體質은 補血할 필요가 없는데 熟地黃을 넣으면 불필요한 약물로 胃에 부담만 되고, 利尿할 필요가 없는데 白茯苓을 넣으면 下氣만 되므로 뺀 것이다. 補中益氣湯에서 茯苓을 빼고 陳皮를 넣은 것과 같은 이치이다. 本方은 少陰人體質의 一切 虛損·虛弱을 치료한다.

【臨床應用】1. 加減法: ① 大便滑에는 川芎의 용량을 줄여서 五分(1.875 g)으로 한다. ② 痰痛에는 當歸尾를 넣는다. ③ 鬱證에는 童便香附子 二錢~一兩(7.5~37.5 g)을 넣는다. ④ 속쓰림에는 小茴香을 넣는다. ⑤ 冷에는 玄胡索을 넣는데, 冷이 심할 경우에는 특히 澤蘭 五分~一錢(1.875~3.75 g)을 넣는다. ⑥ 太陽病이 陽明病으로 惡化하려는 證에는 當歸 二錢(7.5 g)과 人蔘 대신에 白何首烏 三錢(11.25 g)을 넣는다. ⑦ 潮熱病에는 먼저 巴豆 半粒을 써서 通氣를 시킨 뒤에 獨蔘八物湯을 하루에 3첩을 연속해서 복용하여 약간 安定을 시킨다. 便通이면 譫語直視가 물러나고 이후에는 본방을 하루에 2첩씩 복용하여 數日동안 調理한다. ⑧ 衄血에는 香附子 一兩(37.5 g)을 넣는다. ⑨ 帶下症에 는 玄胡索 一錢(3.75 g)을 넣는다. 특히 심할 경우에는 澤蘭을 五分~一錢(1.875~3.75 g)을 넣는다. ⑩ 不姙症에는 人蔘·當歸·白芍藥을 君藥으로하고 香附子 烏藥 各一錢(3.75 g)을 넣어 100첩을 사용한다. ⑪ 産後腹痛에는 蘇葉 一錢(3.75 g)을 넣는다. ⑫ 勞心焦思하여 순기가 안되는 경우에는 香附子와 烏藥을 넣는다. ⑬ 産後 月經不順에는 砂仁 桂枝 各一錢(3.75 g)을 넣는다. ⑭ 産後 乳汁分泌不足 및 不通에는 香附子 烏藥 肉桂 健康 各一錢 陳皮 靑皮 各五分(1.875 g)을 넣고 人蔘 대신 白何首烏를 넣는다. ⑮ 生理時에 꼭 感氣에 걸리는 경우에는 蘇葉 一錢(3.75 g)을 넣는다. ⑯ 生理痛이 있을 때, 瘦人의 順氣에는 香附子 烏藥 各一錢五分~二錢(5.625~7.5 g)을 넣고, 肥人의 順氣에는 香附子 烏藥 各五分~一錢(1.875~3.75 g)을 넣는다.

安神에는 砂仁을 넣고 下焦冷에는 肉桂를 넣는다. ⑰ 新生兒 黃疸에는 茵陳蒿를 넣는다. ⑱ 鬱狂證에는 白何首烏·當歸를 君藥으로하고 香附子 烏藥 各一錢五分(5.625 g)을 넣는다. ⑲ 痢疾에는 人蔘 八錢(30 g) 赤石脂 茵陳蒿 各一錢(3.75 g)을 넣는다. ⑳ 妊娠惡阻에는 香附子 烏藥 當歸 各一錢(3.75 g) 砂仁 五分(1.875 g)을 넣는다. ㉑ 妊娠중 胎漏症에는 當歸와 白何首烏를 倍로 넣는다. ㉒自然流産 경력이 많은 경우에 流産을 방지하기 위해서는 香附子와 當歸를 君藥으로 한다. ㉓ 自然流産 후에 補完하려면 當歸 一錢五分(5.625 g)을 넣고 人蔘 대신에 白何首烏二~三錢(7.5~11.25 g)을 넣는다. ㉔ 脫陰症에는 當歸와 白何首烏를 君藥으로 한다. ㉕ 皮膚病에는 香附子와 砂仁을 넣는다. ㉖ 下血에는 當歸 二錢(7.5 g) 香附子 砂仁各一錢(3.75 g)을 넣는다. ㉗ 胸腹痛에는 香附子 烏藥 各一錢五分(5.625 g)을 넣는다. ㉘ 本方에서 人蔘을 白何首烏로 바꾸어 넣으면 白何烏君子湯이라고 한다. ㉙ 本方에 白何首烏 官桂 各一錢(3.75 g)을 넣으면 十全大補湯이라고 한다.㉚ 本方에서 人蔘 一兩(37.5 g) 黃芪 一錢(3.75 g)을 사용하면 獨蔘八物湯이라고 한다.

【參考文獻】

1) 李濟馬 著.『東醫壽世保元』. 重版印刷. 서울: 행림출판, 1993: 69~70.
2) 尹吉榮 著.『四象體質醫學論』. 3版訂正. 서울: 崇壹文化社, 1980: 357.
3) 金洲 著.『四象醫藥 性理臨床論』. 서울: 大星文化社, 1997: 128~132.

(6) 大便不通 主方

胃家實에는 如意丹을 사용한다.

如意丹

(『東醫壽世保元』)

【組成】 川烏炮 八錢(30 g) 檳榔 人蔘 柴胡 吳茱萸 川椒 白茯苓 白薑 黃連 紫菀 厚朴 肉桂 當歸 桔梗 皀角 石菖蒲 各五錢(18.75 g) 巴豆霜 二錢五分(9.375 g).

【用法】 위의 약물을 분말하고 고운 꿀(煉蜜)로 오동나무씨 크기(梧子大)의 丸을 만들어 朱砂로 옷을 입히고, 매번 五丸 혹은 七丸을 溫水에 복용한다.(右爲末, 煉蜜和丸, 梧子大, 朱砂爲衣, 每五丸或七丸, 溫水下.)

【主治】 專治瘟疫及一切鬼祟.

【配伍分析】 巴豆一粒을 껍질을 제거하고 全粒을 溫水에 呑下한다. 全粒은 下利하고 半粒은 化積한다. 巴豆單味가 재미 없으면 다른 巴豆劑도 무방하다. 이는 大黃·芒硝 같은 寒性下劑를 피하고 溫性下劑를 쓰자는 것이다.

【參考文獻】

1) 李濟馬 著.『東醫壽世保元』. 重版印刷. 서울: 행림출판, 1993: 67.
2) 尹吉榮 著.『四象體質醫學論』. 3版訂正. 서울: 崇壹文化社, 1980: 357.

2. 少陽人體質의 方劑

소양인체질은 陰虛·熱盛하고 水道不利하기 쉬운 체질이므로 補陰·益水·滋養益陰·利水 등을 겸한 약물을 선택하는 것이 좋고, 이런 것들을 손상시키거나 藥力이 峻烈하여 손상될 우려가 되는 약물 및 助熱藥物은 忌한다. 陰虛하기 쉬우니 補陰·益水·滋養藥物, 熱盛하기 쉬우니 寒凉藥物, 水道가 不利하기 쉬우니 利水藥物, 動風하기 쉽고 風疾·風濕·風熱을 일으키기 쉬우니 祛風·除風濕·風熱藥物, 熱毒이 結하기 쉬우니 淸熱解毒藥物 등을 선택하고, 熱痰이 胸膈에 積하기 쉬우니 瓜蔞仁이 좋다. 消導藥으로는 牡丹皮가 좋다고 하나 藥性으로 보아 이해되지 않으니 앞으로 연구해 볼 문제이다.

(1) 表證 主方

表病不汗煩躁에는 荊防敗毒散을, 頭痛·胸膈煩熱에는 荊防導赤散을, 頭痛·腸氣燥에는 荊防瀉白散을 사용한다.

荊防敗毒散

(『東醫壽世保元』)

【組成】 羌活 獨活 柴胡 前胡 荊芥 防風 赤茯苓 生地黃 地骨皮 車前子 各一錢(3.75 g)

【用法】 위의 약재를 가루로 만들고, 매번 二錢(7.5 g)에 물 1잔을 붓고 七分이 되도록 달여서 찌꺼기는 버리고, 하루에 3회 복용한다.

【主治】 頭痛, 寒熱往來, 太陽證, 少陽證, 忽然有吐, 間二日瘧, 發日豫前用之, 限二十貼.

【配伍分析】 本方은 大青龍湯과 小柴胡湯의 改定方으로 表病 및 半表裏證을 치료한다. 그러므로 發熱·惡寒·身痛·煩躁·往來寒熱·口苦·咽乾·胸脇滿·忽然有吐·眩而口苦·舌乾等證에 사용하는 것으로 加減變通으로 表病諸證을 치료한다. 羌活·獨活은 風濕을 치료하고, 柴胡·前胡는 散熱·降氣하고, 生地黃·地骨皮는 胸中熱을 淸하니 소양인체질에 적절한 方劑이다.

【臨床應用】 1. 加減法: ① 不大便者는 石膏를 넣는다. ② 服藥後에 全身發汗而手足掌心無汗하고 大便不快에는 柴胡 1·二錢(3.75·7.5 g) 瓜蔞仁 一錢半(5.625 g) 前胡 五分(1.875 g) 石膏를 넣는다. ③ 胃受熱證에는 石膏 1·2·三錢(3.75·7.5·11.25 g)을 넣는다. ④ 氣管支가 弱하고 痰이 있는 경우에는 瓜蔞仁을 넣는다. ⑤ 太陽病에는 石膏 一錢(3.75 g)을 넣는다. ⑥ 肝炎에는 柴胡 五錢(18.75 g)을 사용한다. ⑦ 腎虛에 外感을 겸한 경우에는 柴胡 三錢(11.25 g) 瓜蔞仁 一錢半(5.625 g) 枸杞子 一錢(3.75 g) 前胡 生地黃 各 五分(1.875 g)을 넣는다. ⑧ 頸椎間板 脫出症에는 柴胡 2·三錢(7.5·11.25 g)을 넣는다. ⑨ 볼거리의 初症에는 본방을 사용하고, 中症에는 忍冬藤 連翹 牛蒡子 各一錢(3.75 g)을 넣고 먼저 3·4첩을 사용한다. 重症에는 凉膈散火湯을 쓰고, 太重症에는 陽毒白虎湯을 쓴다. ⑩ 耳聾症에서 初症에는 枸杞子 三錢(11.25 g) 柴胡 一錢(3.75 g)을 넣고 먼저 3·4첩을 사용하고, 脾受寒證(腎虛)의 重症에는 본방을 사용한 뒤에 六味地黃湯에 枸杞子 三錢(11.25 g) 柴胡 一錢(3.75 g)을 넣어 사 용하며, 胃受熱證(胃熱)의 重症에는 본방을 사용한 뒤에 荊防瀉白散을 사용한다. ⑪ 咽喉證의 初症에는 牛蒡子를 넣는다. ⑫ 項强症에는 柴胡 2·三錢(7.5·11.25 g)을 넣는다.

【參考文獻】

1) 李濟馬 著.『東醫壽世保元』. 重版印刷. 서울: 행림출판, 1993: 102.
2) 尹吉榮 著.『四象體質醫學論』. 3版訂正. 서울: 崇壹文化社, 1980: 358.
3) 金洲 著.『四象醫藥 性理臨床論』. 서울: 大星文化社, 1997: 219~221.

荊防導赤散

(『東醫壽世保元』)

【組成】生地黃 三錢(11.25 g) 木通 二錢(7.5 g) 玄參 瓜蔞仁 各一錢五分(5.625 g) 前胡 羌活 獨活 荊芥 防風 各一錢(3.75 g)

【用法】위의 약재를 가루로 만들고, 매번 二錢(7.5 g)에 물 1잔을 붓고 七分이 되도록 달여서 찌꺼기는 버리고, 하루에 3회 복용한다.

【主治】少陽頭痛, 結胸 및 胸膈煩燥.

【配伍分析】本方은 위의 荊防敗毒散의 變方으로 羌活·獨活로 風濕을 제거하고, 荊芥·防風으로 風寒을 치료하며, 前胡·瓜蔞仁으로 降氣·除痰하고, 木通으로 利水淸熱하고, 生地黃·玄參으로 胸中熱을 淸하니 위의 荊防敗毒散보다 熱盛한 證을 치료한다.

【臨床應用】1. 加減法: ① 大便秘燥에서 表熱에는 甘遂를 넣고, 裏熱에는 石膏를 넣는다. ② 胸脇滿·嘔逆·喘急에는 澤瀉와 白茯苓을 넣는다. ③ 咽乾이 甚하고 大便을 2일에 1회 보는데 燥하면 石膏를 넣는다. ④ 少陽病이 더 심해져서 結胸이 되기 직전의 상태 즉 脾寒(陰性毒素로 작용한 것)이 肝肺에까지 미쳐 陰性作用이 不均等한 상태에는 澤瀉 白茯苓各一錢(3.75 g)을 넣는다. 효과가 없으면 甘遂粉末 一分(0.375 g)을 타액으로 삼키고, 이후에는 본방에 澤瀉·白茯苓을 넣어서 사용한다. ⑤ 胃熱로 인한 氣管支炎에 大便不通이 2·3일이 된 자는 石膏를 넣는다. 石膏는 舌苔에 따라 용량에 차이가 난다. 舌苔가 白色이면 一錢(3.75 g)을 쓰고, 黃褐色이면 三·五錢(11.25·18.75 g)을 쓰고, 초콜렛색이면 一兩(37.5 g)을 쓴다. ⑥ 알레르기성 鼻炎에는 澤瀉와 白茯苓을 넣는다. ⑦ 咽喉症에는 牛蒡子를 넣는다. ⑧ 喘息(氣管支性으로 濕痰이 盛하여 쉽게 뱉음.)에는 前胡와 瓜蔞仁을 넣는다. ⑨ 心下鬱結에는 澤瀉와 白茯苓을 넣는다. ⑩ 大便秘燥에서 表熱이면 甘遂를 넣고, 裏熱이면 石膏를 넣는다.

【參考文獻】

1) 李濟馬 著.『東醫壽世保元』. 重版印刷. 서울: 행림출판, 1993: 102.
2) 尹吉榮 著.『四象體質醫學論』. 3版訂正. 서울: 崇壹文化社, 1980: 358.
3) 金洲 著.『四象醫藥 性理臨床論』. 서울: 大星文化社, 1997: 221~223.

荊防瀉白散

(『東醫壽世保元』)

【組成】生地黃 三錢(11.25 g) 茯苓 澤瀉 各二錢(7.5 g) 石膏 知母 羌活 獨活 荊芥 防風 各一錢(3.75 g)

【用法】위의 약재를 가루로 만들고, 매번 二錢(7.5g)에 물 1잔을 붓고 七分이 되도록 달여서 찌꺼기는 버리고, 하루에 3회 복용한다.

【主治】頭痛, 膀胱痛, 煩燥, 少陽證 身熱, 頭痛, 泄瀉, 亡陰證.

【配伍分析】本方은 위의 荊防導赤散의 變方으로 羌活·獨活은 除風濕하고, 荊芥·防風은 風寒을 치료하고, 茯苓·澤瀉는 滲濕熱하고, 石膏·知母는 淸熱하니 荊防導赤散 보다 熱이 重하여 大腸氣燥로 장차 便閉의 징조가 있을 때 사용하니 身熱·頭痛·泄瀉·引飮等을 치료하는 것으로 地黃白虎湯의 裏證은 아직 안되었으나 곧 이 證이 될 우려가 있을 때 사용한다. 身熱·頭痛은 亡陰의 징조요, 여기에 泄瀉가 있으면 亡陰證이다. 위의 荊防敗毒散·荊防導赤散·荊防瀉白散의 3方은 그

차이가 熱의 輕重에 있는 것이니 荊防敗毒散加減과 地黃白虎湯을 잘 사용하면 된다.

【臨床應用】 1. 加減法: ① 口臭·大便燥或秘·咽乾, 밤에 冷水를 마시면 石膏 四錢(15 g)을 넣는다. ② 小兒의 冷과 咽喉症에는 忍冬藤 連翹 各二·三分(0.75·1.125 g)을 넣는다. ③ 胸脇滿而手不可近이면 瓜蔞仁을 넣는다. ④ 腰痛에 血證(대체로 여자에 해당)에 의하면 牛蒡子를 넣고, 腎虛性(대체로 남자에 해당)에 의하면 覆盆子를 넣는다. ⑤ 神經痛에는 牛蒡子를 넣는다. ⑥ 食後痞滿에는 牡丹皮를 넣는다. ⑦ 복약 후에 大便疏通이 안되고, 頭痛·黃黑苔·譫語가 있으면 生地黃 石膏 各四錢(15 g) 知母 二錢(7.5 g)을 넣는다. ⑧ 小兒에게 黃帶下·陰部疼痛(刺痛)이 나타나면 玄參 牡丹皮 各二·三分(0.75·1.125 g)을 넣는다. ⑨ 팬티가 금방 누렇게 되는 아이는 玄參 二·三分(0.75·1.125 g)을 넣는다. ⑩ 太陽病(裏證)에는 石膏 三錢(11.25 g)으로 늘려서 쓴다. ⑪ 胸脇滿에는 瓜蔞仁을 넣는다. ⑫ 肩臂痛의 末期에는 우방자를 넣는다. ⑬ 高血壓에는 荊防瀉白散 散劑:朱砂益元散 散劑 = 10:1~2:1로 하여 사용한다. ⑭ 外感性 口內炎에는 薄荷를 넣는다. ⑮ 口瘡에서 內傷性 輕證에는 牛蒡子를 넣고 外感性 輕證에는 薄荷를 넣는다. 重證에는 忍冬藤·連翹 혹은 金銀花를 넣는다. ⑯ 氣管支障礙(傷肺)에는 반드시 瓜蔞仁을 쓰고 前胡는 사용하지 않는다. ⑰ 囊部濕疹에는 忍冬藤·連翹를 넣는다. ⑱ 囊濕症에는 牛蒡子를 넣는다. 만일 傷肺가 있는 자는 黃連과 瓜蔞仁을 넣는다. ⑲ 白帶下에는 本方을 사용하고, 黃帶下에는 玄參·牡丹皮를 넣고, 특히 접히는 부위에 皮膚病이 병발할 때는 忍冬藤·連翹를 넣는다. ⑳ 盜汗·虛汗(小兒)에는 忍冬藤·連翹·薄荷를 넣는다. 小兒에는一·三分(0.375·1.125 g)을 사용한다. ㉑ 不姙症에는 玄參·牡丹皮·忍冬藤·連翹를 넣는다. ㉒ 生理痛, 經血色黑, 끈적끈적한데는 玄參·牡丹皮를 넣는다. ㉓ 생리 시에 감기에 걸리는 경우에는 玄參·牡丹皮를 넣는다. ㉔ 傷食性에 의한 泄瀉는 下多亡陰證으로 石膏 二錢(7.5 g)으로 늘려서 쓴다. ㉕ 노인성 小便失禁(오줌소태)에서 소변을 시원하게 보지 못할 때는 木通을 넣는다. ㉖ 傷風에 의한 口內炎에는 薄荷를 넣는다. ㉗ 食中毒에는 忍冬藤·連翹·牛蒡子를 넣는다. ㉘ 神經痛에는 牛蒡子를 넣는다. ㉙ 夜尿症에서 소변을 자주보는데 불쾌할 때는 木通을 넣는다. ㉚ 腰痛에서 주로 남자의 腎虛일 때는 覆盆子를 넣고, 주로 여자나 打撲傷에 의한 血證일 때는 牛蒡子를 넣고, 經道不順(黑色, 量少, 끈적끈적, 黃帶下)일 때는 玄參·牡丹皮를 넣고, 脚痛을 겸하면 菟絲子 五分~一錢(1.875~3.75 g)을 넣고, 膝痛(骨痛)을 겸하면 牛膝 一·二錢(3.75·7.5 g)을 넣는다. ㉛ 月經不順(黑色, 量少, 끈적끈적, 黃帶下)에는 玄參·牡丹皮를 넣는다. ㉜ 咽喉證에는 牛蒡子를 넣는다. ㉝ 妊娠중의 胎漏病에는 玄參·牡丹皮를 넣는다. ㉞ 自然流産後病에는 玄參·牡丹皮를 넣는다. ㉟ 痔疾에는 黃連一錢(3.75 g) 赤茯苓 白茯神 各五分(1.875 g)을 넣는다. ㊱ 상식에 의한 皮膚發疹에는 金銀花 五分~一錢(1.875~3.75 g)을 넣는다. ㊲ 下血에는 玄參·牡丹皮를 넣는다. ㊳ 鶴膝風에는 木通 一兩(37.5 g)을 넣는다. ㊴ 咳嗽에는 瓜蔞仁을 넣는다.

【參考文獻】

1) 李濟馬 著.『東醫壽世保元』. 重版印刷. 서울: 행림출판, 1993: 102.
2) 尹吉榮 著.『四象體質醫學論』. 3版訂正. 서울: 崇壹文化社, 1980: 358.
3) 金洲 著.『四象醫藥 性理臨床論』. 서울: 大星文化社, 1997: 223~228.

(2) 裏證 主方

身寒·腹痛·泄瀉에는 滑石苦蔘湯을, 身熱·頭痛·泄瀉에는 猪苓車前子湯을, 陽毒 및 熱結便秘에는 地黃白虎湯을 사용한다.

滑石苦蔘湯

(『東醫壽世保元』)

【組成】澤瀉 茯苓 滑石 苦蔘 各二錢(7.5 g) 川黃連 黃栢 羌活 獨活 荊芥 防風 各一錢(3.75 g)

【用法】물에 달여서 복용한다.

【主治】腹痛(脾受寒證의 熱結로 인한 腹痛), 身寒, 無泄瀉 혹 泄瀉, 冷頭痛.

【配伍分析】澤瀉·滑石은 滲濕熱하고, 苦蔘·黃連은 平胃·除熱하고, 黃柏은 益陰·除熱하며, 羌活·獨活은 風濕을 제거하고, 荊芥·防風은 諸風을 치료한다. 胃腸에 病邪가 있어 消化가 不利하고 小便 역시 不利하며 腹痛이 있고 泄瀉는 없는 것을 치료한다. 身寒·腹痛은 亡陰의 징조요, 身寒·腹痛·泄瀉는 亡陰이다. 亡陰에는 앞에서 말한 身熱·頭痛·泄瀉證과 本證이 있다.

【參考文獻】

1) 李濟馬 著.『東醫壽世保元』. 重版印刷. 서울: 행림출판, 1993: 103.
2) 尹吉榮 著.『四象體質醫學論』. 3版訂正. 서울: 崇壹文化社, 1980: 358.
3) 金洲 著.『四象醫藥 性理臨床論』. 서울: 大星文化社, 1997: 229~230.

猪苓車前子湯

(『東醫壽世保元』)

【組成】澤瀉 茯苓 各二錢(7.5 g) 猪苓 車前子 各一錢五分(5.625 g) 知母 石膏 羌活 獨活 荊芥 防風 各一錢(3.75 g)

【用法】물에 달여서 복용한다.

【主治】亡陰病 身熱泄瀉, 陽明證 三陽合病 頭痛, 腹痛證.

【配伍分析】本方은 猪苓湯의 變方이다. 澤瀉·茯苓·猪苓·車前子는 滲濕熱·利水하고, 知母·石膏는 清熱하고, 羌活·獨活은 風濕을 제거하고, 荊芥·防風은 諸風을 치료한다. 그러므로 熱盛하고 小便不利하고 泄瀉하는 證으로 滑石苦蔘湯 보다 좀 重한 證에 사용한다.

【參考文獻】

1) 李濟馬 著.『東醫壽世保元』. 重版印刷. 서울: 행림출판, 1993: 102.
2) 尹吉榮 著.『四象體質醫學論』. 3版訂正. 서울: 崇壹文化社, 1980: 359.
3) 金洲 著.『四象醫藥 性理臨床論』. 서울: 大星文化社, 1997: 230.

地黃白虎湯

(『東醫壽世保元』)

【組成】石膏 五錢(18.75 g) 或一兩(37.5 g) 生地黃 四錢(15 g) 知母 二錢(7.5 g) 防風 獨活 各一錢(3.75 g)

【用法】물에 달여서 복용한다.

【主治】結胸譫語, 亡陰譫語, 太陽似瘧證, 陽明證, 煩燥, 大便不通, 當用. 譫語症, 亦用. 揚手擲足, 引飮, 發狂, 舌卷動風, 亦用.

【配伍分析】本方은 白虎湯의 變方이다. 石膏·生地黃·知母는 淸熱하고, 防風·獨活은 除風한다. 熱이 盛하면 動風이 되므로 防風·獨活로 미리 치료한 것이다. 陽毒으로 發斑하면 荊芥·牛蒡子를 넣어 荊芥·防風으로 風熱을 散하고, 牛蒡子로 陽毒을 제거하고, 獨活은 下行藥이므로 뺀다. 熱多寒少證에 昏憒하고 耳聾·譫語하면 動風의 징조가 보이는 것이니, 本方을 사용하고 傷寒·發狂·譫語·食滯腹痛·寒熱·裏熱大便不通에도 사용하는 것으로 實熱이 가장 重한데 사용한다.

【臨床應用】1. 加減法: 陽毒發斑에 加荊芥 牛蒡子 各一錢(3.75 g) 除獨活

【参考文獻】

1) 李濟馬 著.『東醫壽世保元』. 重版印刷. 서울: 행림출판, 1993: 104.
2) 尹吉榮 著.『四象體質醫學論』. 3版訂正. 서울: 崇壹文化社, 1980: 359.
3) 전국 한의과대학 사상의학교실 엮음.『改訂增補 四象醫學』. 2판 3쇄. 서울: 집문당, 2006: 396.

(3) 脾胃證 主方

食滯痞滿에는 獨活地黃湯을 사용한다.

獨活地黃湯

(『東醫壽世保元』)

【組成】熟地黃 四錢 山茱萸 二錢(7.5 g) 茯苓 澤瀉 各一錢五分(5.625 g) 牡丹皮 防風 獨活 各一錢(3.75 g)

【用法】물에 달여서 복용한다.

【主治】食滯痞滿, 陰虛惡熱, 中風, 嘔吐, 口中冷涎逆上亦嘔吐也. 間兩日瘧, 不發日二貼, 朝暮服, 限四十貼. 口眼喎斜, 冷頭痛, 여름철에도 手足冷, 膝冷, 易衄血.

【配伍分析】本方은 六味地黃湯에 獨活·防風을 넣은 變方으로 六味地黃湯은 陰虛·津液枯渴로 消化하지 못하는데 사용하면 消化·進食한다. 이 方劑에다 獨活·防風을 넣어 일반적 消食方으로 사용할 수 있을 것인지 또『東醫壽世保元』에서 牡丹皮가 消食한다고 하니 연구해 볼 문제이다.

【玄谷按】일반적인 消導藥으로 六味地黃湯에서 熟地黃을 乾地黃으로 바꾸고, 苦蔘·黃連·荊芥를 넣으면 되지 않을까 한다.

【臨床應用】1. 加減法: ① 大便小小滑利, 小便數에는 黃連을 넣는다. ② 飮食傷에 의한 便祕에는 生地黃·石膏를 넣는다. ③ 咽乾이 甚한데는 生地黃·石膏를 넣는다. ④ 본방을 복용한 뒤에 증상은 호전되었으나 배에 가스가 차는 경우에는 石膏를 넣는다. ⑤ 大便燥或難, 無口臭에는 石膏를 넣는다. ⑥ 咽乾,舌苔甚, 口臭에는 生地黃을 넣는다. ⑦ 舌苔黃, 咽乾에 生地黃·石膏를 넣으면 안될 때는 知母를 넣는다. ⑧ 脫陰에는 黃連을 넣는다. ⑨ 血虛腹痛에는 覆盆子를 넣는다. ⑩ 몸이 아프지 않고 뻐근할 때는 柴胡를 넣는다. ⑪ 肢節痛, 手足痺에는 地骨皮를 넣는다. ⑫ 經血色

黑, 量少, 끈적끈적, 黃帶下에는 玄參을 넣는다. ⑬ 신경성(=血證)에 의한 左偏頭痛에는 牛蒡子를 넣는다. ⑭ 氣虛(=氣證)에 의한 右偏頭痛에는 黃連을 넣는다. ⑮ 肩臂痛의 末期에는 柴胡 三錢(11.25 g) 枸杞子 一錢(3.75 g)을 넣는다. ⑯ 驚氣에는 石膏를 넣는다. ⑰ 驚風(胃風)에는 石膏·生地黃을 넣고 혹은 獨活地黃湯散劑+朱砂益元散散劑를 쓴다. ⑱ 頸椎間板脫出症, 頸强症에서 外感性에 의한 경우에는 柴胡 三錢을 넣고, 腎虛性으로 手痺까지 올때에는 地骨皮 羌活 各一錢(3.75 g)을 넣는다. ⑲ 高血壓에는 淸熱시켜야 하므로 朱砂益元散을 배합한다. ⑳ 霍亂, 關格에는 石膏를 넣는다. ㉑ 口臭症에 大便滑時에도 石膏를 넣는다. ㉒ 囊部濕疹에는 忍冬藤·連翹를 넣는다. ㉓ 傷食性에 의한 囊濕症에는 菟絲子를 넣는다. ㉔ 氣管支는 傷하지 않은 帶下에서 黃帶下時에는 玄參·牡丹皮를 넣고, 접히는 부위의 皮膚病이 병발시에는 忍冬藤·連翹를 넣는다. ㉕ 小兒의 盜汗과 虛汗에는 忍冬藤·連翹(勞心焦思일 때)·薄荷(傷風일 때)를 넣는다. ㉖ 産後風과 肺虛에 의한 頭瘡症(왕비듬)에 진물까지 날때는 忍冬藤·連翹를 넣는다. ㉗ 식사 중 특히 식은 밥을 먹으면서도 面汗이 있을 때는 본방을 쓰고, 重證時에는 涼膈散火湯을 쓴다. ㉘ 不眠症에는 元酸棗仁炒를 조금 넣는데, 元酸棗仁은 胃受熱證인 경우에 더욱 효과가 있다. ㉙ 不姙症에는 枸杞子를 넣는다. ㉚ 寒邪 感觸으로 인하여 産後 肢節痛인 경우에는 地骨皮를 넣는다. ㉛ 生理時에 반드시 感氣에 걸리는 경우에는 前胡·瓜蔞仁을 넣고, 經血色黑, 量少, 끈적끈적 혹은 黃帶下에는 玄參을 넣는다. ㉜ 驚風이 심해져 생긴 小兒痲痺에는 본방의 粉末:朱砂益元散=10:1～5:1로 하여 사용한다. ㉝ 夜尿症에는 桑螵蛸를 넣는다. ㉞ 夜嗽症에는 地骨皮 羌活 荊芥 各一錢(3.75 g) 澤瀉 五分(1.875 g)을 넣는다. ㉟ 腰痛에는 枸杞子·覆盆子를 쓴다. 만일 大便不通에는 石膏·生地黃을 넣고, 腎虛에 의한 脚膝痛에는 菟絲子 一·二錢(3.75·7.5 g)을 넣고, 血證에는 牛蒡子를 넣고, 腎虛에 의한 종아리痛에는 枸杞子·覆盆子를 넣고, 肩部까지 痛症이 오는 경우에는地骨皮를 넣고 産後風·傷風에 의한 尾骨痛에는 羌活을 넣는다. ㊱ 月經不順에서 流産後에 經色暗黑하고 量少한 경우에는 玄參을 넣고, 咽喉症과 口瘡症이 쉽게 생기는 경우에는 忍冬藤·連翹를 넣고, 咽乾症이 심하고 黃苔인 경우에는 知母를 넣는다. ㊲ 腎虛에 傷風을 겸하여 생긴 耳聾에는 柴胡 一錢(3.75 g) 枸杞子三錢(11.25 g)을 넣는다. ㊳ 氣虛에 의한 耳鳴에는 覆盆子 柴胡各一錢(3.75 g) 枸杞子 三錢(11.25 g)을 넣는다. ㊴ 咽喉症에는 忍冬藤·連翹를 넣고, 증상이 甚하면 牛蒡子를 君藥으로 한다. ㊵ 子宮腫瘍에는 忍冬藤·連翹를 넣는다. ㊶ 自然流産後病에는 生地黃·石膏를 넣고, 만일 舌黃苔·便祕·咽乾이 있으면 知母 五分～一錢(1.875～3.75 g)을 넣는다. ㊷ 前立腺肥大症과 前立腺炎에 小便不利하면 木通 滑石燈心草 各一錢(3.75 g)을 넣고, 수술후 혹은 酒色過度로 小便赤·尿血이 있으면 玄參·山梔子를 넣는다. ㊸ 中氣症으로 하품과 眩暈이 있으면 獨活地黃湯散劑+朱砂益元散散劑를 쓴다. ㊹ 중풍환자가 고혈압이 있는 경우에는 본방 분말:朱砂益元散 = 10:1～2:1을 사용한다. ㊺ 痔疾에는 木通·白茯神을 넣고, 만일 出血이 있으면 黃連 一錢(3.75 g) 赤茯苓 五分(1.875 g)을 넣고, 大便燥하면 生地黃을 쓴다. ㊻ 脫陰症에는 菟絲子 二錢(7.5 g)을 넣고 혹은 地骨皮를 쓴다. ㊼ 脫肛에는 木通 一錢(3.75 g)을 넣는다. ㊽ 임신 중 胎漏症에는 生地黃·石膏·玄參을 넣는다. ㊾ 皮膚斑疹에는 牛蒡子 一錢(3.75 g)을 넣고 혹은 石膏를 쓴다. ㊿ 皮膚病에서 만일 血證이면 玄參을 넣고, 남자이면 牛蒡子를 넣고, 傷食性이면 金銀花 五分～一錢(1.875～3.75 g)을 넣고, 처녀가 勞心焦思하여 오는 경우에는 牛蒡子·瓜蔞仁을 넣고, 긁으면 發赤하고 腫脹이 하여 金銀花를 사용해도 안되는 경우에는 忍冬藤 連翹 各五分～一錢(1.875～3.75 g)을 넣는다. (51) 鶴膝風에는 木通 一兩(37.5 g)을 넣는다. (52) 胸腹痛에는 먼저 滑石苦蔘湯을 써서 鎭痛을 시킨 뒤에 獨活地黃湯을 쓰고 혹은 朱砂益元散을 合方하여 사용한다.

【參考文獻】

1) 李濟馬 著. 『東醫壽世保元』. 重版印刷. 서울: 행림출판, 1993: 103.

2) 尹吉榮 著.『四象體質醫學論』. 3版訂正. 서울: 崇壹文化社, 1980: 359.

3) 金洲 著.『四象醫藥 性理臨床論』. 서울: 大星文化社, 1997: 231~236.

(4) 表裏腸胃 通治方

一切病證에는 荊防地黃湯을, 風熱諸證에는 凉膈散火湯을 사용한다.

荊防地黃湯

(『東醫壽世保元』)

【組成】 熟地黃 山茱萸 茯苓 澤瀉 各二錢(7.5 g)車前子羌活 獨活 荊芥 防風 各一錢(3.75 g)

【用法】 물에 달여서 복용한다.

【主治】 亡陰證 身寒, 泄瀉, 浮腫, 初結及調理, 荊芥·防風·羌活·獨活, 俱是補陰藥, 荊防大補膀胱眞陰無論, 頭腹痛, 痞滿, 泄瀉, 凡虛弱者, 用百貼無不必效.

【配伍分析】 本方은 六味地黃湯에 車前子·羌活·獨活·荊芥·防風을 넣고, 牡丹皮를 빼고 분량에 변화를 준 變方이다. 食滯痞滿·身寒·腹痛·泄瀉·浮腫 및 其他證을 치료한다. 咳嗽에는 前胡, 血證에는 玄參·牡丹皮, 偏頭痛에는 黃連·牛蒡子, 食滯에는 牡丹皮, 有火에는 石膏를 넣고, 頭痛·煩熱과 血證에는 生地黃·石膏를 넣고 山茱萸를 뺀다. 一切病證에 사용하는 方劑로 妙는 加減變通에 있다.

【臨床應用】 1. 加減法: 咳嗽加前胡; 血證加玄參·牡丹皮; 偏頭痛加黃連·牛蒡子; 食滯痞滿者加牡丹皮; 有火者加石膏; 頭痛煩熱與血證者, 用生地黃, 加石膏者, 去山茱萸. 荊芥·防風·羌活·獨活俱是補陰藥, 荊·防大淸胸膈·散風, 羌·獨大補膀胱眞陰, 無論頭腹痛·痞滿·泄瀉, 凡虛弱者, 數百貼用之, 無不必效, 屢試屢驗.

① 百日咳에는 前胡를 넣는다. ② 본방을 복용 후에 便閉가 되면 生地黃 四錢 石膏 一錢(3.75 g)을 넣는다. ③ 食滯痞滿(=血證)에는 牡丹皮를 넣는다. ④ 腎臟炎, 腎性浮腫에는 木通 三~五錢(11.25~18.75 g)을 넣는다. ⑤ 中風에서 中臟症의 便閉에는 본방에서 山茱萸를 빼고, 石膏를 넣는다. ⑥ 血證·下焦熱과 氣虛에 의한 子宮出血에는 牡丹皮·黃連·前胡·瓜蔞仁을 넣는다. ⑦ 血證·下焦出血·衄血에는 生地黃 二·三錢(7.5 ·11.25 g)을 넣는다. ⑧ 左側偏頭痛에는 黃連을 넣고, 飮酒後 勞心焦思하여 생긴 左側偏頭痛에는 黃連·牡丹皮를 넣는다. ⑨ 右側偏頭痛에는 黃連·牛蒡子를 넣는다. ⑩ 小便頻數에 는 天花粉을 넣는다. ⑪ 甲狀腺疾患에 喘息이 있으면 前胡·瓜蔞仁을 넣는다. 甲狀腺腫大일 때에는 牛蒡子를 넣는다. ⑫ 肩臂痛의 말기에 氣管支가 弱하면 柴胡 三錢(11.25 g) 枸杞子 一錢(3.75 g)을 넣는다. ⑬ 氣管支炎에는 前胡 瓜蔞仁 各一錢五分(5.625 g)을 넣는다. ⑭ 帶下에는 前胡· 瓜蔞仁·石膏를 넣는다. 黃帶下에는 玄參·牡丹皮를 넣는다. ⑮ 不姙症에 氣管支가 弱하고 咽痰, 大便後重에는 前胡 瓜蔞仁 各一錢五分(5.625 g)을 넣는다. ⑯ 便血에는 地楡를 넣는다. ⑰ 생리할 때 感氣에 걸리면 前胡 瓜蔞仁 各一錢五分(5.625 g) 玄參 牡丹皮 各一錢(3.75 g)을 넣는다. ⑱ 聲嘶症에는 牛蒡子를 넣는다. ⑲ 腎臟炎, 浮腫에는 木通 二·四錢(7.5 ·15 g)을 넣는다. ⑳ 月經不順에 傷肺가 있으면 玄參·牡丹皮·前胡·瓜蔞仁을 넣는다. ㉑ 咽喉症에는 牛蒡子를 넣는다. ㉒ 淋疾에 傷肺가 있으면 枸杞子 一兩(37.5 g)을 넣는다. ㉓ 淋巴腺腫瘍으로 수술한 뒤에는 牛蒡子·黃連을 넣는다. ㉔ 前立腺肥大와 腫大에는 木通을 넣는다. ㉕ 肺性喘息에는 前胡 瓜蔞仁 各一錢五分(5.625 g)을 넣는다. ㉖ 勞心焦思에 의한 扁桃腺肥大에는 牛蒡子·黃連·石膏를 넣는다. ㉗ 肺病에는 前胡 瓜蔞仁 各一錢五分(5.625 g)을 넣는다.

【參考文獻】

1) 李濟馬 著.『東醫壽世保元』. 重版印刷. 서울: 행림출판, 1993: 103.

2) 尹吉榮 著.『四象體質醫學論』. 3版訂正. 서울: 崇壹文化社, 1980: 359.

3) 金洲 著.『四象醫藥 性理臨床論』. 서울: 大星文化社, 1997: 236~239.

4) 전국 한의과대학 사상의학교실 엮음.『改訂增補 四象醫學』. 2판 3쇄. 서울: 집문당, 2006: 394.

凉膈散火湯

(『東醫壽世保元』)

【組成】 生地黃 忍冬藤 連翹 各二錢(7.5 g) 山梔子 薄荷 知母 石膏 防風 荊芥 各一錢(3.75 g)

【用法】 물에 달여서 복용한다.

【主治】 上消, 纏喉風 及 脣腫之輕證.

【配伍分析】 本方은 凉膈散의 變方이다. 生地黃은 凉血·淸熱하고, 忍冬藤은 淸熱·解毒하고, 山梔子·知母는 淸火·散熱하고, 石膏는 淸火·下熱하고, 荊芥·防風은 驅風하니 소양인체질의 風熱이 盛한 一切病을 치료한다. 예를 들면 熱痰이 盛한 諸疾·火病諸症·食傷·宿滯諸病·氣鬱諸病·頭面諸疾·五官齒牙諸疾을 치료하는 것으로 一切諸症을 치료한다.

【臨床應用】 1. 加減法: ① 生知母 대신에 鹽炒知母를 쓰면 腹痛이 심하게 온다. ② 耳鳴·耳聾에는 枸杞子·柴胡를 넣는다. ③ 咽喉症에는 牛蒡子·前胡를 넣는다. ④ 子宮性 疾患에는 玄參·牡丹皮를 넣는다. ⑤ 血塊·黑色·量極少·끈적끈적에는 현삼·목단피를 넣는다. ⑥ 胃熱이 없으면 본방에서 梔子를 뺀다. ⑦ 腫瘍·癰疽·瘡·子宮腫瘍에는 忍冬藤·連翹를 넣는다. ⑧ 胃熱結에는 石膏를 쓴다. ⑨ 肝炎에 結胸證이 있으면 과루인을 넣는다. ⑩ 微熱의 甲狀腺疾患에서 氣管支가 손상되면 前胡·瓜蔞仁을 넣고, 甲狀腺腫大이면 牛蒡子를 넣고, 盜汗·不眠·大便滑·皮膚病이면 澤瀉 白茯苓金銀花 各五分(1.875 g)을 넣는다. 脾受寒證이면 獨活地黃湯과 荊防地黃湯에 혹은 前胡·瓜蔞仁·牛蒡子를 넣는다. ⑪ 口瘡症의 重證에는 牛蒡子를 넣고, 小便數이면 澤瀉·白茯苓을 넣는다. ⑫ 帶下에서 黃帶下가 심하고 陰部搔痒症이 있으면 玄參·牡丹皮를 넣고, 閉經期 이후에는 澤瀉·白茯苓을 넣는다. ⑬ 盜汗合病症에는 前胡·瓜蔞仁을 넣는다. ⑭ 飮酒過度後에 체중이 빠지고 盜汗이 심하고 소변이 불쾌하면 白茯苓·澤瀉를 넣는다. ⑮ 흑염소 복용후의 류마티즘에는 玄參·牡丹皮를 넣는다. ⑯ 오랜 기간 동안 勞心焦思하여 생긴 不姙症에 血塊·黑色·量少·끈적끈적하면 玄參·牡丹皮를 넣고, 浮腫·腰痛이 있으면 澤瀉·白茯苓을 넣는다. ⑰ 생리할 때 반드시 감기에 걸리고 그 정도가 심한 경우에는 玄參·牡丹皮·澤瀉·白茯苓을 넣는다. ⑱ 聲嘶症에 腫이 발생한 경우에는 牛蒡子를 쓴다. ⑲ 産後에 腎盂腎炎·膀胱炎이 발생하여 속이 쓰리고 냉수를 마시지 못하면 玄參·牡丹皮를 넣는다. ⑳ 勞心焦思에 傷食을 겸하여 생긴 陽毒發斑·面瘡疹症에는 澤瀉·白茯苓을 넣고, 大便不通일 때는 陽毒白虎湯을 쓴다. ㉑ 連珠瘡·丹毒에는 먼저 陽毒白虎湯을 사용해서 효과가 없을 때에 牛蒡子連翹湯을 사용한다. ㉒月經不順에는 玄參·牡丹皮를 넣는다. ㉓ 음부소양증에는 玄參·牡丹皮를 넣고, 폐경기 이후에는 玄參·牡丹皮는 좋지 않아 澤瀉·白茯苓을 넣는다. ㉔ 咽喉症 중 雙蛾에서 腫이 발생하면 牛蒡子를 넣고 혹은 忍冬藤·連翹를 넣는다. ㉕ 子宮不全症에서 냉수를 마시고자 하면 荊防瀉白散을 쓰고, 대변과 소변은 정상이고 냉수를 마시며 食滯痞滿하고 방귀가 쉽게 나오는 자는 獨活地黃湯을 쓴다. ㉖ 扁桃腺腫大에는 金銀花 二錢 牛蒡子 一錢을 넣는다. ㉗ 皮膚病에는 玄參 牡丹皮 牛蒡子 各一錢 茯苓 澤瀉 金銀花 各 五分을 넣는다. ㉘ 下顎骨이 發赤·浮腫·化膿되어 썩어 들어가면 牛蒡子를 넣는다.

【参考文獻】

1) 李濟馬 著.『東醫壽世保元』. 重版印刷. 서울: 행림출판, 1993: 104.
2) 尹吉榮 著.『四象體質醫學論』. 3版訂正. 서울: 崇壹文化社, 1980: 359~360.
3) 金洲 著.『四象醫藥 性理臨床論』. 서울: 大星文化社, 1997: 240~244.

(5) 虛證 主方

一切虛弱에는 十二味地黃湯을 사용한다.

十二味地黃湯

(『東醫壽世保元』)

【組成】 熟地黃 四錢 山茱萸 二錢(7.5 g) 白茯苓澤瀉 各一錢五分(5.625 g) 牡丹皮 地骨皮 玄参 枸杞子 覆盆子 車前子 荊芥 防風 各一錢(3.75 g)

【用法】 물에 달여서 복용한다.

【主治】 吐血, 陰虛午熱, 疝證 및 癎疾.

【配伍分析】 本方은 六味地黃湯의 變方이다. 六味地黃湯에서 枸杞子를 넣고, 山藥을 뺀 變方도 方名이 六味地黃湯인데, 이 方劑도 一切虛弱에 사용한다. 六味地黃湯은 補水·補血·利水하는 方劑로 陰虛하고 水道不利한 素因을 內在한 소양인체질에는 적절하나 山藥이 濇滯性이 있으므로 빼고, 補精·補陰하고 滑利한 枸杞子를 넣은 것이요, 또 여기에 地骨皮·玄參을 넣어 三焦火를 抑制하고, 覆盆子·車前子를 넣어 補精하고, 荊芥·防風을 넣어 風을 제거한 것이니 자연히 陰이 충족하여 虛弱이 補해진다.

【参考文獻】

1) 李濟馬 著.『東醫壽世保元』. 重版印刷. 서울: 행림출판, 1993: 103~104.
2) 尹吉榮 著.『四象體質醫學論』. 3版訂正. 서울: 崇壹文化社, 1980: 360.
3) 金洲 著.『四象醫藥 性理臨床論』. 서울: 大星文化社, 1997: 239~240.

(6) 利水 主方

緩證에는 木通大安湯을, 急證에는 甘遂天一丸을 사용한다.

木通大安湯

(『東醫壽世保元』)

【組成】 木通 生地黃 各五錢 赤茯苓 二錢(7.5 g) 澤瀉 車前子 川黃連 羌活 防風 荊芥 各一錢(3.75 g)

【用法】 물에 달여서 복용한다.

【主治】 浮腫(腎臟性 浮腫으로 누르면 튀어나오는 시간이 오래 걸린다).

【配伍分析】 本方은 五苓散의 變方이다. 五苓散에서 熱盛하므로 桂皮를 빼고, 白朮은 燥濇하므로 빼고, 猪苓은 다른 利水藥이 있으므로 뺀 것이다. 生地黃·川黃連은 淸熱하고, 羌活은 風濕을 제거하고, 荊芥·防風은 祛風하니 浮腫을 치료한다. 黃連·澤瀉는 없으면 빼도 무방하다.

【臨床應用】 1. 加減法: 險病, 始終用藥, 當至百餘貼. 黃連·澤瀉爲貴材則, 貧者或去連·澤.

【參考文獻】

1) 李濟馬 著.『東醫壽世保元』. 重版印刷. 서울: 행림출판, 1993: 105.
2) 尹吉榮 著.『四象體質醫學論』. 3版訂正. 서울: 崇壹文化社, 1980: 360.
3) 金洲 著.『四象醫藥 性理臨床論』. 서울: 大星文化社, 1997: 246.

甘遂天一丸

(『東醫壽世保元』)

【組成】 甘遂末 一錢(3.75 g) 輕粉末 一分(0.375 g)

【用法】 분말을 고루 섞고 밀가루풀로 十丸을 만들어 朱砂로 옷을 입힌다. 만들어 놓은 丸이 건조하여 오래되면 딱딱하여 和飮하기 어렵다. 매번 사용할 때는 백지로 두 세겹에 싸서 절구에 넣고 빻아 파쇄하여 거칠게 가루낸 三·四·五片을 입에 머금고 있다가 井華水로 삼킨다. 三·四辰刻을 기다리지 않아 下利하지 않으면 二丸을 다시 복용하는데 下利 三度가 적당하다. 六度는 과도하다. 미리 米飮을 끓여 놓았다가 下利 二·三度를 하거든 米飮을 마셔야 한다. 그렇지 않으면 氣陷하여 감당하기 어렵다. 結胸과 물이 들어가면 吐하는 것을 치료한다.(和勻糊丸, 分作十丸, 朱砂爲衣. 作丸乾久, 則堅硬難和. 每用時 以紙二三疊包裹, 以杵搗碎, 作麤末, 三四五片口含末, 因飮井華水和. 不候三四辰刻內, 不下利, 則再用二丸, 下利三度爲適中, 六度爲快過, 預煎米飮. 下利二三度, 因進米飮, 否則氣陷, 而難堪耐治結胸 水入還吐.)

【主治】 結胸, 水入還吐.

【配伍分析】 本方은 十棗湯의 變方이다. 본방은 甘遂와 輕粉이라는 두 종류의 독성 약물과 丸을 만드는 과정에서 쓰이는 朱砂 등 세 종류의 약물로 조성된 소양인 응급질환에 한시적으로 사용하는 방제이다. 주로 소양인의 表寒病 結胸으로 咽喉部로 물을 삼키지 못하거나 삼키더라도 다시 吐하며, 大便不通이 3일 정도 이르러 병이 위급한 상태에서 약물이 흡수되기 좋게 환약을 분쇄하여 복용시킨다. 복용 6~8시간 경과 후 설사를 하지 않으면 다시 2환을 복용시킨다. 설사를 세 차례 정도 하면 적당한 것이고, 6번 정도하면 아주 좋다. 그리고 미리 미음을 준비하였다가 설사를 2~3차례 하거든 먹이는 것이 좋은데 그렇지 않으면 기력이 쇠약해져서 견디기 어렵다고 하였다.

輕粉은 發汗하고, 甘遂는 泄瀉로 陰邪를 배출하 는데 輕粉의 藥力은 一分(0.375 g)이면 충분하고 五厘 정도도 부족하지 않고 甘遂의 藥力은 一分五厘(0.5625 g)면 만족하고 七~八厘(0.2625~0.3 g) 정도면 부족하지 않다. 그러므로 輕粉과 甘遂는 둘 다 一分(0.375 g)이 넘지 않게 하는 것이 좋으나 병의 경중에 따라 적절히 조절하되 頭腦의 火를 씻어 없애야 할 때에는 輕粉을 君藥으로 하고, 胸膈의 水氣를 제거해야 할 때에는 甘遂를 君藥으로 해야 한다(輕粉發汗, 甘遂下水. 輕粉藥力一分, 則快足; 五厘, 則無不及. 甘遂藥力一分五厘, 則快足; 七八厘, 則無不及. 輕粉· 甘遂, 自是毒藥, 俱不可輕易過一分用之, 斟酌輕重, 病欲頭腦滌火, 則輕粉爲君; 病欲胸膈下水, 則甘遂爲君).

【臨床應用】 1. 加減法: 甘遂一錢(3.75 g), 輕粉五分(1.875 g)으로 十丸을 만들면 輕粉甘遂龍虎丹이라고 한다. 輕粉· 甘遂를 各等分하여 十丸을 만들면 輕粉甘遂雌雄丹이라고 한다. 輕粉一錢, 乳香·沒藥·甘遂各五分(1.875 g)으로 30丸을 만들면 乳香沒藥輕粉丸이라고 한다.(甘遂一錢, 輕粉五分, 分作十丸則, 名曰輕粉甘遂龍虎丹. 輕粉·甘遂各等分, 作十丸則, 名曰輕粉甘遂雌雄丹. 輕粉一錢, 乳香·沒藥·甘遂各五分, 分作三十丸則, 名曰乳香沒藥輕粉丸.)

【參考文獻】

1) 李濟馬 著.『東醫壽世保元』. 重版印刷. 서울: 행림출판, 1993: 106.
2) 尹吉榮 著.『四象體質醫學論』. 3版訂正. 서울: 崇壹文化社, 1980: 360.
3) 전국 한의과대학 사상의학교실 엮음.『改訂增補 四象醫學』. 2판 3쇄. 서울: 집문당, 2006: 401~402.

3. 太陰人體質의 方劑

태음인체질은 傷肺·傷津·神氣不振하기 쉬운 체질이므로 補肺·理肺·生津·安神·發散·疏通 등을 兼한 약물을 택하는 것이 좋다. 이런 것 등을 손상하는 약물은 피할 것이다. 熱多寒少하기 쉬우니 淸熱·發散·淸陽上升藥, 傷肺하기 쉬우니 宣通肺氣·發汗하는 약물, 咳喘하기 쉬우니 鎭咳定喘하는 약물, 神氣不安하기 쉬우니 安神藥物, 血濁氣濇하여 病毒을 쉽게 제거하지 못하니 以毒治毒하는 약물 등을 택할 것이다. 또 血濁氣濇하면 회복력과 재생력이 부족하니 재생회복을 돕는 약물도 필요하다.

(1) 表證 主方

發熱·無汗而喘에는 麻黃發表湯을, 惡寒·不發熱에는 寒多熱少湯을 사용한다.

麻黃發表湯

(『東醫壽世保元』)

【組成】 桔梗 三錢(11.25 g) 麻黃 一錢五分(5.625 g) 麥門冬 黃芩 杏仁 各一錢(3.75 g)

【用法】 물에 달여서 복용한다.

【主治】 太陽證 無汗而喘.

【配伍分析】 本方은 麻黃湯의 變方이다. 麻黃湯에서 溫熱藥인 桂枝와 緩和藥인 甘草를 빼고, 桔梗·黃芩·麥門冬을 넣은 것이다. 태음인은 壯實緩慢한 체질적 素因을 內在한 체질이라 甘草로 緩할 필요가 없고, 腠理가 緻密하여 衛氣를 泄하지 못하는데 桂枝로 助熱할 필요가 없다고 본 것이요, 麥門冬·黃芩으로 淸肺하고, 桔梗으로 祛痰·通肺·利膈하여 發散하자는 것이다. 그러므로 發熱無汗의 表證을 치료한다.

【參考文獻】

1) 李濟馬 著.『東醫壽世保元』. 重版印刷. 서울: 행림출판, 1993: 123~124.
2) 尹吉榮 著.『四象體質醫學論』. 3版訂正. 서울: 崇壹文化社, 1980: 360~361.
3) 金洲 著.『四象醫藥 性理臨床論』. 서울: 大星文化社, 1997: 319.

寒多熱少湯

(『東醫壽世保元』)

【組成】 薏苡仁 三錢(11.25 g) 蘿葍子 二錢(7.5 g) 麥門冬 桔梗 黃芩 杏仁 麻黃 各一錢(3.75 g) 乾栗 七箇

【用法】 물에 달여서 복용한다.

【主治】 寒厥四五日而無汗.

【配伍分析】 傷寒에 수일 동안 惡寒하면 반드시 發熱하는데 惡寒이 여러 날 (厥甚)되면 熱도 또한 深한 것이다. 麻黃發表湯만으로는 미치지 못하니 薏苡仁·蘿葍子·乾栗을 넣은 것이다. 薏苡仁은 補肺·淸熱하고 益氣하며, 蘿葍子는 化痰·下氣하고 利小大便하며, 乾栗은 淸하고 濇滯하지 않은 滋養·補益品으로 益氣하고 津液을 通하니 이런 약물을 넣어서 發表·散邪를 돕는

것이다.

傷寒 四, 五日 厥하면 (惡寒만 있으면) 發熱하는데 厥甚 (惡寒이 여러 날 되는 것)하면 熱도 또한 深하니 이런 때는 熊膽散을 쓰던지 寒多熱少湯에 蠐螬를 넣어서 쓴다. 이는 胸腹瘀血을 散하고 以毒治毒하는 것이다.

【參考文獻】

1) 李濟馬 著.『東醫壽世保元』. 重版印刷. 서울: 행림출판, 1993: 123.
2) 尹吉榮 著.『四象體質醫學論』. 3版訂正. 서울: 崇壹文化社, 1980: 361.
3) 金洲 著.『四象醫藥 性理臨床論』. 서울: 大星文化社, 1997: 314~315.

⑵ 裏證 主方

憎寒·壯熱·腸燥에는 熱多寒少湯을, 熱結大便不通에는 葛根承氣湯을, 邪毒重에는 皂角大黃湯을 사용한다.

熱多寒少湯

(『東醫壽世保元』)

【組成】 葛根 四錢(15 g) 黃芩 藁本 各二錢(7.5 g) 蘿菖子 桔梗 升麻 白芷 各一錢(3.75 g)

【用法】 물에 달여서 복용한다.

【主治】 虛勞夢泄, 一月內三四回發者, 腿脚無力症.

【配伍分析】 本方에서 蘿菖子를 빼고, 葛根의 분량을 줄이면 四象方의 葛根解肌湯이 되는데, 이 方은 柴葛解肌湯 (一名 葛根解肌湯)의 變方이다. 熱이 裏로 轉入하는 證 또는 裏熱證에 通用되며, 達表나 上行이 필요할 때는 蘿菖子를 빼니 곧 葛根解肌湯으로 本方의 加減으로 논하는 것이 편리하다.

【臨床應用】 1. 加減法: ① 嘔吐·嘔逆·煩熱症에 面色黃赤·手指焦黑(=肝熱甚)·掌背浮腫·手足無力이면 본방에 大黃을 넣는다. ② 煩渴引飮·大便秘·小便多(如飮水一斗, 小便亦一斗) 즉 糖尿病이면 大黃·藁本을 넣는다. ③ 便祕에는 大黃을 넣는다. ④ 본방을 복용한 뒤에 속이 쓰리고 消化不良인 경우에 는 藁本을 一錢(3.75 g)으로 줄인다. ⑤ 大黃 一錢(3.75 g)을 넣어도 大便不通인 경우에는 藁本을 一錢(3.75 g)으로 줄이고 升麻 五分을 넣는다. 그래도 효과가 없으면 皂角刺를 넣는다. ⑥ 돼지고기 등으로 인하여 大腸濕이 있어서 생긴 泄瀉에는 樗根白皮 一·二·三錢(3.75·7.5·11.25 g)을 넣는다. ⑦ 胸燥에는 杏仁을 넣는다. ⑧ 龍眼肉을 쓰면 소화불량이 올 수 있다. ⑨ 갑상선질환에 口苦·大便秘가 있으면 반드시 鹿茸을 쓴다. ⑩ 驚風에는 遠志·石菖蒲·大黃을 넣는다. ⑪ 肝熱肺燥에 의한 衄血에는 枇杷葉·杏仁·大黃을 넣는다. ⑫ 당뇨병에 합병증으로 聲嘶가 있는 경우에는 石菖蒲 杏仁 各一錢(3.75 g)을 넣고, 口苦·口瘡·痰盛·鼻惡臭까지 있는 경우에는 枇杷葉을 쓴다. ⑬ 夢泄에는 大黃·龍骨을 넣고 6개월을 쓴다. ⑭ 불임증에는 鹿茸·鎖陽을 넣는다. ⑮ 腎虛에 의한 小便失禁에는 龍骨을 쓴다. ⑯ 手指焦黑斑瘡病에는 大黃·皂角刺를 內服하고, 大黃粉末은 外用한다. ⑰ 개고기를 먹는 등으로 생긴 肝熱에 의한 脣腫에는 大黃·皂角刺를 넣는다. ⑱ 알레르기성 鼻炎에는 大黃 一錢(3.75 g) 枇杷葉 五分을 넣는다. 痰에는 杏仁을 넣고, 大便燥에는 大黃을 넣고, 便祕·胸煩에는 升麻를 넣고, 본방을 복용한 뒤에 胸煩이 있을 때는 藁本 一錢(3.75 g)으로 줄인다. ⑲ 陽毒發斑으로 生理不順하고 생리 중에 面瘡·大便秘燥·소변정상·左脈滑·右脈緊·食困症이 있으면 본방 에서 藁本을 빼고, 大黃 二錢(7.5 g) 白斂 一錢(3.75 g) 皂角刺 二 ·三分(0.75·1.125 g)을 넣는다. ⑳ 咽喉症에는 大黃 혹은 皂角刺를 넣는다. ㉑ 장티푸스의 重證에 肝熱이 肺를 압박하고 大腸에

濕熱이 있으면 大黃 二錢(7.5 g) 杏仁 麻黃 各一錢(3.75 g) 혹은 皂角刺 五分(1.875 g)을 넣는다. ㉒ 癲癎에는 大黃·遠志·石菖蒲를 쓴다. 便祕가 있으면 皂角刺를 쓴다. ㉓ 燥熱病이 당뇨와 유사하고 大腸燥·肺燥·腎濕(=寒濕)에 의하면 大黃을 쓰고, 혹은 藁本 二錢을 넣는다. ㉔ 肝熱肺燥에 의한 喘息에는 鹿茸을 넣는다. ㉕ 內傷性 蓄膿症에는 大黃·皂角刺를 넣고, 효과가 없고 鼻惡臭가 있으면 枇杷葉을 넣는다. ㉖ 肝熱肺燥에 의한 吐血·喀血에는 枇杷葉·杏仁·桑白皮·大黃을 넣는다. ㉗ 飮酒에 食滯를 겸하여 생긴 黃疸에 小便不利하면 浮萍草 二~四錢(7.5~15 g)을 넣는다.

【参考文獻】

1) 李濟馬 著.『東醫壽世保元』. 重版印刷. 서울: 행림출판, 1993: 123.
2) 尹吉榮 著.『四象體質醫學論』. 3版訂正. 서울: 崇壹文化社, 1980: 361.
3) 金洲 著.『四象醫藥 性理臨床論』. 서울: 大星文化社, 1997: 310~314.

葛根承氣湯

(『東醫壽世保元』)

【組成】 葛根 四錢(15 g) 黃芩 大黃 各二錢(7.5 g) 升麻 桔梗 白芷 各一錢(3.75 g)

【用法】 물에 달여서 복용한다.

【主治】 溫疫病, 憎寒壯熱, 燥澁, 頭面項腦赤痛, 裏熱不飮食, 譫語發狂, 熱生風, 兩手厥冷, 兩脚伸而不屈, 大便不通.

【配伍分析】 葛根은 淸陽을 上升하여 生津하고 大小便을 利하며 煩熱·發狂을 치료하며, 黃芩은 熱을 제거하며 腸胃를 利하고, 大黃은 胃腸積滯를 蕩滌하고 大便燥結을 瀉하며, 升麻는 升陽散毒하며 熱壅을 散하며, 桔梗은 大腸에 鬱滯한 粘液을 排泄하니 태음인체질의 瀉下劑로 적절하다.

【臨床應用】 1. 加減法: 本方加大黃二錢則, 名曰葛根大承氣湯; 減大黃一錢則, 名曰葛根小承氣湯 ① 熱多寒少탕을 복용하던 사람이 産後病에 걸리면 먼저 熊膽 三·五·八分(1.125·1.875·3 g)을 복용한 뒤에 升麻·杏仁을 넣는다. ② 陽毒發斑·面瘡症의 太重證에는 升麻 萊菔子 白斂 各一錢(3.75 g) 皂角刺 二·三分(0.75·1.125 g)을 넣는다. ③ 妊娠惡阻에 便祕가 있을 때는 杏仁 一錢(3.75 g) 皂角刺 五分(1.875 g)을 넣는다.

【参考文獻】

1) 李濟馬 著.『東醫壽世保元』. 重版印刷. 서울: 행림출판, 1993: 123.
2) 尹吉榮 著.『四象體質醫學論』. 3版訂正. 서울: 崇壹文化社, 1980: 361.
3) 金洲 著.『四象醫藥 性理臨床論』. 서울: 大星文化社, 1997: 315~316.

皂角大黃湯

(『東醫壽世保元』)

【組成】 升麻 葛根 各三錢(11.25 g) 大黃 皂角 各一錢(3.75 g)

【用法】 물에 달여서 복용한다.

【主治】 憎寒壯熱, 燥澁, 頭面項腦赤腫者.

【配伍分析】 本方은 升麻·葛根이 三錢이나 되고, 大黃·皂角이 같은 분량이 되어서 藥力이 峻猛하니 三, 四

貼 이상 쓸 수 없다. 升麻·葛根은 淸陽을 上升하여 熱毒을 散하며, 大黃·皂角은 以毒治毒하니 瘟疫 같은 邪重에 사용한다.

【臨床應用】 1. 加減法: 用之者, 不可過三四貼, 升麻三錢, 大黃·皂角同局, 藥力峻猛故也.

【參考文獻】

1) 李濟馬 著.『東醫壽世保元』. 重版印刷. 서울: 행림출판, 1993: 124.
2) 尹吉榮 著.『四象體質醫學論』. 3版訂正. 서울: 崇壹文化社, 1980: 361~362.
3) 金洲 著.『四象醫藥 性理臨床論』. 서울: 大星文化社, 1997: 325~326.

(3) 脾胃證 主方

消食·進食에는 太陰調胃湯을 사용한다.

太陰調胃湯

(『東醫壽世保元』)

【組成】 薏苡仁 乾栗 各三錢(11.25 g) 蘿葍子 二錢(7.5 g) 五味子 麥門冬 石菖蒲 桔梗 麻黃 各一錢(3.75 g)

【用法】 물에 달여서 복용한다.

【主治】 黃疸(食滯에 의함), 傷寒時氣(陰陽俱傷性感氣), 頭痛(食滯와 傷寒에 의함), 身痛, 無汗, 食滯痞滿, 腿脚無力(胃脘冷의 腎臟 압박에 의함).

【配伍分析】 薏苡仁·乾栗은 滋補·益氣하고, 麥門冬·五味子는 生津하는데, 四藥味가 淸而不濇·不滯하므로 氣가 血보다 적고 傷津하기 쉬운 체질의 근본을 돕고, 桔梗·石菖蒲·蘿葍子·五味子가 능히 消食·進食하고, 麻黃·石菖蒲·桔梗·蘿葍子의 四味가 壅滯를 宣通하고 疏通하며, 薏苡仁·乾栗이 또한 補脾·健胃·行滯하니 태음인체질에 적절한 方劑이다.

【臨床應用】 1. 加減法: ① 泄瀉에는 樗根白皮 二錢(7.5 g)을 넣는다. ② 腎陽虛損에는 海松子 二錢~一兩(7.5~37.5 g)을 넣는다. ③ 食滯性 咳嗽에는 麻黃 三錢(11.25 g)을 넣는다. ④ 强盜 등으로 心虛하면 龍眼肉 三錢(11.25 g)을 넣는다. ⑤ 腎臟炎에는 蠐螬 2~10개를 넣는다. ⑥ 痢疾에는 樗根白皮一錢(3.75 g)을 넣는다. ⑦ 장티푸스의 初證에는 升麻 黃芩 各一錢(3.75 g)을 넣는다. ⑧ 속끓인 경우나 酒毒으로 面紅과 口苦症의 肝熱이 있을 때에 본방을 4~5일간 복용해서 좋지 않으면 본방에서 乾栗을 빼고 葛根을 넣어서 쓴다.

【參考文獻】

1) 李濟馬 著.『東醫壽世保元』. 重版印刷. 서울: 행림출판, 1993: 122.
2) 尹吉榮 著.『四象體質醫學論』. 3版訂正. 서울: 崇壹文化社, 1980: 362.
3) 金洲 著.『四象醫藥 性理臨床論』. 서울: 大星文化社, 1997: 298~299.

(4) 表裏腸胃 通治方

表裏脾胃의 通治에는 太陰調胃湯을 사용한다.

太陰調胃湯

(『東醫壽世保元』)

【組成】 薏苡仁 乾栗 各三錢(11.25 g) 蘿葍子 二錢(7.5 g) 五味子 麥門冬 石菖蒲 桔梗 麻黃 各一錢(3.75 g)

【用法】 물에 달여서 복용한다.

【主治】 表裏脾胃證.

【配伍分析】 宣通肺氣하고 腸胃의 滯를 行하고 胸膈을 利하고 化痰·消食하고 生津하면 表裏가 宣通하니 諸病이 스스로 낫는다. 그러나 妙는 加減變通에 있다.

【参考文獻】

1) 李濟馬 著.『東醫壽世保元』. 重版印刷. 서울: 행림출판, 1993: 122.

2) 尹吉榮 著.『四象體質醫學論』. 3版訂正. 서울: 崇壹文化社, 1980: 362.

(5) 安神 主方

神氣不振에는 清心蓮子湯을 사용한다.

清心蓮子湯

(『東醫壽世保元』)

【組成】 蓮子肉 山藥 各二錢(7.5 g) 天門冬 麥門冬 遠志 石菖蒲 酸棗仁 龍眼肉 柏子仁 黃芩 蘿菖子 各一錢(3.75 g) 甘菊花 三分(1.125 g)

【用法】 물에 달여서 복용한다.

【主治】 虛勞, 夢泄無度(腎氣無力), 腹痛, 泄瀉, 舌卷, 中風(前兆症), 食滯, 胸腹痛.

【配伍分析】 本方은 일반적으로 사용하는 清心蓮子湯(『太平惠民和劑局方』卷5)의 變方이다. 黃芩·蘿菖子·甘菊을 빼면 다 滋補의 약물이고, 神氣不振에 사용하는 약물이며, 대다수가 生津·養陰하는 약물이다. 그러므로 本方은 清心·養神·養陰·生津·通心神·安魂定魄·安眠의 효과가 있다.

【臨床應用】 1. 加減法: ① 본방을 복용한 뒤에 痞滿感이 오면 肝熱이 甚한 것이기 때무에 본방에서 龍眼肉을 뺀다. ② 大便堅하면 葛根을 쓴다. ③ 大便秘燥者는 大黃을 쓴다. ④ 大腸濕熱로 大腸後重이 있으면 大黃을 쓴다. 병증이 심하여 大黃을 써도 안되는 경우에는 升麻를 쓴다. ⑤ 大便의 頭尾가 모두 便祕일 때 葛根·大黃·升麻를 써도 효과를 보지 못하는 경우에는 皀角刺 五分(1.875 g)을 넣는다. ⑥ 用便시간이 긴 경우에는 葛根 五分~一錢(1.875~3.75 g)을 넣는다. ⑦ 脚痛에는 鹿角을 넣는다. ⑧ 酒色過多·직업여성·流産多로 인하여 腎虛가 甚하면 山藥을 넣는다. ⑨ 갑상선질환에는 반드시 鹿茸을 쓴다. ⑩ 産後나 流産後 子宮이 弱해져 心虛하고 勞心焦思하여 糖尿病이 생긴데에 怔忡症이나 心悸亢進이 있으면 藁本 二~四錢(7.5~15 g)을 넣고 혹은 藁本 葛根 各二錢(7.5 g)을 넣는다. ⑪ 夢泄에는 龍骨 一·二錢(3.75 ·7.5 g)을 넣는다. ⑫ 膀胱結石과 腎臟結石에는 生鹿角을 넣는 다. ⑬ 肝熱에 의한 不妊症에는 鹿茸을 넣는다. ⑭ 병을 오래 앓아 몸이 마른 환자가 消化性 潰瘍에 大便秘燥하면 본방에서 龍眼肉을 빼고 葛根·大黃을 넣는다. ⑮ 心煩·怔忡症이 심하면 遠志·石菖蒲를 넣는다. ⑯ 胃潰瘍과 十二指腸潰瘍에 大便燥하면 본방 에서 龍眼肉을 빼고 葛根·大黃을 넣는다. ⑰ 腎虛· 陰陽俱傷에 의한 腰痛에는 皀角刺·蒲黃을 넣는다. ⑱ 耳鳴·耳聾症에는 본방에서 龍眼肉을 빼고 大黃· 葛根·石菖蒲·鹿茸을 넣는다. ⑲ 妊娠惡阻에는 鹿茸을 넣고 혹은 본방에서 龍眼肉을 빼고 大黃 一錢을 넣는다. ⑳ 腎虛가 甚하여 생긴 前立腺肥大症에는 大黃·鎖陽·蠐螬·鹿茸을 넣는다. 飲酒者는 浮萍草를 쓴다. 蠐螬는 小便不快時에는 3·5개를 쓰고, 小便不通時에는 7개를 쓴다. ㉑ 肝熱에 의한 痔疾과 脫肛에 는 生鹿角 二錢(7.5 g)을 넣는다. ㉒ 肝熱에 의한 胎漏症의 輕證에는 杏仁 白芷 各一錢(3.75 g)을 넣고, 人工流産 경력이 있는 자는 鹿角膠를 넣고, 痛症이 있고 褐色이며 冷이 심하면 白芷를 쓴다. ㉓ 腿脚無力症에는 鹿角을 넣는다. ㉔ 皮膚病에는 白斂을 넣고, 병증이 심하면 白鮮皮·蟬退를 넣고, 子宮性이면 蛇床子를 넣는다. ㉕ 下血에는 鹿茸 葛根 各二錢(7.5 g) 大黃 一

錢(3.75 g)을 넣는다.

【參考文獻】

1) 李濟馬 著.『東醫壽世保元』. 重版印刷. 서울: 행림출판, 1993: 122.
2) 尹吉榮 著.『四象體質醫學論』. 3版訂正. 서울: 崇壹文化社, 1980: 362.
3) 金洲 著.『四象醫藥 性理臨床論』. 서울: 大星文化社, 1997: 303~306.

(6) 虛證 主方

一切虛損·虛弱에는 鹿茸大補湯을 사용한다.

鹿茸大補湯

(『東醫壽世保元』)

【組成】鹿茸 二·三·四錢(7.5·11.25·15 g) 麥門冬 薏苡仁 各一錢五分(5.625 g) 山藥 天門冬 五味子 杏仁 麻黃 各一錢(3.75 g)

【用法】물에 달여서 복용한다.

【主治】虛弱人, 表證·寒證多者(허약한 사람의 補血劑로 사용하고, 表寒證에 虛勞하고 少氣한 자에게 특히 효과가 우수하다).

【配伍分析】鹿茸으로 眞陽을 補하여 재생회복을 도모하고, 天門冬으로 滋陰·潤燥하고, 麥門冬·五味子로 生津하고, 薏苡仁·山藥으로 滋補하고, 杏仁·麻黃으로 宣通肺氣하면 津液이 蘇生하고 재생 회복력이 旺盛하여 태음인체질의 一切 虛損·虛弱을 치료한다.

【參考文獻】

1) 李濟馬 著.『東醫壽世保元』. 重版印刷. 서울: 행림출판, 1993: 124.
2) 尹吉榮 著.『四象體質醫學論』. 3版訂正. 서울: 崇壹文化社, 1980: 362.
3) 金洲 著.『四象醫藥 性理臨床論』. 서울: 大星文化社, 1997: 324~325.

4. 太陽人體質의 方劑

태양인체질은 陽盛한 체질이니 瀉陽하고 血·精·液이 손상하기 쉬우니 血·精·液을 기르는 약물을 써야할 것이다. 그런데『東醫壽世保元』에서는 潤津·壯筋骨하는 약물을 사용하였다. 연구가 미흡하여『東醫壽世保元』의 方劑를 그대로 이용한다.

(1) 表證 主方

解㑊에는 五加皮壯脊湯을 사용한다.

五加皮壯脊湯

(『東醫壽世保元』)

【組成】五加皮 四錢(15 g) 木瓜 青松節 各二錢(7.5 g) 葡萄根 蘆根 櫻桃肉 各一錢(3.75 g) 蕎麥米 半匙

【用法】물에 달여서 복용한다.

【主治】表證.

【臨床應用】1. 加減法: 青松節은 貴材이므로 松葉好品으로 대용할 수 있다(青松節, 闕材則, 以好松葉代之).

【参考文獻】

1) 李濟馬 著.『東醫壽世保元』. 重版印刷. 서울: 행림출판, 1993: 132.
2) 尹吉榮 著.『四象體質醫學論』. 3版訂正. 서울: 崇壹文化社, 1980: 362~363.

(2) 裏證 主方

嘻膈·反胃에는 獼猴藤植腸湯을 사용한다.

獼猴藤植腸湯

(『東醫壽世保元』)

【組成】 獼猴桃 四錢(15 g) 木苽 葡萄根 各二錢(7.5 g) 蘆根 櫻桃肉 五加皮 松花 各一錢(3.75 g) 杵頭糠 半匙

【用法】 물에 달여서 복용한다.

【主治】 裏證.

【臨床應用】 1. 加減法: 獼猴桃는 貴材이므로 獼猴藤으로서 대용할 수 있다(獼猴桃, 闕材則, 以藤代之).

【参考文獻】

1) 李濟馬 著.『東醫壽世保元』. 重版印刷. 서울: 행림출판, 1993: 132.
2) 尹吉榮 著.『四象體質醫學論』. 3版訂正. 서울: 崇壹文化社, 1980: 363.

第二十三章

천연물신약 및 건강기능보조제

第一節 천연물신약

천연물신약 연구개발 촉진법(약칭: 천연물신약개발법, 법률 제16263호, 2019.01.15.)에 의하면, "천연물"이란 육상 및 해양에 살고 있는 동물·식물 등의 생물과 생물의 세포 또는 조직배양 産物 등 생물을 基源으로 하는 산물을 말한다. "천연물성분"이란 천연물에 함유되어 있는 물질로서 생체에 직접적·간접적으로 영향을 미치는 등 生物活性을 가지는 물질을 말한다. "천연물신약"이란 천연물성분을 이용하여 연구·개발한 의약품으로서 조성 성분, 효능 등이 새로운 의약품을 말한다. "천연물과학"이란 천연물로부터 천연물성분의 분리, 화학구조의 究明, 생물활성의 탐색, 효과적인 생산 및 제조 방법의 탐구 등 천연물과 그 성분을 연구·활용하는 학문과 기술을 말한다.

조인스정

【出典】 식품의약품안전처 의약품통합정보시스템 (https://nedrug.mfds.go.kr)

【組成】 위령선·괄루근·하고초30%에탄올건조엑스 (40→1)

【用法】 성인은 1회 1정(총 429.19 mg)을 1일 3회 경구투여한다. 증상에 따라 적절히 증감한다.

【劑型】 정제

【主治】 골관절증(퇴행관절질환), 류마티스관절염의 증상 완화

【注意事項】

1. 다음 환자에는 신중히 투여할 것

1) 감염상태 또는 감염의 원인이 있는 환자(감염에 대한 자체 저항력이 감소될 가능성이 있음을 고려해야 하며, 이런 경우에는 감염의 진행을 억제하는 처치를 취해야 한다.)

2) 임부 또는 임신하고 있을 가능성이 있는 여성 및 수유부

2. 이상반응

이상반응 발현빈도는 매우 자주(10%≤), 자주(1%≤, <10%), 때때로(0.1%≤, <1%), 드물게(0.01%≤, <0.1%)로 구분하였다.

1) 골관절증(퇴행관절질환) 환자에 대한 국내 제3상 임상시험 결과 이 약 투여군 125명 중 23명(18.4%)에서 시험약물과 관련된 이상반응이 발생하였다. 발현부위별 이상반응은 다음과 같다.

2) 류마티스관절염 환자에 대한 국내 제3상 임상시험 결과 이 약 투여군 91명 중 27명(29.7%)에서 시험약물과 관련된 이상반응이 보고되었다.

3) 국내에서 골관절증(퇴행관절질환)에 대한 재심사를 위하여 4년 동안 5,962명을 대상으로 실시한 시판 후 조사결과 이상반응의 발현율은 인과관계와 상관없이 3.02%(180명/5,962명)로 보고되었다.

(1) 조사된 이상반응 중 이 약과 인과관계를 배제할 수 없는 이상반응은 2.38%(142명/5,962명)로 보고되었다.
(2) 시판 전 임상시험에서 나타나지 않았던 예상하지 못한 이상반응은 이 약과의 인과관계와 상관없이 백혈구감소증, 불면, 피부발진 각 2건씩, 구토, 설사, 구역, 상안검 주위 발진, 두근거림, 어지러움, 불쾌감, 무력감 각 1건씩 보고되었다.

4) 류마티스관절염 환자에서 6주 이상 복용한 후에도 증상의 개선이 없는 경우 이약의 복용을 즉각 중단하고, 의사 또는 약사와 상의한다.

아피톡신주

【出典】 식품의약품안전처 의약품통합정보시스템 (https://nedrug.mfds.go.kr)

【組成】 건조밀봉독

【用法】

*피부반응 시험

의사는 이 약을 투여 전에 다음의 방법에 따라 환자의 피부반응시험을 실시하여 음성인 경우에 주사한다.

1) 피부반응시험은 팔뚝(forearm)의 굴근표면에 멸균 1회용 주사기를 사용하여 실시한다.

2) 주사바늘을 피부표피층에 바늘 끝이 묻힐 정도로 찌른 후 0.05 mL(건조밀봉독으로서 0.05 mg)를 천천히 주사한다.

3) 판단

(1) 팽진, 홍반의 크기 및 퍼진 모양 등을 근거로 피부반응을 판단한다.
(2) 주사침이 찔린 작은 혈점과 주사부위를 둘러싼 지름 0.5~1 cm의 팽진 및 2.5~4 cm 크기의 홍반성 변화가 나타나며, 주사 후 15~30분 경과한 때 전신반응의 징후가 나타나지 않으면 음성반응으로 판정한다.

* 주사방법 및 부위

1) 이 약은 투여 직전에 다음과 같이 주사용수를 가하여 주사액을 제조한다.

2) 주사기는 0.1 mL 눈금이 새겨진 1 mL 1회용 멸균주사기(25~27G, 1/4~5/8인치 주사침)를 사용한다.

3) 이 약은 의사가 직접 0.1 mL씩 피내주사(intradermal injection)하며, 혈관부위에 주사하여서는 아니된다.

4) 주사는 통증이 있는 부위 또는 통증유발점에 주사한다.

* 투여량 설정

1) 이 약은 환자별로 민감도가 다르므로 환자의 기초체력, 체중 등을 고려하여 투여용량을 설정한다.

2) 주사는 0.1 mL를 한번(one shot)으로 하여 각각 다른 부위에 주사한다.

3) 1주 2회 간격으로, 6주동안 총 12회에 걸쳐 피내주사하며, 약용량은 환자의 상태를 고려하여 원칙적으로 아래와 같이 증량한다.

* 응급처치

피부반응시험 또는 주사 후 전신 반응이 나타날 경우 다음과 같이 처치한다.

1) 에피네프린:1:1,000(g/mL)용액 0.3~0.5 mL를 성인 사용량으로 하여 근육 또는 피하 주사한다. 반응이 심할 경우에는 투여부위 위쪽 말단에 즉각 압박대를 하고 압박대는 10~15분 간격으로 일시적으로 풀어준다. 환자가 응급처치 시설로 이송될 때까지 반복한다.

2) 격렬한 아나필락시스쇽의 경우에는 혈관내 용량 증대와 정맥압 상승, 산소공급, 기타 소생 및 지원수단이 필요할 수 있다.

3) 기관지 경련의 경우에는 아미노필린 또는 기타 기관지 확장제 투여가 필요할 수 있다.

【劑型】 주사제

【主治】 골관절염의 통증개선

【注意事項】

1. 경고

1) 이 약은 충분히 교육받은 숙련된 의사가 투약하여야 한다.

2) 의사는 이 약 투여에 의하여 심한 전신반응의 가능성 등 환자에게 발생할 수 있는 위험에 대해 충분히 알려야 한다.

3) 이 약 주사 전에 피부반응 테스트가 음성임을 확인한다.

4) 의사는 이 약을 투여받은 환자가 응급 시에 에피네프린 자가 피하 투여가 가능하도록 교육하고 투여기간 동안은 항상 응급 에피네프린 킷트를 소지토록 주지시킨다.

2. 다음 환자에는 투여하지 말 것

1) 유·소아
2) 임부 및 수유부
3) 급성감염증
4) 중증의 심혈관 질환 환자
5) 매독, 결핵, 임질 환자
6) 신장 질환 환자

3. 다음 환자에는 신중히 투여할 것

1) 당뇨병 환자
2) 월경 중 출혈이 많은 여성
3) 알레르기성, 아토피성 피부염 환자 및 과거 병력이 있는 환자

4) 정신질환자

4. 이상반응

1) 가장 보편적인 이상반응은 주사부위의 가려움증이다.

2) 주사부위 또는 전 사지의 동통과 팽윤, 두드러기, 사지부종, 관절 또는 근육동통, 안면 및 경부의 홍조, 오심, 현기증, 어지러움, 두통 등이 일어날 수 있다.

3) 드물게 천명성 호흡 혹은 천식, 호흡곤란, 청색증, 빈백, 심한 발한, 선병, 발열, 오한, 눈물, 경미한 지속성 헛기침(Clearing of throat), 목쉼, 빈발하는 마른기침, 지속성 재채기 및 고초열의 기타 증상들이 일어날 수 있다.

4) 이와 같은 반응 들은 주사 후 즉시(1시간 이내) 일어날 수도 있고, 48시간 이내까지 지연 되어 일어날 수도 있다.

5) 면역기능 증강으로 인한 다른 이상반응이 일어날 수 있다.

6) 국내에서 재심사를 위하여 6년 동안 3,113명의 환자를 대상으로 실시한 시판 후 조사결과는 다음과 같다.

(1) 국내에서 재심사를 위하여 6년 동안 국내 골관절염환자 3,113례를 대상으로 실시한 시판 후 사용성적조사결과 유해사례 발현증례율은 인과관계와 상관없이 1.25%(39명, 49건/3,113명)가 보고되었고, 이 약과의 인과관계가 있는 것으로 조사된 것은 1.19%(37명, 45건/3,113명)으로 가려움증 0.80% (25건), 부기 0.32%(10건), 통증 0.06%(2건), 물집발진 0.06%(2건), 발진 0.03%(1건), 홍반성 발진 0.03%(1건), 아나필락시스쇼크 0.03%(1건), 알레르기 반응 0.03%(1건), 청색증 0.03%(1건)이 보고되었다. 또한 이약과의 인과관계를 판단할 수 없는 것으로 보고된 예상하지 못한 약물유해반응은 비산후 여성의 젖분비 0.03%(1건)가 보고 되었다.

(2) 국내 시판 후 조사결과에서 가족력이 있는 대상자의 유해사례 발현율은 6.90%(4건/58명)로 가족력이 없는 대상자의 유해사례 발현율 1.15%(35건/3,055명)보다 높은 것으로 조사되었다(p=0.0055).

(3) 국내 시판 후 조사결과에서 기왕력이 있는 대상자의 유해사례 발현율 4.67%(10건/214명)가 기왕력이 없는 대상자의 발현율 1.00%(29건/2,899명)보다 높은 것으로 조사되었다(p=0.0002).

(4) 국내 시판 후 조사결과에서 알레르기 병력이 있는 대상자의 유해사례 발현율은 44.00%(11건/25명)로 알러지력이 없는 대상자의 유해사례 발현율 0.91%(28건/3,088명)에 비해 높은 것으로 조사되었다(p<.0001).

(5) 국내 시판 후 조사결과에서 병용요법이 있는 대상자의 유해사례 발현율은 3.61%(7건/194명)로 병용요법이 없는 대상자의 발현율 1.10%(32건/2,919명)보다 높은 것으로 조사되었다(p=0.0091).

(6) 국내 시판 후 조사결과에서 평균투여량이 1.0 mL 이하인 대상자의 유해사례 발현율은 2.53%(37건/1,463명)로 평균투여량이 1.0 mL 초과인 대상자의 유해사례 발현율 0.12%(2건/1636명)보다 높은 것으로 조사되었다(p<0.0001)

(7) 국내 시판 후 조사결과에서 투여횟수가 12회 미만인 대상자의 유해사례 발현율은 2.28%(34건/1,488명)로서 투여횟수가 12회 이상인 대상자의 유해사례 발현율 0.31%(5건/1611명)보다 높은 것으로 조사되었다(p<0.0001).

(8) 국내 시판 후 조사결과에서 총 투여량이 11.5 mL 이하인 대상자의 유해사례 발현율은 2.32%(36건/1,554명)로서 총 투여량이 11.5 mL 초과 대상자의 유해사례 발현율 0.19%(3건/1,545명)보다 높게 조사되었다(p<0.0001).

(9) 국내 시판 후 조사결과에서 간장애 대상자의 유해사례 발현율이 27.78%(5건/18명)로 간장애가 없는 대상자의 유해사례 발현율 1.10%(34건/3,095명)에 비해 높은 것으로 조사되었다(p<.0001).

5. 임부에 대한 투여

임신 중의 투여에 대한 안전성이 확립되어 있지 않으므로 임부 또는 임신하고 있을 가능성이 있는 부인에게는 치료 상의 유익성이 위험성을 상회한다고 판단되는 경우에만 투여한다.

6. 적용상의 주의

1) 환자는 피부반응 시험 및 치료 후 적어도 30분간은 전신반응이 나타나는지 직접 관찰해야 한다. 환자에게는 전신성 알레르기 반응의 징조가 나타나는 즉시 의사에게 알리도록 주시시킨다.

2) 주사부위의 팽윤 및 가려움증이 심한 경우에는 우선 냉찜질하고, 필요시 의사의 지시에 따라 항히스타민제(히드록시진, 세티리진)의 병용투여가 가능하다.

3) 치료기간중 과로 및 술은 절대 금한다.

7. 저장상의 주의사항

1) 어린이의 손에 닿지 않는 장소에 보관하여야 한다.

2) 직사일광을 피하고 될 수 있는 한 습기가 적은 서늘한 곳에 보관하여야 한다.

3) 오용을 피하고 다른 용기에 바꾸어 넣지 말아야 한다.

스티렌정

【出典】 식품의약품안전처 의약품통합정보시스템(https://nedrug.mfds.go.kr)

【組成】 애엽 95% 에탄올 연조엑스(20→1)

총량: 1정(339.25 mg) 중~제2법~수출용, 성분명: 애엽 95% 에탄올 연조엑스(20→1), 분량: 60, 단위: 밀리그램, 성분정보: 유파틸린(eupatilin)으로서 0.48~1.44 mg, 자세오시딘(jaceosidine)으로서 0.15~0.45 mg

【劑型】 정제

【主治】 1. 다음 질환의 위점막 병변[미란(짓무름), 출혈, 발적, 부종]개선: 급성위염, 만성위염

2. 비스테로이드소염진통제(NSAID) 투여로 인한 위염의 예방

【注意事項】

1. 다음 환자에게는 투여하지 말 것

이 약은 유당(젖당)을 함유하고 있으므로, 갈락토오스 불내성(galactose intolerance), Lapp 유당(젖당)분해효소 결핍증(Lapp lactase deficiency) 또는 포도당~갈락토오스 흡수장애(glucose~galactose malabsorption) 등의 유전적인 문제가 있는 환자에게는 투여하면 안 된다.

2. 다음 환자에는 신중히 투여할 것

1) 혈전 환자(뇌혈전, 심근경색, 정맥혈전증 등)
2) 소비성 응고 장애 환자
3) 간장, 신장, 심장, 폐, 혈액 등에 중대한 장애를 가지고 있는 환자
4) 약물알레르기증상(발진, 발열, 가려움 등)이 있거나

병력이 있는 환자

5) 이 약은 황색4호(타르트라진)를 함유하고 있으므로 이 성분에 과민하거나 알레르기 병력이 있는 환자

3. 이상반응

1) 국내에서 급·만성 위염에 대한 제3상 임상시험에 참여한 386명을 대상으로 보고된 발현부위별 이상반응은 다음과 같다.

(1) 소화기계: 때때로 구역(0.78%), 식욕부진(0.52%), 설사(0.52%), 구토(0.26%), 속쓰림(0.26%), 상복부통(0.26%)이 나타났다.
(2) 정신신경계: 때때로 어지럼(0.26%), 두통(0.26%)이 발생하였다.
(3) 피부: 때때로 발진(0.26%), 가려움(0.26%)이 나타났다.
(4) 간 및 담도계: 때때로 ALT 상승(0.26%)이 나타났다.

2) 국내에서 비스테로이드소염진통제(NSAID) 투여로 인한 위염 예방에 대한 제3상 임상시험에 참여한 266명을 대상으로 보고된 발현부위별 이상반응은 다음과 같다. 참고로 동 임상시험은 비스테로이드소염진통제와 이 약을 동시에 투여하며 진행되었으므로 다음의 이상반응이 비스테로이드소염진통제에 의한 것인지 이 약에 의한 것인지 확실하지 않으며, 또한, 이상반응이란 임상시험용의약품과 반드시 인과관계가 있는 것은 아니다.

(1) 심혈관계: 때때로 심계항진이 나타났다.
(2) 소화기계: 매우 자주 복부팽만, 상복부통, 속쓰림, 구역, 설사가 나타났다. 때때로 하복부통, 변비, 소화불량, 트림, 위장운동과다, 위식도 역류, 구토, 허기가 나타났다.
(3) 간 및 담도계: 자주 ALT 증가가 나타났으며, 때때로 혈중 빌리루빈 증가가 나타났다.
(4) 대사 및 영양계: 때때로 식욕 증진이 나타났다.
(5) 신경계: 때때로 두통이 나타났다.
(6) 정신계: 때때로 불면이 나타났다.
(7) 비뇨생식기계: 때때로 배뇨곤란이 나타났다.
(8) 호흡기계: 때때로 비인두염이 나타났다.
(9) 기타: 때때로 혈중 LDH 증가가 나타났다.

3) 국내 급·만성위염 환자 3,416례를 대상으로 실시한 시판 후 사용성적조사결과 이상반응은 0.18%(6례/3,416례)가 보고되었고, 약물과의 인과관계가 있는 이상반응은 0.15%(5례/3,416례)[식욕부진, 구역, 소화불량, 복통 등이 각각 0.03%(1례)]로 보고되었다. 또한, 이 약과의 인과관계를 판단할 수 없는 것으로 보고된 예상하지 못한 이상반응은 안면 부종 0.03%(1례)가 보고되었다.

4) 국내 비스테로이드소염진통제 투여로 인한 위염의 예방 목적으로 이 약을 투여 받은 관절염 환자 429례를 대상으로 실시한 시판 후 사용성적조사결과 이상반응은 2.10%(9례/429례)로 보고되었고, 약물과의 인과관계가 있는 이상반응은 0.93%(4례/429례)[상복부 통증 0.70%(3례), 구역 0.23%(1례)]로 보고되었다.

신바로캡슐

【出典】 식품의약품안전처 의약품통합정보시스템(https://nedrug.mfds.go.kr)

【組成】 刺五加·牛膝·防風·杜冲·狗脊·黑豆건조엑스(20→1)

총량: 1캡슐(430 mg) 중, 성분명: 자오가·우슬·방풍·두충·구척·흑두건조엑스(20→1), 분량: 300.0, 단위: 밀리그램

【用法】 성인 1일 2회, 1회 2캡슐씩 복용

【劑型】 캡슐제

【主治】 소염, 진통, 골관절증

【注意事項】

1. 경고

1) 정기적으로 술을 마시는 사람이 이 약이나 다른 해열진통제를 복용해야 할 경우 반드시 의사 또는 약사와 상의해야 한다.

2) 심혈관계, 위장관계 위험: 이 약을 투여하는 동안 심혈관계, 위장관계 증상 및 징후에 대하여 신중히 모니터링 하여야 하며, 중증의 이상반응이 의심되는 경우 즉시 정밀 진단 및 치료를 실시하여야 한다.

2. 다음 환자에는 투여하지 말 것

1) 소화성 궤양 환자
2) 중증의 심혈관계 환자
3) 중증의 간장애 환자
4) 중증의 신장애 환자
5) 이 약의 성분에 과민증이 있는 환자
6) 다른 비스테로이드성 소염진통제(COX-2 저해제 포함)에 대하여 천식, 두드러기, 알레르기 반응 또는 그 병력이 있는 환자

3. 다음 환자에는 신중히 투여할 것

1) 소화성 궤양의 병력이 있는 환자
2) 심혈관계 질환 또는 그러한 병력이 있는 환자
3) 간장애 또는 그러한 병력이 있는 환자
4) 신장애 또는 그러한 병력이 있는 환자
5) 과민증의 병력이 있는 환자
6) 기관지 천식 환자

4. 이상반응

골관절염 환자에 대한 국내 3상 임상시험 결과 시험약물과 관련된 발현부위별 이상반응은 다음과 같다. [자주: 1% 초과 및 10% 이하, 때때로: 0.1% 초과 및 1% 이하, 드물게 0.1% 미만]

시네츄라시럽

【出典】 식품의약품안전처 의약품통합정보시스템 (https://nedrug.mfds.go.kr)

【組成】 황련수포화부탄올건조엑스(Coptis Rhizome Butanol Dried Ext)(4.5~7→1) 87.5 mg/100 mL, 아이비엽 30% 에탄올엑스(Ivy Leaf 30% Ethanol Dried Ext)(5~7.5→1) 262.5 mg/100 mL

【用法】 연령에 따라 아래의 용량으로 1일 3회 경구투여. 2~6세: 1회 5 mL, 7~14세: 1회 10 mL, 15세 이상: 1회 15 mL

【劑型】 시럽제

【主治】 급성 상기도 감염과 만성 염증성 기관지염으로 인한 기침과 가래.

【注意事項】

1. 다음 환자에는 투여하지 말 것

1) 이 약 및 이 약의 구성성분에 과민증을 나타내는 자
2) 과당불내성 환자(감미제로 소르비톨 또는 과당 성분을 함유하고 있음)

2. 다음 환자에는 신중히 투여할 것

1) 위염 또는 위궤양
2) 폐렴, 조절되지 않은 천식, 바이러스성 독감, 결핵 등 중증의 호흡기질환
3) 악성 종양, 중증의 중추신경계 질환, 기타 약물치료를 요하는 중증의 대사성 질환
4) 심부전증 등 심각한 심장기능 이상이 있는 경우
5) 간기능 및 신기능에 심각한 이상이 있는 경우
6) 조절되지 않는 심각한 당뇨병 또는 조절되지 않는 심각한 고혈압
7) 발열을 수반하는 설사 환자, 혈변환자 또는 점액변이 계속되는 환자

3. 이상반응

1) 국내에서 급성상기도감염 및 만성염증성기관지염 환자 235명을 대상으로 한 제3상 임상시험에서 본 약물을 투여받은 118명에서 나타난 발현부위별 이상반응은 다음과 같다. 참고로 이상반응은 임상시험용 의약품과 인과관계가 모두 밝혀진 것은 아니며, 이 중 인과관계가 있을 것으로 판단되는 이상반응은 구역(0.9%), 구토(0.9%) 및 어지러움(0.9%)이다.

(1) 소화기계: 설사(2.5%), 소화불량(2.5%), 상복부통증(2.5%), 구토(1.7%), 구역(0.9%)
(2) 정신신경계: 두통(1.7%), 현기증(0.9%), 인두신경증(0.9%)
(3) 호흡기계: 인후통(0.9%), 비인후염(0.9%), 상기도통증(0.9%), 발성변화(0.9%)
(4) 기타 이상반응: 발열, 근육통, 피부발적, 가려움, 두드러기 등

모티리톤정

【出典】 식품의약품안전처 의약품통합정보시스템 (https://nedrug.mfds.go.kr)

【組成】 玄胡索·牽牛子(5:1) 50% 에탄올 연조엑스 (9.5~11.5→1)

총량: 이 약 1정 (162 mg) 중, 성분명: 현호색·견우자(5:1) 50% 에탄올 연조엑스(9.5~11.5→1), 분량: 30, 단위: 밀리그램, 비고: Corydaline으로서 0.156~0.468 mg, Chlorogenic acid로서 0.111~0.333 mg

【用法】 보통 성인은 1일 3회 1회 1정을 식전에 경구투여한다.

【劑型】 정제

【主治】 기능성 소화불량증

【注意事項】

1. 다음 환자에게는 투여하지 말 것

1) 이 약 또는 이 약의 구성성분에 과민반응의 병력이 있는 환자
2) 이 약은 유당을 함유하고 있으므로, 갈락토오스 불내성(galactose intolerance), Lapp 유당분해효소결핍증(Lapp lactase deficiency) 또는 포도당~갈락토오스 흡수장애(glucose~galactose malabsorption) 등의 유전적인 문제가 있는 환자에게는 투여하지 않는다.

2. 이상반응

1) 기능성소화불량증 환자에 대한 국내 3상 임상시험 결과 시험약물과 관련된 발현부위별 이상반응은 다음과 같다.

(1) 정신신경계: 때때로 어지럼증(0.4%)
(2) 소화기계: 때때로 변비(2.2%), 설사(1.7%), 혈중 아밀라제 상승(0.4%)
(3) 순환기계: 때때로 심계항진(0.4%)
(4) 내분비계: 때때로 prolactin 레벨 상승(1.7%)
(5) 피부: 때때로 가려움증(1.3%), 발진(0.9%), 두드러기(0.4%), 피부 동통(0.4%)
(6) 간 및 담도계: 때때로 ALT 상승(1.3%), GGT 상승(0.9%), AST 상승(0.4%), LDH 상승(0.4%)
(7) 기타: 때때로 CPK 상승(0.4%)

2) 국내 시판 후 조사 결과

(1) 국내에서 4년 동안 605명을 대상으로 실시한 시판 후 사용성적조사 결과, 이상사례 발현율은 7.11%(43명/605명, 47건)이었고, 이 중 본제와 인과관계를 배제할 수 없는 약물이상반응 발현율은 3.97%(24명/605명, 25건)이며, 설사 1.65%(10명/605명, 10건), 변비 1.65%(10명/605명, 10건), 가려움증, 두드러기 각각 0.33%(2명/605명, 2건), 어지러움 0.17%(1명/605명, 1건)이 보고되었다. 중대한 이상사례는 해당 조사를 통해 확인되지 않았다.
(2) 예상하지 못한 이상사례는 해당 조사를 통해 확인되지 않았다.

3) 재심사 이상사례 분석평가 결과

(1) 이 약에 대한 국내 재심사 이상사례 및 자발적 부작용 보고자료를 국내 시판 허가된 모든 의약품을 대상으로 보고된 이상사례 보고자료(1989~2015.8)와 재심사 종료시점에서 통합평가한 결과, 다른 모든 의약품에서 보고된 이상사례에 비해 이 약에서 통계적으로 유의하게 많이 보고된 이상사례 중 새로 확인된 것들은 다음과 같다. 다만, 이 결과가 해당성분과 다음의 이상사례간에 인과관계가 입증된 것을 의미하는 것은 아니다.
- 소화기계: 소화불량, 복통, 메스꺼움, 복부팽만
- 정신계: 불면증
- 대사 및 영양계: 전해질이상

3. 일반적 주의

1) 이 약의 작용기전 상 아세틸콜린의 작용을 증강시킬 수 있으므로 주의하여 사용한다.

2) 이 약은 임상시험에서 기능성소화불량증에 최대 4주까지 투여한 경험이 있으며, 4주정도 투여하여도 증상의 개선이 없을 경우에는 투여를 중지하고 치료요법의 전환을 고려하는 것이 바람직하다.

4. 상호작용

이 약과 다른 약물들과의 병용투여에 대한 임상적 경험이 없으나 다음 약물과 병용투여 시 상호작용에 주의하여야 한다.

1) 항콜린제와 병용하는 경우 소화관운동 억제작용으로 인해 이 약의 작용이 감약될 수 있다.

2) 한의서에 따르면 이 약의 주성분의 하나인 견우자의 경우, 파두유와 같이 사용하지 않는다고 알려져있다.

5. 임부, 수유부에의 투여

이 약은 임신부 및 수유부의 투여에 대한 안전성이 확립되어 있지 않으므로 인부 또는 임신하고 있을 가능성이 있는 환자, 수유부에는 치료상의 유익성이 위험성을 상회한다고 판단되는 경우에만 투여한다.

6. 소아에의 투여

소아에 대한 사용경험이 없어 안전성이 확립되어 있지 않으므로 투여하지 않는 것이 바람직하다.

7. 고령자에 대한 투여

일반적으로 고령자는 신기능, 간기능 등의 생리기능이 저하하고 있는 경우가 많아, 이상반응이 나타나기 쉬우므로 충분히 관찰을 행하여 소화기 증상 등 이상반응이 나타난 경우에는 감량 또는 휴약하는 등 용량 및 투여간격에 유의하면서 신중히 투여한다.

레일라정

【出典】 식품의약품안전처 의약품통합정보시스템(https://nedrug.mfds.go.kr)

【組成】 當歸·木瓜·防風·續斷·五加皮·牛膝·威靈仙·肉桂·秦艽·川芎·天麻·紅花25%에탄올연조엑스(3.5→1)

총량: 이 약 1정(616.6 mg) 중, 성분명: 당귀·모과·방풍·속단·오가피·우슬·위령선·육계·진교·천궁·천마·홍화 25% 에탄올연조엑스(3.5→1), 분량: 405.4, 단위: 밀리그램, 비고: 원생약으로서 1418.9 mg, 건조물로서 300 mg

【用法】 성인 1일 2회, 1회 1정 복용

【劑型】 정제

【主治】 골관절증의 증상 완화

【注意事項】

1. 다음 환자에는 투여하지 말 것

1) 이 약 또는 이 약의 구성성분에 과민반응 또는 그 병력이 있는 환자
2) 소화성 궤양 환자, 중증의 심혈관계 환자, 중증의 간장애 환자, 중증의 신장애 환자
3) 과거 COX-2 저해제, 설폰아미드, 아스피린 또는 기타 비스테로이드성 소염진통제 계열의 약물에 알레르기 반응 또는 그 병력이 있는 환자
4) 임부 또는 임신하고 있을 가능성이 있는 여성(이 약에 함유되어 있는 생약인 우슬, 홍화에 의해 유·조산의 위험이 있다.)

2. 다음 환자에는 신중히 투여할 것

이 약물을 다음의 환자에게 투여한 임상시험자료가 없어 이들 환자에 대한 안전성 및 유효성이 확립되지 않았으므로 신중하게 투여하여야 한다: 소화성 궤양의 병력이 있는 환자, 심혈관계 질환 또는 그러한 병력이 있는 환자, 간장애 또는 그러한 병력이 있는 환자, 신장애 또는 그러한 병력이 있는 환자, 기관지 천식 환자, 정신신경과 약물을 복용하고 있는 환자 등.

3. 이상반응

1) 무릎 골관절염 환자를 대상으로 8주간 투여한 국내 제3상 임상시험 결과, 시험약물(레일라정)을 투여받은 154명의 환자에게서 발생된 시험약물과 '관련있을 가능성이 있음' 이상의 이상반응은 다음과 같으며 이중 시험약물과 관련된 중대한 이상반응은 없었다[드물게(0.1% 미만), 때때로(0.1~5% 미만)].

(1) 소화기계: 속쓰림 또는 소화불량(6.5%), 때때로 구강건조(0.65%), 오심(0.65%), 설사(0.65%)
(2) 전신: 때때로 얼굴부종(4.55%), 전신부종(0.65%), 쇠약감(0.65%)
(3) 대사계: 때때로 고트리글리세라이드혈증(1.3%), 고콜레스테롤혈증(0.65%), Transaminitis (0.65%), ALT 증가(0.65%), AST 증가(0.65%)
(4) 피부: 때때로 가려움(1.3%)
(5) 혈액: 때때로 백혈구(총 WBC) 감소(0.65%), 호중구 감소(0.65%)
(6) 기타: 때때로 흉부 불쾌감(0.65%), 두통(0.65%), 상기도 감염(0.65%), 흐릿한 시야(0.65%)

2) 국내 시판 후 조사결과

(1) 국내에서 재심사를 위하여 4년 동안 1,133명을 대상으로 실시한 시판 후 조사 결과, 이상사례의 발현율은 인과관계와 상관없이 9.44%(107/1,133명, 총 129건)로 보고되었다. 이 중 중대한 이상사례 발현율은 0.88%(10/1,133명, 총 12건)로 위출혈 0.18%(2/1,133명, 2건), 대장용종, 역류성식도염, 골절, 다리골절, 류마티스다발성근육통, 간농양, 두개강내출혈, 승모판기능부전, 신우신염, 폐렴 각 0.09%(1/1,133명, 1건) 보고되었다. 이 약과 인과관계를 배제할 수 없는 중대한 이상사례는 보고되지 않았다. 예상하지 못한 이상사례의 발현율은 인과관계와 상관없이 5.56%(63/1,133명, 총 75건)로 보고되었으며, 감기 0.79%(9/1,133명, 10건), 명치불편 0.44%(5/1133명, 5건), 위염, 두드러기 각 0.26%(3/1,133명, 3건), 골절 0.18%(2/1,133명, 3건), 변비, 상복부통, 위출혈, 장염, 폐렴, 발가락골절, 갑상선결절 각 0.18%(2/1133명, 2건), 대장용종, 백색혀, 십이지장궤양, 역류성식도염, 위식도역류, 위용종증, 위축성위염, 장폐쇄, 가래이상, 기관지염, 갈비뼈골절, 건초염, 다리골절, 류마티스다발성근육통, 목/어깨통증, 비염증성관절부기, 방광염, 배뇨곤란, 신낭종, 신우신염, 가슴통증, 독감유사증후, 등통증, 장미증, 탈모, 지방간, 간농양, 양성전립선비대증, 신장암, 두개강내출혈, 승모판기능부전, 화상, 감각이상, 우울증, 이명, 쓴맛, 멍 각 0.09%(1/1,133명, 1건)로 조사되었다. 이 중, 이 약과 인과관계를 배제할 수 없는 예상하지 못한 이상사례 발현율은 0.79%(9/1,133명, 총 9건)로 위염 0.26%(3/1,133명, 3건), 상복부통 0.18% (2/1,133명, 2건), 명치불편, 변비, 위식도역류, 두드러기 각 0.09%(1/1133명, 1건)로 보고되었다.

(2) 기타 자발적으로 보고된 이상사례 중, 이 약과 인과관계를 배제할 수 없는 예상하지 못한 이상사례로 두드러기 2건, 위염, 위창자통, 역류성식도염, 명치불편, 음식과 관계없는 명치통증, 불면증이 각 1건씩 보고되었다.

(3) 이 약에 대한 국내 재심사 이상사례 및 자발적 부작용 보고 자료를 국내 시판 허가된 모든 의약품을 대상으로 보고된 이상사례 보고자료(1989~2016.8)와 재심사 종료시점에서 통합 평가한 결과, 다른 모든 의약품에서 보고된 이상사례에 비해 이 약에서 통계적으로 유의하게 많이 보고된 이상사례 중 새로 확인된 것들은 다음과 같다. 다만, 이 결과가 해당성분과 다음의 이상사례 간에 인과관계가 입증된 것을 의미하는 것은 아니다.

- 신경계: 어지러움, 졸림
- 소화기계: 위염, 위식도역류
- 전신 및 투여 부위 이상: 말초부종

【参考文獻】

1) 국가법령정보센터/천연물신약 연구개발 촉진법(http://www.law.go.kr).

2)식품의약품안전처/의약품통합정보시스템/의약품제품정보(https://nedrug.mfds.go.kr).

第二節 건강기능보조제

건강기능식품에 관한 법률(약칭: 건강기능식품법, 법률 제15938호, 2018.12.11.)에 의하면, "건강기능식품"이란 인체에 유용한 기능성을 가진 원료나 성분을 사용하여 제조(가공을 포함함)한 식품을 말한다. "기능성"이란 인체의 구조 및 기능에 대하여 영양소를 조절하거나 생리학적 작용 등과 같은 보건 용도에 유용한 효과를 얻는 것을 말한다.

'건강기능식품'은 일상 식사에서 결핍되기 쉬운 영양소 또는 인체에 유용한 기능을 가진 원료나 성분(이하 기능성원료)을 사용하여 제조한 식품으로 건강을 유지하는데 도움을 주는 식품을 말한다. 식품의약품안전처는 동물시험, 인체적용시험 등 과학적 근거를 평가하여 기능성원료를 인정하고 있으며 이런 기능성원료를 가지고 만든 제품이 '건강기능식품'이다. 일반식품, 건강식품과 '건강기능식품'은 서로 다르다. 모든 식품은 기능을 가지고 있다. 첫째, 생명 및 건강 유지와 관련되는 영양 기능(1차 기능), 둘째, 맛, 냄새, 색 등의 감각적, 기호적인 기능(2차 기능), 셋째, 건강유지 및 증진에 도움이 되는 생체조절기능 등(3차 기능)이다. 이때 건강기능식품은 세 번째 생체조절기능에 초점을 맞춘 것이라고 할 수 있다.

가르시니아캄보지아 추출물

【원재료】 가르시니아캄보지아(Garcinia cambogia)열매 껍질

【제조방법】 원재료에서 물 또는 주정(물·주정 혼합물 포함)으로 추출하여 칼슘, 칼륨, 나트륨, 마그네슘의 염을 단독 또는 복합으로 결합하여 충분히 중화시켜 제조하여야 함.

【기능성분의 함량】 총(−)~Hydroxycitric acid가 600 mg/g 이상 함유되어 있어야 함.

【기능성 내용】 탄수화물이 지방으로 합성되는 것을 억제하여 체지방 감소에 도움을 줄 수 있음.

【일일 섭취량】 총(−)~Hydroxycitric acid로서 750~2,800 mg

【섭취 시 주의사항】

(가) 어린이, 임산부 및 수유부는 섭취를 피할 것.

(나) 간·신장·심장질환, 알레르기 및 천식이 있거나 의약품 복용 시 전문가와 상담할 것.

(다) 이상사례 발생 시 섭취를 중단하고 전문가와 상담할 것.

구아바잎 추출물

【원재료】 구아바(Psidium gujava)의 잎

【제조방법】 원재료를 열수 추출하고 여과, 농축하여 제조하여야 함.

【기능성분의 함량】 총 폴리페놀이 250~450 mg/g 함유되어 있어야 함.

【기능성 내용】 식후 혈당상승 억제에 도움을 줄 수 있음.

【일일 섭취량】 총 폴리페놀로서 120 mg

녹차추출물

【원재료】 녹차(Camellia sinensis, Thea sinensis) 잎

【제조방법】 상기 (1)의 원재료를 물 또는 주정(물·주정 혼합물 포함), 초산에틸로 추출 후 여과하여 제조하여야 함.

【기능성분의 함량】 카테킨을 200 mg/g 이상 함유하고 있어야 함. 카테킨은 에피갈로카테킨[(–)~epigallocatechin, EGC], 에피갈로카테킨갈레이트[(–)~epigallocatechin gallate, EGCG], 에피카테킨[(–)~epicatechin, EC] 및 에피카테킨갈레이트[(–)~epicatechin gallate, ECG] 합계량으로 환산하며 4가지 카테킨이 모두 확인되어야 함. 다만, 최종제품의 경우 4가지 카테킨을 모두 확인할 필요는 없음.

【기능성 내용】 항산화.체지방 감소·혈중 콜레스테롤 개선에 도움을 줄 수 있음.

【일일 섭취량】 카테킨으로서 0.3~1 g(에피갈로카테킨갈레이트[(–)~epigallocatechin gallate, EGCG)] 300 mg 이하)

【섭취 시 주의사항】

(가) 어린이, 임산부 및 수유부는 섭취를 피할 것.

(나) 간질환이 있거나 의약품 복용 시 전문가와 상담할 것.

(다) 카페인이 함유되어 있어 초조감, 불면 등을 나타낼 수 있음.

(라) 식사 후 섭취할 것.

(마) 카페인을 함유한 식품의 섭취에 주의할 것.

(바) 이상사례 발생 시 섭취를 중단하고 전문가와 상담할 것.

달맞이꽃종자 추출물

【원재료】 달맞이꽃(Oenothera biennis)의 종자

【제조방법】 원재료를 압착 또는 헥산으로 탈지하고 주정(물·주정 혼합물 포함)으로 추출한 후 여과, 농축하여 제조하여야 함.

【기능성분의 함량】 PGG (Penta~O~galloyl beta~D~glucose)가 20~28 mg/g 함유되어 있어야 함.

【기능성 내용】 식후 혈당상승 억제에 도움을 줄 수 있음.

【일일 섭취량】 PGG로서 4~8.4 mg

마늘

【원재료】 마늘(Allium sativum L) 구근

【제조방법】 원재료에서 비가식 부분을 제거한 후 동결 건조하고 분말화하여 제조하여야 함.

【기능성분의 함량】 알리인(Alliin)으로서 10 mg/g 이상 함유하고 있어야 함.

【기능성 내용】 혈중 콜레스테롤 개선에 도움을 줄 수 있음.

【일일 섭취량】 마늘 분말로서 0.6~1.0 g

매실추출물

【원재료】 매실(Prunus mune Sieb. et Zucc)

【제조방법】 원재료를 열수로 추출한 후 여과·농축하여 제조하여야 함. 제조 시 시안화합물이 제거되어야 함.

【기능성분의 함량】 구연산이 300~400 mg/g 함유되어 있어야 함.

【기능성 내용】 피로 개선에 도움을 줄 수 있음.

【일일 섭취량】 구연산으로서 1~1.3 g

밀크씨슬 추출물 (카르두스 마리아누스)

【원재료】 밀크씨슬(Silybum marianum)

【제조방법】 원재료를 그대로 주정(물·주정 혼합물 포함) 추출하거나 압착 또는 헥산으로 탈지하여 주정(물·주정 혼합물 포함) 추출한 후 여과, 농축, 정제하여 제조하여야 함. 정제과정 중 헥산 또는 초산에틸 사용 가능함.

【기능성분의 함량】 실리마린이 320~660 mg/g 함유되어 있어야 함.

【기능성 내용】 간 건강에 도움을 줄 수 있음.

【일일 섭취량】 실리마린으로서 130 mg

【섭취 시 주의사항】 알레르기 반응이 나타나는 경우에는 섭취 중단.

설사, 위통, 복부팽만 등의 위장관계 장애가 나타나는 경우에는 섭취에 주의.

바나바잎 추출물

【원재료】 바나바(Lagerstroemia speciosa)의 잎

【제조방법】 원재료를 주정(물·주정 혼합물 포함)으로 추출하고 여과, 농축하여 제조하여야 함.

【기능성분의 함량】 코로솔산(Corosolic acid)으로서 9~13 mg/g 함유되어 있어야 함.

【기능성 내용】 식후 혈당상승 억제에 도움을 줄 수 있음.

【일일 섭취량】 코로솔산으로서 0.45~1.3 mg

빌베리 추출물

【원재료】 빌베리(Vaccinium myrtillus L.)의 열매

【제조방법】 원재료를 주정(물.주정 혼합물 포함)으로 추출하고 여과·농축·정제하여 제조하여야 함.

【기능성분의 함량】 총 안토시아노사이드(Anthocyanosides)으로서 300~450 mg/g 함유하고 있어야 함.

【기능성 내용】 눈의 피로 개선에 도움을 줄 수 있음.

【일일 섭취량】 빌베리 추출물로서 240 mg(안토시아노사이드로서 72~108 mg)

알로에 전잎

【원재료】 알로에(Aloe vera, Aloe arborescence, Aloe saponaria)의 잎

【제조방법】
(가) 원재료에서 비가식 부분을 제거한 후 건조, 분말화하여 제조하여야 함.
(나) 원재료에서 비가식 부분을 제거한 후 분쇄 또는 농축하여 제조하여야 함.

【기능성분의 함량】 안트라퀴논계화합물(무수바바로인으로서)을 2.0~50.0 mg/g 함유하고 있어야 함.

【기능성 내용】 배변활동 원활에 도움을 줄 수 있음

【일일 섭취량】 무수바바로인으로서 20~30 mg

【섭취 시 주의사항】
(가) 어린이, 임산부 및 수유부는 섭취를 피할 것.
(나) 위·신장·간질환이 있거나 의약품 복용 시 전문가와 상담할 것.
(다) 이상사례 발생 시 섭취를 중단하고 전문가와 상담할 것.

영지버섯 자실체 추출물

【원재료】 영지버섯(Ganoderma lucidum 또는 Ganoderma tsugae) 자실체

【제조방법】 원재료를 열수로 추출한 후 여과·농축하여 제조하여야 함.

【기능성분의 함량】 베타글루칸을 10 mg/g 이상 함유하고 있어야 함.

【기능성 내용】 혈행 개선에 도움을 줄 수 있음.

【일일 섭취량】 베타글루칸으로서 24~42 mg

은행잎 추출물

【원재료】 은행나무(Ginko biloba)의 잎

【제조방법】 원재료를 분쇄 후 주정(물·주정 혼합물 포함)으로 추출하고 정제, 농축, 여과하여 제조하여야 함.

【기능성분의 함량】 플라보놀 배당체(flavonol glycoside)가 240~300 mg/g 함유되어 있어야 하며, 퀘르세틴과 켐페롤의 비율이 0.8~1.2이어야 함.

【기능성 내용】 기억력 개선·혈행 개선에 도움을 줄 수 있음.

【일일 섭취량】 플라보놀 배당체로서 28~36 mg

【섭취 시 주의사항】 임산부, 수유부, 어린이 및 수술 전후 환자는 섭취에 주의.

의약품(항응고제) 복용 시 섭취에 주의.

인삼

【원재료】 인삼(Panax ginseng C.A. Meyer)

※ 말리지 아니한 수삼, 수삼을 햇볕·열풍 또는 기타 방법으로 익히지 아니하고 말린 백삼, 수삼을 물로 익혀 말린 태극삼.

【제조방법】

(가) 원재료를 그대로 분말화하거나 수분을 제거한 후 분말화하여 제조하여야 함.

(나) 원재료를 물이나 주정(물·주정 혼합물 포함)으로 추출하여 여과하거나, 여과한 후 농축 또는 식용미생물로 발효하여 제조하여야 함.

(다) 원재료인 인삼근은 「인삼산업법」에 적합하여야 하며 4년근 이상의 것으로 춘미삼, 묘삼, 삼피, 인삼박은 사용할 수 없으며 병삼인 경우에는 병든 부분을 제거하고 사용할 수 있음.

【기능성분의 함량】 진세노사이드 Rg1과 Rb1을 합하여 0.8~34 mg/g 함유하고 있어야 함.

【기능성 내용】 면역력 증진·피로개선에 도움을 줄 수 있음.

【일일 섭취량】 진세노사이드 Rg1과 Rb1의 합계로서 3~80 mg

【섭취 시 주의사항】 의약품(당뇨치료제, 혈액항응고제) 복용 시 섭취에 주의

프로폴리스 추출물

【원재료】 꿀벌이 식물에서 채취한 수지에 자신의 분비물을 혼합하여 만든 프로폴리스

【제조방법】 원재료에서 왁스를 제거하고 물, 주정(물주정 혼합물 포함) 또는 이산화탄소(초임계추출)로 추출하여 제조하여야 함. 제조 시 디에틸렌글리콜을 사용하여서는 아니 됨.

【기능성분의 함량】 총 플라보노이드를 10 mg/g 이상 함유하고 있어야 하며, 파라(ρ)~쿠마르산 및 계피산이 확인되어야 함.

【기능성 내용】 항산화·구강에서의 항균작용에 도움을 줄 수 있음.

※ 구강에서의 항균작용은 구강에 직접 접촉할 수 있는 형태(스프레이 또는 팅크제, 씹어먹는 연질캡슐)에 한하며, 섭취량을 적용하지 않음.

【일일 섭취량】 총 플라보노이드로서 16~17 mg

홍경천 추출물

【원재료】 紅景天(Rhodiola rosea L.)의 뿌리

【제조방법】 원재료를 주정(물·주정 혼합물 포함)으로 추출하고 여과, 농축하여 제조하여야 함.

【기능성분의 함량】 로사빈(Rosavin)으로서 20~35 mg/g 함유하고 있어야 함.

【기능성 내용】 스트레스로 인한 피로 개선에 도움을

줄 수 있음.

【일일 섭취량】 홍경천 추출물로서 200~600 mg

홍국

【원재료】 쌀, 홍국균(Monascus anka, Monascus purpures, Monascus pilosus, Monascus ruber)

【제조방법】 쌀(찐쌀을 제외)에 홍국균을 접종하여 고체발효시킨 후 분말화하여 제조하여야 함.

【기능성분의 함량】 총 모나콜린 K를 0.5 mg/g 이상 함유하고 있어야 하며, 활성형 모나콜린 K가 확인되어야 함.

【기능성 내용】 혈중 콜레스테롤 개선에 도움을 줄 수 있음.

【일일 섭취량】 총 모나콜린 K로서 4~8 mg

홍삼

【원재료】 수삼(Panax ginseng C.A. Meyer)을 증기 또는 기타방법으로 쪄서 익혀 말린 홍삼.

【제조방법】

(가) 원재료를 분말화하여 제조하여야 함.
(나) 원재료를 물이나 주정(물·주정 혼합물 포함)으로 추출하여 여과하거나, 여과한 후 농축 또는 식용미생물로 발효하여 제조하여야 함.
(다) 원재료인 인삼근은 「인삼산업법」에 적합하여야 하며 4년근 이상의 것으로 춘미삼, 묘삼, 삼피, 인삼박은 사용할 수 없으며 병삼인 경우에는 병든 부분을 제거하고 사용할 수 있음.

【기능성분의 함량】 진세노사이드 Rg1, Rb1 및 Rg3를 합하여 2.5~34 mg/g 함유하고 있어야 함.

【기능성 내용】 면역력 증진·피로개선·혈소판 응집억제를 통한 혈액흐름·기억력 개선·항산화·갱년기 여성의 건강에 도움을 줄 수 있음.

【일일 섭취량】

(가) 면역력 증진.피로개선에 도움을 줄 수 있음: 진세노사이드 Rg1, Rb1 및 Rg3의 합계로서 3~80 mg
(나) 혈소판 응집억제를 통한 혈액흐름.기억력 개선·항산화에 도움을 줄 수 있음: 진세노사이드 Rg1, Rb1 및 Rg3의 합계로서 2.4~80 mg
(다) 갱년기 여성의 건강에 도움을 줄 수 있음: 진세노사이드 Rg1, Rb1 및 Rg3의 합계로서 25~0 mg

【섭취 시 주의사항】 의약품(당뇨치료제, 혈액항응고제) 복용 시 섭취에 주의

【참고문헌】

1) 국가법령정보센터/건강기능식품에 관한 법률(http://www.law.go.kr)
2) 식품안전나라/건강기능식품/원료별정보(https://www.foodsafetykorea.go.kr)

附錄

한방건강보험요양급여 한약제제 중 혼합엑스산제 56개 품목

처방명	처방내용	원료한약(g)	건조엑스함량(g)	적응증
1. 加味逍遙散 (『方藥合編』「增補方」)	當歸	3.75	0.863	월경 전 및 월경기의 다양한 심신 증상, 월경통, 과다 월경, 빈발 월경, 희발 월경, 불규칙 월경, 산후 우울한 기분 및 우울증, 갱년기 및 폐경기의 다양한 심신 증상, 소양감, 구내염, 입안마름, 수면장애, 어지러움, 피로, 권태, 식욕부진, 오한과 발열의 교대, 수족냉증, 상세 불명의 발열 및 열감, 온몸이 쑤시고 아픔, 어깨 결림, 두통, 수면 중의 과다 발한, 귀 속의 통증, 가슴과 유방 및 복부의 팽창감, 소변이 시원하게 나오지 않는 증상, 피가 섞인 가래, 심인성 기침, 신경증
	芍藥	3.75	0.638	
	茯苓	3.75	0.038	
	白朮	3.75	0.863	
	柴胡	3.75	0.386	
	梔子	3.75	0.810	
	牡丹皮	3.75	0.844	
	甘草	3.75	0.634	
	薄荷	1.88	0.233	
	계	**31.88**	**5.309**	
2. 葛根湯 (『醫學入門』「卷之三」「外感」「汗吐下 和解溫補總方」)	葛根	11.25	3.195	감기, 몸살, 뒷목과 등이 뻣뻣하게 아픔, 머리와 얼굴이 아픈 증상, 갈증, 설사, 피부 발진, 비염, 부비동염, 급성 기관지염, 급성 후두염, 성홍열, 대장염
	麻黃	7.50	0.750	
	芍藥	5.63	0.956	
	桂枝	3.75	0.075	
	甘草	3.00	0.507	
	生薑	1.50	0.053	
	大棗	2.00	0.728	
	계	**34.63**	**6.264**	
3. 葛根解肌湯 (『方藥合編』「中統12」)	葛根	3.75	1.065	인체 내부의 열증(양명경병)으로 인한 안구 통증 및 비강 내 건조감, 수면장애, 감기, 인플루엔자, 알레르기성 비염, 위축성 비염, 급성 부비동염, 알레르기성 접촉피부염, 다형홍반
	柴胡	3.75	0.386	
	黃芩	3.75	1.050	
	羌活	3.75	0.683	
	石膏*	3.75		
	芍藥	3.75	0.638	
	升麻	3.75	0.375	
	白芷	3.75	0.814	
	桔梗	3.75	1.013	
	甘草	1.88	0.317	
	生薑	1.50	0.053	
	大棗	2.00	0.728	
	계	**39.13**	**7.122**	

처방명	처방내용	원료한약(g)	건조엑스함량(g)	적응증
4. 九味羌活湯 (『方藥合編』「中統11」)	羌活	5.63	1.024	온몸이 쑤시고 아픈 증상, 감기, 인플루엔자, 타박상, 각종 관절염 및 관절통, 각기
	防風	5.63	1.181	
	川芎	4.50	0.945	
	白芷	4.50	0.977	
	蒼朮	4.50	1.080	
	黃芩	4.50	1.260	
	生地黃	4.50	0.522	
	細辛	1.88	0.161	
	甘草	1.88	0.317	
	계	**37.52**	**7.467**	
5. 芎蘇散 (『方藥合編』「中統21」)	黃芩	3.75	1.050	임신 중 혹은 산후에 발생한 감기, 몸살, 기침, 천식, 인플루엔자, 기관지염
	前胡	3.75	0.683	
	麥門冬	3.75	0.720	
	川芎	3.00	0.630	
	陳皮	3.00	0.600	
	白朮	3.00	0.690	
	芍藥	3.00	0.510	
	紫蘇葉	2.25	0.225	
	葛根	1.88	0.533	
	甘草	1.13	0.190	
	生薑	1.50	0.053	
	계	**30.01**	**5.884**	
6. 芎夏湯 (『方藥合編』「中統100」)	川芎	3.75	0.788	각종 병적 수분 정체(담음)를 동반한 질환으로 인한 소화불량, 복수, 복통, 협통, 흉통, 관절염 및 관절통, 요각통, 정신 불안 증상, 늑막염, 폐쇄성 폐질환
	半夏	3.75	0.574	
	茯苓	3.75	0.038	
	陳皮	1.88	0.375	
	靑皮	1.88	0.366	
	枳殼	1.88	0.360	
	白朮	0.94	0.216	
	甘草	0.94	0.158	
	生薑	2.50	0.085	
	계	**21.27**	**2.960**	

처방명	처방내용	원료한약(g)	건조엑스함량(g)	적응증
7. 內消散 (『方藥合編』「下統26」)	陳皮	3.75	0.750	식체, 소화 불량, 구역, 구토, 복부 팽만, 명치 끝이 답답하고 아픈 증세, 변비, 설사, 복통, 식욕 부진, 요통, 식도염, 식도의 궤양, 급만성 위십이지장염, 위십이지장궤양, 대장염, 과민성 장 증후군, 장중첩증, 만성 담낭염, 알코올성 위염, 알코올성 간질환, 인후부의 결절, 갑상선 결절, 우울한 기분, 심신증, 매핵기(히스테리구)
	半夏	3.75	0.574	
	茯苓	3.75	0.038	
	枳實	3.75	0.675	
	山査	3.75	0.814	
	神麯	3.75	1.391	
	砂仁	3.75	0.278	
	香附子	3.75	0.743	
	三稜	3.75	0.300	
	莪朮	3.75	0.214	
	乾薑	3.75	0.525	
	계	**41.25**	**6.302**	
8. 當歸連翹飮 (『東醫寶鑑』「外形篇」卷2)	白芷	2.63	0.570	치통, 구취 및 구취를 유발하는 구강내 질환, 구강과 입술의 건조, 구내염, 치은염, 치주염, 아구창, 구각 궤양, 입술 단순 헤르페스
	當歸	2.63	0.604	
	生地黃	2.63	0.305	
	川芎	2.63	0.551	
	連翹	2.63	0.305	
	防風	2.63	0.551	
	荊芥	2.63	0.233	
	羌活	2.63	0.478	
	黃芩	2.63	0.735	
	梔子	2.63	0.567	
	枳殼	2.63	0.504	
	甘草	2.63	0.443	
	細辛	1.13	0.097	
	계	**32.69**	**5.943**	
9. 當歸六黃湯 (『方藥合編』「下統67」)	黃芪	7.50	1.013	수면 중 과다 발한, 식은 땀, 출산 후의 과다 발한, 산후풍으로 인한 발한과다, 체액의 소실을 동반한 열감, 변비, 소변이 진하고 혀가 붉으며 맥박이 빠른 상태, 안면부 발적, 가슴 및 손발의 번열감, 갱년기 및 폐경기의 다양한 심신 증상, 권태감, 피로감, 두통, 현기증, 편두통, 심신증, 자율 신경 장애, 빈혈, 만성 소모성질환으로 인한 체력저하
	當歸	3.75	0.863	
	生地黃	3.75	0.435	
	熟地黃	3.75	1.189	
	黃栢	2.63	0.354	
	黃連	2.63	0.294	
	黃芩	2.63	0.735	
	계	**26.64**	**4.883**	
10. 大柴胡湯 (『方藥合編』「下統9」)	柴胡	15.00	1.545	헛소리, 딸꾹질, 비만, 변비, 소갈, 흉통, 두근거림, 원인 미상의 열, 주기적인 발열, 혈뇨, 구취 및 구취를 유발하는 구강내 질환, 설통, 감기, 몸살, 고창, 구역, 구토, 유행성 각결막염, 급성 결막염, 구내염, 치주염, 설염, 급성 편도염, 급성 후두염, 급성 기관염, 급성 기관지염, 급성 세기관지염, 급성 인후두염, 중이염, 부비동염, 인플루엔자, 폐렴, 천식, 폐의 괴저 및 괴사, 만성 폐쇄성 폐질환, 간염, 담낭염, 담관염, 소화성 궤양, 급성 충수염, 급성 췌장염, 대장염, 복막염, 과민성 장 증후군, 소화기계통 악성 신생물의 대증요법, 만성 허혈성 심장질환, 정신분열증, 해리 장애
	黃芩	9.38	2.625	
	芍藥	9.38	1.594	
	大黃	7.50	1.598	
	枳實	5.63	1.013	
	半夏	3.75	0.574	
	계	**50.64**	**8.949**	

처방명	처방내용	원료한약(g)	건조엑스함량(g)	적응증
11. 大靑龍湯 (『方藥合編』「增補方」)	麻黃	11.25	1.125	발열, 오한, 신체동통, 땀은 나지 않으면서 가슴이 답답하여 안정하지 못하는 경우, 감기, 몸살, 천명, 급성 인두염, 급성 편도염, 급성 후두염, 급성 기관염, 급성 기관지염, 급성 세기관지염, 급성 후두기관염, 급성 폐쇄성 후두염 및 후두개염, 급성 인후두염, 인플루엔자, 폐렴, 천식, 만성 폐쇄성 폐질환, 폐부종, 급성 부비동염. 급성 결막염, 단독
	桂枝	7.50	0.150	
	杏仁	5.63	0.810	
	甘草	3.75	0.634	
	石膏*	15.00		
	生薑	1.50	0.053	
	大棗	2.00	0.728	
	계	**46.63**	**3.500**	
12. 大和中飮 (『方藥合編』「下統25」)	山査	7.50	1.628	식체, 식욕 부진, 소화불량, 고창, 복부 팽만감, 복강내 종괴감, 변비, 설사, 알코올 중독, 위십이지장염, 식도염, 대장염, 장관 흡수 장애, 위십이지장궤양, 소화성 궤양, 유문 연축증, 위의 급성 확장, 소화기 계통 처치 후 장애
	麥芽	7.50	1.157	
	陳皮	5.63	1.125	
	厚朴	5.63	0.281	
	澤瀉	5.63	0.579	
	枳實	3.75	0.675	
	砂仁	1.88	0.139	
	계	**37.52**	**5.584**	
13. 大黃牡丹皮湯 (『東醫寶鑑』「雜病篇」卷8)	牡丹皮	9.38	2.109	변비, 복통, 급성 충수염, 장 및 충수의 염증, 체력이 있는 사람의 소화성 궤양, 치질, 골반 염증성 질환, 월경통
	桃仁	9.38	1.688	
	栝樓仁	9.38	0.328	
	大黃	5.63	1.198	
	芒硝*	5.63		
	계	**39.40**	**5.323**	
14. 桃仁承氣湯 (『方藥合編』「下統13」)	大黃	11.25	2.396	변비, 하복부의 강한 긴장감, 검은 색의 대변, 소변이 시원하게 나오지 않는 증상, 혈뇨, 코피, 두통, 중풍전조증 및 중풍, 원인 미상의 열, 고열로 인한 의식 불명, 헛소리, 월경통, 과소월경, 골반 염증성 질환, 만성 신염 증후군, 방광염, 알코올 중독, 해리 장애, 정신분열
	桃仁	10.00	1.800	
	桂枝	7.50	0.150	
	芒硝*	7.50		
	甘草	3.75	0.634	
	계	40.00	4.980	
15. 半夏白朮天麻湯 (『方藥合編』「中統115」)	半夏	5.63	0.861	소화불량, 소화기능의 약화에 동반된 이명, 현기증, 두통, 편두통, 메스꺼움, 답답함, 숨참, 구역, 구토, 안륜 색소 침착, 만성 위염
	陳皮	5.63	1.125	
	麥芽	5.63	0.872	
	白朮	3.75	0.863	
	神麯	3.75	1.391	
	蒼朮	1.88	0.450	
	人蔘	1.88	0.281	
	黃芪	1.88	0.253	
	天麻	1.88	0.324	
	茯苓	1.88	0.019	
	澤瀉	1.88	0.193	
	乾薑	1.13	0.158	
	黃栢	0.75	0.101	
	生薑	2.50	0.088	
	계	**40.05**	**6.979**	

처방명	처방내용	원료한약(g)	건조엑스함량(g)	적응증
16. 半夏瀉心湯 (『東醫寶鑑』「雜病篇」卷3)	半夏	7.50	1.148	명치 밑이 그득하지만 아프지 않은 경우, 감기 및 기타 감염으로 열이 나고 명치 밑이 그득하면서 구토하는 경우, 구내염, 숙취, 소화불량, 식욕부진, 구역, 구토, 위의 급성 확장, 위하수, 속쓰림, 트림, 위십이지장궤양, 소화성 궤양, 식도염, 신경성 위염, 위십이지장염, 대장염, 고창, 소화기계통의 처치 후 장애, 날문연축증, 장관 흡수 장애, 묽은 변 혹은 설사, 만성 허혈성 심장질환, 신경증
	黃芩	5.63	1.575	
	人蔘	5.63	0.844	
	甘草	5.63	0.951	
	乾薑	3.75	0.525	
	黃連	1.88	0.210	
	生薑	1.50	0.053	
	大棗	2.00	0.728	
	계	**33.52**	**6.034**	
17. 半夏厚朴湯 (四七湯) (『方藥合編』「中統82」)	半夏	7.50	1.148	소화불량, 식욕부진, 구역, 구토, 고창, 복부 팽만감, 위염, 위궤양, 신경성 기침, 매핵기(히스테리구), 쉰 목소리, 입인두의 기타 부분 양성 신생물의 대증요법, 권태감, 피로감, 현기증, 동계, 우울한 기분, 불안신경증, 입덧, 갱년기 및 폐경기와 관련된 다양한 심신 증상
	茯苓	6.00	0.060	
	厚朴	4.50	0.225	
	紫蘇葉	3.00	0.300	
	生薑	3.50	0.123	
	大棗	2.00	0.728	
	계	**26.50**	**2.584**	
18. 白朮湯 (『東醫寶鑑』「雜病篇」卷5)	白朮	11.25	2.588	가래가 많은 기침, 만성 기관지염, 숨가쁨, 병후의 체력저하, 피로감, 만성 설사, 식욕부진, 몸이 무겁고 아픈 경우, 달리 분류되지 않은 통증, 구토와 설사가 오래되어 갈증이 심하고 경련이 발생하려고 하는 경우, 다음다갈증, 다리에 쥐가 나는 경우, 과도 발한, 임신, 출산, 산후기에 합병된 설사 이질과 같은 소화기계통 질환
	半夏	5.63	0.861	
	陳皮	5.63	1.126	
	茯苓	5.63	0.056	
	五味子	5.63	1.013	
	甘草	1.88	0.318	
	生薑	2.50	0.088	
	계	**38.15**	**6.050**	
19. 補中益氣湯 (『方藥合編』「上統22」)	黃芪	5.63	0.759	소화불량, 복통, 식욕 부진, 기능적 설사, 위십이지장염, 위궤양, 위하수, 창자의 만성 혈관성 장애, 병후의 체력저하, 피로증후군, 권태감, 피로감, 다한증, 식은땀, 과로 혹은 영양장애로 몸에 열이 나고 속이 답답하며 식은땀이 나고 피곤한 경우, 기운이 없고 소변이 시원하게 나오지 않는 경우, 방광염, 만성 신염 증후군, 오랜 기침, 만성 후두기관염, 급성 후두염, 딸꾹질, 상지 마비, 하지 마비, 수족 마비, 중추신경계통의 염증성 질환의 후유증, 어깨 및 팔죽지 부위에서의 신경 손상, 엉덩신경의 병터, 달리 분류되지 않은 시상하부의 기능 장애, 대마비, 사지마비, 과다 월경, 빈발 월경, 자궁경부의 악성 신생물 후유증 및 회복기 치료, 요실금, 여성 생식기 탈출, 자궁하수, 대하, 음취, 임신 중 당뇨, 자연유산, 조기 임신 중 출혈, 산과적 외상, 분만 중 회음부 열상, 외음부 및 회음부의 비염증성 장애, 임신, 출산, 산후기의 소화기계통 장애, 기질적 장애 또는 질병에 의하지 않은 성기능 이상, 젖흐름증, 난청, 이명, 만성 고막염, 몸통의 피부 고름집, 종기, 불안, 긴장, 흥분
	人蔘	3.75	0.563	
	白朮	3.75	0.863	
	甘草	3.75	0.634	
	當歸	1.88	0.431	
	陳皮	1.88	0.375	
	升麻	1.13	0.113	
	柴胡	1.13	0.116	
	계	**22.90**	**3.854**	
20. 補虛湯 (『方藥合編』「上統116」)	人蔘	5.63	0.844	산후풍, 산후의 각종 질환, 출산 시 출혈로 인한 빈혈, 지속성 신체형 동통 장애, 임신 중 혹은 산후기의 감염성 질환, 수유와 관련된 유방 장애
	白朮	5.63	1.294	
	當歸	3.75	0.863	
	川芎	3.75	0.788	
	黃芪	3.75	0.506	
	陳皮	3.75	0.750	
	甘草	2.63	0.443	
	生薑	1.50	0.053	
	계	**30.39**	**5.541**	

처방명	처방내용	원료한약(g)	건조엑스함량(g)	적응증
21. 茯苓補心湯 (『方藥合編』「中統93」)	芍藥	7.50	1.275	가슴 및 손발에서 땀이 나는 경우, 권태감, 피로감, 피로 증후군, 홍조, 손발의 번열, 과도한 정서적 긴장 및 스트레스로 피를 토하거나 땀을 흘리는 경우, 코피, 다음 다갈증, 구역, 구토, 위장관 출혈, 빈혈, 고혈압, 저혈압, 결핵, 갱년기 및 폐경기와 관련된 다양한 심신 증상, 기분 장애, 불안 장애, 인지기능 및 각성에 관한 기타 증상 및 징후, 신경계통의 기타 퇴행성 질환
	熟地黃	5.63	1.783	
	當歸	4.88	1.122	
	川芎	2.63	0.551	
	茯苓	2.63	0.026	
	人蔘	2.63	0.394	
	半夏	2.63	0.402	
	前胡	2.63	0.478	
	陳皮	1.88	0.375	
	枳殼	1.88	0.360	
	桔梗	1.88	0.506	
	葛根	1.88	0.533	
	紫蘇葉	1.88	0.188	
	甘草	1.88	0.317	
	生薑	2.50	0.088	
	大棗	2.00	0.728	
	계	**46.94**	**9.126**	
22. 不換金正氣散 (『東醫寶鑑』「雜病篇」卷2)	蒼朮	7.50	1.800	구역, 구토, 설사, 맞지 않은 물과 음식으로 인해 생기는 각종 증상, 곽란, 오한과 발열의 교대, 기침, 식도염, 위십이지장염, 대장염, 기능적 창자 장애, 이질, 식중독, 감기, 인플루엔자, 후두기관염, 기관지염, 기관지확장증, 각기
	厚朴	3.75	0.188	
	陳皮	3.75	0.750	
	藿香	3.75	0.360	
	半夏	3.75	0.574	
	甘草	3.75	0.634	
	生薑	1.50	0.053	
	大棗	2.00	0.728	
	계	**29.75**	**5.087**	
23. 蔘蘇飮 (『東醫寶鑑』「雜病篇」卷2)	人蔘	3.75	0.563	기침, 콧물, 재채기, 코막힘, 풍한감모 후유증에 의한 불수의적 이상 운동, 주기적 발열, 원인 미상의 발열, 정서적 요인에 의한 가슴 답답함, 감기, 인플루엔자, 급성 후두기관염, 임신 혹은 산후기에 합병된 피부 및 피부 밑 조직의 질환, 담낭염, 기관, 기관지, 폐, 종격동의 악성 혹은 양성 신생물의 대증요법
	紫蘇葉	3.75	0.375	
	前胡	3.75	0.683	
	半夏	3.75	0.574	
	葛根	3.75	1.065	
	茯苓	3.75	0.038	
	陳皮	2.81	0.562	
	桔梗	2.81	0.759	
	枳殼	2.81	0.540	
	甘草	2.81	0.475	
	生薑	1.50	0.053	
	大棗	2.00	0.728	
	계	**37.24**	**6.415**	

처방명	처방내용	원료한약(g)	건조엑스함량(g)	적응증
24. 蔘朮健脾湯 (『東醫寶鑑』「雜病篇」卷4)	人蔘	3.75	0.563	소화기계가 약한 사람의 소화기능의 개선, 소화불량, 식욕부진, 신경성 식욕부진, 고창, 복부팽만, 위십이지장궤양, 소화성 궤양, 식도염, 위십이지장염, 대장염, 장관 흡수 장애, 기능적 설사, 설사를 동반한 과민성 장증후군, 분문 이완불능증, 식도의 수축, 식도의 운동장애, 식도의 악성 및 양성 신생물의 대증요법, 날문연축증, 만성 바이러스 간염
	白朮	3.75	0.863	
	茯苓	3.75	0.038	
	厚朴	3.75	0.188	
	陳皮	3.75	0.750	
	山査	3.75	0.814	
	枳實	3.00	0.540	
	芍藥	3.00	0.510	
	砂仁	1.88	0.139	
	神麯	1.88	0.696	
	麥芽	1.88	0.291	
	甘草	1.88	0.317	
	生薑	1.50	0.053	
	大棗	2.00	0.728	
	계	**39.52**	**6.490**	
25. 蔘胡芍藥湯 (『方藥合編』「下統15」)	生地黃	5.63	0.653	갈증, 심신불안정, 식욕부진, 대변을 시원하게 보지 못하는 경우, 소변을 시원하게 보지 못하거나 소변이 나오지 않는 경우, 소변을 가리지 못하는 경우, 재발성 및 지속성 혈뇨, 급성 신염증후군, 급속 진행성 신염 증후군, 만성 신염증후군, 상세불명의 신염증후군, 신증후군, 달리 분류된 질환에서의 사구체 장애, 상세불명의 요도증후군, 상세불명의 비뇨기계통 장애, 급성전립샘염, 요도협착, 급성방광염, 사이질성 방광염, 기타 만성 방광염, 감기 및 기타 감염증 후 잔존한 발열
	人蔘	3.75	0.563	
	柴胡	3.75	0.386	
	芍藥	3.75	0.638	
	黃芩	3.75	1.050	
	知母	3.75	0.878	
	麥門冬	3.75	0.720	
	枳殼	3.00	0.576	
	甘草	1.13	0.190	
	生薑	1.50	0.053	
	계	**33.76**	**5.707**	
26. 三黃瀉心湯 (『東醫寶鑑』「內景篇」卷2)	大黃	11.25	2.396	체력이 있는 사람의 안면홍조, 불안, 변비, 고혈압 수반증상(어깨결림), 이명, 두중, 불면, 명치 밑이 답답하고 단단하게 느껴지나 만지면 부드러운 경우, 심장 기능의 약화, 심장병의 불명확한 기록 및 합병증, 원인 미상의 발열, 코피, 피를 토하는 경우, 재발성 구내염, 혀 유두의 비대, 심통, 소양증
	生地黃	7.50	0.870	
	黃連	3.75	0.420	
	黃芩	3.75	1.050	
	계	**26.25**	**4.736**	
27. 生脈散 (『方藥合編』「上統12」)	麥門冬	7.50	1.440	여름철의 건강증진, 여름철의 무기력, 여름철의 배탈, 열사병, 피로, 권태감, 숨이 차고 입이 마르며 땀이 많이 나는 증상, 급성 인두염, 기침을 많이 해서 목소리가 잘 나오지 않는 증상, 성대 및 후두 질환의 대증요법
	人蔘	3.75	0.563	
	五味子	3.75	0.675	
	계	**15.00**	**2.678**	

처방명	처방내용	원료한약(g)	건조엑스함량(g)	적응증
28. 小柴胡湯(三禁湯) (『方藥合編』「中統25」)	柴胡	11.25	1.159	입이 쓰고 가슴과 옆구리가 답답하고 그득함, 식욕부진, 구역 및 구토, 식은 땀, 수면 중 과다 발한, 오한과 발열의 교대, 눈앞이 아찔아찔함, 난청, 감기가 나은 후에도 열이 지속되는 경우, 편도 및 아데노이드의 만성질환, 인플루엔자, 급성 기관지염, 급만성 후두기관염, 심인성기침, 천식, 기관지 확장증, 위염, 급성 담낭염, 급성 췌장염, 식도염, 분문 이완불능증, 식도의 수축, 식도의 운동장애, 식도의 악성 및 양성신생물의 대증요법, 임신 중 간기능 장애, 임신 및 산후기에 합병된 바이러스 감염, 급만성 바이러스 간염, 늑막염, 가로막의 장애, 무월경 혹은 폐경과 동반된 열감이나 발열과 오한의 교대, 월경 전 증후군, 월경통, 월경 기간 중의 발열, 출산 후의 발열, 산욕열, 급성 자궁목의 염증 및 난소염, 자궁목을 제외한 자궁의 염증성 질환, 여성의 급성 골반염, 늑간신경병증, 심신증, 급성 진행성 신염증후군, 재발성 및 지속성 혈뇨, 만성 신염 증후군, 급성 세뇨관~사이질성 신염, 만성 세뇨관~사이질성 신염, 급성 또는 만성으로 명시되지 않은 상세불명의 사이질성 신염, 방광염, 요도염 및 요도증후군, 전립선의 염증성 질환, 달리 분류되지 않은 남성 생식기관의 염증성 장애, 상세불명의 혈뇨, 신증후군, 달리 분류된 질환에서의 사구체장애, 섬망, 우울병 에피소드
	黃芩	7.50	2.100	
	人蔘	3.75	0.563	
	半夏	3.75	0.574	
	甘草	1.88	0.317	
	生薑	1.50	0.053	
	大棗	2.00	0.728	
	계	**31.63**	**5.494**	
29. 小青龍湯 (『方藥合編』「中統27」)	麻黃	5.63	0.563	감기, 콧물, 재채기, 기침, 숨 쉴 때의 가슴통증, 명치 통증, 딸꾹질, 구역, 구토, 갈증이 있고 설사를 하면서 아랫배가 답답한 증상, 관절통, 비염, 급만성 인두염, 인플루엔자, 천식, 폐렴, 늑막염, 폐부종, 기타 사이질성 폐질환, 달리 분류되지 않은 가슴막삼출액, 가슴막판, 기타 가슴막의 병태, 상세불명의 호흡기능 상실, 상세불명의 호흡기장애, 기관, 기관지 및 폐 악성신생물의 대증요법, 가슴샘 악성신생물의 대증요법, 심장, 종격동 및 가슴막 악성신생물의 대증요법, 기타 및 부위불명의 호흡기 및 가슴내 장기의 악성신생물의 대증요법, 기관 기관지 및 폐 양성신생물의 대증요법, 상세불명의 호흡기계통 양성신생물의 대증요법, 가슴샘 양성신생물의 대증요법, 급성결막염
	芍藥	5.63	0.956	
	半夏	5.63	0.861	
	五味子	5.63	1.013	
	桂枝	3.75	0.075	
	細辛	3.75	0.323	
	甘草	3.75	0.634	
	乾薑	3.75	0.525	
	계	**37.52**	**4.950**	
30. 升陽補胃湯 (『東醫寶鑑』「外形篇」卷4)	芍藥	5.63	0.956	설사, 점액변, 혈변, 위장관 출혈, 이급후중, 몸이 무겁고 마디가 쑤시고 아픔, 입이 쓰고 마름, 식욕부진, 권태감, 피로감, 대변을 시원하게 보지 못하고 소변을 자주 봄, 양기가 부족하여 안색이 나쁘며 춥고 몸이 떨리는 경우, 장관 흡수장애, 이질, 위장염, 대장염,위 악성 신생물의 대증요법, 췌장 악성 신생물의 대증요법, 기타 소화기관 악성 신생물의 대증요법, 위 양성신생물의 대증요법, 췌장 양성신생물의 대증요법
	升麻	3.75	0.375	
	羌活	3.75	0.683	
	黃	3.75	0.506	
	生地黃	1.88	0.218	
	獨活	1.88	0.315	
	柴胡	1.88	0.193	
	防風	1.88	0.394	
	牡丹皮	1.88	0.422	
	甘草	1.88	0.317	
	當歸	1.13	0.259	
	葛根	1.13	0.320	
	肉桂	0.75	0.024	
	계	**31.17**	**4.982**	

처방명	처방내용	원료한약(g)	건조엑스함량(g)	적응증
31. 柴梗半夏湯 (『方藥合編』「中統135」)	柴胡	7.50	0.773	열이 나고 기침을 하며 가슴이 그득하고 옆구리가 아픈 경우, 가래가 끓는 기침, 급성기관염, 급성후두기관염, 인플루엔자, 폐렴, 소화기의 악성 신생물의 대증요법
	栝樓仁	3.75	0.131	
	半夏	3.75	0.574	
	黃芩	3.75	1.050	
	枳殼	3.75	0.720	
	桔梗	3.75	1.013	
	靑皮	3.00	0.585	
	杏仁	3.00	0.432	
	甘草	1.50	0.254	
	生薑	1.50	0.053	
	계	**35.25**	**5.585**	
32. 柴胡桂枝湯 (『東醫寶鑑』「雜病篇」卷2)	柴胡	7.50	0.773	감기, 오한과 발열의 교대, 복통, 옆구리가 아프고 가슴이 답답함, 두통, 항강통, 땀이 많이 나고 헛소리를 하며 물을 많이 마심, 늑간신경병증, 소화성궤양, 급만성 바이러스간염, 담낭염, 스트레스로 인한 통증, 심신증
	桂枝	3.75	0.075	
	黃芩	3.75	1.050	
	人蔘	3.75	0.563	
	芍藥	3.75	0.638	
	半夏	3.75	0.574	
	甘草	1.88	0.317	
	生薑	1.50	0.053	
	大棗	2.00	0.728	
	계	**31.63**	**4.771**	
33. 柴胡疏肝湯 (『方藥合編』「增補方」)	柴胡	4.50	0.464	식체 혹은 타박상으로 인해 옆구리가 아픈 경우, 발열과 오한의 교대, 늑막염, 늑간신경병증, 췌장의 기타 질환, 심신증, 우울증 에피소드
	陳皮	4.50	0.900	
	川芎	3.75	0.788	
	芍藥	3.75	0.638	
	枳殼	3.75	0.720	
	香附子	3.75	0.743	
	甘草	1.88	0.317	
	계	**25.88**	**4.570**	
34. 柴胡淸肝湯 (『東醫寶鑑』「雜病篇」卷7)	柴胡	7.50	0.773	분노, 화나 짜증을 잘 냄, 귀 뒷목 유방 옆구리 가슴의 통증, 오한과 발열의 교대, 급성 간염, 늑막염, 신경질을 잘 내는 소아의 만성 편도선염, 습진, 아토피성 피부염, 자극과민성, 심신증
	梔子	5.63	1.215	
	黃芩	3.75	1.050	
	人蔘	3.75	0.563	
	川芎	3.75	0.788	
	靑皮	3.75	0.731	
	連翹	3.00	0.348	
	桔梗	3.00	0.810	
	甘草	1.88	0.317	
	계	**36.01**	**6.595**	

처방명	처방내용	원료한약(g)	건조엑스함량(g)	적응증
35. 安胎飮 (『東醫寶鑑』「雜病篇」卷10)	白朮	7.50	1.725	임신 중 복통, 임신 중 출혈, 자연유산, 습관적 유산, 조기 진통
	黃芩	5.63	1.575	
	當歸	3.75	0.863	
	芍藥	3.75	0.638	
	熟地黃	3.75	1.189	
	砂仁	3.75	0.278	
	陳皮	3.75	0.750	
	川芎	3.00	0.630	
	紫蘇葉	3.00	0.300	
	甘草	1.50	0.254	
	계	**39.38**	**8.202**	
36. 連翹敗毒散 (『東醫寶鑑』「雜病篇」卷7)	連翹	2.63	0.305	감기 등 급성 상기도 감염, 이하선염, 종기로 인한 오한 발열 두통, 부종
	金銀花	2.63	0.473	
	荊芥	2.63	0.234	
	防風	2.63	0.551	
	羌活	2.63	0.478	
	獨活	2.63	0.441	
	柴胡	2.63	0.270	
	川芎	2.63	0.551	
	枳殼	2.63	0.504	
	桔梗	2.63	0.709	
	茯苓	2.63	0.026	
	甘草	2.63	0.444	
	薄荷	2.63	0.326	
	生薑	1.50	0.053	
	계	**35.69**	**5.365**	
37. 五淋散 (『方藥合編』「下統84」)	芍藥	7.50	1.275	배뇨장애, 혈뇨, 요도염 및 요도증후군, 방광염, 신장 및 요관의 결석 등으로 소변이 시원하게 나오지 않거나 농뇨 혈뇨 결석 하복통 음경통이 동반되는 경우, 급성 진행성 신염증후군, 만성신염 증후군
	梔子	7.50	1.620	
	當歸	3.75	0.863	
	茯苓	3.75	0.038	
	甘草	1.88	0.317	
	黃芩	1.88	0.525	
	계	**26.26**	**4.638**	

처방명	처방내용	원료한약(g)	건조엑스함량(g)	적응증
38. 五積散 (『方藥合編』「中統13」)	蒼朮	7.50	1.800	요통, 요각통, 좌골신경통, 관절통, 낙침, 감기, 두통, 두풍증, 구안와사, 신경통, 월경통, 냉, 대하, 구역, 구토, 소화불량,안구 피로, 산후풍, 요부 염좌, 엉덩관절증, 발목 염좌, 두경부 염좌, 각기, 근육의 분리, 윤활막염. 건초염, 관절염, 파젯병의 대증요법, 대뇌혈관 질환의 후유증, 독성 뇌병증의 대증요법, 신경병증, 갱년기 및 폐경기와 관련된 다양한 심신 증상, 월경 전 긴장증후군, 자궁근종의 대증요법, 여성생식기의 악성 종양의 대증요법, 외음부 · 질 · 자궁경부 · 자궁 · 난소 등 여성 생식기 염증성 질환의 보조요법, 과민성 장증후군, 각결막염, 우울병 에피소드, 재발성 우울성 장애, 기분부전증, 급성 스트레스 반응, 적응 장애, 건강염려증, 신경쇠약증, 심신증
	麻黃	3.75	0.375	
	陳皮	3.75	0.750	
	厚朴	3.00	0.150	
	桔梗	3.00	0.810	
	枳殼	3.00	0.576	
	當歸	3.00	0.690	
	乾薑	3.00	0.420	
	芍藥	3.00	0.510	
	茯苓	3.00	0.030	
	川芎	2.63	0.551	
	白芷	2.63	0.570	
	半夏	2.63	0.402	
	肉桂	2.63	0.084	
	甘草	2.25	0.380	
	生薑	1.50	0.053	
	계	**50.27**	**8.151**	
39. 理中湯 (『方藥合編』「上統6」)	人蔘	7.50	1.125	배가 아프고 설사를 하지만 갈증이 나지 않는 경우, 구역, 구토, 감각 장애, 냉증, 근육의 긴장, 요통, 요각통, 허약한 사람의 기침, 위십이지장염, 위궤양, 대장염, 기능적 설사, 과민성 장증후군, 임신 혹은 산후의 호흡기계 질환, 엉덩관절증
	白朮	7.50	1.725	
	乾薑	7.50	1.050	
	甘草	3.75	0.634	
	계	**26.25**	**4.534**	
40. 二陳湯 (『方藥合編』「中統99」)	半夏	7.50	1.148	기혈 순환이 순조롭지 못해서 발생하는 모든 증상, 소화불량, 구역, 구토, 가벼운 입덧, 현기증, 두근거림, 추웠다가 더웠다가 하는 증상, 몸의 여기저기가 돌아다니면서 아픈 증상, 만성 위염, 임신 및 출산 후의 소화기계통 질환, 두경부 염좌, 중추신경계통의 염증성 질환의 후유증, 늑막염
	茯苓	3.75	0.038	
	陳皮	3.75	0.750	
	甘草	1.88	0.317	
	生薑	1.50	0.053	
	계	**18.38**	**2.306**	
41. 益胃升陽湯 (『方藥合編』「上統23」)	白朮	5.63	1.294	기혈 손상으로 인한 피로권태감의 개선, 대출혈 혹은 만성 출혈 후의 원기 회복, 심번불안, 과다월경, 빈발월경, 불규칙 월경, 자궁 및 난소의 기능 장애로 인한 과다 출혈, 자궁내막 증식증, 유산 혹은 자궁외 임신 및 기태 임신에 따른 합병증
	黃芪	3.75	0.506	
	人蔘	2.81	0.422	
	神 麯	2.81	1.043	
	當歸	1.88	0.431	
	陳皮	1.88	0.375	
	甘草	1.88	0.317	
	升麻	1.13	0.113	
	柴胡	1.13	0.116	
	黃芩	0.75	0.210	
	계	**23.65**	**4.827**	

처방명	처방내용	원료한약(g)	건조엑스함량(g)	적응증
42. 人蔘敗毒散 (『東醫寶鑑』「雜病篇」卷2)	人蔘	3.75	0.563	오한을 동반한 고열, 두통, 안구통증, 전신통, 기침, 코막힘, 몸살, 근육의 과사용으로 인한 통증, 감기, 급성기관염, 급성기관지염, 만성 기관지염, 폐렴
	羌活	3.75	0.683	
	獨活	3.75	0.630	
	柴胡	3.75	0.386	
	川芎	3.75	0.788	
	枳殼	3.75	0.720	
	桔梗	3.75	1.013	
	茯苓	3.75	0.038	
	甘草	3.75	0.634	
	薄荷	0.94	0.116	
	生薑	1.50	0.053	
	계	**36.19**	**5.624**	
43. 茵蔯蒿湯 (『方藥合編』「增補方」)	茵蔯蒿	13.13	1.444	황달, 구갈, 변비, 두드러기, 간염, 구내염
	大黃	13.13	2.796	
	梔子	13.13	2.835	
	계	**39.39**	**7.075**	
44. 滋陰降火湯 (『方藥合編』「中統42」)	芍藥	4.88	0.829	기침, 객혈, 소변이 시원하게 나오지 않음, 체액 소실에 수반되는 발열, 홍조, 식은 땀, 체중감소, 식욕 부진, 만성후두기관염, 만성 기관지염, 기관지 확장증, 우울증 에피소드, 반복성 우울장애, 지속성 기분장애
	當歸	4.50	1.035	
	熱地黃	3.75	1.189	
	白朮	3.75	0.863	
	麥門冬	3.75	0.720	
	生地黃	3.00	0.348	
	陳皮	2.63	0.525	
	知母	1.88	0.439	
	黃栢	1.88	0.253	
	甘草	1.88	0.317	
	大棗	2.00	0.728	
	生薑	1.50	0.053	
	계	**35.40**	**7.299**	
45. 調胃承氣湯 (『東醫寶鑑』「雜病篇」卷2)	大黃	15.00	3.195	변비나 변비로 가슴이나 배가 답답한 증상, 헛소리를 하면서 설사하는 경우, 주기적인 발열, 복통을 동반한 점액변 혹은 농혈변, 소갈, 급성 충수염, 다형홍반, 섬망, 정신분열병, 분열형장애, 급성 및 일과성 정신병적 장애
	芒硝*	7.50		
	甘草	3.75	0.634	
	계	**26.25**	**3.829**	

처방명	처방내용	원료한약(g)	건조엑스함량(g)	적응증
46. 淸上蠲痛湯 (『濟衆新編』)	黃芩	5.63	1.575	두통, 안면통, 현기증, 기타 불안장애
	蒼朮	3.75	0.900	
	羌活	3.75	0.683	
	獨活	3.75	0.630	
	防風	3.75	0.788	
	川芎	3.75	0.788	
	當歸	3.75	0.863	
	白芷	3.75	0.814	
	麥門冬	3.75	0.720	
	蔓荊子	1.88	0.126	
	甘菊	1.88	0.503	
	細辛	1.13	0.097	
	甘草	1.13	0.190	
	계	**41.65**	**8.677**	
47. 淸暑益氣湯 (『方藥合編』「上統13」)	蒼朮	5.63	1.350	여름 타는 것, 다한, 더위로 인한 권태감 및 피로감, 갈증, 식욕부진, 열감, 설사, 이질, 여름철의 감기, 인플루엔자
	黃芪	3.75	0.506	
	升麻	3.75	0.375	
	人蔘	1.88	0.281	
	白朮	1.88	0.431	
	陳皮	1.88	0.375	
	神麯	1.88	0.696	
	澤瀉	1.88	0.193	
	黃栢	1.13	0.152	
	當歸	1.13	0.259	
	葛根	1.13	0.320	
	靑皮	1.13	0.219	
	麥門冬	1.13	0.216	
	甘草	1.13	0.190	
	계	**29.31**	**5.563**	
48. 淸胃散 (『方藥合編』「下統120」)	升麻	7.50	0.750	위(胃)에 열이 쌓여서 발생하는 재발성 구강 아프타, 구내염, 치통, 치은염, 치주염
	牡丹皮	5.63	1.266	
	當歸	3.75	0.863	
	黃連	3.75	0.420	
	生地黃	3.75	0.435	
	계	**24.38**	**3.734**	

처방명	처방내용	원료한약(g)	건조엑스함량(g)	적응증
49. 八物湯 (『方藥合編』「上統32」)	人蔘	4.50	0.675	허약한 사람의 피로, 무력감, 식욕부진, 이명, 병후 회복, 빈혈, 저혈압, 다리에 쥐가 나는 경우, 저림, 신경통, 신경염, 혈뇨, 월경 과소, 희발 월경, 과다 월경, 빈발 월경, 불규칙 월경, 월경통, 사춘기 지연, 무월경, 일과성 대뇌 허혈성 발작 및 관련 증후군, 기타 뇌혈관 질환, 기타 급성 허혈성 심장 질환, 기타 심장성 부정맥, 악성 신생물의 대증요법
	白朮	4.50	1.035	
	茯苓	4.50	0.045	
	甘草	4.50	0.761	
	熱地黃	4.50	1.427	
	芍藥	4.50	0.765	
	川芎	4.50	0.945	
	當歸	4.50	1.035	
	계	**36.00**	**6.688**	
50. 平胃散 (『東醫寶鑑』「內景篇」卷3)	蒼朮	7.50	1.800	급만성 식체로 인해 발생하는 모든 증상, 소화불량, 위의 급성 확장, 고창, 복부팽만, 속쓰림, 복통, 구역, 구토, 설사, 임신 및 산후에 발생하는 구역 · 구토 · 식체 · 설사, 권태감, 피로감, 기침, 요통, 요각통, 위식도 역류 질환, 식도염, 위십이지장염, 위십이지장궤양, 소화성 궤양, 대장염, 과민성 장증후군, 장관 흡수 장애, 분문의 이완불능증, 식도의 운동장애, 여름철의 감기, 식도 및 위장관 악성신생물의 대증요법
	陳皮	5.25	1.050	
	厚朴	3.75	0.188	
	甘草	2.25	0.380	
	生薑	1.50	0.053	
	大棗	2.00	0.728	
	계	**22.25**	**4.199**	
51. 杏蘇湯(散) (『東醫寶鑑』「雜病篇」卷5)	杏仁	3.75	0.540	감기, 기침, 가래, 만성 후두기관염
	紫蘇葉	3.75	0.375	
	陳皮	3.75	0.750	
	桑白皮	3.75	0.237	
	半夏	3.75	0.574	
	浙貝母	3.75	0.206	
	白朮	3.75	0.863	
	五味子	3.75	0.675	
	甘草	1.88	0.317	
	生薑	2.50	0.088	
	계	**34.38**	**4.625**	
52. 香砂平胃散 (『方藥合編』「下統24」)	蒼朮	7.50	1.800	소화불량, 설사, 구역, 구토, 속쓰림, 복통, 급 · 만성 식체에 수반되는 다양한 증상, 식도염, 위십이지장염, 여름철의 감기, 우울병 에피소드
	陳皮	3.75	0.750	
	香附子	3.75	0.743	
	枳 實	3.00	0.540	
	藿香	3.00	0.288	
	厚朴	2.63	0.131	
	砂仁	2.63	0.194	
	木香	1.88	0.617	
	甘草	1.88	0.317	
	生薑	1.50	0.053	
	계	**31.52**	**5.433**	

처방명	처방내용	원료한약(g)	건조엑스함량(g)	적응증
53. 黃芩芍藥湯 (『方藥合編』「下統93」)	黃芩	7.50	2.100	혈변, 복통을 동반한 발열, 이질, 감염성 대장염으로 인한 점액변, 위십이지장염, 충수염
	芍藥	7.50	1.275	
	甘草	3.75	0.634	
	계	**18.75**	**4.009**	
54. 黃連解毒湯 (『方藥合編』「下統12」)	黃連	4.69	0.525	비교적 체력이 강한 사람의 각종 발열과 염증성 소견을 동반하는 질환, 감염에 의한 고열, 경련, 의식 혼탁, 불면증, 기침, 코피, 구내염, 설염, 이명, 어지러움, 동계, 알코올성 위염, 알코올성 간질환, 자극성 접촉 피부염, 단독, 급성 결막염, 정신분열병, 양극성 정동 장애, 해리 장애, 신경증
	黃芩	4.69	1.313	
	黃栢	4.69	0.633	
	梔子	4.69	1.013	
	계	**18.76**	**3.484**	
55. 荊芥連翹湯 (『方藥合編』「中統126」)	荊芥	2.63	0.233	코막힘, 콧물, 코의 소양감, 기침, 천식, 귀의 통증, 외이의 수포나 염증, 감기, 인플루엔자, 비염, 알레르기성 비염, 부비동염, 인두염, 편도염, 세기관지염, 기관지염, 기관염, 후두기관염, 백일해, 중이염, 고막염
	連翹	2.63	0.305	
	防風	2.63	0.551	
	當歸	2.63	0.604	
	川芎	2.63	0.551	
	柴胡	2.63	0.270	
	枳殼	2.63	0.504	
	黃芩	2.63	0.735	
	白芷	2.63	0.570	
	桔梗	2.63	0.709	
	芍藥	2.63	0.446	
	梔子	2.63	0.567	
	甘草	1.88	0.317	
	계	**33.44**	**6.362**	
56. 回春涼隔散 (『方藥合編』「下統116」)	連翹	4.50	0.522	변비, 손발의 번열, 코피, 두통, 혀가 갈라짐, 복통, 안면 홍조, 여드름, 원인 불명의 발열, 소갈, 구내염, 설염, 아구창, 치은염, 치주염, 인두염, 위십이지장궤양, 위십이지장염, 갱년기 및 폐경기에 동반되는 각종 심신증상
	黃芩	2.63	0.735	
	梔子	2.63	0.567	
	桔梗	2.63	0.709	
	黃連	2.63	0.294	
	薄荷	2.63	0.326	
	當歸	2.63	0.604	
	生地黃	2.63	0.305	
	枳殼	2.63	0.504	
	甘草	2.63	0.444	
	芍藥	2.63	0.446	
	계	**30.80**	**5.456**	

* 石膏 및 芒硝의 경우, 건조엑스 추출하지 않고 가루 자체를 혼합함.

찾아보기

ㅇ